le Robert & Collins

poche

espagnol

français-espagnol / espagnol-français

le Robert

Collins

HarperCollins Publishers
Westerhill Road
Bishopbriggs
Glasgow
G64 2QT
Great Britain

Cuarta edición/Quatrième édition
2008

© HarperCollins Publishers 1996,
2002, 2005, 2008

Collins® is a registered trademark of
HarperCollins Publishers Limited

www.collinslanguage.com

Dictionnaires Le Robert
25, avenue Pierre de Coubertin
75211 Paris cedex 13
France

ISBN 978-2-84902-443-0

Dépôt légal janvier 2008
Achevé d'imprimer en janvier 2008

Fotocomposición/Photocomposition
Davidson Pre-Press, Glasgow

Impreso en Francia por/
Imprimé en France par
Maury-Imprimeur

Índice

Table des matières

Introducción

Si quieres aprender el francés o aprofundizar en los conocimientos ya adquiridos, si quieres ser capaz de explicarte en la lengua de Balzac, leer o estudiar textos franceses o conversar con personas de habla francesa, acabas de escoger el compañero de trabajo ideal para poder hacerlo, ya estés en el instituto o en la universidad, seas turista, administrativo u hombre/mujer de negocios. Este diccionario, totalmente práctico y al día, abarca una gran parte del vocabulario cotidiano, del realcionado con el mundo de los negocios, de la actualidad, de la administración burocrática y del turismo.

Cómo usar el diccionario
Más abajo tienes las explicaciones necesarias para entender cómo está presentada la información en tu diccionario.

Los artículos
Éstos son los elementos que pueden componer un artículo cualquiera del diccionario:

Transcripción fonética
Ésta aparece inmediatamente después de la entrada o lema (así denominamos a la palabra cabeza del artículo) y entre corchetes. Al igual que la mayor parte de los diccionarios actuales, hemos optado por el sistema denominado 'alfabeto fonético internacional'. En las páginas xvi y xvii encontrarás una lista completa de los símbolos fonéticos utilizados en este sistema.

Información gramatical
Todas las voces incluidas en el diccionario pertenecen a una determinada categoría gramatical: sustantivo, verbo, adjetivo, pronombre, artículo, conjunción. Los sustantivos pueden ser masculinos o femeninos, ir en singular o en plural. Los verbos pueden ser transitivos, intransitivos, pronominales (o reflexivos) y también impersonales. La categoría gramatical de cada voz aparece en *cursiva*, inmediatamente después de la transcripción fonética.

A menudo una misma palabra puede funcionar con distintas categorías gramaticales. Por ejemplo **deber** puede ser verbo o sustantivo, el término francés **expert** puede ser sustantivo o adjetivo. Incluso un mismo verbo como **importer** a veces será transitivo y a veces intransitivo, dependiendo de su significado. Para que te resulte más fácil encontrar la categoría gramatical que buscas (en el caso de que haya varias dentro de un mismo artículo) y para que la presentación sea más clara, aquéllas aparecen separadas por pequeños cuadrados negros ■.

Acepciones

La mayor parte de las palabras tienen más de un sentido. Así por ejemplo **crucero** puede ser, entre otros, un tipo de barco o un tipo de viaje turístico, y según la acepción que busquemos la traducción varía: 'croiseur' en el primer caso y 'croisière' en el segundo. Otras palabras se traducen de forma distinta según el contexto: **crecer** puede ser 'grandir', pero también 'pousser' si estamos hablando del pelo, 's'agrandir' si de una ciudad, 'grossir' si de un río etc. Para que puedas escoger la traducción más indicada para cada acepción o contexto hemos incorporado indicaciones de uso o significado, que aparecen entre paréntesis y en *cursiva*. Así figuran los anteriores ejemplos en el diccionario:

> **crucero** *nm (barco)* croiseur *m; (viaje)* croisière *f*
> **crecer** *vi* grandir ; *(pelo)* pousser; *(ciudad)* s'agrandir; *(río)* grossir

De la misma forma, muchas voces tienen un sentido distinto según el contexto en el que se usen. Así por ejemplo, **giro** puede ser un movimiento, pero tiene un significado monetario específico. Con la incorporación de indicaciones de campo semántico (tales como *Comercio* en este caso), resulta más fácil saber cuál es la acepción que necesitamos. La mayoría de dichas acepciones aparecen abreviadas para ganar espacio:

> **giro** *nm* tour *m; (Com)* virement *m*

Puede verse la lista completa de las abreviaturas que hemos utilizado en las páginas xii – xv.

Traducciones

La mayor parte de las palabras españolas tienen su traducción al francés y vice-versa, como en los ejemplos que acabamos de ver. Sin embargo hay ocasiones en las que no hay un equivalente exacto en la lengua término, fundamentalmente por razones socio-culturales. En este caso hemos dado una traducción aproximada (que suele ser en realidad un equivalente cultural) y lo indicamos con el signo ≈. Éste es el caso de **académie**, cuyo equivalente en español peninsular es 'distrito universitario', o de **sobresaliente**, que equivale a 'mention très bien': no se trata de traducciones propiamente dichas, puesto que ambos sistemas educativos son diferentes.

> **académie** *nf (Univ)* ≈ distrito universitario
> **sobresaliente** *nm (Escol)* ≈ mention *f* très bien

A veces es imposible encontrar incluso un equivalente aproximado, como en el caso de los platos o tradiciones regionales, por lo que se hace necesario dar una explicación en lugar de la traducción. Así ocurre, por ejemplo, con:

> **novillada** *nf course de jeunes taureaux*

Como puede verse, la explicación o glosa aparece en *cursiva*, para mayor claridad.

Así mismo, a menudo no se puede traducir una palabra aislada, o una acepción determinada de una voz. La traducción al francés de **comer** es 'manger', pero en la expresión **comerse el coco** la traducción será 'se faire du mouron'. De la misma forma, aunque **machine** se traduce normalmente por 'máquina', **machine à laver** es en realidad 'lavadora'. Es en este tipo de situaciones en las que tu diccionario te será más útil, pues es muy completo en compuestos nominales, frases y expresiones idiomáticas.

Niveles lingüísticos

En español, sabemos instintivamente cuándo usar **estoy muy cansando** y cuándo **estoy hecho polvo**. Sin embargo, a la hora de intentar comprender a alguien que está hablando en francés o bien de expresarnos nosotros mismos en esa lengua, adquiere una importancia especial saber si una palabra es coloquial o no. Así pues, hemos marcado las palabras o expresiones que no suelen utilizarse más que en una situación familiar con la indicación (*fam*) y aquéllas con las que hay que tener especial cuidado (pues pueden sonar muy vulgares a los oídos de mucha gente) con el signo de admiración (*fam!*). No hemos añadido la indicación (*fam*) a la traducción francés cuando ésta tiene el mismo nivel que la palabra que se traduce pero a las traducciones que pueden resultar vulgares siempre las sigue la indicación (*fam!*).

Palabras clave

Algunas voces particularmente importantes o complejas en ambas lenguas requieren un tratamiento especial dentro del diccionario: verbos como **hacer** o **estar** en español, o **avoir** o **faire** en francés. Por ello, aparecen bajo la denominación de 'palabra clave', y como comprobarás, se ha hecho un análisis más profundo de ellas, pues son elementos básicos de la lengua.

Información de tipo cultural

La información que aparece **en la nota cultural** explica diversos aspectos de la cultura en países de habla española y francésa, como la política, la educación, medios de comunicación y fiestas nacionales.

Nota

Tras la decisión tomada por la Real Academia Española en conjunción con las Academias hispanoamericanas, CH y LL ya no aparecen como letras independientes en este diccionario. Así por ejemplo **chapa** o **lluvia** se encuentran bajo la C y la L respectivamente. Conviene recordar que palabras como **cacha** y **callar** también han cambiado de lugar y ahora aparecen tras **cacerola** y **calizo**.

Introduction

Vous désirez apprendre l'espagnol ou approfondir des connaissances déjà solides. Vous voulez vous exprimer dans la langue de Cervantès, lire ou rédiger des textes espagnols ou converser avec des interlocuteurs espagnols. Que vous soyez lycéen, étudiant, touriste, secrétaire, homme ou femme d'affaires, vous venez de choisir le compagnon de travail idéal pour vous exprimer et pour communiquer en espagnol, oralement ou par écrit. Résolument pratique et moderne, votre dictionnaire fait une large place au vocabulaire de tous les jours, aux domaines de l'actualité, des affaires, de la bureautique et du tourisme. Comme dans tous nos dictionnaires, nous avons mis l'accent sur la langue contemporaine et sur les expressions idiomatiques.

Mode d'emploi
Vous trouverez ci-dessous quelques explications sur la manière dont les informations sont présentées dans votre dictionnaire. Notre objectif: vous donner un maximum d'informations dans une présentation aussi claire que possible.

Les articles
Voici les différents éléments dont est composé un article type dans votre dictionnaire:

Transcription phonétique
La prononciation de tous les mots figure, entre crochets, immédiatement après l'entrée. Comme la plupart des dictionnaires modernes, nous avons opté pour le système dit 'alphabet phonétique international'. Vous trouverez ci-dessous, aux pages xvi et xvii, une liste complète des caractères utilisés dans ce système.

Données grammaticales
Les mots appartiennent tous à une catégorie grammaticale donnée: nom, verbe, adjectif, adverbe, pronom, article, conjonction. Les noms peuvent être masculins ou féminins, singuliers ou pluriels. Les verbes peuvent être transitifs, intransitifs, pronominaux (ou réfléchis) ou encore impersonnels. La catégorie grammaticale des mots est indiquée en *italiques*, immédiatement après le mot.

Souvent un mot se subdivise en plusieurs catégories grammaticales. Ainsi le français **creux** peut-il être un adjectif ou un nom masculin et l'espagnol **conocido** un adjectif ('connu'), ou un nom ('connaissance'). De même le verbe **fumer** est parfois transitif ('fumer un cigare'), parfois intransitif ('défense de fumer'). Pour vous permettre de trouver plus rapidement le sens que vous cherchez, et pour aérer la présentation, nous avons séparé les différentes catégories grammaticales par un petit carré noir ■.

Subdivisions sémantiques

La plupart des mots ont plus d'un sens; ainsi **bouchon** peut être un objet en liège servant à boucher une bouteille, ou un embouteillage. D'autres mots se traduisent différemment selon le contexte dans lequel ils sont employés. Par exemple le verbe **ronfler** se traduit en espagnol par 'roncar' s'il s'agit d'une personne, mais par 'zumbar' s'il s'agit d'un poêle ou d'un moteur. Pour vous permettre de choisir la bonne traduction dans tous les contextes, nous avons subdivisé les articles en catégories de sens: chaque catégorie est introduite par une 'indication d'emploi' entre parenthèses et en *italiques*. Pour les exemples ci-dessus, les articles se présenteront donc comme suit:

> **bouchon** *nm* (*en liège*) corcho; (*autre matière*) tapón *m*; (*embouteillage*) atasco
>
> **ronfler** *vi* (*personne*) roncar; (*poêle, moteur*) zumbar

De même certains mots changent de sens lorsqu'ils sont employés dans un domaine spécifique, comme par exemple **charme** que nous employons tous les jours dans son acception d' 'attrait', mais qui est aussi un arbre. Pour montrer à l'utilisateur quelle traduction choisir, nous avons donc ajouté, en *italiques* entre parenthèses, une indication de domaine, à savoir dans ce cas particulier (*Botanique*), que nous avons abrégé pour gagner de la place en (*Bot*):

> **charme** *nf* encanto; (*Bot*) carpe *m*

Une liste complète des abréviations dont nous nous sommes servis dans ce dictionnaire figure aux pages xii – xv.

Traductions

La plupart des mots français se traduisent par un seul mot espagnol, et vice-versa, comme dans les exemples ci-dessus. Parfois cependant, il arrive qu'il n'y ait pas d'équivalent exact dans la langue d'arrivée et nous avons donné un équivalent approximatif, indiqué par le signe ≈. C'est le cas par exemple pour le mot composé **brevet (des collèges)** dont l'équivalent espagnol est 'Graduado Escolar': il ne s'agit pas d'une traduction à proprement parler puisque nos deux systèmes scolaires sont différents:

> **brevet (des collèges)** ≈ Graduado Escolar

Parfois, il est même impossible de trouver un équivalent approximatif. C'est le cas par exemple pour les noms de plats régionaux, comme ce plat des Asturies:

> **fabada** *nf potage mijoté avec des haricots et du chorizo*

L'explication remplace ici une traduction (qui n'existe pas); pour plus de clarté, cette explication, ou glose, est donnée en *italiques*.

Souvent aussi, on ne peut traduire isolément un mot, ou une acception particulière d'un mot. La traduction espagnole de **malin**, par exemple, est 'astuto', 'pícaro'; cependant **faire le malin** se traduit 'dárselas de listo'. Même une expression toute simple comme **machine à laver** nécessite une traduction séparée, en l'occurrence 'lavadora' (et non 'máquina de lavar'). C'est là que votre dictionnaire se révélera particulièrement utile et complet, car il contient un maximum de mots composés, de phrases et d'expressions idiomatiques.

Registre

En français, vous saurez instinctivement quand dire **j'en ai assez** et quand dire **j'en ai marre** ou **j'en ai ras le bol**. Mais lorsque vous essayez de comprendre quelqu'un qui s'exprime en espagnol, ou de vous exprimer vous-même en espagnol, il est particulièrement important de savoir ce qui est poli et ce qui l'est moins. Nous avons donc ajouté l'indication *(fam)* aux expressions de langue familière; les expressions particulièrement grossières se voient dotées d'un point d'exclamation supplémentaire *(fam!)* (dans la langue de départ comme dans la langue d'arrivée), vous incitant à une prudence accrue. Notez que l'indication (*fam*) n'est pas répétée dans la langue d'arrivée lorsque le registre de la traduction est le même que celui du mot ou de l'expression traduits.

Notes culturelles

Des informations présentées sous forme de notices en-dessous de l'entrée expliquent des événements culturellement intéressants, comme la politique, l'éducation et les fêtes nationales aux pays de langue francaise et espagnole.

Mots-clés

Vous constaterez que certains mots apparaissent sous la mention **mot-clé**. Il s'agit de mots particulièrement complexes ou importants, comme **avoir** et **faire** ou leurs équivalents espagnols **tener** et **hacer**, que nous avons traités d'une manière plus approfondie parce que ce sont des éléments de base de la langue.

Note

En accord avec la décision prise par l'Académie Royale d'Espagne conjointement avec les académies hispano-américaines, CH et LL ne figurent plus comme des lettres à part entière dans ce dictionnaire. Ainsi, par exemple, les mots **chapa** et **lluvia** sont respectivement incorporés aux lettres C et L. Il convient de rappeler que des termes comme **cacha** et **callar** ont également changé de place et se trouvent maintenant respectivement placés après **cacerola** et **calizo**.

Abreviaturas

Abréviations

abreviatura	*abr*	abréviation
adjetivo	*adj*	adjectif
administración	*Admin*	administration
adverbio	*adv*	adverbe
agricultura	*Agr*	agriculture
alguien	*algn*	quelqu'un
América Latina	*AM*	Amérique Latine
anatomía	*Anat*	anatomie
Andes	*And*	Andes
Antillas	*Ant*	Antilles
Argentina	*Arg*	Argentine
arquitectura	*Arq, Archit*	architecture
artículo	*art*	article
astrología	*Astrol*	astrologie
astronomía	*Astron*	astronomie
el automóvil	*Auto*	automobile
auxiliar	*aux*	auxiliaire
aviación	*Aviat*	aviation
biología	*Bio(l)*	biologie
botánica	*Bot*	botanique
Caribe	*Carib*	Caraïbes
Chile	*Chi*	Chili
química	*Chim*	chimie
cine	*Cine, Ciné*	cinéma
Colombia	*Col*	Colombie
comercio	*Com(m)*	commerce
conjunción	*conj*	conjonction
construcción	*Constr*	construction
Cono Sur	*Csur*	Argentine, Chili et Uruguay
Cuba	*Cu*	Cuba
cocina	*Culin*	cuisine
definido	*def, déf*	défini
demostrativo	*demos*	démonstratif
determinado	*det, dét*	déterminant
economía	*Econ, Écon*	économie
eletricidad, electrónica	*Elec, Élec*	électricité, électronique

escolar	*Escol*	enseignement
España	*Esp*	Espagne
especialmente	*esp*	surtout
etcétera	*etc*	et cetera
exclamación	*excl*	exclamation
femenino	*f*	féminin
lengua familiar	*fam*	familier
vulgar	*fam!*	vulgaire
ferrocarril	*Ferro*	chemins de fer
figurado	*fig*	figuré
finanzas	*Fin*	finance
filosofía	*Filos*	philosophie
física	*Fís*	physique
fisiología	*Fisiol*	physiologie
fotografía	*Foto*	photographie
generalmente	*gen, gén*	en général, généralement
geografía	*Geo, Géo*	géographie
geometría	*Geom, Géom*	géométrie
Guatemala	*Guat*	Guatemala
storia	*Hist*	histoire
humorístico	*hum*	humoristique
industria	*Ind*	industrie
indefinado	*indef, indéf*	indéfini
informática	*Inform*	informatique
interrogativo	*interrog*	interrogatif
invariable	*inv*	invariable
irónico	*iron*	ironique
jurídico	*Jur*	juridique
lingüística	*Ling*	linguistique
literatura	*Lit(t)*	littérature
literario	*litt*	littéraire
masculino	*m*	masculin
matemáticas	*Mat(h)*	mathématiques
masculino/femenino	*m/f*	masculin/féminin
medicina	*Med, Méd*	médecine
meterología	*Météo*	météorologie
México	*Méx, Mex*	Mexique
militar	*Mil*	militaire

música	*Mús, Mus*	musique
nombre	*n*	nom
náutica	*Náut, Naut*	nautisme
Nicaragua	*Nic*	Nicaragua
número	*num*	numéro
Panamá	*Pan*	Panama
Perú	*Pe*	Pérou
peyorativo	*pey, péj*	péjoratif
filosofía	*Philos*	philosophie
fotografía	*Photo*	photographie
física	*Phys*	physique
fisiología	*Physiol*	physiologie
plural	*pl*	pluriel
política	*Pol*	politique
participio de pasado	*pp*	participe passé
prefijo	*pref, préf*	préfixe
preposición	*prep, prép*	préposition
pronombre	*pron*	pronom
psicología	*Psico, Psych*	psychologie
algo	*qch*	quelque chose
alguien	*qn*	quelqu'un
química	*Quím*	chimie
ferrocarril	*Rail*	chemins de fer
religión	*Rel*	religion
relativo	*rel*	relatif
escolar	*Scol*	enseignement
singular	*sg*	singulier
subjuntivo	*subj(un)*	subjonctif
sufijo	*suf*	suffixe
sujeto	*suj*	sujet
también	*tb*	aussi
técnica, tecnología	*Tec(h)*	technique
telecomunicaciones	*Telec, Tél*	télécommunications
tipografía	*Tip, Typo*	typographie
televisión	*TV*	télévision
universidad	*Univ*	université
ver	*v*	voir
verbo	*vb*	verbe
Venezuela	*Ven*	Venezuela

verbo intransitivo	*vi*	verbe intransitif
verbo pronominal	*vpr*	verbe pronominal
verbo transitivo	*vt*	verbe transitif
zoología	*Zool*	zoologie
marca registrada	®	marque déposée
indica un equivalente cultural	≈	indique une équivalence culturelle

Transcripción fonética

Consonantes		Consonnes
*p*a*p*el	p	*p*ou*p*ée
*b*oda	b	*b*om*b*e
la*b*or u*v*a	β	
*t*in*t*o	t	*t*en*t*e *th*ermal
*d*ama	d	*d*in*d*e
*c*asa *qu*e *k*ilo	k	*c*o*q* *qu*i *k*épi
*g*oma	g	*g*a*g* ba*gu*e
pa*g*ar	ɣ	
qui*z*ás	s	*s*ale *c*e na*t*ion
	z	*z*éro ro*s*e
	ʃ	ta*ch*e *ch*at
	ʒ	*g*ilet *j*uge
*ch*iste	tʃ	*tch*ao
*f*in	f	*f*er *ph*are
	v	*v*al*v*e
tena*z* *c*ena'	θ	
cui*d*a*d*	ð	
*l*ejos	l	*l*ent sa*ll*e
ta*ll*e²	ʎ	mi*lli*on
	ʀ	*r*are *r*ent*r*er
ca*r*o quita*r*	r	
ga*rr*a	rr	
*m*adre	m	*m*a*m*an fe*mm*e
*n*aranja	n	*n*on *n*on*n*e
ni*ñ*o	ɲ	a*gn*eau vi*gn*e
	ŋ	parki*ng*
*h*aber	h	*h*op!
bien *y*unta	j	*y*eux pa*ill*e p*i*ed
*h*ue*v*o	w	n*ou*er *ou*i
	ɥ	h*u*ile l*u*i
*j*ugar	x	

¹ se prononce parfois [s]   ² se prononce parfois [ʒ]

Semiconsonantes		Semi-consonnes
vi*a*je	ja	
vi*e*ne	je	
rad*io*	jo	
vi*u*da	ju	
c*ua*nto	wa	
s*ue*ño	we	
r*ui*do	wi	
c*uo*ta	wo	

Transcription phonétique

Vocales / Voyelles

p**i**no	i	**i**ci v**i**e lyr**i**que
m**e**	e	jou**er** ét**é**
	ɛ	l**ai**t jou**e**t mer**ci**
p**a**t**a**	a	pl**a**t **a**mour
	ɑ	b**a**s p**â**te
	ə	l**e** prem**ie**r
	œ	b**eu**rre p**eu**r
	ø	p**eu** d**eu**x
	ɔ	**o**r h**o**mme
l**o**c**o**	o	m**o**t **eau** g**au**che
l**u**ne**s**	u	gen**ou** r**ou**e
	y	r**u**e **u**rne

Diptongos / Diphtongues

b**ai**le	ai
auto	au
v**ei**nte	ei
d**eu**da	eu
h**oy**	oi

Nasales / Nasal vowels

	ɛ̃	mat**in** pl**ein**
	œ̃	br**un**
	ɑ̃	g**ens** j**am**be d**ans**
	ɔ̃	n**on** p**on**t p**om**pe

Diversos / Divers

para el francés: indica que la h impide el enlace entre dos palabras sucesivas	'	pour l'espagnol: précède la syllabe accentuée

Verbes espagnols

1 gerundio **2** imperativo **3** presente **4** pretérito **5** futuro **6** presente de subjuntivo **7** imperfecto de subjuntivo **8** participio pasado **9** imperfecto **10** condicional

acertar 2 acierta **3** acierto, aciertas, acierta, aciertan **6** acierte, aciertes, acierte, acierten

acordar 2 acuerda **3** acuerdo, acuerdas, acuerda, acuerdan **6** acuerde, acuerdes, acuerde, acuerden

advertir 1 advirtiendo **2** advierte, advierto, adviertes, advierte, advierten **4** advirtió, advirtieron **6** advierta, adviertas, advierta, advirtamos, advirtáis, adviertan **7** advirtiera *etc*

agradecer 3 agradezco **6** agradezca *etc*

andar 4 anduve, anduviste, anduvo, anduvimos, anduvisteis, anduvieron **7** anduviera *ou* anduviese *etc*

aparecer 3 aparezco **6** aparezca *etc*

aprobar 2 aprueba **3** apruebo, apruebas, aprueba, aprueban **6** apruebe, apruebes, apruebe, aprueben

atravesar 2 atraviesa **3** atravieso, atraviesas, atraviesa, atraviesan **6** atraviese, atravieses, atraviese, atraviesen

caber 3 quepo **4** cupe, cupiste, cupo, cupimos, cupisteis, cupieron **5** cabré *etc* **6** quepa *etc* **7** cupiera *etc*

caer 1 cayendo **3** caigo **4** cayó, cayeron **6** caiga *etc* **7** cayera *etc*

calentar 2 calienta **3** caliento, calientas, calienta, calientan **6** caliente, calientes, caliente, calienten

cerrar 2 cierra **3** cierro, cierras, cierra, cierran **6** cierre, cierres, cierre, cierren

COMER 1 comiendo **2** come, comed **3** como, comes, come, comemos, coméis, comen **4** comí, comiste, comió, comimos, comisteis, comieron **5** comeré, comerás, comerá, comeremos, comeréis, comerán **6** coma, comas, coma, comamos, comáis, coman **7** comiera, comieras, comiera, comiéramos, comierais, comieran **8** comido **9** comía, comías, comía, comíamos, comíais, comían

conocer 3 conozco **6** conozca *etc*

contar 2 cuenta **3** cuento, cuentas, cuenta, cuentan **6** cuente, cuentes, cuente, cuenten

costar 2 cuesta **3** cuesto, cuestas, cuesta, cuestan **6** cueste, cuestes, cueste, cuesten

dar 3 doy **4** di, diste, dio, dimos, disteis, dieron **7** diera *etc*

decir 2 di **3** digo **4** dije, dijiste, dijo, dijimos, dijisteis, dijeron **5** diré *etc* **6** dige *etc* **7** dijera *etc* **8** dicho

despertar 2 despierta **3** despierto, despiertas, despierta, despiertan **6** despierte, despiertes, despierte, despierten

divertir 1 divirtiendo 2 divierte 3 divierto, diviertes, divierte, divierten 4 divirtió, divirtieron 6 divierta, diviertas, divierta, divirtamos, divirtáis, diviertan 7 divirtiera *etc*

dormir 1 durmiendo 2 duerme 3 duermo, duermes, duerme, duermen 4 durmió, durmieron 6 duerma, duermas, duerma, durmamos, durmáis, duerman 7 durmiera *etc*

empezar 2 empieza, empiece, empecemos, empiecen 3 empiezo, empiezas, empieza, empiezan 4 empecé 6 empiece, empieces, empiece, empecemos, empecéis, empiecen

entender 2 entiende 3 entiendo, entiendes, entiende, entienden 6 entienda, entiendas, entienda, entiendan

ESTAR 2 está 3 estoy, estás, está, están 4 estuve, estuviste, estuvo, estuvimos, estuvisteis, estuvieron 6 esté, estés, esté, estén 7 estuviera *etc*.

HABER 3 he, has, ha, hemos, habéis, han 4 hube, hubiste, hubo, hubimos, hubisteis, hubieron 5 habré *etc* 6 haya *etc* 7 hubiera *etc*

HABLAR 1 hablando 2 habla, hable, hablemos, hablad, hablen 3 hablo, hablas, habla, hablamos, habláis, hablan 4 hablé, hablaste, habló, hablamos, hablasteis, hablaron 5 hablaré, ha-blarás, hablará, hablaremos, hablaréis, hablarán 6 hable, hables, hable, hablemos, habléis, hablen 7 hablara *ou* hablase, hablaras *ou* hablases, habláramos *ou* hablásemos, hablarais *ou* hablaseis, hablaran *ou* hablasen 8 hablado 9 hablaba, hablabas, hablaba, hablábamos, hablabais, hablaban 10 hablaría, hablarías, hablaría, hablaríamos, hablaríais, hablarían

hacer 2 haz 3 hago 4 hice, hiciste, hizo, hicimos, hicisteis, hicieron 5 haré *etc* 6 haga *etc* 7 hiciera *etc* 8 hecho

instruir 1 instruyendo 2 instruye 3 instruyo, instruyes, instruye, instruyen 4 instruyó, instruyeron 6 instruya *etc* 7 instruyera *etc*

ir 1 yendo 2 ve 3 voy, vas, va, vamos, vais, van 4 fui, fuiste, fue, fuimos, fuisteis, fueron 6 vaya, vayas, vaya, vayamos, vayáis, vayan 7 fuera *etc* 9 iba, ibas, iba, íbamos, ibais, iban

jugar 2 juega 3 juego, juegas, juega, juegan 4 jugué 6 juegue *etc*

leer 1 leyendo 4 leyó, leyeron 7 leyera *etc*

morir 1 muriendo 2 muere 3 muero, mueres, muere, mueren 4 murió, murieron 6 muera, mueras, muera, muramos, muráis, mueran 7 muriera *etc* 8 muerto

mostrar 2 muestra, muestro, muestras, muestra, muestran 6 muestre, muestres, muestre, muestren

mover 2 mueve 3 muevo, mueves, mueve, mueven 6 mueva, muevas, mueva, muevan

negar 2 niega 3 niego, niegas, niega, niegan 4 negué 6 niegue, niegues, niegue, neguemos, neguéis, nieguen

ofrecer 3 ofrezco 6 ofrezca *etc*

oír 1 oyendo 2 oye 3 oigo, oyes, oye, oyen 4 oyó, oyeron 6 oiga *etc* 7 oyera *etc*

oler 2 huele 3 huelo, hueles, huele, huelen 6 huela, huelas, huela, huelan

parecer 3 parezco 6 parezca *etc*

pedir 1 pidiendo 2 pide 3 pido, pides, pide, piden 4 pidió, pidieron 6 pida *etc* 7 pidiera *etc*

pensar 2 piensa 3 pienso, piensas, piensa, piensan 6 piense, pienses, piense, piensen

perder 2 pierde 3 pierdo, pierdes, pierde, pierden 6 pierda, pierdas, pierda, pierdan

poder 1 pudiendo 2 puede 3 puedo, puedes, puede, pueden 4 pude, pudiste, pudo, pudimos, pudisteis, pudieron 5 podré *etc* 6 pueda, puedas, pueda, puedan 7 pudiera *etc*

poner 2 pon 3 pongo 4 puse, pusiste, puso, pusimos, pusisteis, pusieron 5 pondré *etc* 6 ponga *etc* 7 pusiera *etc* 8 puesto

preferir 1 prefiriendo 2 prefiere 3 prefiero, prefieres, prefiere, prefieren 4 prefirió, prefirieron 6 prefiera, prefieras, prefiera, prefiramos, prefiráis, prefieran 7 prefiriera *etc*

querer 2 quiere 3 quiero, quieres, quiere, quieren 4 quise, quisiste, quiso, quisimos, quisisteis, quisieron 5 querré *etc* 6 quiera, quieras, quiera, quieran 7 quisiera *etc*

reír 2 ríe 3 río, ríes, ríe, ríen 4 reí, rieron 6 ría, rías, ría, riamos, riáis, rían 7 riera *etc*

repetir 1 repitiendo 2 repite 3 repito, repites, repite, repiten 4 repitió, repitieron 6 repita *etc* 7 repitiera *etc*

rogar 2 ruega 3 ruego, ruegas, ruega, ruegan 4 rogué 6 ruegue, ruegues, ruegue, roguemos, roguéis, rueguen

saber 3 sé 4 supe, supiste, supo, supimos, supisteis, supieron 5 sabré *etc* 6 sepa *etc* 7 supiera *etc*

salir 2 sal 3 salgo 5 saldré *etc* 6 salga *etc*

seguir 1 siguiendo 2 sigue 3 sigo, sigues, sigue, siguen 4 siguió, siguieron 6 siga *etc* 7 siguiera *etc*

sentar 2 sienta 3 siento, sientas, sienta, sientan 6 siente, sientes, siente, sienten

sentir 1 sintiendo 2 siente 3 siento, sientes, siente, sienten 4 sintió, sintieron 6 sienta, sientas, sienta, sintamos, sintáis, sientan 7 sintiera *etc*

SER 2 sé 3 soy, eres, es, somos, sois, son 4 fui, fuiste, fue, fuimos, fuisteis, fueron 6 sea *etc* 7 fuera *etc* 9 era, eras, era, éramos, erais, eran

servir 1 sirviendo 2 sirve 3 sirvo, sirves, sirve, sirven 4 sirvió, sirvieron 6 sirva *etc* 7 sirviera *etc*

soñar 2 sueña 3 sueño, sueñas, sueña, sueñan 6 sueñe, sueñes, sueñe, sueñen

tener 2 ten 3 tengo, tienes, tiene, tienen 4 tuve, tuviste, tuvo, tuvimos, tuvisteis, tuvieron 5 tendré *etc* 6 tenga *etc* 7 tuviera *etc*

traer 1 trayendo 3 traigo 4 traje, trajiste, trajo, trajimos, trajisteis, trajeron 6 traiga *etc*. 7 trajera *etc*

valer 2 vale 3 valgo 5 valdré *etc* 6 valga *etc*

venir 2 ven 3 vengo, vienes, viene, vienen 4 vine, viniste, vino, vinimos, vinisteis, vinieron 5 vendré *etc* 6 venga *etc* 7 viniera *etc*

ver 3 veo 6 vea *etc* 8 visto 9 veía *etc*

vestir 1 vistiendo 2 viste 3 visto, vistes, viste, visten 4 vistió, vistieron 6 vista *etc* 7 vistiera *etc*

VIVIR 1 viviendo 2 vive, viva, vivamos, vivid, vivan 3 vivo, vives, vive, vivimos, vivís, viven 4 viví, viviste, vivió, vivimos, vivisteis, vivieron 5 viviré, vivirás, vivirá, viviremos, viviréis, vivirán 6 viva, vivas, viva, vivamos, viváis, vivan 7 viviera *ou* viviese, vivieras *ou* vivieses, viviera *ou* viviese, viviéramos *ou* viviésemos, vivierais *ou* vivieseis, vivieran *ou* viviesen 8 vivido 9 vivía, vivías, vivía, vivíamos, vivías, vivían 10 viviría, vivirías, viviría, viviríamos, viviríais, vivirían

volcar 2 vuelca, vuelque, volquemos, vuelquen 3 vuelco, vuelcas, vuelca, vuelcan 4 volqué 6 vuelque, vuelques, vuelque, volquemos, volquéis, vuelquen

volver 2 vuelve 3 vuelvo, vuelves, vuelve, vuelven 6 vuelva, vuelvas, vuelva, vuelvan 8 vuelto

Los verbos franceses

1 Participe présent **2** Participe passé **3** Présent **4** Imparfait **5** Futur
6 Conditionnel **7** Subjonctif présent

acquérir 1 acquérant **2** acquis **3** acquiers, acquérons, acquièrent **4** acquérais **5** acquerrai **7** acquière

ALLER 1 allant **2** allé **3** vais, vas, va, allons, allez, vont **4** allais **5** irai **6** irais **7** aille

asseoir 1 asseyant **2** assis **3** assieds, asseyons, asseyez, asseyent **4** asseyais **5** assiérai **7** asseye

atteindre 1 atteignant **2** atteint **3** atteins, atteignons **4** atteignais **7** atteigne

AVOIR 1 ayant **2** eu **3** ai, as, a, avons, avez, ont **4** avais **5** aurai **6** aurais **7** aie, aies, ait, ayons, ayez, aient

battre 1 battant **2** battu **3** bats, bat, battons **4** battais **7** batte

boire 1 buvant **2** bu **3** bois, buvons, boivent **4** buvais **7** boive

bouillir 1 bouillant **2** bouilli **3** bous, bouillons **4** bouillais **7** bouille

conclure 1 concluant **2** conclu **3** conclus, concluons **4** concluais **7** conclue

conduire 1 conduisant **2** conduit **3** conduis, conduisons **4** conduisais **7** conduise

connaître 1 connaissant **2** connu **3** connais, connaît, connaissons **4** connaissais **7** connaisse

coudre 1 cousant **2** cousu **3** couds, cousons, cousez, cousent **4** cousais **7** couse

courir 1 courant **2** couru **3** cours, courons **4** courais **5** courrai **7** coure

couvrir 1 couvrant **2** couvert **3** couvre, couvrons **4** couvrais **7** couvre

craindre 1 craignant **2** craint **3** crains, craignons **4** craignais **7** craigne

croire 1 croyant **2** cru **3** crois, croyons, croient **4** croyais **7** croie

croître 1 croissant **2** crû, crue, crus, crues **3** croîs, croissons **4** croissais **7** croisse

cueillir 1 cueillant **2** cueilli **3** cueille, cueillons **4** cueillais **5** cueillerai **7** cueille

devoir 1 devant **2** dû, due, dus, dues **3** dois, devons, doivent **4** devais **5** devrai **7** doive

dire 1 disant **2** dit **3** dis, disons, dites, disent **4** disais **7** dise

dormir 1 dormant **2** dormi **3** dors, dormons **4** dormais **7** dorme

écrire 1 écrivant **2** écrit **3** écris, écrivons **4** écrivais **7** écrive

ÊTRE 1 étant **2** été **3** suis, es, est, sommes, êtes, sont **4** étais **5** serai **6** serais **7** sois, sois, soit, soyons, soyez, soient

FAIRE 1 faisant **2** fait **3** fais, fais, fait, faisons, faites, font **4** faisais **5** ferai **6** ferais **7** fasse

falloir 2 fallu **3** faut **4** fallait

5 faudra **7** faille

FINIR 1 finissant **2** fini **3** finis, finis, finit, finissons, finissez, finissent **4** finissais **5** finirai **6** finirais **7** finisse

fuir 1 fuyant **2** fui **3** fuis, fuyons, fuient **4** fuyais **7** fuie

joindre 1 joignant **2** joint **3** joins, joignons **4** joignais **7** joigne

lire 1 lisant **2** lu **3** lis, lisons **4** lisais **7** lise

luire 1 luisant **2** lui **3** luis, luisons **4** luisais **7** luise

maudire 1 maudissant **2** maudit **3** maudis, maudissons **4** maudissait **7** maudisse

mentir 1 mentant **2** menti **3** mens, mentons **4** mentais **7** mente

mettre 1 mettant **2** mis **3** mets, mettons **4** mettais **7** mette

mourir 1 mourant **2** mort **3** meurs, mourons, meurent **4** mourais **5** mourrai **7** meure

naître 1 naissant **2** né **3** nais, naît, naissons **4** naissais **7** naisse

offrir 1 offrant **2** offert **3** offre, offrons **4** offrais **7** offre

PARLER 1 parlant **2** parlé **3** parle, parles, parle, parlons, parlez, parlent **4** parlais, parlais, parlait, parlions, parliez, parlaient **5** parlerai, parleras, parlera, parlerons, parlerez, parleront **6** parlerais, parlerais, parlerait, parlerions, parleriez, parleraient **7** parle, parles, parle, parlions, parliez, parlent *imperativo* parle!, parlez!

partir 1 partant **2** parti **3** pars, partons **4** partais **7** parte

plaire 1 plaisant **2** plus **3** plais, plaît, plaisons **4** plaisais **7** plaise

pleuvoir 1 pleuvant **2** plu **3** pleut, pleuvent **4** pleuvait **5** pleuvra **7** pleuve

pourvoir 1 pourvoyant **2** pourvu **3** pourvois, pourvoyons, pourvoient **4** pourvoyais **7** pourvoie

pouvoir 1 pouvant **2** pu **3** peux, peut, pouvons, peuvent **4** pouvais **5** pourrai **7** puisse

prendre 1 prenant **2** pris **3** prends, prenons, prennent **4** prenais **7** prenne

prévoir *como* **voir 5** prévoirai

RECEVOIR 1 recevant **2** reçu **3** reçois, reçois, reçoit, recevons, recevez, reçoivent **4** recevais **5** recevrai **6** recevrais **7** reçoive

RENDRE 1 rendant **2** rendu **3** rends, rends, rend, rendons, rendez, rendent **4** rendais **5** rendrai **6** rendrais **7** rende

résoudre 1 résolvant **2** résolu **3** résous, résout, résolvons **4** résolvais **7** résolve

rire 1 riant **2** ri **3** ris, rions **4** riais **7** rie

savoir 1 sachant **2** su **3** sais, savons, savent **4** savais **5** saurai **7** sache *imperativo* sache, sachons, sachez

servir 1 servant **2** servi **3** sers, servons **4** servais **7** serve

sortir 1 sortant **2** sorti **3** sors, sortons **4** sortais **7** sorte

souffrir 1 souffrant **2** souffert **3** souffre, souffrons **4** souffrais **7** souffre

suffire 1 suffisant 2 suffi 3 suffis, suffisons 4 suffisais 7 suffise

suivre 1 suivant 2 suivi 3 suis, suivons 4 suivais 7 suive

taire 1 taisant 2 tu 3 tais, taisons 4 taisais 7 taise

tenir 1 tenant 2 tenu 3 tiens, tenons, tiennent 4 tenais 5 tiendrai 7 tienne

vaincre 1 vainquant 2 vaincu 3 vaincs, vainc, vainquons 4 vainquais 7 vainque

valoir 1 valant 2 valu 3 vaux, vaut, valons 4 valais 5 vaudrai 7 vaille

venir 1 venant 2 venu 3 viens, venons, viennent 4 venais 5 viendrai 7 vienne

vivre 1 vivant 2 vécu 3 vis, vivons 4 vivais 7 vive

voir 1 voyant 2 vu 3 vois, voyons, voient 4 voyais 5 verrai 7 voie

vouloir 1 voulant 2 voulu 3 veux, veut, voulons, veulent 4 voulais 5 voudrai 7 veuille *imperativo* veuillez

La hora

¿qué hora es?
es/son ...
es la una
son las cuatro

es la medianoche/son las doce
    de la noche
la una (de la madrugada)
la una y cinco
la una y diez
la una y cuarto
la una y veinticinco
la una y media o treinta

las dos menos veinticinco
las dos menos veinte

las dos menos cuarto

dos menos diez
mediodía, las doce (de la mañana)
las dos (de la tarde)
las siete (de la tarde)

¿a qué hora?

a medianoche
a las siete
a la una
en veinte minutos
hace diez minutos

L'heure

quelle heure est-il ?
il est ...
il est une heure
il est quatre heures

minuit

une heure (du matin)
une heure cinq
une heure dix
une heure et quart
une heure vingt cinq
une heure et demie,
    une heure trente
deux heures moins vingt-cinq
deux heures moins vingt,
    une heure quarante
deux heures moins le quart,
    une heure quarante-cinq
deux heures moins dix
midi
deux heures (de l'après-midi)
sept heures (du soir)

à quelle heure ?

à minuit
à sept heures
à une heure
dans vingt minutes
il y a dix minutes

La fecha	La date
hoy	aujourd'hui
mañana	demain
pasado mañana	après-demain
ayer	hier
antes de ayer, anteayer	avant-hier
la víspera	la veille
el día siguiente	le lendemain
por la mañana	le matin
por la tarde	le soir
esta mañana	ce matin
esta tarde	cet après-midi
esta tarde	ce soir
ayer por la mañana	hier matin
ayer por la tarde	hier soir
mañana por la mañana	demain matin
mañana por la tarde	demain soir
en la noche del sábado al domingo	dans la nuit de samedi à vendredi
vendrá el sábado	il viendra samedi
los sábados	le samedi
todos los sábados	tous les samedis
el sábado pasado	samedi dernier
el sábado que viene, el próximo sábado	samedi prochain
del sábado en ocho días	samedi en huit
del sábado en quince días	samedi en quinze
de lunes a sábado	du lundi au samedi
todos los días	tous les jours
una vez a la semana	une fois par semaine
una vez al mes	une fois par mois
dos veces a la semana	deux fois par semaine
hace una semana *o* ocho días	il y a une semaine *ou* huit jours
hace quince días	il y a quinze jours
el año pasado	l'année passée *ou* dernière
dentro de dos días	dans deux jours
dentro de ocho días *o* una semana	dans huit jours *ou* une semaine
dentro de quince días	dans quinze jours
el mes que viene, el próximo mes	le mois prochain
el año que viene, el próximo año	l'année prochaine

¿a qué o a cuántos estamos?	quel jour sommes-nous ?
el 1/24 octubre de 2006	le 1er/24 octobre 2006
nací el 22 octubre de 1967	je suis né le 22 octobre, 1967
Barcelona, a 24 octubre de 2006	Barcelona, le 24 octobre 2006 (*lettre*)
en 2006	en 2006
mil novecientos noventa y seis	mille neuf cent quatre-vingt-seize
dos mil y tres	deux mille six
44 a. de J.C.	44 av. J.–C.
14 d. de J.C.	14 av J.-C.
en el (siglo) XIX	au XIXe (siècle)
en los años treinta	dans les années trente
érase una vez …	il était une fois …

FRANÇAIS – ESPAGNOL

FRANCÉS – ESPAÑOL

a

a [a] *vb voir* **avoir**

○ MOT-CLÉ

à [a] (*à* + *le* = **au,** *à* + *les* = **aux**) *prép* **1**
(*endroit, situation*) en; **être à Paris/au**
Portugal estar en París/en Portugal;
être à la maison/à l'école/au bureau
estar en casa/en el colegio/en la oficina;
être à la campagne estar en el campo;
c'est à 10 km/à 20 minutes (d'ici) está a
10 km/a 20 minutos (de aquí); **à la radio/**
télévision en la radio/televisión
2 (*direction*) a; **aller à Paris/au Portugal**
ir a París/a Portugal; **aller à la maison/à**
l'école/au bureau ir a casa/al colegio/a
la oficina; **aller à la campagne** ir al
campo
3 (*temps*) a; **à 3 heures/à minuit** a las
tres/a medianoche; **à demain/lundi/la**
semaine prochaine! ¡hasta mañana/el
lunes/la semana que viene!; **au**
printemps/au mois de juin en
primavera/el mes de junio; **à cette**
époque là en aquella época; **nous nous**
verrons à Noël nos veremos por Navidad;
visites de 5 h à 6 h visitas de 5 a 6
4 (*attribution, appartenance*) de; **le livre**
est à lui/à nous/à Paul el libro es suyo/

nuestro/de Pablo; **un ami à moi** un
amigo mío; **donner qch à qn** dar algo a
algn
5 (*moyen*): **se chauffer au gaz/à**
l'électricité calentarse con gas/con
electricidad; **à bicyclette** en bicicleta; **à**
pied a pie; **à la main/machine** a mano/
máquina; **pêcher à la ligne** pescar con
caña
6 (*provenance*) de; **boire à la bouteille**
beber de la botella; **prendre de l'eau à la**
fontaine coger *ou* (*AM*) tomar agua de la
fuente
7 (*caractérisation, manière*): **l'homme aux**
yeux bleus/à la veste rouge el hombre
de ojos azules/de la chaqueta roja; **café**
au lait café con leche; **à sa grande**
surprise para su gran sorpresa; **à ce qu'il**
prétend según pretende (él); **à**
l'européenne/la russe a la europea/la
rusa; **à nous trois nous n'avons pas su**
le faire no hemos sabido hacerlo entre
los tres
8 (*but, destination: de choses ou personnes*):
tasse à café taza de café; **"à vendre"** "se
vende"; **à bien réfléchir** pensándolo bien;
problèmes à régler problemas *mpl* por
solucionar
9 (*rapport, évaluation, distribution*): **100**
km/unités à l'heure 100 km/unidades
por hora; **payé au mois/à l'heure**
pagado por mes/por hora; **cinq à six**
cinco a seis; **ils sont arrivés à quatre**
llegaron cuatro

abaisser [abese] *vt* bajar; (*fig*) rebajar;
s'abaisser *vpr* (*aussi fig*) rebajarse; **s'~ à**
faire/à qch rebajarse a hacer/a algo
abandon [abɑ̃dɔ̃] *nm* abandono; **être à**
l'~ estar abandonado(-a); **laisser à l'~**
abandonar; **dans un moment d'~** en un
momento de abandono
abandonner [abɑ̃dɔne] *vt* abandonar
■ *vi* (*Sport*) abandonar; (*Inform*) salir;
s'abandonner *vpr* abandonarse; **~ qch**
à qn entregar algo a algn; **s'~ à**
abandonarse a
abat-jour [abaʒuʀ] *nm inv* pantalla
abats [aba] *vb voir* **abattre** ■ *nmpl*
(*Culin*) menudos *mpl*
abattement [abatmɑ̃] *nm* (*physique,*
moral) abatimiento; (*déduction*)
deducción *f*; **~ fiscal** deducción fiscal
abattoir [abatwaʀ] *nm* matadero
abattre [abatʀ] *vt* (*arbre*) talar; (*mur,*
maison, avion) derribar; (*tuer*) matar;
(*épuiser*) postrar; (*déprimer*) desanimar;
s'abattre *vpr* (*mât, malheur*) caerse;

s'~ sur (*aussi fig*) caer sobre; **~ ses cartes**
(*aussi fig*) enseñar las cartas; **~ du travail**
(*ou de la besogne*) trabajar duro
abbaye [abei] *nf* abadía
abbé [abe] *nm* (*d'une abbaye*) abad *m*;
(*de paroisse*) cura *m*; **M. l'~** señor cura
abcès [apsɛ] *nm* absceso
abdiquer [abdike] *vi* abdicar; **■** *vt*
(*pouvoir, dignité*) renunciar a
abdominal, e, -aux [abdɔminal, o] *adj*
abdominal; **abdominaux** *nmpl*
abdominales *mpl*; **faire des abdominaux**
hacer abdominales
abeille [abɛj] *nf* abeja
aberrant, e [aberɑ̃, ɑ̃t] *adj* aberrante
aberration [aberasjɔ̃] *nf* aberración *f*
abîme [abim] *nm* (*aussi fig*) abismo
abîmer [abime] *vt* estropear; **s'abîmer**
vpr estropearse; (*fig*) abismarse; **s'~ les
yeux** dañarse la vista
aboiement [abwamɑ̃] *nm* ladrido
abolir [abɔliʀ] *vt* abolir
abominable [abɔminabl] *adj*
abominable
abondance [abɔ̃dɑ̃s] *nf* abundancia;
société d'~ sociedad *f* de consumo
abondant, e [abɔ̃dɑ̃, ɑ̃t] *adj* abundante
abonder [abɔ̃de] *vi* abundar; **~ en**
abundar en; **~ dans le sens de qn**
concordar con algn
abonné, e [abɔne] *adj* (*à un journal*)
suscrito(-a); (*au téléphone*) abonado(-a)
■ *nm/f* (*au téléphone, à l'opéra*)
abonado(-a); (*à un journal*) suscriptor(a)
abonnement [abɔnmɑ̃] *nm* (*à un
journal*) suscripción *f*; (*transports en
commun, théâtre*) abono
abonner [abɔne] *vt*: **~ qn à** (*revue*)
suscribir a algn a; **s'abonner** *vpr*: **s'~ à**
(*revue*) suscribirse a; (*téléphone*)
abonarse a
abord [abɔʀ] *nm*: **être d'un ~ facile/
difficile** ser de fácil/difícil acceso;
abords *nmpl* (*d'un lieu*) alrededores *mpl*;
d'~ primero, en primer lugar; **tout d'~**
antes de nada; **de prime ~, au premier ~**
a primera vista
abordable [abɔʀdabl] *adj* (*personne*)
accesible; (*prix, marchandise*) asequible
aborder [abɔʀde] *vi* abordar; **■** *vt* (*aussi
fig*) abordar; (*virage, vie*) tomar
aboutir [abutiʀ] *vi* tener éxito; **~ à/
dans/sur** (*lieu*) dar a; (*fig*) conducir a
aboyer [abwaje] *vi* ladrar
abréger [abʀeʒe] *vt* acortar
abreuver [abʀœve] *vt* abrevar; (*fig*):
~ qn de (*injures*) colmar a algn de;
s'abreuver *vpr* (*fam*) beber hasta reventar

abreuvoir [abʀœvwaʀ] *nm* abrevadero
abréviation [abʀevjasjɔ̃] *nf*
abreviatura
abri [abʀi] *nm* refugio; **à l'~** (*des
intempéries, financièrement*) a cubierto;
(*de l'ennemi*) a salvo; **à l'~ de** (*fig: erreur*)
protegido(-a) contra
abribus [abʀibys] *nm* marquesina
abricot [abʀiko] *nm* albaricoque *m*,
damasco (*AM*)
abriter [abʀite] *vt* (*lieu*) resguardar;
(*personne*) albergar; (*recevoir, loger*) alojar;
s'abriter *vpr* resguardarse; (*fig*)
ampararse
abrupt, e [abʀypt] *adj* abrupto(-a);
(*personne, ton*) rudo(-a)
abruti, e [abʀyti] (*fam*) *nm/f* tonto(-a)
absence [apsɑ̃s] *nf* ausencia; **en l'~ de** en
ausencia de
absent, e [apsɑ̃, ɑ̃t] *adj*, *nm/f* ausente
m/f
absenter [apsɑ̃te] *vpr*: **s'absenter**
ausentarse
absolu, e [apsɔly] *adj* absoluto(-a);
(*personne*) intransigente **■** *nm* (*Philos*):
l'~ el absoluto; **dans l'~** en abstracto
absolument [apsɔlymɑ̃] *adv* (*oui*) sí, por
supuesto; (*sans faute, à tout prix*)
absolutamente; **~ pas** en absoluto
absorbant, e [apsɔʀbɑ̃, ɑ̃t] *adj*
absorbente
absorber [apsɔʀbe] *vt* absorber;
(*manger, boire*) tomar; (*temps, argent*)
consumir
abstenir [apstəniʀ] *vpr*: **s'abstenir**
abstenerse; **s'~ de qch/de faire** privarse
de algo/de hacer
abstrait, e [apstʀɛ, ɛt] *adj* abstracto(-a)
■ *nm*: **dans l'~** en abstracto; **art ~** arte *m*
abstracto
absurde [apsyʀd] *adj* absurdo(-a) **■** *nm*
(*Philos*): **l'~** el absurdo; **raisonnement
par l'~** razonamiento por reducción al
absurdo
abus [aby] *nm* abuso; **il y a de l'~** (*fam*) es
un abuso; **~ de confiance** abuso de
confianza; (*détournement de fonds*)
desfalco; **~ de pouvoir** abuso de poder
abuser [abyze] *vi* abusar **■** *vt* abusar de;
s'abuser *vpr* equivocarse; **si je ne
m'abuse!** si no me equivoco; **~ de** abusar
de
abusif, -ive [abyzif, iv] *adj* abusivo(-a)
acacia [akasja] *nm* acacia
académie [akademi] *nf* academia; (*Art*)
desnudo; (*Univ*) ≈ distrito universitario;
l'A~ (française) ≈ la Real Academia
(Española)

acajou [akaʒu] *nm* caoba

acariâtre [akaʀjɑtʀ] *adj* desabrido(-a)

accablant, e [akɑblɑ̃, ɑ̃t] *adj*
(*témoignage, preuve*) abrumador(a);
(*chaleur, poids*) agobiante

accabler [akɑble] *vt* (*physiquement*)
agobiar; (*moralement*) abatir; (*suj:
preuves, témoignage*) inculpar; **~ qn
d'injures/de travail** colmar a algn de
injurias/de trabajo; **accablé de dettes/
soucis** cargado de deudas/
preocupaciones

accalmie [akalmi] *nf* (*aussi fig*) calma,
tregua

accaparer [akapaʀe] *vt* acaparar

accéder [aksede] *vt*: **~ à** (*lieu*) tener
acceso a; (*fig*) acceder a; (*indépendance*)
lograr

accélérateur [akseleʀatœʀ] *nm*
acelerador *m*

accélérer [akseleʀe] *vt, vi* acelerar

accent [aksɑ̃] *nm* acento; **aux ~s de**
(*musique*) a los acordes de; **mettre l'~ sur**
(*fig*) hacer hincapié en; **~ aigu/circonflexe/
grave** acento agudo/circunflejo/grave

accentuer [aksɑ̃tɥe] *vt* (*aussi fig*)
acentuar; **s'accentuer** *vpr* acentuarse

acceptation [aksɛptasjɔ̃] *nf* aceptación
f, admisión *f*

accepter [aksɛpte] *vt* aceptar;
(*admettre*) aceptar, admitir; **~ de faire**
aceptar hacer; **~ que qn fasse** aceptar
que algn haga; **~ que** admitir que;
accepteriez-vous que je m'en aille?
¿le importaría que me fuese?; **j'accepte!**
¡vale!; **je n'accepterai pas cela** eso no lo
admitiré

accès [aksɛ] *nm* acceso ▪ *nmpl* (*routes,
entrées*) accesos *mpl*; **d'~ facile/malaisé**
de fácil/difícil acceso; **l'~ aux quais est
interdit** el acceso a los andenes está
prohibido; **donner ~ à** dar acceso a;

avoir ~ auprès de qn tener entrada con
algn; **~ de colère** arrebato; **~ de toux**
arranque *m* de tos

accessible [aksesibl] *adj* accesible; (*prix,
objet*) asequible; (*livre, sujet*): **~ (à qn)**
accesible (a algn); **être ~ à la pitié/à
l'amour** ser capaz de compasión/de
amor

accessoire [akseswaʀ] *adj*
secundario(-a) ▪ *nm* accesorio

accident [aksidɑ̃] *nm* accidente *m*;
(*événement fortuit*) incidente *m*; **par ~** por
accidente; **~ de la route/du travail**
accidente de carretera/de trabajo; **~ de
parcours** desliz *msg*; **~s de terrain**
accidentes *mpl* del terreno

accidenté, e [aksidɑ̃te] *adj*
accidentado(-a); (*voiture*)
estropeado(-a), dañado(-a) ▪ *nm/f*
herido(-a); **un ~ de la route** un herido de
la carretera

accidentel, le [aksidɑ̃tɛl] *adj*
accidental; (*fortuit*) casual

acclamer [aklame] *vt* aclamar

acclimater [aklimate] *vt* aclimatar;
(*personne*) acostumbrar; **s'acclimater**
vpr aclimatarse

accolade [akɔlad] *nf* abrazo; (*signe
typographique*) llave *f*; **donner l'~ à qn**
(*entre amis*) dar un abrazo a algn; (*dans
une cérémonie*) dar el espaldarazo a algn

accommoder [akɔmɔde] *vt* (*Culin*)
aliñar ▪ *vi* adaptar; **s'accommoder**
vpr: **s'~ de** contentarse con; **~ qch à**
adaptar algo a; **s'~ à** adaptarse a

accompagnateur, -trice
[akɔ̃paɲatœʀ, tʀis] *nm/f* acompañante
m/f

accompagner [akɔ̃paɲe] *vt*
acompañar; **s'accompagner** *vpr*
acompañarse; **s'~ de** conllevar; (*avoir
pour conséquence*) acarrear; **vous
permettez que je vous accompagne?**
¿me permite que le acompañe?

accompli, e [akɔ̃pli] *adj* consumado(-a)

accomplir [akɔ̃pliʀ] *vt* cumplir;
s'accomplir *vpr* cumplirse

accord [akɔʀ] *nm* (*entente*) acuerdo;
(*Ling, harmonie*) concordancia;
(*consentement, autorisation*)
consentimiento; (*Mus*) acorde *m*; **mettre
2 personnes d'~** poner a 2 personas de
acuerdo; **se mettre d'~** ponerse de
acuerdo; **être d'~ (avec qn)** estar de
acuerdo (con algn); **être d'~ (pour faire/
que)** estar de acuerdo (en hacer/en que);
d'~! ¡de acuerdo!; **d'un commun ~** de
común acuerdo; **en ~ avec qn** de acuerdo

con algn; **donner son ~** dar su consentimiento; **~ en genre et en nombre** concordancia en género y número; **~ parfait** (*Mus*) acorde perfecto

accordéon [akɔʀdeɔ̃] *nm* acordeón *m*; **en ~** en acordeón

accorder [akɔʀde] *vt* (*faveur, délai*) conceder; (*harmoniser*) conciliar; (*Mus*) afinar; (*Ling*) concordar; **s'accorder** *vpr* estar de acuerdo; (*être d'accord, se mettre d'accord*) estar de acuerdo, ponerse de acuerdo; (*couleurs, caractères*) casar; (*Ling*) concordar; (*un moment de répit*) darse; **~ de l'importance/de la valeur à qch** dar importancia/valor a algo; **je vous accorde que ...** le concedo que ...

accoster [akɔste] *vt* (*Naut*) acostar; (*personne*) abordar ■ *vi* acostar

accouchement [akuʃmɑ̃] *nm* parto; **~ à terme/sans douleur** parto a término/sin dolor

accoucher [akuʃe] *vi, vt* dar a luz; **~ d'une fille** dar a luz una niña

accouder [akude] *vpr*: **s'accouder**: **s'~ à/contre/sur** acodarse en/sobre; **accoudé à la fenêtre** acodado en la ventana

accoudoir [akudwaʀ] *nm* brazo

accoupler [akuple] *vt* (*moteurs*) conectar; (*bœufs*) uncir; (*animaux*) aparear; **s'accoupler** *vpr* aparearse

accourir [akuʀiʀ] *vi* precipitarse

accoutumance [akutymɑ̃s] *nf* (*au climat*) adaptación *f*; (*drogue*) adicción *f*

accoutumé, e [akutyme] *adj* acostumbrado(-a); **être ~ à qch/à faire** estar acostumbrado(-a) a algo/a hacer; **comme à l'~e** como de costumbre

accoutumer [akutyme] *vt*: **~ qn à qch/ à faire** acostumbrar a algn a algo/a hacer; **s'accoutumer** *vpr*: **s'~ à qch/à faire** acostumbrarse a algo/a hacer

accroc [akʀo] *nm* (*déchirure*) desgarrón *m*; **sans ~s** (*fig*) sin contratiempos; **faire un ~ à** (*vêtement*) hacer un desgarrón en; (*fig*) cometer una infracción contra

accrochage [akʀɔʃaʒ] *nm* (*d'un tableau*) colgamiento; (*d'une remorque*) enganche *m*; (*accident*) choque *m*; (*escarmouche*) escaramuza; (*dispute*) pelea

accrocher [akʀɔʃe] *vt*: **~ à** (*vêtement, tableau*) colgar en; (*wagon, remorque*) enganchar; (*véhicule*) chocar con; (*piéton*) atropellar; (*déchirer: robe, pull*) rasgar; (*Mil*) entablar combate con; (*fig: regard, client*) atraer ■ *vi* (*fermeture éclair*) engancharse; (*pourparlers*) atascarse;

(*plaire: disque*) pegar (*fam*); **s'accrocher** *vpr* (*Mil, se disputer*) pelearse; (*ne pas céder*) resistir; **s'~ à** (*rester pris à*) engancharse en; (*agripper*) agarrarse a; (*personne*) pegarse a; (*espoir, idée*) aferrarse a; **il faut s'~** (*fam*) hay que seguir

accroissement [akʀwasmɑ̃] *nm* aumento

accroître [akʀwatʀ] *vt* acrecentar; **s'accroître** *vpr* acrecentarse

accroupir [akʀupiʀ] *vpr*: **s'accroupir** ponerse en cuclillas

accru, e [akʀy] *pp de* **accroître**

accueil [akœj] *nm* acogida; (*endroit*) recepción *f*; **centre/comité d'~** centro/ comité *m* de recepción

accueillir [akœjiʀ] *vt* (*recevoir, saluer*) acoger; (*loger*) alojar; (*fig*) recibir

accumuler [akymyle] *vt* acumular; **s'accumuler** *vpr* acumularse

accusation [akyzasjɔ̃] *nf* acusación *f*; **l'~** (*Jur*) la acusación; **mettre qn en ~** iniciar causa en contra de algn; **acte d'~** acta de acusación

accusé, e [akyze] *adj, nm/f* acusado(-a); **~ de réception** *nm* acuse *m* de recibo

accuser [akyze] *vt* (*aussi fig*) acusar; (*fig: souligner*) acentuar; **s'accuser** *vpr* (*s'accentuer*) acentuarse; **~ qn de qch** acusar a algn de algo; **~ qch de qch** culpar a algo de algo; **~ réception de** acusar recibo de; **~ le coup** (*fig, fam*) acusar el golpe; **s'~ de qch/d'avoir fait qch** culparse de algo/de haber hecho algo

acéré, e [asere] *adj* acerado(-a); (*fig*) mordaz

acharné, e [aʃaʀne] *adj* encarnizado(-a)

acharner [aʃaʀne] *vpr*: **s'acharner**: **s'~ contre/sur** ensañarse con; **s'~ à faire** empeñarse en hacer

achat [aʃa] *nm* compra; **faire l'~ de** comprar; **faire des ~s** ir de compras

acheter [aʃ(ə)te] *vt* comprar; **~ à crédit** comprar a crédito; **~ qch à qn** comprar algo a algn

acheteur, -euse [aʃ(ə)tœʀ, øz] *nm/f* comprador(a); **l'~ et le vendeur** el comprador y el vendedor

achever [aʃ(ə)ve] *vt* acabar, finalizar; (*blessé*) rematar; **s'achever** *vpr* acabarse; **~ de faire qch** (*aussi fig*) acabar de hacer algo

acide [asid] *adj* ácido(-a); (*ton*) áspero(-a) ■ *nm* ácido

acidulé [asidyle] *adj* ácido(-a); **bonbons ~s** caramelos *mpl* ácidos

acier [asje] *nm* acero; **~ inoxydable** acero inoxidable

aciérie [asjeʀi] *nf* acería

acné [akne] *nf* acné *f*; **~ juvénile** acné juvenil

acompte [akɔ̃t] *nm* (*arrhes*) señal *f*; (*sur somme due*) adelanto; (*sur salaire*) anticipo

à-côté [akote] *nm* (*point accessoire*) cuestión *f* secundaria; (*argent: aussi pl*) dinero extra *inv*

à-coup [aku] *nm* (*du moteur*) sacudidas *fpl*; (*du commerce, de l'économie*) altibajos *mpl*; **sans ~s** sin interrupción; **par ~s** a tirones

acoustique [akustik] *nf* acústica ■ *adj* acústico(-a)

acquéreur [akeʀœʀ] *nm* comprador(a); **se porter ~ de qch** ofrecerse como comprador de algo; **se rendre ~ de qch** adquirir algo

acquérir [akeʀiʀ] *vt* comprar; (*résultats*) obtener

acquiescer [akjese] *vi* asentir; **~ (à qch)** consentir (en algo)

acquis, e [aki, iz] *pp de* **acquérir** ■ *nm* (*savoir, expérience*) conocimientos *mpl*; **acquis** *nmpl*: **les ~ sociaux** los logros sociales ■ *adj* adquirido(-a); (*résultats*) obtenido(-a); **tenir qch pour ~** (*comme allant de soi*) dar algo por sabido; (*comme décidé*) dar algo por hecho; **être ~ à** ser adicto(-a) a; **caractère ~** carácter *m* adquirido; **vitesse ~e** velocidad *f* adquirida

acquitter [akite] *vt* (*accusé*) absolver; (*payer*) abonar, pagar; **s'acquitter de** *vpr* (*promesse, tâche*) cumplir con; (*dette*) satisfacer

âcre [ɑkʀ] *adj* acre

acrobate [akʀɔbat] *nm/f* acróbata *m/f*

acrobatie [akʀɔbasi] *nf* (*aussi fig*) acrobacia; **~ aérienne** acrobacia aérea

acte [akt] *nm* (*Théâtre, action*) acto; (*document*) acta; **actes** *nmpl* (*compte-rendu*) actas *fpl*; **prendre ~ de** levantar acta de; **prendre ~ de** tomar nota de; **faire ~ de présence** hacer acto de presencia; **faire ~ de candidature** presentar una candidatura; **~ d'accusation** acta de acusación; **~ de baptême** fe *f* de bautismo; **~ de mariage/de naissance** partida de matrimonio/de nacimiento; **~ de vente** escritura

acteur, -trice [aktœʀ, tʀis] *nm/f* actor (actriz)

actif, -ive [aktif, iv] *adj* activo(-a); (*remède*) eficaz ■ *nm* activo; **prendre**

une part active à qch tomar parte activa en algo; **l'~ et le passif** el activo y el pasivo

action [aksjɔ̃] *nf* acción *f*; (*déploiement d'énergie*) actividad *f*; **une bonne/mauvaise ~** una buena/mala acción; **mettre en ~** poner en práctica; **passer à l'~** pasar a la acción; **un homme d'~** un hombre de acción; **sous l'~ de** bajo el efecto de; **un film d'~** una película de acción; **~ de grâce(s)** acción de gracias; **~ en diffamation** demanda por difamación

actionnaire [aksjɔnɛʀ] *nm/f* accionista *m/f*

actionner [aksjɔne] *vt* accionar

activer [aktive] *vt* activar; **s'activer** *vpr* (*se presser*) apresurarse; (*s'affairer*) trajinar

activité [aktivite] *nf* actividad *f*; **cesser toute ~** abandonar toda actividad; **en ~** (*fonctionnaire, militaire*) en activo; (*volcan, industrie*) en actividad; **~s subversives** actividades subversivas

actrice [aktʀis] *nf voir* **acteur**

actualité [aktɥalite] *nf* actualidad *f*; **actualités** *nfpl*: **les ~s** las noticias; **l'~ politique/sportive** la actualidad política/deportiva; **d'~** de actualidad

actuel, le [aktɥɛl] *adj* actual; **à l'heure ~le** hoy en día, en el momento actual

actuellement [aktɥɛlmɑ̃] *adv* actualmente

acupuncture [akypɔ̃ktyʀ] *nf* acupuntura

adaptateur, -trice [adaptatœʀ, tʀis] *nm/f* (*Théâtre*) adaptador(a) ■ *nm* (*Élec*) adaptador *m*

adapter [adapte] *vt*: **~ à** adaptar a; **s'adapter** *vpr* (*personne*): **s'~ (à)** adaptarse (a); (*objet, prise etc*) ajustarse (a); **~ qch sur/dans/à** ajustar algo sobre/en/a

addition [adisjɔ̃] *nf* (*d'une clause*) inclusión *f*; (*Math*) adición *f*; (*au restaurant*) cuenta

additionner [adisjɔne] *vt* sumar; **s'additionner** *vpr* sumarse; **~ un vin d'eau** añadir agua al vino

adepte [adɛpt] *nm/f* (*d'une religion*) adepto(-a); (*d'un sport*) partidario(-a)

adéquat, e [adekwa(t), at] *adj* adecuado(-a)

adhérent, e [adeʀɑ̃, ɑ̃t] *adj* adherente ■ *nm/f* miembro *m/f*

adhérer [adeʀe] *vi* adherirse ■ *vt*: **~ à** (*coller*) adherir a; (*se rallier à*) adherirse a; (*devenir membre de*) afiliarse a; (*être membre de*) estar afiliado(-a) a

adhésif, -ive [adezif, iv] *adj*
adhesivo(-a) ■ *nm* adhesivo
adieu [adjø] *excl* ¡adiós! ■ *nm* adiós *msg*;
adieux *nmpl*: **faire ses ~x à qn**
despedirse de algn; **dire ~ à qn** decir
adiós a algn; **dire ~ à qch** decir adiós a
algo
adjectif, -ive [adʒɛktif, iv] *adj*
adjetivo(-a) ■ *nm* adjetivo; **~ attribut/**
démonstratif/épithète adjetivo
atributo/demostrativo/epíteto; **~**
numéral/possessif/qualificatif adjetivo
numeral/posesivo/calificativo
adjoint, e [adʒwɛ̃, wɛt] *nm/f*
adjunto(-a); **directeur ~** director *m*
adjunto; **~ au maire** teniente *m* alcalde
admettre [admɛtʀ] *vt* admitir;
(*candidat*) admitir, aprobar; **~ que** admitir
que; **j'admets que** admitamos que; **je**
n'admets pas ce genre de conduite no
admito este tipo de comportamiento;
je n'admets pas que tu fasses cela no
admito que hagas esto; **admettons**
admitamos; **admettons que ...**
admitamos que ...
administrateur, -trice
[administʀatœʀ, tʀis] *nm/f*
administrador(a); **~ délégué** consejero
delegado; **~ judiciaire** interventor *m*
administration [administʀasjɔ̃] *nf*
administración *f*; **l'A~** la Administración
administrer [administʀe] *vt*
administrar
admirable [admiʀabl] *adj* admirable
admirateur, -trice [admiʀatœʀ, tʀis]
nm/f admirador(a)
admiration [admiʀasjɔ̃] *nf* admiración
f; **être en ~ devant** admirar mucho a
admirer [admiʀe] *vt* admirar
admis, e [admi, iz] *pp de* **admettre**
admissible [admisibl] *adj* (*candidat*)
admitido(-a); (*comportement: gén nég*)
admisible
ADN [adeɛn] *sigle m* (= *acide*
désoxyribonucléique) ADN *m*
adolescence [adɔlesɑ̃s] *nf* adolescencia
adolescent, e [adɔlesɑ̃, ɑ̃t] *nm/f*
adolescente *m/f*
adopter [adɔpte] *vt* (*projet de loi*)
aprobar; (*politique, enfant*) adoptar
adoptif, -ive [adɔptif, iv] *adj*
adoptivo(-a)
adorable [adɔʀabl] *adj* adorable
adorer [adɔʀe] *vt* adorar
adosser [adose] *vt*: **~ qch à/contre**
adosar algo a/contra; **s'adosser** *vpr*:
s'~ à/contre respaldarse en/contra; **être**
adossé à/contre estar adosado a/contra

adoucir [adusiʀ] *vt* (*aussi fig*) suavizar;
(*avec du sucre*) endulzar; (*peine, douleur*)
aliviar; (*eau*) descalcificar; **s'adoucir** *vpr*
suavizarse
adresse [adʀɛs] *nf* (*habileté*) habilidad *f*;
(*domicile*) dirección *f*; (*Inform*) directorio;
à l'~ de a la atención de; **partir**
sans laisser d'~ marchar sin dejar
la dirección
adresser [adʀese] *vt* (*expédier*) enviar;
(*écrire l'adresse sur*) poner la dirección en;
(*injure, compliments*) dirigir; **s'adresser**
vpr: **s'~ à** dirigirse a; (*suj: livre, conseil*)
estar dirigido(-a) a; **~ qn à un docteur/**
un bureau enviar a algn a un médico/una
oficina; **~ la parole à qn** dirigir la palabra
a algn
adroit, e [adʀwa, wat] *adj* hábil; (*rusé*)
astuto(-a)
ADSL *sigle m* (= *asymmetrical digital*
subscriber line) ADSL *m*
adulte [adylt] *nm/f* adulto(-a)
■ *adj* adulto(-a); (*attitude*) maduro(-a);
l'âge ~ la edad adulta; **film pour ~s**
película para adultos; **formation des/**
pour ~s formación *f* de/para adultos
adverbe [advɛʀb] *nm* adverbio; **~ de**
manière adverbio de modo
adversaire [advɛʀsɛʀ] *nm/f*
adversario(-a); **~ de qch** adversario(-a)
de algo
aération [aeʀasjɔ̃] *nf* (*action d'aérer*)
aeración *f*; (*circulation de l'air*) ventilación
f; **bouche/conduit d'~** boca/conducto
de ventilación
aérer [aeʀe] *vt* (*pièce, literie*) ventilar;
(*style*) aligerar; **s'aérer** *vpr* airearse,
tomar el aire
aérien, ne [aeʀjɛ̃, jɛn] *adj* (*aussi fig*)
aéreo(-a); **compagnie ~ne** compañía
aérea; **ligne ~ne** línea aérea
aérodynamique [aeʀodinamik] *adj*
aerodinámico(-a) ■ *nf* aerodinámica
aérogare [aeʀogaʀ] *nf* terminal *f*; (*en*
ville) estación *f* terminal
aéroglisseur [aeʀoglisœʀ] *nm*
aerodeslizador *m*
aéronaval, e, -aux [aeʀonaval, o] *adj*
aeronaval ■ *nf*: **l'A~e** las Fuerzas
aeronavales
aérophagie [aeʀofaʒi] *nf* aerofagia
aéroport [aeʀopɔʀ] *nm* aeropuerto;
~ d'embarquement aeropuerto de
embarque
aérosol [aeʀosɔl] *nm* aerosol *m*
affaiblir [afebliʀ] *vt* debilitar; (*poutre,*
câble) hacer ceder; **s'affaiblir** *vpr*
debilitarse

affaire [afɛʀ] nf (problème, question) asunto; (scandale) escándalo; (criminelle, judiciaire) caso; (entreprise, magasin) negocio, empresa; (marché, transaction) negocio; (occasion intéressante) ganga; **affaires** nfpl (objets, effets personnels) cosas fpl; **ce sont mes/tes ~s** (cela me/te concerne) es asunto mío/tuyo; **tirer qn/se tirer d'~** sacar a algn/salir de un apuro; **en faire son ~** encargarse de ello; **n'en fais pas une ~!** ¡no hagas una montaña de eso!; **tu auras ~ à moi!** ¡te las verás conmigo!; **ceci fera l'~** esto bastará; **avoir ~ à qn/qch** (comme adversaire) tener que vérselas con algn/algo; (comme contact) estar en relación con algn/algo; **c'est une ~ de goût/d'argent** es una cuestión de gusto/dinero; **c'est l'~ d'une minute/heure** es cosa de un minuto/una hora; **les A~s étrangères** Asuntos Exteriores; **toutes ~s cessantes** dejándolo todo

affairer [afeʀe] vpr: **s'affairer** afanarse

affamé, e [afame] adj hambriento(-a)

affecter [afɛkte] vt (toucher, émouvoir) conmover, afectar; (feindre) fingir; (telle ou telle forme) presentar; **~ qch/qn à** destinar algo/a algn a; **~ qch d'un coefficient/indice** asignar a algo un coeficiente/índice

affectif, -ive [afɛktif, iv] adj afectivo(-a)

affection [afɛksjɔ̃] nf afecto, cariño; (Méd) afección f; **avoir de l'~ pour** tener cariño a; **prendre en ~** tomar cariño a

affectionner [afɛksjɔne] vt querer

affectueux, -euse [afɛktɥø, øz] adj afectuoso(-a)

affichage [afiʃaʒ] nm anuncio; (électronique) marcador m; **"~ interdit"** "se prohibe fijar carteles"; **panneau/tableau d'~** panel m/tablón m de anuncios; **~ à cristaux liquides** marcador de cristales líquidos; **~ digital/numérique** marcador digital/numérico

affiche [afiʃ] nf cartel m, afiche m (AM); (officielle) anuncio; **être à l'~** estar en cartelera; **tenir l'~** mantenerse en cartelera

afficher [afiʃe] vt anunciar; (électroniquement) marcar; (fig, péj) ostentar; **s'afficher** vpr (péj) exhibirse; (électroniquement) mostrarse; **"défense d'~"** "prohibido fijar carteles"

affilée [afile] nf: **d'~** adv de un tirón

affirmatif, -ive [afiʀmatif, iv] adj (réponse) afirmativo(-a); (personne) seguro(-a) de sí mismo(-a)

affirmer [afiʀme] vt afirmar; **s'affirmer** vpr afirmarse

affligé, e [afliʒe] adj afligido(-a); **~ d'une maladie/tare** aquejado(-a) por una enfermedad/tara

affliger [afliʒe] vt afligir

affluence [aflyɑ̃s] nf afluencia; **heure/jour d'~** hora/día m de afluencia

affluent [aflyɑ̃] nm afluente m

affolant, e [afɔlɑ̃, ɑ̃t] adj enloquecedor(a)

affolement [afɔlmɑ̃] nm pánico

affoler [afɔle] vt asustar; **s'affoler** vpr asustarse

affranchir [afʀɑ̃ʃiʀ] vt (lettre, paquet) franquear; (esclave) libertar; (d'une contrainte, menace) liberar; **s'affranchir** vpr: **s'~ de** liberarse de

affranchissement [afʀɑ̃ʃismɑ̃] nm (Postes) franqueo; (d'un esclave) liberación f; **tarifs d'~** tarifas fpl de franqueo; **~ insuffisant** franqueo insuficiente

affreux, -euse [afʀø, øz] adj horrible

affront [afʀɔ̃] nm afrenta

affrontement [afʀɔ̃tmɑ̃] nm enfrentamiento

affronter [afʀɔ̃te] vt (adversaire) afrontar, hacer frente a; (tempête, critiques) afrontar; **s'affronter** vpr confrontarse

affût [afy] nm (de canon) cureña; **à l'~ (de)** (aussi fig) al acecho (de)

afin [afɛ̃] : **~ que** conj a fin de que; **~ de faire** a fin de hacer, con el fin de hacer

africain, e [afʀikɛ̃, ɛn] adj africano(-a) ■ nm/f: **Africain, e** africano(-a)

Afrique [afʀik] nf África; **~ australe/du Nord/du Sud** África austral/del Norte/del Sur

agaçant, e [agasɑ̃, ɑ̃t] adj molesto(-a), irritante

agacer [agase] vt molestar; (aguicher) provocar

âge [aʒ] nm edad f; **quel ~ as-tu?** ¿qué edad tienes?; **une femme d'un certain ~** una mujer de cierta edad; **bien porter son ~** llevar bien los años; **prendre de l'~** envejecer; **limite/dispense d'~** límite m/dispensa de edad; **troisième ~** tercera edad; **avoir l'~ de raison** tener uso de razón; **l'~ ingrat** la edad del pavo; **~ légal/mental** edad legal/mental; **l'~ mûr** la edad madura

âgé, e [aʒe] adj de edad; **~ de 10 ans** de 10 años de edad; **les personnes ~es** los ancianos

agence [aʒɑ̃s] nf agencia; (succursale) sucursal f; **~ immobilière/matrimoniale**

agenda | 8

agencia inmobiliaria/matrimonial; **~ de placement/de publicité/de voyages** oficina de empleo/de publicidad/de viajes

agenda [aʒɛ̃da] nm agenda

agenouiller [aʒ(ə)nuje] vpr: **s'agenouiller** arrodillarse

agent [aʒɑ̃] nm (Admin) funcionario(-a); (élément, facteur) agente m, factor m; **~ commercial/d'assurances/de change** agente comercial/de seguros/de cambio; **~ (de police)** policía m, agente (AM); **~ immobilier** agente inmobiliario; **~ secret** agente secreto

agglomération [aglɔmeʀasjɔ̃] nf aglomeración f; (de huttes) poblado; **l'~ parisienne** el área metropolitana de París

aggraver [agʀave] vt agravar, empeorar; (Jur) agravar; **s'aggraver** vpr agravarse; **~ son cas** agravar su caso

agile [aʒil] adj ágil

agir [aʒiʀ] vi actuar; (avoir de l'effet) hacer efecto; **s'agir** vpr: **il s'agit de faire** se trata de hacer; **il s'agit de** se trata de; **de quoi s'agit-il?** ¿de qué se trata?; **s'agissant de** tratándose de

agitation [aʒitasjɔ̃] nf agitación f

agité, e [aʒite] adj (gén enfant) revoltoso(-a); (vie, personne) agitado(-a); **une mer ~e** un mar agitado ou revuelto; **un sommeil ~** un sueño intranquilo

agiter [aʒite] vt agitar; (question, problème) discutir; (personne) inquietar; **s'agiter** vpr (Pol, aussi fig) agitarse; **"~ avant l'emploi"** "agitar antes de usar"

agneau [aɲo] nm cordero

agonie [agɔni] nf (aussi fig) agonía f

agrafe [agʀaf] nf (de vêtement) corchete m; (Méd, de bureau) grapa

agrafer [agʀafe] vt (un vêtement) abrochar; (des feuilles de papier) grapar

agrafeuse [agʀaføz] nf grapadora

agrandir [agʀɑ̃diʀ] vt agrandar, ampliar; **s'agrandir** vpr agrandarse; **(faire) ~ sa maison** (hacer) ampliar su casa

agrandissement [agʀɑ̃dismɑ̃] nm ampliación f, ensanche m; (Photo) ampliación f

agréable [agʀeabl] adj agradable

agréé, e [agʀee] adj: **magasin/ concessionnaire ~** establecimiento/ concesionario autorizado

agréer [agʀee] vt acceder; **~ à** acceder a; **se faire ~** hacerse admitir; **veuillez ~ ... le saluda ...**

agrégation [agʀegasjɔ̃] nf oposición f

● AGRÉGATION

La agrégation, que se conoce familiarmente como agrég, es un examen de oposición para profesores de enseñanza secundaria. El número de opositores siempre excede en mucho al número de plazas. La mayor parte del profesorado de las "classes préparatoires" y del profesorado universitario ha aprobado la agrégation.

agrégé, e [agʀeʒe] nm/f catedrático(-a)

agrément [agʀemɑ̃] nm (accord) consentimiento; (attraits) atractivo; (plaisir) agrado; **jardin d'~** jardín m de recreo; **voyage d'~** viaje m de placer

agresser [agʀese] vt agredir

agresseur [agʀesœʀ] nm agresor(a)

agressif, -ive [agʀesif, iv] adj agresivo(-a); (couleur, toilette) provocador(a)

agricole [agʀikɔl] adj agrícola

agriculteur, -trice [agʀikyltœʀ, tʀis] nm/f agricultor(a)

agriculture [agʀikyltyʀ] nf agricultura

agripper [agʀipe] vt agarrar; **s'agripper** vpr: **s'~ à** agarrarse a, aferrarse a

agro-alimentaire [agʀoalimɑ̃tɛʀ] (pl **~s**) adj agroalimenticio(-a)

agrumes [agʀym] nmpl agrios mpl

aguets [agɛ] adv: **être aux ~** estar al acecho

ai [ɛ] vb voir **avoir**

aide [ɛd] nf ayuda ■ nm/f ayudante m/f; **à l'~ de** con (la) ayuda de; **à l'~!** ¡socorro!; **appeler (qn) à l'~** pedir ayuda (a algn); **venir en ~ à qn** ayudar a algn; **il est venu à mon ~** vino en mi ayuda; **~ de camp** nm ayudante de campo; **~ de laboratoire** nm/f auxiliar m/f de laboratorio; **~ familiale** nf ayuda familiar; **~ judiciaire** nf ayuda judicial; **~ ménagère** nf ayuda doméstica; **~ sociale** nf (assistance) asistencia social; **~ technique** nm/f asistente m/f técnico(-a)

aide-mémoire [ɛdmemwaʀ] nm inv memorándum m

aider [ede] vt ayudar; **s'aider de** vpr ayudarse de, servirse de; **~ qn à faire qch** ayudar a algn a hacer algo; **~ à** (faciliter, favoriser) ayudar a

aide-soignant, e [ɛdswaɲɑ̃, ɑ̃t] (pl **aides-soignants, es**) nm/f auxiliar m/f de enfermería

aie etc [ɛ] vb voir **avoir**

aïe [aj] *excl* ¡ay!

aigle [ɛgl] *nm* águila

aigre [ɛgʀ] *adj* (*aussi fig*) agrio(-a); **tourner à l'~** agriarse

aigre-doux, -douce [ɛgʀədu, dus] (*pl* **aigres-doux, -douces**) *adj* agridulce

aigreur [ɛgʀœʀ] *nf* acidez *f*; (*d'un propos*) acritud *f*; **~s d'estomac** acidez de estómago

aigu, ë [egy] *adj* (*objet, arête*) afilado(-a); (*voix, note, douleur*) agudo(-a)

aiguille [egɥij] *nf* aguja; (*montagne*) picacho; **~ à tricoter** aguja de tejer

aiguiser [egize] *vt* afilar; (*fig*) aguzar

ail [aj] *nm* ajo

aile [ɛl] *nf* ala; (*de voiture*) aleta; **battre de l'~** estar alicaído(-a); **voler de ses propres ~s** volar solo(-a); **~ libre** vuelo libre

ailier [elje] *nm* extremo; **~ droit/gauche** extremo derecho/izquierdo

aille *etc* [aj] *vb voir* **aller**

ailleurs [ajœʀ] *adv* en otra parte; **partout/nulle part ~** en cualquier/en ninguna otra parte; **d'~** además; **par ~** por otra parte

aimable [ɛmabl] *adj* amable; **vous êtes bien ~** es usted muy amable

aimant, e [ɛmɑ̃, ɑ̃t] *adj* afectuoso(-a) ■ *nm* imán *m*

aimer [eme] *vt* (*d'amour*) querer, amar; (*d'amitié, affection*) querer; (*chose, activité*) gustar; **s'aimer** *vpr* amarse; **bien ~ qn/ qch** querer mucho a algn/algo; **j'aime le cinéma/le plein air du sport** me gusta el cine/ hacer deporte; **j'aime bien Pierre** me cae bien Pedro; **aimeriez-vous que je vous accompagne?** ¿le gustaría que le acompañase?; **j'aimerais (bien) m'en aller** me gustaría (mucho) irme; **j'aimerais te demander de ...** quisiera preguntarle si ...; **j'aimerais que la porte soit fermée** me gustaría que la puerta estuviese cerrada; **tu aimerais que je fasse qch pour toi?** ¿te gustaría que hiciese algo por ti?; **j'aime mieux** *ou* **autant vous dire que** prefiero decirle que; **j'aimerais autant** *ou* **mieux y aller maintenant** preferiría ir ahora; **j'aimerais avoir ton avis/opinion** me gustaría conocer tu opinión; **j'aime mieux Paul que Pierre** prefiero a Pablo antes que a Pedro

aine [ɛn] *nf* ingle *f*

aîné, e [ene] *adj* mayor ■ *nm/f* primogénito(-a); **aînés** *nmpl* (*fig: anciens*) antepasados *mpl*; **il est mon ~ (de 2 ans)** es (2 años) mayor que yo

ainsi [ɛ̃si] *adv* (*de cette façon*) de este modo; (*ce faisant*) así como; (*et aussi*) también; **pour ~ dire** por decirlo así; **~ donc** así pues; **~ soit-il** así sea; **et ~ de suite** y así sucesivamente ■ *conj* entonces; **~ que** (*comme*) así como

air [ɛʀ] *nm* aire *m*; (*expression, attitude*) aspecto; **dans l'~** (*atmosphère, ambiance*) en el aire; **tout mettre en l'~** poner una habitación patas arriba; **regarder en l'~** mirar hacia arriba; **tirer en l'~** disparar al aire; **parole/menace en l'~** palabra/amenaza al aire; **prendre l'~** tomar el aire; **avoir l'~** parecer, verse (*AM*); **il a l'~ de manger/dormir/faire** parece que está comiendo/durmiendo/ haciendo; **avoir l'~ d'un homme/clown** parecer un hombre/payaso; **prendre de grands ~s (avec qn)** darse aires de grandeza (con algn); **avoir l'~ triste** parecer triste; **ils ont un ~ de famille** se dan un aire de familia; **courant d'~** corriente *f* de aire; **le grand ~** el aire libre; **mal de l'~** mareo; **tête en l'~** despistado(-a); **~ comprimé/ conditionné/liquide** aire comprimido/ acondicionado/líquido

airbag [ɛʀbag] *nm* airbag *m*

aisance [ɛzɑ̃s] *nf* (*facilité*) facilidad *f*; (*grâce, adresse*) desenvoltura; (*richesse*) bienestar *m*; (*Couture*) holgura; **être dans l'~** estar desahogado(-a)

aise [ɛz] *nf* (*confort*) comodidad *f*; (*financière*) desahogo ■ *adj*: **être bien ~ de/que** estar encantado(-a) de/de que; **aises** *nfpl*: **prendre ses ~s** instalarse a sus anchas; **soupirer/frémir d'~** suspirar/temblar de gozo; **être à l'~** *ou* **à son ~** estar a gusto; (*pas embarrassé*) estar a sus anchas; (*financièrement*) estar desahogado(-a); **se mettre à l'~** ponerse a gusto; **être mal à l'~** *ou* **à son ~** estar a disgusto; (*gêné*) estar molesto(-a); **mettre qn à l'~/mal à l'~** hacer que algn se sienta cómodo(-a)/incómodo(-a); **à votre ~** como usted guste; **en faire à son ~** hacer lo que a uno le plazca; **en prendre à son ~ avec qch** tomarse algo con calma; **il aime ses ~s** le gusta la comodidad

aisé, e [eze] *adj* (*facile*) fácil; (*naturel*) desenvuelto(-a); (*assez riche*) acomodado(-a)

aisselle [ɛsɛl] *nf* axila

ait [ɛ] *vb voir* **avoir**

ajonc [aʒɔ̃] *nm* aulaga

ajourner [aʒuʀne] *vt* (*débat, décision*) aplazar, postergar (*AM*); (*candidat*) suspender; (*conscrit*) reemplazar

ajout [aʒu] *nm* añadido
ajouter [aʒute] *vt* añadir, agregar (*esp AM*); (*Inform*) juntar, añadir; ~ **que** añadir que; ~ **foi à** dar crédito a; ~ **à** añadir a; **s'~ à** añadirse a
alarme [alaʀm] *nf* (*signal*) alarma; (*inquiétude*) inquietud *f*; **donner l'~** dar la alarma; **jeter l'~** sembrar la alarma; **à la première ~** al primer toque de alarma
alarmer [alaʀme] *vt* alarmar; **s'alarmer** *vpr* alarmarse
alarmiste [alaʀmist] *adj* alarmista
album [albɔm] *nm* álbum *m*; ~ **à colorier/de timbres** álbum para colorear/de sellos
albumine [albymin] *nf* albúmina; **avoir** *ou* **faire de l'~** tener albúmina
alcool [alkɔl] *nm*: **l'~** el alcohol; **un ~** un licor; ~ **à 90°** alcohol de 90°; ~ **à brûler** alcohol de quemar; ~ **camphré** alcohol alcanforado; ~ **de poire/de prune** licor de pera/de ciruela
alcoolique [alkɔlik] *adj, nm/f* alcohólico(-a)
alcoolisé, e [alkɔlize] *adj* alcoholizado(-a); **fortement/peu ~** muy/poco alcoholizado(-a)
alcoolisme [alkɔlism] *nm* alcoholismo
alco(o)test® [alkɔtɛst] *nm* (*objet*) alcohómetro; (*épreuve*) prueba del alcohol; **faire subir l'~ à qn** hacer la prueba del alcohol a algn
aléatoire [aleatwaʀ] *adj* aleatorio(-a)
alentour [alɑ̃tuʀ] *adv* alrededor; **alentours** *nmpl* alrededores *mpl*; **aux ~s de** en los alrededores de
alerte [alɛʀt] *adj* vivo(-a) ■ *nf* (*menace*) alerta; (*signal, inquiétude*) alarma; **donner l'~** dar la alerta; **à la première ~** al primer toque de alarma
alerter [alɛʀte] *vt* alertar
algèbre [alʒɛbʀ] *nf* álgebra
Alger [alʒe] *n* Argel *m*
Algérie [alʒeʀi] *nf* Argelia
algérien, ne [alʒeʀjɛ̃, jɛn] *adj* argelino(-a) ■ *nm/f*: **Algérien, ne** argelino(-a)
algue [alg] *nf* alga
alibi [alibi] *nm* coartada
aligner [aliɲe] *vt* alinear; (*idées*) ordenar; **s'aligner** *vpr* alinearse; ~ **qch sur** poner algo en línea con; **s'~ (sur)** (*Pol*) estar alineado(-a) (con)
aliment [alimɑ̃] *nm* (*aussi fig*) alimento; ~ **complet** alimento completo
alimentaire [alimɑ̃tɛʀ] *adj* alimenticio(-a); (*péj: besogne*) para poder comer; **produits** *ou* **denrées ~s** productos *mpl* alimenticios

alimentation [alimɑ̃tasjɔ̃] *nf* alimentación *f*; (*en eau, en électricité*) provisión *f*; ~ **à feuille** alimentación de hojas; ~ **de base** alimentación básica; ~ **en continu** alimentación continua; ~ **en papier** alimentación de papel; ~ **générale** alimentación
alimenter [alimɑ̃te] *vt* alimentar; (*conversation*) sostener; (*en eau, électricité*): ~ **(en)** alimentar (con), abastecer (con); **s'alimenter** *vpr* alimentarse
alléchant, e [aleʃɑ̃, ɑ̃t] *adj* (*odeur*) atrayente; (*proposition etc*) tentador(a)
allécher [aleʃe] *vt* (*odeur*) atraer; (*proposition etc*) tentar; ~ **qn** engatusar a algn
allée [ale] *nf* (*de jardin, parc*) paseo, sendero; (*en ville*) avenida; **allées** *nfpl*: ~**s et venues** idas *fpl* y venidas *fpl*
allégé, e [aleʒe] *adj* (*yaourt etc*) bajo(-a) en contenido graso
Allemagne [almaɲ] *nf* Alemania; **l'~ de l'Est/de l'Ouest/fédérale** (*Hist*) Alemania del este/del oeste/federal
allemand, e [almɑ̃, ɑ̃d] *adj* alemán(-ana) ■ *nm* (*Ling*) alemán *m* ■ *nm/f*: **Allemand, e** alemán(-ana); ~ **de l'Est/de l'Ouest** (*Hist*) alemán del este/del oeste

MOT-CLÉ

aller [ale] *nm* ida ■ *nf*: **aller (simple)** ida ■ *vi* **1** ir; **aller à la chasse/pêche** ir a cazar/pescar, ir de caza/pesca; **aller au théâtre/au concert/au cinéma** ir al teatro/a conciertos/al cine; **aller à l'école** ir al colegio
2 (*situation, moteur, personne etc*) andar, estar; **comment allez-vous?** ¿qué tal está usted?; **comment ça va?** ¿qué tal?; **ça va? - oui, ça va/non, ça ne va pas** ¿qué tal? - bien/mal; **comment ça va les affaires?** ¿qué tal van las cosas?; **ça ne va pas très bien (au bureau)** las cosas no van muy bien (en la oficina); **ça va bien/mal** anda bien/mal; **ça va** (*approbation*) bien; **tout va bien** todo va bien; **il va bien/mal** está bien/mal; **il y a de leur vie** les va en ello la vida; **il n'y est pas allé par quatre chemins** (*fig*) no se anduvo con rodeos; **tu y vas un peu (trop) fort** exageras un poco; **aller à** (*suj: forme, pointure etc*) adaptarse a; **cette robe te va très bien** este vestido te sienta muy

bien; **cela me va** (*couleur, vêtement*) esto me sienta ou va bien; **aller avec** (*couleurs, style etc*) pegar con; **ça ne va pas sans difficultés** esto conlleva dificultades; **aller sur** (*âge*) acercarse a; **ça ira** (*comme ça*) está bien así; **se laisser aller** (*se négliger*) abandonarse; **aller jusqu'à Paris/100 euros** (*limite*) llegar hasta París/100 euros; **ça va de soi** se cae por su propio peso; **ça va sans dire** ni qué decir tiene; **il va sans dire que ...** ni qué decir tiene que ...
3 (*fonction d'auxiliaire*): **je vais me fâcher/le faire** voy a enfadarme/hacerlo; **aller chercher/voir qn** ir a buscar/a ver a algn; **je vais m'en occuper demain** voy a ocuparme de ello mañana
4: **allons-y!** ¡vamos!; **allez!** ¡venga!; **allons donc!** ¡anda ya!; **aller mieux** ir mejor; **aller en empirant** ir empeorando; **allez, fais un effort** vamos, haz un esfuerzo; **allez, je m'en vais** bueno, me voy; **s'en aller** irse

allergique [alɛʀʒik] *adj* (*aussi fig*) alérgico(-a); **~ à** alérgico(-a) a
alliance [aljɑ̃s] *nf* alianza; (*mariage*) matrimonio; **neveu par ~** sobrino político
allier [alje] *vt* aliar; (*métaux*) alear; (*fig*) unir; **s'allier** *vpr* aliarse; **s'~ à** aliarse con
allô [alo] *excl* dígame, aló (*AM*)
allocation [alɔkasjɔ̃] *nf* asignación *f*; **~ (de) chômage** subsidio de desempleo; **~ (de) logement/de maternité** prestación *f* para alojamiento/por maternidad; **~s familiales** ayuda *fsg* familiar
allonger [alɔ̃ʒe] *vt* (*objet, durée*) alargar; (*bras*) estirar; (*fam: sauce*) extender; (: *coup, argent*) largar; **s'allonger** *vpr* (*journée, séance*) alargarse; (*personne*) tumbarse; **~ le pas** aligerar el paso
allumage [alymaʒ] *nm* encendido
allume-cigare [alymsigaʀ] *nm inv* encendedor *m*
allumer [alyme] *vt* encender, prender (*AM*); (*pièce*) alumbrar; **s'allumer** *vpr* encenderse; **~ (la lumière** ou **l'électricité)** encender (la luz ou la electricidad); **~ le/un feu** encender el/un fuego
allumette [alymɛt] *nf* cerilla; **~ au fromage** empanadilla de queso
allure [alyʀ] *nf* (*d'un véhicule*) velocidad *f*; (*d'un piéton*) paso; (*démarche, maintien*) presencia; (*aspect, air*) aspecto; **avoir de l'~** tener buena presencia; **à toute ~** a toda velocidad

allusion [a(l)lyzjɔ̃] *nf* (*référence*) referencia; (*sous-entendu*) alusión *f*; **faire ~ à** hacer referencia a; (*avec sous-entendu*) hacer alusión a

⬤ MOT-CLÉ

alors [alɔʀ] *adv* (*à ce moment-là*) entonces; **il habitait alors à Paris** vivía entonces en París
■ *conj* (*par conséquent*) entonces; **tu as fini? alors je m'en vais** ¿has acabado? entonces, me voy; **et alors?** (*pour en savoir plus*) ¿entonces?; (*indifférence*) ¿y qué?; **alors que** *conj* **1** (*au moment où*) cuando; **il est arrivé alors que je partais** llegó cuando me iba
2 (*pendant que*) cuando, mientras; **alors qu'il était à Paris, il a visité ...** mientras estaba en París, visitó ...
3 (*tandis que, opposition*) mientras que; **alors que son frère travaillait dur, lui se reposait** mientras que su hermano trabajaba duro, él descansaba

alourdir [aluʀdiʀ] *vt* hacer pesado(-a); (*fig*) entorpecer; **s'alourdir** *vpr* ponerse pesado(-a)
Alpes [alp] *nfpl*: **les ~** los Alpes
alphabet [alfabɛ] *nm* alfabeto
alphabétique [alfabetik] *adj* alfabético(-a); **par ordre ~** por orden alfabético
alpinisme [alpinism] *nm* alpinismo, andinismo (*AM*)
alpiniste [alpinist] *nm/f* alpinista *m/f*, andinista *m/f* (*AM*)
Alsace [alzas] *nf* Alsacia
alsacien, ne [alzasjɛ̃, jɛn] *adj* alsaciano(-a) ■ *nm/f*: **Alsacien, ne** alsaciano(-a)
altermondialisation [altɛʀmɔ̃djalizasjɔ̃] *nf* antiglobalización *f*
altermondialiste [altɛʀmɔ̃djalist] *adj*, *nm/f* antiglobalizador(a) *m/f*
alternateur [altɛʀnatœʀ] *nm* alternador *m*
alternatif, -ive [altɛʀnatif, iv] *adj* alternativo(-a)
alternative [altɛʀnativ] *nf* alternativa
alterner [altɛʀne] *vt* (*choses*) alternar; (*cultures*) rotar ■ *vi* alternar; **~ avec qch** alternar con algo; **(faire) ~ qch avec qch** alternar algo con algo
altitude [altityd] *nf* (*par rapport à la mer*) altitud *f*; (*par rapport au sol*) altura; **à 500 m d'~** a 500m de altitud; **en ~** en las alturas; **perdre/prendre de l'~** perder/

coger altura; **voler à haute/basse ~**
volar alto/bajo
alto [alto] nm (instrument) viola ■ nf
(chanteuse) contralto f
aluminium [alyminjɔm] nm aluminio
amabilité [amabilite] nf amabilidad f; **il
a eu l'~ de ...** ha tenido la amabilidad de ...
amaigrissant, e [amegʀisɑ̃, ɑ̃t] adj:
régime ~ régimen m de adelgazamiento
amande [amɑ̃d] nf almendra; (de noyau
de fruit) pepita; **en ~** (yeux) con forma de
almendra, almendrado(-a)
amandier [amɑ̃dje] nm almendro
amant, e [amɑ̃, ɑ̃t] nm/f amante m/f
amas [amɑ] nm montón m
amasser [amɑse] vt amontonar;
s'amasser vpr amontonarse
amateur [amatœʀ] nm (aussi péj)
aficionado(-a); **musicien/sportif ~**
músico(-a)/deportista aficionado(-a);
en ~ (péj) como aficionado(-a); **~ de
musique/de sport** aficionado(-a) a la
música/al deporte
ambassade [ɑ̃basad] nf embajada; **en ~**
(mission) como embajada; **secrétaire/
attaché(e) d'~** secretario(-a)/
agregado(-a) de embajada
ambassadeur, -drice [ɑ̃basadœʀ,
dʀis] nm/f (Pol, fig) embajador(a)
ambiance [ɑ̃bjɑ̃s] nf ambiente m; **il y a
de l'~** hay animación
ambigu, -uë [ɑ̃bigy] adj ambiguo(-a)
ambitieux, -euse [ɑ̃bisjø, jøz] adj, nm/f
ambicioso(-a)
ambition [ɑ̃bisjɔ̃] nf ambición f; **une ~**
(but, visée) una aspiración
ambulance [ɑ̃bylɑ̃s] nf ambulancia
ambulancier, -ière [ɑ̃bylɑ̃sje, jɛʀ] nm/f
conductor(a) de una ambulancia
âme [ɑm] nf (spirituelle) alma; (conscience
morale) conciencia; **village de 200 ~s**
pueblo de 200 almas; **rendre l'~** entregar
el alma; **joueur/tricheur dans l'~**
jugador/tramposo empedernido; **bonne
~** (aussi ironique) alma caritativa; **en mon
~ et conscience** en conciencia; **~ sœur**
alma gemela
amélioration [ameljɔʀasjɔ̃] nf mejoría
améliorer [ameljɔʀe] vt mejorar;
s'améliorer vpr mejorarse
aménager [amenaʒe] vt acondicionar;
(installer) habilitar
amende [amɑ̃d] nf multa; **mettre à l'~**
reprender; **faire ~ honorable** retractarse
amener [am(ə)ne] vt llevar; (occasionner)
provocar; (baisser) arriar; **s'amener**
(fam) ■ vpr venirse; **~ qn à qch/à faire**
incitar a algn a algo/a hacer

amer, amère [amɛʀ] adj amargo(-a);
(personne) amargado(-a)
américain, e [ameʀikɛ̃, ɛn] adj
americano(-a) ■ nm (Ling) americano
■ nm/f: **Américain, e** americano(-a)
Amérique [ameʀik] nf América;
~ centrale/du Nord/du Sud/latine
América central/del Norte/del Sur/latina
amertume [amɛʀtym] nf amargura
ameublement [amœbləmɑ̃] nm
mobiliario; **tissu d'~** género de tapicería
ami, e [ami] nm/f amigo(-a); (amant/
maîtresse) amante m/f ■ adj: **famille ~e**
familia amiga; **pays/groupe ~** país m/
grupo aliado; **être (très) ~ avec qn** ser
(muy) amigo de algn; **être ~ de l'ordre/
de la précision** ser amigo del orden/de la
precisión; **un ~ des arts/des chiens** un
amigo de las artes/de los perros; **petit ~/
petite ~e** (fam) novio/novia, pololo/
pololla (Chi) (fam)
amiable [amjabl] adj (gén) amistoso(-a);
à l'~ amistosamente
amiante [amjɑ̃t] nm amianto
amical, e, -aux [amikal, o] adj
amistoso(-a)
amicalement [amikalmɑ̃] adv
amistosamente; (formule épistolaire)
cordialmente
amincir [amɛ̃siʀ] vt (suj: vêtement) hacer
más delgado(-a); (objet) rebajar;
s'amincir vpr (objet) disminuir;
(personne) adelgazar
amincissant, e [amɛ̃sisɑ̃, ɑ̃t] adj
adelgazante
amiral, -aux [amiʀal, o] nm almirante m
amitié [amitje] nf amistad f; **prendre
en ~** tomar afecto a; **avoir de l'~ pour
qn** sentir afecto por algn; **faire ou
présenter ses ~s à qn** dar ou enviar
recuerdos a algn; **~s** (formule épistolaire)
cordialmente
amnésique [amnezik] adj amnésico(-a)
amonceler [amɔ̃s(ə)le] vt (objets)
amontonar; (travail, fortune) acumular;
s'amonceler vpr amontonarse; (fig)
acumularse
amont [amɔ̃] adv: **en ~** (d'un cours d'eau)
río arriba; (d'une pente) arriba; (d'un
processus) precedente; **en ~ de** más
arriba de
amorce [amɔʀs] nf (sur un hameçon)
cebo; (explosif) fulminante m; (tube)
pistón m; (de pistolet d'enfant) mixto; (fig)
principio
amorcer [amɔʀse] vt (hameçon, munition)
cebar; (fig: négociations) emprender;
(geste) esbozar; (virage) coger

amortir [amɔʀtiʀ] vt (choc, bruit) amortiguar; (douleur) atenuar; (Comm) amortizar; **~ un abonnement** amortizar un abono

amortisseur [amɔʀtisœʀ] nm amortiguador m

amour [amuʀ] nm (sentiment, goût) amor m; (statuette) amorcillo; **faire l'~** hacer el amor; **filer le parfait ~** estar muy enamorados; **un ~ de** un encanto de; **l'~ libre** el amor libre; **~ platonique** amor platónico

amoureux, -euse [amuʀø, øz] adj amoroso(-a) ▪ nm/f enamorado(-a) ▪ nmpl (amants) amantes mpl; **être ~ de qch/qn** estar enamorado(-a) de algo/algn; **tomber ~ (de qn)** enamorarse (de algn); **un ~ des bêtes/de la nature** un enamorado de los animales/de la naturaleza

amour-propre [amuʀpʀɔpʀ] (pl **amours-propres**) nm amor m propio

ampère [ɑ̃pɛʀ] nm amperio m

amphithéâtre [ɑ̃fiteatʀ] nm (aussi fig) anfiteatro

ample [ɑ̃pl] adj amplio(-a); (ressources) abundante

amplement [ɑ̃pləmɑ̃] adv ampliamente; **~ suffisant** más que suficiente

ampleur [ɑ̃plœʀ] nf amplitud f; (de vêtement) anchura

amplificateur [ɑ̃plifikatœʀ] nm amplificador m

amplifier [ɑ̃plifje] vt (son, oscillation) amplificar; (importance, quantité) acrecentar

ampoule [ɑ̃pul] nf (Élec) bombilla, foco (AM), bombillo (AM); (de médicament, aux mains) ampolla

amusant, e [amyzɑ̃, ɑ̃t] adj divertido(-a)

amuse-gueule [amyzgœl] nm inv tapas fpl

amusement [amyzmɑ̃] nm diversión f

amuser [amyze] vt divertir; (détourner l'attention de) distraer; **s'amuser** vpr divertirse; (péj: manquer de sérieux) estar de juerga; (: perdre son temps) remolonear; **s'~ de qch** divertirse con algo; **s'~ de qn** burlarse de algn

amygdale [amidal] nf amígdala; **opérer qn des ~s** operar a algn de las amígdalas

AN sigle f (= Assemblée nationale) voir **assemblée**

an [ɑ̃] nm año; **être âgé de** ou **avoir 3 ans** tener 3 años de edad; **en l'an 2007** en el

año 2007; **le jour de l'an, le premier de l'an, le nouvel an** el día de año nuevo, el año nuevo

anachronique [anakʀɔnik] (péj) adj anacrónico(-a)

anagramme [anagʀam] nf anagrama m

analogie [analɔʒi] nf analogía

analphabète [analfabɛt] adj, nm/f analfabeto(-a)

analyse [analiz] nf análisis m inv; **faire l'~ de** hacer el análisis de; **une ~ approfondie** un análisis minucioso; **en dernière ~** en última instancia; **avoir l'esprit d'~** tener una mente analítica; **~ grammaticale/logique** análisis gramatical/lógico

analyser [analize] vt analizar

ananas [anana(s)] nm piña, ananá(s) m (AM)

anatomie [anatɔmi] nf anatomía

ancêtre [ɑ̃sɛtʀ] nm/f (parent) antepasado(-a); **ancêtres** nmpl (aïeux) antepasados mpl; **l'~ de** (fig) el precursor de

anchois [ɑ̃ʃwa] nm anchoa

ancien, ne [ɑ̃sjɛ̃, jɛn] adj antiguo(-a), viejo(-a); (de jadis, de l'antiquité) antiguo(-a); (précédent, ex-) antiguo(-a), ex- ▪ nm (mobilier ancien): **l'~** antigüedades fpl ▪ nm/f anciano(-a); **un ~ ministre** un ex-ministro; **mon ~ne voiture** mi antiguo coche; **être plus ~ que qn** (dans la hiérarchie) tener más antigüedad que algn; (par l'expérience) tener más experiencia que algn; **~ combattant** ex-combatiente; **~ (élève)** antiguo(-a) alumno(-a)

ancienneté [ɑ̃sjɛnte] nf antigüedad f

ancre [ɑ̃kʀ] nf ancla; **jeter/lever l'~** echar/levar anclas; **à l'~** anclado(-a)

ancrer [ɑ̃kʀe] vt (câble) fijar; (idée) afianzar, anclar; **s'ancrer** vpr (Naut, fig) anclarse

Andorre [ɑ̃dɔʀ] nf Andorra

andouille [ɑ̃duj] nf especie de embutido; (fam) imbécil m/f

âne [ɑn] nm (aussi péj) burro

anéantir [aneɑ̃tiʀ] vt (pays, récolte, espoirs) aniquilar; (déprimer, abattre) anonadar

anecdote [anɛkdɔt] nf anécdota

anémie [anemi] nf anemia

anémique [anemik] adj anémico(-a)

anesthésie [anɛstezi] nf anestesia; **sous ~** bajo anestesia; **~ générale/locale** anestesia general/local

ange [ɑ̃ʒ] nm (aussi fig) ángel m; **être aux ~s** estar en la gloria; **~ gardien** (aussi fig) ángel de la guarda

angine [ãʒin] *nf* angina; **~ de poitrine** angina de pecho

anglais, e [ãglɛ, ɛz] *adj* inglés(-esa) ■ *nm* (*Ling*) inglés *m* ■ *nm/f*: **Anglais, e** inglés(-esa); **anglaises** *nfpl* (*cheveux*) tirabuzones *mpl*; **les A~** los ingleses; **filer à l'~e** tomar las de Villadiego, despedirse a la francesa; **à l'~e** (*Culin*) al vapor

angle [ãgl] *nm* (*coin*) esquina; (*Géom, fig*) ángulo; **~ aigu** ángulo agudo; **~ droit** ángulo recto; **~ mort/obtus** ángulo muerto/obtuso

Angleterre [ãglətɛr] *nf* Inglaterra

anglophone [ãglɔfɔn] *adj, nm/f* anglófono(-a)

angoisse [ãgwas] *nf* angustia; **avoir des ~s** estar angustiado(-a)

angoissé, e [ãgwase] *adj* angustiado(-a)

anguille [ãgij] *nf* anguila; **il y a ~ sous roche** hay gato encerrado; **~ de mer** congrio

animal, e, -aux [animal, o] *adj* animal ■ *nm* (*aussi fig*) animal *m*; **~ domestique/sauvage** animal doméstico/salvaje

animateur, -trice [animatœr, tris] *nm/f* animador(a); (*de spectacle*) presentador(a)

animation [animasjɔ̃] *nf* animación *f*; **animations** *nfpl* (*activités*) animación *fsg*

animé, e [anime] *adj* (*rue, lieu*) animado(-a)

animer [anime] *vt* animar; **s'animer** *vpr* animarse

anis [ani(s)] *nm* anís *m*

ankyloser [ãkiloze] *vpr*: **s'ankyloser** anquilosarse

anneau, x [ano] *nm* (*de rideau*) argolla; (*de chaîne*) anilla; (*bague*) anillo; **anneaux** *nmpl* (*Sport*) anillas *fpl*; **exercices aux ~x** ejercicios *mpl* de anillas

année [ane] *nf* año; **souhaiter la bonne ~ à qn** felicitar el año a algn; **tout au long de l'~** a lo largo del año; **d'une ~ à l'autre** de un año a otro; **d'~ en ~** de año en año; **l'~ scolaire** el curso escolar; **l'~ fiscale** el año fiscal

annexe [anɛks] *adj* (*problème*) anexo(-a); (*document*) adjunto(-a); (*salle*) contiguo(-a) ■ *nf* anexo

anniversaire [aniversɛr] *adj*: **jour ~** aniversario ■ *nm* (*d'une personne*) cumpleaños *m inv*; (*d'un événement, bâtiment*) aniversario

annonce [anɔ̃s] *nf* anuncio; (*Cartes, avis*) aviso; **les petites ~s** anuncios *mpl* por palabras

annoncer [anɔ̃se] *vt* anunciar; (*Cartes*) cantar; **s'annoncer** *vpr*: **s'~ bien/**

difficile presentarse bien/difícil; **~ la couleur** (*fig*) poner las cartas boca arriba; **je vous annonce que** le anuncio que

annuaire [anɥɛr] *nm* anuario; **~ électronique** anuario electrónico; **~ téléphonique** guía telefónica

annuel, le [anɥɛl] *adj* anual

annulation [anylasjɔ̃] *nf* anulación *f*

annuler [anyle] *vt* anular; **s'annuler** *vpr* anularse

anonymat [anɔnima] *nm* anonimato; **garder l'~** mantener el anonimato

anonyme [anɔnim] *adj* (*aussi fig*) anónimo(-a)

anorak [anɔrak] *nm* anorak *m*

anormal, e, -aux [anɔrmal, o] *adj* (*exceptionnel, inhabituel*) anormal; (*injuste*) injusto(-a); (*personne*) subnormal ■ *nm/f* subnormal *m/f*

ANPE [aɛnpee] *sigle f* (= *Agence nationale pour l'emploi*) ≈ INEM *m* (= *Instituto Nacional de Empleo*)

antarctique [ãtarktik] *adj* antártico(-a) ■ *nm*: **l'A~** la Antártida; **le cercle/l'océan ~** el círculo polar antártico/el océano Antártico

antenne [ãtɛn] *nf* antena; (*poste avancé, succursale, agence*) antena *f*; **sur l'~** en antena; **passer à l'~** salir en la televisión; **avoir l'~** estar en conexión; **prendre l'~** conectar, sintonizar; **2 heures d'~** un espacio de 2 horas; **hors ~** fuera de antena; **~ chirurgicale** (*Mil*) unidad *f* quirúrgica; **~ parabolique** antena parabólica

antérieur, e [ãterjœr] *adj* anterior; **~ à** anterior a; **passé/futur ~** pasado/futuro anterior

anti- [ãti] *préf* anti-

antialcoolique [ãtialkɔlik] *adj* antialcohólico(-a); **ligue ~** liga antialcohólica

antibiotique [ãtibjɔtik] *nm* antibiótico ■ *adj* antibiótico(-a)

antibrouillard [ãtibrujar] *adj*: **phare ~** faro antiniebla

anticipation [ãtisipasjɔ̃] *nf* anticipación *f*, previsión *f*; **par ~** (*Comm*) por adelantado; **livre/film d'~** libro/película de ciencia ficción

anticipé, e [ãtisipe] *adj* (*règlement, paiement*) por adelantado; (*joie*) anticipado(-a); **avec mes remerciements ~s** agradeciéndole de antemano

anticiper [ãtisipe] *vt* (*événement, coup*) anticipar; (*en imaginant*) prever; (*paiement*) adelantar ■ *vi*: **n'anticipons**

pas no nos adelantemos; **~ sur** anticiparse a
anticorps [ãtikɔʀ] nm anticuerpo
antidote [ãtidɔt] nm antídoto
antigel [ãtiʒɛl] nm anticongelante m
antihistaminique [ãtiistaminik] nm antihistamínico
antillais, e [ãtijɛ, ɛz] adj antillano(-a) ■ nm/f: **Antillais, e** antillano(-a)
Antilles [ãtij] nfpl: **les ~** las Antillas; **les grandes/petites ~** las grandes/pequeñas Antillas
antilope [ãtilɔp] nf antílope m
antimite(s) [ãtimit] adj, nm: **(produit) ~** antipolilla m
antipathique [ãtipatik] adj antipático(-a)
antipelliculaire [ãtipelikylɛʀ] adj anticaspa
antiquaire [ãtikɛʀ] nm/f anticuario(-a)
antique [ãtik] adj (gréco-romain, très vieux) antiguo(-a); (démodé) anticuado(-a)
antiquité [ãtikite] nf (objet ancien) antigüedad f; (péj) antigualla; **l'A~** la Antigüedad; **magasin d'~s** tienda de antigüedades
antirabique [ãtirabik] adj antirrábico(-a)
antirouille [ãtiruj] adj inv: **peinture/ produit ~** pintura/producto antioxidante; **traitement ~** tratamiento antioxidante
antisémite [ãtisemit] adj, nm/f antisemita
antiseptique [ãtisɛptik] adj antiséptico(-a) ■ nm antiséptico
antivirus [anti'virus] nm (Inform) antivirus m inv
antivol [ãtivɔl] adj: **(dispositif) ~** (dispositivo) antirrobo ■ nm antirrobo
anxiété [ãksjete] nf ansiedad f
anxieux, -euse [ãksjø, jøz] adj ansioso(-a); **être ~ de faire** estar ansioso(-a) por hacer
AOC sigle f = appellation d'origine contrôlée

● **AOC**

● AOC es la categoría de los vinos
● franceses de mayor calidad. Indica
● que el vino cumple los requisitos más
● estrictos en lo referente a cepa de
● origen, tipo de uva cultivada, método
● de producción y graduación.

août [u(t)] nm agosto; voir aussi **juillet**
apaiser [apeze] vt tranquilizar; **s'apaiser** vpr tranquilizarse

apartheid [apaʀtɛd] nm apartheid m
apercevoir [apɛʀsəvwaʀ] vt (voir) distinguir; (constater, percevoir) percibir; **s'~ de/que** darse cuenta de/de que; **sans s'en ~** sin darse cuenta
aperçu [apɛʀsy] pp de **apercevoir** ■ nm visión f de conjunto; (gén pl: intuition) idea
apéritif, -ive [apeʀitif, iv] adj aperitivo(-a) ■ nm aperitivo; **prendre l'~** tomar el aperitivo
à-peu-près [apøpʀɛ] (péj) nm inv aproximación f
apeuré, e [apøʀe] adj atemorizado(-a)
aphte [aft] nm afta
apitoyer [apitwaje] vt apiadar; **s'apitoyer** vpr apiadarse; **s'~ (sur qn/ qch)** apiadarse (de algn/algo); **~ qn sur qn/qch** enternecer a algn con algn/algo
aplatir [aplatir] vt aplastar; **s'aplatir** vpr aplastarse; (fig) tumbarse; (fam: tomber) caerse; (péj: s'humilier) rebajarse; **s'~ contre** (fam) aplastarse contra
aplomb [aplõ] nm (équilibre) equilibrio; (sang-froid) aplomo; (péj) desfachatez f; **d'~** (en équilibre) verticalmente; (Constr) aplomo
apostrophe [apɔstʀɔf] nf (signe) apóstrofe m; (interpellation) improperio
apparaître [apaʀɛtʀ] vi aparecer; (avec attribut) parecer; **il apparaît que** es evidente que; **il m'apparaît que** me parece que
appareil [apaʀɛj] nm aparato; **~ digestif/reproducteur** aparato digestivo/reproductor; **qui est à l'~?** ¿quién está al aparato?; **dans le plus simple ~** desnudo(-a); **~ 24x36 ou petit format** cámara de 24 por 36; **~ photographique, ~ photo** cámara de fotos; **~ productif** aparato productivo
appareiller [apaʀeje] vi zarpar ■ vt emparejar
apparemment [apaʀamã] adv aparentemente, dizque (AM)
apparence [apaʀãs] nf apariencia; **malgré les ~s** a pesar de las apariencias; **en ~** en apariencia
apparent, e [apaʀã, ãt] adj (visible) aparente; (évident) evidente; (illusoire, superficiel) ilusorio(-a); **coutures ~es** costuras fpl visibles; **poutres ~es** vigas fpl al descubierto
apparenté, e [apaʀãte] adj: **~ à** (aussi fig) emparentado(-a) con
apparition [apaʀisjõ] nf aparición f; **faire une ~** aparecer brevemente; **faire son ~** hacer su aparición

appartement [apartəmɑ̃] *nm* piso, departamento (*AM*)

appartenir [apartənir]: **~ à** *vt* pertenecer a; **il lui appartient de** (*c'est son rôle*) le corresponde; **il ne m'appartient pas de (faire)** no me corresponde (hacer)

apparu, e [apary] *pp de* **apparaître**

appât [apɑ] *nm* (*aussi fig*) cebo

appel [apɛl] *nm* llamada, llamado (*AM*); (*attirance*) reclamo; (*nominal*) lista; (*Mil*) alistamiento a filas; (*Jur*) apelación *f*, llamado (*AM*); **faire ~ à** (*invoquer*) apelar a; (*avoir recours à*) recurrir a; (*nécessiter*) necesitar; **faire ou interjeter ~** (*Jur*) apelar; **faire l'~** pasar lista; **sans ~** (*fig*) sin apelación; **faire un ~ de phares** hacer señales con los faros; **indicatif d'~** señal *f* distintiva; **numéro d'~** número telefónico; **~ d'air** aspiración *f* de aire; **~ d'offres** llamada a licitación; **~ (téléphonique)** llamada (telefónica)

appelé [ap(ə)le] *nm* (*Mil*) recluta *m*

appeler [ap(ə)le] *vt* llamar; (*en faisant l'appel*) pasar lista; (*nommer: avec attribut ou complément*) nombrar; (*nécessiter*) requerir; **s'appeler** *vpr* llamarse; **~ au secours** *ou* **à l'aide** pedir ayuda; (*en cas de danger*) pedir socorro *ou* auxilio; **~ qn à un poste/à des fonctions** destinar a algn a un puesto/a unas funciones; **être appelé à** (*fig*) ser llamado a; **~ qn à comparaître** (*Jur*) citar a algn; **en ~ à qn/qch** apelar a algn/algo; **il s'appelle** se llama; **comment ça s'appelle?** ¿cómo se llama esto?; **je m'appelle** me llamo; **~ police-secours** llamar al 091; **ça s'appelle un(e) ... se llama un(a) ...**

appendicite [apɛ̃disit] *nf* apendicitis *f*

appesantir [apəzɑ̃tir] *vpr*: **s'appesantir** hacerse más pesado; **s'~ sur** (*fig*) insistir en

appétissant, e [apetisɑ̃, ɑ̃t] *adj* apetitoso(-a)

appétit [apeti] *nm* apetito; **avoir un gros/petit ~** tener mucho/poco apetito; **couper l'~ de qn** quitar las ganas a algn; **bon ~!** ¡buen provecho!

applaudir [aplodir] *vt*, *vi* aplaudir; **~ à** (*décision, projet*) aprobar; **~ à tout rompre** aplaudir a rabiar

applaudissements [aplodismɑ̃] *nmpl* aplausos *mpl*

application [aplikasjɔ̃] *nf* aplicación *f*; **applications** *nfpl* (*d'une théorie, méthode*) aplicación *fsg*; **mettre en ~** poner en aplicación; **avec ~** aplicadamente

appliquer [aplike] *vt* aplicar; **s'appliquer** *vpr* aplicarse a; **s'~ à** aplicarse a; **s'~ à faire qch** esmerarse en hacer algo; **s'~ sur** (*coïncider avec*) encajar con; **il s'est (beaucoup) appliqué** se ha esmerado (mucho)

appoint [apwɛ̃] *nm* (*fig*) ayuda; **avoir/faire l'~** (*en payant*) tener/dar suelto; **chauffage/lampe d'~** calefacción *f*/ lámpara suplementaria

apporter [aporte] *vt* (*amener*) traer; (*soutien, preuve*) aportar; (*soulagement*) procurar; (*remarque*) añadir

appréciable [apresjabl] *adj* apreciable

apprécier [apresje] *vt* apreciar

appréhender [apreɑ̃de] *vt* (*craindre*) temer; (*Jur, aborder*) aprehender; **~ que/de faire** temer que/hacer

appréhension [apreɑ̃sjɔ̃] *nf* aprehensión *f*

apprendre [aprɑ̃dr] *vt* (*aussi fig*) aprender; (*nouvelle, résultat*) conocer; **~ qch à qn** (*informer*) informar de algo a algn; (*enseigner*) enseñar algo a algn; **~ à faire qch** aprender a hacer algo; **~ à qn à faire qch** enseñar a algn a hacer algo; **tu me l'apprends!** ¡qué noticia!

apprenti, e [aprɑ̃ti] *nm/f* (*aussi fig*) aprendiz(a)

apprentissage [aprɑ̃tisaʒ] *nm* aprendizaje *m*; **faire l'~ de qch** iniciarse en algo; **école** *ou* **centre d'~** escuela *ou* centro de aprendizaje

apprêter [aprete] *vt* (*cuir*) adobar; (*étoffe, papier*) aprestar; **s'apprêter** *vpr*: **s'~ à qch/à faire qch** disponerse a algo/a hacer algo

appris, e [apri, iz] *pp de* **apprendre**

apprivoiser [aprivwaze] *vt* domesticar

approbation [aprɔbasjɔ̃] *nf* (*autorisation*) aprobación *f*, conformidad *f*; (*jugement favorable*) aprobación, asentimiento; **digne d'~** digno de aprobación

approcher [aprɔʃe] *vi* acercarse, aproximarse ■ *vt* (*vedette, artiste*) relacionarse con; (*rapprocher*): **~ qch (de qch)** acercar algo (a algo); **s'approcher de** *vpr* acercarse a; **~ de** (*but, moment*) acercarse a, estar más cerca de; (*nombre, quantité*) rozar; **approchez-vous** acérquese

approfondir [aprɔfɔ̃dir] *vt* (*trou, fossé*) ahondar; (*sujet, question*) profundizar (en); **sans ~** sin profundizar

approprié, e [aprɔprije] *adj* apropiado(-a), adecuado(-a); **~ à** adecuado(-a) a, conforme a

approprier [aprɔprije] vt adaptar; **s'approprier** vpr apropiarse de, adueñarse de

approuver [apruve] vt (autoriser) aprobar; (être d'accord avec) estar de acuerdo con; **je vous approuve entièrement** estoy completamente de acuerdo con usted; **je ne vous approuve pas** no estoy de acuerdo con usted; **lu et approuvé** leído y conforme

approvisionner [aprɔvizjɔne] vt (magasin, personne) abastecer, proveer; (compte bancaire) cubrir; ~ **qn en** abastecer ou proveer a algn de; **s'~ dans un magasin/au marché** comprar en una tienda/en el mercado; **s'~ en** proveerse de

approximatif, -ive [aprɔksimatif, iv] adj aproximativo(-a); (idée) aproximado(-a)

appt abr = appartement

appui [apɥi] nm apoyo; (de fenêtre) antepecho; (d'escalier etc) soporte m; (soutien, aide) apoyo, sostén m; **prendre ~ sur** apoyarse en; **point d'~** punto de apoyo; **à l'~ de** (pour prouver) en prueba de; **à l'~** como prueba

appuyer [apɥije] vt (personne, demande) apoyar, respaldar; ~ **qch sur/contre/à** apoyar algo en/contra/en; ~ **contre** (mur, porte) apoyar contra; ~ **sur** (bouton) apretar; (frein) pisar; (insister sur) recalcar, insistir en; (peser sur) descansar sobre; ~ **à droite** ou **sur sa droite** dirigirse a la derecha; ~ **sur le champignon** apretar el acelerador; **s'~ sur** (s'accouder à) apoyarse contra; (se baser sur) basarse en; (compter sur) contar con; **s'~ sur qn** (fig) apoyarse en algn

après [aprɛ] prép después de ■ adv después; (ordre d'importance, poursuite, espace) después, detrás; **2 heures ~** 2 horas después; ~ **qu'il est** ou **soit parti/ avoir fait** después de que marchó/de haber hecho; **courir ~ qn** correr detrás de algn; **crier ~ qn** reñir a algn; **être toujours ~ qn** (critiquer) meterse con algn; ~ **quoi** después, a continuación; **d'~** según; **d'~ lui/moi** según él/yo; ~ **coup** posteriormente; ~ **tout** después de todo; **et (puis) ~ !** ¿y qué?

après-demain [aprɛdmɛ̃] adv pasado mañana

après-midi [aprɛmidi] nm ou nf inv tarde f

après-rasage [aprɛraza3] (pl **~s**) nm: **lotion ~** loción f para después del afeitado

après-shampooing nm inv acondicionador m

après-ski [aprɛski] (pl **~s**) nm botas fpl "après-ski"

après-soleil [aprɛsɔlɛj] adj inv after-sun inv ■ nm after-sun m inv

apte [apt] adj: ~ **à qch/à faire qch** apto(-a) para algo/para hacer algo; ~ **(au service)** (Mil) apto (para el servicio)

aquarelle [akwarɛl] nf acuarela

aquarium [akwarjɔm] nm acuario

aqueduc [ak(ə)dyk] nm acueducto

arabe [arab] adj árabe ■ nm (Ling) árabe m ■ nm/f: **Arabe** árabe m/f

Arabie [arabi] nf Arabia; **l'~ saoudite** ou **séoudite** Arabia Saudita

arachide [araʃid] nf (plante) cacahuete m; (graine) cacahuete, maní m

araignée [areɲe] nf araña; ~ **de mer** araña de mar

arbitraire [arbitrɛr] adj arbitrario(-a)

arbitre [arbitr] nm (Sport, aussi fig) árbitro; (Jur, Tennis, Cricket) juez m

arbitrer [arbitre] vt (Sport) arbitrar; (fig) moderar

arbre [arbr] nm árbol m; ~ **à cames** árbol de levas; ~ **de Noël** árbol de navidad; ~ **de transmission** árbol de transmisión; ~ **fruitier** árbol frutal; ~ **généalogique** árbol genealógico

arbuste [arbyst] nm arbusto

arc [ark] nm arco; **en ~ de cercle** en arco de círculo; ~ **de triomphe** arco de triunfo

arcade [arkad] nf (Archit) arcada; **arcades** nfpl (d'un pont) arcadas fpl; (d'une rue) soportales mpl; ~ **sourcilière** arco superciliar

arc-en-ciel [arkɑ̃sjɛl] (pl **arcs-en-ciel**) nm arco iris m

archaïque [arkaik] adj arcaico(-a)

arche [arʃ] nf arco; ~ **de Noé** arca de Noé

archéologie [arkeɔlɔ3i] nf arqueología

archéologue [arkeɔlɔg] nm/f arqueólogo(-a)

archet [arʃe] nm arco

archi- [arʃi] préf archi-

archipel [arʃipɛl] nm archipiélago

architecte [arʃitɛkt] nm arquitecto(-a); (fig: de la réussite) artífice m/f

architecture [arʃitɛktyr] nf arquitectura; (structure, agencement) arquitectura, estructura

archives [arʃiv] nfpl (documents) archivos mpl; (local) archivo msg

arctique [arktik] adj ártico(-a) ■ nm: **l'A~** el Ártico; **le cercle ~** el círculo polar ártico; **l'océan A~** el océano Ártico

ardent, e [ardɑ̃, ɑ̃t] adj ardiente; (feu, soleil) ardiente, abrasador(a); (prière) fervoroso(-a)

ardoise [aʀdwaz] nf pizarra; **avoir une ~** (fig) tener cuenta

ardu, e [aʀdy] adj arduo(-a); (pente) empinado(-a)

arène [aʀɛn] nf arena; **arènes** nfpl (de corrida) ruedo; (bâtiment) plaza f sg de toros; **l'~ politique/littéraire** la palestra política/literaria

arête [aʀɛt] nf (de poisson) espina; (d'une montagne) cresta; (d'un solide) arista; (d'une poutre, d'un toit) cumbrera

argent [aʀʒã] nm (métal, couleur) plata; (monnaie) dinero; **en avoir pour son ~** lo comido por lo servido; **gagner beaucoup d'~** ganar mucho dinero; **changer de l'~** cambiar dinero; **~ comptant** dinero en efectivo; **~ de poche** dinero para gastos menudos; **~ liquide** dinero líquido

argenterie [aʀʒãtʀi] nf plata

argentin, e [aʀʒãtɛ̃, in] adj argentino(-a) ■ nm/f: **Argentin, e** argentino(-a)

Argentine [aʀʒãtin] nf Argentina

argile [aʀʒil] nf arcilla

argot [aʀgo] nm argot m, jerga

argotique [aʀgotik] adj argótico(-a); (très familier) popular, vulgar

argument [aʀgymã] nm argumento

argumenter [aʀgymãte] vi argumentar

aride [aʀid] adj (sol, pays) árido(-a); (cœur) duro(-a); (texte, sujet) árido(-a), aburrido(-a)

aristocratie [aʀistokʀasi] nf aristocracia

aristocratique [aʀistokʀatik] adj aristocrático(-a)

arithmétique [aʀitmetik] adj aritmético(-a) ■ nf aritmética

arme [aʀm] nf (aussi fig) arma; **armes** nfpl (blason) armas fpl; (profession): **les ~s** las armas; **à ~s égales** en igualdad de condiciones; **ville/peuple en ~s** ciudad f/pueblo en armas; **passer par les ~s** pasar por las armas; **prendre les ~s** tomar las armas; **présenter les ~s** presentar armas; **~ à feu/blanche** arma de fuego/blanca; **~s de destruction massive** armas de destrucción masiva

armée [aʀme] nf ejército; (fig) nube f, ejército; **~ de l'air/de terre** ejército del aire/de tierra; **~ du Salut** ejército de Salvación

armer [aʀme] vt armar; (de pointe, blindage) proveer, equipar; (de pouvoirs etc) dotar; (arme à feu, appareil photo) montar; **~ qch de** armar algo con; **~ qn de** armar a algn con; **s'~ de** (courage, patience) armarse de; (bâton, fusil) armarse con

armistice [aʀmistis] nm armisticio; **l'A~** el armisticio

armoire [aʀmwaʀ] nf armario, closet ou clóset (AM); (penderie) ropero; **~ à glace** (fig) mole f; **~ à pharmacie** botiquín m

armure [aʀmyʀ] nf armadura

armurier [aʀmyʀje] nm armero

arnaquer [aʀnake] vt (fam) timar; **tu t'es fait ~** te han timado

arobase [aʀobaz] nf (Inform) arroba

aromates [aʀomat] nmpl hierbas fpl aromáticas

aromatisé, e [aʀomatize] adj aromatizado(-a)

arôme [aʀom] nm aroma m

arracher [aʀaʃe] vt arrancar; (légume) cosechar, recoger; (clou, dent) sacar, extraer; (par explosion, accident) desgarrar; (fig) sacar, arrancar; **s'arracher** vpr (personne, article très recherché) disputarse; **~ qch à qn** arrebatar algo a algn; (fig) sonsacar algo a algn; **~ qn à** (solitude, rêverie) sacar a algn de, arrancar a algn de; (famille) arrancar a algn de; **s'~ de** (lieu) alejarse de, separarse de; (habitude) apartarse de

arrangement [aʀɑ̃ʒmã] nm (agencement) arreglo, disposición f; (compromis) acuerdo; (Mus) arreglo

arranger [aʀɑ̃ʒe] vt (appartement) arreglar, disponer; (voyage) organizar; (rendez-vous) concertar; (montre, voiture) arreglar; (problème, difficulté) arreglar, solucionar; (Mus) adaptar; **s'arranger** vpr (se mettre d'accord) ponerse de acuerdo; (querelle, situation) arreglarse; (se débrouiller): **s'~ pour que** arreglárselas para que; **je vais m'~** voy a arreglarme; **cela m'arrange** eso me conviene; **ça va s'~** eso va a solucionarse; **s'~ pour faire** componérselas para hacer; **si cela peut vous ~** si esto le puede servir

arrestation [aʀestasjɔ̃] nf detención f

arrêt [aʀe] nm detención f, interrupción f; (Jur) fallo; **arrêts** nmpl (Mil) arresto msg; **être à l'~** estar parado(-a); **rester** ou **tomber en ~ devant ...** quedarse atónito(-a) ante ...; **sans ~** (sans interruption) sin parar; (très fréquemment) continuamente; **~ d'autobus** parada de autobús, paradero (AM); **~ de mort** sentencia de muerte; **~ de travail** permiso de trabajo; **~ facultatif** paro facultativo

arrêter [aʀete] vt (projet, maladie) parar, interrumpir; (voiture, personne) detener, parar; (*chauffage*) parar; (*compte*) liquidar; (*point*) sacar; (*date, choix*) fijar, decidir; (*criminel*) detener; **s'arrêter** *vpr* pararse; (*pluie, bruit*) cesar; **~ de faire (qch)** dejar de hacer (algo); **arrête de te plaindre** para de quejarte; **ne pas ~ de faire** no parar de hacer; **s'~ sur** (*yeux*) fijarse en; **mon choix s'arrêta sur ... me** decidí por ...; **s'~ court** *ou* **net** parar en seco

arrhes [aʀ] *nfpl* arras *fpl*, señal *f*

arrière [aʀjɛʀ] *adj inv* (*Auto*) trasero(-a) ■ *nm* (*d'une voiture, maison*) parte *f* trasera, (*Sport*) defensa, **arrières** *nmpl* (*fig*): **protéger ses ~** proteger sus espaldas; **siège ~** asiento trasero; **à l'~** detrás; **en ~** hacia atrás; **en ~ de** detrás de

arrière-goût [aʀjɛʀgu] (*pl* **~s**) *nm* regusto

arrière-grand-mère [aʀjɛʀgʀɑ̃mɛʀ] (*pl* **arrière-grands-mères**) *nf* bisabuela

arrière-grand-père [aʀjɛʀgʀɑ̃pɛʀ] (*pl* **arrière-grands-pères**) *nm* bisabuelo

arrière-grands-parents [aʀjɛʀgʀɑ̃paʀɑ̃] *nmpl* bisabuelos *mpl*

arrière-pays [aʀjɛʀpei] *nm inv* interior *m*, tierra adentro

arrière-pensée [aʀjɛʀpɑ̃se] (*pl* **~s**) *nf* (*raison intéressée*) segunda intención *f*; (*réserves, doute*) reserva

arrière-petite-fille [aʀjɛʀpətitfij] (*pl* **arrière-petites-filles**) *nf* bisnieta

arrière-petit-fils [aʀjɛʀpətifis] (*pl* **arrière-petits-fils**) *nm* bisnieto

arrière-petits-enfants [aʀjɛʀpətizɑ̃fɑ̃] *nmpl* bisnietos *mpl*

arrière-plan [aʀjɛʀplɑ̃] (*pl* **~s**) *nm* segundo plano; **à l'~** en segundo plano

arrière-saison [aʀjɛʀsezɔ̃] (*pl* **~s**) *nf* final *m* del otoño

arrimer [aʀime] *vt* estibar

arrivage [aʀivaʒ] *nm* arribada

arrivée [aʀive] *nf* (*de bateau*) arribada; (*concurrent, visites*) llegada, arribo (*esp AM*); (*ligne d'arrivée*) línea de llegada; **à mon ~a** mi llegada; **courrier à l'~** correo en mano; **~ d'air/de gaz** entrada de aire/de gas

arriver [aʀive] *vi* (*événement, fait*) ocurrir, suceder; **~ à qch/faire qch** lograr algo/ hacer algo; **j'arrive!** ¡ya voy!; **il arrive à Paris à 8 h** llega a París a las 8; **~ à destination** llegar a destino; **j'arrive de Strasbourg** llego de Estrasburgo; **il arrive que** ocurre que; **il lui arrive de faire** suele hacer; **je n'y arrive pas** no lo consigo; **~ à échéance** vencer; **en ~ à faire** llegar a hacer

arrogance [aʀɔgɑ̃s] *nf* arrogancia, prepotencia (*esp AM*)

arrogant, e [aʀɔgɑ̃, ɑ̃t] *adj* arrogante, prepotente (*esp AM*)

arrondissement [aʀɔ̃dismɑ̃] *nm* distrito

arroser [aʀoze] *vt* regar; (*fig*) mojar; (*Culin*) rociar; (*suj: fleuve, rivière*) bañar

arrosoir [aʀozwaʀ] *nm* regadera

arsenal, -aux [aʀsənal, o] *nm* (*aussi fig*) arsenal *m*; (*Naut*) arsenal, astillero

art [aʀ] *nm* arte *m*; (*expression artistique*): **l'~** el arte; **avoir l'~ de faire** tener la habilidad de hacer; **les ~s** las artes; **livre/ critique d'~** libro/crítica de arte; **les ~s et métiers** artes y oficios; **~ dramatique** arte dramático; **~s ménagers** artes domésticas; **~s plastiques** artes plásticas

art. *abr* = **article**

artère [aʀtɛʀ] *nf* arteria

arthrite [aʀtʀit] *nf* artritis *f*

artichaut [aʀtiʃo] *nm* alcachofa

article [aʀtikl] *nm* artículo; (*Inform*) registro; **faire l'~** (*Comm, aussi fig*) hacer el artículo; **à l'~ de la mort** in articulo mortis, en el artículo de la muerte; **~ défini** artículo determinado; **~ de fond** (*Presse*) artículo de fondo; **~ indéfini** artículo indeterminado; **~s de bureau** artículos *mpl* de despacho; **~s de voyage** artículos de viaje

articulation [aʀtikylasjɔ̃] *nf* (*aussi fig*) articulación *f*

articuler [aʀtikyle] *vt* articular; **s'articuler** *vpr*: **s'~ (sur)** articularse (con); **s'~ autour de** (*fig*) articularse en torno a

artificiel, le [aʀtifisjɛl] *adj* artificial; (*jambe*) ortopédico(-a); (*péj*) artificial, fingido(-a)

artisan [aʀtizɑ̃] *nm* artesano(-a); **l'~ de la victoire/du malheur** el artífice de la victoria/de la desgracia

artisanal, e, -aux [aʀtizanal, o] *adj* artesanal

artisanat [aʀtizana] *nm* artesanía

artiste [aʀtist] *adj* artista ■ *nm/f* artista *m/f*; (*bohème*) artista, bohemio(-a)

artistique [aʀtistik] *adj* artístico(-a)

ARTT [aɛʀtete] *nm* (= *accord sur la réduction du temps de travail*) acuerdo para la reducción de las horas de trabajo

AS [aɛs] *sigle fpl* = *assurances sociales* ■ *sigle f* = *Association sportive*

as¹ [a] *vb voir* **avoir**

as² [ɑs] *nm* as *m*

ascenseur [asɑ̃sœʀ] nm ascensor m,
elevador (AM)

ascension [asɑ̃sjɔ̃] nf ascensión f; **l'A~**
(Rel) la Ascensión

asiatique [azjatik] adj asiático(-a)
■ nm/f: **Asiatique** asiático(-a)

Asie [azi] nf Asia

asile [azil] nm asilo; (refuge, abri)
refugio; **droit d'~** derecho de asilo;
accorder l'~ politique à qn conceder
asilo político a algn; **chercher/trouver ~
quelque part** buscar/encontrar asilo en
alguna parte

asocial, e, -aux [asɔsjal, jo] adj asocial

aspect [aspɛ] nm aspecto, apariencia;
(fig) aspecto; **à l'~ de ...** a la vista de...

asperge [aspɛʀʒ] nf espárrago

asperger [aspɛʀʒe] vt rociar

asphalte [asfalt] nm asfalto

asphyxier [asfiksje] vt asfixiar; **mourir
asphyxié** morir asfixiado

aspirateur [aspiʀatœʀ] nm aspiradora

aspirer [aspiʀe] vt aspirar; (liquide)
absorber; **~ à qch** aspirar a algo; **~ à faire**
aspirar a hacer

aspirine [aspiʀin] nf aspirina

assagir [asaʒiʀ] vt sosegar; **s'assagir**
vpr sosegarse, aplacarse

assaisonnement [asɛzɔnmɑ̃] nm aliño;
(ingrédient) condimento

assaisonner [asɛzɔne] vt aliñar,
condimentar; **bien assaisonné** bien
aliñado, bien condimentado

assassin [asasɛ̃] nm asesino(-a)

assassinat [asasina] nm asesinato

assassiner [asasine] vt asesinar

assaut [aso] nm asalto; (fig) embestida;
prendre d'~ tomar por asalto; **donner l'~
(à)** asaltar; **faire ~ de** rivalizar en

assécher [aseʃe] vt desecar

assemblage [asɑ̃blaʒ] nm (action
d'assembler) ensamblaje m, montaje m;
(Menuiserie) ensamblaje; **un ~ de** (fig) una
mezcla de; **langage d'~** (Inform) lenguaje
m de compilación

assemblée [asɑ̃ble] nf asamblea; **~ des
fidèles** asamblea de los fieles; **l'A~
nationale** la Asamblea nacional

● **ASSEMBLÉE NATIONALE**
●
● La Assemblée nationale es la cámara
● baja del parlamento francés, la
● cámara alta recibe el nombre de
● "Sénat". La Assemblée nationale se
● reúne en el Palais Bourbon de París.
● Sus miembros, o "députés", son
● elegidos cada cinco años.

assembler [asɑ̃ble] vt (Tech, gén)
ensamblar, juntar; (mots, idées)
ensamblar, unir; (amasser) reunir;
s'assembler vpr reunirse

asseoir [aswaʀ] vt sentar; (autorité,
réputation) asentar; **s'asseoir** vpr
sentarse; **faire ~ qn** hacer sentarse a
algn; **~ qch sur** asentar algo sobre;
(appuyer) fundar algo en, basar algo en

assez [ase] adv (suffisamment) bastante;
(passablement) suficientemente,
bastante; **~!** ¡basta!; **~/pas ~ cuit**
bastante/poco hecho; **est-il ~ fort/
rapide?** ¿es bastante fuerte/rápido?;
il est passé ~ vite pasó bastante rápido;
~ de pain bastante pan; **~ de livres**
bastantes libros; **vous en avez ~** tiene
bastante; **en avoir ~ de qch** estar
harto(-a) de algo; **~ ... pour ...** bastante ...
para ...

assidu, e [asidy] adj asiduo(-a); (zélé)
aplicado(-a); **~ auprès de qn** solícito(-a)
con algn

assied etc [asje] vb voir **asseoir**

assiérai etc [asjeʀe] vb voir **asseoir**

assiette [asjɛt] nf plato; (stabilité,
équilibre) equilibrio; **~ à dessert** plato de
postre; **~ anglaise** plato de fiambres
variados; **~ creuse** plato hondo; **~ de
l'impôt** estimación f de la base
imponible; **~ plate** plato llano

assimiler [asimile] vt (aliment) digerir;
(connaissances, idée) asimilar;
(immigrants) integrar; (identifier): **~ qch/
qn à** equiparar algo/a algn con;
s'assimiler vpr integrarse; **ils sont
assimilés aux infirmiers** están
equiparados con los enfermeros

assis, e [asi, iz] pp de **asseoir** ■ adj
sentado(-a); **~ en tailleur** sentado(-a) a
la turca

assistance [asistɑ̃s] nf (public)
asistencia, público; (aide) asistencia;
porter/prêter ~ à qn llevar/prestar
ayuda a algn; **enfant de l'A~ (publique)**
niño(-a) del hospicio; **A~ (publique)**
hospicio; **~ technique** asistencia
técnica

assistant, e [asistɑ̃, ɑ̃t] nm/f (Scol)
lector(a); (d'un professeur, cinéaste)
ayudante m/f; **assistants** nmpl
(auditeurs) asistentes m/fpl; **~e sociale**
asistenta social

assisté, e [asiste] adj (Auto) asistido(-a)
■ nm/f (aussi péj) beneficiario(-a) (de la
ayuda del estado)

assister [asiste] vt ayudar ■ vi: **~ à**
asistir a

association [asɔsjasjɔ̃] *nf* asociación *f*;
(*musicale, sportive*) grupo, asociación;
~ **d'idées** asociación de ideas

associé, e [asɔsje] *adj* asociado(-a)
■ *nm/f* socio(-a); (*Comm*) asociado(-a)

associer [asɔsje] *vt* asociar; **s'associer**
vpr asociarse; ~ **qn à** asociar a algn a; (*un collaborateur*) asociarse
con; ~ **qn à** asociar a algn a; (*joie,
triomphe*) hacer partícipe a algn de; ~ **qch
à** unir algo a; **s'~ à** (*couleurs*) combinar
con; (*opinions, joie de qn*) hacerse
partícipe de

assoiffé, e [aswafe] *adj* sediento(-a);
~ **de** (*fig*) sediento de

assommer [asɔme] *vt* (*tuer*) matar,
acogotar; (*étourdir: personne*) dejar
inconsciente de un golpe; (*étourdir,
abrutir: médicament*) aturdir, atontar;
(*fam: importuner*) fastidiar

Assomption [asɔ̃psjɔ̃] *nf*: **l'~** la Asunción

assorti, e [asɔrti] *adj* (*en harmonie*)
combinado(-a); **fromages**, **fromages** *mpl*
surtidos; ~ **à** juego con; ~ **de**
(*conditions, conseils*) acompañado(-a) de;
bien/mal ~ bien/mal surtido(-a)

assortiment [asɔrtimã] *nm* (*aussi
Comm*) surtido; (*harmonie de couleurs,
formes*) combinación *f*

assortir [asɔrtir] *vt* combinar;
s'assortir *vpr* hacer juego; ~ **qch à**
combinar algo con; ~ **qch de** acompañar
algo con; **s'~ de** estar acompañado(-a)
de *ou* por

assouplir [asuplir] *vt* (*cuir*) ablandar;
(*membres, corps, aussi fig*) flexibilizar;
(*caractère*) suavizar; **s'assouplir** *vpr* (*v vt*)
ablandarse; hacerse más flexible;
suavizarse

assumer [asyme] *vt* asumir; (*poste, rôle*)
desempeñar; **s'assumer** *vpr* asumirse

assurance [asyrãs] *nf* (*certitude*)
certeza; (*confiance en soi*) seguridad *f*;
(*contrat, secteur commercial*) seguro;
prendre une ~ contre hacer un seguro
contra; ~ **contre l'incendie/le vol** seguro
contra incendios/robos; **société d'~**
sociedad *f* de seguros; **compagnie d'~s**
compañía de seguros; ~ **au tiers** seguro
contra terceros; ~ **maladie** seguro de
enfermedad; ~ **tous risques** seguro a
todo riesgo; ~**s sociales** seguros *mpl*
sociales

assurance-vie [asyrãsvi] (*pl
assurances-vie*) *nf* seguro de vida

assuré, e [asyre] *adj*: ~ **de** seguro(-a) de
■ *nm/f* asegurado(-a); **être ~** (*assurance*)
estar asegurado; ~ **social** asegurado(-a)
social

assurément [asyremã] *adv* seguramente

assurer [asyre] *vt* asegurar; (*succès,
victoire*) asegurar, garantizar; ~ **(à qn)
que** asegurar (a algn) que; **s'assurer** *vpr*:
s'~ (contre) asegurarse (contra); ~ **qn de
son amitié** garantizar a algn su amistad;
~ **qch à qn** (*emploi, revenu*) garantizar
algo a algn; (*fait etc*) asegurar algo a algn;
je vous assure que non/si le aseguro
que no/sí; ~ **ses arrières** guardar las
espaldas; **s'~ de/que** asegurarse de/de
que; **s'~ sur la vie** hacer un seguro de
vida; **s'~ le concours/la collaboration
de qn.** asegurarse la ayuda/la
colaboración de algn

assureur [asyrœr] *nm* asegurador(a)

astérisque [asterisk] *nm* asterisco

asthme [asm] *nm* asma

asticot [astiko] *nm* cresa

astre [astr] *nm* astro

astrologie [astrɔlɔʒi] *nf* astrología

astronaute [astronot] *nm/f* astronauta
m/f

astronomie [astronɔmi] *nf* astronomía

astuce [astys] *nf* astucia; (*plaisanterie*)
picardía, broma

astucieux, -euse [astysjø, jøz] *adj*
astucioso(-a)

atelier [atəlje] *nm* taller *m*; (*de peintre*)
estudio; ~ **de musique/poterie** taller de
música/cerámica

athée [ate] *adj*, *nm/f* ateo(-a)

Athènes [atɛn] *n* Atenas

athlète [atlɛt] *nm/f* atleta *m/f*

athlétisme [atletism] *nm* atletismo;
tournoi d'~ torneo de atletismo; **faire de
l'~** hacer atletismo

atlantique [atlãtik] *adj* atlántico(-a)
■ *nm*: **l'(océan) A~** el (océano) Atlántico

Atlas [atlas] *nm*: **l'~** el Atlas

atlas [atlas] *nm* atlas *m*

atmosphère [atmɔsfɛr] *nf* atmósfera;
(*fig*) ambiente *m*

atome [atom] *nm* átomo

atomique [atɔmik] *adj* atómico(-a)

atomiseur [atɔmizœr] *nm* atomizador *m*

atout [atu] *nm* triunfo; (*fig*) triunfo,
ventaja; ~ **pique/trèfle** triunfo de picas/
de trébol

atroce [atrɔs] *adj* atroz; (*très désagréable,
pénible*) atroz, terrible

attachant, e [ataʃã, ãt] *adj* (*persona*)
atrayente; (*animal*) encantador(a)

attache [ataʃ] *nf* grapa; (*fig*) lazo;
attaches *nfpl* (*relations*) relaciones *fpl*;
à l'~ (*chien*) atado(-a)

attacher [ataʃe] *vt* atar; (*bateau*)
amarrar; (*étiquette à qch*) pegar, fijar ■ *vi*

(*poêle*) pegar; (*riz, sucre*) pegarse; **s'attacher** *vpr* abrocharse; **s'~ à** encariñarse con; **s'~ à faire qch** consagrarse a hacer algo; **~ qch à** atar algo a; **~ qn à** (*fig*) vincular a algn a; **~ du prix/de l'importance à** atribuir valor/importancia a; **~ son regard/ses yeux sur** fijar la mirada/los ojos en

attaque [atak] *nf* ataque *m*; (*Sport*) ofensiva; **être/se sentir d'~** sentirse con fuerzas; **~ à main armée** ataque a mano armada

attaquer [atake] *vt* (*aussi fig*) atacar; (*entreprendre*) acometer ∎ *vi* atacar; **~ qn en justice** entablar una acción judicial contra algn; **s'~ à** enfrentarse con; (*épidémie, misère*) luchar contra

attarder [ataʀde] *vpr*: **s'attarder** (*sur qch, en chemin*) demorarse; (*chez qn*) entretenerse

atteindre [atɛ̃dʀ] *vt* alcanzar; (*cible, fig*) conseguir; (*blesser*) alcanzar, herir; (*contacter*) localizar; (*émouvoir*) afectar

atteint, e [atɛ̃, ɛ̃t] *pp de* **atteindre** ∎ *adj*: **être ~ de** estar aquejado(-a) de

atteinte [atɛ̃t] *nf* (*à l'honneur, au prestige*) ofensa; (*gén pl: d'un mal*) ataque *m*; **hors d'~** (*aussi fig*) fuera de mi *etc* alcance; **porter ~ à** atentar contra

attendant [atɑ̃dɑ̃] *adv*: **en ~** (*dans l'intervalle*) entretanto, mientras tanto; (*quoi qu'il en soit*) de todos modos

attendre [atɑ̃dʀ] *vt* esperar; (*suj: une grande joie*) aguardar ∎ *vi* esperar; **s'attendre** *vpr*: **s'~ à (ce que)** esperarse (que); **je n'attends plus rien (de la vie)** no espero nada más (de la vida); **attendez que je réfléchisse** espere a que reflexione; **je ne m'y attendais pas** no me lo esperaba; **ce n'est pas ce à quoi je m'attendais** no es lo que yo me esperaba; **~ un enfant** esperar un niño; **~ de pied ferme** esperar con pie firme; **~ de faire/d'être** esperar hacer/ser; **~ qch de qn** esperar algo de algn; **~ que** esperar que; **faire ~ qn** hacer esperar a algn; **se faire ~** hacerse esperar; **j'attends vos excuses** espero sus disculpas; **en attendant** *voir* **attendant**

attendrir [atɑ̃dʀiʀ] *vt* (*personne*) enternecer; (*viande*) ablandar; **s'attendrir** *vpr*: **s'~ (sur)** enternecerse (con)

attendrissant, e [atɑ̃dʀisɑ̃, ɑ̃t] *adj* enternecedor(a)

attendu, e [atɑ̃dy] *pp de* **attendre** ∎ *adj* esperado(-a); **attendus** *nmpl* (*Jur*) considerandos *mpl*; **~ que** puesto que

attentat [atɑ̃ta] *nm* atentado; **~ à la bombe/à la pudeur** atentado con bomba/contra el pudor; **~ suicide** atentado suicida

attente [atɑ̃t] *nf* espera; (*espérance*) espera, expectativa; **contre toute ~** contra toda previsión

attenter [atɑ̃te] *vt*: **~ à** atentar contra; **~ à la vie de qn** atentar contra la vida de algn; **~ à ses jours** atentar contra su propia vida

attentif, -ive [atɑ̃tif, iv] *adj* (*auditeur, élève*) atento(-a); (*soins*) cuidadoso(-a); (*travail*) cuidadoso(-a), concienzudo(-a); **~ à** (*scrupuleux*) escrupuloso(-a) con; (*ses devoirs*) cuidadoso(-a) con

attention [atɑ̃sjɔ̃] *nf* atención *f*; (*prévenance: gén pl*) atenciones *fpl*; **à l'~ de** (*pour*) a la atención de; **porter qch à l'~ de qn** presentar algo a la consideración de algn; **attirer l'~ de qn sur qch** llamar la atención de algn sobre algo; **faire ~ à** (*remarquer, noter*) prestar atención a; (*prendre garde à*) tener cuidado con; **faire ~ que** *ou* **à ce que** tener cuidado que; **~!** ¡cuidado!; **~, si vous ouvrez cette lettre** (*sanction*) ojo, si abre esta carta; **~, respectez les consignes de sécurité** atención, respeten las consignas de seguridad; **mériter ~** merecer atención

attentionné, e [atɑ̃sjɔne] *adj* atento(-a), solícito(-a)

atténuer [atenɥe] *vt* atenuar; (*douleur*) aliviar; **s'atténuer** *vpr* atenuarse

atterrir [ateʀiʀ] *vi* aterrizar

atterrissage [ateʀisaʒ] *nm* aterrizaje *m*; **~ forcé/sans visibilité/sur le ventre** aterrizaje forzoso/sin visibilidad/de panza

attestation [atɛstasjɔ̃] *nf* certificado; **~ de paiement** comprobante *m* de pago

attirant, e [atiʀɑ̃, ɑ̃t] *adj* atractivo(-a)

attirer [atiʀe] *vt* atraer; **~ qn dans un coin/vers soi** llevar a algn a un rincón/hacia sí; **~ l'attention de qn sur qch** llamar la atención de algn sobre algo; **~ des louanges à qn** granjear elogios a algn; **~ des ennuis à qn** acarrear problemas a algn; **s'~ des ennuis** acarrearse problemas

attitude [atityd] *nf* (*comportement*) actitud *f*, conducta; (*position du corps*) postura; (*état d'esprit*) actitud, disposición *f*

attraction [atʀaksjɔ̃] *nf* atracción *f*; (*de cabaret, cirque*) atracción, número

attrait [atʀɛ] *nm* (*de l'argent, de la gloire*) atractivo, incentivo; (*d'un lieu, d'une* *personne*) atractivo; **attraits** *nmpl* (*d'une femme*) encantos *mpl*; **éprouver de l'~ pour** sentirse atraído(-a) por

attraper [atrape] *vt* (*saisir*) atrapar, coger, agarrar (*AM*); (*voleur, animal*) atrapar, agarrar; (*train, maladie, amende*) pillar; (*fam: réprimander*) reñir; (: *duper*) engañar

attrayant, e [atrejã, ãt] *adj* atrayente

attribuer [atribɥe] *vt* (*prix*) otorgar; (*rôle, tâche*) asignar; (*conséquence, fait, qualité*) atribuir; (*échec*) achacar; (*importance*) conceder, dar; **s'attribuer** *vpr* atribuirse

attrister [atriste] *vt* entristecer; **s'attrister** *vpr*: **s'~ de qch** entristecerse por algo

attroupement [atrupmã] *nm* aglomeración *f*

attrouper [atrupe] *vpr*: **s'attrouper** aglomerarse, agolparse

au [o] *prép* + *dét voir* **à**

aubaine [obɛn] *nf* (*avantage inattendu*) suerte *f*; (*Comm*) ganga, chollo (*fam*)

aube [ob] *nf* alba, madrugada, amanecer *m*; (*de communiant*) alba; **l'~ de** (*fig*) los albores de, el amanecer de; **à l'~** al alba, de madrugada, al amanecer

aubépine [obepin] *nf* espino

auberge [obɛrʒ] *nf* posada, mesón *m*; **~ de jeunesse** albergue *m* de juventud

aubergine [obɛrʒin] *nf* berenjena

aucun, e [okœ̃, yn] *dét* ningún(-una) ■ *pron* ninguno(-a), nadie; **il n'a ~ sens** no tiene ningún sentido, no tiene sentido alguno

audace [odas] *nf* audacia; (*péj*) descaro; **payer d'~** manifestar audacia; **il a eu l'~ de** tuvo el atrevimiento de; **vous ne manquez pas d'~!** ¡no le falta atrevimiento!

audacieux, -euse [odasjø, jøz] *adj* audaz

au-delà [od(ə)la] *adv* más allá ■ *nm inv*: **l'~** el más allá; **~ de** más allá de ■ *au*-**dessous** [odsu] *prép* abajo, debajo; **~ de** (*dans l'espace*) debajo de; (*dignité, condition, somme*) por debajo de

au-dessus [odsy] *adv* arriba, encima; **~ de** (*dans l'espace*) arriba de, encima de; (*limite, somme, loi*) por encima de

au-devant [od(ə)vã]: **~ de** *prép* al encuentro de; **aller ~ de** (*personne*) ir al encuentro de; (*danger*) hacer frente a; (*désirs de qn*) adelantarse a

audience [odjãs] *nf* (*attention*) atención *f*, interés *m*; (*auditeurs, lecteurs*) auditorio, público; (*entrevue, séance*) audiencia;

trouver ~ auprès de encontrar buena acogida en

audiovisuel, le [odjovizɥɛl] *adj* audiovisual ■ *nm* (*techniques*) técnicas *fpl* audiovisuales; (*méthodes*) métodos *mpl* audiovisuales; **l'~** los medios audiovisuales

audition [odisjõ] *nf* audición *f*; (*Jur*) audiencia; (*Mus, Théâtre*) prueba, audición

auditoire [oditwar] *nm* auditorio

augmentation [ogmãtasjõ] *nf* (*action, résultat*) aumento; (*prix*) subida; **~ (de salaire)** aumento (del salario)

augmenter [ogmãte] *vt* aumentar; (*prix*) subir; (*employé, salarié*) subir el sueldo a ■ *vi* aumentar; **~ de poids/ volume** aumentar de peso/volumen

augure [ogyr] *nm* agorero, (*Hist*) augur *m*; **de bon/mauvais ~** de buen/mal augurio

aujourd'hui [oʒurdɥi] *adv* hoy; (*de nos jours*) hoy en día; **~ en huit/en quinze** de hoy en ocho días/en quince días; **à dater ou partir d'~** a partir de hoy

aumônier [omonje] *nm* capellán *m*

auparavant [oparavã] *adv* antes

auprès [oprɛ]: **~ de** *prép* al lado de, cerca de; (*du tribunal*) ante; (*en comparaison de*) comparado(-a) con; (*dans l'opinion de*) según

auquel [okɛl] *prép* + *pron voir* **lequel**

aurai *etc* [ɔre] *vb voir* **avoir**

aurons *etc* [ɔrõ] *vb voir* **avoir**

aurore [ɔrɔr] *nf* aurora; **~ boréale** aurora boreal

ausculter [ɔskylte] *vt* auscultar

aussi [osi] *adv* también; (*de comparaison: avec adj, adv*) tan; (*si, tellement*) tan ■ *conj* (*par conséquent*) por lo tanto; **~ fort/ rapidement que** tan fuerte/rápidamente como; **lui ~** él también; **~ bien que** (*de même que*) lo mismo que; **il l'a fait/va y aller - moi ~** lo hizo/va a ir - yo también; **je le pense ~** yo también lo pienso *ou* creo

aussitôt [osito] *adv* enseguida, inmediatamente; **~ que** tan pronto como; **~ fait** ni bien hecho; **~ envoyé** ni bien enviado

austère [ostɛr] *adj* austero(-a)

austral, e [ɔstral] *adj* austral; **l'océan ~** el océano austral; **les terres ~es** las tierras australes

Australie [ostrali] *nf* Australia

australien, ne [ostraljɛ̃, jɛn] *adj* australiano(-a) ■ *nm/f*: **Australien, ne** australiano(-a)

autant [otɑ̃] *adv* (*tant, tellement*) tanto; (*comparatif*): **~ (que)** tanto (como), tan (como); **~ (de)** tanto(-a), tantos(-as); **n'importe qui aurait pu en faire ~** cualquiera hubiera hecho lo mismo; **~ partir/ne rien dire** mejor marchar/no decir nada; **~ dire que ...** eso es tanto como decir que ...; **fort ~ que courageux** tan fuerte como valeroso; **il n'est pas découragé pour ~** no se ha desanimado por eso; **pour ~ que** en la medida en que; **d'~** (*à proportion*) otro tanto; **d'~ plus/moins/mieux que** tanto más/menos/mejor (cuanto que); **~ ... ~ ...** tanto ... tanto ...; **tout ~** tanto; **ce sont ~ d'erreurs/d'échecs** son otros tantos errores/fracasos; **y en a-t-il ~ (qu'avant?** ¿queda tanto (como antes)?; **il y a ~ de garçons que de filles** hay tantos niños como niñas

autel [otɛl] *nm* altar *m*

auteur [otœʀ] *nm* autor(a); **droit d'~** derecho de autor

authenticité [otɑ̃tisite] *nf* autenticidad *f*

authentique [otɑ̃tik] *adj* auténtico(-a); (*récit, histoire*) auténtico(-a), cierto(-a); (*réel, sincère*) auténtico(-a), verdadero(-a)

auto [oto] *nf* coche *m*, carro (*AM*), auto (*esp AM*); **~s tamponneuses** coches *mpl* de choque

auto... [oto] *préf* auto-

autobiographie [otobjɔgrafi] *nf* autobiografía

autobus [otɔbys] *nm* autobús *m*, camión *m* (*Mex*); **ligne d'~** línea de autobús

autocar [otɔkaʀ] *nm* autocar *m*

autochtone [otɔktɔn] *adj, nm/f* autóctono(-a)

autocollant, e [otɔkɔlɑ̃, ɑ̃t] *adj* autoadhesivo(-a) ■ *nm* autoadhesivo

autocuiseur [otokɥizœʀ] *nm* olla a presión

autodéfense [otodefɑ̃s] *nf* autodefensa; **groupe d'~** grupo de autodefensa

autodidacte [otodidakt] *nm/f* autodidacta *m/f*

auto-école [otoekɔl] (*pl* **~s**) *nf* autoescuela

autographe [otɔgraf] *nm* autógrafo

automate [otɔmat] *nm* (*aussi fig*) autómata *m*

automatique [otɔmatik] *adj* automático(-a); (*réflexe, geste*) automático(-a), mecánico(-a) ■ *nm* (*pistolet*) automática; (*téléphone*): **l'~** el servicio automático

automatiquement [otɔmatikmɑ̃] *adv* automáticamente

automne [otɔn] *nm* otoño

automobile [otɔmɔbil] *nf* coche *m*, automóvil *m* ■ *adj* automóvil; **l'~** la industria automovilística

automobiliste [otɔmɔbilist] *nm/f* automovilista *m/f*

autonome [otɔnɔm] *adj* autónomo(-a); **en mode ~** (*Inform*) de modo autónomo

autonomie [otɔnɔmi] *nf* autonomía; **~ de vol** autonomía de vuelo

autoportrait [otopɔrtrɛ] *nm* autorretrato

autopsie [otɔpsi] *nf* autopsia

autoradio [otoradjo] *nm* autorradio

autorisation [otɔrizasjɔ̃] *nf* (*permission*) autorización *f*, permiso; (*papiers*) licencia, permiso; **donner à qn l'~ de** dar a algn la autorización para; **avoir l'~ de faire** tener permiso para hacer

autorisé, e [otɔrize] *adj* autorizado(-a); **~ (à faire)** autorizado(-a) (para hacer); **dans les milieux ~s** en medios oficiales

autoriser [otɔrize] *vt* autorizar, permitir; (*justifier, permettre*) autorizar; **~ qn à faire** autorizar a algn para hacer

autoritaire [otɔritɛr] *adj* autoritario(-a)

autorité [otɔrite] *nf* autoridad *f*; (*prestige, réputation*) autoridad, fama; **les ~s** las autoridades; **faire ~** ser una autoridad; **d'~** (*de façon impérative*) autoritariamente; (*sans réflexion*) directamente; **~s administratives** autoridades administrativas

autoroute [otorut] *nf* autopista

auto-stop [otostɔp] *nm inv*: **l'~** el autostop; **faire de l'~** hacer autostop; **prendre qn en ~** coger a algn en autostop

auto-stoppeur, -euse [otostɔpœr, øz] (*pl* **~s, -euses**) *nm/f* autostopista *m/f*

autour [otur] *adv* alrededor, en torno; **~ de** (*en cercle*) alrededor de, en torno de ou a; (*près de*) cerca de; (*environ, à peu près*) aproximadamente, alrededor de; **tout ~** por todas partes

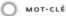 **MOT-CLÉ**

autre [otr] *adj* **1** (*différent*) otro(-a); **je préférerais un autre verre** preferiría otro vaso

2 (*supplémentaire*): **je voudrais un autre verre d'eau** querría otro vaso de agua

3 (*d'une paire, dans une dualité*) otro(-a); **autre chose** otra cosa; **penser à autre chose** pensar en otra cosa; **autre part** (*aller*) a otra parte; (*se trouver*) en otra parte; **d'autre part** (*en outre*) además; **d'une part ..., d'autre part ...** por una parte ..., por otra parte ...
■ *pron*: **un autre** otro; **nous autres** nosotros(-as); **vous autres** vosotros(-as); (*politesse*) ustedes; **d'autres** otros(-as); **les autres** los (las) otros(-as); (*autrui*) los demás; **l'un et l'autre** uno y otro; **se détester l'un l'autre/les uns les autres** detestarse uno a otro/unos a otros; **la difficulté est autre** la dificultad es otra; **d'une minute à l'autre** de un momento a otro; **entre autres** entre otros(-as); **j'en ai vu d'autres** (*indifférence*) estoy curado de espanto; **à d'autres!** ¡cuéntaselo a otro!; **ni l'un ni l'autre** ni uno ni otro; **donnez-m'en un autre** deme otro; **de temps à autre** de vez en cuando; **se sentir autre** sentirse otro; *voir aussi* **part**; **temps**; **un**

autrefois [otʀəfwa] *adv* antaño, en otro tiempo
autrement [otʀəmã] *adv* (*d'une manière différente*) de otro modo; (*sinon*) si no, de lo contrario; **je n'ai pas pu faire ~** no he podido hacer otra cosa; **~ dit** en otras palabras; (*c'est-à-dire*) es decir
Autriche [otʀiʃ] *nf* Austria
autrichien, ne [otʀiʃjɛ̃, jɛn] *adj* austríaco(-a) ■ *nm/f*: **Autrichien, ne** austríaco(-a)
autruche [otʀyʃ] *nf* avestruz *m*; **faire l'~** meter la cabeza debajo del ala
aux [o] *prép* +*dét voir* **à**
auxiliaire [ɔksiljɛʀ] *adj* auxiliar ■ *nm/f* auxiliar *m/f*; (*aide, adjoint*) ayudante *m/f*; (*Ling*) auxiliar *m*
auxquelles [okɛl] *prép* + *pron voir* **lequel**
auxquels [okɛl] *prép* + *pron voir* **lequel**
avalanche [avalɑ̃ʃ] *nf* (*aussi fig*) avalancha
avaler [avale] *vt* tragar; (*fig*) devorar; (*croire*) tragarse
avance [avɑ̃s] *nf* avance *m*; (*d'argent*) adelanto, anticipo; (*opposé à retard*) adelanto; (*Inform*): **~ (du) papier** avance del papel; **avances** *nfpl* (*ouvertures, aussi amoureuses*) proposiciones *fpl*; **une ~ de 300 m/4 h** una ventaja de 300 m/4 h; **(être) en ~** (*sur l'heure fixée*) (estar) adelantado(-a); (*sur un programme*) (ir)

adelantado(-a); **on n'est pas en ~!** ¡no adelantamos nada!; **être en ~ sur qn** (*pendant une action*) ir delante de algn; (*résultat*) llegar antes que algn; **il est très en ~ pour son âge** está muy adelantado para su edad; **à l'~, par ~** de antemano; **d'~** por anticipado; **payer d'~** pagar por adelantado
avancé, e [avɑ̃se] *adj* avanzado(-a); (*travail*) adelantado(-a); (*fruit, fromage*) maduro(-a)
avancement [avɑ̃smɑ̃] *nm* (*professionnel*) ascenso; (*de travaux*) progreso
avancer [avɑ̃se] *vi* avanzar; (*travail, montre, réveil*) adelantar; (*être en saillie, surplomb*) avanzar, sobresalir ■ *vt* adelantar; (*troupes*) hacer avanzar; (*hypothèse, idée*) proponer, sugerir; **s'avancer** *vpr* (*s'approcher*) adelantarse, acercarse; (*se hasarder*) aventurarse; (*être en saillie, surplomb*) sobresalir; **j'avance (d'une heure)** estoy adelantado(-a) (una hora)
avant [avɑ̃] *prép* antes de ■ *adv*: **trop/ plus ~** demasiado/más lejos ■ *adj inv*: **siège ~** asiento delantero ■ *nm* (*d'un véhicule, bâtiment*) delantera, frente *m*; (*Sport*) delantero; **qu'il (ne) parte/de faire** antes de que marche/de hacer; **~ tout** ante todo; **à l'~** (*dans un véhicule*) en la delantera; **en ~** (*marcher, regarder*) hacia adelante; **en ~ de** (*en tête de, devant*) delante de; **aller de l'~** marchar bien
avantage [avɑ̃taʒ] *nm* (*supériorité*) ventaja; (*intérêt, bénéfice*) ventaja, beneficio; **à l'~ de qn** en beneficio de algn; **être à son ~** estar favorecido(-a); **tirer ~ de** sacar provecho de; **vous auriez ~ à faire** sería mejor que hiciese; **~s en nature** retribución *f* en especies; **~s sociaux** beneficios *mpl* sociales
avantager [avɑ̃taʒe] *vt* favorecer
avantageux, -euse [avɑ̃taʒø, øz] *adj* ventajoso(-a); (*portrait, coiffure*) favorecedor(a); **conditions avantageuses** condiciones *fpl* ventajosas
avant-bras [avɑ̃bʀa] *nm inv* antebrazo
avant-coureur [avɑ̃kuʀœʀ] (*pl* **~s**) *adj* premonitorio(-a), anunciador(a); **signe ~** signo anunciador
avant-dernier, -ière [avɑ̃dɛʀnje, jɛʀ] (*pl* **~s, -ières**) *adj, nm/f* penúltimo(-a)
avant-garde [avɑ̃gaʀd] (*pl* **~s**) *nf* (*aussi fig*) vanguardia; **d'~** de vanguardia
avant-goût [avɑ̃gu] (*pl* **~s**) *nm* anticipo

avant-hier [avɑ̃tjɛʀ] adv anteayer
avant-première [avɑ̃pʀəmjɛʀ] (pl **~s**) nf preestreno; **en ~** antes de la presentación oficial
avant-veille [avɑ̃vɛj] (pl **~s**) nf: **l'~** la antevíspera
avare [avaʀ] adj, nm/f avaro(-a); **~ de compliments/caresses** parco(-a) en cumplidos/caricias
avec [avɛk] prép con; (contre: se battre) con, contra; (en plus de, en sus de) además de; **~ habileté/lenteur** con habilidad/ lentitud; **~ eux/ces maladies** (en ce qui concerne) con ellos/estas enfermedades; **~ ça** (malgré ça) a pesar de eso; **et ~ ça?** ¿algo más?; **~ l'été les noyades se multiplient** en verano se ahoga mucha más gente; **~ cela que ...** además de que ...
avenir [avniʀ] nm: **l'~** el porvenir, el futuro; **l'~ du monde/de l'automobile** el porvenir del mundo/del automóvil; **à l'~** en el futuro; **sans ~** sin futuro; **c'est une idée sans ~** es una idea sin futuro; **métier/politicien d'~** trabajo/político con futuro
aventure [avɑ̃tyʀ] nf aventura; **partir à l'~** marchar a la aventura; **roman/film d'~** novela/película de aventuras
aventurer [avɑ̃tyʀe] vt aventurar, arriesgar; (remarque, opinion) aventurar; **s'aventurer** vpr aventurarse; **s'~ à faire qch** arriesgarse a hacer algo
aventureux, -euse [avɑ̃tyʀø, øz] adj (personne) aventurado(-a), arriesgado(-a); (projet) arriesgado(-a); (vie) azaroso(-a)
aventurier, -ière [avɑ̃tyʀje, jɛʀ] nm/f aventurero(-a)
avenue [avny] nf avenida
avérer [aveʀe] vpr: **s'avérer** (avec attribut): **s'~ faux/coûteux** revelarse falso/costoso
averse [avɛʀs] nf aguacero, chaparrón m; (de pierres, flèches) chaparrón, lluvia
averti, e [avɛʀti] adj entendido(-a)
avertir [avɛʀtiʀ] vt: **~ qn de qch/que** prevenir a algn de algo/de que; (renseigner) advertir
avertissement [avɛʀtismɑ̃] nm advertencia; (blâme) amonestación f; (d'un livre) introducción f
avertisseur [avɛʀtisœʀ] nm bocina; (d'incendie) alarma de incendio
aveu, x [avø] nm confesión f, declaración f; **passer aux ~x** confesar; **de l'~ de** según la opinión de

aveugle [avœgl] adj, nm/f (aussi fig) ciego(-a); **les ~s** los ciegos; **mur ~** pared f ciega; **test en double ~** experimento en el que ni el analizador ni el sujeto conocen las características del producto
aviation [avjasjɔ̃] nf (aussi Mil) aviación f; **terrain d'~** campo de aviación; **~ de chasse** aviones mpl de caza
avide [avid] adj ávido(-a); (péj) codicioso(-a); **~ d'honneurs/d'argent/ de sang** ávido(-a) de honores/de dinero/ de sangre; **~ de connaître/d'apprendre** ávido(-a) de conocer/de aprender
avion [avjɔ̃] nm avión m; **par ~** por avión; **aller (quelque part) en ~** ir (a algún sitio) en avión; **~ à réaction** avión de ou a reacción; **~ de chasse/de ligne/ supersonique** avión de caza/de línea/ supersónico
aviron [aviʀɔ̃] nm remo; (sport): **l'~** el remo
avis [avi] nm (point de vue) opinión f; (conseil) opinión, consejo; (notification) aviso; **~ de crédit/débit** nota de crédito/ débito; **j'aimerais avoir l'~ de Paul** me gustaría conocer la opinión de Paul; **je suis de votre ~** estoy de acuerdo con usted; **vous ne me ferez pas changer d'~** no me hará cambiar de opinión; **être d'~ que** ser del parecer que; **changer d'~** cambiar de opinión; **sauf ~ contraire** salvo aviso contrario; **sans ~ préalable** sin previo aviso; **jusqu'à nouvel ~** hasta nuevo aviso; **~ de décès** esquela (mortuoria)
aviser [avize] vt (voir) divisar, advertir; (informer): **~ qn de qch/que** avisar a algn de algo/de que ▪ vi (réfléchir) reflexionar; **s'~ de qch/que** darse cuenta de algo/de que; **s'~ de faire qch** (s'aventurer à) ocurrírsele hacer algo
avocat, e [avɔka, at] nm/f (aussi fig) abogado(-a) ▪ nm (Bot, Culin) aguacate m, palta (AM); **se faire l'~ du diable** ser el abogado del diablo; **l'~ de la défense/de la partie civile** el abogado defensor/de la acusación particular; **~ d'affaires** abogado de empresa; **~ général** fiscal m
avoine [avwan] nf avena

 MOT-CLÉ

avoir [avwaʀ] vt **1** (posséder) tener; **elle a 2 enfants/une belle maison** tiene dos niños/una casa bonita; **il a les yeux gris** tiene los ojos grises; **vous avez du**

sel? ¿tiene sal?; **avoir du courage/de la patience** tener valor/paciencia; **avoir du goût** tener gusto; **avoir horreur de** tener horror a; **avoir rendez-vous** tener una cita
2 (*âge, dimensions*) tener; **il a 3 ans** tiene 3 años; **le mur a 3 mètres de haut** la pared tiene 3 metros de alto; *voir aussi* **faim**; **peur** *etc*
3 (*fam: duper*) pegársela a algn; **on vous a eu!** ¡le han engañado!
4: **en avoir après** *ou* **contre qn** estar enojado(-a) con algn; **en avoir assez** estar harto; **j'en ai pour une demi-heure** tengo para media hora
5 (*obtenir: train, tickets*) coger, agarrar (*AM*)
■ *vb aux* **1** haber; **avoir mangé/dormi** haber comido/dormido; **hier, je n'ai pas mangé** (*verbe au passé simple quand il période dans laquelle se situe l'action est révolue*) ayer no comí
2 (*avoir + à + infinitif*): **avoir à faire qch** tener que hacer algo; **vous n'avez qu'à lui demander** no tiene más que preguntarle; (*en colère*) pregúntele a él; **tu n'as pas à me poser de questions** no tienes porqué hacerme preguntas; **tu n'as pas à le savoir** no tienes porqué saberlo
■ *vb impers* **1** (+ *sing, pl*) hay; **qu'y-a-t-il?** ¿qué ocurre?; **qu'est-ce qu'il y a?** ¿qué pasa?; **il n'y a rien** no pasa nada; **qu'as-tu?** ¿qué tienes?; **qu'est-ce que tu as?** ¿qué te pasa?; **il doit y avoir une explication** tiene que haber una explicación; **il n'y a qu'à recommencer … ** no hay más que volver a empezar …; **il ne peut y en avoir qu'un** no puede haber más que uno; **il n'y a pas de quoi** no hay de qué
2 (*temporel*): **il y a 10 ans** hace 10 años; **il y a 10 ans/longtemps que je le sais** hace 10 años/mucho tiempo que lo sé; **il y a 10 ans qu'il est arrivé** hace 10 años que llegó
■ *nm* haber *m*; (*Fin*): **avoir fiscal** crédito fiscal

avortement [avɔʀtəmɑ̃] *nm* aborto
avouer [avwe] *vt* confesar, declarar
■ *vi* (*se confesser*) confesar; (*admettre*) confesar, reconocer; **~ avoir fait/être/ que** confesar haber hecho/ser/que; **s'~ vaincu/incompétent** declararse vencido(-a)/incompetente; **~ que oui/ non** confesar que sí/no
avril [avʀil] *nm* abril *m*; *voir aussi* **juillet**

POISSON D'AVRIL

En Francia, el 1 de abril es el equivalente al día de los Santos Inocentes en España. La broma o inocentada típica de ese día es pegar en la espalda de alguien un pez de papel, el *poisson d'avril*, sin ser visto.

axe [aks] *nm* eje *m*; (*fig*) orientación *f*; **dans l'~ de** en la línea de; **~ de symétrie** eje de simetría; **~ routier** carretera general
ayons *etc* [ɛjɔ̃] *vb voir* **avoir**
azote [azɔt] *nm* nitrógeno
aztèque [astɛk] *adj* azteca

bâbord [babɔʀ] *nm*: **à** *ou* **par ~** a babor
baby-foot [babifut] *nm inv* futbolín *m*
bac¹ [bak] *abr, nm (bateau)* transbordador *m*; *(récipient)* cubeta; **~ à glace** bandeja para el hielo; **~ à légumes** compartimento para las verduras
bac² [bak] *nm* = *baccalauréat*
baccalauréat [bakalɔʀea] *nm* título que se obtiene al finalizar BUP y COU

⊙ **BACCALAURÉAT**
⊙
⊙ En Francia el *baccalauréat* o *bac* es un
⊙ título que se obtiene al terminar los
⊙ estudios de enseñanza secundaria
⊙ superior a la edad de diecisiete o
⊙ dieciocho años y que permite el
⊙ ingreso en la universidad. Se pueden
⊙ escoger distintas combinaciones de
⊙ asignaturas dentro de un amplio plan
⊙ de estudios.

bâcler [bakle] *vt* hacer de prisa y corriendo
badge [badʒ] *nm* chapa
badminton [badmintɔn] *nm* bádminton *m*
baffe [baf] *(fam) nf* bofetada, torta
bafouiller [bafuje] *vi, vt* farfullar

bagage [bagaʒ] *nm (gén: bagages)* equipaje *m*; **~ littéraire** bagaje *m* literario; **~s à main** equipaje de mano
bagarre [bagaʀ] *nf* pelea; **il aime la ~** le gusta la pelea
bagarrer [bagaʀe] *vpr*: **se bagarrer** pelearse
bagnole [baɲɔl] *(fam) nf* coche *m*; *(vieille)* cacharro
bague [bag] *nf* anillo, sortija; *(d'identification)* anilla; **~ de fiançailles** sortija de pedida; **~ de serrage** casquillo
baguette [bagɛt] *nf (bâton)* varilla; *(chinoise)* palillo; *(de chef d'orchestre)* batuta; *(pain)* barra; *(Constr)* junquillo; **mener qn à la ~** tratar a algn a la baqueta; **~ de sourcier** varilla de zahorí; **~ de tambour** palillo; **~ magique** varita mágica
baie [bɛ] *nf* bahía; *(fruit)* baya; **~ (vitrée)** ventanal *m*
baignade [bɛɲad] *nf* baño
baigner [beɲe] *vt* bañar ■ *vi*: **il baignait dans son sang** estaba bañado *ou* anegado en sangre; **se baigner** *vpr* bañarse; **~ dans la brume** estar rodeado(-a) de bruma; **"ça baigne!"** *(fam)* "¡todo marcha bien!"
baignoire [beɲwaʀ] *nf* bañera, tina *(AM)*; *(Théâtre)* palco de platea
bail [baj] *(pl* **baux)** *nm (contrato de)* arrendamiento; **donner** *ou* **prendre qch à ~** arrendar algo, alquilar algo; **~ commercial** traspaso
bâillement [bajmɑ̃] *nm* bostezo
bâiller [baje] *vi* bostezar; *(être ouvert)* estar entreabierto(-a), estar entornado(-a)
bain [bɛ̃] *nm* baño; **se mettre dans le ~** *(fig)* meterse en el asunto; **prendre un ~** tomar un baño; **prendre un ~ de foule** meterse entre la multitud; **prendre un ~ de pieds** darse un baño de pies; *(au bord de la mer)* mojarse los pies; **~ de bouche** elixir *m* (para enjuagarse la boca); **~ de siège** baño de asiento; **~ de soleil** baño de sol; **~ moussant** baño de espuma; **~s de mer** baños *mpl* de mar; **~s(-douches) municipaux** baños públicos
bain-marie [bɛ̃maʀi] *(pl* **bains-marie)** *nm* baño (de) María; **faire chauffer au ~** calentar al baño (de) María
baiser [beze] *nm* beso ■ *vt* besar; *(fam!)* tirarse a *(fam!)*, coger *(fam!) (AM)*
baisse [bɛs] *nf (de température, des prix)* descenso, baja; **"~ sur la viande"** "abaratamiento de la carne"; **en ~** en baja; **à la ~** a la baja

baisser [bese] *vt* bajar ■ *vi* (*niveau, température*) bajar, descender; (*jour, lumière*) disminuir; **se baisser** *vpr* inclinarse, agacharse; **sa vue baisse** está perdiendo vista; **ses facultés baissent** está perdiendo facultades

bal [bal] *nm* baile *m*; **~ costumé** baile de disfraces; **~ masqué** baile de máscaras; **~ musette** baile popular

balade [balad] *nf* (*à pied*) paseo, vuelta; (*en voiture*) vuelta; **faire une ~** dar una vuelta

balader [balade] *vt* pasear; **se balader** *vpr* pasearse

baladeur [baladœʀ] *nm* walkman® *m*

balai [balɛ] *nm* escoba; (*Auto, Mus*) escobilla; **donner un coup de ~** dar un barrido

balance [balɑ̃s] *nf* balanza; (*Astrol*): **la B~** Libra; **être (de la) B~** ser Libra; **~ commerciale** balanza comercial; **~ des paiements** balanza de pagos; **~ romaine** romana

balancer [balɑ̃se] *vt* balancear; (*lancer*) arrojar; (*renvoyer, jeter*) despedir ■ *vi* (*hésiter*) oscilar; **se balancer** *vpr* balancearse, mecerse; (*branche*) mecerse; (*sur une balançoire*) columpiarse; **je m'en balance** (*fam*) me importa un pito

balançoire [balɑ̃swaʀ] *nf* (*suspendue*) columpio; (*sur pivot*) balancín *m*, subibaja *m*

balayer [baleje] *vt* barrer; (*suj: radar, phares*) explorar

balayeur, -euse [balɛjœʀ, øz] *nm/f* barrendero(-a)

balbutier [balbysje] *vi, vt* balbucear

balcon [balkɔ̃] *nm* balcón *m*; (*Théâtre*) principal *m*

baleine [balɛn] *nf* (*Zool, parapluie*) ballena

balise [baliz] *nf* baliza

baliser [balize] *vt* balizar; (*fam*) tener miedo

balle [bal] *nf* (*de fusil*) bala; (*de tennis, golf*) pelota; (*du blé*) cascarilla, cascabillo; (*paquet*) fardo; **balles** *nfpl* (*fam: franc*) francos *mpl*; **~ perdue** bala perdida

ballerine [bal(ə)ʀin] *nf* bailarina; (*chaussure*) zapatilla

ballet [balɛ] *nm* ballet *m*; **~ diplomatique** actividad *f* diplomática

ballon [balɔ̃] *nm* (*de sport*) balón *m*; (*Aviat, jouet*) globo; (*de vin*) copa; **~ d'essai** (*aussi fig*) globo *m* sonda *inv*; **~ de football** balón de fútbol; **~ d'oxygène** globo de oxígeno

balnéaire [balneɛʀ] *adj* termal, balneario(-a) (*AM*)

balustrade [balystʀad] *nf* balaustrada

bambin [bɑ̃bɛ̃] *nm* niño(-a), chiquillo(-a)

bambou [bɑ̃bu] *nm* bambú *m*

banal, e [banal] *adj* (*aussi péj*) trivial; **four ~** (*Hist*) molino comunal

banalité [banalite] *nf* trivialidad *f*

banane [banan] *nf* plátano, banana (*esp AM*)

banc [bɑ̃] *nm* banco; **~ d'essai** (*fig*) banco de prueba; **~ de sable** banco de arena; **~ des accusés/témoins** banquillo de los acusados/testigos

bancaire [bɑ̃keʀ] *adj* bancario(-a)

bancal, e [bɑ̃kal] *adj* cojo(-a); (*fig*) defectuoso(-a)

bandage [bɑ̃daʒ] *nm* vendaje *m*

bande [bɑ̃d] *nf* banda; (*de tissu*) faja; (*pour panser*) venda; (*Inform*) cinta; (*motif, dessin*) banda, franja; **une ~ de ...** (*copains, voyous*) una pandilla de ...; **donner de la ~** (*Naut*) dar a la banda, escorar; **par la ~** (*fig*) indirectamente; **faire ~ à part** hacer rancho aparte; **~ de roulement** banda de rodadura; **~ de terre** faja de tierra; **~ dessinée** (*dans un journal*) tira cómica, historieta; (*livre*) cómic *m*; **~ magnétique** cinta magnética; **~ perforée** banda perforada; **~ sonore** banda sonora; **~ Velpeau®** venda; **~ vidéo** cinta de vídeo

● **BANDE DESSINÉE**
●
● La *bande dessinée* o BD goza de gran
● popularidad en Francia tanto entre
● los niños como entre los adultos.
● Todos los años en enero se celebra en
● Angulema el Salón Internacional del
● Cómic. Astérix, Tintín, Lucky Luke y
● Gaston Lagaffe son algunos de los
● personajes de tebeo más famosos que
● acuden al certamen.

bandeau [bɑ̃do] *nm* venda; (*autour du front*) cinta, venda, vincha (*And, Csur*); (*Internet*) banner *m*

bander [bɑ̃de] *vt* (*blessure*) vendar; (*muscle, arc*) tensar ■ *vi* (*fam!*) empalmarse (*fam!*); **~ les yeux à qn** vendar los ojos a algn

bandit [bɑ̃di] *nm* bandido; (*fig*) estafador *m*

bandoulière [bɑ̃duljɛʀ] *nf*: **en ~** en bandolera

banlieue [bɑ̃ljø] *nf* suburbio; **quartier de ~** barrio suburbano; **lignes/trains de ~** líneas *fpl*/trenes *mpl* de cercanías

banlieusard, e [bãljøzaʀ, aʀd] *nm/f* habitante *m/f* de los suburbios

bannir [baniʀ] *vt* desterrar

banque [bãk] *nf* banco; (*activités*) banca; **~ d'affaires** banco de negocios; **~ de dépôt** banco de depósito; **~ de données** (*Inform*) banco de datos; **~ d'émission** banca central; **~ des yeux/du sang** banco de ojos/de sangre

banquet [bãkɛ] *nm* banquete *m*

banquette [bãkɛt] *nf* banqueta; (*d'auto*) asiento corrido

banquier [bãkje] *nm* banquero

banquise [bãkiz] *nf* banco de hielo, banquisa

baptême [batɛm] *nm* (*sacrement*) bautismo; (*cérémonie*) bautizo; **~ de l'air** bautismo del aire

baptiser [batize] *vt* bautizar

bar [baʀ] *nm* bar *m*, cantina (*esp AM*); (*comptoir*) barra, mostrador *m*; (*poisson*) lubina

baraque [baʀak] *nf* barraca; (*cabane, hutte*) caseta; (*fam*) casucha; **~ foraine** barraca de feria

baraqué, e [baʀake] (*fam*) *adj* plantado(-a)

barbare [baʀbaʀ] *adj, nm/f* bárbaro(-a)

barbe [baʀb] *nf* barba; **au nez et à la ~ de qn** en las barbas de algn; **quelle ~!** (*fam*) ¡qué lata!; **~ à papa** algodón *m* de azúcar

barbecue [baʀbəkju] *nm* barbacoa, asado (*AM*)

barbelé [baʀbəle] *nm* alambrada

barbiturique [baʀbityʀik] *nm* barbitúrico

barbouiller [baʀbuje] *vt* (*couvrir, salir*) embadurnar; (*péj: mur, toile*) pintarrajear; (: *écrire, dessiner*) emborronar; **avoir l'estomac barbouillé** tener el estómago revuelto

barbu, e [baʀby] *adj* barbudo(-a)

barder [baʀde] *vi* (*fam*): **ça va ~** se va a armar la gorda ▪ *vt* enalbardar

barème [baʀɛm] *nm* (*des prix, des tarifs*) baremo, tabla; (*cotisations, notes*) baremo; **~ des salaires** tabla de salarios

baril [baʀi(l)] *nm* barril *m*

bariolé, e [baʀjɔle] *adj* abigarrado(-a)

barman [baʀman] *nm* barman *m inv*

baromètre [baʀɔmɛtʀ] *nm* (*aussi fig*) barómetro; **~ anéroïde** barómetro aneroide

baron [baʀɔ̃] *nm* barón *m*; (*fig*) magnate *m*

baroque [baʀɔk] *adj* (*Art*) barroco(-a); (*fig*) estrambótico(-a)

barque [baʀk] *nf* barca

barquette [baʀkɛt] *nf* (*tartelette*) (tipo de) pasta de té; (*en aluminium*) envase *m*; (*en bois*) caja

barrage [baʀaʒ] *nm* pantano, embalse *m*; (*sur route*) barrera; **~ de police** cordón *m* policial, retén *m* (*AM*)

barre [baʀ] *nf* barra; (*Naut*) timón *m*; (*écrite*) raya; **comparaître à la ~** comparecer ante el juez; **être à** *ou* **tenir la ~** llevar el timón; **~ à mine** barrena; **~ de mesure** (*Mus*) barra de compás; **~ d'outils** barra de herramientas; **~ fixe** (*Gymnastique*) barra fija; **~s parallèles** barras paralelas

barreau, x [baʀo] *nm* barrote *m*; (*Jur*): **le ~** el foro, la abogacía

barrer [baʀe] *vt* (*route*) obstruir; (*mot*) tachar; (*chèque*) cruzar; (*Naut*) timonear; **se barrer** *vpr* (*fam*) largarse, pirarse; **~ le passage** *ou* **la route à qn** cortar el paso a algn

barrette [baʀɛt] *nf* (*pour les cheveux*) prendedor *m*; (*Rel*) birrete *m*; (*broche*) broche *m*

barricader [baʀikade] *vt* (*rue*) levantar barricadas en; (*porte, fenêtre*) atrancar; **se ~ chez soi** (*fig*) encerrarse en su casa

barrière [baʀjɛʀ] *nf* (*aussi fig*) barrera; **~ de dégel** (*Admin, Auto*) circulación de vehículos pesados prohibida a causa del deshielo; **~s douanières** barreras *fpl* aduaneras

barrique [baʀik] *nf* barrica, tonel *m*

bas, basse [bɑ, bɑs] *adj* bajo(-a); (*vue*) corto(-a); (*action*) bajo(-a), vil ▪ *nm* (*chaussette*) calcetín *m*; (*de femme*) media; (*partie inférieure*): **le ~ de ...** la parte de abajo de... ▪ *adv* bajo; **plus ~** más bajo, más abajo; **parler plus ~** hablar más bajo; **la tête ~se** cabizbajo; **avoir la vue ~se** ser corto(-a) de vista; **au ~ mot** por lo menos, por lo bajo; **enfant en ~ âge** niño de corta edad; **en ~** abajo; **en ~ de** debajo de, en la parte baja de; **de ~ en haut** de abajo arriba; **des hauts et des ~** altibajos *mpl*; **un ~ de laine** (*fam*) ahorrillos *mpl*; **mettre ~** parir; **"à ~ la dictature/l'école!"** ¡abajo la dictadura/la escuela!; **~ morceaux** despojos *mpl*

bas-côté [bakote] (*pl* **~s**) *nm* (*de route*) arcén *m*; (*d'église*) nave *f* lateral

basculer [baskyle] *vi* (*tomber*) volcar; (*benne*) bascular ▪ *vt* (*gén: faire basculer*) volcar

base [bɑz] *nf* base *f*; (*Pol*): **la ~** la(s) base(s); **jeter les ~s de** (*fig*) sentar las bases de; **à la ~ de** (*fig*) en el origen de; **sur la ~ de** (*fig*) tomando como base; **principe/produit de ~** principio/producto de base; **à ~ de café** a base de café; **~ de données**

(*Inform*) base de datos; **~ de lancement** base de lanzamiento

baser [baze] *vt*: **~ qch sur** basar algo en; **se ~ sur** basarse en; **basé à/dans** (*Mil*) con base en

bas-fond [bafɔ̃] (*pl* **~s**) *nm* (*Naut*) bajío; **bas-fonds** *nmpl* (*fig*) bajos fondos *mpl*, hampa *fsg*

basilic [bazilik] *nm* albahaca

basket [baskɛt] *nm* = **basket-ball**

basket-ball [baskɛtbol] (*pl* **~s**) *nm* baloncesto

basque [bask] *adj, nm/f* vasco(-a) ■ *nm* (*Ling*) vasco, vascuence *m*; **le Pays ~** el País vasco

basse [bɑs] *adj f voir* **bas** ■ *nf* bajo

basse-cour [bɑskuʀ] (*pl* **basses-cours**) *nf* (*cour*) corral *m*; (*animaux*) aves *fpl* de corral

bassin [basɛ̃] *nm* (*cuvette*) palangana, cubeta; (*pièce d'eau*) estanque *m*; (*de fontaine*) pila; (*Géo*) cuenca; (*Anat*) pelvis *f*; (*portuaire*) dársena; **~ houiller** cuenca hullera

bassine [basin] *nf* balde *m*

basson [basɔ̃] *nm* (*instrument*) fagot *m*; (*musicien*) fagotista *m/f*, fagot *m*

bat [ba] *vb voir* **battre**

bataille [bataj] *nf* (*aussi fig*) batalla; **en ~** (*en désordre*) desordenado(-a), desgreñado(-a); **~ rangée** batalla campal

bateau, x [bato] *nm* barco; (*grand*) navío, buque *m*; (*abaissement du trottoir*) vado ■ *adj* (*banal, rebattu*) típico(-a); **~ à moteur/de pêche** barco de motor/de pesca

bateau-mouche [batomuʃ] (*pl* **bateaux-mouches**) *nm* golondrina

bâti, e [bati] *adj* (*terrain*) edificado(-a) ■ *nm* (*armature*) armazón *m*; (*Couture*) hilván *m*; **bien ~** (*personne*) bien hecho(-a), fornido(-a)

bâtiment [batimɑ̃] *nm* edificio; (*Naut*) navío; **le ~** (*industrie*) la construcción

bâtir [batiʀ] *vt* edificar, construir; (*fig*) edificar; (*Couture*) hilvanar; **fil à ~** (*Couture*) hilo de hilvanar

bâtisse [batis] *nf* construcción *f*

bâton [batɔ̃] *nm* palo, vara; (*d'agent de police*) porra; **mettre des ~s dans les roues à qn** poner trabas a algn; **à ~s rompus** sin orden ni concierto; **~ de rouge (à lèvres)** barra (de labios); **~ de ski** bastón *m* de esquiar

bats [ba] *vb voir* **battre**

battement [batmɑ̃] *nm* (*de cœur*) latido, palpitación *f*; (*intervalle*) intervalo; **10 minutes de ~** 10 minutos de intervalo; **~ de paupières** parpadeo

batterie [batʀi] *nf* (*aussi Mus*) batería; **~ de tests** batería de tests; **~ de cuisine** batería de cocina

batteur [batœʀ] *nm* (*Mus*) batería *m/f*; (*appareil*) batidora

battre [batʀ] *vt* golpear; (*suj: pluie, vagues*) golpear, azotar; (*vaincre*) vencer, derrotar; (*œufs etc*) batir; (*blé*) trillar; (*tapis*) sacudir; (*cartes*) barajar; (*passer au peigne fin*) rastrear ■ *vi* (*cœur*) latir; (*volets etc*) golpear; **se battre** *vpr* pelearse, luchar; (*fig*) esforzarse; **~ de: ~ des mains** aplaudir; **~ de l'aile** (*fig*) estar alicaído(-a); **~ des ailes** aletear; **~ froid à qn** tratar a algn con frialdad; **~ la mesure** llevar el compás; **~ en brèche** (*aussi fig*) batir en brecha; **~ son plein** estar en su apogeo; **~ pavillon espagnol** enarbolar bandera española; **~ la semelle** zapatear (para calentarse); **~ en retraite** batirse en retirada

baume [bom] *nm* bálsamo; (*fig*) bálsamo, consuelo

bavard, e [bavaʀ, aʀd] *adj* parlanchín(-ina)

bavarder [bavaʀde] *vi* charlar, platicar (*Mex*); (*indiscrètement*) charlatanear, irse de la lengua

baver [bave] *vi* babear; (*encre, couleur*) correrse; **en ~** (*fam*) pasar las de Caín, pasarlas negras

bavoir [bavwaʀ] *nm* babero

bavure [bavyʀ] *nf* rebaba, mancha; (*fig*) error *m*

bazar [bazaʀ] *nm* bazar *m*; (*fam*) leonera

bazarder [bazaʀde] (*fam*) *vt* liquidar

BCBG [besebeʒe] *sigle adj* = **bon chic bon genre**; **une fille ~** ≈ una chica bien vestida

BD *sigle f* (= *bande dessinée*) *voir* **bande**; (= *base de données*) base *f* de datos

bd *abr* (= *boulevard*) Blvr. (= *bulevar*)

béant, e [beɑ̃, ɑ̃t] *adj* abierto(-a)

beau (bel), belle, beaux [bo, bɛl] *adj* (*gén*) bonito(-a); (*plus formel*) hermoso(-a), bello(-a), lindo(-a) (*esp AM*) (*fam*); (*personne*) guapo(-a) ■ *nm*: **avoir le sens du beau** tener sentido estético ■ *adv*: **il fait beau** hace buen tiempo; **le temps est au beau** el tiempo se anuncia bueno; **un beau geste** un gesto noble; **un beau salaire** un buen salario; **un beau gâchis/rhume** (*iro*) un buen despilfarro/resfriado; **en faire/dire de belles** hacerlas/decirlas buenas; **le beau monde** la buena sociedad; **~ la semelle** ... un buen día ...; **de plus belle** más y mejor; **bel et bien** de verdad; **le plus beau c'est que ...** lo mejor es que ...;

"c'est du beau!" "¡qué bonito!"; **on a beau essayer ...** por más que se intente ...; **il a beau jeu de protester** *etc* le es fácil protestar *etc*; **faire le beau** (*chien*) ponerse en dos patas; **beau parleur** hombre *m* de labia

· **beaucoup** [boku] *adv* mucho; **il boit ~** bebe mucho; **il ne rit pas ~** no ríe mucho; **il est ~ plus grand** es mucho más grande; **il en a ~** tiene mucho(s)(-a(s)); **~ trop de** demasiado(s)(-a(s)); **(pas) ~ de** (no) mucho(s)(-a(s)); **~ d'étudiants/de touristes** muchos estudiantes/turistas; **~ de courage** mucho valor; **il n'a pas ~ d'argent** no tiene mucho dinero; **de ~** *adv* con mucho; **~ le savent** (*emploi nominal*) muchos lo saben

beau-fils [bofis] (*pl* **beaux-fils**) *nm* yerno; (*remariage*) hijastro
beau-frère [bofʀɛʀ] (*pl* **beaux-frères**) *nm* cuñado
beau-père [bopɛʀ] (*pl* **beaux-pères**) *nm* suegro; (*remariage*) padrastro
beauté [bote] *nf* belleza; **de toute ~** de gran belleza; **en ~**: **finir en ~** terminar brillantemente
beaux-arts [bozaʀ] *nmpl* bellas artes *fpl*
beaux-parents [bopaʀã] *nmpl* suegros *mpl*
bébé [bebe] *nm* bebé *m*
bec [bɛk] *nm* pico; (*de plume*) punta; (*d'une clarinette etc*) boquilla; **clouer le ~ à qn** (*fam*) cerrar el pico a algn; (*fam*) abrir el pico; **~ de gaz** farola; **~ verseur** pico
bêche [bɛʃ] *nf* pala
bêcher [beʃe] *vt* (*terre*) cavar; (*snober*) despreciar
bedaine [bədɛn] *nf* barriga
bedonnant, e [bədɔnã, ãt] *adj* barrigudo(-a)
bée [be] *adj*: **bouche ~** boquiabierto(-a)
bégayer [begeje] *vi, vt* tartamudear
beige [bɛʒ] *adj* beige
beignet [bɛɲɛ] *nm* buñuelo
bel [bɛl] *adj m voir* **beau**
bêler [bele] *vi* balar; (*fig*) gemir
belette [bəlɛt] *nf* comadreja
belge [bɛlʒ] *adj* belga ■ *nm/f*: **Belge** belga *m/f*

Belgique [bɛlʒik] *nf* Bélgica
bélier [belje] *nm* (*Zool*) carnero; (*engin*) ariete *m*; (*Astrol*): **le B~** Aries *m*; **être (du) B~** ser Aries
belle [bɛl] *adj f voir* **beau** ■ *nf* (*Sport*): **la ~** el desempate
belle-fille [bɛlfij] (*pl* **belles-filles**) *nf* nuera; (*remariage*) hijastra
belle-mère [bɛlmɛʀ] (*pl* **belles-mères**) *nf* suegra; (*remariage*) madrastra
belle-sœur [bɛlsœʀ] (*pl* **belles-sœurs**) *nf* cuñada
belote [bəlɔt] *nf* ≈ tute *m*
belvédère [bɛlvedɛʀ] *nm* mirador *m*
bémol [bemɔl] *nm* bemol *m*
bénédiction [benediksjɔ̃] *nf* bendición *f*
bénéfice [benefis] *nm* (*Comm*) beneficio; (*avantage*) beneficio, provecho; **au ~ de** a favor de
bénéficier [benefisje] *vi*: **~ de** (*jouir de, avoir, obtenir*) disfrutar de; (*tirer profit de*) beneficiarse de, aprovecharse de
bénéfique [benefik] *adj* benéfico(-a)
Bénélux [benelyks] *nm* Benelux *m*
bénévole [benevɔl] *adj* (*personne*) benévolo(-a); (*aide etc*) voluntario(-a)
Bénin [benɛ̃] *nm* Benin *m*
bénin, -igne [benɛ̃, iɲ] *adj* benigno(-a)
bénir [beniʀ] *vt* bendecir
bénit, e [beni, it] *adj* bendito(-a); **eau ~e** agua bendita
benne [bɛn] *nf* (*de camion*) volquete *m*; (*de téléphérique*) cabina; **~ basculante** volquete
BEP [beøpe] *sigle m* = *brevet d'études professionnelles*
béquille [bekij] *nf* muleta; (*de bicyclette*) soporte *m*
berceau, x [bɛʀso] *nm* (*aussi fig*) cuna
bercer [bɛʀse] *vt* acunar, mecer; (*suj: musique*) mecer; **~ qn de** ilusionar a algn con
berceuse [bɛʀsøz] *nf* (*chanson*) canción *f* de cuna, nana
béret (basque) [beʀɛ (bask)] *nm* boina
berge [bɛʀʒ] *nf* (*d'un cours d'eau*) ribera; (*d'un chemin, fossé*) orilla; (*fam: an*) taco (*fam*)
berger, -ère [bɛʀʒe, ʒɛʀ] *nm/f* pastor(a); **~ allemand** pastor *m* alemán
berner [bɛʀne] *vt* estafar
besogne [bəzɔɲ] *nf* tarea, faena
besoin [bəzwɛ̃] *nm* necesidad *f*; (*pauvreté*): **le ~** la necesidad, la estrechez ■ *adv*: **au ~** si es menester; **il n'y a pas ~ de (faire)** no hay necesidad de (hacer); **le ~ d'argent/de gloire** la necesidad de dinero/de gloria; **les ~s (naturels)** las

necesidades; **faire ses ~s** hacer sus necesidades; **avoir ~ de qch/de faire qch** tener necesidad de algo/de hacer algo; **pour les ~s de la cause** por exigencias del objetivo

bestiole [bɛstjɔl] *nf* bicho

bétail [betaj] *nm* ganado

bête [bɛt] *nf* (*gén*) animal *m*; (*insecte, bestiole*) bicho ■ *adj* (*stupide*) tonto(-a), bobo(-a); **chercher la petite ~** ser un chinche; **les ~s** (*bétail*) el ganado; **~ de somme** bestia de carga; **~ noire** pesadilla, bestia negra; **~s sauvages** fieras *fpl*, animales *mpl* salvajes

bêtement [bɛtmɑ̃] *adv* tontamente; **tout ~** simplemente, sin rodeos

bêtise [betiz] *nf* (*défaut d'intelligence*) estupidez *f*, tontería; (*action, remarque*) tontería; (*bonbon*) caramelo de menta; **faire/dire une ~** hacer/decir una tontería

béton [betɔ̃] *nm* hormigón *m*; **en ~** (*alibi, argument*) sólido(-a); **~ armé/précontraint** hormigón armado/pretensado

betterave [bɛtʀav] *nf* remolacha, betarraga (*Chi*); **~ fourragère/sucrière** remolacha forrajera/azucarera

Beur [bœʀ] *nm/f* joven árabe nacido en Francia de padres emigrantes

● **BEUR**

En Francia, *Beur* es el término que se utiliza para referirse a una persona nacida en este país pero de padres emigrantes norteafricanos. No es un término racista: los medios de comunicación, los grupos antirracistas y la segunda generación misma de norteafricanos lo usan con frecuencia. La palabra proviene de un tipo de argot llamado "verlan".

beurre [bœʀ] *nm* mantequilla, manteca (*AM*); **mettre du ~ dans les épinards** (*fig*) hacer el agosto; **~ de cacao** manteca de cacao; **~ noir** mantequilla requemada

beurrer [bœʀe] *vt* untar con mantequilla

beurrier [bœʀje] *nm* mantequera

bi- [bi] *préf* bi-

biais [bjɛ] *nm* (*d'un tissu*) sesgo; (*bande de tissu*) bies *m*; (*moyen*) rodeo, vuelta; **en ~, de ~** (*obliquement*) al sesgo; (*fig*) con rodeos

bibelot [biblo] *nm* chuchería

biberon [bibʀɔ̃] *nm* biberón *m*; **nourrir au ~** alimentar con biberón

bible [bibl] *nf* biblia

bibliobus [biblijobys] *nm* biblioteca ambulante, bibliobús *m*

bibliographie [biblijɔgʀafi] *nf* bibliografía

bibliothécaire [biblijɔtekɛʀ] *nm/f* bibliotecario(-a)

bibliothèque [biblijɔtɛk] *nf* biblioteca; **~ municipale** biblioteca municipal

bicarbonate [bikaʀbɔnat] *nm*: **~ (de soude)** bicarbonato (sódico)

biceps [bisɛps] *nm* bíceps *m inv*

biche [biʃ] *nf* cierva

bicolore [bikɔlɔʀ] *adj* bicolor

bicoque [bikɔk] (*péj*) *nf* casucha

bicyclette [bisiklɛt] *nf* bicicleta

bidet [bidɛ] *nm* bidé *m*

bidon [bidɔ̃] *nm* (*récipient*) bidón *m* ■ *adj inv* (*fam*) amañado(-a)

bidonville [bidɔ̃vil] *nm* chabolas *fpl*

bidule [bidyl] *nm* trasto, chisme *m*

 MOT-CLÉ

bien [bjɛ̃] *nm* **1** (*avantage, profit, moral*) bien *m*; **faire du bien à qn** hacer bien a algn; **faire le bien** hacer el bien; **dire du bien de qn/qch** hablar bien de algn/algo; **c'est pour son bien** es por su bien; **changer en bien** cambiar para bien; **mener à bien** llevar a buen término; **je te veux du bien** te quiero bien; **le bien public** el bien público

2 (*possession, patrimoine*) bien; **son bien le plus précieux** su bien más preciado; **avoir du bien** tener fortuna; **biens de consommation** bienes *mpl* de consumo ■ *adv* **1** (*de façon satisfaisante*) bien; **elle travaille/mange bien** trabaja/come bien; **vite fait, bien fait** pronto y bien; **croyant bien faire, je ...** creyendo hacer bien, yo ...

2 (*valeur intensive*) muy, mucho; **bien jeune** muy joven; **j'en ai bien assez** tengo más que suficiente; **bien mieux** mucho mejor; **bien souvent** muy a menudo; **c'est bien fait!** (*tu le mérites*) ¡te está bien empleado!; **j'espère bien y aller** sí espero poder ir; **je veux bien le faire** (*concession*) me parece bien hacerlo; **il faut bien le faire** hay que hacerlo; **il faut bien l'admettre** hay que admitirlo; **il y a bien 2 ans** hace 2 años largos; **Paul est bien venu, n'est-ce pas?** Paul sí ha venido, ¿verdad?; **tu as eu bien raison de dire cela** hiciste muy bien en decir eso; **j'ai bien téléphoné** sí llamé por teléfono; **se donner bien du mal** molestarse mucho; **où peut-il bien être passé?**

¿dónde se habrá metido?; **on verra bien** ya veremos

3 (*beaucoup*): **bien du temps/des gens** mucho tiempo/mucha gente

■ *excl*: **eh bien?** bueno, ¿qué?

■ *adj inv* **1** (*en bonne forme, à l'aise*): **être/ se sentir bien** estar/sentirse bien; **je ne me sens pas bien** no me siento bien; **on est bien dans ce fauteuil** se está bien en este sillón

2 (*joli, beau*) bien; **tu es bien dans cette robe** estás bien con este vestido; **elle est bien, cette femme** está bien esa mujer

3 (*satisfaisant, adéquat*) bien; **elle est bien, cette maison** está bien esta casa; **elle est bien, cette secrétaire** es buena esta secretaria; **c'est bien?** ¿está bien?; **mais non, c'est très bien** que no, está muy bien; **c'est très bien (comme ça)** está muy bien (así)

4 (*juste, moral, respectable*) bien *inv*; **ce n'est pas bien de ...** no está bien ...; **des gens biens** gente bien

5 (*en bons termes*): **être bien avec qn** estar a bien con algn; **si bien que** (*résultat*) de tal manera que; **tant bien que mal** así, así

6: **bien que** *conj* aunque

7: **bien sûr** *adv* desde luego

bien-aimé, e [bjɛ̃neme] *adj, nm/f* bienamado(-a)

bien-être [bjɛ̃nɛtʀ] *nm* bienestar *m*

bienfaisance [bjɛ̃fəzɑ̃s] *nf* beneficencia

bienfait [bjɛ̃fɛ] *nm* favor *m*; (*de la science*) beneficio

bienfaiteur, -trice [bjɛ̃fɛtœʀ, tʀis] *nm/f* bienhechor(a)

bien-fondé [bjɛ̃fɔ̃de] *nm* legitimidad *f*

bientôt [bjɛ̃to] *adv* pronto, luego; **à ~** hasta luego

bienveillant, e [bjɛ̃vɛjɑ̃, ɑ̃t] *adj* benévolo(-a)

bienvenu, e [bɛ̃vny] *adj* bienvenido(-a) ■ *nm/f*: **être le ~/la ~e** ser bienvenido/ bienvenida

bienvenue [bjɛ̃vny] *nf*: **souhaiter la ~ à** desear la bienvenida a; **~ à** bienvenida a

bière [bjɛʀ] *nf* cerveza; (*cercueil*) ataúd *m*; **~ blonde/brune** cerveza dorada/negra; **~ pression** cerveza de barril

bifteck [biftɛk] *nm* bistec *m*, bisté *m*, bife *m* (*Arg*)

bigorneau, x [bigɔʀno] *nm* bígaro

bigoudi [bigudi] *nm* bigudí *m*

bijou, x [biʒu] *nm* (*aussi fig*) joya, alhaja

bijouterie [biʒutʀi] *nf* (*bijoux*) joyas *fpl*; (*magasin*) joyería

bijoutier, -ière [biʒutje, jɛʀ] *nm/f* joyero(-a)

bikini [bikini] *nm* biquini *m*

bilan [bilɑ̃] *nm* balance *m*; **faire le ~ de** hacer el balance de; **déposer son ~** declararse en quiebra; **~ de santé** chequeo

bile [bil] *nf* bilis *f*; **se faire de la ~** (*fam*) hacerse mala sangre

bilieux, -euse [biljø, jøz] *adj* bilioso(-a); (*fig*) bilioso(-a), colérico(-a)

bilingue [bilɛ̃g] *adj* bilingüe

billard [bijaʀ] *nm* billar *m*; **c'est du ~** (*fam*) está tirado, es pan comido; **passer sur le ~** pasar por el quirófano

bille [bij] *nf* bola; (*du jeu de billes*) canica; **jouer aux ~s** jugar a las canicas

billet [bijɛ] *nm* billete *m*; (*de cinéma*) entrada; (*courte lettre*) billete, esquela; **~ à ordre** pagaré *m*; **~ aller retour** billete de ida y vuelta; **~ d'avion** billete de avión; **~ de commerce** letra de cambio; **~ de faveur** pase *m* de favor; **~ de loterie** billete de lotería; **~ de train** billete de tren; **~ doux** carta de amor; **~ électronique** billete electrónico

billetterie [bijɛtʀi] *nf* emisión *f* y venta de billetes; (*distributeur*) taquilla; (*Banque*) cajero (automático)

billion [biljɔ̃] *nm* billón *m*

bimensuel, le [bimɑ̃sɥɛl] *adj* bimensual, quincenal

bio [bjo] *adj* (*fam*) biológico

biochimie [bjoʃimi] *nf* bioquímica

biodiversité *nf* biodiversidad *f*

biographie [bjɔgʀafi] *nf* biografía

biologie [bjɔlɔʒi] *nf* biología

biologique [bjɔlɔʒik] *adj* biológico(-a); (*produits, aliments*) orgánico(-a)

biologiste [bjɔlɔʒist] *nm/f* biólogo(-a)

bioterrorisme [bjotɛʀɔʀism] *nm* bioterrorismo

Birmanie [biʀmani] *nf* Birmania

bis¹, e [bi, biz] *adj* pardo(-a)

bis² [bis] *adv*: **12 ~ 12** bis ■ *excl* ¡otra! ■ *nm* bis *m*

biscotte [biskɔt] *nf* biscote *m*

biscuit [biskɥi] *nm* (*gâteau sec*) galleta; (*gâteau, porcelaine*) bizcocho; **~ à la cuiller** bizcocho

bise [biz] *adj f voir* **bis** ■ *nf* (*baiser*) beso; (*vent*) cierzo

bisou [bizu] (*fam*) *nm* besito

bissextile [bisɛkstil] *adj*: **année ~** año bisiesto

bistro(t) [bistʀo] *nm* bar *m*, café *m*, cantina (*esp AM*)

bitume [bitym] nm asfalto
bizarre [bizar] adj raro(-a)
blague [blag] nf (propos) chiste m; (farce) broma; **"sans ~!"** (fam) "¡no me digas!"; **~ à tabac** petaca
blaguer [blage] vi bromear ■ vt embromar
blaireau, x [blɛro] nm (Zool) tejón m; (brosse) brocha de afeitar
blâme [blɑm] nm (jugement) reprobación f; (sanction) sanción f
blâmer [blɑme] vt (réprouver) reprobar; (réprimander) sancionar
blanc, blanche [blɑ̃, blɑ̃ʃ] adj blanco(-a); (innocent) puro(-a) ■ nm/f blanco(-a) ■ nm blanco; (linge): **le ~** la ropa blanca; (aussi: **blanc d'œuf**) clara; (aussi: **blanc de poulet**) pechuga ■ adv: **à ~** (chauffer) al rojo vivo; (tirer, charger) con munición de fogueo; **d'une voix blanche** con una voz opaca; **aux cheveux ~s** de pelo blanco; **le ~ de l'œil** el blanco del ojo; **laisser en ~** dejar en blanco; **chèque en ~** cheque m en blanco; **saigner à ~** desangrar; **~ cassé** color m hueso
blanche [blɑ̃ʃ] adj f voir **blanc** ■ nf (Mus) blanca
blancheur [blɑ̃ʃœr] nf blancura
blanchir [blɑ̃ʃir] vt (gén, argent) blanquear; (linge) lavar; (Culin) escaldar; (disculper) rehabilitar ■ vi blanquear; (cheveux) blanquear, encanecer; **blanchi à la chaux** encalado
blanchisserie [blɑ̃ʃisri] nf lavandería
blason [blazɔ̃] nm blasón m
blasphème [blasfɛm] nm blasfemia
blazer [blazœr] nm blázer m
blé [ble] nm trigo; **~ en herbe** trigo en ciernes; **~ noir** trigo sarraceno
bled [blɛd] nm (péj) poblacho; (en Afrique du nord): **le ~** el interior
blême [blɛm] adj pálido(-a)
blessant, e [blesɑ̃, ɑ̃t] adj hiriente
blessé, e [blese] adj herido(-a); (offensé) ofendido(-a) ■ nm/f herido(-a); **un ~ grave, un grand ~** un herido grave
blesser [blese] vt herir; (suj: souliers) hacer daño a; (offenser) ofender; **se blesser** vpr herirse; **se ~ au pied** etc lastimarse el pie etc
blessure [blesyr] nf herida; (fig) herida, ofensa
bleu, e [blø] adj azul; (bifteck) poco hecho ■ nm azul m; (novice) bisoño; (contusion) cardenal m; (vêtement: aussi: **bleus**) mono, overol m (AM); (Culin): **au ~** forma de cocer el pescado; **une peur ~e** un miedo

cerval; **zone ~e** zona azul; **fromage ~** queso estilo Roquefort; **~ (de lessive)** azulete m; **~ de méthylène** azul de metileno; **~ marine** azul marino; **~ nuit** azul oscuro; **~ roi** azulón
bleuet [bløɛ] nm aciano
bloc [blɔk] nm bloque m; (de papier à lettres) bloc m; (ensemble) montón m; **serré à ~** apretado a fondo; **en ~** en bloque; **faire ~** aliarse; **~ opératoire** quirófano
blocage [blɔkaʒ] nm (aussi Psych) bloqueo
bloc-notes [blɔknɔt] (pl blocs-notes) nm bloc m de notas
blog, blogue [blɔg] nm blog m
bloguer [blɔge] vi bloguear
blond, e [blɔ̃, blɔ̃d] adj rubio(-a); (sable, blés) dorado(-a) ■ nm/f rubio(-a); **~ cendré** rubio ceniciento
bloquer [blɔke] vt bloquear; (jours de congé) agrupar; **~ les freins** frenar bruscamente
blottir [blɔtir] vt resguardar; **se blottir** vpr acurrucarse
blouse [bluz] nf bata
blouson [bluzɔ̃] nm cazadora; **~ noir** (fig) gamberro
bluff [blœf] nm exageración f, farol m
bluffer [blœfe] vi exagerar, farolear ■ vt engañar
bobine [bɔbin] nf (de fil) carrete m; (de film) carrete, rollo; (de machine à coudre) canilla; (Élec) bobina; **~ (d'allumage)** bobina de encendido); **~ de pellicule** carrete de película
bocal, -aux [bɔkal, o] nm tarro (de vidrio)
bock [bɔk] nm jarra (de cerveza)
body [bɔdi] nm body m; (Sport) malla
bœuf [bœf] nm buey m; (Culin) carne f de vaca
bof! [bɔf] (fam) excl ¡bah!
bohémien, ne [bɔemjɛ̃, jɛn] nm/f bohemio(-a)
boire [bwar] vt beber, tomar (AM); (s'imprégner de) chupar ■ vi beber; **~ un coup** echar un trago
bois¹ [bwa] vb voir **boire**
bois² [bwa] nm (substance) madera; (forêt) bosque m; **les ~** (Mus) la madera; (Zool) la cornamenta; **de ~, en ~** de madera; **~ de lit** armazón m de la cama; **~ mort/vert** leña seca/verde
boisé, e [bwaze] adj arbolado(-a)
boisson [bwasɔ̃] nf bebida; **pris de ~** (ivre) bebido; **~s alcoolisées/gazeuses** bebidas fpl alcohólicas/gaseosas

boîte [bwat] nf caja; (de fer) lata; **il a quitté sa ~** (fam: entreprise) ha dejado el curro (fam); **aliments en ~** alimentos mpl en lata; **mettre qn en ~** (fam) tomar el pelo a algn; **~ à gants** guantera; **~ à musique** caja de música; **~ à ordures** cubo de basura; **~ aux lettres** buzón m; **~ crânienne** caja craneana; **~ d'allumettes** caja de cerillas; **~ de conserves** lata de conservas; **~ de dialogue** ventana de diálogo; **~ (de nuit)** discoteca; **~ de petits pois/de sardines** lata de guisantes/de sardinas; **~ de vitesses** caja de cambios; **~ noire** caja negra; **~ postale** apartado de correos; **~ vocale** (dispositif) buzón m de voz

boiter [bwate] vi cojear, renguear (AM)
boiteux, -euse [bwatø, øz] adj cojo(-a), ´ rengo(-a) (AM)
boîtier [bwatje] nm (d'appareil-photo) cuerpo; **~ de montre** caja de reloj
boive etc [bwav] vb voir **boire**
bol [bɔl] nm tazón m; (contenu): **un ~ de café** un tazón de café; **un ~ d'air** una bocanada de aire; **en avoir ras le ~** (fam) estar hasta la coronilla
bombarder [bɔ̃baʀde] vt (Mil) bombardear; **~ qn de** bombardear a algn con, acosar a algn con; **~ qn directeur etc** nombrar a algn director etc de sopetón
bombe [bɔ̃b] nf bomba; (atomiseur) atomizador m; (Équitation) visera; **faire la ~** (fam) ir de juerga; **~ à retardement** bomba de efecto retardado; **~ atomique** bomba atómica

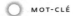 **MOT-CLÉ**

bon, bonne [bɔ̃, bɔn] adj **1** (agréable, satisfaisant) bueno(-a); (avant un nom masculin) buen; **un bon repas/ restaurant** una buena comida/un buen restaurante; **vous êtes trop bon** es usted demasiado bueno; **avoir bon goût** tener buen gusto; **elle est bonne en maths** se le dan bien las matemáticas
2 (bienveillant, charitable): **être bon (envers)** ser bueno (con)
3 (correct) correcto(-a); **le bon numéro** el número correcto; **le bon moment** el momento oportuno
4 (souhaits): **bon anniversaire!** ¡feliz cumpleaños!; **bon voyage!** ¡buen viaje!; **bonne chance!** ¡(buena) suerte!; **bonne année!** ¡feliz año nuevo!; **bonne nuit!** ¡buenas noches!
5 (approprié, apte): **bon à/pour** bueno(-a) para; **ces chaussures sont bonnes à**

jeter estos zapatos están para tirarlos; **c'est bon à savoir** está bien saberlo; **bon à tirer** listo para imprimir
6: **bon enfant** bonachón(-ona); **de bonne heure** temprano; **bon marché** barato(-a); **c'est un bon vivant** le gusta la buena vida; **bon mot** ocurrencia; **bon sens** sentido común
7 (valeur intensive) largo(-a); **ça m'a pris deux bonnes heures** me llevó dos horas largas

■ nm **1** (billet) bono, vale m; (aussi: **bon cadeau**) vale regalo; **bon à rien** inútil m/f; **bon d'essence** vale de gasolina; **bon de caisse/de Trésor** bono de caja/del tesoro
2: **avoir du bon** tener ventajas; **pour de bon** de verdad, en serio; **il y a du bon dans ce qu'il dit** lo que dice tiene sentido
■ adv: **il fait bon** hace bueno; **sentir bon** oler bien; **tenir bon** resistir; **à quoi bon?** ¿para qué?; **juger bon de faire ...** juzgar oportuno hacer ...; **pour faire bon poids** para compensar; **le bus/ton frère a bon dos** (fig) siempre es el autobús/tu hermano
■ excl: **bon!** ¡bueno!; **ah bon?** ¿ah, sí?; **bon, je reste** bueno, me quedo; voir aussi **bonne**

bonbon [bɔ̃bɔ̃] nm caramelo
bond [bɔ̃] nm (saut) salto; (d'une balle) bote m; (fig) salto, avance m; **faire un ~** dar un salto; **d'un seul ~** de un salto; **~ en avant** (fig) salto hacia delante
bondé, e [bɔ̃de] adj abarrotado(-a)
bondir [bɔ̃diʀ] vi saltar, brincar; **~ de joie** (fig) saltar de alegría; **~ de colère** (fig) montar en cólera
bonheur [bɔnœʀ] nm felicidad f; **avoir le ~ de** tener el placer de; **porter ~ (à qn)** dar buena suerte (a algn); **au petit ~** a la buena de Dios; **par ~** por fortuna
bonhomme [bɔnɔm] (pl **bonshommes**) nm hombre m ■ adj bonachón(-ona); **un vieux ~** un viejo; **aller son ~ de chemin** ir paso a paso; **~ de neige** muñeco de nieve
bonjour [bɔ̃ʒuʀ] excl, nm buenos días mpl; **donner** ou **souhaiter le ~ à qn** dar los buenos días a algn; **Monsieur bonjour**, señor; **dire ~ à qn** saludar a algn
bonne [bɔn] adj f voir **bon** ■ nf criada, mucama (Csur), recamarera (Mex)
bonnet [bɔnɛ] nm gorro; (de soutien-gorge) copa; **~ d'âne** ≈ orejas fpl de burro; **~ de bain** gorro de baño

bonshommes [bɔ̃zɔm] *nmpl de* **bonhomme**

bonsoir [bɔ̃swaʀ] *excl, nm* buenas tardes; *(plus tard)* buenas noches; *voir aussi* **bonjour**

bonté [bɔ̃te] *nf* bondad *f*; *(gén pl: attention, gentillesse)* bondad, amabilidad *f*; **avoir la ~ de ...** tener la bondad de ...

bonus [bɔnys] *nm inv* (*Assurance*) descuento en la prima por poca siniestralidad

bord [bɔʀ] *nm* (*de table, verre, falaise*) borde *m*; (*de lac, route*) orilla, borde; (*de vêtement*) ribete *m*; (*de chapeau*) ala; (*Naut*): **à ~** a bordo; **monter à ~** subir a bordo; **jeter par-dessus ~** arrojar por la borda; **le commandant/les hommes du ~** el comandante/los hombres de a bordo; **du même ~** (*fig*) de la misma opinión; **au ~ de la mer/de la route** a orillas del mar/de la carretera; **être au ~ des larmes** (*fig*) estar a punto de llorar; **sur les ~s** (*fam, fig*) un poco, ligeramente; **de tous ~s** de todas clases; **le ~ du trottoir** el bordillo

bordeaux [bɔʀdo] *nm inv* (*vin*) burdeos *m inv* ■ *adj inv* (*couleur*) burdeos *inv*, rojo violáceo *inv*

bordel [bɔʀdɛl] (*fam*) *nm* burdel *m*; (*fig*) follón *m* ■ *excl* ¡joder! (*fam!*); **mettre le ~** (*dans une chambre*) crear un desbarajuste; (*dans un lieu public*) montar un follón

bordelais, e [bɔʀdəlɛ, ɛz] *adj* bordelés(-esa) ■ *nm/f*: **Bordelais, e** bordelés(-esa)

border [bɔʀde] *vt* (*être le long de*) orillar, bordear; (*personne, lit*) arropar; **~ qch de** (*garnir*) ribetear algo de

bordure [bɔʀdyʀ] *nf* borde *m*; (*sur un vêtement*) ribete *m*; **en ~ de** a orillas de; **~ de trottoir** bordillo

borne [bɔʀn] *nf* (*pour délimiter*) mojón *m*; (*gén: borne kilométrique*) mojón; **bornes** *nfpl* (*fig*) límites *mpl*; **dépasser les ~s** pasarse de la raya; **sans ~(s)** sin límites

borné, e [bɔʀne] *adj* limitado(-a)

borner [bɔʀne] *vt* (*horizon, aussi fig*) limitar; (*terrain*) acotar; **se ~ à faire** limitarse a hacer

Bosnie-Herzégovine [bɔsniɛʀzegɔvin] *nf* Bosnia-Herzegovina

bosquet [bɔskɛ] *nm* bosquecillo

bosse [bɔs] *nf* (*de terrain*) montículo; (*sur un objet*) protuberancia; (*enflure*) bulto; (*du bossu, du chameau*) joroba; **avoir la ~ des maths** ser ducho(-a) en matemáticas; **rouler sa ~** ver mundo

bosser [bɔse] (*fam*) *vt* empollar

bossu, e [bɔsy] *adj, nm/f* jorobado(-a)

botanique [bɔtanik] *nf*: **la ~** la botánica ■ *adj* botánico(-a)

botte [bɔt] *nf* bota; (*Escrime*) estocada; **~ de paille** haz *m* de paja; **~ d'asperges** manojo de espárragos; **~ de radis** manojo de rábanos; **~s de caoutchouc** botas *fpl* de goma

bottin [bɔtɛ̃] *nm* anuario del comercio

bottine [bɔtin] *nf* botina

bouc [buk] *nm* (*animal*) macho cabrío; (*barbe*) perilla; **~ émissaire** cabeza de turco, chivo expiatorio

boucan [bukɑ̃] *nm* jaleo

bouche [buʃ] *nf* boca; **les ~s inutiles** los holgazanes; **une ~ à nourrir** una boca que mantener; **de ~ à oreille** confidencialmente; **pour la bonne ~** para el final; **faire du ~-à-~ à qn** hacer el boca a boca a algn; **faire venir l'eau à la ~** hacérsele a algn la boca agua; **"~ cousue!"** "¡punto en boca!"; **~ d'aération** respiradero; **~ de chaleur** entrada de aire caliente; **~ d'égout** sumidero, alcantarilla; **~ de métro/d'incendie** boca de metro/de incendios

bouché, e [buʃe] *adj* (*flacon*) tapado(-a); (*vin, cidre*) embotellado(-a); (*temps, ciel*) encapotado(-a); (*personne, carrière*) cerrado(-a); (*trompette*) con sordina; **avoir le nez ~** tener la nariz tapada

bouchée [buʃe] *nf* bocado; **ne faire qu'une ~ de qn** hacer picadillo a algn; **pour une ~ de pain** por una bicoca; **~ à la reine** pastel de hojaldre de pollo

boucher [buʃe] *nm* carnicero ■ *vt* (*mettre un bouchon*) taponar; (*colmater*) rellenar; (*passage*) cerrar; (*porte*) obstruir; **se boucher** *vpr* (*tuyau*) taponarse; **se ~ le nez** taparse la nariz

boucherie [buʃʀi] *nf* (*aussi fig*) carnicería

bouchon [buʃɔ̃] *nm* (*en liège*) corcho; (*autre matière*) tapón *m*; (*embouteillage*) atasco; (*Pêche*) flotador *m*; **~ doseur** tapón dosificador

boucle [bukl] *nf* curva; (*d'un fleuve*) meandro; (*Inform*) bucle *m*; (*objet*) argolla; (*de ceinture*) hebilla; **~ (de cheveux)** bucle; **~s d'oreilles** pendientes *mpl*, aretes *mpl* (*esp AM*)

bouclé, e [bukle] *adj* (*cheveux, personne*) ensortijado(-a); (*tapis*) rizado(-a)

boucler [bukle] *vt* (*ceinture etc*) cerrar, ajustar; (*magasin, circuit*) cerrar; (*affaire*) concluir; (*budget*) equilibrar; (*enfermer*) encerrar; (*condamné*) meter en chirona; (*quartier*) acordonar ■ *vi*: **faire ~** rizar; **~ la boucle** (*Aviat*) rizar el rizo; **arriver à ~ ses fins de mois** llegar a fin de mes

bouder [bude] vi enojarse ■ vt (suj: personne: cadeaux, chose) poner mala cara a

boudin [budɛ̃] nm (Culin) morcilla; (Tech) pestaña; **~ blanc** morcilla blanca

boudoir [budwar] nm (salon) tocador m; (biscuit) soletilla

boue [bu] nf barro, fango; **~s industrielles** vertidos mpl industriales

bouée [bwe] nf (balise) boya; (de baigneur) flotador m; **~ (de sauvetage)** (aussi fig) salvavidas m inv

boueux, -euse [bwø, øz] adj fangoso(-a) ■ nm basurero

bouffe [buf] (fam) nf comilona

bouffée [bufe] nf bocanada; **~ de chaleur** sofoco; **~ de fièvre** calenturón m breve; **~ de honte** sofoco; **~ d'orgueil** arranque m de orgullo

bouffer [bufe] vi (fam) jalar; (Couture) abullonar ■ vt (fam) jalar

bouffi, e [bufi] adj hinchado(-a)

bouger [buʒe] vi moverse; (changer) alterarse; (agir) agitarse ■ vt mover; **se bouger** vpr (fam) moverse, menearse

bougie [buʒi] nf vela; (Auto) bujía

bouillabaisse [bujabɛs] nf sopa de pescado

bouillant, e [bujɑ̃, ɑ̃t] adj hirviendo; (fig) ardiente; **~ de colère** etc lleno(-a) de cólera etc

bouillie [buji] nf gachas fpl; (de bébé) papilla; **en ~** (fig) en papilla

bouillir [bujir] vi hervir; (fig) hervir, arder ■ vt (gén: faire bouillir) hervir; **~ de colère** etc arder de cólera etc

bouilloire [bujwar] nf hervidor m

bouillon [bujɔ̃] nm (Culin) caldo; (bulles, écume) borbotón m, burbuja; **~ de culture** caldo de cultivo

bouillonner [bujɔne] vi borbotear; (fig) arder

bouillotte [bujɔt] nf calentador m, bolsa de agua caliente

boulanger, -ère [bulɑ̃ʒe, ʒɛr] nm/f panadero(-a)

boulangerie [bulɑ̃ʒri] nf panadería

boule [bul] nf bola; (pour jouer) bolo; **roulé en ~** hecho un ovillo; **se mettre en ~** cabrearse; **perdre la ~** (fam) perder la chaveta; **faire ~ de neige** (nouvelle, information) aumentar como una bola de nieve; **~ de gomme** gominola; **~ de neige** bola de nieve

bouledogue [buldɔg] nm buldog m

boulette [bulɛt] nf (petite boule) bolita; (fam: gaffe) torpeza

boulevard [bulvar] nm bulevar m

bouleversant, e [bulvɛrsɑ̃, ɑ̃t] adj (affligeant) afectado(-a); (émouvant) conmovedor(a)

bouleversement [bulvɛrsəmɑ̃] nm trastorno

bouleverser [bulvɛrse] vt (changer) trastornar; (émouvoir) conmover; (causer du chagrin à) afectar; (papiers, objets) revolver

boulon [bulɔ̃] nm perno

boulot, te [bulo, ɔt] (fam) adj rechoncho(-a) ■ nm trabajo, curro

boum [bum] nm bum m ■ nf fiesta

bouquet [bukɛ] nm (de fleurs) ramo, ramillete m; (de persil) manojo; (parfum) aroma m; **"c'est le ~!"** (fig) "¡es el colmo!"; **~ garni** hierbas fpl finas

bouquin [bukɛ̃] (fam) nm libro

bouquiner [bukine] (fam) vi leer

bouquiniste [bukinist] nm/f librero de viejo

bourdon [burdɔ̃] nm abejorro; **avoir le ~** (fam) tener morriña

bourg [bur] nm burgo

bourgeois, e [burʒwa, waz] adj (souvent péj) burgués(-esa); (maison etc) acomodado(-a) ■ nm/f burgués(-esa)

bourgeoisie [burʒwazi] nf burguesía; **petite ~** pequeña burguesía

bourgeon [burʒɔ̃] nm brote m, yema

Bourgogne [burgɔɲ] nf Borgoña ■ nm: **bourgogne** (vin) vino de borgoña

bourguignon, ne [burgiɲɔ̃, ɔn] adj, nm/f borgoñón(-ona); **(bœuf) ~** encebollado de vaca

bourrasque [burask] nf borrasca

bourratif, -ive [buratif, iv] adj pesado(-a)

bourré, e [bure] adj (fam) trompa inv; **~ de** (rempli) cargado(-a) de

bourrer [bure] vt (pipe) cargar; (valise, poêle) rellenar; **~ de** (de nourriture) atiborrar de; **~ qn de coups** moler a golpes a algn; **~ le crâne à qn** calentar la cabeza a algn; **(endoctriner)** lavar el cerebro a algn

bourru, e [bury] adj rudo(-a)

bourse [burs] nf (subvention) beca; (porte-monnaie) bolsa; **la B~** la Bolsa; **sans ~ délier** sin soltar un céntimo; **B~ du travail** bolsa del trabajo

boursier, -ière [bursje, jɛr] adj (élève) becario(-a); (Comm) bursátil ■ nm/f becario(-a)

bous [bu] vb voir **bouillir**

bousculade [buskylad] nf (précipitation) atropello; (mouvements de foule) aglomeración f

bousculer [buskyle] *vt* empujar; (*presser*) meter prisa a
boussole [busɔl] *nf* brújula
bout¹ [bu] *vb voir* **bouillir**
bout² [bu] *nm* (*morceau*) trozo; (*extrémité*) punta; (*de table*) extremo; (*fin, rue*) final *m*; **au ~ de** (*après*) al cabo de, al final de; **au ~ du compte** a fin de cuentas; **être à ~** no poder más; **pousser qn à ~** poner a algn a su límite; **venir à ~ de qch** terminar algo; **venir à ~ de qn** poder con algn; **~ à ~** uno tras otro; **à tout ~ de champ** a cada paso; **d'un ~ à l'autre, de ~ en ~** de cabo a rabo; **à ~ portant** a quemarropa; **un ~ de chou** (*enfant*) un angelito; **~ filtre** emboquillado
bouteille [butɛj] *nf* botella; (*de gaz*) bombona; **prendre de la ~** entrar en años
boutique [butik] *nf* tienda; (*de mode, de grand couturier*) tienda, boutique *f*
bouton [butɔ̃] *nm* botón *m*; (*sur la peau*) grano; (*de porte*) pomo; **~ de manchette** gemelo; **~ d'or** (*Bot*) botón de oro
boutonner [butɔne] *vt* abotonar; **se boutonner** *vpr* abotonarse
boutonnière [butɔnjɛr] *nf* ojal *m*
bovin, e [bɔvɛ̃, in] *adj* (*aussi fig*) bovino(-a); **bovins** *nmpl* ganado *msg* bovino
bowling [bulin] *nm* juego de bolos; (*salle*) bolera
boxe [bɔks] *nf* boxeo, box *m* (*AM*)
boxeur, -euse [bɔksœr, øz] *nm/f* boxeador(-a)
BP [bepe] *sigle f* (= **boîte postale**) Apdo. (= *Apartado de correos*), C.P. *f* (*AM*) (= *Casilla Postal*)
bracelet [braslɛ] *nm* pulsera
braconnier [brakɔnje] *nm* cazador *m*/ pescador *m* furtivo
brader [brade] *vt* vender a precio de saldo
braderie [bradri] *nf* (*marché*) mercadillo
braguette [bragɛt] *nf* bragueta
braise [brɛz] *nf* brasas *fpl*
brancard [brɑ̃kar] *nm* (*civière*) camilla; (*bras, perche*) varal *m*
brancardier [brɑ̃kardje] *nm* camillero
branche [brɑ̃ʃ] *nf* rama; (*de lunettes*) patilla
branché, e [brɑ̃ʃe] (*fam*) *adj* (*personne*) a la última; (*boîte de nuit*) de moda; **un mec ~** un chico que va a la última
brancher [brɑ̃ʃe] *vt* enchufar; (*téléphone etc*) conectar; **~ qn/qch sur** (*fig*) orientar algo/a algn hacia
brandir [brɑ̃dir] *vt* (*arme*) blandir; (*document*) esgrimir

braquer [brake] *vi* (*Auto*) girar ■ *vt* (*regard*) clavar; **~ qch sur qn** (*revolver*) apuntar a algn con algo; **se braquer** *vpr* cerrarse en banda; **~ qn** enfurecer a algn; **se ~ (contre)** rebelarse (contra)
bras [brɑ] *nm* brazo ■ *nmpl* (*travailleurs*) brazos *mpl*; **~ dessus ~ dessous** cogidos(-as) del brazo; **avoir le ~ long** tener mucha influencia; **à ~ raccourcis** a brazo partido; **à tour de ~** con toda la fuerza; **baisser les ~** tirar la toalla; **une partie de ~ de fer** una prueba de fuerza; **~ de fer** brazo de hierro; **~ de levier/de mer** brazo de palanca/de mar; **~ droit** (*fig*) brazo derecho
brassard [brasar] *nm* brazalete *m*
brasse [bras] *nf* braza; **~ papillon** braza mariposa
brassée [brase] *nf* brazada
brasser [brase] *vt* (*bière*) fabricar; (*remuer*) mezclar; **~ de l'argent/des affaires** manejar dinero/negocios
brasserie [brasri] *nf* (*restaurant*) cervecería; (*usine*) fábrica de cerveza
brave [brav] *adj* (*courageux, aussi péj*) valiente; (*bon, gentil*) bueno(-a)
braver [brave] *vt* (*ordre*) desafiar; (*danger*) afrontar
bravo [bravo] *excl, nm* bravo
bravoure [bravur] *nf* bravura
break [brɛk] *nm* (*Auto*) ranchera
brebis [brəbi] *nf* oveja; **~ galeuse** oveja negra
bredouiller [brəduje] *vi, vt* farfullar
bref, brève [brɛf, ɛv] *adj* breve ■ *adv* total; **d'un ton ~** con un tono tajante; **en ~** en resumen; **à ~ délai** en breve plazo
Brésil [brezil] *nm* Brasil *m*
brésilien, ne [breziljɛ̃, jɛn] *adj* brasileño(-a) ■ *nm/f*: **Brésilien, ne** brasileño(-a)
Bretagne [brətaɲ] *nf* Bretaña
bretelle [brətɛl] *nf* (*de fusil*) correa; (*de vêtement*) tirante *m*; (*d'autoroute*) enlace *m*; **bretelles** *nfpl* (*pour pantalons*) tirantes *mpl*, suspensores *mpl* (*AM*); **~ de contournement** carretera de circunvalación; **~ de raccordement** carretera *ou* vía de acceso
breton, ne [brətɔ̃, ɔn] *adj* bretón(-ona) ■ *nm* (*Ling*) bretón *m* ■ *nm/f*: **Breton, ne** bretón(-ona)
brève [brɛv] *adj f voir* **bref** ■ *nf* (*nouvelle*) breve *f*; **(voyelle) ~** vocal *f* breve
brevet [brəvɛ] *nm* certificado; **~ (d'invention)** patente *f*; **~ d'apprentissage** certificado de idoneidad; **~ (des collèges)** ≈ Graduado

Escolar; **~ d'études du premier cycle** bachillerato elemental

breveté, e [bʀəv(ə)te] adj (invention) patentado(-a); (diplômé) cualificado(-a)

bricolage [bʀikɔlaʒ] nm bricolaje m; (péj) chapuza

bricoler [bʀikɔle] vi hacer chapuzas; (passe-temps) hacer bricolaje ■ vt (réparer) arreglar; (mal réparer) hacer una chapuza con; (trafiquer) amañar

bricoleur, -euse [bʀikɔlœʀ, øz] nm/f mañoso(-a), manitas m/f inv ■ adj mañoso(-a)

bridge [bʀidʒ] nm (jeu) bridge m; (dentaire) puente m

brièvement [bʀijɛvmã] adv brevemente

brigade [bʀigad] nf (gén) cuadrilla; (Police, Mil) brigada

brigadier [bʀigadje] nm (Mil) cabo; (Police) jefe m

brillamment [bʀijamã] adv estupendamente

brillant, e [bʀijã, ãt] adj brillante; (luisant) reluciente ■ nm brillante m

briller [bʀije] vi (aussi fig) brillar

brin [bʀɛ̃] nm hebra; **un ~ de** (fig) una pizca de; **un ~ mystérieux** etc (fam) un poquito misterioso etc; **~ d'herbe** brizna de hierba; **~ de muguet** ramita de muguete; **~ de paille** brizna de paja

brindille [bʀɛ̃dij] nf ramita

brioche [bʀijɔʃ] nf bollo, queque m (AM); (fam: ventre) buche m

brique [bʀik] nf ladrillo ■ adj inv (couleur) de color teja

briquet [bʀikɛ] nm mechero, encendedor m

brise [bʀiz] nf brisa

briser [bʀize] vt (casser) romper; (fig) arruinar, destrozar; (volonté) quebrantar; (grève) romper; (résistance) vencer; (personne) destrozar; (fatiguer) moler; **se briser** vpr romperse; (fig) venirse abajo

britannique [bʀitanik] adj británico(-a) ■ nm/f: **Britannique** británico(-a); **les B~s** los británicos

brocante [bʀɔkãt] nf (objets) baratillo; (commerce) chamarileo

brocanteur, -euse [bʀɔkãtœʀ, øz] nm/f chamarilero(-a)

broche [bʀɔʃ] nf (bijou) broche m; (Culin) espetón m; (fiche) clavija; (Méd) alambre m; **à la ~** (Culin) al asador

broché, e [bʀɔʃe] adj (livre) en rústica; (tissu) brochado(-a), briscado(-a)

brochet [bʀɔʃɛ] nm lucio

brochette [bʀɔʃɛt] nf pincho, brocheta; **~ de décorations** sarta de condecoraciones

brochure [bʀɔʃyʀ] nf folleto

broder [bʀɔde] vt bordar ■ vi: **~ (sur des faits/une histoire)** adornar (hechos/una historia)

broderie [bʀɔdʀi] nf bordado

bronches [bʀɔ̃ʃ] nfpl bronquios mpl

bronchite [bʀɔ̃ʃit] nf bronquitis f inv

bronze [bʀɔ̃z] nm bronce m

bronzer [bʀɔ̃ze] vt (peau) broncear; (métal) pavonar ■ vi broncearse; **se bronzer** vpr broncearse

brosse [bʀɔs] nf cepillo, escobilla (AM); **donner un coup de ~ à qch** cepillar algo; **coiffé en ~** peinado al cepillo; **~ à cheveux** cepillo para el pelo; **~ à dents/à habits** cepillo de dientes/de (la) ropa

brosser [bʀɔse] vt (nettoyer) cepillar; (fig) bosquejar; **se brosser** vpr cepillarse; **se ~ les dents** cepillarse los dientes; **"tu peux te ~!"** (fam) "¡espérate sentado!"

brouette [bʀuɛt] nf carretilla

brouillard [bʀujaʀ] nm niebla; **être dans le ~** (fig) no enterarse

brouiller [bʀuje] vt mezclar; (embrouiller) embarullar, enredar; (Radio) interferir; (rendre trouble, confus) enturbiar; (amis) enemistar; **se brouiller** vpr (ciel, temps) cubrirse, nublarse; (vue) nublarse; (détails) confundirse; **se ~ (avec)** enfadarse (con); **~ les pistes** (fig) borrar el rastro

brouillon, ne [bʀujɔ̃, ɔn] adj desordenado(-a) ■ nm (écrit) borrador m, copia en sucio; **cahier de ~** cuaderno para trabajos en sucio

broussailles [bʀusaj] nfpl maleza fsg

broussailleux, -euse [bʀusajø, øz] adj cubierto(-a) de maleza

brousse [bʀus] nf monte m bajo

brouter [bʀute] vt pacer ■ vi vibrar

brugnon [bʀyɲɔ̃] nm nectarina

bruiner [bʀɥine] vi: **il bruine** llovizna

bruit [bʀɥi] nm ruido; (rumeur) rumor m; **pas/trop de ~** nada/demasiado ruido; **sans ~** sin ruido; **faire du ~** hacer ruido; **faire grand ~ de** hablar mucho de; **~ de fond** ruido de fondo

brûlant, e [bʀylã, ãt] adj ardiente; (liquide) hirviendo; (fiévreux) caliente; (sujet) candente

brûlé, e [bʀyle] adj (démasqué) descubierto(-a); (homme politique etc) acabado(-a) ■ nm: **odeur de ~** olor m a quemado; **les grands ~s** los grandes quemados

brûler [bʀyle] vt quemar; (consumer, consommer) consumir; (suj: eau bouillante) escaldar; (enfiévrer) arder; (feu rouge, signal) saltarse ■ vi (se consumer) consumirse; (feu) arder; (lampe, bougie) lucir; (être brûlant, ardent) estar caliente; (jeu): **tu brûles** caliente-caliente; **se brûler** vpr (accidentellement) quemarse; **se ~ la cervelle** pegarse un tiro; **~ les étapes** quemar etapas; **~ (d'impatience) de faire qch** consumirse (de impaciencia) por hacer algo
brûlure [bʀylyʀ] nf (lésion) quemadura; (sensation) ardor m; **~s d'estomac** ardores mpl de estómago
brume [bʀym] nf bruma
brun, e [bʀœ̃, bʀyn] adj moreno(-a) ■ nm pardo
brushing [bʀœʃiŋ] nm marcado; **faire un ~** lavar y marcar
brusque [bʀysk] adj (soudain) repentino(-a); (rude) brusco(-a)
brut, e [bʀyt] adj bruto(-a); (diamant) en bruto ■ nm: **(champagne) ~** champán m ou cava m seco; **(pétrole) ~** crudo
brutal, e, -aux [bʀytal, o] adj brutal; (franchise) rudo(-a)
Bruxelles [bʀysɛl] n Bruselas
bruyamment [bʀyjamɑ̃] adv ruidosamente
bruyant, e [bʀyjɑ̃, ɑ̃t] adj ruidoso(-a)
bruyère [bʀyjɛʀ] nf brezo
BTS [beteɛs] sigle m (= brevet de technicien supérieur) diploma de enseñanza técnica
BU [bey] sigle f = bibliothèque universitaire
bu, e [by] pp de **boire**
buccal, e, -aux [bykal, o] adj: **par voie ~e** por vía oral
bûche [byʃ] nf leño; **prendre une ~** (fig) caerse; **~ de Noël** bizcocho de navidad
bûcher [byʃe] nm hoguera ■ vi, vt (fam) empollar
budget [bydʒɛ] nm presupuesto
buée [bɥe] nf vaho
buffet [byfɛ] nm (meuble) aparador m; (de réception) buffet m; **~ (de gare)** cantina (de estación)
buis [bɥi] nm boj m
buisson [bɥisɔ̃] nm matorral m
bulbe [bylb] nm bulbo
Bulgarie [bylgaʀi] nf Bulgaria
bulle [byl] adj, nm: **(papier) ~** papel m en estraza ■ nf burbuja; (de bande dessinée) bocadillo; (papale) bula; **~ de savon** pompa de jabón
bulletin [byltɛ̃] nm boletín m; (papier) folleto; (de bagages) recibo; **~ d'informations** boletín informativo;

~ de naissance partida de nacimiento; **~ de salaire** nómina; **~ de santé** parte médico; **~ (de vote)** papeleta; **~ météorologique** boletín ou parte m meteorológico; **~ réponse** bono de respuesta
bureau, x [byʀo] nm (meuble) escritorio; (pièce) despacho; (gén pl: d'une entreprise) oficinas fpl; **~ de change/de poste** oficina de cambio/de correos; **~ d'embauche/de placement** oficina de empleo/de colocación; **~ de location** agencia de alquiler; **~ de tabac** estanco; **~ de vote** colegio electoral
bureaucratie [byʀokʀasi] nf burocracia
bus¹ [by] vb voir **boire**
bus² [bys] nm autobús m, bus m (esp AM), camión m (Mex); (Inform) bus m
buste [byst] nm busto; (de femme) pecho
but¹ [by] vb voir **boire**
but² [byt] nm (cible) meta; (d'un voyage) destino; (d'une entreprise, d'une action) objetivo; (Football: limites) portería, arco (AM); (: point) gol m, tanto; **de ~ en blanc** de buenas a primeras; **avoir pour ~ de faire** tener como objetivo hacer; **dans le ~ de** con el propósito de; **gagner par 3 ~s à 2** ganar por 3 tantos a 2
butane [bytan] nm butano; (domestique) gas m butano
butiner [bytine] vt, vi libar
buvais etc [byvɛ] vb voir **boire**
buvard [byvaʀ] nm secante m
buvette [byvɛt] nf puesto de bebidas

C

C [se] abr = centime; (= Celsius) C

c [se] abr = çentime

c' [s] dét voir **ce**

CA sigle m (= chiffre d'affaires) voir **chiffre**; (= conseil d'administration) voir **conseil**

ça [sa] pron (proche) esto; (pour désigner) eso; (plus loin) aquello; **ça m'étonne que** me sorprende que; **ça va?** ¿qué tal?; (d'accord?) ¿vale?; **ça alors!** (désapprobation) ¡pero bueno!; (étonnement) ¡y entonces!; **c'est ça** eso es; **ça fait une heure que j'attends** hace una hora que espero

çà [sa] adv: **çà et là** aquí y allá

cabane [kaban] nf cabaña; (de skieurs, de montagne) cabaña, refugio

cabaret [kabaʀɛ] nm cabaret m

cabillaud [kabijo] nm bacalao fresco

cabine [kabin] nf cabina; (de bateau) camarote m; (de plage) caseta; (de piscine etc) cabina, vestuario; **~ (d'ascenseur)** caja (de ascensor); **~ d'essayage** probador m; **~ de projection** cabina de proyección; **~ spatiale** cabina de nave espacial; **~ (téléphonique)** cabina (telefónica), locutorio

cabinet [kabinɛ] nm (aussi Pol) gabinete m; (de médecin) gabinete, consulta; (d'avocat, de notaire) gabinete, despacho; (clientèle) clientela; **cabinets** nmpl servicios mpl; **~ d'affaires** gestoría; **~ de toilette** cuarto de aseo; **~ de travail** gabinete de trabajo, despacho

câble [kɑbl] nm cable m; (télégramme) cable, cablegrama m

cacahuète [kakaɥɛt] nf cacahuete m, maní m (AM), cacahuate m (AM)

cacao [kakao] nm cacao

cache [kaʃ] nm (pour texte, photo, diapositive) ocultador m; (pour protéger l'objectif) tapa ■ nf (cachette) escondite m

cache-cache [kaʃkaʃ] nm inv: **jouer à ~** jugar al escondite

cachemire [kaʃmiʀ] nm cachemira, cachemir m ■ adj de cachemira; **C~** Cachemira

cacher [kaʃe] vt ocultar, esconder; **se cacher** vpr esconderse, ocultarse; **~ qch à qn** ocultar algo a algn; **je ne vous cache pas que** no le oculto que; **~ son jeu** ou **ses cartes** ocultar sus intenciones; **il se cache d'elle pour fumer** fuma a escondidas de ella; **il ne s'en cache pas** no lo oculta

cachet [kaʃɛ] nm (Méd) pastilla; (sceau) sello; (rétribution) caché m; (caractère) carácter m

cachette [kaʃɛt] nf escondite m; **en ~** a escondidas

cactus [kaktys] nm inv cactus m inv

cadavre [kadɑvʀ] nm cadáver m

caddie [kadi] nm (au supermarché) carrito

cadeau, x [kado] nm regalo; **faire un ~ à qn** hacer un regalo a algn; **ne pas faire de ~ à qn** (fig) no ponérselo fácil a algn; **faire ~ de qch à qn** regalar algo a algn

cadenas [kadnɑ] nm candado

cadet, te [kadɛ, ɛt] adj (plus jeune) menor; (le plus jeune) menor, más pequeño(-a) ■ nm/f (de la famille) benjamín(-ina); **le ~/la ~te** el/la menor; **il est mon ~ (de deux ans)** (rapports non familiaux) él es (dos años) menor que yo; **les ~s** (Sport) los juveniles; **le ~ de mes soucis** lo que menos me preocupa

cadran [kadʀɑ̃] nm (de pendule, montre) esfera; (du téléphone) disco; **~ solaire** reloj m de sol

cadre [kadʀ] nm marco; (de vélo) cuadro; (sur formulaire) recuadro; (limites) límite m ■ nm/f (Admin) ejecutivo(-a), cuadro ■ adj: **loi ~** ley f marco; **rayer qn des ~s** (Mil, Admin) dar de baja a algn; **dans le ~ de** (fig) en el marco de; **~ moyen/supérieur** (Admin) cuadro medio/superior

cafard [kafaʀ] nm cucaracha; **avoir le ~** estar melancólico(-a)

café [kafe] nm café m ■ adj café; **~ au lait** café con leche; **~ crème** café cortado; **~ en grains/en poudre** café en grano/molido; **~ liégeois** helado de café con nata; **~ noir** café solo; **~ tabac** café-estanco

cafetière [kaftjɛʀ] nf cafetera

cage [kaʒ] nf jaula; **en ~** enjaulado(-a); **~ d'ascenseur** caja del ascensor; **~ (des buts)** portería; **~ (d'escalier)** caja de la escalera; **~ thoracique** caja torácica

cageot [kaʒo] nm caja

cagoule [kagul] nf (de moine) capucha; (de bandit) pasamontañas m inv; (ski etc) gorro; (d'enfant) verdugo

cahier [kaje] nm (de classe) cuaderno, libreta; (Typo) cuadernillo, pliego; **~s** (revue) cuadernos mpl; **~ d'exercices** cuaderno de ejercicios; **~ de brouillon** cuaderno de sucio; **~ de doléances** libro de quejas; **~ de revendications** pliego de reivindicaciones; **~ des charges** pliego de condiciones

caille [kaj] nf codorniz f

caillou, x [kaju] nm guijarro, piedra

cailouteux, -euse [kajutø, øz] adj pedregoso(-a)

caisse [kɛs] nf caja; (recettes) caja, recaudación f; **faire sa ~** (Comm) hacer caja; **~ claire** tambor m pequeño; **~ d'épargne/de retraite** caja de ahorros/de jubilaciones; **~ enregistreuse** caja registradora; **~ noire** caja negra

caissier, -ière [kesje, jɛʀ] nm/f cajero(-a)

cake [kɛk] nm plum-cake m

calandre [kalɑ̃dʀ] nf (Auto) rejilla del radiador, calandra; (machine) calandria

calcaire [kalkɛʀ] nm caliza ■ adj calcáreo(-a); (Géo) calcáreo(-a), calizo(-a)

calcul [kalkyl] nm (aussi fig) cálculo; **le ~** el cálculo; **d'après mes ~s** según mis cálculos; **~ (biliaire)** cálculo (biliar); **~ différentiel/intégral/mental** cálculo diferencial/integral/mental; **~ rénal** (Méd) cálculo renal

calculatrice [kalkylatʀis] nf calculadora

calculer [kalkyle] vt calcular ■ vi calcular; (péj: combiner) maquinar; **~ qch de tête** calcular algo de memoria

calculette [kalkylɛt] nf calculadora de bolsillo

cale [kal] nf (de bateau) bodega; (en bois) cuña; **~ de construction** grada; **~ de radoub** dique m de carena; **~ sèche** dique seco

calé, e [kale] adj (fixé) fijo(-a); (voiture) calado(-a); (fam: personne) empollado(-a); (: problème) difícil

caleçon [kalsɔ̃] nm calzoncillos mpl

calendrier [kalɑ̃dʀije] nm calendario; (programme) calendario, programa m

calepin [kalpɛ̃] nm agenda

caler [kale] vt (fixer) calzar, fijar; (malade) acomodar; (avec une pile de livres etc) arrellanar ■ vi (fig: ne plus pouvoir continuer) rendirse; **se caler** vpr: **se ~ dans un fauteuil** arrellanarse en un sillón; **~ (son moteur/véhicule)** calar (el motor/vehículo)

calibre [kalibʀ] nm (d'un fruit) diámetro; (d'une arme) calibre m; (fig) calibre, envergadura

câlin, e [kɑlɛ̃, in] adj mimoso(-a)

calmant, e [kalmɑ̃, ɑ̃t] adj, nm calmante m

calme [kalm] adj tranquilo(-a); (ville, mer, endroit) tranquilo(-a), apacible ■ nm (d'un lieu) tranquilidad f; (d'une personne) tranquilidad, calma; **sans perdre son ~** sin perder la calma; **~ plat** (Naut) calma chicha

calmer [kalme] vt tranquilizar, calmar; (douleur, colère) calmar, sosegar; **se calmer** vpr calmar; (personne) calmarse, tranquilizarse

calorie [kalɔʀi] nf caloría

camarade [kamaʀad] nm/f compañero(-a), amigo(-a); (Pol, Syndicats) camarada m/f; **~ d'école/de jeu** compañero(-a) de escuela/de juegos

cambriolage [kɑ̃bʀijɔlaʒ] nm robo (con efracción)

cambrioler [kɑ̃bʀijɔle] vt robar (con efracción)

cambrioleur, -euse [kɑ̃bʀijɔlœʀ, øz] nm/f atracador(a), ladrón(-ona)

caméléon [kameleɔ̃] nm camaleón m

camelote [kamlɔt] nf baratija

caméra [kameʀa] nf cámara

caméscope [kameskɔp] nm cámara de vídeo

camion [kamjɔ̃] nm camión m; **~ de sable/cailloux** (charge) camión de arena/de grava

camionnette [kamjɔnɛt] nf camioneta

camionneur [kamjɔnœʀ] nm (entrepreneur) transportista m/f; (chauffeur) camionero(-a)

camomille [kamɔmij] nf manzanilla

camp [kɑ̃] nm (militaire, d'expédition) campo, campamento; (réfugiés, prisonniers) campamento; (fig) campo; **~ de concentration** campo de

concentración; **~ de nudistes/de vacances** colonia nudista/de vacaciones
campagnard, e [kɑ̃paɲaʀ, aʀd] *adj, nm/f* campesino(-a)
campagne [kɑ̃paɲ] *nf* campo; (*Mil, Pol, Comm*) campaña; **en ~** (*Mil*) de campaña; **à la ~** en el campo; **faire ~ pour** hacer campaña por; **~ de publicité** campaña de publicidad; **~ électorale** campaña electoral
camper [kɑ̃pe] *vi* acampar ■ *vt* (*chapeau, casquette*) plantarse; (*dessin, tableau, personnage*) representar; **se camper** *vpr*: **se ~ devant qn/qch** plantarse delante de algn/algo
campeur, -euse [kɑ̃pœʀ, øz] *nm/f* campista *m/f*
camping [kɑ̃piŋ] *nm* camping *m*; (**terrain de**) **~** (terreno de) camping; **faire du ~** hacer camping; **faire du ~ sauvage** hacer camping salvaje
camping-car [kɑ̃piŋkaʀ] (*pl* **~s**) *nm* coche caravana *m*
camping-gaz® [kɑ̃piŋgaz] *nm inv* camping gas® *m inv*
Canada [kanada] *nm* Canadá *m*
canadien, ne [kanadjɛ̃, jɛn] *adj* canadiense ■ *nm/f*: **Canadien, ne** canadiense *m/f*
canadienne [kanadjɛn] *nf* (*veste*) cazadora
canal, -aux [kanal, o] *nm* (*rivière*) canal *m*; (*Anat*) conducto; **par le ~ de** (*Admin*) por medio de; **~ de distribution** canal de distribución; **~ de Panama/de Suez** canal de Panamá/de Suez; **~ de télévision** canal de televisión
canalisation [kanalizasjɔ̃] *nf* (*d'un cours d'eau*) canalización *f*; (*tuyau*) canalización, cañería
canapé [kanape] *nm* (*fauteuil*) canapé *m*, sofá *m*; (*Culin*) canapé
canard [kanaʀ] *nm* pato; (*fam: journal*) periódico
cancer [kɑ̃sɛʀ] *nm* (*aussi fig*) cáncer *m*; (*Astrol*): **le C~** Cáncer *m*; **il a un ~** tiene un cáncer; **être (du) C~** ser Cáncer
candidat, e [kɑ̃dida, at] *nm/f* (*examen, Pol*) candidato(-a); (*à un poste*) candidato(-a), aspirante *m/f*; **être ~ à** ser candidato(-a) a
candidature [kɑ̃didatyʀ] *nf* candidatura; **poser sa ~** presentar su candidatura
cane [kan] *nf* pata
canette [kanɛt] *nf* (*de bière*) botellín *m*; (*de machine à coudre*) canilla
canevas [kanva] *nm* (*Couture*) cañamazo; (*d'un texte, récit*) bosquejo

caniche [kaniʃ] *nm* caniche *m*
canicule [kanikyl] *nf* canícula
canif [kanif] *nm* navaja
canne [kan] *nf* bastón *m*; **~ à pêche** caña de pescar; **~ à sucre** caña de azúcar
cannelle [kanɛl] *nf* canela
canoë [kanɔe] *nm* canoa *f*; **~ (kayak)** (*Sport*) piragüismo
canot [kano] *nm* (*bateau*) bote *m*, lancha *f*; **~ de sauvetage** bote salvavidas; **~ pneumatique** bote neumático
Canson® [kɑ̃sɔ̃] *nm*: **papier ~** papel *m* Canson
cantatrice [kɑ̃tatʀis] *nf* cantante *f*
cantine [kɑ̃tin] *nf* (*malle*) baúl *m*; (*réfectoire*) cantina; **manger à la ~** comer en la cantina
canton [kɑ̃tɔ̃] *nm* (*en France*) distrito; (*en Suisse*) cantón *m*

⚪ **CANTON**

○
○ En Francia un *canton* es una división
○ administrativa que está representada
○ por un concejal en el "Conseil général".
○ Lo componen una serie de
○ subdivisiones administrativas o
○ "communes", y es a su vez una
○ subdivisión de un "arrondissement",
○ otra división administrativa dentro
○ de un "département". En Suiza los
○ *cantons* son las 23 divisiones
○ territoriales y administrativas,
○ dotadas de gran autonomía política,
○ que componen la confederación suiza.

caoutchouc [kautʃu] *nm* caucho; (*bande élastique*) goma; **en ~** de goma, de caucho; **~ mousse®** gomaespuma
CAP [seape] *sigle m* (= *certificat d'aptitude professionnelle*) ≈ título de FP1
cap [kap] *nm* (*Géo*) cabo; **changer de ~** (*Naut*) cambiar de rumbo; **doubler** *ou* **passer le ~** (*fig*) superar *ou* pasar el obstáculo; (: *limite*) superar *ou* pasar el límite; **mettre le ~ sur** poner rumbo a; **le C~** el Cabo; **le C~ de Bonne Espérance** el Cabo de Buena Esperanza; **le C~ Horn** el cabo de Hornos
capable [kapabl] *adj* (*compétent*) competente; **~ de faire** capaz de hacer; **~ de dévouement/d'un effort** capaz de dedicación/de un esfuerzo; **il est ~ d'oublier** es capaz de olvidar; **spectacle/ livre ~ d'intéresser** espectáculo/libro susceptible de interesar
capacité [kapasite] *nf* capacidad *f*; **~ (en droit)** capacitación *f* (en derecho)

cape [kap] *nf* capa; **rire sous ~** reír para sus adentros
CAPES [kapes] *sigle m* (= *certificat d'aptitude au professorat de l'enseignement du second degré*) título de profesor de enseñanza secundaria

● **CAPES**
●
● En Francia, el *CAPES*, siglas del
● "certificat d'aptitude au professorat
● de l'enseignement du second degré",
● es el examen al que se presentan los
● que tras haber obtenido la "licence"
● deciden convertirse en profesores de
● enseñanza secundaria. Los que
● aprueben pasan a ser profesores
● titulados, o "professeurs certifiés".

capitaine [kapiten] *nm* capitán *m*; **~ au long cours** capitán de altura
capital, e, -aux [kapital, o] *adj, nm* (*aussi fig*) capital *m*; **capitaux** *nmpl* (*fonds*) capitales *mpl*; **les sept péchés capitaux** los siete pecados capitales; **exécution/peine ~e** ejecución *f*/pena capital; **~ d'exploitation** capital de explotación; **~ (social)** capital social
capitale [kapital] *nf* (*ville*) capital *f*; (*lettre*) mayúscula
capitalisme [kapitalism] *nm* capitalismo
capitaliste [kapitalist] *adj, nm/f* capitalista *m/f*
caporal, -aux [kapoʀal, o] *nm* cabo
capot [kapo] *nm* capó ■ *adj inv* (*Cartes*): **être ~** quedarse zapatero(-a)
câpre [kɑpʀ] *nf* alcaparra
caprice [kapʀis] *nm* capricho, antojo; (*toquade amoureuse*) capricho; **caprices** *nmpl* (*de la mode etc*) caprichos *mpl*; **faire un ~** coger una rabieta; **faire des ~s** tener caprichos
capricieux, -euse [kapʀisjø, jøz] *adj* (*aussi fig*) caprichoso(-a)
Capricorne [kapʀikɔʀn] *nm* (*Astrol*) Capricornio; **être (du) ~** ser Capricornio
capsule [kapsyl] *nf* cápsula; (*de bouteille*) cápsula, chapa
capter [kapte] *vt* (*aussi fig*) captar
captivant, e [kaptivã, ãt] *adj* cautivador(-a)
capturer [kaptyʀe] *vt* capturar, apresar
capuche [kapyʃ] *nf* capucha
capuchon [kapyʃõ] *nm* (*de vêtement*) capucha, capuchón *m*; (*de stylo*) capuchón

car [kaʀ] *nm* autocar *m* ■ *conj* pues, porque; **~ de police/de reportage** furgoneta de policía/de reportaje
carabine [kaʀabin] *nf* carabina; **~ à air comprimé** carabina de aire comprimido
caractère [kaʀaktɛʀ] *nm* (*humeur, tempérament*) carácter *m*; (*de choses*) naturaleza; (*cachet*) carácter, personalidad *f*; **avoir bon/mauvais ~** tener buen/mal carácter; **~s/seconde** pulsaciones *fpl*/segundo; **en gras** en negrita; **en petits ~s** en minúsculas; **en ~s d'imprimerie** en letras mayúsculas; **avoir du ~** tener carácter
caractériser [kaʀakteʀize] *vt* caracterizar; **se caractériser par** *vpr* caracterizarse por
caractéristique [kaʀakteʀistik] *adj* característico(-a) ■ *nf* característica
carafe [kaʀaf] *nf* (*pot*) jarra, garrafa; (*d'eau, de vin*) jarra
caraïbe [kaʀaib] *adj* caribeño(-a); **les Caraïbes** *nfpl* el Caribe; **la mer des C~s** el mar (del) Caribe
caramel [kaʀamɛl] *nm* caramelo; (*bonbon*) caramelo blando ■ *adj inv* caramelo *inv*
caravane [kaʀavan] *nf* caravana
caravaning [kaʀavaniŋ] *nm* (*camping*) camping *m* en caravana; (*terrain*) camping para caravanas
carbone [kaʀbɔn] *nm* carbono; (*aussi*: **papier carbone**) papel *m* carbón; (*document*) copia
carbonique [kaʀbɔnik] *adj* carbónico(-a); **gaz ~** gas *m* carbónico; **neige ~** nieve *f* carbónica
carbonisé, e [kaʀbɔnize] *adj* carbonizado(-a); **mourir ~** morir carbonizado(-a)
carburant [kaʀbyʀã] *nm* carburante *m*
carburateur [kaʀbyʀatœʀ] *nm* carburador *m*
cardiaque [kaʀdjak] *adj, nm/f* cardíaco(-a); **être ~** estar cardíaco(-a)
cardigan [kaʀdigã] *nm* rebeca
cardiologue [kaʀdjɔlɔg] *nm/f* cardiólogo(-a)
carême [kaʀɛm] *nm*: **le C~** Cuaresma
carence [kaʀãs] *nf* ineptitud *f*; (*manque*) carencia; (*fig*) insuficiencia; **~ vitaminique** carencia vitamínica
caresse [kaʀɛs] *nf* caricia
caresser [kaʀese] *vt* (*aussi fig*) acariciar; (*espoir*) abrigar
cargaison [kaʀgɛzõ] *nf* carga, cargamento

cargo [kaʁgo] *nm* carguero, buque *m* de carga; **~ mixte** carguero mixto

caricature [kaʁikatyʁ] *nf* caricatura

carie [kaʁi] *nf* caries *f inv*; **la ~ (dentaire)** la caries (dental)

carnaval [kaʁnaval] *nm* carnaval *m*

carnet [kaʁnɛ] *nm* libreta *f*; (*de loterie etc*) taco; (*de timbres*) cuadernillo; (*journal intime*) diario; **~ à souches** taco de matrices; **~ d'adresses** agenda de direcciones; **~ de chèques** talonario de cheques; **~ de commandes** talonario ou libreta de pedidos; **~ de notes** boletín *m* de notas

carotte [kaʁɔt] *nf* (*aussi fig*) zanahoria

carré, e [kaʁe] *adj* cuadrado(-a); (*franc*) directo(-a) ■ *nm* (*Géom*) cuadrado; (*de jardin*) cuadro; (*Naut*) cámara de oficiales; **~ de soie** pañuelo de seda; **~ d'agneau** brazuelo de cordero; **le ~ (d'un nombre)** el cuadrado (de un número); **élever un nombre au ~** elevar un número al cuadrado; **mètre/kilomètre ~** metro/kilómetro cuadrado; **~ d'as/de rois** (*Cartes*) póker *m* de ases/de reyes

carreau, x [kaʁo] *nm* (*par terre*) baldosa; (*au mur*) azulejo; (*de fenêtre*) cristal *m*; (*dessin*) cuadro; (*Cartes: couleur*) diamante *mpl*; (: *carte*) diamante *m*; **papier/tissu à ~x** papel *m*/tela de cuadros

carrefour [kaʁfuʁ] *nm* (*aussi fig*) encrucijada

carrelage [kaʁlaʒ] *nm* (*sol*) embaldosado; (*mur*) alicatado

carrelet [kaʁlɛ] *nm* (*filet*) red *f* cuadrada; (*poisson*) platija, acedía

carrément [kaʁemɑ̃] *adv* (*franchement*) francamente; (*sans détours, sans hésiter*) directamente; (*nettement*) verdaderamente; **il l'a ~ mis à la porte** lo puso directamente de patitas en la calle

carrière [kaʁjɛʁ] *nf* (*de craie, sable*) cantera; (*métier*) carrera; **militaire de ~** militar *m* de carrera; **faire ~ dans** hacer carrera en

carrosserie [kaʁɔsʁi] *nf* carrocería; **atelier de ~** taller *m* de carrocería

carrure [kaʁyʁ] *nf* (*d'une personne*) anchura de espalda; (*d'un vêtement*) espalda; (*fig*) clase *f*; **de ~ athlétique** de complexión atlética

cartable [kaʁtabl] *nm* cartera

carte [kaʁt] *nf* mapa *m*; (*Géo, au restaurant*) carta; (*de fichier*) ficha; (*Cartes*) carta, naipe *m*; (*de parti*) carnet *m*; (*d'électeur*) tarjeta; (*d'abonnement etc*) abono; (*aussi*: **carte postale**) postal *f*;

(*aussi*: **carte de visite**) tarjeta; **avoir/donner ~ blanche** tener/dar carta blanca; **jouer aux ~s** jugar a las cartas; **jouer ~s sur table** (*fig*) poner las cartas boca arriba; **tirer les ~s à qn** echar las cartas a algn; **à la ~** a la carta; **~ à puce** tarjeta magnética; **C~ Bleue®** tarjeta de débito; **~ bancaire/de crédit** tarjeta bancaria/de crédito; **~ de séjour** permiso de residencia; **~ de fidélité** tarjeta de cliente; **~ des vins** carta de vinos; **~ d'état-major** mapa de Estado Mayor; **~ d'identité** carnet de identidad, documento nacional de identidad, cédula (de identidad) (*AM*); **~ grise** documentación *f* de un automóvil; **~ orange** abono de transporte de París; **~ perforée** ficha perforada; **~ routière** mapa de carreteras; **~ SIM** tarjeta SIM; **~ téléphonique** tarjeta de teléfono; **~ vermeil** abono de transporte para jubilados; **~ verte** (*Auto*) carta verde

carter [kaʁtɛʁ] *nm* cárter *m*

carton [kaʁtɔ̃] *nm* (*matériau, Art*) cartón *m*; (*boîte*) caja (de cartón); (*d'invitation*) tarjeta; **en ~** de cartón; **faire un ~** (*au tir*) tirar al blanco; **~ (à dessin)** cartapacio

cartouche [kaʁtuʃ] *nf* (*de fusil*) cartucho; (*de stylo*) cartucho, recambio; (*de cigarettes*) cartón *m*; (*de film, de ruban encreur*) carrete *m*

cas [kɑ] *nm* caso; **faire peu de ~/grand ~ de** hacer poco/mucho caso a; **le ~ échéant** llegado el caso; **en aucun ~** en ningún caso, bajo ningún concepto; **au ~ où** en caso de que, por si acaso; **dans** *ou* **en ce ~** en ese caso; **en ~ de** en caso de; **en ~ de besoin** en caso de necesidad; **en ~ d'urgence** en caso de urgencia; **en tout ~** de todas maneras; **~ de conscience** caso de conciencia; **~ de force majeure** caso de fuerza mayor; **~ limite** caso extremo; **~ social** caso social

case [kɑz] *nf* casilla; (*hutte*) choza; (*pour le courrier*) casillero; **cochez la ~ réservée à cet effet** marque la casilla que corresponda

caser [kɑze] *vt* (*aussi péj*) colocar; **se caser** *vpr* (*personne*) colocarse; (*péj*) conseguir casarse

caserne [kazɛʁn] *nf* cuartel *m*

casier [kazje] *nm* casillero; (*à journaux*) revistero; (*de bureau*) fichero; (: *à clef*) taquilla; (*Pêche*) nasa; **~ à bouteilles** botellero; **~ judiciaire** antecedentes *mpl* penales

casino [kazino] *nm* casino

casque [kask] *nm* casco; (*chez le coiffeur*) secador *m*; (*pour audition*) casco, auricular *m*; **les C~s bleus** los cascos azules

casquette [kaskɛt] *nf* gorra

casse-cou [kasku] *adj inv* (*dangereux*) superpeligroso(-a); (*imprudent*) alocado(-a) ■ *nm inv* (*personne*) cabeza loca; **crier ~ à qn** avisar a algn a voces de un peligro

casse-croûte [kɑskʀut] *nm inv* tentempié *m*

casse-noix [kasnwa] *nm inv* cascanueces *m inv*

casse-pieds [kɑspje] (*fam*) *adj, nm/f inv* pesado(-a)

casser [kɑse] *vt* (*verre etc*) romper; (*montre, moteur*) estropear; (*gradé*) cesar; (*Jur*) anular ■ *vi* (*corde etc*) romperse; **se casser** *vpr* romperse; (*fam*) largarse; (*être fragile*) romperse, quebrarse; **se ~ la jambe** romperse la pierna; **~ les prix** romper los precios; **à tout ~** (*extraordinaire*) fenomenal, formidable; (*tout au plus*) a lo más; **se ~ net** romperse de un golpe

casserole [kasʀɔl] *nf* cacerola, cazuela; **à la ~** a la cazuela

casse-tête [kɑstɛt] *nm inv* (*fig*) quebradero de cabeza; (*jeu*) rompecabezas *m inv*

cassette [kasɛt] *nf* (*bande magnétique*) cassette *f*, casete *f*; (*coffret*) joyero

cassis [kasis] *nm* grosellero negro, casis *m*; (*liqueur*) licor *m* de grosella negra; (*de la route*) badén *m*

cassoulet [kasulɛ] *nm* guiso de alubias

catalogue [katalɔg] *nm* (*aussi fig*) catálogo

catalytique [katalitik] *adj*: **pot ~** catalizador *m*

catastrophe [katastʀɔf] *nf* catástrofe *f*; **atterrir en ~** aterrizar por emergencia; **partir en ~** salir a escape

catéchisme [kateʃism] *nm* catecismo

catégorie [kategɔʀi] *nf* categoría; (*Boucherie*): **morceaux de première/ deuxième ~** trozos de primera/segunda categoría

catégorique [kategɔʀik] *adj* categórico(-a), tajante

cathédrale [katedʀal] *nf* catedral *f*

catholique [katɔlik] *adj, nm/f* católico(-a); **pas très ~** (*fig*) no muy católico(-a)

cauchemar [koʃmaʀ] *nm* pesadilla

cause [koz] *nf* causa; (*accident*) causa, motivo; (*Jur*) caso; (*intérêts*) causa; **faire ~ commune avec qn** hacer causa común con algn; **être ~ de** ser causa de; **à ~ de** (*gén*) debido a; (*par la faute de*) por culpa de; **pour ~ de** por causa de, por; **(et) pour ~** claro está; **être en ~** (*personne*) tener parte de culpa; (*qualité, intérêts etc*) estar en juego; **mettre en ~** culpar; **remettre en ~** poner en tela de juicio; **être hors de ~** quedar fuera de sospecha; **en tout état de ~** de todas formas

causer [koze] *vt* causar ■ *vi* charlar; (*jaser*) chismorrear

caution [kosjɔ̃] *nf* (*argent, Jur*) fianza; (*fig*) garantía, aval *m*; **payer la ~ de qn** pagar la fianza de algn; **se porter ~ pour qn** ser aval de algn; **libéré sous ~** libre bajo fianza; **sujet à ~** en tela de juicio

cavalier, -ière [kavalje, jɛʀ] *adj* brusco(-a) ■ *nm/f* (*à cheval*) jinete *m/f*; (*au bal*) pareja ■ *nm* (*Échecs*) caballo; **faire ~ seul** hacer rancho aparte; **allée** *ou* **piste cavalière** camino de herradura

cave [kav] *nf* sótano; (*réserve de vins*) bodega; (*cabaret*) cabaret *m* ■ *adj*: **yeux ~s** ojos *mpl* hundidos; **joues ~s** mejillas *fpl* chupadas

CD [sede] *sigle m* (= *compact disc*) CD *m* (= *compact disc*); (= *corps diplomatique*) CD *m* (= *Cuerpo Diplomático*)

CD-Rom [sedeʀɔm] *sigle m* CD-Rom

CE [seə] *sigle f* (= *Communauté européenne*) CE *f* ■ *sigle m* (= *comité d'entreprise*) *voir* **comité**; (= *cours élémentaire*) *voir* **cours**

○ **MOT-CLÉ**

ce, c', cette [sə, sɛt] (*devant nm commençant par voyelle ou h aspiré* **cet**, *pl* **ces**) *dét* (*proche*) este (esta); (*intermédiaire*) ese (esa); (*éloigné: plus loin*) aquel(la); **cette maison(-ci/là)** esta casa/esa *ou* aquella casa; **cette nuit** esta noche

■ *pron* **1**: **c'est** es; **c'est un peintre/ce sont des peintres** (*métier*) es un pintor/ son pintores; (*en désignant*) es un pintor/ son unos pintores; **c'est le facteur** (*à la porte*) es el cartero; **qui est-ce?** ¿quién es?; **qu'est-ce?** ¿sí?; **c'est toi qui le dis** lo dices tú; **c'est toi qui lui as parlé** eres tú quien le hablaste; **sur ce** tras esto; **c'est qu'il est lent/a faim** es que es lento/ tiene hambre; **c'est petit/grand** es pequeño/grande

2: **ce qui, ce que** lo que; (*chose qui*): **il est bête, ce qui me chagrine** es tonto, lo cual me apena; **tout ce qui bouge** todo lo que se mueve; **tout ce que je sais** todo lo que sé; **ce dont j'ai parlé** eso de lo que hablé; **ce que c'est grand!** ¡qué grande es!; **veiller à ce que ...** procurar que ...; *voir aussi* **-ci**; **est-ce que**; **n'est-ce pas**; **c'est-à-dire**

ceci [səsi] *pron* esto
céder [sede] *vt* (*maison, droit*) ceder, traspasar ■ *vi* ceder; **~ à** (*tentation etc*) ceder a; **~ à qn** (*se soumettre*) someterse a algn
CEDEX [sedɛks] *sigle m* (= *courrier d'entreprise à distribution exceptionnelle*) *correo especial para empresas*
cèdre [sɛdʀ] *nm* cedro
CEI [seəi] *sigle f* (= *Communauté des États indépendants*) CEI *f* (= *Comunidad de los Estados Independientes*)
ceinture [sɛ̃tyʀ] *nf* cinturón *m*; (*taille*) cintura; (*d'un pantalon, d'une jupe*) cintura, cinturilla; **~ de sauvetage** cinturón salvavidas; **~ de sécurité** cinturón de seguridad; **~ (de sécurité) à enrouleur** cinturón (de seguridad) de enrollar; **~ noire** (*Judo*) cinturón negro; **~ verte** cinturón verde
cela [s(ə)la] *pron* eso; (*plus loin*) aquello; **~ m'étonne que** me extraña que; **quand ~?** ¿cuándo?
célèbre [selɛbʀ] *adj* famoso(-a), célebre
célébrer [selebʀe] *vt* celebrar; (*louer*) celebrar, encomiar
céleri [sɛlʀi] *nm*: **~(-rave)** apio (nabo); **~ en branche** apio
célibataire [selibatɛʀ] *adj* soltero(-a) ■ *nm/f* soltero(-a); **mère ~** madre *f* soltera
celle, celles [sɛl] *pron voir* **celui**
cellulite [selylit] *nf* celulitis *f inv*
celui, celle [səlɥi, sɛl] (*mpl* **ceux**, *fpl* **celles**) *pron*: **~-ci** éste/ése; **celle-ci** ésta/ésa; **~-là/celle-là** aquél/aquélla; **ceux-ci/celles-ci** éstos/éstas; **ceux-là/celles-là** ésos *ou* aquéllos/ésas *ou* aquéllas; **~ de mon frère** el de mi hermano; **~ du salon/du dessous** el del salón/de abajo; **~ qui bouge** (*pour désigner*) el que se mueve; **~ que je vois** el que veo; **~ dont je parle** (*personne*) ése del que hablo; (*chose*) eso de lo que hablo; **~ qui veut** (*valeur indéfinie*) el que quiera
cendre [sɑ̃dʀ] *nf* ceniza; **cendres** *nfpl* cenizas *fpl*; **sous la ~** (*Culin*) en las cenizas
cendrier [sɑ̃dʀije] *nm* cenicero
censé, e [sɑ̃se] *adj*: **je suis ~ faire 7 h par jour** se supone que hago 7 horas diarias

censeur [sɑ̃sœʀ] *nm* (*du lycée*) subdirector *m*; (*Pol, Presse, Ciné*) censor *m*
censure [sɑ̃syʀ] *nf* censura
censurer [sɑ̃syʀe] *vt* censurar
cent [sɑ̃] *adj* (*avant un nombre*) ciento; (*avant un substantif*) cien ■ *nm* ciento; (*Math*) cien *m inv*; **~ cinquante** ciento cincuenta; **~ euros** cien euros; **pour ~** por ciento; **un ~ de** un centenar de; **faire les ~ pas** ir y venir, ir de un lado para otro
centaine [sɑ̃tɛn] *nf* centena; **une ~ (de)** un centenar (de); **plusieurs ~s (de)** varios centenares (de); **des ~s (de)** centenares (de)
centenaire [sɑ̃t(ə)nɛʀ] *adj, nm/f* centenario(-a) ■ *nm* (*anniversaire*) centenario
centième [sɑ̃tjɛm] *adj, nm/f* centésimo(-a); **un ~ de seconde** una centésima de segundo; *voir aussi* **cinquantième**
centigrade [sɑ̃tigʀad] *nm* centígrado
centilitre [sɑ̃tilitʀ] *nm* centilitro
centime [sɑ̃tim] *nm* céntimo
centimètre [sɑ̃timɛtʀ] *nm* centímetro; (*ruban*) cinta métrica
central, e, -aux [sɑ̃tʀal, o] *adj* (*aussi fig*) central ■ *nm*: **~ (téléphonique)** central *f* (telefónica)
centrale [sɑ̃tʀal] *nf* (*prison*) central *f*; **~ d'achat** centro de compras; **~ électrique/nucléaire** central eléctrica/nuclear; **~ syndicale** central sindical
centre [sɑ̃tʀ] *nm* centro; (*Football: joueur*) centro(campista); **le ~** (*Pol*) el centro; **~ aéré** campamento de verano para niños; **~ commercial/culturel** centro comercial/cultural; **~ d'appels** centro de llamadas; **~ d'apprentissage** centro de formación profesional; **~ d'attractions** parque *m* de atracciones; **~ d'éducation surveillée** centro de enseñanza vigilada; **~ de détention** centro penitenciario; **~ de gravité** centro de gravedad; **~ de loisirs** centro de recreo; **~ de semi-liberté** centro de reclusión en régimen abierto; **~ de tri** centro de correos; **~ hospitalier/ sportif** centro hospitalario/deportivo; **~s nerveux** (*Anat*) centros *mpl* nerviosos
centre-ville [sɑ̃tʀəvil] (*pl* **centres-villes**) *nm* centro de la ciudad
cèpe [sɛp] *nm* seta
cependant [s(ə)pɑ̃dɑ̃] *conj* sin embargo, no obstante
céramique [seʀamik] *nf* cerámica
cercle [sɛʀkl] *nm* (*Géom*) círculo; (*objet circulaire*) círculo, aro; (*de jeu, bridge*) club *m*; **décrire un ~** describir un círculo;

~ **d'amis** círculo de amigos; ~ **de famille** entorno familiar; ~ **vicieux** círculo vicioso
cercueil [sɛrkœj] nm ataúd m, féretro
céréale [sereal] nf cereal m
cérémonie [seremɔni] nf ceremonia; **cérémonies** nfpl (péj: façons, chichis) formalidades fpl
cerf [sɛr] nm ciervo
cerf-volant [sɛrvɔlã] (pl **cerfs-volants**) nm cometa; **jouer au ~** jugar a la cometa
cerise [s(ə)riz] nf, adj inv cereza
cerisier [s(ə)rizje] nm cerezo
cerner [sɛrne] vt (armée, ville) cercar; (problème) delimitar; (être autour) rodear
certain, e [sɛrtɛ̃, ɛn] adj (indéniable) cierto(-a), seguro(-a); (personne): ~ **(de/ que)** seguro(-a) (de/de que), convencido(-a) (de/de que) ■ dét: **un ~ Georges** un tal Georges; **un ~ courage** (non négligeable) mucho valor; **~s cas** algunos casos; **d'un ~ âge** de cierta edad; **un ~ temps** cierto tiempo; **sûr et ~** completamente seguro
certainement [sɛrtɛnmã] adv (probablement) probablemente; (bien sûr) sin duda, por supuesto
certes [sɛrt] adv (bien sûr) por supuesto; (sans doute) sin duda alguna; (en réponse) ciertamente
certificat [sɛrtifika] nm certificado; ~ **de fin d'études secondaires** certificado de fin de estudios secundarios; ~ **médical/de vaccination** certificado médico/de vacunación
certifier [sɛrtifje] vt asegurar; (document, signature) certificar; ~ **à qn que** asegurar a algn que
certitude [sɛrtityd] nf certeza
cerveau, x [sɛrvo] nm (aussi fig) cerebro
cervelas [sɛrvəla] nm salchicha corta y gruesa de carne y sesos
cervelle [sɛrvɛl] nf (Anat) cerebro; (Culin) sesos mpl; **se creuser la ~** romperse la cabeza, devanarse los sesos
CES [seøɛs] sigle m (= collège d'enseignement secondaire) ≈ Instituto de Enseñanza Media
ces [se] dét voir **ce**
cesse [sɛs]: **sans ~** adv sin parar; **n'avoir de ~ que** no descansar hasta que
cesser [sese] vt detener ■ vi parar, cesar; ~ **de faire** dejar de hacer; **faire ~** (bruit, scandale) acabar con
cessez-le-feu [sesel(ə)fø] nm inv alto el fuego
c'est-à-dire [sɛtadir] adv es decir; **~?** (demander de préciser) ¿es decir?, ¿y?; ~ **que** (en conséquence) es decir que, o sea que; (manière d'excuse) es decir que

CET [seøte] sigle m (= collège d'enseignement technique) ≈ centro de FP
cet [sɛt] dét voir **ce**
ceux [sø] pron voir **celui**
chacun, e [ʃakœ̃, yn] pron cada uno(-a); (indéfini) todos(-as)
chagrin, e [ʃagrɛ̃, in] adj triste, taciturno(-a) ■ nm pena; **avoir du ~** sentir pena
chahut [ʃay] nm jaleo; (Scol) alboroto
chahuter [ʃayte] vt incordiar ■ vi alborotar
chaîne [ʃɛn] nf cadena; (TV) cadena, canal m; **chaînes** nfpl (liens, asservissement) lazos mpl; (pour pneus) cadenas fpl; **travail à la ~** trabajo en cadena; **réactions en ~** reacciones fpl en cadena; **faire la ~** hacer una cadena; ~ **audio** equipo ou cadena audio; ~ **(de fabrication/de montage** cadena (de fabricación/de montaje); ~ **(de montagnes)** cadena (de montañas), cordillera; ~ **de solidarité** cadena de solidaridad; ~ **(hi-fi)** cadena (hi-fi) ou equipo de música; ~ **stéréo** cadena ou equipo estéreo
chair [ʃɛr] nf carne f ■ adj inv: **(couleur)** ~ (color) carne inv; **la ~ (Rel)** la carne; **avoir la ~ de poule** tener la carne ou piel de gallina; **être bien en ~** estar entrado(-a) en carnes; **en ~ et en os** de carne y hueso; ~ **à saucisses** carne picada
chaise [ʃɛz] nf silla; ~ **de bébé** silla de bebé; ~ **électrique** silla eléctrica; ~ **longue** tumbona, hamaca
châle [ʃal] nm chal m
chaleur [ʃalœr] nf (aussi fig) calor m; (ardeur, emportement) ardor m; **en ~** en celo
chaleureux, -euse [ʃalœrø, øz] adj (accueil, gens) caluroso(-a)
chamailler [ʃamaje]: **se chamailler** vpr (fam) vpr reñir
chambre [ʃɑ̃br] nf (d'un logement) habitación f, cuarto; (Tech, Pol, Comm) cámara; (Jur) sala; **faire ~ à part** dormir en habitaciones separadas; **stratège/ alpiniste en ~** estratega m/f/alpinista m/f de tres al cuarto; ~ **à air** cámara de aire; ~ **à coucher** dormitorio; ~ **à gaz** cámara de gas; ~ **à un lit/deux lits** (à l'hôtel) habitación individual/doble; ~ **d'accusation** sala de acusación; ~ **d'agriculture** cámara agrícola; ~ **d'amis** cuarto de invitados; ~ **de combustion** cámara de combustión; **C~ de commerce et d'industrie** cámara de

comercio y de industria; **C~ des députés**
Cámara de los diputados; **~ des
machines** sala de máquinas; **C~ des
métiers** Cámara de oficios; **~ d'hôte**
habitación de huéspedes; **~ forte** cámara
acorazada; **~ frigorifique** *ou* **froide**
cámara frigorífica; **~ meublée**
habitación amueblada; **~ noire** (*Photo*)
cámara oscura; **~ pour une/deux
personne(s)** habitación para una/dos
persona(s)

chameau, x [ʃamo] *nm* camello

chamois [ʃamwa] *nm* gamuza ■ *adj inv*:
(couleur) ~ (color) gamuza

champ [ʃã] *nm* (*aussi fig*) campo; **les
champs** *nmpl* (*la campagne*) el campo;
dans le ~ (*Photo*) en el campo visual;
prendre du ~ alejarse, tomar distancia;
laisser le ~ libre à qn dejar el campo libre
a algn; **~ d'action** campo de acción; **~ de
bataille** campo de batalla; **~ de courses**
hipódromo; **~ de manœuvre/de mines/
de tir** campo de maniobras/de minas/de
tiro; **~ d'honneur** campo de honor; **~
visuel** campo visual

Champagne [ʃãpaɲ] *nf* Champaña

champagne [ʃãpaɲ] *nm* champán *m*;
fine ~ coñac *m*

champignon [ʃãpiɲɔ̃] *nm* seta; (*Bot*)
hongo; (*fam: accélérateur*) acelerador *m*;
~ de couche *ou* **de Paris** champiñón; **~
vénéneux** seta venenosa

champion, ne [ʃãpjɔ̃, jɔn] *adj*
campeón(-ona) ■ *nm/f* (*Sport*)
campeón(-ona); (*d'une cause*) adalid *m/f*;
~ du monde campeón del mundo

championnat [ʃãpjɔna] *nm*
campeonato

chance [ʃãs] *nf* suerte *f*; (*occasion*)
oportunidad *f*; **chances** *nfpl*
(*probabilités*) posibilidades *fpl*; **il y a de
fortes ~s pour que Paul soit malade** es
muy posible que Paul esté enfermo;
bonne ~! ¡buena suerte!; **avoir de la ~**
tener suerte; **il a des ~s de gagner** tiene
posibilidades de ganar; **je n'ai pas de ~**
no tengo suerte; **encore une ~ que tu
viennes!** ¡qué suerte ou bien que vengas!;
donner sa ~ à qn dar una oportunidad a
algn

Chandeleur [ʃãdlœʀ] *nf*: **la ~** la
Candelaria

change [ʃãʒ] *nm* cambio; **opérations de
~** operaciones *fpl* de cambio; **le contrôle
des ~s** el control de cambio; **gagner/
perdre au ~** ganar/perder en ou con el
cambio; **donner le ~ à qn** (*fig*) dar gato
por liebre a algn

changement [ʃãʒmã] *nm* cambio; **~ de
vitesse** cambio de velocidades *ou* marchas

changer [ʃãʒe] *vt* cambiar ■ *vi* cambiar;
se changer *vpr* cambiarse; **~ de** cambiar
de; **~ d'air** cambiar de aires; **~ de
vêtements** cambiarse de ropa; **~ de
place avec qn** cambiar de sitio con algn;
~ de vitesse (*Auto*) cambiar de velocidad
ou de marcha; **~ qn/qch de place**
cambiar a algo/algn de lugar; **~ qch en**
convertir algo en; **il faut ~ à Lyon** hay
que cambiar en Lyon; **cela me change**
esto es un cambio para mí

chanson [ʃãsɔ̃] *nf* canción *f*

chant [ʃã] *nm* canto; **posé de** *ou* **sur ~**
(*Tech*) colocado de canto; **~ de Noël**
villancico

chantage [ʃãtaʒ] *nm* chantaje *m*; **faire
du ~** chantajear *ou* hacer chantaje

chanter [ʃãte] *vt* cantar; (*louer*) alabar
■ *vi* cantar; **~ juste** cantar sin desafinar;
~ faux desafinar; **si cela lui chante** (*fam*)
si le apetece

chanteur, -euse [ʃãtœʀ, øz] *nm/f*
cantante *m/f*; **~ de charme** cantante de
melodías sentimentales

chantier [ʃãtje] *nm* obra; **être/mettre
en ~** estar/poner en obras; **~ naval**
astillero

chantilly [ʃãtiji] *nf voir* **crème**

chantonner [ʃãtɔne] *vi, vt* canturrear

chapeau, x [ʃapo] *nm* sombrero; (*Presse*)
entradilla; **~!** *excl* ¡bravo!; **partir sur les
~x de roues** arrancar a toda velocidad; **~
melon** bombín *m*; **~ mou** sombrero
flexible

chapelle [ʃapɛl] *nf* capilla; **~ ardente**
capilla ardiente

chapitre [ʃapitʀ] *nm* capítulo; (*sujet*)
tema; (*Rel*) cabildo; **avoir voix au ~** tener
voz y voto

chaque [ʃak] *dét* cada; **c'est cinq euros ~**
son cinco euros cada uno(-a)

char [ʃaʀ] *nm* carro; (*Mil: aussi:* **char
d'assaut**) carro de combate; (*de carnaval*)
carroza

charbon [ʃaʀbɔ̃] *nm* carbón *m*; **~ de bois**
carbón de leña

charcuterie [ʃaʀkytʀi] *nf* (*magasin*)
charcutería; (*produits*) embutidos *mpl*

charcutier, -ière [ʃaʀkytje, jɛʀ] *nm/f*
chacinero(-a)

chardon [ʃaʀdɔ̃] *nm* cardo

charge [ʃaʀʒ] *nf* carga; (*rôle, mission*)
misión *f*; (*Mil*) ataque *m*; (*Jur*) cargo;
charges *nfpl* (*du loyer*) facturas *fpl*; (*d'un
commerçant*) gastos *mpl*; **à la ~ de** a cargo
de; **prise en ~ (par la Sécurité Sociale)**

gastos cubiertos por la Seguridad Social; **à ~ de revanche** en desquite; **prendre en ~** hacerse cargo de; **revenir à la ~** volver a la carga; **~s sociales** cargas sociales; **~ utile** carga máxima; (*Comm*) carga rentable

chargement [ʃaɾʒəmɑ̃] *nm* (*action*) carga; (*marchandises*) cargamento

charger [ʃaɾʒe] *vt* cargar; (*Jur*) declarar en contra de; (*un portrait, une description*) recargar ■ *vi* cargar; **~ qn de qch/faire qch** (*fig*) encargar a algn de algo/que haga algo; **se ~ de** encargarse de; **se ~ de faire qch** encargarse de hacer algo

chariot [ʃaɾjo] *nm* carretilla; (*à bagages, provisions*) carro; (*charrette*) carreta; (*de machine à écrire*) rodillo; **~ élévateur** carretilla elevadora

charitable [ʃaɾitabl] *adj* caritativo(-a); (*gentil*) amable

charité [ʃaɾite] *nf* caridad *f*; (*aumône*) limosna; **faire la ~ à** dar limosna a; **fête/vente de ~** fiesta/venta benéfica

charmant, e [ʃaɾmɑ̃, ɑ̃t] *adj* encantador(a)

charme [ʃaɾm] *nm* encanto; (*Bot*) carpe *m*; (*envoûtement*) encanto, hechizo; **charmes** *nmpl* (*appas*) encanto *msg*; **c'est ce qui en fait le ~** es lo que le da el encanto; **faire du ~** coquetear; **aller** *ou* **se porter comme un ~** estar más sano que una manzana

charmer [ʃaɾme] *vt* (*plaire*) fascinar; (*envoûter*) encantar, hechizar; **je suis charmé de** (*fig*) estoy encantado de

charpente [ʃaɾpɑ̃t] *nf* (*d'un bâtiment*) esqueleto; (*fig*) estructura; (*carrure*) estructura, constitución *f*

charpentier [ʃaɾpɑ̃tje] *nm* albañil *m*

charrette [ʃaɾɛt] *nf* carreta

charter [ʃaɾtɛɾ] *nm* chárter *m*

chasse [ʃas] *nf* caza; (*aussi*: **chasse d'eau**) cisterna; **la ~ est ouverte/fermée** la veda está levantada/cerrada; **aller à la ~** ir de caza; **prendre en ~** perseguir, dar caza a; **donner la ~ à** (*fugitif*) dar caza a; **tirer la ~ (d'eau)** tirar de la cadena; **~ à courre** caza a caballo; **~ à l'homme** cacería humana; **~ aérienne** caza aérea; **~ gardée** (*aussi fig*) coto vedado; **~ sous-marine** caza submarina

chasse-neige [ʃasnɛʒ] *nm inv* quitanieves *m inv*

chasser [ʃase] *vt* cazar; (*expulser*) echar; (*idée*) desechar; (*dissiper*) disipar ■ *vi* cazar; (*Auto*) patinar, derrapar

chasseur, -euse [ʃasœɾ, øz] *nm/f* (*de gibier*) cazador(a) ■ *nm* (*avion*) (avión de)

caza *m*; (*domestique*) botones *m inv*; **~ de son** aficionado en busca de sonidos extraordinarios; **~ de têtes** (*fig*) cazatalentos *m inv*; **~ d'images** fotógrafo en busca de imágenes insólitas; **~s alpins** (*Mil*) cazadores de montaña del ejército francés

chat¹ [ʃa] *nm* gato; **avoir un ~ dans la gorge** tener carraspera; **avoir d'autres ~s à fouetter** tener cosas más importantes; **~ sauvage** gato montés

chat² [tʃat] *nm* (*Internet*) chat *m*

châtaigne [ʃatɛɲ] *nf* castaña

châtaignier [ʃatɛɲe] *nm* castaño

châtain [ʃatɛ̃] *adj inv* castaño(-a)

château, x [ʃato] *nm* castillo; **~ d'eau** arca de agua; **~ de sable** castillo de arena; **~ fort** fortaleza, alcázar *m*

châtiment [ʃatimɑ̃] *nm* castigo; **~ corporel** castigo corporal

chaton [ʃatɔ̃] *nm* (*Zool*) gatito; (*Bot*) candelilla; (*de bague*) engaste *m*

chatouiller [ʃatuje] *vt* hacer cosquillas; **~ l'odorat** abrir el olfato; **~ le palais** estimular el paladar; **ça chatouille!** ¡qué cosquillas!

chatte [ʃat] *nf* gata

chatter [tʃate] *vi* (*Internet*) chatear

chaud, e [ʃo, ʃod] *adj* caliente; (*très chaud*) ardiente; (*vêtement*) abrigado(-a); (*couleur*) cálido(-a); (*félicitations*) ardiente, cálido(-a); (*discussion*) acalorado(-a) ■ *nm* calor *m*; **il fait ~** hace calor; **manger/boire ~** comer/beber caliente; **avoir ~** tener calor; **tenir ~** abrigar; **tenir au ~** mantener caliente; **ça me tient ~** eso me abriga; (*trop chaud*) eso me da calor; **rester au ~** permanecer abrigado(-a); **~ et froid** *nm* (*Méd*) enfriamiento

chaudière [ʃodjɛɾ] *nf* caldera

chauffage [ʃofaʒ] *nm* calentamiento, calefacción *f*; (*appareils*) calefacción; **arrêter le ~** apagar la calefacción; **~ à l'électricité** calefacción eléctrica; **~ au charbon/au gaz** calefacción de carbón/de gas; **~ central** calefacción central; **~ par le sol** calefacción por suelo

chauffe-eau [ʃofo] *nm inv* calentador *m* de agua

chauffer [ʃofe] *vt* calentar ■ *vi* calentar; (*trop chauffer*) recalentar; **se chauffer** *vpr* (*aussi fig*) calentarse

chauffeur, -euse [ʃofœɾ, øz] *nm/f* chófer *m*, chofer *m* (*AM*); **voiture avec/sans ~** coche *m* con/sin conductor

chaumière [ʃomjɛɾ] *nf* choza

chaussée [ʃose] *nf* calzada; (*digue*) terraplén *m*

chausser [ʃose] vt calzar; **se chausser** vpr calzarse; **~ du 38/42** calzar el 38/42; **~ grand/bien** (suj: soulier) quedar grande/bien

chaussette [ʃosɛt] nf calcetín m, media (AM)

chausson [ʃosɔ̃] nm zapatilla; (de bébé) patuco; **~ (aux pommes)** pastel m de manzana

chaussure [ʃosyʀ] nf zapato; **la ~** (Comm) el calzado; **~s basses** zapatos mpl bajos; **~s de ski** botas fpl de esquí; **~s montantes** botas

chauve [ʃov] adj calvo(-a)

chauve-souris [ʃovsuʀi] (pl **chauves-souris**) nf murciélago

chauvin, e [ʃovɛ̃, in] adj, nm/f patriotero(-a)

chaux [ʃo] nf cal f; **blanchi à la ~** encalado

chef [ʃɛf] nm jefe m; **au premier ~** ante todo; **coupable au premier ~** culpable en el más alto grado; **de son propre ~** por su propia iniciativa; **général/commandant en ~** general m/comandante m en jefe; **~ d'accusation** base f de acusación; **~ d'atelier** jefe de taller; **~ d'entreprise** empresario; **~ d'équipe** jefe de equipo; **~ d'État** jefe de estado; **~ d'orchestre** director m de orquesta; **~ de bureau** jefe de oficina; **~ de clinique** director de clínica; **~ de famille** cabeza de familia; **~ de file** (de parti etc) cabeza de fila; **~ de gare** jefe de estación; **~ de rayon/de service** jefe de sección/de servicio

chef-d'œuvre [ʃɛdœvʀ] (pl **chefs-d'œuvre**) nm obra maestra

chef-lieu [ʃɛfljø] (pl **chefs-lieux**) nm cabeza de distrito

chemin [ʃ(ə)mɛ̃] nm (aussi fig) camino, sendero; (itinéraire) camino; (trajet) trayecto, camino; **en ~** por el camino; **~ faisant** de camino; **les ~s de fer** (organisation) los ferrocarriles mpl; **~ de terre** camino de tierra

cheminée [ʃ(ə)mine] nf chimenea

chemise [ʃ(ə)miz] nf (vêtement) camisa; (dossier) carpeta; **~ de nuit** camisón m

chemisier [ʃ(ə)mizje] nm blusa

chêne [ʃɛn] nm castaño

chenil [ʃ(ə)nil] nm perrera; (élevage) criadero de perros

chenille [ʃ(ə)nij] nf oruga; **véhicule à ~s** coche m oruga

chèque [ʃɛk] nm cheque m, talón m; **faire/toucher un ~** extender/cobrar un cheque; **par ~** con cheque; **~ au porteur** cheque al portador; **~ barré** cheque cruzado; **~ de voyage** cheque de viaje; **~ en blanc** cheque en blanco; **~ postal** cheque postal; **~ sans provision** cheque sin fondos

chéquier [ʃekje] nm talonario de cheques

cher, chère [ʃɛʀ] adj (aimé) querido(-a); (coûteux) caro(-a) ■ adv: **coûter ~** costar caro; **payer ~** pagar mucho dinero; **mon ~, ma chère** querido(-a); **cela coûte ~** esto cuesta caro

chercher [ʃɛʀʃe] vt buscar; **~ des ennuis** buscarse problemas; **~ la bagarre** buscar pelea; **aller ~** ir a buscar; **~ à faire** tratar de hacer

chercheur, -euse [ʃɛʀʃœʀ, øz] nm/f investigador(a); **~ d'or** buscador(a) de oro

chéri, e [ʃeʀi] adj querido(-a); **(mon) ~** querido (mío)

cheval, -aux [ʃ(ə)val, o] nm caballo; **~ vapeur** caballo de vapor; **10 chevaux** 10 caballos; **faire du ~** practicar equitación; **à ~** a caballo; **à ~ sur** (mur etc) a horcajadas en ou sobre; (périodes) a caballo entre; **être à ~ sur** (domaines) emanar de; **monter sur ses grands chevaux** subirse a la parra; **~ à bascule** caballito de balancín; **~ d'arçons** potro; **~ de bataille** (fig) caballo de batalla; **~ de course** caballo de carreras; **chevaux de bois** (des manèges) caballitos mpl; (manège) tiovivo; **chevaux de frise** aiambradas fpl

chevalier [ʃ(ə)valje] nm caballero; **~ servant** galán m

chevalière [ʃ(ə)valjɛʀ] nf (sortija de) sello

chevaux [ʃəvo] nmpl voir **cheval**

chevet [ʃ(ə)vɛ] nm presbiterio; **au ~ de qn** al lecho de algn; **lampe de ~** lámpara de noche; **livre de ~** libro que se lee antes de dormir; **table de ~** mesilla de noche

cheveu, x [ʃ(ə)vø] nm cabello, pelo; **cheveux** nmpl pelo msg; **se faire couper les ~x** cortarse el pelo; **avoir les ~x courts/en brosse** tener el pelo corto/de punta; **tiré par les ~x** (histoire) inverosímil; **~x d'ange** (vermicelle) cabello msg de ángel; (décoration) pelusa plateada para árboles de Navidad

cheville [ʃ(ə)vij] nf (Anat) tobillo; (de bois) clavija, tarugo; (pour enfoncer une vis) clavija; **être en ~ avec qn** tener relación con algn; **~ ouvrière** (Auto) clavija maestra; (fig) alma

chèvre [ʃɛvʀ] nf cabra ■ nm queso de cabra; **ménager la ~ et le chou** saber nadar y guardar la ropa

chèvrefeuille [ʃɛvʀəfœj] nm madreselva

chevreuil [ʃəvʀœj] nm corzo

chez [ʃe] prép (à la demeure de) en casa de; (: direction) a casa de; (auprès de, parmi) entre ■ nm inv: **~-moi/~-soi/~-toi** casa; **~ qn** en casa de algn; **~ moi** (à la maison) en mi casa; (direction) a mi casa; **~ Racine** en Racine; **~ ce poète** en este poeta; **~ les Français/les renards** entre los franceses/los zorros; **~ lui c'est un devoir** es un deber en él; **aller ~ le boulanger/le dentiste** ir a la panadería/al dentista; **il travaille ~ Renault** trabaja en la Renault

chic [ʃik] adj inv (élégant) elegante; (de la bonne société) distinguido(-a); (généreux) amable ■ nm (élégance) elegancia; **avoir le ~ pour** tener el don de; **faire qch de ~** ser generoso(-a) al hacer algo; **c'était ~ de sa part** ha sido muy amable de su parte; **~!** ¡estupendo!

chicorée [ʃikɔʀe] nf achicoria; **~ frisée** escarola

chien [ʃjɛ̃] nm perro; (de pistolet) gatillo; **temps de ~** tiempo de perros; **vie de ~** vida perra; **en ~ de fusil** hecho(-a) un ovillo; **entre ~ et loup** entre dos luces; **~ d'aveugle** perro lazarillo; **~ de chasse/de garde** perro de caza/guardián; **~ de traîneau/de race** perro esquimal/de raza; **~ policier** perro policía

chienne [ʃjɛn] nf perra

chier [ʃje] (fam!) vi cagar (fam!); **faire ~ qn** (importuner) dar el coñazo a algn (fam!); (causer des ennuis à) joder a algn (fam!); **se faire ~** (s'ennuyer) amuermarse

chiffon [ʃifɔ̃] nm trapo

chiffonner [ʃifɔne] vt arrugar; (tracasser) inquietar

chiffre [ʃifʀ] nm cifra, número; (montant, total) importe m; (d'un code) clave f; **en ~s ronds** en números redondos; **écrire un nombre en ~s** escribir un número en cifras; **~s arabes/romains** números mpl arábigos/romanos; **~ d'affaires** volumen m de negocios; **~ de ventes** volumen de ventas

chiffrer [ʃifʀe] vt (dépense) calcular; (message) cifrar ■ vi: **~ à** ascender a; **se chiffrer à** vpr ascender a

chignon [ʃiɲɔ̃] nm moño

Chili [ʃili] nm Chile m

chilien, ne [ʃiljɛ̃, jɛn] adj chileno(-a) ■ nm/f: **Chilien, ne** chileno(-a)

chimie [ʃimi] nf química

chimique [ʃimik] adj químico(-a); **produits ~s** productos mpl químicos

chimpanzé [ʃɛ̃pɑ̃ze] nm chimpancé m

Chine [ʃin] nf China; **la ~ libre** China libre; **la république de ~** la república de China

chine [ʃin] nm papel m de China; (porcelaine) porcelana china ■ nf (brocante) chamarileo

chinois, e [ʃinwa, waz] adj chino(-a) ■ nm (Ling) chino ■ nm/f: **Chinois, e** chino(-a)

chiot [ʃjo] nm cachorro (de perro)

chips [ʃips] nfpl (aussi: **pommes chips**) patatas fpl fritas

chirurgie [ʃiʀyʀʒi] nf cirugía; **~ esthétique** cirugía estética

chirurgien, ne [ʃiʀyʀʒjɛ̃, jɛn] nm/f cirujano(-a); **~ dentiste** dentista m/f, odontólogo(-a)

chlore [klɔʀ] nm cloro

choc [ʃɔk] nm choque m; (moral) impacto m; (affrontement) enfrentamiento ■ adj: **prix ~** precio de ganga; **de ~** de choque; **~ en retour** (fig) choque de rechazo; **~ nerveux** ataque m de nervios; **~ opératoire** choque operatorio

chocolat [ʃɔkɔla] nm chocolate m; (bonbon) bombón m; **~ à croquer** chocolate para crudo; **~ à cuire** chocolate a la taza; **~ au lait** chocolate con leche; **~ en poudre** chocolate en polvo

chœur [kœʀ] nm coro; **en ~** a coro

choisir [ʃwaziʀ] vt escoger, elegir; (candidat) elegir; **~ de faire qch** elegir hacer algo

choix [ʃwa] nm elección f; (assortiment) selección f, surtido; **avoir le ~ de/entre** tener la opción de/entre; **de premier ~** (Comm) de primera calidad; **je n'avais pas le ~** no tenía opción; **de ~** escogido(-a), de calidad; **au ~** a escoger; **de mon/son ~** por mi/su gusto; **tu peux partir ou rester, tu as le ~** te vas o te quedas, tú eliges

chômage [ʃomaʒ] nm paro, cesantía (AM); **mettre au ~** dejar en el paro; **être au ~** estar en paro; **~ partiel/structurel/technique** paro parcial/estructural/técnico

chômeur, -euse [ʃomœʀ, øz] nm/f parado(-a)

choquer [ʃɔke] vt chocar; (commotionner) conmocionar

chorale [kɔʀal] nf coral f

chose [ʃoz] nf cosa ■ nm (fam: machin) cosa; **choses** nfpl (situation) cosas fpl

■ *adj inv*: **être/se sentir tout ~** (*bizarre*) estar/sentirse raro(-a); (*malade*) estar/sentirse mal; **dire bien des ~s à qn** dar muchos recuerdos a algn; **faire bien les ~s** hacer las cosas bien; **parler de ~s et d'autres** hablar un poco de todo; **c'est peu de ~** es poca cosa

chou, x [ʃu] *nm* col *f*, berza ■ *adj inv* mono(-a), encantador(a); **mon petit ~** tesoro mío, amor mío, mi negro (*AM*); **faire ~ blanc** fracasar; **bout de ~** niñito(-a); **feuille de ~** (*fig*) periodicucho; **~ (à la crème)** pastelillo (de crema); **~ de Bruxelles** col de Bruselas

choucroute [ʃukʀut] *nf* chucrut *m*

chou-fleur [ʃuflœʀ] (*pl* **choux-fleurs**) *nm* coliflor *f*

chrétien, ne [kʀetjɛ̃, jɛn] *adj, nm/f* cristiano(-a)

Christ [kʀist] *nm*: **le ~** el Cristo; **un christ** (*crucifix, peinture*) un cristo; **Jésus ~** Jesucristo

christianisme [kʀistjanism] *nm* cristianismo

chronique [kʀɔnik] *adj* crónico(-a) ■ *nf* crónica; **la ~ sportive/théâtrale** la crónica deportiva/teatral; **la ~ locale** la crónica local

chronologique [kʀɔnɔlɔʒik] *adj* cronológico(-a); **tableau ~** cuadro cronológico

chrono(mètre) [kʀɔnɔ(mɛtʀ)] *nm* cronómetro

chronométrer [kʀɔnɔmetʀe] *vt* cronometrar

chrysanthème [kʀizɑ̃tɛm] *nm* crisantemo

chtarbé, e [ʃtaʀbe] (*fam*) *adj* chalado(-a) (*fam*)

chuchotement [ʃyʃɔtma] *nm* cuchicheo

chuchoter [ʃyʃɔte] *vt, vi* cuchichear

chut [ʃyt] *excl* ¡chitón!

chute [ʃyt] *nf* (*aussi fig*) caída; (*de température, pression*) descenso; (*déchet*) recorte *m*; **la ~ des cheveux** la caída del cabello; **faire une ~ (de 10 m)** caerse (10 metros); **~ (d'eau)** salto de agua; **~ des reins** rabadilla; **~ libre** caída libre; **~s de neige** nevadas *fpl*; **~s de pluie** chaparrones *mpl*

Chypre [ʃipʀ] *n* Chipre *f*

ci-, -ci [si] *adv voir* **par**; **comme**; **ci-contre** *etc* ■ *dét*: **ce garçon/cet homme-ci** este chico/este hombre; **ces hommes/femmes-ci** estos hombres/estas mujeres

cible [sibl] *nf* blanco; (*fig*) blanco, objetivo

ciboulette [sibulɛt] *nf* cebolleta

cicatrice [sikatʀis] *nf* cicatriz *f*

cicatriser [sikatʀize] *vt* cicatrizar; **se cicatriser** *vpr* cicatrizarse

ci-contre [sikɔ̃tʀ] *adv* al lado

ci-dessous [sidəsu] *adv* más abajo

ci-dessus [sidəsy] *adv* arriba

cidre [sidʀ] *nm* sidra

Cie *abr* (= **compagnie**) Cía (= **compañía**)

ciel [sjɛl] (*pl* **~s** *ou* (*litt*) **cieux**) *nm* cielo; **cieux** *nmpl* cielos *mpl*; **à ~ ouvert** a cielo abierto; **tomber du ~** (*arriver à l'improviste*) venir como caído del cielo; (*être stupéfait*) caer de las nubes; **~!** ¡cielos!; **~ de lit** dosel *m*

cieux [sjø] *nmpl voir* **ciel**

cigale [sigal] *nf* cigarra

cigare [sigaʀ] *nm* cigarro, puro

cigarette [sigaʀɛt] *nf* cigarrillo, pitillo; **~ (à) bout filtre** cigarrillo con filtro

ci-inclus, e [siɛ̃kly, yz] *adj* incluso(-a) ■ *adv* incluso

ci-joint, e [siʒwɛ̃, ɛ̃t] *adj* adjunto(-a) ■ *adv* adjunto; **veuillez trouver ~ ...** encontrará adjunto

cil [sil] *nm* pestaña

cime [sim] *nf* cima

ciment [simɑ̃] *nm* cemento; **~ armé** cemento armado

cimetière [simtjɛʀ] *nm* cementerio, camposanto; **~ de voitures** cementerio de coches

cinéaste [sineast] *nm/f* cineasta *m/f*

cinéma [sinema] *nm* cine *m*; **aller au ~** ir al cine; **~ d'animation** cine de dibujos animados

cinq [sɛ̃k] *adj inv, nm inv* cinco *inv*; **avoir ~ ans** tener cinco años; **le ~ décembre** el cinco de diciembre; **à ~ heures** a las cinco; **nous sommes ~** somos cinco; **Henri V (~)** Enrique V (quinto)

cinquantaine [sɛ̃kɑ̃tɛn] *nf*: **une ~ (de)** una cincuentena (de); **avoir la ~** estar en la cincuentena

cinquante [sɛ̃kɑ̃t] *adj inv, nm inv* cincuenta *inv*; *voir aussi* **cinq**

cinquantenaire [sɛ̃kɑ̃tnɛʀ] *adj* (*institution*) cincuentenario(-a); (*personne*) cincuentón(-ona) ■ *nm/f* cincuentón(-ona)

cinquantième [sɛ̃kɑ̃tjɛm] *adj, nm/f* quincuagésimo(-a) ■ *nm* (*partitif*) cincuentavo; **son ~ anniversaire** su cincuenta cumpleaños; **vous êtes le ~** Ud es el (número) cincuenta

cinquième [sɛ̃kjɛm] *adj, nm/f* quinto(-a) ■ *nm* (*partitif*) quinto ■ *nf* (*Auto*) quinta; (*Scol*) segundo año de educación secundaria en el sistema francés; **un ~ de la**

population un quinto de la población; **trois ~s** tres quintos

cintre [sɛ̃tʀ] *nm* percha; **plein ~** (*Archit*) medio punto

cintré, e [sɛ̃tʀe] *adj* (*chemise*) entallado(-a); (*porte, fenêtre*) con cimbra

cirage [siʀaʒ] *nm* betún *m*

circonstance [siʀkɔ̃stɑ̃s] *nf* circunstancia; **œuvre/air/tête de ~** obra/aspecto/cara de circunstancias; **~s atténuantes** circunstancias *fpl* atenuantes

circuit [siʀkɥi] *nm* circuito; **~ automobile** circuito automovilístico; **~ de distribution** circuito de distribución; **~ fermé/intégré** circuito cerrado/integrado

circulaire [siʀkylɛʀ] *adj, nf* circular *f*

circulation [siʀkylasjɔ̃] *nf* circulación *f*; **bonne/mauvaise ~** (*du sang*) buena/mala circulación; **la ~** (*Auto*) la circulación, el tráfico; **il y a beaucoup de ~** hay mucho tráfico; **mettre en ~** poner en circulación

circuler [siʀkyle] *vi* (*aussi fig*) circular; **faire ~** hacer circular

cire [siʀ] *nf* cera; **~ à cacheter** lacre *m*

ciré, e [siʀe] *adj* encerado(-a) ■ *nm* impermeable *m*

cirer [siʀe] *vt* encerar

cirque [siʀk] *nm* circo; (*désordre*) desbarajuste *m*

ciseaux [sizo] *nmpl* tijeras *fpl*

citadin, e [sitadɛ̃, in] *nm/f, adj* ciudadano(-a)

citation [sitasjɔ̃] *nf* (*d'auteur*) cita; (*Jur*) citación *f*; (*Mil*) mención *f*

cité [site] *nf* ciudad *f*; **~ ouvrière** ciudad obrera; **~ universitaire** ciudad universitaria

citer [site] *vt* citar; (*nommer*) citar, mencionar; **~ (en exemple)** (*personne*) poner como ejemplo; **je ne veux ~ personne** no quiero nombrar a nadie

citoyen, ne [sitwajɛ̃, jɛn] *nm/f* ciudadano(-a)

citron [sitʀɔ̃] *nm* limón *m*; **~ pressé** (*boisson*) zumo natural de limón; **~ vert** limón verde

citronnade [sitʀɔnad] *nf* limonada

citrouille [sitʀuj] *nf* calabaza

civet [sive] *nm* encebollado; **~ de lièvre** encebollado de liebre

civière [sivjɛʀ] *nf* camilla

civil, e [sivil] *adj* civil; (*poli*) cortés ■ *nm* civil *m*; **habillé en ~** vestido de paisano *ou* de civil; **dans le ~** en la vida civil; **mariage/enterrement ~** matrimonio/entierro civil

civilisation [sivilizasjɔ̃] *nf* civilización *f*

civilisé, e [sivilize] *adj* civilizado(-a)

clair, e [klɛʀ] *adj* (*aussi fig*) claro(-a); (*sauce, soupe*) flojo(-a) ■ *adv*: **voir ~** ver claro ■ *nm*: **~ de lune** claro de luna; **pour être ~** para ser claro(-a); **y voir ~** (*comprendre*) verlo claro; **bleu/rouge ~** azul/rojo claro; **par temps ~** en un día claro; **tirer qch au ~** sacar algo en claro; **il ne voit plus très ~** ya no ve con mucha claridad; **mettre au ~** (*notes etc*) poner en limpio, pasar a limpio; **le plus ~ de son temps/argent** la mayor parte de su tiempo/dinero; **en ~** (*non codé*) no cifrado(-a); (*c'est-à-dire*) claramente, es decir

clairement [klɛʀmɑ̃] *adv* claramente

clairière [klɛʀjɛʀ] *nf* claro, calvero

clandestin, e [klɑ̃dɛstɛ̃, in] *adj* clandestino(-a); **passager ~** polizón *m*; **immigration ~e** inmigración *f* clandestina

claque [klak] *nf* bofetada ■ *nm* (*chapeau*) clac *m*; **la ~** (*Théâtre*) la claque

claquer [klake] *vi* (*coup de feu*) golpear; (*porte*) golpear ■ *vt* (*doigts*) castañetear; (*gifler*) abofetear; **~ la porte** dar un portazo; **elle claquait des dents** le castañeteaban los dientes; **se ~ un muscle** distenderse un músculo

claquettes [klakɛt] *nfpl* claquetas *fpl*

clarinette [klaʀinɛt] *nf* clarinete *m*

classe [klɑs] *nf* (*aussi fig*) clase *f*; (*local*) clase, aula; **un (soldat de) deuxième ~** un soldado raso; **1ère/2ème ~** 1ª/2ª clase; **de ~** (*de qualité*) de clase, de calidad; **faire la ~** dar clase; **aller en ~** ir a clase; **faire ses ~s** (*Mil*) hacer la instrucción; **aller en ~ verte/de neige/de mer** ir al campo/a la nieve/a la playa con el colegio; **~ dirigeante** clase dirigente; **~ grammaticale** clase *ou* categoría gramatical; **~ ouvrière/sociale/touriste** clase obrera/social/turista

CLASSES PRÉPARATOIRES

Las *classes préparatoires* consisten en dos años de estudios intensivos en que los estudiantes se preparan para los exámenes de acceso a las "grandes écoles". Estos cursos, que presentan gran dificultad, son una continuación del "Baccalauréat" y se hacen normalmente en un "lycée". Se considera que los colegios que imparten estas clases son más prestigiosos que el resto.

classement [klɑsmɑ̃] nm clasificación f;
premier au ~ général primero en la
clasificación general

classer [klɑse] vt clasificar; (personne:
péj) encasillar; (Jur) archivar, cerrar; **se ~
premier/dernier** clasificarse el primero/
el último

classeur [klɑsœʀ] nm (cahier)
clasificador m; (meuble) archivador m; ~
(à feuillets mobiles) carpeta (de anillas)

classique [klasik] adj clásico(-a);
(habituel) típico(-a) ■ nm (œuvre, auteur)
clásico; **études ~s** estudios mpl clásicos

clavecin [klav(ə)sɛ̃] nm clavicordio,
clavecín m

clavicule [klavikyl] nf clavícula

clé [kle] nf = clef

clef [kle] nf llave f; (de boîte de conserves)
abrelatas m inv, abridor m; (fig) clave f
■ adj: **problème/position ~** problema
m/posición f clave; **mettre sous ~** poner
bajo llave; **prendre la ~ des champs**
tomar las de Villadiego; **prix ~s en main**
precio llave en mano; **roman à ~** novela en
la que personas reales aparecen como
personajes de ficción; **à la ~** (à la fin) al final;
~ anglaise ou **à molette** llave inglesa; ~
d'ut/de fa/de sol clave de do/de fa/de
sol; **~ de contact** llave de contacto; **~ de
voûte** piedra angular; **~ USB** memoria f
USB, llave f USB

clergé [klɛʀʒe] nm clero

cliché [kliʃe] nm cliché m; (Ling) tópico,
cliché

client, e [klijɑ̃, klijɑ̃t] nm/f cliente(-a)

clientèle [klijɑ̃tɛl] nf clientela;
accorder/retirer sa ~ à hacerse/dejar de
ser cliente(-a) de

cligner [kliɲe] vi: **~ des yeux**
(rapidement) parpadear; (fermer à demi)
entornar los ojos; **~ de l'œil** guiñar (el ojo)

clignotant, e [kliɲɔtɑ̃, ɑ̃t] adj
intermitente ■ nm (Auto) intermitente
m, direccional m (AM); (indice de danger)
señal f de peligro

clignoter [kliɲɔte] vi parpadear; (yeux)
parpadear, pestañear

climat [klima] nm clima m; (fig) clima,
ambiente m

climatisation [klimatizasjɔ̃] nf
climatización f

climatisé, e [klimatize] adj
climatizado(-a)

clin d'œil [klɛ̃dœj] nm guiño; **en un ~** en
un abrir y cerrar de ojos

clinique [klinik] adj clínico(-a) ■ nf
clínica

clip [klip] nm clip m

cliquer [klike] vi (Inform) clicar; **~ deux
fois** clicar dos veces

clochard, e [klɔʃaʀ, aʀd] nm/f
mendigo(-a)

cloche [klɔʃ] nf (d'église) campana; (fam:
niais) tonto(-a); (: les clochards) los
mendigos; (chapeau) sombrero de
campana; **se faire sonner les ~s** (fam)
recibir un rapapolvo; **~ à fromage**
quesera

clocher [klɔʃe] nm campanario ■ vi
(fam) fallar, no andar bien; **de ~** (péj) de
pueblo

clochette [klɔʃɛt] nf campanilla; (de
vache) esquila

cloison [klwazɔ̃] nf tabique m; (fig)
separación f, barrera; **~ étanche** (fig)
compartimento estanco

cloque [klɔk] nf ampolla

clôture [klotyʀ] nf (des débats, d'un
festival) clausura; (des portes) cierre m;
(des inscriptions) cierre del plazo; (d'une
manifestation) cierre, final m; (barrière)
cercado, valla

clou [klu] nm clavo; (Méd) divieso; **clous**
nmpl (= passage clouté) voir **passage**;
pneus à ~s neumáticos mpl para nieve ou
montaña; **~ du spectacle** (fig) la
principal atracción del espectáculo; **~ de
girofle** clavo de especia

clown [klun] nm payaso, clown m; **faire
le ~** hacer el payaso ou el tonto

club [klœb] nm club m

CM sigle f (Scol: = cours moyen) voir **cours**

CMU [seemy] nf (= couverture maladie
universelle) seguro de enfermedad para
personas sin recursos económicos

CNRS [seɛnɛʀɛs] sigle m (= Centre national
de la recherche scientifique) ≈ CSIC m
(= Consejo Superior de Investigaciones
Científicas)

c/o abr (= care of) a/c (= al cuidado de)

coaguler [kɔagyle] vi (aussi: **se
coaguler**) coagularse

cobaye [kɔbaj] nm cobaya m ou f,
conejillo de Indias; (fig) cobaya

cobra [kɔbʀa] nm coca

coca [kɔka] nm coca

cocaïne [kɔkain] nf cocaína

coccinelle [kɔksinɛl] nf mariquita

cocher [kɔʃe] nm cochero ■ vt marcar
(con una cruz)

cochon [kɔʃɔ̃] nm cerdo, cancho (AM)
■ nm/f (péj) cerdo(-a) ■ adj (fam: livre,
histoire, propos) verde; **~ d'Inde** conejillo
de Indias, cobaya m ou f; **~ de lait**
cochinillo, lechón m

cochonnerie [kɔʃɔnʀi] (fam) nf
porquería; (grivoiserie) cochinada

cocktail [kɔktɛl] *nm* cóctel *m*, highball *ou* jaibol *m* (*AM*), daiquiri *ou* daiquirí *m* (*AM*)

cocorico [kɔkɔʀiko] *excl* ¡quiquiriquí!
■ *nm* quiquiriquí *m*

cocotte [kɔkɔt] *nf* olla, cacerola; **ma ~** (*fam*) guapa; **en papier** pajarita de papel; **~ (minute)**® olla a presión

code [kɔd] *nm* código; (*conventions*) reglas *fpl*; **se mettre en ~(s)** (*Auto*) poner las luces de cruce; **éclairage** *ou* **phares ~(s)** luz *f* de cruce; **~ à barres** código de barras; **~ civil** código civil; **~ de caractère** código de carácter; **~ de la route** código de la circulación; **~ machine** código máquina; **~ pénal** código penal; **~ postal** código postal; **~ secret** código secreto

cœur [kœʀ] *nm* corazón *m*; (*Cartes: couleur*) corazones *mpl*; (: *carte*) corazón *m*; **affaire de ~** asunto del corazón, asunto sentimental; **avoir bon/du ~** tener buen corazón; **avoir mal au ~** tener náuseas; **contre son ~** contra su pecho; **opérer qn à ~ ouvert** operar a algn a corazón abierto; **recevoir qn à ~ ouvert** recibir a algn con las manos llenas; **parler à ~ ouvert** hablar con el corazón en la mano; **de tout son ~** de todo corazón; **avoir le ~ gros** *ou* **serré** estar acongojado; **en avoir le ~ net** saber a qué atenerse; **avoir le ~ sur la main** ser muy generoso; **par ~** de memoria; **de bon/grand ~** con toda el alma; **avoir à ~ de faire** empeñarse en hacer; **cela lui tient à ~** le apasiona; **prendre les choses à ~** tomar las cosas a pecho; **s'en donner à ~ joie** gozar; **être de (tout) ~ avec qn** apoyar a algn, estar (moralmente) con algn; **~ d'artichaut** corazón de alcachofa; **~ de la forêt** corazón del bosque; **~ de laitue** cogollo de lechuga; **~ de l'été** pleno verano; **~ du débat** (*fig*) centro del debate, meollo del debate

coffre [kɔfʀ] *nm* (*meuble*) arca; (*coffre-fort*) cofre *m*; (*d'auto*) maletero, baúl *m* (*AM*), maletera (*And, Csur*), **avoir du ~** (*fam*) tener mucho fuelle

coffret [kɔfʀɛ] *nm* cofrecito; **~ à bijoux** joyero

cognac [kɔɲak] *nm* coñac *m*

cogner [kɔɲe] *vt, vi* golpear; **se cogner** *vpr* darse un golpe; **~ sur/contre** golpear en/contra; **~ à la porte/fenêtre** golpear a la puerta/ventana

cohabiter [kɔabite] *vi* cohabitar

cohérent, e [kɔeʀã, ãt] *adj* coherente

coiffé, e [kwafe] *adj*: **bien/mal ~** bien/mal peinado(-a); **~ d'un béret**

cubierto(-a) con una boina; **~ d'un chapeau** cubierto(-a) con un sombrero; **~ en arrière** peinado(-a) hacia atrás; **~ en brosse** peinado(-a) con el cepillo

coiffer [kwafe] *vt* peinar; (*colline, sommet*) coronar; (*Admin*) estar al frente de; (*dépasser*) ganar, sobrepasar; **se coiffer** *vpr* peinarse; (*se couvrir*) tocarse; **~ qn d'un béret** cubrir la cabeza de algn con una boina

coiffeur, -euse [kwafœʀ, øz] *nm/f* peluquero(-a)

coiffeuse [kwaføz] *nf* (*table*) tocador *m*, coqueta

coiffure [kwafyʀ] *nf* (*cheveux*) peinado *m*; (*chapeau*) tocado; **la ~** la peluquería

coin [kwɛ̃] *nm* (*gén*) esquina; (*pour caler*) calzo; (*pour fendre le bois*) cuña; (*d'une table etc*) rincón *m*; (*poinçon*) troquel *m*; **l'épicerie du ~** el ultramarinos de la esquina; **dans le ~** por aquí; **au ~ du feu** al amor de la lumbre; **du ~ de l'œil** de reojo; **regard/sourire en ~** mirada/sonrisa de soslayo

coincé, e [kwɛ̃se] *adj* (*tiroir, pièce mobile*) atascado(-a); (*fig*) corto(-a)

coincer [kwɛ̃se] *vt* calzar; (*fam: par une question, une manœuvre*) pillar; **se coincer** *vpr* atascarse

coïncidence [kɔɛ̃sidãs] *nf* coincidencia

coïncider [kɔɛ̃side] *vi*: **~ avec** coincidir con

coing [kwɛ̃] *nm* membrillo

col¹ [kɔl] *nm* cuello; (*de montagne*) puerto; **~ de l'utérus** cuello del útero; **~ du fémur** cuello del fémur; **~ roulé** cuello vuelto

col² [kɔl] *abr* (= *colonne*) col., col.ª (= *columna*)

colère [kɔlɛʀ] *nf* ira, cólera, enojo (*esp AM*); **être en ~ (contre qn)** estar enfadado(-a) *ou* enojado(-a) (*esp AM*) (con algn); **mettre qn en ~** hacer enfadar a algn, enojar a algn (*esp AM*); **se mettre en ~** enfadarse, enojarse (*esp AM*); **piquer une ~** (*fam*) ponerse hecho una furia

coléreux, -euse [kɔleʀø, øz] *adj* colérico(-a)

colin [kɔlɛ̃] *nm* merluza

colique [kɔlik] *nf* cólico; (*fig*) tostón *m*; **~ néphrétique** cólico nefrítico

colis [kɔli] *nm* paquete *m*; **par ~ postal** por paquete postal

collaboration [kɔ(l)labɔʀasjɔ̃] *nf* colaboración *f*; (*Pol*) colaboracionismo; **en ~ avec** en colaboración con

collaborer [kɔ(l)labɔʀe] *vi* (*aussi Pol*) colaborar; **~ à** colaborar en

collant, e [kɔlɑ̃, ɑ̃t] *adj* adherente; *(robe)* ajustado(-a); *(péj: personne)* pegajoso(-a) ■ *nm (bas)* pantis *mpl*; *(de danseur)* malla
colle [kɔl] *nf (à papier)* pegamento; *(à papiers peints)* cola; *(devinette)* pega; **avoir une ~** *(Scol)* quedarse castigado; **~ de bureau** goma de pegar; **~ forte** cola fuerte
collecte [kɔlɛkt] *nf* colecta; **faire une ~** hacer una colecta
collectif, -ive [kɔlɛktif, iv] *adj* colectivo(-a) ■ *nm* colectivo; **immeuble ~** edificio social; **~ budgétaire** ley *f* de presupuestos adicional
collection [kɔlɛksjɔ̃] *nf* colección *f*; *(Comm)* muestrario; **pièce de ~** pieza de colección; **faire (la) ~ de** coleccionar, hacer (una) colección de; **(toute) une ~ de** *(fig)* (toda) una colección de; **~ (de mode)** colección (de moda)
collectionner [kɔlɛksjɔne] *vt* coleccionar
collectionneur, -euse [kɔlɛksjɔnœr, øz] *nm/f* coleccionista *m/f*
collectivité [kɔlɛktivite] *nf* colectivo; **la ~** la colectividad; **~s locales** administraciones *fpl* locales
collège [kɔlɛʒ] *nm* colegio; **~ d'enseignement secondaire** colegio de enseñanza media; **~ électoral** colegio electoral

○ **COLLÈGE**
○
○ El *collège* es un colegio público de
○ educación secundaria para
○ estudiantes de entre once y quince
○ años. Los alumnos siguen un plan de
○ estudios que consta de una serie de
○ asignaturas comunes y varias
○ optativas. Los colegios tienen libertad
○ para elaborar sus propios horarios y
○ escoger su propia metodología. Antes
○ de que dejen el *collège*, se evalúa el
○ trabajo de los alumnos durante la
○ etapa y se les examina para la
○ obtención del *brevet des collèges*.

collégien, ne [kɔleʒjɛ̃, jɛn] *nm/f* colegial *m/f*
collègue [kɔ(l)lɛg] *nm/f* colega *m/f*
coller [kɔle] *vt* pegar; *(papier peint)* encolar; *(fam: mettre)* meter; *(par une devinette)* pillar; *(Scol: fam)* catear ■ *vi (être collant)* pegarse; *(adhérer)* pegar; **~ son front à la vitre** pegar la frente contra el cristal; **~ qch sur** pegar algo en; **~ à** adherir a; *(fig)* cuadrar con

collier [kɔlje] *nm* collar *m*; *(Tech)* collar *m*, abrazadera; **~ (de barbe), barbe en ~** sotabarba; **~ de serrage** brida de apriete
colline [kɔlin] *nf* colina
collision [kɔlizjɔ̃] *nf* colisión *f*; *(fig)* choque *m*; **entrer en ~ (avec)** chocar (con)
colloque [kɔ(l)lɔk] *nm* coloquio
collyre [kɔlir] *nm* colirio
colombe [kɔlɔ̃b] *nf* paloma
Colombie [kɔlɔ̃bi] *nf* Colombia
colonie [kɔlɔni] *nf* colonia; **~ (de vacances)** colonia (de vacaciones)
colonne [kɔlɔn] *nf* columna; **se mettre en ~ par deux/quatre** formar columna de a dos/cuatro; **en ~ par deux** en columna de a dos; **~ de secours** columna de socorro; **~ (vertébrale)** columna vertebral
colorant, e [kɔlɔrɑ̃, ɑ̃t] *adj* colorante ■ *nm* colorante *m*
colorer [kɔlɔre] *vt* colorear; **se colorer** *vpr (ciel)* colorearse; *(joues)* sonrojarse; *(tomates, raisins)* coger color
colorier [kɔlɔrje] *vt* colorear, pintar; **album à ~** álbum *m* de colorear
coloris [kɔlɔri] *nm* colorido
colza [kɔlza] *nm* colza
coma [kɔma] *nm* coma *m*; **être dans le ~** estar en coma
combat [kɔ̃ba] *vb voir* **combattre** ■ *nm (Mil)* combate *m*; *(fig)* lucha; **~ de boxe** combate de boxeo; **~ de rues** pelea callejera
combattant, e [kɔ̃batɑ̃, ɑ̃t] *vb voir* **combattre** ■ *adj* combatiente ■ *nm* combatiente *m*; *(d'une rixe)* contendiente *m*; **ancien ~** antiguo combatiente
combattre [kɔ̃batr] *vt, vi* combatir
combien [kɔ̃bjɛ̃] *adv (interrogatif)* cuánto(-a); *(nombre)* cuántos(-as); *(exclamatif: comme, que)* cómo, qué; **~ de** cuántos(-as); **~ de temps** cuánto tiempo; **~ coûte/pèse ceci?** ¿cuánto cuesta/pesa esto?; **vous mesurez ~?** ¿cuánto mide usted?; **ça fait ~?** ¿cuánto es?; **ça fait ~ en largeur?** ¿cuánto mide de ancho?
combinaison [kɔ̃binɛzɔ̃] *nf* combinación *f*; *(astuce)* plan *m*; *(vestido, Sport)* traje *m*; *(bleu de travail)* mono, overol *m (AM)*
combiné [kɔ̃bine] *nm (aussi:* **combiné téléphonique)** auricular *m*; *(Ski)* prueba mixta; *(vêtement)* conjunto (de lencería)
comble [kɔ̃bl] *adj* abarrotado(-a) ■ *nm (du bonheur, plaisir)* colmo; **combles** *nmpl (Constr)* armazón *msg* del tejado; **de fond en ~** de arriba abajo; **pour ~ de**

malchance para colmo de desgracia; **c'est le ~!** ¡es el colmo!; **sous les ~s** en el desván

combler [kɔ̃ble] vt (trou) llenar; (fig) llenar, cubrir; (satisfaire) colmar; **~ qn de joie/d'honneurs** colmar a algn de alegría/de honores

comédie [kɔmedi] nf comedia; **jouer la ~** hacer la comedia; **~ musicale** comedia musical

● **COMÉDIE FRANÇAISE**

● La *Comédie française*, fundada en 1680
● por Luis XIV, es el teatro nacional de
● Francia. Financiada con fondos
● públicos, la compañía actúa
● principalmente en el Palais Royal de
● París y pone en escena
● fundamentalmente obras del teatro
● clásico francés.

comédien, ne [kɔmedjɛ̃, jɛn] nm/f (Théâtre, fig) comediante(-a); (comique) cómico(-a)

comestible [kɔmɛstibl] adj comestible; **comestibles** nmpl comestibles mpl

comique [kɔmik] adj cómico(-a) ■ nm cómico(-a); **le ~ de qch** lo gracioso de algo

commandant [kɔmɑ̃dɑ̃] nm comandante m; **~ (de bord)** comandante (de a bordo)

commande [kɔmɑ̃d] nf (Comm) pedido; (Inform) mando; **commandes** nfpl mandos mpl; **passer une ~ (de)** cursar un pedido (de); **sur ~** de encargo; **véhicule à double ~** vehículo de doble mando; **~ à distance** mando a distancia

commander [kɔmɑ̃de] vt (Comm) encargar, pedir; (diriger, ordonner) mandar; (contrôler) regular, controlar; (imposer) exigir; **~ à** (Mil) mandar a; (fig) dominar a; **~ à qn de faire qch** ordenar a algn que haga algo

○ **MOT-CLÉ**

comme [kɔm] prép 1 (comparaison) como; **tout comme son père** igual que su padre; **fort comme un bœuf** fuerte como un toro; **il est petit comme tout** es muy pequeño; **il est rond comme une bille** (fam) está como una cuba; **comme c'est pas permis** (fam) como él (ella) solo(-a)

2 (manière): **comme ça** así; **comment ça va? - comme ça** ¿qué tal? - así, así;

comme ci, comme ça así, así; **faites comme cela** hágalo así; **on ne parle pas comme ça à ...** no se habla así a ...

3 (en tant que): **donner comme prix/heure** dar como precio/hora; **travailler comme secrétaire** trabajar de secretaria ■ conj 1 (ainsi que) como; **elle écrit comme elle parle** escribe como habla; **comme on dit** como se dice; **comme si** como si; **comme quoi ...** (disant que) en el/la/los/las que dice etc que ...; (d'où il s'ensuit que) lo que demuestra que; **comme de juste** como es natural; **comme il faut** como es debido

2 (au moment où, alors que) cuando; **il est parti comme j'arrivais** se marchó cuando yo llegaba

3 (parce que, puisque) como; **comme il était en retard, ...** como se retrasaba, ... ■ adv (exclamation): **comme c'est bon/il est fort!** ¡qué bueno está!/¡qué fuerte es!

commencement [kɔmɑ̃smɑ̃] nm comienzo; **commencements** comienzos mpl

commencer [kɔmɑ̃se] vt, vi comenzar, empezar; (être placé au début de) iniciar; **~ à ou de faire** comenzar ou empezar a hacer; **~ par qch** comenzar ou empezar por algo; **~ par faire qch** comenzar ou empezar por hacer algo

comment [kɔmɑ̃] adv (interrogatif) cómo; **~?** ¿cómo?, ¿mande (usted)?; **~!** (affirmatif: de quelle façon) ¡claro!; **et ~!** ¡pero cómo!; **~ donc!** (bien sûr) ¡por supuesto!, ¡pues claro!; **~ aurais-tu fait?** ¿cómo habrías hecho?; **~ tu t'y serais pris?** ¿qué habrías hecho tú?; **~ faire?** ¿cómo hacemos?; **~ se fait-il que?** ¿cómo es que ... ?; **~ ça s'appelle?** ¿cómo se llama eso?; **~ est-ce qu'on ...?** ¿cómo se ...?; **le ~ et le pourquoi** el cómo y el por qué

commentaire [kɔmɑ̃tɛʀ] nm (gén pl) comentario; **~ (de texte)** comentario (de textos); **~ sur image** comentario con soporte gráfico

commerçant, e [kɔmɛʀsɑ̃, ɑ̃t] adj (rue, ville) comercial; (personne) comerciante ■ nm/f comerciante m/f

commerce [kɔmɛʀs] nm (activité) comercio, negocio; (boutique) comercio, tienda; (fig: rapports) trato; **le petit ~** el pequeño comercio; **faire ~** comerciar ou negociar en; (fig: péj) comerciar en; **chambre de ~** cámara de comercio; **livres de ~** libros de comercio; **vendu dans le ~** de venta en comercios; **vendu hors-~** de venta fuera de comercio; **~ en**

ou **de gros** comercio al por mayor; **~ équitable** comercio justo; **~ extérieur** comercio exterior; **~ intérieur** comercio interior

commercial, e, -aux [kɔmɛʀsjal, jo] *adj (aussi péj)* comercial ∎ *nm*: **les commerciaux** los representantes

commercialiser [kɔmɛʀsjalize] *vt* comercializar

commissaire [kɔmisɛʀ] *nm* comisario; **~ aux comptes** interventor *m ou* censor *m* de cuentas; **~ du bord** sobrecargo

commissariat [kɔmisaʀja] *nm* comisaría; *(Admin)* administración *f*

commission [kɔmisjɔ̃] *nf* comisión *f*; *(message)* recado; *(course)* encargo, recado; **commissions** *nfpl* compras *fpl*; **~ d'examen** comisión de examen, tribunal *m*

commode [kɔmɔd] *adj* cómodo(-a); *(air, personne)* amable; *(personne)*: **pas ~** difícil ∎ *nf* cómoda

commun, e [kɔmœ̃, yn] *adj* común, colectivo(-a) ∎ *nm*: **cela sort du ~** eso sale de lo común; **communs** *nmpl* dependencias *fpl*; **le ~ des mortels** el común de las gentes; **sans ~e mesure** sin comparación; **bien ~** bien *m* común; **être ~ à** ser propio de; **en ~** en común; **peu ~** poco común; **d'un ~ accord** de común acuerdo

communauté [kɔmynote] *nf* comunidad *f*; *(Jur)*: **régime de la ~** régimen *m* de la comunidad

commune [kɔmyn] *adj f voir* **commun** ∎ *nf* municipio

communication [kɔmynikasjɔ̃] *nf* comunicación *f*; **communications** *nfpl* comunicaciones *fpl*; **vous avez la ~** ya tiene la llamada; **donnez-moi la ~ avec** páseme la llamada con; **avoir la ~ (de)** recibir la llamada (de); **mettre qn en ~ avec qn** *(en contact)* poner a algn en contacto con algn; *(au téléphone)* poner a algn en comunicación con; **~ avec préavis** aviso de conferencia; **~ interurbaine** llamada interurbana

communier [kɔmynje] *vi* comulgar

communion [kɔmynjɔ̃] *nf* comunión *f*; **première ~** primera comunión; **~ solennelle** comunión solemne

communiquer [kɔmynike] *vt* comunicar; *(demande, dossier)* presentar; *(maladie, chaleur)* transmitir ∎ *vi* comunicarse; **se communiquer à** *vpr* tra(n)smitirse a; **~ avec** comunicar con

communisme [kɔmynism] *nm* comunismo

communiste [kɔmynist] *adj, nm/f* comunista *m/f*

commutateur [kɔmytatœʀ] *nm* conmutador *m*

compact, e [kɔ̃pakt] *adj* compacto(-a); *(foule)* denso(-a)

compagne [kɔ̃paɲ] *nf* compañera

compagnie [kɔ̃paɲi] *nf* compañía; **la ~ de qn** la compañía de algn; **homme/ femme de ~** hombre *m*/mujer *f* de compañía; **tenir ~ à qn** hacer compañía a algn; **fausser ~ à qn** plantar a algn; **en ~ de** en compañía de; **Dupont et ~, Dupont et Cie** Dupont y compañía, Dupont y Cía; **~ aérienne** compañía aérea

compagnon [kɔ̃paɲɔ̃] *nm* compañero; *(autrefois: ouvrier)* obrero

comparable [kɔ̃paʀabl] *adj*: **~ (à)** comparable (a)

comparaison [kɔ̃paʀɛzɔ̃] *nf* comparación *f*; **en ~ (de)** en comparación (con); **par ~ (à)** comparado(-a) (a); **sans ~** *(indubitablement)* sin comparación

comparer [kɔ̃paʀe] *vt* comparar; **~ qch/qn à** *ou* **avec** comparar algo/algn a *ou* con

compartiment [kɔ̃paʀtimã] *nm (de train)* compartim(i)ento; *(case)* casilla

compas [kɔ̃pa] *nm* compás *m*

compatible [kɔ̃patibl] *adj*: **~ (avec)** compatible (con)

compatriote [kɔ̃patʀijɔt] *nm/f* compatriota *m/f*

compensation [kɔ̃pãsasjɔ̃] *nf* *(dédommagement)* compensación *f*; **en ~** en compensación

compenser [kɔ̃pãse] *vt* compensar

compétence [kɔ̃petãs] *nf* *(aussi Jur)* competencia

compétent, e [kɔ̃petã, ãt] *adj* competente

compétition [kɔ̃petisjɔ̃] *nf* competencia; *(Sport)* competición *f*; **la ~** la competición; **être en ~ avec** estar en competencia con; **~ automobile** competición automovilística

complément [kɔ̃plemã] *nm* *(gén, aussi Ling)* complemento; *(reste)* resto; **~ (circonstanciel) de lieu** complemento (circunstancial) de lugar; **~ d'agent** complemento agente; **~ d'information** *(Admin)* suplemento (informativo); **~ (d'objet) direct/indirect** complemento directo/indirecto; **~ de nom** complemento del nombre

complémentaire [kɔ̃plemãtɛʀ] *adj* complementario(-a)

complet, -ète [kɔ̃plɛ, ɛt] adj
completo(-a) ■ nm (aussi: **complet-
veston**) traje m; **au (grand) ~** en pleno
complètement [kɔ̃plɛtmɑ̃] adv
completamente; (étudier) a fondo; **~ nu**
completamente desnudo
compléter [kɔ̃plete] vt completar; **se
compléter** vpr complementarse
complexe [kɔ̃plɛks] adj complejo(-a)
■ nm complejo; **~ industriel/portuaire/
hospitalier** complejo industrial/
portuario/hospitalario
complexé, e [kɔ̃plɛkse] adj
acomplejado(-a)
complication [kɔ̃plikasjɔ̃] nf
complicación f; **complications** nfpl
(Méd) complicaciones fpl
complice [kɔ̃plis] nm/f cómplice m/f
compliment [kɔ̃plimɑ̃] nm cumplido;
compliments nmpl (félicitations)
enhorabuena fsg
compliqué, e [kɔ̃plike] adj
complicado(-a)
comportement [kɔ̃pɔrtəmɑ̃] nm
comportamiento
comporter [kɔ̃pɔrte] vt constar de;
(impliquer) conllevar; **se comporter** vpr
comportarse
composer [kɔ̃poze] vt componer ■ vi
(Scol) redactar; (transiger) transigir; **se ~
de** componerse de; **~ un numéro** marcar
ou discar (AM) un número
compositeur, -trice [kɔ̃pozitœr, tris]
nm/f (Mus) compositor(a); (Typo) cajista
m/f
composition [kɔ̃pozisjɔ̃] nf
composición f; (Scol: d'histoire, de math)
prueba; **de bonne ~** acomodadizo(-a);
~ française redacción f de francés
composter [kɔ̃pɔste] vt (dater) fechar;
(poinçonner) picar, perforar
compote [kɔ̃pɔt] nf compota; **~ de
pommes** compota de manzana
compréhensible [kɔ̃pʀeɑ̃sibl] adj (aussi
fig) comprensible
compréhensif, -ive [kɔ̃pʀeɑ̃sif, iv] adj
comprensivo(-a)
comprendre [kɔ̃pʀɑ̃dʀ] vt (se composer
de, être muni de) comprender, constar de;
(sens, problème) comprender, entender;
(sympathiser avec) comprender; (point de
vue) entender; **se faire ~** hacerse
entender; **je me fais ~?** ¿me explico?
compresse [kɔ̃pʀɛs] nf compresa
compresser [kɔ̃pʀese] vt (Inform)
comprimir
comprimé, e [kɔ̃pʀime] adj: **air ~** aire m
comprimido ■ nm comprimido, pastilla

compris, e [kɔ̃pʀi, iz] pp de
comprendre ■ adj (inclus) incluido(-a);
~ entre ... (situé) situado(-a) entre ...; **~?**
¿entendido?; **la maison ~e/non ~e**
incluida la casa/sin incluir la casa; **y/non
~ la maison** inclusive la casa/sin incluir la
casa; **service ~** servicio incluido; **100
euros tout ~** 100 euros con todo incluido
comptabilité [kɔ̃tabilite] nf
contabilidad f; **~ en partie double**
contabilidad por partida doble
comptable [kɔ̃tabl] nm/f, adj contable
m/f, contador m (AM); **~ de** responsable
de
comptant [kɔ̃tɑ̃] adv: **payer/acheter ~**
pagar/comprar al contado
compte [kɔ̃t] nm cuenta; **comptes** nmpl
(comptabilité) cuentas fpl; **ouvrir un ~**
abrir una cuenta; **rendre des ~s à qn** (fig)
dar cuentas a algn; **faire le ~ de** hacer la
cuenta de; **tout ~ fait, au bout du ~**
después de todo; **à ce ~-là** (dans ce cas) en
este caso; (à ce train-là) a este paso; **en
fin de ~** (fig) a fin de cuentas; **à bon ~** a
buen precio; **avoir son ~** (fig: fam) tener
su merecido; **pour le ~ de qn** por cuenta
de algn; **pour son propre ~** por su propia
cuenta; **sur le ~ de qn** (à son sujet) acerca
de algn; **travailler à son ~** trabajar por su
cuenta; **mettre qch sur le ~ de qn** echar
la culpa de algo a algn; **prendre qch à
son ~** hacerse cargo de algo; **trouver son
~ à** sacar provecho a, tener interés en;
régler un ~ ajustar cuentas; **rendre ~ (à
qn) de qch** dar cuenta de algo (a algn);
tenir ~ de qch/que tener en cuenta algo/
que; **~ tenu de** teniendo en cuenta,
habida cuenta de; **il a fait cela sans
avoir tenu ~ de ...** hizo eso sin haber
tenido en cuenta ...; **~ à rebours** cuenta
atrás; **~ chèque postal, ~ chèques
postaux** cuenta de cheques postales;
~ chèques cuenta corriente con cheques;
~ client cuentas por cobrar; **~ courant**
cuenta corriente; **~ de dépôt,
d'exploitation** cuenta de depósito/de
explotación; **~ fournisseur** cuentas por
pagar; **~ rendu** informe m; (de film, livre)
reseña
compte-gouttes [kɔ̃tgut] nm inv
cuentagotas m inv
compter [kɔ̃te] vt contar; (facturer)
cobrar; (comporter) constar de ■ vi
contar; (être économe) hacer números;
~ pour (valoir) servir para, contar para;
~ parmi figurar entre; **~ réussir/revenir**
esperar aprobar/volver; **~ sur** (se fier à)
contar con; **~ avec/sans qch/qn** contar

con/sin algo/algn; **sans ~ que** sin contar con que; **à ~ du 10 janvier** a partir del 10 de enero; **ça compte beaucoup pour moi** esto tiene mucha importancia para mí; **je compte bien que** espero que

compteur [kɔ̃tœʀ] *nm* (*d'auto*) cuentakilómetros *m inv*; (*à gaz, électrique*) contador *m*; **~ de vitesse** velocímetro

comptoir [kɔ̃twaʀ] *nm* (*de magasin*) mostrador *m*; (*de café*) barra; (*ville coloniale*) factoría

con, ne [kɔ̃, kɔn] (*fam!*) *adj, nm/f* gilipollas *m/f inv* (*fam!*)

concentré, e [kɔ̃sɑ̃tʀe] *adj* concentrado(-a) ■ *nm* concentrado

concentrer [kɔ̃sɑ̃tʀe] *vt* concentrar; **se concentrer** *vpr* concentrarse

concerner [kɔ̃sɛʀne] *vt* concernir a; **en ce qui me concerne** en lo que a mí respecta; **en ce qui concerne ceci** en lo que concierne a esto, en lo referente a esto

concert [kɔ̃sɛʀ] *nm* (*Mus*) concierto; (*fig*) coro; **de ~** de concierto

concessionnaire [kɔ̃sesjɔnɛʀ] *nm/f* concesionario(-a)

concevoir [kɔ̃s(ə)vwaʀ] *vt* concebir; (*décoration etc*) imaginar; (*machine*) diseñar; (*éprouver*) sentir; (*comprendre, saisir*) comprender; **appartement bien/mal conçu** piso bien/mal diseñado

concierge [kɔ̃sjɛʀʒ] *nm/f* portero(-a); (*d'hôtel*) conserje *m*

concis, e [kɔ̃si, iz] *adj* conciso(-a)

conclure [kɔ̃klyʀ] *vt* (*accord, pacte*) firmar; (*terminer*) concluir, terminar; **~ qch de qch** deducir algo de algo; **~ à** (*Jur, gén*): **~ au suicide** decidirse *ou* pronunciarse por un suicidio; **~ à l'acquittement** pronunciarse por la absolución, dictar la libre absolución; **~ un marché** cerrar un trato; **j'en conclus que** deduzco que

conclusion [kɔ̃klyzjɔ̃] *nf* conclusión *f*; **conclusions** *nfpl* (*Jur*) conclusiones *fpl*; **en ~** en conclusión

conçois *etc* [kɔ̃swa] *vb voir* **concevoir**

concombre [kɔ̃kɔ̃bʀ] *nm* pepino

concours [kɔ̃kuʀ] *nm* concurso; (*Scol*) examen *m* eliminatorio; **recrutement par voie de ~** (*Admin*) incorporación *f* mediante oposición; (*Scol*) incorporación mediante examen eliminatorio; **apporter son ~ à** ayudar a; **~ de circonstances** cúmulo de circunstancias; **~ hippique** concurso hípico

concret, -ète [kɔ̃kʀɛ, ɛt] *adj* concreto(-a); **musique concrète** música concreta

conçu, e [kɔ̃sy] *pp de* **concevoir**

concubinage [kɔ̃kybinaʒ] *nm* concubinato

concurrence [kɔ̃kyʀɑ̃s] *nf* competencia; **en ~ avec** en competencia con; **jusqu'à ~ de** hasta un total de; **~ déloyale** competencia desleal

concurrent, e [kɔ̃kyʀɑ̃, ɑ̃t] *adj* (*société*) competidor(a); (*parti*) opositor(a) ■ *nm/f* (*Sport, Écon*) competidor(a); (*Scol*) candidato(-a)

condamner [kɔ̃dɑne] *vt* condenar; (*malade*) desahuciar; (*fig*) invalidar; **~ qn à qch/à faire** (*obliger*) condenar a algn a algo/a hacer; **~ qn à 2 ans de prison** condenar a algn a 2 años de prisión; **~ qn à une amende** imponer una multa a algn

condensation [kɔ̃dɑ̃sasjɔ̃] *nf* condensación *f*

condition [kɔ̃disjɔ̃] *nf* condición *f*; (*rang social*) condición, clase *f*; (*ouvrière etc*) clase; **conditions** *nfpl* (*tarif, prix, circonstances*) condiciones *fpl*; **sans ~** *adj* sin condición ■ *adv* incondicionalmente; **à/sous ~ de/que** a/con la condición de/de que; **en bonne ~** (*aliments, envoi*) en buen estado; **mettre en ~** (*Sport*) entrenar; (*Psych*) condicionar; **~s atmosphériques** condiciones atmosféricas; **~s de vie** condiciones de vida

conditionnement [kɔ̃disjɔnmɑ̃] *nm* acondicionamiento; (*emballage*) embalaje *m*, envasado; (*fig*) condicionamiento

condoléances [kɔ̃dɔleɑ̃s] *nfpl* pésame *m*

conducteur, -trice [kɔ̃dyktœʀ, tʀis] *adj* conductor(a) ■ *nm* (*Élec*) conductor *m* ■ *nm/f* conductor(a)

conduire [kɔ̃dɥiʀ] *vt* conducir; (*passager*) llevar; (*diriger*) dirigir; **se conduire** *vpr* comportarse, portarse; **~ vers/à** (*suj: route*) conducir a, llevar hacia/a; **~ à** (*suj: attitude, erreur*) llevar a; **~ qn quelque part** llevar a algn a algún sitio; **se ~ bien/mal** portarse bien/mal

conduite [kɔ̃dɥit] *nf* (*en auto*) conducción *f*, manejo (*AM*); (*comportement*) conducta; (*d'eau, gaz*) conducto; **sous la ~ de** bajo la dirección de; **~ à gauche** volante *m* a la izquierda; **~ forcée** tubería *ou* conducción *f* forzada; **~ intérieure** coche *m* cerrado, limusina

confection [kɔ̃fɛksjɔ̃] *nf* confección *f*; **la ~** (*Couture*) la confección; **vêtement de ~** ropa de confección

conférence [kɔ̃feʀɑ̃s] *nf* conferencia; **~ au sommet** conferencia cumbre; **~ de presse** conferencia de prensa

confesser [kɔ̃fese] vt confesar;
se confesser vpr confesarse
confession [kɔ̃fesjɔ̃] nf confesión f
confiance [kɔ̃fjɑ̃s] nf confianza; **avoir ~
en** tener confianza en; **faire ~ à** confiar
en; **en toute ~** con toda confianza;
mettre qn en ~ dar confianza a algn; **de
~** de confianza; **question/vote de ~**
moción f/voto de confianza; **inspirer ~ à**
inspirar confianza a; **digne de ~** digno de
confianza; **~ en soi** confianza en sí
mismo
confiant, e [kɔ̃fjɑ̃, jɑ̃t] adj confiado(-a)
confidence [kɔ̃fidɑ̃s] nf confidencia
confidentiel, le [kɔ̃fidɑ̃sjɛl] adj
confidencial
confier [kɔ̃fje] vt confiar; **~ à qn** (en
dépôt, garde) confiar a algn; **se ~ à qn**
confiarse a algn
confirmation [kɔ̃fiʀmasjɔ̃] nf
confirmación f
confirmer [kɔ̃fiʀme] vt confirmar; **~ qn
dans une croyance** reafirmar a algn en
sus creencias; **~ qn dans ses fonctions**
ratificar a algn en sus funciones; **~ qch à
qn** confirmar algo a algn
confiserie [kɔ̃fizʀi] nf confitería;
confiseries nfpl golosinas fpl
confisquer [kɔ̃fiske] vt (Jur) confiscar; (à
un enfant) quitar
confit, e [kɔ̃fi, it] adj: **fruits ~s** frutas fpl
confitadas; **~ d'oie** nm conserva de oca
en su grasa
confiture [kɔ̃fityʀ] nf confitura,
mermelada; **~ d'oranges** confitura de
naranja
conflit [kɔ̃fli] nm conflicto; (fig) choque
m, conflicto; **~ armé** conflicto armado
confondre [kɔ̃fɔ̃dʀ] vt confundir; **se
confondre** vpr confundirse; **se ~ en
excuses/remerciements** deshacerse en
disculpas/agradecimientos; **~ qch/qn
avec qch/qn d'autre** confundir algo/a
algn con algo/con algn
conforme [kɔ̃fɔʀm] adj: **~ à** conforme a;
copie certifiée ~ (à l'original) copia
compulsada; **~ à la commande** según el
pedido, conforme con el pedido
conformément [kɔ̃fɔʀmemɑ̃] adv: **~ à**
conforme a, según
conformer [kɔ̃fɔʀme] vt: **~ qch à**
adecuar algo a; **se conformer à** vpr
adecuarse a, adaptarse a
confort [kɔ̃fɔʀ] nm confort m; **tout ~** con
todas las comodidades
confortable [kɔ̃fɔʀtabl] adj
confortable, cómodo(-a); (avance)
considerable

confronter [kɔ̃fʀɔ̃te] vt confrontar;
(textes) cotejar, confrontar; (Jur)
confrontar, hacer un careo entre
confus, e [kɔ̃fy, yz] adj confuso(-a)
confusion [kɔ̃fyzjɔ̃] nf confusión f;
~ des peines confusión de las
penas
congé [kɔ̃ʒe] nm (vacances) vacaciones
fpl; (arrêt de travail) descanso; (Mil)
permiso; (avis de départ) baja; **en ~** de
vacaciones; (en arrêt de travail) de
descanso; (soldat) de licencia; **semaine/
jour de ~** semana/día m de vacaciones;
prendre ~ de qn despedirse de algn;
donner son ~ à despedir a; **~ de maladie**
baja por enfermedad; **~ de maternité**
baja maternal; **~s payés** vacaciones
pagadas
congédier [kɔ̃ʒedje] vt despedir
congélateur [kɔ̃ʒelatœʀ] nm
congelador m
congeler [kɔ̃ʒ(ə)le] vt congelar
congestion [kɔ̃ʒɛstjɔ̃] nf (routière,
postale) congestión f; **~ cérébrale**
derrame m cerebral; **~ pulmonaire**
congestión pulmonar
congrès [kɔ̃gʀɛ] nm congreso
conifère [kɔnifɛʀ] nm conífera
conjoint, e [kɔ̃ʒwɛ̃, wɛ̃t] adj conjunto(-a)
■ nm/f (époux) cónyuge m/f
conjonctivite [kɔ̃ʒɔ̃ktivit] nf
conjuntivitis f inv
conjoncture [kɔ̃ʒɔ̃ktyʀ] nf coyuntura;
la ~ économique la coyuntura
económica
conjugaison [kɔ̃ʒygɛzɔ̃] nf
conjugación f
conjuguer [kɔ̃ʒyge] vt (Ling) conjugar;
(efforts) conjugar, aunar
connaissance [kɔnesɑ̃s] nf (savoir)
conocimiento; (personne connue)
conocido(-a); (conscience, perception)
conocimiento, sentido; **connaissances**
nfpl (savoir) conocimientos mpl; **être
sans ~** (Méd) estar sin conocimiento;
perdre/reprendre ~ perder/recobrar el
conocimiento; **à ma/sa ~** por lo que sé/
sabe; **faire ~ avec qn** ou **la ~ de qn**
(rencontrer) conocer a algn; (apprendre à
connaître) llegar a conocer a algn; **avoir ~
de** (document, fait) tener conocimiento
de; **j'ai pris ~ de ...** ha llegado a mi
conocimiento ...; **en ~ de cause** con
conocimiento de causa; **de ~**
conocido(-a)
connaisseur, -euse [kɔnɛsœʀ, øz]
nm/f conocedor(a), entendido(-a) ■ adj
de entendido(-a)

connaître [kɔnɛtʀ] vt conocer; (adresse)
conocer, saber; **se connaître** vpr
conocerse; (se rencontrer) conocerse,
encontrarse; **~ qn de nom/vue** conocer
a algn de nombre/vista; **ils se sont
connus à Genève** se conocieron en
Ginebra; **s'y ~ en qch** entender mucho
de algo
connecter [kɔnɛkte] vt conectar
connerie [kɔnʀi] (fam!) nf gilipollez f
connexion [kɔnɛksjɔ̃] nf conexión f
connu, e [kɔny] pp de **connaître** ■ adj
conocido(-a)
conquête [kɔ̃kɛt] nf conquista
consacrer [kɔ̃sakʀe] vt (Rel): **~ qch (à)**
consagrar algo (a); (fig) consagrar;
~ qch à (employer) dedicar algo a;
se consacrer vpr: **se ~ à qch/à faire**
dedicarse a algo/a hacer; **~ son temps/
argent à faire** dedicar su tiempo/dinero
a hacer
conscience [kɔ̃sjɑ̃s] nf conciencia;
avoir ~ de ser consciente de, tomar
conciencia de; **prendre ~ de** (présence,
situation) darse cuenta de; (responsabilité)
tomar conciencia de; **avoir qch sur la ~**
tener el peso de algo en la conciencia;
perdre/reprendre ~ perder/recuperar el
conocimiento; **avoir bonne/mauvaise ~**
tener buena/mala conciencia; **en (toute)
~** en conciencia; **~ professionnelle**
conciencia profesional
consciencieux, -euse [kɔ̃sjɑ̃sjø, jøz]
adj concienzudo(-a)
conscient, e [kɔ̃sjɑ̃, jɑ̃t] adj consciente;
~ de consciente de
consécutif, -ive [kɔ̃sekytif, iv] adj
consecutivo(-a); **~ à** debido(-a) a
conseil [kɔ̃sɛj] nm consejo ■ adj:
ingénieur-~ ingeniero consultor;
~ en recrutement (expert) asesor m de
contratación; **tenir ~** celebrar consejo;
je n'ai pas de ~ à recevoir de vous no
necesito recibir consejo de usted;
donner un ~/des ~s à qn dar un
consejo/consejos a algn; **demander ~ à
qn** pedir consejo a algn; **prendre ~
(auprès de qn)** consultar (a algn);
~ d'administration consejo de
administración; **~ de classe/de
discipline** (Scol) consejo escolar/
disciplinario; **~ de guerre** consejo de
guerra; **~ de révision** junta de
clasificación ou de revisión; **~ des
ministres** consejo de ministros; **~
général** consejo general; **~ municipal**
concejo, pleno municipal; **~ régional**
consejo regional

conseiller¹ [kɔ̃seje] vt aconsejar a; **~ qch
à qn** aconsejar algo a algn; **~ à qn de
faire qch** aconsejar a algn hacer algo
conseiller², -ère [kɔ̃seje, ɛʀ] nm/f
consejero(-a); **~ matrimonial** asesor m
matrimonial; **~ municipal** concejal m
consentement [kɔ̃sɑ̃tmɑ̃] nm
consentimiento
consentir [kɔ̃sɑ̃tiʀ] vt: **~ (à qch/à faire)**
consentir (en algo/en hacer); **~ qch à qn**
consentir algo a algn
conséquence [kɔ̃sekɑ̃s] nf
consecuencia; **conséquences** nfpl
(effet, répercussion) consecuencias fpl; **en
~** (donc) en consecuencia, por
consiguiente; (de façon appropriée) en
consecuencia; **ne pas tirer à ~** no traer
consecuencias; **sans ~** sin consecuencia;
lourd de ~ lleno de consecuencias
conséquent, e [kɔ̃sekɑ̃, ɑ̃t] adj
(personne, attitude) consecuente; (fam:
important) importante; **par ~** por
consiguiente
conservateur, -trice [kɔ̃sɛʀvatœʀ,
tʀis] adj conservador(a) ■ nm/f
conservador(a) ■ nm (Biol, Chim: produit)
conservante m
conservatoire [kɔ̃sɛʀvatwaʀ] nm (de
musique) conservatorio; (de comédiens)
escuela de arte dramático
conserve [kɔ̃sɛʀv] nf (gén pl: aliments)
conserva; **en ~** en conserva; **de ~**
(ensemble) juntos(-as); (naviguer) en
conserva; **~s de poisson** conservas de
pescado
conserver [kɔ̃sɛʀve] vt conservar;
(habitude) mantener, conservar; **se
conserver** vpr conservarse; **"~ au frais"**
"conservar en frío"
considérable [kɔ̃sideʀabl] adj
considerable
considération [kɔ̃sideʀasjɔ̃] nf
consideración f; (raison) razonamiento,

consideración; **considérations** nfpl (remarques, réflexions) consideraciones fpl; **prendre en ~** tomar en consideración; **ceci mérite ~** esto merece ser considerado; **en ~ de** en consideración a
considérer [kɔ̃sideʀe] vt considerar; (regarder) examinar; **~ que** considerar que; **~ qch comme** considerar algo como
consigne [kɔ̃siɲ] nf (de bouteilles) importe m (del envase); (retenue) castigo; (Mil) arresto; (ordre, instruction, de gare) consigna; **~ automatique** consigna automática; **~s de sécurité** consignas de seguridad
consister [kɔ̃siste] vi: **~ en** ou **dans** consistir en; **~ à faire** consistir en hacer
console [kɔ̃sɔl] nf: **~ de jeu** consola (de videojuegos)
consoler [kɔ̃sɔle] vt consolar; **se ~ (de qch)** consolarse (de algo)
consommateur, -trice [kɔ̃sɔmatœʀ, tʀis] nm/f (Écon) consumidor(a); (dans un café) cliente m/f
consommation [kɔ̃sɔmasjɔ̃] nf consumición f; **la ~** (Écon) el consumo; **de ~** (biens) de consumo; **~ aux 100 km** (Auto) consumo cada 100 Km
consommer [kɔ̃sɔme] vt consumir; (mariage) consumar ■ vi (dans un café) consumir, tomar
consonne [kɔ̃sɔn] nf consonante f
constamment [kɔ̃stamɑ̃] adv constantemente
constant, e [kɔ̃stɑ̃, ɑ̃t] adj constante
constat [kɔ̃sta] nm (d'huissier) acta; (après un accident) atestado; **faire un ~ démoralisant** llegar a una conclusión desmoralizante; **faire un ~ d'échec** reconocer su etc fracaso; **~ (à l'amiable)** (Auto) parte m amistoso
constatation [kɔ̃statasjɔ̃] nf (d'un fait) constatación f; (remarque) constatación, observación f
constater [kɔ̃state] vt (remarquer) advertir, observar; (Admin, Jur) testificar; (dégâts) constatar; **~ que** (remarquer) notar que; (faire observer, dire) advertir que
consterner [kɔ̃stɛʀne] vt consternar
constipé, e [kɔ̃stipe] adj estreñido(-a); (fig) crispado(-a)
constitué, e [kɔ̃stitɥe] adj: **~ de** constituido(-a) por, integrado(-a) por; **bien/mal ~** bien/mal constituido(-a) ou formado(-a)
constituer [kɔ̃stitɥe] vt constituir; (équipe) crear; (dossier) elaborar; (collection) reunir; **se ~ partie civile**

constituirse en parte civil; **se ~ prisonnier** entregarse a la justicia
constructeur [kɔ̃stʀyktœʀ] nm constructor m; **~ automobile** fabricante m de coches
constructif, -ive [kɔ̃stʀyktif, iv] adj constructivo(-a)
construction [kɔ̃stʀyksjɔ̃] nf construcción f
construire [kɔ̃stʀɥiʀ] vt construir; **se construire** vpr: **ça s'est beaucoup construit dans la région** se edificó mucho en la región
consul [kɔ̃syl] nm cónsul m
consulat [kɔ̃syla] nm consulado
consultant, e [kɔ̃syltɑ̃, ɑ̃t] adj consultor(a)
consultation [kɔ̃syltasjɔ̃] nf consulta; **consultations** nfpl (pourparlers) deliberaciones fpl; **être en ~** (délibération) estar en deliberación; (Méd) estar pasando consulta; **aller à la ~** (Méd) ir a la consulta; **heures de ~** (Méd) horas fpl de consulta
consulter [kɔ̃sylte] vt consultar ■ vi (médecin) examinar; **se consulter** vt consultarse
contact [kɔ̃takt] nm contacto; **au ~ de** al contacto con; **mettre/couper le ~** (Auto) encender ou poner/apagar ou quitar el contacto; **entrer en ~** (fils, objets) hacer contacto; **se mettre en ~ avec qn** (Radio) ponerse en contacto con algn; **prendre ~ avec** ponerse en contacto con
contacter [kɔ̃takte] vt contactar con
contagieux, -euse [kɔ̃taʒjø, jøz] adj contagioso(-a)
contaminer [kɔ̃tamine] vt contaminar
conte [kɔ̃t] nm cuento; **~ de fées** cuento de hadas
contempler [kɔ̃tɑ̃ple] vt contemplar
contemporain, e [kɔ̃tɑ̃pɔʀɛ̃, ɛn] adj, nm/f contemporáneo(-a)
contenir [kɔ̃t(ə)niʀ] vt (aussi fig) contener; (local) tener una capacidad de ou para; **se contenir** vpr contenerse
content, e [kɔ̃tɑ̃, ɑ̃t] adj contento(-a); **~ de qn/qch** contento(-a) con algn/algo; **~ de soi** contento(-a) de sí mismo(-a), satisfecho(-a) de sí mismo(-a); **je serais ~ que tu ...** me alegraría que tú ...
contenter [kɔ̃tɑ̃te] vt (personne) contentar; (envie, caprice) satisfacer; **se contenter de** vpr contentarse con
contenu, e [kɔ̃t(ə)ny] pp de **contenir** ■ adj (colère, sentiments) contenido(-a) ■ nm contenido
conter [kɔ̃te] vt contar, relatar; **il m'en a conté de belles!** ¡lo que me ha contado!

contestable [kɔ̃tɛstabl] *adj* discutible

conteste [kɔ̃tɛst]: **sans ~** *adv* sin discusión

contester [kɔ̃tɛste] *vt* discutir, cuestionar ■ *vi* discutir

contexte [kɔ̃tɛkst] *nm* (*aussi fig*) contexto

continent [kɔ̃tinɑ̃] *nm* continente *m*

continu, e [kɔ̃tiny] *adj* continuo(-a); **(courant) ~** (*corriente f*) continua

continuel, e [kɔ̃tinɥɛl] *adj* (*qui se répète*) constante; (*continu: pluie etc*) continuo(-a)

continuer [kɔ̃tinɥe] *vt* continuar; (*voyage, études etc*) continuar, proseguir; (*suj: allée, rue*) seguir a continuación de ■ *vi* continuar; (*voyageur*) continuar, seguir; **se continuer** *vpr* continuar; **vous continuez tout droit** siga todo derecho; **~ à** *ou* **de faire** seguir haciendo

contourner [kɔ̃turne] *vt* (*aussi fig*) rodear, evitar

contraceptif, -ive [kɔ̃trasɛptif, iv] *adj* anticonceptivo(-a) ■ *nm* anticonceptivo

contraception [kɔ̃trasɛpsjɔ̃] *nf* contracepción *f*

contracté, e [kɔ̃trakte] *adj* (*muscle*) contraído(-a); (*personne*) tenso(-a); **article ~** (*Ling*) artículo contracto

contracter [kɔ̃trakte] *vt* (*aussi fig*) contraer; (*assurance*) contratar; **se contracter** *vpr* (*métal, muscles*) contraerse; (*fig: personne*) crisparse

contractuel, le [kɔ̃traktɥɛl] *adj* contractual ■ *nm/f* (*agent*) controlador(a) del estacionamiento; (*employé*) empleado(-a) eventual del estado

contradiction [kɔ̃tradiksjɔ̃] *nf* contradicción *f*; **en ~ avec** en contradicción con

contradictoire [kɔ̃tradiktwar] *adj* contradictorio(-a); **débat ~** debate *m* contradictorio

contraignant, e [kɔ̃trɛɲɑ̃, ɑ̃t] *vb voir* **contraindre** ■ *adj* apremiante

contraindre [kɔ̃trɛ̃dr] *vt*: **~ qn à qch/à faire qch** forzar a algn a algo/a hacer algo

contrainte [kɔ̃trɛ̃t] *nf* coacción *f*; **sans ~** sin coacción

contraire [kɔ̃trɛr] *adj* contrario(-a), opuesto(-a) ■ *nm* contrario; **~ à** contrario(-a) a, opuesto(-a) a; **au ~** al contrario; **je ne peux pas dire le ~** no puedo decir lo contrario; **le ~ de** lo contrario de

contrarier [kɔ̃trarje] *vt* (*irriter*) contrariar; (*mouvement, action*) dificultar

contrariété [kɔ̃trarjete] *nf* contrariedad *f*

contraste [kɔ̃trast] *nm* contraste *m*

contrat [kɔ̃tra] *nm* contrato; (*accord*) acuerdo; **~ de mariage/travail** contrato de matrimonio/trabajo

contravention [kɔ̃travɑ̃sjɔ̃] *nf* (*infraction*) contravención *f*; (*amende*) multa; **dresser ~ à** poner una multa a

contre [kɔ̃tr] *prép* contra; (*en échange*) por; **par ~** en cambio

contrebande [kɔ̃trəbɑ̃d] *nf* contrabando; **faire la ~ de** hacer contrabando de

contrebas [kɔ̃trəba]: **en ~** *adv* más abajo

contrebasse [kɔ̃trəbas] *nf* contrabajo

contrecœur [kɔ̃trəkœr]: **à ~** *adv* de mala gana, a regañadientes

contrecoup [kɔ̃trəku] *nm* rebote *m*; **par ~** de rebote

contredire [kɔ̃trədir] *vt* contradecir; **se contredire** *vpr* contradecirse

contrefaçon [kɔ̃trəfasɔ̃] *nf* falsificación *f*; **~ de brevet** falsificación de la patente

contre-indication [kɔ̃trɛ̃dikasjɔ̃] (*pl* **~s**) *nf* contraindicación *f*

contre-indiqué, e [kɔ̃trɛ̃dike] (*pl* **~s, es**) *adj* contraindicado(-a)

contremaître [kɔ̃trəmɛtr] *nm* contramaestre *m*, capataz *m*

contre-plaqué [kɔ̃trəplake] (*pl* **~s**) *nm* contrachapado

contresens [kɔ̃trəsɑ̃s] *nm* contrasentido; **à ~** en sentido contrario

contretemps [kɔ̃trətɑ̃] *nm* contratiempo; **à ~** (*Mus*) a contratiempo; (*fig*) a destiempo

contribuer [kɔ̃tribɥe]: **~ à** *vt* contribuir a

contribution [kɔ̃tribysjɔ̃] *nf* contribución *f*; **les contributions** (*Admin*) la oficina de recaudación; **mettre à ~** utilizar los servicios de; **~s directes/indirectes** impuestos *mpl* directos/indirectos

contrôle [kɔ̃trol] *nm* (*Scol, d'un véhicule, gén*) control *m*; (*vérification*) control, comprobación *f*; (*maîtrise: de soi*) control, dominio; **~ continu** (*Scol*) evaluación *f* continua; **~ d'identité** control de identidad; **~ des changes/des prix** control de cambios/de precios; **~ des naissances** control de natalidad; **~ judiciaire** control judicial

contrôler [kɔ̃trole] *vt* controlar; (*vérifier*) comprobar; (*maîtriser*) dominar, controlar; **se contrôler** vpr (personne) controlarse, dominarse

contrôleur, -euse [kɔ̃trolœr, øz] nm/f revisor(a), inspector(a) de boletos (AM); **~ aérien** controlador m aéreo; **~ de la navigation aérienne** controlador del tráfico aéreo; **~ des postes** inspector m de correos; **~ financier** interventor m

controversé, e [kɔ̃trɔvɛrse] adj controvertido(-a)

contusion [kɔ̃tyzjɔ̃] nf contusión f

convaincre [kɔ̃vɛ̃kr] vt: **~ qn (de qch/ de faire)** convencer a algn (de algo/para que haga); **~ qn de** (Jur) inculpar a algn de

convalescence [kɔ̃valesɑ̃s] nf convalecencia; **maison de ~** casa de reposo

convenable [kɔ̃vnabl] adj (personne, manières) decoroso(-a), correcto(-a); (moment, endroit) adecuado(-a); (salaire, travail) aceptable

convenir [kɔ̃vnir] vi convenir; **~ à** (être approprié à) ser apropiado(-a) para; (être utile à) venir bien a; (arranger, plaire à) convenir a; **il convient de** (bienséant) es conveniente; **~ de** (admettre) admitir, reconocer; (fixer) convenir, acordar; **~ que** (admettre) admitir que; **~ de faire qch** acordar hacer algo; **il a été convenu que/de faire ...** se ha acordado que/ hacer ...; **comme convenu** como estaba acordado

convention [kɔ̃vɑ̃sjɔ̃] nf (accord) convenio; (Art, Théâtre) reglas fpl; (Pol) convención f; **conventions** nfpl (règles, convenances) convenciones fpl; **de ~** convencional; (péj) de cumplido; **~ collective** convenio colectivo

conventionné, e [kɔ̃vɑ̃sjɔne] adj (clinique) concertado(-a); (médecin, pharmacie) que tiene un acuerdo con la Seguridad Social

convenu, e [kɔ̃vny] pp, adj (heure) acordado(-a)

conversation [kɔ̃vɛrsasjɔ̃] nf conversación f; **avoir de la ~** tener conversación

convertir [kɔ̃vɛrtir] vt: **~ qn (à)** convertir a algn (a); **se convertir** vpr convertirse; **~ qch en** transformar algo en, convertir algo en

conviction [kɔ̃viksjɔ̃] nf convicción f; **sans ~** sin convicción

convienne etc [kɔ̃vjɛn] vb voir **convenir**

convivial, e [kɔ̃vivjal, jo] adj sociable; (Inform) fácil de usar

convocation [kɔ̃vɔkasjɔ̃] nf convocatoria

convoquer [kɔ̃vɔke] vt (assemblée, candidat) convocar; (subordonné, témoin) convocar, citar; (patient) citar; **~ qn (à)** convocar a algn (a)

coopération [kɔɔperasjɔ̃] nf cooperación f; **la C~ militaire/ technique** la cooperación militar/técnica

coopérer [kɔɔpere] vi: **~ (à)** cooperar (en)

coordonné, e [kɔɔrdɔne] adj coordinado(-a); **coordonnés** nmpl (vêtements) coordinados mpl

coordonner [kɔɔrdɔne] vt coordinar

copain, copine [kɔpɛ̃, kɔpin] nm/f (ami) amigo(-a); (de classe) compañero(-a); ■ adj: **être ~ avec** ser amigo(-a) de

copie [kɔpi] nf copia; (feuille d'examen) hoja de examen; (devoir) examen m; (Journalisme) ejemplar m; **~ certifiée conforme** copia compulsada; **~ papier** copia impresa

copier [kɔpje] vt copiar ■ vi (tricher) copiar; **~ sur** copiar a; **~ coller** (Inform) copiar y pegar

copieur [kɔpjœr] nm copiadora

copieux, -euse [kɔpjø, jøz] adj (repas) copioso(-a), abundante; (portion, notes, exemples) abundante

copine [kɔpin] nf voir **copain**

coq [kɔk] nm gallo ■ adj inv: **poids ~** (Boxe) peso gallo; **~ au vin** pollo al vino; **~ de bruyère** urogallo; **le ~ du village** (fig, péj) el Don Juan del pueblo

coque [kɔk] nf (de noix) cáscara; (de bateau, d'avion) casco; (mollusque) berberecho; **à la ~** (Culin) pasado por agua

coquelicot [kɔkliko] nm amapola

coqueluche [kɔklyʃ] nf (Méd) tos ferina; **être la ~ de** (fig) ser el (la) preferido(-a) de

coquet, te [kɔkɛ, ɛt] adj (qui veut plaire) coqueto(-a); (bien habillé) elegante; (robe, appartement) coquetón(-ona); (salaire) considerable; (somme) bonito(-a)

coquetier [kɔk(ə)tje] nm huevera

coquillage [kɔkijaʒ] nm (mollusque) marisco; (coquille) concha

coquille [kɔkij] nf (de mollusque) concha; (de noix, d'œuf) cáscara; (Typo) errata; **~ de noix** (Naut) barquita; **~ d'œuf** adj inv (couleur) blanquecino(-a); **~ St Jacques** vieira

coquin, e [kɔkɛ̃, in] adj (enfant, sourire, regard) pícaro(-a); (histoire) picarón(-ona) ■ nm/f pícaro(-a)

cor [kɔr] nm (Mus) trompa; (au pied) callo; **réclamer à ~ et à cri** reclamar a grito pelado; **~ anglais** corno inglés; **~ de chasse** cuerno de caza

corail, -aux [kɔraj, o] nm coral m

Coran [kɔrɑ̃] nm: **le ~** el Corán

corbeau, x [kɔrbo] nm cuervo

corbeille [kɔrbɛj] nf cesta; (Inform) papelera de reciclaje; (Théâtre) piso principal; **la ~** (à la Bourse) el corro; **~ à ouvrage** costurero; **~ à pain** cesta del pan; **~ à papiers** cesto de los papeles; **~ de mariage** regalos mpl de boda

corde [kɔrd] nf (gén) cuerda; (de violon, raquette) cuerda; **la ~** (trame de tissu) la trama; (Athlétisme, Auto) la cuerda; **les ~s** (Boxe) las cuerdas; **la ~ sensible** la vena sensible; **les (instruments à) ~s** los instrumentos de cuerda; **tapis/semelles de ~** alfombra/suelas fpl de esparto; **tenir la ~** (Athlétisme, Auto) llevar la cuerda; **tomber des ~s** llover a cántaros; **tirer sur la ~** tirar de la cuerda; **usé jusqu'à la ~** raído; **~ à linge** tendedero; **~ à nœuds** cuerda de nudos; **~ à sauter** comba; **~ lisse/raide** cuerda lisa/floja; **~s vocales** cuerdas fpl vocales

cordée [kɔrde] nf cordada

cordialement [kɔrdjalmɑ̃] adv cordialmente

cordon [kɔrdɔ̃] nm cordón m; **~ littoral** cordón litoral; **~ ombilical** cordón umbilical; **~ sanitaire/de police** cordón sanitario/policial

cordonnerie [kɔrdɔnri] nf zapatería

cordonnier [kɔrdɔnje] nm zapatero

Corée [kɔre] nf Corea; **la ~ du Sud/du Nord** Corea del Sur/del Norte; **la République (démocratique populaire de) ~** la República (democrática popular de) Corea

coriace [kɔrjas] adj correoso(-a)

corne [kɔrn] nf cuerno; **~ d'abondance** cuerno de la abundancia; **~ de brume** sirena de bruma

cornée [kɔrne] nf córnea

corneille [kɔrnɛj] nf corneja

cornemuse [kɔrnəmyz] nf cornamusa, gaita; **joueur de ~** gaitero

cornet [kɔrnɛ] nm cucurucho; **~ à piston** cornetín m

corniche [kɔrniʃ] nf (d'armoire) cornisa; (route) carretera de cornisa

cornichon [kɔrniʃɔ̃] nm pepinillo

corporel, le [kɔrpɔrɛl] adj corporal; **soins ~s** cuidados mpl corporales

corps [kɔr] nm (aussi fig) cuerpo; **à son ~ défendant** a pesar suyo; **à ~ perdu** en cuerpo y alma; **le ~ diplomatique** el cuerpo diplomático; **perdu ~ et biens** (Naut) perdido con toda su carga; **prendre ~** tomar cuerpo; **faire ~ avec** formar cuerpo con, confundirse con; **~ et âme** cuerpo y alma; **~ à ~** nm, adv cuerpo a cuerpo; **~ constitués** (Pol) instituciones fpl; **~ consulaire/législatif** cuerpo consular/legal; **~ de ballet/de garde** cuerpo de ballet/de guardia; **~ du délit** (Jur) cuerpo del delito; **~ électoral** censo electoral; **~ enseignant** cuerpo docente; **~ étranger** (Méd, Biol) cuerpo extraño; **~ expéditionnaire/d'armée** cuerpo expedicionario/de ejército; **~ médical** clase f médica

correct, e [kɔrɛkt] adj (exact, bienséant) correcto(-a); (honnête) justo(-a); (passable) correcto(-a), pasable

correcteur, -trice [kɔrɛktœr, tris] nm/f (d'examen) examinador(a); (Typo) corrector(a)

correction [kɔrɛksjɔ̃] nf corrección f; (idée, trajectoire) modificación f; (coups) paliza, golpiza (AM); **~ (des épreuves)** corrección (de pruebas); **~ sur écran** corrección en pantalla

correspondance [kɔrɛspɔ̃dɑ̃s] nf correspondencia; (de train, d'avion) empalme m; **ce train assure la ~ avec l'avion de 10 heures** este tren enlaza con el vuelo de las 10; **cours par ~** curso por correspondencia; **vente par ~** venta por correo

correspondant, e [kɔrɛspɔ̃dɑ̃, ɑ̃t] adj correspondiente ▪ nm/f corresponsal m/f; (au téléphone) interlocutor(a)

correspondre [kɔrɛspɔ̃dr] vi corresponder; (chambres) corresponderse; **~ à** corresponder a; (se rapporter à) corresponderse con; **~ avec qn** cartearse con algn

corrida [kɔrida] nf corrida

corridor [kɔridɔr] nm pasillo

corrigé [kɔriʒe] nm (Scol) solución f

corriger [kɔriʒe] vt (aussi Méd) corregir; (idée, trajectoire) rectificar; (punir) castigar; **~ qn de qch** (défaut) corregir (algo) a algn; **il l'a corrigé** le dio una paliza; **se ~ de** corregirse de

corrompre [kɔrɔ̃pr] vt corromper

corruption [kɔrypsjɔ̃] nf corrupción f

corse [kɔrs] adj corso(-a) ▪ nf: **la C~** Córcega ▪ nm/f: **Corse** corso(-a)

corsé, e [kɔrse] adj (café etc) fuerte; (problème) arduo(-a); (histoire) escabroso(-a)

cortège [kɔrtɛʒ] nm (funèbre) comitiva; (de manifestants) desfile m

cortisone [kɔrtizɔn] nf cortisona

corvée [kɔrve] nf (aussi Mil) faena

cosmétique [kɔsmetik] nm (pour les cheveux) fijador m; (produit de beauté) cosmético

cosmopolite [kɔsmɔpɔlit] adj cosmopolita

costaud, e [kɔsto, od] adj robusto(-a)

costume [kɔstym] nm traje m; (de théâtre) vestuario

costumé, e [kɔstyme] adj disfrazado(-a)

cote [kɔt] nf (d'une valeur boursière) cotización f; (d'une voiture, d'un timbre) valoración f; (d'un cheval): **la ~ de** la clasificación de; (d'un candidat etc) popularidad f; (mesure) cota; (de classement, d'un document) signatura; **avoir la ~** estar muy cotizado(-a); **inscrit à la ~** registrado; **~ d'alerte** nivel m de alarma; **~ de popularité** cota de popularidad; **~ mal taillée** (fig) cuenta aproximada

côte [kɔt] nf (rivage) costa; (pente) cuesta; (Anat, Boucherie) costilla; (d'un tricot, tissu) canalé m; **point de ~s** (Tricot) punto de canalé; **~ à ~** uno al lado de otro; **la ~ (d'Azur)** la costa Azul; **la C~ d'Ivoire** la costa de Marfil

côté [kote] nm (gén, Géom) lado m; (du corps) costado; (feuille) cara; (de la rivière) orilla; **de 10 m de ~** de 10 m. de lado; **des deux ~s de la route/frontière** en ambos lados de la carretera/frontera; **de tous les ~s** por todos lados, por todas partes; **de quel ~ est-il parti?** ¿en qué dirección salió?; **de ce/de l'autre ~** de este/del otro lado; **d'un ~ ... de l'autre ~** por una parte ... por otra; **du ~ de** (provenance) por el lado de; (direction) en dirección de; **du ~ de Lyon** (proximité) por Lyon; **de ~** (marcher, regarder) de lado; (être, se tenir) a un lado; **laisser de ~** dejar de lado; **mettre de ~** poner a un lado; **sur le ~ de** por el lado de; **de chaque ~ (de)** a cada lado (de), a ambos lados (de); **du ~ gauche** por la izquierda; **de mon ~** por mi parte; **regarder de ~** mirar de soslayo; **à ~** al lado; **à ~ de** (aussi fig) al lado de; **à ~ (de la cible)** cerca de la diana); **être aux ~s de** estar al/del lado de

côtelette [kotlɛt] nf chuleta

côtier, -ière [kotje, jɛʀ] adj costero(-a)

cotisation [kɔtizasjɔ̃] nf (à un club, syndicat) cuota; (pour une pension, sécurité sociale) cotización f

cotiser [kɔtize] vi (à une assurance etc): **~ (à)** cotizar; (à une association) pagar la cuota (de); **se cotiser** vpr pagar a escote

coton [kɔtɔ̃] nm algodón m; **drap/robe de ~** sábana/vestido de algodón; **~ hydrophile** algodón hidrófilo

Coton-Tige® [kɔtɔ̃tiʒ] (pl **Cotons-Tiges**) nm bastoncillo

cou [ku] nm cuello

couchant [kuʃɑ̃] adj: **soleil ~** sol m poniente

couche [kuʃ] nf (de bébé) pañal m; (gén, Géologie) capa; **couches** nfpl (Méd) parto m; **~s sociales** capas fpl sociales

couché, e [kuʃe] adj tumbado(-a), tendido(-a); (au lit) acostado(-a)

coucher [kuʃe] nm (du soleil) puesta (de sol) ■ vt (mettre au lit) acostar; (étendre) tumbar, tender; (loger) alojar; (idées) anotar ■ vi dormir; (fam): **~ avec qn** acostarse con algn; **se coucher** vpr (pour dormir) acostarse; (pour se reposer) tumbarse, acostarse; (se pencher) inclinarse; (soleil) ponerse; **à prendre avant le ~** (Méd) tomar antes de acostarse; **~ de soleil** puesta de sol

couchette [kuʃɛt] nf litera

coucou [kuku] nm cuclillo ■ excl ¡hola!

coude [kud] nm codo; (de la route) recodo; **~ à ~** codo a codo

coudre [kudʀ] vt, vi coser

couette [kwɛt] nf (édredon) edredón m; **couettes** nfpl (cheveux) coletas fpl

couffin [kufɛ̃] nm (de bébé) moisés m

couler [kule] vi (fleuve) fluir; (liquide, sang) correr; (stylo) perder tinta; (récipient) gotear; (nez) moquear; (bateau) hundirse ■ vt colar; (bateau) hundir; (entreprise) hundir, arruinar; **se couler dans** vpr colarse en; **~ une vie heureuse** llevar una vida feliz; **faire ou laisser ~** dejar correr; **faire ~ un bain** preparar un baño; **~ une bielle** (Auto) fundir una biela; **~ de source** caer por su peso; **~ à pic** irse a pique

couleur [kulœʀ] nf (aussi fig) color m; (Cartes) palo; **couleurs** nfpl (du teint, dans un tableau) colores mpl, colorido; (Mil) bandera; **film/télévision en ~s** película/televisión f en color; **de ~** de color; **sous ~ de faire** con el pretexto de hacer

couleuvre [kulœvʀ] nf culebra

coulisse [kulis] nf (Tech) ranura; **coulisses** nfpl (Théâtre) bastidores mpl; (fig): **dans les ~s** entre bastidores; **porte à ~** puerta de corredera

coup [ku] nm golpe m; (avec arme à feu) disparo; (frappé par une horloge) campanada; (fam: fois) vez f; (Sport: geste) jugada; (Échecs) movimiento; **à ~s de hache** a hachazos; **à ~s de marteau** a martillazos; **être sur un ~** tener un

asustillo entre manos; **en ~ de vent**
como un rayo; **donner un ~ de corne à
qn** dar una cornada a algn; **donner** ou
passer un ~ de balai (dans) dar un
barrido (a), pasar la escoba (por); **boire
un ~** echar un trago; **à tous les ~s** todas
las veces; **à tous les ~s il a oublié** seguro
que se le ha olvidado; **être dans le/hors
du ~** estar/no estar en el ajo; **il a raté son
~** le falló la jugada; **du ~** así que; **pour le ~**
por una vez; **d'un seul ~** (subitement) de
repente; (à la fois) de un solo golpe; **du
premier ~** al primer intento; **faire un ~
bas à qn** dar un golpe bajo a algn; **du
même ~** al mismo tiempo; **à ~ sûr** ...
seguro que ...; **après ~** después; **~ sur ~**
uno(-a) tras otro(-a); **sur le ~** en el acto;
sous le ~ de (surprise etc) afectado(-a)
por; **tomber sous le ~ de la loi** (Jur) caer
bajo el peso de la ley; **~ d'éclat** proeza;
~ d'envoi saque m de centro; **~ d'essai**
ensayo; **~ d'État** golpe de estado; **~ d'œil**
vistazo, ojeada; **~ de chance** golpe de
suerte; **~ de chapeau** sombrerazo; **~ de
coude** codazo; **~ de couteau** cuchillada;
~ de crayon trazo; **~ de feu** disparo;
~ de fil (fam) llamada; **~ de filet** redada;
~ de foudre flechazo; **~ de fouet**
latigazo; **~ de frein** (Auto) frenazo;
~ de fusil clavada; **~ de genou** rodillazo;
~ de grâce golpe de suerte; **~ de main:
donner un ~ de main à qn** echar una
mano a algn; **~ de maître** acción f
magistral; **~ de pied** patada; **~ de
pinceau** pincelada; **~ de poing**
puñetazo; **~ de soleil** insolación f; **~ de
sonnette** timbrazo; **~ de téléphone**
telefonazo, llamado (AM); **~ de tête** (fig)
cabezonada; **~ de théâtre** (fig) hecho
imprevisto; **~ de tonnerre** trueno; **~ de
vent** ráfaga de viento; **~ du lapin** (Auto)
golpe en la nuca; **~ dur** golpe duro; **~
fourré** mala jugada; **~ franc** golpe
franco; **~ sec** golpe seco
coupable [kupabl] adj, nm/f culpable
m/f
coupe [kup] nf corte f; (verre, Sport) copa;
(à fruits) frutero; **~ transversal**, **être sous la ~ de** estar bajo
la férula de; **faire des ~s sombres dans**
hacer un recorte drástico en
couper [kupe] vt cortar; (retrancher)
suprimir; (eau, courant) cortar, quitar;
(appétit, fièvre) quitar; (vin, liquide) aguar;
(Tennis etc) volear ■ vi cortar; (prendre un
raccourci) atajar; (Cartes) cortar; (: avec
l'atout) cortar triunfo; **se couper** vpr
cortarse; (en témoignant etc)

contradecirse; **se faire ~ les cheveux**
cortarse el pelo; **~ l'appétit à qn** quitar el
apetito a algn; **~ la parole à qn** quitar la
palabra a algn, interrumpir a algn; **~ les
vivres à qn** suprimir los subsidios a algn;
~ le contact (Auto) quitar el contacto; **~
les ponts (avec qn)** cortar el contacto
(con algn)
couple [kupl] nm pareja; **~ de torsion**
par m de torsión
couplet [kuplɛ] nm (Mus) copla, estrofa;
(péj) cantilena
coupole [kupɔl] nf cúpula
coupon [kupɔ̃] nm (ticket) cupón m,
bono; (tissu: rouleau) pieza; (: reste)
retal m
coupure [kupyʀ] nf corte m; (billet de
banque) billete m de banco; (de presse)
recorte m; **~ de courant/d'eau** corte de
corriente/de agua
cour [kuʀ] nf (de ferme) corral m; (jardin,
immeuble) patio; (Jur) tribunal m; (royale)
corte f; **faire la ~ à qn** hacer la corte a
algn; **~ d'appel** ≈ tribunal de apelación;
~ d'assises ≈ Audiencia; **~ de cassation**
≈ tribunal supremo; **~ de récréation**
patio; **~ des comptes** (Admin) tribunal
de cuentas; **~ martiale** tribunal
militar
courage [kuʀaʒ] nm valor m; (ardeur,
énergie) coraje m; **un peu de ~** ánimo;
bon ~! ¡ánimo!
courageux, -euse [kuʀaʒø, øz] adj
valiente, valeroso(-a)
couramment [kuʀamɑ̃] adv (souvent)
frecuentemente; (parler) con soltura
courant, e [kuʀɑ̃, ɑ̃t] adj (fréquent)
corriente, común; (gén, Comm) corriente;
(en cours) en curso ■ nm (aussi fig)
corriente f; **être au ~ (de)** estar al
corriente (de); **mettre qn au ~ (de)** poner
a algn al corriente (de); **se tenir au ~ (de)**
mantenerse al corriente (de); **dans le ~
de** durante; **~ octobre** a lo largo de
octubre; **le 10** ~ el 10 del corriente; **~ d'air**
corriente de aire; **~ électrique** corriente
eléctrica
courbature [kuʀbatyʀ] nf
agotamiento; (Sport) agujetas fpl
courbe [kuʀb] adj curvo(-a) ■ nf curva;
~ de niveau curva de nivel
coureur, -euse [kuʀœʀ, øz] nm/f
corredor(a) ■ adj m, nm (péj) mujeriego
■ adj f, nf (péj) pendón m; **~ automobile**
corredor automovilístico; **~ cycliste**
ciclista m
courge [kuʀʒ] nf calabaza
courgette [kuʀʒɛt] nf calabacín m

courir [kuʀiʀ] vi (aussi fig) correr ◼ vt (Sport) disputar; (danger, risque) correr; ~ **les cafés/bals** frecuentar los cafés/baile; ~ **les magasins** ir de compras, ir de tiendas; **le bruit court que ...** corre la voz de que ...; **par le temps qui courent** en los tiempos que corren, en estos tiempos; ~ **après qn** correr detrás de algn; (péj) andar detrás de algn; **laisser~ qch/qn** dejar en paz algo/a algn; **faire~ qn** llevar a algn al retortero; **tu peux (toujours) ~!** ¡espera sentado!
couronne [kuʀɔn] nf (aussi fig) corona; ~ **(funéraire** ou **mortuaire)** corona (mortuoria)
courons etc [kuʀɔ̃] vb voir **courir**
courriel [kuʀjɛl] nm mail m, email m, correo electrónico; **envoyer qch par ~** enviar algo por mail ou email ou correo electrónico
courrier [kuʀje] nm correo; (rubrique) prensa; **qualité ~** calidad f de correspondencia; **long/moyen ~** (Aviat) avión m de distancias largas/medias; ~ **du cœur** prensa del corazón; ~ **électronique** correo electrónico
courroie [kuʀwa] nf correa; ~ **de transmission/de ventilateur** correa de transmisión/del ventilador
courrons etc [kuʀɔ̃] vb voir **courir**
cours [kuʀ] vb voir **courir** ◼ nm clase f; (série de leçons) clases fpl, curso; (établissement) academia; (des événements, d'une rivière) curso; (avenue) avenida, paseo; (Comm) valor m, precio; (Bourse) cotización f; (des matières premières) valor; (déroulement) transcurso; **donner libre ~ à** dar rienda suelta a; **avoir ~** (monnaie) estar en circulación; (fig) estilarse; (Scol) tener clase; **en ~** (année) en curso; (travaux) en curso, pendiente; **en ~ de route** en el camino; **au ~ de** durante, en el transcurso de; **le ~ du change** el cambio; ~ **d'eau** río; ~ **du soir** (Scol) clase nocturna; ~ **élémentaire** (Scol) ciclo inicial de educación primaria en el sistema francés; ~ **moyen** (Scol) ciclo medio de educación primaria en el sistema francés; ~ **préparatoire** (Scol) año preparatorio de educación primaria en el sistema francés
course [kuʀs] nf (gén, d'un taxi, du soleil) carrera; (d'un projectile) trayectoria; (d'une pièce mécanique) recorrido; (excursion en montagne) marcha, excursión f; (autocar) recorrido; (petite mission) recado; **courses** nfpl compras fpl; (Hippisme) carreras fpl hípicas; **faire les**

ou **ses ~s** ir de compras; **jouer aux ~s** apostar en las carreras; **à bout de ~** reventado(-a); (en hauteur) carrera a pie/automovilística; ~ **de côte** (Auto) carrera de ascensión; ~**s de chevaux** carreras de caballos; ~ **d'obstacles/de vitesse/par étapes** carrera de obstáculos/de velocidad/por etapas
court, e [kuʀ, kuʀt] adj (temps) corto(-a), breve; (en longueur, distance) corto(-a); (en hauteur) bajo(-a) ◼ adv corto ◼ nm (de tennis) pista, cancha; **tourner ~** cambiar completamente; **couper ~ à ...** acabar con ...; **à ~ de** escaso de; **prendre qn de ~** pillar a algn de imprevisto; **ça fait ~** es un poco escaso; **pour faire ~** para abreviar; **avoir le souffle ~** quedarse en seguida sin aliento; **tirer à la ~e paille** echar pajas; **faire la ~e échelle à qn** aupar a algn; ~ **métrage** (Ciné) cortometraje m
court-circuit [kuʀsiʀkɥi] (pl **courts-circuits**) nm cortocircuito
courtoisie [kuʀtwazi] nf cortesía
couru [kuʀy] pp de **courir** ◼ adj (spectacle) concurrido(-a); **c'est ~ (d'avance)!** (fam) ¡está claro!
cousais etc [kuze] vb voir **coudre**
couscous [kuskus] nm cuscús m, alcuzcuz m
cousin, e [kuzɛ̃, in] nm/f primo(-a); (Zool) mosquito; ~ **germain** primo carnal; ~ **issu de germain** primo segundo
coussin [kusɛ̃] nm cojín m; (Tech) almohadilla; ~ **d'air** (Tech) almohadilla neumática
cousu, e [kuzy] pp de **coudre** ◼ adj: ~ **d'or** forrado(-a) de dinero
coût [ku] nm (d'un travail, objet) coste m, precio; **le ~ de la vie** el coste de la vida
couteau, x [kuto] nm cuchillo; ~ **à cran d'arrêt** navaja de resorte; ~ **à pain/de cuisine** cuchillo del pan/de cocina; ~ **de poche** navaja de bolsillo
coûter [kute] vt (aussi fig) costar ◼ vi: ~ **à qn** costarle a algn; ~ **cher** costar caro; **ça va lui ~ cher** (fig) va a pagarlo caro; **combien ça coûte?** ¿cuánto cuesta?, ¿cuánto vale?; **coûte que coûte** a toda costa
coûteux, -euse [kutø, øz] adj costoso(-a); (fig) sacrificado(-a)
coutume [kutym] nf costumbre f; (Jur): **la ~** el derecho consuetudinario; **de ~** de costumbre, de ordinario
couture [kutyʀ] nf costura

couturier [kutyʀje] *nm* modisto
couturière [kutyʀjɛʀ] *nf* modista
couvent [kuvã] *nm* convento
couver [kuve] *vt* (*œufs, maladie*) incubar; (*personne*) mimar ■ *vi* (*feu*) mantenerse; (*révolte*) incubarse, prepararse; **~ qch/qn des yeux** no quitar los ojos de algo/de algn; (*convoiter*) comerse con los ojos algo/a algn
couvercle [kuvɛʀkl] *nm* tapa
couvert, e [kuvɛʀ, ɛʀt] *pp de* **couvrir** ■ *adj* (*ciel, coiffé d'un chapeau*) cubierto(-a); (*protégé*) protegido(-a), resguardado(-a) ■ *nm* cubierto; **couverts** *nmpl* cubiertos *mpl*; **~ de** cubierto(-a) por; **bien ~** bien abrigado(-a); **mettre le ~** poner la mesa; **service de 12 ~s en argent** juego de 12 cubiertos de plata; **à ~** a cubierto, a resguardo; **sous le ~ de** bajo la apariencia de
couverture [kuvɛʀtyʀ] *nf* (*de lit*) manta, frazada (*AM*), cobija (*AM*); (*de bâtiment*) cubierta; (*de livre, cahier*) forro; (*d'un espion*) máscara; (*Assurance, Presse*) cobertura; **de ~** (*lettre etc*) de garantía; **~ chauffante** manta térmica
couvre-lit [kuvʀəli] (*pl* **~s**) *nm* colcha
couvrir [kuvʀiʀ] *vt* cubrir; (*d'ornements, d'éloges*): **~ qch/qn de** cubrir a algo/algn de; (*supérieur hiérarchique*) proteger; (*voix, pas*) cubrir, tapar; (*erreur*) ocultar; (*distance*) recorrer; (*Zool*) cubrir; **se couvrir** *vpr* cubrirse; **se ~ de** (*fleurs, boutons*) llenarse de
cow-boy [koboj] (*pl* **~s**) *nm* vaquero
crabe [kʀab] *nm* cangrejo (de mar)
cracher [kʀaʃe] *vi, vt* escupir; (*lave, injures*) escupir, arrojar; **~ du sang** escupir sangre
crachin [kʀaʃɛ̃] *nm* llovizna, garúa (*AM*)
craie [kʀɛ] *nf* (*substance*) greda; (*morceau*) tiza, gis *m* (*Mex*)
craindre [kʀɛ̃dʀ] *vt* temer; (*être sensible à*) no tolerar; **je crains que vous (ne) fassiez erreur** (me) temo que se equivoca; **~ de/que** temer/temer que; **crains-tu de ...?** ¿temes ...?
crainte [kʀɛ̃t] *nf* temor *m*; **soyez sans ~** no tema nada; **(de) ~ de/que** por temor a/a que
craintif, -ive [kʀɛ̃tif, iv] *adj* temeroso(-a)
crampe [kʀãp] *nf* calambre *m*; **~ d'estomac** cólico de estómago
crampon [kʀãpɔ̃] *nm* (*de semelle*) taco; (*Alpinisme*) crampón *m*
cramponner [kʀãpɔne] *vpr*: **se**

cramponner: **se ~ (à)** agarrarse (a)
cran [kʀã] *nm* (*entaille, trou*) muesca; (*de courroie*) ojete *m*; (*courage*) agallas *fpl*; **être à ~** estar que se lo llevan los demonios; **~ d'arrêt** muelle *m*; **~ de sûreté** seguro
crapaud [kʀapo] *nm* sapo
craquement [kʀakmã] *nm* crujido
craquer [kʀake] *vi* (*bois, plancher*) crujir; (*fil, branche*) romperse; (*couture*) estallar; (*s'effondrer*) derrumbarse ■ *vt*: **~ une allumette** frotar una cerilla; **je craque** (*enthousiasme*) me vuelvo loco(-a)
crasse [kʀas] *nf* mugre *f* ■ *adj* (*ignorance*) craso(-a)
crasseux, -euse [kʀasø, øz] *adj* mugriento(-a), mugroso(-a) (*AM*)
cravache [kʀavaʃ] *nf* fusta
cravate [kʀavat] *nf* corbata
crawl [kʀol] *nm* crol *m*
crayon [kʀejɔ̃] *nm* lápiz *m*; (*de rouge à lèvres etc*) perfilador *m*, lápiz; **écrire au ~** escribir con lápiz; **~ à bille** bolígrafo; **~ couleur** lápiz de color; **~ optique** lápiz óptico
crayon-feutre [kʀejɔ̃føtʀ] (*pl* **crayons-feutres**) *nm* rotulador *m*
création [kʀeasjɔ̃] *nf* creación *f*; (*nouvelle robe, voiture etc*) creación, diseño
crèche [kʀɛʃ] *nf* (*de Noël*) nacimiento, belén *m*; (*garderie*) guardería
crédit [kʀedi] *nm* (*confiance, autorité, Écon*) crédito; (*d'un compte bancaire*) crédito, haber *m*; **crédits** *nmpl* fondos *mpl*; **payer/acheter à ~** pagar/comprar a plazos; **faire ~ à qn** tener confianza en algn
créditer [kʀedite] *vt*: **~ un compte (de)** abonar en cuenta
créer [kʀee] *vt* crear; (*spectacle*) montar; (*rôle*) crear
crémaillère [kʀemajɛʀ] *nf* cremallera; **direction à ~** (*Auto*) dirección *f* de cremallera; **pendre la ~** festejar el estreno de una casa
crème [kʀɛm] *nf* crema; (*du lait*) nata, crema; (*Pharmacie*) crema, pomada ■ *adj inv* crema; **un (café) ~** un café con leche; **~ à raser** crema de afeitar; **~ Chantilly** nata Chantilly; **~ fouettée** nata batida; **~ glacée** helado
crémeux, -euse [kʀemø, øz] *adj* cremoso(-a)
créneau, x [kʀeno] *nm* (*de fortification*) almena; (*fig*) hueco; (*Comm*) segmento de mercado; **faire un ~** (*Auto*) aparcar hacia atrás
crêpe [kʀɛp] *nf* crep *f*, panqueque *m* (*AM*)

■ nm (tissu) crespón m; (de deuil) crespón, gasa negra; (de crêpe); ~ **de Chine** crespón de China

crêperie [kʀepʀi] nf crepería

crépuscule [kʀepyskyl] nm crepúsculo

cresson [kʀesɔ̃] nm berro

creuser [kʀøze] vt cavar; (bois) vaciar; (problème, idée) cavilar; **ça creuse** (l'estomac) eso abre el apetito; **se ~ la cervelle** ou **la tête** romperse la cabeza

creuvaison [kʀøvezɔ̃] nf pinchazo

crevé, e [kʀøve] adj (pneu) pinchado(-a); (fam): **je suis ~** estoy reventado(-a)

crever [kʀøve] vt estallar, explotar ■ vi (pneu, automobiliste) pinchar; (abcès, outre) reventar; (nuage) descargar; (fam: mourir) palmarla; ~ **d'envie/de peur** morirse de ganas/de miedo; ~ **de faim/ de soif/de froid** morirse de hambre/de sed/de frío; ~ **l'écran** barrer; **cela lui a crevé un œil** esto le dejó tuerto

crevette [kʀøvɛt] nf: ~ **rose** gamba; ~ **grise** quisquilla, camarón m

cri [kʀi] nm grito; **à grands ~s** a grito pelado; **~s d'enthousiasme** gritos mpl de entusiasmo; **c'est le dernier ~** es el último grito; **~s de protestation** gritos de protesta

criard, e [kʀijaʀ, kʀijaʀd] adj (couleur) chillón(-ona)

cric [kʀik] nm (Auto) gato

crier [kʀije] vi gritar; (grincer) chirriar ■ vt (ordre) dar a gritos; (injure) lanzar; **sans ~ gare** sin avisar; ~ **au secours** pedir socorro; ~ **famine** quejarse de hambre; ~ **grâce** pedir merced; ~ **au scandale** poner el grito en el cielo; ~ **au meurtre** clamar contra el asesinato

crime [kʀim] nm crimen m

criminel, le [kʀiminɛl] adj (acte) criminal; (poursuites, droit) penal; (fig) abominable ■ nm/f criminal m/f; ~ **de guerre** criminal de guerra

crin [kʀɛ̃] nm crin f; (comme fibre) crin, cerda; **à tous ~s, à tout ~** de tomo y lomo

crinière [kʀinjɛʀ] nf (de cheval) crines fpl; (lion) melena

crique [kʀik] nf cala

criquet [kʀikɛ] nm langosta

crise [kʀiz] nf crisis f inv; ~ **cardiaque** ataque m cardíaco; ~ **de foie** cólico biliar;

~ **de la foi** crisis de (la) fe; ~ **de nerfs** ataque de nervios, crisis nerviosa

cristal, -aux [kʀistal, o] nm cristal m; (neige) cristal, copo; **cristaux** nmpl (objets de verre) cristalería fsg; ~ **de plomb** vidrio de plomo, cristal de plomo; ~ **de roche** cristal de roca; **cristaux de soude** sosa fsg en polvo

critère [kʀitɛʀ] nm criterio

critiquable [kʀitikabl] adj discutible

critique [kʀitik] adj crítico(-a) ■ nf (aussi article) crítica ■ nm crítico; **la ~** (activité, personnes) la crítica

critiquer [kʀitike] vt criticar

Croatie [kʀɔasi] nf Croacia

crochet [kʀɔʃɛ] nm gancho; (tige, clef) ganzúa; (détour) desvío, rodeo; (Tricot) ganchillo; (Boxe): ~ **du gauche** gancho de izquierda; **crochets** nmpl (Typo) corchetes mpl; **vivre aux ~s de qn** vivir a expensas de algn

crocodile [kʀɔkɔdil] nm cocodrilo

croire [kʀwaʀ] vt creer; ~ **qn honnête** creer en la honestidad de algn; **se ~ fort** considerarse fuerte; ~ **que** creer que; **j'aurais cru que si** hubiera creído que sí; **je n'aurais pas cru cela (de lui)** nunca lo hubiera pensado (de él); **vous croyez?** ¿lo cree usted?, ¿lo piensa usted?; **vous ne croyez pas?** ¿no lo cree así?; ~ **à** ou **en** creer en; ~ **(en Dieu)** creer (en Dios)

croîs [kʀwa] vb voir **croître**

croisade [kʀwazad] nf cruzada

croisement [kʀwazmɑ̃] nm (carrefour, Biol) cruce m

croiser [kʀwaze] vt cruzar; (personne, voiture) cruzarse con, encontrar ■ vi navegar; **se croiser** vpr cruzarse; ~ **les jambes/les bras** cruzar las piernas/los brazos; **se ~ les bras** (fig) cruzarse de brazos

croisière [kʀwazjɛʀ] nf crucero; **vitesse de ~** velocidad f de crucero

croissance [kʀwasɑ̃s] nf desarrollo, crecimiento; **troubles de la/maladie de ~** trastornos mpl/enfermedad f del crecimiento; ~ **économique** desarrollo económico

croissant, e [kʀwasɑ̃, ɑ̃t] vb voir **croître** ■ adj creciente ■ nm (gâteau) croissant m; (motif) media luna; ~ **de lune** media luna

croître [kʀwatʀ] vi crecer

croix [kʀwa] nf cruz f; **en ~** adj en cruz ■ adv en forma de cruz, en cruz; **la C~ Rouge** la Cruz Roja

croque-monsieur [kʀɔkməsjø] nm inv sandwich de jamón y queso (tostado)

croquer [kʀɔke] vt (manger, fruit) comer; (dessiner) bosquejar ■ vi crujir; **chocolat à ~** chocolate m para comer

croquis [kʀɔki] nm croquis m inv, boceto; (description) bosquejo

crotte [kʀɔt] nf caca; **~!** (fam) ¡córcholis!, ¡concho!

crottin [kʀɔtɛ̃] nm: **~ (de cheval)** excremento (de caballo); (petit fromage de chèvre) quesito redondo de cabra

croustillant, e [kʀustijɑ̃, ɑ̃t] adj crujiente; (histoire) picante

croûte [kʀut] nf (du fromage, pain) corteza; (de vol-au-vent) hojaldre m; (de glace) capa; (Méd) costra, postilla; (de tartre, peinture) costra; (péj: peinture) mamarracho; **en ~** (Culin) en pastel; **~ au fromage/aux champignons** rebanada de pan tostado con queso/con champiñones; **~ de pain** (morceau) mendrugo; **~ terrestre** corteza terrestre

croûton [kʀutɔ̃] nm (Culin) picatoste m; (extrémité: du pain) cuscurro

croyant, e [kʀwajɑ̃, ɑ̃t] vb voir **croire** ■ adj (Rel): **être/ne pas être ~** ser/no ser creyente ■ nm/f (Rel) creyente m/f

CRS [seeʀɛs] sigle fpl = Compagnies républicaines de sécurité

cru, e [kʀy] pp de **croire** ■ adj (non cuit) crudo(-a); (lumière, couleur) fuerte, vivo(-a); (description, langage) crudo(-a); (grossier) grosero(-a) ■ nm (vignoble) viñedo; (vin) caldo; **monter à ~** (cheval) montar a pelo; **de son (propre) ~** (fig) de su (propia) cosecha; **du ~** de la región

crû [kʀy] pp de **croître**

cruauté [kʀyote] nf crueldad f

cruche [kʀyʃ] nf cántaro

crucifix [kʀysifi] nm crucifijo

crudité [kʀydite] nf (d'un éclairage, d'une couleur) viveza; **crudités** nfpl (Culin) verduras fpl u hortalizas crudas

crue [kʀy] adj f voir **cru** ■ nf crecida; **en ~** con crecida

cruel, le [kʀyɛl] adj (personne, sort) cruel; (froid) despiadado(-a)

crus etc [kʀy] vb voir **croire**

crûs etc [kʀy] vb voir **croître**

crustacés [kʀystase] nmpl crustáceos mpl

Cuba [kyba] nm Cuba

cubain, e [kybɛ̃, ɛn] adj cubano(-a) ■ nm/f: **Cubain, e** cubano(-a)

cube [kyb] nm cubo; (Math): **2 au ~ = 8** 2 al cubo = 8; **gros ~** cubo grande; **mètre ~** metro cúbico; **élever au ~** (Math) elevar al cubo

cueillette [kœjɛt] nf recolección f, cosecha

cueillir [kœjiʀ] vt recoger; (attraper) pillar

cuiller [kɥijɛʀ] nf cuchara, **~ à café** cucharilla; **~ à soupe** cuchara sopera

cuillère [kɥijɛʀ] nf = **cuiller**

cuillerée [kɥijʀe] nf cucharada; **~ à soupe/café** cucharada sopera/de café

cuir [kɥiʀ] nm cuero

cuire [kɥiʀ] vt (aliments, poterie) cocer; (au four) asar ■ vi cocerse; (picoter) escocer; **bien cuit** (viande) bien hecho ou pasado; **trop cuit** demasiado hecho ou pasado; **pas assez cuit** no muy hecho ou pasado; **cuit à point** hecho en su punto

cuisine [kɥizin] nf cocina; (nourriture) comida; **faire la ~** preparar la comida

cuisiné, e [kɥizine] adj: **plat ~** plato cocinado

cuisiner [kɥizine] vt cocinar; (fam) acribillar a preguntas a ■ vi cocinar

cuisinier, -ière [kɥizinje, jɛʀ] nm/f cocinero(-a)

cuisinière [kɥizinjɛʀ] nf (poêle) cocina

cuisse [kɥis] nf (Anat) muslo; (de poulet) muslo; (de mouton) pierna

cuisson [kɥisɔ̃] nf cocción f

cuit, e [kɥi, kɥit] pp de **cuire** ■ adj cocido(-a); (viande): **bien/très ~** bien/muy hecho(-a)

cuivre [kɥivʀ] nm cobre m; **les ~s** (Mus) los cobres; **~ jaune** latón m; **~ (rouge)** cobre (rojizo)

cul [ky] (fam!) nm culo (fam!); **~ de bouteille** culo de botella

culbute [kylbyt] nf (en jouant) voltereta; (accidentelle) batacazo

culinaire [kylinɛʀ] adj culinario(-a)

culminant [kylminɑ̃] adj: **point ~** punto culminante

culot [kylo] nm (d'ampoule) casquillo; (effronterie) desfachatez f, descaro; **il a du ~** tiene cara

culotte [kylɔt] nf (pantalon) pantalón m corto; (d'homme) calzoncillos mpl, calzones mpl (AM); (de femme): **(petite) ~** bragas fpl, calzones mpl (AM); **~ de cheval** pantalón de montar; (chez les femmes) celulitis f inv

culte [kylt] nm culto

cultivateur, -trice [kyltivatœʀ, tʀis] nm/f cultivador(a)

cultivé, e [kyltive] adj (terre) cultivado(-a); (personne) culto(-a)

cultiver [kyltive] vt cultivar

culture [kyltyʀ] nf cultivo; (connaissances) cultura; **~s** cultivos mpl; **champs de ~s** campos mpl de cultivo; **~ physique** culturismo

culturel, le [kyltyʀɛl] *adj* cultural

cumin [kymɛ̃] *nm* comino

cure [kyʀ] *nf* (*Méd*) cura; (*Rel: fonction*) curato; (: *maison*) casa del cura; **faire une ~ de fruits** hacer una cura de frutas; **n'avoir ~ de** traerle a uno sin cuidado; **faire une ~ thermale** hacer una cura de aguas termales; **~ d'amaigrissement** régimen *m* de adelgazamiento; **~ de repos** cura de reposo; **~ de sommeil** cura de sueño

curé [kyʀe] *nm* cura *m*, párroco; **M. le ~** el Señor cura

cure-dent [kyʀdɑ̃] (*pl* **~s**) *nm* palillo, mondadientes *m inv*

curieusement [kyʀjøzmɑ̃] *adv* curiosamente

curieux, -euse [kyʀjø, jøz] *adj* curioso(-a) ■ *nmpl* curiosos *mpl*, mirones *mpl*

curiosité [kyʀjozite] *nf* curiosidad *f*; (*objet, site*) singularidad *f*

curriculum vitae [kyʀikylɔmvite] *nm inv* curriculum vitae *m*

cutané, e [kytane] *adj* cutáneo(-a)

cuve [kyv] *nf* cuba; (*à mazout etc*) depósito, tanque *m*

cuvette [kyvɛt] *nf* (*récipient*) palangana; (*du lavabo*) pila; (*des w-c*) taza; (*Géo*) hondonada

CV [seve] *sigle m* (= *cheval vapeur*) C.V. (= *caballos de vapor*); = *curriculum vitae*

cybercafé [sibɛʀkafe] *nm* cibercafé *m*

cyclable [siklabl] *adj*: **piste ~** pista para ciclistas

cycle [sikl] *nm* (*vélo*) velocípedo; (*naturel, biologique*) ciclo; **1er ~** (*Scol*) ≈ segunda etapa de educación primaria; **2ème ~** ≈ educación secundaria

cyclisme [siklism] *nm* ciclismo

cycliste [siklist] *nm/f* ciclista *m/f* ■ *adj*: **coureur ~** corredor *m* ciclista

cyclomoteur [siklomɔtœʀ] *nm* ciclomotor *m*

cyclone [siklon] *nm* ciclón *m*

cygne [siɲ] *nm* cisne *m*

cylindre [silɛ̃dʀ] *nm* cilindro; **moteur à 4 ~s en ligne** motor *m* de 4 cilindros en línea

cylindrée [silɛ̃dʀe] *nf* cilindrada; **une (voiture de) grosse ~** un coche de gran cilindrada

cymbale [sɛ̃bal] *nf* platillo

cynique [sinik] *adj* cínico(-a)

cystite [sistit] *nf* cistitis *f*

d

d' [d] *prép voir* **de**

dactylo [daktilo] *nf* (*aussi*: **dactylographe**) mecanógrafa; (*aussi*: **dactylographie**) mecanografía

dada [dada] *nm* tema *m* de siempre

daim [dɛ̃] *nm* (*Zool*) gamo; (*peau*) ante *m*; (*imitation*) piel *f* vuelta

dame [dam] *nf* señora; (*femme du monde*) dama; (*Cartes, Échecs*) reina; **dames** *nfpl* (*jeu*) damas *fpl*; **les (toilettes des) ~s** los servicios de señoras; **~ de charité** dama de la caridad; **~ de compagnie** señora de compañía

Danemark [danmaʀk] *nm* Dinamarca

danger [dɑ̃ʒe] *nm*: **le ~** el peligro; **un ~** un peligro; **être/mettre en ~** estar/poner en peligro; **être en ~ de mort** estar en peligro de muerte; **être hors de ~** estar fuera de peligro

dangereux, -euse [dɑ̃ʒʀø, øz] *adj* peligroso(-a)

danois, e [danwa, waz] *adj* danés(-esa) ■ *nm* (*Ling, chien*) danés *msg* ■ *nm/f*: **Danois, e** danés(-esa)

 MOT-CLÉ

dans [dɑ̃] *prép* **1** (*position*) en; **dans le tiroir/le salon** en el cajón/el salón;

marcher dans la ville andar por la ciudad; **je l'ai lu dans un journal** lo leí en un periódico; **monter dans une voiture/ le bus** subir en un coche/el autobús; **dans la rue** en la calle; **être dans les premiers** ser de los primeros **2** (*direction*) a; **elle a couru dans le salon** corrió al salón **3** (*provenance*) de; **je l'ai pris dans le tiroir/salon** lo saqué del cajón/salón; **boire dans un verre** beber en un vaso **4** (*temps*) dentro de; **dans 2 mois** dentro de dos meses; **dans quelques instants** dentro de unos momentos; **dans quelques jours** dentro de unos días; **il part dans quinze jours** se marcha dentro de quince días; **je serai là dans la matinée** estaré allí por la mañana **5** (*approximation*) alrededor de; **dans les 20 euros/4 mois** alrededor de 20 euros/4 meses **6** (*intention*) con; **dans le but de faire qch** con objeto de hacer algo

danse [dɑ̃s] *nf* danza; **une ~** un baile; **~ du ventre** danza del vientre; **~ moderne** danza moderna
danser [dɑ̃se] *vt, vi* bailar, danzar
danseur, -euse [dɑ̃sœʀ, øz] *nm/f* (*de ballet*) bailarín(-ina); (*cavalier*) pareja; **en danseuse** (*cyclisme*) de pie sobre los pedales; **~ de claquettes** bailarín(-ina) de claqué
date [dat] *nf* (*jour*) fecha; **de longue** *ou* **vieille ~** (*amitié*) viejo(-a); **de fraîche ~** reciente; **premier/dernier en ~** más antiguo/reciente; **prendre ~ (avec qn)** fijar fecha (con algn); **faire ~** hacer época; **~ limite** fecha límite; (*d'un aliment: aussi*: **date limite de vente**) fecha de caducidad; **~ de naissance** fecha de nacimiento
dater [date] *vt* fechar ■ *vi* estar anticuado(-a); **~ de** (*remonter à*) datar de; **à ~ de** a partir de
datte [dat] *nf* dátil *m*
dauber [dobe] (*fam*) *vi* (*puer*) apestar; **ça daube ici!** ¡huele que apesta!
dauphin [dofɛ̃] *nm* (*aussi Hist, fig*) delfín *m*
davantage [davɑ̃taʒ] *adv* más; (*plus longtemps*) más tiempo; **~ de** más; **~ que** más que

MOT-CLÉ

de, d' [də, d] (*de + le* = **du**, *de + les* = **des**) *prép* **1** (*appartenance*) de; **le toit de la maison** el tejado de la casa; **la voiture** d'Élisabeth/de mes parents el coche de Elisabeth/de mis padres **2** (*moyen*) con; **suivre des yeux** seguir con la mirada; **nier de la tête** negar con la cabeza; **estimé de ses collègues** estimado por sus colegas **3** (*provenance*) de; **il vient de Londres** viene de Londres; **elle est sortie du cinéma** salió del cine **4** (*caractérisation, mesure*): **un mur de brique** un muro de ladrillo; **un verre d'eau** un vaso de agua; **un billet de 50 euros** un billete de 50 euros; **une pièce de 2 m de large** *ou* **large de 2 m** una habitación de 2 m de ancho; **un bébé de 10 mois** un bebé de 10 meses; **12 mois de crédit/travail** 12 meses de crédito/ trabajo; **augmenter** *etc* **de 10 euros** aumentar *etc* 10 euros; **3 jours de libres** 3 días libres; **de nos jours** en nuestros días; **être payé 20 euros de l'heure** cobrar 20 euros por hora **5** (*rapport*): **de 14 à 18** de 14 a 18; **de Madrid à Paris** de Madrid a París; **voyager de pays en pays** viajar de país en país **6** de; (*cause*): **mourir de faim** morir(se) de hambre; **rouge de colère** rojo(-a) de ira **7** (*vb + de + infinitif*): **je vous prie de venir** le ruego que venga; **il m'a dit de rester** me dijo que me quedara **8**: **cet imbécile de Pierre** el tonto de Pierre
■ *dét* (*partitif*): **du vin/de l'eau/des pommes** vino/agua/manzanas; **des enfants sont venus** vinieron unos niños; **pendant des mois** durante meses; **il mange de tout** come de todo; **y a-t-il du vin?** ¿hay vino?; **il n'a pas de chance/ d'enfants** no tiene suerte/niños

dé [de] *nm* (*aussi*: **dé à coudre**) dedal *m*; (*à jouer*) dado; (*Culin*): **couper en dés** cortar en dados; **dés** *nmpl* (*jeu*) dados *mpl*; **un coup de dés** un golpe de suerte
déballer [debale] *vt* desembalar; (*fam*: *savoir, connaissance*) desembuchar
débarcadère [debaʀkadɛʀ] *nm* desembarcadero
débardeur [debaʀdœʀ] *nm* estibador *m*; (*maillot*) camiseta corta sin mangas
débarquer [debaʀke] *vt* desembarcar ■ *vi* desembarcar; (*fam*) plantarse
débarras [debaʀɑ] *nm* trastero; (*placard*) armario trastero; **"bon ~!"** ¡anda y que te zurzan!
débarrasser [debaʀɑse] *vt* desalojar

■ vi quitar la mesa; **se débarrasser** vpr: **se ~ de** desembarazarse de; (vêtement) quitarse; (habitude) librarse de; **~ la table** quitar la mesa; **~ qn de qch** (vêtements) recogerle algo a algn; (paquets) ayudar a algn con algo; **~ qch de** desembarazar algo de

débat [deba] nm debate m; **débats** nmpl (Pol) debate msg

débattre [debatʀ] vt (question, prix) debatir, discutir; **se débattre** vpr debatirse

débauché, e [deboʃe] adj, nm/f vicioso(-a)

débit [debi] nm (d'un liquide) flujo; (fleuve) caudal m; (élocution) cadencia; (d'un magasin) ventas fpl; (du trafic) fluidez f; (bancaire) débito; **avoir un ~ de 10 euros** tener un débito de 10 euros; **gros/faible ~** mucho/poco débito; **~ de boissons** establecimiento de bebidas; **~ de données** (Inform) velocidad f de datos; **~ de tabac** estanco

déblayer [debleje] vt despejar

débloquer [deblɔke] vt desbloquear ■ vi (fam) disparatar; **~ le crédit** desbloquear los créditos

déboîter [debwate] vt (Auto) salirse de la fila; **se déboîter** vpr dislocarse

débordé, e [debɔʀde] adj: **être ~** estar desbordado(-a)

déborder [debɔʀde] vi (rivière) desbordarse; (eau, lait) derramarse ■ vt (Mil, Sport) adelantar; (dépasser): **~ (de) qch** rebosar de algo; **~ de joie/zèle** (fig) rebosar de alegría/fervor

débouché [debuʃe] nm (gén pl: pour vendre un produit) mercado; (perspectives d'emploi) posibilidades fpl; **au ~ de la vallée** a la salida del valle

déboucher [debuʃe] vt (évier, tuyau etc) destapar; (bouteille) descorchar ■ vi desembocar; **~ sur** desembocar en; (fig) conducir a; **~ de** salir de

debout [d(ə)bu] adv (personne, chose) de pie; (levé, éveillé) levantado(-a); **être encore ~** (fig) estar todavía en pie; **mettre qch/qn ~** poner algo/a algn de pie; **se mettre ~** ponerse de pie; **se tenir ~** mantenerse en pie; **"~!"** "¡pie!"; (du lit) "¡arriba!"; **cette histoire/ça ne tient pas ~** esta historia/eso no se tiene en pie

déboutonner [debutɔne] vt desabrochar, desabotonar; **se déboutonner** vpr desabrocharse, desabotonarse; (fig) desahogarse

débraillé, e [debʀaje] adj (tenue) desaliñado(-a); (manières) descuidado(-a)

débrancher [debʀãʃe] vt (appareil électrique) desenchufar; (téléphone) desconectar

débrayage [debʀɛjaʒ] nm (Auto: aussi action) desembrague m; (grève) paro

débrayer [debʀeje] vi (Auto) desembragar; (cesser le travail) hacer paro

débris [debʀi] nm trozo ■ nmpl restos mpl

débrouillard, e [debʀujaʀ, aʀd] adj avispado(-a)

débrouiller [debʀuje] vt (affaire, cas) desembrollar; (écheveau) desenredar; **se débrouiller** vpr arreglárselas

début [deby] nm comienzo, principio; **débuts** nmpl (Ciné, Sport etc) debut msg; (carrière) comienzos mpl; **un bon/mauvais ~** un buen/mal comienzo; **faire ses ~s** debutar; **au ~** al principio; **dès le ~** desde el principio

débutant, e [debytã, ãt] nm/f, adj principiante m/f

débuter [debyte] vi comenzar; (personne) debutar

décadent, e [dekadã, ãt] adj decadente

décaféiné, e [dekafeine] adj descafeinado(-a)

décalage [dekalaʒ] nm desfase m; (écart) separación f; (désaccord) desacuerdo; **un ~** (de position) un desplazamiento; (temporel) una diferencia; (fig) un desfase; **~ horaire** diferencia de horario

décalcomanie [dekalkɔmani] nf calcomanía

décaler [dekale] vt (changer de position) desplazar; (dans le temps: avancer) adelantar; (: retarder) aplazar; **~ de 10 cm** desplazar 10 cm; **~ de 2 h** variar en 2h

décapotable [dekapɔtabl] adj descapotable

décapsuleur [dekapsylœʀ] nm abrebotellas m inv

décédé, e [desede] adj fallecido(-a); **~ le 10 janvier** fallecido(-a) el 10 de enero

décéder [desede] vi fallecer

décembre [desãbʀ] nm diciembre m; voir aussi **juillet**

décennie [deseni] nf decenio

décent, e [desã, ãt] adj decente

déception [desɛpsjɔ̃] nf decepción f

décès [desɛ] nm fallecimiento; **acte de ~** partida de defunción

décevant, e [des(ə)vã, ãt] adj decepcionante

décevoir [des(ə)vwaʀ] vt decepcionar; (espérances, confiance) defraudar

décharge [deʃaʀʒ] nf (dépôt d'ordures) vertedero; (Jur) descargo; (salve, *électrique*) descarga; **à la ~ de** en descargo de

décharger [deʃaʀʒe] *vt* descargar; **~ qn de** dispensar a algn de; **~ sa colère (sur)** (*fig*) descargar su cólera (en); **~ sa conscience** (*fig*) descargar la conciencia; **se ~ dans** (*se déverser*) derramarse en; **se ~ d'une affaire sur qn** delegar un asunto en algn

déchausser [deʃose] *vt* descalzar; (*skis*) quitar; **se déchausser** *vpr* (*personne*) descalzarse; (*dent*) descarnarse

déchets [deʃɛ] *nmpl* (*ordures*) restos *mpl*, residuos *mpl*

déchiffrer [deʃifʀe] *vt* (*nouvelle, dépêche*) leer; (*musique, partition*) ejecutar por primera vez; (*texte illisible*) descifrar

déchirant, e [deʃiʀɑ̃, ɑ̃t] *adj* desgarrador(a)

déchirement [deʃiʀmɑ̃] *nm* desgarrón *m*; (*chagrin*) desgarramiento; (*gén pl: conflit*) conflictividad *f*

déchirer [deʃiʀe] *vt* (*vêtement, livre*) desgarrar; (*mettre en morceaux*) rasgar; (*pour ouvrir*) rasgar; (*arracher*) arrancar; (*fig*) destrozar; **se déchirer** *vpr* desgarrarse; (*fig*) destrozarse; **se ~ un muscle/tendon** desgarrarse un músculo/tendón

déchirure [deʃiʀyʀ] *nf* desgarrón *m*; **~ musculaire** desgarrón muscular

décidé, e [deside] *adj* decidido(-a); **c'est ~** está decidido; **être ~ à faire** estar resuelto(-a) a hacer

décidément [desidemɑ̃] *adv* decididamente

décider [deside] *vt*: **~ qch** decidir algo; **se décider** *vpr* (*personne*) decidirse; (*problème, affaire*) resolverse; **~ que** decidir que; **~ qn (à faire qch)** animar a algn (a hacer algo); **~ de faire** decidir hacer; **~ de qch** decidir algo; **se ~ à faire qch** decidirse a hacer algo; **se ~ pour qch** decidirse por algo; **"décide-toi!"** "¡decídete!"

décimal, e, -aux [desimal, o] *adj* decimal

décimètre [desimɛtʀ] *nm* decímetro; **double ~** doble decímetro

décisif, -ive [desizif, iv] *adj* decisivo(-a)

décision [desizjɔ̃] *nf* decisión *f*; (*Admin, Jur*) resolución *f*; **prendre la ~ de faire** tomar la decisión de hacer; **emporter** *ou* **faire la ~** zanjar la cuestión

déclaration [deklaʀasjɔ̃] *nf* declaración *f*; **~ (d'amour)** declaración (de amor); **~ (de changement de domicile)** certificado (de cambio de domicilio); **~ de**

décès certificación *f* de fallecimiento; **~ de guerre** declaración de guerra; **~ de naissance** partida de nacimiento; **~ (de perte)** denuncia (de pérdida); **~ de revenus** declaración de la renta; **~ (de sinistre)** declaración (de siniestro); **~ (de vol)** denuncia (de robo); **~ d'impôts** declaración de impuestos

déclarer [deklaʀe] *vt* declarar; (*vol etc: à la police*) denunciar; (*décès, naissance*) certificar; **se déclarer** *vpr*; **~ que** declarar que; **~ qch/qn inutile** *etc* declarar algo/a algn inútil *etc*; **se ~ favorable/prêt à** declararse favorable/dispuesto a; **~ la guerre** declarar la guerra

déclencher [deklɑ̃ʃe] *vt* activar; (*attaque*) lanzar; (*grève*) poner en marcha; (*fig*) provocar; **se déclencher** *vpr* desencadenarse

décliner [dekline] *vi* (*empire, acteur*) decaer; (*jour, soleil, santé*) declinar ■ *vt* (*aussi Ling*) declinar; (*identité*) dar a conocer; **se décliner** *vpr* (*Ling*) declinarse

décoder [dekɔde] *vt* descodificar

décoiffer [dekwafe] *vt* (*déranger la coiffure*) despeinar; **se décoiffer** *vpr* despeinarse

déçois *etc* [deswa] *vb voir* **décevoir**

décollage [dekɔlaʒ] *nm* despegue *m*, decolaje *m* (*AM*)

décoller [dekɔle] *vt, vi* despegar, decolar (*AM*); **se décoller** *vpr* despegarse

décolleté, e [dekɔlte] *adj* escotado(-a) ■ *nm* escote *m*

décolorer [dekɔlɔʀe] *vt* decolorar; (*suj: âge, lumière*) descolorir; **se décolorer** *vpr* descolorirse

décommander [dekɔmɑ̃de] *vt* (*marchandise*) anular; (*réception*) cancelar; **se décommander** *vpr* (*invité etc*) excusarse; **il faut ~ les invités** tenemos que avisar a los invitados que no vengan

déconcerter [dekɔ̃sɛʀte] *vt* desconcertar

décongeler [dekɔ̃ʒ(ə)le] *vt* descongelar

déconner [dekɔne] (*fam*) *vi* (*en parlant*) decir pijadas; (*faire des bêtises*) hacer pijadas; **sans ~** en serio

déconseiller [dekɔ̃seje] *vt*: **~ qch (à qn)** desaconsejar algo (a algn); **~ à qn de faire** desaconsejar a algn hacer; **c'est déconseillé** no es aconsejable

décontracté, e [dekɔ̃tʀakte] *adj* (*personne*) relajado(-a); (*ambiance*) distendido(-a)

décontracter [dekɔ̃tʀakte] *vt*

descontraer; (*muscle*) relajar; **se décontracter** *vpr* (*personne*) relajarse

décor [dekɔʀ] *nm* (*d'un palais etc*) decoración f; (*paysage*) panorama m; (*gén pl: Théâtre, Ciné*) decorado; **changement de ~** (*fig*) cambio de situación; **entrer dans le ~** (*fig*) salirse de la carretera; **en ~ naturel** (*Ciné*) en exteriores

décorateur, -trice [dekɔʀatœʀ, tʀis] *nm/f* (*ouvrier*) decorador(a); (*Ciné*) escenógrafo(-a)

décoration [dekɔʀasjõ] *nf* decoración f; (*médaille*) condecoración f

décorer [dekɔʀe] *vt* decorar; (*médailler*) condecorar

décortiquer [dekɔʀtike] *vt* (*riz*) descascarillar; (*amandes, crevettes*) pelar; (*fig*) desmenuzar

découdre [dekudʀ] *vt* descoser; **se découdre** *vpr* descoserse; **en ~** (*fig*) pelearse

découper [dekupe] *vt* recortar; (*volaille, viande*) trinchar; (*fig*) fragmentar; **se ~ sur** (*le ciel, fond*) perfilarse en

décourager [dekuʀaʒe] *vt* desanimar, desalentar; **se décourager** *vpr* desanimarse; **~ qn de faire/de qch** desalentar *ou* desanimar a algn de hacer/de algo

décousu, e [dekuzy] *pp de* **découdre** ■ *adj* descosido(-a); (*fig*) deshilvanado(-a)

découvert, e [dekuvɛʀ, ɛʀt] *pp de* **découvrir** ■ *adj* (*tête*) descubierto(-a); (*lieu*) pelado(-a) ■ *nm* (*bancaire*) descubierto; **à ~** (*Mil*) al descubierto; (*ouvertement*) abiertamente; (*Comm*) en descubierto; **à visage ~** a cara descubierta

découverte [dekuvɛʀt] *nf* descubrimiento; **aller à la ~ (de)** ir en busca (de)

découvrir [dekuvʀiʀ] *vt* descubrir; (*casserole*) destapar; (*apercevoir*) divisar; (*voiture*) descapotar ■ *vi* (*mer*) descubrirse; **se découvrir** *vpr* (*ôter le chapeau*) descubrirse; (*se déshabiller*) desvestirse; (*au lit*) destaparse; (*ciel*) despejarse; **~ que** descubrir que; **se ~ des talents de** descubrir que se tiene talento para

décrire [dekʀiʀ] *vt* describir

décrocher [dekʀɔʃe] *vt* descolgar; (*contrat etc*) conseguir ■ *vi* (*pour répondre au téléphone*) descolgar; (*abandonner*) retirarse; (*perdre sa concentration*) desconectar; **se décrocher** *vpr* (*tableau, rideau*) descolgarse

déçu, e [desy] *pp de* **décevoir** ■ *adj* (*personne*) decepcionado(-a); (*espoir*) frustrado(-a)

dédaigner [dedeɲe] *vt* desdeñar; **~ de faire** desdeñar hacer

dédaigneux, -euse [dedɛɲø, øz] *adj* desdeñoso(-a)

dédain [dedɛ̃] *nm* desdén

dedans [dədɑ̃] *adv* dentro, adentro (*esp AM*) ■ *nm* interior m; **là~** ahí dentro; **au~** (por) dentro; **en~** por dentro

dédicacer [dedikase] *vt* dedicar

dédier [dedje] *vt*: **~ à** (*livre*) dedicar a; (*efforts*) consagrar a

dédommagement [dedɔmaʒmã] *nm* (*indemnité*) indemnización f

dédommager [dedɔmaʒe] *vt*: **~ qn (de)** indemnizar a algn (por); (*remercier*) recompensar a algn (por)

dédouaner [dedwane] *vt* aduanar

déduire [dedɥiʀ] *vt*: **~ qch (de)** deducir algo (de)

défaillance [defajãs] *nf* desfallecimiento; (*technique*) fallo; (*morale*) debilidad f; **~ cardiaque** fallo cardíaco

défaire [defɛʀ] *vt* (*installation, échafaudage*) desmontar; (*paquet etc*) abrir; (*nœud*) desatar; (*vêtement*) descoser; (*déranger*) deshacer; (*cheveux*) despeinar; **se défaire** *vpr* (*cheveux, nœud*) deshacerse; **se ~ de** deshacerse de; **~ ses bagages** deshacer las maletas; **~ le lit** (*pour changer les draps*) deshacer la cama; (*pour se coucher*) abrir la cama

défait, e [defɛ, ɛt] *pp de* **défaire** ■ *adj* deshecho(-a); (*nœud*) desatado(-a); (*visage*) descompuesto(-a)

défaite [defɛt] *nf* (*Mil*) derrota; (*gén: échec*) fracaso

défaut [defo] *nm* (*moral*) defecto; (*d'étoffe, métal*) falla; (*Inform*) fallo; **~ de** (*manque, carence*) falto de; **~ de la cuirasse** (*fig*) punto débil; **en ~** en falta; **faire ~** faltar; **à ~** al menos; **à ~ de** a falta de; **par ~** (*Jur*) en rebeldía; (*Inform*) por defecto

défavorable [defavɔʀabl] *adj* desfavorable

défavoriser [defavɔʀize] *vt* desfavorecer

défectueux, -euse [defɛktɥø, øz] *adj* defectuoso(-a)

défendre [defɑ̃dʀ] *vt* defender; (*interdire*) prohibir; **se défendre** *vpr* defenderse; (*se justifier*) justificarse; **~ à qn qch/de faire** prohibir a algn algo/hacer; **il est défendu de cracher** está prohibido escupir; **c'est défendu** está prohibido (*fig*) va defendiéndose; **ça se défend** (*fig*) esto se sostiene; **se ~ de/contre** (*se protéger*) protegerse de/contra; **se ~ de** (*se garder de*) evitar; (*nier*) negar; **se ~ de vouloir** no tener la intención de

défense [defɑ̃s] *nf* defensa; **ministre de la ~ nationale** ministro de defensa; **la ~ contre avions** la defensa aérea; **"~ de fumer/cracher"** "prohibido fumar/escupir"; **prendre la ~ de qn** defender a algn; **~ des consommateurs** defensa de los consumidores

défi [defi] *nm* desafío, reto; **mettre qn au ~ de faire qch** desafiar *ou* retar a algn a hacer algo; **relever un ~** aceptar un desafío

déficit [defisit] *nm* (*Comm*) déficit *m*; (*Psych etc*) deficiencia; **être en ~** tener déficit; **~ budgétaire** déficit presupuestario

défier [defje] *vt* desafiar; **se défier de** *vpr* desconfiar de; **~ qn de faire qch** desafiar a algn a hacer algo; **~ qn à** desafiar a algn a; **~ toute comparaison/concurrence** excluir toda comparación/competencia

défigurer [defiɡyʀe] *vt* desfigurar

défilé [defile] *nm* (*Géo*) desfiladero; (*soldats, manifestants*) desfile *m*; **un ~ de** (*voitures, visiteurs*) un desfile de

défiler [defile] *vi* desfilar; **se défiler** *vpr* escaquearse; **faire ~** (*bande, film*) proyectar; (*Inform*) hacer un scroll

définir [definiʀ] *vt* definir

définitif, -ive [definitif, iv] *adj* definitivo(-a); (*décision, refus*) irrevocable

définitive [definitiv] *nf*: **en ~** en definitiva

définitivement [definitivmɑ̃] *adv* definitivamente

déformer [defɔʀme] *vt* deformar; **se déformer** *vpr* deformarse

défouler [defule] **se défouler** (*gén*) desahogarse; (*Psych*) liberarse

défunt, e [defœ̃, œ̃t] *adj*: **son ~ père** su difunto padre ■ *nm/f* difunto(-a)

dégagé, e [deɡaʒe] *adj* (*ciel, vue*) despejado(-a); (*ton, air*) desenvuelto(-a)

dégager [deɡaʒe] *vt* liberar; (*exhaler*) desprender; (*désencombrer*) despejar; (*idée, aspect etc*) extraer; (*crédits*) desbloquear; **se dégager** *vpr* (*odeur*) desprenderse; (*passage bloqué, ciel*) despejarse; **se ~ de** liberarse de; **~ qn de**

liberar a algn de; **dégagé des obligations militaires** exento de las obligaciones militares

dégâts [deɡɑ] *nmpl*: **faire des ~** causar daños

dégel [deʒɛl] *nm* deshielo; (*des prix etc*) descongelación *f*

dégeler [deʒ(ə)le] *vt* (*fig*) descongelar ■ *vi* deshelarse; **se dégeler** *vpr* (*atmosphère, relations*) animarse; **~ l'atmosphère** romper el hielo

dégivrer [deʒivʀe] *vt* (*frigo*) descongelar; (*vitres*) deshelar

dégonflé, e [deɡɔ̃fle] *adj* (*pneu*) desinflado(-a), deshinchado(-a) ■ *nm/f* (*fam*) rajado(-a)

dégonfler [deɡɔ̃fle] *vt* desinflar, deshinchar ■ *vi* deshincharse; **se dégonfler** *vpr* (*fam*) rajarse

dégouliner [deɡuline] *vi* chorrear; **~ de** chorrear

dégourdi, e [deɡuʀdi] *adj* espabilado(-a)

dégourdir [deɡuʀdiʀ] *vt* (*sortir de l'engourdissement*) desentumecer; (*faire tiédir*) templar; (*personne*) despabilar, espabilar; **se dégourdir** *vpr*: **se ~ (les jambes)** desentumecerse (las piernas)

dégoût [deɡu] *nm* asco; (*aversion*) repugnancia

dégoûtant, e [deɡutɑ̃, ɑ̃t] *adj* asqueroso(-a); **c'est ~!** (*injuste*) ¡no hay derecho!

dégoûté, e [deɡute] *adj* asqueado(-a); (*fig*) melindroso(-a); **~ de** asqueado(-a) de

dégoûter [deɡute] *vt* asquear; **~ qn de faire qch** (*aussi fig*) quitarle a algn las ganas de hacer algo; **se ~ de** (*se lasser de*) hartarse de

dégrader [deɡʀade] *vt* (*Mil, fig*) degradar; (*abîmer*) deteriorar; **se dégrader** *vpr* deteriorarse; (*roche*) erosionarse; (*Phys*) degradarse

degré [deɡʀe] *nm* grado; (*escalier*) peldaño; (*niveau, taux*) punto; **brûlure/équation au 1er/2ème ~** quemadura/ecuación *f* de 1er/2º grado; **le premier ~** (*Scol*) el primer grado; **alcool à 90 ~s** alcohol *m* de 90 grados; **vin de 10 ~s** vino de 10 grados; **par ~(s)** gradualmente

dégressif, -ive [deɡʀesif, iv] *adj* decreciente; **tarif ~** tarifa decreciente

dégringoler [deɡʀɛ̃ɡɔle] *vi* caer rodando; (*prix, Bourse etc*) hundirse ■ *vt* (*escalier*) bajar corriendo

dégueulasse [deɡœlas] (*fam*) *adj* asqueroso(-a)

déguisement [deɡizmɑ̃] *nm* disfraz *m*

déguiser [degize] *vt* disfrazar; **se déguiser** *vpr* disfrazarse; **se ~ en** disfrazarse de

dégustation [degystasjɔ̃] *nf* degustación *f*; (*vin*) cata

déguster [degyste] *vt* degustar; (*vin*) catar; (*fig*) saborear; (*fam*) pasarlas moradas

dehors [dəɔʀ] *adv* fuera, afuera (*esp AM*) ■ *nm* exterior *m* ■ *nmpl* (*apparences*) apariencias *fpl*; **mettre** *ou* **jeter ~** echar fuera; **au ~** (*por*) fuera; (*en apparence*) por fuera; **au ~ de** fuera de; **de ~** desde afuera; **en ~** (*vers l'extérieur*) hacia afuera; **en ~ de** (*hormis*) fuera de

déjà [deʒa] *adv* ya; **quel nom, ~?** (*interrogatif*) entonces, ¿qué nombre?; **c'est ~ pas mal** (*intensif*) no está nada mal; **as-tu ~ été en France?** ¿ya has estado en Francia?; **c'est ~ quelque chose** ya es algo

déjeuner [deʒœne] *vi* (*matin*) desayunar; (*à midi*) almorzar, comer ■ *nm* (*petit déjeuner*) desayuno; (*à midi*) almuerzo, comida; **~ d'affaires** comida de negocios

delà [dəla] *prép, adv*: **par-~** (*plus loin que*) más allá de; (*de l'autre côté de*) al otro lado de; **en ~ (de)/au-~ (de)** más allá (de)

délacer [delase] *vt* desatar

délai [delɛ] *nm* plazo; (*sursis*) prórroga; **sans ~** sin demora; **à bref ~** en breve plazo; **dans les ~s** dentro de los plazos; **un ~ de 30 jours** un plazo de 30 días; **~ de livraison** plazo de entrega; **compter un ~ de livraison de 10 jours** contar un plazo de entrega de 10 días

délaisser [delese] *vt* abandonar

délasser [delase] *vt* (*membres*) descansar; (*personne, esprit*) recrear; **se délasser** *vpr* recrearse

délavé, e [delave] *adj* descolorido(-a)

délayer [deleje] *vt* diluir; (*discours, devoir*) alargar

delco® [dɛlko] *nm* (*Auto*) delco

délégué, e [delege] *adj* delegado(-a) ■ *nm/f* delegado(-a); (*syndical*) enlace *m/f*; **ministre ~ à** ministro delegado de; **~ médical** delegado médico

déléguer [delege] *vt* delegar

délibéré, e [delibeʀe] *adj* deliberado(-a); (*déterminé*) resuelto(-a); **de propos ~** adrede

délicat, e [delika, at] *adj* delicado(-a); (*attentionné*) atento(-a); **procédés peu ~s** procedimientos *mpl* poco limpios

délicatement [delikatmã] *adv* delicadamente; (*subtilement*) con delicadeza

délice [delis] *nm* delicia; **délices** *nfpl* (*plaisirs*) placeres *mpl*

délicieux, -euse [delisjø, jøz] *adj* (*goût, femme*) delicioso(-a); (*sensation*) placentero(-a); (*robe*) precioso(-a)

délimiter [delimite] *vt* delimitar

délinquant, e [delɛ̃kã, ãt] *adj, nm/f* delincuente *m/f*

délirer [deliʀe] *vi* delirar

délit [deli] *nm* (*Jur, gén*) delito; **~ de droit commun** delito común; **~ de fuite** delito de fuga; **~ de presse** delito de prensa; **~ politique** delito político

délivrer [delivʀe] *vt* (*prisonnier*) liberar; (*passeport, certificat*) expedir; **~ qn de** (*ennemis, responsabilité*) liberar a algn de; (*maladie*) curar a algn de

deltaplane® [dɛltaplan] *nm* ala delta

déluge [delyʒ] *nm* diluvio; **~ de** (*grand nombre*) avalancha de

demain [d(ə)mɛ̃] *adv* mañana; **~ matin/soir** mañana por la mañana/tarde; **~ midi** mañana a mediodía; **à ~** hasta mañana

demande [d(ə)mãd] *nf* petición *f*; (*Admin, formulaire*) instancia, solicitud *f*; **la ~** (*Écon*) la demanda; **à la ~ générale** a petición general; **faire sa ~ (en mariage)** pedir la mano; **~ d'emploi** solicitud de empleo; **"~s d'emploi"** "demandas *fpl* de empleo"; **~ de naturalisation/poste** solicitud de nacionalidad/empleo

demandé, e [d(ə)mãde] *adj*: **très ~** muy solicitado(-a)

demander [d(ə)mãde] *vt* pedir; (*autorisation*) solicitar; (*Jur*) requerir; (*médecin, plombier, infirmier*) necesitar; (*personnel*) precisar; (*de l'habileté, du courage*) requerir; (*à qn*) exigir; **~ de la ponctualité** *etc* **de qn** (*suj: personne*) exigir puntualidad *etc* a algn; **~ la main de qn** (*fig*) pedir la mano de algn; **~ qch à qn** preguntar algo a algn; **~ des nouvelles de qn** pedir noticias de algn; **~ l'heure/son chemin** preguntar la hora/el camino; **~ pardon à qn** pedir perdón a algn; **~ à** *ou* **de voir/faire** solicitar ver/hacer; **~ à qn de faire** pedir a algn que haga; **~ que** pedir *ou* solicitar que; **se ~ si/pourquoi** *etc* preguntarse si/por qué *etc*; **il a demandé 500 euros par mois** pidió 500 euros al mes; **ils demandent 2 secrétaires et un ingénieur** solicitan 2 secretarias y un ingeniero; **~ la parole** pedir la palabra; **~ la permission de** pedir permiso para; **je n'en demandais pas davantage** no necesitaba más; **je me demande comment tu as pu ...** me pregunto cómo has podido ...; **je me le**

demande me lo pregunto; **je me demande vraiment pourquoi** es que no entiendo por qué; **on vous demande au téléphone** le llaman por teléfono; **il ne demande que ça/qu'à faire ...** (*iro*) justo lo que quería/lo que quería hacer ...; **je ne demande pas mieux que ...** no deseo otra cosa más que ...

demandeur, -euse [dəmɑ̃dœʀ, øz] *nm/f*: **~ d'emploi** demandante *m/f* de empleo

démangeaison [demɑ̃ʒɛzɔ̃] *nf* picor *m*

démanger [demɑ̃ʒe] *vi* picar; **la main me démange** pegaría a algn; **l'envie** *ou* **ça le démange de faire ...** (*fig*) tiene muchas ganas de hacer ...

démaquillant, e [demakijɑ̃, ɑ̃t] *adj* desmaquillador(a) ■ *nm* desmaquillador *m*

démaquiller [demakije] *vt* desmaquillar; **se démaquiller** *vpr* desmaquillarse

démarchage [demaʀʃaʒ] *nm*: **~ téléphonique** venta por teléfono

démarche [demaʀʃ] *nf* (*allure*) paso; (*intervention*) trámite *m*; (*intellectuelle etc*) proceso; (*requête, tractation*) gestión *f*; **faire** *ou* **entreprendre des ~s (auprès de qn)** hacer *ou* iniciar gestiones (ante algn)

démarrage [demaʀaʒ] *nm* (*d'une voiture, Sport*) salida; (*Auto*) arranque *m*; **~ en côte** salida en pendiente

démarrer [demaʀe] *vi* arrancar; (*coureur*) acelerar; (*travaux, affaire*) ponerse en marcha ■ *vt* (*voiture*) arrancar; (*travail*) poner en marcha

démarreur [demaʀœʀ] *nm* (*Auto*) botón *m* de arranque

démêlant, e [demɛlɑ̃, ɑ̃t] *adj*: **crème ~e** *ou* **baume ~** crema suavizante

démêler [demele] *vt* (*fil, cheveux*) desenredar; (*problèmes*) desembrollar

démêlés [demele] *nmpl* diferencias *fpl*

déménagement [demenaʒmɑ̃] *nm* mudanza; **entreprise/camion de ~** empresa/camión *m* de mudanzas

déménager [demenaʒe] *vt* mudar ■ *vi* mudarse

déménageur [demenaʒœʀ] *nm* encargado de mudanzas; (*entrepreneur*) empresario de mudanzas

démerder [demɛʀde] (*fam!*) *vi*: **se démerder** *vpr* arreglárselas; **démerde-toi tout seul!** ¡búscate la vida!

démettre [demɛtʀ] *vt*: **~ qn de** destituir a algn de; **se démettre** *vpr* (*épaule etc*) dislocarse; **se ~ (de ses fonctions)** dimitir (de sus funciones)

demeurer [d(ə)mœʀe] *vi* (*habiter*) residir, vivir; (*séjourner*) permanecer; (*rester*) quedar, permanecer; **en~ là** quedarse así

demi, e [dəmi] *adj*: **~-rempli** medio lleno(-a) ■ *nm* (*Football*) medio; **trois bouteilles et ~e** tres botellas y media; **il est deux heures/ midi et ~e** son las dos/doce y media; **à ~** a medias; (*presque: sourd, idiot*) medio(-a); (*fini, corrigé*) a medio; **à la ~e** (*heure*) a la media; **~ de mêlée/d'ouverture** (*Rugby*) medio de melé/de apertura

demi-douzaine [dəmiduzɛn] (*pl* **~s**) *nf* media docena

demi-finale [dəmifinal] (*pl* **~s**) *nf* semifinal *f*

demi-frère [dəmifʀɛʀ] (*pl* **~s**) *nm* medio hermano, hermanastro

demi-heure [dəmijœʀ] (*pl* **~s**) *nf* media hora

demi-journée [dəmiʒuʀne] (*pl* **~s**) *nf* media jornada

demi-litre [dəmilitʀ] (*pl* **~s**) *nm* medio litro

demi-livre [dəmilivʀ] (*pl* **~s**) *nf* media libra

demi-pension [dəmipɑ̃sjɔ̃] (*pl* **~s**) *nf* media pensión *f*; **être en ~** estar de media pensión

démis, e [demi, iz] *pp de* **démettre** ■ *adj* (*épaule etc*) dislocado(-a)

demi-sœur [dəmisœʀ] (*pl* **~s**) *nf* media hermana, hermanastra

démission [demisjɔ̃] *nf* dimisión *f*; **donner sa ~** presentar la dimisión

démissionner [demisjɔne] *vi* dimitir

demi-tarif [dəmitaʀif] (*pl* **~s**) *nm* media tarifa; **voyager à ~** viajar con media tarifa

demi-tour [dəmituʀ] (*pl* **~s**) *nm* media vuelta; **faire un ~** dar media vuelta; **faire ~** dar la vuelta

démocratie [demɔkʀasi] *nf* democracia; **~ libérale/populaire** democracia liberal/popular

démocratique [demɔkʀatik] *adj* democrático(-a); (*sport, moyen de transport etc*) popular

démodé, e [demɔde] *adj* pasado(-a) de moda

demoiselle [d(ə)mwazɛl] *nf* señorita; **~ d'honneur** dama de honor

démolir [demɔliʀ] *vt* (*bâtiment*) demoler; (*théorie, système*) echar abajo; (*personne*) arruinar

démon [demɔ̃] *nm* demonio; **le ~ du jeu** el demonio del juego; **le D~** el demonio

démonstration [demõstrasjõ] nf demostración f; (aérienne, navale) exhibición f

démonter [demõte] vt desmontar; (discours, théorie) desmoronar; (personne) desconcertar; **se démonter** vpr desconcertarse

démontrer [demõtʀe] vt demostrar; (des talents, du courage) mostrar

démouler [demule] vt (gâteau) extraer del molde

démuni, e [demyni] adj pelado(-a); **~ de** desprovisto(-a) de

dénicher [deniʃe] vt dar con

dénier [denje] vt negar; **~ qch à qn** denegar algo a algn

dénivellation [denivelasjõ] nf desnivel m

dénombrer [denõbʀe] vt (compter) contar; (énumérer) enumerar

dénomination [denɔminasjõ] nf (nom) denominación f

dénoncer [denõse] vt denunciar; **se dénoncer** vpr denunciarse

dénouement [denumã] nm desenlace m

dénouer [denwe] vt desatar; (intrigue, affaire) aclarar

denrée [dãʀe] nf producto; **~s alimentaires** productos mpl alimenticios

dense [dãs] adj denso(-a)

densité [dãsite] nf densidad f

dent [dã] nf diente m; **avoir une ~ contre qn** tener manía a algn; **avoir les ~s longues** tener hambre; **se mettre quelque chose sous la ~** tener algo que llevarse a la boca; **être sur les ~s** andar de cabeza; **faire ses ~s** salirle los dientes; **à belles ~s** con ganas; **en ~s de scie** dentado(-a); **ne pas desserrer les ~s** no despegar los labios; **~ de lait** diente de leche; **~ de sagesse** muela del juicio

dentaire [dãtɛʀ] adj dental; **cabinet ~** clínica dental; **école ~** escuela de odontología

dentelle [dãtɛl] nf encaje m

dentier [dãtje] nm dentadura

dentifrice [dãtifʀis] adj: **pâte/eau ~** pasta/agua dentífrica ■ nm dentífrico

dentiste [dãtist] nm/f dentista m/f

dentition [dãtisjõ] nf (dents) dentadura; (formation) dentición f

dénué, e [denɥe] adj: **~ de** desprovisto(-a) de; (intérêt) falto(-a) de

déodorant [deɔdɔʀã] nm desodorante m

déontologie [deɔtɔlɔʒi] nf deontología f

dépannage [depanaʒ] nm reparación f; **service de ~** (Auto) servicio de reparaciones; **camion de ~** (Auto) camión m grúa inv

dépanner [depane] vt reparar; (fig) sacar de apuros

dépanneuse [depanøz] nf grúa

dépareillé, e [depaʀeje] adj (collection, service) descabalado(-a); (gant, volume, objet) desparejado(-a)

départ [depaʀ] nm partida, marcha; (d'un employé) despido; (Sport, sur un horaire) salida; **à son ~** a su marcha; **au ~** al principio; **courrier au ~** correo saliente

département [depaʀtəmã] nm ≈ provincia f; (de ministère) ministerio; (d'université) departamento; (de magasin) sección f; **~ d'outre-mer** provincia de ultramar

DÉPARTEMENT

Francia se halla dividida en 96 unidades administrativas denominadas départements. Al frente de estas divisiones de la administración local se encuentra el préfet, nombrado por el gobierno, y su administración corre a cargo de un Conseil général electo. Los départements por lo general deben su nombre a algún accidente geográfico importante, como un río o una cordillera; véase también DOM-TOM.

dépassé, e [depɑse] adj pasado(-a) de moda; (fig) desbordado(-a)

dépasser [depɑse] vt (véhicule, concurrent) adelantar; (endroit) dejar atrás; (somme, limite fixée, prévisions) rebasar; (fig) superar; (être en saillie sur) sobresalir ■ vi (Auto) adelantarse; (ourlet, jupon) sobresalir; **se dépasser** vpr (se surpasser) superarse; **cela me dépasse** esto no me cabe en la cabeza; **être dépassé** estar desbordado

dépaysé, e [depeize] adj extrañado(-a)

dépaysement [depeizmã] nm extrañamiento

dépêcher [depeʃe] vt despachar; **se dépêcher** vpr darse prisa, apresurarse, apurarse (AM); **se ~ de faire qch** darse prisa ou apurarse (AM) en hacer algo

dépendance [depãdãs] nf dependencia; (Méd) adicción f

dépendre [depãdʀ] vt descolgar; **~ de** depender de; **ça dépend** depende

dépens [depã] nmpl: **aux ~ de** a expensas de

dépense [depãs] nf gasto; (ÉCON) desembolso; (fig) consumo; **une ~ de 100 euros** un gasto de 100 euros; **pousser qn à la ~** incitar a algn al

consumo; **~s de fonctionnement** gastos
mpl de funcionamiento; **~ de temps**
consumo ou gasto de tiempo; **~s
d'investissement** gastos de inversión;
~ physique consumo ou gasto físico; **~s
publiques** gastos públicos
dépenser [depɑ̃se] vt gastar; (fig)
consumir; **se dépenser** vpr fatigarse
dépeupler [depœple] vt despoblar; **se
dépeupler** vpr despoblarse
dépilatoire [depilatwaʀ] adj
depilatorio(-a)
dépister [depiste] vt (Méd) identificar;
(voleur) descubrir el rastro de; (semer,
déjouer) despistar
dépit [depi] nm despecho; **en ~ de** a
pesar de; **en ~ du bon sens** sin sentido
común
dépité, e [depite] adj contrariado(-a)
déplacé, e [deplase] adj fuera de lugar
inv; **personne ~e** persona desplazada
déplacement [deplasmɑ̃] nm traslado;
(voyage) viaje m; **en ~** de viaje; **~ d'air**
corriente f de aire; **~ de vertèbre**
vértebra dislocada
déplacer [deplase] vt mover; (employé)
trasladar; (conversation, sujet) cambiar;
se déplacer vpr (objet, personne)
moverse; (voyager) desplazarse, viajar;
(vertèbre etc) desplazarse; **se ~ en
voiture/avion** desplazarse en coche/avión
déplaire [depleʀ] vi desagradar; **se
déplaire** vpr hallarse a disgusto; **ceci me
déplaît** esto me desagrada; **~ à qn**
desagradar a algn; **il cherche à nous ~**
intenta molestarnos
déplaisant, e [deplɛzɑ̃, ɑ̃t] vb voir
déplaire ■ adj desagradable
dépliant [deplijɑ̃] nm folleto
déplier [deplije] vt desplegar; **se
déplier** vpr desplegarse
déposer [depoze] vt poner, dejar; (à la
banque) ingresar; (caution) prestar;
(serrure, moteur) desmontar; (rideau)
descolgar; (roi) deponer; (Admin, Jur)
presentar ■ vi (vin etc) sedimentar; (Jur):
~ (contre) declarar (contra); **se déposer**
vpr depositarse; **~ son bilan** (Comm)
declararse en quiebra; **~ de l'argent**
ingresar dinero
dépositaire [depoziteʀ] nm/f (d'un secret)
confidente m/f; (Comm) concesionario(-a);
~ agréé concesionario autorizado
déposition [depozisjɔ̃] nf (Jur)
deposición f
dépôt [depo] nm (d'argent) ingreso; (de
sable) sedimento; (de poussière)
acumulación f; (de candidature)

presentación f; (entrepôt) depósito; (gare)
cochera; (prison) cárcel f transitoria; **~
bancaire** depósito bancario; **~ de bilan**
declaración f de suspensión de pagos; **~
d'ordures** basurero, vertedero; **~ légal**
depósito legal
dépourvu, e [depuʀvy] adj: **~ de**
desprovisto(-a) de; **au ~: prendre qn au
~** coger a algn desprevenido(-a)
dépressif, -ive [depʀesif, iv] adj
depresivo(-a)
dépression [depʀesjɔ̃] nf depresión f;
~ (nerveuse) depresión (nerviosa)
déprimant, e [depʀimɑ̃, ɑ̃t] adj
deprimente
déprime [depʀim] nf depresión f
déprimer [depʀime] vt deprimir
depuis [dəpɥi] prép desde ■ adv (temps)
desde entonces; **~ que** desde que; **~ qu'il
m'a dit ça** desde que me dijo eso; **~
combien de temps?** ¿cuánto tiempo
hace?; **il habite Paris ~ 5 ans** vive en París
desde hace 5 años, lleva 5 años viviendo
en París; **~ quand le connaissez-vous?**
¿desde cuándo lo conoce usted?; **je le
connais ~ 9 ans** lo conozco desde hace 9
años; **~ quand?** (excl) ¿desde cuándo?; **il
a plu ~ Metz** ha estado lloviendo desde
Metz; **elle a téléphoné ~ Valence** llamó
por teléfono desde Valencia; **~ les plus
petits jusqu'aux plus grands** desde los
más pequeños hasta los más grandes; **je
ne lui ai pas parlé ~** no he vuelto a hablar
con él ou ella; **~ lors** desde entonces
député [depyte] nm (Pol) diputado(-a)
dérangement [deʀɑ̃ʒmɑ̃] nm molestia;
en ~ averiado(-a)
déranger [deʀɑ̃ʒe] vt desordenar;
(personne) molestar; (projet) desarreglar;
se déranger vpr molestarse; (changer de
place) cambiar de sitio; **est-ce que cela
vous dérange si ...?** ¿le molesta si ...?; **ça
te dérangerait de faire ...?** ¿te
importaría hacer ...?; **ne vous dérangez
pas** no se moleste
déraper [deʀape] vi (voiture) derrapar,
patinar; (personne, couteau) resbalar;
(économie etc) dispararse
dérégler [deʀegle] vt (mécanisme)
estropear; (estomac) indisponer; (mœurs,
vie) desordenar; **se dérégler** vpr
(mécanisme) estropearse; (estomac)
indisponerse; (mœurs, vie) descarriarse
dérisoire [deʀizwaʀ] adj irrisorio(-a)
dérive [deʀiv] nf (Naut) orza de quilla;
aller à la ~ (Naut, fig) ir a la deriva; **~ des
continents** (Géologie) deriva de los
continentes

dérivé, e [deʀive] adj derivado(-a) ∎ nm derivado

dermatologue [dɛʀmatɔlɔg] nm/f dermatólogo(-a)

dernier, -ière [dɛʀnje, jɛʀ] adj último(-a) ∎ nm/f último(-a) ∎ nm (*étage*) último piso; **lundi/le mois ~** el lunes/el mes pasado; **du ~ chic** de última moda; **le ~ cri** (*Mode*) el último grito; **les ~s honneurs** los últimos honores; **rendre le ~ soupir** exhalar el último suspiro; **en ~** al final, por último; **en ~ ressort** en última instancia; **avoir le ~ mot** tener la última palabra; **ce ~/cette dernière** este último/esta última

dernièrement [dɛʀnjɛʀmɑ̃] adv últimamente

dérogation [deʀɔgasjɔ̃] nf contravención f

dérouiller [deʀuje] vt: **se ~ les jambes** estirar las piernas

déroulement [deʀulmɑ̃] nm desenrollamiento; (*d'une opération etc*) desarrollo

dérouler [deʀule] vt (*ficelle, papier*) desenrollar; **se dérouler** vpr (*avoir lieu*) desarrollarse

dérouter [deʀute] vt (*avion, train*) desviar; (*fig*) despistar

derrière [dɛʀjɛʀ] prép detrás de; (*fig*) tras, más allá de ∎ adv detrás, atrás ∎ nm (*d'une maison*) trasera; (*postérieur*) trasero; **les pattes/roues de ~** las patas/ ruedas traseras; **par ~** por detrás

DES [deøɛs] sigle m (= *diplôme d'études supérieures*) diploma de pos(t)grado

des [de] dét voir **de** ∎ prép + dét = **de**

dès [dɛ] prép desde; **~ que** tan pronto como; **~ à présent** desde ahora; **~ réception** en cuanto se reciba; **~ son retour** en cuanto vuelva; **~ lors** desde entonces; (*en conséquence*) por lo tanto; **~ lors que** en cuanto; (*puisque, étant donné que*) ya que

désaccord [dezakɔʀ] nm desacuerdo; (*contraste*) discordancia

désagréable [dezagʀeabl] adj desagradable

désagrément [dezagʀemɑ̃] nm desagrado

désaltérer [dezalteʀe] vt quitar la sed a ∎ vi refrescar; **se désaltérer** vpr beber; **ça désaltère** esto refresca

désapprobateur, -trice [dezapʀɔbatœʀ, tʀis] adj desaprobatorio(-a)

désapprouver [dezapʀuve] vt desaprobar

désarmant, e [dezaʀmɑ̃, ɑ̃t] adj conmovedor(a)

désastre [dezastʀ] nm desastre m

désastreux, -euse [dezastʀø, øz] adj desastroso(-a)

désavantage [dezavɑ̃taʒ] nm (*handicap*) inferioridad f; (*inconvénient*) desventaja

désavantager [dezavɑ̃taʒe] vt desfavorecer

descendant, e [desɑ̃dɑ̃, ɑ̃t] vb voir **descendre** ∎ adj voir **marée** ∎ nm/f descendiente m/f

descendre [desɑ̃dʀ] vt bajar; (*abattre*) cargarse; (*boire*) pimplar, soplar ∎ vi bajar, descender; (*passager*) bajar(se); (*avion, chemin, marée*) bajar; (*nuit*) caer; **~ à pied/en voiture** bajar a pie/en coche; **~ de** (*famille*) descender de; **~ du train/ d'un arbre/de cheval** bajar(se) del tren/ de un árbol/del caballo; **~ à l'hôtel** quedarse en un hotel; **~ dans l'estime de qn** bajar en la estima de algn; **~ dans la rue** (*manifester*) salir a la calle; **~ dans le Midi** bajar al Sur de Francia; **~ la rue/rivière** ir calle/río abajo; **~ en ville** ir al centro

descente [desɑ̃t] nf bajada, descenso; (*route*) pendiente f; (*Ski*) descenso; **au milieu de la ~** en medio de la bajada; **~ de lit** alfombra de cama; **~ (de police)** redada (de la policía), allanamiento (*AM*)

description [dɛskʀipsjɔ̃] nf descripción f

déséquilibre [dezekilibʀ] nm desequilibrio; **en ~** desequilibrado(-a)

désert, e [dezɛʀ, ɛʀt] adj desierto(-a) ∎ nm desierto

désertique [dezɛʀtik] adj desértico(-a)

désespéré, e [dezɛspeʀe] adj, nm/f desesperado(-a); **état ~** (*Méd*) estado desesperado

désespérer [dezɛspeʀe] vi desesperar; **se désespérer** vpr desesperarse; **~ de qn/qch** perder la esperanza en algn/ algo; **~ de (pouvoir) faire qch** desesperar de (poder) hacer algo

désespoir [dezɛspwaʀ] nm desesperación f, desesperanza; **être** ou **faire le ~ de qn** ser la desesperación de algn; **en ~ de cause** como último recurso

déshabiller [dezabije] vt desvestir; **se déshabiller** vpr desnudarse, desvestirse (*esp AM*)

déshydraté, e [dezidʀate] adj deshidratado(-a)

desiderata [dezideʀata] nmpl desiderata fsg

désigner [dezine] vt (*montrer*) enseñar; (*dénommer*) designar; (*représentant*) nombrar

désillusion [dezi(l)lyzjɔ̃] nf desilusión f
désinfectant, e [dezɛ̃fɛktɑ̃, ɑ̃t] adj
desinfectante ■ nm desinfectante m
désinfecter [dezɛ̃fɛkte] vt desinfectar
désintéressé, e [dezɛ̃teʀese] adj
desinteresado(-a)
désintéresser [dezɛ̃teʀese] vt: se ~ (de
qn/qch) desinteresarse (por algn/algo),
perder el interés (por algn/algo)
désintoxication [dezɛ̃tɔksikasjɔ̃] nf
(Méd) desintoxicación f; **faire une cure
de ~** hacer una cura de desintoxicación
désinvolte [dezɛ̃vɔlt] adj impertinente
désir [deziʀ] nm deseo; **exprimer le ~ de**
(politesse) expresar el deseo de
désirer [deziʀe] vt desear; **je désire ...**
(formule de politesse) desearía ...; **~ que**
desear que; **il désire que tu l'aides** desea
que le ayudes; **~ faire qch** desear hacer
algo; **ça laisse à ~** deja mucho que
desear
désister [deziste] vpr: **se désister**
desistir
désobéir [dezɔbeiʀ] vi: **~ (à qn/qch)**
desobedecer (a algn/algo)
désobéissant, e [dezɔbeisɑ̃, ɑ̃t] adj
desobediente
désodorisant, e [dezɔdɔʀizɑ̃, ɑ̃t] adj
desodorante ■ nm desodorante m;
(d'appartement) ambientador m
désolé, e [dezɔle] adj desolado(-a); **je
suis ~, il n'y en a plus** lo siento, ya no hay
más
désordonné, e [dezɔʀdɔne] adj
desordenado(-a)
désordre [dezɔʀdʀ] nm desorden m;
désordres nmpl (Pol) disturbios mpl;
en ~ en desorden; **dans le ~** (tiercé) sin
dar el orden
désormais [dezɔʀmɛ] adv (de ahora) en
adelante
desquelles [dekɛl] prép + pron voir **lequel**
desquels [dekɛl] prép + pron voir **lequel**
DESS [deəɛsɛs] sigle m (= diplôme d'études
supérieures spécialisées) diploma de
pos(t)grado
dessécher [deseʃe] vt desecar; (cœur)
endurecer; **se dessécher** vpr secarse;
(peau, lèvres) secarse, resecarse
desserrer [deseʀe] vt aflojar; (poings,
dents) abrir; (objets alignés) espaciar;
(crédit) reabrir; **ne pas ~ les dents** no
despegar los labios
dessert [desɛʀ] vb voir **desservir** ■ nm
(moment du repas) postres mpl; (mets)
postre m
desservir [desɛʀviʀ] vt (suj: moyen de
transport) cubrir el servicio de; (: voie de

communication) comunicar; (: vicaire:
paroisse) atender; (personne) perjudicar a;
~ la table quitar la mesa
dessin [desɛ̃] nm dibujo; **le ~ industriel** el
diseño industrial; **~ animé** dibujos mpl
animados; **~ humoristique** dibujo
humorístico, viñeta
dessinateur, -trice [desinatœʀ, tʀis]
nm/f dibujante m/f; **dessinatrice de
mode** diseñadora de moda; **~ industriel**
delineante m/f
dessiner [desine] vt dibujar; (concevoir)
diseñar; (suj: robe: taille) resaltar; **se
dessiner** vpr perfilarse
dessous [d(ə)su] adv debajo, abajo ■ nm
parte f inferior; (de voiture) bajos mpl;
(étage inférieur): **les voisins/
l'appartement du ~** los vecinos/el piso
de abajo; **dessous** nmpl (fig) secretos
mpl; (sous-vêtements) ropa interior fsg;
en ~ (sous) debajo; (plus bas) por debajo;
(fig: en catimini) a hurtadillas; **par-~** adv
por debajo; **par ~** prép por debajo de; **de
~ de** algo; **de ~ le lit** debajo de la cama;
au-~ abajo, debajo; **au-~ de** por debajo
de; (zéro) bajo; **au-~ de tout**
incalificable; **avoir le ~** tener ou llevar la
peor parte
dessous-de-plat [dəsudpla] nm inv
salvamanteles m inv
dessus [d(ə)sy] adv encima, arriba ■ nm
parte f superior; (étage supérieur): **les
voisins/l'appartement du ~** los vecinos/
el piso de arriba; **en ~** encima, arriba;
c'est écrit ~ está ahí; **par-~** adv por
encima, por arriba ■ prép por encima de,
por arriba de; **au-~** encima, arriba;
au-~ de por encima de; (zéro) sobre;
de ~ de arriba, de encima; **avoir/prendre
le ~** ir ganando; **reprendre le ~**
recobrarse; **bras ~ bras dessous**
cogidos(-as) del brazo; **sens ~ dessous**
patas arriba
dessus-de-lit [dəsydli] nm inv colcha
destin [dɛstɛ̃] nm destino
destinataire [dɛstinatɛʀ] nm/f
destinatario(-a); **aux risques et périls
du ~** a cuenta y riesgo del destinatario
destination [dɛstinasjɔ̃] nf destino;
(usage) función f; **à ~ de** con destino a
destiner [dɛstine] vt: **~ qn à** destinar a
algn a/para; **~ qch à** destinar algo a;
~ qch à qn destinar a algn para algo;
se ~ à l'enseignement pensar dedicarse
a la enseñanza; **être destiné à** estar
destinado(-a) a; (usage) ser para
destruction [dɛstʀyksjɔ̃] nf
destrucción f

détachant [detaʃɑ̃] nm quitamanchas m inv

détacher [detaʃe] vt (ôter) desprender; (délier) desatar, soltar; (Mil) destacar; (vêtement) limpiar; **se détacher** vpr (Sport) descolgarse; (prisonnier etc) desatarse; (tomber, se défaire) desprenderse; **~ qn (auprès de** ou **à)** (Admin) enviar a algn (a); **se ~ (de qn** ou **qch)** (se désintéresser) perder interés (por algn ou algo); **se ~ sur** (se dessiner) destacarse en

détail [detaj] nm detalle m; **le ~** (Comm) la venta al por menor; **prix de ~** precio al por menor; **au ~** (Comm) al por menor; (individuellement) por unidades; **faire/ donner le ~ de** detallar; (compte, facture) desglosar; **en ~** en detalle

détaillant, e [detajɑ̃, ɑ̃t] nm/f minorista m/f

détaillé, e [detaje] adj detallado(-a)

détailler [detaje] vt detallar; (personne) examinar

détecter [detɛkte] vt detectar

détective [detɛktiv] nm: **~ (privé)** detective m/f

déteindre [detɛ̃dʀ] vi desteñir; (suj: soleil) decolorar; **~ sur** teñir; (influencer) influir sobre

détendre [detɑ̃dʀ] vt aflojar; (lessive, linge) recoger; (gaz) descomprimir; (atmosphère etc) relajar; **se détendre** vpr (ressort) aflojarse; (se reposer) descansar; (se décontracter) relajarse

détenir [det(ə)niʀ] vt poseer; (otage) retener; (prisonnier) tener preso a; (record) ostentar; **~ le pouvoir** (Pol) ostentar el poder

détente [detɑ̃t] nf distensión f, relajación f; (politique, sociale) distensión; (loisirs) esparcimiento, descanso; (d'une arme) disparador m, gatillo; (d'un athlète qui saute) resorte m

détention [detɑ̃sjɔ̃] nf posesión f; (d'un otage) retención f; (d'un prisonnier) encarcelamiento; **la ~ du pouvoir par ...** el hecho de que el poder fuera ostentado por ...; **~ préventive** ou **provisoire** prisión f preventiva

détenu, e [det(ə)ny] pp de **détenir** ■ nm/f (prisonnier) preso(-a)

détergent [detɛʀʒɑ̃] nm detergente m

détériorer [deteʀjɔʀe] vt deteriorar; **se détériorer** vpr deteriorarse

déterminé, e [detɛʀmine] adj (personne, air) decidido(-a); (but, intentions) claro(-a); (fixé: quantité etc) determinado(-a)

déterminer [detɛʀmine] vt (date etc) determinar; **~ qn à faire qch** decidir a algn a hacer algo; **se ~ à faire qch** determinarse a hacer algo

détester [detɛste] vt (haïr) detestar, odiar; (sens affaibli) detestar

détour [detuʀ] nm rodeo; (tournant, courbe) curva, recodo; (subterfuge) subterfugio; **au ~ du chemin** a la vuelta del camino; **sans ~** (fig) sin rodeos

détourné, e [detuʀne] adj (sentier, chemin) indirecto(-a); (moyen) dudoso(-a)

détourner [detuʀne] vt desviar; (avion: par la force) secuestrar; (yeux) apartar; (tête) volver; (de l'argent) malversar; **se détourner** vpr (tourner la tête) apartar la cara; **~ la conversation/l'attention (de qn)** desviar la conversación/la atención (de algn); **~ qn de son devoir/ travail** apartar a algn de su deber/ trabajo

détraquer [detʀake] vt fastidiar, cargarse; (santé, estomac) estropear; **se détraquer** vpr: **ma montre s'est détraquée** se me ha fastidiado el reloj

détriment [detʀimɑ̃] nm: **au ~ de** en detrimento de; **à mon/son ~** en mi/su perjuicio

détroit [detʀwa] nm estrecho; **le ~ de Be(h)ring/de Gibraltar/de Magellan/ du Bosphore** el estrecho de Bering/de Gibraltar/de Magallanes/del Bósforo

détruire [detʀɥiʀ] vt destruir; (population) acabar con; (hypothèse) echar abajo; (espoir) romper; (santé) perjudicar

dette [dɛt] nf deuda; **~ de l'État** ou **publique** deuda pública

DEUG [døg] sigle m (= diplôme d'études universitaires générales) diplomatura

● **DEUG**
●
● En Francia, tras finalizar el segundo
● curso de estudios universitarios, los
● estudiantes se presentan a un
● examen para la obtención del DEUG,
● siglas del "diplôme d'études
● universitaires générales". Una vez
● obtenido el diploma pueden optar
● entre dejar definitivamente la
● universidad o seguir estudiando para
● la "licence". En dicho diploma se
● especifican las asignaturas más
● importantes que se han estudiado y
● puede obtenerse con matrícula de
● honor.

deuil [dœj] *nm* luto; **porter le ~** llevar luto; **être en/prendre le ~** estar/ponerse de luto

deux [dø] *adj inv, nm inv* dos *m inv*; **les ~** los (las) dos, ambos(-as); **ses ~ mains** las dos manos; **tous les ~ jours/mois** cada dos días/meses; **à ~ pas** a dos pasos; **~ points** (*ponctuation*) dos puntos *mpl*; *voir aussi* **cinq**

deuxième [døzjɛm] *adj, nm/f* segundo(-a); **~ classe** segunda clase *f*; *voir aussi* **cinquième**

deuxièmement [døzjɛmmɑ̃] *adv* en segundo lugar

deux-pièces [døpjɛs] *nm inv* dos piezas *m inv*; (*appartement*) apartamento de dos habitaciones

deux-roues [døʀu] *nm inv* vehículo de dos ruedas

devais [dəvɛ] *vb voir* **devoir**

dévaluation [devalɥasjɔ̃] *nf* devaluación *f*

devancer [d(ə)vɑ̃se] *vt* adelantar; (*arriver avant, aussi fig*) adelantarse a; **~ l'appel** (*Mil*) alistarse como voluntario

devant[1] [d(ə)vɑ̃] *vb voir* **devoir**

devant[2] [d(ə)vɑ̃] *adv* delante, adelante ■ *prép* (*en face de*) delante de, frente a; (*passer, être*) delante de; (*en présence de*) ante; (*face à*) ante, delante de; (*étant donné*) ante ■ *nm* (*de maison*) fachada; (*vêtement, voiture*) delantera; **prendre les ~s** adelantarse; **de ~** delantero(-a); **par ~** por delante; **aller au-~ de qn** ir al encuentro de algn; **aller au-~ de** (*désirs de qn*) anticiparse a; (*ennuis, difficultés*) encontrarse con; **par-~ notaire** ante notario

devanture [d(ə)vɑ̃tyʀ] *nf* (*façade*) fachada; (*étalage, vitrine*) escaparate *m*, vidriera (*AM*)

développement [dev(ə)lɔpmɑ̃] *nm* desarrollo; (*photo*) revelado; (*exposé*) exposición *f*; (*Géom*) proyección *f*; (*gén pl*) evolución *f*

développer [dev(ə)lɔpe] *vt* desarrollar; (*Photo*) revelar; (*Géom*) proyectar; **se développer** *vpr* desarrollarse; (*affaire*) evolucionar

devenir [dəv(ə)niʀ] *vt* volverse; **que sont-ils devenus?** ¿qué ha sido de ellos?; **~ médecin** hacerse médico; **~ vieux/grand** hacerse viejo/mayor

devez [dəve] *vb voir* **devoir**

déviation [devjasjɔ̃] *nf* desviación *f*; (*Auto*) desvío; **~ de la colonne (vertébrale)** desviación de la columna vertebral

devienne *etc* [dəvjɛn] *vb voir* **devenir**

deviner [d(ə)vine] *vt* adivinar; (*voir*) atisbar

devinette [d(ə)vinɛt] *nf* adivinanza

devins *etc* [dəvɛ̃] *vb voir* **devenir**

devis [d(ə)vi] *nm* presupuesto; **~ descriptif/estimatif** presupuesto detallado/aproximado

dévisager [devizaʒe] *vt* mirar de arriba abajo

devise [dəviz] *nf* (*formule*) lema *m*, divisa; (*Écon*) divisa; **devises** *nfpl* dinero *msg* extranjero

dévisser [devise] *vt* desatornillar; **se dévisser** *vpr* desatornillarse

devoir [d(ə)vwaʀ] *nm* deber *m* ■ *vt* deber; **il doit le faire** (*obligation*) debe hacerlo, tiene que hacerlo; **cela devait arriver** (*fatalité*) tenía que ocurrir (un día); **il doit partir demain** (*intention*) se va mañana; **il doit être tard** (*probabilité*) debe (de) ser tarde; **se faire un ~ de faire** creerse en la obligación de hacer; **se ~ de faire qch** sentirse obligado(-a) a hacer algo; **je devrais faire** tendría que hacer; **tu n'aurais pas dû** no deberías haberlo hecho; (*politesse*) no tendrías que haberlo hecho; **comme il se doit** (*comme il faut*) como debe ser; **se mettre en ~ de faire qch** empezar a hacer algo; **derniers ~s** honras *fpl* fúnebres; **je lui dois beaucoup** le debo mucho; **~s de vacances** deberes *mpl* de vacaciones

dévorer [devɔre] *vt* devorar; **~ qch/qn des yeux** *ou* **du regard** devorar algo/a algn con la mirada

dévoué, e [devwe] *adj* dedicado(-a)

dévouer [devwe] *vpr*: **se dévouer**: **se ~ (pour)** sacrificarse (por); **se ~ à** dedicarse a

devrai [dəvre] *vb voir* **devoir**

dézipper [dezipe] *vt* (*Inform*) descomprimir

diabète [djabɛt] *nm* (*Méd*) diabetes *f inv*

diabétique [djabetik] *adj, nm/f* diabético(-a)

diable [djɑbl] *nm* diablo; (*chariot à deux roues*) carretilla; **(petit) ~** (*enfant*) diablillo; **pauvre ~** pobre diablo; **une musique du ~** una música infernal; **il fait une chaleur du ~** hace un calor infernal; **avoir le ~ au corps** tener el diablo en el cuerpo; **habiter/être situé au ~** vivir/estar en el quinto infierno

diabolo [djabɔlo] *nm* (*jeu*) diábolo; (*boisson*) mezcla de gaseosa y almíbar; **~ menthe** menta con gas

diagnostic [djagnɔstik] *nm* diagnóstico

diagnostiquer [djagnɔstike] *vt* diagnosticar

diagonal, e, -aux [djagɔnal, o] *adj* diagonal

diagonale [djagɔnal] *nf* diagonal *f*; **en ~** en diagonal; *(fig)*: **lire en ~** leer por encima

diagramme [djagʀam] *nm* diagrama *m*

dialecte [djalɛkt] *nm* dialecto

dialogue [djalɔg] *nm* diálogo; **cesser/ reprendre le ~** interrumpir/reanudar el diálogo; **~ de sourds** diálogo de besugos

diamant [djamɑ̃] *nm* diamante *m*

diamètre [djamɛtʀ] *nm* diámetro

diapositive [djapozitiv] *nf* diapositiva

diarrhée [djaʀe] *nf* diarrea

dictateur [diktatœʀ] *nm* dictador *m*

dictature [diktatyʀ] *nf* dictadura

dictée [dikte] *nf* dictado; **prendre sous ~** tomar al dictado

dicter [dikte] *vt (aussi fig)* dictar

dictionnaire [diksjɔnɛʀ] *nm* diccionario; **~ bilingue** diccionario bilingüe; **~ encyclopédique/de langue** diccionario enciclopédico/de la lengua

dièse [djɛz] *nm* sostenido; **touche ~** teela almohadilla

diesel [djezɛl] *nm* diesel *m*; **un (véhicule/moteur) ~** un (vehículo/ motor) diesel

diète [djɛt] *nf* dieta; **être à la ~** estar a dieta

diététique [djetetik] *adj* dietético(-a) ■ *nf* dietética; **magasin ~** tienda de dietética

dieu, x [djø] *nm (aussi fig)* dios *msg*; **D~** Dios; **le bon D~** Dios; **mon D~!** ¡Dios mío!

différemment [difeʀamɑ̃] *adv* de forma diferente

différence [difeʀɑ̃s] *nf* diferencia; **à la ~ de** a diferencia de

différencier [difeʀɑ̃sje] *vt* diferenciar; **se différencier** *vpr* diferenciarse; **se ~ (de)** diferenciarse (de)

différent, e [difeʀɑ̃, ɑ̃t] *adj*: **~ (de)** distinto(-a) (de), diferente (de); **~s objets/personnages** varios objetos/ personajes; **à ~es reprises** en varias ocasiones; **pour ~es raisons** por distintas razones

différer [difeʀe] *vt* diferir, postergar *(AM)* ■ *vi*: **~ (de)** diferir (de)

difficile [difisil] *adj* difícil; **faire le** *ou* **la ~** hacer remilgos

difficilement [difisilmɑ̃] *adv* difícilmente; **~ compréhensible/lisible** difícil de comprender/leer

difficulté [difikylte] *nf* dificultad *f*; **faire**

des ~s (pour) poner dificultades (para); **en ~** en apuros; **avoir de la ~ à faire qch** tener dificultad en hacer algo

diffuser [difyze] *vt* emitir; *(nouvelle, idée)* difundir; *(Comm)* distribuir

digérer [diʒeʀe] *vt (aussi fig)* digerir

digeste [diʒɛst] *adj* digestible

digestif, -ive [diʒɛstif, iv] *adj* digestivo(-a) ■ *nm* licor *m*

digestion [diʒɛstjɔ̃] *nf* digestión *f*; **bonne/mauvaise ~** buena/mala digestión

digne [diɲ] *adj (respectable)* digno(-a); **~ d'intérêt/d'admiration** digno de interés/de admiración; **~ de foi** digno de fe; **~ de qn/qch** digno de algn/algo

dignité [diɲite] *nf* dignidad *f*

digue [dig] *nf* dique *m*; *(pour protéger la côte)* rompeolas *m inv*

dilemme [dilɛm] *nm* dilema *m*

diligence [diliʒɑ̃s] *nf* diligencia; **faire ~** apresurarse

diluer [dilɥe] *vt* diluir; *(péj: discours etc)* meter paja en

dimanche [dimɑ̃ʃ] *nm* domingo; **le ~ des Rameaux/de Pâques** el domingo de Ramos/de Pascua; *voir aussi* **lundi**

dimension [dimɑ̃sjɔ̃] *nf* dimensión *f*; *(gén pl: cotes, coordonnées)* dimensiones *fpl*

diminuer [diminɥe] *vt* disminuir; *(dénigrer)* desacreditar; *(tricot)* menguar ■ *vi* disminuir

diminutif [diminytif] *nm (Ling)* diminutivo; *(surnom)* diminutivo cariñoso

dinde [dɛ̃d] *nf* pava

dindon [dɛ̃dɔ̃] *nm* pavo

dîner [dine] *nm* cena, comida *(AM)* ■ *vi* cenar; **~ de famille/d'affaires** cena familiar/de negocios

dingue [dɛ̃g] *(fam) adj* chalado(-a)

dinosaure [dinɔzɔʀ] *nm* dinosaurio

diplomate [diplɔmat] *adj* diplomático(-a) ■ *nm/f* diplomático(-a) ■ *nm (Culin)* especie de bizcocho

diplomatie [diplɔmasi] *nf* diplomacia

diplôme [diplom] *nm* diploma *m*, título; *(examen)* examen *m* de diplomatura; **avoir des ~s** tener títulos

diplômé, e [diplome] *adj, nm/f* titulado(-a), diplomado(-a)

dire [diʀ] *nm*: **au ~ de** al decir de, en la opinión de ■ *vt* decir; *(suj: horloge etc)* decir, marcar; *(ordre, invitation)*: **~ à qn qu'il fasse** *ou* **de faire qch** decir a algn que haga algo; *(objecter)*: **n'avoir rien à ~ (à)** no tener nada que decir (a); *(signifier)*: **vouloir ~ que** querer decir que; *(plaire)*:

cela me/lui dit de faire me/le apetece hacer; (*penser*): **que dites-vous de ...?** ¿qué opina usted de ...?; **dires** *nmpl* opiniones *fpl*; **se dire** *vpr* decirse; (*se prétendre*): **se ~ malade** *etc* pretenderse enfermo(-a) *etc*; **ça se dit ... en anglais** se dice ... en inglés; **~ quelque chose/ce qu'on pense** decir algo/lo que uno piensa; **~ la vérité/l'heure** decir la verdad/la hora; **dis pardon** pide perdón; **dis merci** da las gracias; **on dit que** dicen que; **comme on dit** como se dice; **on dirait que** parece que; **on dirait du vin** *etc* parece vino *etc*; **ça ne me dit rien** no me apetece; (*rappeler qch*) no me suena; **à vrai ~** a decir verdad; **pour ainsi ~** por decirlo así; **cela va sans ~** ni qué decir tiene; **dis donc!/dites donc!** (*pour attirer attention*) ¡oye!/¡oiga!; (*au fait*) ¡a propósito!; (*agressif*) ¡oye!/¡oiga Ud!; **et ~ que ...** y pensar que ...; **ceci ou cela dit** a pesar de todo; (*à ces mots*) dicho esto; **c'est dit, voilà qui est dit** está dicho; **il n'y a pas à ~** realmente; **c'est ~ si** muestra hasta qué punto; **c'est beaucoup/peu ~** es mucho/poco decir; **cela ne se dit pas comme ça** no se dice así; **se ~ au revoir** decirse adiós; **c'est toi qui le dis** lo dices tú; **je ne vous le fais pas ~** estoy muy de acuerdo; **je te l'avais dit** te lo había dicho; **je ne peux pas ~ le contraire** no puedo decir lo contrario; **tu peux le ~, à qui le dis-tu** y que lo digas

direct, e [diʀɛkt] *adj* directo(-a); (*personne*) franco(-a) ■ *nm* (*train, boxe*) directo; (*boxe*): **~ du gauche/du droit** directo con la izquierda/derecha; **train/bus ~** tren *m*/autobús *msg* directo; **en ~** en directo

directement [diʀɛktəmɑ̃] *adv* directamente

directeur, -trice [diʀɛktœʀ, tʀis] *adj* (*principe, fil*) rector(a) ■ *nm/f* director(a); **comité ~** comité *m* directivo; **~ général/commercial/du personnel** director(a) general/comercial/de personal; **~ de thèse** director(a) de tesis

direction [diʀɛksjɔ̃] *nf* dirección *f*; **sous la ~ de** (*Mus*) bajo la dirección de; **en ~ de** en dirección a; **"toutes ~s"** (*Auto*) "todas las direcciones"

dirent [diʀ] *vb voir* **dire**

dirigeant, e [diʀiʒɑ̃, ɑ̃t] *adj, nm/f* dirigente *m/f*

diriger [diʀiʒe] *vt* dirigir; **se diriger** *vpr* orientarse; **~ sur** (*regard*) dirigir hacia; **~ son arme sur qn** apuntar a algn con un arma; **~ contre** (*critiques, plaisanteries*) dirigir contra; **se ~ vers** *ou* **sur** dirigirse hacia

dis [di] *vb voir* **dire**

discerner [disɛʀne] *vt* (*apercevoir*) divisar; (*motif, cause*) discernir

discipline [disiplin] *nf* disciplina

discipliner [disipline] *vt* disciplinar; (*cheveux*) mantener

discontinu, e [diskɔ̃tiny] *adj* discontinuo(-a)

discontinuer [diskɔ̃tinɥe] *vi*: **sans ~** sin interrupción

discothèque [diskɔtɛk] *nf* discoteca

discours [diskuʀ] *nm* discurso ■ *nmpl* (*bavardages*) palabrería *fsg*; **le ~** (*Ling*) el enunciado; **~ direct/indirect** discurso directo/indirecto

discret, -ète [diskʀɛ, ɛt] *adj* discreto(-a); **un endroit ~** un lugar tranquilo

discrétion [diskʀesjɔ̃] *nf* discreción *f*; **à ~** (*boisson etc*) a discreción; **à la ~ de qn** según la voluntad de algn

discrimination [diskʀiminasjɔ̃] *nf* discriminación *f*; **sans ~** sin discriminación

discussion [diskysjɔ̃] *nf* discusión *f*; **discussions** *nfpl* negociaciones *fpl*

discutable [diskytabl] *adj* discutible

discuter [diskyte] *vt, vi* discutir; **~ de qch** discutir algo

dise [diz] *vb voir* **dire**

disjoncteur [disʒɔ̃ktœʀ] *nm* (*Élec*) interruptor *m*

disloquer [dislɔke] *vt* (*membre*) dislocar; (*chaise*) desencajar; (*troupe, manifestants*) disolver; **se disloquer** *vpr* (*parti*) desmembrarse, disgregarse; (*empire*) desmembrarse; **se ~ l'épaule** dislocarse el hombro

disons [dizɔ̃] *vb voir* **dire**

disparaître [dispaʀɛtʀ] *vi* desaparecer; **faire ~ qch/qn** hacer desaparecer algo/a algn

disparition [dispaʀisjɔ̃] *nf* desaparición *f*

disparu, e [dispaʀy] *pp de* **disparaître** ■ *nm/f* (*dont on a perdu la trace*) desaparecido(-a); (*défunt*) fallecido(-a); **être porté ~** ser dado por desaparecido

dispensaire [dispɑ̃sɛʀ] *nm* dispensario

dispenser [dispɑ̃se] *vt* (*soins etc*) prestar; (*exempter*): **~ qn de qch/faire qch** dispensar a algn de algo/hacer algo; **se ~ de qch/faire qch** librarse de algo/hacer algo; **se faire ~ de qch** lograr eximirse de algo

disperser [dispɛʀse] *vt* dispersar;

(*efforts*) dividir; **se disperser** *vpr* (*foule*) dispersarse; (*fig*) dividirse

disponible [dispɔnibl] *adj* disponible

disposé, e [dispoze] *adj* dispuesto(-a); **bien/mal ~** de buen/mal humor; **être bien/mal ~ pour** *ou* **envers qn** estar bien/mal dispuesto(-a) hacia algn; **~ à** dispuesto(-a) a; **pièces bien/mal ~es** habitaciones *fpl* bien/mal distribuidas

disposer [dispoze] *vt* disponer; (*préparer, inciter*): **~ qn à qch/faire qch** predisponer a algn para algo/hacer algo ■ *vi*: **vous pouvez ~** puede retirarse; **~ de** disponer de; **se ~ à faire qch** disponerse a hacer algo

dispositif [dispozitif] *nm* dispositivo; (*d'un texte de loi*) parte *f* resolutiva; **~ de sûreté** dispositivo de seguridad

disposition [dispozisjɔ̃] *nf* disposición *f*; (*arrangement*) distribución *f*; (*gén pl: mesures*) medidas *fpl*; (: *préparatifs*) preparativos *mpl*; **dispositions** *nfpl* disposición *fsg*; **à la ~ de qn** a disposición de algn

disproportionné, e [dispropɔrsjone] *adj* desproporcionado(-a)

dispute [dispyt] *nf* riña, disputa

disputer [dispyte] *vt* disputar; **se disputer** *vpr* reñir; (*match, etc*) disputarse; **~ qch à qn** disputar algo a algn

disqualifier [diskalifje] *vt* descalificar; **se disqualifier** *vpr* descalificarse

disque [disk] *nm* disco; **le lancement du ~** el lanzamiento de disco; **~ compact** disco compacto; **~ d'embrayage** (*Auto*) disco de embrague; **~ de stationnement** disco de estacionamiento; **~ dur** (*Inform*) disco duro; **~ laser** disco láser; **~ système** sistema *m* de disco

disquette [disket] *nf* (*Inform*) diskette *m*; **~ à double/simple densité** diskette de densidad doble/sencilla; **~ double/une face** diskette de doble/una cara

dissertation [disertasjɔ̃] *nf* (*Scol*) redacción *f*

dissimuler [disimyle] *vt* disimular, ocultar; **se dissimuler** *vpr* cubrirse; (*être masqué, caché*) ocultarse

dissipé, e [disipe] *adj* (*indiscipliné*) distraído(-a)

dissolvant, e [disɔlvɑ̃, ɑ̃t] *nm* (*Chim*) disolvente *m*

dissuader [disɥade] *vt*: **~ qn de faire qch/de qch** disuadir a algn de hacer algo/de algo

distance [distɑ̃s] *nf* distancia; (*de temps*) diferencia; **à ~** a distancia; **avec la ~** con

el tiempo; (*situé*) **à ~** (*Inform*) (situado) a distancia; **tenir qn à ~** tener a algn a raya; **se tenir à ~** mantenerse a distancia; **une ~ de 10 km** una distancia de 10km; **à 10 km de ~** a 10km de distancia; **à 2 ans de ~** con 2 años de diferencia; **prendre ses ~s** tomar las distancias; **garder ses ~s** guardar las distancias; **tenir la ~** resistir el recorrido; **~ focale** (*Photo*) distancia focal

distancer [distɑ̃se] *vt* (*concurrent*) distanciarse de; **se laisser ~** quedarse atrás

distant, e [distɑ̃, ɑ̃t] *adj* (*aussi fig*) distante; **~ de 5 km** distante 5km

distillerie [distilri] *nf* destilería

distinct, e [distɛ̃(kt), ɛ̃kt] *adj* distinto(-a); (*net*) claro(-a)

distinctement [distɛ̃ktəmɑ̃] *adv* (*voir*) con nitidez; (*parler*) con claridad

distinctif, -ive [distɛ̃ktif, iv] *adj* distintivo(-a)

distingué, e [distɛ̃ge] *adj* distinguido(-a)

distinguer [distɛ̃ge] *vt* distinguir; (*suj: caractéristique, trait*) caracterizar; **se distinguer** *vpr*: **se ~ (de)** distinguirse (de)

distraction [distraksjɔ̃] *nf* distracción *f*

distraire [distrɛr] *vt* (*amuser*) distraer, entretener; (*somme d'argent*) distraer ■ *vi* distraer; **se distraire** *vpr* distraerse; **~ qn de qch** distraer a algn de algo; **~ l'attention** distraer la atención

distrait, e [distrɛ, ɛt] *pp de* **distraire** ■ *adj* distraído(-a)

distrayant, e [distrɛjɑ̃, ɑ̃t] *vb voir* **distraire** ■ *adj* distraído(-a), entretenido(-a)

distribuer [distribɥe] *vt* repartir; (*hum: gifles, coups*) propinar; (*rôles*) repartir; (*Cartes*) dar; (*Comm*) distribuir

distributeur, -trice [distribytœr, tris] *nm/f* (*Comm*) distribuidor(a) ■ *nm* (*Auto*) delco; **~ (automatique)** máquina (expendedora); (*Banque*) cajero

dit [di] *pp de* **dire** ■ *adj*: **le jour ~** el día fijado; **X, ~ Pierrot** X, llamado Pierrot

dites [dit] *vb voir* **dire**

divan [divɑ̃] *nm* sofá *m*

divers, e [diver, ɛrs] *adj* (*varié*) diverso(-a), vario(-a); (*différent*) variado(-a) ■ *dét* (*plusieurs*) varios(-as), diversos(-as); **"~"** "varios"; **(frais) ~** gastos *mpl* varios

diversifier [diversifje] *vt* diversificar; **se diversifier** *vpr* diversificarse

diversité [diversite] *nf* diversidad *f*

divertir [divertir] *vt* divertir; **se divertir** *vpr* divertirse

divertissement [divɛʀtismɑ̃] nm
diversión f; (Mus) divertimento
diviser [divize] vt dividir; **se diviser** vpr:
se ~ en dividirse en; **~ par** dividir por; **~
un nombre par un autre** dividir un
número entre otro
division [divizjɔ̃] nf división f;
1ère/2ème ~ (Sport) 1a/2a división; **~ du
travail** (Écon) división del trabajo
divorce [divɔʀs] nm (aussi fig) divorcio
divorcé, e [divɔʀse] adj, nm/f
divorciado(-a)
divorcer [divɔʀse] vi divorciarse; **~ de** ou
d'avec qn divorciarse de algn
divulguer [divylge] vt divulgar
dix [dis] adj inv, nm inv diez m inv; voir aussi
cinq
dix-huit [dizɥit] adj inv, nm inv dieciocho
m inv; voir aussi **cinq**
dix-huitième [dizɥitjɛm] adj, nm/f
decimoctavo(-a) ■ nm (partitif)
dieciochoavo; voir aussi **cinquantième**
dixième [dizjɛm] adj, nm/f décimo(-a)
■ nm décimo; voir aussi **cinquième**
dix-neuf [diznœf] adj inv, nm inv
diecinueve m inv; voir aussi **cinq**
dix-neuvième [diznœvjɛm] adj, nm/f
decimonoveno(-a) ■ nm (partitif)
diecinueveavo; voir aussi **cinquantième**
dix-sept [disɛt] adj inv, nm inv diecisiete
m inv; voir aussi **cinq**
dix-septième [disɛtjɛm] adj, nm/f
decimoséptimo(-a) ■ nm (partitif)
diecisieteavo; voir aussi **cinquantième**
dizaine [dizɛn] nf (unité) decena; **une ~
de ...** unos(-as) diez ...; **dire une ~ de
chapelet** rezar una decena del rosario
do [do] nm inv (Mus) do
docile [dɔsil] adj dócil
dock [dɔk] nm dique m; (hangar, bâtiment)
depósito, almacén m; **~ flottant** dique
flotante
docker [dɔkɛʀ] nm estibador m
docteur [dɔktœʀ] nm (médecin) médico,
doctor(a); (d'Université) doctor(a); **~ en
médecine** doctor(a) en medicina
doctorat [dɔktɔʀa] nm (aussi: **doctorat
d'État**) doctorado
doctrine [dɔktʀin] nf doctrina
document [dɔkymɑ̃] nm documento
documentaire [dɔkymɑ̃tɛʀ] adj
documental ■ nm: (film) ~ documental m
documentaliste [dɔkymɑ̃talist] nm/f
documentalista m/f
documentation [dɔkymɑ̃tasjɔ̃] nf
documentación f
documenter [dɔkymɑ̃te] vt documentar;
se ~ (sur) documentarse (sobre)

dodo [dodo] nm: **aller faire ~** ir a la cama
dogue [dɔg] nm (perro) dogo
doigt [dwa] nm dedo; **être à deux ~s de**
estar a dos dedos de; **un ~ de** (fig: lait)
una gota de; (: whisky) un dedo de; **le
petit ~** el (dedo) meñique; **au ~ et à l'œil**
(obéir) puntualmente; **désigner** ou
montrer du ~ señalar con el dedo;
connaître qch sur le bout du ~ saber
algo al dedillo; **mettre le ~ sur le plaie**
poner el dedo en la llaga; **~ de pied** dedo
del pie
doit etc [dwa] vb voir **devoir**
dollar [dɔlaʀ] nm dólar m
domaine [dɔmɛn] nm (aussi fig)
dominio; (Jur): **tomber dans le ~ public**
pasar al dominio público; **dans tous les
~s** en todos los órdenes
domestique [dɔmɛstik] adj
doméstico(-a) ■ nm/f doméstico(-a),
sirviente(-a), criado(-a)
domicile [dɔmisil] nm domicilio; **à ~ a**
domicilio; **élire ~ à** fijar el domicilio en;
sans ~ fixe sin domicilio fijo; **~ conjugal/
légal** domicilio conyugal/legal
domicilié, e [dɔmisilje] adj: **être ~ à**
estar domiciliado(-a) en
dominant, e [dɔminɑ̃, ɑ̃t] adj
dominante
dominer [dɔmine] vt dominar; (passions
etc) dominar, controlar; (surpasser)
sobrepasar a ■ vi dominar; (être le plus
nombreux) predominar; **se dominer** vpr
dominarse, controlarse
domino [dɔmino] nm dominó m;
dominos nmpl (jeu) dominó msg
dommage [dɔmaʒ] nm daño, perjuicio;
(gén pl: dégâts, pertes) daños mpl, pérdidas
fpl; **c'est ~ de faire/que ...** es una lástima
hacer/que ...; **~s corporels** daños físicos;
~s matériels daños materiales
dompter [dɔ̃(p)te] vt domar; (passions)
dominar
dompteur, -euse [dɔ̃(p)tœʀ, øz] nm/f
domador(a)
DOM-ROM [dɔmʀɔm], **DOM-TOM**
[dɔmtɔm] sigle m ou sigle mpl
(= département(s) d'outre-mer et région(s)/
territoire(s) d'outre-mer) provincias y
territorios franceses de ultramar

● **DOM-TOM, ROM ет COM**
●
● Francia cuenta con cuatro
● "départements d'outre-mer" o DOM:
● Guadalupe, Martinica, Reunión y la
● Guayana francesa. Su forma de
● gobierno es similar a la de los

"départements" de la metrópoli y sus habitantes tienen ciudadanía francesa. En lo que se refiere a la administración, también son "Régions" y por eso se les conoce también como ROM ("Régions d'outre-mer"). El término DOM-TOM se usa todavía con frecuencia, pero el término "Territoire d'outre-mer" ha sido sustituido por el de "Collectivité d'outre-mer" (COM). Entre los COM destacan la Polinesia francesa, Nueva Caledonia y Wallis y Futuna, así como los asentamientos polares. Aunque son independientes, cada territorio está supervisado por un representante del gobierno francés.

don [dɔ̃] nm (cadeau) regalo; (charité) donativo; (aptitude) don m; **avoir des ~s pour** tener don ou tener gracia para; **faire ~ de** regalar; **~ en argent** regalo en metálico

donc [dɔ̃k] conj (en conséquence) por tanto; (après une digression) así pues; **voilà ~ la solution** (intensif) aquí está la solución; **je disais ~ que** como decía; **c'est ~ que** así que; **c'est ~ que j'avais raison** entonces yo tenía razón; **venez ~ dîner à la maison** venid por favor a cenar a casa; **faites ~!** ¡adelante!; **"allons ~!"** "¡no me digas!, ¡anda, vamos!"

donné, e [dɔne] adj (convenu): **prix/jour ~** precio/día m determinado; **c'est ~ es** tirado, está regalado; **étant ~ que ...** puesto ou dado que ...

donnée [dɔne] nf dato

donner [dɔne] vt dar; (offrir) regalar; (maladie) pegar; (film, spectacle) echar, poner ■ vi (fenêtre, chambre): **~ sur** dar a; **se donner** vpr: **se ~ à fond (à son travail)** entregarse a fondo (a su trabajo); **~ dans** (piège etc) caer en; **faire ~ l'infanterie** hacer cargar a la infantería; **~ qch à qn** dar algo a algn; **~ l'heure à qn** decir la hora a algn; **~ le ton** (fig) marcar la tónica; **se ~ du mal** ou **de la peine (pour faire qch)** afanarse (por hacer algo); **s'en ~ (à cœur joie)** (fam) pasarlo bomba; **~ à penser/entendre que ...** parecer indicar que ...

⊙ MOT-CLÉ

dont [dɔ̃] pron relatif **1** (complément d'un nom sujet) cuyo(-a), cuyos(-as); **une méthode dont je ne connais pas les résultats** un método cuyos resultados

desconozco; **c'est le chien dont le maître habite en face** es el perro cuyo dueño vive enfrente
2 (complément de verbe ou adjectif): **le voyage dont je t'ai parlé** el viaje del que te hablé; **le pays dont il est originaire** el país del que es originario; **la façon dont il l'a fait** la forma en que lo hizo
3 (parmi lesquel(le)s): **2 livres, dont l'un est gros** 2 libros, uno de los cuales es gordo; **il y avait plusieurs personnes, dont Gabrielle** había varias personas, entre ellas Gabriela; **10 blessés, dont 2 grièvement** 10 heridos, 2 de ellos de gravedad

doré, e [dɔʀe] adj dorado(-a)
dorénavant [dɔʀenavɑ̃] adv en adelante, en lo sucesivo
dorer [dɔʀe] vt dorar ■ vi (Culin: poulet): **(faire) ~** dorar; (: gâteau) bañar en yema; **se ~ au soleil** tostarse al sol; **~ la pilule à qn** dorar la píldora a algn
dorloter [dɔʀlɔte] vt mimar; **se faire ~** dejarse mimar
dormir [dɔʀmiʀ] vi (aussi fig) dormir; (être endormi) dormir, estar dormido(-a); **il dort bien/mal** duerme bien/mal; **ne fais pas de bruit, il dort** no hagas ruido, está durmiendo; **~ à poings fermés** dormir a pierna suelta
dortoir [dɔʀtwaʀ] nm dormitorio; **cité ~** ciudad f dormitorio
dos [do] nm espalda; (d'un animal, de livre) lomo; (d'un chèque etc) dorso; (de la main) dorso; **voir au ~** véase al dorso; **robe décolletée dans le ~** vestido escotado de espalda; **de ~ de espaldas; ~ à ~** de espaldas uno a otro; **sur le ~** (s'allonger) boca arriba; **à ~ de** (chameau) a lomo de; **elle a bon ~, ta mère!** ¡qué fácil es echarle la culpa a tu madre!; **se mettre qn à ~** enemistarse con algn
dosage [dozaʒ] nm dosificación f
dose [doz] nf dosis f inv; **forcer la ~** (fig) exagerar
doser [doze] vt (aussi fig) dosificar
dossier [dosje] nm expediente m; (chemise, enveloppe) carpeta; (de chaise) respaldo; (Presse) dossier m; **le ~ social/ monétaire** (fig) la cuestión social/ monetaria; **~ suspendu** expediente archivado
douane [dwan] nf aduana; (taxes) arancel m; **passer la ~** pasar la aduana; **en ~** en la aduana
douanier, -ière [dwanje, jɛʀ] adj, nm/f aduanero(-a)

double [dubl] *adj* doble ■ *adv*: **voir ~** ver doble ■ *nm* (*autre exemplaire*) copia; (*sosie*) doble; **le ~ (de)** el doble (de); **~ messieurs/mixte** (*Tennis*) dobles *mpl* masculinos/mixtos; **à ~ sens** con doble sentido; **à ~ tranchant** de doble filo; **faire ~ emploi** sobrar; **à ~s commandes** de doble mando; **en ~** por duplicado; **~ carburateur** doble carburador *m*; **~ toit** (*tente*) doble techo; **~ vue** doble vista

double-cliquer [dubləklike] *vi* hacer doble clic; **~ sur un dossier** hacer doble clic en un archivo

doubler [duble] *vt* duplicar; (*vêtement, chaussures*) forrar; (*voiture etc*) adelantar; (*film*) doblar; (*acteur*) doblar a ■ *vi* duplicarse; (*Scol*): **~ (la classe)** repetir (curso); **se doubler** *vpr*: **se ~ de** (*fig*) complicarse con; **~ un cap** (*Naut*) doblar un cabo; (*fig*) pasar una etapa

doublure [dublyʀ] *nf* (*de vêtement*) forro; (*acteur*) doble *m*

douce [dus] *adj voir* **doux**

douceâtre [dusɑtʀ] *adj* dulzón(-ona)

doucement [dusmã] *adv* (*délicatement*) con cuidado; (*à voix basse*) bajo; (*lentement*) despacio; (*graduellement*) poco a poco

douceur [dusœʀ] *nf* suavidad *f*; (*d'une personne, saveur etc*) dulzura; (*de gestes*) delicadeza; **douceurs** *nfpl* golosinas *fpl*; **en ~** con suavidad

douche [duʃ] *nf* ducha; **douches** *nfpl* (*salle*) duchas *fpl*; **prendre une ~** ducharse; **~ écossaise** *ou* **froide** (*fig*) jarro de agua fría

doucher [duʃe] *vt*: **~ qn** duchar a algn; (*fig*) echar un jarro de agua fría a algn; **se doucher** *vpr* ducharse

doué, e [dwe] *adj* dotado(-a); **~ de** (*possédant*) dotado(-a) de; **être ~ pour** tener facilidad para

douille [duj] *nf* (*Élec*) casquillo; (*de projectile*) casquete *m*

douillet, te [dujɛ, ɛt] *adj* (*péj*) delicado(-a); (*lit*) mullido(-a); (*maison*) confortable

douleur [dulœʀ] *nf* dolor *m*; **ressentir des ~s** sentir dolores; **il a eu la ~ de perdre son père** tuvo la desgracia de perder a su padre

douloureux, -euse [duluʀø, øz] *adj* doloroso(-a); (*membre*) dolido(-a)

doute [dut] *nm* duda; **sans ~** seguramente; **sans nul** *ou* **aucun ~** sin ninguna duda; **hors de ~** fuera de duda; **nul ~ que** no hay ninguna duda de que; **mettre en ~** poner en duda; **mettre en ~**

que dudar que

douter [dute] *vt* dudar; **~ de** dudar de; **~ que** dudar que; **j'en doute** lo dudo; **se ~ de qch/que** sospechar algo/que; **je m'en doutais** me lo figuraba; **ne ~ de rien** estar muy seguro(-a)

douteux, -euse [dutø, øz] *adj* dudoso(-a); (*discutable*) discutible; (*péj*) de aspecto dudoso

doux, douce [du, dus] *adj* suave; (*personne, saveur*) dulce; (*gestes*) delicado(-a); (*climat, région*) templado(-a); (*eau*) blando(-a); **en douce** (*partir etc*) a la chita callando; **tout ~** despacio

douzaine [duzɛn] *nf* docena; **une ~ (de)** unos(-as) doce

douze [duz] *adj inv, nm inv* doce *m inv*; **les D~** los Doce; *voir aussi* **cinq**

douzième [duzjɛm] *adj, nm/f* duodécimo(-a) ■ *nm* duodécimo; *voir aussi* **cinquième**

dragée [dʀaʒe] *nf* peladilla; (*Méd*) gragea

draguer [dʀage] *vt* (*rivière*) dragar; (*fam: filles*) ligar con ■ *vi* ligar

dramatique [dʀamatik] *adj* dramático(-a) ■ *nf* (*TV*) teledrama *m*

drame [dʀam] ■ *nm* drama *m*; **~ de l'alcoolisme** drama del alcoholismo; **~ familial** drama familiar

drap [dʀa] *nm* sábana; (*tissu*) paño; **~ de dessous/de dessus** (sábana) bajera/ encimera; **~ de plage** toalla de playa

drapeau, x [dʀapo] *nm* bandera; **sous les ~x** en filas; **le ~ blanc** la bandera blanca

drap-housse [dʀaus] (*pl* **draps-housses**) *nm* sábana ajustable

dresser [dʀese] *vt* levantar; (*liste*) redactar; (*animal domestique*) entrenar; (*animal de cirque*) amaestrar; **se dresser** *vpr* (*église, falaise*) erguirse; (*obstacle*) presentarse; (*sur la pointe des pieds*) ponerse de puntillas; (*avec grandeur, menace*) erguirse; **~ l'oreille** aguzar el oído; **~ la table** poner la mesa; **~ qn contre qn d'autre** indisponer a algn con algn; **~ un procès-verbal** *ou* **une contravention à qn** levantar acta a algn

dribbler [dʀible] *vt, vi* driblar

drogue [dʀɔg] *nf* droga; **~ douce/dure** droga blanda/dura

drogué, e [dʀɔge] *nm/f* drogadicto(-a)

droguer [dʀɔge] *vt* drogar; **se droguer** *vpr* drogarse

droguerie [dʀɔgʀi] *nf* droguería

droguiste [dʀɔgist] *nm/f* droguero(-a)

droit, e [dʀwa, dʀwat] *adj* derecho(-a),

recto(-a); (opposé à gauche) derecho(-a); (fig) recto(-a) ■ adv derecho ■ nm derecho; (Boxe): **direct/crochet du ~** directo/gancho de derecha; (lois, matière): **le ~** el derecho; **droits** nmpl (taxes) derechos mpl; **~ au but** ou **au fait** al grano; **~ au cœur** al corazón; **avoir le ~ de** tener el derecho de; **avoir ~ à** tener derecho a; **être en ~ de** tener el derecho de; **faire ~ à** hacer justicia a; **être dans son ~** estar en su derecho; **à bon ~** con razón; **de quel ~?** ¿con qué derecho?; **à qui de ~** a quien corresponda; **avoir ~ de cité (dans)** (fig) tener derecho de entrada (en); **~ coutumier** derecho consuetudinario; **~ de regard** derecho de control; **~ de réponse/de visite/de vote** derecho de réplica/de visita/al voto; **~s d'auteur** derechos de autor; **~s de douane** aranceles mpl, derechos arancelarios ou de aduana; **~s d'inscription** matrícula

droite [dʀwat] nf (direction) derecha; (Math) recta; (Pol): **la ~** la derecha; **à ~ (de)** a la derecha (de); **de ~** (Pol) de derechas

droitier, -ière [dʀwatje, jɛʀ] adj, nm/f diestro(-a)

drôle [dʀol] adj gracioso(-a); (bizarre) raro(-a); **un ~ de ...** un ... muy raro

dromadaire [dʀɔmadɛʀ] nm dromedario

du [dy] prép + dét voir **de**

dû, e [dy] pp de **devoir** ■ adj (somme) debido(-a); **dû à** debido a ■ nm: **le dû** lo debido

duel [dɥɛl] nm duelo; (oratoire) enfrentamiento; (économique) guerra

dune [dyn] nf duna

duplex [dyplɛks] nm (appartement) dúplex m; **émission en ~** doble emisión f

duquel [dykɛl] prép + pron voir **lequel**

dur, e [dyʀ] adj duro(-a); (problème) difícil; (lumière) fuerte; (fam) almidonado(-a) ■ nm (construction): **en ~** de fábrica ■ adv (travailler, taper etc) duramente, mucho ■ nf: **à la ~e** en condiciones penosas; **mener la vie ~e à qn** dar mala vida a algn; **~ d'oreille** duro(-a) de oído

durant [dyʀɑ̃] prép durante; **~ des mois, des mois ~** durante meses enteros

durcir [dyʀsiʀ] vt, vi endurecer; **se durcir** vpr endurecerse

durée [dyʀe] nf duración f; **de courte/longue ~** breve/prolongado(-a); **pile de longue ~** pila de larga duración; **pour une ~ illimitée** por un periodo ilimitado

durement [dyʀmɑ̃] adv (très) fuertemente; (traiter) severamente, duramente

durer [dyʀe] vi durar

dureté [dyʀte] nf dureza; (de la lumière) fuerza

durit® [dyʀit] nm durita

dus etc [dy] vb voir **devoir**

duvet [dyvɛ] nm plumón m; (sac de couchage) saco de dormir (de plumón)

DVD [devede] nm (= digital versatile disc) DVD m (= disco de vídeo digital); **lecteur ~** lector m de DVD

DVD-Rom [devedeʀɔm] nm DVD-Rom m

dynamique [dinamik] adj dinámico(-a)

dynamisme [dinamism] nm dinamismo

dynamo [dinamo] nf dinamo f (m en AM)

dysenterie [disɑ̃tʀi] nf disentería

dyslexie [dislɛksi] nf dislexia

e

EAU *abr* (= *Émirats arabes unis*) EAU *mpl* (= Emiratos Árabes Unidos)

eau, x [o] *nf* agua; **eaux** *nfpl* (*thermales*) aguas *fpl*; **sans ~** (*whisky etc*) sin agua; **prendre l'~** (*chaussure etc*) dejar pasar el agua; **prendre les ~x** tomar las aguas; **tomber à l'~** (*fig*) fracasar; **à l'~ de rose** rosa; **~ bénite** agua bendita; **~ courante/douce/salée** agua corriente/dulce/salada; **~ de Cologne/de toilette** agua de Colonia/de olor; **~ de Javel** lejía; **~ de pluie** agua de lluvia; **~ distillée/lourde** agua destilada/pesada; **~ minérale/oxygénée** agua mineral/oxigenada; **~ plate/gazeuse** agua natural (del grifo)/con gas; **les E~x et Forêts** *administración de montes*; **~x ménagères** *ou* **usées** aguas *fpl* residuales; **~x territoriales** aguas jurisdiccionales

eau-de-vie [odvi] (*pl* **eaux-de-vie**) *nf* aguardiente *m*

ébène [ebɛn] *nf* ébano

ébéniste [ebenist] *nm* ebanista *m/f*

éblouir [ebluiʀ] *vt* (*aussi fig*) deslumbrar; (*aveugler*) cegar

éboueur [ebwœʀ] *nm* basurero

ébouillanter [ebujɑ̃te] *vt* escaldar; **s'ébouillanter** *vpr* escaldarse

éboulement [ebulmɑ̃] *nm* derrumbamiento; (*amas*) escombros *mpl*

ébranler [ebʀɑ̃le] *vt* (*vitres, immeuble*) estremecer; (*poteau, mur*) mover; (*résolution, personne*) hacer vacilar; (*régime*) desestabilizar; (*santé*) debilitar; **s'ébranler** *vpr* (*partir*) ponerse en movimiento

ébullition [ebylisjɔ̃] *nf* ebullición *f*; **en ~** en ebullición; (*fig*) en efervescencia

écaille [ekaj] *nf* (*de poisson*) escama; (*de coquillage*) concha; (*matière*) concha, carey *m*; (*de peinture*) desconchón *m*

écailler [ekaje] *vt* (*poisson*) escamar; (*huître*) abrir; (*aussi*: **faire s'écailler**) desconchar; **s'écailler** *vpr* (*peinture*) descoharse

écart [ekaʀ] *nm* (*de temps*) lapso; (*dans l'espace*) separación *f*; (*de prix etc*) diferencia; (*embardée, mouvement*) desvío brusco; **à l'~** (*éloigné*) alejado(-a), apartado(-a); (*fig*) aislado(-a); **faire le grand ~** hacer el spaccato; **~ de conduite** desviación *f* de conducta; **~ de langage** grosería

écarté, e [ekaʀte] *adj* (*isolé*) apartado(-a); (*ouvert*) abierto(-a); **les jambes ~es** las piernas abiertas; **les bras ~s** los brazos abiertos

écarter [ekaʀte] *vt* (*éloigner*) alejar; (*personnes*) separar; (*ouvrir*) abrir; (*Cartes, candidat, possibilité*) descartar; **s'écarter** *vpr* (*parois, jambes*) abrirse; (*personne*) alejarse; **s'~ de** alejarse de; (*fig*) desviarse de

échafaudage [eʃafodaʒ] *nm* (*Constr*) andamiaje *m*; (*amas*) montón *m*

échalote [eʃalɔt] *nf* chalote *m*, chalota

échange [eʃɑ̃ʒ] *nm* intercambio; **en ~ (de)** a cambio (de); **~s commerciaux/culturels** intercambios *mpl* comerciales/culturales; **~s de lettres/de politesses** intercambio *msg* de cartas/de cumplidos; **~ de vues** cambio de impresiones

échanger [eʃɑ̃ʒe] *vt* intercambiar; **~ qch (contre)** (*troquer*) canjear algo (por); **~ qch avec qn** intercambiar algo con algn

échantillon [eʃɑ̃tijɔ̃] *nm* (*aussi fig*) muestra

échapper [eʃape] : **~ à** *vt* escapar de; (*punition, péril*) librarse de; **s'échapper** *vpr* escaparse; **~ à qn** escapársele a algn; **~ des mains de qn** escaparse de las manos de algn; **laisser ~** dejar escapar; **l'~ belle** escapar por los pelos

écharpe [eʃaʀp] *nf* (*cache-nez*) bufanda; (*de maire*) banda; **avoir un bras en ~**

tener un brazo en cabestrillo; **prendre en ~** (*dans une collision*) coger de refilón

échauffer [eʃofe] *vt* (*métal, moteur*) recalentar; (*corps, personne*) calentar; (*exciter*) irritar; **s'échauffer** *vpr* (*Sport*) calentarse; (*dans la discussion*) acalorarse

échéance [eʃeɑ̃s] *nf* (*date*) vencimiento; (*somme due*) deuda; (*d'engagements, promesses*) plazo; **à brève/longue ~** *adj, adv* a corto/largo plazo

échéant [eʃeɑ̃]: **le cas ~** *adv* llegado el caso

échec [eʃɛk] *nm* fracaso; (*Échecs*) jaque *m*; **échecs** *nmpl* (*jeu*) ajedrez *msg*; **~ et mat/au roi** jaque mate/al rey; **mettre en ~** hacer fracasar; **tenir en ~** tener en jaque; **faire ~ à** fracasar

échelle [eʃɛl] *nf* (*de bois*) escalera de mano; (*fig*) escala; **à l'~ de** a escala de; **sur une grande/petite ~** en gran/pequeña escala; **faire la courte ~ à qn** aupar a algn; **~ de corde** escala de cuerda

échelon [eʃ(ə)lɔ̃] *nm* (*d'échelle*) escalón *m*; (*Admin*) escalafón *m*; (*Sport*) categoría

échelonner [eʃ(ə)lɔne] *vt* escalonar; (*versement*) **échelonné** pago a plazos

échiquier [eʃikje] *nm* tablero

écho [eko] *nm* (*aussi fig*) eco; (*potins*) cotilleo; **échos** *nmpl* (*Presse*) gacetilla *fsg*; **rester sans ~** (*suggestion*) no tener eco; **se faire l'~ de** hacerse eco de

échographie [ekɔgRafi] *nf* ecografía

échouer [eʃwe] *vi* (*tentative*) fracasar; (*candidat*) suspender; (*bateau*) encallar; (*débris*) ser arrastrado(-a) a; (*aboutir: personne dans un café etc*) ir a parar ■ *vt* (*bateau*) embarrancar; **s'échouer** *vpr* embarrancarse

éclabousser [eklabuse] *vt* salpicar; (*fig*) mancillar

éclair [eklɛR] *nm* (*d'orage*) relámpago; (*de flash*) disparo; (*de génie, d'intelligence*) chispa ■ *adj inv* (*voyage etc*) relámpago *inv*

éclairage [eklɛRaʒ] *nm* iluminación *f*; (*Ciné, lumière*) luz *f*; (*fig*) punto de vista; **~ indirect** iluminación indirecta

éclaircie [eklɛRsi] *nf* escampada

éclaircir [eklɛRsiR] *vt* (*aussi fig*) aclarar; (*sauce*) aguar; **s'éclaircir** *vpr* (*ciel*) despejarse; (*cheveux*) caerse; (*situation*) aclararse; **s'~ la voix** aclararse la voz

éclaircissement [eklɛRsismɑ̃] *nm* (*d'une couleur*) aclarado; (*gén pl: explication*) aclaración *f*

éclairer [ekleRe] *vt* (*suj: lampe, lumière*) iluminar; (*avec une lampe de poche*) alumbrar; (*instruire*) instruir; (*rendre*

compréhensible) aclarar ■ *vi*: **~ bien/mal** iluminar bien/mal; **s'éclairer** *vpr* (*phare, rue*) iluminarse; (*situation*) aclararse; **s'~ à la bougie/l'électricité** alumbrarse con velas/con electricidad

éclat [ekla] *nm* (*de bombe, verre*) fragmento; (*du soleil, d'une couleur*) brillo; (*d'une cérémonie*) brillantez *f*; **faire un ~** (*scandale*) montar un número; **action d'~** hazaña; **voler en ~s** volar en pedazos; **des ~s de verre** cristales *mpl*; **~ de rire** carcajada; **~s de voix** subidas *fpl* de tono

éclatant, e [eklatɑ̃, ɑ̃t] *adj* (*couleur*) brillante; (*lumière*) resplandeciente; (*voix, son*) vibrante; (*évident*) incuestionable; (*succès*) clamoroso(-a); (*revanche*) sensacional

éclater [eklate] *vi* (*aussi fig*) estallar; (*groupe, parti*) fragmentarse; **s'éclater** *vpr* (*fam*) pasarlo bomba; **~ de rire/en sanglots** reventar de risa/en llanto

éclipse [eklips] *nf* eclipse *m*

écluse [eklyz] *nf* esclusa

écœurant [ekœRɑ̃] *adj* asqueroso(-a)

écœurer [ekœRe] *vt* (*suj: gâteau, goût*) dar asco; (*personne, attitude*) desagradar; (*démoraliser*) destrozar

école [ekɔl] *nf* escuela; **aller à l'~** ir a la escuela; **faire ~** formar escuela; **les Grandes Écoles** las Grandes Escuelas; **~ de danse/de dessin/de musique/de secrétariat** escuela de baile/de dibujo/de música/de secretariado; **~ hôtelière** escuela de hostelería; **~ maternelle** escuela de párvulos; **~ normale (d'instituteurs)/supérieure** escuela normal (de maestros)/superior; **~ élémentaire/~ primaire** escuela primaria; **~ privée/publique/secondaire** escuela privada/pública/secundaria

● **ÉCOLE MATERNELLE**
●
● En Francia la escuela infantil, la *école*
● *maternelle*, está subvencionada por el
● estado y, pese a no ser obligatoria, la
● mayoría de los niños de entre dos y
● seis años acuden a ella. La educación
● obligatoria comienza con la
● educación primaria, la *école primaire*,
● que va desde los seis hasta los diez u
● once años.

écolier, -ière [ekɔlje, jɛR] *nm/f* escolar *m/f*

écologie [ekɔlɔʒi] *nf* ecología

écologique [ekɔlɔʒik] *adj* ecológico(-a)

écologiste [ekɔlɔʒist] *nm/f* ecologista *m/f*

économe [ekɔnɔm] *adj* ahorrador(a) ∎ *nm/f (de lycée etc)* ecónomo(-a)

économie [ekɔnɔmi] *nf* economía; *(vertu)* ahorro; *(plan, arrangement d'ensemble)* organización *f*; **économies** *nfpl* ahorros *mpl*; **une ~ de temps/ d'argent** un ahorro de tiempo/de dinero; **~ dirigée** economía planificada

économique [ekɔnɔmik] *adj* económico(-a)

économiser [ekɔnɔmize] *vt* ahorrar, economizar ∎ *vi* ahorrar dinero

économiseur [ekɔnɔmizœʀ] *nm* (*Inform*): **~ d'écran** protector *m* de pantalla

écorce [ekɔʀs] *nf* corteza; *(de fruit)* piel *f*

écorcher [ekɔʀʃe] *vt (animal)* desollar; *(égratigner)* arañar; *(une langue)* lastimar; **s'~ le genou** *etc* arañarse la rodilla *etc*

écorchure [ekɔʀʃyʀ] *nf* arañazo

écossais, e [ekɔsɛ, ɛz] *adj* escocés(-esa) ∎ *nm (Ling)* escocés *m*; *(tissu)* tela escocesa ∎ *nm/f*: **Écossais, e** escocés(-esa)

Écosse [ekɔs] *nf* Escocia

écouter [ekute] *vt* escuchar; *(fig)* hacer caso de *ou* a, escuchar a ∎ *vi* escuchar; **s'écouter** *vpr (s'apitoyer)* hacerse caso; **si je m'écoutais** *(suivre son impulsion)* si por mí fuera; **s'~ parler** escucharse hablar

écouteur [ekutœʀ] *nm (téléphone)* auricular *m*; **écouteurs** *nmpl (Radio)* auriculares *mpl*

écran [ekʀɑ̃] *nm* pantalla; **porter à l'~** llevar a la pantalla; **faire ~** hacer pantalla; **le petit ~** la pequeña pantalla; **~ de fumée** pantalla de humo

écrasant, e [ekʀɑzɑ̃, ɑ̃t] *adj (responsabilité, travail)* agobiante; *(supériorité, avance)* abrumador(a), aplastante

écraser [ekʀɑze] *vt (broyer)* aplastar; *(suj: voiture, train etc)* atropellar; *(ennemi, équipe adverse)* aplastar; *(Inform)* sobreescribir; *(suj: travail, impôts)* abrumar; *(: responsabilités)* agobiar; *(dominer, humilier)* humillar; **écrase(-toi)!** ¡cierra el pico!; **se faire ~** ser atropellado(-a); **s'~ (au sol)** *(avion)* estrellarse contra el suelo; **s'~ contre/ sur** *(suj: voiture, objet)* estrellarse contra/en

écrémer [ekʀeme] *vt* descremar

écrevisse [ekʀəvis] *nf* cangrejo de río

écrire [ekʀiʀ] *vt, vi* escribir; **s'écrire** *vpr (réciproque)* escribirse; *(mot)*: **ca s'écrit comment?** ¿cómo se escribe eso?; **~ à qn (que)** escribir a algn (que)

écrit, e [ekʀi, it] *pp de* **écrire** ∎ *adj*: **bien/mal ~** bien/mal escrito(-a) ∎ *nm* escrito; **par ~** por escrito

écriteau, x [ekʀito] *nm* letrero

écriture [ekʀityʀ] *nf* escritura; *(style)* estilo; **écritures** *nfpl (Comm)* escrituras *fpl*; **les Écritures** las Escrituras; **Écriture (sainte)**: **l'Écriture (sainte)** la (sagrada) Escritura

écrivain [ekʀivɛ̃] *nm* escritor(a)

écrou [ekʀu] *nm* tuerca

écrouler [ekʀule] *vpr*: **s'écrouler** *(mur)* derrumbarse; *(personne, animal)* desplomarse; *(projet etc)* venirse abajo

écru [ekʀy] *adj* crudo(-a)

écu [eky] *nm (monnaie de la CE)* ecu *m*

écume [ekym] *nf* espuma; **~ de mer** espuma de mar

écureuil [ekyʀœj] *nm* ardilla

écurie [ekyʀi] *nf* cuadra; *(de course automobile)* escudería; *(de course hippique)* caballeriza

eczéma [ɛgzema] *nm* eczema *m*

EDF [ødeɛf] *sigle* = *Électricité de France*

éditer [edite] *vt* editar

éditeur, -trice [editœʀ, tʀis] *nm/f* editor(a)

édition [edisjɔ̃] *nf* edición *f*; *(Presse: exemplaires d'un journal)* tirada; **~ sur écran** *(Inform)* edición en pantalla; **l'~** *(industrie du livre)* la edición

édredon [edʀədɔ̃] *nm* edredón *m*

éducateur, -trice [edykatœʀ, tʀis] *adj* educativo(-a) ∎ *nm/f* educador(a); **~ spécialisé** educador especializado

éducatif, -ive [edykatif, iv] *adj* educativo(-a)

éducation [edykasjɔ̃] *nf* educación *f*; **bonne/mauvaise ~** buena/mala educación; **sans ~** *(mal élevé)* sin educación; **~ permanente** educación permanente; **~ physique** educación física; **l'Éducation (Nationale)** *(Admin)* ≈ Educación

éduquer [edyke] *vt* educar; **bien/mal éduqué** bien/mal educado

effacer [efase] *vt (aussi fig)* borrar; **s'effacer** *vpr* borrarse; *(pour laisser passer)* apartarse

effarant, e [efaʀɑ̃, ɑ̃t] *adj* espantoso(-a)

effectif, -ive [efɛktif, iv] *adj* efectivo(-a) ∎ *nm (Mil, Comm: gén pl)* efectivos *mpl*; *(d'une classe)* alumnado

effectivement [efɛktivmɑ̃] *adv* efectivamente; *(réellement)* realmente

effectuer [efɛktɥe] *vt* efectuar;

(*mouvement*) realizar; **s'effectuer** *vpr* efectuarse; (*mouvement*) producirse

effervescent, e [efɛʀvesã, ãt] *adj* (*aussi fig*) efervescente

effet [efɛ] *nm* efecto; **effets** *nmpl* (*vêtements etc*) prendas *fpl*; **avec ~ rétroactif** con efecto retroactivo; **faire de l'~** (*médicament, menace*) hacer efecto; (*nouvelle, décor*) causar efecto; **sous l'~ de** bajo el efecto de; **donner de l'~ à une balle** dar efecto a una pelota; **à cet ~** con este fin; **en ~** en efecto; **~ (de commerce)** efecto (comercial); **~ de couleur/de lumière/de style** efecto de color/de luz/ de estilo; **~s de voix** efectos *mpl* de voz; **~s spéciaux** efectos especiales

efficace [efikas] *adj* eficaz

efficacité [efikasite] *nf* eficacia

effondrer [efɔ̃dʀe] *vpr*: **s'effondrer** (*mur, bâtiment*) desmoronarse; (*prix, marché*) hundirse; (*blessé, coureur etc*) desplomarse; (*craquer moralement*) hundirse

efforcer [efɔʀse]: **s'efforcer de** *vpr* esforzarse por; **ş'~ de faire** esforzarse por hacer

effort [efɔʀ] *nm* esfuerzo; **faire un ~** hacer un esfuerzo; **faire tous ses ~s** hacer todos los esfuerzos posibles; **faire l'~ de ...** hacer el esfuerzo de ...; **sans ~** *adj, adv* sin esfuerzo; **~ de mémoire/de volonté** esfuerzo de memoria/de voluntad

effrayant, e [efʀɛjã, ãt] *adj* horroroso(-a), espantoso(-a)

effrayer [efʀeje] *vt* asustar; **s'effrayer (de)** *vpr* asustarse (de)

effréné, e [efʀene] *adj* desenfrenado(-a)

effronté, e [efʀɔ̃te] *adj* descarado(-a)

effroyable [efʀwajabl] *adj* espantoso(-a)

égal, e, -aux [egal, o] *adj* (*gén*) igual; (*terrain, surface*) liso(-a); (*vitesse, rythme*) regular ■ *nm/f* igual *m/f*; **être ~ à** ser igual a; **ça lui/nous est ~** le/nos da igual; **c'est ~** es igual; **sans ~** sin igual; **à l'~ de** (*comme*) al igual que; **d'~ à ~** de igual a igual

également [egalmã] *adv* (*partager etc*) en partes iguales; (*en outre, aussi*) igualmente

égaler [egale] *vt* igualar; **3 plus 3 égalent 6** 3 más 3 igual a 6

égaliser [egalize] *vt* igualar ■ *vi* (*Sport*) empatar

égalité [egalite] *nf* igualdad *f*; **être à ~ (de points)** estar empatados(-as) (en tantos); **~ d'humeur** serenidad *f*; **~ de droits** igualdad de derechos

égard [egaʀ] *nm* consideración *f*; **égards** *nmpl* (*marques de respect*) atenciones *fpl*; **à cet ~/certains ~s/tous ~s** a este respecto/ en ciertos aspectos/por todos los conceptos; **en ~ à** en consideración a; **par/sans ~ pour** por/sin consideración para; **à l'~ de** con respecto a

égarer [egaʀe] *vt* (*perdre*) perder; (*personne*) echar a perder; **s'égarer** *vpr* (*aussi fig*) perderse; (*objet*) extraviarse

églefin [egləfɛ̃] *nm* abadejo

église [egliz] *nf* iglesia; **aller à l'~** (*être pratiquant*) ir a la iglesia; **Église catholique: l'Église catholique** la Iglesia católica; **Église presbytérienne: l'Église presbytérienne** la Iglesia presbiteriana

égoïsme [egɔism] *nm* egoísmo

égoïste [egɔist] *adj, nm/f* egoísta *m/f*

égout [egu] *nm* alcantarilla; **eaux d'~** aguas *fpl* residuales

égoutter [egute] *vt* escurrir ■ *vi* gotear; **s'égoutter** *vpr* escurrirse; (*eau*) gotear

égouttoir [egutwaʀ] *nm* escurridero

égratignure [egʀatiɲyʀ] *nf* rasguño

Égypte [eʒipt] *nf* Egipto

égyptien, ne [eʒipsjɛ̃, jɛn] *adj* egipcio(-a) ■ *nm/f*: **égyptien, ne** egipcio(-a)

eh [e] *excl* eh; **eh bien!** (*surprise*) ¡pero bueno!; **eh bien?** (*attente, doute*) ¿y bien?; **eh bien** (*donc*) entonces

élaborer [elabɔʀe] *vt* elaborar

élan [elã] *nm* (*Zool*) alce *m*; (*mouvement, lancée*) impulso; (*fig*) arrebato; **perdre son ~** perder impulso; **prendre de l'~** tomar carrerilla; **prendre son ~** tomar impulso

élancer [elãse] *vpr*: **s'élancer** lanzarse; (*arbre, clocher*) alzarse

élargir [elaʀʒiʀ] *vt* (*porte, route*) ensanchar; (*vêtement*) sacar a; (*fig: groupe, débat*) ampliar; (*Jur*) liberar; **s'élargir** *vpr* ensancharse

élastique [elastik] *adj* elástico(-a); (*Phys*) flexible; (*fig: parfois péj*) contemporizador(a) ■ *nm* (*de bureau*) elástico, goma; (*pour la couture*) goma

élection [elɛksjɔ̃] *nf* elección *f*; **élections** *nfpl* (*Pol*) elecciones *fpl*; **sa terre/patrie d'~** su tierra/patria de elección; **~ partielle** elección parcial; **~s législatives** elecciones legislativas

ÉLECTIONS LEGISLATIVES

En Francia se celebran *élections législatives* cada cinco años con el fin de elegir a los "députés" de la

○ "Assemblée nationale". Hay además
○ una "election présidentielle" en la que
○ se elige al presidente y que tiene lugar
○ cada siete años. La votación, que
○ siempre tiene lugar en domingo, es
○ por sufragio universal y en dos
○ vueltas.

électoral, e, -aux [elɛktɔral, o] *adj*
electoral

électricien, ne [elɛktrisjɛ̃, jɛn] *nm/f*
electricista *m/f*

électricité [elɛktrisite] *nf* electricidad *f*;
(fig) tensión *f*; **avoir l'~** tener corriente
eléctrica; **fonctionner à l'~** funcionar
con electricidad; **allumer/éteindre l'~**
encender/apagar la luz; **~ statique**
electricidad estática

électrique [elɛktrik] *adj* eléctrico(-a);
(fig) tenso(-a)

électrocuter [elɛktrɔkyte] *vt*
electrocutar

électroménager [elɛktromenaʒe] *adj*:
appareils ~s aparatos *mpl*
electrodomésticos; **l'~** *(secteur commercial)*
el sector de electrodomésticos

électron [elɛktrɔ̃] *nm* electrón *m*

électronique [elɛktrɔnik] *adj*
electrónico(-a) ■ *nf* electrónica

élégance [elegãs] *nf* elegancia

élégant, e [elegã, ãt] *adj (aussi fig)*
elegante

élément [elemã] *nm* elemento;
éléments *nmpl (eau, air etc)* elementos
mpl; *(rudiments)* rudimentos *mpl*

élémentaire [elemãtɛr] *adj* elemental

éléphant [elefã] *nm* elefante *m*; **~ de
mer** elefante marino

élevage [el(ə)vaʒ] *nm (de bétail, de volaille
etc)* cría; *(activité, secteur économique)*
ganadería; *(vin)* crianza

élevé, e [el(ə)ve] *adj (aussi fig)*
elevado(-a); **bien/mal ~** bien/mal
educado(-a)

élève [elɛv] *nm/f* alumno(-a); **~
infirmière** aspirante *f* a enfermera

élever [el(ə)ve] *vt (enfant, animaux, vin)*
educar, criar; *(hausser)* subir; *(monument,
âme, esprit)* elevar; **s'élever** *vpr (avion,
alpiniste)* ascender; *(clocher, montagne)*
alzarse; *(protestations)* levantar; *(cri)*
oírse; *(niveau)* subir; *(température)*
ascender; *(survenir: difficultés)* surgir; **~
une protestation/critique** elevar una
protesta/crítica; **~ la voix/le ton**
levantar la voz/el tono; **~ qn au rang/
grade de** ascender *ou* elevar a algn al
rango/grado de; **~ un nombre au carré/**

cube elevar un número al cuadrado/al
cubo; **s'~ contre qch** rebelarse contra
algo; **s'~ à** *(frais, dégâts)* elevarse a

éleveur, -euse [el(ə)vœr, øz] *nm/f (de
bétail)* ganadero(-a)

éliminatoire [eliminatwar] *adj*
eliminatorio(-a) ■ *nf* eliminatoria

éliminer [elimine] *vt* eliminar

élire [elir] *vt (Pol etc)* elegir; **~ domicile à
... domiciliarse en ...

elle [ɛl] *pron* ella; **Marie est-~ grande?**
¿María es grande?; **c'est à ~** es suyo(-a),
es de ella; **ce livre est à ~** ese libro es
suyo; **~-même** ella misma; *(après
préposition)* sí misma; **avec ~** *(réfléchi)*
consigo

éloigné, e [elwaɲe] *adj (gén)* alejado(-a);
(date, échéance, parent) lejano(-a)

éloigner [elwaɲe] *vt (échéance, but)*
retrasar; *(soupçons, danger)* ahuyentar;
s'éloigner *vpr* alejarse; *(fig)*
distanciarse; **~ qch (de)** alejar algo (de);
~ qn (de) distanciar a algn (de); **s'~ de**
alejarse de; *(fig: sujet, but)* salirse de

élu, e [ely] *pp de* **élire** ■ *nm/f (Pol)*
elegido(-a), electo(-a); *(Rel)* elegido(-a)

Élysée [elize] *nm*: **l'~, le palais de l'~** el
Elíseo, el palacio del Elíseo; **les Champs
~s** los Campos Elíseos

○ **PALAIS DE L'ÉLYSÉE**
○
○ El *palais de l'Élysée*, que está situado en
○ el centro mismo de París, a muy poca
○ distancia de los Campos Elíseos, es la
○ residencia oficial del presidente
○ francés. Fue construido en el siglo
○ XVIII, y ha sido la residencia
○ presidencial desde 1876. Se usa con
○ frecuencia una versión reducida de su
○ nombre, "l'Élysée", para referirse a la
○ presidencia misma.

émail, -aux [emaj, o] *nm* esmalte *m*

e-mail [imɛl] *nm* mail *m*, email *m*, correo
electrónico; **envoyer qch par ~** enviar
algo por mail/correo electrónico

émanciper [emãsipe] *vt (Jur)*
emancipar; *(gén: aussi moralement)*
liberar; **s'émanciper** *vpr (fig)* liberarse

emballage [ãbalaʒ] *nm* embalaje *m*;
(d'un cadeau) envoltura; **~ perdu**
embalaje no retornable

emballer [ãbale] *vt (gén, moteur)*
embalar; *(cadeau)* envolver; *(fig: fam)*
apetecer; **s'emballer** *vpr (moteur,
personne)* embalarse; *(cheval)* desbocarse;
(fig) propasarse

embarcadère [ãbaʀkadɛʀ] nm
embarcadero

embarquement [ãbaʀkəmã] nm
embarque m

embarquer [ãbaʀke] vt embarcar; (fam:
voler) mangar; (: arrêter) detener ■ vi
embarcar; **s'embarquer** vpr
embarcarse; **s'~ dans** (affaire, aventure)
embarcarse en

embarras [ãbaʀa] nm (gén pl: obstacle)
inconveniente m; (confusion) turbación f;
(ennui) problema m; **être dans l'~** (gêne
financière) estar en apuros; **~ gastrique**
molestia intestinal

embarrassant, e [ãbaʀasã, ãt] adj
molesto(-a)

embarrasser [ãbaʀase] vt (encombrer)
estorbar; (gêner) molestar; (troubler)
turbar; **s'~ de** (paquets) cargarse de;
(scrupules, problèmes) preocuparse por

embaucher [ãboʃe] vt contratar;
s'embaucher comme vpr inscribirse
como

embêtant, e [ãbɛtã, ãt] adj molesto(-a),
embromado(-a) (Mus)

embêtement [ãbɛtmã] nm (gén pl)
contratiempo

embêter [ãbete] vt (importuner)
molestar, embromar (AM); (ennuyer)
aburrir; (contrarier) fastidiar; **s'embêter**
vpr aburrirse; (iro): **il ne s'embête pas!**
¡no se aburre!

emblée [ãble]: **d'~** adv de golpe

embouchure [ãbuʃyʀ] nf (Géo)
desembocadura; (Mus) embocadura

embourber [ãbuʀbe] vpr: **s'embourber**
atascarse; **s'~ dans** (fig) atrancarse en

embouteillage [ãbutejaʒ] nm
embotellamiento

embranchement [ãbʀãʃmã] nm
(routier) bifurcación f; (Science) tipo

embrasser [ãbʀase] vt (étreindre)
abrazar; (donner un baiser) besar; (sujet,
période) abarcar; **s'embrasser** vpr
besarse; **~ une carrière/un métier**
abrazar una carrera/ un oficio; **~ du
regard** abarcar con la mirada

embrayage [ãbʀejaʒ] nm embrague m

embrouiller [ãbʀuje] vt (aussi fig)
enredar; (personne) liar; **s'embrouiller**
vpr enredarse

embruns [ãbʀœ̃] nmpl salpicaduras fpl

embué, e [ãbɥe] adj empañado(-a);
yeux ~s de larmes ojos mpl empañados
por las lágrimas

émeraude [em(ə)ʀod] nf, adj inv
esmeralda

émerger [emɛʀʒe] vi emerger; (fig) surgir

émeri [em(ə)ʀi] nm: **papier ~** papel m de
esmeril

émerveiller [emɛʀveje] vt maravillar;
s'émerveiller vpr: **s'~ (de qch)**
maravillarse (de algo)

émettre [emɛtʀ] vt, vi emitir; **~ sur
ondes courtes** emitir en onda corta

émeus etc [emø] vb voir **émouvoir**

émeute [emøt] nf motín m

émigrer [emigʀe] vi emigrar

émincer [emɛ̃se] vt (viande) trinchar;
(oignons etc) cortar en rodajas finas

émission [emisjɔ̃] nf emisión f

emmêler [ãmele] vt (aussi fig)
enmarañar; **s'emmêler** vpr
enmarañarse

emménager [ãmenaʒe] vi mudarse;
~ dans instalarse en

emmener [ãm(ə)ne] vt llevar; (comme
otage, capture, avec soi) llevarse; **~ qn au
cinéma/restaurant** llevar a algn al cine/
restaurante

emmerder [ãmɛʀde] (fam!) vt dar el
coñazo (fam!), fregar (AM) (fam!);
s'emmerder vpr aburrirse la hostia
(fam!); **je t'emmerde!** ¡que te den por
culo! (fam!)

émotif, -ive [emɔtif, iv] adj (troubles etc)
emocional; (personne) emotivo(-a)

émotion [emosjɔ̃] nf emoción f; **avoir
des ~s** (fig) tener sobresaltos; **donner
des ~s à** dar sobresaltos a; **sans ~** sin
emoción

émouvoir [emuvwaʀ] vt (troubler)
turbar; (attendrir) conmover; (indigner)
indignar; (effrayer) atemorizar;
s'émouvoir vpr (se troubler) turbarse;
(s'attendrir) conmoverse; (s'indigner)
indignarse; (s'effrayer) atemorizarse

empaqueter [ãpakte] vt empaquetar

emparer [ãpaʀe]: **s'emparer de** vpr
apoderarse de; (Mil) adueñarse de

empêchement [ãpeʃmã] nm
impedimento

empêcher [ãpeʃe] vt impedir; **~ qn de
faire qch** impedir a algn que haga algo;
~ que qch (n')arrive/que qn (ne) fasse
impedir que algo pase/que algn haga; **il
n'empêche** lo que no quiere decir
que; **je ne peux pas m'~ de penser** no
puedo dejar de pensar; **il n'a pas pu s'~
de rire** no pudo evitar reírse

empereur [ãpʀœʀ] nm emperador m

empiffrer [ãpifʀe] vpr: **s'empiffrer** (péj)
atracarse

empiler [ãpile] vt apilar; **s'empiler** vpr
amontonarse

empire [ãpiʀ] nm imperio; (fig) dominio;

style E~ estilo imperio; **sous l'~ de** bajo el efecto de

empirer [ɑ̃piʀe] vi empeorar

emplacement [ɑ̃plasmɑ̃] nm emplazamiento; **sur l'~ de** en el emplazamiento de

emplettes [ɑ̃plɛt] nfpl: **faire des ~** ir de tiendas

emploi [ɑ̃plwa] nm empleo; **l'~** (Comm, Écon) el empleo; **d'~ facile/délicat** de uso fácil/delicado; **offre/demande d'~** oferta/demanda de empleo; **le plein ~** pleno empleo; **~ du temps** horario

employé, e [ɑ̃plwaje] nm/f empleado(-a); **~ de banque** empleado(-a) de banco; **~ de bureau** oficinista m/f; **~ de maison** criado(-a)

employer [ɑ̃plwaje] vt emplear; **~ la force/les grands moyens** emplear fuerza/fuerzas mayores; **s'~ à qch/à faire** esforzarse por algo/por hacer

employeur, -euse [ɑ̃plwajœʀ, øz] nm/f patrón(-ona), empresario(-a)

empoigner [ɑ̃pwaɲe] vt empuñar; **s'empoigner** vpr (fig) ir a las manos

empoisonner [ɑ̃pwazɔne] vt (volontairement) envenenar; (accidentellement, empester) intoxicar; (fam: embêter) **~ qn** fastidiar a algn; **s'empoisonner** vpr (suicide) envenenarse; (accidentellement) intoxicarse; **~ l'atmosphère** (fig) cargar la atmósfera; **il nous empoisonne l'existence** nos amarga la existencia

emporter [ɑ̃pɔʀte] vt llevar; (en dérobant, enlevant) arrebatar; (suj: courant, vent, avalanche, choc) arrastrar; (: enthousiasme, colère) arrebatar; (gagner, Mil) lograr; **s'emporter** vpr enfurecerse; **la maladie qui l'a emporté** la enfermedad que se lo ha llevado; **l'~** ganar; **l'~ sur** desbancar a; **boissons/plats chauds à ~** bebidas fpl/comidas fpl calientes para llevar

empreinte [ɑ̃pʀɛ̃t] nf (aussi fig) huella; **~ écologique** impacto ecológico; **~s (digitales)** huellas fpl (dactilares)

empressé, e [ɑ̃pʀese] adj solícito(-a); (péj: prétendant, subordonné) servil

empresser [ɑ̃pʀese]: **s'empresser** vpr apresurarse; **s'~ auprès de qn** mostrarse solícito con algn; **s'~ de faire** apresurarse a hacer

emprisonner [ɑ̃pʀizɔne] vt encarcelar; (fig) encerrar

emprunt [ɑ̃pʀœ̃] nm (gén, Fin) préstamo; (littéraire) imitación f; **nom d'~** (p)seudónimo; **~ d'État** empréstito de

Estado; **~ public à 5%** empréstito público al 5%

emprunter [ɑ̃pʀœ̃te] vt (gén, Fin) pedir ou tomar prestado; (route, itinéraire) seguir; (style, manière) imitar

ému, e [emy] pp de **émouvoir** ■ adj (de joie, gratitude) emocionado(-a); (d'attendrissement) conmovido(-a)

⭕ **MOT-CLÉ**

en [ɑ̃] prép **1** (endroit, pays) en; (direction) a; **habiter en France/en ville** vivir en Francia/en la ciudad; **aller en France/en ville** ir a Francia/a la ciudad
2 (temps) en; **en 3 jours/20 ans** en 3 días/20 años; **en été/juin** en verano/junio
3 (moyen) en; **en avion/taxi** en avión/taxi
4 (composition) de; **c'est en verre/bois** es de cristal/madera; **un collier en argent** un collar de plata
5 (description, état): **une femme en rouge** una mujer de rojo; **peindre qch en rouge** pintar algo de rojo; **en T/étoile** en forma de T/en estrella; **en chemise/chaussettes** en camisa/calcetines; **en soldat** de soldado; **en civil** de civil ou paisano; **en deuil** de luto; **cassé en plusieurs morceaux** roto en varios pedazos; **en réparation** en reparación; **partir en vacances** marcharse de vacaciones; **le même en plus grand** el mismo en tamaño más grande; **en bon diplomate, il n'a rien dit** como buen diplomático, no dijo nada; **expert/licencié en ...** experto/licenciado en ...; **fort en maths** fuerte en matemáticas; **être en bonne santé** estar bien de salud; **en deux volumes/une pièce** en dos volúmenes/una pieza; (pour locutions avec "en") voir **tant**; **voir là** etc
6 (en tant que): **en bon chrétien** como buen cristiano; **je te parle en ami** te hablo como amigo
7 (avec gérondif): **en travaillant/dormant** al trabajar/dormir, trabajando/durmiendo; **en apprenant la nouvelle/sortant, ...** al saber la noticia/al salir, ...; **sortir en courant** salir corriendo
■ pron **1** (indéfini): **j'en ai ...** tengo ...; **en as-tu?** ¿tienes?; **en veux-tu?** ¿quieres?; **je n'en veux pas** no quiero; **j'en ai 2** tengo dos; **j'en ai assez** (fig) tengo bastante; (j'en ai marre) estoy harto de eso; **combien y en a-t-il?** ¿cuántos hay?; **où en étais-je?** ¿dónde estaba?; **j'en viens à penser que ...** eso me lleva a pensar que ...; **il en est ainsi** ou **de même pour toi!** ¡y tú igual!

2 (*provenance*) de allí; **j'en viens/sors** vengo/salgo (de allí)
3 (*cause*): **il en est malade/perd le sommeil** está enfermo/pierde el sueño (por ello); (*instrument, agent*): **il en est aimé** es estimado (por ello)
4 (*complément de nom, d'adjectif, de verbe*): **j'en connais les dangers/défauts** conozco los peligros/defectos de eso; **j'en suis fier** estoy orgulloso de ello; **j'en ai besoin** lo necesito

encadrer [ākɑdʀe] *vt* (*tableau, image*) enmarcar; *(fig: entourer)* rodear; (*personnel*) formar; (*soldats etc*) tener a su mando; (*crédit*) controlar
encaisser [ākese] *vt* (*chèque, argent*) cobrar; (*coup, défaite*) encajar
en-cas [āka] *nm inv* tentempié *m*
enceinte [āsɛ̃t] *adj f*: **~ (de 6 mois)** encinta *ou* embarazada (de 6 meses) ■ *nf* (*mur*) muralla; (*espace*) recinto; **~ (acoustique)** bafle *m*
encens [āsā] *nm* incienso
enchaîner [āʃene] *vt* encadenar ■ *vi* proseguir
enchanté, e [āʃāte] *adj* encantado(-a); **~ de faire votre connaissance** encantado(-a) de conocerle
enchère [āʃɛʀ] *nf* oferta; **faire une ~** hacer una oferta; **mettre/vendre aux ~s** sacar/vender en subasta; **les ~s montent** las ofertas suben; **faire monter les ~s** (*fig*) hacer subir las ofertas
enclencher [āklāʃe] *vt* (*mécanisme*) enganchar; (*affaire*) iniciar; **s'enclencher** *vpr* ponerse en marcha
encombrant, e [ākɔ̃bʀā, āt] *adj* voluminoso(-a)
encombrement [ākɔ̃bʀəmā] *nm* (*d'un lieu*) obstrucción *f*; (*de circulation*) embotellamiento; (*des lignes téléphoniques*) saturación *f*; (*d'un objet*) volumen *m*
encombrer [ākɔ̃bʀe] *vt* (*couloir, rue*) obstruir; (*mémoire, marché*) abarrotar; (*personne*) estorbar; **s'encombrer de** *vpr* (*bagages etc*) cargarse de *ou* con; **~ le passage** obstruir el paso

⭕ **MOT-CLÉ**

encore [ākɔʀ] *adv* **1** (*continuation*) todavía; **il travaille encore** trabaja todavía; **pas encore** todavía no
2 (*de nouveau*): **elle m'a encore demandé de l'argent** me ha vuelto a pedir dinero; **encore!** (*insatisfaction*) ¡otra vez!; **encore**

un effort un esfuerzo más; **j'irai encore demain** iré también mañana; **encore une fois** una vez más; **encore deux jours** dos días más
3 (*intensif*): **encore plus fort/mieux** aún más fuerte/mejor; **hier encore** todavía ayer; **non seulement ... , mais encore** no sólo ... sino también
4 (*restriction*) al menos; **encore pourrais-je le faire, si j'avais de l'argent** si al menos tuviera dinero, podría hacerlo; **si encore** si por lo menos; **(et puis) quoi encore?** ¿y qué más?; **encore que** *conj* aunque

encourager [ākuʀaʒe] *vt* (*personne*) animar; (*activité, tendance*) fomentar; **~ qn à faire qch** animar a algn para que haga algo
encourir [ākuʀiʀ] *vt* exponerse a
encre [ākʀ] *nf* tinta; **~ de Chine** tinta china; **~ indélébile** tinta indeleble; **~ sympathique** tinta simpática *ou* invisible
encyclopédie [āsiklɔpedi] *nf* enciclopedia
endetter [ādete] *vt* endeudar; **s'endetter** *vpr* endeudarse
endive [ādiv] *nf* endibia
endormi, e [ādɔʀmi] *pp de* **endormir** ■ *adj* dormido(-a); (*indolent, lent*) lento(-a)
endormir [ādɔʀmiʀ] *vt* adormecer, dormir; (*soupçons*) engañar; (*ennemi*) burlar; (*ennuyer*) adormecer; (*Méd*) anestesiar; **s'endormir** *vpr* (*aussi fig*) dormirse
endroit [ādʀwa] *nm* lugar *m*, sitio; (*opposé à l'envers*) derecho; **à l'~** (*vêtement*) al derecho; **à l'~ de** (*à l'égard de*) con respecto a; **les gens de l'~** la gente del lugar; **par ~s** en algunos sitios; **à cet ~** en ese sitio
endurance [ādyʀās] *nf* resistencia
endurant, e [ādyʀā, āt] *adj* resistente
endurcir [ādyʀsiʀ] *vt* endurecer; **s'endurcir** *vpr* endurecerse
endurer [ādyʀe] *vt* aguantar
énergétique [enɛʀʒetik] *adj* energético(-a)
énergie [enɛʀʒi] *nf* (*aussi fig*) energía
énergique [enɛʀʒik] *adj* enérgico(-a)
énervant, e [enɛʀvā, āt] *adj* irritante
énerver [enɛʀve] *vt* poner nervioso, enervar; **s'énerver** *vpr* ponerse nervioso, enervarse
enfance [āfās] *nf* (*âge*) niñez *f*; (*fig*) principio; (*enfants*) infancia; **c'est l'~ de l'art** está tirado; **petite ~** primera

infancia; **souvenir/ami d'~** recuerdo/
amigo de infancia; **retomber en ~** volver
a la niñez
enfant [ɑ̃fɑ̃] nm/f (garçon, fillette: aussi
fig) niño(-a); (fils, fille: aussi fig) hijo(-a);
petit ~ nene(-a); **bon ~** bonachón(-ona);
~ adoptif hijo adoptivo; **~ de chœur** (Rel,
fig) monaguillo; **~ naturel/unique** hijo
natural/único; **~ prodige** niño prodigio
enfantin, e [ɑ̃fɑ̃tɛ̃, in] adj (aussi péj)
infantil
enfer [ɑ̃fɛʀ] nm infierno; **allure/bruit d'~**
ritmo/ruido infernal
enfermer [ɑ̃fɛʀme] vt (à clef etc)
encerrar; **s'enfermer** vpr encerrarse;
s'~ à clef cerrarse con llave; **s'~ dans la
solitude/le mutisme** encerrarse en la
soledad/el mutismo
enfiler [ɑ̃file] vt (perles) ensartar;
(aiguille) enhebrar; (rue, couloir) enfilar;
s'enfiler dans vpr (entrer dans) enfilar; **~
qch** (vêtement) ponerse algo; **~ qch dans**
(insérer) meter algo en
enfin [ɑ̃fɛ̃] adv (pour finir) finalmente; (en
dernier lieu, pour conclure) por último; (de
restriction, résignation) en fin; (eh bien!)
¡por fin!
enflammer [ɑ̃flame] vt (aussi fig)
inflamar; **s'enflammer** vpr inflamarse
enflé, e [ɑ̃fle] adj (aussi péj) hinchado(-a)
enfler [ɑ̃fle] vi (Méd) inflamar, hincharse
enfoncer [ɑ̃fɔ̃se] vt (clou) clavar; (forcer,
défoncer, faire pénétrer) hundir; (lignes
ennemies) derrotar; (fam: surpasser)
derribar ■ vi (dans la vase etc) hundirse;
s'enfoncer vpr hundirse; **s'~ dans**
hundirse en; (forêt, ville) adentrarse en;
(mensonge) sumirse en; (erreur) andar en;
~ un chapeau sur la tête calarse un
sombrero en la cabeza; **~ qn dans la
dette** hundir a algn en deudas
enfouir [ɑ̃fwiʀ] vt (dans le sol) enterrar;
(dans un tiroir, une poche) meter en el
fondo; **s'enfouir dans/sous** vpr
refugiarse en/ocultarse bajo
enfuir [ɑ̃fɥiʀ] vpr: **s'enfuir** huir
engagement [ɑ̃gaʒmɑ̃] nm
compromiso; (contrat professionnel)
contrato; (combat professionnel)
contrato; (recrutement) alistamiento voluntario;
(Sport) saque m de centro; **prendre l'~ de
faire** comprometerse a hacer; **sans ~**
(Comm) sin compromiso
engager [ɑ̃gaʒe] vt (embaucher)
contratar; (débat) iniciar; (: négociations)
entablar; (lier) comprometer; (impliquer,
entraîner) implicar; (argent) colocar; (faire
intervenir) hacer intervenir; **s'engager**

vpr (s'embaucher) incorporarse; (Mil)
alistarse; (politiquement, promettre)
comprometerse; (négociations)
entablarse; **10 chevaux sont engagés
dans cette course** 10 caballos toman
parte en esta carrera; **~ qn à faire/à qch**
incitar a algn a hacer/a algo; **~ qch dans**
(faire pénétrer) meter algo en; **s'~ à faire
qch** comprometerse a hacer algo; **s'~
dans** (rue, passage) enfilar; (s'emboîter)
encajarse en; (voie, carrière, discussion)
meterse en
engelures [ɑ̃ʒlyʀ] nfpl sabañones mpl
engin [ɑ̃ʒɛ̃] nm máquina; (péj) artefacto;
(missile) proyectil m; **~ blindé** vehículo
blindado; **~ de terrassement**
excavadora; **~ (explosif)** artefacto
explosivo; **~s (spéciaux)** misiles mpl
engloutir [ɑ̃glutiʀ] vt (aussi fig) tragar;
s'engloutir vpr hundirse
engouement [ɑ̃gumɑ̃] nm
apasionamiento
engouffrer [ɑ̃gufʀe] vt engullir;
s'engouffrer dans vpr (suj: vent, eau)
penetrar en; (: personnes) precipitarse en
engourdir [ɑ̃guʀdiʀ] vt (membres)
entumecer; (esprit) entorpecer;
s'engourdir vpr entumecerse;
entorpecerse
engrais [ɑ̃gʀɛ] nm abono; **~ chimique/
minéral/naturel** abono químico/
mineral/natural; **~ organique/vert**
abono orgánico/verde
engraisser [ɑ̃gʀese] vt (animal) cebar;
(terre) abonar ■ vi (péj: personne) forrarse
engrenage [ɑ̃gʀənaʒ] nm (aussi fig)
engranaje m
engueuler [ɑ̃gœle] (fam) vt: **~ qn**
cabrearse con algn
enhardir [ɑ̃aʀdiʀ] vt animar;
s'enhardir vpr envalentonarse
énigmatique [enigmatik] adj
enigmático(-a)
énigme [enigm] nf enigma m
enivrer [ɑ̃nivʀe] vt (aussi fig) embriagar,
emborrachar; **s'enivrer** vpr (en buvant)
emborracharse, embriagarse; **s'~ de** (fig)
embriagarse de, emborracharse de
enjamber [ɑ̃ʒɑ̃be] vt franquear
enjeu, x [ɑ̃ʒø] nm apuesta; (d'une élection,
d'un match) lo que está en juego
enjoué, e [ɑ̃ʒwe] adj alegre
enlaidir [ɑ̃lediʀ] vt afear ■ vi afearse
enlèvement [ɑ̃lɛvmɑ̃] nm (rapt) rapto;
l'~ des ordures ménagères la recogida
de basuras
enlever [ɑ̃l(ə)ve] vt quitar; (ordures,
meubles à déménager) recoger; (kidnapper)

raptar; (prix, victoire) conseguir; (Mil) tomar; (Mus) ejecutar brillantemente; **s'enlever** vpr (tache) quitarse; **~ qch à qn** (possessions, espoir) quitar algo a algn; **la maladie qui nous l'a enlevé** (euphémisme) la enfermedad que nos lo ha llevado

enliser [ãlize] vpr: **s'enliser** hundirse; (dialogue) llegar a un punto muerto

enneigé, e [ãneʒe] adj (pente, col) nevado(-a); (maison) cubierto(-a) de nieve

ennemi, e [ɛnmi] adj, nm/f enemigo(-a) ■ nm (Mil, gén) enemigo; **être ~ de** (tendance, activité) ser enemigo(-a) de

ennui [ãnɥi] nm (lassitude) aburrimiento; (difficulté) problema m; **avoir/s'attirer des ~s** tener/buscarse problemas

ennuyer [ãnɥije] vt (importuner, gêner) molestar; (contrarier) fastidiar; (lasser) aburrir; **s'ennuyer** vpr (se lasser) aburrirse; **si cela ne vous ennuie pas** si no le molesta; **s'~ de qch/qn** (regretter) echar de menos algo/a algn

ennuyeux, -euse [ãnɥijø, øz] adj (lassant) aburrido(-a); (contrariant) molesto(-a)

énorme [enɔrm] adj enorme

énormément [enɔrmemã] adv (avec vb) muchísimo; **~ de neige/gens** muchísima nieve/gente

enquête [ãkɛt] nf (judiciaire, administrative, de police) investigación f; (de journaliste, sondage) encuesta

enquêter [ãkete] vi (gén, police) investigar; (journaliste, sondage) hacer una encuesta; **~ sur** investigar sobre

enragé, e [ãraʒe] adj (Méd) rabioso(-a); (furieux) furioso(-a); (passionné) apasionado(-a); **~ de** fanático(-a) de

enrageant, e [ãraʒã, ãt] adj irritante

enrager [ãraʒe] vi dar rabia; **faire ~ qn** hacer rabiar a algn

enregistrement [ãr(ə)ʒistrəmã] nm (d'un disque) grabación f; (d'un fichier, d'une plainte) registro; **~ des bagages** facturación f; **~ magnétique** grabación magnética

enregistrer [ãr(ə)ʒistre] vt (Mus, Inform) grabar; (Admin, Comm, fig) registrar; (aussi: **faire enregistrer**: bagages) facturar

enrhumer [ãryme] vpr: **s'enrhumer** acatarrarse, constiparse, resfriarse

enrichir [ãriʃir] vt enriquecer; **s'enrichir** vpr enriquecerse

enrouer [ãrwe] vpr: **s'enrouer** enronquecer

enrouler [ãrule] vt enrollar; **s'enrouler** vpr enrollarse; **~ qch autour de** enrollar algo alrededor de

enseignant, e [ãseɲã, ãt] adj, nm/f docente m/f

enseignement [ãsɛɲ(ə)mã] nm enseñanza; **~ ménager/technique** enseñanza doméstica/técnica; **~ primaire/secondaire** enseñanza primaria/secundaria; **~ privé/public** enseñanza privada/pública

enseigner [ãseɲe] vt (suj: professeur) enseñar, dar clase de; (: choses) enseñar ■ vi (être professeur) dar clases; **~ qch à qn** enseñar algo a algn; **~ à qn que** enseñar a algn que

ensemble [ãsãbl] adv (l'un avec l'autre) juntos(-as); (en même temps) juntos(-as) ■ nm conjunto; **l'~ du/de la** la totalidad del/de la; **aller ~** (être assorti) combinarse; **impression/idée d'~** impresión f/idea de conjunto; **dans l'~** (en gros) en conjunto; **dans son ~** (en gros, au total) en su conjunto; **~ instrumental/vocal** conjunto ou grupo instrumental/vocal

ensoleillé, e [ãsɔleje] adj soleado(-a)

ensuite [ãsɥit] adv (dans une succession: après) a continuación; (plus tard) después; **~ de quoi** después de lo cual

entamer [ãtame] vt (pain, bouteille) empezar; (hostilités, pourparlers) iniciar; (réputation, confiance) mermar; (bonne humeur) hacer perder

entasser [ãtase] vt (empiler) amontonar; (prisonniers etc) hacinar; **s'entasser** vpr (v vt) amontonarse; hacinarse; **s'~ dans** hacinarse en, amontonarse en

entendre [ãtãdr] vt oír; (comprendre) entender; (vouloir dire) querer decir; **s'entendre** vpr (sympathiser) entenderse; (: se mettre d'accord) ponerse de acuerdo; **j'ai entendu dire que** he oído que; **s'~ à qch/à faire qch** ser competente para algo/para hacer algo; **~ être obéi/que** (vouloir) pretender ser obedecido/que; **~ parler de** oír hablar de; **~ raison** entrar en razón; **je m'entends** sé lo que (me) digo; **entendons-nous** expliquémonos; **(cela) s'entend** por supuesto, naturalmente; **laisser ~ que, donner à ~ que** dar a entender que; **qu'est-ce qu'il ne faut pas ~!** ¡lo que hay que oír!; **j'ai mal entendu** no he comprendido; **je suis heureux de vous l'~ dire** es un placer oírselo decir; **ça s'entend!** (c'est audible) ¡se oye!; **je vous entends très mal** le oigo muy mal

entendu, e [ãtãdy] *pp de* **entendre**
■ *adj (affaire)* concluido(-a); *(air)*
entendido(-a); **étant ~ que** dando por
supuesto que; **(c'est) ~!** ¡de acuerdo!,
¡entendido!; **c'est ~** *(concession)*
entendido; **bien ~!** ¡por supuesto!

entente [ãtãt] *nf (entre amis, pays)*
entendimiento; *(accord, traité)* acuerdo;
à double ~ de doble sentido

enterrement [ãtɛʁmã] *nm* entierro

enterrer [ãteʁe] *vt* enterrar; *(suj:
avalanche etc)* sepultar; *(dispute, projet)*
echar tierra sobre

entêtant, e [ãtɛtã, ãt] *adj (odeur,
atmosphère)* mareante

en-tête [ãtɛt] *(pl ~s) nm* membrete *m*;
enveloppe/papier à ~ sobre *m*/papel *m*
con membrete

entêté, e [ãtete] *adj* obstinado(-a),
cabezota

entêter [ãtete] *vpr:* **s'entêter**
obstinarse, empeñarse; **s'~ (à faire)**
empeñarse (en hacer)

enthousiasme [ãtuzjasm] *nm*
entusiasmo; **avec ~** con entusiasmo

enthousiasmer [ãtuzjasme] *vt*
entusiasmar; **s'enthousiasmer** *vpr:*
s'~ (pour qch) entusiasmarse (con algo)

enthousiaste [ãtuzjast] *adj, nm/f*
entusiasta *m/f*

entier, -ère [ãtje, jɛʁ] *adj* entero(-a);
(en totalité) entero(-a), completo(-a);
(personne, caractère) íntegro(-a) ■ *nm*
(Math) entero; **en por completo; se
donner tout ~ à qch** entregarse
enteramente a algo; **lait ~** leche *f* entera;
nombre ~ número entero

entièrement [ãtjɛʁmã] *adv* enteramente

entonnoir [ãtɔnwaʁ] *nm (ustensile)*
embudo; *(trou)* hoyo

entorse [ãtɔʁs] *nf* esguince *m*; **~ à la loi/
au règlement** infracción *f* de la ley/del
reglamento; **se faire une ~ à la cheville/
au poignet** hacerse un esguince en el
tobillo/en la muñeca

entourage [ãtuʁaʒ] *nm (personnes
proches)* allegados *mpl*; *(ce qui enclôt)*
cerco

entourer [ãtuʁe] *vt (par une clôture etc)*
cercar; *(Mil, gén)* sitiar; *(faire cercle autour
de)* rodear; *(apporter son soutien à)*
atender; **s'entourer de** *vpr*
(collaborateurs) rodearse de; **~ qch de**
rodear algo con; **~ qn de soins/
prévenances** prodigar a algn cuidados/
atenciones; **s'~ de mystère/de luxe/de
précautions** rodearse de misterio/de
lujo/de precauciones

entracte [ãtʁakt] *nm* entreacto

entraide [ãtʁɛd] *nf* ayuda mutua

entrain [ãtʁɛ̃] *nm* ánimo; **avec ~** con
entusiasmo; **faire qch sans ~** hacer algo
sin entusiasmo o sin ganas

entraînement [ãtʁɛnmã] *nm*
entrenamiento; **~ à chaîne/galet**
tracción *f* a cadena/rodillo; **manquer d'~**
estar desentrenado(-a); **~ par ergots/
friction** *(Inform)* arrastre *m* por tracción/
fricción

entraîner [ãtʁene] *vt (tirer)* arrastrar;
(charrier) acarrear; *(moteur, poulie)*
accionar; *(emmener)* llevarse; *(joueurs,
soldats)* guiar; *(Sport)* entrenar;
(influencer) influenciar; *(impliquer, causer)*
ocasionar; **s'entraîner** *vpr (Sport)*
entrenarse; **~ qn à/à faire qch** *(inciter)*
arrastrar a algn a/a hacer algo; **s'~ à
qch/à faire qch** *(s'exercer)* ejercitarse en
algo/en hacer algo

entraîneur, -euse [ãtʁenœʁ, øz] *nm/f*
(Sport) entrenador(a); *(Hippisme)*
picador(a)

entre [ãtʁ] *prép* entre; **l'un d'~ eux/nous**
uno de ellos/nosotros; **le meilleur d'~
eux/nous** el mejor de ellos/nosotros;
ils préfèrent rester ~ eux prefieren
permanecer entre ellos; **~ autres
(choses)** entre otras (cosas); **~ nous, ...**
entre nosotros, ...; **ils se battent ~ eux**
se pelean entre sí; **~ ces deux solutions,
il n'y a guère de différence** entre
estas dos soluciones no hay mucha
diferencia

entrecôte [ãtʁəkot] *nf* entrecot(e) *m*

entrée [ãtʁe] *nf* entrada; **entrées** *nfpl:*
avoir ses ~s chez/auprès de tener libre
acceso a/fácil contacto con; **erreur d'~**
error *m* de principio; **faire son ~** dans
(aussi fig) hacer su entrada en; **d'~** de
entrada; **~ de service/des artistes**
entrada de servicio/de artistas; **~ en
matière** comienzo; **~ en scène** salida a
escena; **~ en vigueur** entrada en vigor;
"~ interdite" "prohibida la entrada";
"~ libre" "entrada libre"

entrefilet [ãtʁəfilɛ] *nm* noticia breve

entremets [ãtʁəmɛ] *nm* postre *m*

entrepôt [ãtʁəpo] *nm* almacén *m*,
galpón *m* (*Csur*); **~ frigorifique** almacén
frigorífico

entreprendre [ãtʁəpʁãdʁ] *vt*
emprender; **~ qn sur un sujet** abordar a
algn con un tema; **~ de faire qch** decidir
hacer algo

entrepreneur [ãtʁəpʁənœʁ] *nm*
empresario; **~ de pompes funèbres**

empresario de pompas fúnebres; **~ (en bâtiment)** contratista *m/f* (de obras)
entreprise [ɑ̃tʀəpʀiz] *nf* empresa; **~ agricole/de travaux publics** empresa agraria/de obras públicas
entrer [ɑ̃tʀe] *vi* entrar ■ *vt* (*marchandises: aussi* faire entrer) introducir; (*Inform*) meter; **(faire) ~ qch dans** (*objet*) meter algo en; **~ dans** entrar en; (*entrer en collision avec*) chocar con; (*vues, craintes de qn*) compartir; **~ au couvent/à l'hôpital** ingresar en el convento/en el hospital; **~ en fureur** enfurecerse; **~ en ébullition** entrar en ebullición; **~ en scène** salir a escena; **~ dans le système** (*Inform*) entrar en el sistema; **laisser ~ qch/qn** (*lumière, air*) dejar pasar algo/a algn; **faire ~** hacer pasar
entre-temps [ɑ̃tʀətɑ̃] *adv* entretanto
entretenir [ɑ̃tʀət(ə)niʀ] *vt* mantener; **s'entretenir** *vpr*: **s'~ (de qch)** conversar (sobre algo); **~ qn (de qch)** conversar con algn (sobre algo); **~ qn dans l'erreur** mantener a algn en el error
entretien [ɑ̃tʀətjɛ̃] *nm* (*d'une maison, d'une famille, service*) mantenimiento; (*discussion*) conversación *f*; (*audience*) entrevista; **entretiens** *nmpl* (*pourparlers*) conversaciones *fpl*; **frais d'~** gastos *mpl* de mantenimiento
entrevoir [ɑ̃tʀəvwaʀ] *vt* entrever; (*solution, problème*) vislumbrar
entrevue [ɑ̃tʀəvy] *nf* entrevista
entrouvert, e [ɑ̃tʀuvɛʀ, ɛʀt] *adj* entreabierto(-a)
énumérer [enymeʀe] *vt* enumerar
envahir [ɑ̃vaiʀ] *vt* invadir
envahissant, e [ɑ̃vaisɑ̃, ɑ̃t] *adj* (*péj: personne*) avasallador(a)
enveloppe [ɑ̃v(ə)lɔp] *nf* sobre *m*; (*revêtement, gaine*) revestimiento; **mettre sous ~** poner en un sobre; **~ à fenêtre** sobre de ventana; **~ autocollante** sobre autoadhesivo; **~ budgétaire** límite *m* presupuestario
envelopper [ɑ̃v(ə)lɔpe] *vt* (*aussi fig*) envolver; **s'~ dans un châle/une couverture** envolverse en un chal/una manta
enverrai *etc* [ɑ̃veʀe] *vb voir* **envoyer**
envers [ɑ̃vɛʀ] *prép* hacia ■ *nm*: **l'~** (*d'une feuille*) el dorso; (*d'un vêtement*) el revés; (*d'un problème*) la otra cara; **à l'~** al revés; **~ et contre tous** *ou* **tout** contra viento y marea
envie [ɑ̃vi] *nf* envidia; (*sur la peau*) antojo; (*autour des ongles*) padrastro; **avoir ~ de**

qch/de faire qch tener ganas de algo/de hacer algo; **avoir ~ que** tener ganas de que; **donner à qn l'~ de qch/de faire qch** dar a algn ganas de algo/de hacer algo; **ça lui fait ~** le da envidia
envier [ɑ̃vje] *vt* envidiar; **~ qch à qn** envidiar algo a algn; **n'avoir rien à ~ à** no tener nada que envidiarle a
envieux, -euse [ɑ̃vjø, jøz] *adj, nm/f* envidioso(-a)
environ [ɑ̃viʀɔ̃] *adv* aproximadamente; **3 h/2 km ~** 3 h/2 Km aproximadamente; **~ 3 h/2 km** alrededor de 3 h/2 Km
environnant, e [ɑ̃viʀɔnɑ̃, ɑ̃t] *adj* cercano(-a); (*fig*): **milieu ~** entorno
environnement [ɑ̃viʀɔnmɑ̃] *nm* medioambiente
environs [ɑ̃viʀɔ̃] *nmpl* alrededores *mpl*; **aux ~ de** en los alrededores de; (*fig: temps, somme*) alrededor de
envisager [ɑ̃vizaʒe] *vt* considerar; (*avoir en vue*) prever; **~ de faire** tener planeado hacer
envoler [ɑ̃vɔle] *vpr*: **s'envoler** (*oiseau*) echarse a volar; (*avion*) despegar; (*papier, feuille*) volarse; (*espoir, illusion*) esfumarse
envoyé, e [ɑ̃vwaje] *nm/f* (*Pol*) enviado(-a) ■ *adj*: **bien ~** (*remarque*) atinado(-a); **~ spécial** enviado especial; **~ permanent** corresponsal *m* permanente
envoyer [ɑ̃vwaje] *vt* enviar; (*projectile, ballon*) lanzar; **s'envoyer** *vpr* (*fam: repas etc*) zamparse; **~ une gifle à qn** propinar una bofetada a algn; **~ une critique à qn** lanzar una crítica a algn; **~ les couleurs** izar la bandera nacional; **~ chercher qch/qn** mandar a buscar algo/a algn; **~ par le fond** (*bateau*) hundir
éolien, ne [eɔljɛ̃, jɛn] *adj*: **énergie ~ne** energía eólica ■ *nf* turbina eólica
épagneul, e [epaɲœl] *nm/f* podenco(-a)
épais, se [epɛ, ɛs] *adj* espeso(-a); (*foule*) denso(-a); (*tissu, mur*) grueso(-a), gordo(-a); (*forêt*) tupido(-a); (*péj: esprit*) corto(-a)
épaisseur [epesœʀ] *nf* (*v adj*) espesor *m*; grosor *m*
épaissir [epesiʀ] *vt* espesar ■ *vi* (*suj: sauce*) espesar; (*: partie du corps etc*) engordar; **s'épaissir** *vpr* (*sauce*) espesarse; (*brouillard*) ponerse espeso(-a)
épanouir [epanwiʀ] *vpr*: **s'épanouir** (*fleur*) abrirse; (*visage*) iluminarse; (*fig*) florecer
épargne [epaʀɲ] *nf* ahorro; **l'~- logement** el ahorro-vivienda

épargner [epaʀɲe] vt ahorrar; (*ennemi, récolte, région*) perdonar ■ vi ahorrar; ~ **qch à qn** evitarle algo a algn

éparpiller [epaʀpije] vt esparcir; (*pour répartir*) diseminar; (*fig: efforts*) dispersar; **s'éparpiller** vpr esparcirse; (*fig: étudiant, chercheur etc*) dispersarse los esfuerzos

épatant, e [epatã, ãt] (*fam*) adj estupendo(-a)

épater [epate] vt (*fam*) impresionar

épaule [epol] nf (*Anat*) hombro; (*Culin*) espaldilla

épave [epav] nf restos mpl; (*fig: personne*) desecho

épée [epe] nf espada

épeler [ep(ə)le] vt deletrear; **comment s'épelle ce mot?** ¿cómo se deletrea esa palabra?

éperon [epʀɔ̃] nm (*de botte*) espuela; (*Géo, de navire*) espolón m

épervier [epɛʀvje] nm (*Zool*) gavilán m; (*Pêche*) esparavel m

épi [epi] nm (*de blé*) espiga; ~ **de cheveux** remolino; **stationnement/se garer en** ~ estacionamiento/aparcar en batería

épice [epis] nf especia

épicé, e [epise] adj (*aussi fig*) picante

épicer [epise] vt condimentar; (*fig*) salpimentar

épicerie [episʀi] nf (*magasin*) tienda de ultramarinos, boliche m (AM); (*produits*) comestibles mpl; ~ **fine** ultramarinos mpl finos

épicier, -ière [episje, jɛʀ] nm/f tendero(-a)

épidémie [epidemi] nf epidemia

épiderme [epidɛʀm] nm epidermis f inv

épier [epje] vt (*personne*) espiar; (*arrivée, occasion*) estar pendiente de

épilepsie [epilɛpsi] nf epilepsia

épiler [epile] vt depilar; **s'~ les jambes/ les sourcils** depilarse las piernas/las cejas; **se faire ~** (ir a) depilarse; **crème à ~** crema depilatoria; **pince à ~** pinzas fpl de depilar

épinards [epinaʀ] nmpl espinacas fpl

épine [epin] nf espina; ~ **dorsale** espina dorsal

épingle [epɛ̃gl] nf alfiler m; **tirer son ~ du jeu** salir del apuro; **tiré à quatre ~s** de punta en blanco; **monter qch en ~** poner algo de manifiesto; **virage en ~ à cheveux** curva muy cerrada; ~ **à chapeau** alfiler de sombrero; ~ **à cheveux** horquilla; ~ **de cravate** alfiler de corbata; ~ **de nourrice** ou **de sûreté** ou **double** imperdible m

épisode [epizɔd] nm episodio; **film en**

trois ~s película en tres episodios

épisodique [epizɔdik] adj episódico(-a)

épluche-légumes [eplyʃlegym] nm inv pelador m, mondador m

éplucher [eplyʃe] vt (*fruit, légumes*) pelar; (*fig: texte*) examinar minuciosamente

épluchures [eplyʃyʀ] nfpl mondas fpl

éponge [epɔ̃ʒ] nf esponja ■ adj: **tissu ~** tela de felpa; **passer l'~** (*fig*) hacer borrón y cuenta nueva; **passer l'~ sur** correr un tupido velo sobre; **jeter l'~** (*fig*) tirar la toalla; ~ **métallique** estropajo metálico

éponger [epɔ̃ʒe] vt (*liquide, fig*) enjugar; (*surface*) pasar una esponja por; **s'~ le front** enjugarse la frente

époque [epɔk] nf época; **d'~** (*meuble etc*) de época; **à cette ~** (*dans l'histoire*) en aquella/esa época; (*les mois/années qui précèdent*) entonces; **à l'~ de/où** en la época de/en que; **faire ~** hacer época

épouse [epuz] nf esposa

épouser [epuze] vt casarse con; (*vues, idées*) adherirse a; (*forme, mouvement*) adaptarse a

épousseter [epuste] vt limpiar el polvo de

épouvantable [epuvãtabl] adj horroroso(-a); (*bruit, vent etc*) espantoso(-a)

épouvantail [epuvãtaj] nm (*aussi fig*) espantapájaros m inv

épouvante [epuvãt] nf espanto; **film/ livre d'~** película/novela de terror

épouvanter [epuvãte] vt (*terrifier*) horrorizar; (*sens affaibli*) espantar

époux, épouse [epu, uz] nm/f esposo(-a) ■ nmpl: **les ~** los esposos

épreuve [epʀœv] nf prueba; (*Scol*) examen m; **à l'~ des balles/du feu** a prueba de balas/de fuego; **à toute ~** a toda prueba; **mettre à l'~** poner a prueba; ~ **de force/de résistance** prueba de fuerza/de resistencia; ~ **de sélection** (prueba) eliminatoria

éprouvant, e [epʀuvã, ãt] adj duro(-a)

éprouver [epʀuve] vt (*machine*) probar; (*mettre à l'épreuve*) poner a prueba; (*faire souffrir*) marcar; (*fatigue, douleur*) sufrir, padecer; (*sentiment*) sentir; (*difficultés etc*) encontrar

épuisant, e [epɥizã, ãt] adj agotador(a)

épuisé, e [epɥize] adj agotado(-a)

épuisement [epɥizmã] nm agotamiento; **jusqu'à ~ des stocks** hasta que se agoten los stocks

épuiser [epɥize] vt agotar; **s'épuiser** vpr agotarse

épuisette [epɥizɛt] nf (*Pêche*) salabre m

équateur [ekwatœʀ] nm ecuador m;
Équateur Ecuador m; **la république de
l'Équateur** la república de Ecuador
équation [ekwasjɔ̃] nf ecuación f;
mettre en ~ convertir en ecuación; **~ du
premier/second degré** ecuación de
primer/segundo grado
équerre [ekeʀ] nf (pour dessiner, mesurer)
escuadra; (pour fixer) angular m; **à l'~, en
~, d'~** a ou en escuadra; **les jambes en ~**
las piernas en ángulo recto; **double ~**
doble escuadra
équilibre [ekilibʀ] nm equilibrio; **être/
mettre en ~** estar/poner en equilibrio;
avoir le sens de l'~ tener sentido del
equilibrio; **garder/perdre l'~** guardar/
perder el equilibrio; **en ~ instable** en
equilibrio inestable; **~ budgétaire**
equilibrio presupuestario
équilibré, e [ekilibʀe] adj
equilibrado(-a)
équilibrer [ekilibʀe] vt equilibrar;
s'équilibrer vpr equilibrarse
équipage [ekipaʒ] nm (de bateau, d'avion)
tripulación f; (Sport, Automobile) equipo;
(d'un roi) séquito; **en grand ~** con gran
cortejo
équipe [ekip] nf (de joueurs) equipo; (de
travailleurs) cuadrilla; (bande: parfois péj)
panda; **travailler par ~s** trabajar por
equipos; **travailler en ~** trabajar en
equipo; **faire ~ avec** formar equipo con;
**~ de chercheurs/de sauveteurs/de
secours** equipo de investigadores/de
salvamento/de socorro
équipé, e [ekipe] adj equipado(-a)
équipement [ekipmã] nm equipo;
(d'une cuisine) instalación f; **biens/
dépenses d'~** bienes mpl/gastos mpl de
equipo; **~s sportifs/collectifs**
instalaciones fpl deportivas/colectivas;
(le ministère de) l'Équipement (Admin)
≈ MOPT m (Ministerio de Obras Públicas y
Transportes)
équiper [ekipe] vt equipar; (région)
dotar; **s'équiper** vpr equiparse; **~ qch/
qn de** equipar algo/a algn con
équipier, -ière [ekipje, jeʀ] nm/f
compañero(-a) de equipo
équitation [ekitasjɔ̃] nf equitación f;
faire de l'~ practicar la equitación
équivalent, e [ekivalã, ãt] adj
equivalente ■ nm: **l'~ de qch** el
equivalente de algo
équivaloir [ekivalwaʀ]: **~ à** vt
equivaler a
érable [eʀabl] nm arce m
érafler [eʀafle] vt arañar; **s'~ (la main/**
les jambes) arañarse (la mano/las
piernas)
éraflure [eʀaflyʀ] nf rasguño, arañazo
ère [eʀ] nf era; **en l'an 1050 de notre ~** en
el año 1050 de nuestra era; **~ chrétienne:
l'~ chrétienne** la era cristiana
érection [eʀeksjɔ̃] nf erección f
éroder [eʀɔde] vt erosionar; (suj: acide)
corroer
érotique [eʀɔtik] adj erótico(-a)
errer [eʀe] vi vagar
erreur [eʀœʀ] nf error m; (de jeunesse)
desliz m; **tomber/être dans l'~** (état)
incurrir/estar en el error; **induire qn en ~**
inducir a algn a error; **par ~** por error;
faire ~ equivocarse; **~ d'écriture/
d'impression** error de escritura/de
imprenta; **~ de date** equivocación f de
fecha; **~ de fait/de jugement** error de
hecho/de juicio; **~ judiciaire/
matérielle/tactique** error judicial/
material/táctico
éruption [eʀypsjɔ̃] nf erupción f; (de joie,
colère) arrebato
es [ɛ] vb voir **être**
ès [ɛs] prép: **licencié ès lettres/sciences**
licenciado en letras/ciencias; **docteur ès
lettres** doctor(a) en letras
escabeau, x [ɛskabo] nm (tabouret)
escabel m; (échelle) escalera de tijera
escalade [ɛskalad] nf escalada; **l'~ de la
guerre/violence** la escalada de la
guerra/violencia; **~ artificielle/libre**
escalada artificial/libre
escalader [ɛskalade] vt escalar
escale [ɛskal] nf escala; **faire ~ (à)** hacer
escala (en); **vol sans ~** vuelo sin escala; **~
technique** escala técnica
escalier [ɛskalje] nm escalera; **dans l'~
ou les ~s** en la escalera ou las escaleras;
descendre l'~ ou les ~s bajar la escalera
ou las escaleras; **~ à vis ou en colimaçon**
escalera de caracol; **~ de secours/de
service** escalera de socorro/de servicio;
~ roulant ou mécanique escalera
mecánica
escapade [ɛskapad] nf escapada
escargot [ɛskaʀgo] nm caracol m
escarpé, e [ɛskaʀpe] adj escarpado(-a)
esclavage [ɛsklavaʒ] nm esclavitud f
esclave [ɛsklav] nm/f esclavo(-a); **être ~
de qn/de qch** ser esclavo(-a) de algn/de
algo
escompte [ɛskɔ̃t] nm descuento
escrime [ɛskʀim] nf esgrima; **faire de
l'~** practicar la esgrima
escroc [ɛskʀo] nm estafador(a)
escroquer [ɛskʀɔke] vt: **~ qn (de qch)**

timar a algn (con algo); **~ qch (à qn)** estafar algo (a algn)
escroquerie [ɛskʀɔkʀi] nf estafa
espace [ɛspas] nm espacio; **manquer d'~** faltarle a algn espacio; **~ publicitaire/vital** espacio publicitario/vital
espacer [ɛspase] vt espaciar; **s'espacer** vpr espaciarse
espadon [ɛspadɔ̃] nm pez m espada inv, emperador m
espadrille [ɛspadʀij] nf alpargata
Espagne [ɛspaɲ] nf España
espagnol, e [ɛspaɲɔl] adj español(a) ■ nm (Ling) español m, castellano (esp AM) ■ nm/f: **Espagnol, e** español(a)
espèce [ɛspɛs] nf especie f; **espèces** nfpl (Comm) metálico; (Rel) especies fpl; (sorte, genre) clases fpl; **une ~ de** una especie de; **~ de maladroit/de brute!** ¡pedazo de ou so inútil/bruto!; **de toute ~** de toda clase; **payer en ~s** pagar en metálico; **l'~ humaine** la especie humana; **cas d'~** caso especial
espérance [ɛspeʀɑ̃s] nf esperanza; **contre toute ~** contra toda esperanza; **~ de vie** esperanza de vida
espérer [ɛspeʀe] vt esperar ■ vi confiar; **j'espère (bien)** eso espero; **~ que/faire** esperar que/hacer; **~ en qn/qch** confiar en algo/algo; **je n'en espérais pas tant** no esperaba tanto
espiègle [ɛspjɛgl] adj travieso(-a)
espion, ne [ɛspjɔ̃, jɔn] nm/f espía m/f ■ adj: **bateau/avion ~** barco/avión m espía
espionnage [ɛspjɔnaʒ] nm espionaje m; **film/roman d'~** película/novela de espionaje; **~ industriel** espionaje industrial
espionner [ɛspjɔne] vt espiar
espoir [ɛspwaʀ] nm esperanza; **l'~ de qch/de faire qch** la esperanza de algo/de hacer algo; **avoir bon ~ que** tener muchas esperanzas de que; **garder l'~ que** conservar la esperanza de que; **dans l'~ de/que** con la esperanza de/de que; **reprendre ~** recuperar la esperanza; **un ~ de la boxe/du ski** una promesa del boxeo/del esquí; **c'est sans ~** no tiene esperanza
esprit [ɛspʀi] nm espíritu m; **l'~ de parti/de clan** espíritu de partido/de clan; **paresse/vivacité d'~** pereza/vivacidad mental; **l'~ d'une loi/réforme** el espíritu de una ley/reforma; **l'~ d'équipe/de compétition/d'entreprise** espíritu de equipo/de competencia/de empresa;

dans mon ~ en mi opinión; **faire de l'~** hacerse el gracioso; **reprendre ses ~s** recuperar el sentido; **perdre l'~** perder la razón; **avoir bon/mauvais ~** tener buenas/malas intenciones; **avoir l'~ à faire qch** estar con ánimos para hacer algo; **avoir l'~ critique** tener sentido crítico; voir aussi **lettre**; **~s chagrins** espíritus mpl sombríos; **~ de contradiction** espíritu de contradicción; **~ de corps** sentido de solidaridad; **~ de famille** espíritu de familia; **l'~ malin** el espíritu del mal
esquimau, de, x [ɛskimo, od] adj esquimal ■ nm (Ling) esquimal m; (glace) pingüino ■ nm/f: **Esquimau, de** esquimal m/f; **chien ~** perro esquimal
essai [ese] nm (d'une voiture, d'un vêtement) prueba; (tentative, aussi Sport) intento; (Rugby, Litt) ensayo; **essais** nmpl (Sport) pruebas fpl; **à l'~** a prueba; **~ gratuit** prueba gratuita
essaim [esɛ̃] nm enjambre m; **~ d'enfants** (fig) enjambre de niños
essayer [eseje] vt probar ■ vi intentar, tratar de; **~ de faire qch** intentar hacer algo, tratar de hacer algo; **essayez un peu!** ¡inténtalo!; **s'~ à faire qch/à qch** ejercitarse en hacer algo/en algo
essence [esɑ̃s] nf (carburant) gasolina, nafta (Arg), bencina (Chi); (d'une plante, fig) esencia; (espèce: d'arbre) especie f; **par ~** (par définition) por esencia; **prendre** ou **faire de l'~** echar gasolina, repostar; **~ de café** extracto de café; **~ de citron/lavande/térébenthine** esencia de limón/lavanda/trementina
essentiel, le [esɑ̃sjɛl] adj esencial; **être ~ à** ser esencial para; **l'~ d'un discours/d'une œuvre** lo fundamental de un discurso/de una obra; **emporter/acheter l'~** llevar/comprar lo esencial; **c'est l'~** es lo esencial; **l'~ de** la mayor parte de
essieu, x [esjø] nm eje m
essor [esɔʀ] nm (de l'économie etc) auge m; **prendre son ~** (oiseau) tomar el vuelo
essorer [esɔʀe] vt escurrir; (à la machine) centrifugar
essoreuse [esɔʀøz] nf (à rouleaux) escurridor m; (à tambour) secadora
essouffler [esufle] vt sofocar; **s'essouffler** vpr sofocarse; (fig: écrivain, cinéaste) perder la inspiración; (économie) tambalearse
essuie-glace [esɥiglas] nm inv limpiaparabrisas m inv
essuyer [esɥije] vt secar; (épousseter)

limpiar; (*fig: défaite, tempête*) soportar;
s'essuyer *vpr* secarse; **~ la vaisselle**
secar los platos
est¹ [ε] *vb voir* **être**
est² [εst] *nm* este *m* ■ *adj inv* este *inv*; **à**
l'~ (*situation*) al este; (*direction*) hacia el
este; **à l'~ de** al este de; **les pays de l'E~**
los países del Este
est-ce que [εskə] *adv* **~ c'est cher/**
c'était bon? ¿es caro?/¿estaba bueno?;
quand est-ce qu'il part? ¿cuándo se
marcha?; **où est-ce qu'il va?** ¿dónde va?;
qui est-ce qui le connaît/a fait ça?
¿quién lo conoce/ha hecho esto?
esthéticienne [εstetisjεn] *nf* (*d'institut*
de beauté) esteticista
esthétique [εstetik] *adj* estético(-a)
■ *nf* estética; **~ industrielle** diseño
industrial
estimation [εstimasjɔ̃] *nf* valoración *f*;
d'après mes ~s según mis cálculos
estime [εstim] *nf* estima; **avoir de l'~**
pour qn tener estima a algn
estimer [εstime] *vt* (*personne, qualité*)
estimar, apreciar; (*expertiser: bijou etc*)
valorar; (*évaluer: prix, distance*) calcular; **~**
que/être ... (*penser*) estimar que/ser ...,
considerar que/ser ...; **s'~ satisfait/**
heureux sentirse satisfecho/feliz;
j'estime le temps nécessaire à 3 jours
calculo que necesitaremos unos 3 días
estival, e, -aux [εstival, o] *adj* estival;
station ~e estación *f* festival
estivant, e [εstivɑ̃, ɑ̃t] *nm/f* veraneante
m/f
estomac [εstɔma] *nm* estómago; **avoir**
l'~ creux/mal à l'~ tener el estómago
vacío/tener dolor de estómago
estragon [εstragɔ̃] *nm* estragón *m*
estuaire [εstɥεr] *nm* estuario
et [e] *conj* y; **et aussi/lui** y también/él; **et**
puis? ¿y qué?; **et alors** *ou* **(puis) après?**
(*qu'importe!*) ¿y qué?; (*ensuite*) ¿y
entonces?
étable [etabl] *nf* establo
établi, e [etabli] *adj* (*en place, solide*)
establecido(-a); (*vérité*) confirmado(-a)
■ *nm* banco
établir [etablir] *vt* establecer; (*papiers*
d'identité) hacer; (*facture*) hacer, realizar;
(*liste, programme*) establecer, fijar;
(*installer: entreprise, camp*) establecer,
instalar; (*personne: aider à s'établir*)
colocar; (*relations, liens d'amitié*) entablar,
establecer; **s'établir** *vpr* establecerse;
(*colonie*) asentarse; **~ un record**
establecer un récord; **s'~ (à son compte)**
establecerse (por su cuenta)

établissement [etablismɑ̃] *nm*
establecimiento; (*papiers d'identité*)
realización *f*; **~ commercial/industriel**
establecimiento comercial/industrial;
~ de crédit entidad *f* de crédito; **~**
hospitalier/public establecimiento
hospitalario/público; **~ scolaire**
establecimiento escolar
étage [etaʒ] *nm* (*d'immeuble*) piso, planta;
(*de fusée*) cuerpo; (*de culture, végétation*)
capa, estrato; **habiter à l'~/au**
deuxième ~ vivir en el primer piso/en el
segundo piso; **maison à deux ~s** casa de
dos pisos *ou* plantas; **de bas ~** de clase
baja; (*médiocre*) de baja estofa
étagère [etaʒεr] *nf* estante *m*
étai [etε] *nm* puntal *m*
étain [etε̃] *nm* estaño; **pot en ~** vasija de
estaño
étais *etc* [etε] *vb voir* **être**
étaler [etale] *vt* (*carte, nappe*) extender,
desplegar; (*beurre, vernis*) extender;
(*paiements, dates*) escalonar;
(*marchandises*) exponer; (*richesses,*
connaissances) ostentar; **s'étaler** *vpr*
(*liquide*) desparramarse; (*luxe etc*) ser
ostensible; (*fam: tomber*) caer a lo largo;
s'~ sur (*suj: travaux, paiements*) repartirse
en
étalon [etalɔ̃] *nm* (*mesure*) patrón *m*;
(*cheval*) semental *m*; **l'~-or** el patrón oro
étanche [etɑ̃ʃ] *adj* impermeable; (*fig:*
cloison) entero(-a); **~ à l'air** hermético(-a)
étang [etɑ̃] *nm* estanque *m*
étant [etɑ̃] *vb voir* **être; donné**
étape [etap] *nf* etapa; **faire ~ à** hacer una
etapa en; **brûler les ~s** quemar etapas
état [eta] *nm* estado; (*liste, inventaire*)
registro; **être boucher de son ~**
(*condition professionnelle*) ser carnicero de
oficio; **en bon/mauvais ~** en buen/mal
estado; **être en ~ (de marche)** funcionar;
remettre en ~ volver a poner en
condiciones, arreglar; **hors d'~** fuera de
uso, inservible; **être en ~/hors d'~ de**
faire qch estar/no estar en condiciones
de hacer algo; **en tout ~ de cause** en
todo caso, de todos modos; **être dans**
tous ses ~s estar fuera de sí; **faire ~ de**
hacer valer; **être en ~ d'arrestation** (*Jur*)
quedar arrestado(-a), estar detenido(-a);
en ~ de grâce (*Rel, fig*) en estado de
gracia; **en ~ d'ivresse** en estado de
embriaguez; **~ civil** (*Admin*) estado civil;
~ d'urgence/de guerre/de siège estado
de excepción/de guerra/de sitio; **~**
d'alerte estado de alerta; **~ d'esprit**
mentalidad *f*; **~ de choses** estado de

cosas; **~ de santé** estado de salud; **~ de veille** estado de vigilia; **~ des lieux** estado del inmueble; **~s de service** (*Mil, Admin*) hoja *fsg* de servicios; **les États du Golfe** los Estados del Golfo
États-Unis [etazyni] *nmpl*: **les ~** los Estados Unidos
etc. [ɛtsetera] *abr* (= *et c(a)etera*) etc.
et c(a)etera [ɛtsetera] *adv* etcétera
été [ete] *pp de* **être** ■ *nm* verano; **en ~** en verano
éteindre [etɛ̃dʀ] *vt* apagar; (*incendie*) extinguir, apagar; (*Jur: dette*) extinguir; **s'éteindre** *vpr* (*aussi fig*) apagarse
éteint, e [etɛ̃, ɛ̃t] *pp de* **éteindre** ■ *adj* apagado(-a); **tous feux ~s** (*rouler*) con las luces apagadas
étendre [etɑ̃dʀ] *vt* extender; (*carte, tapis*) extender, desplegar; (*lessive, linge*) tender, colgar; (*blessé, malade*) tender; (*vin, sauce*) diluir, rebajar; (*fig: agrandir*) extender, ampliar; (*fam*) tumbar; (*Scol*) catear; **s'étendre** *vpr* extenderse; **s'~ (sur)** (*personne*) tenderse (sobre *ou* en); (*fig: sujet, problème*) extenderse (en); **s'~ jusqu'à/d'un endroit à un autre** extenderse hasta/de un sitio a otro
étendu, e [etɑ̃dy] *adj* (*terrain*) extenso(-a); (*connaissances, pouvoirs etc*) amplio(-a)
éternel, le [etɛʀnɛl] *adj* eterno(-a); (*habituel*) inseparable; **les neiges ~les** las nieves eternas *ou* perpetuas
éternité [etɛʀnite] *nf* eternidad *f*; **il y a** *ou* **ça fait une ~ que** hace una eternidad que; **de toute ~** de tiempo inmemorial
éternuement [etɛʀnymɑ̃] *nm* estornudo
éternuer [etɛʀnɥe] *vi* estornudar
êtes [ɛt(z)] *vb voir* **être**
étiez [etje] *vb voir* **être**
étinceler [etɛ̃s(ə)le] *vi* resplandecer
étincelle [etɛ̃sɛl] *nf* chispa, fulgor *m*; (*fig*) destello, chispa
étiquette [etikɛt] *nf* (*aussi fig*) etiqueta; **l'~** (*protocole*) la etiqueta; **sans ~** (*Pol*) sin etiqueta
étirer [etiʀe] *vt* estirar; **s'étirer** *vpr* estirarse; (*convoi, route*) **s'~ sur plusieurs kilomètres** extenderse por varios kilómetros; **~ ses bras/jambes** estirar los brazos/las piernas
étoile [etwal] *nf* estrella; (*signe*) asterisco ■ *adj*: **danseur/danseuse ~** primer bailarín/primera bailarina; **la bonne/mauvaise ~ de qn** la buena/mala estrella de algn; **à la belle ~** al sereno, al aire libre; **~ de mer** estrella de mar; **~**

filante estrella fugaz; **~ polaire** estrella polar
étoilé, e [etwale] *adj* estrellado(-a)
étonnant, e [etɔnɑ̃, ɑ̃t] *adj* (*surprenant*) asombroso(-a), sorprendente; (*valeur intensive*) sorprendente
étonnement [etɔnmɑ̃] *nm* asombro, estupefacción *f*; **à mon grand ~** ... con gran asombro mío ...
étonner [etɔne] *vt* asombrar, sorprender; **s'~ que/de** asombrarse de que/de; **cela m'étonnerait (que)** me sorprendería (que)
étouffer [etufe] *vt* (*personne*) ahogar; (*bruit*) acallar; (*nouvelle, scandale*) ocultar, tapar ■ *vi* (*aussi fig*) ahogarse; (*avoir trop chaud*) sofocarse, ahogarse; **s'étouffer** *vpr* (*en mangeant*) atragantarse
étourderie [etuʀdəʀi] *nf* descuido; **faute d'~** despiste *m*
étourdi, e [etuʀdi] *adj* aturdido(-a), distraído(-a)
étourdir [etuʀdiʀ] *vt* (*assommer*) aturdir, atontar; (*griser*) aturdir
étourdissement [etuʀdismɑ̃] *nm* aturdimiento
étrange [etʀɑ̃ʒ] *adj* extraño(-a), raro(-a)
étranger, -ère [etʀɑ̃ʒe, ɛʀ] *adj* (*d'un autre pays*) extranjero(-a), gringo(-a) (*AM*); (*pas de la famille*) extraño(-a); (*non familier*) extraño(-a), desconocido(-a) ■ *nm/f* (*d'un autre pays*) extranjero(-a); (*inconnu*) extraño(-a) ■ *nm*: **l'~** el extranjero; **~ à** ajeno(-a) a; **de l'~** del extranjero
étrangler [etʀɑ̃gle] *vt* (*intentionnellement*) estrangular; (*accidentellement*) ahogar; (*fig: presse, libertés*) ahogar, asfixiar; **s'étrangler** *vpr* (*en mangeant etc*) atragantarse; (*se resserrer: tuyau, rue*) estrecharse

○ **MOT-CLÉ**

être [ɛtʀ] *vb +attribut*, *vi* **1** (*qualité essentielle, permanente, profession*) ser; **il est fort/intelligent** es fuerte/inteligente; **être journaliste** ser periodista
2 (*état temporaire, position, + adj/pp*) estar; **comme tu es belle!** ¡qué guapa estás!; **être marié** estar casado; **il est à Paris/au salon** está en París/en el salón; **je ne serai pas ici demain** no estaré aquí mañana; **ça y est!** ¡ya está!
3: **être à** (*appartenir*) ser de; **le livre est à Paul** el libro es de Pablo; **c'est à moi/eux** es mío(-a)/suyo(-a) *ou* de ellos

4 (+de: provenance, origine): **il est de Paris** es de París; (: appartenance): **il est des nôtres** es de los nuestros; **être de Genève/de la même famille** ser de Ginebra/de la misma familia
5 (date): **nous sommes le 5 juin** estamos a 5 de junio
■ vb aux **1** haber; **être arrivé/allé** haber llegado/ido; **il est parti** (él) se ha marchado; **il est parti hier** (verbe au passé simple quand la période dans laquelle se situe l'action est révolue) se marchó ayer
2 (forme passive): ser; **être fait par** ser hecho por; **il a été promu** ha sido ascendido
3 (+à: obligation): **c'est à faire/réparer** está por hacer/reparar; **c'est à essayer** está por ensayar; **il est à espérer/souhaiter que** es de esperar/desear que
■ vb impers **1**: **il est** +adjectif es; **il est impossible de le faire** es imposible hacerlo; **il serait facile de/souhaitable que** sería fácil/deseable que
2 (heure, date): **il est** ou **c'est 10 heures** son las 10
3 (emphatique): **c'est moi** soy yo; **c'est à lui de le faire/de décider** tiene que hacerlo/decidirlo él
■ nm ser m; **être humain** ser humano

étreinte [etrɛ̃t] nf (amicale, amoureuse) abrazo; (pour s'accrocher, retenir: aussi de lutteurs) apretón m; **resserrer son ~ autour de** (fig) cerrar el cerco en torno a
étrennes [etrɛn] nfpl (cadeaux) regalos mpl; (gratifications) aguinaldo msg
étrier [etrije] nm estribo
étroit, e [etrwa, wat] adj (gén, fig) estrecho(-a); **à l'~** con estrechez; **~ d'esprit** de miras estrechas
étude [etyd] nf estudio; (de notaire) bufete m; (Scol: salle de travail) sala de estudio; **études** nfpl (Scol) estudios mpl; **être à l'~** (projet etc) estar en estudio; **faire une ~ de cas** ver un caso práctico; **faire des ~s de droit/médecine** cursar estudios de ou estudiar derecho/medicina; **~s secondaires/supérieures** estudios secundarios/superiores; **~ de faisabilité/de marché** estudio de factibilidad/de mercado
étudiant, e [etydjɑ̃, ɑ̃t] nm/f (Univ) estudiante m/f, universitario(-a) ■ adj estudiante
étudier [etydje] vt, vi estudiar
étui [etɥi] nm (à lunettes) funda, estuche m; (cigarettes) estuche
eu, eue [y] pp de **avoir**

EU(A) sigle mpl (= États-Unis (d'Amérique)) EE. UU. (= Estados Unidos)
euh [ø] excl ee
euro [øʀo] nm (monnaie) euro
Euroland [øʀolɑ̃d] nm zona (del) euro
Europe [øʀɔp] nf Europa; **l'~ centrale** la Europa central; **l'~ verte** la Europa verde
européen, ne [øʀɔpeɛ̃, ɛn] adj europeo(-a) ■ nm/f: **Européen, ne** europeo(-a)
europhile [øʀofil] adj, nm/f europeísta m/f
eus etc [y] vb voir **avoir**
eux [ø] pron ellos; **~, ils ont fait ...** ellos han hecho ...
évacuer [evakɥe] vt evacuar
évader [evade] vpr: **s'évader** (aussi fig) evadirse
évaluer [evalɥe] vt evaluar, calcular
évangile [evɑ̃ʒil] nm evangelio; (texte de la Bible): **Évangile** Evangelio; **ce n'est pas l'Évangile** (fig) esto no es la Biblia
évanouir [evanwiʀ] vpr: **s'évanouir** desmayarse, desvanecerse; (fig) desvanecerse, desaparecer
évanouissement [evanwismɑ̃] nm (Méd) desmayo, desvanecimiento
évaporer [evapɔʀe] vpr: **s'évaporer** evaporarse
évasion [evazjɔ̃] nf (aussi fig) evasión f; **littérature d'~** literatura de evasión; **~ des capitaux** evasión de capitales; **~ fiscale** evasión fiscal
éveillé, e [eveje] adj despierto(-a)
éveiller [eveje] vt despertar; **s'éveiller** vpr (aussi fig) despertarse
événement [evenmɑ̃] nm acontecimiento; **événements** nmpl (Pol etc: situation générale) acontecimientos mpl
éventail [evɑ̃taj] nm abanico; **en ~** en abanico
éventualité [evɑ̃tɥalite] nf eventualidad f; **dans l'~ de** en la eventualidad de; **parer à toute ~** prevenir contra toda eventualidad
éventuel, le [evɑ̃tɥɛl] adj eventual
éventuellement [evɑ̃tɥɛlmɑ̃] adv eventualmente
évêque [evɛk] nm obispo
évidemment [evidamɑ̃] adv evidentemente; **~!** ¡claro!
évidence [evidɑ̃s] nf evidencia; **se rendre à/nier l'~** rendirse ante/negar la evidencia; **à l'~** sin duda alguna; **de toute ~** a todas luces; **en ~** en evidencia; **mettre en ~** (problème, détail) poner de manifiesto

évident, e [evidã, ãt] *adj* evidente; **ce n'est pas ~** *(cela pose des problèmes)* no es nada fácil; *(pas sûr)* no está claro
évier [evje] *nm* fregadero
éviter [evite] *vt* evitar; *(fig: problème, question)* evitar, eludir; *(importun, raseur: fuir)* rehuir, evitar; *(coup, projectile, obstacle)* esquivar; **~ de faire/que qch ne se passe** hacer/que algo suceda; **~ qch à qn** evitar algo a algn
évoluer [evɔlɥe] *vi* evolucionar
évolution [evɔlysjɔ̃] *nf* evolución *f*; **évolutions** *nfpl* evoluciones *fpl*
évoquer [evɔke] *vt* evocar
ex- [ɛks] *préfixe*: **~ministre/~président** ex-ministro/-presidente; **son ~mari/ femme** su ex-marido/-mujer
ex. *abr* (= *exemple*) ej (= *ejemplo*)
exact, e [ɛgza(kt), ɛgzakt] *adj* *(précis)* exacto(-a); *(personne: ponctuel)* puntual; **l'heure ~** la hora exacta
exactement [ɛgzaktəmã] *adv* exactamente
ex aequo [ɛgzeko] *adv* iguales ■ *adj inv*: **ils sont ~** han quedado iguales
exagéré, e [ɛgzaʒeʀe] *adj* exagerado(-a)
exagérer [ɛgzaʒeʀe] *vt* exagerar ■ *vi* *(abuser)* abusar; *(déformer les faits, la vérité)* exagerar; **encore en retard, tu exagères!** *(dépasser les bornes)* ¡otra vez tarde, te estás pasando!; **sans ~** sin exagerar; **s'~ qch** sobreestimar algo; **il ne faut pas/rien ~** no hay que exagerar
examen [ɛgzamɛ̃] *nm* examen *m*; **~ médical** examen *ou* reconocimiento médico; **à l'~** en examen; **~ blanc** prueba preliminar; **~ de conscience** examen de conciencia; **~ de la vue** examen de la vista; **~ final/d'entrée** examen final/de ingreso
examinateur, -trice [ɛgzaminatœʀ, tʀis] *nm/f* examinador(a)
examiner [ɛgzamine] *vt* examinar
exaspérant, e [ɛgzaspeʀã, ãt] *adj* exasperante
exaspérer [ɛgzaspeʀe] *vt* exasperar
exaucer [ɛgzose] *vt* (*vœu*) otorgar; **~ qn** satisfacer a algn
excéder [ɛksede] *vt* *(dépasser)* exceder, sobrepasar; *(agacer)* crispar; **excédé de fatigue/travail** agotado de cansancio/ de trabajo
excellent, e [ɛkselã, ãt] *adj* excelente
excentrique [ɛksãtʀik] *adj* excéntrico(-a)
excepté, e [ɛksɛpte] *adj*: **les élèves ~s/ dictionnaires ~s** excepto los alumnos/ los diccionarios ■ *prép*: **~ les élèves**

salvo los alumnos; **~ si/quand ...** salvo si/cuando ...; **~ que** salvo que
exception [ɛksɛpsjɔ̃] *nf* excepción *f*; **faire ~** ser una excepción; **faire une ~** *(dérogation)* hacer una excepción; **sans ~** sin excepción; **à l'~ de** con excepción de; **mesure/loi d'~** medida/ley *f* de excepción
exceptionnel, le [ɛksɛpsjɔnɛl] *adj* excepcional
exceptionnellement [ɛksɛpsjɔnɛlmã] *adv* excepcionalmente
excès [ɛksɛ] *nm* exceso ■ *nmpl* *(abus)* excesos *mpl*; **à l'~** *(méticuleux, généreux)* en exceso; **tomber dans l'~ inverse** pasar de un extremo al otro; **avec/sans ~** con/sin exceso; **~ de langage** lenguaje *m* abusivo; **~ de pouvoir/de zèle** exceso de poder/de celo; **~ de vitesse** exceso de velocidad
excessif, -ive [ɛksesif, iv] *adj* excesivo(-a)
excitant [ɛksitã] *adj, nm* excitante *m*
excitation [ɛksitasjɔ̃] *nf* excitación *f*
exciter [ɛksite] *vt* excitar; **s'exciter** *vpr* excitarse; **~ qn à** *(la révolte, au combat)* incitar a algn a
exclamer [ɛksklame] *vpr*: **s'exclamer** exclamar; **"zut", s'exclama-t-il** "caramba", exclamó
exclure [ɛksklyʀ] *vt* excluir; *(d'une salle, d'un parti)* expulsar, excluir
exclusif, -ive [ɛksklyzif, iv] *adj* exclusivo(-a); **avec la mission exclusive/dans le but ~ de** con la misión exclusiva/con la finalidad exclusiva de
exclusion [ɛksklyzjɔ̃] *nf* expulsión *f*, exclusión *f*; **à l'~ de** con exclusión de
exclusivité [ɛksklyzivite] *nf* exclusividad *f*; **en ~** en exclusiva; **film passant en ~** película en exclusiva
excursion [ɛkskyʀsjɔ̃] *nf* excursión *f*; **faire une ~** hacer una *ou* ir de excursión
excuse [ɛkskyz] *nf* excusa; **excuses** *nfpl* *(expression de regret)* disculpas *fpl*; **faire des ~s** disculparse, excusarse; **mot d'~** *(Scol)* justificante *m*; **faire/présenter ses ~s** pedir disculpas; **lettre d'~s** carta de disculpa
excuser [ɛkskyze] *vt* excusar, disculpar; **s'excuser** *vpr* *(par politesse)* disculparse, excusarse; **~ qn de qch** *(dispenser)* dispensar a algn de algo; **s'~ (de)** disculparse (de), excusarse (por); **"excusez-moi"** *(en passant devant qn)* "discúlpeme"; *(pour attirer l'attention)* "perdón"; **se faire ~** excusarse
exécuter [ɛgzekyte] *vt* *(Inform, Mus,*

prisonnier) ejecutar; (opération, mouvement) efectuar, realizar; **s'exécuter** vpr cumplir

exemplaire [ɛgzãplɛʀ] adj ejemplar ■ nm ejemplar m; **en deux/trois ~s** por duplicado/triplicado

exemple [ɛgzãpl] nm ejemplo; **par ~** por ejemplo; (valeur intensive) ¡no es posible!; **sans ~** (bêtise, gourmandise) sin igual; **donner l'~** dar ejemplo; **prendre ~ sur qn** tomar ejemplo de algn; **suivre l'~ de qn** seguir el ejemplo de algn; **à l'~ de** a ejemplo de; **servir d'~ (à qn)** servir de ejemplo (a algn); **pour l'~** (punir) para que sirva etc de escarmiento ou de ejemplo

exercer [ɛgzɛʀse] vt ejercer; (former: personne) acostumbrar; (animal) adiestrar; (faculté, partie du corps) ejercitar ■ vi (médecin) ejercer; **s'exercer** vpr (sportif) entrenarse; (musicien) practicar; **~ (sur/contre)** (pression, poussée) ejercerse (sobre/contra); **s'~ à faire qch** ejercitarse en hacer algo

exercice [ɛgzɛʀsis] nm ejercicio; **à l'~** (Mil) de maniobras; **en ~** (Admin) en ejercicio, en activo; **dans l'~ de ses fonctions** en ejercicio de sus funciones; **~s d'assouplissement** ejercicios mpl de flexibilidad

exhiber [ɛgzibe] vt exhibir; **s'exhiber** vpr exhibirse

exhibitionniste [ɛgzibisjɔnist] nm/f exhibicionista m/f

exigeant, e [ɛgziʒã, ãt] adj exigente

exiger [ɛgziʒe] vt exigir

exil [ɛgzil] nm exilio; **en ~** en el exilio

exiler [ɛgzile] vt exiliar; **s'exiler** vpr exiliarse

existence [ɛgzistãs] nf existencia; **moyens d'~** medios mpl de existencia, medios de vida

exister [ɛgziste] vi existir; **il existe une solution/des solutions** existe una solución/existen soluciones

exorbitant, e [ɛgzɔʀbitã, ãt] adj exorbitante

exotique [ɛgzɔtik] adj exótico(-a)

expédier [ɛkspedje] vt (lettre) expedir; (troupes, renfort) enviar; (péj: faire rapidement) despachar; **~ par la poste** expedir por correo; **~ par bateau/avion** enviar por barco/avión

expéditeur, -trice [ɛkspeditœʀ, tʀis] nm/f remitente m/f

expédition [ɛkspedisjɔ̃] nf (d'une lettre) envío; (Mil, scientifique) expedición f; **~ punitive** expedición de castigo

expérience [ɛkspeʀjãs] nf experiencia; **une ~** (scientifique) un experimento; **avoir de l'~** tener experiencia; **avoir l'~ de** tener experiencia en; **faire l'~ de qch** experimentar algo; **~ d'électricité** prueba de electricidad; **~ de chimie** experimento de química

expérimenté, e [ɛkspeʀimãte] adj experimentado(-a)

expérimenter [ɛkspeʀimãte] vt experimentar

expert, e [ɛkspɛʀ, ɛʀt] adj: **~ en** experto(-a) en ■ nm experto(-a), perito(-a); **~ en assurances** perito de seguros

expert-comptable [ɛkspɛʀkɔ̃tabl] (pl **experts-comptable**) nm perito contable

expirer [ɛkspiʀe] vi (passeport, bail) vencer, expirar; (respirer) espirar; (litt: mourir) expirar

explication [ɛksplikasjɔ̃] nf explicación f; (discussion) discusión f; **~ de texte** (Scol) comentario de texto

explicite [ɛksplisit] adj explícito(-a)

expliquer [ɛksplike] vt explicar; **s'expliquer** vpr explicarse; (discuter) discutir; (se disputer) pelearse; **je m'explique son retard/absence** (comprendre) me explico su retraso/ausencia; **~ (à qn) comment/que** explicar (a algn) cómo/que; **son erreur s'explique** su error tiene una explicación

exploit [ɛksplwa] nm hazaña

exploitant [ɛksplwatã] nm (Agr) agricultor(a), labrador(a); **les petits ~s** (Agr) los pequeños agricultores

exploitation [ɛksplwatasjɔ̃] nf explotación f; **~ agricole** explotación agrícola

exploiter [ɛksplwate] vt explotar; (tirer parti de: faiblesse de qn) aprovecharse de

explorer [ɛksplɔʀe] vt (pays, grotte) explorar; (fig: domaine, problème) examinar

exploser [ɛksploze] vi (bombe) explotar, estallar; (joie, colère) estallar; **faire ~** hacer estallar

explosif, -ive [ɛksplozif, iv] adj explosivo(-a) ■ nm explosivo

explosion [ɛksplozjɔ̃] nf explosión f; **~ démographique** explosión demográfica

exportateur, -trice [ɛkspɔʀtatœʀ, tʀis] adj, nm/f exportador(a)

exportation [ɛkspɔʀtasjɔ̃] nf exportación f

exporter [ɛkspɔʀte] vt (aussi fig) exportar

exposant [εkspozɑ̃] nm (personne) expositor m; (Math) exponente m

exposé, e [εkspoze] adj (orienté) orientado(-a) ■ nm (écrit) informe m; (oral) charla; (Scol) exposición f; **~ à l'est/au sud** orientado(-a) al este/al sur; **bien ~** bien orientado(-a); **très ~** (fig: personne) muy expuesto

exposer [εkspoze] vt exponer; (orienter: maison) orientar; **s'exposer à** vpr exponerse a; **~ sa vie** (mettre en danger) exponer su vida; **~ qn/qch à** exponer a algn/algo a

exposition [εkspozisjɔ̃] nf exposición f; **temps d'~** (Photo) tiempo de exposición

exprès¹, expresse [εkspRεs] adj expreso(-a) ■ adj inv: **lettre/colis ~** carta/paquete m urgente; **envoyer qch en ~** enviar algo urgente

exprès² [εkspRε] adv (délibérément) a propósito, adrede; (spécialement) expresamente; **faire ~ de faire qch** hacer algo deliberadamente; **il l'a fait/ne l'a pas fait ~** lo hizo/no lo hizo adrede ou a propósito

express [εkspRεs] adj, nm: **(café) ~** (café) exprés m; **(train) ~** (tren) expreso

expressif, -ive [εkspResif, iv] adj expresivo(-a)

expression [εkspResjɔ̃] nf expresión f; **réduit à sa plus simple ~** reducido a su mínima expresión; **liberté/moyens d'~** libertad f/medios mpl de expresión; **~ toute faite** frase f hecha

exprimer [εkspRime] vt (sentiment, idée) expresar; (litt, jus, liquide) exprimir; **s'exprimer** vpr expresarse; **bien s'~** expresarse bien; **s'~ en français** expresarse en francés

expulser [εkspylse] vt expulsar; (locataire) echar

exquis, e [εkski, iz] adj (personne, élégance, parfum) exquisito(-a); (temps) delicioso(-a)

extasier [εkstazje] vpr: **s'extasier: s'~ sur** extasiarse ante

exténuer [εkstenɥe] vt extenuar

extérieur, e [εksteRjœR] adj exterior; (pressions, calme) externo(-a) ■ nm exterior m; **contacts avec l'~** contactos mpl con el exterior; **à l'~** (dehors) fuera, afuera (AM); (à l'étranger) en el exterior; (Sport) por el exterior

externat [εkstεRna] nm externado

externe [εkstεRn] adj externo(-a) ■ nm/f externo(-a); (étudiant en médecine) alumno(-a) en prácticas

extincteur [εkstɛ̃ktœR] nm extintor m

extinction [εkstɛ̃ksjɔ̃] nf extinción f; **~ de voix** afonía

extra [εkstra] adj inv, préf extra ■ nm extra m; (employé) eventual m/f

extraire [εkstRεR] vt extraer; **~ qch de** extraer algo de

extrait, e [εkstRε, εt] pp de **extraire** ■ nm extracto; (de film, livre) pasaje m; **~ de naissance** partida de nacimiento

extraordinaire [εkstRaɔRdineR] adj extraordinario(-a); **si par ~ ...** en el caso poco probable de que ...; **mission/envoyé ~** misión f/enviado especial; **ambassadeur ~** embajador m especial ou extraordinario; **assemblée ~** asamblea extraordinaria

extra-terrestre [εkstRateRεstR] (pl **~s**) nm/f extraterrestre m/f

extravagant, e [εkstRavagɑ̃, ɑ̃t] adj extravagante

extraverti, e [εkstRaveRti] adj extravertido(-a), extrovertido(-a)

extrême [εkstRεm] adj extremo(-a) ■ nm: **les ~s** los extremos mpl; **d'une ~ simplicité/brutalité** (intensif) de una extrema simplicidad/brutalidad; **d'un ~ à l'autre** de un extremo a(l) otro; **à l'~** al extremo, en sumo grado; **à l'~ rigueur** en extremo rigor

extrêmement [εkstRεmmɑ̃] adv extremadamente

Extrême-Orient [εkstRεmɔRjɑ̃] nm Extremo Oriente m

extrémité [εkstRemite] nf extremo; (d'un doigt, couteau) punta; (geste désespéré) extremos mpl; **extrémités** nfpl (pieds et mains) extremidades fpl; **à la dernière ~** en las últimas

exubérant, e [εgzybeRɑ̃, ɑ̃t] adj exuberante

F [ɛf] abr = franc; (appartement): **un F2/F3**
un piso de 2/3 habitaciones
fa [fɑ] nm inv fa m
fabricant [fabʀikɑ̃] nm fabricante m/f
fabrication [fabʀikasjɔ̃] nf fabricación f
fabrique [fabʀik] nf fábrica
fabriquer [fabʀike] vt (produire)
producir; (construire) fabricar; (inventer)
inventar; (forger) acuñar; **~ en série**
fabricar en serie; **qu'est-ce qu'il
fabrique?** (fam) ¿qué está tramando?
fac [fak] abr f (fam) = faculté
façade [fasad] nf fachada; (fig)
apariencia
face [fas] nf (visage) cara, rostro; (côté)
cara; (d'un problème, sujet) aspecto ■ adj:
le côté ~ cara; **perdre la ~** perder
prestigio; **sauver la ~** salvar las
apariencias; **regarder qn en ~** mirar a
algn a la cara; **la maison/le trottoir d'en
~** la casa/la acera de enfrente; **en ~ de**
enfrente de ■ prép (fig) frente a; **de ~** de
frente; **~ à** (aussi fig) frente a, ante; **faire
~ à qn/qch** hacer frente ou cara a algn/
algo; **faire ~ à la demande** (Comm) hacer
frente a la demanda; **~ à ~** adv frente a
frente ■ nm inv debate m
facette [fasɛt] nf faceta; **à ~s** con
muchas facetas

fâché, e [fɑʃe] adj enfadado(-a); (désolé,
contrarié) contrariado(-a); **être ~ avec qn**
(brouillé) estar enfadado(-a) con algn
fâcher [fɑʃe] vt enfadar; **se fâcher** vpr:
se ~ (contre ou avec qn) enfadarse (con
algn)
facile [fasil] adj (aussi péj) fácil;
(accommodant) sencillo(-a); **~ à faire** fácil
de hacer; **personne ~ à tromper** persona
fácil de engañar
facilement [fasilmɑ̃] adv con facilidad,
fácilmente; (au moins) por lo menos; **se
fâcher/se tromper ~** enfadarse/
equivocarse con facilidad
facilité [fasilite] nf facilidad f; (occasion)
oportunidad f; **facilités** nfpl (possibilités)
facilidades fpl; **il a la ~ de rencontrer des
gens** tiene facilidad para encontrar
gente; **~s de crédit/paiement**
facilidades de crédito/pago
faciliter [fasilite] vt facilitar
façon [fasɔ̃] nf modo, manera; (d'une
robe, veste) hechura; **façons** nfpl (péj)
modales mpl; **faire des ~s** (péj: être
affecté) ser remilgado(-a); (: faire des
histoires) venir con historias; **de quelle
~ l'a-t-il fait/construit?** ¿cómo lo ha
hecho/construido?; **sans ~** adv
simplemente; (personne, déjeuner)
sencillo(-a); **d'une autre ~** de otra
manera; **en aucune ~** de ningún modo;
de ~ agréable/agressive etc de manera
agradable/agresiva etc; **de ~ à faire/à ce
que** de modo que haga/de modo que; **de
(telle) ~ que** de tal forma que; **de toute ~**
de todos modos; **~ de parler** manera de
hablar; **travail à ~** trabajo a destajo;
châle ~ cachemire chal m imitación
cachemir
facteur, -trice [faktœʀ, tʀis] nm/f
cartero(-a) ■ nm (Math, fig) factor m; **~
d'orgues** fabricante m/f de órganos; **~ de
pianos** fabricante de pianos; **~ rhésus**
factor Rh
facture [faktyʀ] nf factura; (façon de
faire: d'un artisan) ejecución f
facultatif, -ive [fakyltatif, iv] adj
facultativo(-a); (arrêt de bus) discrecional
faculté [fakylte] nf facultad f; **facultés**
nfpl (moyens intellectuels) facultades fpl
fade [fad] adj (nourriture) soso(-a), insípido(-a);
(couleur) apagado(-a); (fig) insulso(-a)
faible [fɛbl] adj débil; (sans volonté)
apático(-a); (intellectuellement) flojo(-a);
(protestations, résistance) escaso(-a);
(rendement, revenu) bajo(-a) ■ nm: **le ~ de
qn/qch** el punto flaco de algn/algo;
avoir un ~ pour qn/qch tener debilidad

por algn/algo; **~ d'esprit** retrasado(-a) mental

faiblesse [fɛblɛs] nf debilidad f; (défaillance) desmayo; (lacune) punto flaco; (défaut) defecto, debilidad

faiblir [feblir] vi debilitarse; (vent) amainar; (résistance, intérêt) decaer

faïence [fajɑ̃s] nf loza

faignant, e [fɛɲɑ̃, ɑ̃t] nm/f, adj = **fainéant**

faillir [fajir] vi: j'ai failli tomber/lui dire estuve a punto de caer/decirle; **~ à une promesse/un engagement** faltar a una promesa/un compromiso

faillite [fajit] nf (échec) fracaso; **être en/ faire ~** (Comm) estar en/hacer quiebra

faim [fɛ̃] nf hambre f; **la ~ dans le monde** el hambre en el mundo; **~ d'amour/de richesses** (fig) hambre de amor/de riquezas; **avoir ~** tener hambre; **je suis resté sur ma ~** me he quedado con hambre; (fig) me ha sabido a poco

fainéant, e [fɛneɑ̃, ɑ̃t] adj, nm/f holgazán(-ana), flojo(-a) (AM)

🅞 **MOT-CLÉ**

faire [fɛʀ] vt **1** (fabriquer, être l'auteur de) hacer; (blé, soie) producir; **faire du vin/ une offre/un film** hacer vino/una oferta/una película; **faire du bruit/des taches/des dégâts** hacer ruido/ manchas/destrozos; **fait à la main/la machine** hecho a mano/máquina
2 (effectuer: travail, opération) hacer; **que faites-vous?** ¿qué hace?; (quel métier etc) ¿a qué se dedica (usted)?; **faire la lessive** hacer la colada; **faire la cuisine/le ménage/les courses** hacer la cocina/la limpieza/las compras; **faire les magasins/l'Europe** ir de tiendas/por Europa
3 (étudier, pratiquer): **faire du droit/du français** hacer derecho/francés; **faire du sport/rugby** hacer deporte/rugby; **faire du cheval** montar a caballo; **faire du ski/du vélo** ir a esquiar/en bicicleta; **faire du violon/piano** tocar el violín/ piano
4 (simuler): **faire le malade/l'ignorant** hacerse el enfermo/el ignorante
5 (transformer, avoir un effet sur): **faire de qn un frustré/avocat** hacer de algn un frustrado/abogado; **ça ne me fait rien** ou **ni chaud ni froid** no me importa nada; **ça ne fait rien** no importa; **je n'ai que faire de tes conseils** no me hacen falta tus consejos

6 (calculs, prix, mesures): **2 et 2 font 4** 2 y 2 son 4; **9 divisé par 3 fait 3** 9 entre 3 es 3; **ça fait 10 m/15 euros** son 10 m/15 euros; **je vous le fais 10 euros** (j'en demande 10 euros) se lo dejo en 10 euros; voir **mal; entrer; sortir**
7: **qu'a-t-il fait de sa valise/de sa sœur?** ¿qué ha hecho con su maleta/con su hermana?; **que faire?** ¿qué voy etc a hacer?; **tu fais bien de me le dire** haces bien en decírmelo
8: **ne faire que; il ne fait que critiquer** no hace más que criticar
9 (dire) decir; **"vraiment?" fit-il** "¿de verdad?" dijo
10 (maladie) tener; **faire du diabète/de la tension/de la fièvre** tener diabetes/ tensión/fiebre
■ vi **1** (agir, s'y prendre) hacer; (faire ses besoins) hacer sus necesidades; **il faut faire vite** hay que darse prisa; **comment a-t-il fait?** ¿cómo ha hecho?; **faites comme chez vous** está en su casa
2 (paraître): **tu fais jeune dans ce costume** este traje te hace joven; **ça fait bien** queda bien
■ vb substitut hacer; **je viens de le faire** acabo de hacerlo; **ne le casse pas comme je l'ai fait** no lo rompas como he hecho yo; **je peux le voir? - faites!** ¿puedo verlo? - desde luego
■ vb impers **1**: **il fait beau** hace bueno; voir aussi **jour; froid** etc
2 (temps écoulé, durée): **ça fait 5 ans/ heures qu'il est parti** son 5 años/horas que se fue; **ça fait 2 ans/heures qu'il y est** hace 2 años/horas que está allí
■ vb semi-aux: **faire** + infinitif hacer + infinitivo; **faire tomber/bouger qch** hacer caer/mover algo; **cela fait dormir** esto hace dormir; **faire réparer qch** llevar algo a arreglar; **que veux-tu me faire croire/comprendre?** ¿qué quieres hacerme creer/comprender?; **il m'a fait ouvrir la porte** me hizo abrir la puerta; **il m'a fait traverser la rue** me ayudó a cruzar la calle
■ **se faire** vpr, vi **1** (vin, fromage) hacerse
2: **cela se fait beaucoup** eso se hace mucho; **cela ne se fait pas** eso no se hace
3: **se faire** + nom ou pron; **se faire une jupe** hacerse una falda; **se faire des amis** hacer amigos; **se faire du souci** inquietarse; **il ne s'en fait pas** no se preocupa; **se faire des illusions** hacerse ilusiones; **se faire beaucoup d'argent** hacer mucho dinero

4: **se faire** + adj (devenir): **se faire vieux** hacerse viejo; (délibérément): **se faire beau** ponerse guapo
5: **se faire à** (s'habituer) acostumbrarse a; **je n'arrive pas à me faire à la nourriture/au climat** no acabo de acostumbrarme a la comida/al clima
6: **se faire** +infinitif: **se faire opérer/ examiner la vue** operarse/examinarse la vista; **se faire couper les cheveux** cortarse el pelo; **il va se faire tuer/punir** le van a matar/castigar; **il s'est fait aider par qn** le ha ayudado algn; **se faire faire un vêtement** hacerse un vestido; **se faire ouvrir (la porte)** hacerse abrir (la puerta); **je me suis fait expliquer le texte par Anne** Anne me explicó el texto
7 (impersonnel): **comment se fait-il que ...?** ¿cómo es que ...?; **il peut se faire que ...** puede ocurrir que ...

faire-part [fɛʀpaʀ] nm inv: **~ de mariage** participación f de boda; **~ de décès** esquela de defunción
faisan, e [fǝzɑ̃, an] nm/f faisán(-ana)
faisons [fǝzɔ̃] vb voir **faire**
fait¹ [fɛ] vb voir **faire** ■ nm hecho; **le ~ que ...** el hecho de que ...; **le ~ de manger/travailler** el hecho de comer/ trabajar; **être le ~ de** ser la característica de; (causé par) ser cosa de, ser obra de; **être au ~ de** estar al corriente de; **au ~** a propósito; **aller droit au ~** ir al grano; **en venir au ~** pasar a los hechos; **mettre qn au ~** poner a algn al corriente; **de ~** adj (opposé à: de droit) de hecho ■ adv (en fait) en realidad; **du ~ que** por el hecho de que; **du ~ de** a causa de; **par ~ de** por esto; **en ~** de hecho; **en ~ de repas/vacances** a guisa de comida/vacaciones; **c'est un ~** es un hecho, es verdad; **le ~ est que ...** el caso es que ...; **prendre ~ et cause pour qn** tomar partido por algn; **prendre qn sur le ~** coger a algn con las manos en la masa; **hauts ~s** fpl hazañas fpl; **dire à qn son ~** decir a algn cuatro cosas; **les ~s et gestes de qn** todos los movimientos de algn; **~ accompli** hecho consumado; **~ d'armes** hecho de armas; **~ divers** suceso
fait², e [fɛ, fɛt] pp de **faire** ■ adj (fromage) curado(-a); (melon) maduro(-a); (yeux) maquillado(-a); (ongles) pintado(-a); **un homme ~** un hombre hecho; **être ~ pour** (conçu pour) estar pensado(-a) para; (naturellement doué pour) estar dotado(-a) para; **c'en est ~ de lui** es su fin; **c'en est ~ de notre tranquillité** se acabó la tranquilidad;

tout(e) ~(e) (préparé à l'avance) ya listo(-a), ya preparado(-a); **idée toute ~e** idea común; **c'est bien ~ pour lui!** ¡le está bien empleado!
faites [fɛt] vb voir **faire**
falaise [falɛz] nf acantilado
falloir [falwaʀ] vb impers (besoin): **il va ~ 100 euros** se necesitarán 100 euros; **il doit ~ du temps pour ...** se necesitará tiempo para ...; **il faut faire les lits** (obligation) hay que hacer las camas; **il faut qu'il ait oublié/qu'il soit malade** (hypothèse) debe haberse olvidado/estar enfermo; **il faut que tu arrives à ce moment!** (fatalité) ¡sólo nos faltaba que llegaras ahora!; **il me faut/faudrait 100 euros/de l'aide** necesito/necesitaría 100 euros/ayuda; **il vous faut tourner à gauche après l'église** tiene que girar a la izquierda después de la iglesia; **nous avons ce qu'il (nous) faut** tenemos lo necesario; **il faut que je fasse les lits** tengo que hacer las camas; **il a fallu que je parte** tuve que irme; **il faudrait qu'elle rentre** convendría que volviese; **il faut toujours qu'il s'en mêle** está siempre entrometiéndose; **comme il faut** adj, adv (bien, convenable) como Dios manda; **s'en ~**: **il s'en faut/s'en est fallu de 5 minutes/ 100 euros (pour que ...)** faltan/faltaron 5 minutos/100 euros (para que ...); **il t'en faut peu!** ¡con poco te conformas!; **il ne fallait pas** (pour remercier) no era necesario; **faut le faire!** (surprise) ¡hay que ver!; **il faudrait que ...** convendría que ...; **il s'en faut de beaucoup que ...** mucho falta para que ...; **il s'en est fallu de peu que ...** faltó poco para que ...; **tant s'en faut!** ¡ni mucho menos!; **... ou peu s'en faut** ... o poco falta
famé, e [fame] adj: **mal ~** de mala fama
fameux, -euse [famø, øz] adj (illustre) famoso(-a), ilustre; (bon) excelente; (parfois péj: de référence) famoso(-a); **~ problème** (intensif) menudo problema; **ce n'est pas ~** no es maravilloso
familial, e, -aux [familjal, jo] adj familiar
familiarité [familjaʀite] nf familiaridad f; **familiarités** nfpl familiaridades fpl, confianzas fpl; **~ avec** (connaissance) conocimiento de
familier, -ière [familje, jɛʀ] adj (connu) familiar; (rapports) de confianza; (Ling) familiar, coloquial ■ nm asiduo(-a); **tu es un peu trop ~ avec lui** (cavalier, impertinent) te tomas demasiadas confianzas con él

famille [famij] *nf* familia; **il a de la ~ à Paris** tiene familia en París; **de ~** (*secrets*) de familia; (*dîner, fête*) en familia

famine [famin] *nf* hambruna

fan [fan] *nm/f* admirador(a)

fanatique [fanatik] *adj, nm/f* fanático(-a); **~ de rugby/de voile** (*sens affaibli*) entusiasta *m/f* del rugby/de la vela

faner [fane] *vpr*: **se faner** (*fleur*) marchitarse; (*couleur, tissu*) deslucirse

fanfare [fɑ̃faʀ] *nf* fanfarria, charanga; (*musique*) fanfarria; **en ~** (*avec bruit*) con gran estruendo

fantaisie [fɑ̃tezi] *nf* fantasía; (*caprice*) capricho ▪ *adj*: **bijou/pain ~** joya/pan *m* de fantasía; **œuvre de ~** obra de imaginación; **agir selon sa ~** hacer lo que le place

fantasme [fɑ̃tasm] *nm* fantasma *m*

fantastique [fɑ̃tastik] *adj* fantástico(-a); **littérature/cinéma ~** literatura fantástica/cine *m* fantástico

fantôme [fɑ̃tom] *nm* fantasma *m*; **gouvernement ~** gobierno en la sombra

faon [fɑ̃] *nm* cervatillo

FAQ *sigle f* (= *foire aux questions*) preguntas frecuentes

farce [faʀs] *nf* (*viande*) relleno; (*Théâtre*) farsa; **faire une ~ à qn** gastar una broma a algn; **magasin de ~s et attrapes** tienda de objetos de broma; **~s et attrapes** bromas *fpl* y engaños

farcir [faʀsiʀ] *vt* (*viande*) rellenar; **se farcir** *vpr* (*fam*): **je me suis farci la vaisselle** me tragué todo el fregado; **~ qch de** (*fig*) atiborrar algo con

farder [faʀde] *vt* maquillar; (*vérité*) disfrazar; **se farder** *vpr* maquillarse

farine [faʀin] *nf* harina; **~ de blé/de maïs** harina de trigo/de maíz; **~ lactée** harina lacteada

farouche [faʀuʃ] *adj* (*animal*) arisco(-a); (*personne*) esquivo(-a); (*déterminé*) tenaz; **peu ~** (*péj*) fácil

fart [faʀt] *nm* (*Ski*) cera

fascination [fasinasjɔ̃] *nf* (*fig*) fascinación *f*

fasciner [fasine] *vt* (*aussi fig*) fascinar

fascisme [faʃism] *nm* fascismo

fasse *etc* [fas] *vb voir* **faire**

fastidieux, -euse [fastidjø, jøz] *adj* fastidioso(-a)

fatal, e [fatal] *adj* mortal; (*inévitable*) fatal

fatalité [fatalite] *nf* fatalidad *f*

fatidique [fatidik] *adj* fatídico(-a)

fatigant, e [fatigɑ̃, ɑ̃t] *adj* fatigante; (*agaçant*) pesado(-a)

fatigue [fatig] *nf* fatiga, cansancio; (*d'un matériau*) deterioro; **les ~s du voyage** el cansancio del viaje

fatigué, e [fatige] *adj* fatigado(-a); (*estomac, foie*) malo(-a)

fatiguer [fatige] *vt* (*personne, membres*) fatigar, cansar; (*moteur etc*) forzar; (*importuner*) cansar ▪ *vi* (*moteur*) forzarse; **se fatiguer** *vpr* fatigarse, cansarse; **se ~ de** (*fig*) cansarse de; **se ~ à faire qch** molestarse en hacer algo

fauché, e [foʃe] (*fam*) *adj* pelado(-a)

faucher [foʃe] *vt* (*aussi fig*) segar; (*herbe*) segar, cortar; (*fam: voler*) birlar

faucon [fokɔ̃] *nm* halcón *m*

faudra [fodʀa] *vb voir* **falloir**

faufiler [fofile] *vt* hilvanar; **se faufiler** *vpr*: **se ~ dans/parmi/entre** deslizarse en/entre

faune [fon] *nf* (*fig, péj*) fauna ▪ *nm* fauno; **~ marine** fauna marina

fausse [fos] *adj voir* **faux²**

faussement [fosmɑ̃] *adv* (*accuser*) en falso; (*croire*) engañosamente

fausser [fose] *vt* (*serrure, objet*) torcer; (*résultat, données*) falsear; **~ compagnie à qn** dejar plantado(-a) a algn

faut [fo] *vb voir* **falloir**

faute [fot] *nf* (*de calcul*) error *m*; (*Sport, d'orthographe*) falta; (*Rel*) pecado, culpa; **par la ~ de** por culpa de; **c'est de sa/ma ~** es culpa suya/mía; **être en ~** hacer mal; (*être responsable*) tener la culpa; **prendre qn en ~** pillar a algn; **~ de** por falta de; **~ de mieux** ... a falta de algo mejor ...; **sans ~** (*à coup sûr*) sin falta; **~ d'inattention/d'orthographe** falta de atención/de ortografía; **~ de frappe** error de máquina; **~ de goût** falta de educación; **~ professionnelle** error profesional

fauteuil [fotœj] *nm* sillón *m*; **~ à bascule** mecedora; **~ club** sillón amplio de cuero; **~ d'orchestre** (*Théâtre*) butaca de patio; **~ roulant** sillón de ruedas

fautif, -ive [fotif, iv] *adj* (*incorrect*) erróneo(-a); (*responsable*) culpable ▪ *nm/f* culpable *m/f*

fauve [fov] *nm* fiera; (*peintre*) fauvista *m/f* ▪ *adj* (*couleur*) rojizo(-a)

faux¹ [fo] *nf* (*Agr*) guadaña

faux², fausse [fo, fos] *adj* falso(-a); (*inexact*) erróneo(-a); (*rire, personne*) falso(-a), hipócrita; (*barbe, dent*) postizo(-a); (*Mus*) desafinado(-a); (*opposé à bon, correct: numéro, clé*) confundido(-a) ▪ *adv*: **jouer/chanter ~** tocar/cantar desafinadamente ▪ *nm* (*peinture, billet*) falsificación *f*; **le ~** (*opposé* *au vrai*) lo falso; **faire fausse route** ir por mal camino; **faire ~ bond à qn** fallarle a algn; **fausse alerte** falsa alarma; **fausse clé** llave f maestra; **fausse couche** aborto; **fausse joie** alegría fingida; **fausse note** (*Mus, fig*) nota discordante; **~ ami** (*Ling*) falso amigo; **~ col** cuello postizo; **~ départ** (*Sport, fig*) salida falsa; **~ frais** nmpl gastos mpl menudos; **~ frère** (*fig: péj*) cabrón m; **~ mouvement** movimiento en falso; **~ nez** nariz f postiza; **~ nom** seudónimo; **~ pas** (*aussi fig*) paso en falso; **~ témoignage** (*délit*) falso testimonio

faux-filet [fofilɛ] (*pl* **~s**) nm solomillo bajo

faveur [favœʀ] nf favor m; (*ruban*) cinta; **faveurs** nfpl favores mpl; **avoir la ~ de qn** gozar del favor de algn; **régime/traitement de ~** régimen m/tratamiento preferencial; **à la ~ de** (*la nuit, une erreur*) aprovechando; (*grâce à*) gracias a; **en ~ de qn/qch** en favor de algn/algo

favorable [favoʀabl] adj favorable; **~ à qn/qch** favorable a algn/algo

favori, te [favoʀi, it] adj favorito(-a) ■ nm/f (*Sport*) favorito(-a); **favoris** nmpl (*barbe*) patillas fpl

favoriser [favoʀize] vt favorecer

fécond, e [fekɔ̃, ɔ̃d] adj (*aussi fig*) fértil, fecundo(-a)

féconder [fekɔ̃de] vt fecundar

féculents [fekylɑ̃] nmpl féculas fpl

fédéral, e, -aux [fedeʀal, o] adj federal

fédération [fedeʀasjɔ̃] nf federación f

fée [fe] nf hada

feignant, e [fɛɲɑ̃, ɑ̃t] nm/f, adj = **fainéant**

feindre [fɛ̃dʀ] vt, vi fingir; **~ de faire** fingir hacer

fêler [fele] vt (*verre, assiette*) resquebrajar; (*os*) astillar; **se fêler** vpr (*v vt*) resquebrajarse; astillarse

félicitations [felisitasjɔ̃] nfpl felicidades fpl

féliciter [felisite] vt felicitar; **~ qn (de qch/d'avoir fait qch)** felicitar a algn (por algo/por haber hecho algo); **se ~ de qch/d'avoir fait qch** alegrarse de algo/de haber hecho algo

félin, e [felɛ̃, in] adj felino(-a) ■ nm felino

femelle [fəmɛl] nf hembra ■ adj: **souris/perroquet ~** ratón m/loro hembra; **prise/tuyau ~** (*Élec, Tech*) enchufe m/tubo hembra

féminin, e [feminɛ̃, in] adj femenino(-a); (*vêtements etc*) de mujer; (*parfois péj*) afeminado(-a) ■ nm (*Ling*) femenino

féministe [feminist] adj, nm/f feminista m/f

femme [fam] nf mujer f; **être très ~** ser muy femenina; **devenir ~** hacerse mujer; **jeune ~** mujer joven; **~ au foyer** ama de casa; **~ célibataire/mariée** mujer soltera/casada; **~ d'affaires/d'intérieur** mujer de negocios/de su casa; **~ de chambre** doncella; **~ de ménage** asistenta; **~ de tête/du monde** mujer de carácter/de mundo; **~ fatale** mujer fatal

fémur [femyʀ] nm fémur m

fendre [fɑ̃dʀ] vt hender; (*suj: gel, séisme etc*) resquebrajar; (*foule, flots*) abrirse paso entre; **se fendre** vpr henderse; **~ l'air** surcar el aire

fenêtre [f(ə)nɛtʀ] nf ventana; **regarder par la ~** mirar por la ventana; **~ à guillotine** ventana de guillotina; **~ de lancement** (*Espace*) ventana de lanzamiento

fenouil [fənuj] nm hinojo

fente [fɑ̃t] nf (*fissure*) grieta, hendidura; (*de boîte à lettres*) ranura; (*dans un vêtement*) abertura

fer [fɛʀ] nm hierro; (*de cheval*) herradura; **fers** nmpl (*Méd: forceps*) fórceps m inv; **objet de** ou **en ~** objeto de hierro; **santé/main de ~** salud f/mano de hierro; **mettre aux ~s** encadenar; **au ~ rouge** con el hierro al rojo; **~ à cheval** herradura; **en ~ à cheval** (*fig*) en herradura; **~ à friser** plancha de rizar; **~ (à repasser)** plancha; **~ à souder** soldador m; **~ à vapeur** plancha de vapor; **~ de lance** (*Mil, fig*) punta de lanza; **~ forgé** hierro forjado

ferai etc [fəʀe] vb voir **faire**

fer-blanc [fɛʀblɑ̃] (*pl* **fers-blancs**) nm hojalata

férié, e [feʀje] adj: **jour ~** día m festivo

ferions etc [fəʀjɔ̃] vb voir **faire**

ferme [fɛʀm] adj firme; (*chair*) prieto(-a) ■ adv: **travailler ~** trabajar mucho ■ nf granja; **discuter ~** discutir enérgicamente; **tenir ~** mantenerse firme; **~ désir/intention de faire** firme deseo/intención f de hacer

fermé, e [fɛʀme] adj (*aussi fig*) cerrado(-a); (*gaz, eau*) cortado(-a); (*personne, visage*) huraño(-a)

fermenter [fɛʀmɑ̃te] vi (*aussi fig*) fermentar

fermer [fɛʀme] vt cerrar; (*rideaux*) correr; (*eau, électricité, route*) cortar ■ vi cerrar; **se fermer** vpr cerrarse; **~ à clef**

cerrar con llave; **~ au verrou** cerrar con cerrojo; **~ la lumière/la radio/la télévision** apagar la luz/la radio/la televisión; **~ les yeux (sur qch)** *(fig)* hacer la vista gorda (sobre algo); **elle se ferme à l'amour** rehúye el amor

fermeté [fɛʀməte] *nf* firmeza; *(des muscles)* dureza; **avec ~** con firmeza

fermeture [fɛʀmətyʀ] *nf* cierre *m*, cerradura; *(dispositif)* cerradura; **jour/ heure de ~** día *m*/hora de cierre; **~ à glissière** cierre de cremallera; **~ éclair®** cierre relámpago

fermier, -ière [fɛʀmje, jɛʀ] *adj*: **beurre/ cidre ~** mantequilla/sidra de granja ■ *nm/f (locataire)* granjero(-a), colono; *(propriétaire)* granjero(-a), arrendatario(-a)

fermière [fɛʀmjɛʀ] *nf (femme de fermier)* granjera

féroce [feʀɔs] *adj (aussi fig)* feroz

ferons [fəʀɔ̃] *vb voir* **faire**

ferrer [feʀe] *vt (cheval)* herrar; *(chaussure, canne)* guarnecer con hierro, ferrar; *(poisson)* enganchar con el anzuelo

ferroviaire [feʀɔvjɛʀ] *adj* ferroviario(-a)

ferry(-boat) [feʀe(bot)] *(pl ~s ou* **ferries***) nm* ferry *m*, transbordador *m*

fertile [fɛʀtil] *adj (aussi fig)* fértil; **~ en événements/incidents** fértil en acontecimientos/incidentes

fervent, e [fɛʀvɑ̃, ɑ̃t] *adj* ferviente

fesse [fɛs] *nf* nalga; **les ~s** las nalgas

fessée [fese] *nf* nalgada; **donner une ~ à** dar una nalgada a

festin [fɛstɛ̃] *nm* festín *m*

festival [fɛstival] *nm* festival *m*

festivités [fɛstivite] *nfpl* fiestas *fpl*

fêtard, e [fɛtaʀ, aʀd] *(péj) nm/f* juerguista *m/f*

fête [fɛt] *nf* fiesta; *(kermesse)* romería; *(d'une personne)* santo; **faire la ~** irse de juerga *ou* de farra *(AM)*; **faire ~ à qn** festejar a algn; **se faire une ~ de** estar deseando; **jour de ~** día *m* de fiesta; **les ~s (de fin d'année)** las fiestas (de fin de año); **salle/comité des ~s** sala/comité *m* de fiestas; **la ~ des Mères/des Pères** el día de la madre/del padre; **la F~ Nationale** aniversario de la revolución francesa; **~ de charité** fiesta de caridad; **~ foraine** feria; **~ mobile** fiesta móvil

● **FÊTE DE LA MUSIQUE**

● La *fête de la Musique* es un festival de ● música que se ha venido celebrando ● anualmente en Francia desde 1981. ● Tiene lugar el 21 de junio, y ese día en

● toda Francia se puede asistir ● gratuitamente a las actuaciones de ● músicos locales en parques, calles y ● plazas.

fêter [fete] *vt (personne)* festejar; *(événement, anniversaire)* festejar, celebrar

fétide [fetid] *adj* fétido(-a)

feu¹ [fø] *adj inv*: **~ le roi/M Dupont** el difunto rey/Sr Dupont; **~ son père** su difunto padre

feu², x [fø] *nm* fuego; *(signal lumineux)* luz *f*; *(fig)* fuego, ardor *m*; (: *sensation de brûlure)* escocedura; **feux** *nmpl (éclat, lumière)* destello *msg*; *(Auto: de circulation)* semáforo *msg*; **tous ~x éteints** con las luces apagadas; **au ~!** ¡fuego!; **à ~ doux/ vif** a poco fuego/fuego vivo; **à petit ~** a fuego lento; *(fig)* lentamente; **faire ~** abrir fuego; **ne pas faire long ~** *(fig)* no durar mucho; **commander le ~** *(Mil)* dirigir el combate; **tué au ~** *(Mil)* muerto en combate; **mettre à ~** *(fusée)* encender; **~ nourri/roulant** *(Mil)* fuego intenso/graneado; **être pris entre deux ~x** *(fig)* estar entre la espada y la pared; **en ~** ardiendo, quemando; **être tout ~ tout flamme (pour)** estar entusiasmadísimo(-a) (con); **avoir le ~ sacré** tener el fuego sagrado; **prendre ~** *(maison)* incendiarse; *(vêtements, rideaux)* prender fuego; **mettre le ~ à** meterle fuego a; **faire du ~** hacer fuego; **avez-vous du ~?** ¿tiene fuego?; **donner le ~ vert à qch/qn** *(fig)* dar luz verde a algo/a algn; **s'arrêter aux ~x** *ou* **au ~ rouge** pararse en el semáforo *ou* con el disco rojo; **leur amour fut un ~ de paille** su amor fue efímero; **~ arrière** *(Auto)* luz *f* trasera, piloto trasero; **~ d'artifice** fuegos *mpl* de artificio; *(spectacle)* fuegos artificiales; **~ de camp/de cheminée** fuego de campamento/de chimenea; **~ de joie** fogata; **~ orange/rouge/vert** *(Auto)* disco ámbar/rojo/verde; **~x de brouillard/de croisement/de position/ de stationnement** *(Auto)* luces *fpl* de niebla/de cruce/de posición/ intermitentes; **~x de route** *(Auto)* luces largas *ou* de carretera

feuillage [fœjaʒ] *nm* follaje *m*

feuille [fœj] *nf* hoja; *(plaque: de carton)* lámina; **rendre ~ blanche** *(Scol)* entregar el examen en blanco; **~ de chou** *(fam: péj)* periodicucho; **~ de déplacement** *(Mil)* parte *m* de desplazamiento; **~ de maladie** informe *m* médico; **~ de métal** lámina de metal; **~ (de papier)** hoja (de papel); **~ de paye** aviso de pago; **~ de présence** parte de asistencia; **~ de route** (*Comm*) hoja de ruta; **~ de température** gráfico de temperatura; **~ de vigne** hoja de parra; **~ d'impôts** declaración f de impuestos; **~ d'or** lámina de oro; **~ morte** hoja seca; **~ volante** hoja suelta

feuillet [fœje] *nm* pliego, página

feuilleté, e [fœjte] *adj* (*Culin*) hojaldrado(-a); (*verre*) laminado(-a) ■ *nm* (*gâteau*) hojaldre m

feuilleter [fœjte] *vt* (*livre*) hojear

feuilleton [fœjtɔ̃] *nm* (*aussi TV, Radio*) serial m; (*partie*) capítulo

feutre [føtʀ] *nm* fieltro; (*chapeau*) sombrero de fieltro; (*stylo*) rotulador m

feutré, e [føtʀe] *adj* afelpado(-a); (*pas, voix, atmosphère*) amortiguado(-a)

fève [fɛv] *nf* haba; (*dans la galette des Rois*) sorpresa

février [fevʀije] *nm* febrero; *voir aussi* **juillet**

fiable [fjabl] *adj* fiable

fiançailles [fjɑ̃saj] *nfpl* noviazgo

fiancé, e [fjɑ̃se] *nm/f* novio(-a) ■ *adj*: **être ~ (à)** estar prometido(-a) (con)

fiancer [fjɑ̃se] *vpr*: **se fiancer**: **se ~ (avec)** prometerse (con)

fibre [fibʀ] *nf* (*du bois*) veta; (*fig*) vena; **avoir la ~ paternelle/militaire/patriotique** tener la vena paternal/militar/patriótica; **~ de verre/optique** fibra de vidrio/óptica

ficeler [fis(ə)le] *vt* atar

ficelle [fisɛl] *nf* cordón; (*pain*) violín m; **ficelles** *nfpl* (*procédés cachés*) artificios *mpl*; **tirer sur la ~** (*fig*) pasarse

fiche [fiʃ] *nf* ficha; (*formulaire*) ficha, impreso; (*Élec*) enchufe m; **~ de paye** nómina; **~ signalétique** (*Police*) ficha; **~ technique** ficha técnica

ficher [fiʃe] *vt* (*pour un fichier*) anotar en fichas; (*suj: police, personne*) fichar; **~ qch dans** clavar algo en; **il ne fiche rien** (*fam*) no da golpe; **cela me fiche la trouille** (*fam*) eso me da miedo; **fiche-le dans un coin** (*fam*) ponlo en un rincón; **~ qn à la porte** (*fam*) poner a algn de patitas en la calle; **fiche(-moi) le camp** (*fam*) lárgate; **fiche-moi la paix** (*fam*) déjame en paz; **se ficher dans** *vpr* (*s'enfoncer*) clavarse en, hundirse en; **se ~ de** (*fam*) tomar el pelo a

fichier [fiʃje] *nm* fichero; (*à cartes*) archivador m, fichero; **~ actif** *ou* **en cours d'utilisation** (*Inform*) fichero activo *ou* en uso; **~ d'adresses** fichero de direcciones

fichu, e [fiʃy] *pp de* **ficher** ■ *adj* (*fam: fini, inutilisable*) estropeado(-a) ■ *nm*

(*foulard*) pañoleta; **être/n'être pas ~ de** (*fam*) ser/no ser capaz de; **être mal ~** (*fam: santé*) estar fastidiado(-a); **bien/mal ~** (*fam: habillé*) bien/mal arreglado(-a); **~ temps/caractère** tiempo/carácter m pajolero

fictif, -ive [fiktif, iv] *adj* ficticio(-a); (*promesse, nom*) falso(-a)

fiction [fiksjɔ̃] *nf* ficción f

fidèle [fidɛl] *adj* fiel; (*loyal*) fiel, leal ■ *nm/f* (*Rel, fig*) devoto(-a); **les ~s** (*Rel*) los fieles; **~ à** fiel a

fidélité [fidelite] *nf* fidelidad f; **~ conjugale** fidelidad conyugal

fier¹ [fje]: **se fier à** *vpr* fiarse de

fier², fière [fje, fjɛʀ] *adj* orgulloso(-a); (*hautain, méprisant*) arrogante, altivo(-a); **~ de qch/qn** orgulloso(-a) de algo/algn; **avoir fière allure** tener muy buen aspecto

fierté [fjɛʀte] *nf* (*v adj*) orgullo; arrogancia

fièvre [fjɛvʀ] *nf* (*aussi fig*) fiebre f; **avoir de la ~/39 de ~** tener fiebre/39 de fiebre; **~ jaune/typhoïde** fiebre amarilla/tifoidea

fiévreux, -euse [fjevʀø, øz] *adj* febril

figer [fiʒe] *vt* (*sang*) coagular; (*sauce*) cuajar; (*mode de vie, institutions etc*) entorpecer; (*personne*) petrificar; **se figer** *vpr* (*sang*) coagularse; (*huile*) cuajarse; (*personne, sourire*) petrificarse; (*institutions etc*) anquilosarse

fignoler [fiɲɔle] *vt* dar el último toque a

figue [fig] *nf* higo

figuier [figje] *nm* higuera

figurant, e [figyʀɑ̃, ɑ̃t] *nm/f* (*aussi péj*) figurante m/f; (*Théâtre*) figurante, comparsa m/f; (*Ciné*) figurante, extra m

figure [figyʀ] *nf* (*visage*) cara; (*illustration, dessin*) figura, ilustración f; (*aspect*) aspecto; **se casser la ~** (*fam*) partirse la cara; **faire ~ de** (*avoir l'air de*) aparentar ser; (*passer pour*) quedar como; **faire bonne ~** poner buena cara; **faire triste** estar cabizbajo(-a); **prendre ~** tomar cuerpo; **~ de rhétorique/de style** figura retórica/estilística

figuré, e [figyʀe] *adj* figurado(-a)

figurer [figyʀe] *vi* figurar ■ *vt* representar, figurar; **se ~ qch/que** imaginarse algo/que; **figurez-vous que ... figúrese que ...**

figurine [figyʀin] *nf* figurita

fil [fil] *nm* hilo; (*du téléphone*) cable m; (*tranchant*) filo; **au ~ des heures/des années** a lo largo *ou* con el correr de las horas/de los años; **le ~ d'une histoire/**

de ses pensées el hilo de una historia/de sus pensamientos; **au ~ de l'eau** a favor de la corriente; **de ~ en aiguille** de una cosa a otra; **ne tenir qu'à un ~** estar pendiente de un hilo; **donner du ~ à retordre à qn** dar mucha guerra a algn; **donner/recevoir un coup de ~** dar/recibir un telefonazo; **~ à coudre** hilo de coser; **~ à pêche** sedal m; **~ à plomb** plomada; **~ à souder** hilo de estaño; **~ de fer** alambre m; **~ de fer barbelé** alambre de espino; **~ électrique** cable eléctrico

file [fil] *nf* (*de voitures*) fila; (*de clients*) cola; **prendre la ~** ponerse a la cola; **prendre la ~ de droite** (*Auto*) coger el carril de la derecha; **se mettre en ~** (*Auto*) ponerse en fila; **stationner en double ~** (*Auto*) aparcar en doble fila; **à la ~** (*d'affilée*) seguidos(-as); (*l'un derrière l'autre*) en fila; **à la** ou **en ~ indienne** en fila india; **~ (d'attente)** cola

filer [file] *vt* hilar; (*verre*) soplar; (*dérouler*) soltar; (*note*) modular; (*prendre en filature*) seguir los pasos a ■ *vi* (*bas, maille*) correrse, hacerse una carrera; (*liquide, pâte*) fluir; (*aller vite*) pasar volando; (*fam: partir*) largarse; **~ qch à qn** (*fam: donner*) dar algo a algn; **~ à l'anglaise** despedirse a la francesa; **~ doux** ser dócil; **~ un mauvais coton** estar de capa caída

filet [file] *nm* red *f*; (*à cheveux*) redecilla; (*de poisson*) filete m; (*viande*) solomillo; (*d'eau, sang*) hilo; **tendre un ~** (*suj: police*) tender una trampa; **~ (à bagages)** red (del equipaje); **~ (à provisions)** bolsa de la compra)

filiale [filjal] *nf* filial *f*, sucursal *f*

filière [filjɛʀ] *nf* escalafón m; **suivre la ~** seguir el escalafón

fille [fij] *nf* chica; (*opposé à fils*) hija; (*vieilli: opposé à femme mariée*) soltera; (*péj*) mujerzuela; **petite ~** niña; **vieille ~** solterona; **~ de joie** prostituta; **~ de salle** (*d'un restaurant*) camarera; (*d'un hôpital*) auxiliar *f*

fillette [fijɛt] *nf* chiquilla

filleul, e [fijœl] *nm/f* ahijado(-a)

film [film] *nm* película; (*couche*) capa; **~ d'animation** película de animación; **~ muet/parlant** película muda/sonora; **~ policier** película policíaca

fils [fis] *nm* hijo; **le F~ (de Dieu)** (*Rel*) el Hijo (de Dios); **~ à papa** (*péj*) niño de papá; **~ de famille** niño bien

filtre [filtʀ] *nm* filtro; **"~ ou sans ~?"** "¿con filtro o sin filtro?"; **~ à air** filtro de aire

filtrer [filtʀe] *vt* filtrar; (*candidats, nouvelles*) filtrar; ■ *vi* filtrarse; (*nouvelle, rumeurs*) filtrarse

fin¹ [fɛ̃] *nf* final m; (*d'un projet, d'un rêve: aussi mort*) final, fin m ■ *nm voir* **fin²**; **fins** *nfpl* (*desseins*) fines mpl; **à (la) ~ fin²** a finales de mayo/junio; **en ~ de journée** al final del día; **prendre ~** terminar, acabar; **mener à bonne ~** llevar a buen término; **toucher à sa ~** llegar a su fin; **mettre ~ à qch** poner fin a algo; **mettre ~ à ses jours** poner fin a sus días; **à la ~** finalmente; **sans ~** sin fin, interminable; (*sans cesse*) sin cesar; **à cette ~** para ou con este fin; **à toutes ~s utiles** por si es etc de utilidad; **~ de non-recevoir** (*Jur, Admin*) desestimación *f* de demanda; **~ de section** (*de ligne d'autobus*) final de zona

fin², e [fɛ̃, fin] *adj* fino(-a); (*taille*) delgado(-a); (*effilé*) afilado(-a); (*subtil*) agudo(-a) ■ *adv* fino ■ *nm*: **vouloir jouer au plus ~ (avec qn)** querer dárselas de listo (con algn); **c'est ~!** (*iro*) ¡qué gracioso!; **avoir la vue ~e/l'ouïe ~e** tener vista aguda/buen oído; **le ~ fond de ...** lo más recóndito de ...; **le ~ mot de ...** el quid de ...; **la ~e fleur de ...** la flor y nata de ...; **or ~** oro puro; **linge ~** lencería fina ou selecta; **vin ~** vino selecto; **être ~ gourmet** tener un paladar muy fino; **être ~ tireur** ser un muy buen tirador; **~es herbes** hierbas *fpl* aromáticas; **~e mouche** (*fig*) persona perspicaz; **~ prêt/soûl** completamente listo/borracho

final, e [final] *adj* último(-a); (*Philos*) final ■ *nm* (*Mus*) final m; **quart/8èmes/16èmes de ~e** cuarto/octavos/dieciseisavos de final; **cause ~e** causa final

finale [final] *nf* (*Sport*) final *f*

finalement [finalmɑ̃] *adv* finalmente; (*après tout*) al final, después de todo

finaliste [finalist] *nm/f* finalista *m/f*

finance [finɑ̃s] *nf*: **la ~** las finanzas; **finances** *nfpl* (*d'un club, pays*) fondos mpl; (*activités et problèmes financiers*) finanzas; **moyennant ~** con dinero

financer [finɑ̃se] *vt* financiar

financier, -ière [finɑ̃sje, jɛʀ] *adj* financiero(-a) ■ *nm* financiero

finesse [fines] *nf* finura; delgadez *f*; afilamiento; agudeza; **finesses** *nfpl* (*subtilités*) sutilezas *fpl*; **~ de goût** delicadeza de gusto; **~ d'esprit** agudeza de espíritu

fini, e [fini] *adj* terminado(-a), acabado(-a); (*mode*) pasado(-a); (*persona*) acabado(-a); (*machine etc*) obsoleto(-a); (*Math, Philosophie*) finito(-a) ■ *nm* (*d'un objet manufacturé*) perfección *f*; **bien/mal ~** (*travail, vêtement*) bien/mal terminado(-a), bien/mal rematado(-a); **un égoïste/artiste ~** (*valeur intensive*) un egoísta/artista consumado

finir [finiʀ] *vt* acabar, terminar; (*être placé en fin de: période, livre*) finalizar ■ *vi* terminarse, acabarse; **~ quelque part** terminar en algún sitio; **~ de faire qch** (*terminer*) acabar de hacer algo; (*cesser*) dejar de hacer algo; **~ par qch/par faire qch** (*gén*) acabar con algo/haciendo *ou* por hacer algo; **il finit par m'agacer** acaba molestándome; **~ en pointe/ tragédie** acabar en punta/tragedia; **en ~ (avec qn/qch)** acabar (con algn/algo); **à n'en plus ~** interminable; **il a fini son travail** acabó su trabajo; **il n'a pas encore fini de parler** no ha acabado todavía de hablar; **il finit de manger** está acabando de comer; **cela/il va mal ~** eso/él acabará mal; **c'est bientôt fini?** ¿terminas o no?

finition [finisjɔ̃] *nf* acabado, último toque *m*

finlandais, e [fɛ̃lɑ̃dɛ, ɛz] *adj* finlandés(-esa) ■ *nm/f*: **Finlandais, e** finlandés(-esa)

Finlande [fɛ̃lɑ̃d] *nf* Finlandia

firme [fiʀm] *nf* firma

fis [fi] *vb voir* **faire**

fisc [fisk] *nm*: **le ~** el fisco

fiscal, e, -aux [fiskal, o] *adj* fiscal; **l'année ~e** el año fiscal

fiscalité [fiskalite] *nf* (*système*) régimen *m* tributario; (*charges*) cargas *fpl* fiscales

fissure [fisyʀ] *nf* (*aussi fig*) fisura

fissurer [fisyʀe] *vpr*: **se fissurer** agrietarse

fit [fi] *vb voir* **faire**

fixation [fiksasjɔ̃] *nf* fijación *f*; **~ (de sécurité)** (*de ski*) fijación (de seguridad)

fixe [fiks] *adj* fijo(-a) ■ *nm* (*salaire de base*) sueldo base; **à date/heure ~** en fecha/hora fijada; **menu à prix ~** menú *m* de precio fijo

fixé, e [fikse] *adj*: **être ~ (sur)** saber a qué atenerse (respecto a); **à l'heure ~e** en la hora fijada; **au jour ~** en el día fijado

fixer [fikse] *vt* fijar; (*personne*) estabilizar; (*poser son regard sur*) fijar la mirada en; **~ qch à/sur** sujetar algo a/en, fijar algo a/en; **~ son regard/son attention sur** fijar su mirada/su atención en; **~ son choix sur qch** elegir algo; **se ~ quelque part** establecerse en algún sitio; **se ~ sur** (*suj: regard, attention*) fijarse en

flacon [flakɔ̃] *nm* frasco

flageolet [flaʒɔlɛ] *nm* (*Mus*) chirimía; (*Culin: gén pl*) frijoles *mpl*

flagrant, e [flagʀɑ̃, ɑ̃t] *adj* flagrante; **prendre qn en ~ délit** coger a algn en flagrante delito

flair [flɛʀ] *nm* (*aussi fig*) olfato

flairer [fleʀe] *vt* olfatear; (*fig*) oler

flamand, e [flamɑ̃, ɑ̃d] *adj* flamenco(-a) ■ *nm* (*Ling*) flamenco ■ *nm/f*: **Flamand, e** flamenco(-a); **les F~s** los flamencos

flamant [flamɑ̃] *nm* (*Zool*) flamenco

flambant [flɑ̃bɑ̃] *adv*: **~ neuf** nuevo flamante

flambé, e [flɑ̃be] *adj*: **banane/crêpe ~e** plátano/crep *m* flameado

flambée [flɑ̃be] *nf* llamarada; **~ de violence** (*fig*) ola de violencia; **~ des prix** disparo de los precios

flamber [flɑ̃be] *vi* llamear ■ *vt* (*poulet*) chamuscar; (*aiguille*) flamear

flamboyer [flɑ̃bwaje] *vi* (*aussi fig*) resplandecer

flamme [flam] *nf* llama; (*fig*) pasión *f*; **en ~s** en llamas

flan [flɑ̃] *nm* flan *m*; **en rester comme deux ronds de ~** quedarse patidifuso(-a)

flanc [flɑ̃] *nm* (*Anat*) costado; (*d'une armée*) flanco; (*montagne*) ladera; **à ~ de montagne/colline** en la ladera de la montaña/colina; **tirer au ~** (*fam*) escurrir el bulto; **prêter le ~ à** (*fig*) dar pie a

flancher [flɑ̃ʃe] *vi* flaquear

flanelle [flanɛl] *nf* franela

flâner [flɑne] *vi* callejear, deambular

flanquer [flɑ̃ke] *vt* flanquear; **~ qch sur/ dans** (*fam: mettre*) tirar algo a/en; **~ par terre** (*fam*) arrojar al suelo; **~ à la porte** (*fam*) echar a la calle; **~ la frousse à qn** (*fam*) meter miedo a algn; **être flanqué de** (*suj: personne*) estar escoltado por

flaque [flak] *nf* charco

flash [flaʃ] (*pl* **~es**) *nm* (*Photo: dispositif*) flash *m*; (: *lumière*) flash, destello; **au ~** con el flash; **~ d'information** flash informativo; **~ publicitaire** flash publicitario

flatter [flate] *vt* (*personne*) halagar, adular; (*suj: honneurs, amitié*) halagar; (*animal*) acariciar; **se ~ de qch/de pouvoir faire qch** vanagloriarse de algo/ de poder hacer algo

flatteur, -euse [flatœʀ, øz] *adj* (*photo, profil*) halagüeño(-a); (*éloges*) halagador(a) ■ *nm/f* (*personne*) adulador(a)

flèche [flɛʃ] *nf* flecha; (*de clocher*) aguja; (*de grue*) aguilón *m*; (*critique*) dardo;

monter en ~ (fig) subir como una flecha; **partir en ~** (fig) marcharse como una flecha

fléchettes nfpl (jeu) dardos mpl

flemme [flɛm] nf: **j'ai la ~ de faire** me da una pereza hacer

flétrir [fletʀiʀ] vt (fleur) marchitar; (fruit) secar; (peau, visage) ajar; **se flétrir** vpr marchitarse; pasarse; ajarse; **~ la mémoire de qn** (fig) mancillar la memoria de algn

fleur [flœʀ] nf flor f; **être en ~** estar en flor; **tissu/papier/assiette à ~s** tejido/papel m/plato de flores; **la (fine) ~ de** (fig) la flor y nata de; **~ bleue** ser sentimental; **à ~ de terre/peau** a flor de tierra/piel; **faire une ~ à qn** hacer un favor a algn; **~ de lis** flor de lis

fleuri, e [flœʀi] adj (aussi fig) florido(-a); (papier, tissu) floreado(-a); (péj: teint, nez) colorado(-a)

fleurir [flœʀiʀ] vi (aussi fig) florecer ■ vt poner flores en

fleuriste [flœʀist] nm/f florista m/f

fleuve [flœv] nm río; **~ de sang/boue** (fig) río de sangre/barro; **discours-~** discurso interminable; **roman-~** novelón m

flexible [flɛksibl] adj (aussi fig) flexible

flic [flik] (fam: péj) nm poli m

flipper¹ [flipœʀ] nm fliper m

flipper² [flipe] vi (fam) amargarse

flirter [flœʀte] vi flirtear

flocon [flɔkɔ̃] nm copo; (de laine etc: boulette) pelotilla; **~s d'avoine** copos mpl de avena

flore [flɔʀ] nf flora; **~ bactérienne/microbienne** flora bacteriana/microbiana

florissant, e [flɔʀisɑ̃, ɑ̃t] vb voir **fleurir** ■ adj (entreprise, commerce) floreciente, próspero(-a); (santé, mine) rebosante

flot [flo] nm (fig) oleada; (de paroles, etc) río; (marée) marea; **flots** nmpl (de la mer) olas fpl, mar fsg; **mettre/être à ~** (aussi fig) sacar/estar a flote; **à ~s** a raudales

flottant, e [flɔtɑ̃, ɑ̃t] adj (vêtement) de vuelo, ancho(-a); (non fixe) fluctuante

flotte [flɔt] nf flota; (fam: eau) agua; (: pluie) lluvia

flotter [flɔte] vi flotar; (drapeau, cheveux) ondear; (vêtements) volar; (Écon) fluctuar ■ vb impers (fam): **il flotte** llueve ■ vt (aussi: **faire flotter**: bois) transportar mediante corriente fluvial

flotteur [flɔtœʀ] nm (d'hydravion etc) flotador m; (de canne à pêche) boya

flou, e [flu] adj borroso(-a); (idée) vago(-a); (robe) amplio(-a)

fluide [flɥid] adj fluido(-a) ■ nm fluido; (force invisible) efluvio

fluor [flyɔʀ] nm flúor m

fluorescent, e [flyɔʀesɑ̃, ɑ̃t] adj fluorescente

flûte [flyt] nf flauta; (verre) copa; (pain) barra pequeña de pan; **petite ~** flautín m; **~!** ¡caramba!; **~ à bec/traversière** flauta dulce/travesera; **~ de Pan** zampoña

flux [fly] nm (aussi fig) flujo; **le ~ et le reflux** el flujo y el reflujo

FM [ɛfɛm] sigle f (= fréquence modulée) FM f (= frecuencia modulada)

foc [fɔk] nm foque m

foi [fwa] nf fe f; **sous la ~ du serment** bajo juramento; **avoir ~ en** tener fe en; **ajouter ~ à** dar crédito a; **faire ~** acreditar, testificar; **digne de ~** fidedigno(-a); **sur la ~ de** en base a; **bonne/mauvaise ~** buena/mala fe; **être de bonne/mauvaise ~** actuar con buena/mala fe; **ma ~!** ¡lo juro!

foie [fwa] nm hígado; **~ gras** foie-gras m inv

foin [fwɛ̃] nm heno; **faire les ~s** segar el heno; **faire du ~** (fig: fam) armar jaleo

foire [fwaʀ] nf mercado; (fête foraine) feria, romería; (fam) bulla; **faire la ~** (fig: fam) irse de juerga ou de farra (AM); **~ aux questions** preguntas frecuentes; **~ (exposition)** feria de muestras

fois [fwa] nf: **une/deux ~** una vez/dos veces; **2 ~ 2** 2 por 2; **deux/quatre ~ plus grand (que)** dos/cuatro veces mayor (que); **encore une ~** una vez más; **cette ~** esta vez; **la ~ suivante/précédente** la próxima vez/vez anterior; **une ~ pour toutes** de una vez por todas; **une ~ que c'est fait** una vez que esté hecho; **une ~ qu'il prend une décision, il ne ...** (quand) una vez que toma una decisión, no ...; **une ~ couché, il s'endort tout de suite** (dès que) en cuanto se acuesta, se duerme; **à la ~** (ensemble) a la vez; **à la ~ grand et beau** grande y a la vez bonito; **des ~** a veces; **chaque ~ que** cada vez que; **si des ~ ...** (fam) si por casualidad ...; **"non mais, des ~!"** (fam) "¡ya vale!", "¡ya está bien!"; **il était une ~ ...** había una vez ...

fol [fɔl] adj voir **fou**

folie [fɔli] nf locura; **la ~ des grandeurs** el delirio de grandeza; **faire des ~s** hacer locuras, gastar a lo loco

folklorique [fɔlklɔʀik] adj folklórico(-a); (péj) estrambótico(-a)

folle [fɔl] *adj f, nf voir* **fou**
follement [fɔlmã] *adv* (*amoureux*) locamente; (*drôle, intéressant*) tremendamente; **avoir ~ envie de** tener unos celos tremendos de
foncé, e [fɔ̃se] *adj* oscuro(-a); **bleu/ rouge ~** azul/rojo oscuro
foncer [fɔ̃se] *vt* oscurecer ■ *vi* oscurecerse; (*fam: aller vite*) ir volando; **~ sur** (*fam*) arremeter contra
fonction [fɔ̃ksjɔ̃] *nf* función *f*; (*profession*) profesión *f*; (*poste*) cargo; **fonctions** *nfpl* (*activité, pouvoirs*) competencias *fpl*; (*corporelles, biologiques*) funciones *fpl*; **entrer en/reprendre ses ~s** tomar posesión de/reincorporarse a su cargo; **voiture/maison de ~** coche *m*/casa oficial; **être ~ de** depender de; **en ~ de** dependiendo de; **faire ~ de** (*suj: personne*) hacer las veces de; (*chose*) servir para; **la ~ publique** la función pública
fonctionnaire [fɔ̃ksjɔnɛʀ] *nm/f* funcionario(-a)
fonctionnement [fɔ̃ksjɔnmã] *nm* funcionamiento
fonctionner [fɔ̃ksjɔne] *vi* funcionar; **faire ~** poner en funcionamiento
fond [fɔ̃] *nm* fondo; **un ~ de verre/ bouteille** el resto del vaso/de la botella; **donnez m'en seulement un ~** (*d'alcool etc*) póngame sólo un dedo; **le ~** (*Sport*) el fondo; **course/épreuve de ~** carrera/ prueba de fondo; **au ~ de** (*récipient*) en el fondo de; (*salle*) al fondo de; **aller au ~ des choses/du problème** ir al fondo de las cosas/del problema; **le ~ de sa pensée** el fondo de su pensamiento; **sans ~** (*très profond*) sin fondo; **toucher le ~** (*aussi fig*) tocar fondo; **envoyer par le ~** echar a pique; **à ~** a fondo; (*soutenir*) a capa y espada; **à ~ (de train)** (*fam*) a todo correr, a toda marcha; **dans le ~, au ~** en resumidas cuentas; **de ~ en comble** de arriba a abajo; **~ de teint** maquillaje *m* de fondo; **~ sonore** fondo sonoro
fondamental, e, -aux [fɔ̃damãtal, o] *adj* fundamental
fondant, e [fɔ̃dã, ãt] *adj*: **la neige/glace ~e** la nieve/el hielo que se derrite ■ *nm* (*bonbon*) bombón *m* (extra fino); **gâteau ~** (*au goût*) pastel que se deshace en la boca
fondation [fɔ̃dasjɔ̃] *nf* fundación *f*; **fondations** *nfpl* (*d'une maison*) cimientos *mpl*; **travaux de ~** (*Constr*) trabajos *mpl* de cimentación
fondé, e [fɔ̃de] *adj* fundado(-a); **bien/ mal ~** bien/mal fundado(-a); **être à**

croire *etc* estar facultado(-a) *ou* autorizado(-a) para creer *etc*
fondement [fɔ̃dmã] *nm* (*le postérieur*) trasero; **fondements** *nmpl* (*d'un édifice*) cimientos *mpl*; (*de la société, d'une théorie*) cimientos *mpl*, base *fsg*; **sans ~** sin fundamento
fonder [fɔ̃de] *vt* fundar; **~ qch sur** (*fig*) basar algo en; **se ~ sur qch** (*personne*) basarse en algo; **~ un foyer** fundar un hogar
fonderie [fɔ̃dʀi] *nf* fundición *f*
fondre [fɔ̃dʀ] *vt* (*neige, glace*) fundir, derretir; (*métal*) fundir; (*dans l'eau: sucre*) disolver; (*mélanger*) mezclar ■ *vi* fundirse, derretirse; (*métal*) fundirse; (*dans l'eau*) disolverse; (*argent, courage*) esfumarse; **~ sur** (*se précipiter*) abatirse sobre; **se fondre** *vpr* confundirse; **faire ~** derretir; (*sucre*) disolver; **~ en larmes** deshacerse en lágrimas
fonds [fɔ̃] *nm* (*aussi fig*) fondo ■ *nmpl* (*argent*) fondos *mpl*; **~ (de commerce)** fondo de comercio; **être en ~** tener fondos *ou* dinero; **à ~ perdus** a fondo perdido; **mise de ~** inversión *f* de capital; **le F~ monétaire international** el Fondo Monetario Internacional; **~ de roulement** fondo de operaciones; **~ publics** fondos *mpl* públicos
fondu, e [fɔ̃dy] *adj* (*beurre*) derretido(-a); (*neige*) fundido(-a), derretido(-a); (*métal*) fundido(-a); (*fig*) desvanecido(-a) ■ *nm* (*Ciné*) fundido; **~ enchaîné** fundido encadenado
fondue [fɔ̃dy] *nf*: **~ (savoyarde)/ bourguignonne** fondue *f* (saboyana)/ burguiñona
font [fɔ̃] *vb voir* **faire**
fontaine [fɔ̃tɛn] *nf* fuente *f*
fonte [fɔ̃t] *nf* (*de la neige*) deshielo; (*d'un métal*) fundición *f*; (*métal*) hierro fundido *ou* colado; **en ~ émaillée** de hierro esmaltado; **la ~ des neiges** el deshielo
foot(ball) [fut(bɔl)] *nm* fútbol *m*; **jouer au foot(ball)** jugar al fútbol
footballeur, -euse [futbolœʀ, øz] *nm/f* futbolista *m*
footing [futiŋ] *nm*: **faire du ~** hacer footing
forain, e [fɔʀɛ̃, ɛn] *adj* ferial ■ *nm/f* (*marchand*) feriante *m/f*; (*bateleur*) saltimbanqui *m*, titiritero(-a)
forçat [fɔʀsa] *nm* forzado
force [fɔʀs] *nf* fuerza; (*d'une armée*) potencia; (*intellectuelle, morale*) fortaleza; **forces** *nfpl* (*Mil, physiques*) fuerzas *fpl*; **d'importantes ~s de police** importantes

efectivos de la policía; **avoir de la ~** tener fuerza; **ménager ses/reprendre des ~s** ahorrar/recuperar fuerzas; **être à bout de ~** estar agotado(-a); **c'est au-dessus de mes/ses ~s** supera mis/sus fuerzas; **de toutes mes/ses ~s** con todas mis/sus fuerzas; **à la ~ du poignet** *(fig)* a pulso; **à ~ de critiques/de le critiquer/de faire** a fuerza de críticas/de criticarlo/de hacer; **arriver en ~** llegar en gran número; **de ~** *(prendre, enlever)* a la fuerza; **par la ~** por fuerza; **à toute ~** *(absolument)* a toda costa; **cas de ~ majeure** caso de fuerza mayor; **faire ~ de rames** remar con todas las fuerzas; **être de ~ à faire qch** ser capaz de hacer algo; **dans la ~ de l'âge** en la madurez; **de première ~** de primera; **par la ~ des choses** debido a las circunstancias; **par la ~ de l'habitude** por la fuerza de la costumbre; **la ~** *(Élec)* la energía; **la ~ armée** las fuerzas armadas; **la ~ publique** la fuerza pública; **les ~s de l'ordre** las fuerzas del orden; **c'est une ~ de la nature** *(personne)* es un sansón; **~ centrifuge/d'inertie** fuerza centrífuga/de la inercia; **~ d'âme** ánimo, valor *m*; **~ de caractère** fuerza de carácter; **~ de dissuasion** *ou* **de frappe** fuerza de disuasión; **~s d'intervention** fuerzas de intervención

forcé, e [fɔʀse] *adj* *(rire, attitude)* forzado(-a); *(bain, atterrissage)* forzoso(-a); *(comparaison)* rebuscado(-a); **c'est ~!** ¡es lógico!, ¡es inevitable!

forcément [fɔʀsemã] *adv* *(obligatoirement)* forzosamente; *(bien sûr)* como es lógico; **pas ~** no necesariamente; **il n'est pas ~ bête** no es que sea tonto

forcer [fɔʀse] *vt* forzar; *(Agr)* impulsar el crecimiento de ■ *vi* esforzarse; **~ qn à qch/à faire qch** obligar a algn a algo/a hacer algo; **se ~ à qch/faire qch** obligarse a algo/a hacer algo; **~ la main à qn** apretarle los tornillos a algn; **~ la dose** cargar la mano; **~ l'allure** aligerar; **~ la décision** determinar la decisión; **~ le destin** ir contra el destino; **~ l'attention** llamar la atención; **~ le respect** imponer el respeto; **~ la consigne** desacatar las órdenes

forestier, -ière [fɔʀɛstje, jɛʀ] *adj* forestal

forêt [fɔʀɛ] *nf* bosque *m*; **Office national des ~s** ≈ ICONA *(Instituto para la conservación de la naturaleza)*; **~ vierge** selva virgen

forfait [fɔʀfɛ] *nm* *(Comm)* ajuste *m*;

(crime) crimen *m*; **déclarer ~** *(Sport)* retirarse; **gagner par ~** ganar por incomparecencia; **travailler à ~** trabajar a destajo; **vendre/acheter à ~** vender/comprar a tanto alzado

forfaitaire [fɔʀfɛtɛʀ] *adj* concertado(-a)

forge [fɔʀʒ] *nf* forja; *(usine)* herrería

forgeron [fɔʀʒəʀɔ̃] *nm* herrero

formaliser [fɔʀmalize] *vpr*: **se formaliser** molestarse; **se ~ de qch** molestarse por algo

formalité [fɔʀmalite] *nf* requisito, trámite *m*; **simple ~** mera formalidad *f*

format [fɔʀma] *nm* formato; **petit ~** de tamaño pequeño

formater [fɔʀmate] *vt* formatear; **non formaté** sin formatear

formation [fɔʀmasjɔ̃] *nf* formación *f*; *(apprentissage)* educación *f*; **en ~** *(Mil, Aviat)* en formación; **la ~ permanente/ continue** la formación permanente/ continua; **la ~ professionnelle/des adultes** la formación profesional/de adultos

forme [fɔʀm] *nf* forma; *(type)* tipo; **formes** *nfpl* *(manières)* formas *fpl*; **en ~ de poire** con forma de pera; **sous ~ de** en forma de; **être en (bonne/pleine) ~** estar en (buena/plena) forma; **avoir la ~** estar en forma; **en bonne et due ~** con todos los requisitos; **y mettre les ~s** hacer las cosas como Dios manda; **sans autre ~ de procès** *(fig)* sin más ni más; **pour la ~** para guardar las apariencias; **prendre ~** tomar cuerpo

formel, le [fɔʀmɛl] *adj* *(preuve, décision)* categórico(-a); *(logique)* formal; *(extérieur)* formalista

formellement [fɔʀmɛlmã] *adv* absolutamente

former [fɔʀme] *vt* formar; *(projet, idée)* concebir; *(caractère, intelligence, goût)* formar, desarrollar; *(lettre etc)* componer; **se former** *vpr* formarse

formidable [fɔʀmidabl] *adj* estupendo(-a)

formulaire [fɔʀmylɛʀ] *nm* impreso

formule [fɔʀmyl] *nf* fórmula; *(de vacances, crédit)* sistema *m*; **selon la ~ consacrée** según la expresión consagrada; **~ de politesse** fórmula de cortesía; *(en fin de lettre)* fórmula epistolar

fort, e [fɔʀ, fɔʀt] *adj* *(aussi fig)* fuerte; *(élevé)* alto(-a); *(gros)* grueso(-a); *(quantité)* importante; *(soleil)* intenso(-a) ■ *adv* *(frapper, serrer, sonner)* con fuerza; *(parler)* alto; *(beaucoup)* mucho; *(très)* muy ■ *nm* *(édifice, fig)* fuerte *m*; **le(s) ~(s)**

(*gén pl: personne, pays*) los fuertes; **être ~ (en)** (*doué*) ser bueno(-a) (en); **c'est un peu ~!** ¡ya es demasiado!, ¡se pasa!; **à plus ~e raison** con mayor motivo; **se faire ~ de faire** comprometerse a hacer; **~ bien/peu** muy bien/poco; **au plus ~ de** en lo más álgido de; **vous aurez ~ à faire pour le convaincre** le costará trabajo convencerle; **~ comme un Turc** fuerte como un toro; **~e tête** rebelde *m/f*

forteresse [fɔʀtəʀɛs] *nf* fortaleza

fortifiant, e [fɔʀtifjɑ̃, jɑ̃t] *adj* fortificante ■ *nm* reconstituyente *m*

fortune [fɔʀtyn] *nf* fortuna; **des ~s diverses** (*sort*) diversas suertes; **faire ~** hacer fortuna; **de ~** improvisado(-a); **bonne/mauvaise ~** buena/mala fortuna

fortuné, e [fɔʀtyne] *adj* afortunado(-a)

forum [fɔʀɔm] *nm:* **~ de discussion** (*Internet*) foro de discusión; **participer à un ~ de discussion** participar en un foro de discusión

fosse [fos] *nf* fosa; **~ à purin** depósito de aguas de estiércol; **~ aux lions/aux ours** foso de los leones/de los osos; **~ commune** fosa común; **~ (d'orchestre)** foso (de la orquesta); **~ septique** fosa séptica; **~s nasales** fosas *fpl* nasales

fossé [fose] *nm* zanja; (*fig*) abismo

fossette [fosɛt] *nf* hoyuelo

fossile [fosil] *nm* fósil *m* ■ *adj:* **animal/coquillage ~** animal *m*/concha fósil

fou (fol), folle [fu, fɔl] *adj* loco(-a); (*regard*) extraviado(-a); (*fam: extrême*) inmenso(-a) ■ *nm/f* loco(-a) ■ *nm* (*d'un roi*) bufón *m*; (*Échecs*) alfil *m*; **fou de Bassan** alcatraz *m*; **fou à lier** loco(-a) de atar; **fou furieux/folle furieuse** loco(-a) agresivo(-a); **être fou de** estar loco(-a) por; **fou de chagrin** trastornado(-a) por el dolor; **fou de colère/joie** loco(-a) de ira/alegría; **faire le fou** hacer el tonto *ou* el indio; **avoir le fou rire** tener un ataque de risa; **ça prend un temps fou** (*fam*) esto lleva mucho tiempo; **il a eu un succès fou** (*fam*) tuvo un éxito loco; **herbe folle** hierbajo

foudre [fudʀ] *nf* rayo; **foudres** *nfpl* (*colère*) iras *fpl*; **s'attirer les ~s de qn** ganarse las iras de algn

foudroyant, e [fudʀwajɑ̃, ɑ̃t] *adj* fulminante

fouet [fwe] *nm* látigo, fuete (*AM*), rebenque (*AM*); (*Culin*) batidor *m*; **de plein ~** (*heurter*) de frente

fouetter [fwete] *vt* dar latigazos a; (*Culin, pluie, vagues etc*) batir

fougère [fuʒɛʀ] *nf* helecho

fougue [fug] *nf* fogosidad *f*

fougueux, -euse [fugø, øz] *adj* fogoso(-a)

fouille [fuj] *nf* (*v vt*) cacheo; registro; **fouilles** *nfpl* (*archéologiques*) excavaciones *fpl*

fouiller [fuje] *vt* (*suspect*) cachear; (*local, quartier*) registrar; (*creuser*) excavar; (*approfondir*) ahondar en ■ *vi* (*archéologique*) hacer excavaciones; **~ dans/parmi** hurgar en/entre

fouillis [fuji] *nm* revoltijo

foulard [fulaʀ] *nm* pañuelo; (*étoffe*) fular *m*

foule [ful] *nf:* **la ~** la muchedumbre, el gentío; **une ~ énorme/émue** una muchedumbre inmensa/emocionada; **une ~ de** una multitud de; **les ~s** las masas; **venir en ~** (*aussi fig*) llegar en masa

foulée [fule] *nf* (*Sport*) zancada; **dans la ~ de** inmediatamente después de

fouler [fule] *vt* (*écraser*) prensar; (*raisin*) pisar; **se fouler** *vpr* (*fam*) matarse trabajando; **se ~ la cheville/le bras** torcerse el tobillo/el brazo; **~ aux pieds** (*fig*) pasar por encima de; **~ le sol de son pays** pisar el suelo de su país

foulure [fulyʀ] *nf* esguince *m*

four [fuʀ] *nm* horno; (*échec*) fracaso; **allant au ~** resistente al horno

fourche [fuʀʃ] *nf* horca; (*de bicyclette*) horquilla; (*d'une route*) bifurcación *f*

fourchette [fuʀʃɛt] *nf* tenedor *m*; (*Statistique*) gama; **~ à dessert** tenedor de postre

fourchu, e [fuʀʃy] *adj* (*cheveu*) abierto(-a) en las puntas; (*arbre*) bifurcado(-a)

fourgon [fuʀgɔ̃] *nm* furgón *m*; **~ mortuaire** funeraria

fourgonnette [fuʀgɔnɛt] *nf* furgoneta

fourmi [fuʀmi] *nf* hormiga; **avoir des ~s dans les jambes/mains** (*fig*) tener un hormigueo en las piernas/manos

fourmilière [fuʀmiljɛʀ] *nf* (*aussi fig*) hormiguero

fourmiller [fuʀmije] *vi* (*gens*) hormiguear; **~ de** (*lieu*) estar plagado(-a) de

fourneau, x [fuʀno] *nm* horno

fourni, e [fuʀni] *adj* (*barbe, cheveux*) tupido(-a), poblado(-a); **bien/mal ~ (en)** bien/mal equipado(-a) (en)

fournir [fuʀniʀ] *vt* proporcionar; (*effort*) realizar; (*chose*) dar, proporcionar; **se fournir** *vpr*: **se ~ chez** abastecerse en; **~ qch à qn** proporcionar algo a algn; **~ qn en** abastecer a algn de

fournisseur, -euse [fuʀnisœʀ, øz] nm/f proveedor(a)

fournitures nfpl material msg

fourrage [fuʀaʒ] nm forraje m

fourré, e [fuʀe] adj (bonbon) relleno(-a); (manteau, botte) forrado(-a) ■ nm maleza

fourrer [fuʀe] (fam) vt: ~ **qch dans** meter algo en; **se fourrer** vpr: **se** ~ **dans/sous** meterse en/bajo

fourrière [fuʀjeʀ] nf (pour chiens) perrera; (voitures) depósito de coches

fourrure [fuʀyʀ] nf piel f; **manteau/col de** ~ abrigo/cuello de piel

foutre [futʀ] (fam!) vt = **ficher**

foutu, e [futy] (fam!) adj = **fichu**

foyer [fwaje] nm hogar m; (fig) foco m; (Théâtre) vestíbulo; (d'étudiants etc) residencia; (salon) salón m; **lunettes à double** ~ gafas fpl ou anteojos mpl (AM) bifocales

fracassant, e [fʀakasɑ̃, ɑ̃t] adj (fig) estrepitoso(-a)

fraction [fʀaksjɔ̃] nf fracción f; (Math) fracción, quebrado; **une** ~ **de seconde** una fracción de segundo

fracture [fʀaktyʀ] nf (Méd) fractura; ~ **de la jambe/du crâne** fractura de pierna/de cráneo; ~ **ouverte** fractura abierta

fracturer [fʀaktyʀe] vt (coffre, serrure) forzar; (os, membre) fracturar; **se** ~ **la jambe/le crâne** fracturarse la pierna/el cráneo

fragile [fʀaʒil] adj (aussi fig) frágil; (santé, personne) delicado(-a)

fragilité [fʀaʒilite] nf fragilidad f

fragment [fʀagmɑ̃] nm (d'un objet) fragmento, trozo; (d'un discours) fragmento

fraîche [fʀɛʃ] adj voir **frais**

fraîcheur [fʀɛʃœʀ] nf (voir frais) frescor m, frescura; (loza) lozanía; frialdad f

fraîchir [fʀeʃiʀ] vi refrescar; (vent) levantarse

frais, fraîche [fʀɛ, fʀɛʃ] adj fresco(-a); (teint) lozano(-a); (accueil) frío(-a) ■ adv: **il fait** ~ hace ou está fresco ■ nm: **mettre au** ~ poner en el frigorífico ■ nmpl (Comm, dépenses) gastos mpl; **le voilà** ~! (iron) ¡va listo!, ¡está arreglado!; **des troupes fraîches** tropas fpl de refresco; ~ **et dispos** preparado y listo; **à boire/servir** ~ beber/servir frío; **légumes/fruits** ~ verduras fpl/frutas fpl frescas; ~ **débarqué de sa province** recién llegado de su provincia; **prendre le** ~ tomar el fresco; **faire des** ~ hacer gasto; **à grands/peu de** ~ con mucho/poco gasto; **faire les** ~ **de** (fig) pagar la factura de; **faire les** ~ **de la conversation** ser el centro de la conversación; **rentrer dans ses** ~ recuperar su dinero; **tous** ~ **payés** con todos los gastos pagados; **en être pour ses** ~ (aussi fig) haber perdido el tiempo; ~ **d'entretien** nmpl gastos de mantenimiento; ~ **de déplacement/logement** gastos de desplazamiento/alojamiento; ~ **de scolarité** gastos de matrícula; ~ **fixes/variables** gastos fijos/variables; ~ **généraux** gastos generales

fraise [fʀɛz] nf (Bot, Tech) fresa, frutilla (AM); (de dentiste) torno, fresa; ~ **des bois** fresa silvestre

framboise [fʀɑ̃bwaz] nf frambuesa

franc, franche [fʀɑ̃, fʀɑ̃ʃ] adj franco(-a); (refus, couleur) claro(-a); (coupure) limpio(-a); (intensif) auténtico(-a) ■ adv: **à parler** ~ francamente ■ nm (Hist: monnaie) franco; ~ **de port** porte pagado; **ancien** ~, ~ **léger** franco viejo; **nouveau** ~, ~ **lourd** franco nuevo; ~ **suisse** franco suizo

français, e [fʀɑ̃sɛ, ɛz] adj francés(-esa) ■ nm (Ling) francés m ■ nm/f: **Français, e** francés(-esa); **les F~** los franceses

France [fʀɑ̃s] nf Francia

franche [fʀɑ̃ʃ] adj f voir **franc**

franchement [fʀɑ̃ʃmɑ̃] adv francamente; (tout à fait) realmente; (excl) ¡pero bueno!

franchir [fʀɑ̃ʃiʀ] vt (aussi fig) salvar; (seuil) franquear

franchise [fʀɑ̃ʃiz] nf franqueza; (douanière, Assurance) franquicia; (Comm) licencia; **en toute** ~ con toda franqueza; ~ **de bagages** franquicia de equipaje

franc-maçon [fʀɑ̃masɔ̃] (pl ~**s**) nm francmasón(-ona)

franco [fʀɑ̃ko] adv (Comm): ~ **(de port)** porte pagado

franco- [fʀɑ̃ko] préf franco-

francophone [fʀɑ̃kɔfɔn] adj, nm/f francófono(-a)

franc-parler [fʀɑ̃paʀle] nm inv franqueza

frange [fʀɑ̃ʒ] nf fleco, franja; (de cheveux) flequillo; (fig) franja

frangipane [fʀɑ̃ʒipan] nf crema almendrada

frappant, e [fʀapɑ̃, ɑ̃t] adj sorprendente

frappé, e [fʀape] adj (vin, café) helado(-a); ~ **de** ou **par qch** impresionado(-a) por algo; ~ **de panique**

presa del pánico; **~ de stupeur** estupefacto(-a)

frapper [fʀape] vt golpear; (fig) impresionar; (malheur, impôt) afectar; (monnaie) acuñar; **se frapper** vpr (s'inquiéter, s'étonner) impresionarse; **~ à la porte** llamar a la puerta; **~ dans ses mains** golpear con las manos; **~ du poing sur** dar un puñetazo en; **~ un grand coup** (fig) asestar un duro golpe

fraternel, le [fʀatɛʀnɛl] adj fraterno(-a); (amical) fraterno(-a), amistoso(-a)

fraternité [fʀatɛʀnite] nf fraternidad f

fraude [fʀod] nf fraude m; **passer qch en ~** pasar algo fraudulentamente; **~ électorale/fiscale** fraude electoral/fiscal

frayeur [fʀejœʀ] nf pavor m

fredonner [fʀədɔne] vt tararear

freezer [fʀizœʀ] nm congelador m

frein [fʀɛ̃] nm freno; **mettre un ~ à** (fig) poner freno a; **sans ~** sin freno; **~s à disques** frenos mpl de disco; **~ à main** freno de mano; **~s à tambours** frenos de tambor; **~ moteur** freno motor

freiner [fʀene] vi frenar ■ vt frenar, parar

frêle [fʀɛl] adj frágil

frelon [fʀəlɔ̃] nm abejón m

frémir [fʀemiʀ] vi estremecerse; (eau) empezar a hervir; (feuille etc) temblar; **~ d'impatience/de colère** temblar de impaciencia/de ira

frêne [fʀɛn] nm fresno

fréquemment [fʀekamɑ̃] adv frecuentemente, seguido (AM)

fréquent, e [fʀekɑ̃, ɑ̃t] adj frecuente; (opposé à rare) corriente

fréquentation [fʀekɑ̃tasjɔ̃] nf frecuentación f, trato; **fréquentations** nfpl (relations): **de bonnes ~s** buenas relaciones; **une mauvaise ~** una mala compañía

fréquenté, e [fʀekɑ̃te] adj: **très ~** muy concurrido(-a); **mal ~** frecuentado(-a) por gente indeseable

fréquenter [fʀekɑ̃te] vt frecuentar; (personne) tratar, frecuentar; (courtiser) salir con; **se fréquenter** vpr tratarse, frecuentarse

frère [fʀɛʀ] nm hermano; (Rel) hermano, fraile m; **partis/pays ~s** partidos mpl/ países mpl hermanos

fresque [fʀɛsk] nf fresco; (Litt) retrato

fret [fʀɛ(t)] nm flete m

friand, e [fʀijɑ̃, fʀijɑ̃d] adj: **~ de** entusiasta de ■ nm (Culin) empanadilla; (: sucré) empanadilla dulce

friandise [fʀijɑ̃diz] nf golosina

fric [fʀik] (fam) nm pasta

friche [fʀiʃ]: **en ~** adj, adv (aussi fig) inculto(-a)

friction [fʀiksjɔ̃] nf fricción f; (chez le coiffeur) masaje m; (Tech) rozamiento; (fig) fricciones fpl

frigidaire® [fʀiʒidɛʀ] nm nevera, frigorífico

frigo [fʀigo] nm = frigidaire

frigorifique [fʀigɔʀifik] adj frigorífico(-a)

frileux, -euse [fʀilø, øz] adj friolero(-a); (fig) encogido(-a)

frimer [fʀime] (fam) vi chulear

fringale [fʀɛ̃gal] nf: **avoir la ~** tener un hambre canina

fringues [fʀɛ̃g] (fam) nfpl trapos mpl

fripé, e [fʀipe] adj arrugado(-a)

frire [fʀiʀ] vt (aussi: **faire frire**) freír ■ vi freírse

frisé, e [fʀize] adj rizado(-a); **(chicorée) ~e** (achicoria) rizada

frisson [fʀisɔ̃] nm escalofrío, estremecimiento

frissonner [fʀisɔne] vi tiritar, estremecerse; (fig) temblar

frit, e [fʀi, fʀit] pp de **frire** ■ adj frito(-a); **(pommes) ~es** patatas fpl ou papas fpl (AM) fritas

frite [fʀit] nf patata frita

friteuse [fʀitøz] nf freidora; **~ électrique** freidora eléctrica

friture [fʀityʀ] nf (huile) aceite m; (Radio) ruido de fondo; **fritures** nfpl: **les ~s** los fritos; **~ (de poissons)** fritura (de pescado)

froid, e [fʀwa, fʀwad] adj (aussi fig) frío(-a) ■ nm: **le ~** el frío; (industrie) la industria del frío; **il y a un ~ entre eux** hay tirantez entre ellos; **il fait ~** hace frío; **manger/boire ~** comer/beber frío; **avoir/prendre ~** tener/coger frío; **à ~** en frío; **les grands ~s** los grandes fríos; **jeter un ~** (fig) provocar el asombro; **être en ~ avec qn** estar enfadado(-a) con algn; **battre ~ à qn** tratar con frialdad a algn

froidement [fʀwadmɑ̃] adv con frialdad

froisser [fʀwase] vt arrugar; (fig) ofender; **se froisser** vpr arrugarse; (fig) mosquearse; **se ~ un muscle** distendérsele a algn un músculo

frôler [fʀole] vt (aussi fig) rozar

fromage [fʀɔmaʒ] nm queso; **~ blanc** queso fresco, requesón m; **~ de tête** queso de cerdo

froment [fʀɔmɑ̃] nm trigo

froncer [fʀɔ̃se] vt fruncir; **~ les sourcils** fruncir el ceño

fronde [fʀɔ̃d] nf honda; (lance-pierre)

tirachinas *m inv*; **esprit de ~** (*fig*) espíritu *m* crítico

front [fRɔ̃] *nm* (*Anat*) frente *f*; (*Mil*, *Météo*, *fig*) frente *m*; **le F~ de libération/lutte pour** el frente de liberación/lucha por; **aller au/être sur le ~** (*Mil*) ir al/estar en el frente; **avoir le ~ de faire qch** tener la cara de hacer algo; **de ~** de frente; (*rouler*) al lado; (*simultanément*) al mismo tiempo; **faire ~ à** hacer frente a; **~ de mer** paseo marítimo

frontalier, -ière [fRɔ̃talje, jɛR] *adj* fronterizo(-a) ■ *nm/f*: **(travailleurs) ~s** (trabajadores *mpl*) fronterizos *mpl*

frontière [fRɔ̃tjɛR] *nf* (*aussi fig*) frontera; **poste ~** puesto fronterizo; **ville ~** ciudad *f* fronteriza; **à la ~** en la frontera

frotter [fRɔte] *vi* frotar ■ *vt* frotar; (*pour nettoyer*) frotar, estregar; (*avec une brosse*) cepillar; **se ~ à qn/qch** (*fig: souvent nég*) acercarse a algn/algo; (*simultanément*) al mismo; **~ une allumette** encender una cerilla; **se ~ les mains** (*fig*) frotarse las manos

fruit [fRɥi] *nm* fruta; **fruits** *nmpl* (*fig*) frutos *mpl*; **~s de mer** mariscos *mpl*; **~s secs** frutos secos

fruité, e [fRɥite] *adj* afrutado(-a)

fruitier, -ière [fRɥitje, jɛR] *adj*: **arbre ~** árbol *m* frutal ■ *nm/f* frutero(-a)

frustrer [fRystRe] *vt* frustrar; **~ qn de qch** privar a algn de algo

fuchsia [fyʃja] *nm* fucsia

fuel(-oil) [fjul(ɔjl)] (*pl* **fuels(-oils)**) *nm* fuel(-oil) *m*

fugace [fygas] *adj* fugaz

fugitif, -ive [fyʒitif, iv] *adj* (*lueur, amour*) efímero(-a); (*prisonnier etc*) fugitivo(-a) ■ *nm/f* fugitivo(-a)

fugue [fyg] *nf* (*aussi Mus*) fuga; **faire une ~** fugarse

fuir [fɥiR] *vt* huir ■ *vi* huir; (*gaz, eau*) escapar; (*robinet*) perder agua; **~ devant l'ennemi** huir ante el enemigo

fuite [fɥit] *nf* huida; (*des capitaux etc*) fuga; (*d'eau*) escape *m*; (*divulgation*) filtración *f*; **être en ~** ser un(a) prófugo(-a); **mettre en ~** ahuyentar; **prendre la ~** escapar, huir

fulgurant, e [fylgyRɑ̃, ɑ̃t] *adj* fulgurante

fumé, e [fyme] *adj* ahumado(-a)

fumée [fyme] *nf* humo; **partir en ~** (*fig*) volverse agua de borrajas

fumer [fyme] *vi* echar humo; (*personne*) fumar ■ *vt* (*cigarette, pipe*) fumar; (*jambon, poisson*) ahumar; (*terre, champ*) abonar

fûmes [fym] *vb voir* **être**

fumeur, -euse [fymœR, øz] *nm/f*

fumador(a); **compartiment (pour) ~s/ non-~s** compartimento de fumadores/ no fumadores

fumier [fymje] *nm* estiércol *m*

funérailles [fyneRɑj] *nfpl* funeral *msg*

funiculaire [fynikylɛR] *nm* funicular *m*

fur [fyR]: **au ~ et à mesure** *adv* poco a poco; **au ~ et à mesure que** a medida que, conforme; **au ~ et à mesure de leur progression** a medida que avanzan, conforme avanzan

furet [fyRɛ] *nm* (*Zool*) hurón *m*

fureter [fyR(ə)te] (*péj*) *vi* husmear, fisgonear

fureur [fyRœR] *nf* furia, cólera; **la ~ du jeu** *etc* la pasión por el juego *etc*; **faire ~** estar en boga, hacer furor

furie [fyRi] *nf* furia; **en ~** (*aussi fig*) desencadenado(-a)

furieux, -euse [fyRjø, jøz] *adj* furioso(-a); (*combat, tempête*) violento(-a); **être ~ contre qn** estar furioso(-a) con algn

furoncle [fyRɔ̃kl] *nm* forúnculo

furtif, -ive [fyRtif, iv] *adj* furtivo(-a)

fus [fy] *vb voir* **être**

fusain [fyzɛ̃] *nm* (*Bot*) boneteró; (*Art*) carboncillo

fuseau, x [fyzo] *nm* (*pantalon*) fuso; (*pour filer*) huso; **en ~** (*jambes*) estilizado(-a); (*colonne*) ensanchado(-a) en el centro; **~ horaire** huso horario

fusée [fyze] *nf* cohete *m*; (*de feu d'artifice*) volador *m*; **~ éclairante** bengala

fusible [fyzibl] *nm* fusible *m*

fusil [fyzi] *nm* (*de guerre, à canon rayé*) fusil *m*; (*de chasse, à canon lisse*) escopeta; **~ à deux coups** escopeta de dos cañones; **~ sous-marin** fusil submarino

fusillade [fyzijad] *nf* (*bruit*) tiroteo; (*combat*) descarga de fusilería

fusiller [fyzije] *vt* fusilar; **~ qn du regard** fulminar a algn con la mirada

fusionner [fyzjɔne] *vi* fusionarse

fût¹ [fy] *vb voir* **être**

fût² [fy] *nm* (*tonneau*) tonel *m*, barril *m*; (*de canon*) caña; (*d'arbre*) tronco; (*de colonne*) fuste *m*

futé, e [fyte] *adj* ladino(-a)

futile [fytil] *adj* fútil

futur, e [fytyR] *adj* futuro(-a) ■ *nm*: **le ~** (*Ling*) el futuro; (*avenir*) el futuro, el porvenir; **son ~ époux** su futuro marido; **un ~ artiste** un futuro artista; **le ~ de qch/qn** el futuro de algo/algn; **au ~** (*Ling*) en futuro; **~ antérieur** futuro perfecto

fuyard, e [fɥijaR, aRd] *nm/f* fugitivo(-a)

g

gâcher [gɑʃe] vt arruinar, estropear; (vie) arruinar; (argent) malgastar; (plâtre, mortier) amasar

gâchis [gɑʃi] nm (désordre) lío; (gaspillage) despilfarro

gaffe [gaf] nf (instrument) bichero; (fam: erreur) metedura de pata; **faire ~** (fam) tener cuidado

gag [gag] nm gag m

gage [gaʒ] nm (dans un jeu, comme garantie) prenda; (fig: de fidélité) prueba; **gages** nmpl (salaire) sueldo; **mettre en ~** empeñar; **laisser en ~** dejar en prenda

gagnant, e [gaɲɑ̃, ɑ̃t] adj: **billet/numéro ~** billete m/número premiado ■ adv: **jouer ~** (aux courses) jugar a ganador ■ nm/f (aux courses) acertante m/f; (à la loterie) ganador(a); (dans un concours) vencedor(a)

gagne-pain [gaɲpɛ̃] nm inv medio de vida

gagner [gaɲe] vt ganar; (suj: maladie, feu) extenderse a; (: sommeil, faim, fatigue) apoderarse de; (envahir) invadir ■ vi (être vainqueur) ganar; **~ qn/l'amitié de qn** (se concilier) granjearse a algn/la amistad de algn; **~ du temps/de la place** ganar tiempo/espacio; **~ sa vie** ganarse la vida; **~ du terrain** (aussi fig) ganar terreno; **~**

qn **de vitesse** (aussi fig) adelantarse a algn; **~ à faire qch** convenirle a algn hacer algo; **~ en élégance/rapidité** ganar en elegancia/rapidez; **il y gagne** sale ganando

gai, e [ge] adj alegre

gaiement [gemɑ̃] adv alegremente; (de bon cœur) con entusiasmo

gaieté [gete] nf alegría; **de ~ de cœur** de buena gana

gain [gɛ̃] nm (revenu) ingreso; (bénéfice: gén pl) ganancias fpl; (avantage) ventaja; (lucre) beneficio; **~ de temps/place** ahorro de tiempo/espacio; **avoir ~ de cause** (fig) ganar, tener razón; **obtenir ~ de cause** (fig) salirse con la suya; **quel ~ en as-tu tiré?** (avantage) ¿qué has ganado con eso?

gala [gala] nm gala; **soirée de ~** fiesta de gala

galant, e [galɑ̃, ɑ̃t] adj galante; (entreprenant) galanteador(a); **en ~e compagnie** (homme) en gentil compañía; (femme) en galante compañía

galerie [galʀi] nf galería; (Théâtre) palco; (de voiture) baca; (fig: spectateurs) público, galería; **~ de peinture** galería de arte; **~ marchande** centro comercial, galería comercial

galet [galɛ] nm guijarro; (Tech) arandela; **galets** nmpl guijarros mpl

galette [galɛt] nf (gâteau) roscón m; (crêpe) crepe f, panqueque m (AM); **~ des Rois** roscón de Reyes

galipette [galipɛt] nf: **faire des ~s** hacer piruetas

Galles [gal] nfpl: **le pays de ~** el país de Gales

gallois, e [galwa, waz] adj galés(-esa) ■ nm (Ling) galés m ■ nm/f: **Gallois, e** galés(-esa)

galon [galɔ̃] nm galón m; **prendre du ~** (Mil, fig) subir en el escalafón

galop [galo] nm galope m; **au ~** al galope; **~ d'essai** (fig) temporada de prueba

galoper [galɔpe] vi galopar; (fig) ir a galope

gambader [gɑ̃bade] vi brincar

gamin, e [gamɛ̃, in] nm/f chiquillo(-a), chamaco(-a) (AM), pibe(-a) (Arg), cabro(-a) (And, Chi) ■ adj de chiquillo ou pibe ou cabro

gamme [gam] nf (Mus) escala; (fig) gama

gang [gɑ̃g] nm banda

gant [gɑ̃] nm guante m; **prendre des ~s** (fig) actuar con miramiento; **relever le ~** (fig) recoger el guante; **~ de toilette**

manopla de baño; **~s de boxe/de caoutchouc/de crin** guantes *mpl* de boxeo/de goma/de crin

garage [gaʀaʒ] *nm* garaje *m*; **~ à vélos** garaje de bicicletas

garagiste [gaʀaʒist] *nm/f* (*propriétaire*) dueño(-a) de un garaje; (*mécanicien*) mecánico(-a)

garantie [gaʀãti] *nf* garantía; **(bon de) ~** (bono de) garantía; **~ de bonne exécution** garantía de funcionamiento

garantir [gaʀãtiʀ] *vt* garantizar; (*attester*) asegurar; **~ de qch** proteger contra *ou* de algo; **je vous garantis que ...** le garantizo que ...; **garanti pure laine/2 ans** garantizado pura lana/por 2 años

garçon [gaʀsɔ̃] *nm* niño; **mon/son ~** (*fils*) mi/su hijo; (*célibataire*) soltero; (*jeune homme*) chico; **petit ~** niño; **jeune ~** muchacho; **~ boucher/coiffeur** aprendiz *m* de carnicero/de peluquero; **~ d'écurie** mozo de cuadra; **~ de bureau** ordenanza *m*; **~ de café** camarero; **~ de courses** recadero; **~ manqué** medio chico

garde [gaʀd] *nm* guardia *m*; (*de domaine etc*) guarda *m* ■ *nf* guardia *f*; (*d'une arme*) guarnición *f*; (*Typo*) guarda; **de ~** *adj, adv* de guardia; **mettre en ~** poner en guardia; **mise en ~** advertencia; **prendre ~ (à)** tener cuidado (con); **être sur ses ~s** estar en guardia; **monter la ~** montar guardia; **avoir la ~ des enfants** tener la custodia de los hijos; **~ à vue** *nf* (*Jur*) detención *f* provisional; **~ champêtre** *nm* guarda rural; **~ d'enfants** *nf* niñera; **~ d'honneur** *nf* escolta; **~ des Sceaux** *nm* ≈ ministro de Justicia; **~ descendante** *nf* guardia saliente; **~ du corps** *nm* guardaespaldas *m inv*, guarura *m* (*Mex*) (*fam*); **~ forestier** *nm* guarda forestal; **~ mobile** *nm/f* policía *m/f* antidisturbios; **~ montante** *nf* guardia entrante

garde-boue [gaʀdəbu] *nm inv* guardabarros *m inv*

garde-chasse [gaʀdəʃas] (*pl* **gardes-chasse(s)**) *nm* guarda *m* de caza

garder [gaʀde] *vt* (*conserver: personne*) mantener; (: *sur soi: vêtement, chapeau*) quedarse con; (: *attitude*) conservar; (*surveiller: enfants*) cuidar; (: *prisonnier, lieu*) vigilar; **se garder** *vpr* (*aliment*) conservarse; **~ le lit** guardar cama; **~ la chambre** permanecer en la habitación; **~ la ligne** cuidar la línea; **~ le silence** guardar silencio; **~ à vue** (*Jur*) detener

provisionalmente; **se ~ de faire qch** abstenerse de hacer algo; **pêche/chasse gardée** coto de pesca/caza

garderie [gaʀdəʀi] *nf* guardería

garde-robe [gaʀdəʀɔb] (*pl* **~s**) *nf* (*meuble*) ropero; (*vêtements*) guardarropa *m*

gardien, ne [gaʀdjɛ̃, jɛn] *nm/f* (*garde*) vigilante *m/f*; (*de prison*) oficial *m/f*; (*de domaine, réserve, cimetière*) guarda *m/f*; (*de musée etc*) guarda, vigilante; (*de phare*) farero; (*fig: garant*) garante *m/f*; (*d'immeuble*) portero(-a); **~ de but** portero, arquero (*esp AM*); **~ de la paix** guardia *m* del orden público; **~ de nuit** vigilante *m* de noche

gare [gaʀ] *nf* estación *f* ■ *excl*: **~ à ...** cuidado con ...; **~ à ne pas ...** ten cuidado de no ...; **~ à toi** cuidado con lo que haces; **sans crier ~** sin avisar; **~ de triage** apartadero; **~ maritime** estación marítima; **~ routière** estación de autobuses; (*camions*) estacionamiento de camiones

garer [gaʀe] *vt* aparcar; **se garer** *vpr* (*véhicule, personne*) aparcar; (*pour laisser passer*) apartarse

garni, e [gaʀni] *adj* (*plat*) con guarnición ■ *nm* (*appartement*) piso amueblado

garniture [gaʀnityʀ] *nf* (*Culin: légumes*) guarnición *f*; (: *persil etc*) aderezo; (: *farce*) relleno; (*décoration*) adorno; (*protection*) revestimiento; **~ de cheminée** juego de chimenea; **~ de frein** (*Auto*) forro de freno; **~ périodique** compresa

gars [gɑ] *nm* (*fam: garçon*) chico; (*homme*) tío

Gascogne [gaskɔɲ] *nf* Gasconia

gas-oil [gazwal] *nm* gas-oil *m*

gaspiller [gaspije] *vt* derrochar, malgastar

gastronome [gastʀɔnɔm] *nm/f* gastrónomo(-a)

gastronomie [gastʀɔnɔmi] *nf* gastronomía

gastronomique [gastʀɔnɔmik] *adj*: **menu ~** menú *m* gastronómico

gâteau, x [gɑto] *nm* pastel *m* ■ *adj inv* (*fam*): **papa-/maman-~** padrazo/madraza; **~ d'anniversaire** pastel de cumpleaños; **~ de riz** pastel de arroz; **~ sec** galleta

gâter [gɑte] *vt* (*personne*) mimar; (*plaisir, vacances*) estropear; **se gâter** *vpr* (*dent, fruit*) picarse; (*temps, situation*) empeorar

gauche [goʃ] *adj* izquierda; (*personne, style*) torpe ■ *nm* (*Boxe*): **direct du ~** directo de izquierda ■ *nf* izquierda; **à ~ a**

la izquierda; **à (la) ~ de** a la izquierda de; **de ~** (*Pol*) de izquierdas

gaucher, -ère [goʃe, ɛʀ] *adj, nm/f* zurdo(-a)

gauchiste [goʃist] *adj, nm/f* izquierdista *m/f*

gaufre [gofʀ] *nf* (*pâtisserie*) gofre *m*; (*de cire*) panal *m*

gaufrette [gofʀɛt] *nf* barquillo

gaulois, e [golwa, waz] *adj* galo(-a); (*grivois*) picante ■ *nm/f*: **Gaulois, e** galo(-a)

gaz [gɑz] *nm inv* gas *m*; **avoir des ~** tener gases; **mettre les ~** (*Auto*) pisar el acelerador; **chambre/masque à ~** cámara/máscara de gas; **~ butane** gas butano; **~ carbonique** gas carbónico; **~ de ville** gas ciudad; **~ en bouteilles** gas en bombonas; **~ hilarant/lacrymogène** gas hilarante/lacrimógeno; **~ naturel/ propane** gas natural/propano

gaze [gɑz] *nf* gasa

gazette [gazɛt] *nf* gaceta

gazeux, -euse [gazø, øz] *adj* gaseoso(-a); **eau/boisson gazeuse** agua/bebida con gas

gazoduc [gazodyk] *nm* gaseoducto

gazon [gɑzɔ̃] *nm* césped *m*; **motte de ~** cepellón *m*

geai [ʒɛ] *nm* arrendajo

géant, e [ʒeɑ̃, ɑ̃t] *adj* gigante ■ *nm/f* gigante(-a)

geindre [ʒɛ̃dʀ] *vi* gemir

gel [ʒɛl] *nm* (*temps*) helada; (*de l'eau*) hielo; (*fig*) congelación *f*; (*produit de beauté*) gel *m*; **~ douche** gel de ducha

gélatine [ʒelatin] *nf* gelatina

gelée [ʒ(ə)le] *nf* (*Culin*) gelatina; (*Météo*) helada; **viande en ~** carne *f* en gelatina; **~ blanche** escarcha; **~ royale** jalea real

geler [ʒ(ə)le] *vt* (*sol, liquide*) helar; (*Écon, aliment*) congelar ■ *vi* (*sol, personne*) helarse; **il gèle** hiela

gélule [ʒelyl] *nf* gragea

Gémeaux [ʒemo] *nmpl* (*Astrol*): **les ~** Géminis *mpl*; **être (des) ~** ser Géminis

gémir [ʒemiʀ] *vi* gemir

gémissement [ʒemismɑ̃] *nm* gemido

gênant, e [ʒenɑ̃, ɑ̃t] *adj* (*aussi fig*) molesto(-a)

gencive [ʒɑ̃siv] *nf* encía

gendarme [ʒɑ̃daʀm] *nm* gendarme *m*, ≈ guardia *m* civil

gendarmerie [ʒɑ̃daʀmǝʀi] *nf* ≈ Guardia Civil; (*caserne, bureaux*) ≈ cuartel *m* de la Guardia Civil

gendre [ʒɑ̃dʀ] *nm* yerno

gêné, e [ʒene] *adj* embarazoso(-a);

(*dépourvu d'argent*) apurado(-a); **tu n'es pas ~!** ¡qué fresco eres!

gêner [ʒene] *vt* (*incommoder*) molestar; (*encombrer*) estorbar; (*déranger*) trastornar; **~ qn** (*embarrasser*) violentar a algn; **se gêner** *vpr* molestarse; **je vais me ~!** (*fam, iron*) ¡no pienso cortarme!; **ne vous gênez pas!** (*fam, iron*) ¡no se corte!

général, e, -aux [ʒeneʀal, o] *adj, nm* general ■ *nf*: (*répétition*) **~e** ensayo general; **en ~** en general; **à la satisfaction ~e** con la satisfacción unánime; **à la demande ~e** a petición general; **assemblée/grève ~e** asamblea/huelga general; **culture/ médecine ~e** cultura/medicina general

généralement [ʒeneʀalmɑ̃] *adv* (*communément*) al nivel general; (*habituellement*) generalmente; **~ parlant** en términos generales

généraliser [ʒeneʀalize] *vt, vi* generalizar; **se généraliser** *vpr* generalizarse

généraliste [ʒeneʀalist] *nm* médico general

génération [ʒeneʀasjɔ̃] *nf* generación *f*

généreux, -euse [ʒeneʀø, øz] *adj* generoso(-a)

générique [ʒeneʀik] *adj* genérico(-a) ■ *nm* (*Ciné, TV*) ficha técnica

générosité [ʒeneʀozite] *nf* generosidad *f*

genêt [ʒ(ə)nɛ] *nm* retama

génétique [ʒenetik] *adj* genético(-a) ■ *nf* genética

Genève [ʒ(ə)nɛv] *n* Ginebra

génial, e, -aux [ʒenjal, jo] *adj* (*aussi fam*) genial

génie [ʒeni] *nm* genio; **le ~** (*Mil*) el cuerpo de ingenieros; **de ~** genial; **bon/ mauvais ~** espíritu *m* favorable/maligno; **avoir du ~** ser un genio; **~ civil** cuerpo de ingeniería civil

genièvre [ʒǝnjɛvʀ] *nm* (*Bot, Culin*) enebro; (*boisson*) ginebra; **grain de ~** enebrina

génisse [ʒenis] *nf* ternera; **foie de ~** hígado de ternera

génital, e, -aux [ʒenital, o] *adj* genital

génoise [ʒenwaz] *nf* bizcocho

genou, x [ʒ(ə)nu] *nm* rodilla; **à ~x** de rodillas; **se mettre à ~x** ponerse de rodillas; **prendre qn sur ses ~x** poner a algn encima de sus rodillas

genre [ʒɑ̃ʀ] *nm* género; (*allure*) estilo; **se donner un ~** darse tono; **avoir bon/ mauvais ~** (*allure*) tener buena/mala

presencia; (*éducation*) tener buenos/
malos modales
gens [ʒɑ̃] *nmpl, parfois nfpl* gente *f*; **de
braves ~** buena gente; **de vieilles ~**
ancianos; **les ~ d'Église** el clero; **les ~ du
monde** la gente mundana; **jeunes ~**
jóvenes *mpl*; **~ de maison** servidumbre *f*
gentil, le [ʒɑ̃ti, ij] *adj* (*aimable*) amable;
(*enfant*) bueno(-a); (*endroit etc*)
agradable; (*intensif*) encantador(a); **c'est
très ~ à vous** es muy amable de su parte
gentillesse [ʒɑ̃tijɛs] *nf* (*v adj*) amabilidad
f; bondad *f*; lo agradable; encanto
gentiment [ʒɑ̃timɑ̃] *adv* con amabilidad
géographie [ʒeɔgʀafi] *nf* geografía
géologie [ʒeɔlɔʒi] *nf* geología
géomètre [ʒeɔmɛtʀ] *nm/f*: **(arpenteur-)~**
agrimensor(a)
géométrie [ʒeɔmetʀi] *nf* geometría; **à ~
variable** (*Aviat*) de geometría variable
géométrique [ʒeɔmetʀik] *adj*
geométrico(-a)
géranium [ʒeʀanjɔm] *nm* geranio
gérant, e [ʒeʀɑ̃, ɑ̃t] *nm/f* gerente *m/f*;
~ d'immeuble administrador(a) de fincas
gerbe [ʒɛʀb] *nf* (*de fleurs*) ramo; (*de blé*)
gavilla; (*d'eau*) chorro; (*de particules*) haz
m; (*d'étincelles*) lluvia
gercé, e [ʒɛʀse] *adj* agrietado(-a)
gerçure [ʒɛʀsyʀ] *nf* grieta
gérer [ʒeʀe] *vt* administrar
germain, e [ʒɛʀmɛ̃, ɛn] *adj voir* **cousin**
germe [ʒɛʀm] *nm* germen *m*; (*pousse*)
brote *m*
germer [ʒɛʀme] *vi* germinar
gérondif [ʒeʀɔ̃dif] *nm* gerundio
geste [ʒɛst] *nm* gesto; **s'exprimer par ~s**
expresarse mediante gestos; **faire un ~
de refus** hacer un ademán de
desaprobación; **il fit un ~ de la main
pour m'appeler** me llamó con la mano;
ne faites pas un ~ no haga ni el menor
gesto
gestion [ʒɛstjɔ̃] *nf* gestión *f*; **~ de
fichier(s)** (*Inform*) gestión de fichero(s)
gibier [ʒibje] *nm* caza; (*fig*) presa
gicler [ʒikle] *vi* brotar
gifle [ʒifl] *nf* bofetada
gifler [ʒifle] *vt* abofetear
gigantesque [ʒigɑ̃tɛsk] *adj*
gigantesco(-a)
gigot [ʒigo] *nm* pierna
gigoter [ʒigɔte] *vi* patalear
gilet [ʒilɛ] *nm* (*de costume*) chaleco;
(*tricot*) chaqueta (de punto); (*sous-
vêtement*) camiseta; **~ de sauvetage**
chaleco salvavidas; **~ pare-balles**
chaleco antibalas

gin [dʒin] *nm* ginebra
gingembre [ʒɛ̃ʒɑ̃bʀ] *nm* jenjibre *m*
girafe [ʒiʀaf] *nf* jirafa
giratoire [ʒiʀatwaʀ] *adj*: **sens ~** sentido
giratorio
girofle [ʒiʀɔfl] *nf*: **clou de ~** clavo
girouette [ʒiʀwɛt] *nf* veleta
gitan, e [ʒitɑ̃, an] *nm/f* gitano(-a)
gîte [ʒit] *nm* (*maison*) morada; (*du lièvre*)
cama; **~ rural** casa de turismo rural
givre [ʒivʀ] *nm* escarcha
givré, e [ʒivʀe] *adj*: **citron/orange ~(e)**
limón *m* escarchado/naranja
escarchada; (*fam*) tronado(-a)
glace [glas] *nf* hielo; (*crème glacée*)
helado; (*verre*) cristal *m*; (*miroir*) espejo;
(*de voiture*) ventanilla; **glaces** *nfpl* (*Géo*)
hielos *mpl*; **de ~** (*fig*) frío(-a); **il est resté
de ~** ni se inmutó; **rompre la ~** (*fig*)
romper el hielo
glacé, e [glase] *adj* helado(-a); (*fig*)
frío(-a)
glacer [glase] *vt* (*lac, eau*) helar; (*refroidir*)
enfriar; (*Culin, papier, tissu*) glasear; **~ qn**
(*fig*) dejar helado(-a) a algn
glacial, e [glasjal] *adj* glacial
glacier [glasje] *nm* (*Géo*) glaciar *m*;
(*marchand*) heladero; **~ suspendu** glaciar
suspendido
glacière [glasjɛʀ] *nf* nevera
glaçon [glasɔ̃] *nm* témpano; (*pour
boisson*) cubito de hielo
glaïeul [glajœl] *nm* gladiolo
glaise [glɛz] *nf* greda
gland [glɑ̃] *nm* (*de chêne*) bellota;
(*décoration*) borla; (*Anat*) glande *m*
glande [glɑ̃d] *nf* glándula
glissade [glisad] *nf* (*par jeu*)
deslizamiento; (*chute*) resbalón *m*; **faire
des ~s** deslizarse
glissant, e [glisɑ̃, ɑ̃t] *adj* resbaladizo(-a)
glissement [glismɑ̃] *nm* (*aussi fig*)
deslizamiento; **~ de terrain** corrimiento
de tierra
glisser [glise] *vi* resbalar; (*patineur, fig*)
deslizarse ■ *vt* (*introduire: erreur, citation*)
deslizar; (*mot, conseil*) decir
discretamente; **se glisser** *vpr* (*erreur etc*)
deslizarse; **~ qch sous/dans** meter algo
bajo/en; **~ sur** (*détail, fait*) pasar por alto;
se ~ dans/entre (*personne*) deslizarse *ou*
escurrirse en/entre
global, e, -aux [glɔbal, o] *adj* global
globe [glɔb] *nm* globo; (*d'une pendule*)
fanal *m*; (*d'un objet*) campana de cristal;
sous ~ (*fig*) en una urna; **~ oculaire/
terrestre** globo ocular/terrestre
globule [glɔbyl] *nm* glóbulo

gloire [glwaʀ] nf gloria; (mérite) mérito; (personne) celebridad f
glossaire [glɔsɛʀ] nm glosario
glousser [gluse] vi cloquear; (rire) reír ahogadamente
glouton, ne [glutɔ̃, ɔn] adj glotón(-ona)
gluant, e [glyã, ãt] adj pegajoso(-a)
glucose [glykoz] nm glucosa
glycine [glisin] nf glicina
GO [ʒeo] sigle fpl (= grandes ondes) OL ■ sigle m (= gentil organisateur) animador turístico del Club Mediterráneo
go [go]: **tout de go** adv de sopetón
goal [gol] nm portero, guardameta m
gobelet [gɔblɛ] nm cubilete m
goéland [gɔelã] nm gaviota
goélette [gɔelɛt] nf goleta
goinfre [gwɛ̃fʀ] adj, nm/f tragón(-ona)
golf [gɔlf] nm golf m; **~ miniature** minigolf m
golfe [gɔlf] nm golfo; **~ d'Aden/de Gascogne/du Lion** golfo de Adén/de Vizcaya/de León; **~ Persique** golfo Pérsico
gomme [gɔm] nf (à effacer) goma (de borrar); (résine) resina; **boule** ou **pastille de ~** gominola
gommer [gɔme] vt (aussi fig) borrar; (enduire de gomme) engomar; (détails etc) atenuar
gonflé, e [gɔ̃fle] adj hinchado(-a); **être ~** (fam) tener jeta
gonfler [gɔ̃fle] vt hinchar ■ vi hincharse; (Culin, pâte) inflarse
gonzesse [gɔ̃zɛs] (fam) nf tía (fam!)
gorge [gɔʀʒ] nf garganta; (poitrine) pecho; (Géo) garganta, desfiladero; (rainure) ranura; **avoir mal à la ~** tener dolor de garganta; **avoir la ~ serrée** tener un nudo en la garganta
gorgée [gɔʀʒe] nf trago; **boire à petites/grandes ~s** beber a pequeños/grandes tragos
gorille [gɔʀij] nm (aussi fam) gorila
gosse [gɔs] nm/f chiquillo(-a), chamaco(-a) (AM), pibe(-a) (Arg), cabro(-a) (And, Chi)
gothique [gɔtik] adj gótico(-a); **~ flamboyant** gótico flamígero
goudron [gudʀɔ̃] nm alquitrán m
goudronner [gudʀɔne] vt alquitranar
gouffre [gufʀ] nm sima, precipicio; (fig) abismo
goulot [gulo] nm cuello; **boire au ~** beber a morro
goulu, e [guly] adj glotón(-ona)
gourde [guʀd] nf (récipient) cantimplora; (fam) zoquete m/f

gourdin [guʀdɛ̃] nm porra
gourmand, e [guʀmã, ãd] adj goloso(-a)
gourmandise [guʀmãdiz] nf gula; (bonbon) golosina
gourmet [guʀmɛ] nm gastrónomo(-a)
gousse [gus] nf vaina; **~ d'ail** diente m de ajo
goût [gu] nm gusto, sabor m; (fig) gusto; **goûts** nmpl: **chacun ses ~s** cada uno tiene sus gustos; **le (bon) ~** el (buen) gusto; **de bon/mauvais ~** de buen/mal gusto; **avoir du/manquer de ~** tener/no tener gusto; **avoir bon/mauvais ~** (aliment) saber bien/mal; (personne) tener mucho/poco gusto; **avoir du ~ pour** tener inclinación por; **prendre ~ à** aficionarse a
goûter [gute] vt (aussi: **goûter à**: essayer) probar; (apprécier) apreciar ■ vi merendar ■ nm merienda; **~ de qch** probar algo; **~ à qch** merienda; **~ d'anniversaire/d'enfants** merienda de cumpleaños/de niños
goutte [gut] nf gota; (alcool) aguardiente m; **gouttes** nfpl (Méd) gotas fpl; **tomber ~ à ~** caer gota a gota
goutte-à-goutte [gutagut] nm inv bomba de perfusión; **alimenter au ~** alimentar gota a gota
gouttelette [gut(ə)lɛt] nf gotita
gouttière [gutjɛʀ] nf canalón m
gouvernail [guvɛʀnaj] nm timón m
gouvernement [guvɛʀnəmã] nm gobierno; **membre du ~** miembro del gobierno
gouverner [guvɛʀne] vt gobernar; (fig: acte, émotion) dominar
grâce [gʀɑs] nf gracia; (faveur) favor m; (Jur) indulto; **grâces** nfpl (Rel) gracias fpl; **de bonne/mauvaise ~** de buena/mala gana; **dans les bonnes ~s de qn** con el beneplácito de algn; **faire ~ à qn de qch** perdonar algo a algn; **rendre ~(s) à** dar las gracias a; **demander ~** pedir perdón; **droit de recours en ~** (Jur) derecho de/recurso de indulto; **~ à** gracias a
gracieux, -euse [gʀasjø, jøz] adj elegante; (charmant, élégant) encantador(a); (aimable) amable; **à titre ~** con carácter gratuito; **concours ~** colaboración f desinteresada
grade [gʀad] nm grado; **monter en ~** ascender de grado
gradin [gʀadɛ̃] nm grada; **gradins** nmpl (de stade) gradas fpl; **en ~s** en gradas
gradué, e [gʀadɥe] adj graduado(-a); (exercices) progresivo(-a)
graduel, le [gʀadɥɛl] adj gradual

graduer [gradɥe] vt graduar; (*effort*) dosificar
graffiti [grafiti] nmpl grafiti mpl
grain [grɛ̃] nm grano; (*de chapelet*) cuenta; (*averse*) aguacero; **un ~ de** (*fig*) una pizca de; **mettre son ~ de sel** (*fam*) meter la nariz; **~ de beauté** lunar m; **~ de café/de poivre** grano de café/de pimienta; **~ de poussière** mota de polvo; **~ de raisin** uva; **~ de sable** (*fig*) minucia
graine [grɛn] nf semilla; **mauvaise ~** (*fig*) mala hierba; **une ~ de voyou** un macarra en ciernes
graissage [gresaʒ] nm engrase m
graisse [gres] nf grasa
graisser [grese] vt engrasar; (*tacher*) manchar de grasa
graisseux, -euse [gresø, øz] adj grasiento(-a); (*Anat*) adiposo(-a)
grammaire [gra(m)mɛr] nf gramática
gramme [gram] nm gramo
grand, e [grɑ̃, grɑ̃d] adj grande; (*avant le nom*) gran; (*haut*) alto(-a); (*fil, voyage, période*) largo(-a) ■ adv: **~ ouvert** abierto de par en par; **voir ~** pensar a otro nivel; **de ~ matin** de madrugada; **en ~** en grande; **un ~ homme/artiste** un gran hombre/artista; **avoir ~ besoin de** tener mucha necesidad de; **il est ~ temps de** ya es hora de; **son ~ frère** su hermano mayor; **il est assez ~ pour** ya es bastante mayor para, ya tiene años para; **au ~ air** al aire libre; **au ~ jour** (*fig*) en pleno día, en plena luz; **~ blessé/brûlé** herido/quemado grave; **~ écart** spagat m; **~ ensemble** gran barriada; **~e personne** persona mayor; **~es écoles** universidades de élite francesas; **~es lignes** líneas fpl principales; **~e surface** hipermercado; **~es vacances** vacaciones fpl de verano; **~ livre** (*Comm*) libro mayor; **~ magasin** grandes almacenes mpl; **~ malade/mutilé** enfermo/mutilado grave; **~ public** gran público

grand-chose [grɑ̃ʃoz] nm/f inv: **pas ~** poca cosa
Grande-Bretagne [grɑ̃dbrətaɲ] nf Gran Bretaña
grandeur [grɑ̃dœr] nf tamaño; (*mesure, quantité, aussi fig*) magnitud f; (*gloire, puissance*) grandeza; **~ nature** adj tamaño natural
grandiose [grɑ̃djoz] adj grandioso(-a)
grandir [grɑ̃dir] vi (*enfant, arbre*) crecer; (*bruit, hostilité*) aumentar ■ vt: **~ qn** (suj: *vêtement, chaussure*) hacer más alto(-a) a algn; (*fig*) ennoblecer a algn
grand-mère [grɑ̃mɛr] (pl **grand(s)-mères**) nf abuela
grand-oncle [grɑ̃tɔ̃kl] (pl **grands-oncles**) nm tío abuelo
grand-peine [grɑ̃pɛn]: **à ~** adv a duras penas
grand-père [grɑ̃pɛr] (pl **grands-pères**) nm abuelo
grand-rue [grɑ̃ry] (pl **~s**) nf calle f mayor
grands-parents [grɑ̃parɑ̃] nmpl abuelos mpl
grand-tante [grɑ̃tɑ̃t] (pl **grand(s)-tantes**) nf tía abuela
grange [grɑ̃ʒ] nf granero
granit [granit] nm granito
graphique [grafik] adj gráfico(-a) ■ nm gráfico
grappe [grap] nf (*Bot*) racimo; (*fig*) piña; **~ de raisin** racimo de uvas
gras, se [grɑ, grɑs] adj (*viande, soupe*) graso(-a); (*personne*) gordo(-a); (*surface, cheveux*) grasiento(-a); (*terre*) viscoso(-a); (*toux*) flemático(-a); (*rire*) ordinario(-a); (*plaisanterie*) grosero(-a); (*crayon*) grueso(-a); (*Typo*) en negrita ■ nm (*Culin*) gordo; **faire la ~se matinée** levantarse tarde
grassement [grɑsmɑ̃] adv: **~ payé** largamente pagado; (*rire*) de manera ordinaria
gratifiant, e [gratifjɑ̃, jɑ̃t] adj gratificante
gratin [gratɛ̃] nm gratín m; **au ~** gratinado(-a); **tout le ~ parisien** (*fig*) la flor y nata parisina
gratiné, e [gratine] adj gratinado(-a); (*fam*) espantoso(-a)
gratis [gratis] adv, adj gratis
gratitude [gratityd] nf gratitud f
gratte-ciel [gratsjɛl] nm inv rascacielos m inv

gratter [gʀate] vt (frotter) raspar; (enlever) quitar, borrar; (bras, bouton) rascar; **se gratter** vpr rascarse

gratuit, e [gʀatɥi, ɥit] adj (aussi fig) gratuito(-a)

gratuitement [gʀatɥitmɑ̃] adv gratuitamente

gravable [gʀavabl] adj (CD, DVD) escribible

grave [gʀav] adj grave; (sujet, problème) grave, serio(-a) ∎ nm (Mus) grave m; **ce n'est pas ~!** ¡no importa!; **blessé ~** herido grave

gravement [gʀavmɑ̃] adv gravemente

graver [gʀave] vt grabar; **~ qch dans son esprit/sa mémoire** (fig) grabar algo en su alma/su memoria

graveur [gʀavœʀ] nm: **~ de CD/DVD** grabadora de CD/DVD

gravier [gʀavje] nm grava

gravillons [gʀavijɔ̃] nmpl gravilla

gravir [gʀaviʀ] vt subir

gravité [gʀavite] nf (aussi Phys) gravedad f

graviter [gʀavite] vi (aussi fig): **~ autour de** gravitar alrededor de

gravure [gʀavyʀ] nf grabado m

gré [gʀe] nm: **à son ~** a su gusto; **au ~ de** a merced de; **contre le ~ de qn** contra la voluntad de algn; **de son (plein) ~** por su propia voluntad; **de ~ ou de force** por las buenas o por las malas; **de bon ~** con mucho gusto; **il faut le faire bon ~ mal ~** hay que hacerlo, queramos o no; **de ~ à ~** (Comm) de común acuerdo; **savoir ~ à qn de qch** estar agradecido(-a) a algn por algo

grec, grecque [gʀɛk] adj griego(-a) ∎ nm (Ling) griego ∎ nm/f: **Grec, Grecque** griego(-a)

Grèce [gʀɛs] nf Grecia

greffe [gʀɛf] nf (Agr) injerto; (Méd) tra(n)splante m ∎ nm (Jur) archivo; **~ du rein** transplante de riñón

greffer [gʀefe] vt (tissu) injertar; (organe) transplantar; **se greffer** vpr: **se ~ sur qch** incorporarse a algo

grêle [gʀɛl] adj flaco(-a) ∎ nf granizo

grêler [gʀele] vb impers: **il grêle** graniza

grêlon [gʀelɔ̃] nm granizo

grelot [gʀəlo] nm cascabel m

grelotter [gʀəlɔte] vi tiritar

Grenade [gʀənad] nf (ville, île) Granada

grenade [gʀənad] nf granada; **~ lacrymogène** bomba lacrimógena

grenadine [gʀənadin] nf granadina

grenier [gʀənje] nm (de maison) desván m, altillo (AM), entretecho (AM); (de ferme) granero

grenouille [gʀənuj] nf rana

grès [gʀɛ] nm (roche) arenisca; (poterie) gres msg

grève [gʀɛv] nf huelga; (plage) playa; **se mettre en/faire ~** declararse en/hacer huelga; **~ bouchon** huelga parcial; **~ de la faim** huelga de hambre; **~ de solidarité** huelga de solidaridad; **~ du zèle** huelga de celo; **~ perlée/sauvage** huelga intermitente/salvaje; **~ sur le tas** huelga de brazos caídos; **~ surprise/tournante** huelga sorpresa/escalonada

gréviste [gʀevist] nm/f huelguista m/f

grièvement [gʀijɛvmɑ̃] adv gravemente; **~ blessé/atteint** herido/alcanzado de gravedad

griffe [gʀif] nf garra; (fig: d'un couturier, parfumeur) marca

griffer [gʀife] vt arañar

grignoter [gʀiɲɔte] vt roer; (argent, temps) consumir ∎ vi (manger peu) picar; **il lui a grignoté quelques secondes** (Sport) consiguió arrancarle unos segundos

gril [gʀil] nm parrilla

grillade [gʀijad] nf carne f a la parrilla, asado (AM)

grillage [gʀijaʒ] nm (treillis) reja; (clôture) alambrada

grille [gʀij] nf reja; (fig) red f; **~ (des programmes)** (Radio, TV) parrilla (de programación); **~ des salaires** cuadro de salarios

grille-pain [gʀijpɛ̃] nm inv tostador m de pan

griller [gʀije] vt (aussi: **faire griller**: pain, café) tostar; (: viande) asar; (ampoule, résistance) fundir; (feu rouge) saltar ∎ vi (brûler) asarse

grillon [gʀijɔ̃] nm grillo

grimace [gʀimas] nf mueca; **faire des ~s** hacer muecas

grimper [gʀɛ̃pe] vt trepar a ou por ∎ vi empinarse; (prix, nombre) subir; (Sport) escalar ∎ nm: **le ~** (Sport) la cuerda; **~ à/sur** trepar a/por

grincer [gʀɛ̃se] vi (porte, roue) chirriar; (plancher) crujir; **~ des dents** rechinar los dientes

grincheux, -euse [gʀɛ̃ʃø, øz] adj cascarrabias

grippe [gʀip] nf gripe f; **avoir la ~** tener gripe; **prendre qn/qch en ~** (fig) coger manía a algn/algo; **~ aviaire** gripe aviar

grippé, e [gʀipe] adj: **être ~** estar griposo(-a); (moteur) estar gripado(-a)

gris, e [gʀi, gʀiz] adj gris inv; (ivre) alegre ∎ nm gris msg; **il fait ~** está nublado;

faire ~e mine (à qn) poner mala cara (a algn); **~ perle** gris perla
grisaille [grizaj] nf gris msg
griser [grize] vt embriagar; **se ~ de** (fig) embriagarse de
grive [griv] nf tordo
grivois, e [grivwa, waz] adj atrevido(-a)
Groenland [grɔɛnlɑ̃d] nm Groenlandia
grogner [grɔɲe] vi gruñir; (personne) gruñir, refunfuñar
grognon, ne [grɔɲɔ̃, ɔn] adj gruñón(-ona)
grommeler [grɔm(ə)le] vi mascullar
gronder [grɔ̃de] vi (canon, tonnerre) retumbar; (animal) gruñir; (fig) amenazar con estallar ■ vt regañar
gros, se [gro, gros] adj (personne) gordo(-a); (paquet, problème, fortune) gran, grande; (travaux, dégâts) importante; (commerçant) acaudalado(-a); (orage, bruit) fuerte; (trait, fil) grueso(-a) ■ adv: **risquer/ gagner ~** arriesgar/ganar mucho ■ nm (Comm): **le ~** el por mayor; **écrire ~** escribir grueso; **en ~** en líneas generales; **prix de/vente en ~** precio/venta al por mayor; **par ~ temps** con temporal; **par ~se mer** con mar gruesa; **le ~ de** (troupe, fortune) el grueso de; **en avoir ~ sur le cœur** estar con el corazón muy triste; **~ intestin** intestino grueso; **~ lot** premio gordo; **~ mot** palabrota; **~ œuvre** (Constr) obra bruta; **~ plan** (Photo) primer plano; **en ~ plan** en primer plano; **~ porteur** (Aviat) avión m de gran capacidad; **~se caisse** (Mus) bombo; **~ sel** sal f gorda; **~ titre** (Presse) titular m
groseille [grozɛj] nf grosella; **~ à maquereau** grosella espinosa; **~ (blanche/rouge)** grosella (blanca/roja)
grosse [gros] adj voir **gros** ■ nf (Comm) gruesa
grossesse [grosɛs] nf embarazo; **~ nerveuse** falso embarazo
grosseur [grosœr] nf (d'une personne) gordura; (d'un paquet) tamaño; (d'un trait) grosor m; (tumeur) bulto
grossier, -ière [grosje, jɛr] adj (vulgaire) grosero(-a); (laine) basto(-a); (travail, finition) tosco(-a); (erreur) burdo(-a), craso(-a)
grossièrement [grosjɛrmɑ̃] adv groseramente; toscamente; (en gros, à peu près) aproximadamente; **il s'est ~ trompé** ha cometido un craso error
grossièreté [grosjɛrte] nf grosería
grossir [grosir] vi engordar; (fig) aumentar; (rivière, eaux) crecer ■ vt (suj:

vêtement): **~ qn** hacer gordo a algn; (nombre, importance) aumentar; (histoire, erreur) exagerar
grossiste [grosist] nm/f (Comm) mayorista m/f
grotesque [grotɛsk] adj grotesco(-a)
grotte [grot] nf gruta
groupe [grup] nm grupo; **médecine/ thérapie de ~** medicina/terapia de grupo; **~ de pression** grupo de presión; **~ électrogène** grupo electrógeno; **~ sanguin/scolaire** grupo sanguíneo/ escolar
grouper [grupe] vt agrupar; **se grouper** vpr agruparse
grue [gry] nf grúa; (Zool) grulla; **faire le pied de ~** (fam) estar de plantón
guépard [gepar] nm guepardo
guêpe [gɛp] nf avispa
guère [gɛr] adv (avec adjectif, adverbe): **ne ... ~** poco; (avec verbe) poco, apenas; **tu n'es ~ raisonnable** eres poco razonable; **il ne la connaît ~** apenas la conoce; **il n'y a ~ de** apenas hay; **il n'y a ~ que toi qui puisse le faire** apenas hay otro que puede hacerlo más que tú
guérilla [gerija] nf guerrilla
guérillero [gerijero] nm guerrillero
guérir [gerir] vt curar ■ vi (personne, chagrin) curarse; (plaie) curarse, sanar; **~ de** (Méd, fig) curar de; **~ qn de** curar a algn de
guérison [gerizɔ̃] nf curación f
guérisseur, -euse [gerisœr, øz] nm/f curandero(-a)
guerre [gɛr] nf guerra; **~ atomique/de tranchées/d'usure** guerra atómica/de trincheras/de desgaste; **en ~** en guerra; **faire la ~ à** hacer la guerra a; **de ~ lasse** (fig) cansado(-a) de luchar; **de bonne ~** legítimo(-a); **~ civile** guerra civil; **~ de religion** guerra de religión; **~ froide/ mondiale** guerra fría/mundial; **~ sainte** guerra santa; **~ totale** guerra total
guerrier, -ière [gerje, jɛr] adj, nm/f guerrero(-a)
guet [gɛ] nm: **faire le ~** estar al acecho
guet-apens [gɛtapɑ̃] nm inv emboscada
guetter [gete] vt (pour épier, surprendre) acechar; (attendre) aguardar
gueule [gœl] nf (d'animal) hocico; (du canon, tunnel) boca; (fam: visage) jeta; (: bouche) pico; **ta ~!** (fam) ¡cierra el pico!; **~ de bois** (fam) resaca
gueuler [gœle] (fam) vi chillar
gui [gi] nm muérdago
guichet [giʃɛ] nm (d'un bureau, d'une banque) ventanilla; (d'une porte) portillo;

les ~s (*à la gare, au théâtre*) la taquilla, la
boletería (*AM*); **jouer à ~s fermés** actuar
con todas las entradas vendidas

guide [gid] *nm* guía *m*; (*livre*) guía *f* ■ *nf*
guía; **guides** *nfpl* (*d'un cheval*) riendas *fpl*

guider [gide] *vt* guiar

guidon [gidɔ̃] *nm* manillar *m*

guillemets [gijmɛ] *nmpl*: **entre ~** entre
comillas

guindé, e [gɛ̃de] *adj* estirado(-a)

guirlande [giʀlɑ̃d] *nf* guirnalda; **~ de
Noël/lumineuse** guirnalda de Navidad/
de luces

guise [giz] *nf*: **à votre ~** como guste; **en ~
de** (*en manière de, comme*) a guisa de; (*à la
place de*) en lugar de

guitare [gitaʀ] *nf* guitarra; **~ sèche**
guitarra española

guitariste [gitaʀist] *nm/f* guitarrista
m/f

gymnase [ʒimnɑz] *nm* gimnasio

gymnaste [ʒimnast] *nm/f* gimnasta *m/f*

gymnastique [ʒimnastik] *nf* gimnasia;
~ corrective/rythmique gimnasia
correctiva/rítmica

gynécologie [ʒinekɔlɔʒi] *nf* ginecología

gynécologique [ʒinekɔlɔʒik] *adj*
ginecológico(-a)

gynécologue [ʒinekɔlɔg] *nm/f*
ginecólogo(-a)

habile [abil] *adj* hábil

habileté [abilte] *nf* habilidad *f*

habillé, e [abije] *adj* vestido(-a); (*robe,
costume*) elegante; **~ de** (*Tech*)
revestido(-a) de, forrado(-a) con

habiller [abije] *vt* vestir; (*objet*) revestir,
forrar; **s'habiller** *vpr* vestirse; (*mettre
des vêtements chic*) vestir bien, ir bien
vestido(-a); **s'~ de/en** vestirse de; **s'~
chez/à** vestirse en

habit [abi] *nm* traje *m*; **habits** *nmpl*
(*vêtements*) ropa; **prendre l'~** (*Rel*) tomar
hábito; **~ (de soirée)** traje de etiqueta

habitant, e [abitɑ̃, ɑ̃t] *nm/f* habitante
m/f; (*d'une maison*) ocupante *m/f*; (*d'un
immeuble*) vecino(-a); **loger chez l'~**
alojarse con gente local

habitation [abitasjɔ̃] *nf* (*fait de résider*)
habitación *f*; (*domicile*) domicilio;
(*bâtiment*) vivienda; **~s à loyer modéré**
viviendas oficiales de bajo alquiler

habiter [abite] *vt* vivir en; (*suj: sentiment,
envie*) anidar ■ *vi*: **~ à** *ou* **dans** vivir en; **~
chez** *ou* **avec qn** vivir en casa de *ou* con
algn; **~ rue Montmartre** vivir en la calle
Montmartre

habitude [abityd] *nf* costumbre *f*; **avoir
l'~ de faire/qch** tener la costumbre de
hacer/algo; (*expérience*) estar

acostumbrado(-a) a hacer/algo; **avoir l'~ des enfants** estar acostumbrado(-a) a los niños; **prendre l'~ de faire qch** acostumbrarse a hacer algo; **perdre une ~** perder una costumbre; **d'~** normalmente; **comme d'~** como de costumbre; **par ~** por hábito ou costumbre

habitué, e [abitɥe] adj: **être ~ à** estar acostumbrado(-a) a ◼ nm/f (d'une maison) amigo(-a) a (client: d'un café etc) parroquiano(-a)

habituel, le [abitɥɛl] adj habitual

habituer [abitɥe] vt: **~ qn à qch/faire** acostumbrar a algn a algo/hacer; **s'~ à** acostumbrarse a; **s'~ à faire** acostumbrarse a hacer

hache ['aʃ] nf hacha

hacher ['aʃe] vt (viande, persil) picar; (entrecouper) cortar; **~ menu** hacer picadillo

hachis ['aʃi] nm picadillo; **~ de viande** picadillo de carne

haie ['ɛ] nf seto; (Sport) valla; (fig: rang) hilera; **200 m/400 m ~s** 200m/400m vallas; **~ d'honneur** hilera de honor

haillons ['ɑjɔ̃] nmpl harapos mpl, andrajos mpl

haine ['ɛn] nf odio

haïr ['aiʀ] vt odiar; **se haïr** vpr odiarse

hâlé, e ['ɑle] adj bronceado(-a)

haleine [alɛn] nf aliento; **perdre ~** perder el aliento ou la respiración; **à perdre ~** hasta perder el aliento; **avoir mauvaise ~** tener mal aliento; **reprendre ~** recobrar el aliento; **hors d'~** sin aliento; **tenir en ~** tener en vilo; **de longue ~** de mucho esfuerzo

haleter ['alte] vi jadear

hall ['ol] nm vestíbulo

halle ['al] nf mercado; **halles** nfpl (marché principal) mercado central

hallucination [alysinasjɔ̃] nf alucinación f; **~ collective** alucinación colectiva

halte ['alt] nf alto; (escale) parada; (Rail) apeadero; (excl) ¡alto!; **faire ~** hacer un alto, pararse

haltère [altɛʀ] nm pesa; **haltères** nmpl (activité): **faire des ~s** hacer pesas

haltérophilie [alteʀɔfili] nf halterofilia

hamac ['amak] nm hamaca

hameau, x ['amo] nm aldea

hameçon [amsɔ̃] nm anzuelo

hamster ['amstɛʀ] nm hámster m

hanche ['ɑ̃ʃ] nf cadera

handball ['ɑ̃dbal] (pl **~s**) nm balonmano

handicapé, e ['ɑ̃dikape] adj, nm/f disminuido(-a); **~ mental** disminuido

psíquico; **~ moteur** paralítico; **~ physique** minusválido ou disminuido físico

hangar ['ɑ̃gaʀ] nm cobertizo, galpón m (Csur); (Aviat) hangar m

hanneton ['antɔ̃] nm abejorro

hanter ['ɑ̃te] vt (suj: fantôme) aparecer en; (: idée, souvenir) obsesionar, atormentar

hantise ['ɑ̃tiz] nf obsesión f

haras ['aʀɑ] nm acaballadero

harceler ['aʀsəle] vt (Mil) hostigar; (Chasse, fig) acosar; **~ de questions** acosar con preguntas

hardi, e ['aʀdi] adj audaz; (décolleté, passage) atrevido(-a)

hareng ['aʀɑ̃] nm arenque m; **~ saur** arenque ahumado

hargne ['aʀɲ] nf saña

hargneux, -euse ['aʀɲø, øz] adj arisco(-a), hosco(-a); (critiques) acerbo(-a)

haricot ['aʀiko] nm (Bot) judía; **~ blanc/ rouge** alubia blanca/pinta; **~ vert** judía verde

harmonica [aʀmɔnika] nm armónica

harmonie [aʀmɔni] nf armonía

harmonieux, -euse [aʀmɔnjø, øz] adj armonioso(-a)

harpe ['aʀp] nf arpa

hasard ['azaʀ] nm azar m; **un ~** una casualidad; (chance) una suerte; **au ~** al azar; (à l'aveuglette) a ciegas; **par ~** por casualidad; **comme par ~** como de casualidad; **à tout ~** por si acaso

hâte ['ɑt] nf prisa; **à la ~** de prisa; **en ~** rápidamente; **avoir ~ de** tener prisa por

hâter ['ɑte] vt apresurar; **se hâter** vpr apresurarse; **se ~ de** apresurarse a

hâtif, -ive ['ɑtif, iv] adj precipitado(-a); (fruit, légume) temprano(-a)

hausse ['os] nf alza; (de la température) subida, aumento; **à la ~** al alza; **en ~** (prix) en alza; (température) en aumento

hausser ['ose] vt subir; **~ les épaules** encoger de hombros; **se ~ sur la pointe des pieds** ponerse de puntillas

haut, e ['o, 'ot] adj (température, pression) elevado(-a), alto(-a); (idée, intelligence) brillante ◼ adv: **être/ monter/lever ~** estar/subir/levantar en alto ◼ nm alto; (d'un arbre) copa; (d'une montagne) cumbre f; **de 3 m de ~** de 3 m de alto ou altura; **~ de 2m/5 étages de** 2m/5 pisos de altura; **en ~e montagne** en alta montaña; **des ~s et des bas** altibajos mpl; **en ~ lieu** en las altas esferas; **à ~e voix, tout ~** en voz alta;

du ~ de desde lo alto de; **tomber de ~** caer desde lo alto; (fig) quedarse de una pieza; **dire qch bien ~** decir algo bien fuerte; **prendre qch de (très) ~** tomar algo con desdén; **traiter qn de ~** tratar con altanería a algn; **de ~ en bas** (regarder) de arriba abajo; (frapper) por todas partes; **~ en couleur** muy coloreado(-a); **un personnage ~ en couleur** un personaje excéntrico; **plus ~** más alto; (dans un texte) más arriba; **en ~** arriba; **en ~ de** (être situé) por encima de; (aller, monter) a lo alto de; **"~ les mains!"** "¡arriba las manos!"; **~e coiffure/couture** alta peluquería/costura; **~ débit** (Internet) banda ancha; **~e fidélité** (Élec) alta fidelidad f; **~e finance** altas finanzas fpl; **~e trahison** alta traición f

hautain, e [otɛ̃, ɛn] adj altanero(-a)

hautbois ['obwɑ] nm oboe m

hauteur ['otœʀ] nf altura; (noblesse) grandeza; (arrogance) altanería, altivez f; **à ~ de** a la altura de; **à ~ des yeux** a la altura de los ojos; **à la ~ de** al nivel de; **à la ~** (fig) a la altura

haut-parleur ['opaʀlœʀ] (pl ~s) nm altavoz m

hebdomadaire [ɛbdɔmadɛʀ] adj semanal ■ nm semanario

hébergement [ebɛʀʒəmɑ̃] nm alojamiento, hospedaje m

héberger [ebɛʀʒe] vt alojar, hospedar; (réfugiés) alojar

hébergeur [ebɛʀʒœʀ] nm (Internet) servidor m

hébreu, x [ebʀø] adj hebreo(-a) ■ nm hebreo

hectare [ɛktaʀ] nm hectárea

hein ['ɛ̃] excl (comment?) ¿eh?; **tu m'approuves, ~?** ¿estás de acuerdo, eh?; **il est venu, ~?** vino, ¿no?; **j'ai mal fait/eu tort, ~?** hice mal/me equivoqué, ¿no?; **que fais-tu, ~?** ¿qué haces, eh?

hélas ['elɑs] excl ¡ay! ■ adv desgraciadamente

héler ['ele] vt llamar

hélice [elis] nf hélice f; **escalier en ~** escalera de caracol

hélicoptère [elikɔptɛʀ] nm helicóptero

helvétique [ɛlvetik] adj helvético(-a)

hématome [ematom] nm hematoma m

hémisphère [emisfɛʀ] nm: **~ nord/sud** hemisferio norte/sur

hémorragie [emɔʀaʒi] nf hemorragia; **~ cérébrale/interne/nasale** hemorragia cerebral/interna/nasal

hémorroïdes [emɔʀɔid] nfpl almorranas fpl, hemorroides fpl

hennir ['eniʀ] vi relinchar

hépatite [epatit] nf hepatitis f

herbe [ɛʀb] nf hierba; **en ~** en cierne; **de l'~** hierba; **touffe/brin d'~** mata/brizna de hierba

herbicide [ɛʀbisid] nm herbicida m

herbier [ɛʀbje] nm herbario

herboriste [ɛʀbɔʀist] nm/f herbolario(-a)

héréditaire [eʀeditɛʀ] adj hereditario(-a)

hérisson ['eʀisɔ̃] nm erizo

héritage [eʀitaʒ] nm herencia; (legs) testamento; **faire un (petit) ~** recibir una (pequeña) herencia

hériter [eʀite] vi: **~ qch (de qn)** heredar algo (de algn) ■ vt: **il a hérité 2 millions de son oncle** heredó 2 millones de su tío; **~ de qn** heredar de algn

héritier, -ière [eʀitje, jɛʀ] nm/f heredero(-a)

hermétique [ɛʀmetik] adj hermético(-a); (étanche) impermeable

hermine [ɛʀmin] nf armiño

hernie ['ɛʀni] nf hernia

héroïne [eʀɔin] nf heroína

héroïque [eʀɔik] adj heroico(-a)

héron ['eʀɔ̃] nm garza

héros ['eʀo] nm héroe m

hésitant, e [ezitɑ̃, ɑ̃t] adj vacilante, indeciso(-a)

hésitation [ezitasjɔ̃] nf indecisión f, vacilación f

hésiter [ezite] vi: **~ (à faire)** vacilar ou dudar (en hacer); **je le dis sans ~** lo digo sin vacilar ou dudar; **~ sur qch** vacilar ou dudar sobre algo; **~ entre** dudar entre

hétérosexuel, le [eteʀɔsɛkɥel] adj heterosexual

hêtre ['ɛtʀ] nm haya

heure [œʀ] nf hora; (Scol) clase f; **c'est l'~** es la hora; **quelle ~ est-il?** ¿qué hora es?; **pourriez-vous me donner l'~, s'il vous plaît?** ¿me puede decir la hora, por favor?; **2 ~s (du matin)** las 2 (de la mañana); **à la bonne ~** (parfois ironique) ¡me alegro!; **être à l'~** ser puntual; (montre) estar en hora; **mettre à l'~** poner en hora; **100 km à l'~** 100 km por hora; **à toute ~** a todas horas; **24 ~s sur 24** 24 horas al día; **à l'~ qu'il est** a esta hora; (fig) a estas horas ou alturas; **une ~ d'arrêt** una hora de parada; **sur l'~** inmediatamente; **pour l'~** por ahora; **d'~ en ~** cada hora; (d'une heure à l'autre) de hora en hora; **d'une ~ à l'autre** dentro de nada; **de bonne ~** de madrugada; **le bus passe à l'~** el autobús pasa a la hora en punto; **2 ~s de marche/**

travail 2 horas de marcha/trabajo; **à l'~
actuelle** a estas horas, actualmente;
~ de pointe hora punta; **~ locale/d'été**
hora local/de verano; **~s
supplémentaires/de bureau** horas fpl
extraordinarias/de oficina

heureusement [œrøzmɑ̃] adv
afortunadamente; **~ que ...** menos mal
que ...

heureux, -euse [œrø, øz] adj feliz;
(caractère) optimista; (chanceux)
afortunado(-a); **être ~ de qch/faire**
alegrarse de algo/hacer; **être ~ que**
alegrarle a algn que; **s'estimer ~ que/de
qch** darse por contento(-a) de que/de
algo; **encore ~ que ...** y menos mal que ...

heurt ['œr] nm choque m; **heurts** nmpl
(fig: bagarre) choques mpl; (: désaccord)
desavenencias fpl

heurter ['œrte] vt (mur, porte) chocar con
ou contra; (personne) tropezar con; (fig:
personne, sentiment) chocar (con); **se
heurter** vpr chocar (con); (voitures,
personnes) chocar; (couleurs, tons)
contrastar; **se ~ à** (fig) enfrentarse a;
~ qn de front enfrentarse a algn

hexagone [ɛgzagɔn] nm hexágono;
(la France) Francia

hiberner [ibɛrne] vi hibernar

hibou, x ['ibu] nm búho

hideux, -euse [idø, øz] adj horrendo(-a)

hier [jɛr] adv ayer; **~ matin/soir/midi**
ayer por la mañana/por la tarde/al
mediodía; **toute la journée/la matinée
d'~** todo el día/toda la mañana de ayer

hiérarchie ['jerarʃi] nf jerarquía

hindou, e [ɛ̃du] adj hindú ■ nm/f:
Hindou, e hindú m/f

hippie ['ipi] adj, nm/f hippy m/f

hippique [ipik] adj hípico(-a)

hippisme [ipism] nm hipismo

hippodrome [ipɔdrom] nm hipódromo

hippopotame [ipɔpɔtam] nm
hipopótamo

hirondelle [irɔ̃dɛl] nf golondrina

hisser ['ise] vt izar; **se ~ sur** levantarse
sobre

histoire [istwar] nf historia; (chichis: gén
pl) lío; **histoires** nfpl (ennuis) problemas
mpl; **l'~ de France** la historia de Francia;
l'~ sainte la historia sagrada; **une ~ de**
(fig) una cuestión de

historique [istɔrik] adj histórico(-a)
■ nm: **faire l'~ de** hacer la crónica de

hiver [ivɛr] nm invierno; **en ~** en invierno

hivernal, e, -aux [ivɛrnal, o] adj
invernal

hiverner [ivɛrne] vi invernar

HLM ['aʃɛlɛm] sigle m ou f (= habitations à
loyer modéré) viviendas oficiales de bajo
alquiler

hobby ['ɔbi] nm hobby m

hocher ['ɔʃe] vt: **~ la tête** cabecear; (signe
négatif ou dubitatif) menear la cabeza

hockey ['ɔkɛ] nm: **~ (sur glace/gazon)**
hockey m (sobre hielo/hierba)

hold-up ['ɔldœp] nm inv atraco a mano
armada

hollandais, e ['ɔlɑ̃dɛ, ɛz] adj
holandés(-esa) ■ nm (Ling) holandés msg
■ nm/f: **Hollandais, e** holandés(-esa);
les H~ los holandeses

Hollande ['ɔlɑ̃d] nf Holanda ■ nm:
hollande (fromage) queso de Holanda

homard ['ɔmar] nm bogavante m

homéopathique [ɔmeɔpatik] adj
homeopático(-a)

homicide [ɔmisid] nm homicidio; **~
involontaire** homicidio involuntario

hommage [ɔmaʒ] nm homenaje m;
hommages nmpl (civilités): **présenter
ses ~s** presentar sus respetos; **rendre ~ à**
rendir homenaje a; **en ~ de** en prueba de;
faire ~ de qch à qn obsequiar algo a algn

homme [ɔm] nm hombre m; (individu de
sexe masculin) hombre, varón m; **l'~ de la
rue** el hombre de la calle; **~ à tout faire**
hombre para todo; **~ d'affaires** hombre
de negocios; **~ d'Église** eclesiástico; **~
d'État** estadista m; **~ de loi** abogado; **~
de main** matón m; **~ de paille** hombre de
paja; **~ des cavernes** hombre de las
cavernas

homogène [ɔmɔʒɛn] adj
homogéneo(-a)

homologue [ɔmɔlɔg] nm/f
homólogo(-a)

homologué, e [ɔmɔlɔge] adj
homologado(-a)

homonyme [ɔmɔnim] nm (Ling)
homónimo; (d'une personne) tocayo(-a)

homosexuel, le [ɔmɔsɛksɥɛl] adj
homosexual

Hongrie ['ɔ̃gri] nf Hungría

hongrois, e ['ɔ̃grwa, waz] adj
húngaro(-a) ■ nm (Ling) húngaro
■ nm/f: **Hongrois, e** húngaro(-a)

honnête [ɔnɛt] adj (intègre) honrado(-a),
honesto(-a); (juste, satisfaisant) justo(-a),
razonable

honnêtement [ɔnɛtmɑ̃] adv
honestamente; (équitablement)
justamente

honnêteté [ɔnɛtte] nf honestidad f

honneur [ɔnœr] nm honor m; (faveur)
honra; (mérite): **l'~ lui revient** es mérito

suyo; **à qui ai-je l'~?** ¿con quién tengo el honor de hablar?; **cela me/te fait ~** esto me/te honra; **"j'ai l'~ de ..."** "tengo el honor de ..."; **en l'~ de** (*personne*) en honor de; (*événement*) en celebración de; **faire ~ à** (*engagements*) cumplir con; (*famille, professeur*) hacer honor a; (*repas*) hacer los honores a; **être à l'~** (*personne*) ser admirado(-a); (*vêtement*) estar de moda; **être en ~** gozar de consideración; **membre d'~** miembro de honor; **table d'~** mesa de honor

honorable [ɔnɔʀabl] *adj* honorable; (*suffisant*) satisfactorio(-a)

honoraire [ɔnɔʀɛʀ] *adj* honorario(-a); **honoraires** *nmpl* honorarios *mpl*; **professeur ~** profesor(a) honorario(-a)

honorer [ɔnɔʀe] *vt* honrar; (*estimer*) respetar; (*Comm: chèque, dette*) pagar; **~ qn de** honrar a algn con; **s'~ de** honrarse con

honte ['ɔ̃t] *nf* vergüenza; **avoir ~ de** tener vergüenza de; **faire ~ à qn** avergonzar a algn

honteux, -euse ['ɔ̃tø, øz] *adj* avergonzado(-a); (*conduite, acte*) vergonzoso(-a)

hôpital, -aux [ɔpital, o] *nm* hospital *m*

hoquet ['ɔkɛ] *nm* hipo; **avoir le ~** tener hipo

horaire [ɔʀɛʀ] *adj* por hora ▪ *nm* horario; **horaires** *nmpl* (*conditions, heures de travail*) horario *msg*; **~ mobile/à la carte** horario móvil/libre; **~ souple** *ou* **flexible** horario flexible

horizon [ɔʀizɔ̃] *nm* horizonte *m*; (*paysage*) panorama *m*; **horizons** *nmpl* (*fig*) horizontes *mpl*; **sur l'~** en el horizonte

horizontal, e, -aux [ɔʀizɔ̃tal, o] *adj* horizontal ▪ *nf*: **à l'~e** en horizontal

horloge [ɔʀlɔʒ] *nf* reloj *m*; **~ normande** *modalidad de reloj de pie*; **~ parlante** reloj parlante *ou* telefónico

horloger, -ère [ɔʀlɔʒe, ɛʀ] *nm/f* relojero(-a)

hormis ['ɔʀmi] *prép* excepto

horoscope [ɔʀɔskɔp] *nm* horóscopo

horreur [ɔʀœʀ] *nf* horror *m*; **l'~ d'une action/d'une scène** lo horroroso de una acción/de una escena; **quelle ~!** ¡qué horror!; **avoir ~ de qch** sentir horror por algo; **cela me fait ~** eso me horroriza

horrible [ɔʀibl] *adj* horrible, horrendo(-a); (*laid*) horroroso(-a)

horrifier [ɔʀifje] *vt* horrorizar

hors ['ɔʀ] *prép* salvo; **~ de** fuera de; **~ de propos** fuera de lugar; **être ~ de soi** estar

fuera de sí; **~ ligne/série** fuera de línea/de serie; **~ pair** fuera de serie; **~ service/d'usage** fuera de servicio/de uso

hors-bord ['ɔʀbɔʀ] *nm inv* fuera borda *m inv*

hors-d'œuvre ['ɔʀdœvʀ] *nm inv* entremés *m*

hors-la-loi ['ɔʀlalwa] *nm inv* forajido

hors-taxe [ɔʀtaks] *adj* libre de impuestos

hortensia [ɔʀtɑ̃sja] *nm* hortensia

hospice [ɔspis] *nm* (*de vieillards*) asilo; (*asile*) hospicio

hospitalier, -ière [ɔspitalje, jɛʀ] *adj* hospitalario(-a)

hospitaliser [ɔspitalize] *vt* hospitalizar

hospitalité [ɔspitalite] *nf* hospitalidad *f*; **offrir l'~ à qn** dar hospitalidad a algn

hostie [ɔsti] *nf* (*Rel*) hostia

hostile [ɔstil] *adj* hostil; **~ à** contrario(-a) a

hostilité [ɔstilite] *nf* hostilidad *f*; **hostilités** *nfpl* (*Mil*) hostilidades *fpl*

hôte [ot] *nm* (*maître de maison*) anfitrión *m* ▪ *nm/f* (*invité*) huésped *m/f*; (*client*) cliente *m/f*; (*fig: occupant*) ocupante *m/f*; **~ payant** huésped de pago

hôtel [otɛl] *nm* hotel *m*; **aller à l'~** ir a un hotel; **~ de ville** ayuntamiento; **~ (particulier)** palacete *m*

hôtellerie [otɛlʀi] *nf* (*profession*) hostelería; (*auberge*) hostal *m*

hôtesse [otɛs] *nf* (*maîtresse de maison*) anfitriona; (*dans une agence, une foire*) azafata, recepcionista; **~ (de l'air)** azafata (de aviación), aeromoza (*AM*); **~ (d'accueil)** azafata (de recepción)

houblon ['ublɔ̃] *nm* lúpulo

houille ['uj] *nf* hulla; **~ blanche** hulla blanca

houle ['ul] *nf* marejada

houleux, -euse ['ulø, øz] *adj* (*mer*) encrespado(-a); (*discussion*) agitado(-a)

hourra ['uʀa] *nm* hurra *m* ▪ *excl* ¡hurra!

housse ['us] *nf* funda

houx ['u] *nm* acebo

hublot ['yblo] *nm* portilla

huche ['yʃ] *nf*: **~ à pain** artesa

huer ['ɥe] *vt* abuchear ▪ *vi* graznar

huile [ɥil] *nf* aceite *m*; (*Art*) óleo; (*fam*) pez *m* gordo; **mer d'~** balsa de aceite; **faire tache d'~** (*fig*) extenderse como cosa buena; **~ d'arachide/de table** aceite de cacahuete/de mesa; **~ de ricin/de foie de morue** aceite de ricino/de hígado de bacalao; **~ détergente** (*Auto*) aceite detergente; **~ essentielle** aceite volátil; **~ solaire** aceite bronceador

huissier [ɥisje] *nm* ordenanza *m*; (*Jur*) ujier *m*

huit ['ɥi(t)] *adj inv, nm inv* ocho *m inv*; **samedi en ~** el sábado en ocho días; **dans ~ jours** dentro de ocho días; *voir aussi* **cinq**

huitaine ['ɥitɛn] *nf*: **une ~ de** unos ocho; **une ~ de jours** unos ocho días

huitième ['ɥitjɛm] *adj, nm/f* octavo(-a) ■ *nm* (*partitif*) octavo; *voir aussi* **cinquième**

huître [ɥitʀ] *nf* ostra

humain, e [ymɛ̃, ɛn] *adj* humano(-a) ■ *nm* humano

humanitaire [ymanitɛʀ] *adj* humanitario(-a)

humanité [ymanite] *nf* humanidad *f*

humble [œ̃bl] *adj* humilde

humer ['yme] *vt* aspirar, oler

humeur [ymœʀ] *nf* (*momentanée*) humor *m*; (*tempérament*) carácter *m*; (*irritation*) mal humor; **de bonne/mauvaise ~** de buen/mal humor; **cela m'a mis de mauvaise/bonne ~** eso me puso de mal/buen humor; **je suis de mauvaise/bonne ~** estoy de mal/buen humor; **être d'~ à faire qch** estar de humor para hacer algo

humide [ymid] *adj* húmedo(-a); (*route*) mojado(-a)

humilier [ymilje] *vt* humillar; **s'~ devant qn** humillarse delante de algn

humilité [ymilite] *nf* humildad *f*

humoriste [ymɔʀist] *nm/f* humorista *m/f*

humoristique [ymɔʀistik] *adj* humorístico(-a)

humour [ymuʀ] *nm* humor *m*; **il a un ~ particulier** tiene un humor muy particular; **avoir de l'~** tener sentido del humor; **~ noir** humor negro

huppé, e ['ype] (*fam*) *adj* encopetado(-a)

hurlement ['yʀləmɑ̃] *nm* aullido, alarido

hurler ['yʀle] *vi* (*animal*) aullar; (*personne*) dar alaridos; (*de peur*) chillar; (*fig: vent etc*) ulular; (: *couleurs etc*) chocar; **~ à la mort** aullar a la muerte

hutte ['yt] *nf* choza

hydratant, e [idʀatɑ̃, ɑ̃t] *adj* hidratante

hydraulique [idʀolik] *adj* hidráulico(-a)

hydravion [idʀavjɔ̃] *nm* hidroavión *m*

hydrogène [idʀɔʒɛn] *nm* hidrógeno

hydroglisseur [idʀɔglisœʀ] *nm* hidroplano

hyène [jɛn] *nf* hiena

hygiénique [iʒenik] *adj* higiénico(-a)

hymne [imn] *nm* himno; **~ national** himno nacional

hyperlien [ipɛʀljɛ̃] *nm* hipervínculo

hypermarché [ipɛʀmaʀʃe] *nm* hipermercado

hypermétrope [ipɛʀmetʀɔp] *adj* hipermétrope

hypertension [ipɛʀtɑ̃sjɔ̃] *nf* hipertensión *f*

hypertexte [ipɛʀtɛkst] *nm* hipertexto

hypnose [ipnoz] *nf* hipnosis *f sg*

hypnotiser [ipnɔtize] *vt* hipnotizar

hypocrisie [ipɔkʀizi] *nf* hipocresía

hypocrite [ipɔkʀit] *adj, nm/f* hipócrita *m/f*

hypothèque [ipɔtɛk] *nf* hipoteca

hypothèse [ipɔtɛz] *nf* hipótesis *f inv*; **dans l'~ où ...** en la hipótesis de que ...

hystérique [isteʀik] *adj* histérico(-a)

iceberg [ajsbɛʀg] nm iceberg m
ici [isi] adv aquí; **jusqu'~** hasta aquí;
(temporel) hasta ahora; **d'~ là** para
entonces; (en attendant) mientras tanto;
d'~ peu dentro de poco
idéal, e, -aux [ideal, o] adj ideal ■ nm
(modèle, type parfait) ideal m; (système de
valeurs) ideales mpl; **l'~ serait de/que** lo
ideal sería/sería que
idéaliste [idealist] adj, nm/f idealista
m/f
idée [ide] nf idea; **idées** nfpl (opinions,
conceptions) ideas fpl; **se faire des ~s**
hacerse ilusiones; **mon ~, c'est que ...** mi
opinión es que ...; **je n'en ai pas la
moindre ~** no tengo la menor idea; **à l'~
de/que** con la idea de/de que; **avoir ~
que, avoir dans l'~ que** tener la
impresión de que; **il a dans l'~ que ...** (il
est convaincu que) se le ha metido en la
cabeza que ...; **en voilà des ~s!** ¡menuda
idea!, ¡vaya ocurrencia!; **avoir des ~s
larges/étroites** tener una mentalidad
abierta/estrecha; **agir/vivre à son ~**
actuar/vivir de acuerdo con sus propias
ideas; **venir à l'~ de qn** ocurrírsele a algn;
~ fixe idea fija; **~s noires** pensamientos
mpl negros; **~s reçues** ideas
preconcebidas

identifiant [idãtifjã] nm (Inform)
nombre m de usuario
identifier [idãtifje] vt identificar;
(échantillons de pierre) reconocer; **~ qch/
qn à** identificar algo/a algn con; **s'~ avec
ou à qch/qn** identificarse con algo/algn
identique [idãtik] adj idéntico(-a); **~ à**
idéntico a
identité [idãtite] nf (de vues, goûts)
semejanza; (d'une personne) identidad f;
~ judiciaire identidad judicial
idiot, e [idjo, idjɔt] adj (Méd)
retrasado(-a); (péj: personne) idiota,
estúpido(-a); (film, réflexion) estúpido(-a)
■ nm/f idiota m/f; **l'~ du village** el tonto
del pueblo
idiotie [idjɔsi] nf retraso mental; idiotez
f; (propos, remarque inepte) estupidez f,
idiotez
idole [idɔl] nf (aussi fig) ídolo
if [if] nm (Bot) tejo
ignoble [iɲɔbl] adj (individu, procédé) ruin,
innoble; (taudis, nourriture) asqueroso(-a)
ignorant, e [iɲɔʀã, ãt] adj, nm/f
ignorante m/f; **~ en** (une matière
quelconque) ignorante en; **faire l'~**
hacerse el tonto
ignorer [iɲɔʀe] vt (loi, faits) ignorar;
(personne, demande) no hacer caso a,
ignorar a; (être sans expérience de: plaisir,
guerre) desconocer; **j'ignore comment/
si** no sé cómo/si; **~ que** ignorar que,
desconocer que; **je n'ignore pas que ...**
soy consciente de que ...; **je l'ignore** lo
ignoro
il [il] pron él; **ils** ellos; **il fait froid** hace
frío; **il est midi** es mediodía; **Pierre est-il
arrivé?** ¿ha llegado Pedro?; voir aussi
avoir
île [il] nf isla; **les ~s** (les Antilles) las
Antillas; **l'~ de Beauté** Córcega; **l'~
Maurice** la isla Mauricio; **les ~s anglo-
normandes/Britanniques** las islas del
Canal/Británicas; **les (~s) Baléares/
Canaries** las (islas) Baleares/Canarias;
les (~s) Marquises las (islas) Marquesas
illégal, e, -aux [i(l)legal, o] adj ilegal
illimité, e [i(l)limite] adj ilimitado(-a);
(confiance) infinito(-a); (congé, durée)
indefinido(-a)
illisible [i(l)lizibl] adj (indéchiffrable)
ilegible; (roman) intragable, insoportable
illogique [i(l)lɔʒik] adj ilógico(-a)
illuminer [i(l)lymine] vt iluminar;
s'illuminer vpr iluminarse
illusion [i(l)lyzjɔ̃] nf ilusión f; **se faire
des ~s** hacerse ilusiones; **faire ~** dar el
pego; **~ d'optique** ilusión óptica

illustration | 148

illustration [i(l)lystʀasjɔ̃] nf ilustración f
illustré, e [i(l)lystʀe] adj ilustrado(-a)
■ nm (périodique) revista ilustrada; (pour
enfants) tebeo
illustrer [i(l)lystʀe] vt ilustrar; (de notes,
commentaires) glosar; **s'illustrer** vpr
(personne) distinguirse
ils [il] pron voir **il**
image [imaʒ] nf imagen f; (tableau,
représentation) imagen, representación f;
~ **de** imagen de; ~ **de marque** (d'un
produit) imagen de marca; (d'une
personne, d'une entreprise) reputación f; ~
d'Épinal cromo; (présentation simpliste)
imagen estereotipada; ~ **pieuse** imagen
piadosa
imagé, e [imaʒe] adj rico(-a) en
imágenes
imaginaire [imaʒinɛʀ] adj
imaginario(-a); **nombre** ~ número
imaginario
imagination [imaʒinasjɔ̃] nf
imaginación f; (chimère, invention)
imaginaciones fpl
imaginer [imaʒine] vt imaginar;
(inventer) idear; **s'imaginer** vpr (scène)
imaginarse; ~ **que** suponer que;
j'imagine qu'il a voulu plaisanter me
figuro que habrá querido bromear; **que
vas-tu ~ là?** ¡qué ocurrencias tienes!; **s'~
que** imaginarse que; **s'~ à 60 ans/en
vacances** imaginarse a los 60 años/en
vacaciones; **il s'imagine pouvoir faire …**
se imagina que va a poder hacer …; **ne
t'imagine pas que** no te imagines que
imbécile [ɛ̃besil] adj, nm/f imbécil m/f
imbu, e [ɛ̃by] adj: ~ **de** imbuido(-a) de; ~
de soi-même/sa supériorité
engreído(-a)
imitateur, -trice [imitatœʀ, tʀis] nm/f
imitador(a)
imitation [imitasjɔ̃] nf imitación f; **un
sac ~ cuir** un bolso imitación cuero ou de
cuero imitación; **c'est en ~ cuir** es de
cuero de imitación; **à l'~ de** a imitación
de
imiter [imite] vt imitar; (ressembler à)
imitar a; **il se leva et je l'imitai** se levantó
y yo le imité
immangeable [ɛ̃mɑ̃ʒabl] adj incomible
immatriculation [imatʀikylasjɔ̃] nf
matrícula; inscripción f
immatriculer [imatʀikyle] vt
matricular; (à la Sécurité sociale) inscribir;
se faire ~ matricularse, inscribirse;
voiture immatriculée dans la Seine
coche m con matrícula del departamento
del Sena

immédiat, e [imedja, jat] adj
inmediato(-a) ■ nm: **dans l'~** por ahora;
dans le voisinage ~ de en el entorno
próximo de
immédiatement [imedjatmɑ̃] adv
inmediatamente
immense [i(m)mɑ̃s] adj inmenso(-a);
(succès, influence, avantage) enorme
immerger [imɛʀʒe] vt sumergir;
s'immerger vpr (sous-marin) sumergirse
immeuble [imœbl] nm (bâtiment)
edificio ■ adj (Jur: bien) inmueble; ~ **de
rapport** edificio de renta; ~ **locatif**
edificio de alquiler
immigration [imigʀasjɔ̃] nf
inmigración f
immigré, e [imigʀe] nm/f inmigrado(-a)
imminent, e [iminɑ̃, ɑ̃t] adj inminente
immobile [i(m)mɔbil] adj inmóvil; (pièce
de machine) fijo(-a); (dogmes, institutions)
inamovible; **rester/se tenir ~** quedar/
quedarse inmóvil
immobilier, -ière [imɔbilje, jɛʀ] adj
inmobiliario(-a) ■ nm: **l'~** (Comm) el
sector inmobiliario; (Jur) los bienes
inmuebles; voir aussi **promoteur;
société**
immobiliser [imɔbilize] vt inmovilizar;
(file, circulation) detener; (véhicule:
stopper) detener, parar; **s'immobiliser**
vpr (personne) inmovilizarse; (machine,
véhicule) pararse
immoral, e, -aux [i(m)mɔʀal, o] adj
inmoral
immortel, -elle [imɔʀtɛl] adj inmortal
immunisé, e [im(m)ynize] adj: ~ **contre**
inmunizado(-a) contra
immunité [imynite] nf inmunidad f;
~ **diplomatique/parlementaire**
inmunidad diplomática/parlamentaria
impact [ɛ̃pakt] nm impacto; (d'une
personne) influencia
impair, e [ɛ̃pɛʀ] adj impar ■ nm (gaffe)
torpeza; **numéros ~s** números mpl
impares
impardonnable [ɛ̃paʀdɔnabl] adj
imperdonable; **vous êtes ~ d'avoir fait
cela** no tiene perdón por haber hecho
esto
imparfait, e [ɛ̃paʀfɛ, ɛt] adj (guérison,
connaissance) incompleto(-a); (imitation,
œuvre) deficiente ■ nm (Ling) (pretérito)
imperfecto
impartial, e, -aux [ɛ̃paʀsjal, jo] adj
imparcial
impasse [ɛ̃pɑs] nf (aussi fig) callejón m sin
salida; **faire une ~** (Scol) preparar sólo
una parte del temario; **être dans l'~**

(*négociations*) estar en un punto muerto; **~ budgétaire** descubierto presupuestario

impassible [ɛ̃pasibl] *adj* impasible

impatience [ɛ̃pasjɑ̃s] *nf* impaciencia; **avec ~** con impaciencia; **mouvement/ signe d'~** movimiento/signo de impaciencia

impatient, e [ɛ̃pasjɑ̃, jɑ̃t] *adj* impaciente; **~ de faire qch** impaciente por hacer algo

impatienter [ɛ̃pasjɑ̃te] *vt* impacientar; **s'impatienter** *vpr* impacientarse; **s'~ de/contre** impacientarse por/contra

impeccable [ɛ̃pekabl] *adj* impecable; (*employé*) impecable, intachable; (*fam: formidable*) fenomenal

impensable [ɛ̃pɑ̃sabl] *adj* (*inconcevable*) impensable; (*incroyable*) increíble

imper [ɛ̃pɛʀ] *nm* = **imperméable**

impératif, -ive [ɛ̃peʀatif, iv] *adj* imperioso(-a); (*Jur*) preceptivo(-a) ■ *nm* (*Ling*): **l'~** el imperativo; **impératifs** *nmpl* (*d'une charge, fonction, de la mode*) imperativos *mpl*

impératrice [ɛ̃peʀatʀis] *nf* emperatriz *f*

imperceptible [ɛ̃pɛʀsɛptibl] *adj* imperceptible

impérial, e, -aux [ɛ̃peʀjal, jo] *adj* imperial

impérieux, -euse [ɛ̃peʀjø, jøz] *adj* (*air, ton*) imperioso(-a); (*pressant*) imperioso(-a), urgente

impérissable [ɛ̃peʀisabl] *adj* imperecedero(-a)

imperméable [ɛ̃pɛʀmeabl] *adj* impermeable ■ *nm* impermeable *m*; **~ à l'air** impermeable al aire; **~ à** (*fig: personne*) inaccesible a

impertinent, e [ɛ̃pɛʀtinɑ̃, ɑ̃t] *adj* impertinente

impitoyable [ɛ̃pitwajabl] *adj* despiadado(-a)

implanter [ɛ̃plɑ̃te] *vt* (*usine*) instalar; (*Méd, usage, mode*) implantar; (*race, immigrants, industrie*) establecer; (*idée*) inculcar; **s'implanter dans** *vpr* (*v vt*) implantarse en; instalarse en, establecerse en; **un préjugé solidement implanté** un prejuicio muy arraigado

impliquer [ɛ̃plike] *vt*: **~ qn (dans)** implicar a algn (en); (*supposer, entraîner*) implicar, suponer; (*Math*) implicar; **~ qch/que** significar algo/que

impoli, e [ɛ̃poli] *adj* descortés

impopulaire [ɛ̃pɔpylɛʀ] *adj* impopular

importance [ɛ̃pɔʀtɑ̃s] *nf* importancia; **avoir de l'~** tener importancia; **sans ~** sin importancia; **quelle ~?** ¿qué más da?; **d'~** de importancia

important, e [ɛ̃pɔʀtɑ̃, ɑ̃t] *adj* importante; (*gamme de produits*) extenso(-a); (*péj: airs, ton*) de importancia ■ *nm*: **l'~ (est de/que)** lo importante (es/es que); **c'est ~ à savoir** es importante saberlo

importateur, -trice [ɛ̃pɔʀtatœʀ, tʀis] *adj, nm/f* importador(a); **pays ~ de blé** país *m* importador de trigo

importation [ɛ̃pɔʀtasjɔ̃] *nf* (*de marchandises, fig*) importación *f*; (*d'animaux, plantes, maladies*) introducción *f*

importer [ɛ̃pɔʀte] *vt* (*Comm*) importar; (*maladies, plantes*) importar, introducir ■ *vi* (*être important*) importar; **~ à qn** importar a algn; **il importe de le faire/ que nous le fassions** es importante hacerlo/que lo hagamos; **peu m'importe** (*je n'ai pas de préférence*) ¡me da igual!; (*je m'en moque*) ¡a mí qué me importa!; **peu importe!** ¡qué importa!; **peu importe que** poco importa que; **peu importe le prix, nous paierons** no importa el precio, pagaremos; *voir aussi* **n'importe**

importun, e [ɛ̃pɔʀtœ̃, yn] *adj* (*curiosité, présence*) importuno(-a); (*visite, personne*) inoportuno(-a) ■ *nm/f* inoportuno(-a)

importuner [ɛ̃pɔʀtyne] *vt* importunar; (*suj: insecte, bruit*) molestar

imposant, e [ɛ̃pozɑ̃, ɑ̃t] *adj* (*aussi iron*) imponente

imposer [ɛ̃poze] *vt* (*taxer*) gravar; (*faire accepter par force*) imponer; **s'imposer** *vpr* imponerse; (*montrer sa prééminence*) destacar; (*être importun*) molestar; **~ qch à qn** imponer algo a algn; **~ les mains** (*Rel*) imponer las manos; **en ~ à qn** impresionar a algn; **en ~** (*personne, présence*) imponer; **ça s'impose!** ¡es de rigor!

impossible [ɛ̃pɔsibl] *adj* (*irréalisable, improbable*) imposible; (*enfant*) insoportable, inaguantable; (*absurde, extravagant*) increíble ■ *nm*: **l'~** lo imposible; **~ à faire** imposible de hacer; **il est ~ que** es imposible que; **il m'est ~ de le faire** me resulta imposible hacerlo; **faire l'~** hacer lo imposible; **si, par ~, je ne venais pas ...** si no viniera, lo cual es imposible ...

imposteur [ɛ̃pɔstœʀ] *nm* impostor(a)

impôt [ɛ̃po] *nm* (*taxe*) impuesto; **impôts** *nmpl* (*contributions*) impuestos *mpl*; **~ direct/foncier/indirect** impuesto

directo/sobre la propiedad/indirecto;
~s locaux impuestos municipales;
~ sur la fortune impuesto sobre el
patrimonio; **~ sur le chiffre d'affaires/
le revenu** impuesto sobre el capital/
la renta; **~ sur le revenu des personnes
physiques** impuesto sobre la renta
de las personas físicas; **~ sur les plus-
values** impuesto sobre las plusvalías;
~ sur les sociétés impuesto de
sociedades
impotent, e [ɛ̃pɔtɑ̃, ɑ̃t] adj (personne)
impedido(-a), inválido(-a); (jambe, bras)
paralítico(-a)
impraticable [ɛ̃pratikabl] adj (projet,
idée) impracticable; (piste, chemin, sentier)
intransitable, impracticable
imprécis, e [ɛ̃presi, iz] adj (contours,
renseignement) impreciso(-a); (souvenir)
impreciso(-a), borroso(-a); (tir) sin
precisión
imprégner [ɛ̃preɲe] vt: **~ (de)**
impregnar (con ou de); (de lumière) bañar
(de); (suj: amertume, ironie etc) cargar (de);
s'imprégner de vpr impregnarse de; (de
lumière) bañarse de; (idée, culture)
imbuirse de, empaparse de
imprenable [ɛ̃prənabl] adj (forteresse,
citadelle) inexpugnable; **vue ~** vista
panorámica asegurada
impression [ɛ̃presjɔ̃] nf (sentiment,
sensation; d'étouffement etc) sensación f;
(Photo, d'un ouvrage) impresión f; (d'un
tissu, papier peint) imprimación f; (dessin,
motif) imprimación, estampación f; **faire
bonne/mauvaise ~** causar buena/mala
impresión; **faire/produire une vive ~**
(émotion) causar/producir una viva
impresión; **donner l'~ d'être ...** dar la
impresión de ser ...; **donner une ~ de/l'~
que** dar una impresión de/la impresión
de que; **avoir l'~ de/que** tener la
impresión de/de que; **faire ~** (orateur,
déclaration) impresionar; **~s de voyage**
impresiones fpl de viaje
impressionnant, e [ɛ̃presjɔnɑ̃, ɑ̃t] adj
impresionante
impressionner [ɛ̃presjɔne] vt
impresionar
impressionniste [ɛ̃presjɔnist] nm/f
impresionista m/f
imprévisible [ɛ̃previzibl] adj
imprevisible
imprévu, e [ɛ̃prevy] adj (événement,
succès) imprevisto(-a); (dépense, réaction,
geste) inesperado(-a) ■ nm: **l'~** lo
imprevisto; **en cas d'~** en caso de
imprevisto; **sauf ~** salvo imprevisto

imprimante [ɛ̃primɑ̃t] nf (Inform)
impresora; **~ à jet d'encre/à
marguerite/(à) laser** impresora de
chorro de tinta/de margarita/láser;
~ (ligne par) ligne impresora de líneas;
~ matricielle impresora matricial; **~
thermique** impresora térmica
imprimé, e [ɛ̃prime] adj (motif, tissu)
estampado(-a); (livre, ouvrage)
impreso(-a) ■ nm impreso; (tissu)
estampado; (dans une bibliothèque) libro
(impreso); **un ~ à fleurs/pois** un
estampado de flores/lunares
imprimer [ɛ̃prime] vt imprimir; (tissu)
estampar; (visa, cachet) sellar;
(mouvement, vitesse) comunicar,
transmitir; (direction) imprimir,
comunicar
imprimerie [ɛ̃primri] nf imprenta;
(technique) tipografía
imprimeur [ɛ̃primœr] nm impresor m;
(ouvrier) tipógrafo
impropre [ɛ̃prɔpr] adj (incorrect)
incorrecto(-a), impropio(-a); **~ à** (suj:
personne) inepto(-a) para; (: chose)
inadecuado(-a) para
improviser [ɛ̃prɔvize] vt, vi improvisar;
s'improviser vpr improvisarse; **s'~
cuisinier** improvisarse como ou de
cocinero; **~ qn cuisinier** improvisar a
algn como ou de cocinero
improviste [ɛ̃prɔvist]: **à l'~** adv de
improviso
imprudence [ɛ̃prydɑ̃s] nf imprudencia
imprudent, e [ɛ̃prydɑ̃, ɑ̃t] adj, nm/f
imprudente m/f
impuissant, e [ɛ̃pɥisɑ̃, ɑ̃t] adj
impotente; (effort) inútil, vano(-a) ■ nm
impotente m; **~ à faire qch** incapaz de
hacer algo
impulsif, -ive [ɛ̃pylsif, iv] adj
impulsivo(-a)
impulsion [ɛ̃pylsjɔ̃] nf impulso;
donnée aux affaires/au commerce (fig)
impulso dado a los negocios/al
comercio; **sous l'~ de leurs chefs ...** (fig)
bajo la influencia de sus jefes ...
inabordable [inabɔrdabl] adj (lieu)
inaccesible; (cher, exorbitant) exorbitante
inacceptable [inaksɛptabl] adj
inaceptable
inaccessible [inaksesibl] adj (endroit)
inaccesible; (obscur) incomprensible;
(personne) inaccesible, inabordable;
(objectif) inalcanzable; **~ à** (insensible à:
suj: personne) insensible a
inachevé, e [inaʃ(ə)ve] adj
inacabado(-a)

inactif, -ive [inaktif, iv] *adj*
inactivo(-a); (*machine, population*)
inactivo(-a), parado(-a); (*inefficace*)
ineficaz
inadapté, e [inadapte] *adj, nm/f*
inadaptado(-a)
inadéquat, e [inadekwa(t), kwat] *adj*
inadecuado(-a)
inadmissible [inadmisibl] *adj*
inadmisible
inadvertance [inadvɛʀtɑ̃s]: **par ~** *adv*
por inadvertencia, por descuido
inanimé, e [inanime] *adj*
inanimado(-a); **tomber ~** caer exánime
inanition [inanisjɔ̃] *nf*: **tomber/mourir
d'~** caer/morir de inanición
inaperçu, e [inapɛʀsy] *adj*: **passer ~**
pasar desapercibido(-a)
inapte [inapt] *adj*: **~ à qch/faire qch**
incapaz para *ou* de algo/hacer algo; (*Mil*)
no apto(-a), incapacitado(-a)
inattendu, e [inatɑ̃dy] *adj*
inesperado(-a); (*insoupçonné*)
insospechado(-a) ■ *nm*: **l'~** lo inesperado
inattentif, -ive [inatɑ̃tif, iv] *adj* (*lecteur,
élève*) desatento(-a); **~ à** (*dangers, détails
matériels*) despreocupado(-a) de
inattention [inatɑ̃sjɔ̃] *nf* desatención *f*,
despreocupación *f*; **par ~** por descuido;
faute *ou* **erreur d'~** despiste *m*; **une
minute d'~** un momento de despiste
inauguration [inogyʀasjɔ̃] *nf*
inauguración *f*;
discours/cérémonie d'~ discurso/
ceremonia de inauguración
inaugurer [inogyʀe] *vt* inaugurar;
(*statue*) descubrir; (*politique*) inaugurar,
estrenar
inavouable [inavwabl] *adj* inconfesable
inca [ɛ̃ka] *adj* inca ■ *nm/f*: **I~** inca *m/f*
incalculable [ɛ̃kalkylabl] *adj*
incalculable; **un nombre ~ de** un número
incalculable de
incapable [ɛ̃kapabl] *adj* incapaz; **~ de
faire qch** incapaz de hacer algo; (*pour des
raisons physiques*) incapacitado(-a) para
hacer algo; **je suis ~ d'y aller** (*dans
l'impossibilité*) no puedo ir
incapacité [ɛ̃kapasite] *nf* (*incompétence*)
incapacidad *f*; (*Jur*) inhabilitación *f*; **je
suis dans l'~ de vous aider** (*impossibilité*)
me resulta imposible ayudarle; **~ de
travail** incapacidad laboral; **~ électorale**
inhabilitación electoral; **~ partielle/
permanente/totale** incapacidad
parcial/definitiva/total
incarcérer [ɛ̃kaʀseʀe] *vt* encarcelar
incassable [ɛ̃kasabl] *adj* irrompible

incendie [ɛ̃sɑ̃di] *nm* incendio; **~ criminel/
de forêt** incendio doloso/forestal
incendier [ɛ̃sɑ̃dje] *vt* incendiar; (*accabler
de reproches*) vapulear; (*visage, pommette*)
enrojecer
incertain, e [ɛ̃sɛʀtɛ̃, ɛn] *adj* incierto(-a);
(*éventuel, douteux*) inseguro(-a),
incierto(-a); (*temps*) inestable; (*indécis,
imprécis*) indefinido(-a); (*personne*)
indeciso(-a); (*pas, démarche*) inseguro(-a)
incertitude [ɛ̃sɛʀtityd] *nf* (*d'un résultat,
d'un fait*) incertidumbre *f*; (*d'une personne*)
indecisión *f*; **incertitudes** *nfpl*
(*hésitations*) vacilaciones *fpl*;
(*impondérables*) eventualidades *fpl*
incessamment [ɛ̃sesamɑ̃] *adv*
inmediatamente
incessant, e [ɛ̃sesɑ̃, ɑ̃t] *adj* incesante
incident, e [ɛ̃sidɑ̃, ɑ̃t] *adj* (*Jur: accessoire*)
incidental ■ *nm* incidente *m*;
proposition ~e (*Ling*) inciso; **~ de
frontière** incidente fronterizo; **~ de
parcours** (*fig*) pequeño contratiempo;
~ diplomatique incidente diplomático;
~ technique dificultad *f* técnica
incinérer [ɛ̃sineʀe] *vt* incinerar
inciser [ɛ̃size] *vt* hacer una incisión en
incisive [ɛ̃siziv] *nf* incisivo
inciter [ɛ̃site] *vt*: **~ qn à (faire) qch**
incitar a algn a (hacer) algo; (*à la révolte
etc*) incitar a
inclinable [ɛ̃klinabl] *adj* reclinable;
siège à dossier ~ asiento reclinable
inclination [ɛ̃klinasjɔ̃] *nf* inclinación *f*;
montrer de l'~ pour les sciences
mostrar inclinación hacia *ou* por las
ciencias; **~ de (la) tête** inclinación de (la)
cabeza; **~ (du buste)** inclinación
incliner [ɛ̃kline] *vt* inclinar ■ *vi*: **~ à
qch/à faire** tender a algo/a hacer;
s'incliner *vpr* (*personne, toit*) inclinarse;
(*chemin, pente*) bajar, descender; **~ la tête
ou le front** (*pour saluer*) inclinar la cabeza;
s'~ devant (*qn/qch*) (*rendre hommage à*)
inclinarse (ante algn/algo); **s'~ (devant
qch)** (*céder*) ceder (ante algo); **s'~ devant
qn/qch** (*s'avouer battu*) doblegarse ante
algn/algo
inclure [ɛ̃klyʀ] *vt* incluir; (*joindre à un
envoi*) adjuntar
incognito [ɛ̃kɔɲito] *adv* de incógnito
■ *nm*: **garder l'~** mantener el incógnito
incohérent, e [ɛ̃kɔeʀɑ̃, ɑ̃t] *adj*
incoherente
incollable [ɛ̃kɔlabl] *adj* (*riz*) que no se
pega; **il est ~** (*fam*) no hay quien lo pille
incolore [ɛ̃kɔlɔʀ] *adj* incoloro(-a); (*style*)
insulso(-a)

incommoder [ɛ̃kɔmɔde] *vt*: **~ qn**
incomodar a algn
incomparable [ɛ̃kɔ̃paʀabl] *adj*
(*dissemblable*) no comparable; (*inégalable*)
incomparable
incompatible [ɛ̃kɔ̃patibl] *adj*
incompatible; **~ avec** incompatible con
incompétent, e [ɛ̃kɔ̃petɑ̃, ɑ̃t] *adj*
(*ignorant*): **~ (en)** incompetente (en);
(*incapable*) incapaz; (*Jur*) incompetente
incomplet, -ète [ɛ̃kɔ̃plɛ, ɛt] *adj*
incompleto(-a)
incompréhensible [ɛ̃kɔ̃pʀeɑ̃sibl] *adj*
incomprensible
incompris, e [ɛ̃kɔ̃pʀi, iz] *adj*
incomprendido(-a)
inconcevable [ɛ̃kɔ̃s(ə)vabl] *adj*
inconcebible; (*extravagant*) increíble
inconfortable [ɛ̃kɔ̃fɔʀtabl] *adj* (*aussi
fig*) incómodo(-a)
incongru, e [ɛ̃kɔ̃gʀy] *adj* (*attitude,
remarque*) improcedente; (*visite*)
intempestivo(-a), inoportuno(-a)
inconnu, e [ɛ̃kɔny] *adj* desconocido(-a);
(*joie, sensation*) desconocido(-a),
extraño(-a) ■ *nm/f* desconocido(-a);
(*étranger, tiers*) extraño(-a) ■ *nm*: **l'~** lo
desconocido
inconnue [ɛ̃kɔny] *nf* (*Math, fig*) incógnita
inconsciemment [ɛ̃kɔ̃sjamɑ̃] *adv*
inconscientemente
inconscient, e [ɛ̃kɔ̃sjɑ̃, jɑ̃t] *adj*
inconsciente ■ *nm* (*Psych*): **l'~** el
inconsciente ■ *nm/f* inconsciente *m/f*;
~ de (*événement extérieur*) ajeno(-a) a; **il
est ~ de ...** (*conséquences*) no es
consciente de ...
inconsidéré, e [ɛ̃kɔ̃sidere] *adj*
desconsiderado(-a)
inconsistant, e [ɛ̃kɔ̃sistɑ̃, ɑ̃t] *adj*
inconsistente; (*caractère, personne*) débil;
(*intrigue d'un roman*) flojo(-a)
inconsolable [ɛ̃kɔ̃sɔlabl] *adj*
inconsolable
incontestable [ɛ̃kɔ̃tɛstabl] *adj*
indiscutible
incontinent, e [ɛ̃kɔ̃tinɑ̃, ɑ̃t] *adj* (*Méd*)
incontinente ■ *adv* (*tout de suite*) al
instante, en el acto
incontournable [ɛ̃kɔ̃tuʀnabl] *adj*
inevitable
incontrôlable [ɛ̃kɔ̃tʀolabl] *adj*
(*invérifiable*) no comprobable
inconvénient [ɛ̃kɔ̃venjɑ̃] *nm*
inconveniente *m*, desventaja; (*d'un
remède, changement*) inconveniente; **~s**
inconvenientes *mpl*; **y a-t-il un ~ à ...?**
(*risque*) ¿hay algún problema en ...?;

(*objection*) ¿hay algún inconveniente en
...?; **si vous n'y voyez pas d'~** (*obstacle,
objection*) si no tiene inconveniente
incorporer [ɛ̃kɔʀpɔʀe] *vt* incorporar;
~ (à) (*mélanger*) incorporar (a); **~ (dans)**
(*insérer*) insertar (en); **~ qn dans** (*Mil:
affecter*) destinar a algn a
incorrect, e [ɛ̃kɔʀɛkt] *adj* incorrecto(-a)
incorrigible [ɛ̃kɔʀiʒibl] *adj* incorregible
incrédule [ɛ̃kʀedyl] *adj* (*Rel*)
descreído(-a); (*personne, moue*)
incrédulo(-a), escéptico(-a)
incroyable [ɛ̃kʀwajabl] *adj* increíble
incruster [ɛ̃kʀyste] *vt*: **~ qch dans** (*Art*)
incrustar algo en; (*récipient, radiateur*)
formar sarro en; **s'incruster** *vpr*: **s'~
dans** incrustarse en; (*invité*) instalarse,
aposentarse; (*radiateur, conduite*) cubrirse
de sarro; **~ un bijou de diamants**
(*décorer*) incrustar diamantes en una joya
inculpé, e [ɛ̃kylpe] *nm/f* inculpado(-a),
acusado(-a)
inculper [ɛ̃kylpe] *vt*: **~ (de)** inculpar (de),
acusar (de)
inculquer [ɛ̃kylke] *vt*: **~ qch à qn**
inculcar algo a *ou* en algn
Inde [ɛ̃d] *nf* India
indécent, e [ɛ̃desɑ̃, ɑ̃t] *adj* indecente,
indecoroso(-a); (*inconvenant, déplacé*)
desconsiderado(-a)
indéchiffrable [ɛ̃deʃifʀabl] *adj* (*aussi fig*)
indescifrable; (*pensée, personnage*)
inescrutable
indécis, e [ɛ̃desi, iz] *adj* (*paix, victoire*)
dudoso(-a); (*temps*) dudoso(-a),
inestable; (*contours, formes*)
impreciso(-a), vago(-a); (*personne*)
indeciso(-a)
indéfendable [ɛ̃defɑ̃dabl] *adj* (*aussi fig*)
indefendible
indéfini, e [ɛ̃defini] *adj* indefinido(-a);
(*nombre*) ilimitado(-a); (*Ling: article*)
indeterminado(-a); **passé ~** perfecto
indéfiniment [ɛ̃definimɑ̃] *adv*
indefinidamente
indéfinissable [ɛ̃definisabl] *adj*
indefinible
indélébile [ɛ̃delebil] *adj* indeleble; (*fig*)
imborrable
indélicat, e [ɛ̃delika, at] *adj* (*grossier*)
falto(-a) de delicadeza; (*malhonnête*)
deshonesto(-a)
indemne [ɛ̃dɛmn] *adj* indemne
indemniser [ɛ̃dɛmnize] *vt* indemnizar;
~ qn de qch indemnizar a algn por algo;
se faire ~ cobrar una indemnización
indemnité [ɛ̃dɛmnite] *nf*
(*dédommagement*) indemnización *f*;

(*allocation*) subsidio; **~ de licenciement** indemnización por despido; **~ de logement** subsidio de vivienda; **~ journalière de chômage** subsidio de paro; **~ parlementaire** dietas *fpl* parlamentarias

indépendamment [ɛ̃depɑ̃damɑ̃] *adv* independientemente; **~ de** (*en faisant abstraction de*) independientemente de; (*par surcroît, en plus*) además de

indépendance [ɛ̃depɑ̃dɑ̃s] *nf* independencia; **~ matérielle** independencia económica

indépendant, e [ɛ̃depɑ̃dɑ̃, ɑ̃t] *adj* independiente; **~ de** independiente de; **travailleur ~** trabajador autónomo; **chambre ~e** habitación *f* independiente

indescriptible [ɛ̃dɛskriptibl] *adj* indescriptible

indésirable [ɛ̃dezirabl] *adj* indeseable

indestructible [ɛ̃dɛstryktibl] *adj* indestructible; (*marque, impression*) imborrable

indéterminé, e [ɛ̃detɛrmine] *adj* indeterminado(-a); (*texte, sens*) impreciso(-a)

index [ɛ̃dɛks] *nm* índice *m*; **mettre qn/ qch à l'~** poner a algn/algo en la lista negra

indicateur, -trice [ɛ̃dikatœr, tris] *nm/f* (*de la police*) confidente *m/f* ■ *nm* (*livre, brochure*): **~ immobilier** guía inmobiliaria; (*Écon*) indicador *m*, índice *m* ■ *adj*: **poteau ~** indicador, señal *f* de orientación; **panneau ~** panel *m* informativo; **~ de changement de direction** (*Auto*) indicador de cambio de dirección; **~ de niveau** indicador de nivel; **~ de pression** manómetro; **~ des chemins de fer** horario de trenes; **~ de vitesse** velocímetro

indicatif [ɛ̃dikatif] *nm* (*Ling*) indicativo; (*Radio*) sintonía; (*téléphonique*) prefijo ■ *adj*: **à titre ~** a título informativo; **~ d'appel** (*Radio*) signo convencional

indication [ɛ̃dikasjɔ̃] *nf* indicación *f*; **indications** *nfpl* (*directives*) indicaciones *fpl*, instrucciones *fpl*; **~ d'origine** (*Comm*) indicación de origen *ou* de procedencia

indice [ɛ̃dis] *nm* indicio; (*Police*) indicio, pista; (*Écon, Science, Tech, Admin*) índice *m*; **~ de la production industrielle** índice de producción industrial; **~ de réfraction/ des prix** índice de refracción/de precios; **~ de traitement** (*Admin*) escala de sueldos; **~ d'octane** (*d'un carburant*) índice de octano; **~ du coût de la vie**

índice de coste de la vida; **~ inférieur** (*Inform*) índice inferior

indicible [ɛ̃disibl] *adj* (*joie, charme*) inefable; (*peine*) indecible

indien, ne [ɛ̃djɛ̃, jɛn] *adj* indio(-a), hindú ■ *nm/f*: **Indien, ne** (*d'Amérique*) indio(-a); (*d'Inde*) indio(-a), hindú *m/f*; **l'océan I~** el Océano Índico

indifféremment [ɛ̃diferamɑ̃] *adv* indiferentemente, indistintamente

indifférence [ɛ̃diferɑ̃s] *nf* indiferencia

indifférent, e [ɛ̃diferɑ̃, ɑ̃t] *adj* indiferente; **~ à qn/qch** indiferente a algn/algo; **parler de choses ~es** hablar de cosas sin importancia; **ça m'est ~ (que ...)** me es indiferente (que ...)

indigène [ɛ̃diʒɛn] *adj, nm/f* indígena, criollo(-a) (*AM*)

indigeste [ɛ̃diʒɛst] *adj* indigesto(-a); (*fig*) pesado(-a)

indigestion [ɛ̃diʒɛstjɔ̃] *nf* indigestión *f*; **avoir une ~** tener una indigestión

indigne [ɛ̃diɲ] *adj* indigno(-a); **~ de** indigno(-a) de

indigner [ɛ̃diɲe] *vt* indignar; **s'indigner** *vpr*: **s'~ (de qch/contre qn)** (*se fâcher*) indignarse (por *ou* con algo/contra *ou* con algn)

indiqué, e [ɛ̃dike] *adj* (*date, lieu*) indicado(-a), acordado(-a); (*adéquat*) indicado(-a), adecuado(-a); **ce n'est pas très ~** no es muy adecuado; **remède/ traitement ~** (*prescrit*) remedio/ tratamiento adecuado

indiquer [ɛ̃dike] *vt* indicar; (*heure, solution*) indicar, informar; (*déterminer*) señalar, fijar; **~ qch/qn du doigt/du regard** (*désigner*) indicar *ou* señalar algo/ a algn con el dedo/con la mirada; **à l'heure indiquée** a la hora acordada; **pourriez-vous m'~ les toilettes/l'heure?** ¿puede indicarme dónde están los servicios/decirme la hora?

indiscipliné, e [ɛ̃disipline] *adj* (*écolier, troupes*) indisciplinado(-a); (*cheveux etc*) rebelde

indiscret, -ète [ɛ̃diskrɛ, ɛt] *adj* indiscreto(-a)

indiscutable [ɛ̃diskytabl] *adj* indiscutible

indispensable [ɛ̃dispɑ̃sabl] *adj* (*garanties, précautions, condition*) indispensable; (*objet, connaissances, personne*) imprescindible; **~ à qn/pour faire qch** imprescindible *ou* indispensable a algn/para hacer algo

indisposé, e [ɛ̃dispoze] *adj* indispuesto(-a)

indistinct, e [ɛ̃distɛ̃(kt), ɛ̃kt] adj (objet) indistinto(-a); (voix, bruits, souvenirs) confuso(-a)

indistinctement [ɛ̃distɛ̃ktəmɑ̃] adv indistintamente; **tous les Français ~** todos los franceses sin distinción

individu [ɛ̃dividy] nm individuo

individualiste [ɛ̃dividɥalist] adj, nm/f individualista m/f

individuel, le [ɛ̃dividɥɛl] adj individual; (opinion) personal; (cas) particular ■ nm/f (athlète) independiente m/f; **chambre/ maison ~le** habitación f/casa individual; **propriété ~le** propiedad f particular

indolore [ɛ̃dɔlɔʀ] adj indoloro(-a)

Indonésie [ɛ̃dɔnezi] nf Indonesia

indu, e [ɛ̃dy] adj: **à des heures ~es** (travailler) tarde; (rentrer) a horas imprudentes

indulgent, e [ɛ̃dylʒɑ̃, ɑ̃t] adj indulgente

industrialiser [ɛ̃dystʀijalize] vt industrializar; **s'industrialiser** vpr industrializarse

industrie [ɛ̃dystʀi] nf industria; **petite/ moyenne/grande ~** pequeña/mediana/ gran industria; **~ automobile** industria automovilística; **~ du livre/du spectacle** industria del libro/del espectáculo; **~ légère/lourde/textile** industria ligera/ pesada/textil

industriel, le [ɛ̃dystʀijɛl] adj, nm/f industrial m/f

inébranlable [inebʀɑ̃labl] adj inquebrantable; (personne, certitude) firme

inédit, e [inedi, it] adj inédito(-a)

inefficace [inefikas] adj ineficaz; (machine, employé) ineficiente

inégal, e, -aux [inegal, o] adj desigual; (partage, part) desproporcionado(-a); (rythme, pouls, écrivain) irregular; (humeur) variable

inégalable [inegalabl] adj inigualable

inégalé, e [inegale] adj inigualado(-a)

inégalité [inegalite] nf desigualdad f; (d'un partage etc) desproporción f; **inégalités** nfpl (dans une œuvre) desigualdades fpl; **~s d'humeur** variaciones fpl de humor; **~s de terrain** desigualdades del terreno

inépuisable [inepɥizabl] adj inagotable; **il est ~ sur** es inagotable en

inerte [inɛʀt] adj inerte; (apathique) pasivo(-a)

inespéré, e [inɛspeʀe] adj inesperado(-a)

inestimable [inɛstimabl] adj inestimable

inévitable [inevitabl] adj inevitable; (effet) consabido(-a), inevitable; (hum: rituel) consabido(-a)

inexact, e [inɛgza(kt), akt] adj inexacto(-a); (traduction etc) incorrecto(-a); (non ponctuel) impuntual

inexcusable [inɛkskyzabl] adj inexcusable

inexplicable [inɛksplikabl] adj inexplicable

in extremis [inɛkstʀemis] adv de milagro ■ adj (préparatifs, sauvetage) en el último momento; (mariage, testament) in extremis

infaillible [ɛ̃fajibl] adj infalible

infaisable [ɛ̃fəzabl] adj imposible de hacer

infarctus [ɛ̃faʀktys] nm: **~ (du myocarde)** infarto (de miocardio)

infatigable [ɛ̃fatigabl] adj infatigable, incansable

infect, e [ɛ̃fɛkt] adj pestilente; (goût) asqueroso(-a); (temps) horroroso(-a); (personne) odioso(-a)

infecter [ɛ̃fɛkte] vt (atmosphère, eau) contaminar; (personne) contagiar; (plaie) infectar; **s'infecter** vpr infectarse

infection [ɛ̃fɛksjɔ̃] nf (puanteur) pestilencia; (Méd) infección f

inférieur, e [ɛ̃feʀjœʀ] adj inferior; (classes sociales, intelligence) bajo(-a) ■ nm/f inferior m/f; **~ à** inferior a

infernal, e, -aux [ɛ̃fɛʀnal, o] adj infernal; (satanique) diabólico(-a); **tu es ~!** (fam: enfant) ¡eres un diablo!

infidèle [ɛ̃fidɛl] adj infiel; (narrateur, récit) inexacto(-a)

infiltrer [ɛ̃filtʀe] vpr: **s'infiltrer**: **s'~ dans** infiltrarse en; (vent, lumière) colarse en

infime [ɛ̃fim] adj ínfimo(-a)

infini, e [ɛ̃fini] adj infinito(-a); (discussions) interminable; (précautions) extremo(-a) ■ nm: **l'~** (Math, Photo) el infinito; **à l'~** (Math) al infinito; (discourir) interminablemente; (agrandir, varier) ampliamente

infiniment [ɛ̃finimɑ̃] adv infinitamente

infinité [ɛ̃finite] nf: **une ~ de** una infinidad de

infinitif, -ive [ɛ̃finitif, iv] nm (Ling) infinitivo ■ adj (mode, proposition) infinitivo(-a)

infirme [ɛ̃fiʀm] adj, nm/f inválido(-a); **~ moteur** deficiente m/f físico(-a)

infirmerie [ɛ̃fiʀməʀi] nf enfermería

infirmier, -ière [ɛ̃fiʀmje, jɛʀ] nm/f enfermero(-a), A.T.S. m/f ■ adj: **élève ~**

alumno(-a) de enfermería; **infirmière chef** enfermera jefe; **infirmière diplômée** diplomada en enfermería; **infirmière visiteuse** enfermera domiciliaria

infirmité [ɛ̃fiRmite] nf invalidez f

inflammable [ɛ̃flamabl] adj inflamable

inflation [ɛ̃flasjɔ̃] nf inflación f; **~ galopante/rampante** inflación galopante/lenta

infliger [ɛ̃fliʒe] vt poner; **il m'infligea un affront** me agravió

influençable [ɛ̃flyɑ̃sabl] adj influenciable

influence [ɛ̃flyɑ̃s] nf influencia; (d'une drogue) efecto; (Pol) predominio

influencer [ɛ̃flyɑ̃se] vt influir

influent, e [ɛ̃flyɑ̃, ɑ̃t] adj influyente

informaticien, ne [ɛ̃fɔRmatisjɛ̃, jɛn] nm/f informático(-a)

information [ɛ̃fɔRmasjɔ̃] nf información f; **informations** nfpl (Radio) noticias fpl; **voyage d'~** viaje m de investigación; **~ politique/sportive** (TV etc) información política/deportiva; **journal d'~** diario informativo

informatique [ɛ̃fɔRmatik] nf informática

informatiser [ɛ̃fɔRmatize] vt informatizar

informer [ɛ̃fɔRme] vt: **~ qn (de)** informar a algn (de) ▪ vi (Jur): **~ contre qn/sur qch** informar contra algn/ sobre algo; **s'informer** vpr: **s'~ (sur)** informarse (sobre)

infos [ɛ̃fo] nfpl = **informations**

infraction [ɛ̃fRaksjɔ̃] nf infracción f; **être en ~** haber cometido una infracción

infranchissable [ɛ̃fRɑ̃ʃisabl] adj infranqueable; (fig) insalvable

infrarouge [ɛ̃fRaRuʒ] adj infrarrojo(-a) ▪ nm infrarrojo

infrastructure [ɛ̃fRastRyktyR] nf infraestructura; **infrastructures** nfpl (d'un pays etc) infraestructuras fpl; **~ touristique/hôtelière/routière** infraestructura turística/hotelera/viaria

infuser [ɛ̃fyze] vt (aussi: **faire infuser**) dejar reposar

infusion [ɛ̃fyzjɔ̃] nf infusión f

ingénier [ɛ̃ʒenje] vpr: **s'ingénier: s'~ à faire qch** ingeniárselas para hacer algo

ingénierie [ɛ̃ʒeniRi] nf ingeniería; **~ génétique** ingeniería genética

ingénieur [ɛ̃ʒenjœR] nm ingeniero; **~ agronome/du son** ingeniero agrónomo/de sonido; **~ chimiste/des mines** ingeniero químico/de minas

ingénieux, -euse [ɛ̃ʒenjø, jøz] adj ingenioso(-a)

ingrat, e [ɛ̃gRa, at] adj (personne, travail) ingrato(-a); (sol) estéril; (visage) poco agraciado(-a) ▪ nm/f ingrato(-a); **~ envers** ingrato con

ingrédient [ɛ̃gRedjɑ̃] nm ingrediente m

inhabité, e [inabite] adj (régions) despoblado(-a); (maison) deshabitado(-a)

inhabituel, le [inabityɛl] adj inhabitual

inhibition [inibisjɔ̃] nf inhibición f

inhumain, e [inymɛ̃, ɛn] adj (barbare) inhumano(-a); (cri etc) atroz

inimaginable [inimaʒinabl] adj inimaginable

ininterrompu, e [inɛ̃teRɔ̃py] adj ininterrumpido(-a); (flot, vacarme) continuo(-a)

initial, e, -aux [inisjal, jo] adj, nf inicial; **initiales** nfpl iniciales fpl

initiation [inisjasjɔ̃] nf iniciación f

initiative [inisjativ] nf (aussi Pol) iniciativa; **avoir de l'~** tener iniciativa; **esprit d'~** (espíritu d) iniciativa; **à ou sur l'~ de qn** a la iniciativa de algn; **de sa propre ~** por propia iniciativa

initier [inisje] vt iniciar; **s'initier** vpr: **s'~ à** iniciarse en; **~ qn à** iniciar a algn en

injecter [ɛ̃ʒɛkte] vt inyectar

injection [ɛ̃ʒɛksjɔ̃] nf inyección f; **~ intraveineuse/sous-cutanée** inyección intravenosa/subcutánea; **à ~** (moteur, système) de inyección

injure [ɛ̃ʒyR] nf insulto

injurier [ɛ̃ʒyRje] vt insultar

injurieux, -euse [ɛ̃ʒyRjø, jøz] adj injurioso(-a)

injuste [ɛ̃ʒyst] adj injusto(-a); **~ (avec ou envers qn)** injusto(-a) (con algn)

injustice [ɛ̃ʒystis] nf injusticia; **haïr/ abhorrer l'~** odiar/aborrecer la injusticia

inlassable [ɛ̃lɑsabl] adj incansable, infatigable

inné, e [i(n)ne] adj innato(-a)

innocent, e [inɔsɑ̃, ɑ̃t] adj inocente; (crédule, naïf) inocente, ingenuo(-a); (jeu, plaisir) inofensivo(-a) ▪ nm/f inocente m/f; **faire l'~** hacerse el inocente

innocenter [inɔsɑ̃te] vt disculpar

innombrable [i(n)nɔ̃bRabl] adj incontable

innover [inɔve] vt innovar ▪ vi: **~ en art/en matière d'art** innovar en arte/en temas de arte

inoccupé, e [inɔkype] adj desocupado(-a)

inodore [inɔdɔR] adj inodoro(-a)

inoffensif, -ive [inɔfɑ̃sif, iv] adj inofensivo(-a); (plaisanterie) inocente

inondation [inɔ̃dasjɔ̃] nf inundación f;
(afflux massif) invasión f
inonder [inɔ̃de] vt (aussi fig) inundar;
(pluie) empapar; (envahir) invadir; **~ de**
inundar de
inopportun, e [inɔpɔʀtœ̃, yn] adj
inoportuno(-a)
inoubliable [inublijabl] adj inolvidable
inouï, e [inwi] adj inaudito(-a)
inox [inɔks] adj, nm abr acero inoxidable
inquiet, -ète [ɛ̃kjɛ, ɛ̃kjɛt] adj
inquieto(-a) ■ nm/f inquieto(-a);
~ de qch/au sujet de qn inquieto(-a)
ou preocupado(-a) por algo/algn
inquiétant, e [ɛ̃kjetɑ̃, ɑ̃t] adj
inquietante, preocupante
inquiéter [ɛ̃kjete] vt inquietar,
preocupar; (harceler) hostigar; (police)
molestar; **s'inquiéter** vpr inquietarse,
preocuparse; **s'~ de** preocuparse por
inquiétude [ɛ̃kjetyd] nf inquietud f,
preocupación f; **donner de l'~** ou **des ~s à**
preocupar a; **avoir de l'~** ou **des ~s au**
sujet de estar preocupado(-a) por
insaisissable [ɛ̃sezisabl] adj (ennemi)
incapturable; (nuance) imperceptible;
(bien) inembargable
insalubre [ɛ̃salybʀ] adj insalubre
insatisfait, e [ɛ̃satisfɛ, ɛt] adj
insatisfecho(-a)
inscription [ɛ̃skʀipsjɔ̃] nf inscripción f;
(indication) inscripción, letrero;
(à une institution) inscripción,
matrícula
inscrire [ɛ̃skʀiʀ] vt escribir, inscribir;
(renseignement) anotar; (à un budget)
hacer asiento de; (nom: sur une liste etc)
anotar, apuntar; **s'inscrire** vpr (pour une
excursion etc) apuntarse, inscribirse; **~ qn**
à matricular ou apuntar a algn a; **s'~ (à)**
(un club, parti) apuntarse (a),
matricularse (en); (l'université, un examen)
matricularse (en); **s'~ dans** (suj: projet)
insertarse en; **s'~ en faux contre qch**
desmentir algo
insecte [ɛ̃sɛkt] nm insecto
insecticide [ɛ̃sɛktisid] adj insecticida
■ nm insecticida m
insensé, e [ɛ̃sɑ̃se] adj insensato(-a)
insensible [ɛ̃sɑ̃sibl] adj insensible;
(pouls, mouvement) imperceptible; **~ aux**
compliments/à la chaleur insensible a
los halagos/al calor
inséparable [ɛ̃sepaʀabl] adj
inseparable; **inséparables** nmpl
(oiseaux) periquitos mpl
insigne [ɛ̃siɲ] nm emblema m ■ adj
insigne; (service) notable

insignifiant, e [ɛ̃siɲifjɑ̃, jɑ̃t] adj
insignificante; (paroles, visage, livre)
insustancial
insinuer [ɛ̃sinɥe] vt insinuar;
s'insinuer vpr: **s'~ dans** (odeur, humidité)
filtrarse en; (personne) colarse en
insipide [ɛ̃sipid] adj insípido(-a),
insulso(-a); (film etc) insulso(-a);
(personne) soso(-a)
insister [ɛ̃siste] vi insistir; **~ sur** insistir
en; **~ pour (faire) qch** insistir en (hacer)
algo
insolation [ɛ̃sɔlasjɔ̃] nf insolación f
insolent, e [ɛ̃sɔlɑ̃, ɑ̃t] adj insolente,
descarado(-a); (indécent) injurioso(-a)
■ nm/f insolente m/f, descarado(-a)
insolite [ɛ̃sɔlit] adj extraño(-a)
insoluble [ɛ̃sɔlybl] adj (problème) sin
solución; **~ (dans)** insoluble (en)
insomnie [ɛ̃sɔmni] nf insomnio; **avoir**
des ~s tener insomnio
insouciant, e [ɛ̃susjɑ̃, jɑ̃t] adj
despreocupado(-a); (imprévoyant)
dejado(-a)
insoupçonnable [ɛ̃supsɔnabl] adj
insospechable
insoupçonné, e [ɛ̃supsɔne] adj
insospechado(-a)
insoutenable [ɛ̃sut(ə)nabl] adj
(argument, opinion) insostenible; (lumière,
chaleur, spectacle) insoportable; (effort)
insufrible
inspecter [ɛ̃spɛkte] vt inspeccionar;
(personne) dar un repaso a; (maison)
revisar
inspecteur, -trice [ɛ̃spɛktœʀ, tʀis]
nm/f inspector(a); **~ d'Académie**
inspector de enseñanza; **~ (de police)**
inspector de policía; **~ des Finances** ou
des impôts inspector de hacienda; **~ (de**
l'enseignement) primaire ≈ inspector de
educación primaria
inspection [ɛ̃spɛksjɔ̃] nf inspección f;
~ des Finances/du Travail inspección de
Hacienda/de trabajo
inspirer [ɛ̃spiʀe] vt inspirar; (intentions)
sugerir ■ vi inspirar; **s'inspirer** vpr: **s'~**
de qch inspirarse en algo; **~ qch à qn**
inspirar algo a algn; (crainte, horreur)
inspirar algo a algn; **ça ne m'inspire pas**
beaucoup/vraiment pas eso no me dice
mucho/nada
instable [ɛ̃stabl] adj inestable; (personne,
population) nómada
installation [ɛ̃stalasjɔ̃] nf instalación f;
(dans un lieu précis) colocación f; (chez qn)
alojamiento; (sur un siège) acomodo f;
installations nfpl (équipement): **~s**

portuaires instalaciones *fpl* portuarias; **une ~ provisoire** *ou* **de fortune** un alojamiento provisional; **l'~ électrique** la instalación eléctrica; **~s industrielles** instalaciones industriales

installer [ɛ̃stale] *vt* instalar; *(asseoir, coucher)* acomodar; *(dans un lieu déterminé)* colocar; *(appartement)* acondicionar; *(fonctionnaire, magistrat)* dar posesión a; **s'installer** *vpr* instalarse; *(à un emplacement)* acomodarse; *(maladie, grève)* arraigarse; **~ une chambre dans le grenier** construir una habitación en el ático; **s'~ à l'hôtel/ chez qn** alojarse en el hotel/en casa de algn

instance [ɛ̃stɑ̃s] *nf* (*Jur*) instancia; **instances** *nfpl* (*prières*) insistencia *fsg*; **les ~s internationales** los organismos internacionales; **affaire en ~** asunto pendiente; **courrier en ~** correo pendiente; **être en ~ de divorce** estar en trámites de divorcio; **train en ~ de départ** tren *m* a punto de salir; **en première ~** en primera instancia

instant, e [ɛ̃stɑ̃, ɑ̃t] *adj* (*prière etc*) apremiante ◼ *nm* instante *m*; **sans perdre un ~** sin perder un instante; **en** *ou* **dans un ~** en un instante; **à l'~: je l'ai vu à l'~** lo he visto hace nada; **à l'~ (même) où** en el (mismo) momento en que; **à chaque** *ou* **tout ~** a cada instante; **pour l'~** por el momento; **par ~s** por momentos; **de tous les ~s** constante; **dès l'~ où** *ou* **que ...** desde el momento en que *ou* en cuanto ...; **d'un ~ à l'autre** de un momento a otro, en cualquier momento

instantané, e [ɛ̃stɑ̃tane] *adj* instantáneo(-a) ◼ *nm* (*Photo*) instantánea

instar [ɛ̃staʁ]: **à l'~ de** *prép* a semejanza de

instaurer [ɛ̃stɔʁe] *vt* implantar; **s'instaurer** *vpr* establecerse

instinct [ɛ̃stɛ̃] *nm* instinto; **avoir l'~ des affaires/du commerce** tener instinto para los negocios/el comercio; **d'~** por instinto; **~ grégaire/de conservation** instinto gregario/de conservación

instinctivement [ɛ̃stɛ̃ktivmɑ̃] *adv* instintivamente

instituer [ɛ̃stitɥe] *vt* establecer; (*un organisme*) fundar; (*évêque*) designar; (*héritier*) nombrar; **s'instituer** *vpr* (*relations*) establecerse; **s'~ défenseur d'une cause** erigirse en defensor(a) de una causa

institut [ɛ̃stity] *nm* instituto; **l'I~ de France** *institución que agrupa las cinco academias en Francia,* ≈ Real Academia Española; **~ de beauté** instituto de belleza; **~ médico-légal** instituto médico legal; **I~ universitaire de technologie (IUT)** ≈ Escuela Politécnica

instituteur, -trice [ɛ̃stitytœʁ, tʁis] *nm/f* maestro(-a)

institution [ɛ̃stitysjɔ̃] *nf* institución *f*; (*régime*) régimen *m*; (*collège*) colegio privado; **institutions** *nfpl* (*structures politiques et sociales*) instituciones *fpl*

instructif, -ive [ɛ̃stʁyktif, iv] *adj* instructivo(-a)

instruction [ɛ̃stʁyksjɔ̃] *nf* (*enseignement*) enseñanza; (*savoir*) cultura; (*Jur, Inform*) instrucción *f*; **instructions** *nfpl* (*directives, mode d'emploi*) instrucciones *fpl*; **~ publique/primaire** enseñanza pública/de educación primaria; **~ ministérielle/préfectorale** circular *f* ministerial/de la Prefectura; **~ civique** formación *f* cívica; **~ religieuse** formación religiosa

instruire [ɛ̃stʁɥiʁ] *vt* (*élèves*) enseñar; (*Mil, Jur*) instruir; **s'instruire** *vpr* instruirse; **s'~ de qch auprès de qn** informarse sobre algo por algn; **~ qn de qch** informar a algn de algo

instruit, e [ɛ̃stʁɥi, it] *pp de* **instruire** ◼ *adj* instruido(-a), culto(-a)

instrument [ɛ̃stʁymɑ̃] *nm* herramienta; (*Mus*) instrumento; **~ à cordes/à percussion/à vent/de musique** instrumento de cuerda/de percusión/de viento/musical; **~ de mesure/de travail** instrumento de medición/de trabajo

insu [ɛ̃sy] *nm*: **à l'~ de qn** a espaldas de algn; **à son ~** a sus espaldas

insuffisant, e [ɛ̃syfizɑ̃, ɑ̃t] *adj* insuficiente; (*dimensions*) reducido(-a); **~ en maths** insuficiente en matemáticas

insulaire [ɛ̃sylɛʁ] *adj* insular; (*attitude*) cerrado(-a)

insuline [ɛ̃sylin] *nf* insulina

insulte [ɛ̃sylt] *nf* insulto

insulter [ɛ̃sylte] *vt* insultar

insupportable [ɛ̃sypɔʁtabl] *adj* insoportable

insurmontable [ɛ̃syʁmɔ̃tabl] *adj* insuperable; (*angoisse, aversion*) invencible

intact, e [ɛ̃takt] *adj* intacto(-a); (*réputation*) íntegro(-a)

intarissable [ɛ̃taʁisabl] *adj* inagotable; **il est ~ sur ...** es incansable cuando habla de ...

intégral, e, -aux [ɛ̃tegʀal, o] adj total;
(*édition*) completo(-a); **nu ~** desnudo
integral

intégralement [ɛ̃tegʀalmã] adv
totalmente, completamente

intégralité [ɛ̃tegʀalite] nf totalidad f;
dans son ~ en su totalidad

intégrant, e [ɛ̃tegʀã, ãt] adj: **faire
partie ~e de qch** formar parte integrante
de algo

intègre [ɛ̃tegʀ] adj íntegro(-a)

intégrer [ɛ̃tegʀe] vt (*personnes*) integrar;
(*théories, paragraphe*) incorporar ■ vi
(*argot universitaire*) ingresar; **s'intégrer**
vpr: **s'~ à** ou **dans qch** integrarse en algo

intégrisme [ɛ̃tegʀism] nm integrismo

intellectuel, le [ɛ̃telɛktɥɛl] adj, nm/f
intelectual m/f

intelligence [ɛ̃teliʒãs] nf inteligencia;
(*compréhension*) comprensión f;
intelligences nfpl (*fig*) cómplices mpl;
regard/sourire d'~ mirada/sonrisa de
complicidad; **vivre en bonne/mauvaise
~ avec qn** llevarse bien/mal con algn;
avoir des ~s dans la place (*Mil*) tener
contactos en el sitio; **être d'~** estar de
común acuerdo; **~ artificielle**
inteligencia artificial

intelligent, e [ɛ̃teliʒã, ãt] adj
inteligente, listo(-a); (*personne, animal*)
inteligente

intelligible [ɛ̃teliʒibl] adj (*proposition
etc*) inteligible; **parler de façon peu ~**
hablar de forma poco clara

intempéries [ɛ̃tãpeʀi] nfpl tiempo
inclemente

intempestif, -ive [ɛ̃tãpɛstif, iv] adj
intempestivo(-a)

intenable [ɛ̃t(ə)nabl] adj inaguantable,
insoportable; (*position*) indefendible;
(*enfant*) inaguantable

intendant, e [ɛ̃tãdã, ãt] nm/f (*Mil*)
intendente m; (*Scol, régisseur*)
administrador(a)

intense [ɛ̃tãs] adj intenso(-a)

intensif, -ive [ɛ̃tãsif, iv] adj
intensivo(-a); **cours ~** curso intensivo;
culture intensive cultivo intensivo

intenter [ɛ̃tãte] vt: **~ un procès/une
action contre** ou **à qn** entablar proceso/
una acción contra algn

intention [ɛ̃tãsjɔ̃] nf intención f; (*but,
objectif*) intención f, propósito;
contrecarrer les ~s de qn oponerse a las
intenciones de algn; **avec** ou **dans l'~ de
nuire** con la premeditación de dañar;
avoir l'~ de faire qch tener la intención
de hacer algo; **à l'~ de qn** para algn;

(*prière, messe*) por algn; (*fête*) en honor de
algn; (*film, ouvrage*) dedicado(-a) a algn;
à cette ~ con este propósito; **sans ~ de**
sin intención de; **faire qch sans
mauvaise ~** hacer algo sin mala
intención; **agir dans une bonne ~** actuar
con buena intención

intentionné, e [ɛ̃tãsjɔne] adj: **être
bien/mal ~** tener buena/mala intención

interactif, -ive [ɛ̃teʀaktif, iv] adj (*aussi
Inform*) interactivo(-a)

intercepter [ɛ̃teʀsɛpte] vt interceptar;
(*lumière etc*) impedir el paso de

interchangeable [ɛ̃teʀʃãʒabl] adj
intercambiable

interdiction [ɛ̃teʀdiksjɔ̃] nf interdicción
f, prohibición f; **~ de fumer** prohibido ou
se prohibe fumar; **~ de séjour**
interdicción de residencia

interdire [ɛ̃teʀdiʀ] vt prohibir; (*Admin,
Rel: personne*) inhabilitar; **~ qch à qn**
prohibir algo a algn; **~ à qn de faire qch**
prohibir a algn hacer algo; (*suj: chose*)
impedir que algn haga algo; **s'~ qch**
(*éviter*) privarse de algo; **il s'interdit d'y
penser** se niega a pensar en ello

interdit, e [ɛ̃teʀdi, it] pp de **interdire**
■ adj (*stupéfait*) estupefacto(-a); (*prêtre*)
inhabilitado(-a), incapacitado(-a);
(*écrivain*) vedado(-a); (*livre*) censurado(-a)
■ nm pauta; **prononcer l'~ contre qn**
vetar a algn; **film ~ aux moins de 18/13
ans** película prohibida a los menores de
18/13 años; **sens/stationnement ~**
dirección f/estacionamiento
prohibido(-a); **~ de chéquier** persona a la
que se le deniega un talonario de cheques; **~
de séjour** expulsado(-a)

intéressant, e [ɛ̃teʀesã, ãt] adj
interesante; **faire l'~** hacerse el
interesante

intéressé, e [ɛ̃teʀese] adj interesado(-a)
■ nm/f: **l'intéressé, e** el (la) interesado(-a)

intéresser [ɛ̃teʀese] vt (*élèves etc*)
interesar; (*Admin: mesure, loi*) concernir;
(*Comm: aux bénéfices*) dar participación
en; **ce film m'a beaucoup intéressé** he
encontrado muy interesante esta
película; **ça n'intéresse personne** eso no
interesa a nadie; **~ qn dans une affaire**
hacer participar a algn en un negocio; **s'~
qn à qch** interesar a algn en algo; **s'~ à
qn/à ce que fait qn/qch** interesarse por
algn/por lo que hace algn/algo; **s'~ à un
sport** interesarse por un deporte

intérêt [ɛ̃teʀɛ] nm interés msg;
(*avantage, originalité*): **l'~ de ...** lo
interesante de ...; **intérêts** nmpl

(*avantage*) intereses *mpl*; **porter de l'~ à qn** interesarse por algn; **agir par ~** actuar por interés; **avoir des ~s dans une société** tener intereses en una compañía; **il a ~ à acheter cette voiture** le interesa comprar ese coche; **tu aurais ~ à te taire!** ¡más te vale callarte!; **il y a ~ à ...** interesa ...; **~ composé** interés compuesto

intérieur, e [ɛ̃teʀjœʀ] *adj* interior ■ *nm* interior *m*; **ministère de l'I~** ministerio del Interior; **un ~ bourgeois/ confortable** una decoración burguesa/ confortable; **à l'~ (de)** en el interior *ou* dentro *ou* adentro (*esp AM*) (de); (*fig*) dentro (de); **en ~** (*Ciné*) en interiores; **vêtement/veste/chaussures d'~** prenda/chaqueta/zapatos *mpl* de estar en casa

intérieurement [ɛ̃teʀjœʀmɑ̃] *adv* por dentro

intérim [ɛ̃teʀim] *nm* interinidad *f*; **assurer l'~ (de qn)** hacer la interinidad (de algn); **faire de l'~** hacer sustituciones; **par ~** *adj* interino(-a) ■ *adv* de interino

intérimaire [ɛ̃teʀimɛʀ] *adj, nm/f* interino(-a); **personnel ~** personal *m* interino

interligne [ɛ̃teʀliɲ] *nm* línea; (*Mus*) espacio; **simple/double ~** un/doble espacio

interlocuteur, -trice [ɛ̃teʀlɔkytœʀ, tʀis] *nm/f* interlocutor(a); **~ valable** (*Pol*) interlocutor válido

intermédiaire [ɛ̃teʀmedjɛʀ] *adj* intermedio(-a) ■ *nm/f* intermediario(-a); **intermédiaires** *nmpl* (*Comm*) intermediarios *mpl*; **par l'~ de** por mediación de

interminable [ɛ̃teʀminabl] *adj* interminable

intermittence [ɛ̃teʀmitɑ̃s] *nf*: **par ~** (*travailler*) con intermitencias; (*entendre qch*) a intervalos

internat [ɛ̃teʀna] *nm* internado; (*Méd: fonction*) interno; (: *concours*) ≈ MIR

international, e, -aux [ɛ̃teʀnasjɔnal, o] *adj* internacional ■ *nm/f* (*Sport*) jugador(a) internacional

internaute [ɛ̃teʀnot] *nmf* internauta *mf*

interne [ɛ̃tɛʀn] *adj* interno(-a) ■ *nm/f* (*élève*) interno(-a); (*Méd*) médico(-a) interno(-a)

Internet [ɛ̃tɛʀnɛt] *nm* Internet *m*

interpeller [ɛ̃tɛʀpəle] *vt* interpelar; (*police*) detener

interphone [ɛ̃tɛʀfɔn] *nm* interfono; (*d'un appartement*) portero automático

interposer [ɛ̃tɛʀpoze] *vt* interponer; **s'interposer** *vpr* interponerse; **par personnes interposées** por un intermediario

interprète [ɛ̃tɛʀpʀɛt] *nm/f* intérprete *m/f*; **être l'~ de qn/de qch** ser el portavoz de algn/de algo

interpréter [ɛ̃tɛʀpʀete] *vt* interpretar

interrogatif, -ive [ɛ̃teʀɔgatif, iv] *adj* interrogativo(-a)

interrogation [ɛ̃teʀɔgasjɔ̃] *nf* interrogación *f*; **~ écrite/orale** (*Scol*) control *m* escrito/oral; **~ directe/ indirecte** (*Ling*) interrogación directa/ indirecta

interrogatoire [ɛ̃teʀɔgatwaʀ] *nm* interrogatorio

interroger [ɛ̃teʀɔʒe] *vt* interrogar; (*données*) consultar; (*candidat*) examinar; **s'interroger** *vpr* preguntarse; **~ qn (sur qch)** preguntar a algn (por algo); **~ qn du regard** preguntar a algn con la mirada

interrompre [ɛ̃teʀɔ̃pʀ] *vt* interrumpir; (*circuit électrique, communications*) cortar; **s'interrompre** *vpr* interrumpirse

interrupteur [ɛ̃teʀyptœʀ] *nm* interruptor *m*; **~ à bascule** interruptor basculante

interruption [ɛ̃teʀypsjɔ̃] *nf* interrupción *f*; **sans ~** sin interrupción; **~ (volontaire) de grossesse** interrupción (voluntaria) del embarazo

intersection [ɛ̃tɛʀsɛksjɔ̃] *nf* intersección *f*

intervalle [ɛ̃tɛʀval] *nm* intervalo; **à deux mois d'~** con dos meses de intervalo; **à ~s rapprochés** con mucha frecuencia; **par ~s** a ratos; **dans l'~** mientras tanto

intervenir [ɛ̃tɛʀvəniʀ] *vi* (*survenir*) ocurrir, tener lugar; (*circonstances, volonté etc*) influir; **~ dans** intervenir en; **~ (pour faire qch)** intervenir (para hacer algo); **~ auprès de qn/en faveur de qn** interceder ante algn/en favor de algn; **la police a dû ~** la policía tuvo que intervenir; **les médecins ont dû ~** los médicos tuvieron que intervenir

intervention [ɛ̃tɛʀvɑ̃sjɔ̃] *nf* intervención *f*; **~ (chirurgicale)** intervención (quirúrgica); **prix d'~** precio de intervención; **~ armée** intervención armada

interview [ɛ̃tɛʀvju] *nf* interviú *f*, entrevista

interviewer [*vb* ɛ̃tɛʀvjuve, *n* ɛ̃tɛʀvjuvœʀ] *vt* entrevistar a ■ *nm* entrevistador(a)

intestin, e [ɛ̃tɛstɛ̃, in] *adj*: querelles/
luttes ~es querellas *fpl*/luchas *fpl*
internas ■ *nm* intestino; ~ **grêle**
intestino delgado
intime [ɛ̃tim] *adj* íntimo(-a);
(*convictions*) profundo(-a) ■ *nm/f*
íntimo(-a)
intimider [ɛ̃timide] *vt* intimidar
intimité [ɛ̃timite] *nf* intimidad *f*; **dans
l'~** en la intimidad; (*sans formalités*)
informalmente
intolérable [ɛ̃tɔleRabl] *adj* (*chaleur*)
insoportable; (*inadmissible*) intolerable
intolérant, e [ɛ̃tɔleRɑ̃, ɑ̃t] *adj*
intolerante
intoxication [ɛ̃tɔksikasjɔ̃] *nf*
intoxicación *f*; (*fig*) contaminación *f*; ~
alimentaire intoxicación alimenticia
intoxiquer [ɛ̃tɔksike] *vt* (*aussi fig*)
intoxicar; (*fig*) contaminar;
s'intoxiquer *vpr* intoxicarse
intraitable [ɛ̃tRɛtabl] *adj*
despiadado(-a); ~ **(sur)** intransigente
(en); **demeurer ~** permanecer inflexible
intranet [ɛ̃tRanɛt] *nm* Intranet *f*
intransigeant, e [ɛ̃tRɑ̃ziʒɑ̃, ɑ̃t] *adj*
intransigente; (*morale, passion*) firme
intransitif, -ive [ɛ̃tRɑ̃zitif, iv] *adj*
intransitivo(-a)
intrépide [ɛ̃tRepid] *adj* intrépido(-a);
(*inébranlable*) tenaz
intrigue [ɛ̃tRig] *nf* intriga; (*liaison
amoureuse*) aventura
intriguer [ɛ̃tRige] *vi, vt* intrigar
introduction [ɛ̃tRɔdyksjɔ̃] *nf*
introducción *f*, incorporación *f*; **paroles/
chapitre d'~** palabras *fpl*/capítulo de
introducción; **lettre/mot d'~** carta/nota
de presentación
introduire [ɛ̃tRɔdɥiR] *vt* introducir;
(*visiteur*) hacer pasar a; (*mots*) incorporar;
s'introduire *vpr* introducirse; ~ **qn
auprès de qn** conducir a algn ante algn;
~ **qn dans un club** introducir a algn en un
club; **s'~ dans** introducirse en; ~ **une
correction au clavier** teclear una
corrección
introuvable [ɛ̃tRuvabl] *adj* (*personne*)
ilocalizable; (*Comm: rare: édition, livre*)
imposible de encontrar; **ma montre
est ~** no encuentro mi reloj por ningún
sitio
intrus, e [ɛ̃tRy, yz] *nm/f* intruso(-a)
intuition [ɛ̃tɥisjɔ̃] *nf* intuición *f*; **avoir
une ~** tener un presentimiento; **avoir l'~
de qch** tener la intuición de algo; **avoir
de l'~** tener intuición
inusable [inyzabl] *adj* duradero(-a)

inutile [inytil] *adj* inútil; (*superflu*)
innecesario(-a)
inutilement [inytilmɑ̃] *adv* inútilmente
inutilisable [inytilizabl] *adj* inutilizable
invalide [ɛ̃valid] *adj, nm/f* inválido(-a); ~
de guerre inválido de guerra; ~ **du
travail** inválido(-a) laboral
invariable [ɛ̃vaRjabl] *adj* invariable
invasion [ɛ̃vazjɔ̃] *nf* (*aussi fig*) invasión *f*;
(*de sauterelles, rats*) plaga, invasión
inventaire [ɛ̃vɑ̃tɛR] *nm* (*aussi fig*)
inventario; **faire un ~** (*Comm, Jur, gén*)
hacer un inventario; **faire** *ou* **procéder à
l'~** hacer inventario
inventer [ɛ̃vɑ̃te] *vt* inventar; (*moyen*)
idear; ~ **de faire qch** discurrir hacer algo
inventeur, -trice [ɛ̃vɑ̃tœR, tRis] *nm/f*
inventor(a)
inventif, -ive [ɛ̃vɑ̃tif, iv] *adj*
inventivo(-a)
invention [ɛ̃vɑ̃sjɔ̃] *nf* invención *f*; (*objet
inventé, expédient*) invento; (*fable,
mensonge*) ficción *f*, invención; **manquer
d'~** no tener imaginación
inverse [ɛ̃vɛRs] *adj* (*ordre*) inverso(-a);
(*sens*) inverso(-a), contrario(-a) ■ *nm*: **l'~**
lo contrario; **en proportion ~** en
proporción inversa; **dans l'ordre ~** en
orden inverso; **dans le sens ~ des
aiguilles d'une montre** en sentido
contrario a las agujas del reloj; **en** *ou*
dans le sens ~ en sentido contrario; **à l'~**
al contrario
inversement [ɛ̃vɛRsəmɑ̃] *adv*
inversamente
inverser [ɛ̃vɛRse] *vt* invertir
investir [ɛ̃vɛstiR] *vt* (*personne*) investir;
(*Mil*) cercar, sitiar; (*argent, capital*) invertir
■ *vi* invertir; ~ **qn de** (*d'une fonction, d'un
pouvoir*) investir a algn con
investissement [ɛ̃vɛstismɑ̃] *nm*
inversión *f*
invisible [ɛ̃vizibl] *adj* invisible; **il est ~
aujourd'hui** (*fig*) hoy no está para nadie
invitation [ɛ̃vitasjɔ̃] *nf* invitación *f*; **à/
sur l'~ de qn** por/a invitación de algn;
carte/lettre d'~ tarjeta/carta de
invitación
invité, e [ɛ̃vite] *nm/f* invitado(-a)
inviter [ɛ̃vite] *vt* invitar; ~ **qn à faire qch**
(*engager, exhorter*) invitar a algn a hacer
algo; ~ **à qch** (*à la méfiance*) incitar a algo;
(*à la promenade, méditation*) invitar a algo
invivable [ɛ̃vivabl] *adj* insoportable
involontaire [ɛ̃vɔlɔ̃tɛR] *adj*
involuntario(-a)
invoquer [ɛ̃vɔke] *vt* invocar; (*excuse,
argument*) invocar, alegar; (*loi, texte*)

apelar; (*jeunesse, ignorance*) alegar; **~ la clémence/le secours de qn** implorar la clemencia/la ayuda de algn

invraisemblable [ɛ̃vʀɛsɑ̃blabl] *adj* (*histoire*) inverosímil; (*aplomb, toupet*) increíble

iode [jɔd] *nm* yodo

ion [jɔ̃] *nm* ión *m*

irai *etc* [iʀe] *vb voir* **aller**

Irak [iʀak] *nm* Irak *m*

irakien, ne [iʀakjɛ̃, jɛn] *adj* iraquí ■ *nm/f*: **Irakien, ne** iraquí *m/f*

Iran [iʀɑ̃] *nm* Irán *m*

iranien, ne [iʀanjɛ̃, jɛn] *adj* iraní ■ *nm* (*Ling*) iraní *m* ■ *nm/f*: **Iranien, ne** iraní *m/f*

irions *etc* [iʀjɔ̃] *vb voir* **aller**

iris [iʀis] *nm* (*Bot*) lirio; (*Anat*) iris *m inv*

irlandais, e [iʀlɑ̃dɛ, ɛz] *adj* irlandés(-esa) ■ *nm* (*Ling*) irlandés *m* ■ *nm/f*: **Irlandais, e** irlandés(-esa); **les I~** los irlandeses

Irlande [iʀlɑ̃d] *nf* Irlanda; **la mer d'~** el mar de Irlanda; **~ du Nord/Sud** Irlanda del Norte/Sur

ironie [iʀɔni] *nf* ironía; **~ du sort** ironía del destino

ironique [iʀɔnik] *adj* irónico(-a)

ironiser [iʀɔnize] *vi* ironizar

irons *etc* [iʀɔ̃] *vb voir* **aller**

irradier [iʀadje] *vi* irradiar ■ *vt* irradiar, difundir

irraisonné, e [iʀɛzɔne] *adj* irrazonable

irrationnel, le [iʀasjɔnɛl] *adj* irracional

irréalisable [iʀealizabl] *adj* irrealizable

irrécupérable [iʀekypeʀabl] *adj* irrecuperable

irréel, le [iʀeɛl] *adj* irreal; (*Ling*): **(mode) ~** (modo) condicional *m ou* hipotético

irréfléchi, e [iʀefleʃi] *adj* irreflexivo(-a); (*geste, mouvement, acte*) inconsciente

irrégularité [iʀegylaʀite] *nf* irregularidad *f*; **irrégularités** *nfpl* irregularidades *fpl*; (*inégalité*) desigualdades *fpl*

irrégulier, -ière [iʀegylje, jɛʀ] *adj* irregular; (*développement, accélération*) irregular, desigual; (*peu honnête*) deshonesto(-a)

irrémédiable [iʀemedjabl] *adj* irremediable

irremplaçable [iʀɑ̃plasabl] *adj* irremplazable; (*personne*) irremplazable, insustituible

irréparable [iʀepaʀabl] *adj* (*aussi fig*) irreparable

irréprochable [iʀepʀɔʃabl] *adj* (*personne, vie*) irreprochable, intachable; (*tenue, toilette*) intachable

irrésistible [iʀezistibl] *adj* irresistible; (*concluant: logique*) contundente; (*qui fait rire*) graciosísimo(-a)

irrésolu, e [iʀezɔly] *adj* irresoluto(-a)

irrespectueux, -euse [iʀɛspɛktɥø, øz] *adj* irrespetuoso(-a)

irresponsable [iʀɛspɔ̃sabl] *adj, nm/f* irresponsable *m/f*

irriguer [iʀige] *vt* irrigar

irritable [iʀitabl] *adj* irritable

irriter [iʀite] *vt* irritar; **s'~ contre qn/de qch** irritarse con algn/por algo

irruption [iʀypsjɔ̃] *nf* irrupción *f*; **faire ~ dans un endroit/chez qn** irrumpir en un lugar/en casa de algn

Islam [islam] *nm*: **l'~** el Islam

islamique [islamik] *adj* islámico(-a)

Islande [islɑ̃d] *nf* Islandia

isolant, e [izɔlɑ̃, ɑ̃t] *adj, nm* aislante *m*

isolation [izɔlasjɔ̃] *nf*: **~ acoustique/ thermique** aislamiento acústico/ térmico

isolé, e [izɔle] *adj* (*aussi fig*) aislado(-a); (*éloigné*) apartado(-a)

isoler [izɔle] *vt* (*aussi fig*) aislar; **s'isoler** *vpr* (*pour travailler*) aislarse

Israël [isʀaɛl] *nm* Israel *m*

israélien, ne [isʀaeljɛ̃, jɛn] *adj* israelí ■ *nm/f*: **Israélien, ne** israelí *m/f*

israélite [isʀaelit] *adj* (*Rel*) israelita ■ *nm/f*: **Israélite** israelita *m/f*

issu, e [isy] *adj*: **~ de** descendiente de; (*fig*) resultante de

issue [isy] *nf* salida; (*solution*) salida, solución *f*; **à l'~ de** al concluir; **chemin/ rue sans ~** camino/calle *f* sin salida; **~ de secours** salida de socorro

Italie [itali] *nf* Italia

italien, ne [italjɛ̃, jɛn] *adj* italiano(-a) ■ *nm* (*Ling*) italiano ■ *nm/f*: **Italien, ne** italiano(-a)

italique [italik] *nm*: **(mettre un mot) en ~(s)** (poner una palabra) en cursiva

itinéraire [itineʀɛʀ] *nm* itinerario

IUT *sigle m* (= *Institut universitaire de technologie*) *voir* **institut**

IVG *sigle f* (= *interruption volontaire de grossesse*) interrupción *f* voluntaria del embarazo

ivoire [ivwaʀ] *nm* marfil *m*

ivre [ivʀ] *adj* (*saoul*) ebrio(-a), beodo(-a); **~ de colère/de bonheur** ebrio(-a) de ira/ de felicidad; **~ mort** borracho perdido

ivrogne [ivʀɔɲ] *nm/f* borracho(-a)

j' [ʒ] *pron voir* **je**

jacinthe [ʒasɛ̃t] *nf* jacinto; **~ des bois** jacinto silvestre

jadis [ʒadis] *adv* antaño

jaillir [ʒajiʀ] *vi* (*liquide*) brotar; (*fig*) surgir

jais [ʒɛ] *nm* azabache *m*; **(d'un noir) de ~** (negro) azabache

jalousie [ʒaluzi] *nf* celos *mpl*; (*store*) celosía

jaloux, -se [ʒalu, uz] *adj* (*envieux*) envidioso(-a); (*possessif*) celoso(-a); **être ~ de qn/qch** estar celoso(-a) de algn/ algo, tener envidia de algn/algo

jamais [ʒamɛ] *adv* nunca, jamás; (*sans négation*) alguna vez; **~ de la vie!** ¡nunca jamás!; **ne ... ~** no ... nunca; **si ~ ...** si alguna vez ...; **à (tout) ~, pour ~** para siempre

jambe [ʒɑ̃b] *nf* (*Anat*) pierna; (*d'un cheval*) pata; (*d'un pantalon*) pernil *m*; **à toutes ~s** a toda velocidad

jambon [ʒɑ̃bɔ̃] *nm* jamón *m*; **~ cru/fumé** jamón crudo/ahumado

jante [ʒɑ̃t] *nf* llanta

janvier [ʒɑ̃vje] *nm* enero; *voir aussi* **juillet**

Japon [ʒapɔ̃] *nm* Japón *m*

japonais, e [ʒapɔnɛ, ɛz] *adj* japonés(-esa) ■ *nm* (*Ling*) japonés *m* ■ *nm/f*: **Japonais, e** japonés(-esa)

jardin [ʒaʀdɛ̃] *nm* jardín *m*; **~ botanique** jardín botánico; **~ d'acclimatation** zoo de especies exóticas; **~ d'enfants** jardín de infancia; **~ japonais** jardín japonés; **~ potager** huerto; **~ public** parque *m* público; **~s suspendus** jardines *mpl* colgantes

jardinage [ʒaʀdinaʒ] *nm* jardinería

jardiner [ʒaʀdine] *vi* cuidar el jardín

jardinier, -ière [ʒaʀdinje, jɛʀ] *nm/f* jardinero(-a); **~ paysagiste** jardinero(-a) artístico(-a)

jardinière [ʒaʀdinjɛʀ] *nf* (*de fenêtre*) jardinera; **~ d'enfants** educadora infantil; **~ (de légumes)** (*Culin*) menestra

jargon [ʒaʀgɔ̃] *nm* jerga

jarret [ʒaʀɛ] *nm* (*Anat*) corva; (*Culin*) morcillo

jauge [ʒoʒ] *nf* (*capacité*) capacidad *f*; (*d'un navire*) arqueo; (*instrument*) aspilla, varilla graduada; **~ (de niveau) d'huile** indicador *m* (del nivel) de aceite

jaune [ʒon] *adj* amarillo(-a) ■ *nm* amarillo; (*aussi*: **jaune d'œuf**) yema ■ *nm/f* (*péj*): **J~** (*de race jaune*) amarillo(-a); (*briseur de grève*) esquirol(a) ■ *adv*: **rire ~** (*fam*) reír falsamente

jaunir [ʒoniʀ] *vt* amarillear ■ *vi* amarillear(se)

jaunisse [ʒonis] *nf* ictericia

Javel [ʒavɛl] *nf voir* **eau**

javelot [ʒavlo] *nm* jabalina; **faire du ~** hacer jabalina

je [ʒə] *pron* yo

jean [dʒin] *nm* (*Textile*) tela vaquera; (*pantalon*) vaqueros *mpl*, blue-jean(s) *m(pl)* (*esp AM*)

jeep [(d)ʒip] *nf* jeep *m*

Jésus-Christ [ʒezykʀi(st)] *n* Jesucristo; **600 avant/après** *ou* **J.-C.** en el año 600 antes/después de Jesucristo *ou* J.C.

jet¹ [dʒɛt] *nm* (*avion*) jet *m*, avión *m* a reacción

jet² [ʒɛ] *nm* (*lancer*) lanzamiento; (*distance*) tiro; (*jaillissement, tuyau*) chorro; **premier ~** (*fig*) bosquejo, esbozo; **arroser au ~** regar a chorro; **d'un (seul) ~** de un tirón, de una sola vez; **du premier ~** a la primera; **~ d'eau** chorro de agua; (*fontaine*) surtidor *m*

jetable [ʒ(ə)tabl] *adj* desechable

jetée [ʒəte] *nf* (*digue*) escollera; (*Aviat*) muelle *m* de embarque

jeter [ʒ(ə)te] *vt* (*lancer*) lanzar, botar (*AM*); (*se défaire de*) tirar; (*passerelle, pont*) construir, tender; (*bases, fondations*) establecer, sentar; (*regard*) echar; (*cri, insultes*) lanzar; (*lumière, son*) dar; **~**

l'ancre echar el ancla; **~ un coup d'œil (à)** echar un vistazo (a); **~ qch à qn** lanzar algo a algn; **~ les bras en avant/la tête en arrière** echar los brazos hacia adelante/la cabeza hacia atrás; **~ le trouble/l'effroi parmi ...** sembrar la confusión/el miedo entre ...; **~ un sort à qn** echar una maldición a algn; **~ qn dans la misère** hundir a algn en la miseria; **~ qn dans l'embarras** meter a algn en un apuro; **~ qn dehors** echar a algn fuera; **~ qn en prison** meter a algn en la cárcel; **~ l'éponge** (fig) tirar la toalla; **~ des fleurs à qn** (fig) echar flores a algn; **~ la pierre à qn** (accuser, blâmer) acusar a algn; **se ~ contre/dans/sur** arrojarse contra/en/ sobre; **se ~ dans** (suj: fleuve) desembocar en; **se ~ par la fenêtre** tirarse por la ventana; **se ~ à l'eau** (fig) lanzarse a hacer algo

jeton [ʒ(ə)tɔ̃] nm ficha; **jetons** nmpl (de présence) dieta fsg ou prima fsg de asistencia

jette etc [ʒɛt] vb voir **jeter**

jeu, x [ʒø] nm juego; (interprétation) actuación f, interpretación f; (Mus) interpretación; (Tech) juego, holgura; (défaut de serrage) holgura; **par ~** por juego; **d'entrée de ~** desde el principio; **cacher son ~** ocultar las intenciones; **c'est le ~** ou **la règle du ~** es el juego, son las reglas del juego; **c'est un ~ (d'enfant)** es un juego (de niños); **il a beau ~ de dire ça** le resulta fácil decir eso; **être/ remettre en ~** (Football) estar/poner en juego; **être en ~** (fig) estar en juego; **entrer/mettre en ~** (fig) entrar/poner en juego; **entrer dans le ~/le ~ de qn** (fig) entrar en el juego/en el juego de algn; **se piquer** ou **se prendre au ~** cegarse por el juego; **jouer gros ~** jugar fuerte, arriesgar mucho; **~ d'orgue(s)** registros mpl; **~ de boules** (activité) juego de bolos; (endroit) bolera; **~ de cartes** juego de naipes; (paquet) baraja; **~ de clés/ d'aiguilles** (série) juego de llaves/de agujas; **~ de construction** juego de construcción, mecano; **~ d'échecs** ajedrez m; **~ d'écritures** traspaso de cuenta a cuenta; **~ de hasard/de mots** juego de azar/de palabras; **~ de l'oie** juego de la oca; **~ de massacre** (à la foire, fig) pim pam pum m; **~ de patience/de société** juego de paciencia/de salón; **~ de physionomie** expresión f; **~x de lumière** juego de luces; **J~x olympiques** Juegos mpl Olímpicos

jeudi [ʒødi] nm jueves m inv; **~ saint** jueves santo; voir aussi **lundi**

jeun [ʒœ̃]: **à ~** adv en ayunas

jeune [ʒœn] adj joven; (récent) joven, reciente ▪ adv: **faire ~** hacer joven; **s'habiller ~** vestirse juvenil; **les ~s** los jóvenes; **~ fille** muchacha, chica; **~ homme** muchacho, chico; **~ loup** (Écon, Pol) joven cachorro; **~ premier** galán m; **~s gens** jóvenes mpl; **~s mariés** recién casados mpl

jeûne [ʒøn] nm ayuno

jeunesse [ʒœnɛs] nf juventud f

joaillier, -ière [ʒɔaje, jɛʀ] nm/f joyero(-a)

joie [ʒwa] nf (bonheur intense) alegría, gozo; (vif plaisir) alegría; **joies** nfpl (agrément) alegrías fpl; (iron: ennuis) encantos mpl

joindre [ʒwɛ̃dʀ] vt juntar, unir; (qch à qch) juntar ▪ vi (se toucher) encajar; **se joindre** vpr (mains etc) unirse; **~ qch à** (ajouter) adjuntar algo a; **~ un fichier à un mail** (Inform) adjuntar un archivo a un correo; **~ qn** (réussir à contacter) dar con algn, localizar a algn; **~ les mains/talons** juntar las manos/los talones; **~ les deux bouts** (fig) llegar a final de mes; **se ~ à** (s'unir) unirse a; (se mêler) sumarse a; **se ~ à qch** (participer à) sumarse a algo

joint, e [ʒwɛ̃, ɛ̃t] pp de **joindre** ▪ adj junto(-a) ▪ nm (articulation, assemblage) junta, empalme m; (ligne, en ciment) junta; **sauter à pieds ~s** saltar con los pies juntos; **~ à** (un paquet, une lettre) adjunto(-a) a; **pièce ~e** pieza adjunta; **chercher/trouver le ~** (fig) buscar/ encontrar la solución; **~ de cardan/de culasse** junta de cardán/de culata; **~ de robinet** junta de grifo; **~ universel** junta universal

joli, e [ʒɔli] adj bonito(-a), lindo(-a) (AM) (fam): **une ~e somme/situation** una buena suma/un buen puesto; **c'est du ~!** (iron) ¡muy bonito!; **un ~ gâchis/travail** (iron) menudo lío/trabajo; **c'est bien ~ mais ...** está muy bien pero ...

jonc [ʒɔ̃] nm (Bot) junco; (bague, bracelet) anillo

jonction [ʒɔ̃ksjɔ̃] nf (action) unión f; (point de) ~ (de routes) empalme m, enlace m; (de fleuves) confluencia; **opérer une ~** (Mil etc) reunirse

jongleur, -euse [ʒɔ̃glœʀ, øz] nm/f malabarista m/f

jonquille [ʒɔ̃kij] nf junquillo

Jordanie [ʒɔʀdani] nf Jordania

joue [ʒu] nf mejilla; **mettre en ~** apuntar

jouer [ʒwe] vt jugar; (pièce de théâtre) representar; (film, rôle) interpretar; (simuler) fingir; (morceau de musique) ejecutar, tocar ■ vi jugar; (*Mus*) ejecutar, tocar; (*Ciné, Théâtre*) actuar; (*aux cartes, à la roulette*) jugar a; (*bois, porte*) combarse; (*clé, pièce*) tener juego *ou* holgura; **~ au héros** dárselas de héroe; **~ sur** (*miser*) jugar con; **~ de** (*instrument*) tocar; (*fig*): **~ du couteau** manejar el cuchillo; **~ des coudes** abrirse paso con los codos; **~ à** (*jeu, sport*) jugar a; **~ avec** (*sa santé etc*) jugar con; **se ~ de** (*difficultés*) pasar por alto; **se ~ de qn** (*tromper*) engañar a algn; **~ un tour à qn** jugar una mala pasada a algn; **~ la comédie** (*fig*) hacer teatro; **~ à la baisse/à la hausse** (*Bourse*) jugar a la baja/al alza; **~ serré** actuar con tiento; **~ de malchance** *ou* **malheur** tener mala suerte; **~ sur les mots** tergiversar las palabras; **à toi/nous de ~** (*fig*) te toca a ti/nos toca a nosotros; **~ aux courses** jugar a las carreras

jouet [ʒwɛ] *nm* juguete *m*; **être le ~ de** (*fig*) ser el juguete de

joueur, -euse [ʒwœʀ, øz] *nm/f* jugador(a); (*musique*) músico ■ *adj* juguetón(-ona); **être beau/mauvais ~** (*fig*) ser un buen/mal perdedor

jouir [ʒwiʀ]: **~ de** *vt* (*avoir*) gozar de; (*savourer*) disfrutar de

jour [ʒuʀ] *nm* día *m*; (*clarté*) luz *f*; (*ouverture*) hueco, vano; (*Couture*) calado; **jours** *nmpl* (*vie*) días *mpl*; **de nos ~s** hoy en día; **sous un ~ favorable/nouveau** (*fig*) bajo el aspecto más favorable/nuevo; **tous les ~s** todos los días, a diario; **de ~ en ~** de día; **d'un ~ à l'autre** de un día a otro; **du ~ au lendemain** de la noche a la mañana; **au ~ le ~**, de ~ en día a día; **il fait ~** es de día; **en plein ~** en pleno día; **au ~** a la luz del día; **au petit ~** de madrugada, al amanecer; **au grand ~** (*fig*) a todas luces, de forma evidente; **mettre au ~** (*découvrir*) sacar a la luz; **être/mettre à ~** estar/poner al día; **mise à ~** puesta al día; **donner le ~ à** dar a luz a; **voir le ~** salir a la luz; **se faire ~** (*fig*) abrirse camino, triunfar; **~ férié** día festivo; **le ~ J** ≈ el día D

journal, -aux [ʒuʀnal, o] *nm* periódico; (*personnel*) diario; **le J~ officiel (de la République française)** el Boletín oficial (de la República Francesa), ≈ el Boletín oficial del Estado; **~ de bord** diario de a bordo; **~ de mode** revista de moda; **~ parlé** diario hablado; **~ télévisé** diario televisado, telediario

journalier, -ière [ʒuʀnalje, jɛʀ] *adj* diario(-a) ■ *nm/f* jornalero(-a)

journalisme [ʒuʀnalism] *nm* periodismo

journaliste [ʒuʀnalist] *nm/f* periodista *m/f*

journée [ʒuʀne] *nf* día *m*; (*travail d'une journée*) jornada; **la ~ continue** la jornada continua

joyau, x [ʒwajo] *nm* (*aussi fig*) joya

joyeux, -euse [ʒwajø, øz] *adj* feliz, alegre; **~ Noël!** ¡feliz Navidad!; **~ anniversaire!** ¡feliz cumpleaños!

jubiler [ʒybile] *vi* regocijarse

jucher [ʒyʃe] *vt*: **~ qch/qn sur** poner algo/a algn sobre ■ *vi* (*oiseau*): **~ sur** morar en; **se ~ sur** posarse en *ou* sobre

judas [ʒyda] *nm* mirilla

judiciaire [ʒydisjɛʀ] *adj* judicial

judicieux, -euse [ʒydisjø, jøz] *adj* juicioso(-a), sensato(-a)

judo [ʒydo] *nm* judo

juge [ʒyʒ] *nm* juez *m/f*; **être bon/mauvais ~** (*fig*) ser un buen/mal árbitro; **~ d'instruction/de paix** juez de instrucción/de paz; **~ de touche** (*Football*) juez de línea; **~ des enfants** juez de menores

jugé [ʒyʒe]: **au ~** *adv* a bulto; (*fig*) a bulto, a ojo

jugement [ʒyʒmã] *nm* (*Jur*) sentencia; (*gén*) juicio; **~ de valeur** juicio de valor

juger [ʒyʒe] *vt* juzgar; (*Jur*) juzgar, sentenciar ■ *nm*: **au ~** a bulto; **~ qn/qch satisfaisant** considerar a algn/algo satisfactorio; **~ bon de faire ...** juzgar oportuno hacer ...; **~ que** estimar que; **~ de qch** juzgar algo; **jugez de ma surprise** imagine mi sorpresa

juif, -ive [ʒɥif, ʒɥiv] *adj* judío(-a) ■ *nm/f*: **Juif, ive** judío(-a)

juillet [ʒɥijɛ] *nm* julio; **le premier ~** el uno de julio; **le deux/onze ~** el dos/once de julio; **début/fin ~** a primeros/finales de julio; **le 14 ~** el 14 de julio (*la fiesta nacional francesa*)

- **14 JUILLET**

  En Francia, *le 14 juillet* es una fiesta nacional en conmemoración del asalto a la Bastilla durante la Revolución Francesa, celebrada con desfiles, música, baile y fuegos artificiales. En París tiene lugar un desfile militar por los Champs-Élysées que presencia el Presidente de la República.

juin [ʒɥɛ̃] *nm* junio; *voir aussi* **juillet**

jumeau, -elle, x [ʒymo, ɛl] *adj, nm/f* gemelo(-a); **maisons jumelles** casas *fpl* gemelas

jumeler [ʒym(ə)le] *vt* (*Tech*) acoplar; (*villes*) hermanar; **roues jumelées** ruedas *fpl* gemelas; **billets de loterie jumelés** décimos *mpl* de lotería dobles; **pari jumelé** apuesta doble

jumelle [ʒymɛl] *vb* voir **jumeler** ■ *adj, nf* voir **jumeau**; **jumelles** *nfpl* (*instrument*) gemelos *mpl*

jument [ʒymɑ̃] *nf* yegua

jungle [ʒœ̃gl] *nf* jungla, selva; (*fig*) jungla

jupe [ʒyp] *nf* falda, pollera (*AM*)

jupon [ʒypɔ̃] *nm* enaguas *fpl*

juré [ʒyre] *nm* jurado ■ *adj*: **ennemi ~** enemigo jurado

jurer [ʒyre] *vt* jurar ■ *vi* jurar; **~ (avec)** (*couleurs etc*) chocar (con), desentonar (con); **~ de faire/que** jurar hacer/que; **~ de qch** jurar algo, responder de algo; **ils ne jurent que par lui** creen a ciegas en él; **je vous jure!** ¡se lo juro!

juridique [ʒyridik] *adj* jurídico(-a)

juron [ʒyrɔ̃] *nm* juramento

jury [ʒyri] *nm* (*Jur*) jurado; (*Scol*) tribunal *m*

jus [ʒy] *nm* jugo, zumo (*Esp*); (*de viande*) jugo; (*fam: courant*) corriente *f* (eléctrica); (: *café*) café *m*; **~ de fruits** jugo ou zumo (*Esp*) de frutas; **~ d'orange/de pommes/de raisin/de tomates** zumo de naranja/de manzana/de uvas/de tomate

jusque [ʒysk]: **jusqu'à** *prép* hasta; **jusqu'au matin/soir** hasta la mañana/la tarde; **jusqu'à ce que** hasta que; **jusqu'à présent** ou **maintenant** hasta ahora; **~ sur/dans** hasta arriba de/en; (*y compris*) hasta, incluso; **~ vers** hasta cerca de; **~-là** hasta ahí; **jusqu'ici** (*temps*) hasta ahora; (*espace*) hasta aquí

justaucorps [ʒystokɔr] *nm* malla

juste [ʒyst] *adj* justo(-a); (*légitime*) justo(-a), legítimo(-a); (*étroit*) ajustado(-a); (*insuffisant*) escaso(-a) ■ *adv* (*avec exactitude, précision*) con precisión; (*étroitement*) apretado; (*chanter*) afinado; (*seulement*) solamente, nomás (*AM*); **~ assez/au-dessus** bastante/hasta por encima de; **pouvoir tout ~ faire qch** poder sólo hacer algo; **au ~** exactamente; **comme de ~** como es lógico; **le ~ milieu** el término medio; **à ~ titre** con razón

justement [ʒystəmɑ̃] *adv* justamente; **c'est ~ ce qu'il fallait faire** es precisamente lo que había que hacer

justesse [ʒystɛs] *nf* (*exactitude, précision*) precisión *f*, exactitud *f*; (*d'une remarque*) propiedad *f*; (*d'une opinion*) rectitud *f*; **de ~** por poco

justice [ʒystis] *nf* justicia; **rendre la ~** administrar justicia; **traduire en ~** citar ante la justicia, hacer comparecer ante la justicia; **obtenir ~** lograr justicia; **rendre ~ à qn** hacer justicia a algn; **se faire ~** (*se venger*) tomarse la justicia por su mano; (*se suicider*) suicidarse

justificatif, -ive [ʒystifikatif, iv] *adj* justificativo(-a) ■ *nm* justificante *m*

justifier [ʒystifje] *vt* justificar; **se justifier** *vpr* justificarse; **~ de** probar; **non justifié** injustificado(-a); **justifié à droite/gauche** justificado a la derecha/izquierda

juteux, -euse [ʒytø, øz] *adj* jugoso(-a); (*fam*) jugoso(-a), sustancioso(-a)

juvénile [ʒyvenil] *adj* juvenil

K

klaxon [klaksɔn] *nm* bocina, claxon *m*
klaxonner [klaksɔne] *vi* tocar la bocina *ou* el claxon
km *abr* (= *kilomètre(s)*) km. (= *kilómetro(s)*)
km/h *abr* (= *kilomètres/heure*) km/h.
Ko *abr* (*Inform:* = *kilooctet*) K
K.-O. [kao] *adj inv* K.O.
koala [kɔala] *nm* koala *m*
kosovar [kɔsɔvaʀ] *adj* Kosovar ■ *nm/f*: K~ Kosovar *m/f*
Kosovo [kɔsɔvo] *nm* Kosovo
kyste [kist] *nm* quiste *m*

K [kɑ] *abr* (= *kilooctet*) K
kaki [kaki] *adj inv* caqui
kangourou [kɑ̃guʀu] *nm* canguro
karaté [kaʀate] *nm* kárate *m*
kascher [kaʃɛʀ] *adj inv* de acuerdo con las normas dietéticas de la ley hebraica
kayak [kajak] *nm* kayak *m*
képi [kepi] *nm* quepis *m*
kermesse [kɛʀmɛs] *nf* romería
kidnapper [kidnape] *vt* secuestrar
kilo [kilo] *nm* kilo
kilogramme [kilɔgʀam] *nm* kilogramo
kilométrage [kilɔmetʀaʒ] *nm* kilometraje *m*; **faible ~** poco kilometraje, pocos kilómetros
kilomètre [kilɔmɛtʀ] *nm* kilómetro; **~s (à l')heure** kilómetros por hora
kilométrique [kilɔmetʀik] *adj* kilométrico(-a); **compteur ~** cuentakilómetros *m inv*
kilowatt [kilowat] *nm* kilovatio
kinésithérapeute [kineziteʀapøt] *nm/f* kinesiólogo(-a)
kiosque [kjɔsk] *nm* (*de jardin, à journaux*) kiosco *ou* quiosco; (*fleurs*) puesto; (*Tél etc*) torreta
kir [kiʀ] *nm* kir *m* (*vino blanco con licor de grosella negra*)
kiwi [kiwi] *nm* kiwi *m*

l' [l] dét voir **le**

la [la] nm (Mus) la m inv ■ dét, pron voir **le**

là [la] adv (plus loin) ahí, allí; (ici) aquí; (dans le temps) entonces; **est-ce que Catherine est là?** ¿está Catherine?; **elle n'est pas là** no está; **c'est là que** ahí ou allí es donde; (ici) aquí es donde; **là où** allí donde; **de là** (fig) de ahí; **par là** (fig) con eso; **tout est là** todo está ahí; (fig) ahí está el fondo de la cuestión

là-bas [lɑbɑ] adv allí

laboratoire [labɔʀatwaʀ] nm laboratorio; **~ d'analyses/de langues** laboratorio de análisis/de idiomas

laborieux, -euse [labɔʀjø, jøz] adj laborioso(-a); (vie) sacrificado(-a); **classes laborieuses** clases fpl trabajadoras

labourer [labuʀe] vt (aussi fig) labrar

labyrinthe [labiʀɛ̃t] nm laberinto

lac [lak] nm lago; **les Grands L~s** los Grandes Lagos; **~ Léman** lago Lemán

lacet [lasɛ] nm (de chaussure) cordón m; (de route) curva cerrada; (piège) lazo; **chaussures à ~s** zapatos de cordones

lâche [lɑʃ] adj (poltron) cobarde; (procédé etc) ruin, vil; (desserré, pas tendu) flojo(-a); (morale, mœurs) relajado(-a) ■ nm/f cobarde m/f

lâcher [lɑʃe] nm (de ballons, d'oiseaux) lanzamiento ■ vt (aussi fig) soltar; (Sport: distancer) despegarse de; (fam: abandonner) dejar colgado(-a) ■ vi soltar; **~ les amarres** (Naut) soltar amarras; **~ les chiens** (contre) soltar los perros; **~ prise** (fig) soltarse

lacrymogène [lakʀimɔʒɛn] adj lacrimógeno(-a)

lacune [lakyn] nf laguna

là-dedans [ladədɑ̃] adv ahí dentro; (fig) en eso

là-dessous [ladsu] adv ahí debajo; (fig) detrás de eso

là-dessus [ladsy] adv ahí encima; (fig) luego; (à ce sujet) al respecto

lagune [lagyn] nf laguna

là-haut [lao] adv allí arriba

laid, e [lɛ, lɛd] (aussi fig) adj feo(-a)

laideur [lɛdœʀ] nf fealdad f; (fig) vileza

lainage [lɛnaʒ] nm (vêtement) jersey m ou chaqueta de lana; (étoffe) tejido de lana

laine [lɛn] nf lana; **pure ~** pura lana; **~ à tricoter** lana para tejer; **~ de verre** lana de vidrio; **~ peignée/vierge** lana cardada/virgen

laïque [laik] adj, nm/f laico(-a)

laisse [lɛs] nf (de chien) correa; **tenir en ~** tener atado(-a); (fig) manejar a su antojo

laisser [lese] vt dejar; **~ qch quelque part** dejar algo en algún sitio; **se ~ exploiter** dejarse explotar; **se ~ aller** abandonarse; **laisse-toi faire** déjate hacer; **rien ne laisse penser que ...** nada permite pensar que ...; **cela ne laisse pas de surprendre** esto no deja de sorprender; **~ qn tranquille** dejar a algn en paz

laisser-aller [leseale] nm inv abandono; (péj: absence de soin) desaliño

laissez-passer [lesepase] nm inv salvoconducto

lait [lɛ] nm leche f; **frère/sœur de ~** hermano/hermana de leche; **~ concentré/condensé** leche concentrada/condensada; **~ de beauté** leche de belleza; **~ de chèvre/de vache** leche de cabra/de vaca; **~ démaquillant** leche desmaquillante; **~ écrémé/entier/ en poudre** leche descremada/entera/en polvo; **~ maternel** leche materna

laitage [lɛtaʒ] nm producto lácteo

laiterie [lɛtʀi] nf lechería

laitier, -ière [letje, jɛʀ] adj (produit, industrie) lácteo(-a); **vache laitière** vaca lechera

laiton [lɛtɔ̃] nm latón m

laitue [lety] nf lechuga

lambeau, x [lãbo] *nm* jirón *m*; (*de conversation*) retazo; **en ~x** hecho(-a) jirones
lame [lam] *nf* (*de couteau etc*) hoja; (*de paquet etc*) lámina; (*vague*) ola; **~ de fond** mar *m* de fondo; **~ de rasoir** cuchilla de afeitar
lamelle [lamɛl] *nf* laminilla; **couper en ~s** cortar en lascas
lamentable [lamãtabl] *adj* lamentable
lamenter [lamãte] *vpr*: **se lamenter (sur)** quejarse (de)
lampadaire [lãpadɛʀ] *nm* lámpara de pie; (*dans la rue*) farola
lampe [lãp] *nf* lámpara; (*de radio*) válvula; **~ à alcool** lámpara de alcohol; **~ à arc** arco voltaico; **~ à bronzer** lámpara (de rayos) UVA; **~ de chevet/halogène** lámpara de mesa/halógena; **~ à pétrole** lámpara de petróleo, quinqué *m*; **~ à souder** soplete *m*; **~ de poche** linterna; **~ témoin** piloto
lance [lãs] *nf* lanza; **~ à eau** manguera; **~ d'incendie/d'arrosage** manguera de incendios/de riego
lancée [lãse] *nf*: **être/continuer sur sa ~** aprovechar el impulso inicial
lancement [lãsmã] *nm* lanzamiento; (*d'un bateau*) botadura; **offre de ~** oferta de lanzamiento
lance-pierres [lãspjɛʀ] *nm inv* tirachinas *m inv*
lancer [lãse] *nm* lanzamiento ▪ *vt* lanzar; (*bateau*) botar; (*mandat d'arrêt*) dictar; (*emprunt*) emitir; (*moteur*) poner en marcha; **se lancer** *vpr* lanzarse; **se ~ sur** *ou* **contre** lanzarse sobre *ou* contra; **~ qch à qn** lanzar algo a algn; (*de façon agressive*) arrojar algo a algn; **~ un appel** lanzar un llamamiento; **~ qn sur un sujet** mencionar un tema a algn; **se ~ dans** lanzarse en; **~ du poids** lanzamiento de peso
landau [lãdo] *nm* coche *m ou* carro de niño
lande [lãd] *nf* landa
langage [lãgaʒ] *nm* lenguaje *m*; **~ d'assemblage/de programmation** (*Inform*) lenguaje ensamblador/de programación; **~ évolué** (*Inform*) lenguaje evolucionado *ou* de última generación; **~ machine** (*Inform*) lenguaje máquina
langouste [lãgust] *nf* langosta
langoustine [lãgustin] *nf* cigala
langue [lãg] *nf* lengua; **~ de terre** franja de tierra; **tirer la ~ (à)** sacar la lengua (a); **donner sa ~ au chat** rendirse; **de ~**

française de lengua francesa; **~ de bois** lenguaje engañoso de los políticos; **~ maternelle** lengua materna; **~ verte** germanía, argot *m*; **~ vivante** lengua viva; **~s étrangères** lenguas *fpl* extranjeras
languette [lãgɛt] *nf* lengüeta
langueur [lãgœʀ] *nf* languidez *f*
languir [lãgiʀ] *vi* languidecer; **se languir** *vpr* languidecer; **faire ~ qn** hacer esperar a algn
lanière [lanjɛʀ] *nf* (*de fouet*) tralla; (*de valise, bretelle*) correa
lanterne [lãtɛʀn] *nf* linterna; (*de voiture*) luz *f* de población; **~ rouge** (*fig*) farolillo rojo; **~ vénitienne** farolillo veneciano
laper [lape] *vt* beber a lengüetadas
lapidaire [lapidɛʀ] *adj* (*aussi fig*) lapidario(-a); **musée ~** museo de lápidas
lapin [lapɛ̃] *nm* conejo; **coup du ~** golpe *m* en la nuca; **poser un ~ à qn** dar un plantón a algn; **~ de garenne** conejo de monte
Laponie [laponi] *nf* Laponia
laps [laps] *nm*: **~ de temps** lapso
laque [lak] *nm ou f* laca
laquelle [lakɛl] *pron voir* **lequel**
larcin [larsɛ̃] *nm* ratería
lard [laʀ] *nm* (*graisse*) tocino; (*bacon*) bacon *m*
lardon [laʀdõ] *nm* (*Culin*) torrezno; (*fam: enfant*) chiquillo(-a)
large [laʀʒ] *adj* ancho(-a); (*généreux*) espléndido(-a) ▪ *adv*: **calculer ~** calcular por lo alto; **voir ~** ver con amplitud ▪ *nm*: **5 m de ~** 5m de ancho; **le ~** alta mar; **au ~ de** a la altura de; **ne pas en mener ~** temblarle las rodillas a algn; **~ d'esprit** de mentalidad abierta
largement [laʀʒəmã] *adv* ampliamente; (*au minimum*) al menos; (*de loin*) indudablemente; (*sans compter*) generosamente; **il a ~ le temps** tiene tiempo de sobra; **il a ~ de quoi vivre** tiene ampliamente de qué vivir
largesse [laʀʒɛs] *nf* esplendidez *f*, largueza; **largesses** *nfpl* (*dons*) regalos *mpl* espléndidos
largeur [laʀʒœʀ] *nf* anchura; (*impression visuelle, fig*) amplitud *f*
larguer [laʀge] *vt* (*fam*) pasar de; **~ les amarres** soltar amarras
larme [laʀm] *nf* lágrima; **une ~ de** (*fig*) una gota de; **en ~s** llorando; **pleurer à chaudes ~s** llorar a lágrima viva
larmoyer [laʀmwaje] *vi* (*yeux*) lagrimear; (*se plaindre*) lloriquear

larvé, e [laʀve] *adj* larvado(-a)
laryngite [laʀɛ̃ʒit] *nf* laringitis *f inv*
las, lasse [lɑ, lɑs] *adj* fatigado(-a); **~ de qch/qn/de faire qch** cansado(-a) *ou* harto(-a) de algo/algn/de hacer algo
laser [lazɛʀ] *nm*: **(rayon) ~** (rayo) láser *m*; **chaîne ~** *ou* **platine ~** cadena *ou* pletina láser; **disque ~** disco láser
lasse [lɑs] *adj f voir* **las**
lasser [lɑse] *vt* (*ennuyer*) cansar; (*décourager*) agotar; **se lasser de** *vpr* cansarse de
latéral, e, -aux [lateʀal, o] *adj* lateral
latin, e [latɛ̃, in] *adj* latino(-a) ■ *nm* (*Ling*) latín *m* ■ *nm/f*: **Latin, e** latino(-a); **j'y perds mon ~** no me aclaro
latitude [latityd] *nf* latitud *f*; **avoir la ~ de faire** (*fig*) tener la libertad de hacer; **à 48 degrés de ~ Nord** a 48 grados latitud norte; **sous toutes les ~s** (*fig*) en todas las latitudes
lauréat, e [lɔʀea, at] *nm/f* galardonado(-a)
laurier [lɔʀje] *nm* laurel *m*; **lauriers** *nmpl* (*fig*) laureles *mpl*
lavable [lavabl] *adj* lavable
lavabo [lavabo] *nm* lavabo; **lavabos** *nmpl* (*toilettes*) servicios *mpl*
lavage [lavaʒ] *nm* lavado; **~ d'estomac/d'intestin** lavado de estómago/de intestino; **~ de cerveau** lavado de cerebro
lavande [lavɑ̃d] *nf* lavanda
lave [lav] *nf* lava
lave-linge [lavlɛ̃ʒ] *nm inv* lavadora
laver [lave] *vt* (*aussi fig*) lavar; (*baigner*) bañar; (*accusation, affront*) limpiar; **se laver** *vpr* lavarse; **se ~ les dents/les mains** lavarse los dientes/las manos; **se ~ les mains de qch** (*fig*) lavarse las manos con respecto a algo; **~ la vaisselle** fregar los platos; **~ le linge** lavar la ropa; **~ qn d'une accusation** alejar una acusación que recae sobre algn; **~ qn de tous soupçons** limpiar a algn de toda sospecha
laverie [lavʀi] *nf*: **~ (automatique)** lavandería
lavette [lavɛt] *nf* estropajo; (*brosse*) cepillo; (*fig: péj*) calzonazos *m inv*
laveur, -euse [lavœʀ, øz] *nm/f* (*de carreaux*) lavacristales *m inv*; (*de voitures*) lavacoches *m/f inv*
lave-vaisselle [lavvesɛl] *nm inv* lavaplatos *m inv*
lavoir [lavwaʀ] *nm* lavadero; (*bac*) tina
laxatif, -ive [laksatif, iv] *adj, nm* laxante *m*
layette [lɛjɛt] *nf* canastilla

○ **MOT-CLÉ**

le, l', la [lə, l, la] (*pl* **les**) *art déf* **1** (*masculin*) el; (*féminin*) la; (*pluriel*) los (las); **la pomme/l'arbre** la manzana/el árbol; **les étudiants/femmes** los estudiantes/las mujeres
2 (*indiquant la possession*): **avoir les yeux gris/le nez rouge** tener los ojos grises/la nariz roja
3 (*temps*): **travailler le matin/le soir** trabajar por la mañana/la tarde; **le jeudi** (*d'habitude*) los jueves; (*ce jeudi-là*) el jueves; **le lundi je vais toujours au cinéma** los lunes voy siempre al cine
4 (*distribution, évaluation*) el (la); **10 euros le mètre/la douzaine** 10 euros el metro/la docena; **le tiers/quart de** el tercio/cuarto de
■ *pron* **1** (*masculin*) lo; (*féminin*) la; (*pluriel*) los (las); **je le/la/les vois** lo/la/los(las) veo
2 (*remplaçant une phrase*): **je ne le savais pas** no lo sabía; **il était riche et il ne l'est plus** era rico y ya no lo es

lécher [leʃe] *vt* lamer; (*finir, polir*) pulir; **se lécher** *vpr*: **se ~ qch** chuparse algo; **~ les vitrines** mirar los escaparates
lèche-vitrines [lɛʃvitʀin] *nm inv*: **faire du ~** mirar escaparates
leçon [l(ə)sɔ̃] *nf* clase *f*; (*fig*) lección *f*; **faire la ~** dar la lección; **faire la ~ à** (*fig*) dar una lección a; **~ de choses** clase práctica; **~s de conduite** clases de conducir; **~s particulières** clases particulares
lecteur, -trice [lɛktœʀ, tʀis] *nm/f* lector(a) ■ *nm* (*Tech*): **~ de cassettes** cassette *m*; (*Inform*): **~ de disquette(s)** *ou* **de disque** lector *m* de disquete(s) *ou* de disco; **~ CD/de disques compacts** lector *m ou* reproductor *m* CD/de discos compactos; **~ MP3** reproductor *m* de MP3
lecture [lɛktyʀ] *nf* lectura; **en première/seconde ~** (*d'une loi*) en primera/segunda lectura
légal, e, -aux [legal, o] *adj* legal
légaliser [legalize] *vt* legalizar
légalité [legalite] *nf* legalidad *f*; **être dans/sortir de la ~** estar dentro/salirse de la ley
légendaire [leʒɑ̃dɛʀ] *adj* legendario(-a); (*fig*) ilustre
légende [leʒɑ̃d] *nf* leyenda; (*d'une photo*) pie *m*
léger, -ère [leʒe, ɛʀ] *adj* ligero(-a); (*erreur, retard*) leve; (*peu sérieux, personne*)

superficial; (*volage*) frívolo(-a); **blessé ~**
herido leve; **à la légère** a la ligera
légèrement [leʒɛʀmɑ̃] *adv* ligeramente,
suavemente; (*parler, agir*)
superficialmente; **~ plus grand**
ligeramente mayor; **~ en retard** con un
ligero *ou* pequeño retraso
légèreté [leʒɛʀte] *nf* ligereza; (*d'une
personne*) superficialidad *f*; (*d'une femme*)
frivolidad *f*

● **LÉGION D'HONNEUR**
●
● Creada por Napoleón en 1802 para
● premiar los servicios prestados a la
● nación, *la Légion d'honneur* es una
● prestigiosa orden encabezada por el
● Presidente de la República, el "Grand
● Maître". Sus miembros reciben una
● paga anual libre de impuestos.

législatif, -ive [leʒislatif, iv] *adj*
legislativo(-a)
législatives [leʒislativ] *nfpl* elecciones
fpl legislativas
légitime [leʒitim] *adj* (*aussi fig*)
legítimo(-a); **en (état de) ~ défense** (*Jur*)
en (estado de) legítima defensa
legs [lɛg] *nm* (*Jur, fig*) legado
léguer [lege] *vt*: **~ qch à qn** (*aussi fig*)
legar algo a algn
légume [legym] *nm* verdura; **~s secs**
legumbres *fpl*; **~s verts** verduras
lendemain [lɑ̃dmɛ̃] *nm*: **le ~** el día
siguiente; **le ~ matin/soir** el día
siguiente por la mañana/por la noche; **le
~ de** el día después de; **au ~ de**
inmediatamente después de; **penser au
~** pensar en el mañana; **sans ~** sin futuro,
sin porvenir; **de beaux ~s** días *mpl* felices;
des ~s qui chantent un futuro feliz
lent, e [lɑ̃, lɑ̃t] *adj* lento(-a)
lentement [lɑ̃tmɑ̃] *adv* lentamente
lenteur [lɑ̃tœʀ] *nf* lentitud *f*; **lenteurs**
nfpl (*actions, décisions lentes*) lentitud *fsg*
lentille [lɑ̃tij] *nf* (*Optique*) lente *f*; (*Bot,
Culin*) lenteja; **~ d'eau** (*Bot*) lenteja de
agua; **~s de contact** lentillas *fpl*
léopard [leɔpaʀ] *nm* leopardo; **tenue ~**
(*Mil*) ropa de camuflaje
lèpre [lɛpʀ] *nf* lepra
lequel, laquelle [ləkɛl, lakɛl] (*pl*
lesquels, lesquelles) (*à + lequel =
auquel, *de + lequel = **duquel** etc) *pron*
(*interrogatif*) cuál; (*relatif: personne*) el/la
cual, que; (: *après préposition*) el/la cual;
laquelle des chambres est la sienne?
¿cuál de las habitaciones es la suya?; **un**

homme sur la compétence duquel on
ne peut compter un hombre con cuya
competencia no se puede contar ■ *adj*:
auquel cas en cuyo caso; **il prit un livre,
~ livre ...** cogió un libro, el cual ...
les [le] *dét voir* **le**
lesbienne [lɛsbjɛn] *nf* lesbiana
léser [leze] *vt* perjudicar; (*Méd*) lesionar
lésiner [lezine] *vi*: **~ (sur)** escatimar (en)
lésion [lezjɔ̃] *nf* lesión *f*; **~s cérébrales**
lesiones *fpl* cerebrales
lesquels, lesquelles [lekɛl] *pron voir*
lequel
lessive [lesiv] *nf* detergente *m*; (*linge*)
colada; (*opération*) lavado; **faire la ~**
hacer la colada
lessiver [lesive] *vt* lavar
lest [lɛst] *nm* lastre *m*; **jeter** *ou* **lâcher du
~** (*fig*) soltar lastre
leste [lɛst] *adj* ágil, ligero(-a); (*désinvolte*)
confianzudo(-a); (*osé*) atrevido(-a)
lettre [lɛtʀ] *nf* carta; (*Typo*) letra;
lettres *nfpl* (*Art, Scol*) letras *fpl*; **à la ~**
(*fig*) al pie de la letra; **par ~** por carta; **en
~s majuscules** *ou* **capitales** en letras
mayúsculas; **en toutes ~s** por extenso,
sin abreviar; **~ anonyme/piégée** carta
anónima/bomba; **~ de change/de
crédit** letra de cambio/de crédito; **~ de
voiture aérienne** carta de porte; **~
morte: rester ~ morte** quedarse en
papel mojado; **~ ouverte** (*Pol, de journal*)
carta abierta; **~s de noblesse** cartas *fpl*
de nobleza
leucémie [løsemi] *nf* leucemia
leur [lœʀ] *adj possessif* su ■ *pron* (*objet
indirect*) les; (: *après un autre prénom à la
troisième personne*) se; **~ maison** su casa;
~s amis sus amigos; **à ~ avis** en su
opinión; **à ~ approche** al acercarse ellos;
à ~ vue al verles; **je ~ ai dit la vérité** les
dije la verdad; **je le ~ ai donné** se lo di;
le(la) ~, **les ~s** (*possessif*) el (la) suyo(-a),
los (las) suyo(-as)
leurs [lœʀ] *adj voir* **leur**
levain [ləvɛ̃] *nm* levadura; **sans ~** sin
levadura
levé, e [ləve] *adj*: **être ~** estar
levantado(-a) ■ *nm*: **~ de terrain**
levantamiento de terreno; **à mains ~es**
(*vote*) a mano alzada; **au pied ~** de forma
improvisada
levée [ləve] *nf* (*Postes*) recogida; (*Cartes*)
baza; **~ d'écrou** liberación *f*; **~ de
boucliers** (*fig*) levantamiento de
protestas; **~ de terre** terraplén *m*; **~ de
troupes** reclutamiento; **~ du corps**
levantamiento del cadáver; **~ en masse**

(*Mil*) reclutamiento en masa

lever [l(ə)ve] *vt* levantar; (*vitre*) subir; (*difficulté*) superar; (*impôts*) recaudar; (*armée*) reclutar; (*Chasse*) ahuyentar; (*fam: fille*) enrollarse con ■ *vi* (*Culin*) levantarse; (*semis, graine*) brotar ■ *nm*: **au ~** al amanecer; **se lever** *vpr* levantarse; (*soleil*) salir; **ça va se ~** va a despejar; **~ de rideau** (*pièce*) pieza preliminar; **~ de soleil/du jour** amanecer *m*; **~ du rideau** subida del telón

levier [ləvje] *nm* palanca; (*fig*) incentivo; **faire ~ sur** hacer palanca en; **~ de changement de vitesse/de commande** palanca de cambios/de mando

lèvre [lɛvʀ] *nf* labio; (*d'une plaie*) labio, borde *m*; **du bout des ~s** (*manger*) con desgana; (*rire, parler*) de dientes afuera; (*répondre*) con altivez; **petites/grandes ~s** (*Anat*) labios pequeños/grandes

lévrier [levʀije] *nm* galgo

levure [l(ə)vyʀ] *nf*: **~ de boulanger/chimique** levadura de pan/química; **~ de bière** levadura de cerveza

lexique [lɛksik] *nm* glosario

lézard [lezaʀ] *nm* lagarto

lézarde [lezaʀd] *nf* grieta

liaison [ljɛzɔ̃] *nf* (*rapport*) relación *f*; (*Rail, Aviat, Phonétique*) enlace *m*; (*relation amoureuse*) relaciones *fpl*; (*hum*) lío; (*Culin*) trabazón *f*; **entrer/être en ~ avec** entrar/estar en comunicación con; **~ (de transmission de données)** (*Inform*) enlace (de transmisión de datos); **~ radio/téléphonique** (*contact*) contacto radiofónico/telefónico

liane [ljan] *nf* liana

liasse [ljas] *nf* fajo

Liban [libɑ̃] *nm* Líbano

libanais, e [libanɛ, ɛz] *adj* libanés(-esa) ■ *nm/f*: **Libanais, e** libanés(-esa)

libeller [libele] *vt*: **~ (au nom de)** extender (a la orden de); (*lettre, rapport*) redactar

libellule [libelyl] *nf* libélula

libéral, e, -aux [liberal, o] *adj, nm/f* liberal *m/f*; **les professions ~es** las profesiones liberales

libéralisme [liberalism] *nm* liberalismo

libérer [libere] *vt* liberar; (*de prison*) poner en libertad; (*soldat*) licenciar; (*cran d'arrêt, levier*) soltar; (*Écon*) liberalizar; **se libérer** *vpr* (*de rendez-vous*) escaparse; **~ qn de** liberar a algn de

liberté [libɛʀte] *nf* libertad *f*; (*loisir*) tiempo libre; **libertés** *nfpl* (*privautés*) libertades *fpl*; **mettre/être en ~** poner/estar en libertad; **en ~ provisoire/**

surveillée/conditionnelle en libertad provisional/vigilada/condicional; **jours/heures de ~** días *mpl*/horas *fpl* libres; **~ d'action** libertad de acción; **~ d'association/de la presse/syndicale** libertad de asociación/de prensa/sindical; **~ d'esprit/de conscience** libertad de juicio/de conciencia; **~ d'opinion/de culte/de réunion** libertad de opinión/de culto/de reunión; **~s individuelles** libertades individuales; **~s publiques** libertades públicas

libraire [libʀɛʀ] *nm/f* librero(-a)

librairie [libʀeʀi] *nf* librería

libre [libʀ] *adj* (*aussi fig*) libre; (*propos, manières*) atrevido(-a); (*ligne téléphonique*) desocupado(-a); (*Scol*) privado(-a); **de ~** (*place*) libre; **~ de libre de**; **~ de qch/de faire** libre de algo/de hacer; **avoir le champ ~** tener el campo libre; **en vente ~** de venta libre; **~ arbitre** libre albedrío; **~ concurrence/entreprise** libre competencia/empresa

libre-échange [libʀeʃɑ̃ʒ] *nm* librecambio

libre-service [libʀəsɛʀvis] (*pl* **libres-services**) *nm* autoservicio

Libye [libi] *nf* Libia

licence [lisɑ̃s] *nf* licencia; (*diplôme*) ≈ licenciatura; (*des mœurs*) libertinaje *m*

● **LICENCE**

Una vez obtenido el "DEUG", los estudiantes universitarios franceses tienen que realizar un tercer año de estudios universitarios para obtener la *licence*, que viene a ser el equivalente de la licenciatura española.

licencié, e [lisɑ̃sje] *nm/f*: **~ ès lettres/en droit** ≈ licenciado(-a) en letras/derecho; (*Sport*) poseedor(a) de licencia

licenciement [lisɑ̃simɑ̃] *nm* despido

licencier [lisɑ̃sje] *vt* despedir

licite [lisit] *adj* lícito(-a)

lie [li] *nf* heces *fpl*

lié, e [lje] *adj*: **être très ~ avec qn** (*fig*) tener mucha confianza con algn; **être ~ par** (*serment, promesse*) estar comprometido(-a) por; **avoir partie ~e (avec qn)** actuar de común acuerdo (con algn)

liège [ljɛʒ] *nm* corcho

lien [ljɛ̃] *nm* ligadura; (*analogie*) vinculación *f*; (*rapport affectif, culturel*) vínculo; **~s de famille** lazos *mpl*

familiares; **~ de parenté** lazo de
parentesco
lier [lje] vt (attacher) atar; (joindre) unir,
ligar; (fig) unir; (moralement) vincular;
(sauce) espesar; **se ~ (avec qn)**
relacionarse (con algn); **~ qch à** (attacher)
atar algo a; (associer) relacionar algo con;
~ amitié (avec) trabar amistad (con);
~ conversation (avec) entablar
conversación (con); **~ connaissance
(avec)** entablar relación (con), trabar
conocimiento (con)
lierre [ljɛʀ] nm hiedra
lieu, x [ljø] nm (position) lugar m, sitio;
(endroit) lugar; **lieux** nmpl (habitation,
salle): **vider** ou **quitter les ~x** desalojar el
lugar; (d'un accident, manifestation):
arriver/être sur les ~x llegar al/estar en
el lugar; **en ~ sûr** en lugar seguro; **en
haut ~** en altas esferas; **en premier/
dernier ~** en primer/último lugar; **avoir ~**
tener lugar, suceder; **avoir ~ de faire** (se
demander, s'inquiéter) tener razones ou
motivos para hacer; **tenir ~ de** hacer las
veces de, fungir de (AM); **donner ~ à** dar
lugar a; **au ~ de** en lugar de, en vez de; **au
~ qu'il y aille** en vez de ir él; **~ commun**
lugar común; **~ de départ** punto de
partida; **~ de naissance/rendez-vous/
travail** lugar de nacimiento/encuentro/
trabajo; **~ géométrique** punto
geométrico; **~ public** lugar público
lieu-dit [ljødi] (pl **lieux-dits**) nm aldea
lieutenant [ljøt(ə)nɑ̃] nm teniente m;
~ de vaisseau teniente de navío
lièvre [ljɛvʀ] nm liebre f; **lever un ~** (fig)
levantar la liebre
ligament [ligamɑ̃] nm ligamento
ligne [liɲ] nf línea; **en ~** (Inform) en línea;
en ~ droite en línea recta; **"à la ~"**
"aparte"; **entrer en ~ de compte** entrar
en cuenta; **garder la ~** guardar la línea;
~ de départ/d'arrivée línea de salida/de
llegada; **~ d'horizon** línea del horizonte;
~ de but/de touche línea de meta/de
banda; **~ de conduite** línea de conducta;
~ de flottaison/de mire línea de
flotación/de mira; **~ directrice** línea
directriz; **~ médiane** línea media; **~
ouverte: émission à ~ ouverte** emisión f
en línea abierta
lignée [liɲe] nf (race, famille) linaje m;
(postérité) descendencia
ligoter [ligɔte] vt (bras, personne)
amarrar; (fig) atar
ligue [lig] nf (association) liga, asociación
f; (Sport) liga; **~ arabe** (Pol) liga árabe
lilas [lila] nm lila

limace [limas] nf babosa
limande [limɑ̃d] nf gallo
lime [lim] nf lima; (arbre) lima, limero;
~ à ongles lima de uñas
limer [lime] vt limar
limitation [limitasjɔ̃] nf limitación f;
sans ~ de temps sin límite de tiempo; **~
de vitesse** limitación de velocidad; **~ des
armements/des naissances** reducción f
de armamento/de nacimientos
limite [limit] nf (aussi fig) límite m; (de
terrain) límite, linde m ou f; **dans la ~ de**
dentro de; **à la ~** (au pire) como mucho;
sans ~s sin límites; **vitesse/charge ~**
velocidad f/carga límite; **cas ~** caso
límite; **date ~ de vente/consommation**
fecha límite de venta/consumo; **prix ~**
precio límite; **~ d'âge** límite de edad
limiter [limite] vt (délimiter) delimitar;
se limiter vpr: **se ~ (à qch/à faire)**
limitarse (a algo/a hacer); (chose) reducirse
a; **~ qch (à)** (restreindre) limitar algo (a)
limitrophe [limitʀɔf] adj limítrofe; **~ de**
limítrofe con
limoger [limɔʒe] vt destituir
limon [limɔ̃] nm limo
limonade [limɔnad] nf gaseosa
lin [lɛ̃] nm lino
linceul [lɛ̃sœl] nm mortaja
linge [lɛ̃ʒ] nm (serviettes etc) ropa blanca;
(pièce de tissu) lienzo; (aussi: **linge de
corps**) ropa interior; (lessive) colada;
~ sale ropa sucia
lingerie [lɛ̃ʒʀi] nf lencería
lingot [lɛ̃go] nm lingote m
linguistique [lɛ̃ɡɥistik] adj
lingüístico(-a) ■ nf lingüística
lion, ne [ljɔ̃, ɔn] nm/f león (leona);
(Astrol): **le L~** Leo; **être (du) L~** ser de Leo;
~ de mer león marino
lionceau, x [ljɔ̃so] nm cachorro de león
liqueur [likœʀ] nf licor m
liquidation [likidasjɔ̃] nf liquidación f;
(règlement) liquidación, pago; (meurtre)
asesinato; **~ judiciaire** liquidación
judicial
liquide [likid] adj líquido(-a) ■ nm
líquido; **en ~** (Comm) en líquido; **air ~** aire
m líquido
liquider [likide] vt liquidar
lire [liʀ] nf (monnaie italienne) lira ■ vt, vi
(aussi fig) leer; **~ qch à qn** leer algo a algn
lis [lis] vb voir **lire** ■ nm = **lys**
lisible [lizibl] adj legible; **ce livre n'est
pas ~** no merece la pena leer este libro
lisière [lizjɛʀ] nf (de forêt, bois) lindero,
linde m ou f; (de tissu) orillo
lisons [lizɔ̃] vb voir **lire**

lisse [lis] *adj* liso(-a)

liste [list] *nf* lista; **faire la ~ de** hacer la lista de; **~ civile** presupuesto de la casa real o del jefe del Estado; **~ d'attente** lista de espera; **~ de mariage** lista de boda; **~ électorale/noire** lista electoral/negra

listing [listiŋ] *nm* (*Inform*) listado; **qualité ~** calidad *f* de listado

lit [li] *nm* cama; (*de rivière*) lecho; **faire son ~** hacerse la cama; **aller/se mettre au ~** ir a/meterse en la cama; **prendre le ~** (*malade etc*) guardar cama; **du premier ~** (*Jur*) del primer matrimonio; **~ d'enfant** cuna; **~ de camp** cama de campaña; **~ simple/double** cama sencilla/de matrimonio

literie [litRi] *nf* ropa de cama

litige [litiʒ] *nm* litigio; **en ~** en litigio

litre [litR] *nm* litro; **~ de vin/bière** litro de vino/cerveza

littéraire [liteRɛR] *adj* literario(-a)

littéral, e, -aux [liteRal, o] *adj* literal

littérature [liteRatyR] *nf* literatura

littoral, e, -aux [litoRal, o] *adj, nm* litoral *m*

livide [livid] *adj* lívido(-a)

livraison [livRɛzɔ̃] *nf* entrega; (*de plusieurs marchandises*) reparto; **~ à domicile** reparto a domicilio

livre [livR] *nm* libro ■ *nf* (*poids, monnaie*) libra; **traduire qch à ~ ouvert** traducir algo de corrido; **~ blanc** libro blanco; **~ d'or** libro de oro; **~ de bord** diario de navegación; **~ de chevet/de comptes** libro de cabecera/de cuentas; **~ de cuisine** libro de cocina; **~ de messe** libro de misa, misal *m*; **~ de poche** libro de bolsillo; **~ électronique** libro electrónico

livré, e [livRe] *adj*: **~ à** (*soumis à*) sometido(-a) a; **~ à soi-même** abandonado a sí mismo

livrer [livRe] *vt* (*marchandises, otage, complice*) entregar; (*plusieurs colis etc*) repartir; (*client*) hacer una entrega a; (*secret, information*) revelar; **se livrer à** *vpr* entregarse a; (*se confier à*) confiarse a; (*s'abandonner à*) darse a, entregarse a; (*enquête*) llevar a cabo; **~ bataille** librar una batalla

livret [livRɛ] *nm* (*petit livre*) librito; (*d'opéra*) libreto; **~ de caisse d'épargne** libreta de ahorros; **~ de famille** libro de familia; **~ scolaire** libro escolar

livreur, -euse [livRœR, øz] *nm/f* repartidor(a)

local, e, -aux [lokal, o] *adj* local ■ *nm* local *m*; **locaux** *nmpl* (*d'une compañía*) locales *mpl*

localité [lokalite] *nf* localidad *f*

locataire [lokatɛR] *nm/f* inquilino(-a)

location [lokasjɔ̃] *nf* alquiler m; (*par le propriétaire*) arriendo, alquiler; **"~ de voitures"** "alquiler de coches"

locomotive [lokomotiv] *nf* (*aussi fig*) locomotora

locution [lokysjɔ̃] *nf* (*Ling*) locución *f*

loge [loʒ] *nf* (*d'artiste*) camerino; (*de spectateurs*) palco; (*de concierge*) portería, conserjería; (*de franc-maçon*) logia

logement [loʒmɑ̃] *nm* alojamiento; (*maison, appartement*) vivienda; **le ~** (*Pol, Admin*) la vivienda; **chercher un ~** buscar una vivienda; **construire des ~s bon marché** construir viviendas baratas; **crise du ~** crisis *f sg* de la vivienda; **~ de fonction** alojamiento de servicio

loger [loʒe] *vt* alojar; (*suj: hôtel, école*) alojar, albergar ■ *vi* vivir; **se loger** *vpr*: **trouver à se ~** encontrar dónde alojarse ou vivir; **se ~ dans** (*suj: balle, flèche*) alojarse en

logeur, -euse [loʒœR, øz] *nm/f* casero(-a)

logiciel [loʒisjɛl] *nm* (*Inform*) software *m*, soporte *m* lógico

logique [loʒik] *adj* lógico(-a) ■ *nf* lógica; **la ~ de qch** la lógica de algo; **c'est ~** (*fam*) es lógico

logo [logo] *nm* (*Comm*) logotipo

loi [lwa] *nf* ley *f*; **livre/tables de la ~** (*Rel*) libro/tablas *fpl* de la ley; **les ~s de la mode** (*fig*) las leyes de la moda; **avoir force de ~** tener fuerza de ley; **faire la ~** dictar la ley; **la ~ de la jungle/du plus fort** la ley de la jungla/del más fuerte; **proposition/projet de ~** propuesta/proyecto de ley; **~ d'orientation** ≈ Ley de Autonomía Universitaria

loin [lwɛ̃] *adv* lejos; **~ de** lejos de; **pas ~ de 1 000 euros** no mucho menos de 1000 euros; **au ~** a lo lejos; **de ~** de lejos; (*de beaucoup*) con mucho; **il revient de ~** (*fig*) ha vuelto a nacer; **de ~ en ~** de vez en cuando; **aussi ~ que je puisse me rappeler ...** que yo recuerde ...; **~ de là** ni mucho menos

lointain, e [lwɛ̃tɛ̃, ɛn] *adj* (*aussi fig*) lejano(-a) ■ *nm*: **dans le ~** en la lejanía

loir [lwaR] *nm* lirón *m*

loisir [lwaziR] *nm*: **heures de ~** horas *fpl* de ocio; **loisirs** *nmpl* tiempo libre *m sg*; (*activités*) diversiones *fpl*; **prendre/avoir le ~ de faire qch** tomarse/tener tiempo para hacer algo; **(tout) à ~** con (toda) tranquilidad; (*autant qu'on le désire*) todo lo que se quiera, tanto como se quiera

londonien, ne [lɔ̃dɔnjɛ̃, jɛn] *adj*
londinense ■ *nm/f*: **Londonien, ne**
londinense *m/f*
Londres [lɔ̃dʀ] *n* Londres
long, longue [lɔ̃, lɔ̃g] *adj* (*aussi fig*)
largo(-a) ■ *adv*: **en dire/savoir ~** decir/
saber mucho ■ *nm*: **de 5 mètres de ~** de
5 metros de largo; **faire/ne pas faire ~
feu** durar mucho/poco; **au ~ cours**
(*Naut*) de altura; **de longue date** de
antiguo; **longue durée** larga duración;
de longue haleine arduo(-a); **être ~ à
faire** ser lento(-a) para hacer; **en ~** a lo
largo; **(tout) le ~ de** (*rue, bord*) a lo largo
de; **tout au ~ de** (*année, vie*) a lo largo de;
de ~ en large de un lado a otro; **en ~ et en
large** (*fig*) a fondo
longer [lɔ̃ʒe] *vt* bordear, costear; (*suj:
mur, route*) bordear
longiligne [lɔ̃ʒiliɲ] *adj* longilíneo(-a)
longitude [lɔ̃ʒityd] *nf* longitud *f*; **à 45
degrés de ~ Nord** a 45 grados longitud
norte
longtemps [lɔ̃tɑ̃] *adv* mucho tiempo;
avant ~ dentro de poco; **pour/pendant ~**
para/durante mucho tiempo; **je n'en ai
pas pour ~** no voy a tardar mucho
tiempo; **mettre ~ à faire qch** costarle
mucho tiempo a algn ou algo hacer algo;
ça ne va pas durer ~ eso no va a durar
mucho; **elle/il en a pour ~ (à le faire)** le
va a llevar un buen rato (hacerlo); **il y a/
n'y a pas ~ que je travaille** hace/no hace
mucho que trabajo; **il y a ~ que je n'ai pas
travaillé** llevo mucho tiempo sin trabajar
longue [lɔ̃g] *adj f voir* **long** ■ *nf*: **à la ~** a
la larga
longuement [lɔ̃gmɑ̃] *adv* mucho
tiempo, largamente; (*en détail*)
detenidamente
longueur [lɔ̃gœʀ] *nf* longitud *f*;
longueurs *nfpl* (*fig*): **il y a des ~s dans
ce film** hay momentos lentos en esta
película; **une ~ (de piscine)** un largo
(de piscina); **sur une ~ de 10 km** en
una distancia de 10 Km; **en ~** a lo largo;
tirer en ~ alargarse demasiado; **à ~ de
journée** durante todo el día; **d'une ~**
(*Sport*) por un largo, por un cuerpo; **~
d'onde** longitud de onda
loquet [lɔkɛ] *nm* picaporte *m*
lorgner [lɔʀɲe] *vt* (*regarder*) mirar de
reojo; (*convoiter*) echar la vista ou el ojo a
lors [lɔʀ]: **~ de** *prép* durante; **~ même
que** aun cuando
lorsque [lɔʀsk] *conj* cuando
losange [lɔzɑ̃ʒ] *nm* rombo; **en ~** en
forma de rombo, romboidal

lot [lo] *nm* lote *m*; (*de loterie*) premio;
(*destin*) suerte *f*; **~ de consolation** premio
de consolación
loterie [lɔtʀi] *nf* (*tombola*) lotería, rifa;
(*fig*) lotería; **L~ nationale** Lotería nacional
lotion [losjɔ̃] *nf* loción *f*; **~ après rasage**
loción para después del afeitado; **~
capillaire** loción capilar
lotissement [lɔtismɑ̃] *nm* (*de maisons,
d'immeubles*) urbanización *f*; (*parcelle*)
parcelación *f*
loto [lɔto] *nm* lotería; **le ~** (*jeu de hasard*)
la loto
lotte [lɔt] *nf* (*de mer*) rape *m*
louanges [lwɑ̃ʒ] *nfpl* (*compliments*)
elogios *mpl*, alabanzas *fpl*
loubard [lubaʀ] *nm* macarra *m*
louche [luʃ] *adj* sospechoso(-a) ■ *nf*
cucharón *m*
loucher [luʃe] *vi* bizquear; **~ sur qch** (*fig*)
írsele los ojos tras de algo
louer [lwe] *vt* alquilar; (*réserver*) reservar;
(*faire l'éloge de*) elogiar; (*Rel: Dieu*) alabar
a; **"à ~"** "se alquila"; **se ~ de qch/d'avoir
fait qch** felicitarse por algo/por haber
hecho algo
loufoque [lufɔk] (*fam*) *adj*
estrafalario(-a)
loup [lu] *nm* lobo; (*poisson*) róbalo,
lubina; (*masque*) antifaz *m*; **jeune ~**
(joven) cachorro; **~ de mer** (*marin*) lobo
de mar
loupe [lup] *nf* (*Optique*) lupa; **~ de noyer**
(*Menuiserie*) nudo de nogal; **à la ~** (*fig*)
con lupa
louper [lupe] (*fam*) *vt* (*train etc*) perder;
(*examen*) catear
lourd, e [luʀ, luʀd] *adj* (*aussi fig*)
pesado(-a); (*chaleur, temps*)
bochornoso(-a); (*responsabilité, impôts*)
importante; (*parfum, vin*) fuerte ■ *adv*:
peser ~ pesar mucho; **~ de** (*conséquences,
menaces*) lleno(-a) de; **artillerie/
industrie ~e** artillería/industria pesada
lourdaud, e [luʀdo, od] (*péj*) *adj* torpe,
tosco(-a); (*au moral*) zafio(-a)
lourdement [luʀdəmɑ̃] *adv*: **marcher/
tomber ~** andar con paso pesado/caer
como un plomo; (*insister, appuyer*)
excesivamente; **se tromper ~**
equivocarse burdamente
loutre [lutʀ] *nf* nutria
louveteau, x [luv(ə)to] *nm* (*Zool*)
lobezno; (*scout*) joven scout *m*
louvoyer [luvwaje] *vi* (*Naut*) bordear;
(*fig*) andar con rodeos
loyal, e, -aux [lwajal, o] *adj* leal; (*fair-
play*) legal

loyauté [lwajote] *nf* lealtad *f*
loyer [lwaje] *nm* alquiler *m*; **~ de l'argent** interés *msg*
lu [ly] *pp de* **lire**
lubie [lybi] *nf* capricho, antojo
lubrifiant [lybʀifjɑ̃] *nm* lubrificante *m*
lubrifier [lybʀifje] *vt* lubrificar
lubrique [lybʀik] *adj* lúbrico(-a)
lucarne [lykaʀn] *nf* tragaluz *m*
lucide [lysid] *adj* lúcido(-a)
lucratif, -ive [lykʀatif, iv] *adj* lucrativo(-a); **à but non ~** sin ánimo de lucro
lueur [lɥœʀ] *nf* resplandor *m*; (*pâle: d'étoile, de lune, lampe*) resplandor, fulgor *m*; (*fig: de désir, colère*) señal *f*; (*de raison, d'intelligence*) chispa; (*d'espoir*) rayo, chispa
luge [lyʒ] *nf* trineo (*pequeño*); **faire de la ~** deslizarse en trineo
lugubre [lygybʀ] *adj* lúgubre; (*lumière, temps*) lóbrego(-a)
lui¹ [lɥi] *pron* (*objet indirect*) le; (: *après un autre pronom à la troisième personne*) se; (*sujet, objet direct: aussi forme emphatique*) él; **je ~ ai donné de l'argent** le di dinero; **je le ~ donne** se lo doy; **elle est riche, ~ est pauvre** ella es rica, él es pobre; **~, il est à Paris** él está en París; **c'est ~ qui l'a fait** lo hizo él; **à ~** (*possessif*) suyo(-a), suyos(-as), de él; **cette voiture est à ~** ese coche es suyo; **je la connais mieux que ~** la conozco mejor que él; **~-même** él mismo; **il a agi de ~-même** obró por sí mismo
lui² [lɥi] *pp de* **luire**
luire [lɥiʀ] *vi* brillar, relucir
luisant, e [lɥizɑ̃, ɑ̃t] *vb voir* **luire** ■ *adj* reluciente, brillante
lumière [lymjɛʀ] *nf* luz *f*; (*éclaircissement*) iluminación *f*, luz; (*personne*) lumbrera; **lumières** *nfpl* (*d'une personne*) luces *fpl*; **à la ~ de** (*aussi fig*) a la luz de; **à la ~ électrique** con luz eléctrica; **faire de la ~** encender la luz; **faire (toute) la ~ sur** (*fig*) esclarecer, aclarar; **mettre qch en ~** (*fig*) poner algo en claro, sacar algo a la luz; **~ du jour/du soleil** luz del día/del sol
luminaire [lyminɛʀ] *nm* luminaria
lumineux, -euse [lyminø, øz] *adj* (*aussi fig*) luminoso(-a); (*éclairé*) iluminado(-a)
lunatique [lynatik] *adj* lunático(-a)
lundi [lœ̃di] *nm* lunes *m inv*; **on est ~** estamos a lunes; **le ~ 20 août** el lunes 20 de agosto; **il est venu ~** llegó el lunes; **le(s) ~(s)** (*chaque lundi*) el (los) lunes;

"à ~" "hasta el lunes"; **~ de Pâques** lunes de Pascua; **~ de Pentecôte** lunes de Pentecostés
lune [lyn] *nf* luna; **pleine/nouvelle ~** luna llena/nueva; **être dans la ~** estar en la luna; **~ de miel** luna de miel
lunette [lynɛt] *nf*: **~s** *nfpl* gafas *fpl*, anteojos *mpl* (*AM*); **~ arrière** (*Auto*) ventanilla trasera; **~ d'approche** catalejo; **~s de plongée** gafas de bucear; **~s noires/de soleil** gafas negras/de sol
lustre [lystʀ] *nm* araña; (*éclat*) brillo
lustrer [lystʀe] *vt* lustrar; (*vêtement*) gastar
luth [lyt] *nm* laúd *m*
lutin [lytɛ̃] *nm* duende *m*
lutte [lyt] *nf* lucha; **de haute ~** en reñida lucha; **~ des classes** lucha de clases; **~ libre** (*Sport*) lucha libre
lutter [lyte] *vi* luchar; (*Sport*) luchar, combatir; **~ pour/contre qn/qch** luchar por/contra algn/algo
luxe [lyks] *nm* lujo; **de ~** de lujo; **un ~ de** (*fig*) un lujo de
Luxembourg [lyksɑ̃buʀ] *nm* Luxemburgo
luxer [lykse] *vt*: **se ~ l'épaule/le genou** luxarse el hombro/la rodilla
luxueux, -euse [lyksɥø, øz] *adj* lujoso(-a)
lycée [lise] *nm* instituto, liceo (*AM*); **~ technique** instituto técnico

○ **LYCÉE**
○
○ Los estudiantes franceses pasan los
○ tres últimos años de educación
○ secundaria en un *lycée*, que es donde
○ se examinan del "baccalauréat" antes
○ de comenzar los estudios
○ universitarios. Hay varios tipos de
○ *lycée*, entre ellos los "lycées
○ d'enseignement technologique", que
○ ofrecen cursos técnicos, y los "lycées
○ d'enseignement professionnel", que
○ ofrecen cursos que preparan
○ directamente para una profesión.
○ Algunos *lycées*, especialmente
○ aquellos que cubren una zona
○ territorial muy extensa o los que
○ imparten cursos especializados,
○ ofrecen a los alumnos la posibilidad
○ de quedarse internos.

lycéen, ne [liseɛ̃, ɛn] *nm/f* alumno(-a) de instituto

lyophilisé, e [ljɔfilize] *adj* liofilizado(-a)
lyrique [liʀik] *adj* lírico(-a); **artiste ~**
  artista lírico(-a); **théâtre ~** teatro lírico;
  comédie ~ comedia lírica
lys [lis] *nm* (*Bot*) lirio; (*emblème*) lis *m*

M *abr* (= *Monsieur*) Sr. (= *Señor*)
m' [m] *pron voir* **me**
ma [ma] *dét voir* **mon**
macaron [makaʀɔ̃] *nm* (*gâteau*)
  mostachón *m*; (*insigne*) insignia; (*natte*)
  rodete *m*
macaroni [makaʀɔni] *nm* macarrones
  mpl; **~ au fromage** *ou* **au gratin**
  macarrones al queso *ou* gratinados
macédoine [masedwan] *nf*: **~ de fruits**
  macedonia de frutas; **~ de légumes**
  menestra (*sin carne*)
macérer [maseʀe] *vi, vt* macerar
mâcher [maʃe] *vt* masticar; **ne pas ~ ses
  mots** no tener pelos en la lengua; **~ le
  travail à qn** (*fig*) darle a algn el trabajo
  mascado
machin [maʃɛ̃] (*fam*) *nm* chisme *m*;
  (*personne*): **M~** fulano
machinal, e, -aux [maʃinal, o] *adj*
  maquinal
machinalement *adv* mecánicamente
machination [maʃinasjɔ̃] *nf*
  maquinación *f*
machine [maʃin] *nf* máquina; (*d'un
  navire, aussi fig*) maquinaria; (*fam:
  personne*): **M~** fulana; **faire ~ arrière** dar
  marcha atrás; **~ à coudre/à écrire/à
  tricoter** máquina de coser/de escribir/de

tricotar; **~ à laver** lavadora; **~ à sous**
máquina tragaperras *inv*; **~ à vapeur**
máquina a *ou* de vapor
mâchoire [mɑʃwaʀ] *nf* mandíbula;
(*Tech*) mordaza; **~ de frein** zapata
mâchonner [mɑʃɔne] *vt* mordisquear
maçon [masɔ̃] *nm* albañil *m*
maçonnerie [masɔnʀi] *nf* albañilería;
(*murs*) muros *mpl*
Madame [madam] (*pl* **Mesdames**) *nf*: **~**
X la señora X; **occupez-vous de ~/de**
Monsieur/de Mademoiselle atienda a la
señora/al señor/a la señorita; **bonjour**
~/Monsieur/Mademoiselle (*ton*
déférent) buenos días señora/señor/
señorita; **madame/monsieur** (*pour*
appeler) ¡(oiga) señora/señor!; **~/**
Monsieur/Mademoiselle (*sur lettre*)
Señora/Señor/Señorita; **chère ~/cher**
Monsieur/chère Mademoiselle
estimado(-a) Señora/Señor/Señorita; **~**
la Directrice (la) señora directora;
Mesdames Señoras
madeleine [madlɛn] *nf* (*gâteau*)
magdalena
Mademoiselle [madmwazɛl] (*pl*
Mesdemoiselles) *nf* Señorita; *voir aussi*
Madame
madère [madɛʀ] *nm* madeira *m*
magasin [magazɛ̃] *nm* tienda;
(*entrepôt*) almacén *m*; (*d'une arme*)
recámara; (*Photo*) carga; **en ~** (*Comm*)
en almacén; **faire les ~s** ir de tiendas; **~**
d'alimentation tienda de
ultramarinos
magazine [magazin] *nm* revista;
(*radiodiffusé, télévisé*) magazine *m*
Maghreb [magʀɛb] *nm* Magreb *m*
magicien, ne [maʒisjɛ̃, jɛn] *nm/f*
mago(-a)
magie [maʒi] *nf* magia; **~ noire** magia
negra
magique [maʒik] *adj* mágico(-a)
magistral, -aux [maʒistʀal, o] *adj*
magistral; **cours ~** (*ex cathedra*) clase *f*
teórica
magistrat [maʒistʀa] *nm* magistrado
magnétique [maɲetik] *adj*
magnético(-a)
magnétophone [maɲetɔfɔn] *nm*
magnetófono; **~ (à cassettes)** cassette *m*
magnétoscope [maɲetɔskɔp] *nm*
magnetoscopio
magnifique [maɲifik] *adj*
magnífico(-a)
magret [magʀɛ] *nm*: **~ de canard** filete
m de pechuga de pato
mai [mɛ] *nm* mayo; *voir aussi* **juillet**

maigre [mɛgʀ] *adj* (*après nom: personne,*
animal) delgado(-a), flaco(-a); (: *viande,*
fromage) magro(-a); (*fig: avant nom: repas,*
salaire, profit) escaso(-a); (: *résultat*)
mediocre ■ *adv*: **faire ~** comer de vigilia;
jours ~s días *mpl* de vigilia
maigreur [mɛgʀœʀ] *nf* delgadez *f*,
flaqueza; (*de la végétation*) escasez *f*
maigrir [megʀiʀ] *vi* adelgazar ■ *vt* (*suj:*
vêtement): **~ qn** hacer parecer más
delgado(-a) a algn
mail [mɛl] *nm* mail *m*, email *m*, correo
electrónico
maille [mɑj] *nf* (*boucle*) eslabón *m*;
(*ouverture: dans un filet etc*) punto; **avoir ~**
à partir avec qn andar en dimes y diretes
con algn; **~ à l'endroit/à l'envers** punto
del derecho/del revés
maillet [majɛ] *nm* (*outil*) mazo; (*de*
croquet) palo
maillon [majɔ̃] *nm* (*d'une chaîne*) eslabón *m*
maillot [majo] *nm* malla; (*de sportif*)
camiseta; (*lange de bébé*) pañal *m*; **~ (de**
corps) camiseta; **~ de bain** traje *m* de
baño, bañador *m*; **~ deux pièces** biquini
m; **~ jaune** (*Cyclisme*) maillot *m* amarillo
main [mɛ̃] *nf* mano *f*; **la ~ dans la ~**
cogidos(-as) de la mano; **à une ~** con una
mano; **à deux ~s** con las dos manos; **à la**
~ a mano; **se donner la ~** darse la mano;
donner *ou* **tendre la ~ à qn** dar *ou* tender
la mano a algn; **se serrer la ~** estrecharse
la mano; **serrer la ~ à qn** estrechar la
mano a algn; **demander la ~ d'une**
femme pedir la mano de una mujer; **sous**
la ~ a mano; **haut les ~s** arriba las

manos; **à ~ levée** (*Art*) a pulso; **à ~s
levées** (*voter*) a mano alzada; **attaque à
~ armée** ataque m a mano armada; **à ~
droite/gauche** a mano derecha/
izquierda; **de première ~** de primera
mano; **de ~ de maître** con mano
maestra; **à remettre en ~s propres** a
entregar en mano; **faire ~ basse sur qch**
apoderarse de algo; **mettre la dernière ~
à qch** dar el último toque a algo; **mettre
la ~ à la pâte** poner manos a la obra;
avoir qch/qn bien en ~ conocer algo/a
algn bien; **prendre qch en ~** (*fig*) hacerse
cargo de algo; **avoir la ~** (*Cartes*) ser
mano; **céder/passer la ~** (*Cartes*) ceder/
pasar la mano; **forcer la ~ à qn** obligar a
algn; **s'en laver les ~s** (*fig*) lavarse las
manos; **se faire la ~** entrenarse; **perdre
la ~** estar desentrenado(-a); **en un tour
de ~** (*fig*) en un periquete; **~ courante**
pasamanos m inv

main-d'œuvre [mɛ̃dœvʀ] (*pl* **mains-
d'œuvre**) *nf* mano f de obra

mainmise [mɛ̃miz] *nf* confiscación f;
(*fig*): **avoir la ~ sur** tener control sobre

mains-libres [mɛ̃libʀ] *adj inv* (*téléphone,
kit*) manos libres

maint, e [mɛ̃, mɛ̃t] *adj* varios(-as); **à ~es
reprises** en repetidas ocasiones

maintenant [mɛ̃t(ə)nɑ̃] *adv* ahora; (*ceci
dit*) ahora bien; **~ que** ahora que

maintenir [mɛ̃t(ə)niʀ] *vt* mantener;
(*personne, foule, animal*) contener; **se
maintenir** *vpr* mantenerse; (*préjugé*)
conservarse

maintien [mɛ̃tjɛ̃] *nm* mantenimiento;
(*attitude, allure, contenance*) compostura;
~ de l'ordre mantenimiento del orden

maire [mɛʀ] *nm* alcalde m, intendente m
(*Csur*), regente m (*Mex*)

mairie [meʀi] *nf* ayuntamiento

mais [mɛ] *conj* pero; **~ non!** ¡que no!; **~
enfin!** ¡pero bueno!; **~ encore** sino que

maïs [mais] *nm* maíz m

maison [mɛzɔ̃] *nf* casa; (*famille*): **fils/
ami de la ~** niño/amigo de la casa ■ *adj
inv* (*Culin*) casero(-a); (*dans un restaurant,
fig*) de la casa; (*syndicat*) propio(-a); (*fam:
bagarre etc*) bárbaro(-a); **à la ~** en casa;
(*direction*) a casa; **~ centrale/mère** casa
central/matriz; **~ close** *ou* **de passe** casa
de citas; **~ d'arrêt** prisión f; **~ de
campagne** casa de campo; **~ de la
culture** casa de la cultura; **~ de repos**
casa de reposo; **~ de correction**
correccional m; **~ de retraite** asilo de
ancianos; **~ de santé** centro de salud; **~
des jeunes** casa de la juventud

maître, maîtresse [mɛtʀ, mɛtʀɛs]
nm/f (*chef*) jefe(-a); (*possesseur,
propriétaire*) dueño(-a); (*Scol*) maestro(-a)
■ *nm* (*peintre etc*) maestro; (*Jur*): **M~**
título que se da en Francia a abogados,
procuradores y notarios ■ *adj* maestro(-a);
(*Cartes*) principal; **voiture de ~** coche m
con chófer; **maison de ~** casa señorial;
être ~ de dominar; **se rendre ~ de** (*pays,
ville*) adueñarse de; (*situation, incendie*)
dominar; **passer ~ dans l'art de** llegar a
dominar el arte de; **rester ~ de soi**
dominarse a sí mismo; **une maîtresse
femme** toda una mujer; **~ à penser**
maestro; **~ auxiliaire** (*Scol*) profesor m
adjunto; **~ chanteur** chantajista m; **~
d'armes** maestro de armas; **~ d'école**
maestro de escuela; **~ d'hôtel**
(*domestique*) mayordomo; (*d'hôtel*) jefe de
comedor, maître m; **~ d'œuvre** (*Constr*)
contratista m/f; **~ d'ouvrage** (*Constr*)
maestro de obras; **~ de chapelle** maestro
de capilla; **~ de conférences** (*Univ*)
profesor(a); **~ de maison** amo *ou* dueño
de casa; **~ nageur** monitor(a) de
natación; **~ queux** jefe de cocina

maîtresse [mɛtʀɛs] *nf* (*amante*) amante
f; **~ d'école** maestra de escuela; **~ de
maison** (*hôtesse*) señora *ou* dueña de la
casa; (*ménagère*) ama de casa

maîtrise [mɛtʀiz] *nf* (*aussi*: **maîtrise de
soi**) dominio de sí mismo; (*calme*)
serenidad f; (*habileté, virtuosité*) maestría;
(*suprématie*) dominio; (*diplôme*)
≈ licenciatura; (*contremaîtres et chefs
d'équipe*) capataces mpl

maîtriser [metʀize] vt dominar; **se maîtriser** vpr dominarse

majestueux, -euse [maʒɛstɥø, øz] adj majestuoso(-a); (fleuve, édifice) imponente

majeur, e [maʒœʀ] adj mayor; (Jur: personne) mayor de edad; (préoccupation) principal ■ nm/f (Jur) mayor m/f de edad ■ nm (doigt) corazón m; **en ~e partie** en su mayor parte; **la ~e partie de** la mayor parte de

majorer [maʒɔʀe] vt recargar

majoritaire [maʒɔʀitɛʀ] adj mayoritario(-a); **système/scrutin ~** sistema/escrutinio mayoritario

majorité [maʒɔʀite] nf mayoría; (Jur) mayoría de edad; **en ~** en su mayoría; **avoir la ~** tener la mayoría; **la ~ silencieuse** la mayoría silenciosa; **~ absolue/relative** mayoría absoluta/relativa; **~ civile** mayoría de edad (para el ejercicio de los derechos civiles); **~ électorale** mayoría de edad para votar; **~ pénale** mayoría de edad

majuscule [maʒyskyl] adj, nf: **(lettre) ~** (letra) mayúscula

mal, maux [mal, mo] nm (tort, épreuve, malheur) desgracia; (douleur physique) dolor m; (maladie) mal m; (difficulté) dificultad f; (souffrance morale) sufrimiento; (péché): **le ~** el mal ■ adv mal ■ adj m: **c'est ~ (de faire)** está mal (hacer); **être ~ (mal installé)** estar incómodo(-a); **se sentir/se trouver ~** sentirse/encontrarse mal; **être ~ avec qn** andar de malas con algn; **il comprend ~** no entiende bien; **il a ~ compris** ha entendido mal; **~ tourner** ir mal; **dire du ~ de qn** hablar mal de algn; **ne vouloir de ~ à personne** no querer hacer daño a nadie; **il n'a rien fait de ~** no ha hecho nada malo; **penser du ~ de qn** pensar mal de algn; **ne voir aucun ~ à** no ver ningún mal en; **sans penser ou songer à ~** sin mala intención; **craignant ~ faire** temiendo hacer mal; **faire du ~ à qn** hacer daño a algn; **il n'y a pas de ~** no pasa nada; **se donner du ~ pour faire qch** tomarse trabajo para hacer algo; **se faire ~** hacerse daño; **se faire ~ au pied** hacerse daño en el pie; **ça fait ~** duele; **j'ai ~ (ici)** me duele (aquí); **j'ai ~ au dos** me duele la espalda; **avoir ~ à la tête/aux dents** tener dolor de cabeza/de muelas; **avoir ~ au cœur** tener náuseas; **j'ai du ~ à faire** me cuesta hacerlo; **avoir le ~ de l'air** marearse (en los aviones); **avoir le ~ du pays** tener morriña;

prendre ~ ponerse enfermo(-a); **~ de la route/de mer** mareo; **~ en point** adj inv bastante mal; **~ de ventre** dolor de barriga

malade [malad] adj enfermo(-a); (poitrine, jambe) malo(-a) ■ nm/f enfermo(-a); **tomber ~** caer enfermo(-a); **être ~ du cœur** estar enfermo(-a) del corazón; **~ mental** enfermo mental; **grand ~** enfermo grave

maladie [maladi] nf enfermedad f; **être rongé par la ~** estar consumido por la enfermedad; **~ bleue** cianosis f inv; **~ de peau** enfermedad de la piel

maladif, -ive [maladif, iv] adj enfermizo(-a)

maladresse [maladʀɛs] nf torpeza

maladroit, e [maladʀwa, wat] adj torpe

malaise [malɛz] nm malestar m; **avoir un ~** marearse

malaria [malaʀja] nf malaria

malaxer [malakse] vt amasar; (mêler) mezclar

malchance [malʃɑ̃s] nf mala suerte; (mésaventure) desgracia; **par ~** por desgracia; **quelle ~!** ¡qué mala suerte!

malchanceux, -euse [malʃɑ̃sø, øz] adj desafortunado(-a)

mâle [mal] nm macho ■ adj macho; (enfant) varón; (viril) varonil, viril; **prise ~** (Élec) clavija; **souris ~** ratón m macho

malédiction [malediksjɔ̃] nf maldición f; (fatalité, malchance) desgracia

malentendant, e [malɑ̃tɑ̃dɑ̃, ɑ̃t] nm/f: **les ~s** las personas con defectos de audición

malentendu [malɑ̃tɑ̃dy] nm malentendido

malfaçon [malfasɔ̃] nf defecto

malfaisant, e [malfəzɑ̃, ɑ̃t] adj (bête) dañino(-a); (être) malo(-a); (idées, influence) nocivo(-a)

malfaiteur [malfɛtœʀ] nm malhechor m; (voleur) ladrón m

malfamé, e [malfame] adj de mala fama

malformation [malfɔʀmasjɔ̃] nf malformación f

malgache [malgaʃ] adj malgache ■ nm (Ling) malgache m ■ nm/f: **M~** malgache m/f

malgré [malgʀe] prép (contre le gré de) contra la voluntad de; (en dépit de) a pesar de; **~ moi/lui** a pesar mío/suyo; **~ tout** a pesar de todo

malheur [malœʀ] nm desgracia; (ennui, inconvénient) inconveniente m; **par ~** por

desgracia; **quel ~!** ¡qué desgracia!; **faire un ~** (fam: un éclat) explotar; (: avoir du succès) arrasar
malheureusement [malørøzmã] adv desgraciadamente
malheureux, -euse [malørø, øz] adj (triste: personne) infeliz, desdichado(-a); (existence, accident) desgraciado(-a), desdichado(-a); (malchanceux: candidat) derrotado(-a); (: tentative) fracasado(-a); (insignifiant) miserable ■ nm/f desgraciado(-a); **la malheureuse femme/victime** la desdichada mujer/víctima; **avoir la main malheureuse** (au jeu) tener poca fortuna; (tout casser) ser un manazas; **les ~** los desamparados
malhonnête [malɔnɛt] adj deshonesto(-a)
malhonnêteté [malɔnɛtte] nf falta de honradez
malice [malis] nf malicia; (méchanceté): **par ~** por maldad; **sans ~** sin malicia
malicieux, -ieuse [malisjø, jøz] adj malicioso(-a)
malin, -igne [malɛ̃, maliɲ] adj (f gén maline) astuto(-a); (malicieux: sourire) pícaro(-a); (Méd) maligno(-a); **faire le ~** dárselas de listo; **éprouver un ~ plaisir à** regodearse con; **c'est ~!** (ironique) ¡qué listo!
malingre [malɛ̃gʀ] adj enteco(-a)
malle [mal] nf baúl m; **~ arrière** (Auto) maletero
mallette [malɛt] nf maletín m; (coffret) cofre m; **~ de voyage** maletín de viaje
malmener [malmane] vt maltratar; (fig: adversaire) dejar maltrecho(-a)
malodorant, e [malɔdɔʀɑ̃, ɑ̃t] adj maloliente
malpoli, e [malpɔli] nm/f maleducado(-a)
malsain, e [malsɛ̃, ɛn] adj malsano(-a); (esprit, curiosité) morboso(-a)
malt [malt] nm malta; **whisky pur ~** whisky m de malta
Malte [malt] nf Malta
maltraiter [maltʀete] vt maltratar; (critiquer, éreinter) vapulear
malveillance [malvejɑ̃s] nf mala voluntad f; (intention de nuire) mala intención f; (Jur) malevolencia
malversation [malvɛʀsasjɔ̃] nf malversación f
maman [mamɑ̃] nf mamá
mamelle [mamɛl] nf teta
mamelon [mam(ə)lɔ̃] nm (Anat) pezón m; (petite colline) montecillo
mamie [mami] (fam) nf abuelita, nana

mammifère [mamifɛʀ] nm mamífero
mammouth [mamut] nm mamut m
manche [mɑ̃ʃ] nf manga; (d'un jeu, tournoi) partida; (Géo): **la M~** Canal m de la Mancha ■ nm mango; (de violon, guitare) mástil m; **se débrouiller comme un ~** (fam: maladroit) hacer las cosas con los pies; **faire la ~** tocar en la calle; **~ à air** nf (Aviat) manga de aire; **~ à balai** nm palo de escoba; (Aviat) palanca de mando; (Inform) palanca
manchette [mɑ̃ʃɛt] nf (de chemise) puño; (coup) golpe dado con el antebrazo; (Presse) cabecera, titular m; **faire la ~ des journaux** saltar a los titulares
manchot, e [mɑ̃ʃo, ɔt] adj manco(-a) ■ nm (Zool) pingüino
mandarine [mɑ̃daʀin] nf mandarina
mandat [mɑ̃da] nm (postal) giro; (d'un député, président) mandato; (procuration) poder m; (Police) orden f; **toucher un ~** cobrar un giro; **~ d'amener** orden de comparecencia; **~ d'arrêt** orden de arresto; **~ de dépôt** orden de prisión; **~ de police** orden de registro
mandataire [mɑ̃datɛʀ] nm/f mandatario(-a)
manège [manɛʒ] nm (école d'équitation) picadero; (à la foire) tiovivo; (fig: manœuvre) maniobra; **faire un tour de ~** dar una vuelta en tiovivo; **~ de chevaux de bois** caballitos mpl
manette [manɛt] nf palanca; **~ de jeu** (Inform) palanca de juego
mangeable [mɑ̃ʒabl] adj (comestible) comestible; (juste bon à manger) comible
mangeoire [mɑ̃ʒwaʀ] nf pesebre m
manger [mɑ̃ʒe] vt comer; (ronger: suj: rouille etc) carcomer; (consommer) gastar; (capital) despilfarrar ■ vi comer
mangue [mɑ̃g] nf mango
maniable [manjabl] adj manejable; (fig: personne) manipulable
maniaque [manjak] adj maniático(-a) ■ nm/f (obsédé, fou) maníaco(-a); (pointilleux) maniático(-a)
manie [mani] nf manía
manier [manje] vt manejar; **se manier** vpr (fam) darse prisa
manière [manjɛʀ] nf manera; (genre, style) estilo; **manières** nfpl (attitude) modales mpl; (chichis) melindres mpl; **de ~ à** con objeto de; **de telle ~ que** de tal manera que; **de cette ~** de esta manera; **d'une ~ générale** en general; **de toute ~** de todas maneras; **d'une certaine ~** en cierto sentido; **manquer de ~s** carecer de educación; **faire des ~s** andar con

remilgos; **sans ~s** sin ceremonias;
employer la ~ forte emplear la fuerza;
complément/adverbe de ~
complemento/adverbio de modo
maniéré, e [manjeʀe] *adj*
amanerado(-a)
manifestant, e [manifɛstɑ̃, ɑ̃t] *nm/f*
manifestante *m/f*
manifestation [manifɛstasjɔ̃] *nf*
manifestación *f*; *(fête, réunion etc)* acto
m
manifeste [manifɛst] *adj* manifiesto(-a)
■ *nm* manifiesto
manifester [manifɛste] *vt* manifestar
■ *vi (Pol)* manifestarse; **se manifester**
vpr manifestarse; *(témoin)* presentarse
manigancer [manigɑ̃se] *vt* tramar
manipulation [manipylasjɔ̃] *nf*
manipulación *f*; **~ génétique**
manipulación genética
manipuler [manipyle] *vt* manipular
manivelle [manivɛl] *nf* manivela
mannequin [mankɛ̃] *nm (Couture)*
maniquí *m*; *(Mode)* modelo; **taille ~** talla
maniquí
manœuvre [manœvʀ] *nf* maniobra
■ *nm* obrero; **fausse ~** maniobra falsa
manœuvrer [manœvʀe] *vt* maniobrar;
(levier, personne) manejar ■ *vi* maniobrar
manoir [manwaʀ] *nm* casa solariega
manque [mɑ̃k] *nm* falta; **manques**
nmpl (lacunes) lagunas *fpl*; **par ~ de** por
falta de; **~ à gagner** lucro cesante
manqué, e [mɑ̃ke] *adj* fracasado(-a),
fallido(-a); **garçon ~: cette petite est un
vrai garçon ~** esta niña tenía que haber
nacido chico
manquer [mɑ̃ke] *vi* faltar; *(échouer)*
fallar, fracasar ■ *vt (coup, objectif)* fallar;
(cours, réunion) faltar a; *(occasion)* perder
■ *vb impers*: **il (nous) manque encore
100 euros** nos faltan todavía 100 euros;
il manque des pages faltan páginas;
l'argent qui leur manque el dinero que
les falta; **la voix lui a manqué** le falló la
voz; **~ à qn** *(absent etc)*: **il/cela me
manque** le/lo echo de menos; **~ à** faltar
a; **~ de** carecer de; **nous manquons de
feutres** se nos han agotado los
rotuladores, no nos quedan rotuladores;
j'ai manqué la photo no me ha salido
bien la foto; **ne pas ~ qn** vérselas con
algn; **ne pas ~ de faire**: **il n'a pas
manqué de le dire** no dejó de decirlo; **~
(de) faire**: **il a manqué (de) se tuer** por
poco se mata; **il ne manquerait plus
que ...** faltaría sólo que ...; **je n'y
manquerai pas** no dejaré de hacerlo
mansarde [mɑ̃saʀd] *nf* buhardilla

mansardé, e [mɑ̃saʀde] *adj*
abuhardillado(-a)
manteau, x [mɑ̃to] *nm* abrigo; *(de
cheminée)* campana; **sous le ~** bajo
cuerda
manucure [manykyʀ] *nf* manicura
manuel, le [manɥɛl] *adj* manual
■ *nm/f*: **je suis un ~** lo mío es trabajar con
las manos ■ *nm (livre)* manual *m*;
travailleur ~ trabajador *m* manual
manufacture [manyfaktyʀ] *nf*
manufactura
manufacturé, e [manyfaktyʀe] *adj*
manufacturado(-a)
manuscrit, e [manyskʀi, it] *adj*
manuscrito(-a) ■ *nm* manuscrito
manutention [manytɑ̃sjɔ̃] *nf*
manutención *f*
mappemonde [mapmɔ̃d] *nf*
mapamundi *m*
maquereau, x [makʀo] *nm (Zool)*
caballa; *(fam: proxénète)* chulo
maquette [makɛt] *nf* maqueta; *(d'une
page illustrée, affiche)* boceto
maquillage [makijaʒ] *nm* maquillaje *m*
maquiller [makije] *vt (aussi fig)*
maquillar; *(passeport)* falsificar; **se
maquiller** *vpr* maquillarse
maquis [maki] *nm (Géo)* monte *m* bajo;
(fig) embrollo; *(Mil)* maquis *m inv*
maraîcher, -ère [maʀeʃe, ɛʀ] *adj*:
cultures maraîchères cultivos *mpl* de
huerta ■ *nm/f* hortelano(-a)
marais [maʀɛ] *nm* pantano; **~ salant**
salina
marasme [maʀasm] *nm* marasmo
marathon [maʀatɔ̃] *nm* maratón *m*
marbre [maʀbʀ] *nm* mármol *m*; *(Typo)*
platina; **rester de ~** quedarse de piedra
marc [maʀ] *nm (de raisin, pommes)* orujo;
~ de café poso de café
marchand, e [maʀʃɑ̃, ɑ̃d] *nm/f*
comerciante *m/f*; *(au marché)*
vendedor(a) ■ *adj*: **prix ~** precio de
coste; **valeur ~e** valor *m* comercial;
qualité ~e calidad *f* corriente; **~ au
détail/en gros** vendedor minorista/
mayorista; **~ de biens** corredor *m* de
fincas; **~ de canons** *(péj)* traficante *m* de
armas; **~ de charbon/de cycles**
vendedor de carbón/de bicicletas; **~ de
couleurs** droguero(-a); **~ de fruits**
frutero(-a); **~ de journaux** vendedor de
periódicos; **~ de légumes** verdulero(-a);
~ de poisson pescadero(-a); **~ de sable**
(fig) genio fabuloso que duerme a los niños; **~
de tableaux** marchante *m/f*; **~ de tapis**
vendedor de alfombras; **~ de vins**

vinatero(-a); **~ des quatre saisons**
vendedor ambulante de frutas y
verduras
marchander [maʁʃɑ̃de] vt, vi regatear
marchandise [maʁʃɑ̃diz] nf mercancía
marche [maʁʃ] nf marcha; (d'escalier)
escalón m; (allure, démarche) paso; (du
temps, progrès) curso; **ouvrir/fermer la ~**
abrir/cerrar la marcha; **à une heure de ~**
a una hora de camino; **dans le sens de la
~** (Rail) en el sentido de la marcha;
monter/prendre en ~ subir/coger en
marcha; **mettre en ~** poner en marcha;
remettre qch en ~ arreglar algo; **se
mettre en ~** ponerse en marcha; **~ à
suivre** pasos mpl a seguir; (sur notice)
método; **~ arrière** (Auto) marcha atrás;
faire ~ arrière (Auto) dar marcha atrás
marché [maʁʃe] nm mercado; (accord,
affaire) trato; **par dessus le ~** por
añadidura; **faire son ~** ir a la compra;
mettre le ~ en main à qn obligar a algn
tomar una decisión; **~ à terme/au
comptant** (Bourse) operación f a plazo/al
contado; **~ aux fleurs** mercado de flores;
~ aux puces rastro, mercadillo; **M~
commun** Mercado Común; **~ du travail**
mercado de trabajo; **~ noir** mercado
negro
marcher [maʁʃe] vi andar; (se promener)
caminar; (Mil, affaires) marchar;
(fonctionner) funcionar; (fam: croire
naïvement) tragar; **d'accord, je marche**
(fam) bueno, me parece bien; **~ sur**
caminar por; (mettre le pied sur) pisar;
(Mil) avanzar hacia; **~ dans** (herbe etc)
caminar por; (flaque) meterse en; **faire ~
qn** (pour rire) tomar el pelo a algn; (pour
tromper) engañar a algn
marcheur, -euse [maʁʃœʁ, øz] nm/f
andarín(-ina)
mardi [maʁdi] nm martes m inv; **M~
gras** martes de Carnaval; voir aussi **lundi**
mare [maʁ] nf charco; **~ de sang** charco
de sangre
marécage [maʁekaʒ] nm ciénaga
marécageux, -euse [maʁekaʒø, øz]
adj cenagoso(-a)
maréchal, -aux [maʁeʃal, o] nm
mariscal m; **~ des logis** sargento
marée [maʁe] nf marea; (poissons)
pescado fresco; **contre vents et ~s** (fig)
contra viento y marea; **~ basse/haute**
marea baja/alta; **~ d'équinoxe** marea de
equinoccio; **~ humaine** marea humana;
~ montante/descendante flujo/reflujo;
~ noire marea negra
marelle [maʁɛl] nf rayuela

margarine [maʁɡaʁin] nf margarina
marge [maʁʒ] nf margen m; **en ~ (de)** al
margen (de); **~ bénéficiaire** (Comm)
margen de beneficios; **~ de fluctuation**
banda de fluctuación; **~ d'erreur/de
sécurité** margen de error/de
seguridad
marginal, e, -aux [maʁʒinal, o] adj
marginal ■ nm/f persona marginal
marguerite [maʁɡəʁit] nf margarita
mari [maʁi] nm marido
mariage [maʁjaʒ] nm matrimonio;
(noce) boda; (fig: de mots, couleurs)
combinación f; **~ blanc** matrimonio no
consumado; **~ civil/religieux**
matrimonio civil/religioso; **~ d'amour/
d'intérêt/de raison** matrimonio por
amor/por interés/de conveniencia
marié, e [maʁje] adj casado(-a) ■ nm/f
novio(-a); **les ~s** los novios; **les (jeunes)
~s** los (recién) casados
marier [maʁje] vt casar; (fig: couleur)
combinar; **se marier** vpr casarse; **se ~
(avec)** casarse (con); (fig) casar (con)
marin, e [maʁɛ̃, in] adj marino(-a);
(carte, lunette) náutico(-a) ■ nm marino;
(matelot) marinero; **avoir le pied ~** no
marearse en los barcos
marine [maʁin] adj f voir **marin** ■ nf
(aussi Art) marina; (couleur) azul marino
■ adj inv azul marino ■ nm marine m,
soldado de infantería de marina; **~ à
voiles** marina de vela; **~ marchande/de
guerre** marina mercante/de guerra
mariner [maʁine] vt, vi escabechar;
faire ~ qn (fam) tener a algn plantado
marionnette [maʁjɔnɛt] nf (aussi péj)
marioneta; **marionnettes** nfpl
(spectacle) marionetas fpl
maritalement [maʁitalmɑ̃] adv
maritalmente
maritime [maʁitim] adj marítimo(-a)
mark [maʁk] nm marco
marmelade [maʁməlad] nf
mermelada; **en ~** (fig) hecho(-a) migas;
~ d'oranges mermelada de naranja
marmite [maʁmit] nf (récipient)
marmita; (contenu) cocido
marmonner [maʁmɔne] vt mascullar
marmotte [maʁmɔt] nf marmota
marmotter [maʁmɔte] vt mascullar
Maroc [maʁɔk] nm Marruecos msg
marocain, e [maʁɔkɛ̃, ɛn] adj marroquí
■ nm/f: **Marocain, e** marroquí m/f
maroquinerie [maʁɔkinʁi] nf
marroquinería
marquant, e [maʁkɑ̃, ɑ̃t] adj
destacado(-a); (personnalité) especial

marque [maʀk] *nf* marca; *(d'une fonction, d'un grade)* distintivo; **~ du pluriel** *(Ling)* terminación *f* de plural; **à vos ~s!** *(Sport)* ¡preparados!; **quelle est la ~?** ¿cómo van?; **~ d'affection/de joie** demostración *f* de afecto/de alegría; **de ~** *adj (Comm: produit)* de marca; *(fig)* destacado(-a); **~ de fabrique** marca de fábrica; **~ déposée** marca registrada

marquer [maʀke] *vt* marcar; *(inscrire)* anotar; *(frontières)* señalar; *(suj: chose: laisser une trace sur)* dejar una marca en; *(endommager)* afectar; *(fig: impressionner)* impresionar; *(assentiment, refus)* manifestar ◼ *vi* dejar marca; *(Sport)* marcar; **~ qch de/par** señalar algo con; **~ qn de son influence** influir en algn; **~ qn de son empreinte** dejar su impronta en algn; **~ un temps d'arrêt** hacer una pausa; **~ le pas** *(fig)* marcar el paso; **~ d'une pierre blanche** señalar con una piedra blanca; **~ les points** apuntar los tantos

marqueterie [maʀketʀi] *nf* marquetería

marquis, e [maʀki, iz] *nm/f* marqués(-esa)

marraine [maʀɛn] *nf* madrina

marrant, e [maʀɑ̃, ɑ̃t] *(fam) adj* divertido(-a); **ce n'est pas ~** no tiene gracia

marre [maʀ] *(fam) adv*: **en avoir ~ de** estar harto(-a) de

marrer [maʀe]: **se marrer** *vpr (fam)* desternillarse de risa

marron, ne [maʀɔ̃, ɔn] *nm (aussi fam)* castaña ◼ *adj inv (couleur)* marrón *inv* ◼ *adj (péj)* clandestino(-a); *(: faux)* falso(-a); **~s glacés** castañas *fpl* confitadas

marronnier [maʀɔnje] *nm* castaño

Mars [maʀs] *nm ou f* Marte *m*

mars [maʀs] *nm* marzo; *voir aussi* **juillet**

Marseille [maʀsɛj] *n* Marsella

marsouin [maʀswɛ̃] *nm* marsopa

marteau [maʀto] *nm* martillo; *(de porte)* aldaba; **~ pneumatique** martillo neumático

marteau-piqueur [maʀtopikœʀ] *(pl* **marteaux-piqueurs***) nm* martillo neumático

marteler [maʀtəle] *vt* martillear; *(mots, phrases)* recalcar

martien, ne [maʀsjɛ̃, jɛn] *adj* marciano(-a)

martyr, e [maʀtiʀ] *nm/f* mártir *m/f* ◼ *adj* mártir; **enfants ~s** niños *mpl* mártires

martyre [maʀtiʀ] *nm (aussi fig)* martirio; **souffrir le ~** pasar un martirio

martyriser [maʀtiʀize] *vt* martirizar

marxiste [maʀksist] *adj, nm/f* marxista *m/f*

mascara [maskaʀa] *nm* rímel *m*

masculin, e [maskylɛ̃, in] *adj* masculino(-a) ◼ *nm* masculino

masochiste [mazɔʃist] *adj, nm/f* masoquista *m/f*

masque [mask] *nm (aussi fig)* máscara; *(d'escrime, de soudeur)* careta; *(Méd: pour endormir)* mascarilla; **~ à gaz** máscara de gas, careta antigás *inv*; **~ à oxygène** máscara de oxígeno; **~ de beauté** mascarilla de belleza; **~ de plongée** gafas *fpl* de bucear

masquer [maske] *vt* ocultar; *(goût, odeur)* disimular

massacre [masakʀ] *nm* matanza; **jeu de ~** *(à la foire)* pim pam pum *m*; *(fig)* destrozo

massacrer [masakʀe] *vt* matar, exterminar; *(fig)* destrozar

massage [masaʒ] *nm* masaje *m*

masse [mas] *nf* masa; *(de cailloux, documents, mots)* montón *m*; *(d'un édifice, navire)* mole *f*; *(maillet)* maza; **la ~** *(péj: peuple)* la masa; **les ~s laborieuses/ paysannes** las masas trabajadoras/ campesinas; **la grande ~ des ...** la gran masa de ...; **une ~ de, des ~s de** *(fam)* un montón de, montones de; **en ~** juntos(-as); *(plus nombreux)* en masa; **~ monétaire/salariale** *(Fin)* masa monetaria/salarial

masser [mase] *vt* concentrar; *(personne, jambe)* dar masaje a; **se masser** *vpr* concentrarse

masseur, -euse [masœʀ, øz] *nm/f* masajista *m/f* ◼ *nm (appareil)* vibrador *m*

massif, -ive [masif, iv] *adj (porte, silhouette, or)* macizo(-a); *(dose, déportations)* masivo(-a) ◼ *nm* macizo

massue [masy] nf maza; **argument ~** argumento contundente

mastic [mastik] nm masilla

mastiquer [mastike] vt masticar; (fente, vitre) enmasillar

mat, e [mat] adj mate inv; (son) sordo(-a); **être ~** (Échecs) ser mate

mât [mɑ] nm (Naut) mástil m; (poteau) poste m

match [matʃ] nm partido; **~ aller/retour** partido de ida/de vuelta; **~ nul** empate m; **faire ~ nul** empatar

matelas [mat(ə)lɑ] nm colchón m; **~ à ressorts** colchón de muelles; **~ pneumatique** colchón de aire

matelasser [mat(ə)lase] vt (fauteuil) rellenar; (manteau) acolchar

matelot [mat(ə)lo] nm marinero

mater [mate] vt (personne) someter; (révolte) dominar; (fam) controlar

matérialiser [materjalize] vt materializar; **se matérialiser** vpr materializarse

matérialiste [materjalist] adj, nm/f materialista m/f

matériau [materjo] nm material m; **matériaux** nmpl (documents) material msg; **~x de construction** materiales mpl de construcción

matériel, le [materjɛl] adj material ■ nm material m; (de camping) equipo; (de pêche) aparejos mpl; (Inform) soporte m físico; **il n'a pas le temps ~ de le faire** no tiene tiempo material para hacerlo; **~ d'exploitation** (Comm) material de explotación; **~ roulant** (Rail) material móvil

maternel, le [maternɛl] adj (amour) maternal; (par filiation: grand-père) materno(-a)

maternelle [maternɛl] nf (aussi: **école maternelle**) escuela de párvulos

maternité [maternite] nf maternidad f

mathématique [matematik] adj matemático(-a); **mathématiques** nfpl matemáticas fpl; **~s modernes** matemáticas modernas

maths [mat] nfpl matemáticas fpl, mates fpl (fam)

matière [matjɛʀ] nf (Phys) materia; (Comm, Tech) material m; (d'un livre etc) tema m; (Scol) asignatura; **en ~ de** en materia de; (en ce qui concerne) en cuanto a; **donner ~ à** dar motivo de; **~ grise** materia gris; **~ plastique** plástico; **~s fécales** heces fpl; **~s grasses** grasas fpl; **~s premières** materias primas

matin [matɛ̃] nm mañana; **le ~** por la mañana; **dimanche ~** el domingo por la mañana; **jusqu'au ~** hasta la mañana; **le lendemain ~** a la mañana siguiente; **hier/demain ~** ayer/mañana por la mañana; **du ~ au soir** de la mañana a la noche; **une heure du ~** la una de la mañana; **à demain ~!** ¡hasta mañana por la mañana!; **un beau ~** un día de éstos; **de grand** ou **bon ~** de madrugada; **tous les dimanches ~s** todos los domingos por la mañana

matinal, e, -aux [matinal, o] adj (toilette, gymnastique) matutino(-a), matinal; (de bonne heure) tempranero(-a); **être ~** (personne) ser madrugador(a)

matinée [matine] nf mañana; (réunion) sesión f de la tarde; (spectacle) función f de tarde, vermú m (AM); **en ~** por la tarde

matou [matu] nm gato

matraque [matrak] nf (de malfaiteur) cachiporra; (de policier) porra

matricule [matrikyl] nf matrícula ■ nm (Mil) número de registro; (Admin) registro

matrimonial, e, -aux [matrimɔnjal, jo] adj matrimonial

maudit, e [modi, it] adj maldito(-a)

maugréer [mogree] vi refunfuñar

maussade [mosad] adj (personne) malhumorado(-a); (ciel, temps) desapacible

mauvais, e [mɔvɛ, ɛz] adj malo(-a); (placé avant le nom) mal; (rire) perverso(-a) ■ nm: **le ~** lo malo ■ adv: **il fait ~** hace malo; **sentir ~** oler mal; **la mer est ~e** el mar está agitado; **~ coucheur** persona con malas pulgas; **~ coup** (fig) golpe m; **~ garçon** delincuente m; **~ joueur** mal jugador m; **~ pas** mal paso; **~ payeur** moroso; **~ plaisant** gracioso; **~ traitements** malos tratos mpl; **~e herbe** mala hierba; **~e langue** lengua viperina; **~e passe** aprieto; (période) mala racha; **~e tête** terco(-a)

mauve [mov] nm malva ■ adj malva inv

maux [mo] nmpl voir **mal**

maxime [maksim] nf máxima

maximum [maksimɔm] adj máximo(-a)

■ *nm* máximo; **le ~ de chances** el máximo de posibilidades; **atteindre un/ son ~** alcanzar un/su máximo; **au ~** *adv* (*le plus possible*) al máximo; (*tout au plus*) como máximo

mayonnaise [majɔnɛz] *nf* mayonesa

mazout [mazut] *nm* fuel-oil *m*; **chaudière/poêle à ~** caldera/estufa de fuel-oil

M(e) *abr* = **maître**

me [mə] *pron* me; **il m'a donné un livre** me ha dado un libro

mec [mɛk] (*fam*) *nm* tío

mécanicien, ne [mekanisjɛ̃, jɛn] *nm/f* mecánico(-a); (*Rail*) maquinista *m/f*; **~ de bord** *ou* **navigant** (*Aviat*) mecánico(-a) de vuelo

mécanique [mekanik] *adj* mecánico(-a) ■ *nf* mecánica; (*mécanisme*) mecanismo; **s'y connaître en ~** saber de mecánica; **ennui ~** problema *m* mecánico; **~ hydraulique/ondulatoire** mecánica hidráulica/ondulatoria

mécanisme [mekanism] *nm* mecanismo

méchamment [meʃamɑ̃] *adv* cruelmente

méchanceté [meʃɑ̃ste] *nf* maldad *f*, malicia

méchant, e [meʃɑ̃, ɑ̃t] *adj* (*personne*) malvado(-a); (*sourire*) malicioso(-a); (*enfant*) travieso(-a), revoltoso(-a); (*animal*) malo(-a); (*avant le nom: affaire, humeur*) mal; (: *intensif*) malísimo(-a)

mèche [mɛʃ] *nf* mecha; (*de fouet*) tralla; (*de cheveux: coupés*) mechón *m*; (: *d'une autre couleur*) mecha; **se faire faire des ~s** (*chez le coiffeur*) hacerse mechas; **vendre la ~** irse de la lengua; **être de ~ avec qn** estar conchabado(-a) con algn

méchoui [meʃwi] *nm* cordero asado

méconnaissable [mekɔnɛsabl] *adj* irreconocible

méconnaître [mekɔnɛtʀ] *vt* (*ignorer*) desconocer; (*méjuger*) infravalorar

mécontent, e [mekɔ̃tɑ̃, ɑ̃t] *adj*: **~ (de)** descontento(-a) (con); (*contrarié*) disgustado(-a) ■ *nm* descontento

mécontentement [mekɔ̃tɑ̃tmɑ̃] *nm* descontento

médaille [medaj] *nf* medalla

médaillon [medajɔ̃] *nm* medallón *m*; **en ~** *adj* (*carte etc*) en forma de medallón

médecin [med(ə)sɛ̃] *nm* médico(-a); **~ de famille/du bord** médico de familia/de a bordo; **~ généraliste/légiste/traitant** médico general/forense/de cabecera

médecine [med(ə)sin] *nf* medicina; **~ du travail/générale/infantile** medicina laboral/general/infantil; **~ légale/ préventive** medicina legal/preventiva

médiatique [medjatik] *adj* de *ou* en los medios de comunicación

médical, e, -aux [medikal, o] *adj* médico(-a)

médicament [medikamɑ̃] *nm* medicamento

médiéval, e, -aux [medjeval, o] *adj* medieval

médiocre [medjɔkʀ] *adj* mediocre

méditer [medite] *vt* meditar; (*préparer*) planear ■ *vi* (*réfléchir*) meditar; **~ de faire qch** planear hacer algo; **~ sur qch** meditar sobre algo

Méditerranée [mediteʀane] *nf*: **la (mer) ~** el (mar) Mediterráneo

méditerranéen, ne [mediteʀaneɛ̃, ɛn] *adj* mediterráneo(-a) ■ *nm/f*: **Méditerranéen, ne** mediterráneo(-a)

méduse [medyz] *nf* medusa

méfait [mefɛ] *nm* (*faute*) fechoría; **méfaits** *nmpl* (*ravages*) daños *mpl*

méfiance [mefjɑ̃s] *nf* desconfianza, recelo

méfiant, e [mefjɑ̃, jɑ̃t] *adj* desconfiado(-a), receloso(-a)

méfier [mefje] *vpr*: **se méfier** desconfiar; **se ~ de** desconfiar de; (*faire attention*) tener cuidado con

mégarde [megaʀd] *nf*: **par ~** por descuido; (*par erreur*) por equivocación

mégère [meʒɛʀ] (*péj*) *nf* arpía, bruja

mégot [mego] *nm* colilla

meilleur, e [mɛjœʀ] *adj* mejor; (*superlatif*): **le ~ (de)** (*personne*) el mejor (de); (*chose*) lo mejor (de) ■ *adv* mejor ■ *nm*: **le ~** (*personne*) el mejor; (*chose*) lo mejor ■ *nf*: **la ~e** la mejor; **le ~ des deux** el mejor de los dos; **c'est la ~e!** ¡es el colmo!; **de ~e heure** más temprano; **~ marché** más barato

mél [mɛl] *nm* mail *m*, email *m*, correo electrónico

mélancolie [melɑ̃kɔli] *nf* melancolía

mélancolique [melɑ̃kɔlik] *adj* melancólico(-a)

mélange [melɑ̃ʒ] *nm* mezcla; **sans ~** (*pur*) sin mezcla; (*parfait*) perfecto(-a)

mélanger [melɑ̃ʒe] *vt* mezclar; (*mettre en désordre*) mezclar, desordenar; (*confondre*): **vous mélangez tout!** ¡usted lo mezcla *ou* confunde todo!; **se mélanger** *vpr* mezclarse

mêlée [mele] *nf* (*bataille*) pelea, contienda; (*fig*) conflicto, lucha; (*Rugby*) melé *f*

mêler [mele] *vt* mezclar; (*thèmes*) reunir, juntar; (*brouiller*) enredar, revolver; **se mêler** *vpr* mezclarse; **se ~ à** mezclarse con; **se ~ de** entrometerse en; **~ qn à une affaire** implicar a algn en un asunto; **mêle-toi de tes affaires!** ¡métete en tus asuntos!

mélodie [melɔdi] *nf* melodía

mélodieux, -euse [melɔdjø, jøz] *adj* melodioso(-a)

mélodrame [melɔdʀam] *nm* melodrama *m*

mélomane [melɔman] *nm/f* melómano(-a)

melon [m(ə)lɔ̃] *nm* melón *m*; (*aussi:* **chapeau melon**) sombrero hongo; **~ d'eau** sandía

membre [mɑ̃bʀ] *nm* (*aussi Anat*) miembro; (*Ling*) **~ de phrase** constituyente *m* de la frase ■ *adj* miembro *inv*; **être ~ de** ser miembro de; **~ (viril)** miembro (viril)

mémé [meme] (*fam*) *nf* abuelita; (*vieille femme*) viejecita

 MOT-CLÉ

même [mɛm] *adj* **1** (*avant le nom*) mismo(-a); **en même temps** al mismo tiempo; **ils ont les mêmes goûts** tienen los mismos gustos; **la même chose** lo mismo
2 (*après le nom: renforcement*): **il est la loyauté même** es la lealtad misma; **ce sont ses paroles mêmes** son sus mismas palabras
■ *pron*: **le(la) même** el (la) mismo(-a)
■ *adv* **1** (*renforcement*): **il n'a même pas pleuré** ni siquiera lloró; **même lui l'a dit** incluso él lo dijo; **ici même** aquí mismo
2: **à même**; **à même la bouteille** de la botella misma; **à même la peau** junto a la piel; **être à même de faire** estar en condiciones de hacer
3: **de même**; **faire de même** hacer lo mismo; **lui de même** también él; **de même que** lo mismo que; **de lui-même** por sí mismo; **il en va de même pour** lo mismo va para
4: **même si** *conj* aunque (+*subjonctif*)

mémoire [memwaʀ] *nf* memoria; (*souvenir*) recuerdo ■ *nm* (*Admin, Jur, Scol*) memoria; **mémoires** *nmpl* (*souvenirs*) memorias *fpl*; **avoir la ~ des visages/chiffres** tener memoria para las caras/los números; **n'avoir aucune ~** no tener nada de memoria; **avoir de la ~** tener memoria; **à la ~ de** en memoria de, en recuerdo de; **pour ~** *adv* a título de información; **de ~ d'homme** desde tiempo inmemorial; **de ~** *adv* de memoria; **mettre en ~** (*Inform*) guardar en memoria; **~ morte/vive** memoria ROM/RAM; **~ non volatile** *ou* **rémanente** memoria no volátil

mémorable [memɔʀabl] *adj* memorable

menace [mənas] *nf* amenaza; **~ en l'air** amenaza vana

menacer [mənase] *vt* amenazar; **~ qn de qch/de faire qch** amenazar a algn con algo/con hacer algo

ménage [menaʒ] *nm* quehaceres *mpl* domésticos, limpieza; (*couple*) matrimonio; (*Admin, famille*) familia; **faire le ~** hacer la limpieza; **faire des ~s** trabajar de asistenta; **monter son ~** poner la casa; **se mettre en ~ (avec)** casarse (con); **heureux en ~** bien casado; **faire bon/mauvais ~ avec qn** hacer buenas/malas migas con algn; **~ à trois** triángulo amoroso; **~ de poupée** juego de batería de cocina de muñeca

ménagement [menaʒmɑ̃] *nm* deferencia; **ménagements** *nmpl* (*égards*) miramientos *mpl*; **avec/sans ~** con/sin miramientos

ménager[1] [menaʒe] *vt* (*personne*) tratar con deferencia; (*animal, adversaire*) tratar bien; (*monture*) no fatigar; (*vêtements*) tener cuidado con; (*entretien*) organizar; (*ouverture*) instalar; **se ménager** *vpr* cuidarse; **se ~ qch** procurarse algo; **~ qch à qn** tener algo guardado para algn

ménager[2], -ère [menaʒe, ɛʀ] *adj* doméstico(-a); (*enseignement*) del hogar; (*eaux*) residual

ménagère [menaʒɛʀ] *nf* ama de casa; (*service de couverts*) estuche *m* de cubertería

ménagerie [menaʒʀi] *nf* (*lieu*) jaulas *fpl* de fieras; (*animaux*) fieras *fpl*

mendiant, e [mɑ̃djɑ̃, jɑ̃t] *nm/f* mendigo(-a), pordiosero(-a) ■ *nm* postre de almendras, higos, avellanas y uvas

mendier [mɑ̃dje] *vt, vi* mendigar

mener [m(ə)ne] *vt* dirigir; (*enquête, vie, affaire*) llevar ■ *vi*: **~ (à la marque)** (*Sport*) estar a la *ou* ir en cabeza; **~ à/dans/chez** (*emmener*) llevar a/en/a casa de; **~ qch à bonne fin/à terme/à bien** llevar algo a buen fin/a término/a buen término; **~ à rien/à tout** llevar *ou* conducir a nada/a todas partes

meneur, -euse [mənœʀ, øz] *nm/f*

dirigente *m/f*; *(péj: agitateur)* cabecilla
m/f; **~ d'hommes** líder *m* innato; **~ de jeu**
(Radio, TV) animador(a)
méningite [menɛ̃ʒit] *nf* meningitis *f*
ménopause [menopoz] *nf* menopausia
menottes [mənɔt] *nfpl* esposas *fpl*
mensonge [mɑ̃sɔ̃ʒ] *nm* mentira
mensonger, -ère [mɑ̃sɔ̃ʒe, ɛʀ] *adj*
falso(-a)
mensualité [mɑ̃sɥalite] *nf*
mensualidad *f*
mensuel, le [mɑ̃sɥɛl] *adj* mensual
◼ *nm/f* asalariado(-a) pagado(-a)
mensualmente ◼ *nm (Presse)*
publicación *f* mensual
mensurations [mɑ̃syʀasjɔ̃] *nfpl*
medidas *fpl*
mental, e, -aux [mɑ̃tal, o] *adj* mental
mentalité [mɑ̃talite] *nf* mentalidad *f*;
quelle ~! ¡qué mentalidad!
menteur, -euse [mɑ̃tœʀ, øz] *nm/f*
mentiroso(-a), embustero(-a)
menthe [mɑ̃t] *nf* menta; **~ (à l'eau)**
menta (con agua)
mention [mɑ̃sjɔ̃] *nf* mención *f*; *(Scol,*
Univ): **~ passable/assez bien/bien/très**
bien aprobado/bien/notable/
sobresaliente; **faire ~ de** hacer mención
de; **"rayer la ~ inutile"** *(Admin)* "tache lo
que no proceda"
mentionner [mɑ̃sjɔne] *vt* mencionar
mentir [mɑ̃tiʀ] *vi* mentir; **~ à qn** mentir
a algn
menton [mɑ̃tɔ̃] *nm (Anat)* mentón *m*,
barbilla; **double/triple ~** papada
menu, e [məny] *adj* menudo(-a); *(voix)*
débil; *(frais)* módico(-a) ◼ *adv*: **couper/**
hacher ~ cortar/picar en trocitos ◼ *nm*
menú *m (tb Inform)*; **par le ~** *(raconter)* con
todo detalle; **~ déroulant** menú
desplegable; **~e monnaie** dinero suelto
menuiserie [mənɥizʀi] *nf* carpintería;
plafond en ~ artesonado
menuisier [mənɥizje] *nm* carpintero
méprendre [mepʀɑ̃dʀ] *vpr*: **se**
méprendre equivocarse, confundirse;
se ~ sur confundirse en, equivocarse en;
à s'y ~ hasta el punto de confundirse
mépris [mepʀi] *pp de* **méprendre** ◼ *nm*
desprecio, menosprecio; **au ~ de** a
despecho de
méprisable [mepʀizabl] *adj*
despreciable
méprisant, e [mepʀizɑ̃, ɑ̃t] *adj*
despreciativo(-a)
méprise [mepʀiz] *nf* equivocación *f*
mépriser [mepʀize] *vt* despreciar,
menospreciar

mer [mɛʀ] *nf* mar *m*; *(fig: vaste étendue)*:
~ de sable/de feu mar de arena/de fuego;
en ~ en el mar; **prendre la ~** hacerse a la
mar; **en haute/pleine ~** en alta mar; **la ~**
Adriatique el mar Adriático; **la ~ des**
Antilles *ou* **des Caraïbes** el mar de las
Antillas *ou* del Caribe; **la ~ Baltique** el
mar Báltico; **la ~ Caspienne** el mar Caspio;
la ~ de Corail el mar del Coral; **la ~ Égée**
el mar Egeo; **~ fermée** mar interior; **la ~**
Ionienne el mar Jónico; **la ~ Morte** el mar
Muerto; **la ~ Noire** el mar Negro; **la ~ du**
Nord el mar del Norte; **la ~ Rouge** el mar
Rojo; **la ~ des Sargasses** el mar de los
Sargazos; **la ~ Tyrrhénienne** el mar
Tirreno; **les ~s du Sud** los mares del Sur
mercenaire [mɛʀsənɛʀ] *nm* mercenario
mercerie [mɛʀsʀi] *nf* mercería
merci [mɛʀsi] *excl* gracias ◼ *nm*: **dire ~ à**
qn dar las gracias a algn ◼ *nf* merced *f*;
à la ~ de qn/qch a merced de algn/algo;
~ beaucoup muchas gracias; **~ de/pour**
gracias por; **non, ~** no, gracias; **sans ~**
despiadado(-a)
mercredi [mɛʀkʀədi] *nm* miércoles *m*
inv; **~ des cendres** miércoles de Ceniza;
voir aussi **lundi**
mercure [mɛʀkyʀ] *nm* mercurio
merde [mɛʀd] *(fam)* *nf* mierda *(fam)*
◼ *excl* ¡mierda! *(fam)*; *(surprise,*
impatience) ¡joder! *(fam)*, ¡coño! *(fam)*
mère [mɛʀ] *nf* madre *f*; *(fam)* tía ◼ *adj*
(idée) central; *(langue)* madre; **~**
adoptive/porteuse madre adoptiva/de
alquiler; **~ célibataire/de famille** madre
soltera/de familia
merguez [mɛʀgɛz] *nf* salchicha muy
condimentada
méridional, e, -aux [meʀidjɔnal, o]
adj meridional; *(du midi de la France)* del
Sur de Francia ◼ *nm/f* nativo(-a) *ou*
habitante *m/f* del Sur de Francia
meringue [məʀɛ̃g] *nf* merengue *m*
mérite [meʀit] *nm* mérito; *(valeur)*
mérito, valor *m*; **le ~ lui revient** el mérito
es suyo; **je n'ai pas de ~ à le faire** no
tengo mérito al hacer eso
mériter [meʀite] *vt* merecer, ameritar
(AM); **~ de réussir** merecer aprobar; **il**
mérite qu'on fasse ... merece que se
haga ...
merle [mɛʀl] *nm* mirlo
merveille [mɛʀvɛj] *nf* maravilla; **faire**
~/des ~s hacer maravillas; **à ~** a las mil
maravillas; **les sept ~s du monde** las
siete maravillas del mundo
merveilleux, -euse [mɛʀvejø, øz] *adj*
maravilloso(-a)

mes | 188

mes [me] *dét voir* **mon**
mésange [mezɑ̃ʒ] *nf* herrerillo; **~ bleue** alionín *m*
mésaventure [mezavɑ̃tyʀ] *nf* infortunio
Mesdames [medam] *nfpl voir* **Madame**
Mesdemoiselles [medmwazɛl] *nfpl voir* **Mademoiselle**
mesquin, e [mɛskɛ̃, in] *adj*: **esprit ~/personne ~e** espíritu ruin/persona mezquina
mesquinerie [mɛskinʀi] *nf* mezquindad *f*
message [mesaʒ] *nm* mensaje *m*; **~ d'erreur/de guidage** (*Inform*) mensaje de error/de ayuda; **~ publicitaire** anuncio publicitario; **~ téléphoné** aviso telefónico
messager, -ère [mesaʒe, ɛʀ] *nm/f* mensajero(-a)
messagerie [mesaʒʀi] *nf*: **~ électronique** (*Internet*) correo electrónico; **~ vocale** (*service*) buzón *m* de voz
messe [mɛs] *nf* misa; **aller à la ~** ir a misa; **~ basse/chantée/noire** misa rezada/cantada/negra; **faire des ~s basses** (*fig, péj*) andar con secretos; **~ de minuit** misa del gallo
Messieurs [mesjø] *nmpl voir* **Monsieur**
mesure [m(ə)zyʀ] *nf* (*dimension, étalon*) medida; (*évaluation*) medición *f*; (*Mus*) compás *msg*; (*modération, retenue*) mesura, comedimiento; **prendre des ~s** tomar medidas; **sur ~** a la medida; **à la ~ de** a la medida de; **dans la ~ de/où** en la medida de/en que; **dans une certaine ~** en cierta medida; **à ~ que** a medida que; **en ~** (*Mus*) al compás; **être en ~ de** estar en condiciones de; **dépasser la ~** (*fig*) pasarse de la raya; **unité/système de ~** unidad *f*/sistema *m* de medida
mesurer [məzyʀe] *vt* (*aussi fig*) medir; (*limiter: argent, temps*) escatimar; **~ qch à** evaluar algo según; **se ~ avec/à qn** medirse con algn; **il mesure 1 m 80** mide 1m 80
métal, -aux [metal, o] *nm* metal *m*
métallique [metalik] *adj* metálico(-a)
météo [meteo] *nf* (*bulletin*) tiempo; (*service*) servicio meteorológico
météore [meteɔʀ] *nm* meteoro
météorologie [meteɔʀɔlɔʒi] *nf* meteorología; (*service*) instituto nacional de meteorología
méthode [metɔd] *nf* método
méticuleux, -euse [metikylø, øz] *adj* meticuloso(-a)

métier [metje] *nm* oficio; (*technique, expérience*) práctica; (*aussi*: **métier à tisser**) telar *m*; **le ~ de roi** (*fonction, rôle*) la función de rey; **être du ~** ser del oficio
métis, se [metis] *adj, nm/f* mestizo(-a), cholo(-a) (*And*)
métrage [metraʒ] *nm* medición *f* en metros; (*longueur de tissu*) medida en metros; (*Ciné*) metraje *m*; **long/moyen/court ~** (*Ciné*) largometraje/mediometraje/cortometraje *m*
mètre [mɛtʀ] *nm* metro; **un 100/800 ~s** (*Sport*) los 100/800 metros; **~ carré/cube** metro cuadrado/cúbico
métrique [metrik] *adj*: **système ~** sistema métrico ■ *nf* métrica
métro [metro] *nm* metro, subterráneo (*AM*)
métropole [metrɔpɔl] *nf* metrópoli *f*, metrópolis *f inv*
mets [mɛ] *vb voir* **mettre** ■ *nm* plato
metteur [metœʀ] *nm*: **~ en scène** (*Théâtre*) director *m* escénico; (*Ciné*) director

 MOT-CLÉ

mettre [mɛtʀ] *vt* **1** poner; **mettre en bouteille** embotellar; **mettre en sac** poner en sacos; **mettre en pages** compaginar; **mettre qch en terre** enterrar algo; **mettre en examen** detener (*para ser interrogado*); **mettre à la poste** echar al correo; **mettre qn debout/assis** levantar/sentar a algn
2 (*vêtements*): *revêtir* poner; (: *soi-même*) ponerse; (*installer*) poner; **mets ton gilet** ponte el chaleco
3 (*faire fonctionner: chauffage, réveil*) poner; (: *lumière*) dar; (*installer: gaz, eau*) poner; **faire mettre le gaz/l'électricité** poner gas/electricidad; **mettre en marche** poner en marcha
4 (*consacrer*): **mettre du temps/2 heures à faire qch** tardar tiempo/dos horas en hacer algo
5 (*noter, écrire*) poner; **qu'est-ce que tu as mis sur la carte?** ¿qué has puesto en la postal?; **mettre au pluriel** poner en plural
6 (*supposer*): **mettons que ...** pongamos que ...
7: **y mettre du sien** (*dépenser, dans une affaire*) poner de su parte
se mettre *vpr*: **vous pouvez vous mettre là** puede ponerse allí; **où ça se met?** ¿dónde se pone eso?; **se mettre au lit** meterse en la cama; **se mettre qn à**

dos ganarse la enemistad de algn; **se mettre de l'encre sur les doigts** mancharse los dedos de tinta; **se mettre bien/mal avec qn** ponerse a bien/mal con algn; **se mettre en maillot de bain** ponerse en bañador; **n'avoir rien à se mettre** no tener nada que ponerse; **se mettre à faire qch** ponerse a hacer algo; **se mettre au piano** *(s'asseoir)* sentarse al piano; *(apprendre)* estudiar piano; **se mettre au travail/à l'étude** ponerse a trabajar/a estudiar; **se mettre au régime** ponerse a régimen; **allons, il faut s'y mettre!** ¡venga, vamos a ponernos a trabajar!

meuble [mœbl] *nm* mueble *m*; *(ameublement, mobilier)* mobiliario ▪ *adj* mueble; **biens ~s** *(Jur)* bienes *mpl* muebles

meublé, e [mœble] *adj*: **chambre ~e** habitación *f* amueblada ▪ *nm (pièce)* habitación amueblada; *(appartement)* piso amueblado

meubler [mœble] *vt* amueblar; *(fig)* llenar ▪ *vi* decorar; **se meubler** *vpr* amueblar la casa

meugler [møgle] *vi* mugir

meule [møl] *nf* muela; *(Agr)* almiar *m*; *(de fromage)* rueda grande de queso

meunier, -ière [mønje, jɛʀ] *nm/f* molinero(-a) ▪ *adj inv*: **sole meunière** *(Culin)* lenguado a la molinera

meurs *etc* [mœʀ] *vb voir* **mourir**

meurtre [mœʀtʀ] *nm* asesinato

meurtrier, -ière [mœʀtʀije, ijɛʀ] *nm/f* asesino(-a) ▪ *adj* mortal; *(arme, instinct)* asesino(-a)

meurtrir [mœʀtʀiʀ] *vt* magullar; *(fig)* herir

meus *etc* [mœ] *vb voir* **mouvoir**

meute [møt] *nf* jauría

mexicain, e [mɛksikɛ̃, ɛn] *adj* mexicano(-a), mejicano(-a) ▪ *nm/f*: **Mexicain, e** mexicano(-a), mejicano(-a)

Mexico [mɛksiko] *nm* México, Méjico

Mexique [mɛksik] *nm* México, Méjico

Mgr *abr (= Monseigneur)* Mons. *(= Monseñor)*

mi [mi] *nm inv (Mus)* mi *m* ▪ *préf* medio; **à la mi-janvier** a mediados de enero; **mi-bureau/chambre** mitad oficina/mitad dormitorio; **à mi-jambes/-corps** a media pierna/cuerpo; **à mi-hauteur/-pente** a media altura/pendiente

miauler [mjole] *vi* maullar

miche [miʃ] *nf* hogaza

mi-chemin [miʃmɛ̃]: **à ~** *adv (aussi fig)* a medio camino

mi-clos, e [miklo, kloz] *(pl ~, es) adj* entornado(-a)

micro [mikʀo] *nm* micrófono; *(Inform)* micro

microbe [mikʀɔb] *nm* microbio

micro-onde [mikʀoɔ̃d] *(pl ~s) nf*: **four à ~s** horno microondas

micro-ordinateur [mikʀoɔʀdinatœʀ] *(pl ~s) nm* microordenador *m*

microphone [mikʀɔfɔn] *nm* micrófono

microprocesseur [mikʀopʀɔsesœʀ] *nm* microprocesador *m*

microscope [mikʀɔskɔp] *nm* microscopio; **examiner au ~** examinar en el microscopio; **~ électronique** microscopio electrónico

microscopique [mikʀɔskɔpik] *adj* microscópico(-a); *(opération)* con microscopio

midi [midi] *nm* mediodía *m*; *(sud)* sur *m*, mediodía; **le M~ (de la France)** el sur de Francia; **à ~** a mediodía; **tous les ~s** todos los días a las doce; **le repas de ~** la comida de mediodía, el almuerzo; **en plein ~** en pleno día

mie [mi] *nf* miga

miel [mjɛl] *nm* miel *f*; **être tout ~** *(fig)* ser muy meloso(-a)

mielleux, -euse [mjelø, øz] *(péj) adj* meloso(-a)

mien, ne [mjɛ̃, mjɛn] *adj* mío(-a) ▪ *pron*: **le ~, la ~ne, les ~s** el mío, la mía, los míos; **les ~s** *(ma famille)* los míos

miette [mjɛt] *nf* migaja; *(fig: de la conversation etc)* retazo; **en ~s** hecho añicos; **une ~ de** una pizca de

MOT-CLÉ

mieux [mjø] *adv* **1** *(d'une meilleure façon)*: **mieux (que)** mejor (que); **elle travaille/mange mieux** trabaja/come mejor; **elle va mieux** va mejor; **j'aime mieux le cinéma** me gusta más el cine; **j'attendais mieux de vous** esperaba algo más de usted; **qui mieux est** y lo que es mejor; **crier à qui mieux mieux** gritar a cual más; **de mieux en mieux** cada vez mejor

2 *(de la meilleure façon)* mejor; **ce que je sais le mieux** lo que mejor sé; **les livres les mieux faits** los libros mejor hechos ▪ *adj* **1** *(plus à l'aise, en meilleure forme)* mejor; **se sentir mieux** encontrarse mejor

2 *(plus satisfaisant, plus joli)* mejor; **c'est mieux ainsi** es mejor así; **c'est le mieux**

des deux es el mejor de los dos; **le(la) mieux, les mieux** el (la) mejor, los (las) mejores; **demandez-lui, c'est le mieux** pregúntele, es lo mejor; **il est mieux sans moustache** está mejor sin bigote; **il est mieux que son frère** es mejor que su hermano

3: **au mieux** en el mejor de los casos; **être au mieux avec** llevarse muy bien con; **tout est pour le mieux** todo va de maravilla

■ nm 1 (amélioration, progrès) mejoría; **faute de mieux** a falta de algo mejor 2: **faire de son mieux** hacer cuanto se pueda; **du mieux qu'il peut** lo mejor que puede

mignon, ne [miɲɔ̃, ɔn] adj mono(-a); (aimable) majo(-a)

migraine [migʀɛn] nf jaqueca

mijoter [miʒɔte] vt (plat) cocer a fuego lento; (: préparer avec soin) hacer (con mimo); (affaire) tramar ■ vi cocer a fuego lento; (personne: attendre) esperar largo tiempo

milieu, x [miljø] nm medio; (social, familial) medio, entorno; **il y a un ~ entre ...** (fig) hay un término medio entre ...; **au ~ de** en medio de; (fig) entre; **au beau ou en plein ~ (de)** justo en medio ou mitad de; **le juste ~** el término medio; **le ~** (pègre) el hampa; **~ de terrain** (Football: joueur) medio campo; (: joueurs) medio

militaire [militɛʀ] adj, nm militar m; **marine/aviation ~** marina/aviación f militar; **service ~** servicio militar

militant, e [militɑ̃, ɑ̃t] adj, nm/f militante m/f

militer [milite] vi militar; **~ pour/contre** militar a favor de/en contra de

mille [mil] adj inv, nm inv mil ■ nm: **~ marin** milla marina; **page ~** página mil; **mettre dans le ~** dar en el blanco; (fig) dar en el clavo

millefeuille [milfœj] nm milhojas m inv

millénaire [milenɛʀ] nm milenio ■ adj milenario(-a)

mille-pattes [milpat] nm inv ciempiés m inv

millet [mijɛ] nm mijo

milliard [miljaʀ] nm mil millones mpl

milliardaire [miljaʀdɛʀ] adj, nm/f multimillonario(-a)

millier [milje] nm millar m; **un ~ (de)** un millar (de); **par ~s** por miles, a millares

milligramme [miligʀam] nm miligramo

millimètre [milimɛtʀ] nm milímetro

million [miljɔ̃] nm millón m; **deux ~s de** dos millones de; **toucher cinq ~s** ganar cinco millones

millionnaire [miljɔnɛʀ] adj, nm/f millonario(-a)

mime [mim] nm/f mimo; (imitateur) imitador(a) ■ nm (art) mimo

mimer [mime] vt mimar; (singer) imitar

minable [minabl] adj penoso(-a)

mince [mɛ̃s] adj delgado(-a); (étoffe, filet d'eau) fino(-a); (fig) escaso(-a) ■ excl: **~ alors!** ¡caramba!

minceur [mɛ̃sœʀ] nf delgadez f

mincir [mɛ̃siʀ] vi adelgazar

mine [min] nf (aussi fig) mina; (physionomie) cara, aspecto; **mines** nfpl (péj) melindres mpl, remilgos mpl; **les M~s** (Admin) Dirección f de Minas; **avoir bonne/mauvaise ~** tener buena/mala cara; **tu as bonne ~!** (iron: aspect) ¡vaya pinta que tienes!; (: action) ¡has hecho el ridículo!; **faire grise ~** poner mala cara; **faire ~ de faire** simular hacer algo; **ne pas payer de ~** tener mala pinta; **~ de rien** como quien no quiere la cosa, como si nada; **~ à ciel ouvert** mina a cielo abierto

miner [mine] vt minar

minerai [minʀɛ] nm mineral m

minéral, e, -aux [mineʀal, o] adj, nm mineral m

minéralogique [mineʀalɔʒik] adj mineralógico(-a); **plaque ~** matrícula; **numéro ~** número de matrícula

minet, te [minɛ, ɛt] nm/f gatito(-a), minino(-a); (péj) chuleta m/f

mineur, e [minœʀ] adj (souci) secundario(-a); (poète, personne) menor ■ nm/f (Jur) menor m/f ■ nm (travailleur) minero; (Mil) minador m; **~ de fond** minero de interior

miniature [minjatyʀ] adj, nf miniatura; **en ~** en miniatura

minibus [minibys] nm microbús msg

minier, -ière [minje, jɛʀ] adj minero(-a)

mini-jupe [miniʒyp] (pl ~s) nf minifalda

minime [minim] adj mínimo(-a) ■ nm/f (Sport) alevín m/f

minimiser [minimize] vt minimizar

minimessage [minimesaʒ] nm SMS m, mensaje m de texto

minimum [minimɔm] adj mínimo(-a) ■ nm mínimo; **un ~ de** un mínimo de; **au ~** como mínimo; **~ vital** (salaire) salario mínimo; (niveau de vie) mínimos mpl vitales

ministère [ministɛʀ] nm ministerio; **~ public** (Jur) ministerio público

ministre [ministʀ] *nm* ministro;
~ **d'Etat** ministro de Estado
Minitel® [minitɛl] *nm* Minitel® *m*

- **MINITEL**
-
- *Minitel* es un terminal informático
- personal facilitado de forma gratuita
- por la compañía France-Télécom a sus
- abonados. Hace las veces de guía
- telefónica informatizada y de vía de
- acceso a distintos servicios, tales
- como horarios de trenes, información
- bursátil y ofertas de empleo. A los
- servicios se accede marcando un
- número de teléfono y su uso se
- factura a cada abonado.

minoritaire [minɔʀitɛʀ] *adj*
minoritario(-a)
minorité [minɔʀite] *nf* minoría; (*d'une
personne*) minoría de edad; **la/une ~ de**
la/una minoría de; **être en ~** estar en
minoría; **mettre en ~** (*Pol*) poner en
minoría
minuit [minɥi] *nm* medianoche *f*
minuscule [minyskyl] *adj*
minúsculo(-a) ■ *nf*: **(lettre) ~** (letra)
minúscula
minute [minyt] *nf* minuto; (*Jur*) minuta
■ *excl* ¡un momento!; **d'une ~ à l'autre**
de un momento a otro; **à la ~** en seguida;
entrecôte/steak ~ entrecot(e) *m*/bisté *m*
al minuto
minuter [minyte] *vt* cronometrar
minuterie [minytʀi] *nf* programador *m*;
(*d'escalier d'immeuble*) interruptor *m* (de la
luz)
minutieux, -euse [minysjø, jøz] *adj*
minucioso(-a)
mirabelle [miʀabɛl] *nf* ciruela mirabel;
(*eau de vie*) licor *m* de ciruela
miracle [miʀakl] *nm* milagro; **par ~** de
milagro; **faire/accomplir des ~s** hacer
milagros
mirage [miʀaʒ] *nm* espejismo
mire [miʀ] *nf* (*d'un fusil*) mira; (*TV*) carta
de ajuste; **point/ligne de ~** punto/línea
de mira
miroir [miʀwaʀ] *nm* espejo; (*fig*) espejo,
reflejo
miroiter [miʀwate] *vi* espejear, relucir;
faire ~ qch à qn seducir a algn con algo
mis, e [mi, miz] *pp de* **mettre** ■ *adj*
puesto(-a); **bien/mal ~** bien/mal
vestido(-a)
mise [miz] *nf* (*argent*) apuesta; (*tenue*)
porte *m*; **être de ~** estar de moda; **~ à feu**

encendido; **~ à jour** puesta al día;
~ à mort matanza; **~ à pied** despido;
~ à prix tasación *f*; **~ à jour** (*Inform*)
actualización *f*; **~ au point** (*Photo*)
enfoque *m*; (*fig*) aclaración *f*; **~ de fonds**
inversión *f* de capital; **~ en bouteilles**
embotellado; **~ en plis** marcado; **~ en
scène** (*Théâtre, Ciné*) dirección *f*; (*Théâtre:
matérielle*) puesta en escena; **~ en service**
puesta en servicio; **~ sur pied**
organización *f*
miser [mize] *vt* apostar; **~ sur** *vt* apostar
a; (*fig*) contar con
misérable [mizeʀabl] *adj* miserable;
(*insignifiant*) insignificante; (*honteux*)
vergonzoso(-a) ■ *nm/f* miserable *m/f*
misère [mizɛʀ] *nf* miseria; **misères** *nfpl*
(*malheurs, peines*) desgracias *fpl*; (*ennuis*)
dificultades *fpl*; **être dans la ~** estar en la
miseria; **salaire de ~** salario de miseria;
faire des ~s à qn hacer rabiar a algn; **~
noire** triste miseria
missile [misil] *nm* misil *m*; **~ autoguidé/
balistique/stratégique** misil
teledirigido/balístico/estratégico; **~ de
croisière** misil de crucero
mission [misjɔ̃] *nf* misión *f*; (*fonction,
vocation*) función *f*; **partir en ~** (*Admin,
Pol*) ir a realizar una misión; **~ de
reconnaissance** (*Mil*) misión de
reconocimiento
missionnaire [misjɔnɛʀ] *nm/f*
misionero(-a)
mité, e [mite] *adj* apolillado(-a)
mi-temps [mitɑ̃] *nf inv* (*Sport: période*)
tiempo; (: *pause*) descanso; **à ~** *adv*
media jornada ■ *adj* de media jornada
miteux, -euse [mitø, øz] *adj* mísero(-a)
mitigé, e [mitiʒe] *adj* moderado(-a)
mitoyen, ne [mitwajɛ̃, jɛn] *adj*
medianero(-a); **maisons ~nes** casas *fpl*
adosadas
mitrailler [mitʀaje] *vt* ametrallar;
(*photographier*) fotografiar; **~ qn de** (*fig*)
bombardear a algn con *ou* a
mitraillette [mitʀajɛt] *nf* metralleta
mitrailleuse [mitʀajøz] *nf*
ametralladora
mi-voix [mivwa]: **à ~** *adv* a media voz
mixage [miksaʒ] *nm* (*Ciné*) mezcla *f* de
sonido
mixer, mixeur [miksœʀ] *nm* (*Culin*)
batidora
mixte [mikst] *adj* mixto(-a); **à usage ~**
para uso mixto; **cuisinière ~** cocina
mixta
mixture [mikstyʀ] *nf* mixtura; (*péj*)
mejunje *m*

Mlle (*pl* **~s**) *abr* (= *Mademoiselle*) Srta.
(= *Señorita*)

MM *abr* (= *Messieurs*) ≈ Srs. (= *Señores*); *voir
aussi* **Monsieur**

mm. *abr* (= *millimètre(s)*) mm.
(= *milímetros*)

Mme (*pl* **~s**) *abr* (= *Madame*) ≈ Sra.
(= *Señora*)

mobile [mɔbil] *adj* móvil, movible;
(*pièce, feuillet*) suelto(-a); (*population,
main d'œuvre*) móvil; (*reflets*) cambiante;
(*regard*) vivo(-a), vivaz ■ *nm* móvil *m*

mobilier, -ière [mɔbilje, jɛʀ] *adj*
mobiliario(-a) ■ *nm* mobiliario; **effets/
valeurs ~s** (*Jur*) efectos *mpl*/valores *mpl*
mobiliarios; **vente/saisie mobilière** (*Jur*)
venta/embargo de mobiliario

mobiliser [mɔbilize] *vt* movilizar

mocassin [mɔkasɛ̃] *nm* mocasín *m*

moche [mɔʃ] (*fam*) *adj* feo(-a)

modalité [mɔdalite] *nf* modalidad *f*;
modalités *nfpl* (*Jur*) modalidades *fpl*; **~s
de paiement** modalidades de pago

mode [mɔd] *nf* moda ■ *nm* modo;
(*Inform*) modo, modalidad *f*; **à la ~** de
moda; **travailler dans la ~** trabajar en la
confección; **~ de production/
d'exploitation** modo de producción/de
explotación; **~ d'emploi** instrucciones *fpl*
de uso; **~ de paiement** forma de pago; **~
de vie** modo de vida; **~ dialogué** (*Inform*)
modalidad conversacional

modèle [mɔdɛl] *nm* modelo; (*qualités*):
un ~ de fidélité/générosité un modelo
de fidelidad/generosidad ■ *adj* modelo;
(*cuisine, ferme*) piloto; **~ en carton/métal**
modelo en cartón/metal; **~ courant/de
série** (*Comm*) modelo corriente/de serie;
~ déposé (*Comm*) modelo patentado *ou*
registrado; **~ réduit** modelo reducido

modeler [mɔd(ə)le] *vt* modelar; (*suj:
vêtement, érosion*) moldear; **~ qch sur** *ou*
d'après moldear algo según

modem [mɔdɛm] *nm* (*Inform*) modem *m*,
módem *m*

modéré, e [mɔdeʀe] *adj, nm/f*
moderado(-a)

modérer [mɔdeʀe] *vt* moderar; **se
modérer** *vpr* moderarse

moderne [mɔdɛʀn] *adj* moderno(-a)
■ *nm* (*Art*) arte *m* moderno; **le ~**
(*ameublement*) lo moderno;
enseignement ~ enseñanza moderna

moderniser [mɔdɛʀnize] *vt*
modernizar; **se moderniser** *vpr*
modernizarse

modernité [mɔdɛʀnite] *nf* modernidad *f*

modeste [mɔdɛst] *adj* modesto(-a)

modestie [mɔdɛsti] *nf* modestia;
fausse ~ falsa modestia

modifier [mɔdifje] *vt* modificar; **se
modifier** *vpr* modificarse

modique [mɔdik] *adj* módico(-a)

module [mɔdyl] *nm* módulo; **~ lunaire**
módulo lunar

moduler [mɔdyle] *vt* (*air*) entonar; (*son*)
emitir; (*adapter*) adaptar

moelle [mwal] *nf* médula; **jusqu'à la ~**
(*fig*) hasta la médula; **~ épinière** médula
espinal

moelleux, -euse [mwalø, øz] *adj*
(*étoffe*) esponjoso(-a); (*siège*) mullido(-a);
(*vin, chocolat*) suave; (*voix, son*)
aterciopelado(-a)

mœurs [mœʀ(s)] *nfpl* costumbres *fpl*; **~
simples/bohèmes** costumbres
sencillas/bohemias; **femme de
mauvaises ~** mujer *f* de la vida; **passer
dans les ~** entrar en las costumbres;
contraire aux bonnes ~ contrario a las
buenas costumbres

moi [mwa] *pron* (*sujet*) yo; (*objet direct/
indirect*) me ■ *nm* (*Psych*) yo *m*; **c'est ~**
soy yo; **c'est ~ qui l'ai fait** lo hice yo; **c'est
~ que vous avez appelé?** ¿me ha llamado
a mí?; **apporte-le-~** tráemelo; **donnez
m'en un peu** deme un poco; **à ~**
(*possessif*) mío (mía), míos (mías); **le livre
est à ~** ese libro es mío; **avec ~** conmigo;
des poèmes de ~ (*appertenance*) poemas
míos; **sans ~** sin mí; **~, je ...** (*emphatique*)
yo, ...; **plus grand que ~** más grande que
yo

moi-même [mwamɛm] *pron* yo mismo

moindre [mwɛ̃dʀ] *adj* menor; **le/la ~,
les ~s** el/la menor, los/las menores; **c'est
la ~ des politesses** es lo menos que se
puede decir *ou* hacer; **c'est la ~ des
choses** es lo mínimo

moine [mwan] *nm* monje *m*, fraile *m*

moineau, x [mwano] *nm* gorrión *m*

 MOT-CLÉ

moins [mwɛ̃] *adv* **1** (*comparatif*): **moins
(que)** menos (que); **il a 3 ans de moins
que moi** tiene 3 años menos que yo;
moins intelligent que menos inteligente
que; **moins je travaille, mieux je me
porte** cuanto menos trabajo, mejor me
encuentro

2 (*superlatif*): **le moins** el (lo) menos;
c'est ce que j'aime le moins es lo que
menos me gusta; **le moins doué** el menos
dotado; **pas le moins du monde** en lo más mínimo; **au moins, du moins**

por lo menos, al menos

3: **moins de** (*quantité, nombre*) menos; **moins de sable/d'eau** menos arena/agua; **moins de livres/de gens** menos libros/gente; **moins de 2 ans/100 euros** menos de 2 años/100 euros; **moins de midi** antes de mediodía

4: **de/en moins**; **100 euros/3 jours de moins** 100 euros/3 días menos; **3 livres en moins** 3 libros menos; **de l'argent en moins** menos dinero; **le soleil en moins** sin el sol; **de moins en moins** cada vez menos; **en moins de deux** en un santiamén

5: **à moins de/que** *conj* a menos que, a no ser que; **à moins de faire** a no ser que se haga *etc*; **à moins que tu ne fasses** a menos que hagas; **à moins d'un accident** a no ser por un accidente ▪ *prép*: **4 moins 2** 4 menos 2; **il est moins 5** son menos 5; **il fait moins 5** hay cinco grados bajo cero

mois [mwa] *nm* mes *msg*; (*salaire, somme due*) mensualidad *f*; **treizième** *ou* **double ~** (*Comm*) paga extra

moisi, e [mwazi] *adj* enmohecido(-a) ▪ *nm* moho; **odeur/goût de ~** olor *m*/gusto a moho

moisir [mwaziʀ] *vi* enmohecerse; (*fig*) criar moho ▪ *vt* enmohecer

moisissure [mwazisyʀ] *nf* moho

moisson [mwasõ] *nf* siega, cosecha; (*céréales*) cosecha; (*époque*) siega; **faire ~ de souvenirs/renseignements** (*fig*) hacer acopio de recuerdos/informaciones

moissonner [mwasɔne] *vt* segar, cosechar; (*champ*) segar; (*fig*) recolectar

moissonneuse [mwasɔnøz] *nf* segadora

moite [mwat] *adj* (*peau*) sudoroso(-a); (*atmosphère*) húmedo(-a)

moitié [mwatje] *nf* mitad *f*; **sa ~** (*épouse*) su media naranja; **la ~** la mitad; **la ~ du temps/des gens** la mitad del tiempo/de la gente; **à la ~ de** a mitad de; **~ moins grand** la mitad de grande; **~ plus long** la mitad más largo; **à ~** a medias; **à ~ prix** a mitad de precio; **de ~** en la mitad; **moitié moitié** mitad y mitad

moka [mɔka] *nm* moka; (*gâteau*) tarta de moka

molaire [mɔlɛʀ] *nf* molar *m*

molester [mɔlɛste] *vt* maltratar

molle [mɔl] *adj f voir* **mou**

mollement [mɔlmɑ̃] *adv* débilmente; (*péj*) desganadamente

mollet [mɔlɛ] *nm* pantorrilla ▪ *adj m*: **œuf ~** huevo pasado por agua

molletonné, e [mɔltɔne] *adj* forrado(-a) de muletón

mollir [mɔliʀ] *vi* flaquear; (*Naut: vent*) amainar

mollusque [mɔlysk] *nm* (*Zool*) molusco; (*fig: personne*) blandengue *m/f*

môme [mom] (*fam*) *nm/f* chiquillo(-a); (*fille*) chavala

moment [mɔmɑ̃] *nm* momento; **les grands ~s de l'histoire** los grandes momentos de la historia; **~ de gêne/de bonheur** momento violento/de felicidad; **profiter du ~** aprovechar el momento; **ce n'est pas le ~** no es el mejor momento; **à un certain ~** en cierto momento; **à un ~ donné** en un momento dado; **à quel ~?** ¿en qué momento?; **au même ~** en el mismo momento; **pour un bon ~** un buen rato; **en avoir pour un bon ~** tener para rato; **pour le ~** por el momento; **au ~ de** en el momento de; **au ~ où** en el momento en que; **à tout ~** a cada momento *ou* rato; (*continuellement*) constantemente; **en ce ~** en este momento; (*aujourd'hui*) en los momentos actuales; **sur le ~** al principio; **par ~s** por momentos; **d'un ~ à l'autre** de un momento a otro; **du ~ où** *ou* **que** (*dès lors que*) puesto que; (*à condition que*) siempre que; **n'avoir pas un ~ à soi** no tener ni un momento libre para sí; **derniers ~s** últimos momentos *mpl*

momentané, e [mɔmɑ̃tane] *adj* momentáneo(-a)

momentanément [mɔmɑ̃tanemɑ̃] *adv* momentáneamente

momie [mɔmi] *nf* momia

mon, ma [mõ, ma] (*pl* **mes**) *dét* mi; (*pl*) mis

Monaco [mɔnako] *nm*: **(la principauté de) ~** (el principado de) Mónaco

monarchie [mɔnaʀʃi] *nf* monarquía; **~ absolue/parlementaire** monarquía absoluta/parlamentaria

monastère [mɔnastɛʀ] *nm* monasterio

mondain, e [mõdɛ̃, ɛn] *adj* mundano(-a) ▪ *nm/f* hombre *m* mundano/mujer *f* mundana; **carnet ~** agenda

monde [mõd] *nm* mundo; **le ~ capitaliste/végétal/du spectacle** el mundo capitalista/vegetal/del espectáculo; **être/ne pas être du même ~** ser/no ser del mismo mundo; **il y a du ~** (*beaucoup de gens*) hay mucha gente; (*quelques personnes*) hay gente; **y a-t-il du**

~ dans le salon? ¿hay gente en el salón?;
beaucoup/peu de ~ mucha/poca gente;
meilleur du ~ mejor del mundo; **mettre
au ~** dar a luz; **l'autre ~** el otro mundo;
tout le ~ todo el mundo; **pas le moins du
~** de ninguna manera; **se faire un ~ de
qch** hacerse un mundo de algo; **tour du ~**
vuelta al mundo; **homme/femme du ~**
hombre m/mujer f de mundo

mondial, e, -aux [mɔ̃djal, jo] adj mundial
mondialement [mɔ̃djalmɑ̃] adv
mundialmente
mondialisation [mɔ̃djalizasjɔ̃] nf
globalización f
monégasque [mɔnegask] adj
monegasco(-a) ■ nm/f: **Monégasque**
monegasco(-a)
monétaire [mɔnetɛR] adj monetario(-a)
moniteur, -trice [mɔnitœR, tRis] nm/f
monitor(a) ■ nm (Inform) monitor m;
~ cardiaque (Méd) monitor cardíaco;
~ d'auto-école monitor de auto-escuela
monnaie [mɔnɛ] nf moneda; **avoir de la
~** (petites pièces) tener cambio; **avoir/
faire la ~ de 20 euros** tener cambio de/
cambiar 20 euros; **donner/faire à qn la
~ de 20 euros** dar el cambio de/cambiar
20 euros a algn; **rendre à qn la ~ (sur
20 euros)** darle la vuelta a algn (de
20 euros); **servir de ~ d'échange** servir
de moneda de cambio; **payer en ~ de
singe** pagar con promesas vanas; **c'est ~
courante** es moneda corriente; **~ légale**
moneda legal
monologue [mɔnɔlɔg] nm monólogo;
~ intérieur monólogo interior
monologuer [mɔnɔlɔge] vi monologar
monopole [mɔnɔpɔl] nm monopolio
monospace [mɔnɔspas] nm
monovolumen m
monotone, e [mɔnɔtɔn] adj
monótono(-a)
Monsieur [məsjø] (pl **Messieurs**) nm
(titre) señor, don; **un/le monsieur** un/el
señor; voir aussi **Madame**
monstre [mɔ̃stR] nm monstruo ■ adj
(fam) monstruo inv; **un travail ~** un
trabajo monstruo; **~ sacré** (Théâtre, Ciné)
monstruo sagrado
monstrueux, -euse [mɔ̃stRyø, øz] adj
monstruoso(-a)
mont [mɔ̃] nm: **par ~s et par vaux** por
todas partes; **le ~ de Vénus** el monte de
Venus; **le M~ Blanc** el Mont Blanc
montage [mɔ̃taʒ] nm montaje m;
~ sonore montaje sonoro
montagnard, e [mɔ̃taɲaR, aRd] adj,
nm/f montañés(-esa)

montagne [mɔ̃taɲ] nf montaña; (fig):
une ~ de una montaña de; **la haute ~** la
alta montaña; **la moyenne ~** la montaña
media; **les ~s Rocheuses** las Montañas
Rocosas; **~s russes** montaña fsg rusa
montagneux, -euse [mɔ̃taɲø, øz] adj
montañoso(-a)
montant, e [mɔ̃tɑ̃, ɑ̃t] adj ascendente;
(chemin) ascendente, cuesta arriba; (col)
cerrado(-a) ■ nm importe m; (de fenêtre)
jamba; (de lit, d'échelle) larguero
monte-charge [mɔ̃tʃaRʒ] nm inv
montacargas m
montée [mɔ̃te] nf subida; (côte) cuesta;
au milieu de la ~ en medio de la cuesta ou
de la subida
monter [mɔ̃te] vi subir; (Cartes) echar
una carta de más valor; (à cheval):
~ bien/mal montar bien/mal ■ vt
montar; (escalier, valise etc) subir; (tente,
échafaudage, machine) armar; **se monter**
vpr proveerse; **~ dans un train/avion/
taxi** subir en un tren/avión/taxi; **~ sur/à
un arbre/une échelle** subir a un árbol/
una escalera; **~ à cheval/bicyclette**
montar a caballo/en bicicleta; **~ à pied/
en voiture** subir a pie/en coche; **~ à bord**
subir a bordo; **~ à la tête de qn** subírsele
a la cabeza de algn; **~ son ménage**
montar la casa; **~ son trousseau**
preparar el ajuar; **~ sur les planches**
subir a un escenario; **~ en grade**
ascender; **~ à la tête à qn** fastidiar a
algn; **~ la tête à qn** calentarle la cabeza
a algn; **~ qch en épingle** destacar
algo; **~ la garde** montar la guardia;
~ à l'assaut lanzarse al asalto; **se ~ à**
ascender a
montre [mɔ̃tR] nf reloj m; **~ en main** reloj
en mano; **faire ~ de** hacer alarde de;
(faire preuve de) dar muestras de; **contre
la ~** contra reloj; **~ de plongée** reloj
sumergible
montrer [mɔ̃tRe] vt mostrar, enseñar;
(suj: panneau) señalar; (: vêtement)
descubrir; **se montrer** vpr mostrarse;
~ qch à qn mostrar algo a algn; **~ qch du
doigt** señalar algo con el dedo; **~ à qn
qu'il a tort** demostrar a algn que está
equivocado; **~ à qn son affection/
amitié** demostrar su afecto/amistad a
algn; **se ~ habile/à la hauteur/
intelligent** mostrarse hábil/a la altura/
inteligente
monture [mɔ̃tyR] nf (bête) montura
monument [mɔnymɑ̃] nm
monumento; **~ aux morts** monumento
a los caídos

monumental, e, -aux [mɔnymɑ̃tal, o]
adj monumental

moquer [mɔke]: **se moquer de** *vpr*
burlarse de; *(mépriser)* importarle a algn
muy poco; **se ~ de qn** *(tromper)* burlarse
de algn

moquette [mɔkɛt] *nf* moqueta

moqueur, -euse [mɔkœr, øz] *adj*
burlón(-ona)

moral, e, -aux [mɔral, o] *adj, nm* moral
f; **au ~, sur le plan ~** moralmente; **avoir
le ~ à zéro** tener la moral por los suelos

morale [mɔral] *nf* moral *f*; *(d'une fable
etc)* moraleja; **faire la ~ à qn** echarle un
sermón a algn

moralité [mɔralite] *nf* moralidad *f*;
(conclusion) moraleja

morceau, x [mɔrso] *nm* trozo, pedazo;
(Mus, œuvre littéraire) fragmento; *(Culin:
de viande)* tajada; **couper en/déchirer en
~x** cortar en/rasgar en trozos; **mettre en
~x** hacer pedazos

morceler [mɔrsəle] *vt* parcelar

mordant, e [mɔrdɑ̃, ɑ̃t] *adj (ironie)*
mordaz; *(froid)* cortante ■ *nm*
(dynamisme) ímpetu *m*, bríos *mpl*; *(Chim)*
mordiente *m*; *(d'un article)* mordacidad *f*

mordiller [mɔrdije] *vt* mordisquear

mordre [mɔrdr] *vt* morder; *(suj: insecte,
froid)* picar; *(: ancre, vis)* penetrar en ■ *vi*
(poisson) picar; **~ dans** morder en; **~ sur**
(fig) sobrepasar; **~ à qch** cogerle gusto a
algo; **~ à l'hameçon** morder el anzuelo

mordu, e [mɔrdy] *pp de* **mordre** ■ *adj*
(amoureux) loco(-a) ■ *nm/f*: **un ~ de
voile/de jazz** un loco de la vela/del jazz

morfondre [mɔrfɔ̃dr] *vpr*: **se
morfondre** aburrirse esperando

morgue [mɔrg] *nf (arrogance)* altivez *f*;
(endroit) depósito de cadáveres

morne [mɔrn] *adj (personne, regard)*
apagado(-a); *(temps)* desapacible; *(vie,
conversation)* monótono(-a)

morose [mɔroz] *adj* taciturno(-a); *(Écon)*
moroso(-a)

mors [mɔr] *nm* bocado

morse [mɔrs] *nm (Zool)* morsa; *(Tél)*
morse *m*

morsure [mɔrsyr] *nf* picadura; *(plaie)*
mordedura

mort, e [mɔr, mɔrt] *pp de* **mourir**
■ *adj, nm/f* mortal(-a) ■ *nf* muerte *f*;
(fig) fin ■ *nm (Cartes)* muerto; **il y a eu
plusieurs ~s** hubo varios muertos; **de ~**
de muerte; **à ~** *(blessé etc)* de muerte; **la
la ~ de qn** a la muerte de algn; **à la vie, à
la ~** de por vida; **~ ou vif** vivo o muerto; **~
de peur/fatigue** muerto(-a) de miedo/

cansancio; **~s et blessés** muertos y
heridos; **faire le ~** hacer el muerto; *(fig)*
callarse como un muerto; **se donner la ~**
darse muerte; **~ clinique** muerte clínica

mortalité [mɔrtalite] *nf* mortalidad *f*;
~ infantile mortalidad infantil

mortel, le [mɔrtɛl] *adj, nm/f* mortal *m/f*

mort-né, e [mɔrne] *(pl* **-s, es)** *adj*
nacido(-a) muerto(-a); *(fig)* fracasado(-a)

mortuaire [mɔrtɥɛr] *adj*: **cérémonie ~**
ceremonia fúnebre; **avis ~s** esquelas *fpl*;
chapelle ~ capilla ardiente; **couronne ~**
corona mortuoria; **domicile ~** domicilio
del difunto; **drap ~** mortaja

morue [mɔry] *nf* bacalao

mosaïque [mɔzaik] *nf* mosaico; *(fig)*:
une ~ de un mosaico de; **parquet ~**
parquet *m* mosaico

Moscou [mɔsku] *n* Moscú

mosquée [mɔske] *nf* mezquita

mot [mo] *nm* palabra; *(bon mot etc)*
ocurrencia, gracia; **mettre/écrire/
recevoir un ~** *(message)* poner/escribir/
recibir unas líneas; **le ~ de la fin** la
conclusión; **~ à ~** *adj, adv* palabra por
palabra ■ *nm* traducción *f* literal; **sur/à
ces ~s** después de/con estas palabras; **en
un ~** en una palabra; **~ pour ~** palabra por
palabra; **à ~s couverts** con medias
palabras; **avoir le dernier ~** tener la
última palabra; **prendre qn au ~** coger *ou*
tomar la palabra a algn; **se donner le ~**
ponerse de acuerdo; **avoir son ~ à dire**
tener algo que decir; **avoir des ~s avec
qn** tener unas palabras con algn;
~ d'ordre contraseña; **~ de passe**
contraseña, santo y seña; **~s croisés**
crucigrama *msg*

motard [mɔtar] *nm* motociclista *m*;
(de la police) motorista *m*

motel [mɔtɛl] *nm* motel *m*

moteur, -trice [mɔtœr, tris] *adj (Anat)*:
à 4 roues motrices con 4 ruedas
motrices ■ *nm* motor *m*; *(mobile)* causa;
à ~ a motor; **~ à deux/à quatre temps**
motor de dos/de cuatro tiempos; **~ à
explosion/à réaction** motor de
explosión/de reacción; **~ de recherche**
buscador *m*; **~ thermique** motor térmico

motif [mɔtif] *nm* motivo; **motifs** *nmpl*
(Jur) alegato; **sans ~** sin motivo

motivation [mɔtivasjɔ̃] *nf* motivación *f*

motiver [mɔtive] *vt* motivar

moto [mɔto] *nf* moto *f*; **~ de trial** moto
de trial; **~ verte** motocross *m*

motocycliste [mɔtɔsiklist] *nm/f*
motociclista *m/f*

motorisé, e [mɔtɔrize] *adj* motorizado(-a)

motrice [mɔtris] *nf* (*Rail*) locomotora ■ *adj f voir* **moteur**

motte [mɔt] *nf*: **~ de terre** terrón *m*; **~ de beurre** pella de mantequilla; **~ de gazon** montón *m* de césped

mou (mol), molle [mu, mɔl] *adj* blando(-a); (*péj: visage*) insulso(-a); (: *résistance*) débil ■ *nm* débil *m*; (*abats*) bofe *m*; **avoir du mou** estar flojo(-a); **j'ai les jambes molles** me flaquean las piernas; **donner du mou** aflojar

mouche [muʃ] *nf* mosca; (*Escrime*) zapatilla; (*de taffetas*) lunar *m* postizo; (*sur une cible*) diana; **prendre la ~** picarse; **faire ~** dar en el blanco; **bateau-~** lancha del Sena; **~ tsé-tsé** mosca tsetsé

moucher [muʃe] *vt* (*enfant*) sonar; (*chandelle, lampe*) despabilar; (*fig*) dar una lección a; **se moucher** *vpr* sonarse

moucheron [muʃrɔ̃] *nm* mosca pequeña

mouchoir [muʃwar] *nm* pañuelo; **~ en papier** pañuelo de papel

moudre [mudr] *vt* moler

moue [mu] *nf* mueca; **faire la ~** poner cara de asco

mouette [mwɛt] *nf* gaviota

moufle [mufl] *nf* manopla; (*Tech*) aparejo

mouillé, e [muje] *adj* mojado(-a)

mouiller [muje] *vt* mojar; (*Culin*) añadir agua a; (*diluer*) aguar; (*Naut*) fondear ■ *vi* (*Naut*) fondear; **se mouiller** *vpr* (*aussi fam*) mojarse; **~ l'ancre** fondear, echar el ancla

moulant, e [mulɑ̃, ɑ̃t] *adj* ceñido(-a)

moule [mul] *vb voir* **moudre** ■ *nf* mejillón *m* ■ *nm* molde *m*; (*modèle plein*) modelo; **~ à gâteaux** molde para pasteles; **~ à gaufre/à tarte** molde para barquillos/para tartas

mouler [mule] *vt* moldear, vaciar; (*lettre*) escribir cuidadosamente; (*suj: vêtement, bas*) ceñir, ajustar; **~ qch sur** (*fig*) adaptar algo a

moulin [mulɛ̃] *nm* molino; (*fam: moteur*) motor *m*; **~ à café/à poivre** molinillo de café/de pimienta; **~ à eau/à vent** molino de agua/de viento; **~ à légumes** pasapurés *m inv*; **~ à paroles** cotorra; **~ à prières** cilindro de oraciones

moulinet [mulinɛ] *nm* (*d'un treuil*) torniquete *m*; (*d'une canne à pêche*) carrete *m*; **faire des ~ s avec** (*fig*) hacer molinetes con un palo/los brazos

moulinette® [mulinɛt] *nf* pequeño pasapurés *m*

moulu, e [muly] *pp de* **moudre** ■ *adj* molido(-a)

mourant, e [murɑ̃, ɑ̃t] *vb voir* **mourir** ■ *adj* moribundo(-a); (*son*) mortecino(-a); (*regard*) lánguido(-a) ■ *nm/f* moribundo(-a); **raviver le feu ~** reavivar las ascuas

mourir [murir] *vi* morir(se); (*civilisation*) desaparecer; (*flamme*) apagarse; **~ de faim/de froid/d'ennui** morir(se) de hambre/de frío/de aburrimiento; **~ de rire/de vieillesse** morirse de risa/de viejo; **~ assassiné** morir asesinado; **~ d'envie de faire** morirse de ganas de hacer; **à ~: s'ennuyer à ~** morirse de aburrimiento

mousse [mus] *nf* (*Bot*) musgo; (*écume*) espuma; (*Culin*) mousse *f*; (*en caoutchouc etc*) gomaespuma ■ *nm* grumete *m*; **bain de ~** baño de espuma; **bas ~** media de espuma; **balle ~** pelota de esponja; **~ à raser** espuma de afeitar; **~ carbonique** espuma de gas carbónico; **~ de foie gras** mousse de foie gras; **~ de nylon** espuma de nylon; (*tissu*) tejido en espuma de nylon

mousseline [muslin] *nf* (*Textile*) muselina; **pommes ~** (*Culin*) puré *m* de patatas

mousser [muse] *vi* espumar, hacer espuma

mousseux, -euse [musø, øz] *adj* (*chocolat*) cremoso(-a) ■ *nm*: (**vin) ~** (vino) espumoso

mousson [musɔ̃] *nf* monzón *m*

moustache [mustaʃ] *nf* bigote *m*; **moustaches** *nfpl* (*d'animal*) bigotes *mpl*

moustachu, e [mustaʃy] *adj* bigotudo(-a)

moustiquaire [mustiker] *nf* mosquitero

moustique [mustik] *nm* mosquito

moutarde [mutard] *nf, adj inv* mostaza; **~ extra-forte** mostaza extra fuerte

mouton [mutɔ̃] *nm* (*Zool*) carnero; (*peau*) piel *f* de carnero; (*fourrure*) mutón *m*; (*Culin, péj: personne*) cordero; **moutons** *nmpl* (*fig: nuages*) nubecillas *fpl*; (*poussière*) pelusa *fsg*

mouvement [muvmɑ̃] *nm* movimiento; (*geste*) gesto; (*d'une phrase*) expresividad *f*; (*d'un terrain, sol*) accidentes *mpl*; (*de montre*) mecanismo; **en ~** en movimiento; **mettre qch en ~** poner algo en funcionamiento; **~ de colère/d'humeur** arrebato de cólera/de mal humor; **~ d'opinion** cambio de opinión; **le ~ perpétuel** el movimiento continuo;

~ révolutionnaire/syndical movimiento revolucionario/sindical

mouvementé, e [muvmãte] *adj* accidentado(-a); (*récit*) animado(-a); (*agité*) agitado(-a)

mouvoir [muvwaʀ] *vt* mover; (*machine*) accionar; (*fig: personne*) animar; **se mouvoir** *vpr* moverse

moyen, ne [mwajɛ̃, jɛn] *adj* medio(-a); (*élève, résultat*) regular ■ *nm* medio; **moyens** *nmpl* (*capacités*) medios *mpl*; **au ~ de** por medio de; **y a-t-il ~ de...?** ¿hay modo de ...?; **par quel ~?** ¿de qué manera?, ¿cómo?; **avec les ~s du bord** (*fig*) con todos los medios disponibles; **par tous les ~s** por todos los medios; **employer les grands ~s** emplear medios más persuasivos; **par ses propres ~s** por sus propios medios; **~ âge** edad *f* media; **~ d'expression** forma de expresión; **~ de locomotion/de transport** medio de locomoción/de transporte; **~ terme** término medio

moyennant [mwajɛnã] *prép* (*somme d'argent: contre une acquisition*) al precio de; (: *contre un service*) a cambio de; **~ quoi** mediante lo cual

moyenne [mwajɛn] *nf* media, promedio; (*Math, Statistique*) media; (*Scol*) nota media; (*Auto*) promedio; **en ~** por término medio; **faire la ~** hacer la media; **~ d'âge** edad *f* media; **~ entreprise** (*Comm*) mediana empresa

Moyen-Orient [mwajɛnɔʀjã] *nm* Medio Oriente *m*

moyeu, x [mwajø] *nm* cubo

MST [ɛmɛste] *sigle f* = *maladie sexuellement transmissible*

mû, mue [my] *pp de* **mouvoir**

muer [mɥe] *vi* mudar; (*jeune garçon*): **il mue** está mudando la voz; **se muer** *vpr*: **se ~ en** convertirse en

muet, te [mɥɛ, mɥɛt] *adj, nm/f* mudo(-a); (*protestation, joie, douleur*) silencioso(-a) ■ *nm*: **le ~** (*Ciné*) el cine mudo; (*fig*): **~ d'admiration/d'étonnement** mudo(-a) de admiración/de extrañeza

mufle [myfl] *nm* hocico; (*goujat*) patán *m* ■ *adj* patán

mugir [myʒiʀ] *vi* mugir; (*sirène*) sonar

muguet [mygɛ] *nm* muguete *m*, lirio del valle; (*Méd*) muguete

mule [myl] *nf* mula; **mules** *nfpl* (*pantoufles*) chinelas *fpl*

mulet [mylɛ] *nm* mulo; (*poisson*) mújol *m*

multimillionnaire [myltimiljɔnɛʀ] *adj, nm/f* multimillonario(-a)

multinationale [myltinasjɔnal] *nf* multinacional *f*

multiple [myltipl] *adj* múltiple ■ *nm* múltiplo

multiplication [myltiplikasjõ] *nf* multiplicación *f*

multiplier [myltiplije] *vt* multiplicar; **se multiplier** *vpr* multiplicarse

municipal, e, -aux [mynisipal, o] *adj* municipal

municipalité [mynisipalite] *nf* municipalidad *f*, ayuntamiento; (*commune*) municipio

munir [myniʀ] *vt*: **~ qn de** proveer a algn de; **~ qch de** dotar algo de; **se munir** *vpr*: **se ~ de** proveerse de

munitions [mynisjõ] *nfpl* municiones *fpl*

mur [myʀ] *nm* muro; (*cloison*) pared *f*; (*de terre*) tapia; (*de rondins*) cercado; **~ d'incompréhension/de haine** (*obstacle*) muro de incomprensión/de odio; **faire le ~** salir sin permiso; **~ pare-feu** (*Internet*) muro cortafuegos; **~ du son** barrera del sonido

mûr, e [myʀ] *adj* maduro(-a); (*fig*) a punto

muraille [myʀɑj] *nf* muralla

mural, e, -aux [myʀal, o] *adj* mural; (*plante*) trepador(a) ■ *nm* mural *m*

mûre [myʀ] *nf* (*du mûrier*) mora; (*de la ronce*) zarzamora

muret [myʀɛ] *nm* muro bajo

mûrir [myʀiʀ] *vt, vi* madurar

murmure [myʀmyʀ] *nm* murmullo; **~ d'approbation/d'admiration/de protestation** murmullo de aprobación/de admiración/de protesta; **murmures** *nmpl* (*plaintes*) murmullo *msg*, protesta *fsg*

murmurer [myʀmyʀe] *vi* murmurar; **~ que** murmurar que

muscade [myskad] *nf*: **noix de ~** nuez *f* moscada

muscat [myska] *nm* uva moscatel; (*vin*) moscatel *m*

muscle [myskl] *nm* músculo

musclé, e [myskle] *adj* musculoso(-a); (*fig: politique, régime*) duro(-a)

musculaire [myskylɛʀ] *adj* muscular

musculation [myskylasjõ] *nf*: **travail/exercice de ~** trabajo/ejercicio de musculación

museau, x [myzo] *nm* hocico

musée [myze] *nm* museo

museler [myz(ə)le] *vt* poner un bozal a; (*opposition, presse*) amordazar

muselière [myzəljɛʀ] *nf* bozal *m*

musette [myzɛt] *nf* morral *m* ■ *adj inv*: **orchestre/valse ~** orquesta/vals *msg* popular

musical, e, -aux [myzikal, o] *adj* musical

music-hall [myzikol] (*pl* **~s**) *nm* music-hall *m*

musicien, ne [myzisjɛ̃, jɛn] *adj* músico(-a)

musique [myzik] *nf* música; (*d'un vers, d'une phrase*) musicalidad *f*; **faire de la ~** componer música; (*jouer d'un instrument*) tocar música; **~ de chambre/de fond** música de cámara/de fondo; **~ militaire/de film** música militar/de banda sonora

musulman, e [myzylmɑ̃, an] *adj, nm/f* musulmán(-ana)

mutation [mytasjɔ̃] *nf* (*Admin*) traslado; (*Biol*) mutación *f*

muter [myte] *vt* (*Admin*) trasladar

mutilé, e [mytile] *nm/f* mutilado(-a); **grand ~** gravemente mutilado; **~ du travail/de guerre** mutilado(-a) laboral/de guerra

mutiler [mytile] *vt* mutilar; (*endroit*) deteriorar, degradar

mutin, e [mytɛ̃, in] *adj* (*enfant*) travieso(-a); (*air, ton*) pícaro(-a) ■ *nm/f* (*Mil*) amotinado(-a)

mutinerie [mytinʀi] *nf* motín *m*

mutisme [mytism] *nm* mutismo

mutuel, le [mytɥɛl] *adj* mutuo(-a); (*établissement*) mutualista

mutuelle [mytɥɛl] *nf* mutualidad *f*, mutua

myope [mjɔp] *adj, nm/f* miope *m/f*

myosotis [mjɔzɔtis] *nm* nomeolvides *m inv*

myrtille [miʀtij] *nf* arándano

mystère [mistɛʀ] *nm* misterio; **~ de la Trinité/de la foi** (*Rel*) misterio de la Santísima Trinidad/de la fe

mystérieux, -euse [misteʀjø, jøz] *adj* misterioso(-a)

mystifier [mistifje] *vt* mistificar; (*tromper*) engañar

mythe [mit] *nm* mito; **le ~ de la galanterie française** el mito de la galantería francesa

mythique [mitik] *adj* mítico(-a)

mythologie [mitɔlɔʒi] *nf* mitología

n' ** [n] *adv voir* **ne

nacre [nakʀ] *nf* nácar *m*

nage [naʒ] *nf* natación *f*; (*style*) estilo; **traverser/s'éloigner à la ~** atravesar/alejarse a nado; **en ~** bañado(-a) en sudor; **100 m ~ libre** 100m libres; **~ indienne** natación *f* de costado; **~ libre** estilo libre; **~ papillon** estilo mariposa

nageoire [naʒwaʀ] *nf* aleta

nager [naʒe] *vi* nadar; (*fig*) estar pez ■ *vt* nadar (a); **~ dans des vêtements** flotar en la ropa; **~ dans le bonheur** rebosar de alegría

nageur, euse [naʒœʀ, øz] *nm/f* nadador(-a)

naïf, -ïve [naif, naiv] *adj* ingenuo(-a); (*air*) inocente

nain, e [nɛ̃, nɛn] *adj, nm/f* enano(-a)

naissance [nɛsɑ̃s] *nf* nacimiento; **donner ~ à** (*enfant*) dar a luz a; (*fig*) originar; **prendre ~** nacer; **aveugle/Français de ~** ciego/francés de nacimiento; **à la ~ des cheveux** en la raíz del cabello; **lieu de ~** lugar de nacimiento

naître [nɛtʀ] *vi* nacer; (*résulter*): **~ (de)** nacer (de); **il est né en 1990** ha nacido en 1990; **il naît plus de filles que de garçons** nacen más niñas que niños; **faire ~** (*fig*) originar

naïve [naiv] adj voir **naïf**
naïveté [naivte] nf ingenuidad f
nana [nana] (fam) nf chica
nappe [nap] nf mantel m; (fig): ~ **d'eau**
capa de agua; ~ **de brouillard** capa de
niebla; ~ **de gaz/mazout** capa de gas/
fuel-oil
napperon [napʁɔ̃] nm tapete m;
~ **individuel** mantel m individual
naquit etc [naki] vb voir **naître**
narguer [naʁge] vt provocar
narine [naʁin] nf ventana (de la nariz)
natal, e [natal] adj natal
natalité [natalite] nf natalidad f
natation [natasjɔ̃] nf natación f; **faire**
de la ~ hacer natación, nadar
natif, -ive [natif, iv] adj nativo(-a);
(inné) natural; (originaire): ~ **de** natural de
nation [nasjɔ̃] nf nación f; **les N~s Unies**
las Naciones Unidas
national, e, -aux [nasjɔnal, o] adj
nacional; **nationaux** nmpl nacionales
mpl; **obsèques ~es** exequias fpl
nacionales
nationale [nasjɔnal] nf: **(route) ~**
(carretera) nacional f
nationaliser [nasjɔnalize] vt
nacionalizar
nationalisme [nasjɔnalism] nm
nacionalismo
nationaliste [nasjɔnalist] nm/f
nacionalista m/f
nationalité [nasjɔnalite] nf
nacionalidad f; **il est de ~ française** es de
nacionalidad francesa
natte [nat] nf (tapis) estera; (cheveux)
coleta
naturaliser [natyʁalize] vt naturalizar
nature [natyʁ] nf naturaleza;
(tempérament) temperamento ■ adj
natural; (café) solo; (Culin) al natural;
payer en ~ pagar en especie; **peint**
d'après ~ pintado del natural; ~ **morte**
naturaleza muerta, bodegón m; **être de**
~ **à faire qch** (propre à) ser adecuado(-a)
para hacer algo; **il n'est pas de ~ à**
accepter está claro que no va a aceptar
naturel, le [natyʁɛl] adj natural ■ nm
(caractère) natural m; (aisance)
naturalidad f; **au ~** (Culin) al natural
naturellement [natyʁɛlmɑ̃] adv
naturalmente
naufrage [nofʁaʒ] nm naufragio; (fig)
ruina; **faire ~** naufragar
nausée [noze] nf náusea, asco; **avoir la ~**
ou **des ~s** tener náuseas
nautique [notik] adj náutico(-a); **sports**
~**s** deportes náuticos

naval, e [naval] adj naval
navet [navɛ] nm nabo; (péj: film) tostón m
navette [navɛt] nf lanzadera; (en car etc)
recorrido; **faire la ~ (entre)** ir y venir
(entre); ~ **spatiale** nave f espacial
navigateur [navigatœʁ] nm navegante
m/f; (Inform) navegador m
navigation [navigasjɔ̃] nf navegación f;
compagnie de ~ compañía de
navegación
naviguer [navige] vi navegar; ~ **sur**
Internet navegar por Internet
navire [naviʁ] nm buque m; ~
marchand/de guerre buque mercante/
de guerra
navrer [navʁe] vt afligir; **je suis navré** lo
siento en el alma; **je suis navré que** lo
siento muchísimo que
ne [nə] adv no; (explétif) non traduit; **je ne**
le veux pas no lo quiero; **je crains qu'il**
ne vienne temo que venga; **je ne veux**
que ton bonheur sólo quiero tu felicidad;
voir **pas**; **plus**; **jamais**
né, e [ne] pp de **naître** ■ adj: **un**
comédien né un comediante nato; **né**
en 1990 nacido(-a) en 1990; **née Dupont**
de soltera Dupont; **bien né(e)** de buena
cuna; **né de ... et de ...** (sur acte de
naissance etc) hijo(-a) de ... y de ...; **né**
d'une mère française hijo de madre
francesa
néanmoins [neɑ̃mwɛ̃] adv no obstante
néant [neɑ̃] nm nada; **réduire à ~** reducir
a la nada; (espoir) quitar
nécessaire [nesesɛʁ] adj necesario(-a)
■ nm: **faire le ~** hacer lo necesario; **est-il**
~ **que je m'en aille?** ¿es preciso que me
vaya?; **il est ~ de ...** es necesario ...;
n'emporter que le strict ~ llevar sólo lo
estrictamente necesario; ~ **de couture**
costurero; ~ **de toilette/de voyage**
neceser m de aseo/de viaje
nécessité [nesesite] nf necesidad f;
se trouver dans la ~ de faire qch
encontrarse en la necesidad de hacer
algo; **par ~** por necesidad
nécessiter [nesesite] vt necesitar
nectar [nɛktaʁ] nm néctar m
néerlandais, e [neɛʁlɑ̃dɛ, ɛz] adj
neerlandés(-esa) ■ nm (Ling) neerlandés
m ■ nm/f: **Néerlandais, e**
neerlandés(-esa)
nef [nɛf] nf nave f
néfaste [nefast] adj nefasto(-a)
négatif, -ive [negatif, iv] adj
negativo(-a) ■ nm (Photo) negativo
négligé, e [negliʒe] adj descuidado(-a)
■ nm salto de cama

négligeable [negliʒabl] *adj* despreciable;
non ~ no *ou* nada despreciable

négligent, e [negliʒɑ̃, ɑ̃t] *adj* (*personne*)
descuidado(-a); (*geste, attitude*)
negligente

négliger [negliʒe] *vt* descuidar; (*avis, précautions*) ignorar, no hacer caso;
se négliger *vpr* descuidarse; **~ de faire qch** olvidarse de hacer algo

négociant, e [negɔsjɑ̃, jɑ̃t] *nm/f*
negociante *m/f*

négociation [negɔsjasjɔ̃] *nf*
negociación *f*; **~s collectives**
negociaciones *fpl* colectivas

négocier [negɔsje] *vt* negociar; (*virage, obstacle*) sortear ■ *vi* (*Pol*) negociar

nègre [nɛgʀ] (*péj*) *nm* (*aussi écrivain*)
negro ■ *adj* negro(-a)

neige [nɛʒ] *nf* nieve *f*; **battre les œufs en ~** (*Culin*) batir los huevos a punto de
nieve; **~ carbonique** nieve carbónica; **~ fondue** aguanieve *f*; **~ poudreuse** nieve
fresca

neiger [neʒe] *vi* nevar

nénuphar [nenyfaʀ] *nm* nenúfar *m*

néon [neɔ̃] *nm* neón *m*

néo-zélandais, e [neozelɑ̃dɛ, ɛz] (*pl ~, es*) *adj* neocelandés(-esa) ■ *nm/f*: **Néo-
zélandais, e** neocelandés(-esa)

nerf [nɛʀ] *nm* nervio; **nerfs** *nmpl* nervios
mpl; **être** *ou* **vivre sur les ~s** estar *ou* vivir
en tensión; **être à bout de ~s** estar al
borde de un ataque de nervios; **passer
ses ~s sur qn** pagarlas con algn

nerveux, -euse [nɛʀvø, øz] *adj*
nervioso(-a); (*cheval*) vigoroso(-a);
(*tendineux*) con nervios; **une voiture
nerveuse** un coche que tiene buena
aceleración

nervosité [nɛʀvozite] *nf* nerviosismo;
(*passagère*) alteración *f*

n'est-ce pas [nɛspɑ] *adv*: **"c'est bon, ~?"**
"está bueno, ¿verdad?"; **"il a peur, ~?"**
"tiene miedo, ¿verdad?"; **"~ que c'est
bon?"** "¿verdad que está bueno?"; **lui, ~, il
peut se le permettre** él puede
permitírselo, ¿no es así?

net, nette [nɛt] *adj* (*évident, sans
équivoque*) evidente; (*distinct, propre, sans
tache*) limpio(-a); (*photo, film*) nítido(-a);
(*Comm*) neto(-a) ■ *adv* (*refuser*)
rotundamente ■ *nm*: **mettre au ~** poner
en limpio; **s'arrêter ~** pararse en seco; **la
lame a cassé ~** la hoja se rompió de un
golpe; **faire place ~te** despejar;
~ d'impôt exento de impuestos

nettement [nɛtmɑ̃] *adv* claramente;
~ mieux/meilleur mucho mejor

netteté [nɛtte] *nf* (*v adj*) limpieza;
nitidez *f*

nettoyage [netwajaʒ] *nm* limpieza;
~ à sec limpieza en seco

nettoyer [netwaje] *vt* limpiar

neuf¹ [nœf] *adj inv*, *nm inv* nueve *m inv*;
voir aussi **cinq**

neuf², neuve [nœf, nœv] *adj* nuevo(-a)
■ *nm*: **repeindre à ~** pintar de nuevo;
remettre à ~ dejar como nuevo;
n'acheter que du ~ comprar sólo cosas
nuevas; **quoi de ~?** ¿qué hay de nuevo?

neutre [nøtʀ] *adj* neutro(-a); (*Pol*)
neutral ■ *nm* neutro

neuve [nœv] *adj voir* **neuf²**

neuvième [nœvjɛm] *adj, nm/f*
noveno(-a) ■ *nm* (*partitif*) noveno; *voir
aussi* **cinquième**

neveu, x [n(ə)vø] *nm* sobrino

nez [ne] *nm* nariz *f*; (*d'avion etc*) morro;
rire au ~ de qn reírse en las barbas *ou*
narices de algn; **avoir du ~** tener olfato;
avoir le ~ fin tener buen olfato; **~ à ~
avec** cara a cara con; **à vue de ~** a ojo de
buen cubero

ni [ni] *conj*: **ni l'un ni l'autre ne sont ...** ni
uno ni otro son ...; **il n'a rien vu ni
entendu** no ha visto ni oído nada

niche [niʃ] *nf* (*du chien*) perrera; (*de mur*)
hornacina, nicho; (*farce*) diablura

nicher [niʃe] *vi* anidar; **se ~ dans** (*oiseau*)
anidar en; (*se cacher: enfant*) esconderse;
(*se blottir*) acurrucarse

nid [ni] *nm* nido; **~ d'abeilles** (*Couture*)
nido de abeja; **~ de poule** bache *m*

nièce [njɛs] *nf* sobrina

nier [nje] *vt* negar

Nil [nil] *nm*: **le ~** el Nilo

n'importe [nɛ̃pɔʀt] *adv*: **"~!"** "¡no tiene
importancia!"; **~ qui** cualquiera; **~ quoi**
cualquier cosa; **~ où** a *ou* en cualquier
sitio; **~ quoi!** (*fam*) ¡pamplinas!;
lequel/laquelle d'entre nous cualquiera
de nosotros(-as); **~ quel/quelle**
cualquier/cualquiera; **~ quel prix** a
cualquier precio; **~ quand** en cualquier
momento; **~ comment, il part ce soir** se
va esta noche, sea como sea; **~ comment**
(*sans soin*) de cualquier manera

niveau, x [nivo] *nm* nivel *m*; **au ~ de** a
nivel de; (*à côté de*) a la altura de; (*fig*) en
cuanto a; **de ~ (avec)** a nivel (con); **le ~
de la mer** el nivel del mar; **~ (à bulle)**
nivel (de aire); **~ (d'eau)** nivel de agua); **~
de vie** (*Écon*) nivel de vida; **~ social** (*Écon*)
nivel social

niveler [niv(ə)le] *vt* nivelar

noble [nɔbl] *adj, nm/f* noble *m/f*

noblesse [nɔblɛs] nf nobleza
noce [nɔs] nf boda; **il l'a épousée en
secondes ~s** se ha casado con ella en
segundas nupcias; **faire la ~** (fam) ir de
juerga; **~s d'argent/d'or/de diamant**
bodas de plata/de oro/de diamante
nocif, -ive [nɔsif, iv] adj nocivo(-a)
nocturne [nɔktyrn] adj nocturno(-a)
■ nf (Sport) nocturno; (d'un magasin): "**~
le mercredi**" "abrimos hasta tarde el
miércoles"
Noël [nɔɛl] nm Navidad f
nœud [nø] nm nudo; (ruban) lazo; (fig:
liens) vínculo; **~ coulant** nudo corredizo;
~ de vipères (fig) nido de víboras; **~
gordien** nudo gordiano; **~ papillon**
pajarita
noir, e [nwar] adj negro(-a); (obscur,
sombre) oscuro(-a); (roman) policíaco(-a);
(travail) sumergido(-a) ■ nm/f (personne)
negro(-a) ■ nm negro; (obscurité): **dans
le ~** en la oscuridad ■ adv: **au ~**
ilegalmente, en negro; **il fait ~** está oscuro
noircir [nwarsir] vi ennegrecer ■ vt
ensombrecer; (réputation) manchar;
(personne) difamar
noire [nwar] nf (Mus) negra
noisette [nwazɛt] nf avellana; (Culin: de
beurre etc) nuececilla ■ adj (yeux) color
avellana
noix [nwa] nf nuez f; (Culin): **une ~ de
beurre** una nuez de mantequilla; **à la ~**
(fam) de tres al cuarto; **~ de cajou** nuez
de acajú; **~ de coco** coco; **~ de veau**
(Culin) babilla de ternera; **~ muscade**
nuez moscada
nom [nɔ̃] nm nombre m; **connaître qn de
~** conocer a algn de nombre; **au ~ de** en
nombre de; **~ d'une pipe** ou **d'un chien!**
(fam) ¡caramba!; **~ commun/propre**
nombre común/propio; **~ composé**
(Ling) nombre compuesto; **~ de Dieu!**
(fam!) ¡maldito sea!; **~ d'emprunt** apodo;
~ de famille apellido; **~ de fichier**
nombre de fichero; **~ de jeune fille**
apellido de soltera; **~ déposé** nombre
registrado
nomade [nɔmad] adj, nm/f nómada m/f
nombre [nɔ̃br] nm número; **venir en ~**
venir muchos; **depuis ~ d'années** desde
hace muchos años; **ils sont au ~ de 3** son
3; **au ~ de mes amis** entre mis amigos;
sans ~ innumerable; **(bon) ~ de**
numerosos(-as); **~ entier/premier**
número entero/primo
nombreux, -euse [nɔ̃brø, øz] adj (avec
nom pl) numerosos(-as); **la foule
nombreuse** la gran muchedumbre; **un**

public ~ mucho público; **peu ~** poco
numeroso(-a); **de ~ cas** numerosos casos
nombril [nɔ̃bri(l)] nm ombligo
nommer [nɔme] vt nombrar; (baptiser)
llamar; **se nommer** vpr: **il se nomme
Jean** se llama Jean; (se présenter)
presentarse; **un nommé Leduc** un tal
Leduc
non [nɔ̃] adv no; **Paul est venu, ~?** ha
venido Paul, ¿verdad ou no?; **répondre
ou dire que ~** responder ou decir que no;
~ (pas) que ... no porque ...; **~ plus:
moi ~ plus** yo tampoco; **je préférerais
que ~** preferiría que no; **il se trouve
que ~** resulta que no; **mais ~, ce n'est
pas mal** que no, que no está mal; **~ mais
...!** ¡pero bueno ...!; **~ mais des fois!**
¡qué te etc has etc creído!; **~ loin** no muy
lejos; **~ seulement** no sólo; **~ sans** no
sin antes
non... [nɔ̃] préf no
non alcoolisé, e [nɔ̃alkɔɔlize] adj sin
alcohol
nonante [nɔnɑ̃t] adj, nm (Belgique, Suisse)
noventa
nonchalant, e [nɔ̃ʃalɑ̃, ɑ̃t] adj indolente
non-fumeur, -euse [nɔ̃fymœr, øz]
(pl **~s, euses**) nm/f no fumador(a)
non-sens [nɔ̃sɑ̃s] nm disparate m
nord [nɔr] nm norte m; (région): **le N~** el
Norte ■ adj inv norte; **au ~** (situation) al
norte; (direction) hacia el norte; **au ~ de**
al norte de; **perdre le ~** perder el norte;
voir aussi **pôle; sud**
nord-est [nɔrɛst] nm inv nordeste m
nordique [nɔrdik] adj nórdico(-a)
nord-ouest [nɔrwɛst] nm inv noroeste m
normal, e, -aux [nɔrmal, o] adj normal
normale [nɔrmal] nf: **la ~** la normalidad
normalement [nɔrmalmɑ̃] adv
normalmente
normand, e [nɔrmɑ̃, ɑ̃d] adj
normando(-a) ■ nm/f: **Normand, e**
normando(-a)
Normandie [nɔrmɑ̃di] nf Normandía
norme [nɔrm] nf norma
Norvège [nɔrvɛʒ] nf Noruega
norvégien, ne [nɔrveʒjɛ̃, jɛn] adj
noruego(-a) ■ nm (Ling) noruego
■ nm/f: **Norvégien, ne** noruego(-a)
nos [no] dét voir **notre**
nostalgie [nɔstalʒi] nf nostalgia
nostalgique [nɔstalʒik] adj
nostálgico(-a)
notable [nɔtabl] adj, nm/f notable m/f
notaire [nɔtɛr] nm notario
notamment [nɔtamɑ̃] adv
particularmente, especialmente

note [nɔt] nf nota; (facture) cuenta; (annotation) nota, anotación f; **prendre des ~s** tomar notas ou apuntes; **prendre ~ de** tomar nota de; **forcer la ~** pasarse de la raya; **une ~ de tristesse/de gaieté** una nota de tristeza/de alegría; **~ de service** nota de servicio

noter [nɔte] vt (écrire) anotar, apuntar; (remarquer) señalar, notar; (Scol) calificar; (Admin) evaluar; **notez bien que ...** fíjense bien que ...

notice [nɔtis] nf nota; (brochure): **~ explicative** folleto explicativo

notifier [nɔtifje] vt: **~ qch à qn** notificar algo a algn

notion [nɔsjɔ̃] nf noción f; **notions** nfpl nociones fpl

notoire [nɔtwaʀ] adj notorio(-a); **le fait est ~** el hecho es notorio

notre [nɔtʀ] (pl nos) dét nuestro(-a)

nôtre [nɔtʀ] adj nuestro(-a) ■ pron: **le ~** el ou lo nuestro; **la ~** la nuestra; **les ~s** los (las) nuestros(-as); **soyez des ~s** únase a nosotros

nouer [nwe] vt anudar, atar; (fig: amitié) trabar; (: alliance) formar; **se nouer** vpr (pièce de théâtre): **c'est là où l'intrigue se noue** es ahí donde se urde la intriga; **~ la conversation** entablar conversación; **avoir la gorge nouée** tener un nudo en la garganta

noueux, -euse [nwø, øz] adj nudoso(-a); (main) huesudo(-a); (vieillard) enjuto(-a)

nourrice [nuʀis] nf nodriza; **mettre en ~** dar a criar

nourrir [nuʀiʀ] vt alimentar; (fig: espoir) mantener; (: haine) guardar; **logé, nourri** alojamiento y comida; **bien/mal nourri** bien/mal alimentado(-a); **~ au sein** amamantar; **se ~ de légumes** alimentarse de verduras; **se ~ de rêves** vivir de fantasías

nourrissant, e [nuʀisɑ̃, ɑ̃t] adj alimenticio(-a)

nourriture [nuʀityʀ] nf alimento, comida; (fig) alimento

nous [nu] pron nosotros(-as); (objet direct, indirect) nos; **c'est ~ qui l'avons fait** lo hicimos nosotros; **~ les Marseillais** nosotros los marselleses; **il ~ le dit** nos lo dice; **il ~ en a parlé** nos habló de eso; **à ~** (possession) nuestro(-a), nuestros(-as); **ce livre est à ~** ese libro es nuestro; **avec/sans ~** con/sin nosotros; **un poème de ~** un poema nuestro; **plus riche que ~** más rico que nosotros; **~ mêmes** nosotros(-as) mismos(-as)

nouveau (nouvel), -elle, -aux [nuvo, nuvɛl] adj nuevo(-a); (original) novedoso(-a) ■ nm/f nuevo(-a), novato(-a) ■ nm: **il y a du nouveau** hay novedades; **de nouveau, à nouveau** de nuevo, otra vez; **Nouvel An** año nuevo; **nouveaux mariés** recién casados; **nouveau riche** adj nuevo(-a) rico(-a); **nouvelle vague** adj (gén) nueva ola; (Ciné) nouvelle vague f; **nouveau venu** recién llegado; **nouvelle venue** recién llegada

nouveau-né, e [nuvone] (pl **~s, es**) adj, nm/f recién nacido(-a)

nouveauté [nuvote] nf (aussi Comm) novedad f

nouvel [nuvɛl] adj m voir **nouveau**

nouvelle [nuvɛl] adj f voir **nouveau** ■ nf noticia; (Litt) cuento; **nouvelles** nfpl noticias fpl; **je suis sans ~s de lui** no tengo noticias de él

Nouvelle-Calédonie [nuvɛlkaledɔni] nf Nueva Caledonia

nouvellement [nuvɛlmɑ̃] adv (arrivé etc) recién

Nouvelle-Zélande [nuvɛlzelɑ̃d] nf Nueva Zelanda, Nueva Zelandia (AM)

novembre [nɔvɑ̃bʀ] nm noviembre m; voir aussi **juillet**

11 NOVEMBRE

En Francia, el 11 novembre es el día festivo en que se conmemora la firma, en las cercanías de Compiègne, del armisticio que puso punto final a la primera guerra mundial.

noyade [nwajad] nf ahogamiento

noyau, x [nwajo] nm núcleo, (de fruit) hueso

noyer [nwaje] nm nogal m ■ vt ahogar; (fig: submerger) sumergir; (: délayer) desleír; **se noyer** vpr ahogarse; **se ~ dans** (fig) perderse en; **~ son chagrin** ahogar su pena; **~ son moteur** (Auto) inundar el motor; **~ le poisson** dar largas al asunto

NU abr (= Nations unies) NN.UU. fpl

nu, e [ny] adj desnudo(-a) ■ nm (Art) desnudo; **le nu intégral** desnudo integral; **(les) pieds nus** descalzo(-a); **(la) tête nue** con la cabeza descubierta; **à mains nues** sólo con las manos, con las manos desnudas; **se mettre nu** desnudarse; **mettre à nu** desnudar

nuage [nɥaʒ] nm nube f; (fig): **sans ~s** (bonheur etc) completo(-a); **être dans les**

~s estar en las nubes; **un ~ de lait** una gota de leche

nuageux, -euse [nɥaʒø, øz] *adj* nuboso(-a), nublado(-a)

nuance [nɥɑ̃s] *nf* matiz *m*; **il y a une ~ (entre ...)** hay una leve diferencia (entre ...); **une ~ de tristesse** un algo de tristeza

nuancer [nɥɑ̃se] *vt* matizar

nucléaire [nykleɛʀ] *adj* nuclear ■ *nm*: **le ~** *(secteur)* la industria nuclear; *(énergie)* la energía nuclear

nudiste [nydist] *nm/f* nudista *m/f*

nuée [nɥe] *nf*: **une ~ de** una nube de

nuire [nɥiʀ] *vi* perjudicar; **~ à qn/qch** ser perjudicial para algn/algo

nuisible [nɥizibl] *adj* perjudicial; **animal ~** animal dañino

nuit [nɥi] *nf* noche *f*; **5 ~s de suite** 5 noches seguidas; **payer sa ~** pagar la noche; **il fait ~** es de noche; **cette ~** esta noche; **de ~** por la noche; **~ blanche** noche en blanco *ou* en vela; **~ de noces** noche de bodas; **~ de Noël** Nochebuena; **~ des temps**: **la ~ des temps** la noche de los tiempos

nul, nulle [nyl] *adj (aucun)* ninguno(-a); *(minime, non valable, péj)* nulo(-a) ■ *pron* nadie; **résultat ~, match ~** *(Sport)* empate *m*; **~le part** en ningún sitio; *(aller etc)* a ningún sitio

nullement [nylmɑ̃] *adv* de ningún modo

numérique [nymeʀik] *adj* numérico(-a)

numéro [nymeʀo] *nm* número; *(fig)* **un (drôle de) ~** un elemento gracioso; **faire** *ou* **composer un ~** marcar un número; **~ de téléphone** número de teléfono; **~ d'identification personnel** número personal de identificación; **~ d'immatriculation** *ou* **minéralogique** número de matrícula; **~ vert** número verde

numéroter [nymeʀote] *vt* numerar

nuque [nyk] *nf* nuca

nu-tête [nytɛt] *adj inv* cabeza descubierta

nutritif, -ive [nytʀitif, iv] *adj* nutritivo(-a)

nylon [nilɔ̃] *nm* nylon *m*

oasis [ɔazis] *nf ou m* oasis *m inv*

obéir [ɔbeiʀ] *vi* obedecer; **~ à** obedecer a; *(loi)* acatar; *(suj: moteur, véhicule)* responder a

obéissance [ɔbeisɑ̃s] *nf* obediencia

obéissant, e [ɔbeisɑ̃, ɑ̃t] *adj* obediente

obèse [ɔbɛz] *adj* obeso(-a)

obésité [ɔbezite] *nf* obesidad *f*

objecter [ɔbʒɛkte] *vt (prétexter)* pretextar; **~ qch à** objetar algo a; **~ (à qn) que** objetar (a algn) que

objecteur [ɔbʒɛktœʀ] *nm*: **~ de conscience** objetor *m* de conciencia

objectif, -ive [ɔbʒɛktif, iv] *adj* objetivo(-a) ■ *nm* objetivo; **~ à focale variable** objetivo de distancia focal variable; **~ grand angulaire** objetivo gran angular

objection [ɔbʒɛksjɔ̃] *nf* objeción *f*; **~ de conscience** objeción de conciencia

objectivité [ɔbʒɛktivite] *nf* objetividad *f*

objet [ɔbʒɛ] *nm* objeto; *(but)* objetivo; *(sujet)* tema *m*; **être** *ou* **faire l'~ de** ser objeto de; **sans ~** sin objeto; **(bureau des) ~s trouvés** (oficina de) objetos perdidos; **~ d'art** objeto de arte; **~s de toilette** artículos *mpl* de tocador; **~s personnels** objetos personales

obligation [ɔbligasjɔ̃] nf obligación f;
(gén pl: devoir) compromisos mpl; **sans ~
d'achat/de votre part** sin compromiso
de compra/por su parte; **être dans l'~ de
faire qch** estar obligado(-a) a hacer algo;
avoir l'~ de faire qch tener la obligación
de hacer algo; **~s familiales** obligaciones
fpl familiares; **~s militaires** obligaciones
militares; **~s mondaines** compromisos
mpl sociales

obligatoire [ɔbligatwaʀ] adj
obligatorio(-a)

obligatoirement [ɔbligatwaʀmã] adv
(nécessairement) obligatoriamente;
(fatalement) a la fuerza

obligé, e [ɔbliʒe] adj obligado(-a); **être
très ~ à qn** estar muy agradecido a algn;
je suis ~ de le faire estoy obligado a
hacerlo

obliger [ɔbliʒe] vt obligar; (aider, rendre
service à): **votre offre m'oblige
beaucoup** le agradezco mucho que se
haya ofrecido

oblique [ɔblik] adj oblicuo(-a); **regard ~**
mirada torcida; **en ~** en diagonal

oblitérer [ɔblitere] vt matar; (Méd)
obliterar; (effacer peu à peu) borrar

obnubiler [ɔbnybile] vt obsesionar

obscène [ɔpsɛn] adj obsceno(-a)

obscur, e [ɔpskyʀ] adj oscuro(-a);
(exposé) confuso(-a); (vague) ligero(-a);
(inconnu) desconocido(-a)

obscurcir [ɔpskyʀsiʀ] vt oscurecer;
(rendre peu intelligible) confundir;
s'obscurcir vpr (ciel, jour) oscurecerse

obscurité [ɔpskyʀite] nf oscuridad f;
dans l'~ en la oscuridad

obsédé, e [ɔpsede] nm/f: **un ~ de** un
obseso de; **~ sexuel** obseso sexual

obséder [ɔpsede] vt obsesionar; **être
obsédé par** estar obsesionado por

obsèques [ɔpsɛk] nfpl exequias fpl

observateur, -trice [ɔpsɛʀvatœʀ, tʀis]
adj, nm/f observador(a)

observation [ɔpsɛʀvasjɔ̃] nf observación
f; (d'un règlement etc) cumplimiento; **faire
une ~ à qn** (reproche) criticarle a algn;
en ~ (Méd) en observación; **avoir l'esprit
d'~** tener un espíritu observador

observatoire [ɔpsɛʀvatwaʀ] nm
observatorio; (lieu élevé) puesto de
observación

observer [ɔpsɛʀve] vt observar;
(remarquer) notar; **s'observer** vpr
controlarse; **faire ~ qch à qn** hacer ver
algo a algn

obsession [ɔpsesjɔ̃] nf obsesión f; **avoir
l'~ de** estar obsesionado(-a) por

obstacle [ɔpstakl] nm obstáculo; **faire ~
à** obstaculizar

obstiné, e [ɔpstine] adj (caractère)
obstinado(-a); (effort) tenaz

obstiner [ɔpstine] vpr: **s'obstiner**
obstinarse; **s'~ à faire qch** empeñarse en
hacer algo; **s'~ sur qch** obcecarse con algo

obstruer [ɔpstʀye] vt obstruir;
s'obstruer vpr obstruirse

obtenir [ɔptəniʀ] vt conseguir, obtener;
(diplôme) obtener; **~ de pouvoir faire qch**
conseguir poder hacer algo; **~ qch à qn**
conseguir algo a algn; **~ de qn qu'il fasse**
conseguir que algn haga; **ils ont obtenu
satisfaction** se ha accedido a sus
demandas

obturateur [ɔptyʀatœʀ] nm (Photo)
obturador m; **~ à rideau** obturador de
cortina

obus [ɔby] nm obús msg

occasion [ɔkazjɔ̃] nf ocasión f,
oportunidad f, chance m ou f (AM);
(acquisition avantageuse) ganga;
(circonstance) ocasión; **à plusieurs ~s** en
varias ocasiones; **à cette/la première ~**
en esta/la primera ocasión; **avoir l'~ de
faire** tener la oportunidad ou la ocasión
de hacer; **être l'~ de** ser el momento
para; **à l'~** si llega el caso; (un jour) en
alguna ocasión; **à l'~ de** con motivo de;
d'~ de segunda mano, de ocasión

occasionnel, le [ɔkazjɔnɛl] adj (fortuit)
ocasional; (non régulier) eventual

occasionner [ɔkazjɔne] vt ocasionar,
causar; **~ qch à qn** causar algo a algn

occident [ɔksidã] nm (Géo) occidente m;
(Pol): **l'O~** Occidente m

occidental, e [ɔksidãtal, o] adj
occidental ▪ nm/f occidental m/f

occupation [ɔkypasjɔ̃] nf ocupación f;
l'O~ (1941-44) la Ocupación

occupé, e [ɔkype] adj ocupado(-a); (ligne
téléphonique) comunicando; **j'ai l'esprit ~**
estoy preocupado(-a)

occuper [ɔkype] vt ocupar; (surface,
période) cubrir; (main d'œuvre, personnel)
emplear; **s'occuper** vpr ocuparse; **s'~
de** (être responsable de) encargarse de;
(clients etc) ocuparse de; (s'intéresser à)
dedicarse a; **ça occupe trop de place**
esto ocupa demasiado sitio

occurrence [ɔkyʀãs] nf: **en l'~** en este
caso

océan [ɔseã] nm océano; **~ Indien**
Océano Índico

octet [ɔktɛ] nm (Inform) byte m, octeto

octobre [ɔktɔbʀ] nm octubre m; voir
aussi **juillet**

oculiste [ɔkylist] nm/f oculista m/f

odeur [ɔdœʀ] nf olor m; **mauvaise ~** mal olor

odieux, -euse [ɔdjø, jøz] adj abominable; (enfant) odioso(-a)

odorant, e [ɔdɔʀɑ̃, ɑ̃t] adj oloroso(-a)

odorat [ɔdɔʀa] nm olfato; **avoir l'~ fin** tener un olfato muy fino

œil [œj] (pl **yeux**) nm ojo; **avoir un ~ au beurre noir** ou **poché** tener un ojo a la funerala; **à l'~** (fam) por la cara; **à l'~ nu** simple vista; **avoir l'~** estar ojo avizor; **avoir l'~ sur qn** no quitar ojo a algn; **faire de l'~ à qn** guiñar el ojo a algn; **voir qch d'un bon/mauvais ~** ver algo con buenos/malos ojos; **à l'~ vif** de mirada expresiva; **tenir qn à ~** no quitar los ojos de encima a algn; **à mes/ses yeux** para mí/él; **de ses propres yeux** con sus propios ojos; **fermer les yeux (sur)** (fig) hacer la vista gorda (a); **ne pas pouvoir fermer l'~** no pegar ojo; **~ pour ~, dent pour dent** ojo por ojo, diente por diente; **les yeux fermés** a ciegas; **pour ses beaux yeux** (fig) por su cara bonita; **~ de verre** ojo de cristal

œil-de-bœuf [œjdəbœf] (pl **œils-de-bœuf**) nm claraboya

œillères [œjɛʀ] nfpl anteojeras fpl; **avoir des ~** (fig: péj) ser de miras muy estrechas

œillet [œjɛ] nm (Bot) clavel m; (trou, bordure rigide) ojete m

œuf [œf] nm huevo, blanquillo (Mex); **étouffer qch dans l'~** cortar algo de raíz; **~ à la coque/au plat/dur** huevo cocido/al plato/duro; **à repriser** huevo de zurzir; **~ de Pâques** huevo de Pascua; **~ mollet** huevo pasado por agua; **~ poché** huevo escalfado; **~s brouillés** huevos mpl revueltos

œuvre [œvʀ] nf trabajo; (art) obra; (organisation charitable) obra benéfica ■ nm (d'un artiste) obra; (Constr): **le gros ~** el armazón; **œuvres** nfpl (Rel) obras fpl; **être/se mettre à l'~** estar/ponerse manos a la obra; **mettre en ~** poner en práctica; **bonnes ~s, ~s de bienfaisance** obras de caridad; **~ d'art** obra de arte

offense [ɔfɑ̃s] nf ofensa, agravio; (Rel) ofensa

offenser [ɔfɑ̃se] vt ofender; (bon sens, bon goût, principes) ir contra; **s'~ de qch** ofenderse por algo

offert, e [ɔfɛʀ, ɛʀt] pp de **offrir**

office [ɔfis] nm (charge) cargo; (bureau, agence) oficina; (messe) oficio ■ nm ou f (pièce) antecocina; **faire ~ de** hacer las veces de; **d'~** automáticamente; **bons ~s**

(Pol) buenos oficios mpl; **~ du tourisme** oficina de turismo

officiel, le [ɔfisjɛl] adj oficial ■ nm/f personalidad f; (Sport) juez m

officier [ɔfisje] nm oficial m/f ■ vi (Rel) oficiar; **~ de l'état-civil** teniente m (alcalde); **~ de police** oficial de policía; **~ ministériel** funcionario(-a) ministerial

officieux, -euse [ɔfisjø, jøz] adj oficioso(-a)

offrande [ɔfʀɑ̃d] nf regalo; (Rel) ofrenda

offre [ɔfʀ] vb voir **offrir** ■ nf oferta; (Admin: soumission) licitación f; **"~s d'emploi"** "ofertas fpl de empleo"; **~ d'emploi** oferta de empleo; **~ publique d'achat** oferta pública de compra; **~s de service** ofertas de servicio

offrir [ɔfʀiʀ] vt regalar, ofrecer; (proposer) ofrecer; (Comm) ofertar; (présenter) presentar; **s'offrir** vpr (se présenter) presentarse; (vacances) tomarse; (voiture) regalarse; **~ (à qn) de faire qch** proponer (a algn) hacer algo; **~ à boire à qn** ofrecer de beber a algn; **~ ses services à qn** ofrecer sus servicios a algn; **~ le bras à qn** ofrecer el brazo a algn; **s'~ à faire qch** ofrecerse para hacer algo; **s'~ comme guide/en otage** ofrecerse como guía/como rehén; **s'~ aux regards** exponerse a las miradas

OGM sigle m (= organisme génétiquement modifié) OMG m (= organismo modificado genéticamente)

oie [wa] nf ganso, oca; **~ blanche** (fig, péj) pava

oignon [ɔɲɔ̃] nm cebolla; (de tulipe etc) bulbo; (Méd) juanete m; **ce ne sont pas tes ~s** (fam) no es asunto tuyo; **petits ~s** cebolletas fpl

oiseau, x [wazo] nm ave f, pájaro; **~ de nuit** ave nocturna; **~ de proie** ave de rapiña

oisif, -ive [wazif, iv] adj ocioso(-a) ■ nm/f (péj) holgazán(-ana)

ola [ɔla] nf (Sport) ola

oléoduc [ɔleɔdyk] nm oleoducto

olive [ɔliv] nf aceituna, oliva; (type d'interrupteur) oliveta ■ adj inv verde oliva inv

olivier [ɔlivje] nm olivo

OLP [ɔɛlpe] sigle f (= Organisation de libération de la Palestine) OLP f (= Organización para la Liberación de Palestina)

olympique [ɔlɛ̃pik] adj olímpico(-a); **piscine ~** piscina olímpica

ombragé, e [ɔ̃bʀaʒe] adj (coin) con sombra; (colline) umbrío(-a); (avenue): **être ~** tener sombra

ombre [ɔ̃bʀ] nf sombra; **il n'y a pas l'~ d'un doute** no hay la menor sombra de duda; **à l'~** (aussi fam) a la sombra; **à l'~ de** a la sombra de; (fig) al amparo de; **donner/faire de l'~** dar/hacer sombra; **dans l'~** en la sombra; **vivre dans l'~** (fig) vivir en la sombra; **laisser qch dans l'~** (fig) dejar algo en la sombra; **~ à paupières** sombra de ojos; **~ portée** sombra proyectada; **~s chinoises** sombras fpl chinescas

omelette [ɔmlɛt] nf tortilla; **~ au fromage/aux herbes** tortilla de queso/a las hierbas; **~ baveuse/flambée** tortilla poco hecha/flambeada; **~ norvégienne** souflé m helado

omettre [ɔmɛtʀ] vt omitir; **~ de faire qch** omitir hacer algo

omoplate [ɔmɔplat] nf omóplato, omoplato

MOT-CLÉ

on [ɔ̃] pron 1 (indéterminé): **on peut le faire ainsi** se puede hacer así; **on frappe à la porte** llaman a la puerta
2 (quelqu'un): **on les a attaqués** les atacaron; **on vous demande au téléphone** le llaman por teléfono
3 (nous) nosotros(-as); **on va y aller demain** vamos a ir (allí) mañana
4 (les gens): **autrefois, on croyait ...** antes, se creía ...; **on dit que ...** dicen que ..., se dice que ...
5: **on ne peut plus** adv: **il est on ne peut plus stupide** no puede ser más estúpido

oncle [ɔ̃kl] nm tío
onctueux, -euse [ɔ̃ktɥø, øz] adj cremoso(-a)
onde [ɔ̃d] nf onda; **sur l'~** (eau) en el agua; **sur les ~s** en antena; **mettre en ~s** difundir por radio; **grandes/petites ~s** onda fsg larga/media; **~ de choc** onda expansiva; **~ porteuse** onda hertziana; **~s courtes** onda fsg corta; **~s moyennes** onda fsg media; **~s sonores** ondas fpl acústicas
ondée [ɔ̃de] nf chaparrón m
on-dit [ɔ̃di] nm inv rumor m
onduler [ɔ̃dyle] vi ondular; (route) serpentear
onéreux, -euse [ɔneʀø, øz] adj oneroso(-a); **à titre ~** (Jur) a título oneroso
ongle [ɔ̃gl] nm uña; **manger ses ~s** comerse las uñas; **se ronger les ~s** morderse las uñas; **se faire les ~s** arreglarse las uñas

ont [ɔ̃] vb voir **avoir**
ONU [ɔny] sigle f (= Organisation des Nations unies) ONU f (= Organización de las Naciones Unidas)
onze ['ɔ̃z] adj inv, nm inv once m inv ■ nm (Football): **le ~ tricolore** la selección francesa de fútbol; voir aussi **cinq**
onzième ['ɔ̃zjɛm] adj, nm/f undécimo(-a) ■ nm (partitif) onceavo; voir aussi **cinquième**
OPA [ɔpea] sigle f (= offre publique d'achat) OPA f (= Oferta Pública de Adquisición)
opaque [ɔpak] adj opaco(-a); (brouillard) denso(-a); (nuit) oscuro(-a); **~ à** opaco(-a) a
opéra [ɔpeʀa] nm ópera
opérateur, -trice [ɔpeʀatœʀ, tʀis] nm/f operador(a); **~ (de prise de vues)** operador(a) (de cámara)
opération [ɔpeʀasjɔ̃] nf operación f; **salle d'~** quirófano; **table d'~** mesa de operaciones; **~ à cœur ouvert** (Méd) operación a corazón abierto; **~ de sauvetage** maniobra de salvamento; **~ publicitaire** campaña publicitaria
opératoire [ɔpeʀatwaʀ] adj operatorio(-a); (choc etc) postoperatorio(-a); **bloc ~** zona quirúrgica
opérer [ɔpeʀe] vt operar; (faire, exécuter) realizar ■ vi (agir) hacer efecto; (Méd) operar; **s'opérer** vpr realizarse; **~ qn des amygdales/du cœur** operar a algn de las anginas/del corazón; **se faire ~** operarse
opérette [ɔpeʀɛt] nf opereta
opiner [ɔpine] vi: **~ de la tête** asentir con la cabeza; **~ à** asentir a
opinion [ɔpinjɔ̃] nf opinión f; (point de vue) posición f; **opinions** nfpl convicciones fpl, ideas fpl; **avoir (une) bonne/mauvaise ~ de** tener buena/mala opinión de; **l'~ américaine/ouvrière** la posición americana/obrera; **~ (publique)**: **l'~ (publique)** la opinión pública
opportun, e [ɔpɔʀtœ̃, yn] adj oportuno(-a); **en temps ~** en el momento oportuno
opportuniste [ɔpɔʀtynist] adj, nm/f oportunista m/f
opposant, e [ɔpozɑ̃, ɑ̃t] adj opositor(a); **opposants** nmpl opositores mpl; (membres de l'opposition) oposición f
opposé, e [ɔpoze] adj opuesto(-a) ■ nm: **l'~** (contraire) lo opuesto; **il est tout l'~ de son frère** es todo lo contrario de su hermano; **être ~ à** ser opuesto a; **à l'~** (direction) en dirección contraria; (fig) al

contrario; **à l'~ de** al otro lado de; (*fig*) totalmente opuesto(-a) a; (*contrairement à*) al contrario de

opposer [ɔpoze] vt (*meubles, objets*) colocar enfrente; (*personnes etc*) enfrentar; (*couleurs*) contrastar; (*rapprocher, comparer*) contrastar; (*suj: conflit*) dividir; (*résistance*) oponer; **s'opposer** vpr oponerse; **~ qch à** (*comme obstacle, défense*) interponer algo en; (*comme objection*) objetar algo contra; (*en contraste*) poner algo frente a; **s'~ à** oponerse a; (*tenir tête*) enfrentarse a; **sa religion s'y oppose** su religión se lo impide; **s'~ à ce que qn fasse** oponerse a que algn haga

opposition [ɔpozisjɔ̃] nf oposición f; (*entre deux personnes etc*) enfrentamiento; (*contraste*) contraste m; **par ~** por oposición; **par ~ à** a diferencia de; **entrer en ~ avec qn** entrar en conflicto con algn; **être en ~ avec** estar en contra de; **faire ~ à un chèque** bloquear un cheque

oppressant, e [ɔpresɑ̃, ɑ̃t] adj agobiante

oppresser [ɔprese] vt oprimir; (*chaleur*) agobiar; **se sentir oppressé** sentirse oprimido

oppression [ɔpresjɔ̃] nf opresión f; (*chaleur*) agobio

opprimer [ɔprime] vt oprimir; (*la liberté etc*) reprimir

opter [ɔpte] vi: **~ pour/entre** optar por/entre

opticien, ne [ɔptisjɛ̃, jɛn] nm/f óptico(-a)

optimisme [ɔptimism] nm optimismo

optimiste [ɔptimist] adj, nm/f optimista m/f

option [ɔpsjɔ̃] nf (*aussi Comm, Auto, Jur*) opción f; (*Scol*) optativa; **matière/texte à ~** (*Scol*) asignatura optativa/texto optativo; **prendre une ~ sur** (*Jur*) tomar opción por; **~ par défaut** (*Inform*) opción por defecto

optique [ɔptik] adj óptico(-a) ■ nf óptica; (*fig*) enfoque m

or [ɔR] nm oro ■ conj ahora bien; **d'or** (*fig*) de oro; **en or** (*aussi fig*) de oro; **un mari/enfant en or** un marido/hijo de oro; **affaire en or** negocio magnífico; (*objet*) ganga; **plaqué ~** chapado en oro; **or blanc/jaune** oro blanco/amarillo; **or noir** oro negro

orage [ɔRaʒ] nm (*aussi fig*) tormenta

orageux, -euse [ɔRaʒø, øz] adj (*aussi fig*) tormentoso(-a); (*chaleur*) bochornoso(-a)

oral, e, -aux [ɔRal, o] adj oral ■ nm (*Scol*) oral m; **par voie ~e** (*Méd*) por vía oral

orange [ɔRɑ̃ʒ] nf naranja ■ adj inv naranja inv ■ nm (*couleur*) naranja m; **~ amère** naranja amarga; **~ pressée** zumo de naranja natural; **~ sanguine** naranja sanguina ou agria

orangé, e [ɔRɑ̃ʒe] adj anaranjado(-a), naranja inv

orangeade [ɔRɑ̃ʒad] nf naranjada

oranger [ɔRɑ̃ʒe] nm naranjo

orateur [ɔRatœR] nm orador(a)

orbite [ɔRbit] nf (*Anat, Phys*) órbita; **placer/mettre un satellite sur** ou **en ~** poner/situar un satélite en órbita; **dans l'~ de** (*fig*) en la órbita de; **mettre sur ~** (*fig*) poner en órbita

orchestre [ɔRkɛstR] nm orquesta; (*de jazz, danse*) orquesta, grupo; (*Théâtre, Ciné: places*) patio de butacas; (: *spectateurs*) platea

orchidée [ɔRkide] nf orquídea

ordi [ɔRdi] (*fam*) nm ordenata m

ordinaire [ɔRdinɛR] adj ordinario(-a); (*coutumier, de tous les jours*) corriente ■ nm (*menus*): **l'~** lo corriente ■ nf (*essence*) normal f; **intelligence au-dessous de l'~** inteligencia por debajo de lo normal ou la media; **d'~** por lo general, corrientemente; **à l'~** de costumbre

ordinateur [ɔRdinatœR] nm ordenador m; **mettre sur ~** meter en ordenador; **~ domestique** ordenador de uso doméstico; **~ individuel** ou **personnel** ordenador personal

ordonnance [ɔRdɔnɑ̃s] nf disposición f, ordenación f; (*groupement*) disposición; (*Méd*) receta, prescripción f; (*décret*) mandamiento judicial, mandato; (*Mil*) ordenanza, reglamento; **~ de non-lieu** (*Jur*) auto de sobreseimiento, **d'~:** **officier d'~** ayudante m de campo

ordonné, e [ɔRdɔne] adj ordenado(-a)

ordonner [ɔRdɔne] vt ordenar, arreglar; (*Rel, Math*) ordenar; (*Méd*) recetar, prescribir; **s'ordonner** vpr ordenarse; **~ à qn de faire** ordenar ou mandar a algn que haga; **~ le huis clos** (*Jur*) ordenar que la audiencia sea a puerta cerrada

ordre [ɔRdR] nm orden m; (*directive, Rel*) orden f; (*association professionnelle*) colegio; **ordres** nmpl (*Rel*): **être/entrer dans les ~s** pertenecer/entrar en las órdenes; **mettre en ~** poner en orden; **avoir de l'~** tener orden, ser ordenado(-a); **procéder par ~** proceder ordenadamente ou por orden; **par ~**

d'entrée en scène por orden de
aparición; **mettre bon ~ à** poner orden
en; **rentrer dans l'~** volver a la
normalidad; **je n'ai pas d'~ à recevoir de
vous** usted no tiene que darme ninguna
orden; **être aux ~s de qn/sous les ~s de
qn** estar a las órdenes de algn; **jusqu'à
nouvel ~** hasta nuevo aviso; **rappeler qn
à l'~** llamar a algn al orden; **donner (à
qn) l'~ de** dar (a algn) la orden de; **payer
à l'~ de** (Comm) pagar a la orden de; **dans
le même ~/un autre ~ d'idées** en el
mismo orden/en otro orden de cosas; **d'~
pratique** de orden ou tipo práctico; **de
premier/second ~** de primer/segundo
orden; **~ de grandeur** orden de tamaño;
~ de grève orden convocatoria de
huelga; **~ de mission** (Mil) orden de
misión; **~ de route** orden de destino;
~ du jour orden del día; **à l'~ du jour** (fig)
al orden del día; **~ public** orden público
ordure [ɔrdyr] nf basura; (propos)
grosería, indecencia; **ordures** nfpl
(balayures) basura fsg, desechos mpl,
restos mpl; **~s ménagères** basura
oreille [ɔrɛj] nf oreja; (ouïe) oído; (de
marmite, tasse) asa; **avoir de l'~** tener
oído; **avoir l'~ fine** tener buen oído;
l'~ basse con las orejas gachas; **se faire
tirer l'~** hacerse de rogar; **parler/dire
qch à l'~ de qn** hablar/decir algo al oído
de algn
oreiller [ɔreje] nm almohada
oreillons [ɔrejɔ̃] nmpl paperas fpl
ores [ɔr]: **d'~ et déjà** adv desde ahora, de
aquí en adelante
orfèvrerie [ɔrfɛvrəri] nf orfebrería
organe [ɔrgan] nm órgano; (véhicule,
instrument) vehículo; (voix) voz f;
(représentant) órgano, portavoz m; **~s de
transmission** (Tech) órganos de
transmisión
organigramme [ɔrganigram] nm
organigrama m
organique [ɔrganik] adj orgánico(-a)
organisateur, -trice [ɔrganizatœr,
tris] nm/f organizador(a)
organisation [ɔrganizasjɔ̃] nf
organización f; **O~ des Nations unies**
Organización de Naciones Unidas;
O~ du traité de l'Atlantique Nord
Organización del tratado del Atlántico
Norte; **O~ mondiale de la santé**
Organización mundial de la salud;
O~ scientifique du travail Organización
científica del trabajo
organiser [ɔrganize] vt organizar;
(mettre sur pied) organizar, preparar;

s'organiser vpr (personne) organizarse;
(choses) arreglarse, ordenarse
organisme [ɔrganism] nm organismo;
(association) organismo, organización f
organiste [ɔrganist] nm/f organista m/f
orgasme [ɔrgasm] nm orgasmo
orge [ɔrʒ] nf cebada
orgue [ɔrg] nm (Mus) órgano;
orgues nfpl (Géo) basaltos mpl
prismáticos; **~ de Barbarie** organillo;
~ électrique ou **électronique** órgano
electrónico
orgueil [ɔrgœj] nm orgullo, soberbia;
~ de (fierté, gloire, vanité) orgullo de
orgueilleux, -euse [ɔrgœjø, øz] adj
orgulloso(-a), vanidoso(-a)
oriental, e, -aux [ɔrjɑ̃tal, o] adj
oriental ■ nm/f: **Oriental, e** oriental m/f
orientation [ɔrjɑ̃tasjɔ̃] nf orientación f;
avoir le sens de l'~ tener sentido de la
orientación; **~ professionnelle**
orientación profesional
orienté, e [ɔrjɑ̃te] adj (article, journal)
orientado(-a); **bien/mal ~** (appartement)
bien/mal orientado(-a); **~ au sud**
orientado(-a) al sur
orienter [ɔrjɑ̃te] vt (situer) orientar,
situar; (placer: pièce mobile) colocar,
poner; (tourner) dirigir; (voyageur)
orientar, dirigir; **s'orienter** vpr
orientarse; **(s')~ vers** (recherches)
orientar(se) ou dirigir(se) hacia
origan [ɔrigɑ̃] nm orégano
originaire [ɔriʒinɛr] adj originario(-a);
(défaut) de origen; **être ~ de** ser
originario(-a) ou natural de
original, e, -aux [ɔriʒinal, o] adj
original; (bizarre, curieux) original,
extravagante ■ nm/f (fam: excentrique)
excéntrico(-a), extravagante m/f;
(: fantaisiste) extravagante ■ nm
(document) original m
origine [ɔriʒin] nf origen m; (d'une idée)
origen, procedencia; **origines** nfpl (d'une
personne) orígenes mpl; (commencements):
les ~s de la vie los orígenes de la vida; **d'~**
(nationalité) de origen, natural de; (pneus
etc) de origen; (bureau postal) de
procedencia; **dès l'~** desde el principio; **à
l'~ (de)** al principio (de); **avoir son ~ dans
qch** tener su origen en algo
originel, le [ɔriʒinɛl] adj original
orme [ɔrm] nm olmo
ornement [ɔrnəmɑ̃] nm adorno;
(garniture) ornamento; (fig) ornato,
ornamento; **ornements** nmpl: **~s
sacerdotaux** ornamentos mpl
sacerdotales

orner [ɔʀne] vt adornar; **~ qch de** adornar algo con

ornière [ɔʀnjɛʀ] nf carril m; (impasse) atolladero; **sortir de l'~** (fig) salir del camino trillado

orphelin, e [ɔʀfəlɛ̃, in] adj, nm/f huérfano(-a); **~ de mère/de père** huérfano de madre/de padre

orphelinat [ɔʀfəlina] nm orfanato

orteil [ɔʀtɛj] nm dedo del pie; **gros ~** dedo gordo del pie

orthographe [ɔʀtɔgʀaf] nf ortografía

orthopédique [ɔʀtɔpedik] adj ortopédico(-a)

ortie [ɔʀti] nf ortiga; **~ blanche** ortiga blanca

OS [ɔɛs] sigle m (= ouvrier spécialisé) voir **ouvrier**

os [ɔs] nm hueso; **sans os** (Boucherie) deshuesado(-a); **os à moelle** hueso de cañada; **os de seiche** jibión m

osciller [ɔsile] vi oscilar; (au vent etc) oscilar, balancearse; **~ entre** (hésiter) vacilar ou dudar entre

osé, e [oze] adj (tentative) osado(-a); (plaisanterie) atrevido(-a)

oseille [ozɛj] nf (Bot) acedera; (fam: argent) pasta, parné m

oser [oze] vt, vi osar, atreverse; **~ faire qch** atreverse a hacer algo; **je n'ose pas** no me atrevo

osier [ozje] nm mimbre m; **d'~, en ~** de mimbre

osseux, -euse [ɔsø, øz] adj óseo(-a); (charpente, carapace) de hueso, huesoso(-a); (main, visage) huesudo(-a)

otage [ɔtaʒ] nm rehén m; **prendre qn comme** ou **en ~** tomar ou coger a algn de ou como rehén

OTAN [ɔtɑ̃] sigle f (= Organisation du traité de l'Atlantique Nord) OTAN f (= Organización del Tratado del Atlántico Norte)

otarie [ɔtaʀi] nf león m marino, otaria

ôter [ote] vt quitar; (soustraire) quitar, restar; **~ qch de** quitar algo de; **~ qch à qn** quitar algo a algn; **6 ôté de 10 égale 4** 10 menos 6 igual a 4

otite [ɔtit] nf otitis f inv

ou [u] conj o, u; **l'un ou l'autre** una u otra; **ou ... ou** o ... o; **ou bien** o bien

O **MOT-CLÉ**

où [u] pron relatif 1 (lieu) donde, en que; **la chambre où il était** la habitación en que ou donde estaba; **le village d'où je viens** el pueblo de donde vengo; **les villes par où il est passé** las ciudades por donde pasó

2 (direction) adonde; **la ville où je me rends** la ciudad adonde me dirijo

3 (temps, état) (en) que; **le jour où il est parti** el día (en) que se marchó; **au prix où c'est** al precio que está

■ adv 1 (interrogatif) ¿dónde?; **où est-il?** ¿dónde está?; **par où?** ¿por dónde?; **d'où vient que ...?** ¿cómo es que ...?

2 (direction) (a)dónde; **où va-t-il?** ¿(a)dónde va?

3 (relatif) donde; **je sais où il est** sé donde está; **où que l'on aille** vayamos donde vayamos, dondequiera que vayamos

ouate ['wat] nf (bourre) algodón m, guata; (coton) tampón d'**~** tapón m de algodón; **~ hydrophile/de cellulose** algodón hidrófilo/de celulosa

oubli [ubli] nm olvido; **l'~** (absence de souvenirs) el olvido; **tomber dans l'~** caer en el olvido

oublier [ublije] vt olvidar; (ne pas mettre) olvidar, omitir; (famille) descuidar; (responsabilités) descuidar, olvidar; **s'oublier** vpr olvidarse; (euphémisme) orinarse, mearse; **~ que/de faire qch** olvidar que/olvidar hacer algo; **~ l'heure** olvidar la hora

ouest [wɛst] nm oeste m ■ adj inv oeste; **l'O~** (région, Pol) el Oeste; **à l'~ (de)** al oeste (de); **vent d'~** viento del oeste

ouf ['uf] excl uf

oui ['wi] adv sí; **répondre ~** responder que sí; **mais ~, bien sûr** pues claro que sí, naturalmente; **je suis sûr que ~** estoy seguro que sí; **je pense que ~** creo que sí; **pour un ~ ou pour un non** por un quítame allá esas pajas

ouï-dire ['widiʀ] nm inv: **par ~** de oídas

ouïe [wi] nf oído; **ouïes** nfpl (de poisson) agallas fpl; (d'un violon) eses fpl

ouragan [uʀagɑ̃] nm huracán m

ourlet [uʀlɛ] nm (Couture) dobladillo; (de l'oreille) repliegue m; **faire un ~ à** hacer un dobladillo a; **faux ~** (Couture) falso dobladillo

ours [uʀs] nm inv oso; (homme insociable) oso, cardo; **~ blanc/brun** oso blanco/pardo; **~ (en peluche)** oso de peluche; **~ mal léché** oso, hurón m; **~ marin** oso marino

oursin [uʀsɛ̃] nm erizo de mar

ourson [uʀsɔ̃] nm osezno(-a)

ouste [ust] excl ¡fuera!, ¡largo de aquí!

outil [uti] nm herramienta, instrumento; **~ de travail** herramienta

outiller [utije] vt equipar de herramienta ou de maquinaria

outrage [utraʒ] nm ultraje m; **faire subir les derniers ~s à** (femme) someter a los peores ultrajes a; **~ à la pudeur** (Jur) ultraje al pudor; **~ à magistrat** (Jur) ultraje ou injurias fpl a un magistrado; **~ aux bonnes mœurs** (Jur) ultraje a las buenas costumbres

outrance [utrãs] nf exageración f, exceso; **à ~** a ultranza

outre [utr] nf odre m ■ prép además de ■ adv: **passer ~** hacer caso omiso; **passer ~ à** hacer caso omiso a; **en ~** además, por añadidura; **~ que** además de que; **~ mesure** sin medida, desmesuradamente

outre-Atlantique [utratlãtik] adv al otro lado del Atlántico

outremer [utrəmɛr] adj: **bleu/ciel ~** azul/cielo de ultramar

outre-mer [utrəmɛr] adv ultramar; **d'~** de ultramar, ultramarino(-a)

ouvert, e [uvɛr, ɛrt] pp de **ouvrir** ■ adj (aussi fig) abierto(-a); (accueillant: milieu) abierto(-a), acogedor(-a); hospitalario(-a); **à bras ~s** con los brazos abiertos; **à livre ~** como un libro abierto; (traduire) de corrido; **à cœur ~** (fig) con el corazón en la mano

ouvertement [uvɛrtəmã] adv (agir) abiertamente; (dire) abiertamente, francamente

ouverture [uvɛrtyr] nf apertura f, (orifice, Mus) obertura; **ouvertures** nfpl (offres) propuestas fpl; **l'~** (Pol) la apertura; **~ (du diaphragme)** (Photo) abertura (del diafragma); **heures/jours d'~** (Comm) horas fpl/días mpl de apertura; **~ d'esprit** apertura de ideas, amplitud f de ideas

ouvrable [uvrabl] adj: **jour ~** día m laborable; **heures ~s** horas fpl laborables

ouvrage [uvraʒ] nm obra f, (Mil) elemento autónomo de una línea fortificada; **panier ou corbeille à ~** cesta de costura; **~ à l'aiguille** labor f de aguja; **~ d'art** (Génie Civil) obra de ingeniería

ouvre-boîte(s) [uvrəbwat] nm inv abrelatas m inv

ouvre-bouteille(s) [uvrəbutɛj] nm inv abrebotellas m inv

ouvreuse [uvrøz] nf acomodadora

ouvrier, -ière [uvrije, ijɛr] nm/f obrero(-a) ■ nf (Zool) obrera ■ adj obrero(-a); (conflits) laboral; (revendications) obrero(-a); **classe ouvrière** clase f obrera; **~ agricole** trabajador m agrario; **~ qualifié** obrero calificado; **~ spécialisé** obrero especialista

ouvrir [uvrir] vt abrir; (fonder) abrir, fundar; (commencer, mettre en train) abrir, empezar ■ vi abrir; (commencer) abrir, empezar; **s'ouvrir** vpr abrirse; **~ ou s'~ sur** comenzar con; **s'~ à** abrirse a; **s'~ à qn** confiarse a algn; **s'~ les veines** abrirse las venas; **~ l'œil** (fig) abrir los ojos, enterarse; **~ l'appétit à qn** abrir el apetito a algn; **~ des horizons/ perspectives** abrir horizontes/ perspectivas; **~ l'esprit** ampliar ou abrir las ideas; **~ une session** (Inform) abrir una sesión; **~ à cœur/trèfle** (Cartes) abrir ou salir con corazones/trébol

ovaire [ɔvɛr] nm ovario

ovale [ɔval] adj oval, ovalado(-a)

OVNI [ɔvni] sigle m (= objet volant non identifié) OVNI m (= objeto volante no identificado)

oxyder [ɔkside] vpr: **s'oxyder** oxidarse

oxygène [ɔksiʒɛn] nm oxígeno; **cure d'~** (fig) cura de oxígeno

oxygéné, e [ɔksiʒene] adj: **cheveux ~s** cabellos mpl oxigenados; **eau ~e** agua oxigenada

ozone [ozon] nm ozono

p

paillettes [pɑjɛt] *nfpl* lentejuelas *fpl*

pain [pɛ̃] *nm* pan *m*; (*Culin: de poisson, légumes*) pastel *m*; **petit ~** panecillo; **~ complet** pan integral; **~ d'épice(s)** alfajor *m*; **~ de campagne/de seigle** pan de pueblo/de centeno; **~ de cire** librillo de cera; **~ de mie** pan de molde; **~ de sucre** pan de azúcar; **~ fantaisie/ viennois** pan de lujo/de Viena; **~ grillé** pan tostado; **~ perdu** torrija

pair, e [pɛʀ] *adj* par ■ *nm* par *m*; **aller** *ou* **marcher de ~ (avec)** correr *ou* ir parejo(-a) (con); **au ~** (*Fin*) a la par; **valeur au ~** valor *m* a la par; **jeune fille au ~** chica au pair

paire [pɛʀ] *nf* par *m*; **une ~ de lunettes/ tenailles** un par de gafas/tenazas; **les deux font la ~** son tal para cual

paisible [pezibl] *adj* apacible; (*ville, lac*) tranquilo(-a)

paix [pɛ] *nf* paz *f*; (*fig: tranquillité*) paz, sosiego; **faire ~ avec** hacer las paces con; **vivre en ~ avec** vivir en paz con; **avoir la ~** tener paz

Pakistan [pakistɑ̃] *nm* Paquistán *m*

palais [palɛ] *nm* palacio; (*Anat*) paladar *m*; **le P~ Bourbon** El Palacio Borbón (*sede de la asamblea nacional*); **le P~ de Justice** Palacio de Justicia, la audiencia nacional; **le P~ de l'Elysée** El Palacio del Elíseo (*residencia oficial del Presidente de la República francesa*); **~ des expositions** palacio de exposiciones

pacifique [pasifik] *adj* pacífico(-a) ■ *nm*: **le P~, l'océan P~** el (Océano) Pacífico

pack [pak] *nm* pack *m*

pacotille [pakɔtij] (*péj*) *nf* pacotilla; **de ~** de pacotilla

PACS [paks] *nm* (= *pacte civil de solidarité*) *pacto civil de solidaridad*

pacte [pakt] *nm* pacto; **~ d'alliance/de non-agression** pacto de alianza/de no agresión

pagaille [pagaj] *nf* (*désordre*) follón *m*, desbarajuste *m*; **en ~** (*en grande quantité*) a porrillo; (*en désordre*) a barullo

page [paʒ] *nf* página; (*passage: d'un roman*) pasaje *m* ■ *nm* paje *m*; **mettre en ~s** compaginar; **mise en ~** compaginación *f*; **être à la ~** (*fig*) estar al día; **~ blanche** página en blanco; **~ d'accueil** (*Internet*) página de inicio; **~ de garde** guarda; **~ Web** (*Inform*) (página) web

paiement [pɛmɑ̃] *nm* = **payement**

païen, ne [pajɛ̃, pajɛn] *adj, nm/f* pagano(-a)

paillasson [pajasɔ̃] *nm* felpudo

paille [pɑj] *nf* paja; (*défaut*) defecto; **être sur la ~** (*être ruiné*) estar a dos velas; **~ de fer** estropajo metálico

pâle [pɑl] *adj* pálido(-a); **une ~ imitation** (*fig*) una pálida imitación; **~ de colère/ d'indignation** pálido(-a) de rabia/de indignación; **bleu/vert ~** azul/verde pálido

Palestine [palɛstin] *nf* Palestina

palette [palɛt] *nf* paleta; (*plateau de chargement*) plataforma; **~ riche/ pauvre/brillante** (*ensemble de couleurs*) paleta rica/pobre/brillante

pâleur [pɑlœʀ] *nf* palidez *f*

palier [palje] *nm* (*d'escalier*) rellano; (*d'une machine*) cojinete *m*; (*d'un graphique*) nivel *m*; (*phase stable*) nivel estable; **en ~** a altura constante; **par ~s** (*progresser*) gradualmente

pâlir [pɑliʀ] *vi* (*personne*) palidecer; (*couleur*) decolorar; **faire ~ qn** hacer palidecer a algn

pallier [palje] *vt*: **~ à** paliar

palme [palm] *nf* palma; (*de plongeur*) aleta; **~s (académiques)** galardón al mérito académico

palmé, e [palme] *adj* palmeado(-a)

palmier [palmje] *nm* palmera

pâlot, e [pɑlo, ɔt] adj paliducho(-a)
palourde [paluʀd] nf almeja
palper [palpe] vt palpar
palpitant, e [palpitɑ̃, ɑ̃t] adj palpitante
palpiter [palpite] vi palpitar; (plus fort)
latir
paludisme [palydism] nm paludismo
pamphlet [pɑ̃flɛ] nm panfleto
pamplemousse [pɑ̃pləmus] nm
pomelo
pan [pɑ̃] nm (d'un manteau, rideau) faldón
m; (côté) cara; (d'affiche etc) lado ∎ excl
¡pum!; ~ **de chemise** pañal m; ~ **de mur**
lienzo de pared
panache [panaʃ] nm (de plumes)
penacho; **avoir du/aimer le ~** (fig) tener
caballerosidad/gustarle a algn la
caballerosidad
panaché, e [panaʃe] adj: **œillet ~** clavel
m matizado ∎ nm (bière) clara, cerveza
con gaseosa; **glace ~e** helado de varios
gustos; **salade ~e** ensalada mixta; **bière**
~e cerveza con gaseosa
pancarte [pɑ̃kaʀt] nf (affiche, écriteau)
cartel m; (dans un défilé) pancarta
pancréas [pɑ̃kʀeas] nm páncreas m inv
pané, e [pane] adj empanado(-a)
panier [panje] nm cesta; (à diapositives)
carro; **mettre au ~** tirar a la basura; ~ **à**
provisions cesta de la compra; ~ **à**
salade (Culin) escurridor m; (Police)
coche m celular; ~ **de crabes** (fig) nido de
víboras; ~ **percé** (fig) manirroto(-a)
panier-repas [panjeʀ(ə)pɑ] (pl **paniers-**
repas) nm almuerzo
panique [panik] nf pánico ∎ adj:
peur ~ miedo cerval; **terreur ~** terror f
pánico
paniquer [panike] vt aterrorizar ∎ vi
aterrorizarse, espantarse
panne [pan] nf (d'un mécanisme, moteur)
avería; (Théâtre) papel m de poca
importancia; **mettre en ~** (Naut)
ponerse al pairo, pairar; **être/tomber en**
~ tener una avería, descomponerse/estar
descompuesto (esp Mex); **tomber en ~**
d'essence ou **sèche** quedarse sin
gasolina; ~ **d'électricité** ou **de courant**
corte m eléctrico
panneau, x [pano] nm (écriteau) letrero;
(de boiserie, de tapisserie) panel m; (Archit)
tablero; (Couture) paño; **donner/tomber**
dans le ~ caer en la trampa; ~
d'affichage tablón m de anuncios; ~ **de**
signalisation señal f de tráfico; ~
électoral panel electoral; ~ **indicateur**
panel indicador; ~ **publicitaire** valla
publicitaria

panoplie [panɔpli] nf (d'armes) panoplia;
(fig) arsenal m; ~ **de pompier/**
d'infirmière disfraz m de bombero/de
enfermera
panorama [panɔʀama] nm panorama m
panse [pɑ̃s] nf panza
pansement [pɑ̃smɑ̃] nm venda, apósito;
~ **adhésif** tirita, curita (AM)
pantalon [pɑ̃talɔ̃] nm (aussi: **pantalons,**
paire de pantalons) pantalón m; ~ **de**
golf/de pyjama pantalón de golf/de
pijama; ~ **de ski** pantalón de esquí
panthère [pɑ̃tɛʀ] nf pantera; (fourrure)
piel f de pantera
pantin [pɑ̃tɛ̃] nm (marionnette) pelele m,
monigote m; (péj: personne) pelele
pantoufle [pɑ̃tufl] nf zapatilla
paon [pɑ̃] nm pavo real
papa [papa] nm papá m
pape [pap] nm papa m
paperasse [papʀas] (péj) nf: **des ~s** ou
de la ~ papelotes mpl; (administrative)
papeles mpl
paperasserie [papʀasʀi] (péj) nf
papelorio; (administrative) papeleo
papeterie [papetʀi] nf (fabrication du
papier) fabricación f de papel; (usine)
papelera; (magasin) papelería; (articles)
artículos mpl de papelería
papi [papi] (fam) nm abuelito
papier [papje] nm papel m; (article)
artículo; (écrit officiel) documento;
papiers nmpl (aussi: **papiers d'identité**)
documentación f, papeles mpl; **sur le ~**
(théoriquement) en teoría; **jeter une**
phrase sur le ~ poner una frase sobre el
papel; **noircir du ~** emborronar papel;
~ **à dessin** papel de dibujo; ~ **à lettres**
papel de cartas; ~ **à pliage accordéon**
papel plisado de acordeón; ~ **bible/**
pelure papel biblia/cebolla; ~ **bulle/**
calque papel de estraza/de calcar; ~
buvard/carbone papel secante/carbón; ~
collant papel de goma; ~ **couché/**
glacé papel cuché/glaseado; ~
(d')aluminium papel de aluminio; ~
~ **d'Arménie** papel de Armenia; ~
d'emballage papel de envolver; ~ **de**
brouillon papel de borrador; ~ **de soie/**
de tournesol papel de seda/de tornasol; ~
~ **de verre** papel de lija; ~ **en continu**
papel continuo; ~ **gommé/thermique**
papel engomado/térmico; ~ **hygiénique**
papel higiénico; ~ **journal** papel de
periódico; (pour emballer) papel de
envolver; ~ **kraft/mâché** papel kraft/
maché; ~ **machine** papel de máquina de
escribir; ~ **peint** papel pintado

papillon [papijɔ̃] *nm* mariposa; *(fam: contravention)* multa; *(écrou)* tuerca de mariposa; **~ de nuit** mariposa nocturna
papillote [papijɔt] *nf* papillote *m*
papoter [papɔte] *vi* parlotear
paprika [paprika] *nm* paprika *m*
paquebot [pak(ə)bo] *nm* paquebote *m*
pâquerette [pɑkʀɛt] *nf* margarita
Pâques [pɑk] *nfpl (fête)* Pascua *fsg* ■ *nm (période)* Semana Santa; **faire ses ~** comulgar por Pascua Florida; **l'île de ~** la isla de Pascua
paquet [pakɛ] *nm* paquete *m*; *(de linge, vêtements)* bulto; *(tas)*: **un ~ de** un manojo de; **paquets** *nmpl (bagages)* bultos *mpl*; **mettre le ~** *(fam)* poner toda la carne en el asador; **~ de mer** golpe *m* de mar
paquet-cadeau [pakɛkado] *(pl* **paquets-cadeaux)** *nm* paquete *m* regalo *inv*

◯ **MOT-CLÉ**

par [paʀ] *prép* **1** *(agent, cause)* por; **par amour** por amor; **peint par un grand artiste** pintado por un gran artista
2 *(lieu, direction)* por; **passer par Lyon/la côte** pasar por Lyon/la costa; **par la fenêtre** *(jeter, regarder)* por la ventana; **par le haut/bas** por arriba/abajo; **par ici** por aquí; **par où?** ¿por dónde?; **par là** por allí; **par-ci, par-là** aquí y allá; **être/jeter par terre** estar en el/tirar al suelo
3 *(fréquence, distribution)* por; **3 fois par semaine** 3 veces por *ou* a la semana; **3 par jour/par personne** 3 al día/por persona; **par centaines** a cientos, a centenares; **2 par 2** *(marcher, entrer, prendre etc)* de 2 en 2
4 *(moyen)* por; **par la poste** por correo
5 *(manière)*: **prendre par la main** coger *ou* agarrar de la mano; **prendre par la poignée** coger *ou* agarrar por el asa; **finir** *etc* **par** terminar *etc* por; **le film se termine par une scène d'amour** la película termina con una escena de amor; **Pau commence par la lettre "p"** Pau empieza por "p"

parabolique [paʀabɔlik] *adj* parabólico(-a)
parachute [paʀaʃyt] *nm* paracaídas *m inv*; **~ ventral** paracaídas de delantal
parachutiste [paʀaʃytist] *nm/f* paracaidista *m/f*; *(soldat)* paracaidista *m*
parade [paʀad] *nf (Mil)* desfile *m*; *(de cirque, bateleurs)* cabalgata; *(Escrime,*

Boxe) parada; **trouver la ~ à une attaque/mesure** hallar la contrapartida a un ataque/medida; **faire ~ de qch** lucir algo; **de ~** *(habit, épée)* de gala; *(superficiel)* superficial
paradis [paʀadi] *nm* paraíso; **P~ terrestre** paraíso terrenal
paradoxe [paʀadɔks] *nm* paradoja
paraffine [paʀafin] *nf* parafina
parages [paʀaʒ] *nmpl (Naut)* aguas *fpl*; **dans les ~ (de)** en los alrededores (de)
paragraphe [paʀagʀaf] *nm* párrafo
paraître [paʀɛtʀ] *vb +attribut* parecer, verse *(AM)* ■ *vi (apparaître)* aparecer; *(Presse, Édition)* publicarse; *(se montrer, venir)* mostrarse; *(sembler)* parecer; *(un certain âge)* aparentar, representar; **aimer/vouloir ~** *(personne)* gustarle a algn/querer aparentar; **il paraît que** parece que; **il me paraît que** me parece que; **il paraît absurde de/préférable que** parece absurdo/preferible que; **laisser ~ qch** dejar ver algo; **~ en justice** comparecer ante la justicia; **~ en scène/ en public/à l'écran** aparecer en escena/ en público/en la pantalla; **il ne paraît pas son âge** no representa su edad
parallèle [paʀalɛl] *adj* paralelo(-a) ■ *nm* paralelo ■ *nf (droite, ligne)* paralela; **faire un ~ entre** establecer un paralelo entre; **en ~** en paralelo; **mettre en ~** *(choses opposées)* confrontar; *(choses semblables)* cotejar
paralyser [paʀalize] *vt* paralizar
paralysie [paʀalizi] *nf* parálisis *f inv*
paramédical, e, -aux [paʀamedikal, o] *adj*: **personnel ~** personal *m* paramédico
paraphrase [paʀafʀɑz] *nf* paráfrasis *f inv*
parapluie [paʀaplɥi] *nm* paraguas *m inv*; **~ à manche télescopique** paraguas con mango telescópico; **~ atomique/ nucléaire** paraguas atómico/nuclear; **~ pliant** paraguas plegable
parasite [paʀazit] *nm* parásito ■ *adj* parásito(-a); **parasites** *nmpl (Tél)* parásitos *mpl*
parasol [paʀasɔl] *nm* quitasol *m*
paratonnerre [paʀatɔnɛʀ] *nm* pararrayos *m inv*
parc [paʀk] *nm* parque *m*; *(pour le bétail)* aprisco; *(de voitures)* aparcamiento; **~ à huîtres** criadero de ostras; **~ automobile** parque automovilístico; *(d'un pays)* parque automovilístico; *(d'une société)* parque móvil; **~ d'attractions** parque de atracciones; **~ national/ naturel** parque nacional/natural; **~ de**

stationnement aparcamiento;
~ zoologique parque zoológico
parcelle [parsɛl] nf (d'or, de vérité)
partícula; (de terrain) parcela
parce que [pars(ə)kə] conj porque
parchemin [parʃəmɛ̃] nm pergamino
parc(o)mètre [park(ɔ)mɛtr] nm
parquímetro
parcourir [parkurir] vt recorrer;
(journal, article) echar un vistazo a; **~ qch
des yeux** ou **du regard** recorrer algo con
la vista
parcours [parkur] vb voir **parcourir**
■ nm (trajet, itinéraire) trayecto; (Sport)
recorrido; **sur le ~** en el trayecto; **~ du
combattant** (Mil) pista americana
par-dessous [pard(ə)su] prép por
debajo de ■ adv por debajo
pardessus [pardəsy] nm abrigo
par-dessus [pard(ə)sy] prép por encima
de ■ adv por encima; **~ le marché** para
colmo
par-devant [pard(ə)vã] prép ante ■ adv
por delante
pardon [pardõ] nm perdón m ■ excl
¡perdón!; (se reprendre) ¡disculpe!;
demander ~ à qn (de ...) pedir perdón a
algn (por ...); **je vous demande ~** le pido
perdón; (contradiction) discúlpeme
pardonner [pardɔne] vt perdonar; **~
qch à qn** perdonar algo a algn; **~ à qn**
perdonar a algn; **qui ne pardonne pas**
(maladie, erreur) que no perdona
pare-brise [parbriz] nm inv parabrisas
m inv
pare-chocs [parʃɔk] nm inv
parachoques m inv
pareil, le [parɛj] adj igual; (similaire)
parecido(-a) ■ adv: **habillés ~** vestidos
de la misma manera; **faire ~** hacer lo
mismo; **un courage ~** tal valor; **de ~s
livres** tales libros; **j'en veux un ~** quiero
uno igual; **rien de ~** nada parecido; **ses
~s** sus semejantes; **ne pas avoir son (sa)
~(le)** no tener igual; **~ à** parecido(-a) a;
sans ~ sin igual; **c'est du ~ au même** es lo
mismo; **en ~ cas** en un caso parecido;
rendre la ~le à qn pagar a algn con la
misma moneda
parent, e [parã, ãt] nm/f pariente(-a)
■ adj: **être ~(s) de qn** ser pariente(s) de
algn; **parents** nmpl (père et mère) padres
mpl; (famille, proches) parientes mpl; **~s
adoptifs** padres adoptivos; **~s en ligne
directe** parientes por línea directa; **~s
par alliance** parientes políticos
parenté [parãte] nf (rapport, lien)
parentesco; (personnes) parentela;

(ressemblance, affinité) afinidad f; (entre
caractères) similitud f
parenthèse [parãtɛz] nf paréntesis m
inv; **ouvrir/fermer la ~** abrir/cerrar el
paréntesis; **entre ~s** (aussi fig) entre
paréntesis; **mettre entre ~s** dejar de
lado
paresse [parɛs] nf pereza, holgazanería
paresseux, -euse [parɛsø, øz] adj
perezoso(-a), flojo(-a) (AM); (démarche,
attitude) indolente; (estomac) atónico(-a)
■ nm (Zool) perezoso
parfait, e [parfɛ, ɛt] pp de **parfaire**
■ adj perfecto(-a) ■ nm (Ling) pretérito
perfecto; (Culin) helado ■ excl ¡perfecto!,
¡muy bien!
parfaitement [parfɛtmã] adv
perfectamente ■ excl ¡seguro!, ¡desde
luego!; **cela lui est ~ égal** le da
completamente igual
parfois [parfwa] adv a veces
parfum [parfœ̃] nm perfume m; (de
tabac, vin) aroma m; (de glace etc) sabor m
parfumé, e [parfyme] adj
perfumado(-a); **~ au café**
aromatizado(-a) con café, con sabor
a café
parfumer [parfyme] vt perfumar;
(crème, gâteau) aromatizar; **se parfumer**
vpr perfumarse
parfumerie [parfymri] nf perfumería;
rayon ~ sección f de perfumería
pari [pari] nm apuesta; **P~ Mutuel
Urbain** apuestas mutuas en las carreras de
caballos
parier [parje] vt apostar; **j'aurais parié
que si/non** hubiera apostado que sí/no
Paris [pari] n París
parisien, ne [parizjɛ̃, jɛn] adj (personne,
vie) parisino(-a); (Géo, Admin) parisiense
■ nm/f: **Parisien, ne** parisiense m/f
parjure [parʒyr] nm (faux serment)
perjurio ■ nm/f (personne) perjuro(-a)
parking [parkiŋ] nm aparcamiento
parlant, e [parlã, ãt] adj (portrait, image)
vivo(-a), elocuente; (comparaison, preuve)
concluyente; (Ciné) sonoro(-a) ■ adv:
généralement/humainement ~ en
términos generales/a nivel humano;
techniquement ~ técnicamente
hablando
parlement [parləmã] nm parlamento
parlementaire [parləmãtɛr] adj
parlamentario(-a) ■ nm/f (député)
parlamentario(-a); (négociateur)
delegado(-a)
parler [parle] nm habla ■ vi hablar;
(malfaiteur, complice) hablar, cantar; **~ de**

qch/qn hablar de algo/algn; **~ (à qn) de** hablar (a algn) de; **~ de faire qch** hablar de hacer algo; **~ pour qn** (*intercéder, plaider*) hablar en favor de algn; **~ le/en français** hablar el/en francés; **~ affaires/ politique** hablar de negocios/de política; **~ en dormant** hablar en sueños; **~ du nez** hablar gangoso; **~ par gestes** hablar por señas; **~ en l'air** hablar a la ligera; **sans ~ de** (*fig*) sin hablar de; **tu parles!** ¡ya ves!; **les faits parlent d'eux-mêmes** los hechos hablan por sí mismos; **n'en parlons plus** no se hable más

parloir [paʀlwaʀ] *nm* locutorio; (*d'un hôpital*) sala de visitas

parmi [paʀmi] *prép* entre, en medio de

paroi [paʀwa] *nf* pared *f*; **~ (rocheuse)** pared (rocosa)

paroisse [paʀwas] *nf* parroquia

parole [paʀɔl] *nf* palabra; **paroles** *nfpl* (*d'une chanson*) letra *fsg*; **la bonne ~** la palabra de Dios; **tenir ~** cumplir con su palabra; **n'avoir qu'une ~** no tener más que una palabra; **avoir/prendre la ~** tener/tomar la palabra; **demander/ obtenir la ~** pedir/conseguir la palabra; **donner la ~ à qn** conceder la palabra a algn; **perdre la ~** (*fig*) perder la palabra; **sur ~: croire qn sur ~** confiar en la palabra de algn; **prisonnier sur ~** preso bajo palabra; **temps de ~** tiempo asignado para hablar; **histoire sans ~s** historieta muda; **ma ~!** (*surprise*) ¡pero bueno!, ¡por Dios!; **~ d'honneur** palabra de honor

parquet [paʀkɛ] *nm* (*plancher*) parqué *m*; **le ~** (*Jur*) el tribunal de justicia

parrain [paʀɛ̃] *nm* padrino

parrainer [paʀene] *vt* apadrinar; (*suj: entreprise*) patrocinar

pars [paʀ] *vb voir* **partir**

parsemer [paʀsəme] *vt* cubrir; **~ qch de** sembrar algo de

part [paʀ] *vb voir* **partir** ■ *nf* parte *f*; (*de gâteau, fromage*) trozo, pedazo; (*titre*) acción *f*; **prendre ~ à** (*débat etc*) tomar parte en; (*soucis, douleur*) compartir; **faire ~ à qn** comunicar algo a algn; **pour ma ~** por mi parte; **à ~ entière** de pleno derecho; **de la ~ de** de parte de; **c'est de la ~ de qui?** (*au téléphone*) ¿de parte de quién?; **de toute(s) ~(s)** de todas partes; **de ~ et d'autre** a ou en ambos lados; **de ~ en ~** de parte a parte; **d'une ~ ... d'autre ~** por una parte ... por otra; **nulle/autre/ quelque ~** en ninguna/en otra/en alguna parte; **à ~** *adv* aparte ■ *adj* (*personne,*

place) aparte ■ *prép*: **à ~ cela** a parte de eso, excepto eso; **pour une large/bonne ~** en una larga/buena medida; **prendre qch en bonne/mauvaise ~** tomar algo en buen/mal sentido; **faire la ~ des choses** tener en cuenta las circunstancias, sopesar los pros y los contras; **faire la ~ du feu** (*fig*) cortar por lo sano; **faire la ~ trop belle à qn** darle todo en bandeja a algn

part. *abr* = **particulier**

partage [paʀtaʒ] *nm* reparto; **en ~: donner/recevoir qch en ~** dar/recibir algo en herencia; **sans ~** (*régner*) sin compartir el poder

partager [paʀtaʒe] *vt* repartir; **se partager** *vpr* repartirse; **~ un gâteau en quatre/une ville en deux** dividir un pastel en cuatro/una ciudad en dos; **~ qch avec qn** compartir algo con algn; **~ la joie de qn/la responsabilité d'un acte** compartir la alegría de algn/la responsabilidad de un acto

partenaire [paʀtənɛʀ] *nm/f* compañero(-a); **~s sociaux** agentes *mpl* sociales

parterre [paʀtɛʀ] *nm* (*de fleurs*) parterre *m*, arriate *m*; (*Théâtre*) patio de butacas

parti [paʀti] *nm* (*Pol, décision*) partido; (*groupe*) bando; (*personne à marier*): **un beau/riche ~** un buen partido; **tirer ~ de** sacar partido de; **prendre le ~ de faire qch** tomar la decisión de hacer algo; **prendre le ~ de qn** ponerse a favor de algn; **prendre ~ (pour/contre qn)** tomar partido (por/contra algn); **prendre son ~ de qch** resignarse a algo; **~ pris** prejuicio

partial, e, -aux [paʀsjal, jo] *adj* parcial

participant, e [paʀtisipɑ̃, ɑ̃t] *nm/f* participante *m/f*; (*à un concours*) concursante *m/f*; (*d'une société*) miembro, accionista *m/f*

participation [paʀtisipasjɔ̃] *nf* participación *f*; **la ~ aux frais** la contribución a los gastos; **la ~ aux bénéfices** la participación en los beneficios; **la ~ ouvrière** la participación obrera; **"avec la ~ de"** "con la participación de"

participer [paʀtisipe]: **~ à** *vt* participar en; (*chagrin*) compartir; **~ de** (*tenir de la nature de*) participar de

particularité [paʀtikylaʀite] *nf* particularidad *f*

particulier, -ière [paʀtikylje, jɛʀ] *adj* particular; (*intérêt, style*) propio(-a); (*entretien, conversation*) privado(-a); (*spécifique*) propio(-a), individual ■ *nm*

(individu) particular m; "~ vend ..."
(Comm) "particular vende ..."; **avec un
soin** con un cuidado especial; **avec une
attention particulière** con una atención
especial; **~ à** propio(-a) de; **en ~**
(précisément) en concreto; (en privé) en
privado; (surtout) especialmente
particulièrement [paʀtikyljɛʀmɑ̃] adv
(notamment) principalmente;
(spécialement) especialmente
partie [paʀti] nf parte f; (profession,
spécialité) rama; (Jur, fig: adversaire) parte
contraria; (de cartes, tennis, fig) partida; **~
de campagne/de pêche** salida al
campo/de pesca; **en ~** en parte; **faire ~
de qch** formar parte de algo; **prendre qn
à ~** habérselas con algn; (malmener)
atacar a algn, meterse con algn; **en
grande/majeure ~** en gran/la mayor
parte; **ce n'est que ~ remise** es sólo cosa
diferida, otra vez será; **avoir ~ liée avec
qn** estar aliado(-a) con algn; **~ civile** (Jur)
parte civil; **~ publique** (Jur) ministerio
público
partiel, le [paʀsjɛl] adj, nm parcial m
partir [paʀtiʀ] vi (gén) partir; (train, bus
etc) salir; (s'éloigner) marcharse; (pétard,
fusil) dispararse; (bouchon) saltar; (cris)
surgir; (se détacher) desprenderse; (tache)
desaparecer; (affaire, moteur) arrancar;
~ de (lieu) salir de; (suj: personne, route)
partir de; (date) comenzar en; (suj:
abonnement) comenzar a partir de;
(: proposition) nacer de, manar de;
~ pour/à (lieu, pays) salir para/hacia;
~ de rien comenzar de la nada; **à ~ de** a
partir de
partisan, e [paʀtizɑ̃, an] nm/f
seguidor(a), partidario(-a) ■ adj
partidario(-a); **être ~ de qch/de faire
qch** ser partidario(-a) de algo/de hacer
algo
partition [paʀtisjɔ̃] nf (Mus) partitura
partout [paʀtu] adv por todas partes;
~ où il allait por dondequiera que iba;
de ~ de todas partes; **trente/quarante ~**
(Tennis) iguales a treinta/a cuarenta,
empate m a treinta/a cuarenta
paru, e [paʀy] pp de **paraître**
parution [paʀysjɔ̃] nf aparición f,
publicación f
parvenir [paʀvəniʀ]: **~ à** vt llegar a,
arribar a (AM); **~ à ses fins/à la fortune/
à un âge avancé** alcanzar sus fines/la
fortuna/una edad avanzada; **faire ~
qch à qn** hacer llegar algo a algn
pas¹ [pɑ] nm paso; **~ à ~** paso a paso; **de**

ce **~** al momento; **marcher à grands ~**
andar dando zancadas; **mettre qn au ~**
meter a algn en vereda; **rouler au ~**
(Auto) ir a paso lento; **au ~ de
gymnastique/de course** a paso ligero/a
la carrera; **à ~ de loup** con paso sigiloso;
faire les cent ~ ir y venir, ir de un lado
para otro; **faire les premiers ~** (aussi fig)
dar los primeros pasos; **retourner** ou
revenir sur ses ~ volver sobre sus pasos;
se tirer d'un mauvais ~ salir del
atolladero; **sur le ~ de la porte** en el
umbral (de la puerta); **le ~ de Calais**
(détroit) el paso ou estrecho de Calais; **~
de porte** (Comm) entrada

 MOT-CLÉ

pas² [pɑ] adv **1** (avec ne, non etc): ne ... pas
no; **je ne vais pas à l'école** no voy a la
escuela; **je ne mange pas de pain** no
como pan; **il ne ment pas** no miente; **ils
n'ont pas de voiture/d'enfants** no
tienen coche/niños; **il m'a dit de ne pas
le faire** me ha dicho que no lo haga; **non
pas que ...** no es que ...; **je n'en sais pas
plus** no sé más; **il n'y avait pas plus de
200 personnes** no había más de 200
personas; **je ne reviendrai pas de sitôt**
tardaré en volver
2 (sans ne etc): **pas moi** yo no; (renforçant
l'opposition): **elle travaille, (mais) lui pas**
ou **pas lui** ella trabaja, (pero) él no; (dans
des réponses négatives): **pas de sucre,
merci!** ¡sin azúcar, gracias!; **une pomme
pas mûre** una manzana que no está
madura; **je suis très content - moi pas**
ou **pas moi** yo estoy muy contento - yo
no; **pas plus tard qu'hier** ayer mismo;
pas du tout (réponse) en absoluto; **ça ne
me plaît pas du tout** no me gusta nada;
ils sont 4 et non (pas) 3 son 4 y no 3; **pas
encore** todavía no; **ceci est à vous ou
pas?** ¿eso es suyo o no?
3: **pas mal** no está mal; **ça va? - pas
mal** ¿qué tal? - bien; **pas mal de**
(beaucoup de): **ils ont pas mal d'argent**
no andan mal de dinero

passage [pɑsaʒ] nm paso; (traversée)
travesía; (extrait) pasaje m; **sur le ~ du
cortège** en el recorrido del cortejo;
"laissez/n'obstruez pas le ~" "dejen/no
impidan el paso"; **de ~** (touristes) de paso;
(amants etc) de paso, de un día; **au ~** (en
passant) al paso, de paso; **~ à niveau** paso
a nivel; **~ à tabac** paliza; **~ à vide** (fig)
mal momento; **~ clouté** paso de

peatones; **~ interdit** prohibido el paso; **~ protégé/souterrain** paso protegido/subterráneo

passager, -ère [pasaʒe, ɛʀ] *adj* pasajero(-a); (*rue etc*) concurrido(-a) ■ *nm/f* pasajero(-a); **~ clandestin** polizón *m*

passant, e [pasã, ãt] *adj* transitado(-a) ■ *nm/f* transeúnte *m/f* ■ *nm* (*d'une ceinture, courroie*) trabilla; *voir aussi* **passer**

passe [pas] *nf* pase *m*; (*chenal*) pase, pasaje *m* ■ *nm* (*passe-partout*) llave *f* maestra; (*de cambrioleur*) ganzúa; **être en ~ de faire** estar a punto de hacer; **être dans une bonne/mauvaise ~** (*fig*) tener buena/mala racha; **~ d'armes** (*fig*) intercambio de réplicas

passé, e [pase] *adj* pasado(-a); (*couleur, tapisserie*) pasado(-a), descolorido(-a) ■ *prép*: **~ 10 heures/7 ans/ce poids** después de las 10/de 7 años/a partir de ese peso ■ *nm* pasado; (*Ling*) pretérito; **dimanche ~** el domingo pasado; **les vacances ~es** las vacaciones pasadas; **il est ~ midi** *ou* **midi ~** ya es pasado mediodía *ou* mediodía pasado; **par le ~** hace tiempo, en otro tiempo; **~ de mode** pasado(-a) de moda; **~ simple/composé** perfecto simple/pretérito perfecto

passe-partout [paspaʀtu] *nm inv* llave *f* maestra ■ *adj inv*: **tenue/phrase ~** vestimenta/frase *f* válida para todo momento

passeport [paspɔʀ] *nm* pasaporte *m*

passer [pase] *vi* pasar; (*air*) correr; (*liquide, café*) filtrarse, colarse; (*couleur, papier*) decolorarse ■ *vt* pasar; (*obstacle*) pasar, superar; (*doubler*) adelantar, pasar; (*frontière, rivière etc*) cruzar; (*examen: se présenter*) hacer; (*: réussir*) aprobar; (*réplique, plaisanterie*) dejar pasar; (*film, émission, disque*) poner; (*vêtement*) ponerse; (*café*) filtrar; **se passer** *vpr* (*scène, action*) transcurrir; (*s'écouler*) pasar; (*arriver*): **que s'est-il passé?** ¿qué ha pasado?; **~ par** pasar por; **~ chez qn** (*ami etc*) pasar por la casa de algn; **~ sur** (*fig*) pasar por alto; **~ qch (à qn)** (*faute, bêtise*) pasar por alto algo (a algn), aguantar algo (a algn); **~ qch à qn** (*grippe*) pasar algo a algn; **~ dans les mœurs/la langue** pasar a las costumbres/a la lengua; **~ devant/derrière qn/qch** pasar delante/detrás de algn/algo; **~ avant qch/qn** (*être plus important que*) estar antes de algo/de algn; **~ devant** (*accusé*) comparecer

ante; (*projet de loi*) ser presentado(-a) a; **laisser ~** dejar pasar; **~ dans la classe supérieure** pasar al curso superior; **~ directeur/président** ascender a director/a presidente; **~ en seconde/troisième** (*Auto*) meter segunda/tercera; **~ à la radio/télévision** salir en la radio/televisión; **~ à l'action** pasar a la acción; **~ aux aveux** decidirse a confesar; **~ inaperçu** pasar desapercibido; **~ outre (à qch)** hacer caso omiso (de algo); **~ pour riche/un imbécile/avoir fait qch** pasar por rico/un imbécil/haber hecho algo; **~ à table** sentarse a la mesa; **~ au salon/à côté** pasar al salón/a la habitación del lado; **~ à l'étranger/à l'opposition/à l'ennemi** pasarse al extranjero/a la oposición/al enemigo; **ne faire que ~** pasar solamente; **passe encore de** todavía pase que; **en passant: dire/remarquer qch en passant** decir/señalar algo de pasada; **venir voir qn/faire en passant** venir a ver a algn/hacer de paso; **faire ~ à qn le goût/l'envie de qch** quitarle a algn el gusto/las ganas de algo; **faire ~ qch/qn pour** hacer pasar algo/a algn por; **(faire) ~ qch dans/par** meter algo en/por; **passons** pasemos de eso; **ce film passe au cinéma/à la télé** ponen esa película en el cine/en la tele; **~ une radio/la visite médicale** hacerse una radiografía/un reconocimiento; **~ son chemin** pasar de largo; **je passe mon tour** paso; **~ qch en fraude** pasar algo de contrabando; **~ la tête/la main par la portière** sacar la cabeza/la mano por la ventanilla; **~ l'aspirateur** pasar la aspiradora; **je vous passe M. X** (*au téléphone*) le pongo *ou* comunico (*AM*) con el Sr. X; (*je lui passe l'appareil*) le paso a *ou* con el Sr. X; **~ la parole à qn** cederle la palabra a algn; **~ qn par les armes** pasar a algn por las armas; **~ commande** hacer un pedido; **~ un marché/accord** concertar un negocio/acuerdo; **se ~ les mains sous l'eau** lavarse las manos; **se ~ de l'eau sur le visage** echarse agua por la cara; **cela se passe de commentaires** habla por sí solo; **se ~ de qch** (*s'en priver*) pasarse sin algo

passerelle [pasʀɛl] *nf* pasarela; **~ (de commandement)** puente *m* (de mando)

passe-temps [pastã] *nm inv* pasatiempo

passif, -ive [pasif, iv] *adj* pasivo(-a) ■ *nm* (*Ling*) pasiva; (*Comm*) pasivo

passion [pasjɔ̃] *nf* pasión *f*; (*fanatisme*) fanatismo; **avoir la ~ de** tener pasión por; **la ~ du jeu/de l'argent** la pasión por el juego/por el dinero; **fruit de la ~** (Bot) fruta de la pasión

passionnant, e [pasjɔnɑ̃, ɑ̃t] adj apasionante

passionné, e [pasjɔne] adj apasionado(-a) ■ nm/f: **~ de** entusiasta m/f ou apasionado(-a) de; **être ~ de** ser un(a) apasionado(-a) de

passionnément [pasjɔnemɑ̃] adv apasionadamente

passionner [pasjɔne] vt apasionar; **se ~ pour qch** apasionarse por algo

passoire [paswaR] nf colador m; (à légumes) pasapurés m inv

pastèque [pastɛk] nf sandía

pasteur [pastœR] nm pastor m

pasteuriser [pastœRize] vt pasteurizar

pastille [pastij] nf pastilla; **~s pour la toux** pastillas de la tos

patate [patat] nf patata, papa (AM); **~ douce** batata, camote m (AM)

patauger [patoʒe] vi (pour s'amuser) chapotear; (avec effort) atascarse; **~ dans** (en marchant) tropezar en; (exposé etc) encasquillarse en, atascarse en

pâte [pat] nf pasta; (à frire) albardilla; **pâtes** nfpl (macaroni etc) pastas fpl; **fromage à ~ dure/molle** queso seco/cremoso; **~ à choux** crema de petisús; **~ à modeler** plastilina; **~ à papier** pasta de papel; **~ brisée** pasta quebrada; **~ d'amandes** pasta de almendra; **~ de fruits** fruta escarchada; **~ feuilletée** masa de hojaldre

pâté [pate] nm (Culin) paté m; (tache d'encre) borrón m; **~ de foie/de lapin** paté de hígado/de liebre; **~ de maisons** manzana de casas; **~ (de sable)** flan m (de arena); **~ en croûte** paté empanado

pâtée [pate] nf cebo

paternel, le [patɛRnɛl] adj paterno(-a)

pâteux, -euse [patø, øz] adj pastoso(-a); **avoir la bouche/langue pâteuse** tener la boca/lengua pastosa

pathétique [patetik] adj patético(-a)

patience [pasjɑ̃s] nf paciencia; (Cartes) solitario; **être à bout de ~** estar a punto de perder la paciencia; **perdre ~** perder la paciencia; **prendre ~** tomárselo con calma

patient, e [pasjɑ̃, jɑ̃t] adj, nm/f paciente m/f

patienter [pasjɑ̃te] vi esperar

patin [patɛ̃] nm patín m; **~ (de frein)** (Tech) zapata; **~s (à glace)** patines mpl (de cuchilla); **~s à roulettes** patines de ruedas

patinage [patinaʒ] nm patinaje m; **~ artistique/de vitesse** patinaje artístico/de velocidad

patiner [patine] vi patinar; **se patiner** vpr cubrirse de pátina

patineur, -euse [patinœR, øz] nm/f patinador(a)

patinoire [patinwaR] nf pista de patinaje

pâtir [patiR]: **~ de** vt padecer de

pâtisserie [patisRi] nf pastelería; (à la maison) repostería; **pâtisseries** nfpl (gâteaux) pasteles mpl

pâtissier, -ière [patisje, jɛR] nm/f pastelero(-a)

patois [patwa] nm dialecto

patrie [patRi] nf patria

patrimoine [patRimwan] nm patrimonio; **~ génétique** herencia genética

patriotique [patRijɔtik] adj patriótico(-a)

patron, ne [patRɔ̃, ɔn] nm/f (chef) jefe(-a), patrón(-ona); (propriétaire) dueño(-a); (Méd) médico(-a) jefe; (Rel) patrono(-a) ■ nm (Couture) patrón m; **~s et employés** patronos mpl y empleados; **~ de thèse** director m de tesis

patronat [patRɔna] nm empresariado

patronner [patRɔne] vt (personne, entreprise) patrocinar; (candidature) apoyar

patrouille [patRuj] nf patrulla; **~ de chasse** (Aviat) escuadrilla de caza; **~ de reconnaissance** patrulla de reconocimiento

patte [pat] nf (jambe) pierna; (d'animal) pata; (languette de cuir, d'étoffe) lengüeta; (de poche) solapa; **~s (de lapin)** (favoris) patillas fpl; **à ~s d'éléphant** (pantalon) de pata de elefante; **~s d'oie** (rides) patas fpl de gallo; **~s de mouche** (fig) letra fsg

pâturage [patyRaʒ] nm pasto

paume [pom] nf palma (de la mano)

paumé, e [pome] (fam) adj marginado(-a)

paupière [popjɛR] nf párpado

pause [poz] nf (arrêt, halte) parada; (en parlant) pausa; (Mus) silencio

pauvre [povR] adj, nm/f pobre m/f; **pauvres** nmpl: **les ~** los pobres; **~ en calcium** pobre en calcio

pauvreté [povRəte] nf pobreza

pavé, e [pave] adj pavimentado(-a) ■ nm (bloc de pierre) adoquín m; (pavage, pavement) pavimento; (de viande) trozo grueso; (fam: article, livre) tocho; **être sur le ~** estar en la calle; **~ numérique**

(*Inform*) teclado numérico; **~ publicitaire** panel *m* publicitario

pavillon [pavijɔ̃] *nm* pabellón *m*; (*maisonnette, villa*) chalet *m*; **~ de complaisance** pabellón de conveniencia

payant, e [pɛjɑ̃, ɑ̃t] *adj* (*hôte, spectacle*) que paga; (*entreprise, coup*) rentable; **c'est ~** hay que pagar; **c'est un spectacle ~** es un espectáculo en el que hay que pagar

paye [pɛj] *nf* paga

payement [pɛjmɑ̃] *nm* pago

payer [peje] *vt* pagar ■ *vi* (*métier*) dar dinero; (*effort, tactique*) dar fruto; **il me l'a fait ~ 10 euros** me ha cobrado 10 euros; **~ qn de** (*ses efforts, peines*) recompensar a algn por; **~ qch à qn** pagar algo a algn; **ils nous ont payé le voyage** nos han pagado el viaje; **~ par chèque/en espèces** pagar con cheque/en metálico; (*fig*) costar caro algo; **~ de sa personne** darse por entero; **~ d'audace** dar prueba de audacia; **cela ne paie pas de mine** eso tiene mal aspecto, eso no tiene buena cara; **se ~ qch** comprarse algo; **se ~ de mots** contentarse con palabras; **se ~ la tête de qn** burlarse de algn, tomar el pelo a algn; (*duper*) tomar el pelo a algn

pays [pei] *nm* país *msg*; (*région*) región *f*; (*village*) pueblo; **du ~** del país; **le ~ de Galles** el país de Gales

paysage [peizaʒ] *nm* paisaje *m*

paysan, ne [peizɑ̃, an] *nm/f* campesino(-a); (*aussi péj*) pueblerino(-a), paleto(-a) ■ *adj* rústico(-a)

Pays-Bas [peiba] *nmpl*: **les ~** los Países Bajos

PC [pese] *sigle m* (= *Parti communiste*) partido comunista; (= *personal computer*) OP (= *ordenador personal*)

PDA *sigle m* (= *personal digital assistant*) PDA *m*

PDG [pedeʒe] *sigle m* (= *président directeur général*) *voir* **président**

péage [peaʒ] *nm* peaje *m*; (*endroit*) paso de peaje; **autoroute/pont à ~** carretera/puente *m* de peaje

peau, x [po] *nf* piel *f*; (*de la peinture*) película; (*du lait*) nata; **une ~** (*morceau de peau*) un pellejo; **gants de ~** guantes *mpl* de piel; **être bien/mal dans sa ~** encontrarse/no encontrarse bien consigo mismo; **se mettre dans la ~ de qn** ponerse en el pellejo de algn; **faire ~ neuve** cambiar; **~ d'orange** piel de naranja; **~ de chamois** gamuza

péché [peʃe] *nm* pecado; **~ mignon** punto flaco, debilidad *f*

pêche [pɛʃ] *nf* pesca; (*endroit*) coto de pesca; (*fruit*) melocotón *m*, durazno (*AM*); **aller à la ~** ir de pesca; **avoir la ~** (*fam*) estar en buena forma; **à la ligne** pesca con caña; **~ sous-marine** pesca submarina

pécher [peʃe] *vi* pecar; (*être insuffisant*) ser incompleto(-a); **~ contre la bienséance/les bonnes mœurs** pecar contra la decencia/las buenas costumbres

pêcher [peʃe] *nm* melocotonero ■ *vi* ir de pesca ■ *vt* pescar; (*chercher*) sacar; **~ au chalut** pescar con red

pêcheur, -eresse [peʃœʀ, peʃʀɛs] *nm/f* pecador(a)

pêcheur [peʃœʀ] *nm* pescador *m*; **~ de perles** pescador de perlas

pédagogie [pedagɔʒi] *nf* pedagogía

pédagogique [pedagɔʒik] *adj* pedagógico(-a); **formation ~** formación *f* pedagógica

pédale [pedal] *nf* pedal *m*; **mettre la ~ douce** atenuar la expresión, bajar el tono

pédalo [pedalo] *nm* barca a pedal

pédant, e [pedɑ̃, ɑ̃t] (*péj*) *adj, nm/f* pedante *m/f*

pédestre [pedɛstʀ] *adj*: **tourisme ~** turismo pedestre; **randonnée ~** excursión *f* a pie

pédiatre [pedjatʀ] *nm/f* pediatra *m/f*

pédicure [pedikyʀ] *nm/f* pedicuro(-a)

pègre [pɛgʀ] *nf* hampa

peigne [pɛɲ] *vb voir* **peindre**; **peigner** ■ *nm* peine *m*

peigner [peɲe] *vt* peinar; **se peigner** *vpr* peinarse

peignoir [peɲwaʀ] *nm* (*chez le coiffeur*) peinador *m*; (*de sportif*) albornoz *m*; (*déshabillé*) salto de cama; **~ de bain** *ou* **de plage** albornoz

peindre [pɛ̃dʀ] *vt* pintar

peine [pɛn] *nf* pena; (*effort, difficulté*) trabajo; (*Jur*) condena; **faire de la ~ à qn** hacer sufrir a algn; **prendre la ~ de faire** tomarse la molestia de hacer; **se donner de la ~** esforzarse; **ce n'est pas la ~ de faire/que vous fassiez** no vale la pena hacer/que haga; **avoir de la ~ à faire** costarle trabajo a algn hacer; **donnez-vous/veuillez vous donner la ~ d'entrer** sírvase usted entrar; **pour la ~** en compensación; **c'est ~ perdue** es perder el tiempo; **à ~** apenas, recién (*AM*); **à ~ était-elle sortie qu'il se mit à pleuvoir** apenas salió se puso a llover; **c'est à ~ si**

... apenas si ...; **sous ~**: **sous ~ d'être puni** so pena de ser castigado; **défense d'afficher sous ~ d'amende** prohibido fijar carteles bajo multa; **~ capitale** ou **de mort** pena capital ou de muerte

peiner [pene] vi cansarse ■ vt apenar

peintre [pɛ̃tʀ] nm pintor(a); **~ en bâtiment** pintor (de brocha gorda)

peinture [pɛ̃tyʀ] nf pintura; **ne pas pouvoir voir qn en ~** no poder ver a algn ni en pintura; **"~ fraîche"** "recién pintado"; **~ brillante/mate** pintura brillante/mate; **~ laquée** laca

péjoratif, -ive [peʒɔʀatif, iv] adj peyorativo(-a), despectivo(-a)

pêle-mêle [pɛlmɛl] adv en desorden

peler [pəle] vt pelar ■ vi pelarse

pèlerin [pɛlʀɛ̃] nm peregrino

pèlerinage [pɛlʀinaʒ] nm peregrinación f; (lieu) centro de peregrinación

pelle [pɛl] nf pala; **~ à gâteau** ou **à tarte** paleta; **~ mécanique** excavadora

pellicule [pelikyl] nf (couche fine) película; (Photo) rollo, carrete m; (Ciné) cinta; **pellicules** nfpl (Méd) caspa fsg

pelote [p(ə)lɔt] nf (de fil, laine) ovillo; (d'épingles, d'aiguilles) acerico; (balle, jeu): **~ (basque)** pelota (vasca)

peloton [p(ə)lɔtɔ̃] nm pelotón m; **~ d'exécution** pelotón de ejecución

pelotonner [p(ə)lɔtɔne] vpr: **se pelotonner** acurrucarse

pelouse [p(ə)luz] nf césped m; (Courses) pista

peluche [p(ə)lyʃ] nf (flocon de poussière, poil) pelusa; **animal en ~** muñeco de peluche

pelure [p(ə)lyʀ] nf piel f; **~ d'oignon** capa; (couleur) violáceo

pénal, e, -aux [penal, o] adj penal

pénalité [penalite] nf penalidad f; (Sport) sanción f

penchant [pɑ̃ʃɑ̃] nm inclinación f; **avoir un ~ pour qch** tener una inclinación hacia algo

pencher [pɑ̃ʃe] vi inclinarse ■ vt inclinar; **se pencher** vpr inclinarse; (se baisser) agacharse; **se ~ sur** inclinarse sobre; (fig) examinar; **se ~ au dehors** asomarse; **~ pour** (fig) inclinarse por

pendant, e [pɑ̃dɑ̃, ɑ̃t] adj (jambes, langue etc) colgante; (Admin, Jur) pendiente ■ nm: **être le ~ de** ser el compañero de; (fig) ser equiparable con ■ prép durante; **faire ~ à** hacer pareja con; **~ que** mientras; **~s d'oreilles** pendientes mpl

pendentif [pɑ̃dɑ̃tif] nm colgante m

penderie [pɑ̃dʀi] nf ropero

pendre [pɑ̃dʀ] vt colgar; (personne) ahorcar ■ vi colgar; **se ~ (à)** (se suicider) ahorcarse (de); **se ~ à** colgarse de; **~ à** colgar de; **~ qch à** colgar algo de

pendule [pɑ̃dyl] nf (horloge) reloj m péndulo ■ nm péndulo

pénétrer [penetʀe] vi penetrar ■ vt entrar; (suj: projectile, mystère, secret) penetrar; **~ dans/à l'intérieur de** penetrar en/en el interior de; (suj: air, eau) entrar en; **se ~ de qch** llenarse de algo

pénible [penibl] adj penoso(-a); **il m'est ~ de ...** me resulta penoso ...

péniblement [penibləmɑ̃] adv penosamente; (tout juste) a duras penas

péniche [peniʃ] nf chalana; (Mil): **~ de débarquement** lanchón m de desembarco

pénicilline [penisilin] nf penicilina

péninsule [penɛ̃syl] nf península

pénis [penis] nm pene m

pénitence [penitɑ̃s] nf penitencia; **être/mettre en ~** (enfant) estar castigado(-a)/castigar; **faire ~** hacer penitencia

pénitencier [penitɑ̃sje] nm (prison) penitenciaría

pénombre [penɔ̃bʀ] nf penumbra

pensée [pɑ̃se] nf (aussi Bot) pensamiento; (maxime, sentence) aforismo; (démarche): **~ claire/obscure/ organisée** ideas fpl claras/oscuras/ organizadas; **en ~** con el pensamiento; **representer qch par la** ou **en ~** imaginarse algo con el pensamiento

penser [pɑ̃se] vi pensar; (avoir une opinion): **je ne pense pas comme vous** no pienso como usted ■ vt pensar; (concevoir: problème, machine) pensar, idear; **~ à** pensar en; **~ que** pensar que, creer que; **~ (à) faire qch** pensar (en) hacer algo; **~ du bien/du mal de qn/qch** pensar bien/mal de algn/algo; **faire ~ à** hacer pensar en, recordar; **n'y pensons plus** (pour excuser, pardonner) olvidémoslo; **qu'en pensez-vous?** ¿qué opina usted?; **je le pense aussi** yo también lo creo; **je ne le pense pas** no lo creo; **j'aurais pensé que si/non** no habría creído que sí/no; **je pense que oui/non** creo que sí/no; **vous n'y pensez pas!** ¡ni lo sueñe!; **sans ~ à mal** sin mala intención

pensif, -ive [pɑ̃sif, iv] adj pensativo(-a)

pension [pɑ̃sjɔ̃] nf pensión f de jubilación; (prix du logement, hôtel) pensión; (*école*) internado; **prendre ~ chez qn/dans un hôtel** alojarse en casa de algn/en un hotel; **prendre qn en ~** coger a algn en pensión; **mettre en ~** (*enfant*) meter interno; **~ alimentaire** (*d'étudiant*) pensión alimenticia; (*de divorcée*) pensión; **~ complète** pensión completa; **~ d'invalidité** subsidio de invalidez; **~ de famille** casa de huéspedes; **~ de guerre** pensión de mutilado

pensionnaire [pɑ̃sjɔnɛʀ] *nm/f* (*d'un hôtel*) huésped *m*; (*d'école*) interno(-a)

pensionnat [pɑ̃sjɔna] *nm* pensionado; (*élèves*) internado

pente [pɑ̃t] *nf* pendiente *f*; (*descente*) cuesta; **en ~** en pendiente, en cuesta

Pentecôte [pɑ̃tkot] *nf*: **la ~** Pentecostés *msg*; **lundi de ~** lunes *m inv* de Pentecostés

pénurie [penyʀi] *nf* penuria, escasez *f*; **~ de main d'œuvre** escasez de mano de obra

pépé [pepe] (*fam*) *nm* abuelo

pépin [pepɛ̃] *nm* (*Bot*) pepita; (*fam: ennui*) lío; (: *parapluie*) paraguas *m inv*

pépinière [pepinjɛʀ] *nf* vivero; (*fig*) cantera

perçant, e [pɛʀsɑ̃, ɑ̃t] *adj* (*vue, regard, yeux*) perspicaz; (*cri, voix*) agudo(-a)

percepteur [pɛʀsɛptœʀ] *nm* (*Admin*) recaudador(a) de impuestos

perception [pɛʀsɛpsjɔ̃] *nf* percepción *f*; (*d'impôts etc*) recaudación *f*; (*bureau*) oficina de recaudación

percer [pɛʀse] *vt* (*métal etc*) perforar; (*coffre-fort*) abrir; (*pneu*) pinchar; (*abcès*) reventar; (*trou etc*) abrir; (*suj: lumière: obscurité*) atravesar; (*mystère, énigme*) penetrar; (*suj: bruit: oreilles, tympan*) traspasar ■ *vi* (*aube, dent etc*) salir; (*artiste*) abrirse camino

perceuse [pɛʀsøz] *nf* taladradora, perforadora; **~ à percussion** perforadora neumática

percevoir [pɛʀsəvwaʀ] *vt* percibir; (*taxe, impôt*) recaudar

perche [pɛʀʃ] *nf* (*Zool*) perca; (*pièce de bois, métal*) vara; (*Sport*) pértiga; (*TV, Radio, Ciné*): **~ à son** jirafa del micrófono

percher [pɛʀʃe] *vt*: **~ qch sur** colocar algo sobre; **se percher** *vpr* (*oiseau*) encaramarse

perchoir [pɛʀʃwaʀ] *nm* percha; (*Pol*) sede *f*

perçois *etc* [pɛʀswa] *vb voir* **percevoir**

perçu, e [pɛʀsy] *pp de* **percevoir**

percussion [pɛʀkysjɔ̃] *nf* percusión *f*

percuter [pɛʀkyte] *vt* percutir; (*suj: véhicule*) chocar ■ *vi*: **~ contre** chocar contra

perdant, e [pɛʀdɑ̃, ɑ̃t] *nm/f* perdedor(a) ■ *adj* (*numéro*) no agraciado(-a)

perdre [pɛʀdʀ] *vt* perder; (*argent*) gastar ■ *vi* perder; **se perdre** *vpr* perderse; **il ne perd rien pour attendre** a ése le espero yo

perdrix [pɛʀdʀi] *nf* perdiz *f*

perdu, e [pɛʀdy] *pp de* **perdre** ■ *adj* perdido(-a); (*malade, blessé*): **il est ~** está desahuciado; **à vos moments ~s** en sus ratos libres

père [pɛʀ] *nm* padre *m*; **pères** *nmpl* padres *mpl*; **de ~ en fils** de padre a hijo; **~ de famille** padre de familia; **mon ~** (*Rel*) padre; **le ~ Noël** el papá Noel

perfection [pɛʀfɛksjɔ̃] *nf* perfección *f*; **à la ~** a la perfección

perfectionné, e [pɛʀfɛksjɔne] *adj* perfeccionado(-a)

perfectionner [pɛʀfɛksjɔne] *vt* perfeccionar

perforatrice [pɛʀfɔʀatʀis] *nf* perforadora, taladradora

perforer [pɛʀfɔʀe] *vt* perforar

performant, e [pɛʀfɔʀmɑ̃, ɑ̃t] *adj* (*Écon*) competitivo(-a); (*Tech*) en buen rendimiento

perfusion [pɛʀfyzjɔ̃] *nf* perfusión *f*; **être sous ~** tener puesto el gotero

péril [peʀil] *nm* peligro; **au ~ de sa vie** con riesgo de su vida; **à ses risques et ~s** por su cuenta y riesgo

périmé, e [peʀime] *adj* (*conception, idéologie*) pasado(-a) de moda; (*passeport, billet*) caducado(-a)

périmètre [peʀimɛtʀ] *nm* perímetro; (*zone*) superficie *f*

période [peʀjɔd] *nf* periodo; **~ de l'ovulation/d'incubation** periodo de ovulación/de incubación

périodique [peʀjɔdik] *adj* periódico(-a) ■ *nm* periódico; **garniture** *ou* **serviette ~** compresa

périphérique [peʀifeʀik] *adj* periférico(-a) ■ *nm* (*Inform*) periférico; (*Auto*): **(boulevard) ~** carretera de circunvalación

périr [peʀiʀ] *vi* (*personne*) perecer; (*navire*) naufragar

périssable [peʀisabl] *adj* perecedero(-a)

perle [pɛʀl] *nf* (*aussi personne, chose*) perla; (*de verre etc*) cuenta; (*de rosée, sang, sueur*) gota; (*erreur*) gazapo

permanence [pɛʀmanɑ̃s] *nf* permanencia; (*local*) guardia; (*Scol*)

permanencia; **assurer une ~** (*service
public, bureaux*) estar abierto(-a); **être de
~** estar de guardia; **en ~**
permanentemente
permanent, e [pɛʀmanɑ̃, ɑ̃t] *adj*
permanente; (*spectacle*) continuo(-a)
■ *nm* (*d'un syndicat*) representante *m*;
(*d'un parti*) miembro permanente
permanente [pɛʀmanɑ̃t] *nf*
permanente *f*
perméable [pɛʀmeabl] *adj* permeable;
~ à (*fig*) influenciable por
permettre [pɛʀmɛtʀ] *vt* permitir; **rien
ne permet de penser que ...** nada
permite pensar que ...; **~ à qn de faire
qch** permitir a algn hacer algo; **se ~ (de
faire) qch** permitirse (hacer) algo;
permettez! ¡perdone!
permis, e [pɛʀmi, iz] *pp de* **permettre**
■ *nm* permiso; **~ d'inhumer** permiso de
inhumación; **~ de chasse/pêche/
construction** licencia de caza/pesca/
construcción; **~ de conduire** carnet *m* de
conducir; **~ de séjour/de travail** permiso
de residencia/de trabajo; **~ poids lourds**
carnet de primera
permission [pɛʀmisjɔ̃] *nf* permiso; **en ~**
(*Mil*) de permiso; **avoir la ~ de faire qch**
tener permiso para hacer algo
Pérou [peʀu] *nm* Perú *m*
perpétuel, le [pɛʀpetɥɛl] *adj*
perpetuo(-a); (*Admin etc*) vitalicio(-a);
(*jérémiades*) continuo(-a)
perpétuité [pɛʀpetɥite] *nf*: **à ~** *adj* a
perpetuidad ■ *adv* perpetuamente; **être
condamné à ~** estar condenado a cadena
perpetua
perplexe [pɛʀplɛks] *adj* perplejo(-a)
perquisitionner [pɛʀkizisjɔne] *vi*
registrar
perron [peʀɔ̃] *nm* escalinata
perroquet [peʀɔkɛ] *nm* loro
perruche [peʀyʃ] *nf* cotorra
perruque [peʀyk] *nf* peluca
persécuter [pɛʀsekyte] *vt* perseguir
persévérer [pɛʀsevere] *vi* perseverar;
~ à croire que obstinarse en creer que;
~ dans qch perseverar en algo
persil [pɛʀsi] *nm* perejil *m*
Persique [pɛʀsik] *adj*: **le golfe ~** el Golfo
pérsico
persistant, e [pɛʀsistɑ̃, ɑ̃t] *adj*
persistente; (*feuilles, feuillage*) perenne;
arbre à feuillage ~ árbol de hoja perenne
persister [pɛʀsiste] *vi* persistir; **~ dans
qch** persistir en algo; **~ à faire qch**
empeñarse en hacer algo
personnage [pɛʀsɔnaʒ] *nm* personaje *m*

personnalité [pɛʀsɔnalite] *nf*
personalidad *f*
personne [pɛʀsɔn] *nf* persona; (*Ling*):
première/troisième ~ primera/tercera
persona ■ *pron* nadie; **personnes** *nfpl*
personas *fpl*; **il n'y a ~** no hay nadie; **10
euros par ~** 10 euros por persona; **en ~** en
persona; **~ à charge** (*Jur*) persona a su
cargo; **~ âgée** persona mayor; **~ civile/
morale** (*Jur*) persona civil/moral
personnel, le [pɛʀsɔnɛl] *adj* personal;
(*égoïste*) suyo(-a); (*taxe, contribution*)
individual ■ *nm* (*domestiques*)
servidumbre *f*; (*employés*) plantilla; **il a
des idées très ~les sur le sujet** tiene sus
propias ideas sobre el tema; **service du ~**
servicio de personal
personnellement [pɛʀsɔnɛlmɑ̃] *adv*
personalmente
perspective [pɛʀspɛktiv] *nf*
perspectiva; **perspectives** *nfpl* (*d'avenir*)
perspectivas *fpl*; **en ~** en perspectiva
perspicace [pɛʀspikas] *adj* perspicaz
perspicacité [pɛʀspikasite] *nf*
perspicacia
persuader [pɛʀsɥade] *vt*: **~ qn (de qch/
de faire qch)** persuadir a algn (de algo/de
hacer algo); **j'en suis persuadé** estoy
convencido
persuasif, -ive [pɛʀsɥazif, iv] *adj*
persuasivo(-a)
perte [pɛʀt] *nf* pérdida; (*morale*)
perdición *f*; **pertes** *nfpl* (*personnes tuées*)
bajas *fpl*; (*Comm*) déficit *m*; **vendre à ~**
hacer dumping; **à ~ de vue** hasta
perderse de vista; (*discourir, raisonner*)
hasta nunca acabar; **en pure ~** sin
ganancia alguna; **courir à sa ~** arriesgar
mucho; **être en ~ de vitesse** (*fig*) estar
de capa caída; **avec ~ et fracas** sin
contemplaciones; **~ de chaleur/
d'énergie** pérdida de calor/de energía; **~
sèche** pérdida total; **~s blanches** flujo *msg*
pertinent, e [pɛʀtinɑ̃, ɑ̃t] *adj* pertinente
perturbation [pɛʀtyʀbasjɔ̃] *nf*
perturbación *f*; **~ (atmosphérique)**
perturbación (atmosférica)
perturber [pɛʀtyʀbe] *vt* perturbar
pervenche [pɛʀvɑ̃ʃ] *nf* (*Bot*)
rincapervinca ■ *adj*: **bleu ~** azul intenso
pervers, e [pɛʀvɛʀ, ɛʀs] *adj, nm/f*
perverso(-a); **effet ~** efecto perverso
pervertir [pɛʀvɛʀtiʀ] *vt* pervertir;
(*altérer, dénaturer*) desnaturalizar
pesant, e [pəzɑ̃, ɑ̃t] *adj* pesado(-a)
■ *nm*: **valoir son ~ de** valer su peso en
pèse-personne [pɛzpɛʀsɔn] (*pl* **~(s)**) *nm*
báscula

peser [pəze] vt pesar; (considérer, comparer) ponderar ▪ vi pesar; (fig) tener peso; ~ **sur** (levier, bouton) apretar sobre; (fig) abrumar; (suj: aliment, fardeau, impôt) pesar; (influencer: décision) influir en; ~ **à qn** molestar a algn; ~ **cent kilos/peu** pesar cien kilos/poco

pessimiste [pesimist] adj, nm/f pesimista m/f

peste [pɛst] nf (Méd) peste f; (femme, fillette): **quelle ~!** ¡es más mala que la peste!

pet [pɛ] (fam!) nm pedo

pétale [petal] nm pétalo

pétanque [petɑ̃k] nf petanca

pétard [petaʀ] nm (feu d'artifice) petardo, cohete m; (de cotillon) petardo

péter [pete] vi (sauter) estallar; (casser) romperse; (fam!) tirarse pedos

pétillant, e [petijɑ̃, ɑ̃t] adj (eau) con gas; (vin) espumoso(-a); (regard) chispeante

pétiller [petije] vi (flamme, bois) chisporrotear; (mousse, champagne) burbujear; (joie, yeux) chispear; (fig): ~ **d'intelligence** chispear de ingenio

petit, e [p(ə)ti, it] adj pequeño(-a), chico(-a) (esp AM); (personne, cri) bajo(-a); (mince) fino(-a); (court) corto(-a) ▪ nm/f (petit enfant) pequeño(-a) ▪ nm (d'un animal) cachorro(-a); **petits** nmpl: **la classe des ~s** la clase de párvulos; **faire des ~s** (animal) tener cachorros; **en ~** en pequeño; **mon ~** mi niño; **ma ~e** mi niña; **pauvre ~** pobre crío; **pour ~s et grands** para pequeños y mayores; **les tout-~s** los pequeñitos; **~ à ~** poco a poco; **~(e) ami(e)** novio(-a); **~ déjeuner** desayuno; **~ doigt** dedo meñique; **~ écran** televisión f; **~ four** pastelillo; **~ pain** panecillo; **~e monnaie** calderilla; **~e vérole** viruela; **~s pois** guisantes mpl, arvejas fpl (AM), chícharos mpl (Mex); **les ~es annonces** anuncios mpl por palabras; **~es gens** gente f humilde

petite-fille [pətitfij] (pl **petites-filles**) nf nieta

petit-fils [pətifis] (pl **petits-fils**) nm nieto

pétition [petisjɔ̃] nf petición f; **faire signer une ~** recoger firmas

petits-enfants [pətizɑ̃fɑ̃] nmpl nietos mpl

pétrin [petʀɛ̃] nm artesa; (fig): **être dans le ~** estar en un apuro

pétrir [petʀiʀ] vt (argile, cire) moldear; (pâte) amasar; (palper fortement) manosear

pétrole [petʀɔl] nm petróleo; **lampe à ~** lámpara de petróleo; **~ lampant** petróleo lampante

pétrolier, -ière [petʀɔlje, jɛʀ] adj petrolero(-a) ▪ nm petrolero; (technicien) técnico de petróleo

 MOT-CLÉ

peu [pø] adv **1** poco; **il boit peu** bebe poco; **il est peu bavard** es poco hablador; **elle est un peu grande** es un poco grande; **peu avant/après** poco antes/después; **depuis peu** desde hace poco

2 (modifiant nom): **peu de** poco(-a), pocos(-as); (quantité): **il a peu d'espoir** tiene pocas esperanzas; **il y a peu d'arbres** hay pocos árboles; **avoir peu de pain** tener poco pan; **pour peu de temps** por poco tiempo; **c'est (si) peu de chose** eso es (muy) poca cosa

3: **peu à peu** poco a poco; **à peu près** adv más o menos; **à peu près 10 kg/10 euros** unos 10 kg/10 euros, como 10 kg/10 euros (AM); **à peu de frais** con poco gasto

▪ nm **1**: **le peu de gens qui** los pocos que; **le peu de sable qui** la poca arena que; **le peu de courage qui nous restait** el poco valor que nos quedaba

2: **un peu** un poco; **un petit peu** un poquito; **un peu d'espoir** cierta esperanza; **essayez un peu!** ¡mire a ver!; **un peu plus/moins de** un poco más/menos de; **un peu plus et il ratait son train** un poco más y pierde el tren; **pour peu qu'il travaille, il réussira** a poco que trabaje, aprobará

▪ pron: **peu le savent** pocos lo saben; **avant** ou **sous peu** dentro de poco; **de peu**: **il a gagné de peu** ganó por poco; **il s'en est fallu de peu (qu'il ne le blesse)** faltó muy poco (para que lo hiriese); **éviter qch de peu** evitar algo por poco; **il est de peu mon cadet** es un poco más pequeño que yo

peuple [pœpl] nm pueblo; (péj): **le ~** el pueblo; (masse indifférenciée): **un ~ de vacanciers** una masa de veraneantes; **il y a du ~** hay un gentío

peupler [pœple] vt poblar; **se peupler** vpr (aussi fig) poblarse

peuplier [pøplije] nm álamo

peur [pœʀ] nf miedo; **avoir ~ (de qn/qch/de faire qch)** tener miedo (de ou a algn/algo/de hacer algo); **avoir ~ que**

temer que; **prendre ~** asustarse; **la ~ de qn/qch/faire qch** el temor de algn/algo/ hacer algo; **faire ~ à qn** asustar a algn; **de ~ de/que** por miedo a/a que

peureux, -euse [pørø, øz] *adj* (*personne*) miedoso(-a); (*regard*) atemorizado(-a)

peut [pø] *vb voir* **pouvoir**

peut-être [pøtɛtʀ] *adv* quizá(s), a lo mejor; **~ bien (qu'il fera/est)** puede (que haga/sea); **~ que** quizá(s), a lo mejor; **~ fera-t-il beau dimanche** quizás haga bueno el domingo, a lo mejor hace bueno el domingo

phallocrate [falɔkʀat] *nm* falócrata *m*

phare [faʀ] *nm* faro ■ *adj*: **produit ~** producto estrella; **se mettre en ~s, mettre ses ~s** poner la luz larga; **~s de recul** faros de marcha atrás

pharmacie [faʀmasi] *nf* farmacia; (*produits, armoire*) botiquín *m*

pharmacien, ne [faʀmasjɛ̃, jɛn] *nm/f* farmacéutico(-a)

phénomène [fenɔmɛn] *nm* fenómeno; (*personne*) bicho raro; (*monstre*) monstruo

philanthrope [filɑ̃tʀɔp] *nm/f* filántropo

philosophe [filɔzɔf] *adj, nm/f* filósofo(-a)

philosophie [filɔzɔfi] *nf* filosofía

phobie [fɔbi] *nf* fobia

phoque [fɔk] *nm* foca; (*fourrure*) piel *f* de foca

phosphorescent, e [fɔsfɔʀesɑ̃, ɑ̃t] *adj* fosforescente

photo [fɔto] *nf* (*abr de photographie*) foto *f* ■ *adj* (*abr de photographique*): **appareil/ pellicule ~** máquina/carrete *m* de fotos; **en ~**: **être mieux en ~ qu'au naturel** salir mejor en foto que al natural; **prendre (qn) en ~** hacer una foto (a algn); **il aime la ~** le gusta la fotografía; **faire de la ~** hacer fotografía; **~ d'identité** foto de carnet; **~ en couleurs** foto en color

photo... [fɔto] *préfixe* foto...

photocopie [fɔtokɔpi] *nf* fotocopia

photocopier [fɔtokɔpje] *vt* fotocopiar

photocopieuse [fɔtokɔpjøz] *nf* fotocopiadora

photographe [fɔtɔgʀaf] *nm/f* fotógrafo(-a)

photographie [fɔtɔgʀafi] *nf* fotografía

photographier [fɔtɔgʀafje] *vt* fotografiar

phrase [fʀaz] *nf* (*Ling, propos*) frase *f*; **phrases** *nfpl* (*péj*) palabras *fpl*

physicien, ne [fizisjɛ̃, jɛn] *nm/f* físico(-a)

physique [fizik] *adj* físico(-a) ■ *nm* físico ■ *nf* física; **au ~** físicamente

physiquement [fizikmɑ̃] *adv* físicamente

pianiste [pjanist] *nm/f* pianista *m/f*

piano [pjano] *nm* piano; **~ à queue** piano de cola; **~ mécanique** organillo

pianoter [pjanɔte] *vi* tocar el piano, teclear; (*tapoter*) tamborilear

pic [pik] *nm* pico; (*Zool*) pájaro carpintero; **à ~** escarpado(-a); (*fig*): **arriver/tomber à ~** venir/caer de perilla; **couler à ~** (*bateau*) irse a pique; **~ à glace** pico

pichet [piʃɛ] *nm* jarro

picorer [pikɔʀe] *vt* picotear

pie [pi] *nf* (*Zool*) urraca; (*fig: femme*) cotorra ■ *adj inv*: **cheval ~** caballo pío

pièce [pjɛs] *nf* pieza; (*d'un logement*) habitación *f*; (*Théâtre*) obra; (*de monnaie*) moneda; (*Couture*) parche *m*; (*document*) documento; (*de bétail*) cabeza de ganado; **mettre en ~s** hacer pedazos; **en ~s** roto(-a) en pedazos; **dix euros la ~** diez euros la unidad; **vendre à la ~** vender por unidades; **travailler/payer à la ~** trabajar/cobrar a destajo; **créer/ inventer de toutes ~s** crear/inventar completamente; **maillot une ~** bañador *m*; **un deux-~s cuisine** apartamento con dos habitaciones y cocina; **un trois-~s** (*costume*) un tres piezas *m inv*; (*appartement*) apartamento con tres habitaciones; **tout d'une ~** de una pieza; (*personne: franc*) cabal franco(-a); (: *sans souplesse*) rígido(-a); **~ d'identité: avez-vous une ~ d'identité?** ¿tiene usted algún documento de identidad?; **~ à conviction** prueba de convicción; **~ d'eau** estanque *m*; **~ de rechange** pieza de recambio; **~ de résistance** (*plat*) plato fuerte; **~ jointe** (*Inform*) archivo adjunto; **~ montée** tarta nupcial; **~s détachées** piezas *fpl* de repuesto; **en ~s détachées** (*à monter*) en piezas montables; **~s justificatives** comprobantes *msg*

pied [pje] *nm* pie *m*; (*Zool, d'un meuble, d'une échelle*) pata; (*d'une falaise*) base *f*; **~s nus** *ou* **nu-~s** descalzo(-a); **à ~** a pie; **à ~ sec** pie enjuto; **à ~ d'œuvre** al pie del cañón; **au ~ de la lettre** al pie de la letra; **au ~ levé** de repente; **de ~ en cap** de los pies a la cabeza; **en ~** (*portrait, photo*) de cuerpo entero; **avoir ~** hacer pie; **avoir le ~ marin** no marearse; **perdre ~** (*fig*) perder pie; **sur ~** (*Agr*) antes de recoger; (*rétabli*) restablecido(-a); **être sur ~ dès cinq heures** estar en pie desde las cinco; **mettre sur ~** (*entreprise*) poner en pie; **mettre à ~** echar a la calle; **sur le ~ de guerre** en pie de guerra; **sur un ~ d'égalité** sobre una base de igualdad; **sur ~ d'intervention** en alerta; **faire du ~ à**

qn dar con el pie a algn; **mettre les ~s
quelque part** poner los pies en algún
sitio; **faire des ~s et des mains** revolver
Roma con Santiago; **mettre qn au ~ du
mur** poner a algn entre la espada y la
pared; **quel ~!** ¡fantástico!; **c'est le ~!**
(fam) ¡es fenomenal!; **se lever du bon ~**
levantarse con buen pie; **il s'est levé du ~
gauche** se ha levantado con el pie
izquierdo; **~ de nez** palmo de narices; **~
de lit** pata de la cama; **~ de salade** planta
de ensalada; **~ de vigne** cepa
pied-noir [pjenwaʀ] (pl **pieds-noirs**)
nm/f francés nacido en Argelia
piège [pjɛʒ] nm trampa; **prendre au ~**
coger en la trampa; **tomber dans un ~**
caer en la trampa
piéger [pjeʒe] vt (animal) coger en la
trampa; (avec une bombe, miné) colocar un
explosivo en; (fig) hacer caer en una
trampa; **lettre/voiture piégée** carta/
coche m bomba inv
piercing [pjɛʀsiŋ] nm piercing m
pierre [pjɛʀ] nf piedra; **poser la
première ~** poner la primera piedra; **mur
de ~s sèches** muro de piedras secas;
faire d'une ~ deux coups matar dos
pájaros de un tiro; **~ à briquet** piedra de
mechero; **~ de taille/de touche** piedra
tallada/de toque; **~ fine/ponce** piedra
fina/pómez; **~ tombale** lápida sepulcral
pierreries [pjɛʀʀi] nfpl pedrería
piétiner [pjetine] vi patalear; (marquer le
pas) marcar el paso; (fig) estancarse,
atascarse ■ vt (aussi fig) pisotear
piéton, ne [pjetɔ̃, ɔn] nm/f peatón m/f
■ adj peatonal
piétonnier, -ière [pjetɔnje, jɛʀ] adj
peatonal
pieu, x [pjø] nm estaca; (fam: lit) catre m
pieuvre [pjœvʀ] nf pulpo
pieux, -euse [pjø, pjøz] adj piadoso(-a)
pigeon [piʒɔ̃] nm palomo; **~ voyageur**
paloma mensajera
piger [piʒe] (fam) vt, vi pillar
pigiste [piʒist] nm/f (typographe)
tipógrafo(-a) que trabaja a destajo;
(journaliste) periodista m/f que trabaja
por líneas
pignon [piɲɔ̃] nm piñón m; (d'un mur)
aguilón m; **avoir ~ sur rue** (fig) estar bien
establecido
pile [pil] nf pila; (pilier) pilar m ■ adj: **le
côté ~** cruz f ■ adv (net, brusquement) en
seco; (à temps, à point nommé) justo a
tiempo; **à deux heures ~** a las dos en
punto; **jouer à ~ ou face** jugar a cara o
cruz; **~ ou face?** ¿cara o cruz?

piler [pile] vt machacar
pilier [pilje] nm (colonne, support, Rugby)
pilar m; (personne) apoyo; **~ de bar** asiduo
de un bar
piller [pije] vt saquear
pilote [pilɔt] nm piloto ■ adj:
appartement-~ piso-piloto; **~ d'essai/
de chasse/de course/de ligne** piloto de
pruebas/de caza/de carreras/civil
piloter [pilɔte] vt pilotar; (automobile)
conducir; (fig): **~ qn** guiar a algn; **piloté
par menu** (Inform) guiado por menú
pilule [pilyl] nf píldora; **prendre la ~**
tomar la píldora
piment [pimã] nm pimiento, ají m (AM);
(fig) sal y pimienta; **~ rouge** guindilla
pimenté, e [pimãte] adj
salpimentado(-a)
pin [pɛ̃] nm pino; **~ maritime/parasol**
pino marítimo/piñonero
pinard [pinaʀ] (fam) nm vino
pince [pɛ̃s] nf pinza; (outil) pinzas fpl;
~ à épiler pinza de depilar; **~ à linge**
pinza de la ropa; **~ à sucre** tenacillas fpl
para el azúcar; **~ universelle** alicates
mpl; **~s de cycliste** pinzas para
bicicleta
pincé, e [pɛ̃se] adj (air) forzado(-a); (nez,
bouche) fino(-a)
pinceau, x [pɛ̃so] nm pincel m
pincée [pɛ̃se] nf: **une ~ de sel/poivre** una
pizca de sal/pimienta
pincer [pɛ̃se] vt (personne) pellizcar;
(Mus: cordes) puntear; (suj: vêtement: aussi
Couture) entallar; (fam: malfaiteur) pescar;
se ~ le doigt pillarse el dedo; **se ~ le nez**
taparse la nariz
pinède [pinɛd] nf pinar m
pingouin [pɛ̃gwɛ̃] nm pingüino
ping-pong [piŋpɔ̃g] (pl **~s**) nm ping-
pong m
pinson [pɛ̃sɔ̃] nm pinzón m
pintade [pɛ̃tad] nf pintada
pion, ne [pjɔ̃, ɔn] nm/f (Scol, péj)
vigilante m/f ■ nm (Échecs) peón m;
(Dames) ficha
pionnier [pjɔnje] nm pionero(-a); (fig)
precursor m
pipe [pip] nf pipa; **fumer la ~** fumar en
pipa; **~ de bruyère** pipa (de raíz) de brezo
pipi [pipi] (fam) nm: **faire ~** hacer pis
piquant, e [pikã, ãt] adj punzante;
(saveur) picante; (description, style)
penetrante; (caustique) mordaz ■ nm
(épine) espina; (de hérisson) púa; (fig): **le ~**
lo picante
pique [pik] nf pica; (parole blessante):
envoyer ou lancer des ~s à qn tirar ou

lanzar indirectas a algn ■ nm (Cartes) picas fpl, ≈ espadas fpl
pique-nique [piknik] (pl **~s**) nm picnic m
pique-niquer [piknike] vi ir de picnic
piquer [pike] vt picar; (percer) pinchar; (Méd) poner una inyección a; (: animal blessé) poner una inyección para matar; (suj: vers) apolillar; (Couture) pespuntear; (fam: prendre) coger; (: voler) birlar; (: arrêter) pillar; (planter): **~ qch dans** clavar algo en; (fixer): **~ qch à/sur** colocar algo en ■ vi (oiseau, avion) bajar en picado; (saveur) picar; **se piquer** vpr (avec une aiguille) pincharse; (se faire une piqûre) ponerse una inyección; (se vexer) picarse; **se ~ de faire** alardear de hacer; **~ sur** bajar en picado sobre; **~ du nez** caerse de narices; (dormir) dar una cabezada; **~ une tête** meterse en el agua; **~ un galop/un cent mètres** ir al galope/correr cien metros; **~ une crise** coger una rabieta; **~ au vif** (fig) herir en carne viva
piquet [pikɛ] nm estaca; **mettre un élève au ~** castigar a un alumno contra la pared; **~ de grève** piquete m de huelga; **~ d'incendie** cuerpo permanente de bomberos
piqûre [pikyʀ] nf (gén) picadura; (Méd) inyección f; (Couture) pespunte m; (tache) mancha; **faire une ~ à qn** poner una inyección a algn
piratage [piʀataʒ] nm (Inform) piratería
pirate [piʀat] nm (aussi fig) pirata m/f; (Inform) pirata m/f informático(-a), hacker m ■ adj: **émetteur ~** emisora pirata; **~ de l'air** pirata del aire
pirater [piʀate] vi (Inform) piratear
pire [piʀ] adj (comparatif): peor; (superlatif): **le (la) ~** el/lo (la) peor ■ nm: **le ~ (de)** lo peor (de); **au ~** en el peor de los casos
pirouette [piʀwɛt] nf (demi-tour) pirueta; (Danse) vuelta; (fig): **répondre par une ~** salirse por peteneras
pis [pi] nm (de vache) ubre f; (pire): **le ~** peor ■ adj, adv peor; **on aurait pu faire ~** podría haber sido peor; **de mal en ~** de mal en peor; **qui ~ est** y lo que es peor; **au ~ aller** en el peor de los casos
piscine [pisin] nf piscina; **~ couverte/en plein air/olympique** piscina cubierta/al aire libre/olímpica
pissenlit [pisɑ̃li] nm cardillo
pisser [pise] (fam!) vi mear (fam!)
pistache [pistaʃ] nf pistacho
piste [pist] nf pista, rastro; (sentier) camino; (d'un magnétophone) banda; **être sur la ~ de qn** estar tras la pista de algn; **~ cavalière** camino de herradura; **~ cyclable** pista para ciclistas; **~ sonore** banda sonora
pistolet [pistɔlɛ] nm pistola; **~ à air comprimé/à bouchon/à eau** pistola de aire comprimido/con tapón/de agua
pistolet-mitrailleur [pistɔlɛmitʀajœʀ] (pl **pistolets-mitrailleurs**) nm pistola ametralladora
piston [pistɔ̃] nm (Tech) pistón m; (fig) enchufe m; (Mus): **cornet/trombone à ~s** corneta/trombón m de pistones
pistonner [pistɔne] vt enchufar
piteux, -euse [pitø, øz] adj (résultat) deplorable; (air) lastimoso(-a); **en ~ état** en estado lamentable
pitié [pitje] nf piedad f; **sans ~** sin piedad; **faire ~** dar pena ou lástima; **par ~, ...** por piedad, ...; **il me fait ~** me da lástima; **avoir ~ de qn** (épargner) compadecerse de algn
pitoyable [pitwajabl] adj lamentable; (réponse, acteur) penoso(-a)
pittoresque [pitɔʀɛsk] adj pintoresco(-a)
PJ [peʒi] sigle f (= police judiciaire) voir **police** ■ sigle fpl (= pièces jointes) documentos adjuntos
placard [plakaʀ] nm (armoire) armario (empotrado); (affiche) anuncio; (Typo) prueba; **~ publicitaire** anuncio publicitario
place [plas] nf plaza; (emplacement) lugar m; (espace libre) sitio; (siège) asiento; (prix: au cinéma etc) entrada; (: dans un bus) billete m; (situation: d'une personne) situación f; (Univ) puesto; **en ~** en su sitio; **de ~ en ~** de un sitio a otro; **sur ~** en el sitio; (sur les lieux): **faire une enquête/se rendre sur ~** hacer una encuesta/presentarse in situ; **faire de la ~** hacer sitio; **faire ~ à qch** dar paso a algo; **prendre ~** tomar asiento; **ça prend de la ~** ocupa sitio; **à votre ~ ...** en su lugar ...; **remettre qn à sa ~** poner a algn en su sitio; **ne pas rester ou tenir en ~** no estarse quieto(-a); **à la ~** (en échange) en su lugar; **à la ~ de** en lugar de; **une quatre ~s** (Auto) un cuatro plazas m inv; **il y a 20 ~s assises/debout** hay 20 plazas de asiento/de pie; **~ d'honneur** lugar de honor; **~ forte** plaza fuerte; **~s arrière/avant** asientos mpl traseros/delanteros
placé, e [plase] adj (Hippisme) clasificado(-a); **haut ~** (fig) bien situado(-a); **être bien/mal ~** (objet) estar bien/mal colocado(-a); (spectateur) estar

bien/mal situado(-a); (*concurrent*) tener
buena/mala posición; **être bien/mal ~
pour** estar en una buena/mala posición
para
placement [plasmɑ̃] *nm* (*emploi*)
colocación f; (*Fin*) inversión f; **agence/
bureau de ~** oficina de empleo
placer [plase] *vt* (*convive, spectateur*)
acomodar; (*chose*) colocar; (*élève,
employé*) dar empleo a; (*marchandises,
valeurs*) vender; (*capital*) invertir;
(*événement, pays*) situar; **se placer** *vpr*
(*Courses*) clasificarse; **se ~ au premier
rang/devant qch** (*chose, pays*)
encontrarse en primera fila/delante de
algo; **~ qn chez qn/sous les ordres de
qn** colocar a algn en casa de algn/bajo las
órdenes de algn; **~ qn dans un emploi de**
colocar a algn de
plafond [plafɔ̃] *nm* techo; (*Aviat*) altura
máxima; (*fig*) tope m
plage [plaʒ] *nf* playa; (*station*) balneario;
(*de disque*) banda sonora; (*fig*): **~ horaire/
musicale/de prix** banda horaria/
musical/de precios; **~ arrière** (*Auto*)
maletero
plaider [plede] *vi* (*avocat*) pleitear;
(*plaignant*) litigar ■ *vt* (*cause*) defender; **~
l'irresponsabilité/la légitime défense**
alegar irresponsabilidad/legítima
defensa; **~ coupable/non coupable**
declararse culpable/inocente; **~ pour** *ou*
en faveur de qn (*fig*) declarar a favor de
algn
plaidoyer [pledwaje] *nm* (*Jur, fig*) alegato
plaie [plɛ] *nf* herida
plaignant, e [plɛɲɑ̃, ɑ̃t] *vb voir* **plaindre**
■ *adj, nm/f* demandante m/f
plaindre [plɛ̃dʀ] *vt* compadecer; **se
plaindre** *vpr* quejarse; **se ~ que** quejarse
de que
plaine [plɛn] *nf* llanura
plain-pied [plɛ̃pje]: **de ~** *adv* al mismo
nivel; (*fig*) sin dificultad; **de ~ avec** al
mismo nivel que
plainte [plɛ̃t] *nf* queja; (*gémissement*)
lamento; (*Jur*): **porter ~** poner una
denuncia
plaire [plɛʀ] *vi* gustar; **se plaire** *vpr*
(*quelque part*) estar a gusto; **~ à**: **cela me
plaît** eso me gusta; **essayer de ~ à qn**
tratar de agradar a algn; **se ~ à**
complacerse en; **elle plaît aux hommes**
gusta a los hombres; **ce qu'il vous plaira**
lo que usted quiera; **s'il vous plaît** por
favor
plaisance [plɛzɑ̃s] *nf* (*aussi*: **navigation
de plaisance**) navegación f de recreo

plaisant, e [plɛzɑ̃, ɑ̃t] *adj* agradable;
(*personne*) grato(-a); (*histoire, anecdote*)
divertido(-a)
plaisanter [plɛzɑ̃te] *vi* bromear ■ *vt*
(*personne*) gastar una broma a; **pour ~** en
broma; **on ne plaisante pas avec cela**
con eso no se bromea; **tu plaisantes!** ¡no
hablas en serio!
plaisanterie [plɛzɑ̃tʀi] *nf* broma
plaisir [plezir] *nm*: **le ~** el placer; **plaisirs**
nmpl: **chaque âge a ses ~s** cada edad tiene
su encanto; **boire/manger avec ~** beber/
comer con ganas; **faire ~ à qn** complacer
a algn; (*suj: cadeau, nouvelle*) agradar a algn;
prendre ~ à qch/à faire qch complacerse
en algo/en hacer algo; **j'ai le ~ de ...** tengo
el gusto de ...; **M et Mme X ont le ~ de
vous faire part de ...** el señor y la señora
X se complacen en hacerles partícipes de
...; **se faire un ~ de faire qch** tener
mucho gusto en hacer algo; **faites-moi
le ~ de ...** hágame usted el favor de ...; **à ~**
(*sans raison*) sin motivo; **au ~
(de vous revoir)** hasta que nos veamos;
pour le *ou* **par** *ou* **pour son ~** por gusto
plaît [plɛ] *vb voir* **plaire**
plan, e [plɑ̃, an] *adj* plano(-a) ■ *nm*
plano, (*projet, Écon*) plan m; **au premier/
second ~** en primer/segundo plano; **sur
tous les ~s** (*aspect*) en todos los aspectos;
à l'arrière ~ en segundo plano; **laisser/
rester en ~** dejar/quedar en suspenso;
sur le même ~ al mismo nivel; **de
premier/second ~** (*personnage*) de
primera/segunda plana; **sur le ~ sexuel**
en el terreno de la sexualidad; **~ d'action**
plan de acción; **~ d'eau** estanque m; **~ de
cuisson** rejilla de cocina; **~ de
sustentation** plano de sustentación; **~
de travail** (*dans une cuisine*) encimera; **~
de vol** plan de vuelo; **~ directeur** (*Mil*)
plano de campaña; (*Écon*) plan rector
planche [plɑ̃ʃ] *nf* tabla; (*de dessins*)
lámina; (*de salades etc*) hilera; (*d'un
plongeoir*) tablón m; **planches** *nfpl*: **les
~s** (*Théâtre*) las tablas; **en ~s** de tablas;
faire la ~ (*dans l'eau*) hacer el muerto;
avoir du pain sur la ~ tener tela que
cortar; **~ à découper** tabla de cortar; **~ à
dessin** tablero de dibujo; **~ à pain** tabla;
~ à repasser tabla de planchar; **~ (à
roulettes)** monopatín m; **~ à voile** (*objet*)
tabla de windsurfing; (*Sport*) windsurfing
m; **~ de salut** (*fig*) tabla de salvación
plancher [plɑ̃ʃe] *nm* suelo; (*d'une maison*)
piso; (*fig*): **~ des salaires/cotisations**
nivel m mínimo salarial/de las
cotizaciones ■ *vi* trabajar duro

planer [plane] vi (*oiseau*) cernerse; (*avion*) planear; (*odeur etc*) flotar; (*fam: être euphorique*) estar ciego(-a); **~ sur** cernerse sobre

planète [planɛt] nf planeta m

planeur [planœʀ] nm planeador m

planifier [planifje] vt planificar

planning [planiŋ] nm programación f; **~ familial** planificación f familiar

plant [plɑ̃] nm planta joven

plante [plɑ̃t] nf planta; (*Anat*) **~ du pied** planta del pie; **~ d'appartement** planta de interior; **~ verte** planta verde

planter [plɑ̃te] vt plantar; (*pieu*) clavar; (*drapeau*) plantar, poner; (*tente*) montar; (*décors*) instalar; (*fam: mettre*) plantar; (: *abandonner*): **~ là** dejar plantado(-a); **se planter** vpr (*fam: se tromper*) meter la pata; **~ de/en vignes** plantar de/con viñas; **se ~ devant qn/qch** plantarse delante de algn/algo

plaque [plak] nf placa; (*d'ardoise, de verre*) hoja; **~ chauffante** placa calientaplatos; **~ d'identité** placa (de identidad); **~ minéralogique/d'immatriculation** placa mineralógica/de matrícula; **~ de beurre** cucharada de mantequilla; **~ de chocolat** tableta de chocolate; **~ de cuisson** quemador m; **~ de four** placa de horno; **~ de police** placa de identidad; **~ de propreté** placa protectora; **~ sensible** (*Photo*) placa sensible; **~ tournante** (*fig*) centro

plaqué, e [plake] nm (*métal*): **~ or/argent** chapado en oro/plata; (*bois*): **~ acajou** enchapado en caoba ■ adj: **~ or/argent** chapado(-a) en oro/plata

plaquer [plake] vt (*bijou*) chapar; (*bois*) enchapar; (*Rugby*) hacer un placaje a; (*fam: laisser tomber*) dejar plantado(-a); (*aplatir*): **~ qch sur/contre** aplastar algo sobre/contra; **se ~ contre** pegarse a; **~ qn contre** sujetar a algn con fuerza contra

plaquette [plakɛt] nf (*de chocolat*) tableta; (*beurre*) cucharada; (*livre*) folleto; (*de pilules*) tableta; (*Inform*) tarjeta de circuitos impresos; **~ de frein** (*Auto*) almohadilla de freno

plastique [plastik] adj plástico(-a) ■ nm plástico ■ nf plástica; **bouteille en ~** botella de plástico; **chirurgie ~** cirugía plástica

plastiquer [plastike] vt volar con goma dos

plat, e [pla, at] adj llano(-a); (*chapeau, bateau*) chato(-a); (*ventre, poitrine*) plano(-a); (*cheveux*) lacio(-a); (*vin*) insípido(-a); (*banal*) anodino(-a) ■ nm (*Culin: mets*) plato; (: *récipient*) recipiente f; (*partie plate*): **le ~ de la main** la palma de la mano; (*d'une route*): **rouler sur du ~** conducir en lo llano; **à ~** adv a lo largo ■ adj (*neumático*) desinflado(-a); (*personne*) rendido(-a); **à ~ ventre** boca abajo; **batterie à ~** batería descargada; **talons ~s** zapatos mpl planos; **~ cuisiné** plato precocinado; **~ de résistance** plato fuerte; **~ du jour** plato del día; **~s préparés** platos preparados

platane [platan] nm plátano

plateau, x [plato] nm bandeja; (*d'une table*) superficie f; (*d'une balance, de tourne-disque*) plato; (*Géo*) meseta; (*d'un graphique*) nivel m; (*Ciné, TV*) plató; **~ à fromage** tabla de quesos

plate-bande [platbɑ̃d] (*pl* **plates-bandes**) nf arriate m

plate-forme [platfɔʀm] (*pl* **plates-formes**) nf plataforma; **~ de forage/pétrolière** plataforma de perforación/petrolera

platine [platin] nm platino ■ nf platina ■ adj inv: **cheveux/blond ~** cabello/rubio platino inv; **~ cassette/laser/disque** platina de casete/de compact-disc/de tocadiscos; **~ laser** platina láser

plâtre [plɑtʀ] nm yeso; (*Méd, statue*) escayola; **plâtres** nmpl (*revêtements*) revestimientos mpl de escayola; **avoir un bras dans le ~** tener un brazo escayolado

plein, e [plɛ̃, plɛn] adj lleno(-a); (*journée*) ocupado(-a); (*porte, roue*) macizo(-a); (*joues, formes*) relleno(-a); (*mer*) alto(-a); (*chienne, jument*) preñada ■ prép: **avoir de l'argent ~ les poches** tener los bolsillos llenos de dinero ■ nm: **faire le ~ (d'essence)** llenar el depósito (de gasolina); **faire le ~ de spectateurs/voix** llenar la sala/conseguir la mayoría de los votos; **les ~s** (*écriture*) el trazo grueso; **avoir les mains ~es** tener las manos llenas; **à ~es mains** a manos llenas; **à ~, en ~** de lleno; **à ~ régime** al máximo; **à ~ temps, à temps ~** a tiempo completo; **en ~ air** al aire libre; **jeux de ~ air** juegos de aire libre; **en ~ vent/soleil** a pleno viento/sol; **en ~e mer** en altamar; **en ~e rue** en medio de la calle; **en ~ milieu** en medio; **en ~ jour/~e nuit** en pleno día/plena noche; **en ~e croissance** en pleno crecimiento; **en ~ sur** de lleno sobre; **en avoir ~ le dos** (*fam*) estar hasta la coronilla; **~s pouvoirs** plenos poderes mpl

pleurer [plœʀe] vt, vi llorar; **~ sur** llorar por; **~ de rire** llorar de risa

pleurnicher [plœʀniʃe] *vi* lloriquear
pleurs [plœʀ] *nmpl*: **en ~** deshecho(-a) en lágrimas
pleut [plø] *vb voir* **pleuvoir**
pleuvoir [pløvwaʀ] *vb impers*: **il pleut** llueve ▪ *vi* (*fig*) llover; **il pleut des cordes** *ou* **à verse/à torrents** llueve a cántaros/torrencialmente
pli [pli] *nm* pliegue *m*; (*d'un drapé, rideau*) doblez *f*; (*d'une jupe*) tabla; (*d'un pantalon*) raya; (*aussi*: **faux pli**) arruga; (*ride*) arruga; (*enveloppe*) sobre *m*; (*Admin*) carta; (*Cartes*) baza; **prendre le ~ de faire qch** adquirir el hábito de hacer algo; **ça ne va pas faire un ~** no cabe duda; **~ d'aisance** tabla
pliant, e [plijã, plijãt] *adj* plegable ▪ *nm* silla de tijera
plier [plije] *vt* doblar; (*tente etc*) plegar; (*pour ranger*) recoger; (*genou, bras*) flexionar ▪ *vi* curvarse; (*céder*) ceder; **se plier à** *vpr* doblegarse a; **~ bagage** (*fig*) tomar las de Villadiego
plisser [plise] *vt* arrugar; (*jupe*) hacerle tablas a, plisar; **se plisser** *vpr* arrugarse
plomb [plɔ̃] *nm* plomo; (*d'une cartouche*) perdigón *m*; (*sceau*) precinto; (*Élec*) fusible *m*; **sommeil de ~** sueño pesado; **soleil de ~** sol abrasador
plomberie [plɔ̃bʀi] *nf* fontanería, plomería (*AM*); (*installation*) cañería
plombier [plɔ̃bje] *nm* fontanero, plomero (*AM*), gasfíter *m* (*Chi*), gasfitero (*Chi*)
plonge [plɔ̃ʒ] *nf*: **faire la ~** fregar los platos
plongeant, e [plɔ̃ʒã, ãt] *adj* (*vue*) desde arriba; (*tir*) oblicuo(-a); (*décolleté*) pronunciado(-a)
plongée [plɔ̃ʒe] *nf* inmersión *f*; (*Sport: sans bouteilles*) buceo; (*Ciné, TV*) plano tomado desde arriba, plano picado; **~ (sous-marine)** submarinismo; **sous-marin en ~** submarino sumergido
plongeoir [plɔ̃ʒwaʀ] *nm* trampolín *m*
plongeon [plɔ̃ʒɔ̃] *nm* zambullida; (*Football*) estirada
plonger [plɔ̃ʒe] *vi* (*personne*) zambullirse; (*sous-marin*) sumergirse; (*oiseau, avion*) lanzarse en picado; (*Football*) hacer una estirada; (*regard*) dirigir; (*personne*): **~ dans un sommeil profond** sumirse en un sueño profundo ▪ *vt* sumergir; (*arme, racine*) clavar; **~ dans l'obscurité** sumir en la oscuridad; **~ qn dans l'embarras/le découragement** sumir a algn en la confusión/el desánimo
plongeur, -euse [plɔ̃ʒœʀ, øz] *nm/f*

buceador(a); (*avec bouteilles*) submarinista *m/f*; (*de restaurant*): **travailler comme ~** fregar los platos
plu [ply] *pp de* **plaire**; **pleuvoir**
pluie [plɥi] *nf* lluvia; (*averse*) chaparrón *m*; **une ~ de** (*fig*) una lluvia de; **retomber en ~** caer en forma de lluvia; **sous la ~** bajo la lluvia
plume [plym] *nf* pluma; **dessin à la ~** dibujo en plumilla
plumer [plyme] *vt* desplumar
plupart [plypaʀ]: **la ~** *pron* la mayor parte; **la ~ du temps** la mayoría de las veces; **dans la ~ des cas** en la mayoría de los casos; **pour la ~** en su mayoría
pluriel [plyʀjɛl] *nm* plural *m*; **au ~** en plural

 MOT-CLÉ

plus *adv* [ply] **1** (*forme négative*): **ne ... plus** ya no; **je n'ai plus d'argent** ya no tengo dinero; **il ne travaille plus** ya no trabaja
2 [plys] (*comparatif*) más; **plus intelligent (que)** más inteligente (que); **plus d'intelligence/de possibilités (que)** más inteligencia/posibilidades (que); (*superlatif*): **le plus** el más; **c'est lui qui travaille le plus** es él quien más trabaja; **le plus grand** el más grande; **(tout) au plus** a lo sumo, a lo más
3 (*davantage*) más; **il travaille plus (que)** trabaja más (que); **plus il travaille, plus il est heureux** cuanto más trabaja, más feliz es; **il était plus de minuit** era más de medianoche; **plus de 3 heures/4 kilos** más de 3 horas/4 kilos; **3 heures/kilos de plus que** 3 horas/kilos más que; **il a 3 ans de plus que moi** tiene 3 años más que yo; **de plus** (*en supplément*) de más; (*en outre*) además; **de plus en plus** cada vez más; **plus de pain** más pan; **sans plus** sin más; **3 kilos en plus** 3 kilos de más; **en plus de cela ...** además de eso ...; **d'autant plus que** tanto más cuando, más aún cuando; **qui plus est** y lo que es más; **plus ou moins** más o menos; **ni plus ni moins** ni más ni menos
▪ *prép*: **4 plus 2** 4 más 2

plusieurs [plyzjœʀ] *dét, pron* varios(-as); **ils sont ~** son varios
plus-que-parfait [plyskǝpaʀfɛ] *nm* (*Ling*) pluscuamperfecto
plus-value [plyvaly] (*pl* **~s**) *nf* (*Écon*) plusvalía; (*bénéfice*) beneficio; (*budgétaire*) excedente *m*

plutôt [plyto] *adv* más bien; **je ferais ~ ceci** haría más bien esto; **fais ~ comme ça** haz mejor así; **~ que (de) faire qch** en lugar de hacer algo; **~ grand/rouge** más bien grande/rojo

pluvieux, -euse [plyvjø, jøz] *adj* lluvioso(-a)

PME [peeɛm] *sigle fpl* (= *petites et moyennes entreprises*) ≈ PYME *fsg* (= *pequeña y mediana empresa*)

PMU [peeɛmy] *sigle m* (= *pari mutuel urbain*) *voir* **pari**

PMU, siglas de "pari mutuel urbain", es una red de ventanillas de apuestas regulada por el gobierno que se encuentran en los bares que muestran el signo PMU. Para apostar se compran boletos, que tienen un precio fijo y se hacen predicciones sobre quiénes van a ganar u ocupar las primeras posiciones en las carreras de caballos. La apuesta tradicional es la "tiercé", que es una triple apuesta, aunque hay otras apuestas múltiples, como "quarté" etc, que se están haciendo cada vez más populares.

PNB [peenbe] *sigle m* (= *produit national brut*) PNB *m* (= *producto nacional bruto*)

pneu, x [pnø] *nm* neumático, llanta (*AM*); (*message*) misiva tubular

pneumonie [pnømɔni] *nf* neumonía

poche [pɔʃ] *nf* bolsillo; (*Zool*) buche *m* ■ *nm* libro de bolsillo; **de ~** de bolsillo; **en être de sa ~** pagarlo de su bolsillo; **c'est dans la ~** es cosa hecha

pochette [pɔʃɛt] *nf* (*de timbres*) sobre *m*; (*d'aiguilles etc*) estuche *m*; (*sac: de femme*) bolso de mano; (: *d'homme*) bolso; (*sur veste*) pañuelo; **~ d'allumettes** cerillera de cerillas; **~ de disque** funda de discos; **~ surprise** sobre sorpresa

podcast [pɔdkast] *nm* podcast *m*

podcaster [pɔdkaste] *vi* podcastear

poêle [pwal] *nm* estufa ■ *nf*: **~ (à frire)** sartén *f* (*m en AM*)

poème [pɔɛm] *nm* poema *m*

poésie [pɔezi] *nf* poesía

poète [pɔɛt] *nm* poeta *m* ■ *adj* poeta

poétique [pɔetik] *adj* poético(-a)

poids [pwa] *nm* peso; (*pour peser*) pesa; (*Sport*) pesas *fpl*; **vendre qch au ~** vender algo al peso; **prendre/perdre du ~** coger/perder peso; **faire le ~** (*fig*) dar la talla; **argument de ~** argumento de

peso; **~ et haltères** *nmpl* pesas y halterofilia; **~ lourd** peso pesado; (*camion: aussi*: **PL**) camión *m* de carga pesada; **~ mort** (*Tech*) peso muerto; (*fig*: *péj*) lastre *m*; **~ mouche/plume/coq/ moyen** (*Boxe*) peso mosca/pluma/gallo/ medio; **~ utile** carga

poignant, e [pwaɲɑ̃, ɑ̃t] *adj* conmovedor(a)

poignard [pwaɲaʀ] *nm* puñal *m*

poignarder [pwaɲaʀde] *vt* apuñalar

poigne [pwaɲ] *nf* fuerza; (*main, poing*) mano *f*; (*fig*) firmeza; **à ~** con firmeza

poignée [pwaɲe] *nf* puñado; (*de couvercle, valise*) asa; (*tiroir*) tirador *m*; (*porte*) picaporte *m*; (*de cuisine*) manopla *f*; **~ de main** apretón *m* de manos

poignet [pwaɲɛ] *nm* muñeca; (*d'une chemise*) puño

poil [pwal] *nm* pelo; (*de pinceau, brosse*) cerda; **à ~** (*fam: tout nu*) en pelota; **au ~** (*parfait*) estupendo; **de tout ~** de toda calaña; **être de bon/mauvais ~** (*fam*) estar de buenas/malas; **~ à gratter** picapica

poilu, e [pwaly] *adj* peludo(-a)

poinçonner [pwɛ̃sɔne] *vt* (*billet, ticket*) picar; (*marchandise, bijou*) contrastar

poing [pwɛ̃] *nm* puño; **dormir à ~s fermés** dormir a pierna suelta

point [pwɛ̃] *vb voir* **poindre** ■ *nm* punto; (*Couture, Tapisserie*) puntada ■ *adv voir* **pas**; **il n'est ~ bête** no es ningún tonto; **faire le ~** (*Naut*) determinar la posición; (*fig*) recapitular; **faire le ~ sur** analizar la situación de; **en tout ~** de todo punto; **sur le ~ de faire qch** a punto de hacer algo; **au ~ que** hasta el punto que; **mettre au ~** poner a punto; (*appareil de photo*) enfocar; (*affaire*) precisar; **à ~** (*Culin*) en su punto; **à ~ nommé** en el momento oportuno; **au ~ de vue scientifique** desde el punto de vista científico; **~ chaud** (*Mil, Pol*) punto álgido; **~ culminant** punto culminante; **~ d'eau** punto de agua; **~ d'exclamation/d'interrogation** signo de exclamación/de interrogación; **~ de chaînette/de croix/de tige** punto de cadeneta/de cruz/de tallo; **~ de chute** (*fig*) lugar *m* de parada; **~ de côté** punzada en el costado; **~ de départ/ d'arrivée/d'arrêt/de chute** punto de partida/de llegada/de parada/de caída; **~ de jersey** (*Tricot*) punto liso *ou* de jersey; **~ de non-retour** punto sin retorno; **~ de repère** punto de referencia; **~ de vente** punto de venta; **~ de vue** (*paysage*) vista;

(fig) punto de vista; **~ faible** punto débil; **~ final** punto final; **~ mort** punto muerto; **~ mousse** *(Tricot)* punto de malla; **~ noir** punto negro; **~s cardinaux** puntos cardinales; **~s de suspension** puntos suspensivos

pointe [pwɛ̃t] *nf* punta; *(d'un clocher)* remate *m*; *(fig)*: **une ~ d'ail/d'accent** una pizca de ajo/de acento; **pointes** *nfpl* *(Danse)* zapatillas *fpl* de puntas; **être à la ~ de qch** estar en la vanguardia de algo; **faire** *ou* **pousser une ~ jusqu'à ...** llegar hasta ...; **sur la ~ des pieds** de puntillas; **en ~** *adv, adj* en punta; **de ~** *(industries etc)* de vanguardia; *(vitesse)* tope; **heures/jours de ~** horas *fpl*/días *mpl* punta; **faire du 180 en ~** *(Auto)* llevar una velocidad tope de180; **faire des ~s** *(Danse)* bailar de puntillas; **~ d'asperge** punta de espárrago; **~ de courant** sobretensión *f*; **~ de tension** *(Inform)* punto de tensión; **~ de vitesse** escapada

pointer [pwɛ̃te] *vt* puntear; *(employés, ouvriers)* fichar; *(canon, doigt)* apuntar ■ *vi* *(ouvrier, employé)* fichar; *(pousses)* brotar; *(jour)* despuntar; **~ les oreilles** aguzar las orejas

pointeur [pwɛ̃tœʀ] *nm* *(Inform)* cursor *m*
pointillé [pwɛ̃tije] *nm* línea de puntos; *(Art)* punteado
pointilleux, -euse [pwɛ̃tijø, øz] *adj* puntilloso(-a)
pointu, e [pwɛ̃ty] *adj* puntiagudo(-a); *(son, voix, fig)* agudo(-a)
pointure [pwɛ̃tyʀ] *nf* número
point-virgule [pwɛ̃viʀgyl] *(pl* **points-virgules)** *nm* punto y coma *m*
poire [pwaʀ] *nf* pera; *(fam: péj)* memo(-a); **~ à injections** jeringa de inyecciones; **~ électrique/à lavement** pera eléctrica/de lavativa
poireau, x [pwaʀo] *nm* puerro
poirier [pwaʀje] *nm* peral *m*; **faire le ~** hacer el pino
pois [pwa] *nm* guisante *m*; *(sur une étoffe)* lunar *m*; **à ~** de lunares; **~ cassés** guisantes *mpl* secos; **~ chiche** garbanzo; **~ de senteur** guisante de olor
poison [pwazɔ̃] *nm* veneno
poisseux, -euse [pwasø, øz] *adj* pegajoso(-a)
poisson [pwasɔ̃] *nm* pez *m*; *(Culin)* pescado; *(Astrol)*: **P~s** Piscis *msg*; **être (des) P~s** ser Piscis; **prendre du ~** pescar; **"~ d'avril!"** ¡inocente!; **~ d'avril** inocentada; **~ volant/rouge** pez volador/de colores
poissonnerie [pwasɔnʀi] *nf* pescadería

poissonnier, -ière [pwasɔnje, jɛʀ] *nm/f* pescadero(-a) ■ *nf* besuguera
poitrine [pwatʀin] *nf* pecho
poivre [pwavʀ] *nm* pimienta; **~ blanc/gris** pimienta blanca/negra; **~ de cayenne** cayena; **~ moulu/en grains** pimienta molida/en grano; **~ et sel** *adj inv* *(cheveux)* entrecano(-a); **~ vert** pimienta verde
poivron [pwavʀɔ̃] *nm* pimiento morrón; **~ rouge/vert** pimiento rojo/verde
polaire [pɔlɛʀ] *adj* polar
polar [pɔlaʀ] *(fam)* *nm* novela policial *ou* policíaca
pôle [pol] *nm* *(Géo, Élec)* polo; *(chose en opposition)* polo opuesto; **~ d'attraction** polo de atracción; **~ de développement** *(Écon)* polo de desarrollo; **le ~ Nord/Sud** el polo Norte/Sur
poli, e [pɔli] *adj* *(personne)* educado(-a), elegante; *(surface)* liso(-a)
police [pɔlis] *nf*: **la ~** la policía; *(discipline)*: **assurer la ~** *ou* **dans** mantener el orden en; *(Assurance)*: **~ d'assurance** póliza de seguros; **être dans la ~** estar en la policía; **peine de simple ~** pena leve; **~ de caractère** *(Typo, Inform)* tipo de letra; **~ des mœurs** policía encargada del control de la prostitución; **~ judiciaire** policía judicial; **~ secours** servicio urgente de policía; **~ secrète** policía secreta
policier, -ière [pɔlisje, jɛʀ] *adj* policial, policíaco(-a) ■ *nm* policía *m/f*, agente *m* *(AM)*; *(aussi:* **roman policier)** novela policíaca
polio(myélite) [pɔljo(mjelit)] *nf* poliomielitis *f inv*
polir [pɔliʀ] *vt* pulir
politesse [pɔlitɛs] *nf* cortesía; *(civilité)*: **la ~** la urbanidad; **politesses** *nfpl* *(actes)* cumplidos *mpl*; **devoir/rendre une ~ à qn** deber/devolver un cumplido a algn
politicien, ne [pɔlitisjɛ̃, jɛn] *nm/f* político(-a); *(péj)* politicastro(-a) ■ *adj* político(-a)
politique [pɔlitik] *adj, nm/f* político(-a) ■ *nf* política; **~ étrangère/intérieure** política exterior/interior
pollen [pɔlɛn] *nm* polen *m*
polluant, e [pɔlɥɑ̃, ɑ̃t] *adj* contaminante; **produit ~** producto contaminante
polluer [pɔlɥe] *vt* contaminar; **air pollué/eaux polluées** aire *m* contaminado/aguas *fpl* contaminadas
pollution [pɔlɥsjɔ̃] *nf* polución *f*
polo [pɔlo] *nm* polo

Pologne [pɔlɔɲ] *nf* Polonia
polonais, e [pɔlɔnɛ, ɛz] *adj* polaco(-a)
■ *nm* (*Ling*) polaco ■ *nm/f*: **Polonais, e**
polaco(-a)
poltron, ne [pɔltrɔ̃, ɔn] *adj* cobarde
polycopier [pɔlikɔpje] *vt* multicopiar
Polynésie [pɔlinezi] *nf* Polinesia; **la ~**
française la Polinesia francesa
polyvalent, e [pɔlivalɑ̃, ɑ̃t] *adj*
polivalente ■ *nm* tasador *m* de
impuestos
pommade [pɔmad] *nf* pomada
pomme [pɔm] *nf* manzana; (*boule
décorative*) pomo; (*pomme de terre*): **un
steak (~s) frites** un filete con patatas
(fritas); **tomber dans les ~s** (*fam*) darle a
algn un patatús; **~ d'Adam** nuez *f* de
Adán; **~ d'arrosoir** alcachofa; **~ de pin**
piña; **~ de terre** patata, papa (*AM*); **~s
allumettes/vapeur** patatas paja/al
vapor
pommette [pɔmɛt] *nf* pómulo
pommier [pɔmje] *nm* manzano
pompe [pɔ̃p] *nf* (*appareil*) bomba; (*faste*)
pompa; **en grande ~** con gran pompa;
~ à eau bomba de agua; **~ (à essence)**
surtidor *m* (de gasolina); **~ à huile** bomba
de aceite; **~ à incendie** bomba de
incendios; **~ de bicyclette** bomba de
bicicleta; **~s funèbres** pompas *fpl*
fúnebres
pomper [pɔ̃pe] *vt* bombear; (*aspirer*)
aspirar; (*absorber*) empapar ■ *vi*
bombear
pompeux, -euse [pɔ̃pø, øz] (*péj*) *adj*
pomposo(-a)
pompier [pɔ̃pje] *nm* bombero ■ *adj m*
(*style*) vulgar
pompiste [pɔ̃pist] *nm/f* encargado(-a)
de una gasolinera
poncer [pɔ̃se] *vt* alisar con piedra pómez
ponctuation [pɔ̃ktɥasjɔ̃] *nf*
puntuación *f*
ponctuel, le [pɔ̃ktɥɛl] *adj* puntual
pondéré, e [pɔ̃deʀe] *adj* ponderado(-a)
pondre [pɔ̃dʀ] *vt* (*œufs*) poner; (*fig: fam*)
parir ■ *vi* poner
poney [pɔnɛ] *nm* poney *m*, poni *m*
pont [pɔ̃] *nm* (*aussi Auto*) puente *m*;
(*Naut*) cubierta; **faire le ~** hacer puente;
faire un ~ d'or à qn tender un puente de
plata a algn; **~ à péage** puente de peaje;
~ aérien puente aéreo; **~ basculant**
puente basculante; **~ d'envol** (*sur un
porte-avions*) cubierta de despegue; **~
élévateur** puente elevador; **~ roulant**
puente grúa; **~ suspendu/tournant**
puente colgante/giratorio; **P~s et**

Chaussées (*Univ*) Caminos, Canales y
Puertos
pont-levis [pɔ̃lvi] (*pl* **ponts-levis**) *nm*
puente *m* levadizo
pop [pɔp] *adj inv* pop *inv* ■ *nf*: **la ~** la
música pop
pop-corn [pɔpkɔrn] *nm inv* palomitas *fpl*
de maíz
populaire [pɔpylɛʀ] *adj* popular
popularité [pɔpylaʀite] *nf* popularidad *f*
population [pɔpylasjɔ̃] *nf* población *f*; **~
active/agricole** población activa/
agrícola; **~ civile** población civil; **~
ouvrière** población obrera
populeux, -euse [pɔpylø, øz] *adj*
populoso(-a)
porc [pɔʀ] *nm* (*Zool*) cerdo, chancho (*AM*);
(*Culin*) carne *f* de cerdo
porcelaine [pɔʀsəlɛn] *nf* porcelana
porc-épic [pɔʀkepik] (*pl* **porcs-épics**)
nm puerco espín
porche [pɔʀʃ] *nm* porche *m*
porcherie [pɔʀʃəʀi] *nf* porqueriza; (*fig*)
pocilga
pore [pɔʀ] *nm* poro
porno [pɔʀno] *adj* (*abr de pornographique*)
porno *inv* ■ *nm* película porno
port [pɔʀ] *nm* porte *m*; (*Naut*) puerto;
arriver à bon ~ llegar a buen puerto; **le ~
de l'uniforme est interdit dans ...** está
prohibido llevar el uniforme en ...;
~ d'arme (*Jur*) tenencia de armas;
~ d'attache (*Naut*) puerto de amarre;
(*fig*) refugio; **~ de commerce/de pêche**
puerto comercial/pesquero; **~ d'escale**
puerto de escala; **~ de tête** porte de
cabeza; **~ dû/payé** (*Comm*) porte
debido/pagado; **~ franc** puerto franco;
~ pétrolier puerto petrolero
portable [pɔʀtabl] *adj* (*vêtement*)
ponedero(-a); (*ordinateur etc*) portátil
■ *nm* (*téléphone*) móvil *m*; (*ordinateur*)
portátil *m*
portail [pɔʀtaj] *nm* portal *m*; (*d'une
cathédrale*) pórtico
portant, e [pɔʀtɑ̃, ɑ̃t] *adj*
sustentador(a); (*roues*) de apoyo; **être
bien/mal ~** (*personne*) tener buena/mala
salud
portatif, -ive [pɔʀtatif, iv] *adj* portátil
porte [pɔʀt] *nf* puerta; **mettre qn à la ~**
poner a algn en la calle; **prendre la ~**
coger la puerta; **à ma/sa ~** a la puerta de
mi/su casa; **faire du ~ à ~** (*Comm*) vender
de puerta en puerta, vender a domicilio;
journée ~s ouvertes jornada de puertas
abiertas; **~ (d'embarquement)** (*Aviat*)
puerta de embarque; **~ d'entrée** puerta

de entrada; **~ de secours** salida de emergencia; **~ de service** puerta de servicio

porté, e [pɔʀte] *adj*: **être ~ à faire qch** estar dispuesto(-a) a hacer algo; **être ~ sur qch** darle a algo

porte-avions [pɔʀtavjɔ̃] *nm inv* portaaviones *m inv*

porte-bagages [pɔʀtbagaʒ] *nm inv* portaequipajes *m inv*

porte-bonheur [pɔʀtbɔnœʀ] *nm inv* amuleto

porte-clefs [pɔʀtəkle] *nm inv* llavero

porte-documents [pɔʀtdɔkymɑ̃] *nm inv* cartera de mano, portafolio(s) *m (AM)*

portée [pɔʀte] *nf* alcance *m*; *(capacités)* capacidad *f*; *(d'une chienne etc)* camada; *(Mus)* pentagrama *m*; *(fig)* aptitud *f* intelectual; **à (la) ~ (de)** al alcance de; **hors de ~ (de)** fuera del alcance (de); **à ~ de la main** al alcance de la mano; **à ~ de voix** a poca distancia; **à la ~ de toutes les bourses** al alcance de todos los bolsillos; **ce n'est pas à sa ~** *(fig)* eso no está a su alcance

porte-fenêtre [pɔʀtfənɛtʀ] *(pl* **portes-fenêtres)** *nf* puerta vidriera

portefeuille [pɔʀtəfœj] *nm* cartera; *(Pol)* cartera (ministerial); **faire un lit en ~** hacer la petaca

portemanteau, x [pɔʀt(ə)mɑ̃to] *nm* perchero

porte-monnaie [pɔʀtmɔnɛ] *nm inv* monedero

porte-parole [pɔʀtpaʀɔl] *nm inv* portavoz *m*, vocero(-a) *(AM)*

porter [pɔʀte] *vt* llevar; *(fig: poids d'une affaire)* soportar; *(: responsabilité)* cargar con; *(suj: jambes)* sostener; *(: arbre)* dar, producir ■ *vi* llegar; *(fig)* surtir efecto; **se porter** *vpr*: **se ~ bien/mal** encontrarse bien/mal; *(aller)*: **se ~ vers** dirigirse hacia; **se ~ garant** avalar; **~ sur** *(suj: édifice)* apoyarse sobre; *(: accent)* caer en; *(: bras, tête)* dar contra; *(: conférence)* tratar de; **elle portait le nom de Rosalie** llevaba el nombre de Rosalie; **~ qn au pouvoir** conducir a algn al poder; **~ secours/assistance à qn** prestar socorro/asistencia a algn; **~ bonheur à qn** traer buena suerte a algn; **~ son âge** representar su edad; **~ un toast** brindar; **~ de l'argent au crédit d'un compte** ingresar dinero en una cuenta; **~ une somme sur un registre** asentar una cantidad en un registro; **~ atteinte à (l'honneur/la réputation de qn)** atentar contra (el honor/la reputación de algn);

se faire ~ malade declararse enfermo(-a); **se ~ partie civile** constituirse parte civil; **se ~ candidat à la députation** presentarse como candidato a la diputación; **~ un jugement sur qn/qch** emitir un juicio sobre algn/algo; **~ un livre/récit à l'écran** llevar un libro/relato a la pantalla; **~ la main à son chapeau/une cuillère à sa bouche** llevarse la mano al sombrero/una cuchara a la boca; **~ son attention/regard/effort sur** fijar su atención/mirada/esfuerzo sobre; **~ un fait à la connaissance de qn** llevar un hecho al conocimiento de algn; **~ à croire** llevar a pensar

porteur, -euse [pɔʀtœʀ, øz] *nm/f (de messages)* mensajero(-a); *(Méd)* portador(a) ■ *nm (de bagages)* mozo de equipaje; *(Comm: d'un chèque)* portador *m*; *(: d'une action)* tenedor *m* ■ *adj*: **être ~ de** ser portador de; **gros ~** *(avion)* avión *m* de gran capacidad; **au ~** *(billet, chèque)* al portador

porte-voix [pɔʀtvwa] *nm inv* megáfono

portier [pɔʀtje] *nm* portero

portière [pɔʀtjɛʀ] *nf* puerta

portion [pɔʀsjɔ̃] *nf (part)* ración *f*; *(partie)* parte *f*

porto [pɔʀto] *nm* oporto

portrait [pɔʀtʀɛ] *nm* retrato; **elle est le ~ de sa mère** *(fig)* es el vivo retrato de su madre

portrait-robot [pɔʀtʀɛʀɔbo] *(pl* **portraits-robots)** *nm* retrato robot

portuaire [pɔʀtɥɛʀ] *adj* portuario(-a)

portugais, e [pɔʀtygɛ, ɛz] *adj* portugués(-esa) ■ *nm (Ling)* portugués *m* ■ *nm/f*: **Portugais, e** portugués(-esa)

Portugal [pɔʀtygal] *nm* Portugal *m*

pose [poz] *nf (de moquette)* instalación *f*; *(de rideau, papier peint)* colocación *f*; *(position)* postura; **(temps de) ~** *(Photo)* (tiempo de) exposición *f*

posé, e [poze] *adj* comedido(-a)

poser [poze] *vt* poner; *(moquette, carrelage)* instalar; *(rideaux, papier peint)* colocar; *(question)* hacer; *(principe)* establecer; *(problème)* plantear; *(personne: mettre en valeur)* dar notoriedad a; *(déposer)*: **~ qch (sur)** dejar algo (sobre) ■ *vi (modèle)* posar; **se poser** *vpr (oiseau, avion)* posarse; *(question)* plantearse; **se ~ en** erigirse en; **~ son *ou* un regard sur qn/qch** poner sus ojos sobre *ou* en algn/algo; **~ sa candidature** *(à un emploi)* presentarse; *(Pol)* presentar su candidatura

positif, -ive [pozitif, iv] *adj* positivo(-a); *(Philos)* positivista

position [pozisjɔ̃] *nf* posición *f*; *(posture)* postura; *(métier)* cargo; *(d'un compte en banque)* situación *f*; **être dans une ~ difficile/délicate** estar en una situación difícil/delicada; **prendre ~** tomar posiciones

posologie [pozɔlɔʒi] *nf* posología

posséder [posede] *vt* poseer; *(qualité)* estar dotado(-a) de; *(métier, langue)* dominar, conocer a fondo; *(suj: jalousie, colère)* dominar; *(fam: duper)* engañar

possession [posesjɔ̃] *nf* posesión *f*; **être/entrer en ~ de qch** estar/entrar en posesión de algo; **en sa/ma ~** en su/mi posesión; **prendre ~ de qch** tomar posesión de algo; **être en ~ de toutes ses facultés** tener pleno dominio de sus facultades

possibilité [posibilite] *nf* posibilidad *f*; **possibilités** *nfpl (moyens)* medios *mpl*; *(potentiel)* posibilidades *fpl*; **avoir la ~ de faire qch** tener la posibilidad de hacer algo

possible [posibl] *adj* posible; *(projet)* realizable ■ *nm*: **faire (tout) son ~** hacer (todo) lo (que sea) posible; **il est ~ que** es posible que; **autant que ~** en la medida de lo posible; **si (c'est) ~** si es posible; **(ce n'est) pas ~!** ¡no puede ser!; **comme c'est pas ~** a más no poder; **le plus/moins de livres ~** el mayor/menor número de libros posible; **le plus/moins d'eau ~** la mayor/ menor cantidad de agua posible; **aussitôt** *ou* **dès que ~** en cuanto sea posible; **gentil au ~** amable al máximo

postal, e, -aux [postal, o] *adj* postal; **sac ~** correspondencia

poste [post] *nf (service)* correo; *(administration)* correos *mpl*; *(bureau)* oficina de correos ■ *nm (Mil)* puesto; *(charge)* cargo; *(de radio, télévision)* aparato; *(Tél)* extensión *f*; *(de budget)* partida, asiento; *(Ind)*: **~ de nuit** turno de noche; **postes** *nfpl*: **agent/employé des ~s** agente *m*/empleado de correos; **mettre à la ~** echar al correo; **~ de commandement** *(Mil etc)* puesto de mando; **~ de contrôle** *nm* puesto de control; **~ de douane** *nm* puesto aduanero; **~ d'essence** *nm* punto de repuesto; **~ d'incendie** *nm* boca de incendio; **~ de péage** *nm* puesto de peaje; **~ de pilotage** *nm* puesto de pilotaje; **~ (de police)** *nm* puesto (de policía); **~ de secours** *nm* puesto de socorro; **~ de travail** *nm* puesto de trabajo; **~ émetteur** *nm (Radio)* emisora;

~ restante *nf* lista de correos; **P~s et Télécommunications** *nm* Correos y Telecomunicaciones

poster¹ [poste] *vt (lettre)* echar al correo; *(personne)* apostar; **se poster** *vpr* apostarse

poster² [postɛʀ] *nm* póster *m*

postérieur, e [posteʀjœʀ] *adj* posterior ■ *nm (fam)* trasero

postuler [postyle] *vt* solicitar

pot [po] *nm (récipient)* cacharro; *(en métal)* bote *m*; *(fam: chance)*: **avoir du ~** tener potra; **boire** *ou* **prendre un ~** *(fam)* tomar una copa; **découvrir le ~ aux roses** descubrir el pastel; **~ à tabac** tabaquera; **~ d'échappement** *(Auto)* silenciador *m*; **~ (de chambre)** orinal *m*; **~ de fleurs** tiesto, maceta

potable [potabl] *adj* potable; *(travail)* aceptable; *(fig)* pasable

potage [potaʒ] *nm* sopa

potager, -ère [potaʒe, ɛʀ] *adj* hortícola; **(jardin) ~** huerto

pot-au-feu [potofø] *nm inv* cocido; *(viande)* carne *f* para el cocido ■ *adj inv (fam)* casero(-a)

pot-de-vin [podvɛ̃] *(pl* **pots-de-vin**) *nm* gratificación *f*

pote [pot] *(fam) nm* amigo, compadre *m* *(AM)*, manito *(Mex)*

poteau, x [poto] *nm* poste *m*; **~ de départ/d'arrivée** línea de salida/meta; **~ (d'exécution)** paredón *m*; **~ indicateur** poste indicador; **~ télégraphique** poste telegráfico; **~x (de but)** postes (de portería)

potelé, e [pot(ə)le] *adj* rollizo(-a)

potentiel, le [potãsjɛl] *adj, nm* potencial *m*

poterie [potʀi] *nf (fabrication)* alfarería; *(objet)* objeto de barro, cerámica

potier [potje] *nm* alfarero

potiron [potiʀɔ̃] *nm* calabaza

pou, x [pu] *nm* piojo

poubelle [pubɛl] *nf* cubo *ou* bote *m (AM)* de la basura

pouce [pus] *nm* pulgar *m*; **se tourner** *ou* **se rouler les ~s** *(fig)* estar mano sobre mano; **manger sur le ~** comer de pie y deprisa

poudre [pudʀ] *nf* polvo; *(fard)* polvos *mpl*; *(explosif)* pólvora; **en ~**: **café/ savon/lait en ~** café *m* molido/ detergente *m*/leche *f* en polvo; **~ à canon** pólvora de cañón; **~ à éternuer** polvos estornudatorios; **~ à priser** polvo de rapé; **~ à récurer** polvos de blanqueo; **~ de riz** polvos de arroz

poudreuse [pudʀøz] *nf* nieve *f* en polvo
poudrier [pudʀije] *nm* polvera
pouffer [pufe] *vi*: ~ **(de rire)** partirse de risa
poulailler [pulaje] *nm* (*aussi Théâtre*) gallinero
poulain [pulɛ̃] *nm* potro; (*fig*) pupilo
poule [pul] *nf* gallina; (*Sport*) campeonato; (*Rugby*) liga; (*fam: fille de mœurs légères*) golfa; (: *maîtresse*) amante *f*; ~ **d'eau** polla de agua; ~ **mouillée** cobarde *m/f*, gallina *m/f*; ~ **pondeuse** gallina ponedora
poulet [pulɛ] *nm* pollo; (*fam*) poli *m*
poulie [puli] *nf* polea
pouls [pu] *nm* pulso; **prendre le ~ de qn** tomar el pulso a algn
poumon [pumɔ̃] *nm* pulmón *m*; ~ **artificiel/d'acier** pulmón artificial/de acero
poupée [pupe] *nf* muñeca; **jouer à la ~** jugar a las muñecas; **de ~** (*très petit*): **jardin/maison de ~** jardín *m*/casa de muñecas

 MOT-CLÉ

pour [puʀ] *prép* **1** (*destination, temps*): **elle est partie pour Paris** se ha ido a París; **le train pour Séville** el tren para *ou* a Sevilla; **j'en ai pour une heure** tengo para una hora; **il faut le faire pour après les vacances** hay que hacerlo para después de vacaciones; **pour toujours** para siempre
2 (*au prix de, en échange de*) por; **il l'a acheté pour 50 euros** lo compró por 50 euros; **donnez-moi pour 80 euros d'essence** deme 80 euros de gasolina; **je te l'échange pour ta montre** te lo cambio por tu reloj
3 (*en vue de, intention, en faveur de*): **pour le plaisir** por gusto; **pour ton anniversaire** para tu cumpleaños; **je le fais pour toi** lo hago por ti; **pastilles pour la toux** pastillas *fpl* para la tos; **pour que** para que; **pour faire** para hacer; **pour quoi faire?** ¿para qué?; **je suis pour la démocratie** estoy por la democracia
4 (*à cause de*): **fermé pour (cause de) travaux** cerrado por obras; **c'est pour cela que je le fais** por eso lo hago; **être pour beaucoup dans qch** influir mucho en algo; **ce n'est pas pour dire, mais ...** (*fam*) no es por nada pero ...; **pour avoir fait** por haber hecho
5 (*à la place de*): **il a parlé pour moi** habló por mí

6 (*rapport, comparaison*): **mot pour mot** palabra por palabra; **ça fait un an jour pour jour** hoy hace justamente un año; **10 pour cent** diez por ciento; **pour un Français, il parle bien suédois** para ser francés, habla bien el sueco; **pour riche qu'il soit** por rico que sea
7 (*comme*): **la femme qu'il a eue pour mère** la mujer que tuvo por madre
8 (*point de vue*): **pour moi, il a tort** para mí que se equivoca; **pour ce qui est de ...** por lo que se refiere a ...; **pour autant que je sache** que yo sepa
∎ *nm*: **le pour et le contre** los pros y los contras

pourboire [puʀbwaʀ] *nm* propina
pourcentage [puʀsɑ̃taʒ] *nm* porcentaje *m*; **travailler au ~** trabajar al tanto por ciento
pourchasser [puʀʃase] *vt* perseguir
pourparlers [puʀpaʀle] *nmpl* negociaciones *fpl*; **être en ~ avec** estar en tratos con
pourpre [puʀpʀ] *adj* púrpura
pourquoi [puʀkwa] *adv, conj* por qué
∎ *nm*: **le ~ (de)** el porqué (de); ~ **dis-tu cela?** ¿por qué dices eso?; ~ **se taire/faire cela?** ¿por qué *ou* para qué callarse/hacer eso?; ~ **ne pas faire ...?** ¿por qué no hacer ...?; ~ **pas?** ¿por qué no?; **je voudrais savoir/ne comprends pas ~ ...** quisiera saber/no entiendo por qué ...; **dire/expliquer ~** decir/explicar por qué; **c'est ~ ...** por eso ...
pourrai *etc* [puʀe] *vb voir* **pouvoir**
pourri, e [puʀi] *adj* podrido(-a); (*roche, câble*) fragmentado(-a); (*temps, climat*) horrible; (*fig*) corrompido(-a) ∎ *nm*: **sentir le ~** oler a podrido
pourriel [puʀjɛl] *nm* (*Internet*) correo *m* basura *inv*
pourrir [puʀiʀ] *vi* podrirse; (*cadavre*) descomponerse; (*fig: situation*) degradarse ∎ *vt* pudrir; (*fig: corrompre: personne*) corromper; (: *gâter: enfant*) echar a perder
pourriture [puʀityʀ] *nf* podredumbre *f*
poursuite [puʀsɥit] *nf* persecución *f*; (*fig: de la fortune*) búsqueda; **poursuites** *nfpl* (*Jur*) diligencias *fpl*; **(course) ~** (*Cyclisme*) persecución
poursuivre [puʀsɥivʀ] *vt* perseguir; (*mauvais payeur*) acosar, perseguir; (*femme*) pretender a; (*obséder*) obsesionar, perseguir; (*fortune, gloire*) perseguir, buscar; (*continuer: voyage, études*) proseguir ∎ *vi* proseguir;

se poursuivre vpr seguirse; **~ qn en justice** demandar a ou querellarse contra algn; **~ qn au pénal/au civil** querellarse contra algn por vía penal/por vía civil

pourtant [puʀtɑ̃] adv sin embargo; **et/mais ~** y/pero sin embargo; **c'est ~ facile** sin embargo es fácil

pourtour [puʀtuʀ] nm (d'un quadrilatère) perímetro; (d'un lieu) contorno

pourvoir [puʀvwaʀ] vt (Comm): **~ qn en** proveer a algn de, suministrar a algn ■ vi: **~ à** ocuparse de; (emploi) atender a; **se pourvoir** vpr (Jur): **se ~ en cassation** etc interponer un recurso de casación etc; **~ qn de qch** (recommandation, emploi) proporcionar algo a algn; (qualités) dotar a algn de algo; **~ qch de** equipar algo con

pourvu, e [puʀvy] pp de **pourvoir** ■ adj: **~ de** provisto(-a) de; **~ que** (à condition que) con tal que; **~ qu'il soit là!** (espérons que) ¡ojalá que esté!

pousse [pus] nf (bourgeon) botón m, yema; **~s de bambou** brotes mpl de bambú

poussée [puse] nf (pression, attaque) empuje m; (coup) empujón m; (Méd) acceso; (fig: des prix) aumento; (: révolutionnaire) ola; (: d'un parti politique) crecimiento

pousser [puse] vt empujar; (acculer): **~ qn à qch/à faire qch** arrastrar ou empujar a algn a algo/a algn a hacer algo; (cri) lanzar, exhalar; (élève) hacer trabajar, estimular; (études) seguir, continuar; (moteur, voiture) forzar ■ vi crecer; (aller): **~ jusqu'à un endroit/plus loin** seguir hasta un lugar/hasta más lejos; **se pousser** vpr echarse a un lado; **faire ~** (plante) sembrar, plantar; **~ qn à bout** sacar a algn de sus casillas; **il a poussé la gentillesse jusqu'à ...** ha extremado su amabilidad hasta ...

poussette [puset] nf cochecito de niño

poussière [pusjɛʀ] nf (la poussière) polvo; (une poussière) mota; **et des ~s** (fig) y pico; **~ de charbon** carbonilla

poussiéreux, -euse [pusjeʀø, øz] adj sucio(-a) de polvo; (route) polvoriento(-a)

poussin [pusɛ̃] nm pollito

poutre [putʀ] nf viga; **~s apparentes** vigas fpl aparentes

pouvoir [puvwaʀ] nm (aussi Jur) poder m; (Pol: dirigeants): **le ~** el poder ■ vt, vb semi-aux, vb impers poder ■ vi: **il se peut que** puede ser que; **les ~s public** los poderes públicos; **je me porte on ne peut mieux** me encuentro perfectamente; **je ne peux pas le**
réparer no puedo arreglarlo; **déçu de ne pas ~ le faire** decepcionado por no poder hacerlo; **tu ne peux pas savoir!** ¡no puedes imaginarte!; **je n'en peux plus** no puedo más; **je ne peux pas dire le contraire** no puedo decir lo contrario; **j'ai fait tout ce que j'ai pu** hice todo lo que pude; **qu'est-ce que je pouvais bien faire?** ¿qué iba a ou podía hacer yo?; **tu peux le dire!** ¡ya lo creo!; **il aurait pu le dire!** ¡podría haberlo dicho!; **vous pouvez aller au cinéma** podéis ir al cine; **il a pu avoir un accident** pudo haber un accidente; **il peut arriver que ...** puede suceder que ...; **il pourrait pleuvoir** puede que llueva; **~ absorbant** poder de absorción; **~ calorifique** poder calorífico; **~ d'achat** poder adquisitivo

prairie [pʀeʀi] nf pradera

praline [pʀalin] nf (bonbon) garapiñado; (au chocolat) bombón m

praticable [pʀatikabl] adj (chemin) transitable; (projet) practicable, factible

pratiquant, e [pʀatikɑ̃, ɑ̃t] adj practicante

pratique [pʀatik] nf práctica; (coutume) usos mpl; (conduite) actuación f, prácticas fpl ■ adj (intelligence) práctico(-a), positivo(-a); (personne) práctico(-a); (instrument) práctico(-a), útil; (horaire) adaptado(-a), adecuado(-a); **dans la ~** en la práctica; **mettre en ~** poner en práctica, llevar a la práctica

pratiquement [pʀatikmɑ̃] adv (dans la pratique) de una manera práctica; (à peu près) prácticamente

pratiquer [pʀatike] vt practicar; (méthode, théorie) poner en práctica; (métier) ejercer; (intervention) efectuar, realizar; (abri) instalar ■ vi (Rel) practicar

pré [pʀe] nm prado

préalable [pʀealabl] adj previo(-a) ■ nm (condition) condición f previa; **condition ~ (de)** condición previa (a); **sans avis ~** sin previo aviso; **au ~ de** antemano

préambule [pʀeɑ̃byl] nm preámbulo; (fig) preludio; **sans ~** sin preámbulos

préau, x [pʀeo] nm (d'une cour d'école) cobertizo; (d'un hôpital, d'une prison) patio; (d'un monastère) claustro

préavis [pʀeavi] nm: **~ (de licenciement)** notificación f (de despido); **communication avec ~** (Tél) llamada con aviso; **~ de congé** aviso de desahucio

précaution [pʀekosjɔ̃] nf precaución f; (prudence) atención f; **avec/sans ~** con/sin precaución; **prendre des ~s/ses ~s**

tomar precauciones/sus precauciones; **par ~** por precaución; **pour plus de ~** para mayor garantía; **~s oratoires** retórica *fsg* cuidadosa

précédemment [pResedamã] *adv* anteriormente

précédent, e [pResedã, ãt] *adj* precedente, anterior ▪ *nm* precedente *m*; **sans ~** sin precedentes; **le jour ~** el día antes

précéder [pResede] *vt* preceder; **elle m'a précédé de quelques minutes** llegó unos minutos antes que yo

prêcher [pReʃe] *vt* (*Rel*): **~ l'Evangile** predicar el Evangelio; (*conseiller*) aconsejar ▪ *vi* predicar; (*fig*) sermonear

précieux, -euse [pResjø, jøz] *adj* precioso(-a); (*temps, qualités*) valioso(-a), importante; (*ami, conseils*) valioso(-a); (*littérature, style*) preciosista

précipice [pResipis] *nm* precipicio; (*fig*) abismo, perdición *f*; **au bord du ~** (*fig*) al borde del abismo *ou* de la perdición

précipitamment [pResipitamã] *adv* precipitadamente

précipitation [pResipitasjɔ̃] *nf* (*hâte*) precipitación *f*; (*Chim*) precipitado; **précipitations** *nfpl* (*Météo*): **~s (atmosphériques)** precipitaciones *fpl*

précipité, e [pResipite] *adj* (*respiration*) jadeante; (*pas*) apresurado(-a); (*démarche, entreprise*) precipitado(-a)

précipiter [pResipite] *vt* (*faire tomber*) arrojar, tirar; (*pas*) apresurar; (*événements*) precipitar; **se précipiter** *vpr* (*respiration*) acelerarse; (*événements*) precipitarse; **se ~ sur/vers** lanzarse sobre/hacia; **se ~ au devant de qn** abalanzarse hacia algn

précis, e [pResi, iz] *adj* conciso(-a); (*vocabulaire*) conciso(-a), preciso(-a); (*bruit, point*) preciso(-a), determinado(-a); (*dessin, esprit*) seguro(-a), preciso(-a); (*heure*) preciso(-a), exacto(-a); (*tir, mesures*) exacto(-a) ▪ *nm* compendio

précisément [pResizemã] *adv* (*avec précision*) de manera precisa; (*dans une réponse*) exactamente; (*dans négation*) precisamente; (*justement*) justamente

préciser [pResize] *vt* precisar; **se préciser** *vpr* precisarse, concretarse

précision [pResizjɔ̃] *nf* precisión *f*; (*détail*) exactitud *f*; **précisions** *nfpl* (*plus amples détails*) precisiones *fpl*

précoce [pRekɔs] *adj* precoz

préconçu, e [pRekɔ̃sy] (*péj*) *adj* preconcebido(-a)

préconiser [pRekɔnize] *vt* preconizar

prédécesseur [pRedesesœR] *nm* predecesor *m*; **prédécesseurs** *nmpl* (*ancêtres, précurseurs*) predecesores *mpl*

prédilection [pRedilɛksjɔ̃] *nf*: **avoir une ~ pour qn/qch** tener predilección por algn/algo; **de ~** favorito(-a), preferido(-a)

prédire [pRediR] *vt* (*événement improbable*) predecir, vaticinar; (*événement probable*) augurar

prédominer [pRedɔmine] *vi* predominar

préface [pRefas] *nf* prólogo; (*fig*) preliminar *m*

préfecture [pRefɛktyR] *nf* prefectura, ≈ gobierno civil; (*ville*) capital *f* de departamento; **~ de police** dirección *f* general de policía de París

○ **PRÉFECTURE**

○ La *préfecture* es la oficina central del
○ "département". El "préfet", que es un
○ alto cargo del funcionariado
○ designado por el gobierno, se encarga
○ de poner en práctica la política
○ gubernamental. Las 22 regiones
○ francesas, cada una de las cuales
○ comprende una serie de
○ "départements", cuentan también
○ con un "préfet de région".

préférable [pReferabl] *adj* preferible; **il est ~ de faire qch** es preferible hacer algo; **être ~ à** ser preferible a

préféré, e [pRefere] *adj* preferido(-a) ▪ *nm/f* favorito(-a)

préférence [pReferãs] *nf* preferencia; **de ~** preferentemente; **de ~ à/par ~ à** antes que/en lugar de; **avoir une ~ pour qn/qch** tener predilección por algn/algo; **n'avoir pas de ~** no tener predilección; **donner la ~ à qn** dar preferencia a algn; **par ordre de ~** por orden de preferencia; **obtenir la ~ (sur qn)** pasar delante (de algn)

préférer [pRefere] *vt*: **~ qch/qn (à)** preferir algo/a algn (a); **~ faire qch** preferir hacer algo; **je préférerais du thé** preferiría té

préfet [pRefɛ] *nm* prefecto, ≈ gobernador *m* civil; **~ de police** director *m* general de policía de París

préhistorique [pReistɔRik] *adj* prehistórico(-a)

préjudice [pReʒydis] *nm* perjuicio; **porter ~ à qch/à qn** perjudicar algo/a algn; **au ~ de qn/de qch** en perjuicio de algn/de algo

préjugé [pʀeʒyʒe] nm prejuicio; **avoir un ~ contre qn/qch** tener prejuicios contra algn/algo; **bénéficier d'un ~ favorable** beneficiarse de un prejuicio favorable
prélasser [pʀelɑse] vpr: **se prélasser** relajarse
prélèvement [pʀelɛvmɑ̃] nm extracción f, toma; **faire un ~ de sang** hacer una extracción de sangre
prélever [pʀel(ə)ve] vt (échantillon) tomar, sacar; (organe) extraer; **~ (sur)** (retirer) sacar (de); (déduire) descontar (de), deducir (de)
prématuré, e [pʀematyʀe] adj prematuro(-a); (retraite, nouvelle) anticipado(-a) ■ nm/f prematuro(-a)
premier, -ière [pʀəmje, jɛʀ] adj primero(-a); (avant un nom masculin) primer; (après le nom: cause, principe) primordial; (: objectif) principal ■ adj m (Math) primo ■ nm/f primero(-a) ■ nm (premier étage) primero ■ nf (vitesse, classe) primera; (Scol) sexto año de educación secundaria en el sistema francés; (Théâtre, Ciné) estreno; **au ~ abord** en un primer momento; **au ou du ~ coup** al instante; **de ~ ordre** de primer orden; **à la première occasion** en la primera ocasión; **de première qualité** de primera calidad; **de ~ choix** de primera; **de première importance** de capital importancia; **de première nécessité** de primera necesidad; **le ~ venu** el primero que venga; **jeune ~** joven m promesa; (Ciné) galán m; **première classe** primera clase f; **le ~ de l'an** el primero de año, el día de año nuevo; **première communion** primera comunión f; **enfant du ~ lit** hijo de primer matrimonio; **en ~ lieu** en primer lugar; **~ âge** infancia, primera edad f; **P~ Ministre** primer(-a) ministro(-a)
premièrement [pʀəmjɛʀmɑ̃] adv primeramente; (en premier lieu) en primer lugar; (introduisant une objection) primero
prémonition [pʀemɔnisjɔ̃] nf premonición f
prenant, e [pʀənɑ̃, ɑ̃t] vb voir **prendre** ■ adj (film, livre) cautivador(a); (activité) acaparador(a)
prénatal, e [pʀenatal] adj prenatal
prendre [pʀɑ̃dʀ] vt coger, agarrar (AM); (aller chercher) recoger; (emporter avec soi) llevar; (poisson) pescar; (place) ocupar; (Cartes) levantar; (Échecs, aliment) comer; (boisson) beber; (médicament, notes, mesures) tomar; (bain, douche) darse; (moyen de transport, route) tomar, coger;

(essence) echar; (commande) tomar nota de; (passager, personnel, élève) coger, tomar (AM); (exemple) poner; (photographie) sacar; (renseignements, ordres) recibir; (avis) pedir; (engagement, critique) aceptar; (attitude) adoptar; (du poids) ganar; (de la valeur) adquirir, ganar; (vacances, repos) tomar(se); (coûter: temps) requerir, llevar; (: efforts, argent) requerir; (prélever: pourcentage, argent, cotisation) quedarse con; (traiter: enfant) tratar; (: problème) tratar, llevar ■ vi (pâte, peinture) espesar; (ciment) fraguar; (semis, vaccin) agarrar; (plaisanterie) encajar; (mensonge) ser creído(-a); (feu, incendie) comenzar; (bois, allumette) prender; **~ qn par la main** coger a algn de la mano; **~ qn dans ses bras** abrazar a algn; **~ au piège** coger ou pillar en la trampa; **~ la relève** relevar, tomar el relevo; **~ la défense de qn** salir en defensa de algn, defender a algn; **~ des risques** arriesgarse; **~ l'air** tomar el aire; **~ son temps** tomarse el tiempo necesario, no precipitarse; **~ le deuil** ponerse de luto; **~ feu** prender fuego; **~ l'eau** entrarle agua a; **~ de l'âge** envejecer; **~ sa retraite** jubilarse; **~ la parole** tomar la palabra; **~ la fuite** emprender la huida; **~ la porte** coger ou agarrar la puerta; **~ son origine** (mot) tomar su origen; **~ sa source** (rivière) nacer; **~ congé de qn** despedirse de algn; **~ un virage** tomar una curva; **~ le lit** guardar cama; **~ le voile** (Rel) tomar los hábitos, profesar; **~ qn comme ou pour** coger ou tomar a algn como ou de; **~ sur soi** responsabilizarse de; **~ sur soi de faire qch** responsabilizarse de hacer algo; **~ du plaisir à qch** cogerle ou tomarle gusto a algo; **~ de l'intérêt à qch** tomar interés por algo; **~ qch au sérieux** tomar(se) algo en serio; **~ qn en faute** coger ou pillar a algn in fraganti; **~ qn en sympathie/horreur** coger ou agarrar simpatía/odio a algn; **~ qn pour qn/qch** tomar a algn por algn/algo; **~ qch pour prétexte** tomar algo como pretexto; **~ qn à témoin** poner a algn por testigo; **à tout ~** bien mirado; **~ (un) rendez-vous avec qn** concertar una entrevista con algn; **~ à gauche** coger ou tomar a la izquierda; **s'en ~ à** emprenderla con; **se ~ pour** creerse; **se ~ d'amitié pour qn** hacer amistad con algn; **se ~ d'affection pour qn** cobrar afecto a algn; **s'y ~ bien/mal** (procéder) hacerlo bien/mal; **il faudra s'y ~ à l'avance** habrá que hacerlo con antelación; **s'y ~ à deux fois** intentarlo dos veces; **se ~ par le cou/la taille** agarrarse del cuello/de la cintura; **se ~ par la main** (gén) agarrarse de la mano; (fig) armarse de valor; **se ~ les doigts** pillarse los dedos

preneur [pʀənœʀ] nm: **je suis ~** estoy dispuesto a comprar; **trouver ~** encontrar comprador

prénom [pʀenɔ̃] nm nombre m (de pila)

préoccupation [pʀeɔkypasjɔ̃] nf preocupación f

préoccuper [pʀeɔkype] vt (personne) preocupar, inquietar; **se ~ de qch/de faire qch** preocuparse por algo/de hacer algo

préparatifs [pʀepaʀatif] nmpl preparativos mpl

préparation [pʀepaʀasjɔ̃] nf preparación f; (Chim) preparado

préparer [pʀepaʀe] vt preparar; **se préparer** vpr prepararse; **~ qn à** (nouvelle etc) preparar a algn para; **se ~ (à qch/à faire qch)** prepararse (para algo/para hacer algo)

prépondérant, e [pʀepɔ̃deʀɑ̃, ɑ̃t] adj preponderante

préposé, e [pʀepoze] adj: **~ (à qch)** encargado(-a) (de algo) ■ nm/f encargado(-a); (Admin: facteur) cartero m/f; **~ des douanes** agente m/f de aduanas

préposition [pʀepozisjɔ̃] nf preposición f

préretraite [pʀeʀ(ə)tʀɛt] nf prejubilación f

près [pʀɛ] adv cerca; **~ de** (lieu) cerca de; (la retraite) próximo a; (mourir) a punto de; (temps, quantité) alrededor de; **de ~** cerca; **à 5 m/5 kg ~** 5 m/5 kg más o menos; **à cela ~ que** salvo que, excepto que; **je ne suis pas ~ de lui pardonner/ d'oublier** estoy lejos de perdonarle/de olvidar; **on n'est pas à un jour ~** un día más o menos da igual

présage [pʀezaʒ] nm presagio; (d'un événement) presentimiento

presbyte [pʀɛsbit] adj présbita, hipermétrope

presbytère [pʀɛsbiteʀ] nm casa parroquial

prescription [pʀɛskʀipsjɔ̃] nf (Jur) mandato, orden f; (instruction) disposición f; (Méd) prescripción f facultativa, receta

prescrire [pʀɛskʀiʀ] vt (Jur) dictar; (ordonner) prescribir; (remède) recetar; (suj: circonstances) recomendar; **se**

prescrire vpr (Jur) prescribir, anularse

présence [pʀezɑ̃s] nf presencia; (au bureau etc) presencia, asistencia; **en ~ de** (personne) en presencia de; (incidents etc) en medio de; **en ~** presentes; **sentir une ~** sentir una presencia; **faire acte de ~** hacer acto de presencia; **~ d'esprit** presencia de ánimo

présent, e [pʀezɑ̃, ɑ̃t] adj, nm presente m; **présents** nmpl: **les ~s** (personnes) los presentes; **"~!"** (à un contrôle) ¡presente!"; **la ~e lettre/loi** (Admin, Comm) la presente carta/ley; **à ~** en la actualidad, ahora; **dès à/jusqu'à ~** desde/hasta ahora; **à ~ que** ahora que

présentation [pʀezɑ̃tasjɔ̃] nf presentación f; **faire les ~s** hacer las presentaciones

présenter [pʀezɑ̃te] vt presentar; (billet, pièce d'identité) enseñar; (fig: spectacle) ofrecer; (thèse) defender; (remettre: note) entregar; (matière: à un examen) hacer, exponer; (condoléances, félicitations, remerciements) dar ■ vi: **~ mal/bien** tener buena/mala presencia; **se présenter** vpr presentarse; (solution, doute) surgir; **~ qch à qn** (fauteuil etc) enseñar ou mostrar algo a algn; (plat) presentar algo a algn; **se ~ bien/mal** (affaire) presentarse bien/mal; **se ~ à l'esprit** venir a la cabeza

préservatif [pʀezeʀvatif] nm preservativo

préserver [pʀezeʀve] vt: **~ qch/qn de** (protéger) preservar ou proteger algo/a algn de

président [pʀezidɑ̃] nm presidente m; **~ du jury** (Jur) presidente del jurado; **~ d'un jury d'examen/de concours** presidente del tribunal; **~ de la République** presidente de la República; **~ directeur général** director m gerente

présidentielles [pʀezidɑ̃sjɛl] nfpl (élections) elecciones fpl presidenciales

présider [pʀezide] vt presidir; **~ à qch** presidir algo

presque [pʀɛsk] adv casi; **~ toujours/ autant** casi siempre/tanto; **~ tous/rien** casi todos/nada; **il n'a ~ pas d'argent** casi no tiene dinero, apenas tiene dinero; **il n'y avait ~ personne** no había casi nadie; **la voiture s'est ~ arrêtée** el coche casi se para, por poco se para el coche; **il n'y avait personne, ou ~** no había nadie, o casi nadie; **on pourrait ~ dire que** casi podría decirse que; **~ à chaque pas** casi a cada paso; **la ~ totalité (de)** la casi totalidad (de)

presqu'île [pʀɛskil] nf península
pressant, e [pʀesɑ̃, ɑ̃t] adj apremiante; (personne) atosigante; (besoin) acuciante; **se faire ~** volverse atosigante
presse [pʀɛs] nf prensa; **mettre un ouvrage sous ~** meter una obra en prensa; **avoir bonne/mauvaise ~** (fig) tener buena/mala prensa; **~ d'information/d'opinion** prensa de información/de opinión; **~ du cœur** prensa del corazón; **~ féminine** prensa femenina
pressé, e [pʀese] adj (personne) apresurado(-a), apurado(-a) (AM); (lettre, besogne) urgente ▪ nm: **aller/courir au plus ~** acudir/atender a lo más urgente; **être ~ de faire qch** tener prisa por hacer algo; **orange ~e** zumo de naranja
presse-citron [pʀɛssitʀɔ̃] nm inv exprimelimones m inv
pressentiment [pʀesɑ̃timɑ̃] nm presentimiento
pressentir [pʀesɑ̃tiʀ] vt presentir; (prendre contact avec, sonder) sondear
presse-papiers [pʀɛspapje] nm inv pisapapeles m inv
presser [pʀese] vt (fruit) exprimir; (éponge) escurrir; (interrupteur, bouton) pulsar; (brusquer) acosar ▪ vi (être urgent) urgir, correr prisa; **se presser** vpr (se hâter) darse prisa, apurarse (AM); (se grouper) apiñarse; **le temps presse** el tiempo apremia; **rien ne presse** no hay prisa; **~ le pas** ou **l'allure** aligerar (el paso); **~ qn de faire qch** (inciter) inducir ou presionar a algn a hacer algo; **~ qn de questions** acosar a algn a preguntas; **~ ses débiteurs** apremiar a sus deudores; **~ qn entre** ou **dans ses bras** estrechar a algn entre ou en sus brazos; **se ~ contre qn** apretujarse contra algn
pressing [pʀesiŋ] nm (repassage) planchado; (magasin) tintorería
pression [pʀesjɔ̃] nf presión f; (bouton) automático; **faire ~ sur qn/qch** ejercer presión sobre algn/algo; **sous ~** a presión; (fig) presionado(-a); **~ artérielle** tensión f arterial; **~ atmosphérique** presión atmosférica
prestataire [pʀɛstatɛʀ] nm/f beneficiario(-a); **~ de services** (Comm) prestador m de servicios
prestation [pʀɛstasjɔ̃] nf (allocation) prestación f, ayuda; (d'une assurance) prestación, indemnización f; (d'une entreprise) contribución f; (d'un joueur, artiste, homme politique) actuación f; **~ de serment** jura; **~ de service** prestación de

servicios; **~s familiales** prestaciones fpl familiares (de la Seguridad Social)
prestidigitateur, -trice [pʀɛstidiʒitatœʀ, tʀis] nm/f prestidigitador(a)
prestige [pʀɛstiʒ] nm prestigio
prestigieux, -euse [pʀɛstiʒjø, jøz] adj prestigioso(-a)
présumer [pʀezyme] vt: **~ que** presumir que; **~ de qn/qch** sobreestimar algn/a algo; **présumé coupable/innocent** presunto culpable/inocente
prêt, e [pʀɛ, pʀɛt] adj listo(-a), presto(-a); (cérémonie, repas) listo(-a), preparado(-a) ▪ nm préstamo; **~ à faire qch** (préparé à) listo(-a) para hacer algo; (disposé à) dispuesto(-a) a hacer algo; **~ à toute éventualité** preparado(-a) para lo que venga; **~ à tout** dispuesto(-a) a todo; **à vos marques, ~s? partez!** ¡preparados, listos, ya!; **~ sur gages** préstamo bajo fianza
prêt-à-porter [pʀɛtapɔʀte] (pl **prêts-à-porter**) nm prêt-à-porter f
prétendre [pʀetɑ̃dʀ] vt (avoir la ferme intention de) pretender; (affirmer): **~ que** mantener que; **~ à** aspirar a
prétendu, e [pʀetɑ̃dy] adj supuesto(-a)
prétentieux, -euse [pʀetɑ̃sjø, jøz] adj presuntuoso(-a); (maison, villa) pretencioso(-a)
prétention [pʀetɑ̃sjɔ̃] nf pretensión f; **sans ~** sin pretensiones
prêter [pʀete] vt (livres, argent): **~ qch (à)** prestar algo (a); (propos etc): **~ à qn** achacar a algn ▪ vi (aussi: **se prêter**: tissu, cuir) dar de sí; **~ à**: **~ aux commentaires/à équivoque/à rire** prestarse a comentarios/a equívoco/a risa; **se ~ à qch** prestarse a algo; **~ assistance à** prestar socorro a; **~ attention/serment** prestar atención/ juramento; **~ l'oreille** aguzar el oído; **~ sur gages** prestar bajo fianza; **~ de l'importance à** prestar importancia a
prétexte [pʀetɛkst] nm pretexto; **sous aucun ~** bajo ningún pretexto; **sous ~ de** con el pretexto de
prétexter [pʀetɛkste] vt poner el pretexto de; **~ que** poner el pretexto de que
prêtre [pʀetʀ] nm sacerdote m
preuve [pʀœv] nf prueba; **jusqu'à ~ du contraire** hasta que se demuestre lo contrario; **faire ~ de** dar pruebas de; **faire ses ~s** dar prueba de sus aptitudes; **~ matérielle** (Jur) prueba material; **~ par neuf** prueba del nueve

prévaloir [pʀevalwaʀ] vi prevalecer;
se prévaloir de qch vpr contar con la
ventaja de algo; (tirer vanité de)
enorgullecerse de algo
prévenant, e [pʀev(ə)nɑ̃, ɑ̃t] adj
atento(-a)
prévenir [pʀev(ə)niʀ] vt prevenir;
(besoins, etc) anticiparse a; **~ qn (de qch)**
(avertir) prevenir a algn (de algo); **~ qn
contre** (influencer) predisponer a algn
contra
préventif, -ive [pʀevɑ̃tif, iv] adj
preventivo(-a); **détention/prison/
arrestation préventive** detención f
preventiva/prisión f preventiva/arresto
preventivo
prévention [pʀevɑ̃sjɔ̃] nf prevención f;
faire six mois de ~ pasar seis meses en
prisión preventiva; **~ routière** seguridad f
vial
prévenu, e [pʀev(ə)ny] pp de **prévenir**
■ nm/f preso(-a) ■ adj: **être ~ contre qn**
estar prevenido(-a) contra algn; **j'ai été ~
en votre faveur** me han dado buenas
referencias sobre usted
prévision [pʀevizjɔ̃] nf: **~s** previsión f;
en ~ de l'orage en caso de que haya
tormenta; **~s météorologiques**
previsión meteorológica
prévoir [pʀevwaʀ] vt prever; **prévu
pour 4 personnes** con cabida para 4
personas; **prévu pour 10 h** previsto para
las 10
prévoyant, e [pʀevwajɑ̃, ɑ̃t] vb voir
prévoir ■ adj prevenido(-a),
precavido(-a)
prévu [pʀevy] pp de **prévoir**
prier [pʀije] vi rezar ■ vt rogar; (Rel)
rezar; (demander avec fermeté) mandar; **~
qn à dîner** invitar a algn a cenar; **se faire
~** hacerse rogar; **je vous en prie** (allez-y)
pase por favor; (de rien) de nada
prière [pʀijeʀ] nf oración f; (demande)
ruego; **dire une/des/sa ~(s)** rezar una/
algunas/su(s) oración(oraciones); **"~ de
faire/ne pas faire ..."** "se ruega hacer/no
hacer ..."
primaire [pʀimeʀ] adj primario(-a); (péj)
primitivo(-a); (: explication) superficial
■ nm (Scol: aussi: **enseignement
primaire**): **le ~** ≈ primera etapa de la
educación primaria
prime [pʀim] nf (bonification, Assurance,
Bourse) prima; (subside) ayuda; (Comm:
cadeau) bonificación f ■ adj: **de ~ abord**
de entrada; **~ de risque/transport**
prima de riesgo/gastos mpl de transporte
primer [pʀime] vt (l'emporter sur): **~ sur**

qch primar sobre algo; (récompenser)
premiar ■ vi primar
primeurs [pʀimœʀ] nfpl (fruits, légumes)
frutos mpl tempranos
primevère [pʀimveʀ] nf primavera
primitif, -ive [pʀimitif, iv] adj
primitivo(-a); (texte etc) antiguo(-a)
■ nm/f primitivo(-a)
primordial, e, -aux [pʀimɔʀdjal, jo]
adj primordial
prince [pʀɛ̃s] nm príncipe m; **~ charmant**
príncipe azul; **~ de Galles** (Textile)
príncipe de Gales; **~ héritier** príncipe
heredero
princesse [pʀɛ̃ses] nf princesa
principal, e, -aux [pʀɛ̃sipal, o] adj
principal ■ nm (Scol) director m; (Fin)
principal m; (essentiel): **le ~** lo importante
principe [pʀɛ̃sip] nm principio;
principes nmpl (moraux etc) principios
mpl; **partir du ~ que** partir del principio
de que; **pour le ~** por principios; **de/en/
par ~** de/en/por principio
printemps [pʀɛ̃tɑ̃] nm primavera
priorité [pʀijɔʀite] nf prioridad f; **en ~**
con prioridad; **~ à droite** prioridad a la
derecha
pris, e [pʀi, pʀiz] pp de **prendre** ■ adj
(place, journée) ocupado(-a); (billets)
sacado(-a); (crème, glace) en su punto;
(ciment) fraguado(-a); **avoir le nez ~/la
gorge ~e** (Méd) tener la nariz/la garganta
irritada; **être ~ de peur/de fatigue**
entrarle a algn miedo/cansancio
prise [pʀiz] nf (d'une ville) toma; (de judo,
catch) llave f; (Pêche, Chasse) presa; (Élec)
conexión f; (fiche) enchufe m; **ne pas
avoir de/avoir ~** no tener/tener donde
agarrarse; **en ~** (Auto) en directa; **être
aux ~s avec qn** enfrentarse con algn;
lâcher ~ soltarse; **donner ~ à** (fig) dar pie
a; **avoir ~ sur qn** tener influencia sobre
algn; **~ d'eau** toma de agua; **~ d'otages**
captura de rehenes; **~ de contact** toma
de contacto; **~ de courant** conexión; **~
de sang** toma de sangre; **~ de son** toma
de sonido; **~ de tabac** toma de rapé; **~ de
terre** toma de tierra; **~ de vue** (Photo)
toma de vista; **~ de vue(s)** toma de
planos; **~ en charge** (par un taxi) bajada
de bandera; (par la sécurité sociale)
cobertura; **~ multiple** ladrón m; **~ péritel**
euroconector m
priser [pʀize] vt (tabac) inhalar; (estimer)
apreciar
prison [pʀizɔ̃] nf cárcel f, prisión f; (Mil)
prisión militar; (fig) cárcel; **faire de/
risquer la ~** estar en/correr el riesgo de ir

a la cárcel; **être condamné à cinq ans de
~** ser condenado a cinco años de cárcel
prisonnier, -ière [pRizɔnje, jɛR] nm/f
preso(-a); (soldat, otage) prisionero(-a)
■ adj preso(-a); **faire qn ~** hacer
prisionero(-a) a algn
privé, e [pRive] adj privado(-a); **~ de**
privado(-a) de; **en ~** en privado; **dans le ~**
(Écon) en el sector privado
priver [pRive] vt privar; **se priver** vpr:
(ne pas) se ~ (de) (no) privarse (de)
privilège [pRivilɛʒ] nm privilegio
prix [pRi] nm precio; (récompense)
premio; **grand ~ automobile** gran
premio automovilístico; **mettre à ~**
sacar a la venta; **au ~ fort** al precio más
alto; **acheter qch à ~ d'or** comprar algo a
precio de oro; **hors de ~** carísimo(-a); **à
aucun ~** por nada del mundo; **à tout ~**
cueste lo que cueste; **~ conseillé** precio
de venta al público, PVP m; **~ d'achat/de
revient/de vente** precio de compra/de
coste/de venta
probable [pRɔbabl] adj probable
probablement [pRɔbabləmã] adv
probablemente
problème [pRɔblɛm] nm problema m
procédé [pRɔsede] nm proceso;
(comportement) proceder m
procéder [pRɔsede] vi proceder; **~ à** (Jur)
proceder a, pasar a
procès [pRɔsɛ] nm (Jur) juicio;
(: poursuites) proceso; **être en ~ avec qn**
estar en pleito con algn; **faire le ~ de
qch/qn** (fig) criticar algo/a algn; **sans
autre forme de ~** sin más ni más
processeur [pRɔsesœR] nm
procesador m
processus [pRɔsesys] nm proceso
procès-verbal [pRɔsɛvɛRbal] (pl **procès-
verbaux**) nm (constat) atestado; (aussi:
P.V.) multa; (d'une réunion) acta
prochain, e [pRɔʃɛ̃, ɛn] adj próximo(-a)
■ nm prójimo; **la ~e fois** la próxima vez;
la semaine ~e la semana que viene; **à la
~e!** (fam) ¡hasta otra!; **un jour ~** cualquier
día
prochainement [pRɔʃɛnmã] adv
pronto; (au cinéma) próximamente
proche [pRɔʃ] adj (ami) cercano(-a),
próximo(-a); **proches** nmpl (parents)
familiares mpl; (amis): **l'un de ses ~** una
de sus amistades; **être ~ (de)** estar cerca
(de); (fig: parent) estar unido(-a) a; **de ~
en ~** progresivamente
proclamer [pRɔklame] vt declarar; (la
république, son innocence) proclamar;
(résultat d'un examen) publicar

procuration [pRɔkyRasjɔ̃] nf poder m;
donner ~ à qn hacer un poder a algn;
voter/acheter par ~ votar/comprar por
poder
procurer [pRɔkyRe] vt (fournir)
proporcionar; (causer) dar; **se procurer**
vpr conseguir
procureur [pRɔkyRœR] nm: **~ (de la
République)** ≈ fiscal m; **~ général** ≈ fiscal
del tribunal supremo
prodige [pRɔdiʒ] nm prodigio; **un ~
d'ingéniosité** un prodigio de ingenio
prodiguer [pRɔdige] vt prodigar
producteur, -trice [pRɔdyktœR, tRis]
adj, nm/f productor(a); **société
productrice** productora
productif, -ive [pRɔdyktif, iv] adj
productivo(-a); (personnel) eficiente
production [pRɔdyksjɔ̃] nf producción f
productivité [pRɔdyktivite] nf
productividad f
produire [pRɔdɥiR] vt producir; (Admin,
Jur: documents, témoins) presentar ■ vi
producir; **se produire** vpr producirse;
(acteur) actuar
produit, e [pRɔdɥi, it] pp de **produire**
■ nm producto; (profit) rendimiento; **~
d'entretien** producto de limpieza; **~ des
ventes** producto de la venta; **~ national
brut** producto nacional bruto; **~ net**
beneficio neto; **~ pour la vaisselle**
lavavajillas m inv; **~s agricoles** productos
mpl agrícolas; **~s alimentaires** productos
alimenticios; **~s de beauté** productos de
belleza
prof [pRɔf] abr (= professeur) prof. (= profesor)
proférer [pRɔfeRe] vt proferir
professeur [pRɔfesœR] nm profesor(a);
(titulaire d'une chaire) catedrático(-a); **~
(de faculté)** profesor(a) (de universidad)
profession [pRɔfesjɔ̃] nf profesión f;
faire ~ de hacer profesión de; **de ~:
ballerine de ~** bailarina de profesión;
"sans ~" "sin profesión"; (femme mariée)
"sus labores"
professionnel, le [pRɔfesjɔnɛl] adj
profesional ■ nm/f profesional m/f;
(ouvrier qualifié) obrero(-a) cualificado(-a)
profil [pRɔfil] nm perfil m; (d'une voiture)
línea; (section) sección f; **de ~** de perfil;
~ des ventes perfil de ventas; **~
psychologique** perfil psicológico
profit [pRɔfi] nm (avantage) provecho;
(Comm, Fin) beneficio; **au ~ de qn/qch** en
beneficio de algn/algo; **tirer ou retirer ~
de qch** sacar provecho de algo; **mettre à
~ qch** sacar partido de algo; **~s et pertes**
(Comm) pérdidas fpl y beneficios

profitable [pʀɔfitabl] *adj*
provechoso(-a)

profiter [pʀɔfite] : **~ de** *vt* aprovecharse
de; (*lecture*) sacar provecho de; (*occasion*)
aprovechar; **~ de ce que** ... aprovecharse
de que ...; **~ à qch/à qn** beneficiar algo/a
algn

profond, e [pʀɔfɔ̃, ɔ̃d] *adj* profundo(-a);
(*trou, eaux*) hondo(-a); **au plus ~ de** desde
lo más hondo *ou* profundo de; **la France
~e** la Francia profunda

profondément [pʀɔfɔ̃demã] *adv*
profundamente; **~ endormi**
profundamente dormido

profondeur [pʀɔfɔ̃dœʀ] *nf* profundidad
f; **en ~** en profundidad; **~ de champ**
(*Photo*) profundidad de campo

programme [pʀɔgʀam] *nm* programa
m; **au ~ de ce soir** (*TV*) en la
programación de esta noche

programmer [pʀɔgʀame] *vt* programar

programmeur, -euse [pʀɔgʀamœʀ,
øz] *nm/f* (*Inform*) programador(a)

progrès [pʀɔgʀɛ] *nm* progreso, avance
m; (*gén pl: d'un incendie, d'une épidémie etc*)
avance *m*; **faire des/être en ~** hacer
progresos

progresser [pʀɔgʀese] *vi* (*mal etc*)
avanzar; (*élève, recherche*) progresar

progressif, -ive [pʀɔgʀesif, iv] *adj*
progresivo(-a)

progression [pʀɔgʀesjɔ̃] *nf* (*d'un mal etc*)
avance *m*; (*Math*) progresión *f*

proie [pʀwa] *nf* presa; (*fig*) víctima; **être
la ~ de** ser presa de; **être en ~ à** ser presa
de

projecteur [pʀɔʒɛktœʀ] *nm* (*de théâtre,
cirque*) foco; (*de films, photos*) proyector *m*

projectile [pʀɔʒɛktil] *nm* proyectil *m*

projection [pʀɔʒɛksjɔ̃] *nf* proyección *f*;
les ~s du camion lo que el camión lanzó
al pasar

projet [pʀɔʒɛ] *nm* proyecto; **faire des ~s**
hacer planes; **~ de loi** proyecto de ley

projeter [pʀɔʒ(ə)te] *vt* proyectar; (*jeter*)
lanzar; (*envisager*) planear

prolétaire [pʀɔletɛʀ] *nm* proletario(-a)

prolongement [pʀɔlɔ̃ʒmã] *nm*
prolongación *f*; **prolongements** *nmpl*
(*fig*) repercusiones *fpl*; **être dans le ~ de**
ser una prolongación de

prolonger [pʀɔlɔ̃ʒe] *vt* prolongar; (*délai*)
prorrogar; **se prolonger** *vpr*
prolongarse

promenade [pʀɔm(ə)nad] *nf* paseo;
faire une ~ dar un paseo; **partir en ~** salir
de paseo; **~ à pied/à vélo/en voiture**
paseo andando/en bici/en coche

promener [pʀɔm(ə)ne] *vt* dar un paseo
a; (*fig: qch*) llevar consigo; (*doigts, main*)
recorrer; **se promener** *vpr* pasearse;
se ~ sur (*fig*) recorrer; **son regard se
promena sur** ... recorrió con la
mirada ...

promesse [pʀɔmɛs] *nf* promesa; **~
d'achat/de vente** compromiso de
compra/de venta

promettre [pʀɔmɛtʀ] *vt, vi* prometer;
se ~ faire qch comprometerse a hacer
algo; **~ à qn de faire qch** prometer a algn
hacer algo

promiscuité [pʀɔmiskɥite] *nf*
promiscuidad *f*

promontoire [pʀɔmɔ̃twaʀ] *nm*
promontorio

promoteur, -trice [pʀɔmɔtœʀ, tʀis]
nm/f propulsor(a); **~ (immobilier)**
promotor (inmobiliario)

promotion [pʀɔmɔsjɔ̃] *nf* promoción *f*;
(*avancement*) ascenso; **article en ~**
artículo en oferta; **~ des ventes**
promoción de ventas

promouvoir [pʀɔmuvwaʀ] *vt* (*à un
grade, poste*) ascender a; (*recherche etc*)
promover; (*Comm: produit*) promocionar

prompt, e [pʀɔ̃(pt), pʀɔ̃(p)t] *adj*
rápido(-a); **~ à qch/à faire qch** dado(-a)
a algo/a hacer algo

prôner [pʀone] *vt* (*louer*) ensalzar;
(*préconiser*) preconizar

pronom [pʀɔnɔ̃] *nm* pronombre *m*

prononcer [pʀɔnɔ̃se] *vt* pronunciar;
(*souhait, vœu*) formular; **se prononcer**
vpr pronunciarse; **se ~ sur qch**
pronunciarse sobre algo; **ça se prononce
comment?** ¿cómo se pronuncia eso?

prononciation [pʀɔnɔ̃sjasjɔ̃] *nf*
pronunciación *f*

pronostic [pʀɔnɔstik] *nm* pronóstico

propagande [pʀɔpagɑ̃d] *nf*
propaganda; **faire de la ~ pour qch**
hacer propaganda de algo

propager [pʀɔpaʒe] *vt* propagar;
se propager *vpr* propagarse; (*espèce*)
multiplicarse

prophète, prophétesse [pʀɔfɛt,
pʀɔfetɛs] *nm/f* profeta (profetisa)

prophétie [pʀɔfesi] *nf* (*d'un prophète*)
profecía; (*d'une cartomancienne*)
predicción *f*

propice [pʀɔpis] *adj* propicio(-a)

proportion [pʀɔpɔʀsjɔ̃] *nf* proporción *f*;
(*relation, pourcentage*) relación *f*; **à ~ de** en
proporción directa a; **en ~ de** (*selon*) en
proporción a; (*en comparaison de*) en
comparación a; **hors de ~**

desproporcionado(-a); **toute(s) ~(s)
gardée(s)** manteniendo las proporciones

propos [pʀɔpo] *nm* (*paroles*) palabras *fpl*;
(*intention*) propósito; **à ~ de** a propósito
de; **à tout ~** a cada momento; **à ce ~** a
ese respecto; **à ~ de** a propósito de;
hors de ~, mal à ~ fuera de lugar

proposer [pʀɔpoze] *vt* proponer; (*loi,
motion*) presentar; **se ~ (pour faire qch)**
ofrecerse (para hacer algo); **se ~ de faire
qch** proponerse hacer algo

proposition [pʀɔpozisjɔ̃] *nf* propuesta;
(*offre*) oferta; (*Ling*) proposición *f*; **sur la ~
de** a propuesta de; **~ de loi** propuesta de
ley

propre [pʀɔpʀ] *adj* limpio(-a); (*net*)
pulcro(-a); (*fig: honnête*) intachable;
(*intensif possessif, sens*) propio(-a) ■ *nm*:
le ~ de lo propio de; **~ à** (*particulier*)
propio(-a) de; (*convenable*) apropiado(-a)
para; **au ~** (*Ling*) en sentido propio;
mettre ou recopier au ~ pasar a limpio;
avoir qch/appartenir à qn en ~ tener
algo/pertenecer a algn en propiedad; **~ à
rien** *nm/f* (*péj*) inútil *m/f*

proprement [pʀɔpʀəmɑ̃] *adv* (*manger
etc*) correctamente; (*rangé etc*) con
esmero; (*avec décence*) honradamente;
(*exclusivement*) propiamente;
(*littéralement*) verdaderamente; **à ~
parler** a decir verdad; **le village ~ dit** el
pueblo propiamente dicho

propreté [pʀɔpʀəte] *nf* limpieza; (*d'une
personne: pour s'habiller etc*) pulcritud *f*

propriétaire [pʀɔpʀijetɛʀ] *nm/f*
propietario(-a); (*d'un chien etc*) dueño(-a);
(*pour le locataire*) casero(-a); **~
(immobilier)** propietario; **~ récoltant**
labrador; **~ terrien** terrateniente *m/f*

propriété [pʀɔpʀijete] *nf* propiedad *f*;
(*villa, terres*) casa de campo; (*exploitations
agricoles*) granja; **~ artistique et
littéraire/industrielle** propiedad
intelectual/industrial

propulser [pʀɔpylse] *vt* (*missile, engin*)
propulsar; (*projeter*) lanzar

prose [pʀoz] *nf* prosa

prospecter [pʀɔspɛkte] *vt* prospectar;
(*Comm*) estudiar el mercado de

prospectus [pʀɔspɛktys] *nm* prospecto

prospère [pʀɔspɛʀ] *adj* próspero(-a); **il a
la santé ~** está rebosante de salud

prospérer [pʀɔspeʀe] *vi* prosperar

prosterner [pʀɔstɛʀne] *vpr*: **se
prosterner** prosternarse

prostituée [pʀɔstitɥe] *nf* prostituta

prostitution [pʀɔstitysjɔ̃] *nf*
prostitución *f*

protecteur, -trice [pʀɔtɛktœʀ, tʀis]
adj protector(a); (*Écon*) proteccionista;
(*péj: air, ton*) paternalista ■ *nm/f*
protector(a); **~ des arts** mecenas *m*

protection [pʀɔtɛksjɔ̃] *nf* protección *f*;
écran/enveloppe de ~ pantalla
protectora/sobre *m* protector; **~ civile/
judiciaire** protección civil/judicial; **~
maternelle et infantile** protección
materna y de la infancia

protéger [pʀɔteʒe] *vt* proteger;
(*moralement*) amparar; (*carrière*) apoyar;
(*Écon*) patrocinar; **se ~ de/contre qch**
protegerse de/contra algo

protège-slip [pʀɔtɛʒslip] *nm* salva-slip *m*

protéine [pʀɔtein] *nf* proteína

protestant, e [pʀɔtɛstɑ̃, ɑ̃t] *adj, nm/f*
protestante *m/f*

protestation [pʀɔtɛstasjɔ̃] *nf* protesta

protester [pʀɔtɛste] *vi* protestar

prothèse [pʀɔtɛz] *nf* prótesis *f inv*;
(*pour remplacer un organe*) implante *m*;
~ dentaire prótesis dental; (*science*)
fabricación *f* de prótesis dentales

protocole [pʀɔtɔkɔl] *nm* protocolo;
(*procès-verbal*) acta de protocolo; **chef du
~** jefe *m* de protocolo; **~ d'accord**
proposición *f* de acuerdo; **~ opératoire**
(*Méd*) parte *m* médico

proue [pʀu] *nf* proa

prouesse [pʀuɛs] *nf* proeza

prouver [pʀuve] *vt* probar; (*montrer*)
demostrar

provenance [pʀɔv(ə)nɑ̃s] *nf*
procedencia; (*d'un mot, d'une coutume*)
origen *m*; **en ~ de** procedente de

provenir [pʀɔv(ə)niʀ]: **~ de** *vt* proceder
de; (*tirer son origine de*) provenir de;
(*résulter de*) derivarse de

proverbe [pʀɔvɛʀb] *nm* proverbio

province [pʀɔvɛ̃s] *nf* provincia

proviseur [pʀɔvizœʀ] *nm* director(a) de
instituto

provision [pʀɔvizjɔ̃] *nf* provisión *f*;
(*acompte, avance*) anticipo; (*Comm*)
provisión de fondos; **provisions** *nfpl*
(*vivres*) provisiones *fpl*; **faire ~ de qch**
abastecerse de algo; **placard ou armoire
à ~s** despensa

provisoire [pʀɔvizwaʀ] *adj* provisional,
provisorio(-a) (*AM*); (*personne*)
interino(-a); **mise en liberté ~** puesta en
libertad provisional

provisoirement [pʀɔvizwaʀmɑ̃] *adv*
provisionalmente

provocant, e [pʀɔvɔkɑ̃, ɑ̃t] *adj*
(*agressif*) provocante; (*excitant*)
provocativo(-a)

provoquer [pʀɔvɔke] vt provocar; (curiosité) despertar

proxénète [pʀɔksenɛt] nm proxeneta m

proximité [pʀɔksimite] nf (dans l'espace) cercanía; (dans le temps) proximidad f; **à ~ (de)** cerca (de)

prudemment [pʀydamã] adv con prudencia

prudence [pʀydãs] nf prudencia; **avec ~** con prudencia; **par (mesure de) ~** como medida de precaución

prudent, e [pʀydã, ãt] adj prudente; (sage, conseillé) sensato(-a); **ce n'est pas ~** no es sensato; **soyez ~!** ¡tened cuidado!

prune [pʀyn] nf ciruela

pruneau, x [pʀyno] nm ciruela pasa

prunier [pʀynje] nm ciruelo

PS [pees] sigle m = Parti socialiste; (= post-scriptum) PD (= postdata)

pseudonyme [psødɔnim] nm seudónimo; (de comédien) nombre m artístico

psychanalyse [psikanaliz] nf (p)sicoanálisis m inv

psychiatre [psikjatʀ] nm/f (p)siquiatra m/f

psychiatrique [psikjatʀik] adj (p)siquiátrico(-a)

psychique [psiʃik] adj (p)síquico(-a)

psychologie [psikɔlɔʒi] nf (p)sicología

psychologique [psikɔlɔʒik] adj (p)sicológico(-a)

psychologue [psikɔlɔg] nm/f (p)sicólogo(-a); **être ~** (fig) ser (p)sicólogo(-a)

pu [py] pp de **pouvoir**

puanteur [pɥãtœʀ] nf pestilencia

pub [pyb] nf (fam: publicité) publicidad f

public, -ique [pyblik] adj público(-a); ■ nm público; **en ~** en público; **interdit au ~** prohibido al público; **le grand ~** el público en general

publicitaire [pyblisitɛʀ] adj publicitario(-a); ■ nm/f publicista m/f; **rédacteur/dessinateur ~** redactor m/ dibujante m publicitario

publicité [pyblisite] nf publicidad f; **une ~** un anuncio; **faire trop de ~ autour de qch/qn** dar demasiada publicidad a algo/algn

publier [pyblije] vt publicar; (décret, loi) promulgar

publipostage [pyblipɔstaʒ] nm envío masivo de correo

publique [pyblik] adj f voir **public**

puce [pys] nf pulga; (Inform) pulgada; **marché aux ~s** mercadillo; **mettre la ~ à**

l'oreille de qn intrigar a algn, poner la mosca detrás de la oreja a algn

pudeur [pydœʀ] nf pudor m

pudique [pydik] adj (chaste) pudoroso(-a); (discret) recatado(-a)

puer [pɥe] (péj) vi, vt apestar (a)

puéricultrice [pɥeʀikyltʀis] nf puericultora

puéril, e [pɥeʀil] adj pueril

puis [pɥi] vb voir **pouvoir** ■ adv (ensuite) después, luego; (dans une énumération) luego; (en outre): **et ~** y además, y encima; **et ~ après!** ¡y qué!; **et ~ quoi encore?** ¡y qué más!

puiser [pɥize] vt: **~ (dans)** sacar (de)

puisque [pɥisk] conj ya que, como; **~ je te le dis!** (valeur intensive) ¡que te lo digo yo!

puissance [pɥisãs] nf potencia; (pouvoir) poder m; **deux (à la) ~ cinq** (Math) dos (elevado) a la quinta; **les ~s occultes** los poderes ocultos

puissant, e [pɥisã, ãt] adj poderoso(-a); (homme, voix) fuerte; (raisonnement) consistente; (moteur) potente; (éclairage, drogue, vent) fuerte

puits [pɥi] nm pozo; **~ artésien/de mine** pozo artesano/minero; **~ de science** pozo de sabiduría

pull [pyl], **pull-over** [pylɔvɛʀ] (pl **~-overs**) nm jersey m

pulluler [pylyle] vi pulular; (fig) abundar

pulpe [pylp] nf pulpa

pulvériser [pylveʀize] vt pulverizar; (fig: adversaire) machacar

punaise [pynɛz] nf (Zool) chinche f; (clou) chincheta

punch [pœnʃ] nm (boisson) ponche m; (Boxe) puñetazo; (fig) vitalidad f

punir [pyniʀ] vt castigar; (faute, infraction) sancionar; (crime) condenar; **~ qn de qch** castigar a algn por algo

punition [pynisjɔ̃] nf castigo

pupille [pypij] nf (Anat) pupila ■ nm/f (enfant) pupilo(-a); **~ de l'État** hospiciano(-a); **~ de la Nation** huérfano(-a) de guerra

pupitre [pypitʀ] nm (Scol) pupitre m; (Rel, Mus) atril m; (Inform) consola; **~ de commande** consola de mandos

pur, e [pyʀ] adj puro(-a); (intentions) bueno(-a) ■ nm puro; **et simple** mero(-a); **en ~e perte** en balde; **~e laine** pura lana

purée [pyʀe] nf puré m; **~ de pois** (fig) niebla muy espesa; **~ de tomates** tomate m triturado

purement [pyʀmã] adv puramente

purgatoire [pyʁgatwaʁ] *nm* purgatorio
purger [pyʁʒe] *vt* purgar; (*vidanger*)
limpiar
pur-sang [pyʁsɑ̃] *nm inv* pura sangre *m*
pus [py] *vb voir* **pouvoir** ■ *nm* pus *m*
putain [pytɛ̃] (*fam!*) *nf* puta; **~!** ¡joder!;
ce/cette ~ de ... este(-a) puto(-a) ...
puzzle [pœzl] *nm* rompecabezas *m inv*
PV [peve] *sigle m* (= *procès-verbal*) multa
pyjama [piʒama] *nm* pijama *m*, piyama
m ou f (*AM*)
pyramide [piʁamid] *nf* pirámide *f*;
~ humaine pirámide humana
Pyrénées [piʁene] *nfpl*: **les ~** los Pirineos

q

QI [kyi] *sigle m* (= *quotient intellectuel*) C.I.
m (= *coeficiente intelectual*)
quadragénaire [k(w)adʁaʒenɛʁ] *nm/f*
(*de quarante ans*) cuadragenario(-a); (*de
quarante à cinquante ans*)
cuarentón(-ona); **les ~s** los mayores de
cuarenta años
quadruple [k(w)adʁypl] *adj* cuádruple
■ *nm*: **le ~ de** el cuádruplo de
quadruplés, -ées [k(w)adʁyple] *nm/fpl*
cuatrillizos(-as)
quai [ke] *nm* (*d'un port*) muelle *m*; (*d'une
gare*) andén *m*; (*d'un cours d'eau, canal*)
orilla; **être à ~** (*navire*) estar atracado;
(*train*) estar en el andén; **le Q~ d'Orsay**
Ministerio de Asuntos Exteriores; **le Q~ des
Orfèvres** *la sede de la Policía Judicial*
qualification [kalifikasjɔ̃] *nf*
calificación *f*; (*désignation*) designación *f*,
nombramiento; (*aptitude*) capacitación *f*;
~ professionnelle cualificación *f*
profesional
qualifier [kalifje] *vt* calificar; **se
qualifier** *vpr* (*Sport*) calificarse; **~ qch de
crime** calificar algo de crimen; **~ qn
d'artiste** calificar a algn de artista; **être
qualifié pour** estar cualificado *ou*
capacitado para
qualité [kalite] *nf* calidad *f*; (*valeur*,

aptitude) cualidad f; **en ~ de** en calidad de;
ès ~s como tal; **avoir ~ pour** tener
autoridad para; **de ~** adj de calidad;
rapport ~-prix relación f calidad-precio

quand [kɑ̃] conj cuando; (chaque fois que)
cada vez que; (alors que) cuando,
mientras ■ adv: **~ arrivera-t-il?** ¿cuándo
llegará?; **~ je serai riche, j'aurai une
belle maison** cuando yo sea rico, tendré
una casa bonita; **~ même** (cependant,
pourtant) sin embargo; (tout de même): **tu
exagères ~ même** desde luego te pasas;
~ bien même aun cuando, así +subjun
(AM)

quant [kɑ̃]: **~ à** prép en cuanto a; (au sujet
de): **il n'a rien dit ~ à ses projets** no dijo
nada sobre sus planes; **~ à moi, ...** en
cuanto a mí ..., por lo que se refiere a mí ...

quantité [kɑ̃tite] nf cantidad f; (grand
nombre): **une** ou **des ~(s) de** una cantidad
ou cantidades de; **~ négligeable** (Science)
cantidad insignificante; **en grande ~** en
gran cantidad; **en ~s industrielles** en
cantidades industriales; **du travail en ~**
cantidad de trabajo

quarantaine [kaʁɑ̃tɛn] nf (isolement)
cuarentena; (nombre): **une ~ (de)** unos
cuarenta; (âge): **avoir la ~** estar en la
cuarentena; **mettre en ~** poner en
cuarentena; (fig) hacer el vacío

quarante [kaʁɑ̃t] adj inv, nm inv cuarenta
m inv; voir aussi **cinq**

quarantième [kaʁɑ̃tjɛm] adj, nm/f
cuadragésimo(-a) ■ nm (partitif)
cuarentavo; voir aussi **cinquantième**

quart [kaʁ] nm cuarto m; (Naut,
surveillance) guardia; **le ~ de** la cuarta
parte de; **un ~ de l'héritage** un cuarto de
la herencia; **un ~ de fromage** un cuarto
(de kilo) de queso; **un kilo un** ou **et ~** un
kilo y cuarto; **2h et** ou **un ~** las dos y
cuarto; **1h moins le ~** la una menos
cuarto; **il est moins le ~** son menos
cuarto; **être de/prendre le ~** estar de/
entrar de guardia; **au ~ de tour** (fig) a la
primera; **~s de finale** (Sport) cuartos mpl
de final; **~ d'heure** cuarto de hora; **~ de
tour** cuarto de vuelta

quartier [kaʁtje] nm cuarto m; (d'une ville)
barrio; (d'orange) gajo; **quartiers** nmpl
(Mil) cuarteles mpl; (Blason) cuartel m;
cinéma de ~ cine m de barrio; **avoir ~
libre** estar libre; (Mil) tener permiso; **ne
pas faire de ~** no dar cuartel; **~
commerçant** zona ou barrio comercial; **~
général** cuartel general; **~ résidentiel**
barrio residencial

quartz [kwaʁts] nm cuarzo

quasi [kazi] adv casi ■ préf: **~-certitude/
totalité** cuasicerteza/cuasitotalidad f

quasiment [kazimɑ̃] adv casi

quatorze [katɔʁz] adj inv, nm inv catorce
m inv; voir aussi **cinq**

quatorzième [katɔʁzjɛm] adj, nm/f
decimocuarto(-a) ■ nm (partitif)
catorceavo; voir aussi **cinquantième**

quatre [katʁ] adj inv, nm inv cuatro m inv;
à ~ pattes a cuatro patas; **être tiré à ~
épingles** estar hecho un maniquí; **faire
les ~ cents coups** armar las mil y una; **se
mettre en ~ pour qn** desvivirse por algn;
monter/descendre (l'escalier) ~ à ~
subir/ bajar (los escalones) de cuatro en
cuatro; **à ~ mains** adj (morceau) a cuatro
manos; voir aussi **cinq**

quatre-vingt-dix [katʁəvɛ̃dis] adj inv,
nm inv noventa m inv; voir aussi **cinq**

quatre-vingt-dixième
[katʁ(ə)vɛ̃dizjɛm] adj, nm/f
nonagésimo(-a) ■ nm (partitif)
noventavo; voir aussi **cinquantième**

quatre-vingtième [katʁəvɛ̃tjɛm] adj,
nm/f octogésimo(-a) ■ nm (partitif)
ochentavo; voir aussi **cinquantième**

quatre-vingts [katʁəvɛ̃] adj inv, nm inv
ochenta m inv; voir aussi **cinq**

quatrième [katʁijɛm] adj, nm/f
cuarto(-a) ■ nf (Auto) cuarta; (Scol) tercer
año de educación secundaria en el sistema
francés; voir aussi **cinquième**

quatuor [kwatɥɔʁ] nm cuarteto

⊙ **MOT-CLÉ**

que [kə] conj **1** (introduisant complétive)
que; **il sait que tu es là** sabe que estás
allí; **je veux que tu acceptes** quiero que
aceptes; **il a dit que oui** dijo que sí
2 (reprise d'autres conjonctions): **quand il
rentrera et qu'il aura mangé** cuando
vuelva y haya comido; **si vous y allez** ou
que vous lui téléphonez si usted va (allí)
o le llama por teléfono
3 (en tête de phrase: hypothèse, souhait etc):
qu'il le veuille ou non quiera o no quiera;
qu'il fasse ce qu'il voudra! ¡que haga lo
que quiera!
4 (après comparatif): **aussi grand que** tan
grande como; **plus grand que** más
grande que; voir aussi **plus**
5 (temps): **elle venait à peine de sortir
qu'il se mit à pleuvoir** acababa justo de
salir cuando se puso a llover; **il y a 4 ans
qu'il est parti** hace 4 años que se marchó
6 (attribut): **c'est une erreur que de
croire ...** es un error creer ...

7 (*but*): **tenez-le qu'il ne tombe pas** sujételo (para) que no se caiga
8 (*seulement*): **ne ... que** sólo, no más que; **il ne boit que de l'eau** sólo bebe agua, no bebe más que agua
■ *adv* (*exclamation*): **qu'est-ce qu'il est bête!** ¡qué tonto es!; **qu'est-ce qu'il court vite!** ¡cómo corre!; **que de livres!** ¡cuántos libros!
■ *pron* **1** (*relatif*): **l'homme que je vois** el hombre que veo; (*temps*): **un jour que j'étais ...** un día en que yo estaba ...; **le livre que tu lis** el libro que lees
2 (*interrogatif*): **que fais-tu?, qu'est-ce que tu fais?** ¿qué haces?; **que préfères-tu, celui-ci ou celui-là?** ¿cuál prefieres, éste o ése?; **que fait-il dans la vie?** ¿a qué se dedica?; **qu'est-ce que c'est?** ¿qué es?; **que faire?** ¿qué se puede hacer?; *voir aussi* **aussi**; **autant** *etc*

Québec [kebɛk] *nm* Quebec *m*

MOT-CLÉ

quel, quelle [kɛl] *adj* **1** (*interrogatif: avant un nom*) qué; (*avant un verbe: personne*) quién; (: *chose*) cuál; **sur quel auteur va-t-il parler?** ¿sobre qué autor va a hablar?; **quels acteurs préférez-vous?** ¿(a) qué actores prefiere?; **quel est cet homme?** ¿quién es este hombre?; **quel livre veux-tu?** ¿qué libro quieres?; **quel est son nom?** ¿cuál es su nombre?
2 (*exclamatif*): **quelle surprise/coïncidence!** ¡qué sorpresa/coincidencia!; **quel dommage qu'il soit parti!** ¡qué pena que se haya marchado!
3: **quel que soit** (*personne*) sea quien sea, quienquiera que sea; (*chose*) sea cual sea, cualquiera que sea; **quel que soit le coupable** sea quien sea el culpable; **quel que soit votre avis** sea cual sea su opinión
■ *pron interrogatif*: **de tous ces enfants, quel est le plus intelligent?** de todos esos niños, ¿cuál es el más inteligente?

quelconque [kɛlkõk] *adj* cualquier(a); (*sans valeur*) mediocre; **pour une raison ~** por cualquier razón

MOT-CLÉ

quelque [kɛlk] *adj* **1** (*suivi du singulier*) algún(-una); (*suivi du pluriel*) algunos(-as); **cela fait quelque temps que je ne l'ai (pas) vu** hace algún tiempo

que no lo he visto; **il a dit quelques mots de remerciement** dijo algunas palabras de agradecimiento; **les quelques enfants qui ...** los pocos niños que ...; **il habite à quelque distance d'ici** vive a cierta distancia de aquí; **a-t-il quelques amis?** ¿tiene amigos?; **20 kg et quelque(s)** 20 kg y pico
2: **quelque ... que**; **quelque livre qu'il choisisse** cualquier libro que elija; **par quelque temps qu'il fasse** haga el tiempo que haga
3: **quelque chose** *pron* algo; **quelque chose d'autre** otra cosa; **y être pour quelque chose** tener algo que ver; **ça m'a fait quelque chose!** (*fig*) ¡sentí una cosa!; **puis-je faire quelque chose pour vous?** ¿puedo hacer algo por usted?; **c'est déjà quelque chose** algo es algo; **quelque part** (*position*) en alguna parte; (*direction*) a alguna parte; **quelque sorte**: **en quelque sorte** (*pour ainsi dire*) en cierto modo; (*bref*) o sea
■ *adv* **1** (*environ, à peu près*): **une route de quelque 100 km** una carretera de unos 100 km
2: **quelque peu** algo; **il est quelque peu vulgaire** es algo vulgar

quelquefois [kɛlkəfwa] *adv* a veces
quelques-uns, -unes [kɛlkəzœ̃, yn] *pron* algunos(-as); **~ des lecteurs** unos cuantos lectores
quelqu'un, e [kɛlkœ̃] *pron* alguien; (*entre plusieurs*) alguno(-a); **~ d'autre** otro(-a); **être ~** (*de valeur*) ser algn
qu'en dira-t-on [kãdiratɔ̃] *nm inv*: **le ~** el qué dirán
querelle [kərɛl] *nf* pelea; **chercher ~ à qn** buscar pelea con algn
quereller [kərele] *vpr*: **se quereller** pelearse
qu'est-ce que [kɛskə] *voir* **que**; **qui**
qu'est-ce qui [kɛski] *voir* **que**; **qui**
question [kɛstjɔ̃] *nf* (*gén*) pregunta; (*problème*) cuestión *f*, problema *m*; **il a été ~ de** se trató de; **il est ~ de les emprisonner** se trata de encarcelarlos; **c'est une ~ de temps/d'habitude** es cuestión de tiempo/de costumbre; **de quoi est-il ~?** ¿de qué se trata?; **il n'en est pas ~** ni hablar, ni mucho menos; **en ~** en cuestión; **hors de ~** fuera de lugar; **je ne me suis jamais posé la ~** nunca me he planteado el problema; **(re)mettre en ~** poner en tela de juicio; **poser la ~ de confiance** (*Pol*) pedir un voto de confianza; **~ d'actualité** (*Presse*) tema *m*

de actualidad; **~ piège** pregunta capciosa; **~s économiques/sociales** cuestiones económicas/sociales; **~ subsidiaire** cuestión subsidiaria

questionnaire [kɛstjɔnɛʀ] nm cuestionario

questionner [kɛstjɔne] vt preguntar; **~ qn sur qch** preguntar a algn acerca de algo

quête [kɛt] nf (collecte) colecta; (recherche) búsqueda; **faire la ~** (à l'église) pasar la bandeja; (artiste) pasar la gorra; **se mettre en ~ de qch** ir en busca de algo

quetsche [kwɛtʃ] nf ciruela damascena

queue [kø] nf cola; (de lettre, note) rabo; (d'une casserole) asa; (poêle) mango; (d'un fruit, d'une feuille) rabillo; (cheveux) coleta; (Billard) taco; **en ~ (de train)** en cola; **faire la ~** hacer cola; **se mettre à la ~** ponerse a la cola; **histoire sans ~ ni tête** historia sin pies ni cabeza; **à la ~ leu leu** uno tras otro; (fig) en fila india; **faire une ~ de poisson à qn** (Auto) ponerse bruscamente delante de algn al adelantar; **finir en ~ de poisson** (projets) terminar en agua de borrajas; **~ de cheval** cola de caballo

○ **MOT-CLÉ**

qui [ki] pron 1 (interrogatif) quién; (: plural) quiénes; (objet): **qui (est-ce que) j'emmène?** ¿a quién llevo?; **je ne sais pas qui c'est** no sé quién es; **à qui est ce sac?** ¿de quién es este bolso?; **à qui parlais-tu?** ¿con quién hablabas? 2 (relatif) que; (: après prép) quien, el (la) que; (: plural) quienes, los (las) que; **l'ami de qui je vous ai parlé** el amigo de quien ou del que le hablé; **la personne avec qui je l'ai vu** la persona con quien lo vi 3 (sans antécédent): **amenez qui vous voulez** traiga a quien quiera; **qui que ce soit** quienquiera que sea

quiconque [kikɔ̃k] pron quienquiera que; (n'importe qui) cualquiera

quille [kij] nf bolo; (d'un bateau) quilla; (Mil: fam) licencia; **(jeu de) ~s** juego de bolos

quincaillerie [kɛ̃kajʀi] nf (ustensiles, métier) quincallería; (magasin) ferretería

quinquagénaire [kɛ̃kaʒenɛʀ] nm/f (de cinquante ans) quincuagenario(-a); (de cinquante à soixante ans) cincuentón(-ona); **les ~s** los mayores de cincuenta años

quinte [kɛ̃t] nf: **~ (de toux)** golpe m de tos

quintuple [kɛ̃typl] adj quíntuplo ■ nm: **le ~ de** el quíntuplo de

quintuplés, -ées [kɛ̃typle] nm/fpl quintillizos(-as)

quinzaine [kɛ̃zɛn] nf quincena; **une ~ (de jours)** una quincena (de días)

quinze [kɛ̃z] adj inv, nm inv quince m inv; **demain en ~** desde mañana en quince días; **lundi en ~** desde lunes en quince días; **dans ~ jours** dentro de quince días; **le ~ de France** (Rugby) el equipo internacional francés de rugby; voir aussi **cinq**

quinzième [kɛ̃zjɛm] adj, nm/f decimoquinto(-a) ■ nm (partitif) quinceavo; voir aussi **cinquantième**

quiproquo [kipʀɔko] nm malentendido; (Théâtre) quid pro quo m

quittance [kitɑ̃s] nf (reçu) recibo; (facture) recibo, factura

quitte [kit] adj: **être ~ envers qn** estar en paz con algn; **être ~ de** haberse librado de; **en être ~ à bon compte** escaparse por los pelos; **~ à être renvoyé** aunque me echen; **je resterai ~ à attendre pendant 3 heures** me quedaré aunque tenga que esperar 3 horas; **~ ou double** doble o nada; (fig): **c'est du ~ ou double** es el todo por el todo

quitter [kite] vt dejar; (fig: espoir, illusion) perder; (vêtement) quitarse; **se quitter** vpr (couples, interlocuteurs) separarse; **~ la route** (véhicule) salir de la carretera; **ne quittez pas** (au téléphone) no se retire; **ne pas ~ qn d'une semelle** pisarle los talones a algn

qui-vive [kiviv] nm inv: **être sur le ~** estar alerta

quoi [kwa] pron interrog 1 (interrogation directe) qué; **~ de plus beau que ...?** ¿hay algo más hermoso que ...?; **~ de neuf?** ¿qué hay de nuevo?; **~ encore?** ¿y ahora, qué?; **et puis ~ encore!** ¡y qué más!; **~?** (qu'est-ce que tu dis?) ¿qué? 2 (interrogation directe avec prép) qué; **à ~ penses-tu?** ¿en qué piensas?; **de ~ parlez-vous?** ¿de qué habláis?; **en ~ puis-je vous aider?** ¿en qué puedo ayudarle?; **à ~ bon?** ¿para qué? 3 (interrogation indirecte) qué; **dis-moi à ~ ça sert** dime para qué sirve; **je ne sais pas à ~ il pense** no sé en qué piensa ■ pron rel 1 que; **ce à ~ tu penses** lo que piensas; **de ~ écrire** algo para escribir; **il n'a pas de ~ se l'acheter** no tiene con qué comprarlo; **il y a de ~ être fier** es para estar orgulloso; **merci - il n'y a pas de ~** gracias - no hay de qué

2 (*locutions*): **après ~** después de lo cual; **sur ~** sobre qué; **sans ~, faute de ~** si no; **comme ~** (*déduction*) así que; **un message comme ~ il est arrivé** un mensaje en el que dice que ha llegado
3: **~ qu'il arrive** pase lo que pase; **~ qu'il en soit** sea lo que sea; **~ qu'elle fasse** haga lo que haga; **si vous avez besoin de ~ que ce soit** si necesita cualquier cosa
■ *excl* qué

quoique [kwak(ɑ)] *conj* aunque
quotidien, ne [kɔtidjɛ̃, jɛn] *adj* cotidiano(-a) ■ *nm* (*journal*) diario; (*vie quotidienne*) vida diaria; **les grands ~s** los grandes diarios
quotidiennement [kɔtidjɛnmɑ̃] *adv* diariamente
quotient [kɔsjɑ̃] *nm* (*Math*) cociente *m*; **~ intellectuel** coeficiente *m* intelectual

r

R [ɛʀ] *abr* (= *route*) ctra. (= *carretera*); (= *rue*) C (= *calle*)
rabais [ʀabɛ] *nm* rebaja; **au ~** rebajado
rabaisser [ʀabese] *vt* (*prétentions, autorité*) bajar, reducir; (*influence*) disminuir; (*personne, mérites*) rebajar
rabattre [ʀabatʀ] *vt* (*couvercle, siège*) bajar; (*fam*) volver; (*couture*) dobladillar; (*balle*) rechazar; (*gibier*) ojear; (*somme d'un prix*) rebajar; (*orgueil, prétentions*) bajar; (*Tricot*) cerrar; **se rabattre** *vpr* bajarse; **se ~ devant qn** (*véhicule, coureur*) colocarse delante de algn; **se ~ sur** (*accepter*) conformarse con
rabbin [ʀabɛ̃] *nm* rabino
rabougri, e [ʀabuɡʀi] *adj* (*végétal*) mustio(-a); (*personne*) canijo(-a)
raccommoder [ʀakɔmɔde] *vt* (*vêtement, linge*) remendar; (*chaussette*) zurcir; (*fam*) reconciliar; **se raccommoder avec** *vpr* (*fam*) reconciliarse con
raccompagner [ʀakɔ̃paɲe] *vt* acompañar
raccord [ʀakɔʀ] *nm* (*Tech*) racor *m*, empalme *m*; (*Ciné*) ajuste *m*; **~ de maçonnerie/de peinture** retoque *m* de albañilería/de pintura
raccorder [ʀakɔʀde] *vt* (*tuyaux, fils*

électriques) empalmar; (*bâtiments, routes*) reparar; (*suj: pont, passerelle*) enlazar; **se raccorder à** *vpr* empalmarse con; (*fig*) relacionarse con; **~ qn au réseau du téléphone** conectar a algn a la red telefónica

raccourci [Rakursi] *nm* atajo; (*fig*) resumen *m*; **en ~** en resumen

raccourcir [Rakursir] *vt* acortar ■ *vi* (*vêtement*) encoger; (*jours*) acortarse

raccrocher [RakRɔʃe] *vt* (*tableau, vêtement*) volver a colgar; (*fig*) recuperar ■ *vi* (*Tél*) colgar; **se raccrocher à** *vpr* (*branche*) agarrarse a; (*fig*) aferrarse a; **ne raccrochez pas** (*Tél*) no cuelgue

race [Ras] *nf* raza; (*ascendance, origine*) casta; (*espèce*) calaña; **de ~** de raza

rachat [Raʃa] *nm* (*v vt*) compra; repesca; rescate *m*; redención *f*

racheter [Raʃ(ə)te] *vt* volver a comprar; (*part, firme: aussi d'occasion*) comprar; (*pension, rente: aussi*) liquidar; (*Rel*) redimir; (*mauvaise conduite, oubli, défaut*) compensar; (*candidat*) repescar; (*prisonnier*) rescatar; **se racheter** *vpr* (*Rel*) redimirse; (*gén*) rehabilitarse; **~ du lait/des œufs** comprar más leche/huevos

racial, e, -aux [Rasjal, jo] *adj* racial

racine [Rasin] *nf* (*aussi fig*) raíz *f*; **~ carrée/cubique** raíz cuadrada/cúbica; **prendre ~** (*fig: s'attacher*) arraigar; (: *s'établir*) echar raíces

raciste [Rasist] *adj, nm/f* racista *m/f*

racket [Raket] *nm* chantaje *m*

raclée [Rakle] (*fam*) *nf* paliza, golpiza (*AM*)

racler [Rakle] *vt* (*os, casserole*) raspar; (*tache, boue*) frotar; (*suj: chose: frotter contre*) rascar; **se ~ la gorge** carraspear

racontars [Rakɔ̃tar] *nmpl* habladurías *fpl*

raconter [Rakɔ̃te] *vt*: **~ (à qn)** contar (a algn)

radar [Radar] *nm* radar *m*

rade [Rad] *nf* rada; **en ~ de Toulon** en la rada de Toulon; **laisser/rester en ~** (*fig*) dejar/quedarse plantado(-a)

radeau, x [Rado] *nm* balsa; **~ de sauvetage** balsa salvavidas

radiateur [Radjatœr] *nm* radiador *m*; **~ à gaz** radiador de gas; **~ électrique** radiador eléctrico

radiation [Radjasjɔ̃] *nf* radiación *f*

radical, e, -aux [Radikal, o] *adj* radical; (*moyen, remède*) infalible ■ *nm* radical *m*

radieux, -euse [Radjø, jøz] *adj* (*aussi fig*) radiante

radin, e [Radɛ̃, in] (*fam*) *adj* tacaño(-a)

radio [Radjo] *nf* radio *f* (*m en AM*); (*radioscopie*) radioscopia; (*radiographie*) radiografía ■ *nm* (*personne*) radiotelegrafista *m/f* ou radiotelefonista *m/f*; **à la ~** en la radio; **avoir la ~** tener radio; **passer à la ~** (*personne*) salir por la radio; (*programme*) poner por la radio; **passer une ~** hacerse una radiografía; **~ libre** radio libre

radio... [Radjo] *préf* radio...

radioactif, -ive [Radjoaktif, iv] *adj* radioactivo(-a)

radiocassette [Radjokaset] *nf* radiocasete *m*

radiographie [Radjɔgrafi] *nf* radiografía

radiophonique [Radjɔfɔnik] *adj*: **programme/jeu ~** programa *m*/juego radiofónico; **émission ~** emisión *f* radiofónica

radio-réveil [Radjɔrevɛj] (*pl* **radios-réveils**) *nm* radio-despertador *m*

radis [Radi] *nm* rábano; **~ noir** rábano picante

radoter [Radɔte] *vi* chochear

radoucir [Radusir] *vt* mejorar; **se radoucir** *vpr* (*température, temps*) suavizarse; (*se calmer*) calmarse

rafale [Rafal] *nf* ráfaga; **souffler en ~s** soplar viento racheado; **tir en ~** disparo a ráfaga; **~ de mitrailleuse** ráfaga de ametralladora

raffermir [Rafɛrmir] *vt* (*tissus, muscle*) fortalecer; (*fig*) afianzar; **se raffermir** *vpr* (*v vt*) fortalecerse; afianzarse

raffinement [Rafinmɑ̃] *nm* refinamiento

raffiner [Rafine] *vt* refinar

raffinerie [Rafinri] *nf* refinería

raffoler [Rafɔle]: **~ de** *vt* volverse loco(-a) por

rafle [Rafl] *nf* redada, allanamiento (*esp AM*)

rafler [Rafle] (*fam*) *vt* arrasar

rafraîchir [Rafreʃir] *vt* refrescar; (*atmosphère, température*) enfriar; (*fig*) renovar ■ *vi*: **mettre une boisson à ~** poner una bebida a enfriar; **se rafraîchir** *vpr* refrescarse; **~ la mémoire** *ou* **les idées à qn** refrescarle a algn la memoria *ou* las ideas

rafraîchissant, e [Rafreʃisɑ̃, ɑ̃t] *adj* refrescante

rafraîchissement [Rafreʃismɑ̃] *nm* (*de la température*) enfriamiento; (*boisson*) refresco; **rafraîchissements** *nmpl* refrescos *mpl*

rage [ʀaʒ] nf rabia; **faire ~** (*tempête*) bramar; **l'incendie faisait ~** el incendio se propagaba con todo vigor; **~ de dents** tremendo dolor m de muelas

ragot [ʀago] (*fam*) nm chisme m

ragoût [ʀagu] nm guiso

raide [ʀɛd] adj (*cheveux*) liso(-a); (*ankylosé*) entumecido(-a); (*peu souple: câble, personne*) tieso(-a); (*escarpé*) empinado(-a); (*étoffe etc*) tieso(-a); (*fam: surprenant*) inaudito(-a); (: *sans argent*) pelado(-a); (: *alcool, spectacle, paroles*) fuerte ■ adv: **le sentier monte ~** el camino sube muy empinado; **tomber ~ mort** quedarse en el sitio

raideur [ʀɛdœʀ] nf rigidez f; (*d'un câble*) tirantez f; (*des cheveux*) lisura; (*d'une côte*) pendiente f; (*des meubles*) entumecimiento; **avec ~** (*marcher, danser*) con envaramiento

raidir [ʀediʀ] vt (*muscles, membres*) contraer; (*câble, fil de fer*) tensar; **se raidir** vpr (*personne, muscles*) contraerse; (*câble*) ponerse tenso(-a); (*se crisper*) ponerse tieso(-a); (*intransigeant*) mantenerse firme; **la discipline s'est raidie** la disciplina se ha vuelto severa

raie [ʀɛ] nf raya

raifort [ʀefɔʀ] nm rábano picante

rail [ʀaj] nm (*barre d'acier*) riel m; **le ~** el ferrocarril; **les ~s** (*la voie ferrée*) las vías fpl; **par ~** por ferrocarril

railler [ʀaje] vt burlarse de

rainure [ʀenyʀ] nf ranura

raisin [ʀezɛ̃] nm uva; **~ blanc/noir** (*variété*) uva blanca/negra; **~ muscat** uva moscatel; **~s secs** (*uvas*) pasas

raison [ʀezɔ̃] nf razón f; **avoir ~** tener razón; **donner ~ à qn** dar la razón a algn; **avoir ~ de qn/qch** vencer a algn/algo; **se faire une ~** conformarse; **perdre/ recouvrer la ~** perder/recobrar el juicio; **ramener qn à la ~** hacer entrar en razón a algn; **demander ~ à qn de** (*affront etc*) pedir satisfacción a algn por; **entendre ~** atenerse a razones; **plus que de ~** más de lo debido; **~ de plus** razón de más; **à plus forte ~** con mayor motivo; **en ~ de** (*à cause de*) a causa de; **à ~ de** a razón de; **sans ~** sin razón; **pour la simple ~ que** por la sencilla razón de que; **pour quelle ~ dit-il ceci?** ¿por qué razón dice esto?; **il y a plusieurs ~s à cela** existen varias razones para esto; **~ d'État** razón de estado; **~ d'être** razón de ser; **~ sociale** razón social

raisonnable [ʀezɔnabl] adj razonable; (*doué de raison*) racional

raisonnement [ʀezɔnmɑ̃] nm raciocinio; (*argumentation*) razonamiento; **raisonnements** nmpl objeciones fpl

raisonner [ʀezɔne] vi razonar; (*péj*) argumentar ■ vt (*personne*) hacer entrar en razón a; **se raisonner** vpr reflexionar

rajeunir [ʀaʒœniʀ] vt rejuvenecer; (*attribuer un âge moins avancé à*) hacer más joven a; (*fig*) remozar ■ vi (*personne*) rejuvenecer; (*entreprise, quartier*) renovarse

rajouter [ʀaʒute] vt (*commentaire*) añadir; **~ que ...** añadir que ...; **en ~** cargar las tintas; **~ du sel/un œuf** añadir sal/un huevo

rajuster [ʀaʒyste] vt (*cravate, coiffure*) arreglar; (*salaires, prix*) reajustar; (*machine, tir etc*) ajustar; **se rajuster** vpr (*arranger ses vêtements*) arreglarse

ralenti [ʀalɑ̃ti] nm: **au ~** (*aussi fig*) a ralentí; (*Ciné*) a cámara lenta; **tourner au ~** (*Auto*) rodar a ralentí

ralentir [ʀalɑ̃tiʀ] vt (*marche, allure*) aminorar; (*production, expansion*) disminuir ■ vi (*véhicule, coureur*) disminuir la velocidad; **se ralentir** vpr (*processus, effort etc*) verse reducido

râler [ʀale] vi producir estertores; (*fam: protester*) gruñir

rallier [ʀalje] vt (*rassembler*) reunir; (*rejoindre*) incorporarse a; (*gagner à sa cause*) captar; **se rallier à** vpr (*avis, opinion*) adherirse a

rallonge [ʀalɔ̃ʒ] nf (*de table*) larguero; (*argent*) gratificación f; (*Élec*) alargador m; (*fig: Écon*) ampliación f

rallonger [ʀalɔ̃ʒe] vt alargar ■ vi alargarse

rallye [ʀali] nm rally m

ramassage [ʀamasaʒ] nm recogida; **~ scolaire** transporte m escolar

ramasser [ʀamase] vt recoger; (*fam: arrêter*) pescar; **se ramasser** vpr (*se pelotonner*) encogerse

ramassis [ʀamasi] (*péj*) nm revoltijo

rambarde [ʀɑ̃baʀd] nf barandilla

rame [ʀam] nf (*aviron*) remo; (*de métro*) tren m; (*de papier*) resma; **faire force de ~s** remar con fuerza; **~ de haricots** ramo que sirve para que se enrosquen las judías

rameau, x [ʀamo] nm (*aussi fig*) rama; **les R~x** Domingo de Ramos

ramener [ʀam(ə)ne] vt volver a traer; (*reconduire*) llevar; (*rapporter, revenir avec*) traer consigo; (*rendre*) devolver; (*faire revenir*) hacer volver; (*rétablir*) restablecer; **se ramener** vpr (*fam*) llegar; **~ qch sur** (*couverture, visière*) echar algo hacia; **~ qch à** (*faire revenir*) devolver algo a; (*Math, réduire*) reducir algo a; **~ qn à la vie** volver a algn a la vida; **se ~ à** reducirse a

ramer [ʀame] *vi* remar

ramollir [ʀamɔliʀ] *vt* (*amollir*) ablandar; **se ramollir** *vpr* reblandecerse

rampe [ʀɑ̃p] *nf* (*d'escalier*) barandilla; (*dans un garage*) rampa; (*d'un terrain, d'une route*) declive *m*; (*Théâtre*): **la ~** candilejas *fpl*; **passer la ~** llegar al público; **~ de lancement** plataforma de lanzamiento

ramper [ʀɑ̃pe] *vi* (*reptile, animal*) reptar; (*plante, personne, aussi péj*) arrastrarse

rancard [ʀɑ̃kaʀ] (*fam*) *nm* (*rendez-vous*) cita; (*renseignement*) soplo

rancart [ʀɑ̃kaʀ] (*fam*) *nm*: **mettre au ~** (*objet, projet*) arrinconar; (*personne*) arrumbar

rance [ʀɑ̃s] *adj* rancio(-a)

rancœur [ʀɑ̃kœʀ] *nf* rencor *m*

rançon [ʀɑ̃sɔ̃] *nf* rescate *m*; **la ~ du succès** *etc* (*fig*) el precio del éxito *etc*

rancune [ʀɑ̃kyn] *nf* rencor *m*; **garder ~ à qn (de qch)** guardar rencor a algn (por algo); **sans ~!** ¡olvidémoslo!

rancunier, -ière [ʀɑ̃kynje, jɛʀ] *adj* rencoroso(-a)

randonnée [ʀɑ̃dɔne] *nf* (*excursion*) excursión *f*; (*à pied*) caminata; (*activité*) caminata, excursión

rang [ʀɑ̃] *nm* (*rangée*) fila; (*d'un cortège, groupe de soldats*) hilera; (*de perles, de tricot*) vuelta; (*grade*) grado; (*condition sociale*) rango; (*position dans un classement*) posición *f*; **rangs** *nmpl* (*Mil*) filas *fpl*; **se mettre en ~s/sur un ~** ponerse en filas/en una fila; **sur 3 ~s** en 3 filas; **se mettre en ~s par 4** ponerse en fila de 4; **se mettre sur les ~s** (*fig*) ponerse entre los candidatos; **au premier/dernier ~** en el primer/último puesto; (*rangée de sièges*) en primera/última fila; **rentrer dans le ~** volverse más comedido; **au ~ de** en la categoría de; **avoir ~ de** tener rango de

rangé, e [ʀɑ̃ʒe] *adj* ordenado(-a); (*vie*) asentado(-a), reposado(-a)

rangée [ʀɑ̃ʒe] *nf* fila

ranger [ʀɑ̃ʒe] *vt* ordenar; (*voiture dans la rue*) aparcar; (*en cercle etc*) disponer; **se ranger** *vpr* (*se placer/disposer*) colocarse; (*véhicule, conducteur*) hacerse a un lado; (: *s'arrêter*) parar; (*piéton*) apartarse; (*s'assagir*) sosegarse; **se ~ à** ponerse del lado de; **~ qch/qn parmi** (*fig*) situar algo/algn entre

ranimer [ʀanime] *vt* (*personne, courage*) reanimar; (*réconforter, attiser*) avivar; (*colère, douleur*) despertar

rapace [ʀapas] *nm* rapaz *f* ■ *adj* (*péj*) rapaz; **~ diurne/nocturne** rapaz diurna/nocturna

râpe [ʀɑp] *nf* (*Culin*) rallador *m*; (*à bois*) escofina

râper [ʀɑpe] *vt* (*Culin*) rallar; (*gratter, râcler*) raspar

rapide [ʀapid] *adj* rápido(-a) ■ *nm* rápido

rapidement [ʀapidmɑ̃] *adv* rápidamente

rapiécer [ʀapjese] *vt* remendar

rappel [ʀapɛl] *nm* (*Mil, d'un exilé, d'un ambassadeur*) llamamiento; (*Méd*) vacuna de refuerzo; (*Théâtre etc*) llamada a escena; (*de salaire*) atrasos *mpl*; (*d'une aventure, d'un nom, d'un titre*) recuerdo; (*de limitation de vitesse*) señal recordatoria de limitación de velocidad; (*Tech*) retroceso; (*Naut*) hecho de colgarse la tripulación al exterior de un velero para equilibrarlo; (*Alpinisme: aussi*: **rappel de corde**) descenso con cuerda, rappel *m*; **~ à l'ordre** llamada al orden

rappeler [ʀap(ə)le] *vt* (*retéléphoner à*) volver a llamar; (*pour faire revenir*) llamar nuevamente; (*ambassadeur*) retirar; (*acteur*) llamar a escena; (*Mil*) llamar a filas; **se rappeler** *vpr* acordarse de; **se ~ que ...** acordarse de que ...; **~ qn à la vie** volver a algn a la vida; **~ qn à la décence** llamar a algn a la decencia; **~ qch à qn** (*faire se souvenir*) recordar algo a algn; (*évoquer, faire penser à*) traer algo a la memoria de algn; **ça rappelle la Provence** eso me recuerda a Provenza; **~ à qn de faire qch** recordarle a algn hacer algo

rapport [ʀapɔʀ] *nm* (*compte rendu*) informe *m*; (*d'expert*) dictamen *m*; (*profit*) rendimiento; (*lien, analogie*) relación *f*; (*proportion*) razón *f*; **rapports** *nmpl* (*entre personnes, groupes, pays*) relaciones *fpl*; **avoir ~ à** tener relación con; **être en ~ avec** estar relacionado(-a) con; **être/se mettre en ~ avec qn** estar/ponerse en contacto con algn; **par ~ à** (*comparé à*) en comparación con; (*à propos de*) respecto a; **sous le ~ de** desde el punto de vista de; **sous tous (les) ~s** desde cualquier punto de vista; **~ qualité-prix** relación calidad-precio; **~s (sexuels)** contactos *mpl* (sexuales)

rapporter [ʀapɔʀte] *vt* (*remettre à sa place, rendre*) devolver; (*apporter de* *nouveau*) volver a traer; (*revenir avec, ramener*) traer; (*Couture*) añadir; (*suj: investissement, entreprise*) rendir; (: *activité*) producir; (*relater*) referir; (*Jur*) revocar ■ *vi* (*investissement, propriété*) rentar; (*activité*) dar beneficio; (*péj: moucharder*) chivarse; **se rapporter** *vpr*: **se ~ à** relacionarse con; **s'en ~ à qn/au jugement de qn** fiarse de algn/de la opinión de algn; (*rendre*) devolver algo a; (*relater*) relatar algo a; (*fig*) atribuir algo a

rapprochement [ʀapʀɔʃmɑ̃] *nm* (*réconciliation*) acercamiento; (*analogie, rapport*) cotejo

rapprocher [ʀapʀɔʃe] *vt* (*faire paraître plus proche*) acercar; (*deux objets*) juntar, arrimar; (*réunions, visites*) aumentar el número de; (*réunir*) unir; (*associer, comparer*) cotejar; **se rapprocher** *vpr* acercarse; **~ qch (de)** (*chaise d'une table*) arrimar algo (a); **se ~ de** (*lieu, personne*) acercarse a, aproximarse a; (*présenter une analogie avec*) asemejarse a

raquette [ʀakɛt] *nf* raqueta; (*de ping-pong*) pala

rare [ʀɑʀ] *adj* raro(-a); (*sentiment*) extraño(-a); (*main-d'œuvre, denrées*) escaso(-a); (*beaux jours*) raro(-a), poco(-a); (*cheveux, herbe*) ralo(-a); **il est ~ que** es extraño que; **se faire ~** escasear; (*personne*) dejarse ver poco

rarement [ʀɑʀmɑ̃] *adv* raramente

RAS [ɛʀɑɛs] *abr* (= *rien à signaler*) sin novedad

ras, e [ʀɑ, ʀɑz] *adj* (*tête, cheveux*) rapado(-a); (*poil*) corto(-a); (*herbe, mesure, cuillère*) raso(-a) ■ *adv* (*couper*) al rape; **faire table ~e** hacer tabla rasa; **en ~e campagne** en pleno campo; **à ~ bords** colmado(-a); **au ~ de** a(l) ras de; **en avoir ~ le bol** (*fam*) estar hasta el moño; **~ du cou** (*pull, robe*) (de) cuello redondo

raser [ʀɑze] *vt* (*barbe, cheveux*) rasurar; (*menton, personne*) afeitar; (*fam: ennuyer*) dar la lata a; (*quartier*) derribar; (*frôler*) rozar; **se raser** *vpr* afeitarse; (*fam*) aburrirse

rasoir [ʀɑzwaʀ] *nm* navaja de afeitar; **~ électrique** maquinilla eléctrica; **~ mécanique** *ou* **de sûreté** maquinilla de afeitar

rassasier [ʀasazje] *vt* saciar; **être rassasié** estar saciado

rassemblement [ʀasɑ̃bləmɑ̃] *nm* reunión *f*; (*Pol*) concentración *f*; (*Mil*) formación *f*

rassembler [ʀasɑ̃ble] *vt* (*réunir*) reunir;

(*regrouper*) agrupar; (*accumuler, amasser*) acumular; **se rassembler** *vpr* reunirse; **~ ses idées** poner en orden sus ideas; **~ son courage** armarse de valor

rasseoir [ʀaswaʀ] *vpr*: **se rasseoir** volver a sentarse

rassurer [ʀasyʀe] *vt* tranquilizar; **se rassurer** *vpr* tranquilizarse; **rassure-toi** tranquilízate

rat [ʀa] *nm* rata; (*danseuse*) joven bailarina; **~ musqué** ratón *m* almizclero

rate [ʀat] *nf* (*Anat*) bazo

raté, e [ʀate] *adj* (*tentative, opération*) frustrado(-a); (*vacances, spectacle*) malogrado(-a) ■ *nm/f* fracasado(-a) ■ *nm* (*Auto*) detonación *f*; (*d'arme à feu*) fallo

râteau, x [ʀɑto] *nm* rastrillo

rater [ʀate] *vi* (*coup de feu*) fallar; (*échouer*) fracasar ■ *vt* (*cible, balle, train*) perder; (*occasion etc*) dejar escapar; (*démonstration, plat*) estropear; (*examen*) suspender; **~ son coup** fallar

ration [ʀasjɔ̃] *nf* (*aussi fig*) ración *f*; **~ alimentaire** ración alimenticia

RATP [ɛʀatepe] *sigle f* (= *Régie autonome des transports parisiens*) administración de transportes parisinos

rattacher [ʀataʃe] *vt* atar de nuevo; **se rattacher** *vpr*: **se ~ à** (*avoir un lien avec*) asemejarse a; **~ qch à** (*incorporer*) incorporar algo a; **~ qch à** (*relier*) relacionar algo con; **~ qn à** (*lier*) vincular a algn con

rattraper [ʀatʀape] *vt* (*fugitif, animal échappé*) volver a coger; (*retenir, empêcher de tomber*) coger; (*atteindre, rejoindre*) alcanzar; (*imprudence, erreur*) reparar, subsanar; **se rattraper** *vpr* (*compenser une perte de temps*) ponerse al día; (*regagner ce qu'on a perdu*) recuperarse; (*se dédommager d'une privation*) explayarse; (*réparer une gaffe etc*) justificarse; (*éviter une erreur, bévue*) enmendarse; **se ~ (à)** (*se raccrocher*) agarrarse (a); **~ son retard/le temps perdu** recuperar el retraso/el tiempo perdido

rature [ʀatyʀ] *nf* tachadura

rauque [ʀok] *adj* ronco(-a)

ravages [ʀavaʒ] *nmpl* (*de la guerre, de l'alcoolisme*) estragos *mpl*; (*d'un incendie, orage*) devastación *f*; **faire des ~** (*aussi fig*) hacer estragos

ravi, e [ʀavi] *adj* encantado(-a); **être ~ de/que ...** estar encantado(-a) de/de que ...

ravin [ʀavɛ̃] *nm* hondonada

ravir [ʀaviʀ] *vt* (*enchanter*) encantar;

~ **qch à qn** arrebatar algo a algn; **à ~ de**
maravilla; **être beau à ~** ser guapo a más
no poder; **chanter à ~** cantar que es un
primor
raviser [Ravize] *vpr:* **se raviser** cambiar
de opinión
ravissant, e [Ravisã, ãt] *adj*
encantador(a)
ravisseur, -euse [Ravisœr, øz] *nm/f*
secuestrador(a)
ravitailler [Ravitaje] *vt* abastecer;
(*véhicule*) echar gasolina a; **se ravitailler**
vpr abastecerse
raviver [Ravive] *vt* avivar; (*flamme,*
douleur) reavivar
rayé, e [Reje] *adj* (*à rayures*) a ou de rayas;
(*éraflé*) rayado(-a)
rayer [Reje] *vt* rayar; (*d'une liste*) tachar
rayon [Rejõ] *nm* rayo; (*Géom, d'une roue*)
radio; (*étagère*) estante *m*; (*de grand*
magasin) departamento, sección *f*; (*fig:*
domaine) asunto; (*d'une ruche*) panal *m*;
rayons *nmpl* (*radiothérapie*) rayos *mpl*;
dans un ~ de ... (*périmètre*) en un radio de
...; **~ d'action** radio de acción; **~ de**
braquage (*Auto*) radio de giro; **~ de soleil**
rayo de sol; **~ laser/vert** rayo láser/verde;
~s cosmiques/infrarouges/ultraviolets
rayos cósmicos/infrarrojos/
ultravioletas; **~s X** rayos X
rayonnement [Rejɔnmã] *nm* (*solaire*)
radiación *f*; (*fig*) influencia; (*d'une*
doctrine) difusión *f*
rayonner [Rejɔne] *vi* irradiar; (*fig*)
ejercer su influencia; (*avenues, axes*)
divergir; (*touristes: excursionner*) recorrer
rayure [Rejyr] *nf* (*motif*) raya; (*éraflure*)
rayado; (*rainure, d'un fusil*) estría; **à ~s** a
ou de rayas
raz-de-marée [Radmare] *nm inv*
maremoto; (*fig*) conmoción *f*
ré [Re] *nm inv* (*Mus*) re *m*
réaction [Reaksjõ] *nf* reacción *f*; **par ~**
por reacción; **avion/moteur à ~** avión
m/motor *m* de reacción; **~ en chaîne**
reacción en cadena
réactionnaire [Reaksjɔnɛr] *adj*
reaccionario(-a)
réadapter [Readapte] *vt* readaptar; **se ~**
(à) readaptarse (a)
réagir [Reaʒir] *vi* reaccionar; **~ à**
reaccionar ante; **~ contre** reaccionar
contra; **~ sur** repercutir sobre
réalisateur, -trice [Realizatœr, tris]
nm/f realizador(a)
réalisation [Realizasjõ] *nf* realización *f*
réaliser [Realize] *vt* realizar; (*rêve,*
souhait) cumplir; (*exploit*) llevar a cabo;

(*comprendre, se rendre compte de*) darse
cuenta de; **se réaliser** *vpr* (*projet,*
prévision) realizarse; **~ que** darse cuenta
de que
réaliste [Realist] *adj, nm/f* realista *m/f*
réalité [Realite] *nf* realidad *f*; **en ~** en
realidad; **dans la ~** en la realidad
réanimation [Reanimasjõ] *nf*
reanimación *f*; **service de ~** servicio de
reanimación
réapparaître [Reaparɛtr] *vi* reaparecer
rébarbatif, -ive [Rebarbatif, iv] *adj*
(*mine*) repelente; (*travail*) fastidioso(-a);
(*style*) árido(-a)
rebattu, e [R(ə)baty] *adj* trillado(-a)
rebelle [Rəbɛl] *adj, nm/f* rebelde *m/f*; **~ à**
(*la patrie*) rebelado(-a) contra; (*fermé à*
qch, contre qch) negado(-a) para
rebeller [R(ə)bele] *vpr:* **se rebeller**
rebelarse; **se ~ contre** rebelarse contra
rebondi, e [R(ə)bõdi] *adj* (*ventre*)
panzudo(-a); (*joues*) relleno(-a)
rebondir [R(ə)bõdir] *vi* rebotar; (*fig*)
reanudarse
rebord [R(ə)bɔr] *nm* (*d'une table etc*)
reborde *m*; (*d'un fossé*) borde *m*
rebours [R(ə)bur] : **à ~** *adv* (*brosser*) a
contrapelo; (*comprendre*) al revés;
(*tourner: pages*) a la inversa; **compter à ~**
contar hacia atrás
rebrousser [R(ə)bruse] *vt* (*cheveux, poils*)
levantar hacia atrás; **~ chemin** dar
marcha atrás
rebuter [R(ə)byte] *vt* (*suj: travail, matière*)
repeler; (*: attitude, manières*) disgustar
récalcitrant, e [Rekalsitrã, ãt] *adj*
(*cheval*) indómito(-a); (*caractère, personne*)
recalcitrante
recapitaliser [Rəkapitalize] *vt*
(*entreprise*) recapitalizar
récapituler [Rekapityle] *vt* recapitular
receler [R(ə)səle] *vt* (*produit d'un vol*)
ocultar; (*malfaiteur, déserteur*) encubrir;
(*fig*) encerrar
receleur, -euse [R(ə)səlœr, øz] *nm/f*
encubridor(a)
récemment [Resamã] *adv*
recientemente, recién (*AM*)
recensement [R(ə)sãsmã] *nm* (*de la*
population) censo; (*des ressources,*
possibilités) inventario, recuento
recenser [R(ə)sãse] *vt* (*population*)
censar; (*inventorier*) hacer el recuento *ou*
el inventario de; (*dénombrer*) computar
récent, e [Resã, ãt] *adj* reciente
récépissé [Resepise] *nm* recibo
récepteur, -trice [Reseptœr, tris] *adj*
receptor(a) ∎ *nm* (*de téléphone*) auricular

m; **~ (de papier)** (*Inform*) introductor m
de hoja; **~ (de radio)** receptor m

réception [ʀesɛpsjɔ̃] *nf* recepción *f*;
(*accueil*) acogida *f*; (*pièces*) salas *fpl* de
recepción; (*Sport*) caída; **jour/heures de
~** día m/horas *fpl* de recepción

réceptionniste [ʀesɛpsjɔnist] *nm/f*
recepcionista *m/f*

recette [ʀ(ə)sɛt] *nf* (*Culin, fig*) receta;
(*Comm*) ingreso; (*Admin: bureau des
impôts*) oficina de recaudación; **recettes**
nfpl (*Comm: rentrées d'argent*) entradas *fpl*;
faire ~ (*spectacle, exposition*) ser
taquillero(-a); **~ postale** ingresos *mpl*
postales

recevoir [ʀ(ə)səvwaʀ] *vt* recibir; (*prime,
salaire*) cobrar; (*visiteurs, ambassadeur*)
acoger; (*candidat, plainte*) admitir ■ *vi*
(*donner des réceptions, audiences etc*) recibir
visitas; **se recevoir** *vpr* (*athlète*) caer; **il
reçoit de 8 à 10** sus horas de visita son de
8 a 10; (*docteur, dentiste*) pasa consulta de
8 a 10; **il m'a reçu à 2h** me recibió a las 2;
~ qn à dîner recibir a algn a cenar; **être
reçu** (*à un examen*) aprobar; **être bien/
mal reçu** ser bien/mal recibido

rechange [ʀ(ə)ʃɑ̃ʒ]: **de ~** *adj* (*pièces, roue*)
de repuesto; (*fig*) de recambio; **des
vêtements de ~** vestidos *mpl* para
cambiarse

recharge [ʀ(ə)ʃaʀʒ] *nf* recambio

rechargeable [ʀ(ə)ʃaʀʒabl] *adj*
recargable

recharger [ʀ(ə)ʃaʀʒe] *vt* (*camion*) volver
a cargar; (*fusil, batterie*) recargar;
(*appareil de photo, briquet, stylo*) cargar

réchaud [ʀeʃo] *nm* (*portable*) hornillo;
(*chauffe-plat*) calientaplatos *m inv*

réchauffer [ʀeʃofe] *vt* (*plat*) recalentar;
(*mains, doigts, personne*) calentar; **se
réchauffer** *vpr* calentarse; (*température*)
subir

rêche [ʀɛʃ] *adj* áspero(-a)

recherche [ʀ(ə)ʃɛʀʃ] *nf* (*action*)
búsqueda; (*raffinement*) afectación *f*;
(*scientifique etc*) investigación *f*;
recherches *nfpl* (*de la police*)
indagaciones *fpl*; (*scientifiques*)
investigaciones *fpl*; **être/se mettre à la ~
de** estar investigando/ponerse a la
búsqueda de

recherché, e [ʀ(ə)ʃɛʀʃe] *adj* (*rare*)
codiciado(-a); (*entouré*) solicitado(-a);
(*style, allure*) rebuscado(-a)

rechercher [ʀ(ə)ʃɛʀʃe] *vt* buscar; (*objet
égaré, lettre*) rebuscar; (*cause d'un
phénomène, nouveau procédé*) investigar;
(*la perfection, le bonheur etc*) perseguir; "**~

et remplacer**" (*Inform*) "buscar y
sustituir"

rechute [ʀ(ə)ʃyt] *nf* recaída; **faire** *ou*
avoir une ~ (*Méd*) recaer *ou* tener una
recaída

récidiver [ʀesidive] *vi* reincidir; (*fig*)
reiterar; (*Méd: malade*) recaer; (: *maladie*)
reproducirse

récif [ʀesif] *nm* arrecife *m*

récipient [ʀesipjɑ̃] *nm* recipiente *m*

réciproque [ʀesipʀɔk] *adj* (*mutuel*)
recíproco(-a); (*partagé: confiance, amitié*)
mutuo(-a) ■ *nf*: **la ~** (*l'inverse*) la inversa

récit [ʀesi] *nm* relato

récital [ʀesital] *nm* recital *m*

réciter [ʀesite] *vt* recitar

réclamation [ʀeklamasjɔ̃] *nf* reclamación
f; **service des ~s** servicio de reclamaciones

réclame [ʀeklam] *nf*: **la ~** la publicidad;
une ~ (*annonce, prospectus*) un anuncio;
faire de la ~ (pour qch/qn) hacer
publicidad (de algo/algn); **article en ~**
artículo de oferta

réclamer [ʀeklame] *vt* (*aide, nourriture*)
pedir; (*exiger*) reclamar; (*nécessiter*)
requerir ■ *vi* (*protester*) reclamar; **se ~ de
qn** (*se recommander de*) apelar a algn

réclusion [ʀeklyzjɔ̃] *nf* reclusión *f*; **~ à
perpétuité** cadena perpetua

recoiffer [ʀ(ə)kwafe] *vt* volver a peinar;
se recoiffer *vpr* volverse a peinar

recoin [ʀəkwɛ̃] *nm* (*aussi fig*) rincón *m*

reçois *etc* [ʀəswa] *vb voir* **recevoir**

recoller [ʀ(ə)kɔle] *vt* volver a pegar

récolte [ʀekɔlt] *nf* cosecha; (*fig*) acopio

récolter [ʀekɔlte] *vt* cosechar; (*fam:
ennuis, coups*) ganarse, cobrar

recommandé, e [ʀ(ə)kɔmɑ̃de] *adj*
recomendado(-a) ■ *nm* (*Postes*): **en ~**
certificado(-a)

recommander [ʀ(ə)kɔmɑ̃de] *vt*
recomendar; (*Postes*) certificar; **~ qch à
qn** recomendar algo a algn; **~ à qn de
faire ...** recomendar a algn hacer ...; **~ qn
auprès de qn/à qn** recomendar a algn a
algn; **il est recommandé de faire** se
recomienda hacer; **se ~ à qn**
encomendarse a algn; **se ~ de qn**
apoyarse en algn

recommencer [ʀ(ə)kɔmɑ̃se] *vt*
(*reprendre*) seguir con; (*refaire*) repetir;
(*erreur*) reincidir ■ *vi* volver a empezar;
(*récidiver*) volver a las andadas; **~ à faire**
volver a hacer; **ne recommence pas!** ¡no
empieces!

récompense [ʀekɔ̃pɑ̃s] *nf* recompensa;
recevoir qch en ~ recibir algo como
recompensa

récompenser [ʀekɔ̃pɑ̃se] vt
recompensar; **~ qn de** ou **pour qch**
recompensar a algn por algo
réconcilier [ʀekɔ̃silje] vt reconciliar; **se
réconcilier** vpr reconciliarse; **~ qn avec
qn** reconciliar a algn con algn; **~ qn**
qch reconciliar a algn con algo; **se ~ avec**
reconciliarse con
reconduire [ʀ(ə)kɔ̃dɥiʀ] vt (à la porte)
acompañar hasta la salida; (à son
domicile) acompañar; (Jur, Pol) reconducir
réconfort [ʀekɔ̃fɔʀ] nm consuelo
réconforter [ʀekɔ̃fɔʀte] vt (aussi fig)
reconfortar
reconnaissance [ʀ(ə)kɔnesɑ̃s] nf
reconocimiento; (gratitude)
agradecimiento; **en ~** (Mil) de
reconocimiento; **~ de dette**
reconocimiento de deuda
reconnaissant, e [ʀ(ə)kɔnesɑ̃, ɑ̃t] vb
voir **reconnaître** ■ adj agradecido(-a);
je vous serais ~ de bien vouloir ... le
estaría muy agradecido(-a) si quisiera ...
reconnaître [ʀ(ə)kɔnɛtʀ] vt reconocer;
(distinguer) distinguir; **~ que** reconocer
que; **~ qch/qn à** reconocer algo/a algn
por; **~ à qn: je lui reconnais certaines
qualités/une grande franchise** le
reconozco ciertas cualidades/una gran
franqueza; **se ~ quelque part** (s'y
retrouver) orientarse en un lugar
reconnu, e [ʀ(ə)kɔny] pp de **reconnaître**
■ adj indiscutible
reconstituer [ʀ(ə)kɔ̃stitɥe] vt
reconstituir; (fresque, vase brisé)
recomponer; (fortune, patrimoine)
rehacer
reconstruire [ʀ(ə)kɔ̃stʀɥiʀ] vt (aussi fig)
reconstruir
recontacter [ʀ(ə)kɔ̃takte] vt: **~ qn**
volver contactar con algn
reconvertir [ʀ(ə)kɔ̃vɛʀtiʀ] vt
reconvertir; **se ~ dans** reconvertirse en
record [ʀ(ə)kɔʀ] adj, nm récord m; **battre
tous les ~s** (fig) batir todos los récords;
en un temps/à une vitesse ~ en un
tiempo/a una velocidad récord; **~ du
monde** récord del mundo
recoucher [ʀ(ə)kuʃe] vt (enfant) volver a
acostar; **se recoucher** vpr volverse a
acostar
recoupement [ʀ(ə)kupmɑ̃] nm: **par ~**
atando cabos; **faire un ~/des ~s** verificar
un hecho/hechos
recouper [ʀ(ə)kupe] vt (tranche) volver a
cortar; (vêtement) retocar ■ vi (Cartes)
volver a cortar; **se recouper** vpr
(témoignages) coincidir

recourbé, e [ʀ(ə)kuʀbe] adj (nez, tige de
métal) encorvado(-a); (bec) corvo(-a)
recourber [ʀ(ə)kuʀbe] vt (branche, tige de
métal) doblar
recourir [ʀ(ə)kuʀiʀ] vi (courir de nouveau)
correr de nuevo; (refaire une course) volver
a correr; **~ à** recurrir a
recours [ʀ(ə)kuʀ] vb voir **recourir** ■ nm:
le ~ à la ruse/violence el recurso de la
astucia/violencia; **avoir ~ à** recurrir a;
en dernier ~ como último recurso; **c'est
sans ~** no tiene remedio; **~ en grâce**
petición f de indulto
recouvrer [ʀ(ə)kuvʀe] vt (la vue, santé,
raison) recobrar; (impôts, créance) recaudar
recouvrir [ʀ(ə)kuvʀiʀ] vt (récipient)
volver a cubrir; (livre) volver a forrar;
(couvrir entièrement) recubrir; (fig)
encubrir; (embrasser) abarcar;
se recouvrir vpr (idées, concepts)
superponerse
récréation [ʀekʀeasjɔ̃] nf recreo
recroqueviller [ʀ(ə)kʀɔk(ə)vije] vpr:
se recroqueviller (plantes, feuilles)
marchitarse; (personne) acurrucarse
recrudescence [ʀ(ə)kʀydesɑ̃s] nf
recrudecimiento
recruter [ʀ(ə)kʀyte] vt (Mil, clients,
adeptes) reclutar; (personnel) contratar
rectangle [ʀɛktɑ̃gl] nm rectángulo; **~
blanc** (TV) ≈ rombo
rectangulaire [ʀɛktɑ̃gylɛʀ] adj
rectangular
rectificatif, -ive [ʀɛktifikatif, iv] adj
rectificativo(-a) ■ nm rectificativo
rectifier [ʀɛktifje] vt (tracé) enderezar;
(calcul) rectificar; (erreur) corregir
rectiligne [ʀɛktilin] adj rectilíneo(-a)
recto [ʀɛkto] nm anverso
reçu, e [ʀ(ə)sy] pp de **recevoir** ■ adj
(admis) admitido(-a) ■ nm (récépissé)
recibo
recueil [ʀəkœj] nm selección f
recueillir [ʀ(ə)kœjiʀ] vt recoger;
(matériaux, voix, suffrages) conseguir;
(fonds) conseguir, recolectar;
(renseignements, dépositions) reunir;
(réfugiés) acoger; **se recueillir** vpr
recogerse
recul [ʀ(ə)kyl] nm retroceso; **avoir un
mouvement de ~** hacer un movimiento
de retroceso; **prendre du ~** retroceder;
(fig) considerar con detenimiento; **avec
le ~** con perspectiva
reculé, e [ʀ(ə)kyle] adj (isolé)
apartado(-a); (lointain) lejano(-a)
reculer [ʀ(ə)kyle] vi (aussi fig) retroceder;
(véhicule, conducteur) dar marcha atrás;

(*se dérober, hésiter*) echarse atrás ■ vt
(*meuble, véhicule*) retirar; (*mur, frontières*)
alejar; (*fig: possibilités, limites*) ampliar;
(: *date, livraison, décision*) aplazar,
postergar (*AM*); ~ **devant** (*danger,
difficulté*) echarse atrás ante; ~ **pour
mieux sauter** retrasar el asunto

reculons [R(ə)kylɔ̃]: à ~ *adv* hacia atrás

récupérer [Rekypere] *vt* recuperar;
(*forces*) recobrar ■ vi (*après un effort etc*)
recuperarse

récurer [Rekyre] *vt* fregar; **poudre à ~**
detergente m de fregar

reçut [Rəsy] *vb voir* **recevoir**

recyclable [R(ə)siklabl] *adj* reciclable

recyclage [R(ə)sikla3] *nm* reciclaje m;
cours de ~ curso de adaptación

recycler [R(ə)sikle] *vt* reciclar; (*Scol*)
adaptar; (*employés*) reciclar, reconvertir;
se recycler *vpr* reciclarse

rédacteur, -trice [Redaktœr, tris] *nm/f*
redactor(a); ~ **en chef** redactor(a) jefe;
~ **publicitaire** redactor(a) publicitario(a)

rédaction [Redaksjɔ̃] *nf* redacción f

redescendre [R(ə)desɑ̃dR] *vi* volver a
bajar ■ vt bajar

redessiner [R(ə)desine] *vt* (*paysage,
jardin*) rediseñar; (*frontière*) volver a trazar

rédiger [Redi3e] *vt* redactar

redire [R(ə)diR] *vt* repetir; **avoir/trouver
qch à ~** (*critiquer*) tener/encontrar algo
que criticar

redoubler [R(ə)duble] *vt* (*classe*) repetir;
(*lettre*) duplicar ■ vi (*tempête, violence*)
arreciar; (*Scol*) repetir; ~ **de** (*amabilité,
efforts*) redoblar; **le vent redouble de
violence** el viento arrecia con violencia

redoutable [R(ə)dutabl] *adj* temible

redouter [R(ə)dute] *vt* temer; ~ **que**
temer que; **je redoute de faire sa
connaissance** temo conocerlo

redressement [R(ə)drɛsmɑ̃] *nm* (*de
l'économie etc*) restablecimiento; **maison
de ~** reformatorio; ~ **fiscal** recuperación f
fiscal

redresser [R(ə)drese] *vt* enderezar;
(*situation, économie*) restablecer; **se
redresser** *vpr* (*objet penché*) enderezarse;
(*personne*) erguirse; (*se tenir très droit*)
ponerse derecho; (*fig: pays, situation*)
restablecerse; ~ (**les roues**) enderezar

réduction [Redyksjɔ̃] *nf* reducción f;
(*rabais, remise*) rebaja; **en ~** (*en plus petit*)
reducido(-a)

réduire [Redɥir] *vt* reducir; (*jus, sauce*)
consumir; **se réduire à** *vpr* reducirse a;
se ~ en (*se transformer en*) convertirse en;
~ **qn au silence/à l'inaction/à la misère**

reducir a algn al silencio/a la inactividad/
a la miseria; ~ **qch à** (*fig*) reducir algo a;
~ **qch en** transformar algo en; **en être
réduit à** no tener otro remedio que

réduit, e [Redɥi, it] *pp de* **réduire** ■ adj
reducido(-a) ■ *nm* cuchitril m

redynamiser [R(ə)dinamize] *vt*
(*économie, secteur, tourisme*) redinamizar

rééducation [Reedykasjɔ̃] *nf*
rehabilitación f; **centre de ~** centro de
rehabilitación; ~ **de la parole** logopedia

réel, le [Reɛl] *adj* real; (*intensif: avant le
nom*) verdadero(-a) ■ *nm*: **le ~** lo real

réellement [Reɛlmɑ̃] *adv* realmente

réexpédier [Reɛkspedje] *vt* (*à l'envoyeur*)
devolver; (*au destinataire*) remitir

refaire [R(ə)fɛR] *vt* hacer de nuevo;
(*recommencer, faire tout autrement*)
rehacer; (*réparer, restaurer*) restaurar;
se refaire *vpr* (*en santé, argent etc*)
reponerse; **se ~ une santé** mejorarse,
recuperarse; **se ~ à qch** acostumbrarse
de nuevo a algo; **être refait** (*fam*) ser
engañado ou timado; **il faut ~ les
peintures** tenemos que repintar

réfectoire [Refɛktwar] *nm* refectorio,
comedor m

référence [Referɑ̃s] *nf* referencia;
références *nfpl* (*garanties,
recommandations*) referencias *fpl*; **faire ~ à**
hacer referencia a; **ouvrage de ~** manual
m de consulta; **ce n'est pas une ~** (*fig*)
menuda referencia; ~**s exigées** con
informes

référer [Refere]: **se référer à** *vpr*
remitirse a; (*se rapporter à*) referirse a;
en ~ à qn remitir a algn

refermer [R(ə)fɛrme] *vt* volver a cerrar;
se refermer *vpr* cerrarse

refiler [R(ə)file] (*fam*) *vt*: ~ **qch à qn**
encajar algo a algn

réfléchi, e [Refleʃi] *adj* reflexivo(-a);
(*action, décision*) pensado(-a)

réfléchir [RefleʃiR] *vt* reflejar ■ vi
reflexionar; ~ **à** *ou* **sur** reflexionar acerca
de; **c'est tout réfléchi** está todo pensado

reflet [R(ə)flɛ] *nm* reflejo; **reflets** *nmpl*
(*du soleil, des cheveux*) reflejos *mpl*; (*d'une
étoffe, d'un métal*) destellos *mpl*

refléter [R(ə)flete] *vt* reflejar; **se refléter**
vpr reflejarse

réflexe [Reflɛks] *nm* reflejo ■ adj: **acte/
mouvement ~** acto/movimiento reflejo;
avoir de bons ~s tener buenos reflejos;
~ **conditionné** reflejo condicionado

réflexion [Reflɛksjɔ̃] *nf* reflexión f;
(*remarque désobligeante*) reproche m;
réflexions *nfpl* (*méditations*) reflexiones

259 | réglable

fpl; **sans ~** sin pensar; **après ~, ~ faite, à la ~** pensándolo bien; **cela demande ~** eso exige reflexión; **délai de ~** tiempo para reflexionar; **groupe de ~** gabinete *m* de estrategia

réforme [ReføRm] *nf* reforma; *(Mil)* baja; **la R~** *(Rel)* la Reforma; **conseil de ~** *(Mil)* tribunal *m* médico

réformer [ReføRme] *vt* reformar; *(recrue)* declarar inútil; *(soldat)* dar de baja

refouler [R(ə)fule] *vt (envahisseurs)* rechazar; *(liquide)* impeler; *(fig: larmes)* contener; *(Psych, colère)* reprimir

refrain [R(ə)fRɛ̃] *nm* estribillo; *(air)* canción *f*; *(leitmotiv)* cantinela

refréner [RəfRene] *vt* refrenar

réfrigérateur [RefRiʒeRatœR] *nm* frigorífico, nevera, heladera *(AM)*, refrigeradora *(AM)*

refroidir [R(ə)fRwadiR] *vt* enfriar ◼ *vi (plat, moteur)* enfriar; **se refroidir** *vpr (personne)* enfriarse, coger frío; *(temps)* refrescar; *(fig)* enfriarse

refroidissement [R(ə)fRwadismɑ̃] *nm* enfriamiento

refuge [R(ə)fyʒ] *nm* refugio; *(pour piétons)* abrigo; **chercher/trouver ~ auprès de qn** buscar/encontrar refugio en algn; **demander ~ à qn** pedir asilo a algn

réfugié, e [Refyʒje] *adj, nm/f* refugiado(-a)

réfugier [Refyʒje] *vpr:* **se réfugier** refugiarse

refus [R(ə)fy] *nm* rechazo; **ce n'est pas de ~** *(fam)* se agradece

refuser [R(ə)fyze] *vt (ne pas accorder)* denegar; *(ne pas accepter)* rechazar; *(candidat)* suspender ◼ *vi (cheval)* rehusar; **~ que/de faire** negarse a que/a hacer; **~ qch à qn** negar algo a algn; **~ du monde** cerrar las puertas a la gente; **se ~ à qch/faire qch** negarse a algo/hacer algo; **se ~ à qn** no entregarse a algn; **il ne se refuse rien** no se priva de nada

regagner [R(ə)gaɲe] *vt (argent)* volver a ganar; *(affection, amitié)* recuperar; *(lieu, place)* regresar a; **~ le temps perdu** recuperar el tiempo perdido; **~ du terrain** recuperar terreno

régal [Regal] *nm (mets, fig)* placer *m*; **c'est un (vrai) ~** es un (verdadero) placer, es una (verdadera) delicia; **un ~ pour les yeux** una delicia para la vista

régaler [Regale] *vt:* **~ qn** obsequiar a algn; **se régaler** *vpr (faire un bon repas)* regalarse; *(fig)* disfrutar; **~ qn de** obsequiar a algn con

regard [R(ə)gaR] *nm* mirada; **parcourir/ menacer du ~** recorrer/amenazar con la mirada; **au ~ de** *(loi, morale)* a la luz de; **en ~** *(en face, vis à vis)* en frente; **en ~ de** en comparación con

regardant, e [R(ə)gaRdɑ̃, ɑ̃t] *adj (économe)* ahorrativo(-a); *(péj)* tacaño(-a); **très/peu ~ sur** *(qualité, propreté)* muy/poco mirado(-a) con

regarder [R(ə)gaRde] *vt* mirar; *(situation, avenir)* ver; *(son intérêt etc)* mirar, preocuparse por; *(concerner)* concernir ◼ *vi* ver, mirar; **~ la télévision** ver *ou* mirar la televisión; **~ qn/qch comme** *(juger)* considerar a algn/algo como; **~ (qch) dans le dictionnaire/l'annuaire** mirar (algo) en el diccionario/en la guía telefónica; **~ par la fenêtre** mirar por la ventana; **~ à** *(dépense)* reparar en; *(qualité, détails)* mirar; **~ (vers)** *(être orienté vers)* mirar (hacia); **ne pas ~ à la dépense** no mirar por el dinero; **cela me regarde** eso me atañe, eso es cosa mía; **cela te regarde?** ¿a ti qué te importa?

régénérant, e [ReʒeneRɑ̃, ɑ̃t] *adj (lait, crème)* regenerador(a), revitalizante; **soin du visage ~** crema facial revitalizante

régie [Reʒi] *nf (Admin)* administración *f (del estado o de una institución pública)*; *(Comm, Industrie)* corporación *f* pública; *(Ciné, Théâtre)* departamento de producción; *(Radio, TV)* sala de control; **la ~ de l'État** la administración del Estado

régime [Reʒim] *nm* régimen *m*; *(fig: allure)* paso; *(de bananes, dattes)* racimo; **se mettre au/suivre un ~** ponerse a/ estar a régimen; **~ sans sel** régimen sin sal; **à bas/haut ~** *(Auto)* a pocas/muchas revoluciones; **à plein ~** a toda velocidad; **~ matrimonial** régimen matrimonial

régiment [Reʒimɑ̃] *nm* regimiento; **un ~ de** *(fig: fam)* un regimiento de; **un copain de ~** un compañero de la mili

région [Reʒjɔ̃] *nf* región *f*; **la ~ parisienne** la región de París

régional, e, -aux [Reʒjɔnal, o] *adj* regional

régir [ReʒiR] *vt* regir

régisseur [ReʒisœR] *nm (d'un domaine, d'une propriété)* administrador(a); *(Théâtre, Ciné)* regidor(a)

registre [RəʒistR] *nm* registro; **~ de comptabilité** libro de cuentas; **~ de l'état civil** registro civil

réglable [Reglabl] *adj (siège, flamme etc)* regulable; *(achat)* pagadero(-a)

réglage [ʀeglaʒ] nm ajuste m, regulación f; (d'un moteur) reglaje m

réglé, e [ʀegle] adj (affaire) zanjado(-a); (vie, personne) ordenado(-a); (papier) rayado(-a); (arrangé) arreglado(-a); (femme) bien ~e de período regular

règle [ʀɛgl] nf regla; **règles** nfpl (Physiol) reglas fpl; **avoir pour ~ de ...** tener por norma ...; **en ~** (papiers d'identité) en regla; **être/se mettre en ~** estar/ponerse en regla; **dans** ou **selon les ~s** en ou según las normas; **être la ~** ser la norma; **être de ~** ser (la) norma; **en ~ générale** por regla general; **~ à calcul** regla de cálculo; **~ de trois** regla de tres

règlement [ʀɛglǝmɑ̃] nm (règles) reglamento; (paiement) pago; (d'un conflit, d'une affaire) arreglo, solución f; **~ à la commande** pago al hacer el pedido; **~ en espèces/par chèque** pago en metálico/por cheque; **~ de compte(s)** ajuste m de cuentas; **~ intérieur** reglamento de régimen interno; **~ judiciaire** pago de costas

réglementaire [ʀɛglǝmɑ̃tɛʀ] adj reglamentario(-a)

réglementation [ʀɛglǝmɑ̃tasjɔ̃] nf reglamentación f

réglementer [ʀɛglǝmɑ̃te] vt reglamentar

régler [ʀegle] vt (mécanisme, machine) ajustar; (moteur, thermostat) regular; (modalités) determinar; (emploi du temps etc) organizar; (question, problème) arreglar; (facture, fournisseur) pagar; (papier) rayar; **~ qch sur** acoplar algo a, adaptar algo a; **~ son compte à qn** ajustarle la cuenta a algn; **~ un compte avec qn** ajustar las cuentas con algn

réglisse [ʀeglis] nf ou m regaliz m; **pâte/bâton de ~** pasta/barra de regaliz

règne [ʀɛɲ] nm reinado m; (fig) reino; **le ~ végétal/animal** el reino vegetal/animal

régner [ʀeɲe] vi (aussi fig) reinar

regorger [ʀ(ǝ)gɔʀʒe] vi: **~ de** rebosar de

regret [ʀ(ǝ)gʀɛ] nm (nostalgie) nostalgia; (d'un acte commis) arrepentimiento; (d'un projet non réalisé) pesar m; **à ~** ou **avec ~** con pesar; **à mon grand ~** con mi mayor pesar; **être au ~ de devoir/ne pas pouvoir faire** ... lamentar mucho tener que/no poder hacer ...; **j'ai le ~ de vous informer que ...** siento comunicarle que ...

regrettable [ʀ(ǝ)gʀɛtabl] adj lamentable; **il est ~ que** es lamentable que

regretter [ʀ(ǝ)gʀete] vt lamentar; (jeunesse, personne, passé) echar de

menos; **~ d'avoir fait** lamentar haber hecho; **~ de** sentir; **~ que** lamentar que; **je regrette** lo siento; **non, je regrette** no, lo siento

regrouper [ʀ(ǝ)gʀupe] vt reagrupar; (contenir) reunir; **se regrouper** vpr reagruparse

régulier, -ière [ʀegylje, jɛʀ] adj regular; (employé) puntual; (fam: correct, loyal) formal; **clergé ~** (Rel) clero regular; **armées/troupes régulières** (Mil) ejércitos mpl/tropas fpl regulares

régulièrement [ʀegyljɛʀmɑ̃] adv con regularidad; (légalement, normalement) regularmente; (normalement) normalmente

rehausser [ʀǝose] vt (mur, plafond) levantar; (fig) realzar

rein [ʀɛ̃] nm riñón m; **reins** nmpl (Anat: dos, muscles du dos) riñones mpl; **avoir mal aux ~s** tener dolor de riñones; **~ artificiel** riñón artificial

réincarnation [ʀeɛ̃kaʀnasjɔ̃] nf reencarnación f

reine [ʀɛn] nf reina; **~ mère** reina madre

reine-claude [ʀɛnklod] (pl **reines-claudes**) nf ciruela claudia

réinscriptible [ʀeɛ̃skʀiptibl] adj (CD, DVD) reescribible

réinsertion [ʀeɛ̃sɛʀsjɔ̃] nf reinserción f

réintégrer [ʀeɛ̃tegʀe] vt (lieu) volver a; (fonctionnaire) reintegrar

rejaillir [ʀ(ǝ)ʒajiʀ] vi (liquide) salpicar; **~ sur** salpicar en; (fig) repercutir sobre

rejet [ʀǝʒɛ] nm rechazo; (Poésie) encabalgamiento m; (Bot) retoño; **phénomène de ~** (Méd) fenómeno de rechazo

rejeter [ʀǝʒ(ǝ)te] vt rechazar; (renvoyer) lanzar de nuevo; (aliments) rechazar, vomitar; (déverser) vertir; **~ un mot à la fin d'une phrase** dejar una palabra al final de la frase; **~ la tête/les épaules en arrière** echar la cabeza/los hombros hacia atrás; **~ la responsabilité de qch sur qn** echar la responsabilidad de algo sobre algn

rejoindre [ʀ(ǝ)ʒwɛ̃dʀ] vt (famille, régiment) reunirse con; (lieu) retornar a; (concurrent) alcanzar; (suj: route etc) llegar a; **se rejoindre** vpr (personnes) reunirse; (routes) juntarse; (fig: observations, arguments) asemejarse; **je te rejoins au café** te veo en el café

réjouir [ʀeʒwiʀ] vt alegrar; **se réjouir** vpr regocijarse, alegrarse; **se ~ de qch/de faire qch** alegrarse de algo/de hacer algo; **se ~ que** alegrarse de que

réjouissances [ʀeʒwisɑ̃s] *nfpl* (*joie collective*) regocijos *mpl*; (*fête*) festejos *mpl*

relâche [ʀəlɑʃ] *nf:* **faire ~** (*navire*) hacer escala; (*Ciné*) no haber función; **jour de ~** día *m* de descanso; **sans ~** sin descanso

relâché, e [ʀ(ə)lɑʃe] *adj* relajado(-a)

relâcher [ʀ(ə)lɑʃe] *vt* (*ressort, étreinte, cordes*) aflojar; (*animal, prisonnier*) soltar; (*discipline*) relajar ■ *vi* (*Naut*) hacer escala; **se relâcher** *vpr* (*cordes*) aflojarse; (*discipline*) relajarse; (*élève*) aflojar

relais [ʀ(ə)lɛ] *nm:* **(course de) ~** (carrera de) relevos *mpl*; (*Radio, TV*) repetidor *m*; **satellite de ~** satélite *m* repetidor; **servir de ~** (*intermédiaire*) servir de relevo; **équipe de ~** equipo de relevo; **travail par ~** trabajo por turnos; **prendre le ~ (de qn)** tomar el relevo (de algn); **~ de poste** (*pour diligences*) posta *f*; **~ routier** restaurante *m* de carretera

relancer [ʀ(ə)lɑ̃se] *vt* (*balle*) lanzar de nuevo; (*moteur*) poner en marcha de nuevo; (*fig: économie, agriculture*) reactivar; **~ qn** (*harceler*) hostigar a algn

relatif, -ive [ʀ(ə)latif, iv] *adj* relativo(-a); **~ à** relativo(-a) a

relation [ʀ(ə)lasjɔ̃] *nf* (*récit*) relato; (*rapport*) relación *f*; **relations** *nfpl* relaciones *fpl*; **avoir des ~s** tener relaciones; **être/entrer en ~(s) avec** estar/entrar en relación(relaciones) con; **mettre qn en ~(s) avec** poner a algn en relación con; **avoir** *ou* **entretenir des ~s avec** tener *ou* mantener relaciones con; **~s internationales** relaciones internacionales; **~s publiques** relaciones públicas; **~s (sexuelles)** relaciones (sexuales)

relativement [ʀ(ə)lativmɑ̃] *adv* relativamente; **~ à** en relación con

relaxer [ʀəlakse] *vt* (*détendre*) relajar; (*Jur*) poner en libertad; **se relaxer** *vpr* relajarse

relayer [ʀ(ə)leje] *vt* (*collaborateur, coureur*) relevar; (*Radio, TV*) retransmitir; **se relayer** *vpr* (*dans une activité, course*) relevarse

reléguer [ʀ(ə)lege] *vt* relegar; **~ au second plan** relegar a un segundo plano; **se sentir relégué** sentirse relegado

relevé, e [ʀəl(ə)ve] *adj* (*bord de chapeau*) alzado(-a); (*manches*) arremangado(-a); (*virage*) peraltado(-a); (*conversation, style*) elevado(-a); (*sauce, plat*) sazonado(-a) ■ *nm* (*liste*) relación *f*; (*de cotes*) alzado; (*facture*) extracto; (*d'un compteur*) lectura;

~ de compte saldo; **~ d'identité bancaire** número de cuenta

relève [ʀəlɛv] *nf* relevo; **prendre la ~** (*aussi fig*) tomar el relevo

relever [ʀəl(ə)ve] *vt* levantar; (*niveau de vie, salaire*) aumentar; (*col*) subir; (*style, conversation*) animar; (*plat, sauce*) sazonar; (*sentinelle, équipe*) relevar; (*fautes, points*) señalar; (*traces, anomalies*) constatar; (*remarque*) contestar a; (*défi*) hacer frente a; (*noter*) tomar nota de, anotar; (*compteur*) leer; (*copies*) recoger; (*Tricot*) coger ■ *vi* (*jupe, bord*) levantar, arremangar; **se relever** *vpr* levantarse; **se ~ (de)** (*fig*) recuperarse (de); **~ de** (*maladie*) salir de; (*être du ressort de, du domaine de*) ser de la competencia de; (*Admin*) depender de; **~ qn de** (*fonctions*) eximir a algn de; (*Rel: vœux*) liberar a algn de; **~ la tête** levantar la cabeza; (*fig*) levantar cabeza

relief [ʀəljɛf] *nm* relieve *m*; (*de pneu*) dibujo; **reliefs** *nmpl* (*restes*) restos *mpl*; **en ~** en relieve; **mettre en ~** (*fig*) poner de relieve; **donner du ~ à** (*fig*) dar relieve a

relier [ʀəlje] *vt* (*routes, bâtiments*) unir; (*fig: idées etc*) relacionar; (*livre*) encuadernar; **~ qch à** unir algo con; **livre relié cuir** libro encuadernado en piel

religieux, -euse [ʀ(ə)liʒjø, jøz] *adj* religioso(-a) ■ *nm* religioso ■ *nf* religiosa; (*gâteau*) pastelillo de crema

religion [ʀ(ə)liʒjɔ̃] *nf* religión *f*; (*piété, dévotion*) fe *f*; **entrer en ~** hacer los votos

relire [ʀ(ə)liʀ] *vt* releer; **se relire** *vpr* releerse

reluire [ʀ(ə)lɥiʀ] *vi* relucir

remanier [ʀ(ə)manje] *vt* (*roman, pièce*) modificar; (*ministère*) reorganizar

remarquable [ʀ(ə)maʀkabl] *adj* notable

remarque [ʀ(ə)maʀk] *nf* comentario

remarquer [ʀ(ə)maʀke] *vt* notar; **se remarquer** *vpr* notarse; **se faire ~** (*péj*) hacerse notar; **faire ~ (à qn) que** hacer notar (a algn) que; **faire ~ qch (à qn)** hacer notar algo (a algn); **~ que** (*dire*) observar que; **remarquez que ...** observe que ...

rembourrer [ʀɑ̃buʀe] *vt* rellenar

remboursement [ʀɑ̃buʀsəmɑ̃] *nm* reembolso; **envoi contre ~** envío contra reembolso

rembourser [ʀɑ̃buʀse] *vt* reembolsar

remède [ʀ(ə)mɛd] *nm* (*médicament*) medicamento; (*traitement, fig*) remedio; **trouver un ~ à** encontrar una solución a

remémorer [ʀ(ə)memɔʀe] *vpr:* **se remémorer** acordarse de

remerciements [ʀ(ə)mɛʀsimã] nmpl
gracias fpl; **(avec) tous mes ~** (con) todo
mi agradecimiento

remercier [ʀ(ə)mɛʀsje] vt (donateur,
bienfaiteur) dar las gracias a; (congédier:
employé) despedir; **~ qn de qch**
agradecerle algo a algn; **je vous remercie
d'être venu** le agradezco que haya venido;
non, je vous remercie no, muchas gracias

remettre [ʀ(ə)mɛtʀ] vt (vêtement) volver
a ponerse; (rétablir): **~ qn** restablecer a
algn; (reconnaître) recordar a algn;
(restituer): **~ qch à qn** devolver algo a
algn; (paquet, argent, récompense)
entregar algo a algn; (ajourner, reporter):
~ qch (à) aplazar algo (hasta ou para);
se remettre vpr (malade) reponerse;
(temps) mejorar; **~ qch quelque part**
colocar de nuevo algo en algún sitio; **~ du
sel/un sucre** añadir sal/un azucarillo; **se
~ de** (maladie, chagrin) recuperarse de;
s'en ~ à remitirse a; **se ~ à faire/qch**
ponerse de nuevo a hacer/algo; **~ qch en
place** colocar algo en su sitio; **~ une
pendule à l'heure** poner un reloj en hora;
~ un moteur/une machine en marche
poner un motor/una máquina en
marcha; **~ en état** reparar; **~ en ordre/
en usage** volver a poner en orden/al uso;
~ en cause ou **question** poner en tela de
juicio; **~ sa démission** presentar su
dimisión; **~ qch à plus tard** dejar algo
para más tarde; **~ qch à neuf** dejar algo
como nuevo; **~ qn à sa place** (fig) poner a
algn en su sitio

remise [ʀ(ə)miz] nf (d'un colis, d'une
récompense) entrega; (rabais, réduction)
descuento; (lieu, local) trastero, galpón m
(Csur); **~ à neuf** renovación f; **~ de fonds**
remesa de fondos; **~ de peine** remisión f
de pena; **~ en cause** replanteamiento; **~
en jeu** (Football) saque m; **~ en marche/
en ordre** puesta en marcha/en orden; **~
en question** replanteamiento

remontant [ʀ(ə)mõtã] nm estimulante

remonte-pente [ʀ(ə)mõtpãt] (pl **~s**) nm
remonte m

remonter [ʀ(ə)mõte] vi volver a subir;
(sur un cheval) volver a montar; (dans une
voiture) volver a montarse; (jupe) subir
■ vt volver a subir; (fleuve) remontar;
(hausser) subir; (fig: personne, moral)
animar; (moteur, meuble, mécanisme)
montar de nuevo; (garde-robe, collection)
reponer; (montre) dar cuerda; **~ à** (dater
de) remontarse a; **~ en voiture** volver a
montarse en coche; **~ le moral à qn**
levantar la moral a algn

remontrer [ʀ(ə)mõtʀe] vt: **~ qch (à qn)**
(montrer de nouveau) volver a enseñar algo
(a algn); **en ~ à qn** (fig) dar lecciones a
algn

remords [ʀ(ə)mɔʀ] nm remordimiento;
avoir des ~ tener remordimiento

remorque [ʀ(ə)mɔʀk] nf remolque m;
prendre en ~ llevar en remolque; **être en
~** ir remolcado(-a); **être à la ~** (fig) estar a
remolque

remorquer [ʀ(ə)mɔʀke] vt remolcar

remorqueur [ʀ(ə)mɔʀkœʀ] nm
remolcador m

remous [ʀəmu] nm remolino ■ nmpl
(fig) alboroto msg

remparts [ʀɑ̃paʀ] nmpl murallas fpl

remplaçant, e [ʀɑ̃plasɑ̃, ɑ̃t] nm/f
sustituto(-a); (Théâtre) suplente m/f

remplacement [ʀɑ̃plasmɑ̃] nm
sustitución f; **assurer le ~ de qn** sustituir
a algn; **faire des ~s** hacer sustituciones

remplacer [ʀɑ̃plase] vt (mettre qn/qch à
la place de) sustituir; (ami, époux etc)
cambiar de; (temporairement)
reemplazar; (pneu, ampoule) cambiar;
(tenir lieu de) sustituir (a); **~ qch par qch
d'autre/qn par qn d'autre** cambiar una
cosa por otra/a algn por otro(-a)

rempli, e [ʀɑ̃pli] adj (journée)
cargado(-a); (forme, visage) relleno(-a);
~ de lleno(-a) de

remplir [ʀɑ̃pliʀ] vt llenar; (questionnaire)
rellenar; (obligations, conditions, rôle)
cumplir (con); **se remplir** vpr llenarse;
~ qch de llenar algo de; **~ qn de** (joie,
admiration) llenar a algn de

remporter [ʀɑ̃pɔʀte] vt (livre,
marchandise) devolver; (fig: victoire,
succès) lograr

remuant, e [ʀəmɥɑ̃, ɑ̃t] adj (enfant etc)
revoltoso(-a)

remue-ménage [ʀ(ə)mymenaʒ] nm inv
zafarrancho

remuer [ʀəmɥe] vt (meuble, objet)
mudar; (partie du corps) mover; (café,
salade, sauce) remover; (émouvoir)
conmover ■ vi moverse; (fig: opposants)
agitarse; **se remuer** vpr (aussi fam)
moverse; (fig) desvivirse

rémunérer [ʀemyneʀe] vt remunerar,
pagar

renard [ʀ(ə)naʀ] nm zorro

renchérir [ʀɑ̃ʃeʀiʀ] vi encarecerse; **~
(sur)** ir más allá (de)

rencontre [ʀɑ̃kõtʀ] nf (Sport, congrès,
gén) encuentro; (de cours d'eau)
confluencia; (véhicules) choque m; (idées)
coincidencia; (entrevue) entrevista; **faire**

la **~ de qn** conocer a algn; **aller à la ~ de qn** ir al encuentro de algn; **amis/amours de ~** amigos/amores de paso

rencontrer [ʀɑ̃kɔ̃tʀe] vt encontrar (a); (avoir une entrevue avec) entrevistarse con; (Sport: équipe) enfrentarse con; (mot, opposition) encontrar; (regard, yeux) encontrarse con; **se rencontrer** vpr (fleuves) confluir; (personnes, regards) encontrarse; (véhicules) chocar

rendement [ʀɑ̃dmɑ̃] nm rendimiento; (d'une culture) producto; **à plein ~** a pleno rendimiento

rendez-vous [ʀɑ̃devu] nm inv cita; **recevoir sur ~** recibir previa cita; **donner ~ à qn** dar una cita a algn; **fixer un ~ à qn** fijar una cita con algn; **avoir ~ (avec qn)** tener una cita (con algn); **prendre ~ (avec qn)** pedir cita (con algn); **prendre ~ chez le médecin** pedir hora con el médico; **~ orbital** acoplamiento de satélites; **~ spatial** cita en el espacio

rendre [ʀɑ̃dʀ] vt devolver; (honneurs) rendir; (sons) producir; (pensée, tournure) traducir, expresar; (Jur: verdict) fallar; (: jugement, arrêt) dictar ■ vi (suj: terre, pêche etc) ser productivo(-a); **se rendre** vpr rendirse; **~ célèbre/qch possible** hacer a algn célebre/algo posible; **se ~ quelque part** irse a algún sitio; **se ~ compte de qch** darse cuenta de algo; **~ la vue/l'espoir/la santé à qn** devolver la vista/la esperanza/la salud a algn; **~ la liberté** devolver la libertad; **~ la monnaie** dar las vueltas; **se ~ à** (arguments etc) rendirse a; (ordres) someterse; **se ~ insupportable/malade** volverse insoportable/enfermo(-a)

rênes [ʀɛn] nfpl riendas

renfermé, e [ʀɑ̃fɛʀme] adj (fig) reservado(-a) ■ nm: **sentir le ~** oler a cerrado

renfermer [ʀɑ̃fɛʀme] vt contener; **se ~** (sur soi-même) encerrarse en sí mismo

renforcer [ʀɑ̃fɔʀse] vt reforzar; (soupçons) aumentar; **~ qn dans ses opinions** confirmar a algn en sus opiniones

renforts nmpl (Mil, gén) refuerzo msg; **à grand renfort de** con gran acompañamiento de

renfrogné, e [ʀɑ̃fʀɔɲe] adj sombrío(-a)

renier [ʀənje] vt renegar de

renifler [ʀ(ə)nifle] vi resoplar ■ vt aspirar

renne [ʀɛn] nm reno

renom [ʀənɔ̃] nm renombre m; **vin de grand ~** vino de gran fama

renommé, e [ʀ(ə)nɔme] adj renombrado(-a), famoso(-a)

renommée [ʀ(ə)nɔme] nf fama; **la ~** el renombre

renoncer [ʀ(ə)nɔ̃se]: **~ à** vt renunciar a; (opinion, croyance) renegar de; **~ à faire qch** renunciar a hacer algo; **j'y renonce** renuncio

renouer [ʀənwe] vt (cravate, lacets) atar de nuevo; (fig) reanudar; **~ avec** volver a; **~ avec qn** reconciliarse con algn

renouvelable [ʀ(ə)nuv(ə)labl] adj (contrat, bail, énergie) renovable; (expérience) repetible

renouveler [ʀ(ə)nuv(ə)le] vt renovar; (eau d'une piscine, pansement) cambiar; (demande, remerciements) reiterar; (exploit, méfait) repetir; **se renouveler** vpr (incident) repetirse; (cellules etc) reproducirse; (artiste, écrivain) renovarse

renouvellement [ʀ(ə)nuvelmɑ̃] nm renovación f; (pansement) cambio; (demande) reiteración f; (exploit, incident) repetición f; (cellules etc) reproducción f

rénover [ʀenɔve] vt (immeuble, enseignement) renovar; (meuble) restaurar; (quartier) remozar

renseignement [ʀɑ̃sɛɲmɑ̃] nm información f; **prendre des ~s sur** pedir referencia sobre; (guichet des) **~s** (ventanilla de) información; (service des) **~s** (Tél) (servicio de) información; **service/agent de ~s** (Mil) servicio/agente m de información; **les ~s généraux** dirección f general de seguridad

renseigner [ʀɑ̃seɲe] vt (suj: expérience) mostrar; (: document) informar; **se renseigner** vpr informarse; **~ qn (sur)** informar a algn (sobre)

rentabilité [ʀɑ̃tabilite] nf rentabilidad f; **seuil de ~** mínimo de rentabilidad

rentable [ʀɑ̃tabl] adj rentable

rente [ʀɑ̃t] nf renta; **~ viagère** renta vitalicia

rentrée [ʀɑ̃tʀe] nf: **~ (d'argent)** ingreso; **la ~ (des classes)** el comienzo (del curso); **la ~ (parlementaire)** ≈ la reapertura (de las Cortes); **réussir/faire sa ~** (artiste, acteur) tener éxito en/hacer su reaparición

rentrer [ʀɑ̃tʀe] vi entrar; (entrer de nouveau) volver a entrar; (revenir chez soi) irse a casa; (revenu, argent) ingresar ■ vt meter; (foins) recoger; (griffes) guardar; (fig: larmes, colère etc) tragarse; **~ le ventre** (effacer) meter la tripa; **~ dans** (famille, patrie) volver a; (arbre, mur) chocar contra; (*catégorie etc*) entrar en; **~ dans l'ordre** volver al orden; **~ dans ses frais** cubrir sus gastos

renverse [ʀɑ̃vɛʀs]: **à la ~** adv (*tomber*) de espaldas

renverser [ʀɑ̃vɛʀse] vt (*chaise, verre*) dejar caer; (*piéton*) atropellar; (: *tuer*) matar; (*liquide*) derramar; (: *volontairement*) verter; (*retourner*) poner boca abajo; (*ordre des mots etc*) invertir; (*tradition etc*) echar abajo; (*gouvernement etc*) derrochar; (*stupéfier*) asombrar; **se renverser** vpr (*pile d'objets, récipient*) caerse; (*véhicule*) volcarse; (*liquide*) derramarse; **~ la tête/le corps (en arrière)** echar la cabeza/el cuerpo hacia atrás; **se ~ (en arrière)** echarse hacia atrás; **~ la vapeur** dar marcha atrás

renvoi [ʀɑ̃vwa] nm reenvío, devolución f; (*d'un élève*) expulsión f; (*d'un employé*) despido; (*de la lumière*) reflejo; (*référence*) llamada, nota; (*éructation*) eructo

renvoyer [ʀɑ̃vwaje] vt devolver; (*élève*) expulsar; (*domestique, employé*) despedir; (*lumière*) reflejar; **~ qn quelque part** volver a enviar a algn a algún sitio; **~ qch (à)** (*ajourner, différer*) aplazar algo (para); **~ qch à qn** devolver algo a algn; **~ qn à** (*référer*) remitir a algn a

repaire [ʀ(ə)pɛʀ] nm (*aussi fig*) guarida

répandre [ʀepɑ̃dʀ] vt derramar; (*gravillons, sable etc*) echar; (*lumière, chaleur, odeur*) despedir; (*nouvelle, usage*) propagar; (*terreur, joie*) sembrar; **se répandre** vpr (*liquide*) derramarse; (*odeur, fumée*) propagarse; (*foule*) desparramarse; (*épidémie, mode*) difundirse; **se ~ en** (*injures, compliments*) deshacerse en

répandu, e [ʀepɑ̃dy] pp de **répandre** ■ adj (*courant*) extendido(-a); **papiers ~s par terre/sur un bureau** papeles esparcidos por el suelo/sobre la mesa

réparation [ʀepaʀasjɔ̃] nf arreglo; **réparations** nfpl reparaciones fpl; **en ~** en reparación; **demander à qn ~ de** (*offense etc*) demandar a algn la reparación de

réparer [ʀepaʀe] vt arreglar; (*déchirure, avarie, aussi fig*) reparar

repartie [ʀepaʀti] nf réplica; **avoir de la ~** tener una respuesta fácil; **esprit de ~** espíritu m de réplica

repartir [ʀəpaʀtiʀ] vi (*retourner*) regresar; (*partir de nouveau*) volver a marcharse; (*affaire*) comenzar de nuevo; **~ à zéro** recomenzar de cero

répartir [ʀepaʀtiʀ] vt repartir; **se**

répartir vpr (*travail, rôles*) repartirse; **~ sur** repartir en; **~ en** dividir en

répartition [ʀepaʀtisjɔ̃] nf reparto

repas [ʀ(ə)pɑ] nm comida; **à l'heure des ~** a la hora de comer

repassage [ʀ(ə)pɑsaʒ] nm planchado

repasser [ʀ(ə)pɑse] vi (*passer de nouveau*) volver a pasar ■ vt (*vêtement, tissu*) planchar; (*examen, film*) repetir; (*leçon, rôle*) repasar; **~ qch à qn** (*plat, pain*) volver a pasar algo a algn

repentir [ʀəpɑ̃tiʀ] nm arrepentimiento; **se repentir** vpr arrepentirse; **se ~ de qch/d'avoir fait qch** arrepentirse de algo/de haber hecho algo

répercussions [ʀepɛʀkysjɔ̃] nfpl (*fig*) repercusiones fpl

répercuter [ʀepɛʀkyte] vt repercutir; (*consignes, charges etc*) transmitir; **se répercuter** vpr repercutir; **se ~ sur** (*fig*) repercutir en

repère [ʀ(ə)pɛʀ] nm referencia; (*Tech*) marca; (*monument etc*) lugar m de referencia; **point de ~** punto de referencia

repérer [ʀ(ə)peʀe] vt (*erreur, connaissance*) ver; (*abri, ennemi*) localizar; **se repérer** vpr orientarse; **se faire ~** vpr hacerse notar

répertoire [ʀepɛʀtwaʀ] nm repertorio; (*carnet*) agenda; (*Inform, de carnet*) directorio; (*indicateur*) índice m

répéter [ʀepete] vt repetir; (*nouvelle, secret*) volver a contar; (*leçon, rôle*) repasar; (*Théâtre*) ensayar ■ vi (*Théâtre etc*) ensayar; **se répéter** vpr repetirse; **je te répète que ...** te repito que ...

répétitif, -ive [ʀepetitif, iv] adj repetitivo(-a)

répétition [ʀepetisjɔ̃] nf repetición f; (*Théâtre*) ensayo; **répétitions** nfpl clases fpl particulares; **armes à ~** armas de repetición; **~ générale** (*Théâtre*) ensayo general

répit [ʀepi] nm descanso; (*fig*) respiro; **sans ~** sin tregua

replier [ʀ(ə)plije] vt doblar; **se replier** vpr replegarse; **se ~ sur soi-même** ensimismarse

réplique [ʀeplik] nf réplica; **donner la ~ à** contestar a; **sans ~** tajante

répliquer [ʀeplike] vt contestar; (*avec impertinence*) replicar; **~ à** (*critique, personne*) rebatir (a); **~ que ...** contestar que ...

répondeur [ʀepɔ̃dœʀ] nm: **~ automatique** (*Tél*) contestador m automático

répondre [Repɔ̃dR] *vi* contestar,
responder; *(freins, mécanisme)* responder;
~ à responder a *ou* contestar a; *(affection)*
corresponder a; *(salut, provocation,
description)* responder a; **~ que** responder
que; **~ de** responder de
réponse [Repɔ̃s] *nf* respuesta; **avec ~
payée** *(Postes)* a cobro revertido; **avoir ~
à tout** tener respuesta para todo; **en ~ à**
en respuesta a; **carte-~** carta de
respuesta; **bulletin-~** cupón *m* de
concurso
reportage [R(ə)pɔRtaʒ] *nm* reportaje *m*
reporter[1] [R(ə)pɔRtɛR] *nm* reportero
reporter[2] [RəpɔRte] *vt (total, notes):* **~
qch sur** pasar algo a; *(ajourner, renvoyer):*
~ qch (à) aplazar algo (hasta);
se ~ à *(époque)* remontarse a; *(document, texte)*
remitirse a
repos [R(ə)po] *nm* descanso; *(après
maladie)* reposo; *(fig)* sosiego; *(Mil):*
~! ¡descansen!; **en ~** en reposo; **au ~** en
reposo; *(soldat)* en descanso; **de tout ~**
seguro(-a)
reposant, e [R(ə)pozɑ̃, ɑ̃t] *adj*
descansado(-a)
reposer [R(ə)poze] *vt (verre, livre)* volver a
poner; *(rideaux, carreaux)* volver a colocar;
(question, problème) replantear; *(délasser)*
descansar ▪ *vi (liquide, pâte)* reposar;
(personne): **ici repose ...** aquí descansa ...;
se reposer *vpr* descansar; **~ sur** *(suj:
bâtiment)* descansar sobre; *(fig:
affirmation)* basarse en; **se ~ sur qn**
apoyarse en algn
repoussant, e [R(ə)pusɑ̃, ɑ̃t] *adj*
repulsivo(-a)
repousser [R(ə)puse] *vi* volver a crecer
▪ *vt* rechazar; *(rendez-vous, entrevue)*
aplazar; *(répugner)* repeler; *(tiroir, table)*
empujar
reprendre [R(ə)pRɑ̃dR] *vt (prisonnier)*
volver a coger; *(Mil: ville)* volver a tomar;
(objet posé etc) recoger; *(objet prêté,
donné)* recuperar; *(se resservir de)* volver
a tomar; *(racheter)* comprar; *(travail,
promenade, études)* reanudar; *(explication,
histoire)* volver a; *(emprunter: argument,
idée)* tomar; *(article etc)* rehacer; *(jupe,
pantalon)* arreglar; *(émission, pièce)*
repetir; *(personne)* corregir ▪ *vi (cours,
classes)* reanudarse; *(froid, pluie etc)*
volver, llegar de nuevo; *(affaires, industrie)*
reactivarse; **se reprendre** *vpr (se
corriger)* corregirse; *(se ressaisir)*
reponerse; **je reprends** *(poursuivre)*
prosigo; **je viendrai te ~ à 4h** *(chercher)*
pasaré a recogerte a las cuatro; **reprit-il**

(dire) contestó; **s'y ~** recomenzar;
~ courage/des forces recobrar valor/
fuerzas; **~ ses habitudes/sa liberté**
recuperar sus costumbres/su libertad;
~ la route volver a ponerse en marcha;
~ connaissance recobrar el
conocimiento; **~ haleine** *ou* **son souffle**
recobrar el aliento; **~ la parole** retomar
la palabra
représentant, e [R(ə)pRezɑ̃tɑ̃, ɑ̃t] *nm/f*
representante *m/f*
représentation [R(ə)pRezɑ̃tasjɔ̃] *nf*
representación *f*; **faire de la ~** *(Comm)*
trabajar como representante; **frais de ~**
(d'un diplomate) gastos *mpl* de
representación
représenter [R(ə)pRezɑ̃te] *vt*
representar; **se représenter** *vpr
(occasion)* volver a presentarse;
(s'imaginer, se figurer) figurarse;
se ~ à *(examen, élections)* volver a
presentarse a
répression [RepResjɔ̃] *nf* represión *f*;
mesures de ~ medidas *fpl* represivas
réprimer [RepRime] *vt* reprimir
repris, e [R(ə)pRi] *pp de* **reprendre**
▪ *nm:* **~ de justice** individuo con
antecedentes penales
reprise [R(ə)pRiz] *nf (d'une ville)* toma;
(entreprise) compra; *(article)*
reestructuración *f*; *(jupe, pantalon)*
arreglo; *(recommencement)* reanudación *f*;
(de la parole) proseguimiento; *(Théâtre,
TV, Ciné)* reposición *f*; *(Boxe etc)* repetición
f; *(Auto: en accélérant)* reprise *m*; *(Comm)*
compra; *(de location)* traspaso;
(raccommodage) zurcido; **la ~ des
hostilités** la reanudación de las
hostilidades; **à plusieurs ~s** repetidas
veces
repriser [R(ə)pRize] *vt* zurcir; **aiguille/
coton à ~** aguja/hilo de zurcir
reproche [R(ə)pRɔʃ] *nm* reproche *m*;
ton/air de ~ tono/aire *m* de reproche;
faire des ~s à qn hacer reproches a algn;
faire ~ à qn de qch reprochar algo a algn;
sans ~(s) sin reproche
reprocher [R(ə)pRɔʃe] *vt:* **~ qch à (qn)**
reprochar algo a (algn); **se ~ qch/d'avoir
fait qch** reprocharse algo/haber hecho
algo
reproduction [R(ə)pRɔdyksjɔ̃] *nf (aussi
Biol)* reproducción *f*; **droits de ~** derechos
mpl de reproducción; **"~ interdite"**
"prohibida su reproducción"
reproduire [R(ə)pRɔdɥiR] *vt* reproducir;
se reproduire *vpr (Biol, fig)* reproducirse
reptile [Rɛptil] *nm* reptil *m*

république [ʀepyblik] nf república;
R~ arabe du Yémen República árabe del
Yemen; **R~ Centrafricaine** República
Centroafricana; **R~ de Corée** República
de Corea; **R~ démocratique allemande**
República democrática alemana; **R~
d'Irlande** República de Irlanda; **R~
dominicaine** República Dominicana; **R~
fédérale d'Allemagne** República federal
de Alemania; **R~ populaire de Chine**
República popular de China; **R~
populaire démocratique de Corée**
República popular democrática de
Corea; **R~ populaire du Yémen**
República popular del Yemen

répugnant, e [ʀepyɲɑ̃, ɑ̃t] adj
repugnante

répugner [ʀepyɲe] vt repugnar; **je
répugne à le faire** me repugna hacerlo

réputation [ʀepytasjɔ̃] nf reputación f;
(d'une maison) fama; **avoir la ~ d'être** ...
tener fama de ser ...; **connaître qn/qch
de ~** conocer a algn/algo por la fama; **de
~ mondiale** de fama mundial

réputé, e [ʀepyte] adj famoso(-a); **être ~
pour** ser famoso(-a) por

requérir [ʀəkeʀiʀ] vt requerir; (demander
au nom de la loi) demandar, requerir; (Jur:
peine) pedir

requête [ʀəkɛt] nf (prière) petición f; (Jur)
demanda, requerimiento

requin [ʀəkɛ̃] nm tiburón m; (fam: fig)
buitre m

requis, e [ʀəki, iz] pp de **requérir** ■ adj
(conditions, âge) requerido(-a)

RER [ɛʀøɛʀ] sigle m (= Réseau express
régional) red de trenes rápidos de París y de la
periferia; (train) uno de esos trenes

rescapé, e [ʀɛskape] nm/f superviviente
m/f

rescousse [ʀɛskus] nf: **aller/venir à la ~
de** ir/venir en socorro de; **appeler qn à la
~** pedir la ayuda de algn

réseau, x [ʀezo] nm red f

réservation [ʀezɛʀvasjɔ̃] nf reserva

réserve [ʀezɛʀv] nf reserva; (d'un
magasin) depósito; (de pêche, chasse) coto;
réserves nfpl reservas fpl; **la ~** (Mil) la
reserva; **officier de ~** oficial en la reserva;
sous toutes ~s con muchas reservas;
sous ~ de a reserva de; **sans ~** sin
reservas; **avoir/mettre/tenir qch en ~**
tener/poner/guardar algo en reserva; **de
~** de reserva; **~ naturelle** reserva natural

réservé, e [ʀezɛʀve] adj reservado(-a);
(chasse, pêche) vedado(-a); **~ à/pour**
reservado(-a) a/para

réserver [ʀezɛʀve] vt reservar; (réponse,

assentiment etc) reservarse; **~ qch pour/à**
(mettre de côté, garder) reservar algo para/
a; **~ qch à qn** reservar algo a algn; **se ~
qch** reservarse algo; **se ~ de faire qch**
reservarse el hacer algo; **se ~ le droit de
faire qch** reservarse el derecho de hacer
algo

réservoir [ʀezɛʀvwaʀ] nm depósito

résidence [ʀezidɑ̃s] nf (Admin) sede f;
(habitation luxueuse) residencia; (groupe
d'immeubles) conjunto residencial; **(en) ~
surveillée** (Jur) (en) arresto domiciliario;
~ principale/secondaire residencia
principal/secundaria; **~ universitaire**
residencia universitaria

résidentiel, le [ʀezidɑ̃sjɛl] adj
residencial

résider [ʀezide] vi: **~ à/dans/en** residir
en; **~ dans/en** (fig) radicar en

résidu [ʀezidy] nm (péj) deshecho; (Chim,
Phys) residuo

résigner [ʀeziɲe] vt resignar; **se
résigner** vpr resignarse; **se ~ à qch/faire
qch** resignarse a algo/hacer algo

résilier [ʀezilje] vt rescindir

résistance [ʀezistɑ̃s] nf resistencia; **la
R~** (Pol) la Resistencia

résistant, e [ʀezistɑ̃, ɑ̃t] adj resistente
■ nm/f militante m/f de la Resistencia

résister [ʀeziste] vi resistir; **~ à** resistir a;
(personne) oponerse a

résolu, e [ʀezɔly] pp de **résoudre** ■ adj
decidido(-a); **être ~ à qch/faire qch**
estar decidido(-a) a algo/hacer algo

résolution [ʀezɔlysjɔ̃] nf resolución f;
(fermeté) decisión f; (Inform) definición f;
prendre la ~ de tomar la resolución de;
bonnes ~s determinaciones fpl

résolve etc [ʀezɔlv] vb voir **résoudre**

résonner [ʀezɔne] vi resonar; **~ de**
resonar con

résorber [ʀezɔʀbe] vpr: **se résorber**
(Méd) reabsorberse; (déficit, chômage)
reducirse

résoudre [ʀezudʀ] vt resolver; **~ qn à
faire qch** inducir a que algn haga algo; **~
de faire qch** decidir hacer algo; **se ~ à
qch/faire qch** decidirse por algo/a ou por
hacer algo

respect [ʀɛspɛ] nm respeto; **respects**
nmpl: **présenter ses ~s à qn** presentar
sus respetos a algn; **tenir qn en ~**
mantener a algn a distancia; (fig) tener a
algn a raya

respecter [ʀɛspɛkte] vt respetar; **faire ~**
hacer respetar; **le lexicographe qui se
respecte** (fig) el lexicógrafo que se precie

respectueux, -euse [ʀɛspɛktɥø, øz]

adj respetuoso(-a); **à une distance respectueuse** a una distancia respetuosa; **~ de** respetuoso(-a) con
respiration [ʀɛspiʀasjɔ̃] *nf* respiración *f*; **retenir sa ~** contener su respiración; **~ artificielle** respiración artificial
respirer [ʀɛspiʀe] *vi* respirar ■ *vt* (*odeur, parfum, grand air*) aspirar; (*santé, calme, paix*) respirar
resplendir [ʀɛsplɑ̃diʀ] *vi* resplandecer; **~ (de)** resplandecer (de)
responsabilité [ʀɛspɔ̃sabilite] *nf* responsabilidad *f*; **accepter/refuser la ~ de** aceptar/declinar la responsabilidad de; **prendre ses ~s** asumir su responsabilidad; **décliner toute ~** declinar cualquier responsabilidad; **~ civile/collective/morale/pénale** responsabilidad civil/colectiva/moral/penal
responsable [ʀɛspɔ̃sabl] *adj, nm/f* responsable *m/f*
ressaisir [ʀ(ə)seziʀ] *vpr*: **se ressaisir** (*se maîtriser*) serenarse; (*équipe sportive, concurrent*) recuperarse
ressasser [ʀ(ə)sase] *vt* rumiar; (*histoires, critiques*) repetir
ressemblance [ʀ(ə)sɑ̃blɑ̃s] *nf* semejanza; (*Art*) parecido; (*analogie, trait commun*) similitud *f*
ressemblant, e [ʀ(ə)sɑ̃blɑ̃, ɑ̃t] *adj* parecido(-a)
ressembler [ʀ(ə)sɑ̃ble]: **~ à** *vt* parecerse a; **se ressembler** *vpr* parecerse
ressentiment [ʀ(ə)sɑ̃timɑ̃] *nm* resentimiento
ressentir [ʀ(ə)sɑ̃tiʀ] *vt* sentir; **se ~ de** resentirse de
resserrer [ʀ(ə)seʀe] *vt* apretar; (*liens d'amitié*) estrechar; **se resserrer** *vpr* (*route, vallée*) estrecharse; (*liens, nœuds*) apretarse; **se ~ (autour de)** (*fig*) acercarse (a)
resservir [ʀ(ə)seʀviʀ] *vt*: **~ de qch (à qn)** volver a servir algo (a algn) ■ *vi* (*être réutilisé*) servir de nuevo; **~ qn (d'un plat)** volver a servir a algn (un plato); **se ~ de** (*plat*) volver a servirse
ressort [ʀəsɔʀ] *vb voir* **ressortir** ■ *nm* muelle *m*; **avoir du/manquer de ~** tener/carecer de coraje; **en dernier ~** en última instancia; **être du ~ de** ser de la competencia de
ressortir [ʀəsɔʀtiʀ] *vi* (*sortir à nouveau*) salir de nuevo; (*projectile etc*) salir; (*couleur, broderie, détail*) resaltar ■ *vt* sacar de nuevo; **~ de**: **il ressort de ceci que ...** resulta de eso que ...; **~ à** (*Admin,*

Jur) ser de la jurisdicción de; **faire ~ qch** (*fig*) hacer resaltar algo
ressortissant, e [ʀ(ə)sɔʀtisɑ̃, ɑ̃t] *nm/f* súbdito(-a)
ressources [ʀ(ə)suʀs] *nfpl* recursos *mpl*
ressusciter [ʀesysite] *vt* (*personne*) resucitar; (*art, mode*) resurgir ■ *vi* (*Christ, aussi fig*) resucitar
restant, e [ʀɛstɑ̃, ɑ̃t] *adj* restante ■ *nm* (*d'une somme, quantité*): **le ~ (de)** el resto (de); **un ~ de** unas sobras de; (*vestige*) un resto de
restaurant [ʀɛstɔʀɑ̃] *nm* restaurante *m*; **manger au ~** comer en un restaurante; **~ d'entreprise/universitaire** comedor *m* de una empresa/universitario
restauration [ʀɛstɔʀasjɔ̃] *nf* restauración *f*; **~ rapide** comida rápida
restaurer [ʀɛstɔʀe] *vt* restaurar; **se restaurer** *vpr* comer
reste [ʀɛst] *nm* resto; (*Math*) residuo; **restes** *nmpl* (*Culin*) sobras *fpl*; (*d'une cité, dépouille mortelle*) restos *mpl*; **utiliser un ~ de poulet/soupe/tissu** utilizar un resto de pollo/sopa/tejido; **faites ceci, je me charge du ~** haced esto, del resto me encargo yo; **pour le ~, quant au ~** por lo demás, en cuanto a lo demás; **le ~ du temps/des gens** el resto del tiempo/de la gente; **avoir du temps/de l'argent de ~** tener tiempo/dinero de sobra; **et tout le ~** y todo lo demás; **ne voulant pas être** *ou* **demeurer en ~** no queriendo ser menos; **partir sans attendre** *ou* **demander son ~** (*fig*) marcharse sin esperar respuesta; **du ~, au ~** (*au surplus, d'ailleurs*) además
rester [ʀɛste] *vi* (*dans un lieu*) quedarse; (*dans un état, une position*) quedar; (*être encore là, subsister*) permanecer; (*durer*) persistir ■ *vb impers*: **il me reste du pain** me queda pan; **il (me) reste 2 œufs** (me) quedan 2 huevos; **il (me) reste 10 minutes** (me) quedan 10 minutos; **voilà tout ce qui (me) reste** esto es todo lo que (me) queda; **ce qui (me) reste à faire** lo que (me) falta por hacer; **(il) reste à savoir/établir si ...** queda por saber/establecer si ...; **il reste que ..., il n'en reste pas moins que ...** sin embargo ..., con todo y con eso ...; **en ~ à** (*stade, menaces*) quedarse en; **restons-en là** dejémoslo aquí; **~ immobile/assis/habillé** quedarse inmóvil/sentado/vestido; **~ sur sa faim/une impression** quedarse con las ganas/una impresión; **y ~** (*fam*): **il a failli y ~** por poco estira la pata

restituer [ʀɛstitɥe] vt: ~ **qch (à qn)**
(objet, somme) restituir algo (a algn);
(texte, inscription) reconstruir; (Tech:
énergie, son) reproducir
restreindre [ʀɛstʀɛ̃dʀ] vt restringir; **se**
restreindre vpr restringirse
restriction [ʀɛstʀiksjɔ̃] nf restricción f;
restrictions nfpl (rationnement)
restricciones fpl; **faire des ~s** (critiquer)
tener reservas; (mentales) hacer
restricción mental; **sans ~** sin reservas
résultat [ʀezylta] nm resultado;
résultats nmpl resultados mpl; **exiger/**
obtenir des ~s exigir/obtener resultados;
~s sportifs resultados deportivos
résulter [ʀezylte] vt: ~ **de** vt resultar de;
il résulte de ceci que ... de ello resulta
que ...
résumé [ʀezyme] nm resumen m;
(ouvrage succinct) compendio m; **faire le ~**
de hacer el resumen de; **en ~** en resumen
résumer [ʀezyme] vt resumir; **se**
résumer vpr (personne) sintetizar; **se ~ à**
(se réduire à) resumirse a
résurrection [ʀezyʀɛksjɔ̃] nf (Rel)
resurrección f; (fig) reaparición f
rétablir [ʀetabliʀ] vt restablecer; **se**
rétablir vpr restablecerse; (Gymnastique
etc): **se ~ (sur)** elevarse (sobre); **~ qn**
restablecer a algn; **~ qn dans son**
emploi/ses droits (Admin) restablecer a
algn en su empleo/en sus derechos
rétablissement [ʀetablismɑ̃] nm
restablecimiento; (Gymnastique etc)
elevación f; **faire un ~** (Gymnastique etc)
hacer una elevación
retaper [ʀ(ə)tape] vt arreglar; (fig: fam)
restablecer; (redactylographier) pasar de
nuevo a máquina, mecanografiar de
nuevo
retard [ʀ(ə)taʀ] nm retraso; **arriver en ~**
llegar con retraso; **être en ~** (personne)
llegar tarde; (train) traer retraso; (dans
paiement, travail) retrasarse; (pays) estar
retrasado(-a); **être en ~ (de 2 heures)**
retrasarse (2 horas); **avoir un ~ de 2**
heures/2 km (Sport) llevar un retraso de
2 horas/2 km; **rattraper son ~**
recuperarse de un retraso; **avoir du ~**
estar retrasado(-a); (sur un programme)
estar atrasado(-a); **prendre du ~** (train,
avion) retrasarse; (montre) atrasarse;
sans ~ sin retraso; **~ à l'allumage** (Auto)
retardo en la chispa; **~ scolaire** retraso
escolar
retardataire [ʀ(ə)taʀdatɛʀ] adj (enfant)
retrasado(-a); (idées) atrasado(-a) ∎ nm/
f rezagado(-a)

retardement [ʀ(ə)taʀdəmɑ̃]: **à ~** adj de
efecto retardado; (aussi Photo,
mécanisme) de mecanismo retardado;
bombe à ~ (aussi fig) bomba de relojería
retarder [ʀ(ə)taʀde] vt: **~ qn (d'une**
heure) retrasar a algn (una hora);
(montre) atrasar; (travail, études) retrasar
∎ vi (horloge, montre) atrasar; (: d'habitude)
estar atrasado(-a); (fig: personne) no estar
al tanto; **je retarde (d'une heure)** mi
reloj va una hora atrasada
retenir [ʀət(ə)niʀ] vt retener; (objet qui
glisse) agarrar; (objet suspendu) sujetar;
(odeur, chaleur, lumière etc) conservar;
(colère, larmes) contener; (chanson, date)
recordar; (suggestion, proposition)
aceptar; (place, chambre) reservar; (Math)
llevarse; **se retenir** vpr (euphémisme)
aguantarse; (se raccrocher): **se ~ (à)**
agarrarse (a); **~ qn (de faire)** impedir a
algn (hacer); **se ~ (de faire qch)**
contenerse (de hacer algo); **je pose 3 et**
je retiens 2 pongo 3 y me llevo 2; **~ un**
rire/sourire contener la risa/sonrisa; **~**
son souffle ou **haleine** contener su
respiración ou aliento; **il m'a retenu à**
dîner me ha hecho quedarme a cenar
retentir [ʀ(ə)tɑ̃tiʀ] vi resonar; (fig)
repercutir; **~ de** retumbar con; **~ sur** (fig)
repercutir sobre
retentissant, e [ʀ(ə)tɑ̃tisɑ̃, ɑ̃t] adj (voix,
choc) ruidoso(-a); (succès etc)
clamoroso(-a)
retenue [ʀət(ə)ny] nf (somme prélevée)
deducción f; (Math) lo que se lleva; (Scol)
castigo; (modération) moderación f;
(réserve) reserva; (Auto) cola
réticence [ʀetisɑ̃s] nf reticencia; **sans ~**
sin reticencia
réticent, e [ʀetisɑ̃, ɑ̃t] adj reticente
rétine [ʀetin] nf retina
retiré, e [ʀ(ə)tiʀe] adj (personne, vie)
solitario(-a); (quartier) alejado(-a)
retirer [ʀ(ə)tiʀe] vt retirar; (vêtement,
lunettes) quitarse; **~ qch à qn** quitarle
algo a algn; **~ qch/qn de** sacar algo/a
algn de; **se retirer** vpr retirarse; **~ un**
bénéfice/des avantages de sacar
beneficio de/ventajas de
retomber [ʀ(ə)tɔ̃be] vi caer; (tomber de
nouveau) caer de nuevo; **~ malade/dans**
l'erreur volver a caer enfermo/en el error;
~ sur qn recaer sobre algn
rétorquer [ʀetɔʀke] vt: **~ (à qn) que**
replicar (a algn) que
retouche [ʀ(ə)tuʃ] nf retoque m; **faire**
une ou **des ~(s) à** dar un ou unos
retoque(s) a

retoucher [ʀ(ə)tuʃe] vt retocar

retour [ʀ(ə)tuʀ] nm vuelta; (d'un lieu, vers un lieu) regreso; **au ~** a la vuelta; **pendant le ~** durante el regreso; **à mon/ton ~** a mi/tu regreso; **au ~ de** a la vuelta de; **être de ~ (de)** estar de vuelta (de); **~ à Lyons** de vuelta en Lyons; **de ~ chez moi** de vuelta en casa; **"de ~ dans 10 minutes"** "vuelvo en 10 minutos"; **en ~** en cambio; **par ~ du courrier** a vuelta de correo; **un juste ~ des choses** un castigo merecido; **un de ces jours, il y aura un ~ de manivelle** un día se le virará la tortilla; **match ~** partido de vuelta; **~ à l'envoyeur** (Postes) devuelto a su procedencia; **~ (automatique) à la ligne** (Inform) salto de línea automático; **~ aux sources** (fig) vuelta a las raíces; **~ de bâton** contragolpe m; **~ de chariot** vuelta de carretilla; **~ de flamme** retorno de llama; (fig) contragolpe m; **~ en arrière** (Ciné, Litt, fig) vuelta atrás; (mesure) paso atrás; **~ offensif** vuelta ofensiva

retourner [ʀ(ə)tuʀne] vt (dans l'autre sens) dar la vuelta a, voltear (AM); (caisse) poner boca abajo; (arme) volver; (renvoyer, restituer, argument) devolver; (sac, vêtement) volver del revés; (terre, sol, foin, émouvoir) revolver ◼ vi volver; (aller de nouveau): **~ quelque part/vers/chez** volver de nuevo a algún sitio/hacia/a casa de; **se retourner** vpr volverse, voltearse (AM); (voiture) dar vuelta de campana; (tourner la tête) volverse; **~ à** volver a; **s'en ~** regresar; **se ~ contre qn/qch** (fig) volverse contra algn/algo; **savoir de quoi il retourne** saber de qué se trata; **~ sa veste** ou **se ~** (fig: fam) cambiar de bando; **~ en arrière** ou **sur ses pas** volver atrás ou sobre sus pasos; **~ aux sources** volver a las raíces

retrait [ʀ(ə)tʀɛ] nm retiro; (d'un tissu au lavage) encogimiento; **en ~** apartado(-a); **écrire en ~** escribir dejando un margen; **~ du permis (de conduire)** retirada de carnet (de conducir)

retraite [ʀ(ə)tʀɛt] nf retiro; (d'une armée) retirada; (d'un employé, fonctionnaire) jubilación f; **être à la ~** estar jubilado(-a); **mettre à la ~** jubilar (a); **prendre sa ~** jubilarse; **~ anticipée** jubilación anticipada; **~ aux flambeaux** desfile m con antorchas

retraité, e [ʀ(ə)tʀete] adj retirado(-a), jubilado(-a) ◼ nm/f jubilado(-a)

retrancher [ʀ(ə)tʀɑ̃ʃe] vt suprimir; (couper, aussi fig) mutilar; **~ qch de**

(nombre, somme) sustraer algo de; **se ~ derrière/dans** (Mil) parapetarse detrás de/en; (fig) refugiarse en

rétrécir [ʀetʀesiʀ] vt, vi (vêtement) encoger; **se rétrécir** vpr estrecharse

rétro [ʀetʀo] adj inv: **mode/style ~** moda/estilo retro inv ◼ nm (fam) = **rétroviseur**

rétroprojecteur [ʀetʀopʀɔʒɛktœʀ] nm retroproyector m

rétrospective [ʀetʀɔspektiv] nf retrospectiva

rétrospectivement [ʀetʀɔspektivmɑ̃] adv retrospectivamente

retrousser [ʀ(ə)tʀuse] vt (pantalon etc) arremangar; (fig: nez) arrugar; (lèvres) fruncir

retrouvailles [ʀ(ə)tʀuvaj] nfpl reencuentro

retrouver [ʀ(ə)tʀuve] vt encontrar; (sommeil, calme, santé) recobrar; (expression, style) reconocer; (rejoindre) encontrarse con; **se retrouver** vpr encontrarse; (s'orienter) orientarse; **se ~ dans** (calculs, dossiers, désordre) desenvolverse en; **s'y ~** (rentrer dans ses frais) salir ganando

rétroviseur [ʀetʀɔvizœʀ] nm retrovisor m

Réunion [ʀeynjɔ̃] nf: **la ~, l'île de la ~** la (isla de la) Reunión

réunion [ʀeynjɔ̃] nf reunión f; (séance, congrès) encuentro; **~ électorale** mitin m electoral; **~ sportive** tertulia deportiva

réunir [ʀeyniʀ] vt reunir; (rapprocher) juntar; (rattacher) unir; **se réunir** vpr reunirse; (s'allier) unirse; (chemins, cours d'eau etc) juntarse; **~ qch à** sumar algo a

réussi, e [ʀeysi] adj (robe, photographie) logrado(-a); (réception) exitoso(-a)

réussir [ʀeysiʀ] vi (tentative, projet) ser un éxito; (plante, culture) darse bien; (personne) tener éxito; (: à un examen) salir bien de ◼ vt (examen, plat) salir bien; **~ à faire qch** lograr hacer algo; **~ à qn** (aliment) sentar bien a algn; **le travail/le mariage lui réussit** el trabajo/el matrimonio le sienta bien

réussite [ʀeysit] nf éxito; (de qn: aussi pl) éxitos mpl, triunfos mpl; (Cartes) solitario

revaloir [ʀ(ə)valwaʀ] vt: **je vous revaudrai cela** se lo pagaré con la misma moneda

revanche [ʀ(ə)vɑ̃ʃ] nf revancha; **prendre sa ~ (sur)** tomar la revancha (contra); **en ~** en cambio; (en compensation) en compensación

rêve [rɛv] nm sueño; **paysage/silence de ~** paisaje/silencio de ensueño; **la voiture/maison de ses ~s** el coche/la casa de sus sueños; **~ éveillé** ensueño

réveil [revɛj] nm despertar m; (pendule) despertador m; **au ~, je ...** al despertar, yo ...; **sonner le ~** (Mil) tocar a diana

réveiller [reveje] vt despertar; **se réveiller** vpr despertarse; (fig: se secouer) espabilarse

réveillon [revɛjɔ̃] nm cena de Nochebuena; (de la Saint-Sylvestre) cena de Nochevieja; (dîner, soirée) cotillón m

réveillonner [revɛjɔne] vi celebrar la cena de Nochebuena ou la cena de Nochevieja

révélateur, -trice [revelatœr, tris] adj revelador(a) ■ nm (Photo) revelador m

révéler [revele] vt revelar; **se révéler** vpr revelarse; **~ qn/qch** dar a algn/algo a conocer; **se ~ facile/faux** resultar fácil/falso; **se ~ cruel** mostrarse cruel; **se ~ un allié sûr** resultar ser un aliado seguro

revenant, e [r(ə)vənɑ̃, ɑ̃t] nm/f fantasma m

revendeur, -euse [r(ə)vɑ̃dœr, øz] nm/f revendedor(a)

revendication [r(ə)vɑ̃dikasjɔ̃] nf reivindicación f; (gén pl: Pol etc) reivindicaciones fpl; **journée de ~** (Pol) día de reivindicación

revendiquer [r(ə)vɑ̃dike] vt reivindicar; (responsabilité) asumir ■ vi (Pol) reivindicar

revendre [r(ə)vɑ̃dr] vt revender; **~ du sucre** (vendre davantage de) volver a vender azúcar; **à ~** de sobra; **avoir du talent/de l'énergie à ~** tener talento/energía para dar y tomar

revenir [rəv(ə)nir] vi (venir de nouveau) venir de nuevo; (rentrer) regresar, volver; (saison, mode, calme) volver; **~ (à qn)** volverle (a algn); **faire ~ de la viande/des légumes** rehogar la carne/las verduras; **~ cher/à 100 euros (à qn)** resultar caro/a 100 euros (a algn); **~ à** (études, conversation, projet) volver a; (équivaloir à) venir a ser; **~ à qn** (rumeur, nouvelle) llegar a los oídos de algn; (part, responsabilité) corresponder a algn; (souvenir, nom) venirle a algn ou a la mente; **~ de** (fig) salir de; **~ sur** (question) volver sobre; (promesse) retractarse de; **~ à la charge** volver a la carga; **~ à soi** volver en sí; **n'en pas ~**: **je n'en reviens pas** no vuelvo de mi asombro; **~ sur ses pas** dar marcha atrás; **cela revient au même/à dire que** eso equivale a lo

mismo/a decir que; **je reviens de loin** (fig) me escapé de una buena

revenu, e [rəv(ə)ny] pp de **revenir** ■ nm renta; (d'une terre) rendimiento; **revenus** nmpl ingresos mpl

rêver [reve] vi soñar ■ vt soñar con; **~ de** ou **à** soñar con; **~ que** soñar que

réverbère [reverbɛr] nm farola

réverbérer [reverbere] vt reverberar

revers [r(ə)vɛr] nm revés msg; (d'une feuille) envés msg; (de la main) dorso; (d'une pièce, médaille) reverso; **d'un ~ de main** de un revés; **le ~ de la médaille** (fig) el lado malo; **prendre à ~** (Mil) coger por la espalda; **~ de fortune** revés de fortuna

revêtement [r(ə)vɛtmɑ̃] nm revestimiento; (d'une chaussée) firme m; (d'un tuyau etc) capa

revêtir [r(ə)vetir] vt revestir; (vêtement) ponerse; **~ qn de** vestir a algn con; **~ qch de** revestir algo de; (signature, visa) estampar algo con

rêveur, -euse [revœr, øz] adj soñador(a) ■ nm/f soñador(a); (péj: utopiste) quijote m

revient [rəvjɛ̃] vb voir **revenir** ■ nm: **prix de ~** (Comm) precio de coste

revigorer [r(ə)vigɔre] vt vigorizar

revirement [r(ə)virmɑ̃] nm (d'une personne) cambio de opinión; (d'une situation, de l'opinion) cambio brusco

réviser [revize] vt revisar; (Scol, comptes) repasar

révision [revizjɔ̃] nf revisión f; **conseil de ~** (Mil) junta de clasificación y revisión; **faire ses ~s** (Scol) repasar; **la ~ des 10000 km** (Auto) la revisión de los 10.000 km

revivre [r(ə)vivr] vi recuperar fuerzas; (traditions, coutumes) recuperarse ■ vt revivir; **faire ~** (mode, institution, usage) resucitar; (personnage, époque) hacer revivir

revoir [r(ə)vwar] vt volver a ver; (par la mémoire) recordar; (texte, édition) revisar; (matière, programme) repasar ■ nm: **au ~** adiós msg; **se revoir** vpr (amis) volverse a ver; **au ~ Monsieur/Madame** adiós señor/señora; **dire au ~ à qn** decir adiós a algn

révoltant, e [revɔltɑ̃, ɑ̃t] adj indignante

révolte [revɔlt] nf rebelión f; (indignation) indignación f

révolter [revɔlte] vt indignar; **se révolter** vpr: **se ~ (contre)** rebelarse (contra); (s'indigner) indignarse (con)

révolu, e [revɔly] adj (de jadis) pasado(-a); (fini: période, époque) terminado(-a); (*Admin: complété: année etc*): **âgé de 18 ans ~s** con 18 años cumplidos; **après 3 ans ~s** después de pasados 3 años

révolution [ʀevɔlysjɔ̃] *nf* revolución *f*; **être en ~** (*pays etc*) estar en revolución; **la ~ industrielle** la revolución industrial; **la R~ française** la Revolución Francesa

révolutionnaire [ʀevɔlysjɔnɛʀ] *adj, nm/f* revolucionario(-a)

revolver [ʀevɔlvɛʀ] *nm* pistola; (*à barillet*) revólver *m*

révoquer [ʀevɔke] *vt* revocar; (*fonctionnaire*) destituir

revue [ʀ(ə)vy] *nf* revista; **passer en ~** (*Mil*) pasar revista (a); (*fig: problèmes, possibilités*) estudiar; **~ de (la) presse** revista de prensa

rez-de-chaussée [ʀed(ə)ʃose] *nm inv* planta baja

RF [ɛʀɛf] *sigle f* = République française

Rhin [ʀɛ̃] *nm*: **le ~** el Rin

rhinocéros [ʀinɔseʀɔs] *nm* (*Zool*) rinoceronte *m*

Rhône [ʀon] *nm*: **le ~** el Ródano

rhubarbe [ʀybaʀb] *nf* ruibarbo

rhum [ʀɔm] *nm* ron *m*

rhumatisme [ʀymatism] *nm* reumatismo, reúma; **avoir des ~s** tener reúma

rhume [ʀym] *nm* catarro; **~ de cerveau** catarro de nariz; **le ~ des foins** la fiebre del heno

ricaner [ʀikane] *vi* (*avec méchanceté*) reírse burlonamente; (*bêtement*) reírse con risa tonta; (*avec gêne*) reírse con sofocación

riche [ʀiʃ] *adj* (*aussi fig*) rico(-a); **riches** *nmpl*: **les ~s** los ricos; **~ en/de** rico(-a) en/de

richesse [ʀiʃɛs] *nf* riqueza; **richesses** *nfpl* riquezas *fpl*; **la ~ en vitamines d'un aliment** la riqueza vitamínica de un alimento

ricochet [ʀikɔʃɛ] *nm* rebote *m*; **faire ~** rebotar; (*fig*) tener repercusión; **faire des ~s** hacer cabrillas; **par ~** de rebote

ride [ʀid] *nf* arruga; (*sur l'eau, le sable*) onda

rideau, x [ʀido] *nm* (*de fenêtre*) visillo; (*Théâtre*) telón *m*; (*d'arbres etc*) hilera; **tirer/ouvrir les ~x** correr/descorrer las cortinas; **le ~ de fer** (*Pol*) el Telón de Acero; **~ de fer** cierre *m* metálico

rider [ʀide] *vt* arrugar; (*eau, sable etc*) ondear; **se rider** *vpr* arrugarse

ridicule [ʀidikyl] *adj* ridículo(-a); (*dérisoire*) risible ■ *nm* ridículo; (*travers:*

gén pl) defectos *mpl*; **tourner qn en ~** poner a algn en ridículo

ridiculiser [ʀidikylize] *vt* ridiculizar; **se ridiculiser** *vpr* ridiculizarse

rien [ʀjɛ̃] *pron*: **(ne) ... ~** (no) ... nada ■ *nm*: **un petit ~** (*cadeau*) un detalle (de nada); **des ~s** naderías *fpl*; **qu'est-ce que vous avez? - ~** ¿qué le pasa? - nada; **il n'a ~ dit/fait** no dijo/hizo nada; **il n'a ~** (*n'est pas blessé*) no tiene nada; **de ~!** ¡de nada!; **n'avoir peur de ~** no tener miedo de nada; **a-t-il jamais ~ fait pour nous?** ¿ha hecho alguna vez algo por nosotros?; **~ d'intéressant** nada interesante; **~ d'autre** nada más; **~ du tout** nada en absoluto; **~ que** nada más que; **~ que pour lui faire plaisir** nada más que por agradarle; **~ que la vérité** nada más que la verdad; **~ que cela** nada más que eso; **un ~ de** una pizca de; **en un ~ de temps** en nada de tiempo

rieur, -euse [ʀijœʀ, ʀ(i)jøz] *adj* reidor(a); (*yeux, expression*) risueño(-a)

rigide [ʀiʒid] *adj* rígido(-a)

rigoler [ʀigɔle] *vi* (*s'amuser*) pasarlo bien; (*ne pas parler sérieusement, plaisanter*) estar de broma

rigolo, -ote [ʀigɔlo, ɔt] (*fam*) *adj* gracioso(-a); (*curieux, étrange*) raro(-a) ■ *nm/f* gracioso(-a); (*péj: fumiste*) cantamañanas *m inv*

rigoureusement [ʀiguʀøzmɑ̃] *adv* rigurosamente; **~ vrai/interdit** totalmente cierto/prohibido

rigoureux, -euse [ʀiguʀø, øz] *adj* riguroso(-a), (*morale*) rígido(-a); (*interdiction*) total

rigueur [ʀigœʀ] *nf* rigor *m*; (*de la morale*) rigidez *f*; (*d'une interdiction*) rigurosidad *f*; **de ~** de rigor; **être de ~** ser de rigor; **à la ~** en último extremo; **tenir ~ à qn de qch** guardar rencor a algn por algo

rillettes [ʀijɛt] *nfpl* especie de paté de cerdo u oca

rime [ʀim] *nf* rima; **n'avoir ni ~ ni raison** no tener pies ni cabeza

rinçage [ʀɛ̃saʒ] *nm* aclarado

rincer [ʀɛ̃se] *vt* enjuagar; (*linge*) aclarar; **se ~ la bouche** (*chez le dentiste etc*) enjuagarse la boca

ringard, e [ʀɛ̃gaʀ, aʀd] (*péj*) *adj* anticuado(-a)

riposter [ʀipɔste] *vi* replicar ■ *vt*: **~ que** responder que; **~ à** responder a

rire [ʀiʀ] *vi* reír; (*se divertir*) reírse; (*plaisanter*) bromear ■ *nm* risa; **se ~ de** reírse de; **tu veux ~!** (*désapprobation*) ¡estás de broma!; **~ aux éclats/aux**

larmes reírse a carcajadas/hasta llorar; ~ **jaune** reírse sin ganas; ~ **sous cape** reírse para sus adentros; ~ **au nez de qn** reírse en las narices de algn; **pour** ~ en broma

risible [ʀizibl] *adj* risible

risque [ʀisk] *nm* riesgo; **aimer le** ~ amar el riesgo; **l'attrait du** ~ la emoción del riesgo; **prendre un ~/des ~s** correr un riesgo/riesgos; **à ses ~s et périls** por su cuenta y riesgo; **au** ~ **de** a riesgo de; ~ **d'incendie** riesgo de incendio

risqué, e [ʀiske] *adj* arriesgado(-a); *(plaisanterie, histoire)* escabroso(-a)

risquer [ʀiske] *vt* arriesgar; *(allusion, comparaison, question)* aventurar; *(Mil, gén)* arriesgarse a; **tu risques qu'on te renvoie** te arriesgas a que te despidan; **ça ne risque rien** no hay riesgo alguno; **il risque de se tuer** puede matarse; **il a risqué de se tuer** por poco se mata; **ce qui risque de se produire** lo que puede producirse; **il ne risque pas de recommencer** no hay peligro de que vuelva a empezar; **se** ~ **dans** aventurarse en; **se** ~ **à qch/faire qch** arriesgarse a algo/hacer algo; ~ **le tout pour le tout** arriesgar el todo por el todo

rissoler [ʀisole] *vi, vt:* **(faire)** ~ **de la viande/des légumes** dorar la carne/las verduras

ristourne [ʀistuʀn] *nf* rebaja, descuento

rite [ʀit] *nm* rito; *(fig)* ritual *m;* ~**s d'initiation** ritos iniciáticos

rivage [ʀivaʒ] *nm (côte, littoral)* costa; *(grève, plage)* orilla

rival, e, -aux [ʀival, o] *adj* rival ■ *nm/f (adversaire)* rival *m/f;* **sans** ~ sin rival

rivaliser [ʀivalize] *vi:* ~ **avec** rivalizar con; ~ **d'élégance/de générosité avec qn** rivalizar en elegancia/en generosidad con algn

rivalité [ʀivalite] *nf* rivalidad *f*

rive [ʀiv] *nf* orilla

riverain, e [ʀiv(ə)ʀɛ̃, ɛn] *adj, nm/f (d'une rivière)* ribereño(-a); *(d'une route)* vecino(-a)

rivière [ʀivjɛʀ] *nf* río; ~ **de diamants** collar *m* de diamantes

riz [ʀi] *nm* arroz *m;* ~ **au lait** arroz con leche

rizière [ʀizjɛʀ] *nf* arrozal *m*

RMI [ɛʀɛmi] *sigle m (= revenu minimum d'insertion)* ayuda compensatoria

RN [ɛʀɛn] *sigle f (= route nationale)* N. *(= carretera nacional)*

robe [ʀɔb] *nf* vestido; *(de juge, d'avocat)* toga; *(d'ecclésiastique)* hábito; *(d'un*

animal) pelo; ~ **de baptême** traje *m* de bautismo; ~ **de chambre** bata; ~ **de grossesse** vestido premamá; ~ **de mariée** vestido de novia; ~ **de soirée** traje de noche

robinet [ʀɔbinɛ] *nm* grifo, canilla *(AM);* ~ **du gaz** llave *f* del gas; ~ **mélangeur** grifo mezclador

robot [ʀɔbo] *nm* robot *m;* ~ **de cuisine** robot de cocina

robuste [ʀɔbyst] *adj* robusto(-a); *(moteur, voiture)* resistente

robustesse [ʀɔbystɛs] *nf* robustez *f*

roc [ʀɔk] *nm* roca

rocade [ʀɔkad] *nf (Auto)* circunvalación *f*

rocaille [ʀɔkaj] *nf* rocalla ■ *adj:* **style** ~ estilo rococó

roche [ʀɔʃ] *nf* roca; **une** ~ un peñasco; ~**s éruptives/calcaires** rocas volcánicas/ calizas

rocher [ʀɔʃe] *nm:* **un** ~ un peñasco; **le** ~ *(matière)* la roca; *(Anat)* temporal *m*

rocheux, -euse [ʀɔʃø, øz] *adj* rocoso(-a); **les (montagnes) Rocheuses** *(Géo)* las (montañas) Rocosas

rock (and roll) [ʀɔk(ɛnʀɔl)] *nm* rock (and roll) *m*

rodage [ʀɔdaʒ] *nm (voiture)* rodaje *m;* *(spectacle)* perfeccionamiento; **en** ~ *(Auto)* en rodaje

rôder [ʀode] *vi* rondar; *(péj)* vagabundear

rôdeur, -euse [ʀodœʀ, øz] *nm/f* vagabundo(-a)

rogne [ʀɔɲ] *nf:* **être en** ~ estar rabiando; **mettre en** ~ hacer rabiar; **se mettre en** ~ cogerse un berrinche

rogner [ʀɔɲe] *vt* recortar; *(prix etc)* rebajar ■ *vi:* ~ **sur** *(dépenses etc)* recortar

rognons [ʀɔɲɔ̃] *nmpl* riñones *mpl*

roi [ʀwa] *nm* rey *m;* **le jour** *ou* **la fête des R~s, les R~s** el día de Reyes, los Reyes; **les R~s mages** los Reyes magos

rôle [ʀol] *nm (Ciné, Théâtre, aussi fig)* papel *m;* *(fonction)* función *f;* **jouer un** ~ **important dans ...** desempeñar un papel importante en ...

romain, e [ʀɔmɛ̃, ɛn] *adj* romano(-a) ■ *nm/f:* **Romain, e** romano(-a)

roman, e [ʀɔmɑ̃, an] *adj* románico(-a) ■ *nm* novela; ~ **d'espionnage** novela de espionaje; ~ **noir/policier** novela negra/ policíaca

romancer [ʀɔmɑ̃se] *vt* novelar

romancier, -ière [ʀɔmɑ̃sje, jɛʀ] *nm/f* novelista *m/f*

romand, e [ʀɔmɑ̃, ɑ̃d] *adj* de lengua francesa ■ *nm/f:* **Romand, e** suizo(-a) de lengua francesa

romanesque [ʀɔmanɛsk] *adj*
(*incroyable, fantastique*) fabuloso(-a); (*sentimental, rêveur*) romántico(-a); (*Litt*) novelesco(-a)

roman-feuilleton [ʀɔmɑ̃fœjtɔ̃] (*pl* **romans-feuilletons**) *nm* folletín *m*

romanichel, le [ʀɔmaniʃɛl] *nm/f* gitano(-a)

romantique [ʀɔmɑ̃tik] *adj* romántico(-a)

romarin [ʀɔmaʀɛ̃] *nm* romero

rompre [ʀɔ̃pʀ] *vt* romper ■ *vi* (*fiancés*) romper; **se rompre** *vpr* romperse; **~ avec** romper con; **applaudir à tout ~** aplaudir a rabiar; **~ la glace** (*fig*) romper el hielo; **rompez!** (*Mil*) ¡rompan filas!; **se ~ les os** *ou* **le cou** romperse los huesos *ou* la crisma

rompu, e [ʀɔ̃py] *pp de* **rompre** ■ *adj* (*fourbu*) deshecho(-a); **~ à** avezado(-a) en

ronces [ʀɔ̃s] *nfpl* zarzas *fpl*

ronchonner [ʀɔ̃ʃɔne] (*fam*) *vi* refunfuñar

rond, e [ʀɔ̃, ʀɔ̃d] *adj* redondo(-a); (*fam: ivre*) alegre; (*sincère, décidé*): **être ~ en affaires** ser serio(-a) en los negocios ■ *nm* redondo ■ *adv*: **tourner ~** (*moteur*) marchar bien; **je n'ai plus un ~** (*fam: sou*) no me queda ni una perra; **ça ne tourne pas ~** (*fig*) eso no marcha bien; **pour faire un compte ~** para redondear la cuenta; **avoir le dos ~** ser cargado(-a) de hombros; **en ~** (*s'asseoir, danser*) en corro; **faire des ~s de jambe** hacer zalamerías; **~ de serviette** servilletero

ronde [ʀɔ̃d] *nf* ronda; (*danse*) corro; (*Mus: note*) redonda; **à 10 km à la ~** a 10 km a la redonda; **passer qch à la ~** pasar algo en corro

rondelet, te [ʀɔ̃dlɛ, ɛt] *adj* regordete(-a); (*fig: somme*) suculento(-a); (: *bourse*) lleno(-a)

rondelle [ʀɔ̃dɛl] *nf* (*Tech*) arandela; (*tranche*) loncha

rond-point [ʀɔ̃pwɛ̃] (*pl* **ronds-points**) *nm* rotonda

ronflement [ʀɔ̃fləmɑ̃] *nm* (*d'une personne*) ronquido; (*d'un moteur*) zumbido

ronfler [ʀɔ̃fle] *vi* (*personne*) roncar; (*moteur, poêle*) zumbar

ronger [ʀɔ̃ʒe] *vt* (*suj: souris, chien etc*) roer; (: *vers*) carcomer; (: *insectes*) ficar; (: *rouille*) corroer; (*fig: suj: mal, pensée*) carcomer, atormentar; **~ son frein** morder el freno; **se ~ d'inquiétude/de souci** reconcomerse de inquietud/de preocupación; **se ~ les ongles** comerse las uñas; **se ~ les sangs** quemarse la sangre

rongeur [ʀɔ̃ʒœʀ] *nm* roedor *m*

ronronner [ʀɔ̃ʀɔne] *vi* ronronear

rosbif [ʀɔsbif] *nm* rosbif *m*

rose [ʀoz] *nf* rosa; (*vitrail*) rosetón *m* ■ *adj* rosa *inv* ■ *nm* (*couleur*) rosa *m*; **~ bonbon** (*couleur*) rosa caramelo; **~ des sables/des vents** *nf* rosa de las arenas/ de los vientos

rosé, e [ʀoze] *adj* rosa *inv*; **(vin) ~** (vino) rosado

roseau, x [ʀozo] *nm* caña

rosée [ʀoze] *adj f voir* **rosé** ■ *nf* rocío; **une goutte de ~** una gota de rocío

rosier [ʀozje] *nm* rosal *m*

rossignol [ʀɔsiɲɔl] *nm* (*Zool*) ruiseñor *m*; (*crochet*) ganzúa

rotation [ʀɔtasjɔ̃] *nf* rotación *f*; (*fig*) movimiento; (*renouvellement*) renovación *f*; **par ~** por rotación; **~ des cultures** alternancia de cultivos; **~s des stocks** (*Comm*) renovación de existencia

roter [ʀɔte] (*fam*) *vi* eructar

rôti [ʀoti] *nm* carne *f* de asar; (*cuit*) asado de carne

rotin [ʀɔtɛ̃] *nm* mimbre *m ou f*; **fauteuil en ~** sillón *m* de mimbre

rôtir [ʀotiʀ] *vt* asar ■ *vi* asarse; **se ~ au soleil** tostarse al sol

rôtisserie [ʀotisʀi] *nf* (*restaurant*) restaurante-parrilla *m*; (*comptoir, magasin*) establecimiento de precocinados

rôtissoire [ʀotiswaʀ] *nf* asador *m*

rotule [ʀɔtyl] *nf* rótula

rouage [ʀwaʒ] *nm* (*d'un mécanisme*) engranaje *m*; (*de montre*) maquinaria; (*fig*) mecanismo; **rouages** *nmpl* (*fig*) máquina *fsg*

roue [ʀu] *nf* rueda; **faire la ~** (*paon*) pavonearse; (*Gymnastique*) dar la vuelta pineta; **descendre en ~ libre** (*Auto*) bajar en punto muerto; **pousser à la ~** alentar; **grande ~** (*à la foire*) rueda; **~ à aubes** rueda de álabes; **~ de secours** rueda de repuesto; **~ dentée** rueda dentada; **~s avant/arrière** ruedas delanteras/ traseras

rouer [ʀwe] *vt*: **~ qn de coups** moler a algn a palos

rouge [ʀuʒ] *adj* rojo(-a) ■ *nm/f* (*Pol*) rojo(-a) ■ *nm* (*couleur*) rojo; (*fard*) carmín *m*; **(vin) ~** (vino) tinto; **passer au ~** (*signal*) ponerse el disco rojo; (*automobiliste*) pasar en rojo; **porter au ~** (*métal*) poner al rojo; **être sur la liste ~** (*Tél*) no constar en la guía; **~ de honte/ colère** rojo(-a) de vergüenza/de cólera; **se fâcher tout ~**, **voir ~** ponerse hecho una furia; **~ (à lèvres)** barra de labios

rouge-gorge [ʀuʒgɔʀʒ] (pl **rouges-gorges**) nm petirrojo
rougeole [ʀuʒɔl] nf sarampión m
rougeoyer [ʀuʒwaje] vi ponerse rojo
rouget [ʀuʒɛ] nm salmonete m
rougeur [ʀuʒœʀ] nf rojez f; (honte) rubor m; (échauffement) colores mpl; **rougeurs** nfpl (Méd) enrojecimiento
rougir [ʀuʒiʀ] vi enrojecer; (fraise, tomate) ponerse rojo; (ciel) arrebolarse
rouille [ʀuj] nf moho; (Culin) alioli con pimiento rojo que acompaña la sopa de pescado ■ adj inv (couleur) óxido inv
rouillé, e [ʀuje] adj oxidado(-a); (personne, mémoire) embotado(-a)
rouiller [ʀuje] vt oxidar; (corps, esprit) embotar ■ vi oxidarse; **se rouiller** vpr oxidarse; (mentalement) embotarse; (physiquement) debilitarse
roulant, e [ʀulɑ̃, ɑ̃t] adj rodante; (surface, trottoir) transportador(a); **matériel/personnel ~** (Rail) material/personal móvil
rouleau, x [ʀulo] nm rollo; (de pièces de monnaie) cartucho; (de machine à écrire, à peinture) rodillo; (à mise en plis) rulo; (Sport) balanceo; (vague) rompiente m; **être au bout du ~** (fig) estar en las últimas; **~ à pâtisserie** rodillo; **~ compresseur** apisonadora; **~ de pellicule** rollo de película, carrete m de fotos
roulement [ʀulmɑ̃] nm rodamiento; (voiture etc) circulación f; (bruit: de véhicule) ruido; (: du tonnerre) fragor m; (d'ouvriers) turno; (de capitaux) circulación; **par ~** por turno; **~ (à billes)** rodamiento (de bolas); **~ d'yeux** movimiento de ojos; **~ de tambour** redoble m de tambor
rouler [ʀule] vt hacer rodar; (Culin, tissu, papier) enrollar; (cigarette, aussi fam) liar ■ vi rodar; (voiture, train) circular, estar en marcha; (automobiliste) circular; (bateau) balancearse; (tonnerre) retumbar; **~ en bas de** (dégringoler) caer rodando por; **~ sur** (suj: conversation) tratar sobre; **se ~ dans** (boue) revolcarse en; (couverture) envolverse en; **~ dans la farine** (fam) timar; **~ les épaules/hanches** contonearse; **~ les "r"** marcar las "r"; **~ sur l'or** ser riquísimo(-a); **~ (sa bosse)** rodar, viajar
roulette [ʀulɛt] nf rueda; (pâtissier) carretilla; **la ~** la ruleta; **table/fauteuil à ~s** mesa/silla de ruedas; **la ~ russe** la ruleta rusa
roulis [ʀuli] nm balanceo

roulotte [ʀulɔt] nf carro, carromato
roumain, e [ʀumɛ̃, ɛn] adj rumano(-a) ■ nm (Ling) rumano ■ nm/f: **Roumain, e** rumano(-a)
Roumanie [ʀumani] nf Rumania
roupiller [ʀupije] (fam) vi echar una cabezada
rouquin, e [ʀukɛ̃, in] (péj) nm/f pelirrojo(-a)
rouspéter [ʀuspete] (fam) vi refunfuñar
rousse [ʀus] adj voir **roux**
roussir [ʀusiʀ] vt (herbe, linge) quemar ■ vi (feuilles) amarillear; (Culin): **faire ~ la viande/les oignons** dorar la carne/las cebollas
route [ʀut] nf carretera; (itinéraire, parcours) ruta; (fig) camino; **par (la) ~** por (la) carretera; **il y a 3 heures de ~** hay 3 horas de camino; **en ~** por el camino; **en ~!** ¡en marcha!; **en cours de ~** en ou por el camino; **mettre en ~** poner en marcha; **se mettre en ~** ponerse en camino; **faire ~ vers** dirigirse hacia; **faire fausse ~** (fig) ir por mal camino; **~ nationale** ≈ carretera nacional
routier, -ière [ʀutje, jɛʀ] adj (réseau, carte) de carreteras; (circulation) de carretera ■ nm (camionneur) camionero; (restaurant) restaurante m de carretera; (scout) guía m; (cycliste) corredor m; **vieux ~** perro viejo
routine [ʀutin] nf rutina; **visite/contrôle de ~** visita/control m rutinario(-a) ou de rutina
routinier, -ière [ʀutinje, jɛʀ] adj (aussi péj) rutinario(-a)
rouvrir [ʀuvʀiʀ] vt (porte, valise) volver a abrir ■ vi (suj: école, piscine) volver a abrirse; **se rouvrir** vpr (porte, blessure) volver a abrirse
roux, rousse [ʀu, ʀus] adj, nm/f pelirrojo(-a) ■ nm (Culin) salsa rubia
royal, e, -aux [ʀwajal, o] adj real; (festin, cadeau) regio(-a); (indifférence) soberano(-a); (paix) completo(-a)
royaume [ʀwajom] nm reino; (fig) dominios mpl; **le ~ des cieux** el reino de los cielos
royauté [ʀwajote] nf (dignité) realeza; (régime) monarquía
RTT [ɛʀtete] nf (= réduction du temps de travail) reducción de las horas de trabajo
ruban [ʀybɑ̃] nm cinta; (de velours, de soie) lazo; (pour ourlet, couture) galón m; (décoration) condecoración f; **~ adhésif** cinta adhesiva; **~ encreur** cinta mecanográfica
rubéole [ʀybeɔl] nf rubeola

rubis [ʀybi] *nm* rubí *m*; **payer ~ sur l'ongle** pagar a toca teja
rubrique [ʀybʀik] *nf* (*titre, catégorie*) rúbrica; (*Presse: article*) sección *f*
ruche [ʀyʃ] *nf* colmena
rude [ʀyd] *adj* (*barbe, toile, voix*) áspero(-a); (*métier, épreuve, climat*) duro(-a); (*bourru*) rudo(-a); **un ~ paysan/montagnard** (*fruste*) un rudo campesino/montañés; **un(e) ~ appétit/peur** (*fam*) un gran apetito/miedo; **être mis à ~ épreuve** ser sometido a severa prueba
rudement [ʀydmã] *adv* (*tomber, frapper*) bruscamente; (*traiter, reprocher*) duramente; **elle est ~ belle/riche** (*fam: très*) es super bonita/rica; **j'ai ~ faim** (*fam*) tengo un montón de hambre; **tu as ~ de la chance/du courage** (*fam: beaucoup*) tienes un montón de suerte/de ánimo
rudimentaire [ʀydimãtɛʀ] *adj* rudimentario(-a)
rudiments [ʀydimã] *nmpl* rudimentos *mpl*
rue [ʀy] *nf* calle *f*; **être à la ~** estar en la calle; **jeter qn à la ~** echar a algn a la calle
ruée [ʀɥe] *nf* riada; **la ~ vers l'or** la fiebre del oro
ruelle [ʀɥɛl] *nf* callejuela
ruer [ʀɥe] *vi* cocear; **se ruer** *vpr*: **se ~ sur** (*provisions, adversaire*) arrojarse sobre; **se ~ vers/dans/hors de** precipitarse hacia/en/fuera de; **~ dans les brancards** plantar cara
rugby [ʀygbi] *nm* rugby *m*; **~ à quinze** rugby; **~ à treize** rugby de trece
rugir [ʀyʒiʀ] *vi* rugir; (*personne*) bramar ■ *vt* (*menaces, injures*) lanzar a voz en grito
rugueux, -euse [ʀygø, øz] *adj* rugoso(-a)
ruine [ʀɥin] *nf* ruina; **tomber en ~** caerse, venirse abajo; **être au bord de la ~** (*fig*) estar al borde de la ruina
ruiner [ʀɥine] *vt* arruinar; **se ruiner** *vpr* arruinarse
ruineux, -euse [ʀɥinø, øz] *adj* ruinoso(-a)
ruisseau, x [ʀɥiso] *nm* (*cours d'eau*) arroyo; (*caniveau*) cuneta; **~x de larmes/sang** (*fig*) ríos *mpl* de lágrimas/sangre
ruisseler [ʀɥis(ə)le] *vi* (*eau, pluie, larmes*) correr; (*mur, visage*) chorrear; **~ d'eau, ~ de pluie** chorrear agua; **~ de sueur** chorrear de sudor; **~ de lumière** centellear luz; **son visage ruisselait de larmes** las lágrimas le corrían por las mejillas

rumeur [ʀymœʀ] *nf* rumor *m*
ruminer [ʀymine] *vi, vt* (*aussi fig*) rumiar
rupture [ʀyptyʀ] *nf* rotura; (*des négociations, d'un couple*) ruptura; (*d'un contrat*) incumplimiento; **en ~ de ban** (*fig*) libre de obligaciones; **être en ~ de stock** estar agotado
rural, e, -aux [ʀyʀal, o] *adj* rural; **ruraux** *nmpl*: **les ruraux** los campesinos
ruse [ʀyz] *nf* astucia; **une ~** un ardid; **par ~** con astucia
rusé, e [ʀyze] *adj* astuto(-a)
russe [ʀys] *adj* ruso(-a) ■ *nm* (*Ling*) ruso ■ *nm/f*: **Russe** ruso(-a)
Russie [ʀysi] *nf* Rusia; **la ~ blanche/Soviétique** la Rusia blanca/Soviética
rustine [ʀystin] *nf* parche *m*
rustique [ʀystik] *adj* (*aussi péj*) rústico(-a); (*plante*) resistente
rythme [ʀitm] *nm* ritmo; (*des saisons*) paso; **au ~ de 10 par jour** a razón de 10 al día
rythmé, e [ʀitme] *adj* rítmico(-a)

S

s' [s] pron voir **se**

s/ abr (= sur) sobre

SA [ɛsa] sigle f (= société anonyme) S.A. (= Sociedad Anónima); (= Son Altesse) S.A. (= Su Alteza)

sa [sa] dét voir **son**

sable [sabl] nm arena; **~s mouvants** arenas fpl movedizas

sablé, e [sable] adj enarenado(-a) ■ nm galleta; **pâte ~e** masa de galleta

sabler [sable] vt enarenar; **~ le champagne** (fig) celebrar algo con champán

sabot [sabo] nm (chaussure) zueco; (de cheval, bœuf) casco; (Tech) zapata; **~ (de Denver)** cepo; **~ de frein** zapata de freno

saboter [sabɔte] vt sabotear

sac [sak] nm saco; (pillage) saqueo; **mettre à ~** saquear; **~ à dos** mochila; **~ à main** bolso de mano, cartera (AM); **~ à provisions** bolsa de la compra; **~ de couchage** saco de dormir; **~ de voyage** bolsa de viaje; **~ de plage** bolsa playera

saccadé, e [sakade] adj (gestes, voix) brusco(-a); (voix) entrecortado(-a)

saccager [sakaʒe] vt (piller) saquear; (dévaster) devastar

saccharine [sakaʀin] nf sacarina

sachet [saʃɛ] nm bolsita; (de poudre, lavande) saquito; **thé en ~s** té m en bolsitas

sacoche [sakɔʃ] nf bolso, talego; (de bicyclette, motocyclette) talego; (du facteur) cartera; (d'outils) bolsa

sacré, e [sakʀe] adj sagrado(-a); (fam: satané) maldito(-a); (Anat) sacro(-a); **il a une ~e chance/un ~ culot** (fam) tiene una suerte/cara increíble

sacrement [sakʀəmã] nm sacramento; **administrer les derniers ~s à qn** administrar los últimos sacramentos a algn

sacrifice [sakʀifis] nm sacrificio; **faire le ~ de** sacrificar

sacrifier [sakʀifje] vt sacrificar; **se sacrifier** vpr sacrificarse; **~ à** (mode, tradition) seguir; **articles sacrifiés** artículos mpl a precio de saldo, gangas fpl

sacristie [sakʀisti] nf sacristía

sadique [sadik] adj, nm/f sádico(-a)

safran [safʀã] nm azafrán m

sage [saʒ] adj (avisé, prudent) sensato(-a); (enfant) bueno(-a); (jeune fille, vie) casto(-a) ■ nm sabio; (Pol) consejero

sage-femme [saʒfam] (pl **sages-femmes**) nf comadrona

sagesse [saʒɛs] nf (bon sens, prudence) sensatez f; (philosophie du sage) sabiduría; (d'un enfant) buena conducta

Sagittaire [saʒiteʀ] nm (Astrol) Sagitario; **être (du) ~** ser Sagitario

Sahara [saaʀa] nm: Sáhara m

saignant, e [sɛɲã, ãt] adj (viande) poco hecho(-a); (blessure) sangrante

saigner [seɲe] vi sangrar ■ vt (Méd, fig) sangrar a; (animal) desangrar; **~ qn à blanc** (fig) esquilmar a algn; **~ du nez** sangrar por la nariz

saillir [sajiʀ] vi sobresalir ■ vt (Élevage) cubrir; **faire ~** (muscles etc) hacer sobresalir

sain, e [sɛ̃, sɛn] adj sano(-a); (habitation) salubre; (affaire, entreprise) saneado(-a); **~ et sauf** sano y salvo; **~ d'esprit** sano(-a) de espíritu

saindoux [sɛ̃du] nm manteca de cerdo

saint, e [sɛ̃, sɛ̃t] adj, nm/f santo(-a) ■ nm (statue) santo; **la S~e Vierge** la Virgen Santísima

sainteté [sɛ̃tte] nf santidad f; **sa S~ le pape** su Santidad el Papa

sais etc [sɛ] vb voir **savoir**

saisie [sezi] nf (Jur) embargo; **~ (de données)** (Inform) recogida de datos

saisir [seziʀ] vt (personne, chose: prendre) agarrar; (fig: occasion, prétexte) aprovechar; (comprendre) comprender;

(*entendre*) captar; (*suj: sensations, émotions*) sobrecoger; (*Inform*) procesar; (*Culin*) soasar; (*Jur: biens, personne*) embargar; (: *publication interdite*) secuestrar; **se saisir de** *vpr* (*personne*) apoderarse de; **~ un tribunal d'une affaire** someter un caso a un tribunal; **elle fut saisie de douleur/crainte** le embargó el dolor/fue presa del pánico
saisissant, e [sezisɑ̃, ɑ̃t] *adj* (*spectacle, contraste*) sobrecogedor(a); (*froid*) penetrante
saison [sɛzɔ̃] *nf* temporada, época; (*du calendrier*) estación *f*; **la ~** (*touristique*) la temporada; **la belle/mauvaise ~** la buena/mala temporada; **être de ~** ser de la temporada; **en/hors ~** en/fuera de temporada; **haute/basse/morte ~** temporada alta/media/baja; **la ~ des pluies/des amours** la época de las lluvias/de los amores
saisonnier, -ière [sɛzɔnje, jɛʀ] *adj* (*produits, culture*) estacional; (*travail*) temporal ■ *nm* (*travailleur*) temporero; (*vacancier*) turista *m* estacional
salade [salad] *nf* ensalada; (*fam: confusion*) embrollo; **salades** *nfpl* (*fam*): **raconter des ~** contar cuentos; **haricots en ~** judías *fpl* en ensalada; **~ composée** ensalada mixta; **~ de concombres/d'endives** ensalada de pepinos/de endibias; **~ de fruits** macedonia de frutas; **~ de laitues/de tomates** ensalada de lechuga/de tomate; **~ niçoise** *ensalada con aceitunas, anchoas, tomates*; **~ russe** ensaladilla rusa
saladier [saladje] *nm* ensaladera
salaire [salɛʀ] *nm* salario; (*journalier*) jornal *m*; (*fig*) recompensa; **un ~ de misère** un salario de miseria; **~ brut/net** salario bruto/neto; **~ de base** sueldo base; **~ minimum interprofessionnel de croissance** ≈ salario mínimo interprofesional
salarié, e [salaʀje] *adj, nm/f* asalariado(-a)
salaud [salo] (*fam!*) *nm* cabrón *m* (*fam!*), hijo de la chingada (*Mex*) (*fam!*)
sale [sal] *adj* sucio(-a); (*avant le nom: fam*) malo(-a)
salé, e [sale] *adj* salado(-a); (*fig: histoire, plaisanterie*) picante; (*fam: note, facture*) desorbitado(-a) ■ *nm* (*porc salé*) carne *f* de cerdo salada; **bien ~** muy salado(-a); **petit ~** saladillo
saler [sale] *vt* (*plat*) echar sal; (*pour conserver*) salar
saleté [salte] *nf* suciedad *f*; (*action vile*)

cochinada; (*chose sans valeur*) porquería; (*obscénité*) guarrada; **j'ai attrapé une ~** (*microbe etc*) se me ha pegado una enfermedad; **vivre dans la ~** vivir en la inmundicia
salière [saljɛʀ] *nf* salero
salir [saliʀ] *vt* manchar; (*fig*) mancillar; **se salir** *vpr* (*aussi fig*) ensuciarse
salissant, e [salisɑ̃, ɑ̃t] *adj* sucio(-a)
salle [sal] *nf* sala; (*pièce*) sala, habitación *f*; (*de restaurant*) salón *m*; **faire ~ comble** tener un llenazo; **~ à manger** comedor *m*; **~ commune** sala común; **~ d'armes** (*pour l'escrime*) sala de esgrima; **~ d'attente** sala de espera; **~ d'eau** aseo; **~ de bain(s)** cuarto de baño; **~ de bal** salón de baile; **~ de cinéma** sala de cine; **~ de classe** aula; **~ de concert** sala de conciertos; **~ de consultation** sala de consulta; **~ de douches** cuarto de duchas; **~ de jeux** sala de juegos; **~ d'embarquement** sala de embarque; **~ de projection** sala de proyección; **~ de séjour** cuarto de estar; **~ des machines** sala de máquinas; **~ de spectacle** sala de espectáculos; **~ des ventes** salón de ventas; **~ d'exposition** sala de exposiciones; **~ d'opération** sala de operaciones; **~ obscure** sala oscura
salon [salɔ̃] *nm* salón *m*, living *m* (*AM*); (*mondain, littéraire*) salón, tertulia; **~ de coiffure** salón de peluquería; **~ de thé** salón de té
salope [salɔp] (*fam!*) *nf* marrana
saloperie [salɔpʀi] (*fam!*) *nf* (*obscénité, publication obscène*) guarradas *fpl*; (*action vile*) marranada; (*chose sans valeur, de mauvaise qualité*) porquería
salopette [salɔpɛt] *nf* pantalón *m* de peto; (*de travail*) mono, overol *m* (*AM*)
salsifis [salsifi] *nm* salsifí *m*
salubre [salybʀ] *adj* salubre
saluer [salɥe] *vt* saludar; (*fig: acclamer*) aclamar, saludar
salut [saly] *nm* (*Rel, sauvegarde*) salvación *f*; (*Mil, parole d'accueil*) saludo ■ *excl* (*fam: bonjour*) ¡hola!; (: *au revoir*) ¡hasta luego!, ¡chao! ou ¡chau! (*esp AM*) (*style relevé*) ¡salve!; **~ public** salud *f* pública
salutations [salytasjɔ̃] *nfpl* saludos *mpl*; **recevez mes ~ distinguées** ou **respectueuses** (*dans une lettre*) reciba mis cordiales ou respetuosos saludos
samedi [samdi] *nm* sábado; *voir aussi* lundi
SAMU [samy] *sigle m* (= *service d'assistance médicale d'urgence*) ≈ servicio médico de urgencia

sanction [sɑ̃ksjɔ̃] *nf* sanción *f*; **prendre des ~s contre** tomar medidas sancionadoras contra
sanctionner [sɑ̃ksjɔne] *vt* sancionar
sandale [sɑ̃dal] *nf* sandalia
sandwich [sɑ̃dwi(t)ʃ] *nm* sandwich *m*, bocadillo, emparedado (*esp AM*); **être pris en ~ (entre)** estar aprisionado (entre)
sang [sɑ̃] *nm* sangre *f*; **être en ~** estar cubierto de sangre; **jusqu'au ~** hasta hacer(le) sangrar; **se faire du mauvais ~** preocuparse; **~ bleu** sangre azul
sang-froid [sɑ̃fʀwa] *nm inv* sangre fría; **garder/perdre/reprendre son ~** conservar/perder/recobrar la sangre fría; **faire qch de ~** hacer algo a sangre fría
sanglant, e [sɑ̃glɑ̃, ɑ̃t] *adj* (*visage, arme*) ensangrentado(-a); (*combat, fig*) sangriento(-a)
sangle [sɑ̃gl] *nf* correa; **sangles** *nfpl* (*pour lit etc*) cinchas *fpl*; **fauteuil/lit de ~(s)** sillón *m*/catre *m* de tijera
sanglier [sɑ̃glije] *nm* jabalí *m*
sanglot [sɑ̃glo] *nm* sollozo
sangloter [sɑ̃glɔte] *vi* sollozar
sangsue [sɑ̃sy] *nf* sanguijuela
sanguin, e [sɑ̃gɛ̃, in] *adj* sanguíneo(-a)
sanitaire [sanitɛʀ] *adj* sanitario(-a); **sanitaires** *nmpl* sanitarios *mpl*; **installation/appareil ~** instalación *f*/ aparato sanitario(-a)
sans [sɑ̃] *prép* sin; **~ qu'il s'en aperçoive** sin que se dé cuenta; **~ scrupules** sin escrúpulos; **~ manches** sin mangas
sans-abri [sɑ̃zabʀi] *nm/f inv* persona sin hogar
sans-emploi [sɑ̃zɑ̃plwa] *nm/f inv* desempleado(-a)
sans-gêne [sɑ̃ʒɛn] *adj inv* desenfadado(-a) ■ *nm inv* desenfado
santé [sɑ̃te] *nf* salud *f*; **avoir une ~ de fer** tener una salud de hierro; **avoir une ~ délicate** tener una salud delicada; **être en bonne ~** estar bien de salud; **boire à la ~ de qn** beber a la salud de algn; **"à la ~ de ..."** "a la salud de ..."; **"à votre/ta ~!"** "¡a su/tu salud!"; **service de ~** servicio sanitario; **la ~ publique** la salud pública
saoudien, ne [saudjɛ̃, jɛn] *adj* saudí, saudita ■ *nm/f*: **Saoudien, ne** saudí *m/f*, saudita *m/f*
saoul, e [su, sul] *adj* = **soûl**
saper [sape] *vt* socavar; **se saper** *vpr* (*fam*) vestirse
sapeur-pompier [sapœʀpɔ̃pje] (*pl* **sapeurs-pompiers**) *nm* bombero
saphir [safiʀ] *nm* zafiro; (*d'électrophone*) aguja

sapin [sapɛ̃] *nm* (*Bot*) abeto; (*bois*) pino; **~ de Noël** pino de Navidad
sarcastique [saʀkastik] *adj* sarcástico(-a)
Sardaigne [saʀdɛɲ] *nf* Cerdeña
sardine [saʀdin] *nf* sardina; **~s à l'huile** sardinas en aceite
SARL [ɛsaɛʀɛl] *sigle f* (= *société à responsabilité limitée*) ≈ SL (= *sociedad limitada*)
sarrasin [saʀazɛ̃] *nm* (*Bot*) alforfón *m*, trigo sarraceno; (*farine*) harina de alforfón, harina de trigo sarraceno
satané, e [satane] *adj* (*maudit*) maldito(-a)
satellite [satelit] *nm* satélite *msg*; **pays ~** país *msg* satélite *inv*; **retransmis par ~** retransmitido vía satélite; **~ (artificiel)** satélite (artificial)
satin [satɛ̃] *nm* satén *m*
satire [satiʀ] *nf* sátira; **faire la ~ de** satirizar
satirique [satiʀik] *adj* satírico(-a)
satisfaction [satisfaksjɔ̃] *nf* satisfacción *f*; **à ma grande ~** para gran satisfacción mía; **donner ~ (à)** satisfacer; **ils ont obtenu ~** se ha accedido a sus demandas
satisfaire [satisfɛʀ] *vt* satisfacer; **se satisfaire de** *vpr* contentarse con; **~ à** cumplir con; (*conditions*) responder a
satisfaisant, e [satisfəzɑ̃, ɑ̃t] *adj* satisfactorio(-a)
satisfait, e [satisfɛ, ɛt] *pp de* **satisfaire** ■ *adj* (*personne, air*) satisfecho(-a); (*curiosité, désir*) complacido(-a); **~ de** satisfecho(-a) de
saturer [satyʀe] *vt* saturar; **~ qn/qch de** saturar a algn/algo de; **être saturé de qch** (*publicité*) estar harto de algo; **je suis saturé de travail** estoy saturado de trabajo
sauce [sos] *nf* salsa; **en ~** en salsa; **~ à salade** salsa de ensalada; **~ aux câpres** salsa de alcaparras; **~ blanche** salsa blanca; **~ chasseur** salsa chasseur (*con chalotes, vino blanco, champiñones y hierbas*); **~ mayonnaise/piquante** salsa mayonesa/picante; **~ suprême/vinaigrette** salsa suprema/vinagreta; **~ tomate** salsa de tomate
saucière [sosjɛʀ] *nf* salsera
saucisse [sosis] *nf* salchicha
saucisson [sosisɔ̃] *nm* salchichón *m*; **~ à l'ail** salchichón al ajo; **~ sec** salchichón curado
sauf¹ [sof] *prép* salvo; **~ que ...** salvo que ...; **~ si ...** salvo que ...; **~ avis contraire** salvo aviso contrario; **~ empêchement**

salvo impedimento; **~ erreur/imprévu** salvo error/imprevisto

sauf², sauve [sof, sov] *adj* (*personne*) ileso(-a); (*fig: honneur*) a salvo; **laisser la vie sauve à qn** perdonar la vida a algn

sauge [soʒ] *nf* salvia

saugrenu, e [sogʀəny] *adj* (*accoutrement*) estrafalario(-a); (*idée, question*) ridículo(-a)

saule [sol] *nm* sauce *m*; **~ pleureur** sauce llorón

saumon [somɔ̃] *nm* salmón *m* ■ *adj inv* (*couleur*) color salmón *inv*

saupoudrer [supudʀe] *vt*: **~ qch de** (*de sel, sucre*) espolvorear algo de; (*fig*) salpicar algo de

saur [sɔʀ] *adj m*: **hareng ~** arenque *m* ahumado

saut [so] *nm* salto; **faire un ~** dar un salto; **faire un ~ chez qn** dar un salto a casa de algn; **au ~ du lit** al levantarse; **~ en hauteur/longueur/à la perche** salto de altura/longitud/con pértiga; **~ à la corde** salto a la comba; **~ de page** (*Inform*) avance *m* de página; **~ en parachute** salto en paracaídas; **~ périlleux** salto mortal

sauter [sote] *vi* saltar; (*exploser*) estallar; (*se rompre*) romperse; (*se détacher*) soltarse ■ *vt* (*obstacle*) franquear; (*fig: omettre*) saltarse; **faire ~** (*avec explosifs*) volar; (*Culin*) saltear; **~ à pieds joints/à cloche-pied** saltar con los pies juntos/a pata coja; **~ dans/sur/vers** (*se précipiter*) echarse en/sobre/hacia; **~ en parachute** saltar en paracaídas; **~ à la corde** saltar a la cuerda; **~ à bas du lit** saltar de la cama; **~ de joie/de colère** echarse de alegría/de rabia; **~ au cou de qn** echarse al cuello de algn; **~ d'un sujet à l'autre** pasar de un tema a otro; **~ aux yeux** saltar a la vista; **~ au plafond** (*fig*) subirse por las paredes

sauterelle [sotʀɛl] *nf* (*Zool*) saltamontes *m inv*

sautiller [sotije] *vi* dar saltitos

sauvage [sovaʒ] *adj* (*animal, peuplade*) salvaje; (*plante*) silvestre; (*lieu*) agreste; (*insociable*) huraño(-a); (*non officiel*) no autorizado(-a) ■ *nm/f* (*primitif*) salvaje *m/f*; (*brute*) bárbaro(-a)

sauve [sov] *adj f voir* **sauf²**

sauvegarde [sovgaʀd] *nf* salvaguardia; **sous la ~ de** bajo el amparo de; **disquette/fichier de ~** disquete *m*/ fichero de seguridad

sauvegarder [sovgaʀde] *vt* salvaguardar; (*Inform*) grabar; (: *copier*) hacer una copia de seguridad de

sauve-qui-peut [sovkipø] *nm inv* desbandada ■ *excl* ¡sálvese quien pueda!

sauver [sove] *vt* salvar; **se sauver** *vpr* (*s'enfuir*) largarse; (*fam: partir*) irse; **~ qn de** salvar a algn de; **la vie à qn** salvar la vida a algn; **~ les apparences** guardar las apariencias

sauvetage [sov(ə)taʒ] *nm* salvamento; **ceinture** ou **brassière** ou **gilet de ~** cinturón *m* ou camisa ou chaleco salvavidas *inv*; **~ en montagne** rescate *m* de montaña

sauveteur [sov(ə)tœʀ] *nm* salvador *m*

sauvette [sovɛt]: **à la ~** *adj, adv* (*vendre, aussi: se marier etc*) precipitadamente; **vente à la ~** venta ambulante no autorizada

sauveur [sovœʀ] *nm* salvador *m*; **le S~** (*Rel*) el Salvador

savant, e [savɑ̃, ɑ̃t] *adj* (*érudit, instruit, habile*) sabio(-a); (*souvent ironique: compétent, calé*) erudito(-a); (*compliqué, difficile*) complejo(-a) ■ *nm/f* sabio(-a); **animal ~** animal amaestrado

saveur [savœʀ] *nf* sabor *m*

savoir [savwaʀ] *vt* saber; (*connaître: date, fait etc*) conocer ■ *nm* saber *m*; **se savoir** *vpr* (*chose: être connu*) saberse; **se ~ malade/incurable** saberse enfermo/ incurable; **~ nager/se montrer ferme** saber nadar/mostrarse firme; **~ que** saber que; **~ si/comment/combien ...** saber si/cómo/cuánto ...; **il faut ~ que ...** es preciso saber que ...; **il est petit: tu ne peux pas ~ ...** no creerías lo pequeño que es ...; **vous n'êtes pas sans ~ que ...** usted no ignora que ...; **je crois ~ que ...** creo saber que ...; **je n'en sais rien** yo no sé nada de eso; **à ~** a saber; **à ~ que ...** a saber que ...; **faire ~ qch à qn** hacer saber algo a algn; **ne rien vouloir ~** no querer saber nada; **pas que je sache** que yo sepa, no; **sans le ~** sin saberlo; **en ~ long** saber un rato largo

savon [savɔ̃] *nm* jabón *m*; **un ~** (*morceau*) una pastilla de jabón; **passer un ~ à qn** (*fam*) echarle un rapapolvo a algn

savonner [savone] *vt* enjabonar; **se savonner** *vpr* enjabonarse; **se ~ les mains/pieds** enjabonarse las manos/los pies

savonnette [savonɛt] *nf* jaboncillo

savourer [savuʀe] *vt* saborear

savoureux, -euse [savuʀø, øz] *adj* sabroso(-a)

saxo(phone) [saksɔ(fɔn)] *nm* saxo(fón) *m*

scabreux, -euse [skabʀø, øz] *adj*
escabroso(-a)

scandale [skɑ̃dal] *nm* escándalo; **au grand ~ de ...** (*indignation*) con gran indignación de ...; **faire du ~** (*tapage*) armar un escándalo; **faire ~** causar escándalo

scandaleux, -euse [skɑ̃dalø, øz] *adj* escandaloso(-a)

scandinave [skɑ̃dinav] *adj* escandinavo(-a) ■ *nm/f*: **Scandinave** escandinavo(-a)

Scandinavie [skɑ̃dinavi] *nf* Escandinavia

scanner¹ [skanɛʀ] *nm* escáner *m*

scanner² [skane] *vt* escanear

scarabée [skaʀabe] *nm* escarabajo

scarlatine [skaʀlatin] *nf* escarlatina

scarole [skaʀɔl] *nf* escarola

sceau, x [so] *nm* sello; **sous le ~ du secret** bajo secreto

sceller [sele] *vt* sellar; (*barreau, chaîne etc*) fijar

scénario [senaʀjo] *nm* (*Ciné*) guión *m*; (*fig, idée*) plan *m*

scène [sɛn] *nf* escena; (*lieu, décors*) escena, escenario; (*dispute bruyante*) altercado; **la ~ politique/internationale** la escena política/internacional; **sur le devant de la ~** (*fig*) de plena actualidad; **entrer en ~** entrar en escena; **par ordre d'entrée en ~** por orden de aparición; **mettre en ~** (*Théâtre, fig*) poner en escena; (*Ciné*) dirigir; **porter à/adapter pour la ~** llevar al/adaptar para el teatro; **faire une ~ (à qn)** hacerle una escena (a algn); **~ de ménage** riña conyugal

sceptique [sɛptik] *adj, nm/f* escéptico(-a)

schéma [ʃema] *nm* esquema *m*

schématique [ʃematik] *adj* esquemático(-a)

sciatique [sjatik] *adj*: **nerf ~** nervio ciático ■ *nf* ciática

scie [si] *nf* sierra; (*fam: péj: rengaine*) cantinela; (: *personne*) pesadez *f*; **~ à bois** sierra para madera; **~ à découper** segueta; **~ à métaux** sierra para metales; **~ circulaire/sauteuse** sierra circular/de vaivén

sciemment [sjamɑ̃] *adv* conscientemente

science [sjɑ̃s] *nf* ciencia; (*savoir*) saber *m*; (*savoir-faire*) saber hacer *m*; **les ~s** (*Scol*) las ciencias; **~s appliquées/expérimentales** ciencias aplicadas/experimentales; **~s humaines/naturelles** ciencias humanas/naturales; **~s occultes** ciencias ocultas; **~s**

politiques/sociales ciencias políticas/sociales

science-fiction [sjɑ̃sfiksjɔ̃] (*pl* **sciences-fictions**) *nf* ciencia ficción

scientifique [sjɑ̃tifik] *adj, nm/f* científico(-a)

scier [sje] *vt* serrar; (*partie en trop*) aserrar

scierie [siʀi] *nf* aserradero

scintiller [sɛ̃tije] *vi* centellear

sciure [sjyʀ] *nf*: **~ (de bois)** serrín *m* (de madera)

sclérose [skleʀoz] *nf* esclerosis *f inv*; **~ artérielle** esclerosis arterial, arteriosclerosis *f inv*; **~ en plaques** esclerosis en placas

scolaire [skɔlɛʀ] *adj* escolar; **l'année ~** el curso escolar; (*à l'université*) el curso académico; **en âge ~** en edad escolar

scolariser [skɔlaʀize] *vt* escolarizar

scolarité [skɔlaʀite] *nf* escolaridad *f*; **frais de ~** gastos *mpl* de escolaridad; **la ~ obligatoire** la escolaridad obligatoria

scooter [skutœʀ] *nm* escúter *m*

score [skɔʀ] *nm* (*Sport*) tanteo; (*dans un test*) puntuación *f*; (*électoral etc*) resultado

scorpion [skɔʀpjɔ̃] *nm* escorpión *m*; **le S~** (*Astrol*) escorpio; **être (du) S~** ser escorpio

scotch [skɔtʃ] *nm* (*whisky*) whisky *m* escocés; **S~®** (*adhésif*) celo, cinta adhesiva

scout, e [skut] *adj* de scout ■ *nm/f* scout *m/f*, explorador(a)

script [skʀipt] *nm* (*écriture*) letra cursiva; (*Ciné*) guión *m*

scrupule [skʀypyl] *nm* escrúpulo; **être sans ~s** no tener escrúpulos; **il se fait un ~ de lui** mentir le da reparo mentirle

scruter [skʀyte] *vt* (*objet, visage*) escrutar; (*horizon, alentours*) otear

scrutin [skʀytɛ̃] *nm* (*vote*) escrutinio; (*ensemble des opérations*) votación *f*; **ouverture/clôture d'un ~** apertura/cierre *m* de la votación; **~ à deux tours** votación a doble vuelta; **~ de liste** sistema *m* de lista cerrada; **~ majoritaire/proportionnel** sistema mayoritario/proporcional; **~ uninominal** elección *f* uninominal

sculpter [skylte] *vt* esculpir

sculpteur [skyltœʀ] *nm* escultor *m*

sculpture [skyltyʀ] *nf* escultura; **~ sur bois** escultura en madera

SDF *sigle m* (= *sans domicile fixe*) persona sin hogar; **les ~** los sin techo

SE *abr* (= *Son Excellence*) S. Exc. (= *Su Excelencia*)

se [sə] *pron* se; **se voir comme on est** verse como uno es; **ils s'aiment** se quieren; **cela se répare facilement** eso se arregla fácilmente; **se casser la jambe/laver les mains** romperse una pierna/lavarse las manos

séance [seɑ̃s] *nf* sesión *f*; **ouvrir/lever la ~** abrir/levantar la sesión; **~ tenante: obéir/régler une affaire ~ tenante** obedecer/arreglar un asunto en el acto

seau, x [so] *nm* cubo, balde *m* (*esp AM*); **~ à glace** cubitera

sec, sèche [sɛk, sɛʃ] *adj* seco(-a); (*maigre, décharné*) enjuto(-a); (*style, graphisme*) árido(-a); (*départ, démarrage*) brusco(-a) ■ *nm*: **tenir au ~** mantener en sitio seco ■ *adv* (*démarrer*) bruscamente; **je le prends** ou **bois ~** lo tomo ou bebo puro; **à pied ~** a pie enjuto; **à ~** (*cours d'eau*) agotado(-a); (*à court d'idées*) vacío(-a); (*à court d'argent*) pelado(-a); **une toux sèche** una tos seca; **avoir la gorge sèche** tener la garganta seca; **boire ~** (*beaucoup*) ser un gran bebedor; **raisins ~s** pasas *fpl*

sécateur [sekatœʀ] *nm* podadera

sèche [sɛʃ] *adj f voir* **sec** ■ *nf* (*fam*) pitillo

sèche-cheveux [sɛʃʃəvø] *nm inv* secador *m* de pelo

sèche-linge [sɛʃlɛ̃ʒ] *nm inv* secadora *f*

sèchement [sɛʃmɑ̃] *adv* (*frapper etc*) bruscamente; (*répliquer etc*) secamente

sécher [seʃe] *vt* secar; (*fam: Scol: classe*) pirarse ■ *vi* secarse; (*fam: candidat*) estar pez; **se sécher** *vpr* secarse

sécheresse [sɛʃʀɛs] *nf* (*du climat, sol*) sequedad *f*; (*fig: du style*) aridez *f*; (*absence de pluie*) sequía

séchoir [seʃwaʀ] *nm* (*à linge*) tendedero; (*tabac, fruits*) secadero

second, e [s(ə)gɔ̃, ɔ̃d] *adj* segundo(-a) ■ *nm* (*adjoint*) ayudante *m*; (*étage*) segundo; (*Naut*) segundo de a bordo; **doué de ~ vue** dotado de un sexto sentido; **en ~** en segunda; **trouver son ~ souffle** (*Sport, fig*) recobrar fuerzas; **être dans un état ~** estar enajenado(-a); **de ~ main** de segunda mano

secondaire [s(ə)gɔ̃dɛʀ] *adj* secundario(-a); (*Scol*) medio(-a), secundario(-a)

seconde [s(ə)gɔ̃d] *nf* segundo; (*Scol*) quinto año de educación secundaria en el sistema francés; (*Auto*) segunda; **voyager en ~** (*Transport*) viajar en segunda

seconder [s(ə)gɔ̃de] *vt* (*assister*) ayudar; (*favoriser*) secundar

secouer [s(ə)kwe] *vt* sacudir; (*passagers*) zarandear; (*fam: faire se démener*) pinchar; **se secouer** *vpr* (*chiens*) sacudirse; (*fam: se démener*) menearse, moverse; **~ la poussière d'un tapis/manteau** sacudir el polvo de una alfombra/de un abrigo; **~ la tête** (*pour dire oui*) asentir con la cabeza; (*pour dire non*) negar con la cabeza

secourir [s(ə)kuʀiʀ] *vt* socorrer; (*prodiguer des soins à*) auxiliar

secourisme [s(ə)kuʀism] *nm* socorrismo

secouriste [s(ə)kuʀist] *nm/f* socorrista *m/f*

secours¹ [s(ə)kuʀ] *vb voir* **secourir**

secours² [s(ə)kuʀ] *nm* socorro ■ *nmpl* (*aide financière, matérielle*) ayuda *fsg*; (*soins à un malade, blessé*) auxilio *msg*; (*équipes de secours*) servicios *mpl* de socorro; **au ~!** ¡socorro!; **appeler au ~** pedir socorro; **appeler qn à son ~** pedir socorro a algn; **aller au ~ de qn** acudir en ayuda de algn; **porter ~ à qn** prestar socorro a algn; **les premiers ~** los primeros auxilios; **sa mémoire/cet outil lui a été d'un grand ~** su memoria/esta herramienta le ha sido de gran ayuda; **le ~ en montagne** el servicio de rescate de montaña

secousse [s(ə)kus] *nf* sacudida; (*électrique*) descarga; (*fig: psychologique*) conmoción *f*; **~ sismique/tellurique** sacudida sísmica/telúrica

secret, -ète [səkʀɛ, ɛt] *adj* secreto(-a); (*renfermé: personne*) reservado(-a) ■ *nm* secreto; **le ~ de qch** (*raison cachée, recette*) el secreto de algo; **en ~** (*sans témoins*) en secreto; **au ~** (*prisonnier*) incomunicado(-a); **~ d'État/de fabrication** secreto de Estado/de fabricación; **~ professionnel** secreto profesional

secrétaire [s(ə)kʀetɛʀ] *nm/f* secretario(-a) ■ *nm* (*meuble*) secreter *m*; **~ d'ambassade** secretario de embajada; **~ d'État** secretario de Estado; **~ de direction** secretario de dirección; **~ de mairie** secretario municipal; **~ de rédaction** secretario de redacción; **~ général** secretario general; **~ médicale** auxiliar médico

secrétariat [s(ə)kʀetaʀja] *nm* (*profession*) secretariado; (*bureau, fonction*) secretaría; **~ d'État** secretaría de Estado; **~ général** secretaría general

secteur [sɛktœʀ] *nm* sector *m*; **branché sur le ~** conectado a la red; **fonctionne sur pile et ~** funciona con pilas y con electricidad; **le ~ privé/public** el sector privado/público; **le ~ primaire/ secondaire/tertiaire** el sector primario/ secundario/terciario

section [sɛksjɔ̃] *nf* sección *f*; *(d'une route, d'un parcours)* tramo; *(d'un chapitre, d'une œuvre)* parte *f*; **la ~ rythmique/des cuivres** la sección rítmica/los cobres; **tube de ~ 6,5 mm** tubo de 6,5 mm de sección

sectionner [sɛksjɔne] *vt (membre, tige)* seccionar; **se sectionner** *vpr (câble)* romperse

sécu [seky] *(fam) nf (= Sécurité sociale) voir* **sécurité**

sécurité [sekyʀite] *nf* seguridad *f*; **impression de ~** impresión *f* de seguridad; **être en ~** estar seguro(-a); **dispositif/système de ~** dispositivo/ sistema *m* de seguridad; **mesures de ~** medidas *fpl* de seguridad; **la ~ de l'emploi** la garantía de trabajo; **la ~ internationale/nationale** la seguridad internacional/nacional; **la ~ routière** la seguridad vial; **la S~ sociale** la Seguridad Social

sédentaire [sedɑ̃tɛʀ] *adj* sedentario(-a)

séduction [sedyksjɔ̃] *nf* seducción *f*

séduire [sedɥiʀ] *vt* seducir

séduisant, e [sedɥizɑ̃, ɑ̃t] *vb voir* **séduire** ■ *adj* seductor(a)

ségrégation [segʀegasjɔ̃] *nf* segregación *f*; **~ raciale** segregación racial

seigle [sɛgl] *nm (Bot)* centeno; *(farine)* harina de centeno

seigneur [sɛɲœʀ] *nm* señor *m*; **le S~** *(Rel)* el Señor

sein [sɛ̃] *nm (Anat)* seno; *(fig: poitrine)* pecho; **au ~ de** en el seno de; **donner le ~ à** dar el pecho a; **nourrir au ~** amamantar

séisme [seism] *nm* seísmo

seize [sɛz] *adj inv, nm inv* dieciséis *m inv*; *voir aussi* **cinq**

seizième [sɛzjɛm] *adj, nm/f* decimosexto(-a) ■ *nm (partitif)* dieciseisavo; *voir aussi* **cinquantième**

séjour [seʒuʀ] *nm (villégiature)* estancia; *(pièce)* cuarto de estar

séjourner [seʒuʀne] *vi* permanecer

sel [sɛl] *nm* sal *f*; **~ de cuisine/de table** sal de cocina/de mesa; **~ fin/gemme** sal fina/gema; **~s de bain** sales de baño

sélection [selɛksjɔ̃] *nf* selección *f*; **faire/ opérer une ~ parmi** hacer/realizar una selección entre; **épreuve de ~** *(Sport)* prueba de selección; **~ naturelle/**

professionnelle selección natural/ profesional

sélectionner [selɛksjɔne] *vt* seleccionar

self-service [sɛlfsɛʀvis] *(pl ~s) adj* autoservicio ■ *nm* self-service *m*, restaurante *m* autoservicio

selle [sɛl] *nf (de cheval)* silla de montar; *(de bicyclette)* sillín *m*; *(Culin)* paletilla; **selles** *nfpl (Méd)* deposiciones *fpl*; **aller à la ~** *(Méd)* hacer sus necesidades; **se mettre en ~** montar

seller [sele] *vt* ensillar

selon [s(ə)lɔ̃] *prép* según; **~ que** según que; **~ moi** a mi modo de ver

semaine [s(ə)mɛn] *nf* semana; **en ~** durante la semana; **la ~ de quarante heures** la semana de cuarenta horas; **la ~ du blanc/du livre** la semana de la ropa blanca/del libro; **à la petite ~** *(vivre etc)* al día; **une organisation à la petite ~** una organización de miras cortas; **la ~ sainte** la Semana Santa

semblable [sɑ̃blabl] *adj* semejante ■ *nm (prochain)* semejante *m*; **~ à** parecido(-a) a; **de ~s mésaventures/ calomnies** *(de ce genre)* semejantes desgracias/calumnias

semblant [sɑ̃blɑ̃] *nm*: **un ~ d'intérêt/de vérité** una apariencia de interés/de verdad; **faire ~ (de faire qch)** fingir (hacer algo)

sembler [sɑ̃ble] *vi* parecer ■ *vb impers*: **il semble inutile/bon de ...** parece inútil/ bien ...; **il semble (bien) que/ne semble pas que** parece (bien) que/no parece que; **il me semble (bien) que** me parece (bien) que; **il me semble le connaître** me parece que lo conozco; **cela leur semblait cher/pratique** eso les parecía caro/práctico; **~ être** parecer ser; **comme/quand bon lui semble** como/ cuando le parece bien; **me semble-t-il, à ce qu'il me semble** me parece, en mi opinión

semelle [s(ə)mɛl] *nf (de chaussure)* suela; *(: intérieure)* plantilla; *(de bas, chaussette)* planta; *(d'un ski)* plancha; **battre la ~** golpear el suelo con los pies para calentarlos; *(fig)* recorrer; **~s compensées** suelas *fpl* de plataforma

semer [s(ə)me] *vt (Agr)* sembrar; *(fig: éparpiller)* esparcir; *(: poursuivants)* despistar; **~ la confusion** sembrar la confusión; **~ la discorde/terreur parmi ...** sembrar la discordia/el terror entre ...; **semé de difficultés/d'erreurs** sembrado de dificultades/de errores

semestre [s(ə)mɛstʀ] nm semestre m
séminaire [seminɛʀ] nm seminario
semi-remorque [səmiʀəmɔʀk] (pl **~s**) nf (remorque) semirremolque m ▪ nm (camion) semirremolque
semoule [s(ə)mul] nf sémola; **~ de maïs/de riz** harina de maíz/de arroz
sénat [sena] nm: **le S~** el Senado

● **SÉNAT**
●
● El *Sénat* es la cámara alta del
● parlamento francés, que se reúne en
● el Palais du Luxembourg de París. A
● una tercera parte de sus miembros,
● los "sénateurs", los elige cada tres
● años, por un periodo de nueve, un
● colegio electoral formado por los
● "députés" y otros representantes
● electos. El *Sénat* posee una amplia
● gama de poderes, pero en caso de
● controversia, éstos pueden ser
● revocados por la cámara baja, la
● "Assemblée nationale".

sénateur [senatœʀ] nm senador(a)
sens¹ [sɑ̃s] vb voir **sentir**
sens² [sɑ̃s] nm sentido ▪ nmpl (sensualité) sentidos mpl; **avoir le ~ des affaires/de la mesure** tener el don de los negocios/de la medida; **en dépit du bon ~** sin sentido común; **tomber sous le ~** caer por su propio peso; **ça n'a pas de ~** eso no tiene sentido; **en ce ~ que** (dans la mesure où) en la medida en que; (c'est-à-dire que) en el sentido de que; **en un ~, dans un ~** en cierto sentido; **à mon ~** en mi opinión; **dans le ~ des aiguilles d'une montre** en el sentido de las agujas del reloj; **dans le ~ de la longueur/largeur** a lo largo/ancho; **dans le mauvais ~** en mal sentido; **bon ~** sensatez f; **reprendre ses ~** volver en sí; **~ commun** sentido común; **~ dessus dessous** desordenado, patas arriba; **~ figuré** sentido figurado; **~ interdit** dirección f prohibida; **~ propre** sentido propio; **~ unique** dirección f única
sensation [sɑ̃sɑsjɔ̃] nf sensación f; **faire ~** causar sensación; **à ~** (péj) sensacionalista
sensationnel, le [sɑ̃sɑsjɔnɛl] adj sensacional
sensé, e [sɑ̃se] adj sensato(-a)
sensibiliser [sɑ̃sibilize] vt (Photo) sensibilizar; **~ qn (à)** sensibilizar a algn (para)
sensibilité [sɑ̃sibilite] nf sensibilidad f

sensible [sɑ̃sibl] adj sensible; (différence, progrès) apreciable; **~ à** sensible a
sensiblement [sɑ̃sibləmɑ̃] adv sensiblemente; **ils ont ~ le même poids** (à peu près) tienen casi el mismo peso
sensiblerie [sɑ̃sibləʀi] nf sensiblería
sensuel, le [sɑ̃sɥɛl] adj sensual
sentence [sɑ̃tɑ̃s] nf sentencia
sentier [sɑ̃tje] nm sendero
sentiment [sɑ̃timɑ̃] nm sentimiento; (avis, opinion) opinión f; **sentiments** nmpl: **les ~s** los sentimientos; **avoir le ~ de/que** tener la impresión de/que; **recevez mes ~s respectueux/dévoués** (dans une lettre) reciba usted mis más sinceros respetos; **veuillez agréer l'expression de mes ~s distingués** (dans une lettre) reciba usted mis más atentos saludos; **faire du ~** (péj) apelar a la sensiblería; **si vous me prenez par les ~s** si usted apela a mis sentimientos
sentimental, e, -aux [sɑ̃timɑ̃tal, o] adj sentimental
sentinelle [sɑ̃tinɛl] nf centinela; **en ~** de guardia
sentir [sɑ̃tiʀ] vt sentir; (goût) notar; (apprécier) apreciar; (par l'odorat) oler; (avoir le goût de) saber a; (au toucher) sentir; (avoir une odeur de, aussi fig) oler a ▪ vi oler mal; **~ bon/mauvais** oler bien/mal; **se ~ à l'aise/mal à l'aise** sentirse a gusto ou cómodo/incómodo; **se ~ mal** encontrarse mal; **se ~ le courage/la force de faire qch** sentirse con ánimo/fuerza para hacer algo; **se ~ coupable de faire qch** sentirse culpable por haber hecho algo; **ne plus se ~ de joie** rebosar de alegría; **ne pas pouvoir ~ qn** (fam) no poder tragar a algn
séparation [sepaʀasjɔ̃] nf separación f; (mur, cloison) división f; **~ de biens/de corps** separación de bienes ou cuerpos; **~ des pouvoirs** separación de (los) poderes
séparatiste [sepaʀatist] nm/f, adj separatista m/f
séparé, e [sepaʀe] adj separado(-a); **~ de** separado(-a) de
séparément [sepaʀemɑ̃] adv separadamente
séparer [sepaʀe] vt separar; **se séparer** vpr separarse; (amis etc) despedirse; (route, tige) bifurcarse; (éléments, parties) desmontarse; (écorce) desprenderse; **se ~ de** (époux) separarse de; (employé, objet personnel) deshacerse de; (ami, allié) separar a algn de; **~ une pièce/un jardin en deux** dividir una habitación/un jardín en dos

sept [sɛt] *adj inv, nm inv* siete *m inv*; *voir aussi* **cinq**

septante [sɛptɑ̃t] *adj inv, nm inv* (*Belgique, Suisse*) setenta *m inv*

septembre [sɛptɑ̃bʀ] *nm* se(p)tiembre *m*; *voir aussi* **juillet**

septicémie [sɛptisemi] *nf* septicemia

septième [sɛtjɛm] *adj, nm/f* sé(p)timo(-a) ■ *nm* (*partitif*) sé(p)timo; **être au ~ ciel** estar en el sé(p)timo cielo; *voir aussi* **cinquième**

septique [sɛptik] *adj*: **fosse ~** foso séptico

séquelles [sekɛl] *nfpl* secuelas *fpl*

serein, e [sǝʀɛ̃, ɛn] *adj* sereno(-a); (*visage, regard, personne*) apacible

sergent [sɛʀʒɑ̃] *nm* sargento

série [seʀi] *nf* serie *f*; (*de clefs, outils*) juego; (*Sport*) fase *f*; **en/de/hors ~** en/de/fuera de serie; **imprimante ~** impresora en serie; **soldes de fin de ~s** saldos *mpl* de fin de serie; **~ noire** (*roman policier*) policiaca; (*suite de malheurs*) serie de desgracias; **~ (télévisée)** serie (televisiva)

sérieusement [seʀjøzmɑ̃] *adv* con seriedad; **il parle ~** habla en serio; **~?** ¿en serio?

sérieux, -euse [seʀjø, jøz] *adj* serio(-a); (*client*) serio(-a), formal; (*moral, rangé*) formal ■ *nm* seriedad *f*; **garder son ~** mantener su seriedad; **manquer de ~** no tener fundamento; **prendre qch/qn au ~** tomarse algo/a algn en serio; **se prendre au ~** tomarse en serio; **tu es ~?** ¿lo dices en serio?; **c'est ~?** ¿en serio?; **ce n'est pas ~** (*critique*) eso no es serio; **une sérieuse différence/augmentation** una considerable diferencia/aumento

serin [s(ǝ)ʀɛ̃] *nm* canario

seringue [s(ǝ)ʀɛ̃g] *nf* jeringa

serment [sɛʀmɑ̃] *nm* (*juré*) juramento; (*promesse*) promesa solemne; **prêter ~** prestar juramento; **faire le ~ de** prestar juramento de; **témoigner sous ~** atestiguar bajo juramento

sermon [sɛʀmɔ̃] *nm* sermón *m*

séropositif, -ive [seʀopozitif, iv] *adj* (*Méd*) seropositivo(-a)

sérotonine [seʀɔtɔnin] *nf* serotonina

serpent [sɛʀpɑ̃] *nm* serpiente *f*; **~ à lunettes/à sonnettes** serpiente de anteojos/de cascabel; **~ monétaire (européen)** sistema *m* monetario (europeo)

serpenter [sɛʀpɑ̃te] *vi* serpentear

serpillière [sɛʀpijɛʀ] *nf* bayeta

serre [sɛʀ] *nf* (*construction*) invernadero;

serres *nfpl* (*griffes*) garras *fpl*; **~ chaude/froide** invernadero templado/frío

serré, e [seʀe] *adj* apretado(-a); (*habits*) ajustado(-a); (*lutte, match*) reñido(-a); (*café*) fuerte ■ *adv*: **jouer ~** jugar sobre seguro; **écrire ~** escribir con letra apretada; **avoir le cœur ~** tener el corazón en un puño; **avoir la gorge ~e** tener un nudo en la garganta

serrer [seʀe] *vt* apretar; (*tenir: chose*) asir; (*: personne*) abrazar; (*rapprocher*) apretujar; (*frein, robinet*) apretar; (*automobiliste, cycliste*) arrimarse a ■ *vi*: **~ à droite/gauche** pegarse a la derecha/a la izquierda; **se serrer** *vpr* (*se rapprocher*) apretujarse; **~ la main à qn** estrechar la mano a algn; **~ qn dans ses bras/contre son cœur** estrechar a algn entre sus brazos/contra su pecho; **~ la gorge/le cœur à qn** oprimir la garganta/el pecho a algn; **~ les dents** apretar los dientes; **~ qn de près** seguir de cerca a algn; **~ le trottoir** pegarse a la acera; **~ sa droite/gauche** pegarse a su derecha/izquierda; **se ~ contre qn** estrecharse contra algn; **se ~ les coudes** prestarse ayuda; **se ~ la ceinture** (*fig*) apretarse el cinturón; **~ la vis à qn** (*fig*) apretar las clavijas a algn; **~ les rangs** cerrar filas

serrure [seʀyʀ] *nf* cerradura, chapa (*AM*)

serrurier [seʀyʀje] *nm* cerrajero

sert *etc* [sɛʀ] *vb voir* **servir**

servante [sɛʀvɑ̃t] *nf* sirvienta, mucama (*Csur*), recamarera (*Mex*)

serveur, -euse [sɛʀvœʀ, øz] *nm/f* (*de restaurant*) camarero(-a); (*Tennis*) jugador que tiene el servicio; (*Cartes*) mano *m/f* ■ *nm*: **~ de données** (*Inform*) base *f* de datos ■ *adj*: **centre ~** (*Inform*) banco de datos

serviable [sɛʀvjabl] *adj* servicial

service [sɛʀvis] *nm* servicio; (*aide, faveur*) favor *m*; (*Rel*) oficio; (*Sport*) servicio, saque *m*; **services** *nmpl* (*travail, prestations*) servicios *mpl*; (*Écon*) sector *m* servicios; **~ compris/non compris** servicio incluido/no incluido; **faire le ~** servir; **être en ~ chez qn** (*domestique*) estar de servicio en casa de algn; **être au ~ de (qn)** estar al servicio de (algn); **pendant le ~** de servicio; **porte de ~** puerta de servicio; **premier/second ~** primer/segundo turno; **rendre ~ (à qn)** ayudar (a algn), echar una mano (a algn); (*suj: objet*) ser de utilidad (a algn); **il aime rendre ~** le gusta hacer favores; **rendre un ~ à qn** hacer un favor a algn; **reprendre du ~** volver al servicio activo;

heures de ~ horas de servicio; **être de ~** estar de servicio; **avoir 25 ans de ~** tener 25 años de servicio; **être/mettre en ~** estar/poner en servicio; **hors ~** fuera de servicio; **en ~ commandé** en comisión de servicio; **~ à café/à glaces** servicio de café/de helado; **~ après vente** servicio pos(t)-venta; **~ à thé** servicio de té; **~ d'ordre** servicio de orden; **~ funèbre** servicio funerario; **~ militaire/public** servicio militar/público; **~s secrets/ sociaux** servicios secretos/sociales

serviette [sɛʀvjɛt] *nf (de table)* servilleta; *(de toilette)* toalla; *(portedocuments)* cartera, portafolio(s) *m (AM)*; **~ éponge** toalla de felpa; **~ hygiénique** compresa

servir [sɛʀviʀ] *vt* servir; *(client: au magasin)* atender; *(rente, pension)* pagar ■ *vi* servir; **se servir** *vpr* servirse; **se ~ chez qn** servirse en casa de algn; **se ~ de** *(plat)* servirse de; *(voiture, outil)* utilizar; *(relations, amis)* valerse de; **~ à qn** *(suj: diplôme, livre)* servir a algn; **ça m'a servi pour faire ...** eso me ha servido para hacer ...; **~ à qch/faire qch** *(outil)* servir para algo/hacer algo; **~ qn** *(aider)* ayudar a algn; **qu'est-ce que je vous sers?** ¿qué le sirvo?; **est-ce que je peux vous ~ quelque chose?** ¿le sirvo a usted algo?; **vous êtes servi?** ¿le atienden a usted?; **ça peut ~** eso puede servir; **ça peut encore ~** todavía puede servir eso; **à quoi cela sert-il** *(de faire)?* ¿de qué sirve (hacer)?; **cela ne sert à rien** eso no sirve para nada; **~ (à qn) de** hacer (a algn) de; **~ dans l'infanterie** *(être militaire)* servir en infantería; **~ la messe** ayudar a misa; **~ une cause** servir a una causa; **~ les intérêts de qn** servir a los intereses de algn; **~ à dîner/déjeuner à qn** servir de cenar/almorzar a algn; **~ le dîner à 18 h** servir la cena a las 6 de la tarde

serviteur [sɛʀvitœʀ] *nm* servidor *m*

ses [se] *dét voir* **son**

seuil [sœj] *nm* umbral *m*; **recevoir qn sur le ~ (de sa maison)** recibir a algn en la puerta (de su casa); **au ~ de** *(fig)* en el umbral de; **~ de rentabilité** *(Comm)* punto de equilibrio

seul, e [sœl] *adj (sans compagnie)* solo(-a); *(avec nuance affective: isolé)* solitario(-a); *(objet, mot etc)* aislado(-a) ■ *adv*: **vivre ~** vivir solo(-a) ■ *nm/f*: **j'en veux un(e) ~(e)** quiero sólo uno(-a); **le ~ livre/ homme** el único libro/hombre; **lui ~ peut ...** sólo él puede ...; **à lui (tout) ~** sólo a él; **d'un ~ coup** *adv (subitement)*

de pronto; *(à la fois)* de una vez; **~ ce livre** sólo ese libro; **parler tout ~** hablar solo; **faire qch (tout) ~** hacer algo (completamente) solo; **~ à ~** a solas; **il en reste un(e) ~(e)** queda sólo uno(-a); **pas un(e) ~(e)** ni siquiera uno(-a)

seulement [sœlmɑ̃] *adv*: **~ 5, 5 ~** solamente 5; **~ eux** *(exclusivement)* únicamente ellos; **~ hier/à 10 h** *(pas avant)* sólo ayer/a las 10; **il consent, ~ il demande des garanties** *(toutefois)* consiente, pero pide garantías; **non ~ ... mais aussi** *ou* **encore** no solamente ... pero también *ou* además

sève [sɛv] *nf* savia

sévère [sevɛʀ] *adj* severo(-a); *(style, tenue)* austero(-a); *(pertes)* serio(-a), grave

sexe [sɛks] *nm* sexo; **le ~ fort/faible** el sexo fuerte/débil

sexiste [sɛksist] *nm/f, adj* sexista *m/f*

sexuel, le [sɛksɥɛl] *adj* sexual; **acte ~** acto sexual

shampooing [ʃɑ̃pwɛ̃] *nm (lavage)* lavado; *(produit)* champú *m*; **se faire un ~** hacerse un lavado con champú; **~ colorant/traitant** champú colorante/ tratante

short [ʃɔʀt] *nm*: pantalón *m* corto, short *m*

SI [ɛsi] *abr* (= *syndicat d'initiative*) oficina de turismo

⚪ **MOT-CLÉ**

si [si] *adv* **1** *(oui)* sí; **Paul n'est pas venu? - si!** ¿no ha venido Pablo? - ¡sí!; **mais si!** ¡que sí!; **je suis sûr que si** estoy seguro (de) que sí; **je vous assure que si** le aseguro que sí; **il m'a répondu que si** me contestó que sí; **j'admets que si** reconozco que sí

2 *(tellement)*: **si gentil/rapidement** tan amable/rápidamente; **si rapide qu'il soit** por muy rápido que sea

■ *conj* si; **si tu veux** si quieres; **je me demande si ...** me pregunto si ...; **si seulement** si sólo; **si ce n'est ...** *(sinon)* sino ...; **si ce n'est que ...** excepto que ...; **si tant est que ...** siempre y cuando ...; **(tant et) si bien que** tanto que; **s'il pouvait (seulement) venir!** ¡si (al menos) pudiera venir!; **s'il le fait, c'est que ...** si lo hace, es que ...; **s'il est aimable, eux par contre ...** él es amable, pero en cambio ellos ...; **si j'étais toi ...** yo que tú ...

■ *nm inv (Mus)* si *m*

Sicile [sisil] nf Sicilia

SIDA [sida] sigle m (= syndrome immuno-déficitaire acquis) SIDA m (= Síndrome de Inmunodeficiencia Adquirida)

sidéré, e [sideʀe] adj atónito(-a)

sidérurgie [sideʀyʀʒi] nf siderurgia

siècle [sjɛkl] nm siglo m; **le ~ des lumières/de l'atome** el siglo de las luces/del átomo

siège [sjɛʒ] nm asiento; (dans une assemblée) puesto; (député) escaño; (tribunal, assemblée, organisation) sede f; (d'une entreprise) oficina central; (d'une douleur, maladie) foco; (Mil) sitio; **lever le ~** levantar el sitio; **mettre le ~ devant une ville** sitiar una ciudad; **se présenter par le ~** (nouveau-né) nacer de nalgas; **~ arrière/avant** asiento trasero/delantero; **~ baquet** asiento ajustable de los coches de carreras; **~ social** sede social

siéger [sjeʒe] vi (député) ocupar un escaño; (assemblée, tribunal) celebrar sesión; (résider, se trouver) residir

sien, ne [sjɛ̃, sjɛn] pron: **le ~, la ~ne** el suyo, la suya; **les ~s, les ~nes** los suyos, las suyas; **y mettre du ~** poner de su parte; **faire des ~nes** (fam) hacer de las suyas; **les ~s** (sa famille) los suyos

sieste [sjɛst] nf siesta; **faire la ~** dormir la siesta

sifflement [sifləmɑ̃] nm silbido

siffler [sifle] vi (train, avec un sifflet) pitar ■ vt silbar; (orateur, faute, départ) pitar; (fam: verre, bouteille) soplarse

sifflet [siflɛ] nm (instrument) silbato; (sifflement) silbido; **sifflets** nmpl (de mécontentement) pitidos mpl; **coup de ~** pitido

siffloter [siflɔte] vi, vt silbar ligeramente

sigle [sigl] nm sigla

signal, -aux [siɲal, o] nm señal f; **donner le ~ de** dar la señal de; **~ d'alarme/d'alerte** señal de alarma/de alerta; **~ de détresse** señal de socorro; **~ horaire/optique/sonore** señal horaria/óptica/sonora; **signaux (lumineux)** (Auto) semáforo msg; **signaux routiers** señales de circulación

signalement [siɲalmɑ̃] nm descripción f

signaler [siɲale] vt señalar; **~ qch à qn/(à qn) que** señalar algo a algn/(a algn) que; **~ qn à la police** advertir a la policía sobre algn; **se signaler (par)** vpr distinguirse (por); **se ~ à l'attention de qn** llamar la atención de algn

signature [siɲatyʀ] nf firma

signe [siɲ] nm signo; (mouvement, geste) seña; **ne pas donner ~ de vie** no dar señales de vida; **c'est bon/mauvais ~** es buena/mala señal; **c'est ~ que** es señal de que; **faire un ~ de la tête/main** hacer una seña con la cabeza/la mano; **faire ~ à qn** (fig) hacer saber algo a algn; **faire ~ à qn d'entrer** hacer señas a algn para que entre; **en ~ de** en señal de; **~s extérieurs de richesse** signos externos de riqueza; **~ de la croix** señal f de la cruz; **~ de ponctuation** signo de puntuación; **~ du zodiaque** signo del Zodíaco; **~s particuliers** señas individuales

signer [siɲe] vt firmar; **se signer** vpr santiguarse

significatif, -ive [siɲifikatif, iv] adj significativo(-a)

signification [siɲifikasjɔ̃] nf significado

signifier [siɲifje] vt significar; **~ qch (à qn)** (faire connaître) comunicar algo (a algn); **~ qch à qn** (Jur) notificar algo a algn

silence [silɑ̃s] nm silencio; (Mus) pausa; **garder le ~ sur qch** guardar silencio sobre algo; **passer sous ~** silenciar; **réduire au ~** hacer callar; **"~!"** ¡silencio!"

silencieux, -euse [silɑ̃sjø, jøz] adj silencioso(-a) ■ nm silenciador m

silhouette [silwɛt] nf silueta

sillage [sijaʒ] nm estela; **dans le ~ de** (fig) tras los pasos de

sillon [sijɔ̃] nm surco

sillonner [sijɔne] vt (suj: rides, crevasses) formar surcos en; (parcourir en tous sens) surcar; (suj: routes, voyageurs) atravesar

simagrées [simagʀe] nfpl melindres mpl

similaire [similɛʀ] adj similar

similicuir [similikɥiʀ] nm cuero artificial

similitude [similityd] nf semejanza

simple [sɛ̃pl] adj (aussi péj) simple; (peu complexe) sencillo(-a), simple; (repas, vie) sencillo(-a) ■ nm (Tennis): **~ messieurs/dames** individual m masculino/femenino; **simples** nfpl (plantes médicinales) simples mpl; **une ~ objection/formalité** una mera objeción/formalidad; **un ~ employé/particulier** un(a) simple empleado/persona; **cela varie du ~ au double** se duplica; **dans le plus ~ appareil** como Dios lo trajo al mundo; **réduit à sa plus ~ expression** reducido a su mínima expresión; **~ course** adj (Transport) trayecto de ida; **~ d'esprit** nm/f simplón(-ona); **~ soldat** soldado raso

simplicité [sɛ̃plisite] nf sencillez f;

(*candeur*) candidez *f*; **en toute ~** con toda sencillez
simplifier [sɛ̃plifje] *vt* simplificar
simplissime [sɛ̃plisim] *adj* sencillísimo(-a)
simuler [simyle] *vt* fingir; (*suj: substance, revêtement*) simular, imitar; (*vente, contrat*) simular
simultané, e [simyltane] *adj* simultáneo(-a)
sincère [sɛ̃sɛʀ] *adj* sincero(-a); **mes ~s condoléances** mi más sentido pésame
sincèrement [sɛ̃sɛʀmɑ̃] *adv* sinceramente; (*franchement*) francamente
sincérité [sɛ̃seʀite] *nf* sinceridad *f*; **en toute ~** con toda franqueza
singe [sɛ̃ʒ] *nm* mono
singer [sɛ̃ʒe] *vt* imitar
singeries [sɛ̃ʒʀi] *nfpl* (*simagrées*) remilgos *mpl*; (*grimaces*) monerías *fpl*
singulariser [sɛ̃gylaʀize] *vt* singularizar; **se singulariser** *vpr* caracterizarse
singularité [sɛ̃gylaʀite] *nf* singularidad *f*
singulier, -ière [sɛ̃gylje, jɛʀ] *adj* singular ■ *nm* (*Ling*) singular *m*
sinistre [sinistʀ] *adj* siniestro(-a) ■ *nm* siniestro; **un ~ imbécile/crétin** (*intensif*) un imbécil/cretino redomado
sinistré, e [sinistʀe] *adj* siniestrado(-a) ■ *nm/f* damnificado(-a)
sinon [sinɔ̃] *conj* (*autrement, sans quoi*) de lo contrario; (*sauf*) salvo; (*si ce n'est*) si no
sinueux, -euse [sinɥø, øz] *adj* (*ruelles*) sinuoso(-a); (*fig: raisonnement*) retorcido(-a)
sinus [sinys] *nm* seno
sinusite [sinyzit] *nf* sinusitis *f inv*
sirène [siʀɛn] *nf* sirena; **~ d'alarme** sirena de alarma
sirop [siʀo] *nm* (*de fruit etc*) concentrado; (*boisson*) sirope *m*, zumo; (*pharmaceutique*) jarabe *m*; **~ contre la toux** jarabe contra la tos; **~ de framboise/de menthe** concentrado de frambuesa/de menta; (*boisson*) sirope *ou* zumo de frambuesa/de menta
siroter [siʀote] *vt* beber a sorbos
sismique [sismik] *adj* sísmico(-a)
site [sit] *nm* (*paysage, environnement*) paraje *m*; (*d'une ville etc*) emplazamiento; **~ (pittoresque)** paisaje *m* (pintoresco); **~s historiques/naturels/touristiques** parajes históricos/naturales/turísticos; **~ Web** sitio (Web)
sitôt [sito] *adv*: **~ parti** nada más marcharse (*etc*); **~ après**

inmediatamente después; **pas de ~** no tan pronto; **~ (après) que** tan pronto como
situation [sitɥasjɔ̃] *nf* situación *f*; (*emploi, place*) puesto; **être en ~ de faire qch** estar en situación de hacer algo; **~ de famille** estado civil
situé, e [sitɥe] *adj* situado(-a)
situer [sitɥe] *vt* situar; (*en pensée*) localizar; **se situer** *vpr*: **se ~ à** *ou* **dans/ près de** situarse en/cerca de
six [sis] *adj inv, nm inv* seis *m inv*; *voir aussi* **cinq**
sixième [sizjɛm] *adj, nm/f* sexto(-a) ■ *nm* (*partitif*) sexto ■ *nf* (*Scol*) primer año de educación secundaria en el sistema francés; *voir aussi* **cinquième**
skaï [skaj] *nm* skay *m*
skate(board) [skɛt(bɔʀd)] *nm* (*sport*) skate(board) *m*; (*planche*) monopatín *m*
sketch [skɛtʃ] *nm* sketch *m*
ski [ski] *nm* esquí *m*; **une paire de ~s, des ~s** un par de esquís, esquís *mpl*; **faire du ~** esquiar; **aller faire du ~** ir a esquiar; **~ alpin** esquí alpino; **~ de fond/de piste/ de randonnée** esquí de fondo/de pista/ de paseo; **~ évolutif** método intensivo de esquí; **~ nautique** esquí náutico
skier [skje] *vi* esquiar
skieur, -euse [skjœʀ, skjøz] *nm/f* esquiador(a)
slip [slip] *nm* (*d'homme*) calzoncillo, slip *m*, calzones *mpl* (*AM*); (*de femme*) braga, calzones *mpl* (*AM*); (*de bain: d'homme*) bañador *m*; (: *de femme*) braga (del bikini)
slogan [slɔgɑ̃] *nm* eslogan *m*
SMIC [smik] *sigle m* (= *salaire minimum interprofessionnel de croissance*) salario mínimo interprofesional
smoking [smɔkiŋ] *nm* esmoquin *m*
SMS [ɛsɛmɛs] *sigle m* (= *Short Message Service*) mensaje *m* de texto, SMS *m*
SNCF [ɛsɛnseɛf] *sigle f* (= *Société nationale des chemins de fer français*) red nacional de ferrocarriles franceses
snob [snɔb] *adj, nm/f* esnob *m/f*
snobisme [snɔbism] *nm* esnobismo
snowboardeur, -euse [snobɔʀdœʀ, øz] *nm/f* aficionado(-a) al snowboard
sobre [sɔbʀ] *adj* sobrio(-a); **~ de (gestes/ compliments)** parco(-a) de (gestos/ cumplidos)
sobriquet [sɔbʀikɛ] *nm* mote *m*
sociable [sɔsjabl] *adj* sociable
social, e, -aux [sɔsjal, jo] *adj* social
socialisme [sɔsjalism] *nm* socialismo
socialiste [sɔsjalist] *adj, nm/f* socialista *m/f*

société [sɔsjete] nf sociedad f; (d'abeilles, de fourmis) comunidad f; **rechercher/se plaire dans la ~ de** (compagnie) buscar/ estar a gusto en la compañía de; **~ anonyme/à responsabilité limitée** sociedad anónima/de responsabilidad limitada; **~ de capitaux** sociedad de capitales; **la ~ de consommation** la sociedad de consumo; **~ de services** sociedad de servicios; **~ d'investissement à capital variable** sociedad inversora de capital variable; **~ par actions** sociedad por acciones; **~ savante** sociedad cultural

sociologie [sɔsjɔlɔʒi] nf sociología

socle [sɔkl] nm (de colonne, statue) pedestal m; (de lampe) pie m

socquette [sɔkɛt] nf calcetín m corto

sœur [sœʀ] nf hermana; (religieuse) hermana, sor f; **~ Elisabeth** (Rel) sor Elisabeth; **~ aînée/cadette/de lait** hermana mayor/menor/de leche

soi [swa] pron sí mismo(-a); **cela va de ~** ni que decir tiene

soi-disant [swadizã] adj inv supuesto(-a) ■ adv presuntamente

soie [swa] nf seda; (de porc, sanglier) cerda; **~ sauvage** seda salvaje

soierie [swaʀi] nf sedería

soif [swaf] nf sed f; **~ du pouvoir** sed de poder; **avoir ~** tener sed; **donner ~ (à qn)** dar sed (a algn)

soigné, e [swaɲe] adj (personne) cuidado(-a); (travail) esmerado(-a); (fam: rhume, facture etc) señor(a)

soigner [swaɲe] vt cuidar (a); (maladie) curar; (clientèle, invités) atender (a)

soigneux, -euse [swaɲø, øz] adj cuidadoso(-a); **~ de** cuidadoso(-a) con

soi-même [swamɛm] pron sí mismo(-a)

soin [swɛ̃] nm cuidado; **soins** nmpl (à un malade, aussi hygiène) cuidados mpl; (attentions, prévenance) detalles mpl; **avoir** ou **prendre ~ de qch/qn** ocuparse de algo/algn; **laisser à qn le ~ de faire qch** dejar a algn al cargo de hacer algo; **sans ~** adj descuidado(-a) ■ adv descuidadamente; **~s de la chevelure/ de beauté/du corps** cuidados del cabello/de belleza/corporales; **les ~s du ménage** los quehaceres domésticos; **les premiers ~s** primeros auxilios mpl; **aux bons ~s de** a la atención ou al cuidado de; **être aux petits ~s pour qn** tener mil detalles con algn; **confier qn aux ~s de qn** confiar a algn a los cuidados de algn

soir [swaʀ] nm tarde f, noche f ■ adv: **dimanche ~** el domingo por la tarde; **il**

fait frais/il travaille le ~ hace fresco/ trabaja por la tarde; **ce ~** esta tarde; **"à ce ~!"** "¡hasta la tarde!"; **la veille au ~** la víspera por la noche; **sept heures du ~** las siete de la tarde; **dix heures du ~** las diez de la noche; **le repas du ~** la cena; **le journal du ~** el diario de la tarde; **hier ~** ayer por la noche; **demain ~** mañana por la noche

soirée [swaʀe] nf (moment de la journée) tarde f; (tard) noche f; (réception) velada; **donner un film/une pièce en ~** dar una película/una obra de teatro en función de noche

soit [swa] vb voir **être** ■ conj es decir ■ adv (assentiment) sea, de acuerdo; **~ ..., ~ ... sea ... sea ...; ~ un triangle ABC** tenemos un triángulo ABC; **~ que ..., que ... ou ou que ...** ya sea ... ya sea ...

soixantaine [swasɑ̃tɛn] nf (nombre): **la ~ los** sesenta; **avoir la ~** rondar los sesenta; **une ~ de ...** unos sesenta ...

soixante [swasɑ̃t] adj inv, nm inv sesenta m inv; voir aussi **cinq**

soixante-dix [swasɑ̃tdis] adj inv, nm inv setenta m inv; voir aussi **cinq**

soixante-dixième [swasɑ̃tdizjɛm] adj, nm/f septuagésimo(-a) ■ nm (partitif) setentavo; voir aussi **cinquantième**

soixantième [swasɑ̃tjɛm] adj, nm/f sexagésimo(-a) ■ nm (partitif) sesentavo; voir aussi **cinquantième**

soja [sɔʒa] nm soja; **germes de ~** brotes mpl de soja

sol [sɔl] nm suelo; (revêtement) suelo, piso ■ nm inv (Mus) sol m

solaire [sɔlɛʀ] adj solar; (huile, filtre) bronceador(a); **cadran ~** reloj m de sol

soldat [sɔlda] nm soldado; **~ de plomb** soldadito de plomo; **S~ inconnu** soldado desconocido

solde [sɔld] nf (Mil) sueldo ■ nm (Comm) saldo; **soldes** nm ou fpl (Comm) saldos mpl; **à la ~ de qn** (péj) a sueldo de algn; **en ~** rebajado; **aux ~s** en las rebajas; **~ créditeur/débiteur** ou **à payer** saldo acreedor/deudor

solder [sɔlde] vt (compte: en acquittant le solde) saldar; (: en l'arrêtant) liquidar; (marchandise) rebajar; **se solder par** vpr resultar en; **article soldé (à) 10 euros** artículo rebajado a 10 euros

sole [sɔl] nf lenguado

soleil [sɔlɛj] nm sol m; (feu d'artifice) rueda; (acrobatie) vuelta de campana; (Bot) girasol m; **il y a** ou **il fait du ~** hace sol; **au ~** al sol; **en plein ~** a pleno sol; **le ~ couchant** la puesta del sol; **le ~ de**

minuit el sol de medianoche; **le ~ levant** la salida del sol

solennel, le [sɔlanɛl] *adj* solemne

solfège [sɔlfɛʒ] *nm* solfeo

solidaire [sɔlidɛʀ] *adj* solidario(-a); (*choses, pièces mécaniques*) interdependiente; **être ~ de** (*compatriotes, collègues*) ser solidario(-a) con; (*mécanisme*) ser interdependiente de

solidarité [sɔlidaʀite] *nf* solidaridad *f*; (*de mécanismes, phénomènes*) interdependencia; **par ~ (avec)** (*cesser le travail*) por solidaridad (con); **contrat de ~** acuerdo de cooperación

solide [sɔlid] *adj* sólido(-a); (*personne, estomac*) fuerte ■ *nm* (*Phys, Géom*) sólido; **un ~ coup de poing** (*fam*) un buen puñetazo; **une ~ engueulade** una buena bronca; **avoir les reins ~s** (*fig*) tener los nervios de acero; **~ au poste** (*fig*) inquebrantable en el trabajo

soliste [sɔlist] *nm/f* solista *m/f*

solitaire [sɔlitɛʀ] *adj* solitario(-a); (*endroit, maison*) desierto(-a) ■ *nm/f* solitario(-a) ■ *nm* (*diamant, jeu*) solitario

solitude [sɔlityd] *nf* soledad *f*

solliciter [sɔlisite] *vt* solicitar; (*moteur*) activar; (*suj: attractions etc*) tentar; (*: occupations*) absorber; **~ qn** tentar a algn; **~ qch de qn** solicitar algo de algn

sollicitude [sɔlisityd] *nf* solicitud *f*

soluble [sɔlybl] *adj* soluble

solution [sɔlysjɔ̃] *nf* solución *f*; (*d'une situation, crise*) desenlace *m*; **~ de continuité** solución de continuidad; **~ de facilité** solución fácil

solvable [sɔlvabl] *adj* solvente

sombre [sɔ̃bʀ] *adj* oscuro(-a); (*fig*) taciturno(-a); (*: avenir*) sombrío(-a); **une ~ brute** un bestia

sombrer [sɔ̃bʀe] *vi* (*bateau*) zozobrar; **~ corps et biens** desaparecer personas y bienes; **~ dans la misère** caer en la miseria

sommaire [sɔmɛʀ] *adj* somero(-a) ■ *nm* sumario; (*en fin ou début de chapitre*) resumen *m*; **faire le ~ de** hacer el resumen de; **exécution ~** ejecución *f* sumaria

somme [sɔm] *nf* (*Math, d'argent*) suma; (*fig*) cantidad *f* ■ *nm*: **faire un ~** echar un sueño; **faire la ~ de** hacer la suma de; **en ~** en resumidas cuentas; **~ toute** en resumen

sommeil [sɔmɛj] *nm* sueño; **avoir ~** tener sueño; **avoir le ~ léger** tener el sueño ligero; **en ~** (*fig*) en suspenso

sommeiller [sɔmeje] *vi* dormitar; (*fig*) estar en suspenso

sommet [sɔmɛ] *nm* cima; (*fig*) cúspide *f*; (*de la perfection, gloire, conférence*) cumbre *f*; (*Géom*) vértice *m*; **l'air pur des ~s** el aire puro de las montañas

sommier [sɔmje] *nm* somier *m*; **~ à lattes/à ressorts** somier de láminas/de muelles; **~ métallique** somier de malla metálica

somnambule [sɔmnãbyl] *nm/f* sonámbulo(-a)

somnifère [sɔmnifɛʀ] *nm* somnífero

somnoler [sɔmnɔle] *vi* dormitar

somptueux, -euse [sɔ̃ptɥø, øz] *adj* suntuoso(-a)

son¹, sa [sɔ̃] (*pl* **ses**) *dét* su

son² [sɔ̃] *nm* sonido; (*résidu de mouture*) salvado; (*sciure*) serrín *m*; **régler le ~** (*Radio, TV*) regular el volumen; **~ et lumière** luz y sonido

sondage [sɔ̃daʒ] *nm* sondeo; **~ (d'opinion)** sondeo (de opinión)

sonde [sɔ̃d] *nf* sonda; (*Tech*) barrena; **~ à avalanche** sonda para las avalanchas; **~ spatiale** sonda espacial

sonder [sɔ̃de] *vt* sondear; (*plaie, malade*) sondar; (*fig: conscience etc*) indagar (en); (*: personne*) tantear; **~ le terrain** (*fig*) tantear el terreno

songe [sɔ̃ʒ] *nm* sueño

songer [sɔ̃ʒe] **~ à** *vt* (*rêver à*) soñar con; (*penser à*) pensar en; (*envisager*) considerar; **~ que** considerar que

songeur, -euse [sɔ̃ʒœʀ, øz] *adj* pensativo; **ça me laisse ~** eso me deja pensativo(-a)

sonnant, e [sɔnã, ãt] *adj*: **espèces ~es et trébuchantes** dinero contante y sonante; **à huit heures ~es** a las ocho en punto

sonné, e [sɔne] *adj* (*fam: fou*) sonado(-a); **il est midi ~** son las doce dadas; **il a quarante ans bien ~s** tiene cuarenta años bien cumplidos

sonner [sɔne] *vi* (*cloche*) tañer; (*réveil, téléphone*) sonar; (*à la porte*) llamar ■ *vt* (*cloche*) tañer; (*domestique, portier, infirmière*) llamar a; (*messe, réveil, tocsin*) tocar a; (*fam: suj: choc, coup*) dejar sonado(-a); **~ du clairon** tocar la corneta; **~ bien/mal** sonar bien/mal; **~ creux** sonar a hueco; (*résonner*) retumbar; **~ faux** (*instrument*) desafinar; (*rire*) sonar a falso; **~ les heures** dar las horas; **minuit vient de ~** acaban de dar la medianoche; **~ chez qn** llamar a casa de algn

sonnerie [sɔnʀi] *nf* timbre *m*; (*d'horloge*) campanadas *fpl*; (*mécanisme d'horloge*)

mecanismo del reloj; **~ d'alarme** alarma;
~ de clairon toque m de corneta
sonnette [sɔnɛt] nf (clochette)
campanilla; (de porte, électrique) timbre
m; (son produit) tilín m; **~ d'alarme** timbre
de alarma; **~ de nuit** timbre nocturno
sonore [sɔnɔʀ] adj sonoro(-a); **effets ~s**
efectos mpl sonoros
sonorisation [sɔnɔʀizasjõ] nf
sonorización f
sonorité [sɔnɔʀite] nf sonoridad f;
sonorités nfpl timbre msg
sophistiqué, e [sɔfistike] adj
sofisticado(-a)
sorbet [sɔʀbɛ] nm sorbete m
sorcier, -ière [sɔʀsje, jɛʀ] nm/f
brujo(-a) ■ adj: **ce n'est pas ~** (fam) no es
nada del otro mundo
sordide [sɔʀdid] adj sórdido(-a); (avarice,
gains, affaire) mísero(-a)
sort [sɔʀ] nm voir **sortir** ■ nm (fortune,
destin) suerte f; (destinée) destino;
(condition, situation) fortuna f; **jeter un ~**
hechizar; **un coup du ~** un golpe de
suerte; **c'est une ironie du ~** es una
ironía del destino; **le ~ en est jeté** la
suerte está echada; **tirer au ~** sortear;
tirer qch au ~ sortear algo
sorte [sɔʀt] vb voir **sortir** ■ nf clase f,
especie f; **une ~ de** una especie de; **de la
~ de** este modo; **en quelque ~** en cierto
modo; **de ~ à** de modo que; **de (telle)
que, en ~ que** de (tal) modo que; (si bien
que) de tal modo que; **faire en ~ que**
procurar que
sortie [sɔʀti] nf salida f; (parole incongrue)
disparate m; (d'un gaz, de l'eau) escape m;
~s gastos mpl; (Inform) salida, output m;
faire une ~ (fig) hacer una crítica; **à sa ~
...** a su salida ...; **à la ~ de l'école/l'usine** a
la salida del colegio/de la fábrica; **à la ~
de ce nouveau modèle** a la salida al
mercado de ese nuevo modelo; **"~ de
camions"** "salida de camiones"; **~ de bain**
albornoz m; **~ de secours** salida de
emergencia; **~ papier** copia impresa
sortilège [sɔʀtilɛʒ] nm sortilegio
sortir [sɔʀtiʀ] nm: **au ~ de l'hiver/de
l'enfance** al final del invierno/de la
infancia ■ vi salir; (bourgeon, plante)
brotar; (eau, fumée) desprenderse ■ vt
llevar; (mener dehors, promener: personne,
chien) sacar; (produit etc) salir al mercado;
(fam: expulser: personne) echar; (: débiter:
boniments, incongruités) echar; (Inform: sur
papier) sacar; **~ de** salir de; (rails etc, aussi
fig) salirse de; (famille, université) proceder
de; **se ~ de** (affaire, situation) salir de; **~**

qch (de) sacar algo (de); **~ de ses gonds**
(fig) salirse de sus casillas; **~ qn d'affaire/
d'embarras** sacar a algn de un asunto/de
un apuro; **~ du système** (Inform) finalizar
la sesión; **~ de table** levantarse de la
mesa; **s'en ~** (malade) reponerse; (d'une
difficulté etc) salir de apuros
sosie [sɔzi] nm doble m/f
sot, sotte [so, sɔt] adj, nm/f necio(-a)
sottise [sɔtiz] nf: **la ~** la necedad; **une ~**
una tontería
sou [su] nm: **être près de ses ~s** ser un(a)
agarrado(-a); **être sans le ~** estar sin
blanca; **économiser ~ à ~** ahorrar poco a
poco; **n'avoir pas un ~ de bon sens** no
tener ni una pizca de sentido común; **de
quatre ~s** de tres al cuarto
soubresaut [subʀəso] nm (de peur etc)
sobresalto; (d'un cheval) corcovo; (d'un
véhicule) barquinazo
souche [suʃ] nf (d'un arbre) cepa; (d'un
registre, carnet) matriz f; **dormir comme
une ~** dormir como un tronco; **de vieille
~** de rancio abolengo; **carnet** ou
chéquier à ~(s) talonario de cheques con
resguardo
souci [susi] nm preocupación f, inquietud
f; (Bot) caléndula; **se faire du ~**
inquietarse; **avoir (le) ~ de** preocuparse
por; **~s financiers** problemas mpl
financieros
soucier [susje]: **se ~ de** vpr preocuparse
por
soucieux, -euse [susjø, jøz] adj
preocupado(-a); **~ de son apparence/
que le travail soit bien fait** preocupado
por su apariencia/por que el trabajo esté
bien hecho; **peu ~ de/que ...** poco
cuidadoso de/de que ...
soucoupe [sukup] nf platillo; **~ volante**
platillo volante
soudain, e [sudɛ̃, ɛn] adj repentino(-a)
■ adv de repente
soude [sud] nf sosa; **~ caustique** sosa
cáustica
souder [sude] vt soldar; (fig: amis,
organismes) unir (a); **se souder** vpr (os)
soldarse
soudure [sudyʀ] nf soldadura; (alliage)
aleación f; **faire la ~** (Comm) hacer durar;
(fig) empalmar
souffle [sufl] nm soplo; (respiration)
respiración f; (d'une explosion) onda
expansiva; (d'un ventilateur) aire m;
retenir son ~ contener la respiración;
avoir du/manquer de ~ tener/faltarle el
resuello; **être à bout de ~** estar sin
aliento; **avoir le ~ court** faltarle la

respiración enseguida; **second ~** (fig)
fuerzas recobradas; **~ au cœur** (Méd)
soplo en el corazón

soufflé, e [sufle] adj (Culin) inflado(-a);
(fam: ahuri) alucinado(-a) ■ nm (Culin)
suflé m

souffler [sufle] vi soplar; (haleter)
resoplar; (pour éteindre etc): **~ sur** soplar
■ vt soplar; (suj: explosion) volar; **~ qch à
qn** (dire) apuntar algo a algn; (fam: voler)
birlar algo a algn; **~ son rôle à qn** apuntar
su papel a algn; **laisser ~** (fig) dejar
respirar; **ne pas ~ mot** no decir ni pío

souffrance [sufrãs] nf sufrimiento; **en ~**
(marchandise) detenido(-a); (affaire) en
suspenso

souffrant, e [sufrã, ãt] adj (personne)
indispuesto(-a); (air) doliente

souffre-douleur [sufrədulœr] nm inv
chivo expiatorio

souffrir [sufrir] vi sufrir ■ vt (faim, soif,
torture) padecer; (supporter: gén négatif)
sufrir; (exception, retard) admitir; **~ de**
padecer de; **~ des dents** padecer de los
dientes; **ne pas pouvoir ~ qch/que ...** no
poder soportar algo/que ...; **faire ~ qn**
(suj: personne) hacer sufrir a algn; (: dents,
blessure etc) hacer padecer a algn

soufre [sufr] nm azufre m

souhait [swɛ] nm deseo; **tous nos ~s
pour la nouvelle année** nuestros
mejores deseos para el año nuevo; **tous
nos ~s de prompt rétablissement**
nuestros mejores deseos de un pronto
restablecimiento; **riche** etc **à ~** rico etc a
pedir a boca; **"à vos ~s!"** "¡Jesús!"

souhaitable [swɛtabl] adj aconsejable

souhaiter [swete] vt desear; **~ le
bonjour à qn** dar los buenos días a algn;
~ la bonne année à qn desearle un feliz
año nuevo a algn; **~ bon voyage** ou
bonne route à qn desear buen viaje a
algn; **il est à ~ que** es de desear que

soûl, e [su, sul] adj (aussi fig)
borracho(-a) ■ nm: **boire/manger tout
son ~** beber/comer hasta hartarse

soulagement [sulaʒmã] nm alivio

soulager [sulaʒe] vt aliviar; (de remords)
aplacar; **~ qn de** (fardeau) aligerar a algn
de; **~ qn de son portefeuille** (hum)
afanar la cartera a algn

soûler [sule] vt emborrachar; (boisson,
fig) embriagar; **se soûler** vpr
emborracharse; (fig): **se ~ de** (vitesse etc)
emborracharse de

soulever [sul(ə)ve] vt levantar; (peuple,
province) sublevar; (l'opinion) indignar;
(difficultés) provocar; (question, problème,

débat) plantear; **se soulever** vpr
levantarse; (peuple, province) sublevarse;
cela (me) soulève le cœur eso me
revuelve el estómago

soulier [sulje] nm zapato; **une paire de
~s, des ~s** un par de zapatos, unos
zapatos; **~ bas** zapato plano; **~s plats/à
talons** zapatos mpl sin tacón/de tacón

souligner [suliɲe] vt subrayar; (fig)
destacar; (détail, l'importance de qch)
remarcar

soumettre [sumɛtr] vt someter; **se
soumettre** vpr: **se ~ (à)** someterse (a)

soumis, e [sumi, iz] pp de **soumettre**
■ adj (personne, air) sumiso(-a); (peuples)
sometido(-a); **revenus ~ à l'impôt**
ganancias sujetas a impuesto

soumission [sumisjɔ̃] nf sumisión f;
(Comm) licitación f

soupçon [supsɔ̃] nm sospecha; **un ~ de**
una pizca de; **avoir ~ de** tener sospecha
de; **au dessus de tout ~** por encima de
toda sospecha

soupçonner [supsɔne] vt sospechar;
~ que sospechar que; **je le soupçonne
d'être l'assassin** sospecho que es el
asesino

soupçonneux, -euse [supsɔnø, øz] adj
desconfiado(-a)

soupe [sup] nf sopa; **être ~ au lait** tener
genio ou prontos; **~ à l'oignon/de
poisson** sopa de cebolla/de pescado;
~ populaire sopa de pobres

souper [supe] vi cenar ■ nm cena; **avoir
soupé de qch** (fam) estar hasta la
coronilla de qch

soupeser [supəze] vt sopesar

soupière [supjɛr] nf sopera

soupir [supir] nm suspiro; (Mus) silencio
de negra; **~ d'aise/de soulagement**
suspiro de gozo/de alivio; **rendre le
dernier ~** exhalar el último suspiro

soupirer [supire] vi suspirar; **~ après
qch** suspirar por algo

souple [supl] adj flexible; (fig: caractère)
dócil; (: démarche, taille) desenvuelto(-a);
disque(tte) ~ (Inform) disco flexible

souplesse [suplɛs] nf flexibilidad f; (du
caractère) docilidad f; (de la démarche)
desenvoltura; **en ~, avec ~** con suavidad

source [surs] nf fuente f; (point d'eau)
manantial m; (fig: cause, point de départ)
origen m; (: d'une information) fuente f;
sources nfpl (fig) fuentes fpl; **prendre sa
~ à/dans** (cours d'eau) tener su origen/
nacer en; **tenir qch de bonne ~/de ~
sûre** saber algo de buena fuente/de
buena tinta; **~ d'eau minérale** manantial

ou fuente de agua mineral; **~ de chaleur/ lumineuse** fuente de calor/de luz; **~ thermale** manantial *ou* fuente termal

sourcil [suʀsi] *nm* ceja

sourciller [suʀsije] *vi:* **sans ~** sin pestañear

sourd, e [suʀ, suʀd] *adj* sordo(-a); (*couleur*) mate ■ *nm/f* sordo(-a); **être ~ à** hacerse el sordo(-a) ante

sourdine [suʀdin] *nf* (*Mus*) sordina; **en ~** por lo bajo; **mettre une ~ à** (*fig*) contener

sourd-muet, sourde-muette [suʀmyɛ, suʀdmyɛt] (*pl* **sourds-muets, sourdes-muettes**) *adj, nm/f* sordomudo(-a)

souriant, e [suʀjɑ̃, jɑ̃t] *vb voir* **sourire** ■ *adj* sonriente

sourire [suʀiʀ] *nm* sonrisa ■ *vi* sonreír; **~ à qn** (*aussi fig*) sonreír a algn; **faire un ~ à qn** hacer una sonrisa a algn; **garder le ~** mantener la sonrisa

souris [suʀi] *vb voir* **sourire** ■ *nf* (*Zool, Inform*) ratón *m*

sournois, e [suʀnwa, waz] *adj* disimulado(-a), solapado(-a)

sous [su] *prép* debajo de, bajo; **~ la pluie/ le soleil** bajo la lluvia/el sol; **~ mes yeux** ante mis ojos; **~ terre** *adj* bajo tierra ■ *adv* debajo de la tierra; **~ vide** *adj* al vacío ■ *adv* en vacío; **~ les coups de** por los golpes de; **~ les critiques** ante las críticas; **~ le choc** bajo los efectos del choque; **~ l'influence/l'action de** bajo la influencia/la acción de; **~ les ordres/la protection de** bajo las órdenes/la protección de; **~ telle rubrique/lettre** en tal sección/letra; **être ~ antibiotiques** estar tomando antibióticos; **~ Louis XIV** bajo el reinado de Luis XIV; **~ cet angle** desde este ángulo; **~ ce rapport** bajo esta perspectiva; **~ peu** dentro de poco

sous... [su] *préf* sub...

sous-bois [subwa] *nm inv* maleza

souscrire [suskʀiʀ] **~ à** *vt* (*une publication*) suscribir a; (*fig: approuver*) suscribir a

sous-directeur, -trice [sudiʀɛktœʀ, tʀis] (*pl* **-s, trices**) *nm/f* subdirector(a)

sous-entendre [suzɑ̃tɑ̃dʀ] *vt* sobrentender; **~ que** sobrentender que

sous-entendu, e [suzɑ̃tɑ̃dy] (*pl* **-s, es**) *adj* (*idée, message*) implícito(-a); (*Ling*) elíptico(-a) ■ *nm* insinuación *f*

sous-estimer [suzɛstime] *vt* subestimar

sous-jacent, e [suʒasɑ̃, ɑ̃t] (*pl* **-s, es**) *adj* (*couche, matériau*) subyacente; (*fig: idée*) latente; (: *difficulté*) de fondo

sous-louer [sulwe] *vt* subarrendar

sous-marin, e [sumaʀɛ̃, in] (*pl* **-s, es**) *adj* submarino(-a) ■ *nm* submarino

soussigné, e [susiɲe] *adj:* **je ~ ...** yo, el que suscribe ... ■ *nm/f:* **le/les ~(s)** el (los) abajo firmante(s)

sous-sol [susɔl] (*pl* **-s**) *nm* sótano; (*Géo*) subsuelo; **en ~** en el sótano

sous-tasse [sutas] (*pl* **-s**) *nf* platillo

sous-titre [sutitʀ] (*pl* **-s**) *nm* subtítulo

soustraction [sustʀaksjɔ̃] *nf* sustracción *f*

soustraire [sustʀɛʀ] *vt* sustraer; **~ qch (à qn)** (*dérober*) sustraer algo (a algn); **~ qn à** alejar a algn de; **se ~ à** sustraerse a

sous-traitant [sutʀɛtɑ̃] (*pl* **-s**) *nm* subcontratista *m*

sous-traiter [sutʀete] *vt* (*Comm: affaire*) ceder en subcontrato ■ *vi* (*devenir sous-traitant*) trabajar como subcontratista; (*faire appel à un sous-traitant*) subcontratar

sous-vêtements *nmpl* ropa interior

soutane [sutan] *nf* sotana

soute [sut] *nf* (*aussi:* **soute à bagages**) bodega

soutenir [sut(ə)niʀ] *vt* sostener; (*consolider*) reforzar; (*fortifier, remonter*) dar fuerza a; (*réconforter, aider*) apoyar; (*assaut, choc*) resistir; (*intérêt, effort*) mantener; (*thèse*) defender; **se soutenir** *vpr* (*s'aider mutuellement*) apoyarse; (*point de vue*) defenderse; (*dans l'eau, sur ses jambes*) mantenerse, sostenerse; **~ que** (*assurer*) mantener que; **~ la comparaison avec** ser comparable con; **~ le regard de qn** sostener la mirada de algn

soutenu, e [sut(ə)ny] *pp de* **soutenir** ■ *adj* (*attention, efforts*) constante; (*style*) elevado(-a); (*couleur*) vivo(-a)

souterrain, e [suteʀɛ̃, ɛn] *adj* subterráneo(-a); (*fig*) oculto(-a) ■ *nm* subterráneo

soutien [sutjɛ̃] *nm* apoyo; **apporter son ~ à** prestar su apoyo a; **~ de famille** hijo varón exento del servicio militar por mantener a su familia

soutien-gorge [sutjɛ̃gɔʀʒ] (*pl* **soutiens-gorge**) *nm* sujetador *m*, corpiño (*AM*)

soutirer [sutiʀe] *vt:* **~ qch à qn** sonsacar algo a algn

souvenir [suv(ə)niʀ] *nm* recuerdo; (*réminiscence*) memoria; **se souvenir** *vpr:* **se ~** recordar, acordarse de; **se ~ que** recordar que, acordarse de que; **garder le ~ de** conservar el recuerdo de; **en ~ de** como recuerdo de; **avec mes affectueux**

~s, ... con mis más afectuosos saludos, ...;
avec mes meilleurs ~s, ... con mis
mejores recuerdos, ...
souvent [suvɑ̃] adv a menudo, con
frecuencia, seguido (AM); **peu ~** pocas
veces, con poca frecuencia; **le plus ~** la
mayoría de las veces
souverain, e [suv(ə)ʀɛ̃, ɛn] adj (aussi
fig) soberano(-a) ■ nm/f soberano(-a);
le ~ pontife el sumo pontífice
soyeux, -euse [swajø, øz] adj
sedoso(-a)
spacieux, -euse [spasjø, jøz] adj
espacioso(-a)
spaghettis [spageti] nmpl espaguetis
mpl
sparadrap [spaʀadʀa] nm esparadrapo,
curita (AM)
spatial, e, -aux [spasjal, jo] adj
espacial
speaker, ine [spikœʀ, kʀin] nm/f
locutor(a)
spécial, e, -aux [spesjal, jo] adj especial
spécialement [spesjalmɑ̃] adv
especialmente; **pas ~** no demasiado
spécialiser [spesjalize] vt: **se
spécialiser** vpr especializarse
spécialiste [spesjalist] nm/f
especialista m/f
spécialité [spesjalite] nf especialidad f;
~ médicale/pharmaceutique
especialidad médica/farmacéutica
spécifier [spesifje] vt especificar; **~ que**
especificar que
spécimen [spesimɛn] nm (exemple
représentatif) espécimen m; (revue etc)
ejemplar m gratuito ■ adj modelo(-a)
spectacle [spɛktakl] nm espectáculo;
se donner en ~ (péj) dar un espectáculo;
pièce/revue à grand ~ obra/revista
espectacular; **au ~ de ...** a la vista de ...
spectaculaire [spɛktakylɛʀ] adj
espectacular
spectateur, -trice [spɛktatœʀ, tʀis]
nm/f espectador(a)
spéculer [spekyle] vi especular; **~ sur**
(Fin, Comm) especular con; (réfléchir)
especular sobre; (fig: compter sur) contar
con
spéléologie [speleɔlɔʒi] nf espeleología
sperme [spɛʀm] nm esperma m
sphère [sfɛʀ] nf esfera f; **~ d'activité/
d'influence** esfera de acción/de
influencia
spirale [spiʀal] nf espiral f; **en ~** en
espiral
spirituel, le [spiʀituɛl] adj espiritual;
(fin, amusant) ingenioso(-a); **musique ~le**

música sacra; **concert ~** concierto de
música sacra
splendide [splɑ̃did] adj espléndido(-a);
(effort, réalisation) extraordinario(-a)
spontané, e [spɔ̃tane] adj
espontáneo(-a)
spontanéité [spɔ̃taneite] nf
espontaneidad f
sport [spɔʀ] nm deporte m ■ adj inv
(vêtement, ensemble) de sport; (fair-play)
deportivo(-a); **faire du ~** hacer deporte;
~ de combat deporte de combate; **~
d'équipe** deporte de equipo; **~ d'hiver**
deporte de invierno; **~ individuel**
deporte individual
sportif, -ive [spɔʀtif, iv] adj
deportivo(-a) ■ nm/f deportista m/f; **les
résultats ~s** los resultados deportivos
spot [spɔt] nm (lampe) foco; **~
(publicitaire)** anuncio ou spot m
(publicitario)
square [skwaʀ] nm plazoleta
squelette [skəlɛt] nm esqueleto
squelettique [skəletik] adj (maigreur)
esquelético(-a); (arbre) seco(-a); (fig:
exposé) pobre; (effectifs) mermado(-a)
stabiliser [stabilize] vt estabilizar
stable [stabl] adj estable
stade [stad] nm estadio
stage [staʒ] nm (d'études pratiques)
práctica; (de perfectionnement) cursillo;
(d'avocat stagiaire) pasantía
stagiaire [staʒjɛʀ] nm/f persona en
periodo de práctica; (de perfectionnement)
cursillista m/f ■ adj: **avocat ~** pasante m
stagner [stagne] vi estancarse
stand [stɑ̃d] nm (d'exposition) stand m; (de
foire) puesto; **~ de ravitaillement** (Auto,
Cyclisme) puesto de avituallamiento; **~ de
tir** (Mil, Sport) galería de tiro; (à la foire)
puesto de tiro al blanco
standard [stɑ̃daʀ] adj inv estándar ■ nm
estándar m; (téléphonique) central f
telefónica, conmutador m (AM)
standardiste [stɑ̃daʀdist] nm/f
telefonista m/f
standing [stɑ̃diŋ] nm nivel m de vida;
immeuble de grand ~ inmueble de lujo
starter [staʀtɛʀ] nm (Auto) estárter m;
(Sport) juez m de salida; **mettre le ~** poner
el estárter
station [stasjɔ̃] nf estación f; (de bus,
métro) parada; (Radio, TV) emisora;
(posture): **la ~ debout** la posición de pie;
~ balnéaire centro turístico en la costa; **~
de graissage/de lavage** estación de
engrase/de lavado; **~ de ski** estación de
esquí; **~ de sports d'hiver** estación de

esquí; **~ de taxis** parada de taxis; **~ thermale** balneario

stationnement [stasjɔnmɑ̃] *nm* (*Auto*) aparcamiento; **zone de ~ interdit** zona de aparcamiento prohibido; **~ alterné** aparcamiento alterno

stationner [stasjɔne] *vi* aparcar

station-service [stasjɔ̃sɛʀvis] (*pl* **stations-service**) *nf* gasolinera, estación *f* de servicio

statistique [statistik] *nf* estadística ▪ *adj* estadístico(-a); **statistiques** *nfpl* estadísticas *fpl*

statue [staty] *nf* estatua

statu quo [statykwo] *nm*: **maintenir le ~** mantener el statu quo

statut [staty] *nm* estatuto; **statuts** *nmpl* (*Jur, Admin*) estatutos *mpl*

statutaire [statytɛʀ] *adj* estatutario(-a)

Sté *abr* = **société**

steak [stɛk] *nm* bistec *m*, bife *m* (*Arg*)

sténo... [steno] *préf* esteno...

sténo(graphe) [steno(gʀaf)] *nm/f* taquígrafo(-a)

sténo(graphie) [steno(gʀafi)] *nf* taquigrafía *f*; **prendre en sténo** taquigrafiar

stérile [steʀil] *adj* estéril; (*théorie, discussion*) irrelevante; (*effort*) frustrado(-a)

stérilet [steʀilɛ] *nm* espiral *f*

stériliser [steʀilize] *vt* esterilizar

stimulant, e [stimylɑ̃, ɑ̃t] *adj* estimulante ▪ *nm* (*Méd*) estimulante *m*; (*fig*) aliciente *m*, incentivo

stimuler [stimyle] *vt* (*aussi fig*) estimular

stipuler [stipyle] *vt* estipular; **~ que** estipular que

stock [stɔk] *nm* (*Comm*) existencias *fpl*, stock *m*; (*d'or*) reservas *fpl*; (*fig*) reserva; **en ~** en almacén

stocker [stɔke] *vt* almacenar

stop [stɔp] *nm* (*Auto: panneau*) stop *m*; (: *feux arrière*) luz *f* de freno; (*dans un télégramme*) stop; (*auto-stop*) auto-stop *m* ▪ *excl* ¡alto!

stopper [stɔpe] *vt* (*navire, machine*) detener; (*mouvement, attaque*) parar; (*Couture*) zurcir ▪ *vi* pararse

store [stɔʀ] *nm* (*en tissu*) cortinilla; (*en bois*) persiana; (*de magasin*) toldo

strabisme [stʀabism] *nm* estrabismo

strapontin [stʀapɔ̃tɛ̃] *nm* asiento plegable

stratégie [stʀateʒi] *nf* estrategia

stratégique [stʀateʒik] *adj* estratégico(-a)

stress [stʀɛs] *nm* estrés *msg*

stressant, e [stʀesɑ̃, ɑ̃t] *adj* estresante

stresser [stʀese] *vt* estresar

strict, e [stʀikt] *adj* estricto(-a); (*parents*) severo(-a); (*tenue*) de etiqueta; (*langage, ameublement, décor*) riguroso(-a); **c'est son droit le plus ~** es su justo derecho; **dans la plus ~e intimité** en la más estricta intimidad; **au sens ~ du mot** en sentido estricto del término; **le ~ nécessaire** *ou* **minimum** lo esencial

strident, e [stʀidɑ̃, ɑ̃t] *adj* estridente

strophe [stʀɔf] *nf* estrofa

structure [stʀyktyʀ] *nf* estructura; **~s d'accueil** medios *mpl* de acogida; **~s touristiques** infraestructura turística

studieux, -euse [stydjø, jøz] *adj* estudioso(-a); (*vacances, retraite*) de estudio

studio [stydjo] *nm* estudio; (*logement*) apartamento-estudio; (*de danse*) sala (de danza)

stupéfait, e [stypefɛ, ɛt] *adj* estupefacto(-a)

stupéfiant, e [stypefjɑ̃, jɑ̃t] *adj, nm* estupefaciente *m*

stupéfier [stypefje] *vt* dejar estupefacto(-a); (*étonner*) asombrar

stupeur [stypœʀ] *nf* estupor *m*

stupide [stypid] *adj* estúpido(-a); (*hébété*) atónito(-a)

stupidité [stypidite] *nf* estupidez *f*

style [stil] *nm* estilo; **meuble/robe de ~** mueble *m*/vestido de estilo; **en ~ télégraphique** en forma telegráfica; **~ administratif** estilo administrativo; **~ de vie** estilo de vida; **~ journalistique** estilo periodístico

stylé, e [stile] *adj* con clase

styliste [stilist] *nm/f* (*dessinateur industriel*) diseñador(a); (*écrivain*) estilista *m/f*

stylo [stilo] *nm*: **~ à encre** *ou* **(à) plume** estilográfica; **~ (à) bille** bolígrafo, birome *f* (*Csur*)

su, e [sy] *pp de* **savoir** ▪ *nm*: **au su de** a sabiendas de

suave [sɥav] *adj* suave

subalterne [sybaltɛʀn] *adj, nm/f* subalterno(-a)

subconscient [sypkɔ̃sjɑ̃] *nm* subconsciente *m*

subir [sybiʀ] *vt* padecer; (*mauvais traitements, revers, modification*) sufrir; (*influence, charme*) experimentar; (*traitement, opération, examen*) pasar; (*personne*) soportar; (*dégâts*) padecer

subit, e [sybi, it] *adj* repentino(-a)

subitement [sybitmɑ̃] *adv*
repentinamente
subjectif, -ive [sybʒɛktif, iv] *adj*
subjetivo(-a)
subjonctif [sybʒɔ̃ktif] *nm* subjuntivo
subjuguer [sybʒyge] *vt* encantar
submerger [sybmɛʁʒe] *vt* sumergir;
(*fig: de travail*) desbordar; (: *par la douleur*)
ahogar
subordonné, e [sybɔʁdɔne] *adj* (*Ling*)
subordinado(-a) ■ *nm/f* (*Admin, Mil*)
subordinado(-a); ~ **à** (*personne*)
subordinado a; (*résultats*)
supeditado(-a) a
subrepticement [sybʁɛptismɑ̃] *adv*
con disimulo
subside [sybzid] *nm* subsidio
subsidiaire [sybzidjɛʁ] *adj*: **question ~**
pregunta adicional
subsister [sybziste] *vi* (*monument, erreur*)
perdurar; (*personne, famille*) subsistir;
(*survivre*) sobrevivir
substance [sypstɑ̃s] *nf* su(b)stancia;
(*fig*) esencia; **en ~** en esencia
substituer [sypstitɥe] *vt*: ~ **qch/qn à**
sustituir algo/a algn por; **se ~ à qn**
reemplazar a algn
substitut [sypstity] *nm* (*Jur*) sustituto;
(*succédané*) su(b)stitutivo
subterfuge [sybtɛʁfyʒ] *nm* subterfugio
subtil, e [sybtil] *adj* sutil
subvenir [sybvəniʁ] *vt*: ~ **à** atender a
subvention [sybvɑ̃sjɔ̃] *nf* subvención *f*
subventionner [sybvɑ̃sjɔne] *vt*
subvencionar
suc [syk] *nm* (*Bot, d'une viande*) jugo; (*d'un
fruit*) zumo; ~**s gastriques** jugos *mpl*
gástricos
succéder [syksede]: ~ **à** *vt* suceder a; **se
succéder** *vpr* sucederse
succès [syksɛ] *nm* éxito; (*d'un produit, une
mode*) auge *m*; **succès** *nmpl* (*féminins etc*)
conquistas *fpl*; **avec ~** con éxito; **sans ~**
sin éxito; **avoir du ~** tener éxito; **à ~** de
éxito; **de librairie** éxito de librería
successeur [syksesœʁ] *nm* sucesor *m*
successif, -ive [syksesif, iv] *adj*
sucesivo(-a)
succession [syksesjɔ̃] *nf* (*d'événements,
d'incidents*) sucesión *f*, serie *f*; (*de
formalités etc*) serie; (*patrimoine*) sucesión;
prendre la ~ de suceder a
succomber [sykɔ̃be] *vi* sucumbir; ~ **à**
sucumbir a
succulent, e [sykylɑ̃, ɑ̃t] *adj*
suculento(-a)
succursale [sykyʁsal] *nf* sucursal *f*;
magasin à ~s multiples almacén *m* con

múltiples sucursales
sucer [syse] *vt* chupar; ~ **son pouce**
chuparse el dedo
sucette [sysɛt] *nf* (*bonbon*) piruleta; (*de
bébé*) chupete *m*
sucre [sykʁ] *nm* azúcar *m ou f*; (*morceau
de sucre*) terrón *m* de azúcar; ~ **cristallisé**
azúcar en polvo; ~ **d'orge** pirulí *m*; ~ **de
betterave/de canne** azúcar de
remolacha/de caña; ~ **en morceaux/en
poudre** azúcar de cortadillo/en polvo; ~
glace azúcar glasé
sucré, e [sykʁe] *adj* con azúcar; (*au goût*)
azucarado(-a); (*péj: ton, voix*) meloso(-a)
sucrer [sykʁe] *vt* poner azúcar en *ou* a;
(*fam*) quitar; **se sucrer** *vpr* (*fam*) (*le thé
etc*) echarse azúcar; (*fig*) forrarse
sucreries [sykʁəʁi] *nfpl* (*bonbons*) golosinas *fpl*
sucrier, -ière [sykʁije, ijɛʁ] *adj*
azucarero(-a) ■ *nm* azucarero
sud [syd] *nm* sur *m* ■ *adj inv* sur inv; **au ~**
al sur; **au ~ de** al sur de
sud-africain, e [sydafʁikɛ̃, ɛn] (*pl* ~**s,
es**) *adj* sudafricano(-a) ■ *nm/f*: **Sud-
Africain, e** sudafricano(-a)
sud-américain, e [sydameʁikɛ̃, ɛn] (*pl*
~**s, es**) *adj* sudamericano(-a) ■ *nm/f*:
Sud-Américain, e sudamericano(-a)
sud-est [sydɛst] *nm inv* sudeste *m inv*
■ *adj inv* sudeste *inv*
sud-ouest [sydwɛst] *nm inv* sudoeste *m
inv* ■ *adj inv* sudoeste *inv*
Suède [sɥɛd] *nf* Suecia
suédois, e [sɥedwa, waz] *adj* sueco(-a)
■ *nm* (*Ling*) sueco ■ *nm/f*: **Suédois, e**
sueco(-a)
suer [sɥe] *vi* sudar ■ *vt* (*fig*) exhalar; ~ **à
grosses gouttes** sudar la gota gorda
sueur [sɥœʁ] *nf* sudor *m*; **en ~**
bañado(-a) en sudor; **donner des ~s
froides à qn/avoir des ~s froides** dar a
algn/tener sudores fríos
suffire [syfiʁ] *vi* bastar; (*intensif*): **il
suffit d'une négligence pour que ...** un
descuido basta para que ...; **se suffire**
vpr ser autosuficiente; **il suffit qu'on
oublie pour que ...** basta olvidarse para
que ...; **cela lui suffit** eso le basta; **cela
suffit pour les irriter/qu'ils se fâchent**
eso basta para irritarles/para que se
enfaden; **"ça suffit!"** "¡basta ya!"
suffisamment [syfizamɑ̃] *adv*
suficientemente; ~ **de** suficiente
suffisant, e [syfizɑ̃, ɑ̃t] *adj* suficiente;
(*air, ton*) de suficiencia
suffixe [syfiks] *nm* sufijo
suffoquer [syfɔke] *vt* sofocar; (*par
l'émotion, la colère, les larmes*) ahogar;

(*nouvelle etc*) dejar sin respiración ■ *vi* sofocarse; **~ de colère/d'indignation** ponerse rojo(-a) de cólera/de indignación

suffrage [syfʀaʒ] *nm* voto; **suffrages** *nmpl* (*du public etc*) votos *mpl*; **~ universel/direct/indirect** sufragio universal/directo/indirecto; **~s exprimés** votos efectivos

suggérer [syɡʒeʀe] *vt* sugerir; **~ (à qn) que** insinuar (a algn) que; **~ que/de faire** sugerir que/hacer

suggestion [syɡʒestjɔ̃] *nf* sugerencia; (*Psych*) sugestión *f*

suicide [sɥisid] *nm* suicidio ■ *adj*: **opération ~** operación *f* suicida

suicider [sɥiside] *vpr*: **se suicider** suicidarse

suie [sɥi] *nf* hollín *m*

suisse [sɥis] *adj* suizo(-a) ■ *nm* (*bedeau*) pertiguero(-a) ■ *nm/f*: **Suisse** suizo(-a)

Suissesse [sɥises] *nf* suiza

suite [sɥit] *nf* (*continuation*) continuación *f*; (*de maisons, rues, succès*) sucesión *f*; (*Math, liaison logique*) serie *f*; (*conséquence, résultat*) resultado; (*Mus, appartement*) suite *f*; (*escorte*) séquito; **suites** *nfpl* (*d'une maladie, chute*) secuelas *fpl*; **prendre la ~ de** (*directeur etc*) tomar el relevo de; **donner ~ à** dar curso a; **faire ~ à** ser continuación de; **(faisant) ~ à votre lettre du ...** en respuesta a su carta del ...; **sans ~** sin pies ni cabeza; **de ~** (*d'affilée*) seguido(-a); (*immédiatement*) enseguida; **par la ~** luego; **à la ~** *adj* seguido(-a); ■ *adv* a continuación; **à la ~ de** (*derrière*) tras; (*en conséquence de*) como consecuencia de; **par ~ de** como consecuencia de; **avoir de la ~ dans les idées** tener perseverancia en las ideas; **attendre la ~ des événements** esperar el curso de los acontecimientos

suivant, e [sɥivɑ̃, ɑ̃t] *vb voir* **suivre** ■ *adj* siguiente ■ *prép* según; **~ que** según que; **"au ~!"** "¡el siguiente!"

suivi, e [sɥivi] *pp de* **suivre** ■ *adj* seguido(-a); (*article*) de venta permanente; (*discours etc*) coherente ■ *nm* seguimiento; **très/peu ~** con mucho/poco éxito

suivre [sɥivʀ] *vt* seguir; (*mari, ami etc*) acompañar; (*suj: remords, pensées*) perseguir; (*imagination, fantaisie, goût*) dejarse guiar por; (*cours*) asistir a; (*comprendre: programme, leçon*) comprender; (*élève, malade, affaire*) llevar el seguimiento de; (*raisonnement*) seguir el hilo de; (*article*) proveerse de ■ *vi*

(*écouter attentivement*) atender; (*assimiler le programme*) comprender; (*venir après*) seguirse; **se suivre** *vpr* sucederse; (*raisonnement*) ser coherente; **~ des yeux** seguir con la mirada; **faire ~** (*lettre*) reexpedir; **~ son cours** seguir su curso; **"à ~"** "continuará"

sujet, te [syʒɛ, ɛt] *adj*: **être ~ à** (*accidents, vertige etc*) ser propenso(-a) a ■ *nm/f* (*d'un souverain etc*) súbdito(-a) ■ *nm* tema *m*; (*d'une dispute etc*) motivo, causa; (*élève*) alumno; (*Ling*) sujeto; **un ~ de dispute/discorde/mécontentement** una causa de riña/discordia/descontento; **c'est à quel ~?** ¿qué se le ofrece?; **avoir ~ de se plaindre** tener motivo para quejarse; **un mauvais ~** (*péj*) una mala persona; **au ~ de** a propósito de; **~ à caution** cuestionable; **~ de conversation** tema de conversación; **~ d'examen** (*Scol*) tema de examen; **~ d'expérience** conejillo de Indias

super [sypɛʀ] *adj inv* (*fam*) súper *inv* ■ *nm* súper *f*

super... [sypɛʀ] *préf* super...

superbe [sypɛʀb] *adj* espléndido(-a); (*situation, performance*) magnífico(-a) ■ *nf* soberbia

superficie [sypɛʀfisi] *nf* superficie *f*; (*fig*) apariencia

superficiel, le [sypɛʀfisjɛl] *adj* superficial

superflu, e [sypɛʀfly] *adj* superfluo(-a) ■ *nm*: **le ~** lo superfluo

supérieur, e [sypeʀjœʀ] *adj* superior; (*air, sourire*) de superioridad ■ *nm* superior *m* ■ *nm/f* Superior(a); **Mère ~e** madre *f* superiora; **à l'étage ~** en el piso de arriba; **~ en nombre** superior en número

supériorité [sypeʀjɔʀite] *nf* superioridad *f*; **~ numérique** superioridad numérica

supermarché [sypɛʀmaʀʃe] *nm* supermercado

superposer [sypɛʀpoze] *vt* superponer; **se superposer** *vpr* (*images, souvenirs*) confundirse; **lits superposés** literas *fpl*

superpuissance [sypɛʀpɥisɑ̃s] *nf* superpotencia

superstitieux, -euse [sypɛʀstisjø, jøz] *adj* supersticioso(-a)

superviser [sypɛʀvize] *vt* supervisar

supplanter [syplɑ̃te] *vt* (*personne*) suplantar; (*méthode, machine*) sustituir

suppléant, e [sypleɑ̃, ɑ̃t] *adj* (*juge, fonctionnaire*) suplente; (*professeur*)

sustituto(-a) ■ nm/f sustituto(-a);
médecin ~ médico suplente
suppléer [syplee] vt suplir; (remplacer,
aussi Admin) sustituir a; ~ **à** suplir
supplément [syplemã] nm suplemento;
un ~ de frites una porción extra de
patatas fritas; **en ~** (au menu etc) no
incluido; ~ **d'information** suplemento de
información
supplémentaire [syplemãter] adj
suplementario(-a); (train etc) adicional;
contrôles ~s refuerzo de controles
supplications [syplikasjõ] nfpl súplicas
fpl
supplice [syplis] nm suplicio; **être au ~**
(appréhension) estar atormentado(-a);
(gêne, douleur) no aguantar más
supplier [syplije] vt suplicar
support [sypɔr] nm soporte m; ~ **audio-
visuel/publicitaire** soporte audio-
visual/publicitario
supportable [sypɔrtabl] adj soportable
supporter[1] [sypɔrtœr] nm seguidor(a)
supporter[2] [sypɔrte] vt soportar; (choc)
resistir a; (équipe) apoyar
supposer [sypoze] vt suponer; ~ **que**
suponer que; **en supposant** ou **à ~ que**
suponiendo que
suppositoire [sypozitwar] nm
supositorio
suppression [sypresjõ] nf supresión f
supprimer [syprime] vt suprimir;
(personne, témoin gênant) quitar de en
medio, suprimir; ~ **qch à qn** quitarle algo
a algn
suprême [syprɛm] adj (pouvoir etc)
supremo(-a); (bonheur, habileté)
sumo(-a); **un ~ espoir** (ultime) una
última esperanza; **les honneurs ~s** los
honores póstumos

MOT-CLÉ

sur[1] [syr] prép **1** en; (par dessus, au-dessus)
encima de, sobre; **pose-le sur la table**
ponlo en la mesa; **je n'ai pas d'argent
sur moi** no llevo dinero encima; **avoir de
l'influence/un effet sur ...** tener
influencia/un efecto sobre ...; **avoir
accident sur accident** tener accidente
tras accidente; **sur ce** tras esto
2 (direction) hacia; **en allant sur Paris**
yendo hacia París; **sur votre droite** a su
derecha
3 (à propos de) acerca de, sobre; **un livre/
une conférence sur Balzac** un libro/una
conferencia sobre Balzac
4 (proportion, mesures) de entre, de cada;

un sur 10 uno de cada 10; (Scol: note) uno
sobre 10; **sur 20, 2 sont venus** de 20, han
venido 2; **4m sur 2** 4m por 2

sur[2], **e** [syr] adj agrio(-a)
sûr, e [syr] adj seguro(-a); (renseignement,
ami, voiture) de confianza; (goût, réflexe
etc) agudo(-a); **peu ~** (ami etc) no de
mucha confianza; (méthode) no muy
seguro(-a); (réflexe etc) no muy agudo(-a);
être ~ de qn confiar en algn; **c'est ~ et
certain** sin lugar a dudas; ~ **de soi** seguro
de sí mismo(-a); **le plus ~ est de ...** lo más
seguro es ...
surcharge [syrʃarʒ] nf sobrecarga;
(correction, ajout) tachón m; **prendre des
passagers en ~** coger pasajeros en
exceso; ~ **de bagages** exceso de
equipaje; ~ **de travail** exceso de trabajo
surcharger [syrʃarʒe] vt (véhicule)
cargar en exceso; (personne) cargar;
(texte) tachar; (timbre-poste, fig)
sobrecargar; (décoration) recargar
surcroît [syrkrwa] nm: **un ~ de** un
aumento de; **par** ou **de ~** por añadidura;
en ~ en añadidura
surdité [syrdite] nf sordera; **atteint de
~ totale** que padece de sordera total
sûrement [syrmã] adv (fonctionner etc)
con seguridad; (certainement)
seguramente; ~ **pas** seguro que no
surenchère [syrãʃɛr] nf (aux enchères)
sobrepuja; (sur prix fixe) encarecimiento;
~ **de violence** subida de violencia
surenchérir [syrãʃerir] vi (Comm)
sobrepujar; (fig): ~ **sur qn** aventajar a
algn
surestimer [syrɛstime] vt sobreestimar
sûreté [syrte] nf fiabilidad f; (du goût etc)
agudeza; (Jur) garantía; **être/mettre en
~** (personne) estar/poner a salvo; (objet)
estar/poner en lugar seguro; **pour plus
de ~** para mayor seguridad; **crime contre
la ~ de l'État** crimen contra la seguridad
del Estado; **la S~ (nationale)** brigada de
investigación criminal francesa
surf [sœrf] nm surf m; **faire du ~** hacer
surf, surfear
surface [syrfas] nf superficie f; **faire ~**
salir a la superficie; **en ~** (nager, naviguer)
en la superficie; (fig) aparentemente; **la
pièce fait 100m² de ~** la habitación mide
100m² de superficie; ~ **de réparation**
(Sport) área de castigo; ~ **porteuse** ou **de
sustentation** (Aviat) plano de
sustentación
surfait, e [syrfɛ, ɛt] adj
sobreestimado(-a)

surfer [syʀfe] vi hacer surf, surfear; **~ sur Internet** navegar por Internet
surgelé, e [syʀʒəle] adj congelado(-a)
surgir [syʀʒiʀ] vi aparecer; (de terre) salir; (fig) surgir
surhumain, e [syʀymɛ̃, ɛn] adj sobrehumano(-a)
sur-le-champ [syʀləʃã] adv en el acto
surlendemain [syʀlãd(ə)mɛ̃] nm: **le ~ a** los dos días; **le ~ de** dos días después de; **le ~ soir** a los dos días por la noche
surmenage [syʀmənaʒ] nm (Méd) agotamiento; **le ~ intellectuel** el agotamiento intelectual
surmener [syʀməne] vt agotar; **se surmener** vpr agotarse
surmonter [syʀmɔ̃te] vt vencer; (suj: coupole etc) coronar
surnaturel, le [syʀnatyʀɛl] adj sobrenatural ■ nm: **le ~** lo sobrenatural
surnom [syʀnɔ̃] nm (gén) sobrenombre m; (péj) apodo
surnombre [syʀnɔ̃bʀ] nm: **être en ~** estar de más
surpeuplé, e [syʀpœ ple] adj superpoblado(-a)
surplace [syʀplas] nm: **faire du ~** (rester en équilibre) mantener el equilibrio; (dans un embouteillage etc) ir a paso de caracol
surplomber [syʀplɔ̃be] vi sobresalir ■ vt destacar sobre
surplus [syʀply] nm (Comm) excedente m; **~ de bois** sobrante m de leña; **au ~** por lo demás; **~ américain** (magasin) tienda de excedentes americanos
surprenant, e [syʀpʀənã, ãt] vb voir **surprendre** ■ adj sorprendente
surprendre [syʀpʀãdʀ] vt sorprender; (secret, conversation) descubrir; (voisins, amis etc) sorprender con una visita; (fig) captar; **~ la vigilance/bonne foi de qn** burlar la vigilancia/buena fe de algn; **se ~ à faire qch** sorprenderse haciendo algo
surpris, e [syʀpʀi, iz] pp de **surprendre** ■ adj de sorpresa; **~ de/que** sorprendido(-a) por/de que
surprise [syʀpʀiz] nf sorpresa; **faire une ~ à qn** dar una sorpresa a algn; **voyage sans ~s** viaje sin sobresaltos; **avoir la ~ de** tener la sorpresa de; **par ~** por sorpresa
surprise-partie [syʀpʀizpaʀti] (pl **surprises-parties**) nf guateque m
surréaliste [syʀʀealist] adj surrealista
sursaut [syʀso] nm sobresalto; **en ~** de un sobresalto; **~ d'énergie** resuello de energía; **~ d'indignation** pronto de indignación

sursauter [syʀsote] vi sobresaltarse
sursis [syʀsi] nm (Jur: d'une peine) indulto; (: à la condamnation à mort) aplazamiento; (Mil): **~ (d'appel** ou **d'incorporation)** prórroga (de llamada ou de incorporación a filas); (fig) periodo de espera; **condamné à 5 mois (de prison) avec ~** condenado a 5 meses (de prisión) con indulto; **on lui a accordé le ~** (Mil) se le concedió la prórroga; (Jur) se le indultó
surtout [syʀtu] adv sobre todo; **il songe ~ à ses propres intérêts** piensa sobre todo en sus propios intereses; **il aime le sport, ~ le football** le gusta el deporte, sobre todo el fútbol; **~ pas d'histoires/ ne dites rien!** ¡sobre todo nada de líos/no diga nada!; **~ pas!** ¡de ninguna manera!; **~ pas lui!** él, de ninguna manera!; **~ que ...** sobre todo porque ...
surveillance [syʀvɛjãs] nf vigilancia; **être sous la ~ de qn** estar bajo la vigilancia de algn; **sous ~ médicale** bajo control médico; **la ~ du territoire** ≈ servicio de inteligencia ou contraespionaje
surveillant, e [syʀvɛjã, ãt] nm/f (Scol, de prison) vigilante m/f; (de travaux) capataz m/f
surveiller [syʀveje] vt (enfant etc) cuidar de; (Mil, gén) vigilar; (travaux, cuisson) atender; **se surveiller** vpr controlarse; **~ son langage/sa ligne** cuidar su vocabulario/la línea
survenir [syʀvəniʀ] vi sobrevenir; (personne) llegar de improviso
survêtement [syʀvɛtmã] nm chandal m ou chándal m
survie [syʀvi] nf supervivencia; **équipement de ~** equipo de supervivencia; **une ~ de quelques mois** una supervivencia de algunos meses
survivant, e [syʀvivã, ãt] vb voir **survivre** ■ nm/f superviviente m/f; (Jur) heredero(-a)
survivre [syʀvivʀ] vi sobrevivir; **~ à** sobrevivir a; **la victime a peu de chances de ~** la víctima tiene pocas posibilidades de sobrevivir
survoler [syʀvɔle] vt (lieu) sobrevolar; (livre, écrit) leer por encima; (question, problèmes) tratar por encima
survolté, e [syʀvɔlte] adj (fig: personne) superexcitado(-a); (: ambiance) acalorado(-a); **un appareil ~** un aparato con exceso de voltaje
sus [sy(s)] vb voir **savoir** ■ prép: **en ~ de** (Jur, Admin) además de; **en ~** además; **~ à ...!** excl: **~ au tyran!** ¡a por el tirano!

susceptible [sysɛptibl] *adj* susceptible; ~ **de** susceptible de; ~ **d'amélioration** *ou* **d'être amélioré** susceptible de ser mejorado; **être ~ de faire** (*capacité*) estar capacitado(-a) para hacer; (*probabilité*): **il est ~ de devenir** ... es probable que llegue a ser ...

susciter [sysite] *vt* (*ennuis etc*): ~ **(à qn)** originar a algn; (*admiration etc*) suscitar

suspect, e [syspɛ(kt), ɛkt] *adj* sospechoso(-a); (*vin etc*) de poca confianza ■ *nm/f* sospechoso(-a); **être (peu) ~ de** ser (poco) sospechoso(-a) de

suspecter [syspɛkte] *vt* sospechar; ~ **qn d'être/d'avoir fait qch** sospechar que algn es/que algn ha hecho algo

suspendre [syspɑ̃dʀ] *vt* suspender; **se suspendre** *vpr*: **se ~ à** aferrarse a, colgarse de; ~ **qch (à)** colgar algo (de)

suspendu, e [syspɑ̃dy] *pp de* **suspendre** ■ *adj* (*accroché*): ~ **à** colgado(-a) de; (*perché*): ~ **au-dessus de** suspendido(-a) sobre; **voiture bien/mal ~e** coche con buena/mala suspensión; **être ~ aux lèvres de qn** estar pendiente de los labios de algn

suspens [syspɑ̃]: **en ~** *adv* suspendido(-a); **tenir en ~** (*lecteurs, spectateurs*) mantener en suspense

suspense [syspɛns] *nm* suspense *m*

suspension [syspɑ̃sjɔ̃] *nf* suspensión *f*; (*lustre*) lámpara de techo; **en ~** en suspensión; ~ **d'audience** suspensión de la vista

suture [sytyʀ] *nf*: **point de ~** punto de sutura

svelte [svɛlt] *adj* esbelto(-a)

SVP [ɛsvepe] *abr* (= *s'il vous plaît*) por favor

syllabe [si(l)lab] *nf* sílaba

symbole [sɛ̃bɔl] *nm* símbolo; ~ **graphique** (*Inform*) icono

symbolique [sɛ̃bɔlik] *adj* simbólico(-a) ■ *nf* simbolismo

symboliser [sɛ̃bɔlize] *vt* simbolizar

symétrique [simetʀik] *adj* simétrico(-a)

sympa [sɛ̃pa] *adj inv voir* **sympathique**

sympathie [sɛ̃pati] *nf* simpatía; (*condoléances*) pésame *m*; **accueillir avec ~** acoger con gusto; **avoir de la ~ pour qn** tener simpatía a algn; **témoignages de ~** muestras *fpl* de condolencia; **croyez à toute ma ~** mi más sentido pésame

sympathique [sɛ̃patik] *adj* (*personne*) simpático(-a); (*déjeuner etc*) agradable

sympathisant, e [sɛ̃patizɑ̃, ɑ̃t] *nm/f* simpatizante *m/f*

sympathiser [sɛ̃patize] *vi* simpatizar; ~ **avec qn** simpatizar con algn

symphonie [sɛ̃fɔni] *nf* sinfonía

symptôme [sɛ̃ptom] *nm* síntoma *m*

synagogue [sinagɔg] *nf* sinagoga

syncope [sɛ̃kɔp] *nf* (*Méd*) síncope *m*; (*Mus*) síncopa; **elle est tombée en ~** le dio un síncope

syndic [sɛ̃dik] *nm* administrador *m*

syndical, e, -aux [sɛ̃dikal, o] *adj* sindical; **centrale ~e** central *f* sindical

syndicaliste [sɛ̃dikalist] *nm/f* sindicalista *m/f*

syndicat [sɛ̃dika] *nm* (*Pol*) sindicato; (*autre association d'intérêts*) asociación *f*; ~ **d'initiative** oficina de turismo; ~ **de producteurs** unión *f* de productores; ~ **de propriétaires** comunidad *f* de propietarios; ~ **patronal** organización *f* patronal

syndiqué, e [sɛ̃dike] *adj* sindicado(-a); **non ~(e)** no sindicado(-a)

syndiquer [sɛ̃dike] *vpr*: **se syndiquer** sindicarse

syndrome [sɛ̃dʀom] *nm* síndrome *m*; ~ **de fatigue chronique** síndrome de fatiga crónica

synonyme [sinɔnim] *adj* sinónimo(-a) ■ *nm* sinónimo

syntaxe [sɛ̃taks] *nf* sintaxis *fsg*

synthèse [sɛ̃tɛz] *nf* síntesis *f inv*; **faire la ~ de** hacer la síntesis de

synthétique [sɛ̃tetik] *adj* sintético(-a); (*méthode, esprit*) de síntesis

Syrie [siʀi] *nf* Siria

systématique [sistematik] *adj* (*classement, étude*) sistemático(-a); (*exploitation, opposition*) automático(-a); (*péj*) dogmático(-a)

système [sistɛm] *nm* sistema *m*; **utiliser le ~ D** (*fam*) utilizar el ingenio; ~ **décimal** sistema decimal; ~ **d'exploitation à disques** (*Inform*) sistema de operación con discos; ~ **expert** sistema experto; ~ **métrique** sistema métrico; ~ **nerveux/solaire** sistema nervioso/solar

t

t' [t] *pron voir* **te**

ta [ta] *dét voir* **ton'**

tabac [taba] *nm* tabaco ∎ *adj inv*: **(couleur) ~** (color) tabaco *inv*; **passer qn à ~** (*fam*: *battre*) dar una tunda a algn, zurrar a algn; **faire un ~** (*fam*) tener mucho éxito; **(débit** *ou* **bureau de) ~** estanco; **~ à priser** tabaco en polvo, rapé *m*; **~ blond/brun/gris** tabaco rubio/moreno/picado

tabagisme [tabaʒism] *nm* tabaquismo

table [tabl] *nf* mesa; *(invités)* comensales *mpl*; *(liste)* lista; *(numérique)* tabla; **à ~!** ¡a comer!; **se mettre à ~** sentarse a la mesa; *(fam)* cantar de plano; **mettre** *ou* **dresser/desservir la ~** poner/quitar la mesa; **faire ~ rase de** hacer tabla rasa con; **~ à repasser** tabla de planchar; **~ basse** mesa baja; **~ d'écoute** tablero de interceptaciones telefónicas; **~ d'harmonie** tabla de armonía; **~ d'hôte** menú *m* ou plato del día; **~ de cuisson** cocina (de electricidad *ou* de gas); **~ de lecture** (*Mus*) tabla de lectura; **~ de multiplication** tabla de multiplicar; **~ de nuit** *ou* **de chevet** mesita de noche; **~ de toilette** mueble *m* de lavabo; **~ des matières** índice *m*; **~ ronde** (*débat*) mesa redonda; **~ roulante** carro, carrito; **~ traçante** (*Inform*) mesa de trazado

tableau, x [tablo] *nm* cuadro; *(panneau)* tablero; *(schéma)* cuadro, gráfico; **~ chronologique** cuadro cronológico; **~ d'affichage** tablón *m* ou tablero de anuncios; **~ de bord** (*Auto*) cuadro de instrumentos; (*Aviat*) cuadro de mandos; **~ de chasse** caza; **~ de contrôle** (*d'une machine*) cuadro de control; (*d'une installation*) cuadro ou panel *m* de control; **~ de maître** obra de maestro; **~ noir** encerado

tablette [tablɛt] *nf* (*planche*) anaquel *m*, tabla; **~ de chocolat** tableta de chocolate

tablier [tablije] *nm* delantal *m*; (*du cuisinier*) mandil *m*; (*de pont*) calzada; (: *en bois*) tableado; (*de cheminée*) tapadera

tabou, e [tabu] *adj, nm* tabú *m*

tabouret [taburɛ] *nm* taburete *m*

tac [tak] *nm*: **répondre qch du ~ au ~** saltar con algo

tache [taʃ] *nf* mancha; (*petite*) manchita; **faire ~ d'huile** extenderse como cosa buena; **~ de rousseur** *ou* **de son** peca; **~ de vin** (*sur la peau*) mancha

tâche [taʃ] *nf* tarea, labor *f*; (*rôle*) papel *m*; **travailler à la ~** trabajar a destajo

tacher [taʃe] *vt* manchar, mancillar; **se tacher** *vpr* (*fruits*) picarse

tâcher [taʃe] *vi*: **~ de faire** tratar de hacer, procurar hacer

tacheté, e [taʃte] *adj*: **~ (de)** salpicado(-a) *ou* moteado(-a) (de)

tact [takt] *nm* tacto; **avoir du ~** tener tacto

tactique [taktik] *adj* táctico(-a) ∎ *nf* táctica

taie [tɛ] *nf*: **~ (d'oreiller)** funda (de la almohada)

taille [taj] *nf* tallado; poda; (*du corps, d'un vêtement*) talle *m*, cintura; (*hauteur*) estatura; (*grandeur*) tamaño; (*Comm*) talla; (*envergure*) dimensión *f*, envergadura; **de ~ à faire** capaz de hacer; **de ~** importante; **quelle ~ faites-vous?** ¿cuál es su talla?

taille-crayon(s) [tajkʀɛjɔ̃] *nm inv* sacapuntas *m inv*

tailler [taje] *vt* (*pierre, diamant*) tallar; (*arbre, plante*) podar; (*vêtement*) cortar; (*crayon*) afilar; **se tailler** *vpr* (*ongles, barbe*) cortarse; (*victoire, réputation*) conseguir; (*fam*: *s'enfuir*) largarse, pirarse; **~ dans la chair/le bois** hacer un corte en la carne/madera; **~ grand/petit** (*suj: vêtement*) estar cortado grande/pequeño

tailleur [tɑjœʀ] nm sastre m; (vêtement pour femmes) traje m de chaqueta; **en ~** a la turca; **~ de diamants** lapidario de diamantes

taillis [taji] nm bosque m bajo

taire [tɛʀ] vt ocultar ▪ vi: **faire ~ qn** (aussi fig) hacer callar a algn; **se taire** vpr (s'arrêter de parler) callarse; (ne pas parler) callar(se); (fig: bruit, voix) cesar; **tais-toi!** ¡cállate!; **taisez-vous!** ¡callaos!; (vouvoiement) ¡cállese!

talc [talk] nm talco

talent [talɑ̃] nm talento; **talents** nmpl (personnes) talentos mpl; **avoir du ~** tener talento

talkie-walkie [tokiwoki] (pl **talkies-walkies**) nm walkie-talkie m

talon [talɔ̃] nm (Anat, de chaussette) talón m; (de chaussure) tacón m; (de jambon, pain) extremo; (de chèque, billet) matriz f; **être sur les ~s de qn** pisarle los talones a algn; **tourner/montrer les ~s** volver la espalda; **~s plats/aiguilles** tacones bajos/muy finos

talus [taly] nm (Géo) talud m; **~ de déblai** montón m de tierra (procedente de una excavación); **~ de remblai** terraplén m

tambour [tɑ̃buʀ] nm tambor m; (porte) cancel m; **sans ~ ni trompette** a la chita callando

tambourin [tɑ̃buʀɛ̃] nm tamboril m

tambouriner [tɑ̃buʀine] vi: **~ contre** repiquetear en ou contra

Tamise [tamiz] nf: **la ~** el Támesis

tamisé, e [tamize] adj tamizado(-a)

tampon [tɑ̃pɔ̃] nm (de coton, d'ouate, bouchon) tapón m; (pour nettoyer, essuyer) muñequilla, bayeta; (pour étendre) muñequilla; (amortisseur: Rail, fig) tope m; (Inform: aussi mémoire tampon) tampón m; (cachet, timbre) matasellos m inv; (Chim) disolución f reguladora, disolución tampón; **~ (hygiénique)** tampón (higiénico); **~ à récurer** estropajo metálico; **~ buvard** secante m; **~ encreur** tampón

tamponner [tɑ̃pɔne] vt (essuyer) taponar; (heurter) chocar; (document, lettre) sellar; **se tamponner** vpr (voitures) chocar

tamponneuse [tɑ̃pɔnøz] adj: **autos ~s** coches mpl de choque

tandem [tɑ̃dɛm] nm tándem m

tandis [tɑ̃di]: **~ que** conj mientras que

tanguer [tɑ̃ge] vi (Naut) cabecear, arfar

tant [tɑ̃] adv tanto; **~ de** (sg) tanto(-a); (pl) tantos(-as); **~ que** (tellement) tanto que; (comparatif) hasta que, mientras que; **~ mieux** mejor; **~ mieux pour lui** mejor para él; **~ pis** (peu importe) ¡qué más da!; (qu'à cela ne tienne) no tiene importancia; **~ pis pour lui** peor para él; **un ~ soit peu** (un peu) un poco; (même un peu) algo, por poco que; **s'il est un ~ soit peu subtil, il comprendra** si es algo sutil ou por poco sutil que sea, lo entenderá; **~ bien que mal** mal que bien; **~ s'en faut** ni mucho menos

tante [tɑ̃t] nf tía

tantôt [tɑ̃to] adv (cet après-midi) esta tarde, por la tarde; **~ ... ~** (parfois) unas veces ... otras veces

taon [tɑ̃] nm tábano

tapage [tapaʒ] nm alboroto; (fig) escándalo; **~ nocturne** (Jur) escándalo nocturno

tapageur, -euse [tapaʒœʀ, øz] adj alborotador(a); (toilette) llamativo(a); (publicité) sensacionalista

tape [tap] nf cachete m; (dans le dos) palmada

tape-à-l'œil [tapalœj] adj inv vistoso(-a), llamativo(-a)

taper [tape] vt (personne) pegar; (porte) cerrar de golpe; (dactylographier) escribir a máquina; (Inform) teclear ▪ vi (soleil) apretar; **se taper** vpr (fam: travail) chuparse, cargarse; (: boire, manger) soplarse, zamparse; **~ qn de 5 euros** (fam) dar un sablazo de 5 euros a algn; **~ sur qn** pegar a algn; (fig) poner como un trapo a algn; **~ sur qch** golpear en algo; **~ à** (porte etc) llamar a; **~ dans** (se servir) echar mano de; **~ des mains/pieds** palmear/patalear; **~ (à la machine)** escribir a máquina

tapi, e [tapi] adj: **~ dans/derrière** (blotti) acurrucado(-a) en/detrás de; (caché) agazapado(-a) en/detrás de

tapis [tapi] nm alfombra; (de table) tapete m; **être/mettre sur le ~** (fig) estar/poner sobre el tapete; **aller/envoyer au ~** (Boxe) estar/enviar a la lona; **~ de sol** tela impermeable (de tienda de campaña); **~ roulant** cinta transportadora, pasillo rodante

tapisser [tapise] vt (avec du papier peint) empapelar; **~ qch (de)** (recouvrir) revestir algo (con)

tapisserie [tapisʀi] nf tapiz m; (travail) tapizado; (papier peint) empapelado; **faire ~** (fig) quedarse cruzado(-a) de brazos

tapissier, -ière [tapisje, jɛʀ] nm/f: **~(-décorateur)** tapicero

tapoter [tapɔte] vt dar golpecitos en, golpetear

taquiner [takine] vt pinchar
tard [taʀ] adv tarde ∎ nm: **sur le ~** (à une heure avancée) tarde; (vers la fin de la vie) en la madurez; **au plus ~** a más tardar; **plus ~** más tarde
tarder [taʀde] vi tardar; **~ à faire** tardar en hacer; **il me tarde d'être** estoy impaciente por estar; **sans (plus) ~** sin (más) demora, sin (más) tardar
tardif, -ive [taʀdif, iv] adj tardío(-a)
tarif [taʀif] nm tarifa; (liste) tarifa, lista de precios; (prix) tarifa, precio; **voyager à plein ~/à ~ réduit** viajar con tarifa completa/con tarifa reducida; **~ douanier** arancel m aduanero
tarir [taʀiʀ] vi, vt secarse, agotarse
tarte [taʀt] nf tarta; **~ à la crème/aux pommes** tarta de crema/de manzana
tartine [taʀtin] nf rebanada; **~ beurrée/de miel** rebanada con mantequilla/con miel
tartiner [taʀtine] vt untar; **fromage etc à ~** queso etc para untar
tartre [taʀtʀ] nm sarro
tas [ta] nm montón m; (de bois, livres) pila, montón; **un ~ de** (beaucoup de) un montón de; **en ~** amontonado(-a); **dans le ~** (fig) a ciegas, a bulto; **formé sur le ~** formado en la práctica
tasse [tas] nf taza; **boire la ~** (en se baignant) tragar agua; **~ à café/à thé** taza de café/de té
tassé, e [tase] adj: **bien ~** (café etc) bien cargado(-a)
tasser [tase] vt apisonar, pisar; **se tasser** vpr (sol, terrain) hundirse; (avec l'âge) encorvarse; (problème) arreglarse; **~ qch dans** amontonar algo en
tata [tata] nf tita
tâter [tate] vt tantear; **se tâter** vpr (hésiter) reflexionar; **~ de** (prison etc) probar; **~ le terrain** tantear el terreno
tatillon, ne [tatijɔ̃, ɔn] adj puntilloso(-a)
tâtonnement [tatɔnmɑ̃] nm: **par ~s** a tientas
tâtonner [tatɔne] vi andar a tientas; (fig) tantear
tâtons [tatɔ̃]: **à ~** adv: **chercher/avancer à ~** buscar/avanzar a tientas
tatouage [tatwaʒ] nm tatuaje m
tatouer [tatwe] vt tatuar
taudis [todi] nm cuchitril m
taule [tol] (fam) nf chirona
taupe [top] nf topo
taureau, x [tɔʀo] nm (Zool) toro; **le T~** (Astrol) Tauro; **être (du) T~** ser Tauro

tauromachie [tɔʀɔmaʃi] nf tauromaquia
taux [to] nm tasa; (proportion: d'alcool) porcentaje m; (: de participation) índice m; **~ d'escompte** porcentaje de descuento; **~ d'intérêt** tipo de interés; **~ de mortalité** índice ou tasa de mortalidad
taxe [taks] nf tasa, impuesto; (douanière) arancel m; **toutes ~s comprises** impuestos incluidos; **~ à ou sur la valeur ajoutée** impuesto sobre el valor añadido; **~ de base** (Tél) tarifa base; **~ de séjour** suplemento en las estaciones termales o centros turísticos
taxer [takse] vt (personne) gravar con impuestos; (produit) tasar; **~ qn de** tachar ou calificar a algn de; (accuser de) acusar a algn de
taxi [taksi] nm taxi m
Tchécoslovaquie [tʃekɔslɔvaki] nf Checoslovaquia
tchèque [tʃɛk] adj checo(-a) ∎ nm (Ling) checo ∎ nm/f: **Tchèque** checo(-a)
Tchétchénie [tʃetʃeni] nf: **la ~** Chechenia
te [tə] pron te
technicien, ne [tɛknisjɛ̃, jɛn] nm/f técnico m/f
technico-commercial, e, -aux [tɛknikokɔmɛʀsjal, jo] adj técnico-comercial
technique [tɛknik] adj técnico(-a) ∎ nf técnica
techniquement [tɛknikmɑ̃] adv técnicamente
techno [tɛkno] nf (fam: Mus): **la (musique) ~** tecno m, música tecno
technologie [tɛknɔlɔʒi] nf tecnología
technologique [tɛknɔlɔʒik] adj tecnológico(-a)
teck [tɛk] nm teca
tee-shirt [tiʃœʀt] (pl ~s) nm camiseta
teindre [tɛ̃dʀ] vt teñir; **se teindre** vpr: **se ~ (les cheveux)** teñirse (el pelo)
teint, e [tɛ̃, tɛ̃t] pp de **teindre** ∎ adj teñido(-a) ∎ nm (permanent) tez f; (momentané) color m ∎ nf: **une ~e de** (fig: d'humour etc) un matiz de; **grand ~** adj inv (tissu) de color sólido; **bon ~** adj inv (couleur) sólido(-a); (catholique, communiste etc) convencido(-a)
teinté, e [tɛ̃te] adj (verres, lunettes) ahumado(-a); (bois) teñido(-a); **~ acajou** teñido(-a) en caoba; **~ de** teñido(-a) de
teinter [tɛ̃te] vt teñir
teinture [tɛ̃tyʀ] nf (opération) tintura, tinte m; (substance) tinte; **~ d'iode/d'arnica** tintura de yodo/de árnica
teinturerie [tɛ̃tyʀʀi] nf tintorería

teinturier, -ière [tɛ̃tyRje, jɛR] nm/f tintorero(-a)

tel, telle [tɛl] adj (pareil) tal, semejante; (indéfini) tal; **~ un/des ...** tal como.../ como ...; **un ~/de ~s ...** un tal/tales ...; **rien de ~** nada como; **~ quel** tal cual; **~ que** tal como

télé [tele] nf tele f; **à la ~** en la tele

télé... [tele] préf tele...

télécabine [telekabin] nf teleférico (monocable)

télécarte [telekaRt] nf tarjeta de teléfono

téléchargeable [teleʃaRʒabl] adj descargable

télécharger [teleʃaRʒe] vt (Inform) cargar

télécommande [telekɔmãd] nf telemando

téléconférence [telekɔ̃feRɑ̃s] nf (servicio de) teleconferencia

télécopieur [telekɔpjœR] nm máquina de fax

télédistribution [teledistRibysjɔ̃] nf teledistribución f

télégramme [telegRam] nm telegrama m; **~ téléphoné** telegrama por teléfono

télégraphier [telegRafje] vt, vi telegrafiar

téléguider [telegide] vt teledirigir

télématique [telematik] nf telemática ■ adj telemático(-a)

téléobjectif [teleɔbʒɛktif] nm teleobjetivo

télépathie [telepati] nf telepatía

téléphérique [teleferik] nm teleférico

téléphone [telefɔn] nm (appareil) teléfono; **avoir le ~** tener teléfono; **au ~** al teléfono; **~ arabe** transmisión de noticias de persona a persona; **~ avec appareil photo intégré** teléfono con cámara; **~ rouge** teléfono rojo; **~ sans fil** teléfono inalámbrico

téléphoner [telefɔne] vt, vi llamar por teléfono; **~ à** llamar por teléfono a

téléphonique [telefɔnik] adj telefónico(-a); **cabine/appareil ~** cabina telefónica/aparato telefónico; **conversation/appel/liaison ~** conversación f/llamada/comunicación f telefónica

téléréalité [teleRealite] nf telerrealidad f

télescope [telɛskɔp] nm telescopio

télescoper [telɛskɔpe] vt chocar de frente; **se télescoper** vpr chocarse de frente

téléscripteur [teleskRiptœR] nm teleimpresor m

télésiège [telesjɛʒ] nm telesilla

téléski [teleski] nm telesquí m; **~ à archets/à perche** telesquí de arcos/de trole

téléspectateur, -trice [telespɛktatœR, tRis] nm/f telespectador(a)

télétravail [teletRavaj] nm teletrabajo

téléviseur [televizœR] nm televisor m

télévision [televizjɔ̃] nf televisión f; **(poste de) ~** televisión; **avoir la ~** tener televisión; **à la ~** en la televisión; **~ en circuit fermé** televisión en circuito cerrado; **~ numérique** televisión digital; **~ par câble** televisión por cable

télex [telɛks] nm télex m

telle [tɛl] adj voir **tel**

tellement [tɛlmã] adv tan; **~ grand/cher (que)** tan grande/caro (que); **~ de** (sg) tanto(-a); (pl) tantos(-as); **il était ~ fatigué qu'il s'est endormi** estaba tan cansado que se durmió; **il s'est endormi ~ il était fatigué** se durmió de lo cansado que estaba; **je n'ai pas ~ envie d'y aller** no tengo muchas ou tantas ganas de ir; **pas ~ fort/lentement** no tan fuerte/ lento; **il ne mange pas ~** no come tanto

téméraire [temeRɛR] adj temerario(-a)

témoignage [temwaɲaʒ] nm testimonio; (d'affection etc) muestra

témoigner [temwaɲe] vt (intérêt, gratitude) manifestar ■ vi (Jur) testimoniar, atestiguar; **~ que** declarar que; (démontrer) demostrar que; **~ de** dar pruebas de

témoin [temwɛ̃] nm testigo; (preuve) prueba ■ adj testigo inv; (appartement) piloto inv ■ adv: **~ le fait que ...** prueba de ello ...; **être ~ de** ser testigo de; **prendre à ~** tomar como ou por testigo; **appartement ~** piso piloto; **~ à charge** testigo de cargo; **T~ de Jéhovah** testigo de Jehová; **~ de moralité** testigo de moralidad; **~ oculaire** testigo ocular

tempe [tɑ̃p] nf sien f

tempérament [tɑ̃peRamã] nm temperamento; (santé) constitución f; **à ~** (vente) a plazos; **avoir du ~** tener mucho temperamento

température [tɑ̃peRatyR] nf temperatura; **prendre la ~ de** tomar la temperatura de; (fig) tantear; **avoir ou faire de la ~** tener fiebre; **feuille/courbe de ~** gráfica/curva de temperatura

tempête [tɑ̃pɛt] nf (en mer) temporal m; (à terre) tormenta; **vent de ~** viento de tormenta; (fig) gran tensión f; **~ d'injures/de mots** torrente m de injurias/de palabras; **~ de neige/de sable** tormenta de nieve/de arena

temple [tɑ̃pl] nm templo
temporaire [tɑ̃pɔʀɛʀ] adj temporal
temps [tɑ̃] nm tiempo; (époque) tiempo,
época; **les ~ changent/sont durs** los
tiempos cambian/son duros; **il fait
beau/mauvais ~** hace buen/mal tiempo;
passer/employer son ~ à faire qch
pasar/emplear el tiempo en hacer algo;
avoir le ~/tout le ~ tener
tiempo/mucho tiempo/el tiempo justo;
avoir du ~ de libre tener tiempo libre;
avoir fait son ~ (fig) haber pasado a la
historia; **en ~ de paix/de guerre** en
tiempo de paz/de guerra; **en ~ utile** ou
voulu a su debido tiempo; **de ~ en ~,
de ~ à autre** de vez en cuando; **en même
~** al mismo tiempo; **à ~** a tiempo;
pendant ce ~ mientras tanto; **à plein/
mi-~** (travailler) jornada completa/
media jornada; **à ~ partiel** adv, adj a
tiempo parcial; **dans le ~** hace tiempo,
antaño; **de tout ~** de toda la vida;
du ~ que, au/du ~ où en los tiempos
en que, cuando; **~ chaud/froid** tiempo
caluroso/frío; **~ d'accès** (Inform) tiempo
de acceso; **~ d'arrêt** parada; **~ de pose**
tiempo de exposición; **~ mort** (Sport)
tiempo muerto; (Comm) tiempo de
inactividad; **~ partagé/réel** (Inform)
tiempo compartido/verdadero ou
real
tenable [t(ə)nabl] adj soportable
tenace [tənas] adj tenaz; (infection)
persistente
tenant, e [tənɑ̃, ɑ̃t] adj voir **séance**
■ nm/f (Sport): **~ du titre** poseedor(a) del
título ■ nm: **d'un seul ~** de una sola
pieza; **les ~s et les aboutissants** los
detalles nimios
tendance [tɑ̃dɑ̃s] nf tendencia; **~ à la
hausse/baisse** tendencia a la alza/baja;
avoir ~ à tener tendencia a
tendeur [tɑ̃dœʀ] nm tensor m
tendre [tɑ̃dʀ] adj (à manger) tierno(-a),
blando(-a); (matière) blando(-a);
(affectueux) cariñoso(-a); (lettre, regard,
émotion) tierno(-a); (couleur, bleu) suave
■ vt (élastique, peau) extender, estirar;
(muscle, arc) tensar; (offrir) ofrecer; (piège)
tender; **se tendre** vpr tensarse; **~ à
qch/à faire qch** tender a algo/a hacer
algo; **~ qch à qn** alcanzar algo a algn; **~
l'oreille** aguzar el oído; **~ le bras/la main**
alargar el brazo/extender la mano; **~ la
perche à qn** (fig) echar un capote a algn;
tendu de soie tapizado en seda
tendrement [tɑ̃dʀəmɑ̃] adv
tiernamente

tendresse [tɑ̃dʀɛs] nf ternura;
tendresses nfpl (caresses) caricias fpl
tendu, e [tɑ̃dy] pp de **tendre** ■ adj
(allongé) estirado(-a); (raidi) tensado(-a)
ténèbres [tenɛbʀ] nfpl tinieblas fpl
teneur [tənœʀ] nf proporción f; (d'une
lettre) texto; **~ en cuivre** proporción de
cobre
tenir [t(ə)niʀ] vt (avec la main, un objet)
tener; (qn: par la main, le cou etc) agarrar,
coger; (garder, maintenir: position)
mantener; (prononcer: propos, discours)
proferir; (magasin, hôtel) regentar;
(promesse)
cumplir; (un rôle) desempeñar; (Mil: ville,
région) ocupar; (fam: un rhume) estar con;
(Auto: la route) agarrarse a ■ vi (être fixé)
aguantar; (neige, gel) cuajar; (survivre)
aguantar; (peinture, colle) agarrar;
(capacité) caber; **se tenir** vpr (par la main)
cogerse, agarrarse; (à qch) agarrarse;
(conférence) celebrarse; (personne,
monument) estar; (récit) ser coherente;
(se comporter) comportarse; **~ à**
(personne, chose) tener cariño a; (avoir
pour cause) deberse a; **~ à faire** tener
interés en hacer; **~ de** (parent) salir; **~ qch
pour** considerar algo como; **~ qn pour**
tener a algn por; **~ qch de qn** (histoire)
saber algo por algn; **~ lieu de** servir de;
~ compte de tener en cuenta; **~ le lit**
guardar cama; **~ la solution/le
coupable** tener la solución/el culpable;
~ une réunion/un débat celebrar una
reunión/un debate; **~ la caisse/les
comptes** llevar la contabilidad/las
cuentas; **~ de la place** ocupar espacio;
~ l'alcool aguantar el alcohol; **~ le coup,
~ bon** aguantar; **~ 3 jours/2 mois** resistir
ou aguantar 3 días/2 meses; **~ au chaud/
à l'abri** mantener caliente/protegido(-a);
~ chaud (suj: vêtement) mantener
abrigado; (: café) mantener caliente;
~ prêt tener listo; **~ parole** mantener su
etc palabra; **~ en respect** mantener a
distancia; **~ sa langue** mantener la boca
cerrada; **se ~ debout/droit** tenerse en
pie/derecho; **bien/mal se ~**
comportarse bien/mal; **s'en ~ à qch**
atenerse a algo; **se ~ prêt/sur ses
gardes** estar listo/en guardia; **se ~
tranquille** estarse quieto; **ça ne tient
qu'à lui** es cosa suya; **il tient cela de son
père** en eso ha salido a su padre; **nous ne
tenons pas tous à cette table** no
cabemos todos en esta mesa; **ça ne tient
pas debout** no tiene ni pies ni cabeza;
qu'à cela ne tienne por eso que no

quede; **je n'y tiens pas** no me apetece; **tiens/tenez, voilà le stylo!** ¡toma/tome, aquí está la pluma!; **tiens, Pierre!** ¡anda, Pierre!; **tiens?** ¡anda!; **tiens-toi bien!** ¡agárrate!

tennis [tenis] nm tenis msg; (aussi: **court de tennis**) cancha (de tenis) ■ nm ou f pl (aussi: **chaussures de tennis**) playeras fpl; ~ **de table** tenis de mesa

tennisman [tenisman] nm tenista m

tension [tãsjõ] nf tensión f; (concentration, effort) esfuerzo; **faire** ou **avoir de la** ~ tener tensión; ~ **nerveuse/ raciale** tensión nerviosa/racial

tentation [tãtasjõ] nf tentación f

tentative [tãtativ] nf intento; ~ **d'évasion/de suicide** intento de fuga/ de suicidio

tente [tãt] nf tienda; ~ **à oxygène** tienda de oxígeno

tenter [tãte] vt tentar; (attirer: suj: musique, objet) encantar; ~ **qch/de faire qch** intentar algo/hacer algo; **être tenté de penser/croire** estar tentado a pensar/ creer; ~ **sa chance** tentar la suerte

tenture [tãtyr] nf colgadura

tenu, e [t(ə)ny] pp de **tenir** ■ adj: **maison bien ~e** casa bien cuidada; **les comptes de cette entreprise sont mal ~s** llevan mal las cuentas de esta empresa; **être ~ de faire/de ne pas faire/à qch** estar obligado(-a) a hacer/a no hacer/a algo

ter [ter] adj: **16** ~ 16 C

terme [term] nm término; (Fin) vencimiento; **être en bons/mauvais ~s avec qn** estar en buenos/malos términos con algn; **en d'autres ~s** en otras palabras; **vente/achat à** ~ (Comm) venta/compra a plazos; **au** ~ **de** al término de; **à court/moyen/long** ~ adj, adv a corto/medio/largo plazo; **moyen** ~ término medio; **à** ~ (Méd) a los nueve meses; **avant** ~ (Méd) antes de tiempo; **mettre un** ~ **à** poner término a; **toucher à son** ~ estar acabándose

terminaison [terminezõ] nf (Ling) terminación f

terminal, e, -aux [terminal, o] adj terminal ■ nm (Inform) terminal m; (pétrolier, gare) terminal f

terminale [terminal] nf (Scol) sé(p)timo año de educación secundaria en el sistema francés

terminer [termine] vt terminar, acabar; **se terminer** vpr terminar(se), acabar(se); **se** ~ **par/en** (repas, chansons)

acabar ou terminar con; (pointe, boule) acabar ou terminar en

terne [tern] adj apagado(-a); (personne, style) insípido(-a)

ternir [ternir] vt (couleur, peinture) desteñir; (fig: honneur, réputation) empañar; **se ternir** vpr desteñirse

terrain [terẽ] nm terreno; (à bâtir) solar m, terreno; (Sport, fig: domaine) campo; **sur le** ~ sobre el terreno; **gagner/perdre du** ~ ganar/perder terreno; ~ **d'atterrissage** pista de aterrizaje; ~ **d'aviation** campo de aviación; ~ **d'entente** vía de entendimiento; ~ **de camping** camping m; ~ **de football/de golf** etc campo de fútbol/de golf etc; ~ **de jeu** patio de juego; ~ **vague** solar m

terrasse [teras] nf terraza; (sur le toit) azotea; **culture en ~s** cultivo en bancales

terrasser [terase] vt (adversaire) derribar; (suj: maladie etc) fulminar

terre [ter] nf tierra; (population) mundo; **terres** nfpl (propriété) tierras fpl; **travail de la** ~ trabajo del campo; **en** ~ de barro; **mettre en** ~ enterrar; **à** ~, **par** ~ (mettre, être) en el suelo ou piso (AM); (jeter, tomber) al suelo; ~ **à** ~ adj inv prosaico(-a); **la T~** la Tierra; **la T~ promise/Sainte** la Tierra prometida/ Santa; **T~ Adélie/de Feu** Tierra de Adelaida/de Fuego; ~ **cuite** terracota, arcilla cocida; ~ **de bruyère** tierra de brezo; ~ **ferme** tierra firme; ~ **glaise** arcilla

terreau [tero] nm mantillo

terre-plein [terplẽ] (pl **~s**) nm (Constr) terraplén m

terrestre [terestr] adj terrestre; (Rel) terrenal; (globe) terráqueo(-a)

terreur [terœr] nf terror m; (Pol): **régime de la** ~ régimen m del terror

terrible [teribl] adj terrible; (fam) estupendo(-a), regio(-a)

terrien, ne [terjẽ, jen] adj campesino(-a) ■ nm/f (non martien etc) terrícola m/f; (qui ne vit pas sur la côte) hombre/mujer f de tierra adentro; **propriétaire** ~ terrateniente m/f

terrier [terje] nm madriguera; (chien) terrier m

terrifier [terifje] vt aterrorizar

terrine [terin] nf tarro; (Culin) conserva de carnes en tarro

territoire [teritwar] nm territorio; **T~ des Afars et des Issas** Territorio de los Afars y de los Isas

terroriser [terɔrize] vt aterrorizar

terrorisme [terɔrism] nm terrorismo

terroriste [tɛʀɔʀist] adj, nm/f terrorista m/f

tertiaire [tɛʀsjɛʀ] adj (Écon, Géo) terciario(-a) ■ nm (Écon) sector m servicios

tes [te] dét voir **ton¹**

test [tɛst] nm prueba, examen m; **~ de niveau** prueba de nivel

testament [tɛstamɑ̃] nm testamento; **faire son ~** hacer testamento

tester [tɛste] vt testar; (personne, produit etc) someter a prueba

testicule [tɛstikyl] nm testículo

tétanos [tetanos] nm tétano, tétanos msg

têtard [tɛtaʀ] nm renacuajo

tête [tɛt] nf cabeza; (visage) cara; (Football) cabezazo; **de ~** adj (wagon, voiture) delantero(-a); (concurrent) en cabeza ■ adv (calculer) mentalmente; **par ~** por persona, por cabeza; **être à la ~ de qch** estar al frente de algo; **il fait une ~ de plus que moi** me lleva un palmo; **gagner d'une (courte) ~** ganar por (casi) una cabeza; **prendre la ~ de qch** tomar la dirección de algo; **perdre la ~** perder la cabeza; **ça ne va pas la ~?** (fam) ¿no estás bien de la cabeza?; **il s'est mis en ~ de le faire** se le ha metido en la cabeza hacerlo; **tenir ~ à qn** hacer frente a algn; **la ~ la première** de cabeza; **la ~ basse** cabizbajo(-a); **la ~ en bas** cabeza abajo; **avoir la ~ dure** (fig) ser duro(-a) de mollera; **faire une ~** (Football) dar un cabezazo; **faire la ~** estar de morros, poner mala cara; **en ~** (Sport) a la cabeza; (arriver, partir) primero(-a); **de la ~ aux pieds** de la cabeza a los pies; **~ brûlée** (fig) cabeza loca; **~ chercheuse/ d'enregistrement/d'impression** cabeza buscadora/grabadora/impresora; **~ d'affiche** (Théâtre etc) cabecera del reparto; **~ de bétail** res f; **~ de lecture** cabeza de lectura; **~ de ligne** (Transport) central f; **~ de liste** (Pol) cabeza de lista; **~ de mort** calavera; **~ de pont** (Mil, fig) cabeza de puente; **~ de série** (Tennis) cabeza de serie; **~ de Turc** cabeza de turco; **~ de veau** (Culin) cabeza de ternero

tête-à-queue [tɛtakø] nm inv: **faire un ~** derrapar y quedar en sentido contrario

téter [tete] vt mamar

tétine [tetin] nf (de vache) ubre f; (de biberon) tetina; (sucette) chupete m

têtu, e [tety] adj terco(-a), testarudo(-a)

teuf [tœf] (fam) nf fiesta; **faire la ~** estar de fiesta

texte [tɛkst] nm texto; (passage): **~s choisis** textos mpl escogidos; **apprendre son ~** (Théâtre, Ciné) aprender el papel; **un ~ de loi** un texto de ley

textile [tɛkstil] adj textil ■ nm tejido; (industrie): **le ~** la industria textil

Texto® [tɛksto] nm mensaje m de texto, SMS m

texture [tɛkstyʀ] nf textura

TGV [teʒeve] sigle m (= train à grande vitesse) ≈ AVE (= Alta Velocidad Española)

thaïlandais, e [tajlɑ̃dɛ, ɛz] adj tailandés(-esa) ■ nm/f: **Thaïlandais, e** tailandés(-esa)

Thaïlande [tajlɑ̃d] nf Tailandia

thé [te] nm té; **prendre le ~** tomar el té; **faire le ~** hacer un té; **~ au citron/au lait** té con limón/con leche

théâtral, e, -aux [teɑtʀal, o] adj (aussi péj) teatral

théâtre [teɑtʀ] nm teatro; (fig: lieu): **le ~ de** el escenario de; **faire du ~** hacer teatro; **~ filmé** teatro grabado

théière [tejɛʀ] nf tetera

thème [tɛm] nm tema; (traduction) traducción f inversa; **~ astral** carta astral

théologie [teɔlɔʒi] nf teología

théorie [teɔʀi] nf teoría; **en ~** en teoría; **~ musicale** teoría de la música

théorique [teɔʀik] adj teórico(-a)

thérapie [teʀapi] nf terapia

thermal, e, -aux [tɛʀmal, o] adj termal; **station/cure ~e** estación f/cura termal

thermique [tɛʀmik] adj térmico(-a); **ascendance ~** ascendencia térmica

thermomètre [tɛʀmɔmɛtʀ] nm termómetro

thermos® [tɛʀmos] nm ou f: **(bouteille) ~** termo

thermostat [tɛʀmɔsta] nm termostato

thèse [tɛz] nf tesis f inv; (opinion) teoría; **pièce/roman à ~** obra/novela de tesis

thon [tɔ̃] nm atún m

thym [tɛ̃] nm tomillo

tibia [tibja] nm tibia

tic [tik] nm (nerveux) tic m; (de langage etc) muletilla

ticket [tikɛ] nm billete m, boleto (AM); (de cinéma, théâtre) entrada; **~ de caisse** ticket m ou tique(t) m de compra; **~ de quai** ticket ou tique(t) m de andén; **~ de rationnement** cupón m de racionamiento; **~ modérateur** porcentaje correspondiente al asegurado en los gastos de la Seguridad social; **~ repas** vale m (para la comida)

tiède [tjɛd] adj tibio(-a), templado(-a);

(*bière*) caliente; (*thé, café*) tibio(-a); (*air*) templado(-a) ■ *adv*: **boire ~** beber cosas templadas; **recevoir un accueil ~** tener una acogida tibia

tiédir [tjedir] *vi* templarse

tien, ne [tjɛ̃, tjɛn] *adj* tuyo(-a) ■ *pron*: **le(la) ~(ne)** el/la tuyo(-a); **les ~s/les ~nes** los tuyos/las tuyas; **les ~s** (*ta famille*) los tuyos

tiens [tjɛ̃] *vb, excl voir* **tenir**

tiercé [tjɛRse] *nm* apuesta triple

tiers, tierce [tjɛR, tjɛRs] *adj* tercero(-a); ■ *nm* (*Jur*) tercero; (*fraction*) tercio; **assurance au ~** seguro contra terceros; **une tierce personne** una tercera persona; **le ~ monde** el tercer mundo; **~ payant** (*Méd, Pharmacie*) *sistema en que la compañía de seguros paga directamente por la asistencia médica del paciente*; **~ provisionnel** (*Fin*) pago fraccionado del impuesto sobre la renta

tige [tiʒ] *nf* (*de fleur, plante*) tallo; (*branche d'arbre*) rama; (*baguette*) varilla

tignasse [tiɲas] (*péj*) *nf* greñas *fpl*

tigre [tigR] *nm* tigre *m*

tigré, e [tigRe] *adj* (*tacheté*) picado(-a); (*rayé*) atigrado(-a)

tigresse [tigRes] *nf* tigresa

tilleul [tijœl] *nm* (*arbre*) tilo; (*boisson*) tila

timbre [tɛ̃bR] *nm* timbre *m*; (*aussi*: **timbre-poste**) sello, estampilla (*AM*); (*cachet de la poste*) sello; **~ dateur** fechador *m*; **~ fiscal** timbre fiscal; **~ tuberculinique** (*Méd*) *pegatina vendida en la lucha contra la tuberculosis*

timbré, e [tɛ̃bRe] *adj* (*enveloppe*) timbrado(-a), sellado(-a); (*voix*) timbrado(-a); (*fam*) tocado(-a) de la cabeza; **papier ~** papel *m* timbrado

timide [timid] *adj* tímido(-a); **le soleil est ~** el sol no se atreve a salir

timidement [timidmɑ̃] *adv* tímidamente

timidité [timidite] *nf* timidez *f*

tintamarre [tɛ̃tamaR] *nm* escandalera

tinter [tɛ̃te] *vi* tintinar

tique [tik] *nf* garrapata

TIR [tiR] *sigle mpl* (= *transports internationaux routiers*) TIR *m*, transporte internacional por carretera

tir [tiR] *nm* tiro; (*stand*) tiro al blanco; **~ à l'arc** tiro con arco; **~ au fusil** tiro con fusil; **~ au pigeon** tiro de pichón; **~ de barrage/de mitraillette/d'obus** fuego de barrera/disparo de ametralladora/tiro de obús

tirage [tiRaʒ] *nm* (*Photo*) revelado; (*Typo, Inform*) impresión *f*; (*d'un journal, de livre*)

tirada; (: *édition*) edición *f*; (*d'un poêle etc*) tiro; (*de loterie*) sorteo; (*désaccord*) fricción *f*; **~ au sort** sorteo

tire [tiR] *nf*: **voleur à la ~** ratero; **vol à la ~** tirón *m*

tiré, e [tiRe] *adj* (*visage*) cansado(-a) ■ *nm* (*Comm*) librado; **~ par les cheveux** difícil de creer; **~ à part** separata

tire-bouchon [tiRbuʃɔ̃] (*pl* **~s**) *nm* sacacorchos *m inv*

tirelire [tiRliR] *nf* hucha

tirer [tiRe] *vt* (*sonnette etc*) tirar de, jalar (*AM*); (*remorque*) arrastrar, jalar (*AM*); (*trait*) trazar; (*porte*) cerrar; (*rideau, panneau*) correr; (*extraire: carte, numéro, conclusion*) sacar; (*Comm: chèque*) extender; (*loterie*) sortear; (*en faisant feu*) tirar, disparar; (: *animal*) disparar (a); (*journal, livre*) imprimir; (*Photo*) revelar; (*Football*) sacar, tirar ■ *vi* (*faire feu*) disparar; (*cheminée, Sport*) tirar; **se tirer** *vpr* (*fam*) largarse; **~ qch** sacar algo de; (*le jus d'un citron*) extraer algo de; (*un son d'un instrument*) obtener algo de; **~ une substance d'une matière première** obtener una sustancia de una materia prima; **~ 6 mètres** (*Naut*) tener 6 metros de calado; **s'en ~** salir bien; **~ sur** tirar de; (*faire feu sur*) disparar a; (*pipe*) fumar en; (*avoisiner*) acercarse a; **~ la langue** sacar la lengua; **~ avantage/parti de** sacar provecho/partido de; **~ son nom/origine de** recibir su nombre/origen de; **~ qn de** (*embarras etc*) sacar a algn de; **~ à l'arc/à la carabine** tirar con arco/con carabina; **~ en longueur** no tener fin; **~ à sa fin** tocar a su fin; **~ les cartes** echar las cartas

tiret [tiRe] *nm* guión *m*

tireur, -euse [tiRœR, øz] *nm/f* (*Mil*) tirador(a); (*Comm*) librador(a); **bon ~** buen tirador; **~ d'élite** tirador de primera; **tireuse de cartes** echadora de cartas

tiroir [tiRwaR] *nm* cajón *m*

tiroir-caisse [tiRwaRkɛs] (*pl* **tiroirs-caisses**) *nm* caja

tisane [tizan] *nf* tisana, infusión *f*

tisser [tise] *vt* tejer; (*réseau*) establecer

tissu¹ [tisy] *nm* tejido; (*fig*) sarta; **~ de mensonges** sarta de mentiras

tissu², e [tisy] *adj*: **~ de** tejido(-a) de

tissu-éponge [tisyepɔ̃ʒ] (*pl* **tissus-éponges**) *nm* felpa

titre [titR] *nm* título; (*de journal, aussi télévisé*) titular *m*; (*Chim: d'alliage*) ley *f*; (: *de solution*) título; (: *d'alcool*) graduación *f*; **en ~** titular; **à juste ~** con toda razón; **à quel ~?** ¿a título de qué?; **à aucun ~** bajo ninguna razón; **au même ~ (que)** al igual (que); **au ~ de la coopération** *etc* en nombre de la cooperación *etc*; **à ~ d'exemple** como ejemplo; **à ~ d'exercice** como ejercicio; **à ~ exceptionnel** excepcionalmente; **à ~ amical** amistosamente; **à ~ d'information** a modo de información; **à ~ gracieux** gratis; **à ~ provisoire/d'essai** de forma provisional/a modo de ensayo; **à ~ privé/consultatif** a título privado/consultativo; **~ courant** titulillo; **~ de propriété** título de propiedad; **~ de transport** billete *m*

tituber [titybe] *vi* titubear

titulaire [titylɛʀ] *adj* titular ▪ *nm* titular *m*; **être ~ de** ser titular de

toast [tost] *nm* tostada; (*de bienvenue*) brindis *m inv*; **porter un ~ à qn** brindar por algn

toboggan [tɔbɔgɑ̃] *nm* tobogán *m*; (*Auto*) paso a desnivel

toc [tɔk] *nm*: **en ~** de imitación

tocsin [tɔksɛ̃] *nm* rebato, toque *m* de alarma

tohu-bohu [tɔybɔy] *nm inv* (*désordre*) revoltijo; (*tumulte*) barullo

toi [twa] *pron* tú; **~, c'est**, **~**, tú no vas; **c'est ~?** ¿eres tú?; **je veux aller avec ~** quiero ir contigo; **pour/sans ~** para/sin ti; **des livres à ~** libros tuyos

toile [twal] *nf* tela; (*bâche*) lona; (*tableau*) tela, lienzo; **grosse ~** tela basta; **tisser sa ~** tejer su tela; **~ cirée** hule *m*; **~ d'araignée** telaraña; **~ de fond** telón *m* de fondo; **~ de jute** tela de saco; **~ de lin** lienzo; **~ de tente** lona; **~ émeri** tela de esmeril

toilette [twalɛt] *nf* aseo; (*s'habiller et se préparer*) arreglo; (*habillement*) vestimenta; **toilettes** *nfpl* servicios *mpl*; **les ~s des dames/messieurs** los servicios de señoras/caballeros; **faire sa ~** asearse; **faire la ~ de** (*animal*) lavar y arreglar a; (*texte*) preparar; **articles de ~** artículos *mpl* de aseo; **~ intime** aseo íntimo

toi-même [twamɛm] *pron* tú mismo

toit [twa] *nm* techo; (*de bâtiment*) tejado; **~ ouvrant** techo solar

toiture [twatyʀ] *nf* tejado, techumbre *f*

tôle [tol] *nf* chapa; **~ d'acier** chapa de acero; **~ ondulée** chapa ondulada

tolérable [tɔleʀabl] *adj* tolerable

tolérant, e [tɔleʀɑ̃, ɑ̃t] *adj* tolerante

tolérer [tɔleʀe] *vt* tolerar; (*Admin: hors taxe*) autorizar

tollé [tɔ(l)le] *nm*: **un ~** (d'injures/de protestations) una sarta (de insultos/de protestas)

tomate [tɔmat] *nf* tomate *m*

tombe [tɔ̃b] *nf* tumba

tombeau, x [tɔ̃bo] *nm* tumba; **à ~ ouvert** a toda velocidad

tombée [tɔ̃be] *nf*: **à la ~ du jour** *ou* **de la nuit** al atardecer, al anochecer

tomber [tɔ̃be] *vi* caer; (*accidentellement*) caerse; (*prix, température*) bajar ▪ *vt*: **~ la veste** (*fam*) quitarse la chaqueta; **laisser ~** abandonar; **~ sur** encontrarse con; (*attaquer*) echarse sobre; (*critiquer*) echarse encima de; **~ de fatigue/de sommeil** caerse de cansancio/de sueño; **~ à l'eau** (*fig*) irse al garete; **~ juste** salir bien; **~ en panne** tener una avería; **~ en ruine** caerse en ruinas; **le 15 tombe un mardi** el 15 cae en martes; **~ bien/mal** (*vêtement*) quedar bien/mal; **ça tombe bien/mal** (*fig*) viene bien/mal; **il est bien/mal tombé** (*fig*) le ha ido bien/mal

tombola [tɔ̃bɔla] *nf* tómbola

tome [tɔm] *nm* tomo

ton¹, ta [tɔ̃, ta] (*pl* **tes**) *dét* tu

ton² [tɔ̃] *nm* tono; **élever** *ou* **hausser le ~** levantar la voz; **donner le ~** llevar la voz cantante; **si vous le prenez sur ce ~** si lo toma usted así; **de bon ~** de buen tono; **~ sur ~** en la misma gama de color

tonalité [tɔnalite] *nf* tonalidad *f*; (*au téléphone*) señal *f*

tondeuse [tɔ̃døz] *nf* (*à gazon*) cortadora de césped; (*de coiffeur*) maquinilla (de cortar el pelo); (*pour la tonte*) esquiladora

tondre [tɔ̃dʀ] *vt* (*pelouse*) cortar; (*haie*) podar; (*mouton*) esquilar; (*cheveux*) rapar

tonifier [tɔnifje] *vi* (*air*) vivificar; (*eau*) tonificar ▪ *vt* (*organisme*) entonar; (*peau*) tonificar

tonique [tɔnik] *adj* (*lotion*) tónico(-a); (*médicament, personne*) estimulante; (*froid*) tonificante; (*air*) vivificador(a) ▪ *nm* (*médicament*) estimulante *m*; (*lotion*) tónico; (*boisson*) tónica ▪ *nf* (*Mus*) tónica

tonne [tɔn] *nf* tonelada

tonneau, x [tɔno] *nm* tonel *m*; (*Naut*): **jauger 2.000 ~x** tener una capacidad de 2.000 toneladas; **faire des ~x** (*voiture*) dar vueltas de campana; (*avion*) hacer rizos

tonnelle [tɔnɛl] *nf* glorieta

tonner [tɔne] *vi* tronar; (*parler avec véhémence*): **~ contre qn/qch** despotricar contra algn/algo; **il tonne** truena

tonnerre [tɔnɛʀ] *nm* trueno; **du ~** (*fam*) bárbaro(-a); **coup de ~** infortunio; **~ d'applaudissements** salva de aplausos

tonton [tɔ̃tɔ̃] *nm* tito

tonus [tɔnys] *nm*: **avoir du ~** estar entonado(-a); **donner du ~** entonar

top [tɔp] *nm*: **au 3ème ~** a la tercera señal ■ *adj*: **~ secret** top secret ■ *excl* ¡ya!; **le ~ 50** ≈ los 40 principales

topinambour [tɔpinɑ̃buʀ] *nm* batata

torche [tɔʀʃ] *nf* antorcha

torchon [tɔʀʃɔ̃] *nm* trapo; (*à vaisselle*) paño de cocina

tordre [tɔʀdʀ] *vt* (*chiffon*) estrujar; (*barre*) torcer; (*visage*) retorcer; **se tordre** *vpr* torcerse; (*ver, serpent*) retorcerse; **se ~ le pied/bras** torcerse el pie/brazo; **se ~ de douleur/de rire** retorcerse de dolor/desternillarse de risa

tordu, e [tɔʀdy] *pp de* **tordre** ■ *adj* idiota

tornade [tɔʀnad] *nf* tornado

torrent [tɔʀɑ̃] *nm* torrente *m*; (*fig*): **un ~ de** un torrente de; **il pleut à ~s** llueve a mares

torsade [tɔʀsad] *nf* retorcido; (*Archit*) espiral *f*

torse [tɔʀs] *nm* torso; (*poitrine*) pecho ■ *adj f voir* **tors**

tort [tɔʀ] *nm* (*défaut*) defecto; (*préjudice*) perjuicio; **torts** *nmpl* (*Jur*) daños y perjuicios *mpl*; **avoir ~** estar equivocado(-a); **être dans son ~** tener la culpa; **donner ~ à qn** echar la culpa a algn; (*fig: suj: chose*) perjudicar a algn; **causer du ~ à** perjudicar a; **être en ~** tener la culpa; **à ~** sin razón; **à ~ ou à raison** con razón o sin ella; **à ~ et à travers** a tontas y a locas

torticolis [tɔʀtikɔli] *nm* tortícolis *f inv*

tortiller [tɔʀtije] *vt* retorcer; **se tortiller** *vpr* retorcerse

tortionnaire [tɔʀsjɔnɛʀ] *nm* verdugo

tortue [tɔʀty] *nf* tortuga

tortueux, -euse [tɔʀtɥø, øz] *adj* tortuoso(-a)

torture [tɔʀtyʀ] *nf* tortura

torturer [tɔʀtyʀe] *vt* torturar

tôt [to] *adv* (*au début d'une portion de temps*) temprano; (*au bout de peu de temps*) pronto; **~ ou tard** tarde o temprano; **si ~** tan pronto; **au plus ~** cuanto antes; **plus ~** antes; **il eut ~ fait de faire ...** muy pronto hizo ...

total, e, -aux [tɔtal, o] *adj* total ■ *nm* total *m*; **au ~** en total; (*fig*) en resumidas cuentas; **faire le ~** hacer el total

totalement [tɔtalmɑ̃] *adv* totalmente

totaliser [tɔtalize] *vt* totalizar

totalitaire [tɔtalitɛʀ] *adj* totalitario(-a)

totalité [tɔtalite] *nf* totalidad *f*; **revoir qch en ~** revisar algo en totalidad

toubib [tubib] (*fam*) *nm* médico

touchant, e [tuʃɑ̃, ɑ̃t] *adj* conmovedor(a)

touche [tuʃ] *nf* (*de piano, de machine à écrire*) tecla; (*de violon*) diapasón *m*; (*de télécommande*) botón *m*; (*Peinture, fig*) toque *m*; (*Rugby*) línea lateral; Football: aussi: **remise en touche** saque *m* de banda; (: *ligne de touche*) línea de banda; (*Escrime*) tocado; **en ~** fuera de banda; **avoir une drôle de ~** (*fam*) tener una pinta extraña; **~ sensitive** *ou* **à effleurement** control *m* sensible al tacto; **~ de commande/de fonction/de retour** (*Inform*) tecla de mando/de función/de retorno

toucher [tuʃe] *nm* tacto; (*Mus*) modo de tocar ■ *vt* tocar; (*mur, pays*) lindar con; (*atteindre*) alcanzar; (*émouvoir: suj: amour, fleurs*) conmover; (: *catastrophe, malheur, crise*) afectar; (*concerner*) atañer; (: *contacter*) contactar con; (*prix, récompense*) recibir; (*salaire, chèque*) cobrar; (*problème, sujet*) abordar; **se toucher** *vpr* tocarse; **au ~** al tacto; **~ à qch** tocar algo; (*concerner*) atañer a algo; **~ au but** llegar a la meta; **je vais lui en ~ un mot** le diré dos palabras sobre ello; **~ à sa fin** *ou* **son terme** tocar a su fin

touffe [tuf] *nf* (*d'herbe*) mata; (*de poils*) mechón *m*

touffu, e [tufy] *adj* (*haie, forêt*) frondoso(-a); (*cheveux*) tupido(-a); (*style, texte*) denso(-a)

toujours [tuʒuʀ] *adv* siempre; (*encore*) todavía; **~ plus** cada vez más; **pour ~** para siempre; **depuis ~** desde siempre; **~ est-il que** lo cierto es que; **essaie ~** prueba a intentarlo; **il vit ~ ici** sigue viviendo aquí

toupie [tupi] *nf* peonza

tour [tuʀ] *nf* torre *f*; (*appartements*) bloque *m* (de pisos) ■ *nm* (*promenade*) paseo, vuelta; (*excursion*) excursión *f*; (*Sport, Pol, de vis, de roue*) vuelta; (*d'être servi ou de jouer etc*) turno; (*de la conversation*) giro; (*ruse*) ardid *m*; (*de prestidigitation etc*) número; (*de cartes*) truco; (*de potier, à bois*) torno; **de 3 m de ~** (*circonférence*) de 3 m de perímetro; **faire le ~ de** dar la vuelta a; (*questions, possibilités*) dar vueltas a; **faire un ~** dar una vuelta; **faire le ~ de l'Europe** dar la vuelta a Europa; **faire 2/3 ~s** dar 2 o 3 vueltas; **fermer à double ~** cerrar bajo siete llaves; **c'est mon/son ~** es mi/su turno; **c'est au ~ de Philippe** le toca a Philippe; **à ~ de rôle, ~ à ~** por turnos, en orden; **à ~ de bras** con todas las fuerzas; **en un ~ de main** en un santiamén, en un abrir y cerrar de ojos; **d'horizon** nm (fig) panorama; **~ de chant** nm recital m de canto; **~ de contrôle** nf torre de control; **~ de force** nm hazaña; **~ de garde** nm recorrido de guardia; **~ de lancement** nf plataforma de lanzamiento; **~ de lit** nm cubrecama m; **~ de main** nm habilidad f; **~ de passe-passe** nm juego de manos; **~ de poitrine/de tête** nm contorno de pecho/de cabeza; **~ de reins** nm lumbago; **~ de taille** nm contorno de cintura

tourbe [tuʀb] nf turba

tourbillon [tuʀbijɔ̃] nm (d'eau, de poussière) remolino; (de vent, fig) torbellino

tourbillonner [tuʀbijɔne] vi arremolinarse; (objet, personne) dar vueltas

tourelle [tuʀɛl] nf torrecilla; (de véhicule) torreta

tourisme [tuʀism] nm turismo; **office du ~** oficina de turismo; **avion de ~** avión m de turismo; **voiture de ~** turismo; **faire du ~** hacer turismo

touriste [tuʀist] nm/f turista m/f

touristique [tuʀistik] adj turístico(-a)

tourment [tuʀmã] nm tormento

tourmenter [tuʀmãte] vt, vpr: **se tourmenter** atormentarse

tournage [tuʀnaʒ] nm rodaje m

tournant, e [tuʀnã, ãt] adj (feu, scène) giratorio(-a); (chemin) sinuoso(-a); (escalier) de caracol; (mouvement) envolvente ■ nm (de route) curva; (fig) giro; voir aussi **grève**; **plaque**

tournée [tuʀne] nf (du facteur) ronda; (d'artiste, de politicien) gira; **payer une ~** pagar una ronda; **faire la ~ de** hacer un recorrido por; **~ électorale/musicale** gira electoral/musical

tourner [tuʀne] vt girar, voltear (AM); (sauce, mélange) revolver; (Naut: cap) rodear; (difficulté etc) esquivar; (scène, film) rodar; (: produire) producir; (jouer dans) actuar en ■ vi girar, voltear (AM); (vent) cambiar de dirección; (moteur) estar en marcha; (compteur) estar andando; (lait etc) agriarse; (chance, vie) cambiar; (fonctionner: société etc) marchar; **se tourner** vpr volverse; **se ~ vers** volverse hacia; (personne: pour demander: aide, conseil) dirigirse a;

(profession) inclinarse por; (question) detenerse en; **bien/mal** salir bien/mal; **~ autour de** dar vueltas alrededor de; (soleil: suj: terre) girar alrededor de; (péj: personne: importuner) andar rondando a; **~ autour du pot** (fig) andarse con rodeos; **~ à/en** volverse, convertirse en; **~ à la pluie/au rouge** volverse lluvioso/ ponerse rojo; **~ en ridicule** ridiculizar; **~ le dos à** dar la espalda a; **se ~ les pouces** (fig) estar con los brazos cruzados; **~ la tête** girar la cabeza; **~ la tête à qn** volver loco(-a) a algn; **~ de l'œil** (fam) desmayarse; **~ la page** (fig) hacer borrón y cuenta nueva

tournesol [tuʀnəsɔl] nm girasol m

tournevis [tuʀnəvis] nm destornillador m

tournoi [tuʀnwa] nm (Hist) torneo; **~ de bridge/tennis** torneo de bridge/tenis; **~ des 5 nations** (Rugby) campeonato de las 5 naciones

tournure [tuʀnyʀ] nf (Ling) giro; (d'une pièce, d'un texte) carácter m, aspecto; **prendre ~** tomar forma; **~ d'esprit** manera de enfocar las cosas

tourte [tuʀt] nf (Culin): **~ à la viande** pastel m de carne

tourterelle [tuʀtəʀɛl] nf tórtola

tous [tu] dét, pron voir **tout**

Toussaint [tusɛ̃] nf: **la ~** el día de Todos los Santos

tousser [tuse] vi toser

MOT-CLÉ

tout, e [tu, tut] (pl **tous, toutes**) adj
1 (avec article) todo(-a); **tout le lait/ l'argent** toda la leche/todo el dinero; **toute la nuit** toda la noche; **tout le livre** todo el libro; **toutes les trois/deux semaines** cada tres/dos semanas; **tout le temps** adv todo el tiempo; **tout le monde** pron todo el mundo; **c'est tout le contraire** es todo lo contrario; **tout un pain/un livre** un pan/un libro entero; **c'est tout une affaire/une histoire** es todo un caso/una historia; **toutes les nuits** todas las noches; **toutes les fois que ...** todas las veces que ...; **tous les deux** los dos, ambos; **toutes les trois** las tres

2 (sans article): **à tout âge/à toute heure** a cualquier edad/hora; **pour toute nourriture, il avait ...** por todo alimento, tenía ...; **à toute vitesse** a toda velocidad; **de tous côtés** ou **de toutes parts** de todos (los) lados ou de todas partes; **à tout hasard** por si acaso

■ *pron* todo(-a); **il a tout fait** lo hizo todo; **je les vois toutes** las veo a todas; **nous y sommes tous allés** fuimos todos; **en tout** en total; **tout ce qu'il sait** todo lo que sabe; **en tout et pour tout, ...** en total ...; **tout ou rien** todo o nada; **c'est tout** eso es todo, nada más; **tout ce qu'il y a de plus aimable** el (la) más amable del mundo

■ *nm* todo; **du tout au tout** del todo; **le tout est de ...** lo importante es ...; **pas du tout** en absoluto

■ *adv* **1** (**toute** *avant adj f commençant par consonne ou h aspiré*) (*très, complètement*): **elle était tout émue** estaba muy emocionada; **elle était toute petite** era muy pequeñita; **tout à côté** al lado; **tout près** muy cerca; **le tout premier** el primero de todos; **tout seul** solo; **le livre tout entier** el libro entero; **tout en haut/bas** arriba/abajo del todo; **tout droit** todo recto; **tout ouvert** completamente abierto; **tout rouge** todo rojo; **parler tout bas** hablar muy bajo; **tout simplement** sencillamente; **fais-le tout doucement** hazlo despacio **2**: **tout en** mientras; **tout en travaillant il ...** mientras trabaja, ...
3: **tout d'abord** en primer lugar; **tout à coup** de repente; **tout à fait** (*complètement: fini, prêt*) del todo; (*exactement: vrai, juste, identique*) perfectamente; **"tout à fait!"** (*oui*) "¡desde luego!"; **tout à l'heure** (*passé*) hace un rato; (*futur*) luego; **à tout à l'heure!** ¡hasta luego!; **tout de même** sin embargo; **tout de suite** enseguida; **tout terrain** *ou* **tous terrains** *adj inv* todo terreno *inv*

toutefois [tutfwa] *adv* sin embargo, no obstante
toutes [tut] *dét, pron voir* **tout**
toux [tu] *nf* tos *f inv*
toxicomane [tɔksikɔman] *adj* toxicómano(-a)
toxique [tɔksik] *adj* tóxico(-a)
trac [tʀak] *nm* nerviosismo; **avoir le ~** estar nervioso(-a), estar como un flan
tracasser [tʀakase] *vt* (*suj: problème, idée*) preocupar; (*harceler*) molestar; **se tracasser** *vpr* preocuparse; **il n'a pas été tracassé par la police** no le molestó la policía
trace [tʀas] *nf* huella; (*de pneu, de brûlure etc*) marca; (*d'encre, indice, quantité minime*) rastro; (*de blessure, de maladie*) secuela; (*d'une civilisation etc*) restos *mpl*;

avoir une ~ d'accent étranger tener un ligero acento extranjero; **suivre qn à la ~** seguir la pista *ou* el rastro de algn; **~s de freinage/de pneus** marcas de frenada/ de neumáticos; **~s de pas** huellas *fpl* de pasos
tracer [tʀase] *vt* trazar
tract [tʀakt] *nm* panfleto
tracteur [tʀaktœʀ] *nm* tractor *m*
traction [tʀaksjɔ̃] *nf* tracción *f*; **~ avant/ arrière** tracción delantera/trasera; **~ électrique/mécanique** tracción eléctrica/mecánica
tradition [tʀadisjɔ̃] *nf* tradición *f*
traditionnel, le [tʀadisjɔnɛl] *adj* tradicional
traducteur, -trice [tʀadyktœʀ, tʀis] *nm/f* traductor(a) ■ *nm* (*Inform*) traductor *m*; **~ interprète** traductor(a) intérprete
traduction [tʀadyksjɔ̃] *nf* traducción *f*; **~ simultanée** traducción simultánea
traduire [tʀadɥiʀ] *vt* traducir; **se traduire** *vpr*: **se ~ par** traducirse por; **~ en/du français** traducir al/del francés; **~ qn en justice** hacer comparecer a algn ante la justicia
trafic [tʀafik] *nm* tráfico; **~ d'armes** tráfico de armas; **~ de drogue** narcotráfico
trafiquant, e [tʀafikɑ̃, ɑ̃t] *nm/f* traficante *m/f*
trafiquer [tʀafike] *vt* (*péj*) amañar ■ *vi* traficar
tragédie [tʀaʒedi] *nf* tragedia
tragique [tʀaʒik] *adj* trágico(-a) ■ *nm*: **prendre qch au ~** tomar algo por lo trágico
trahir [tʀaiʀ] *vt* (*aussi fig*) traicionar; (*suj: objet*): **~ qn** descubrir a algn; **~ un manque** revelar una ausencia; **se trahir** *vpr* traicionarse
trahison [tʀaizɔ̃] *nf* traición *f*
train [tʀɛ̃] *nm* tren *m*; (*allure*) paso; (*ensemble*) serie *f*; **être en ~ de faire qch** estar haciendo algo; **mettre qch en ~** empezar a hacer algo; **mettre qn en ~** animar a algn; **se mettre en ~** (*commencer*) ponerse manos a la obra; (*faire de la gymnastique*) ponerse en forma; **se sentir en ~** sentirse en forma; **aller bon ~** ir a buen paso; **à grande vitesse/ spécial** tren de alta velocidad/especial; **~ arrière/avant** tren trasero/delantero; **~ autos-couchettes** tren coche-cama; **~ d'atterrissage** tren de aterrizaje; **~ de pneus** juego de neumáticos; **~ de vie** tren de vida; **~ électrique** (*jouet*) tren eléctrico

traîne [tʀɛn] *nf* cola; **être à la ~** (*en arrière*) ir rezagado(-a); (*en désordre*) estar de cualquier manera

traîneau, x [tʀɛno] *nm* trineo

traîner [tʀene] *vt* tirar de; (*maladie*): **il traîne un rhume depuis l'hiver** lleva arrastrando un resfriado desde el invierno ■ *vi* rezagarse; (*être en désordre*) estar tirado(-a); (*vagabonder*) callejear; (*durer*) alargarse; **se traîner** *vpr* arrastrarse; (*marcher avec difficulté*) andar con dificultad; (*durer*) alargarse; **se ~ par terre** (*enfant*) arrastrarse por el suelo; **~ qn au cinéma** (*emmener*) arrastrar a algn al cine; **~ les pieds** arrastrar los pies; **~ par terre** (*balayer le sol*) arrastrar por el suelo; **~ qch par terre** arrastrar algo por el suelo; **~ en longueur** ir para largo

train-train [tʀɛ̃tʀɛ̃] *nm inv* rutina

traire [tʀɛʀ] *vt* ordeñar

trait, e [tʀɛ, ɛt] *pp de* **traire** ■ *nm* trazo; (*caractéristique*) rasgo; (*flèche*) punta; **traits** *nmpl* (*du visage*) rasgos *mpl*; **d'un ~** de un tirón; **boire à longs ~s** beber a grandes tragos; **de ~** (*animal*) de tiro; **avoir ~ à** referirse a; **~ pour ~** punto por punto; **~ d'esprit** agudeza; **~ d'union** guión *m*; (*fig*) lazo; **~ de caractère** rasgo de carácter; **~ de génie** idea luminosa

traitant [tʀɛtɑ̃] *adj m*: **votre médecin ~** su médico de cabecera; **shampooing ~** champú *m* tratante; **crème ~e** crema tratante

traite [tʀɛt] *nf* (*Comm*) letra de cambio; (*Agr*) ordeño; (*trajet*) trecho; **d'une (seule) ~** de un (solo) tirón; **~ des blanches/noirs** trata de blancas/negros

traité [tʀɛte] *nm* tratado

traitement [tʀɛtmɑ̃] *nm* tratamiento; (*salaire*) sueldo; **suivre un ~** seguir un tratamiento; **mauvais ~s** malos tratos *mpl*; **~ de données/de l'information/ par lots** (*Inform*) procesamiento de datos/de la información/por paquetes; **~ de texte** (*Inform*) procesamiento *ou* tratamiento de textos

traiter [tʀɛte] *vt, vi* tratar; **~ qn d'idiot** llamar idiota a algn; **~ de qch** tratar de algo; **bien/mal ~** tratar bien/mal

traiteur [tʀɛtœʀ] *nm* negocio de comidas por encargo *ou* de catering

traître, -esse [tʀɛtʀ, tʀɛtʀɛs] *adj* traicionero(-a) ■ *nm/f* traidor(a); **prendre qn en ~** actuar a traición contra algn

trajectoire [tʀaʒɛktwaʀ] *nf* trayectoria, recorrido

trajet [tʀaʒɛ] *nm* trayecto; (*Anat, fig*) recorrido; (*d'un projectile*) trayectoria

trampoline [tʀɑ̃pɔlin], **trampolino** [tʀɑ̃pɔlino] *nm* trampolín *m*

tramway [tʀamwɛ] *nm* tranvía *m*

tranchant, e [tʀɑ̃ʃɑ̃, ɑ̃t] *adj* (*lame*) afilado(-a); (*personne*) resuelto(-a); (*couleurs*) contrastado(-a) ■ *nm* (*d'un couteau*) filo; (*de la main*) borde *m*; **à double ~** de doble filo

tranche [tʀɑ̃ʃ] *nf* (*de pain*) rebanada; (*de jambon, fromage*) loncha; (*de saucisson*) rodaja; (*de gâteau*) porción *f*; (*d'un couteau, livre etc*) canto; (*de travaux*) etapa; (*de temps*) rato; (*Comm*) serie *f*; (*Admin: de revenues, d'impôts*) zona; **~ d'âge/de salaires** tramo de edad/de salarios; **~ (d'émission)** (*Loterie*) fase *f* (de emisión); **~ de vie** periodo de la vida cotidiana; **~ de silicium** capa de silicio

tranché, e [tʀɑ̃ʃe] *adj* (*couleurs*) contrastado(-a); (*opinions*) tajante

trancher [tʀɑ̃ʃe] *vt* cortar; (*question*) zanjar ■ *vi*: **~ avec** *ou* **sur** contrastar con

tranquille [tʀɑ̃kil] *adj* tranquilo(-a); (*mer*) sereno(-a); **se tenir ~** estarse quieto(-a); **avoir la conscience ~** tener la conciencia tranquila; **laisse-moi/laisse-ça ~!** ¡déjame/deja eso en paz!

tranquillisant, e [tʀɑ̃kiliza, ɑ̃t] *adj* tranquilizador(a) ■ *nm* (*Méd*) tranquilizante *m*

tranquillité [tʀɑ̃kilite] *nf* tranquilidad *f*; **en toute ~** con toda tranquilidad; **~ d'esprit** tranquilidad de espíritu

transférer [tʀɑ̃sfeʀe] *vt* transferir; (*prisonnier, bureaux*) trasladar; (*titre*) transmitir

transfert [tʀɑ̃sfɛʀ] *nm* transferencia; (*d'un prisonnier, de bureaux*) traslado; (*d'un titre*) transmisión *f*; **~ de fonds** transferencia de fondos

transformation [tʀɑ̃sfɔʀmasjɔ̃] *nf* transformación *f*; **transformations** *nfpl* (*travaux*) reformas *fpl*; **industries de ~** industrias *fpl* de transformación

transformer [tʀɑ̃sfɔʀme] *vt* transformar; (*maison, magasin, vêtement*) reformar; **se transformer** *vpr* transformarse; **~ en**: **~ la houille en énergie** transformar la hulla en energía

transfusion [tʀɑ̃sfyzjɔ̃] *nf*: **~ sanguine** transfusión *f* sanguínea

transgresser [tʀɑ̃sgʀese] *vt* transgredir

transi, e [tʀɑ̃zi] *adj* helado(-a)

transiger [tʀɑ̃ziʒe] *vi* transigir; **~ sur** *ou* **avec qch** transigir sobre *ou* con algo

transit [tʀãzit] nm tránsito; **de/en ~** de/
en tránsito
transiter [tʀãzite] vt hacer circular
transition [tʀãzisjɔ̃] nf transición f
transitoire [tʀãzitwaʀ] adj
transitorio(-a); (fugitif) pasajero(-a)
transmettre [tʀãsmɛtʀ] vt transmitir;
(secret) revelar; (recette) pasar, dar
transmission [tʀãsmisjɔ̃] nf
transmisión f; **transmissions** nfpl (Mil)
(cuerpo de) transmisiones; **~ de données**
(Inform) transmisión de datos; **~ de
pensée** transmisión del pensamiento
transparent, e [tʀãspaʀã, ãt] adj
transparente; (intention) evidente
transpercer [tʀãspɛʀse] vt (suj: arme)
traspasar; (fig) penetrar; **~ un vêtement/
mur** traspasar un vestido/muro
transpiration [tʀãspiʀasjɔ̃] nf
transpiración f
transpirer [tʀãspiʀe] vi transpirar;
(information, nouvelle) trascender
transplanter [tʀãsplãte] vt (Bot, Méd)
trasplantar; (personne) desplazar
transport [tʀãspɔʀ] nm transporte m;
~ de colère/joie arrebato de ira/alegría;
voiture/avion de ~ coche m/avión m de
transporte; **~ aérien** transporte aéreo;
~ de marchandises/de voyageurs
transporte de mercancías/de viajeros;
~s en commun transportes públicos;
~s routiers transportes por carretera
transporter [tʀãspɔʀte] vt llevar;
(voyageurs, marchandises) transportar;
(Tech: énergie, son) conducir; **se
transporter** vpr: **se ~ quelque part**
trasladarse a algún sitio; **~ qn à l'hôpital**
llevar a algn al hospital; **~ qn de
bonheur/joie** colmar a algn de felicidad/
alegría
transporteur [tʀãspɔʀtœʀ] nm
transportista m
transvaser [tʀãsvaze] vt transvasar
transversal, e, -aux [tʀãsvɛʀsal, o] adj
transversal; **axe ~** (Auto) eje m
transversal
trapèze [tʀapɛz] nm trapecio
trappe [tʀap] nf (de cave, grenier) trampa,
trampilla; (piège) trampa
trapu, e [tʀapy] adj bajo(-a) y
fortachón(-ona)
traquenard [tʀaknaʀ] nm cepo
traquer [tʀake] vt acorralar; (harceler)
acosar
traumatiser [tʀomatize] vt
traumatizar
travail, -aux [tʀavaj, o] nm trabajo;
(Méd) parto; **travaux** nmpl (de

réparation, agricoles) trabajos mpl; (de
construction, sur route) obras fpl; **être/
entrer en ~** (Méd) estar de parto/tener
las primeras contracciones; **être sans ~**
estar sin trabajo; **~ (au) noir** trabajo
clandestino; **~ d'intérêt général** trabajo
de servicio a la comunidad; **~ de forçat**
= **travaux forcés**; **~ posté** trabajo a
turnos; **travaux des champs** faenas fpl
del campo; **travaux dirigés** (Scol)
ejercicios mpl dirigidos; **travaux forcés**
trabajos forzados; **travaux manuels**
(Scol) trabajos manuales; **travaux
ménagers** tareas fpl domésticas;
travaux pratiques prácticas fpl; **travaux
publics** obras públicas
travailler [tʀavaje] vi trabajar; (bois)
alabearse; (argent) producir ■ vt
trabajar; (discipline) estudiar; (influencer)
ejercer influencia sobre; **cela le travaille**
eso le preocupa; **ton imagination
travaille de trop** eso son cosas de tu
imaginación; **~ la terre** trabajar la tierra;
~ son piano ejercitarse en el piano; **~ à**
trabajar en; (contribuer à) contribuir a;
~ à faire esforzarse en hacer
travailleur, -euse [tʀavajœʀ, øz] adj,
nm/f trabajador(a); **~ intellectuel**
intelectual m; **~ manuel** de force
obrero; **~ social** trabajador m social;
travailleuse familiale empleada del
servicio doméstico
travailliste [tʀavajist] adj, nm/f
laborista
travers [tʀavɛʀ] nm (défaut)
imperfección f; **en ~ (de)** atravesado(-a)
(en); **au ~ (de)** a través (de); **de ~** adj de
través ■ adv oblicuamente; (fig) al revés;
à ~ a través; **regarder de ~** (fig) mirar de
reojo
traverse [tʀavɛʀs] nf (Rail) traviesa;
chemin de ~ atajo
traversée [tʀavɛʀse] nf travesía
traverser [tʀavɛʀse] vt atravesar; (rue)
cruzar; (percer: suj: pluie, froid) traspasar
traversin [tʀavɛʀsɛ̃] nm cabezal m
travesti [tʀavɛsti] nm (artiste de cabaret)
travestido; (homosexuel) travesti m
trébucher [tʀebyʃe] vi: **~ (sur)** tropezar
(con)
trèfle [tʀɛfl] nm trébol m; **~ à quatre
feuilles** trébol de cuatro hojas
treize [tʀɛz] adj inv, nm inv trece m inv;
voir aussi **cinq**
treizième [tʀɛzjɛm] adj, nm/f
decimotercero(-a) ■ nm (partitif)
treceavo; voir aussi **cinquantième**
tréma [tʀema] nm diéresis f inv

tremblement [tʀɑ̃bləmɑ̃] nm temblor m; **~ de terre** temblor de tierra, terremoto

trembler [tʀɑ̃ble] vi temblar; **~ de** (froid, fièvre) tiritar de, temblar de; (peur) temblar de; **~ pour qn** temer por algn

trémousser [tʀemuse] vpr: **se trémousser** menearse

trempé, e [tʀɑ̃pe] adj empapado(-a); **acier ~** acero templado

tremper [tʀɑ̃pe] vt empapar; (pain, chemise) mojar ■ vi estar en remojo; **se tremper** vpr zambullirse; **~ dans** (fig, péj) estar metido(-a) ou implicado(-a) en; **se faire ~** quedarse empapado(-a); **faire ~, mettre à ~** poner en remojo; **~ qch dans** remojar algo en, poner algo en remojo en

tremplin [tʀɑ̃plɛ̃] nm trampolín m

trentaine [tʀɑ̃tɛn] nf treintena; **avoir la ~** tener unos treinta años; **une ~ (de)** unos(-as) treinta

trente [tʀɑ̃t] adj inv, nm inv treinta m inv; voir aussi **cinq**; **voir ~-six chandelles** ver las estrellas; **être/se mettre sur son ~ et un** estar/ir vestido de punta en blanco; **~-trois tours** nm disco de 33 revoluciones

trentième [tʀɑ̃tjɛm] adj, nm/f trigésimo(-a) ■ nm (partitif) treintavo; voir aussi **cinquantième**

trépidant, e [tʀepidɑ̃, ɑ̃t] adj trepidante

trépigner [tʀepiɲe] vi: **~ (d'enthousiasme/d'impatience)** patalear (de entusiasmo/de impaciencia)

très [tʀɛ] adv muy; **~ beau/bien** muy bonito/bien; **~ critique/industrialisé** muy criticado/industrializado; **j'ai ~ envie de** tengo muchas ganas de; **j'ai ~ faim** tengo mucha hambre

trésor [tʀezɔʀ] nm tesoro; (vertu précieuse) joya; (gén pl: richesses) riquezas fpl; **T~ (public)** Tesoro (público)

trésorerie [tʀezɔʀʀi] nf tesorería; **difficultés de ~** problemas mpl de financieros; **~ générale** tesorería general

trésorier, -ière [tʀezɔʀje, jɛʀ] nm/f tesorero(-a)

tressaillir [tʀesajiʀ] vi (de peur) estremecerse; (de joie, d'émotion) vibrar; (s'agiter) temblar

tressauter [tʀesote] vi sobresaltar

tresse [tʀɛs] nf trenza

tresser [tʀese] vt trenzar

tréteau, x [tʀeto] nm caballete m; **les ~x** (Théâtre) las tablas

treuil [tʀœj] nm torno

trêve [tʀɛv] nf tregua; **~ de ...** basta de ...; **sans ~** sin tregua; **les États de la T~** los Estados de la Tregua

tri [tʀi] nm selección f; (Inform) clasificación f, ordenación f; **le ~** (Postes: action) la clasificación; (: bureau) la sala de batalla

triangle [tʀijɑ̃gl] nm triángulo; **~ équilatéral/isocèle/rectangle** triángulo equilátero/isósceles/rectángulo

triangulaire [tʀijɑ̃gylɛʀ] adj triangular

tribord [tʀibɔʀ] nm: **à ~** a estribor

tribu [tʀiby] nf tribu f

tribunal, -aux [tʀibynal, o] nm tribunal m; (bâtiment) juzgado; **~ d'instance/de grande instance** juzgado de paz/de primera instancia; **~ de commerce** tribunal de comercio; **~ de police/pour enfants** tribunal correccional/de menores

tribune [tʀibyn] nf tribuna; (d'église, de tribunal) púlpito; (de stade) tribuna, grada; **~ libre** (Presse) tribuna libre

tribut [tʀiby] nm tributo; **payer un lourd ~ à** pagar un tributo muy caro a

tributaire [tʀibytɛʀ] adj: **être ~ de** ser tributario(-a) de, ser deudor(a) de

tricher [tʀiʃe] vi (à un examen) copiar; (aux cartes, courses) hacer trampas

tricheur, -euse [tʀiʃœʀ, øz] nm/f tramposo(-a)

tricolore [tʀikɔlɔʀ] adj tricolor; (français: drapeau, équipe) francés(-esa)

tricot [tʀiko] nm punto; (ouvrage) prenda de punto; **~ de corps** camiseta

tricoter [tʀikɔte] vt tricotar; **machine/ aiguille à ~** máquina/aguja de hacer punto ou de tricotar

tricycle [tʀisikl] nm triciclo

trier [tʀije] vt (classer) clasificar; (choisir) seleccionar; (fruits, grains) seleccionar, escoger

trimestre [tʀimɛstʀ] nm trimestre m

trimestriel, le [tʀimɛstʀijɛl] adj trimestral

trinquer [tʀɛ̃ke] vi chocar los vasos; (porter un toast) brindar; (fam) pagar el pato; **~ à qch/la santé de qn** brindar por algo/a la salud de algn

triomphe [tʀijɔ̃f] nm triunfo; (réussite: exposition) éxito; **être reçu/porté en ~** ser recibido con aclamaciones/ser llevado a hombros

triompher [tʀijɔ̃fe] vi triunfar; (jubiler) no caber en sí de gozo; (exceller) sobresalir; **~ de qch/qn** triunfar sobre algo/algn

tripes [tʀip] nfpl (Culin) callos mpl; (fam) tripas fpl

triple [tʀipl] adj triple ■ nm: **le ~ (de)** el triple (de); **en ~ exemplaire** por triplicado

tripler [tʀiple] *vi, vt* triplicar

triplés, -ées [tʀiple] *nm/fpl* (*bébés*) trillizos *mpl*

tripoter [tʀipɔte] *vt* (*objet*) manosear; (*fam*) sobar ■ *vi* (*fam*) revolver

triste [tʀist] *adj* triste; **un ~ personnage/une ~ affaire** (*péj*) un personaje mediocre/un asunto turbio; **c'est un ~!** (*fam*) ¡qué cachondeo!

tristesse [tʀistɛs] *nf* tristeza

trivial, e, -aux [tʀivjal, jo] *adj* (*commun*) trivial; (*langage, plaisanteries*) ordinario(-a)

troc [tʀɔk] *nm* trueque *m*

trognon [tʀɔɲɔ̃] *nm* (*de fruit*) corazón *m*; (*de légume*) troncho

trois [tʀwɑ] *adj inv, nm inv* tres *m inv*; *voir aussi* **cinq**

troisième [tʀwazjɛm] *adj, nm/f* tercero(-a) ■ *nf* (*Auto*) tercera; (*Scol*) cuarto año de educación secundaria en el sistema francés; **~ âge: le ~ âge** la tercera edad; *voir aussi* **cinquième**

trombe [tʀɔ̃b] *nf* tromba; **en ~** en tromba; **des ~s d'eau** trombas *fpl* de agua

trombone [tʀɔ̃bɔn] *nm* (*Mus*) trombón *m*; (*de bureau*) clip *m*; **~ à coulisse** trombón de varas

trompe [tʀɔ̃p] *nf* trompa; **~ d'Eustache** trompa de Eustaquio; **~s utérines** trompas *fpl* de Falopio

tromper [tʀɔ̃pe] *vt* engañar; (*espoir, attente*) frustrar; (*vigilance, poursuivants*) burlar; (*suj: distance, ressemblance*) confundir; **se tromper** *vpr* equivocarse; **se ~ de voiture/jour** equivocarse de coche/día; **se ~ de 3 cm/20 euros** equivocarse en 3 cm/20 euros

trompette [tʀɔ̃pɛt] *nf* trompeta; **nez en ~** nariz respingona

trompeur, -euse [tʀɔ̃pœʀ, øz] *adj* engañoso(-a)

tronc [tʀɔ̃] *nm* (*Bot, Anat*) tronco; (*d'église*) cepillo; **~ commun** (*Scol*) ciclo común; **~ de cône** cono truncado

tronçon [tʀɔ̃sɔ̃] *nm* tramo

tronçonner [tʀɔ̃sɔne] *vt* (*arbre*) cortar en trozos; (*pierre*) partir en trozos

trône [tʀon] *nm* trono; **monter sur le ~** subir al trono

trop [tʀo] *adv* demasiado; (*devant adverbe*) muy, demasiado; **~ (souvent)/ (longtemps)** demasiado (a menudo)/ (tiempo); **~ de sucre/personnes** demasiado azúcar/demasiadas personas; **ils sont ~** son demasiados; **de ~, en ~: des livres en ~** libros *mpl* de sobra; **du lait en ~** leche *f* de sobra; **3 livres/5 euros de ~** 3 libras/5 euros de más

tropical, e, -aux [tʀɔpikal, o] *adj* tropical

tropique [tʀɔpik] *nm* trópico; **tropiques** *nmpl* (*régions*) trópicos *mpl*; **~ du Cancer/du Capricorne** trópico de Cáncer/Capricornio

trop-plein [tʀoplɛ̃] (*pl* **~s**) *nm* (*tuyau*) desagüe *m*; (*liquide*) (lo) sobrante *m*, exceso

troquer [tʀɔke] *vt*: **~ qch contre qch** trocar algo por algo; (*fig*) cambiar algo por algo

trot [tʀo] *nm* trote *m*; **aller au ~** ir al trote; **partir au ~** marchar corriendo

trotter [tʀɔte] *vi* trotar

trottinette [tʀɔtinɛt] *nf* patinete *m*

trottoir [tʀɔtwaʀ] *nm* acera, vereda (*AM*), andén (*AM*); **faire le ~** (*péj*) hacer la calle; **~ roulant** cinta móvil

trou [tʀu] *nm* agujero; (*moment de libre*) hueco; **~ d'aération** boca de ventilación; **~ d'air** bache *m*; **~ de la serrure** ojo de la cerradura; **~ de mémoire** fallo de la memoria; **~ noir** (*Astron*) agujero negro

troublant, e [tʀublɑ̃, ɑ̃t] *adj* (*ressemblance*) sorprendente; (*yeux, regard*) turbador(a); (*beauté*) perturbador(a)

trouble [tʀubl] *adj* turbio(-a); (*image, mémoire*) confuso(-a) ■ *adv*: **voir ~** ver borroso ■ *nm* (*désarroi*) desconcierto; (*émoi sensuel*) trastorno; (*embarras*) confusión *f*; (*zizanie*) desavenencia; **troubles** *nmpl* (*Pol*) disturbios *mpl*; (*Méd*) trastornos *mpl*; **~s de la personnalité/ de la vision** trastornos de la personalidad/de la visión

trouble-fête [tʀublafɛt] *nm/f inv* aguafiestas *m/f inv*

troubler [tʀuble] *vt* turbar; (*impressionner, inquiéter*) perturbar; (*d'émoi amoureux*) trastornar; (*liquide*) enturbiar; (*ordre*) alterar; (*tranquillité*) turbar, alterar; **se troubler** *vpr* turbarse; **~ l'ordre public** alterar el orden público

trouer [tʀue] *vt* agujerear; (*fig*) atravesar

trouille [tʀuj] (*fam*) *nf*: **avoir la ~** tener mieditis

troupe [tʀup] *nf* (*Mil*) tropa; (*d'écoliers*) grupo; **la ~** (*l'armée*) el ejército; (*les simples soldats*) la tropa; **~ (de théâtre)** compañía (de teatro); **~s de choc** fuerzas *fpl* de choque

troupeau, x [tʀupo] *nm* (*de moutons*) rebaño; (*de vaches*) manada

trousse [tʀus] nf (étui) estuche m;
(d'écolier) cartera; (de docteur) maletín m;
aux ~s de pisándole los talones a; **~ à outils**
bolsa de herramientas; **~ de toilette**
neceser m; **~ de voyage** bolsa de viaje
trousseau, x [tʀuso] nm ajuar m; **~ de
clefs** manojo de llaves
trouvaille [tʀuvaj] nf hallazgo; (fig: idée,
expression) idea
trouver [tʀuve] vt encontrar, hallar; **se
trouver** vpr (être) encontrarse, hallarse;
aller/venir ~ qn ir/venir a ver a algn; **~ le
loyer cher/le prix excessif** parecerle a
algn el alquiler caro/el precio excesivo; **je
trouve que** me parece que; **~ à boire/
critiquer** encontrar algo de beber/algo
que criticar; **~ asile/refuge** hallar asilo/
refugio; **se ~ loin/à 3 km** encontrarse
lejos/a 3 km; **ils se trouvent être frères**
resulta que son hermanos; **elles se
trouvent avoir le même manteau**
resulta que tienen el mismo abrigo; **il se
trouve que** resulta que; **se ~ bien/mal**
sentirse ou encontrarse bien/mal
truand [tʀyɑ̃] nm truhán m, timador m
truander [tʀyɑ̃de] (fam) vt timar
truc [tʀyk] nm (astuce) maña, artificio;
(de cinéma, magie) truco; (fam: machin,
chose) cosa, chisme m; **demande à ~**
(fam: personne) pregunta a ése ou ésa;
avoir le ~ coger el tranquillo ou truco;
c'est pas son (ou mon etc) **~** (fam) no es lo
suyo (ou lo mío etc)
truffe [tʀyf] nf (Bot) trufa; (fam: nez)
napias fpl
truffer [tʀyfe] vt (Culin) trufar; **truffé de**
(fig: erreurs) repleto de; (: pièges) lleno de
truie [tʀɥi] nf cerda, marrana
truite [tʀɥit] nf trucha
truquer [tʀyke] vt trucar; (élections)
amañar
TSVP [teɛsvepe] abr (= tournez s'il vous
plaît) sigue
TTC [tetese] abr (= toutes taxes comprises)
todo incluido
tu¹ [ty] pron tú ■ nm: **employer le tu**
tratar de tú
tu², e [ty] pp de **taire**
tuba [tyba] nm tuba; (Sport) tubo de
respiración
tube [tyb] nm tubo; (chanson, disque)
éxito; **~ à essai** tubo de ensayo; **~ de
peinture** tubo de pintura; **~ digestif**
tubo digestivo
tuberculose [tybɛʀkyloz] nf
tuberculosis f
tuer [tɥe] vt matar; (vie, activité) acabar
con, destruir; (commerce) arruinar;

(inspiration, amour) destruir; **se tuer** vpr
(se suicider) suicidarse; (dans un accident)
matarse; **se ~ au travail** (fig) matarse
trabajando
tuerie [tyʀi] nf matanza
tue-tête [tytɛt]: **à ~** adv a voz en grito,
a grito pelado
tueur [tɥœʀ] nm asesino; **~ à gages**
asesino a sueldo
tuile [tɥil] nf teja; (fam) contratiempo,
problema m
tulipe [tylip] nf tulipán m
tuméfié, e [tymefje] adj tumefacto(-a)
tumeur [tymœʀ] nf tumor m
tumulte [tymylt] nm tumulto
tumultueux, -euse [tymyltɥø, øz] adj
tumultuoso(-a); (passionné)
apasionado(-a)
tunique [tynik] nf túnica
Tunisie [tynizi] nf Túnez m
tunisien, ne [tynizjɛ̃, jɛn] adj
tunecino(-a) ■ nm/f: **Tunisien, ne**
tunecino(-a)
tunnel [tynɛl] nm túnel m
turbulent, e [tyʀbylɑ̃, ɑ̃t] adj
revoltoso(-a)
turc, turque [tyʀk] adj turco(-a) ■ nm
(Ling) turco ■ nm/f: **Turc, Turque**
turco(-a); **à la turque** adv (assis) a la
turca ■ adj (w.c.) sin asiento
turf [tyʀf] nm deporte m hípico
turfiste [tyʀfist] nm/f aficionado(-a) a
las carreras de caballos
Turquie [tyʀki] nf Turquía
turquoise [tyʀkwaz] adj inv turquesa inv
■ nf turquesa
tutelle [tytɛl] nf tutela; **être/mettre
sous la ~ de** estar/poner bajo la tutela de
tuteur, -trice [tytœʀ, tʀis] nm/f (Jur)
tutor(a) ■ nm (de plante) tutor m,
rodrigón m
tutoyer [tytwaje] vt: **~ qn** tutear a algn
tuyau, x [tɥijo] nm tubo; (fam: conseil)
consejo; **~ d'arrosage** manguera de
riego; **~ d'échappement** tubo de escape;
~ d'incendie manga de incendios
tuyauterie [tɥijotʀi] nf cañería, tubería
TVA [tevea] sigle f (= taxe à la valeur
ajoutée) ≈ IVA (= impuesto sobre el valor
añadido)
tympan [tɛ̃pɑ̃] nm tímpano
type [tip] nm tipo; (fam: homme) tío ■ adj
tipo; **avoir le ~ nordique** tener el tipo
nórdico; **le ~ standard** (modèle) el tipo ou
modelo standard; **le ~ travailleur**
(représentant) el típico trabajador
typé, e [tipe] adj típico(-a)
typique [tipik] adj típico(-a)

tyran [tiʀɑ̃] *nm* tirano
tyrannique [tiʀanik] *adj* tiránico(-a)
tzigane [dzigan] *adj* cíngaro(-a),
zíngaro(-a) ■ *nm/f*: **Tzigane** cíngaro(-a),
zíngaro(-a)

UE *sigle f* (= *Union européenne*) UE *f*
ulcère [ylsɛʀ] *nm* úlcera; **~ à l'estomac**
úlcera de estómago
ultérieur, e [ylteʀjœʀ] *adj* ulterior,
posterior; **reporté à une date ~e**
aplazado hasta nuevo aviso
ultérieurement [ylteʀjœʀmɑ̃] *adv*
posteriormente
ultime [yltim] *adj* último(-a)

 MOT-CLÉ

un, une [œ̃, yn] *art indéf* un(a); **un
garçon/vieillard** un chico/viejo; **une
fille** una niña
■ *pron* uno(-a); **l'un des meilleurs** uno
de los mejores; **l'un ..., l'autre ...** uno ...,
el otro ...; **les uns ..., les autres ...** (los)
unos ..., (los) otros ...; **l'un et l'autre** uno
y otro; **l'un ou l'autre** uno u otro; **pas un
seul** ni uno; **un par un** uno a uno
■ *num* uno(-a); **une pomme seulement**
una manzana solamente
■ *nf*: **la une** (*Presse*) la primera página;
(*chaîne de télévision*) la primera (cadena)

unanime [ynanim] *adj* unánime; **ils
sont ~s à penser que ...** piensan de forma
unánime que ...

unanimité [ynanimite] *nf* unanimidad *f*; **à l'~** por unanimidad; **faire l'~** obtener la unanimidad

uni, e [yni] *adj* (*tissu*) uniforme; (*surface, couleur*) liso(-a); (*groupe, pays*) unido(-a) ∎ *nm* tejido liso

unifier [ynifje] *vt* unificar; **s'unifier** *vpr* unificarse

uniforme [ynifɔrm] *adj* (*aussi fig*) uniforme ∎ *nm* uniforme *m*; **être sous l'~** (*Mil*) estar haciendo la mili

uniformiser [ynifɔrmize] *vt* uniformizar, uniformar

union [ynjɔ̃] *nf* unión *f*; mezcla; **l'U~ des républiques socialistes soviétiques** (*Hist*) la Unión de repúblicas socialistas soviéticas; **l'U~ soviétique** (*Hist*) la Unión soviética; **~ conjugale** unión conyugal; **~ de consommateurs** unión de consumidores; **~ douanière** unión aduanera; **~ libre** unión libre

unique [ynik] *adj* único(-a); **ménage à salaire ~** matrimonio con un solo sueldo; **route à voie ~** carretera de una sola dirección; **fils/fille ~** hijo único/hija única; **~ en France** único en Francia

uniquement [ynikmã] *adv* únicamente

unir [ynir] *vt* unir; (*couleurs*) mezclar; **s'unir** *vpr* unirse; **~ qch** unir algo a; **s'~ à** *ou* **avec** unirse a *ou* con

unisson [ynisɔ̃] : **à l'~** *adv* al unísono

unitaire [yniter] *adj* unitario(-a)

unité [ynite] *nf* unidad *f*; **~ centrale (de traitement)** (*Inform*) unidad central (de proceso); **~ d'action** unidad de acción; **~ de valeur** (*Scol*) ≈ asignatura; **~ de vues** acuerdo de puntos de vista

univers [yniver] *nm* (*aussi fig*) universo

universel, le [yniversɛl] *adj* universal

universitaire [yniversiter] *adj, nm/f* universitario(-a)

université [yniversite] *nf* universidad *f*

urbain, e [yrbɛ̃, ɛn] *adj* urbano(-a)

urbanisme [yrbanism] *nm* urbanismo

urgence [yrʒɑ̃s] *nf* urgencia ∎ *adv*: **d'~** urgentemente; **en cas d'~** en caso de urgencia; **service des ~s** servicio de urgencias

urgent, e [yrʒɑ̃, ɑ̃t] *adj* urgente

urine [yrin] *nf* orina

urinoir [yrinwar] *nm* urinario

urne [yrn] *nf* urna; **aller aux ~s** ir a las urnas; **~ funéraire** urna funeraria

urticaire [yrtiker] *nf* urticaria

us [ys] *nmpl*: **us et coutumes** usos *mpl* y costumbres

US(A) [yɛs(a)] *sigle mpl* (= *United States (of America)*) EE. UU. *mpl* (= *Estados Unidos*)

usage [yzaʒ] *nm* (*aussi Ling*) uso; (*coutume, bonnes manières*) costumbre *f*; **l'~** (*la coutume*) la costumbre; **c'est l'~** es costumbre; **faire ~ de** (*pouvoir, droit*) hacer uso de; **avoir l'~ de** tener uso de; **à l'~** con el uso; **à l'~ de** para uso de; **en ~** en uso; **hors d'~** fuera de uso, en desuso; **à ~ interne/externe** (*Méd*) de uso interno/externo; **~ de faux** (*Jur*) uso de dinero falso *ou* documentos falsos

usagé, e [yzaʒe] *adj* usado(-a)

usager, -ère [yzaʒe, ɛr] *nm/f* usuario(-a)

usé, e [yze] *adj* usado(-a); (*santé, personne*) desgastado(-a); (*banal, rebattu*) manido(-a); **eaux ~es** aguas *fpl* sucias

user [yze] *vt* usar; (*consommer*) gastar; (*fig: santé, personne*) desgastar; **s'user** *vpr* (*outil, vêtement*) gastarse; (*fig: facultés, santé*) desgastarse; **il s'use à la tâche** *ou* **au travail** el trabajo le está consumiendo; **~ de** (*moyen, droit, procédé*) servirse de

usine [yzin] *nf* fábrica; **~ à gaz** planta de gas; **~ atomique/marémotrice** central *f* nuclear/maremotriz

usité, e [yzite] *adj* empleado(-a); **peu ~** poco empleado(-a)

ustensile [ystãsil] *nm* utensilio; **~ de cuisine** utensilio de cocina

usuel, le [yzɥɛl] *adj* usual

usure [yzyr] *nf* desgaste *m*; (*de l'usurier*) usura; **avoir qn à l'~** acabar convenciendo a algn; **~ normale** desgaste normal

utérus [yterys] *nm* útero

utile [ytil] *adj* útil; **~ à qn/qch** útil a algn/para algo; **si cela peut vous être ~, ...** si eso puede serle útil, ...

utilisation [ytilizasjɔ̃] *nf* utilización *f*

utiliser [ytilize] *vt* (*aussi péj*) utilizar; (*Culin: restes*) aprovechar; (*consommer*) gastar

utilitaire [ytiliter] *adj* (*objet, véhicule*) utilitario(-a); (*préoccupations, but*) interesado(-a) ∎ *nm* (*Inform*) utilidad *f*

utilité [ytilite] *nf* utilidad *f*; **jouer les ~s** (*Théâtre*) actuar de figurante; **reconnu d'~ publique** (*Admin*) reconocido de utilidad pública; **ce n'est d'aucune/c'est d'une grande ~** no es de ninguna/es de gran utilidad

utopie [ytɔpi] *nf* utopía

V

va [va] *vb voir* **aller**

vacance [vakãs] *nf* (*Admin*) vacante *f*; **vacances** *nfpl* vacaciones *fpl*; **les grandes ~s** las vacaciones de verano; **prendre des/ses ~s (en juin)** coger las vacaciones (en junio); **aller en ~s** ir de vacaciones; **~s de Noël/de Pâques** vacaciones de Navidad/de Semana Santa

vacancier, -ière [vakãsje, jɛʀ] *nm/f* veraneante *m/f*

vacant, e [vakã, ãt] *adj* vacante; (*appartement*) desocupado(-a)

vacarme [vakaʀm] *nm* alboroto

vaccin [vaksɛ̃] *nm* vacuna; **~ antidiphtérique/antivariolique** vacuna contra la difteria/contra la viruela

vaccination [vaksinasjõ] *nf* vacunación *f*

vacciner [vaksine] *vt* vacunar; **~ qn contre** vacunar a algn contra; **être vacciné** (*fig: fam*) estar vacunado(-a)

vache [vaʃ] *nf* vaca; (*cuir*) piel *f* ■ *adj* (*fam*) duro(-a); **manger de la ~ enragée** pasar las de Caín; **période des ~s maigres** época de vacas flacas; **à eau** bolsa de agua; **à lait** (*fam: péj*) persona *de la que se abusa*; **~ laitière** vaca lechera

vachement [vaʃmã] (*fam*) *adv* super

vacherie [vaʃʀi] (*fam*) *nf* faena

vaciller [vasije] *vi* vacilar; (*mémoire, raison*) fallar; **~ dans ses réponses/ses résolutions** vacilar en las respuestas/las soluciones

va-et-vient [vaevjɛ̃] *nm inv* vaivén *m*; (*Élec*) conmutador *m*

vagabond, e [vagabõ, õd] *adj* vagabundo(-a); (*pensées*) errabundo(-a) ■ *nm* vagabundo; (*voyageur*) trotamundos *m inv*

vagabonder [vagabõde] *vi* vagabundear; (*suj: pensées*) vagar

vagin [vaʒɛ̃] *nm* vagina

vague [vag] *nf* ola; (*d'une chevelure etc*) onda ■ *adj* (*indications*) poco claro(-a); (*silhouette, souvenir*) vago(-a); (*angoisse*) indefinido(-a); (*manteau, robe*) suelto(-a) ■ *nm*: **rester dans le ~** hablar con vaguedad; **être dans le ~** estar en el aire; **un ~ cousin** un primo cualquiera; **regarder dans le ~** mirar al vacío; **~ à l'âme** *nm* nostalgia; **~ d'assaut** *nf* (*Mil*) ola de ataques; **~ de chaleur** *nf* ola de calor; **~ de fond** *nf* mar de fondo; **~ de froid** *nf* ola de frío

vaillant, e [vajã, ãt] *adj* (*courageux*) valeroso(-a), valiente; (*vigoureux*) saludable; **n'avoir plus** *ou* **pas un sou ~** no tener ni un cuarto

vain, e [vɛ̃, vɛn] *adj* vano(-a); **en ~** en vano

vaincre [vɛ̃kʀ] *vt* vencer, derrotar

vaincu, e [vɛ̃ky] *pp de* **vaincre** ■ *nm/f* vencido(-a), derrotado(-a)

vainqueur [vɛ̃kœʀ] *adj m, nm* ganador *m*

vaisseau, x [vɛso] *nm* (*Anat*) vaso; (*Naut*) navío; **enseigne/capitaine de ~** alférez *m*/capitán *m* de navío; **~ spatial** nave *f* espacial

vaisselier [vɛsəlje] *nm* aparador *m*

vaisselle [vɛsɛl] *nf* vajilla; (*lavage*) fregado; **faire la ~** fregar los platos

valable [valabl] *adj* válido(-a); (*motif, solution*) admisible; (*interlocuteur, écrivain*) aceptable

valet [valɛ] *nm* criado; (*péj*) lacayo; (*cintre*) colgador *m* de ropa; (*Cartes*) sota; **~ de chambre** ayuda *m* de cámara; **~ de ferme** mozo de labranza; **~ de pied** lacayo

valeur [valœʀ] *nf* valor *m*; (*prix*) precio; **valeurs** *nfpl* (*morales*) valores *mpl* morales; **mettre en ~** valorizar; (*fig*) destacar; **avoir/prendre de la ~** tener/ adquirir valor; **sans ~** sin valor; **~ absolue** valor absoluto; **~ d'échange** valor de cambio; **~s mobilières/nominales** valores mobiliarios/nominales

valide [valid] *adj* (*personne*) sano(-a); (*passeport, billet*) válido(-a)
valider [valide] *vt* validar
valise [valiz] *nf* maleta, valija (*AM*); **faire sa ~** hacer la maleta; **la ~ (diplomatique)** la valija (diplomática)
vallée [vale] *nf* valle *m*
vallon [valɔ̃] *nm* pequeño valle *m*
valoir [valwaʀ] *vi* valer ■ *vt* (*prix, valeur*) valer; (*un effort, détour*) merecer; (*causer, procurer: suj: chose*): **~ qch à qn** valer algo a algn; (*négatif*) costar algo a algn; **se valoir** *vpr* ser equivalente; (*péj*) ser tal para cual; **faire ~ (*ses droits*)** hacer valer; (*domaine, capitaux*) valorizar; **faire ~ que** insistir en que; **se faire ~** alardear; **à ~ sur** a cuenta de; **vaille que vaille** eso me da mala espina; **ce climat** *etc* **ne me vaut rien** este clima *etc* no me sienta nada bien; **~ la peine** merecer la pena; **~ mieux**: **il vaut mieux se taire/que le fasse comme ceci** más vale callarse/que lo haga así; **ça ne vaut rien** eso no vale nada; **~ cher** costar mucho dinero; **il faut faire ~ que tu as de l'expérience** tienes que conseguir que valoren tu experiencia; **que vaut ce candidat/cette méthode?** ¿qué valor tiene ese candidato/ese método?
valse [vals] *nf* vals *m*; **la ~ des prix** el baile de precios
vandalisme [vɑ̃dalism] *nm* vandalismo
vanille [vanij] *nf* vainilla; **glace/crème à la ~** helado/crema de vainilla
vanité [vanite] *nf* vanidad *f*; **tirer ~ de** vanagloriarse de
vaniteux, -euse [vanitø, øz] *adj* vanidoso(-a)
vanne [van] *nf* compuerta; (*fam*) pulla; **lancer une ~ à qn** tirar pullas a algn
vannerie [vanʀi] *nf* cestería
vantard, e [vɑ̃taʀ, aʀd] *adj* jactancioso(-a)
vanter [vɑ̃te] *vt* alabar; **se vanter** *vpr* jactarse; **se ~ de qch** jactarse *ou* presumir de algo; **se ~ d'avoir fait/de pouvoir faire** jactarse *ou* presumir de haber hecho/de poder hacer
vapeur [vapœʀ] *nf* vapor *m*; (*brouillard, buée*) vaho; **vapeurs** *nfpl* (*bouffées de chaleur*): **j'ai des ~s** tengo sofocos; **les ~s du vin** (*émanation*) los vapores del vino; **machine/locomotive à ~** máquina/locomotora de vapor; **à toute ~** a toda máquina; **renverser la ~** (*Tech, fig*) cambiar de marcha; **cuit à la ~** (*Culin*) cocinado al vapor

vaporeux, -euse [vapɔʀø, øz] *adj* vaporoso(-a)
vaporisateur [vapɔʀizatœʀ] *nm* vaporizador *m*
vaporiser [vapɔʀize] *vt* vaporizar
varappe [vaʀap] *nf* escalada de rocas
vareuse [vaʀøz] *nf* (*blouson*) marinera; (*d'uniforme*) guerrera
variable [vaʀjabl] *adj* variable; (*Tech*) adaptable; (*résultats*) diverso(-a) ■ *nf* (*Math*) variable *f*
varice [vaʀis] *nf* variz *f*
varicelle [vaʀisɛl] *nf* varicela
varié, e [vaʀje] *adj* variado(-a); (*goûts, résultats*) diverso(-a); **hors d'œuvre ~s** entremeses *mpl* variados
varier [vaʀje] *vi* variar, cambiar; (*différer*) variar ■ *vt* cambiar; **~ sur** (*différer d'opinion*) discrepar en
variété [vaʀjete] *nf* variedad *f*; **variétés** *nfpl*: **spectacle/émission de ~s** espectáculo/programa de variedades; **une (grande) ~ de** (gran) variedad de
variole [vaʀjɔl] *nf* viruela
vas [va] *vb voir* **aller**; **~~y!** ¡venga!; (*quelque part*) ¡ve!
vase [vɑz] *nm* vaso ■ *nf* fango; **en ~ clos** aislado(-a); **~ de nuit** orinal *m*; **~s communicants** vasos comunicantes
vaseux, -euse [vazø, øz] *adj* fangoso(-a); (*fam: confus, étourdi*) confuso(-a); (*: fatigué*) hecho(-a) polvo
vasistas [vazistas] *nm* tragaluz *m*
vaste [vast] *adj* amplio(-a)
vautour [votuʀ] *nm* buitre *m*
vautrer [votʀe] *vpr*: **se vautrer** revolcarse; **se ~ dans/sur** revolcarse en; (*vice*) hundirse en
va-vite [vavit]: **à la ~** *adv* de prisa y corriendo

VDQS

VDQS, siglas de "vin délimité de qualité supérieure", es la segunda categoría más alta de los vinos franceses, tras AOC, e indica que se trata de un vino de gran calidad procedente de viñedos con denominación de origen. A ésta le sigue el *vin de pays*. *Vin de table* o *vin ordinaire* es vino de mesa de origen indeterminado y a menudo se trata de una mezcla.

veau, x [vo] *nm* ternero; (*Culin*) ternera; (*peau*) becerro; **tuer le ~ gras** echar la casa por la ventana

vécu, e [veky] *pp de* **vivre ■** *adj* vivido(-a)

vedette [vədɛt] *nf* estrella; *(personnalité)* figura; *(canot)* lancha motora; **mettre qn en ~** *(Ciné etc)* poner a algn en primer plano; **avoir la ~** estar en primera plana

végétal, e, -aux [veʒetal, o] *adj, nm* vegetal m

végétalien, ne [veʒetaljɛ̃, jɛn] *adj, nm/f* vegetariano(-a) estricto(-a)

végétarien, ne [veʒetarjɛ̃, jɛn] *adj, nm/f* vegetariano(-a)

végétation [veʒetasjɔ̃] *nf* vegetación f; **végétations** *nfpl (Méd)* vegetaciones *fpl;* **opérer qn des ~s** operar a algn de vegetaciones; **~ arctique/tropicale** vegetación ártica/tropical

véhicule [veikyl] *nm* vehículo; **~ utilitaire** vehículo utilitario

veille [vɛj] *nf* vigilancia; *(Psych)* vigilia; *(jour):* **la ~ de** el día anterior a; **la ~ au soir** la noche anterior; **à la ~ de** en vísperas de; **l'état de ~** el estado de vigilia

veillée [veje] *nf* velada; **~ d'armes** vela de armas; **~ (mortuaire)** velatorio

veiller [veje] *vi* velar; *(être vigilant)* vigilar **■** *vt* velar; **~ à** *(s'occuper de)* velar por; *(faire attention à)* procurar; *(prendre soin de)* cuidar de; **~ à faire/à ce que** ocuparse de hacer/de que; **~ sur** cuidar de

veilleur [vejœr] *nm:* **~ de nuit** sereno

veilleuse [vejøz] *nf (lampe)* lamparilla de noche; *(Auto, flamme)* piloto; **en ~** a media luz; *(affaire)* a la espera

veinard, e [venar, ard] *(fam) nm/f* suertudo(-a)

veine [vɛn] *nf* vena; *(du bois, marbre etc)* veta; **avoir la ~** *(fam)* tener chiripa

véliplanchiste [veliplɑ̃ʃist] *nm/f* windsurfista *m/f*

vélo [velo] *nm* bici f; **faire du/aimer le ~** hacer ciclismo/gustarle a uno el ciclismo

vélomoteur [velɔmɔtœr] *nm* velomotor m

velours [v(ə)lur] *nm* terciopelo; **~ côtelé** pana; **~ de coton/de laine** veludillo/fieltro; **~ de soie** terciopelo de seda

velouté, e [vəlute] *adj (peau)* aterciopelado(-a); *(lumière, couleurs)* suave; *(au goût)* cremoso(-a); *(: vin)* suave **■** *nm (Culin):* **~ d'asperges/de tomates** crema de espárragos/sopa de tomate

velu, e [vəly] *adj* velloso(-a)

vendange [vɑ̃dɑ̃ʒ] *nf* vendimia; *(raisins récoltés)* cosecha (de uvas)

vendanger [vɑ̃dɑ̃ʒe] *vi, vt* vendimiar

vendeur, -euse [vɑ̃dœr, øz] *nm/f (de magasin)* vendedor(a), dependiente(-a); *(Comm)* vendedor(a) **■** *nm (Jur)* vendedor m; **~ de journaux** vendedor *ou* voceador m *(AM)* de periódicos, canillita m *(Csur)*

vendre [vɑ̃dr] *vt* vender; **~ qch à qn** vender algo a algn; **cela se vend à la douzaine** se vende por docenas; **cela se vend bien** esto se vende bien; **"à ~"** "en venta"

vendredi [vɑ̃drədi] *nm* viernes m *inv;* **V~ saint** Viernes Santo; *voir aussi* **lundi**

vénéneux, -euse [venenø, øz] *adj* venenoso(-a)

vénérien, ne [venerjɛ̃, jɛn] *adj* venéreo(-a)

vengeance [vɑ̃ʒɑ̃s] *nf* venganza

venger [vɑ̃ʒe] *vt* vengar; **se venger** *vpr* vengarse; **se ~ de/sur qch/qn** vengarse de/en algo/algn

venimeux, -euse [vənimø, øz] *adj* venenoso(-a)

venin [vənɛ̃] *nm* veneno

venir [v(ə)nir] *vi* venir, llegar; **~ de** *(lieu)* venir de; *(cause)* proceder de; **~ de faire:** **je viens d'y aller/de le voir** acabo de ir/de verle; **s'il vient à pleuvoir** si llegara a llover; **en ~ à faire: j'en viens à croire que** llego a pensar que; **il en est venu à mendier** ha llegado a mendigar; **en ~ aux mains** llegar a las manos; **les années/générations à ~** los años/generaciones venideros(-as); **où veux-tu en ~?** ¿hasta dónde quieres llegar?; **je te vois ~** te veo venir; **il me vient une idée** se me ocurre una idea; **il me vient des soupçons** empiezo a sospechar; **laisser ~** esperar antes de actuar; **faire ~** llamar; **d'où vient que ...?** ¿cómo es posible que ...?; **~ au monde** venir al mundo

vent [vɑ̃] *nm* viento; **il y a du ~** hace viento; **c'est du ~** *(fig)* son palabras al aire; **au ~** a barlovento; **sous le ~** a sotavento; **avoir le ~ debout** *ou* **en face/arrière** *ou* **en poupe** tener viento en contra *ou* de cara/a favor *ou* en popa; **(être) dans le ~** *(fam)* (estar) a la moda; **prendre le ~** *(fig)* tantear el terreno; **avoir ~ de** enterarse de; **contre ~s et marées** contra viento y marea

vente [vɑ̃t] *nf* venta; **mettre en ~** poner en venta; **~ aux enchères** subasta; **~ de charité** venta de beneficiencia; **~ par correspondance** venta por correspondencia

venteux, -euse [vɑ̃tø, øz] *adj* ventoso(-a)

ventilateur [vɑ̃tilatœr] *nm* ventilador m

ventiler [vɑ̃tile] *vt* ventilar; *(total, statistiques)* repartir

ventouse [vãtuz] nf ventosa
ventre [vãtʀ] nm vientre m; (fig) panza;
  avoir/prendre du ~ tener/echar barriga;
  j'ai mal au ~ me duele la barriga
venu, e [v(ə)ny] pp de **venir** ◼ adj: **être
  mal ~ à** ou **de faire** ser poco oportuno
  hacer; **mal/bien ~** poco/muy
  oportuno(-a)
ver [vɛʀ] nm gusano; (intestinal) lombriz
  f; (du bois) polilla; **~ à soie** gusano de
  seda; **~ blanc** larva de abejorro; **~ de
  terre** lombriz f; **~ luisant** luciérnaga;
  ~ solitaire tenia; voir aussi **vers**
verbe [vɛʀb] nm verbo; **avoir le ~ sonore**
  (voix) hablar alto; **la magie du ~**
  (expression) la magia del verbo; **le V~** (Rel)
  el Verbo
verdâtre [vɛʀdɑtʀ] adj verdusco(-a)
verdict [vɛʀdik(t)] nm veredicto
verdir [vɛʀdiʀ] vi verdear, verdecer ◼ vt
  pintar de verde
verdure [vɛʀdyʀ] nf (arbres, feuillages)
  verde m, verdor m; (légumes verts)
  verdura
véreux, -euse [veʀø, øz] adj
  agusanado(-a); (malhonnête)
  corrompido(-a)
verge [vɛʀʒ] nf (Anat) verga; (baguette)
  vara
verger [vɛʀʒe] nm huerto
verglacé, e [vɛʀglase] adj helado(-a)
verglas [vɛʀglɑ] nm hielo
véridique [veʀidik] adj verídico(-a)
vérification [veʀifikasjɔ̃] nf (des comptes
  etc) revisión f; (d'une chose par une autre)
  verificación f; **~ d'identité** (Police)
  identificación f
vérifier [veʀifje] vt (mécanisme,
  comptes) revisar; (hypothèse) comprobar;
  (suj: chose: prouver) corroborar;
  (Inform) verificar; **se vérifier** vpr
  verificarse
véritable [veʀitabl] adj verdadero(-a);
  (ami, amour) auténtico(-a); (or, argent) de
  ley; **un ~ désastre/miracle** un auténtico
  desastre/milagro
vérité [veʀite] nf verdad f; (d'un fait, d'un
  portrait) autenticidad f; (sincérité)
  sinceridad f; **à la** ou **en ~** en realidad

típicos, "féca" ("café"), "ripou"
("pourri"), "meuf" ("femme"), y "beur"
("Arabe").

vermeil, le [vɛʀmɛj] adj bermejo(-a)
  ◼ nm corladura
vermine [vɛʀmin] nf parásitos mpl; (fig)
  chusma
vermoulu, e [vɛʀmuly] adj
  carcomido(-a)
verni, e [vɛʀni] adj barnizado(-a); (fam)
  suertudo(-a); **cuir ~** cuero charolado;
  souliers ~s zapatos mpl de charol
vernir [vɛʀniʀ] vt barnizar; (poteries,
  ongles) esmaltar
vernis [vɛʀni] nm barniz m; (fig) capa;
  ~ à ongles esmalte m de uñas
vernissage [vɛʀnisaʒ] nm barnizado;
  (d'une exposition) inauguración f
vérole [veʀɔl] nf (aussi: **petite vérole**)
  viruela; (fam: syphilis) sífilis fsg
verre [vɛʀ] nm vidrio, cristal m; (récipient,
  contenu) vaso, copa; (de lunettes) cristal
  m; **verres** nmpl (lunettes) gafas fpl; **boire**
  ou **prendre un ~** beber ou tomar una
  copa; **~ à dents** vaso de aseo; **~ à
  liqueur/à vin** copa de ou para licor/vino;
  ~ à pied copa; **~ armé** cristal reforzado;
  ~ de lampe cristal de lámpara; **~ de
  montre** cristal del reloj; **~ dépoli/
  trempé/feuilleté** cristal esmerilado/
  templado/laminado; **~s de contact**
  lentes mpl de contacto, lentillas fpl; **~s
  fumés** cristales mpl ahumados
verrière [vɛʀjɛʀ] nf cristalera
verrou [veʀu] nm cerrojo; (Géo, Mil)
  bloqueo; **mettre le ~** poner el cerrojo;
  mettre qn/être sous les ~s (fig) meter a
  algn/estar en chirona
verrouillage [veʀujaʒ] nm cierre m;
  ~ central (Auto) cierre automático
verrouiller [veʀuje] vt (porte) cerrar con
  cerrojo; (Mil: brèche) bloquear
verrue [veʀy] nf verruga
vers [vɛʀ] nm verso ◼ prép hacia; (dans
  les environs de) hacia, cerca de; (temporel)
  alrededor de, sobre ◼ nmpl (poésie)
  versos mpl
versant [vɛʀsɑ̃] nm ladera
versatile [vɛʀsatil] adj versátil
verse [vɛʀs]: **à ~** adv a cántaros; **il pleut
  à ~** llueve a cántaros
Verseau [vɛʀso] nm (Astrol) Acuario;
  être (du) ~ ser (de) Acuario
versement [vɛʀsəmɑ̃] nm pago; (sur un
  compte) ingreso; **en 3 ~s** en 3 plazos
verser [vɛʀse] vt verter, derramar; (dans
  une tasse etc) echar; (argent: à qn) pagar;

(: *sur un compte*) ingresar; (*véhicule*)
volcar; (*soldat: affecter*): **~ qn dans**
destinar a algn ; **~ dans** (*fig*) versar
sobre; **~ à un compte** ingresar *ou* abonar
en una cuenta
version [vɛʀsjɔ̃] *nf* (*Scol: traduction*)
versión *f*; **film en ~ originale** película en
versión original
verso [vɛʀso] *nm* dorso, reverso; **voir au**
~ ver al dorso
vert, e [vɛʀ, vɛʀt] *adj* verde; (*vin*) agraz;
(*personne: vigoureux*) lozano(-a); (*langage,*
propos) fuerte ■ *nm* verde *m*; **en voir des**
~es (et des pas mûres) (*fam*) pasarlas
negras; **en dire des ~es (et des pas**
mûres) (*fam*) hablar a las claras; **se**
mettre au ~ irse a descansar al campo;
~ bouteille/d'eau/pomme *adj inv* verde
botella/agua/manzana *inv*
vertèbre [vɛʀtɛbʀ] *nf* vértebra
vertement [vɛʀtəmã] *adv* severamente
vertical, e, -aux [vɛʀtikal, o] *adj*
vertical
verticale [vɛʀtikal] *nf* vertical *f*; **à la ~**
en vertical
verticalement [vɛʀtikalmã] *adv*
verticalmente
vertige [vɛʀtiʒ] *nm* vértigo;
(*étourdissement*) mareo; (*égarement*)
escalofríos *mpl*; **ça me donne le ~** me da
vértigo; (*m'impressionne*) me alucina;
(*m'égare*) me da escalofríos
vertigineux, -euse [vɛʀtiʒinø, øz] *adj*
vertiginoso(-a)
vertu [vɛʀty] *nf* virtud *f*; **en ~ de** en
virtud de
vertueux, -euse [vɛʀtɥø, øz] *adj*
virtuoso(-a); (*femme*) decente; (*conduite*)
meritorio(-a)
verve [vɛʀv] *nf* inspiración *f*; **être en ~**
estar en vena
verveine [vɛʀvɛn] *nf* verbena
vésicule [vezikyl] *nf* vesícula; **~ biliaire**
vesícula biliar
vessie [vesi] *nf* vejiga
veste [vɛst] *nf* chaqueta, americana,
saco (*AM*); **retourner sa ~** (*fig: fam*)
cambiar de chaqueta; **~ croisée/droite**
chaqueta cruzada/recta *ou* sin cruzar
vestiaire [vɛstjɛʀ] *nm* (*au théâtre etc*)
guardarropa; (*de stade etc*) vestuario;
(armoire) ~ taquilla
vestibule [vɛstibyl] *nm* vestíbulo
vestige [vɛstiʒ] *nm* vestigio; **vestiges**
nmpl (*de ville, civilisation*) vestigios *mpl*
vestimentaire [vɛstimãtɛʀ] *adj*
(*dépenses*) en vestimenta; (*détail*) de la
vestimenta; (*élégance*) en el vestir

veston [vɛstɔ̃] *nm* americana
vêtement [vɛtmã] *nm* vestido; (*Comm*):
le ~ la confección; **vêtements** *nmpl*
ropa; **~s de sport** ropa de sport
vétérinaire [veteʀinɛʀ] *adj, nm/f*
veterinario(-a)
vêtir [vetiʀ] *vt* vestir; **se vêtir** *vpr*
vestirse
vêtu, e [vety] *pp de* **vêtir** ■ *adj*: **~ de**
vestido(-a) de; **chaudement ~**
abrigado(-a)
vétuste [vetyst] *adj* vetusto(-a)
veuf, veuve [vœf, vœv] *adj, nm/f*
viudo(-a)
veuve [vœv] *adj f voir* **veuf**
vexant, e [vɛksã, ãt] *adj* (*contrariant*)
molesto(-a); (*blessant*) humillante
vexations [vɛksasjɔ̃] *nfpl* (*insultes*)
humillaciones *fpl*; (*brimades*) molestias
fpl
vexer [vɛkse] *vt* ofender, humillar;
se vexer *vpr* ofenderse
viable [vjabl] *adj* viable
Viagra® [vjagʀa] *nm* Viagra®
viande [vjãd] *nf* carne *f*; **~ blanche/**
rouge carne blanca/roja
vibrer [vibʀe] *vi* vibrar ■ *vt* (*Tech*)
someter a vibraciones; **faire ~** hacer
vibrar
vice [vis] *nm* vicio; **~ de fabrication/**
construction defecto de fabricación/
construcción; **~ caché** (*Comm*) vicio
oculto; **~ de forme** (*Jur*) defecto de forma
vice... [vis] *préf* vice...
vicié, e [visje] *adj* viciado(-a); (*goût*)
estropeado(-a)
vicieux, -euse [visjø, jøz] *adj*
vicioso(-a); (*prononciation*) erróneo(-a)
vicinal, e, -aux [visinal, o] *adj* vecinal;
chemin ~ camino vecinal
victime [viktim] *nf* víctima; **être (la) ~**
de ser (la) víctima de; **être ~ d'une**
attaque/d'un accident ser víctima de un
ataque/de un accidente
victoire [viktwaʀ] *nf* victoria, triunfo
victuailles [viktɥaj] *nfpl* vitualla
vidange [vidãʒ] *nf* (*d'un fossé, réservoir*)
vaciado; (*Auto*) cambio de aceite; (*de*
lavabo) desagüe *m*; **vidanges** *nfpl*
(*matières*) aguas *fpl* fecales; **faire la ~**
(*Auto*) cambiar el aceite; **tuyau de ~** tubo
de desagüe
vidanger [vidãʒe] *vt* vaciar; **faire ~ la**
voiture cambiar el aceite del coche
vide [vid] *adj* vacío(-a) ■ *nm* vacío;
(*futilité, néant*) nada; **~ de** desprovisto(-a)
de; **sous ~** al vacío; **emballé sous ~**
envasado al vacío; **regarder dans le ~**

mirar al vacío; **avoir peur du ~** tener miedo del vacío; **parler dans le ~** hablar en el aire; **faire le ~** hacer el vacío; **faire le ~ autour de qn** hacer el vacío a algn; **à ~** (sans occupants) desocupado(-a); (sans charge) vacante; (Tech) en falso
vidéo [video] nf vídeo ∎ adj inv vídeo; **~ inverse** (Inform) vídeo inverso
vide-ordures [vidɔʀdyʀ] nm inv vertedero de basuras
vider [vide] vt vaciar; (lieu) desalojar; (bouteille, verre) beber; (volaille, poisson) limpiar; (querelle) liquidar; (fatiguer) agotar; (fam) echar; **se vider** vpr vaciarse; **~ les lieux** desalojar el local
videur [vidœʀ] nm matón m
vie [vi] nf vida; (animation) vitalidad f; **être en ~** estar vivo(-a); **sans ~** sin vida; **à ~** para toda la vida, vitalicio(-a); **élu/ membre à ~** elegido/miembro vitalicio; **dans la ~ courante** en la vida real; **avoir la ~ dure** tener siete vidas; **mener la ~ dure à qn** hacerle la vida imposible a algn
vieil [vjɛj] adj m voir **vieux**; **~ or** adj inv oro viejo inv
vieillard [vjejaʀ] nm anciano; **les ~s** los ancianos
vieille [vjɛj] adj f voir **vieux**; **~ fille** solterona
vieilleries [vjejʀi] nfpl antiguallas fpl
vieillesse [vjejɛs] nf vejez f; **la ~** (vieillards) los ancianos
vieillir [vjejiʀ] vi envejecer; (se flétrir) avejentarse; (institutions, doctrine) anticuarse; (vin) hacerse añejo(-a) ∎ vt avejentar; (attribuer un âge plus avancé) envejecer; **se vieillir** vpr avejentarse; **il a beaucoup vieilli** ha envejecido mucho
vierge [vjɛʀʒ] adj virgen; (page) en blanco ∎ nf virgen f; (Astrol): **la V~** Virgo; **être (de la) V~** ser Virgo; **~ de** sin
vietnamien, ne [vjɛtnamjɛ̃, jɛn] adj vietnamita ∎ nm (Ling) vietnamita m ∎ nm/f: **Vietnamien, ne** vietnamita m/f
vieux (vieil), vieille [vjø, vjɛj] adj viejo(-a); (ancien) antiguo(-a) ∎ nm: **le vieux et le neuf** lo antiguo y lo nuevo ∎ nm/f viejo(-a), anciano(-a) ∎ nmpl: **les vieux** los viejos; **un petit vieux** un viejecito; **mon vieux/ma vieille** (fam) hombre/mujer; **mon pauvre vieux** pobrecito; **prendre un coup de vieux** envejecer de repente; **se faire vieux** hacerse viejo(-a); **un vieux de la vieille** (fam) un viejo experimentado; **vieux garçon** solterón; **vieux jeu** adj inv chapado(-a) a la antigua; **vieux rose** adj inv rosa asalmonado inv

vif, vive [vif, viv] adj vivo(-a); (alerte) espabilado(-a); (emporté) impulsivo(-a); (air) tonificante; (vent, froid) cortante; (émotion) fuerte; (déception, intérêt) profundo(-a); **brûlé ~** quemado vivo; **eau vive** agua viva; **source vive** manantial m; **de vive voix** de viva voz; **toucher** ou **piquer qn au ~** dar a algn en el punto débil; **tailler** ou **couper dans le ~** cortar por lo sano; **à ~** en carne viva; **avoir les nerfs à ~** tener los nervios de punta; **sur le ~** (Art) del natural; **entrer dans le ~ du sujet** entrar en el meollo de la cuestión
vigne [viɲ] nf (plante) vid f; (plantation) viña; **~ vierge** viña loca
vigneron [viɲ(ə)ʀɔ̃] nm viñador m
vignette [viɲɛt] nf viñeta; (Auto) pegatina; (sur médicament) resguardo de precio
vignoble [viɲɔbl] nm viñedo; (vignes d'une région) viñedos mpl
vigoureux, -euse [viguʀø, øz] adj vigoroso(-a)
vigueur [vigœʀ] nf vigor m; (Jur): **être/ entrer en ~** estar/entrar en vigor; **en ~** vigente
vilain, e [vilɛ̃, ɛn] adj (laid) feo(-a); (affaire, blessure) malo(-a); (enfant) malo(-a) ∎ nm (paysan) villano; **ça va faire du/tourner au ~** esto va a ponerse feo; **~ mot** palabrota
villa [villa] nf villa, chalet m
village [vilaʒ] nm pueblo; (aussi: **petit village**) aldea; **~ de toile** campamento; **~ de vacances** lugar m de vacaciones
villageois, e [vilaʒwa, waz] adj, nm/f lugareño(-a); (d'un petit village) aldeano(-a)
ville [vil] nf ciudad f, villa, municipio; **habiter en ~** vivir en la ciudad; **aller en ~** ir a la ciudad; **~ nouvelle** ciudad nueva
vin [vɛ̃] nm vino; (liqueur) licor m; **il a le ~ gai/triste** la bebida le pone alegre/triste; **~ blanc/rosé/rouge** vino blanco/rosado/ tinto; **~ d'honneur** vino de honor; **~ de messe** vino de misa; **~ de pays/de table** vino del país/de mesa; **~ nouveau/ ordinaire** vino nuevo/corriente
vinaigre [vinɛgʀ] nm vinagre m; **tourner au ~** (fig) aguarse; **~ d'alcool/de vin** vinagre de alcohol/de vino
vinaigrette [vinɛgʀɛt] nf vinagreta
vindicatif, -ive [vɛ̃dikatif, iv] adj vindicativo(-a)
vingt [vɛ̃] adj inv, nm inv veinte m inv; **~-quatre heures sur ~-quatre** las veinticuatro horas del día; voir aussi **cinq**

vingtaine [vɛ̃tɛn] *nf*: **une ~ (de)** unos veinte

vingtième [vɛ̃tjɛm] *adj, nm/f* vigésimo(-a) ■ *nm (partitif)* veinteavo; **le ~ siècle** el siglo veinte; *voir aussi* **cinquantième**

vinicole [vinikɔl] *adj* vinícola

vinyle [vinil] *nm* vinilo

viol [vjɔl] *nm* violación f

violacé, e [vjɔlase] *adj* violáceo(-a)

violemment [vjɔlamɑ̃] *adv* violentamente

violence [vjɔlɑ̃s] *nf* violencia; **violences** *nfpl (actes)* agresiones *fpl*; **la ~** la violencia; **faire ~ à qn** violentar a algn; **se faire ~** contenerse

violent, e [vjɔlɑ̃, ɑ̃t] *adj* violento(-a); *(besoin, désir)* imperante

violer [vjɔle] *vt* violar

violet, te [vjɔlɛ, ɛt] *adj, nm* violeta *m*

violette [vjɔlɛt] *nf* violeta

violon [vjɔlɔ̃] *nm* violín *m*; *(fam: prison)* chirona; **premier ~** *(Mus)* primer violín; **~ d'Ingres** pasatiempo favorito

violoncelle [vjɔlɔ̃sɛl] *nm* violoncelo, violonchelo

violoniste [vjɔlɔnist] *nm/f* violinista *m/f*

vipère [vipɛʀ] *nf* víbora

virage [viʀaʒ] *nm (d'un véhicule)* giro; *(d'une route, piste)* curva; *(Chim, Photo)* virado; *(de cuti-réaction)* momento en que la reacción cutánea pasa de negativa a positiva; **prendre un ~** tomar una curva; **~ sans visibilité** *(Auto)* curva sin visibilidad; **~ sur l'aile** *(Aviat)* viraje *m* sobre el ala

virée [viʀe] *nf* vuelta

virement [viʀmɑ̃] *nm (Comm)* transferencia; **~ bancaire/postal** giro bancario/postal

virer [viʀe] *vt*: **~ qch (sur)** *(Comm: somme)* hacer una transferencia (a); *(Photo)* virar algo (en); *(fam)* echar ■ *vi* virar; *(Méd: cuti-réaction)* volverse positivo(-a); **~ au bleu/rouge** pasar al azul/rojo; **~ de bord** *(Naut)* virar de bordo; **~ sur l'aile** *(Aviat)* virar sobre el ala

virevolter [viʀvɔlte] *vi* dar vueltas; *(aller en tous sens)* ir de aquí para allá

virgule [viʀgyl] *nf* coma; **4 ~ 2** *(Math)* 4 coma 2; **~ flottante** decimal f flotante

viril, e [viʀil] *adj* viril; *(énergique, courageux)* viril, varonil

virtuel, le [viʀtɥɛl] *adj* virtual

virtuose [viʀtɥoz] *adj, nm/f* virtuoso(-a)

virus [viʀys] *nm* virus *m inv*

vis [vi] *vb voir* **voir**; **vivre** ■ *nf* [vis] tornillo; **~ à tête plate/ronde** tornillo de cabeza chata/redonda; **~ platinées** *(Auto)* platinos *mpl*; **~ sans fin** tornillo sin fin

visa [viza] *nm* visa, visado; **~ de censure** *(Ciné)* visado de censura

visage [vizaʒ] *nm* cara, rostro; *(fig: aspect)* cara; **à ~ découvert** a cara descubierta

vis-à-vis [vizavi] *adv* enfrente de, frente a ■ *nm inv (personne)* persona de enfrente; *(chose)*: **nous avons la poste pour ~** nuestra casa está enfrente de Correos; **~ de** frente a, enfrente de; *(à l'égard de)* con respecto a; *(en comparaison de)* en comparación con; **en ~** frente a frente, cara a cara; **sans ~** *(immeuble)* sin vecinos

visée [vize] *nf (avec une arme)* puntería; *(Arpentage)* mira; **visées** *nfpl (intentions)* objetivos *mpl*; **avoir des ~s sur qch/qn** hacer proyectos sobre algo/algn

viser [vize] *vi* apuntar ■ *vt* apuntar; *(carrière etc)* aspirar a; *(concerner)* atañer a; *(apposer un visa sur)* visar; **~ à qch/faire qch** pretender algo/hacer algo

visibilité [vizibilite] *nf* visibilidad f; **bonne/mauvaise ~** buena/mala visibilidad; **sans ~** sin visibilidad

visible [vizibl] *adj* visible; *(évident)* evidente; *(disponible)*: **est-il ~?** ¿está para recibir?

visière [vizjɛʀ] *nf* visera; **mettre sa main en ~** hacer visera con la mano

vision [vizjɔ̃] *nf* visión f; *(conception)* idea; **en première ~** *(Ciné)* en estreno

visionneuse [vizjɔnøz] *nf* visionador *m*

visite [vizit] *nf* visita; *(expertise, d'inspection)* inspección f; **la ~** *(Méd)* la consulta; *(Mil)* la revisión; **faire une ~ à qn** hacer una visita a algn; **rendre ~ à qn** visitar a algn; **être en ~ (chez qn)** estar de visita (en casa de algn); **heures de ~** horas fpl de visita; **le droit de ~** *(Jur)* el derecho de visita; **~ de douane** inspección de aduana; **~ domiciliaire** visita domiciliaria; **~ médicale** revisión médica

visiter [vizite] *vt* visitar

visiteur, -euse [vizitœʀ, øz] *nm/f* *(touriste)* visitante *m/f*; *(chez qn)*: **avoir un ~** tener visita; **~ de prison** *(Admin)* inspector *m* de prisiones; **~ des douanes** inspector de aduanas; **~ médical** visitador médico

vison [vizɔ̃] *nm* visón *m*

visser [vise] *vt* atornillar; *(serrer: couvercle)* enroscar

visuel, le [vizɥɛl] *adj* visual ■ *nm* *(Inform)* unidad f de despliegue visual

vital, e, -aux [vital, o] *adj* vital
vitamine [vitamin] *nf* vitamina
vite [vit] *adv* rápidamente, de prisa; *(sans délai)* pronto; **faire ~** darse prisa; **ce sera ~ fini** pronto estará terminado; **viens ~!** ¡corre!
vitesse [vitɛs] *nf* rapidez f; *(d'un véhicule, corps, fluide)* velocidad f; *(Auto)*: **les ~s** las marchas; **prendre qn de ~** ganar a algn por la mano; **faire de la ~** ir a mucha velocidad; **prendre de la ~** coger velocidad; **à toute ~** a toda marcha; **en perte de ~** *(avion)* perdiendo velocidad; *(fig)* perdiendo fuerza; **changer de ~** *(Auto)* cambiar de marcha; **en première/deuxième ~** *(Auto)* en primera/en segunda; **~ acquise** velocidad adquirida; **~ de croisière** velocidad de crucero; **~ de pointe** máximo de velocidad; **~ du son** velocidad del sonido
viticulteur [vitikyltœʀ] *nm* viticultor m
vitrail, -aux [vitʀaj, o] *nm* vidriera; *(technique)* fabricación f de vidrieras
vitre [vitʀ] *nf* vidrio, cristal m; *(d'une portière, voiture)* cristal
vitré, e [vitʀe] *adj* con cristales; **porte ~e** puerta vidriera
vitrine [vitʀin] *nf* escaparate m, vidriera *(AM)*; *(petite armoire)* vitrina; **mettre un produit en ~** poner un producto en el escaparate; **~ publicitaire** panel m publicitario
vivable [vivabl] *adj* soportable
vivace [vivatʃe] *adj (arbre, plante)* resistente; *(haine)* tenaz ◼ *adv (Mus)* vivace
vivacité [vivasite] *nf* vivacidad f
vivant, e [vivã, ãt] *vb voir* **vivre** ◼ *adj* viviente; *(animé)* vivo(-a) ◼ *nm*: **du ~ de qn** en vida de algn; **les ~s et les morts** los vivos y los muertos
vive [viv] *adj f voir* **vif** ◼ *vb voir* **vivre** ◼ *excl*: **~ le roi/la république!** ¡viva el rey/la república!; **~ les vacances!** ¡vivan las vacaciones!; **~ la liberté!** ¡viva la libertad!
vivement [vivmã] *adv* vivamente ◼ *excl*: **~ qu'il s'en aille!** ¡que se vaya pronto!; **~ les vacances!** ¡que lleguen ya las vacaciones!
vivier [vivje] *nm* vivero; *(étang)* criadero
vivifiant, e [vivifjã, jãt] *adj* vivificante
vivoter [vivɔte] *vi* ir tirando
vivre [vivʀ] *vi* vivir; *(souvenir: demeurer)* subsistir ◼ *vt* vivir ◼ *nm*: **le ~ et le logement** comida y alojamiento; **vivres** *nmpl (provisions)* víveres *mpl*; **la victime vit encore** la víctima sigue viva; **savoir ~**

saber vivir; **se laisser ~** dejarse estar; **ne plus ~** no poder vivir; **apprendre à ~ à qn** meter a algn en cintura; **il a vécu** ha vivido mucho; **cette mode/ce régime a vécu** esta moda/este régimen ha muerto; **il est facile/difficile à ~** tiene buen/mal carácter; **faire ~ qn** mantener a algn; **~ bien/mal** vivir bien/mal; **~ de** vivir de
vlan [vlã] *excl* ¡pum!
VO [veo] *sigle f* (= version originale) V.O. (= versión original)
vocabulaire [vɔkabylɛʀ] *nm* vocabulario
vocation [vɔkasjɔ̃] *nf* vocación f; **avoir la ~** tener vocación
vœu, x [vø] *nm* deseo; *(à Dieu)* voto; **faire ~ de** hacer voto de; **avec tous nos meilleurs ~x** muchas felicidades; **~x de bonheur/de bonne année** deseos *mpl* de felicidad/felicitaciones *fpl* de año nuevo
vogue [vɔg] *nf* moda; **en ~** en boga
voici [vwasi] *prép* aquí está; **et ~ que ...** y entonces ... ; **il est parti ~ 3 ans** se fue hace tres años; **~ une semaine que je l'ai vue** hace una semana que la vi; **me ~** aquí estoy; *voir aussi* **voilà**
voie¹ [vwa] *vb voir* **voir**
voie² [vwa] *nf* vía; *(Auto)* carril m; **par ~ buccale** *ou* **orale/rectale** por vía oral/rectal; **suivre la ~ hiérarchique** *(Admin)* seguir los medios oficiales; **ouvrir/montrer la ~** abrir/mostrar el camino; **être en bonne ~** estar en el buen camino; **mettre qn sur la ~** encaminar a algn; **être en ~ d'achèvement/de rénovation** estar en vías de acabar/de renovar; **route à 2/3 ~s** carretera de dos/tres carriles; **par la ~ aérienne/maritime** por vía aérea/marítima; **par ~ ferrée** por vía férrea, por ferrocarril; **~ à sens unique** vía de dirección única; **~ d'eau** vía navegable; *(entrée d'eau)* vía de agua; **~ de fait** *(Jur)* vía de hecho; **~ de garage** *(aussi fig)* vía muerta; **~ express** vía urgente; **~ ferrée/navigable** vía férrea/navegable; **~ lactée** vía láctea; **~ prioritaire** *(Auto)* carril prioritario; **~ privée** camino privado; **~ publique** vía pública
voilà [vwala] *prép* he ahí, ahí está; **les ~** *ou* **voici** ahí *ou* aquí están; **en ~** *ou* **voici un** ahí *ou* aquí hay *ou* está uno; **~ ou voici deux ans** hace dos años; **~ ou voici deux ans que ...** hace dos años que ...; **et ~!** ¡eso es todo!, ¡ya está!; **~ tout** eso es todo; **"~" ou "voici"** *(en offrant qch)* "aquí tiene"

voile [vwal] *nm* velo; (*qui dissimule une ouverture etc*) cortina; (*Photo*) veladura ∎ *nf* vela; **la ~** (*Sport*) la vela; **prendre le ~** (*Rel*) tomar el velo; **mettre à la ~** (*Naut*) hacerse a la vela; **~ au poumon** *nm* (*Méd*) mancha en el pulmón; **~ du palais** *nm* (*Anat*) velo del paladar

voiler [vwale] *vt* poner las velas a, (*fig*) velar, ocultar; (*Photo*) velar; (*fausser: roue*) alabear; (: *bois*) combar; **se voiler** *vpr* (*lune*) ocultarse; (*regard*) apagarse; (*ciel*) cubrirse; (*Tech*) combarse; **sa voix se voila** se le ahogó la voz; **se ~ la face** cubrirse la cara

voilier [vwalje] *nm* velero

voilure [vwalyʀ] *nf* (*d'un voilier*) velamen *m*; (*d'un avion*) planos *mpl* sustentadores; (*d'un parachute*) tela de paracaídas

voir [vwaʀ] *vi* ver; (*comprendre*): **je vois** comprendo ∎ *vt* ver; (*considérer*) considerar; (*constater*): **~ que/comme** ver que/como; **se voir** *vpr*: **se ~ critiquer** verse criticado(-a); **cela se voit** (*cela arrive*) eso sucede; (*c'est évident*) es evidente; **~ à faire qch** (*veiller à*) asegurarse de hacer algo; **~ loin/venir** ver lejos/venir; **faire ~ qch à qn** enseñar algo a algn; **vois comme il est beau!** ¡mira lo bonito que es!; **en faire ~ à qn** (*fam*) enseñar a algn lo que es bueno; **ne pas pouvoir ~ qn** no poder ver a algn; **regardez-~** mire; **montrez-~** déjeme ver; **dites-~** diga, explíquese; **voyons!** ¡vamos!; **c'est à ~!** ¡habrá que verlo!; **c'est à vous de ~** usted verá; **c'est ce qu'on va ~** eso habrá que verlo; **avoir quelque chose à ~ avec** tener algo que ver con; **cela n'a rien à ~ avec lui** esto no tiene nada que ver con él

voire [vwaʀ] *adv* incluso

voisin, e [vwazɛ̃, in] *adj* cercano(-a), próximo(-a); (*contigu*) vecino(-a), próximo(-a); (*ressemblant*) parecido(-a), vecino(-a) ∎ *nm/f* vecino(-a); (*de table etc*) compañero(-a); **nos ~s les Anglais** nuestros vecinos ingleses; **~ de palier** vecino(-a) de enfrente

voisinage [vwazinaʒ] *nm* vecindad *f*, proximidad *f*; (*environs*) vecindad, cercanía; (*quartier, voisins*) vecindad; **relations de bon ~** relaciones *fpl* de buena vecindad

voiture [vwatyʀ] *nf* coche *m*, auto (*esp AM*), carro (*AM*); **en ~!** (*Rail*) ¡al tren!; **~ à bras** carro con varales; **~ d'enfant** cochecito de niño; **~ d'infirme** coche de inválido; **~ de sport** coche deportivo

voix [vwɑ] *nf* voz *f*; (*Pol*) voto; **~ passive/active** (*Ling*) voz pasiva/activa; **la ~ de la conscience/raison** la voz de la conciencia/ razón; **à haute ~** en voz alta; **à ~ basse** en voz baja; **faire la grosse ~** sacar el vozarrón; **avoir de la ~** tener voz; **rester sans ~** quedarse sin voz; **à 2/4 ~** (*Mus*) a 2/4 voces; **avoir/ne pas avoir ~ au chapitre** tener/no tener voz ni voto; **mettre aux ~** poner a votación; **~ de basse/de ténor** voz de bajo/de tenor

vol [vɔl] *nm* vuelo; (*mode d'appropriation*) robo; (*larcin*) hurto; **un ~ de perdrix** una bandada de perdices; **à ~ d'oiseau** a vuelo de pájaro; **au ~:** **attraper qch au ~** coger algo al vuelo; **saisir une remarque au ~** coger una advertencia al vuelo; **prendre son ~** levantar el vuelo; **de haut ~** de altos vuelos; **en ~** en vuelo; **~ à l'étalage** hurto en las tiendas; **~ à la tire** tirón *m* (de bolsa); **~ à main armée** robo *ou* atraco a mano armada; **~ à voile** vuelo a vela; **~ avec effraction** robo con infracción; **~ de nuit** vuelo nocturno; **~ en palier** (*Aviat*) vuelo horizontal; **~ libre/sur aile delta** (*Sport*) vuelo libre/en ala delta; **~ plané** (*Aviat*) vuelo planeado; **~ qualifié/simple** (*Jur*) hurto agravado/ simple

vol. *abr* (= *volume*) vol. (= *volumen*)

volage [vɔlaʒ] *adj* voluble

volaille [vɔlaj] *nf* (*oiseaux*) aves *fpl* de corral; (*viande, oiseau*) ave *f*

volant, e [vɔlɑ̃, ɑ̃t] *adj* volante, volador(a) ∎ *nm* volante *m*; (*feuillet détachable*) talón *m*; **le personnel ~, les ~s** (*Aviat*) la tripulación; **~ de sécurité** margen *m* de seguridad

volcan [vɔlkɑ̃] *nm* volcán *m*

volée [vɔle] *nf* (*d'oiseaux*) bandada; (*Tennis*) voleo; **rattraper qch à la ~** coger algo al vuelo; **lancer/semer à la ~** lanzar/ sembrar al voleo; **à toute ~** (*sonner les cloches*) al vuelo; (*lancer un projectile*) al voleo; **de haute ~** (*de haut rang*) de alto rango; (*de grande envergure*) de altos vuelos; **~ (de coups)** paliza; **~ de flèches** lluvia de flechas; **~ d'obus** descarga de obuses

voler [vɔle] *vi* volar; (*voleur*) robar, hurtar ∎ *vt* (*objet*) robar; (*idée*) apropiarse de; **~ en éclats** volar en mil pedazos; **~ de ses propres ailes** volar con sus propias alas; (*fig*) valerse por sí mismo(-a); **~ au vent** flotar al viento; **~ qch à qn** robar algo a algn

volet [vɔlɛ] *nm* (*de fenêtre*) postigo; (*Aviat*) flap *m*; (*de feuillet*) hoja; (*d'un plan*)

aspecto; **trié sur le ~** muy escogido(-a);
~ de freinage (Aviat) tren m de frenado
voleur, -euse [vɔlœʀ, øz] adj, nm/f
ladrón(-ona)
volontaire [vɔlɔ̃tɛʀ] adj voluntario(-a);
(délibéré) deliberado(-a); (caractère)
decidido(-a) ■ nm/f voluntario(-a);
(engagé) ~ (Mil) voluntario
volonté [vɔlɔ̃te] nf voluntad f; **se servir/
boire à ~** servirse/beber a voluntad;
bonne/mauvaise ~ buena/mala
voluntad; **les dernières ~s de qn** la
última voluntad de algn
volontiers [vɔlɔ̃tje] adv con gusto;
(habituellement) habitualmente; **"~"** "con
mucho gusto"
volt [vɔlt] nm voltio
volte-face [vɔltəfas] nf inv media
vuelta; (fig) cambio; **faire ~** dar media
vuelta
voltige [vɔltiʒ] nf (au cirque) acrobacia
(en el aire); (Équitation) acrobacia
ecuestre; (Aviat) acrobacia aérea;
(numéro de haute) ~ número de
acrobacia; (fig) ejercicio mental
voltiger [vɔltiʒe] vi revolotear
volubile [vɔlybil] adj locuaz
volume [vɔlym] nm volumen m
volumineux, -euse [vɔlyminø, øz] adj
voluminoso(-a)
volupté [vɔlypte] nf voluptuosidad f;
(esthétique etc) gozo
vomi [vɔmi] nm vómito
vomir [vɔmiʀ] vi vomitar ■ vt vomitar;
(exécrer) abominar
vomissements nmpl: **être pris de ~**
comenzar a devolver ou vomitar de pronto
vorace [vɔʀas] adj voraz
vos [vo] dét voir **votre**
vote [vɔt] nm voto; (suffrage) votación f; (consultation) votación; **~
secret** ou **à bulletins secrets** votación
secreta; **~ à main levée** voto a mano
alzada; **~ par correspondance/
procuration** voto por correspondencia/
poder
voter [vɔte] vi, vt votar
votre [vɔtʀ] (pl **vos**) dét vuestro(-a), su
vôtre [votʀ] dét: **le/la ~** el (la)
vuestro(-a); **les ~s** los (las) vuestros(-as);
(forme de politesse) los (las) suyos(-as); **à
la ~** ¡salud!
vouer [vwe] vt: **~ qch à Dieu/un saint**
consagrar algo a Dios/un santo; **se
vouer** vpr: **se ~ à** dedicarse a; **~ sa vie/
son temps à** consagrar la vida/el tiempo
a; **~ une haine/amitié éternelle à qn**
profesar odio/amistad eterna a algn

○ **MOT-CLÉ**

vouloir [vulwaʀ] vt 1 querer; **voulez-
vous du thé?** ¿quiere té?; **que me veut-
il?** ¿qué quiere de mí?; **sans le vouloir** sin
querer; **je voudrais qch/faire** quería ou
quisiera algo/hacer; **le hasard a voulu
que ...** el azar quiso que ...; **la tradition
veut que ...** la tradición es que ...; **vouloir
faire/que qn fasse qch** querer hacer/que
algn haga algo; **que veux-tu que je te
dise?** ¿qué quieres que te diga?
2 (consentir): **tu veux venir? - oui, je
veux bien** (bonne volonté) ¿quieres venir? -
sí, me parece bien; **allez, tu viens? - oui,
je veux bien** (concession) venga, ¿vienes?
- ¡bueno!; **oui, si on veut** (en quelque
sorte) sí, en cierto modo; **si vous voulez**
si quiere; **veuillez attendre** tenga la
amabilidad de esperar; **veuillez agréer
...** le saluda atentamente ...; **comme
vous voudrez** como quiera
3: **en vouloir à; en vouloir à qn** estar
resentido con algn; **je lui en veux d'avoir
fait ça** me sienta muy mal que haya
hecho eso; **s'en vouloir d'avoir fait qch**
estar arrepentido de haber hecho algo; **il
en veut à mon argent** se interesa por mi
dinero; **je ne veux pas de mal** no le
deseo nada malo
4: **vouloir de qch/qn; l'entreprise ne
veut plus de lui** la empresa ya no le
quiere; **elle ne veut pas de son aide** ella
no quiere su ayuda
5: **vouloir dire (que)** (signifier) querer
decir (que)
■ nm: **le bon vouloir de qn** la buena
voluntad de algn

voulu, e [vuly] pp de **vouloir** ■ adj
(requis) requerido(-a); (délibéré)
deliberado(-a)
vous [vu] pron (sujet: pl: familier)
vosotros(-as), ustedes (AM); (: forme de
politesse) ustedes; (: singulier) usted;
(objet direct: pl) os, les (AM); (: forme de
politesse) les (las) ou los; (: singulier) le (la)
ou lo; (objet indirect: pl) os, les (AM);
(: forme de politesse) les; (: singulier) le;
(réfléchi, réciproque: direct, indirect) os;
(: forme de politesse) se ■ nm: **employer le
~** emplear el usted; **je ~ le jure** os lo juro;
(politesse) se lo juro; **je ~ prie de ...** os pido
que ...; (politesse: pluriel) les pido que ...;
(: singulier) le pido que ...; **~ pouvez ~
asseoir** podéis sentaros; (politesse:
pluriel) pueden sentarse; (: singulier)
puede usted sentarse; **à ~** vuestro(-a),

vuestros(-as); (*formule de politesse*) suyo(-a), suyos(-as); **ce livre est à ~** ese libro es vuestro; (*politesse*) ese libro es suyo; **avec/sans ~** con/sin vosotros; (*politesse: pluriel*) con/sin ustedes; (*: singulier*) con/sin usted; **je vais chez ~** voy a vuestra casa; (*politesse*) voy a su casa; **~-même** (*sujet*) usted mismo(-a); (*après prép*) sí mismo(-a); (*emphatique*): **~-même, ~ ...** usted, ...; **~-mêmes** (*sujet*) vosotros(-as) *ou* (*AM*) ustedes mismos(-as); (*forme de politesse*) ustedes mismos(-as); (*après prép*) sí mismos(-as); (*emphatique*): **~ -mêmes, ~ ...** vosotros ..., ustedes ... (*AM*); (*forme de politesse*) ustedes, ...

vouvoyer [vuvwaje] *vt*: **~ qn** tratar de usted a algn

voyage [vwajaʒ] *nm* viaje *m*; **être/partir en ~** estar/ir *ou* salir de viaje; **faire un ~** hacer un viaje; **faire bon ~** hacer un buen viaje; **aimer le ~** gustarle a algn los viajes *ou* viajar; **les gens du ~** los saltimbanquis *mpl*; **~ d'affaires** viaje de negocios; **~ d'agrément** viaje de placer; **~ de noces** viaje de novios; **~ organisé** viaje organizado

voyager [vwajaʒe] *vi* viajar

voyageur, -euse [vwajaʒœʀ, øz] *adj, nm/f* viajero(-a); **un grand ~** un gran viajero; **~ (de commerce)** viajante *m/f* (de comercio)

voyant, e [vwajã, ãt] *adj* llamativo(-a) ■ *nm/f* vidente *m/f* ■ *nm* indicador *m* luminoso

voyelle [vwajɛl] *nf* vocal *f*

voyou [vwaju] *adj, nm* (*enfant*) granuja *m*

vrac [vʀak]: **en ~** *adj, adv* en desorden; (*Comm*) a granel

vrai, e [vʀɛ] *adj* verdadero(-a), cierto(-a); (*or, cheveux*) auténtico(-a) ■ *nm*: **le ~** lo verdadero, lo verídico; **son ~ nom** su auténtico nombre; **un ~ comédien/ sportif** un auténtico comediante/ deportista; **à dire ~, à ~ dire** a decir verdad; **il est ~ que** cierto que; **être dans le ~** estar en lo cierto

vraiment [vʀɛmã] *adv* verdaderamente; **"~?"** "¿de verdad?", "¿es cierto?"; **il est ~ rapide** es realmente rápido

vraisemblable [vʀɛsãblabl] *adj* (*plausible*) verosímil; (*probable*) probable

vraisemblablement [vʀɛsãblabləmã] *adv* probablemente

vraisemblance [vʀɛsãblãs] *nf* verosimilitud *f*; (*probabilité*) probabilidad *f*; (*romanesque*) realismo; **selon toute ~** con toda seguridad

vrombir [vʀɔ̃biʀ] *vi* zumbar

VRP [veɛʀpe] *sigle m* (= *voyageur, représentant, placier*) representante

VTT [vetete] *sigle m* (= *vélo tout terrain*) bicicleta todo terreno

vu¹ [vy] *prép* visto; **vu que** visto que

vu², e [vy] *pp de* **voir** ■ *adj*: **bien/mal vu** bien/mal visto(-a) ■ *nm*: **au vu et au su de tous** a cara descubierta; **ni vu ni connu** ni visto ni oído; **c'est tout vu** está claro

vue [vy] *nf* vista; (*spectacle*) visión *f*; **vues** *nfpl* (*idées*) opiniones *fpl*; (*dessein*) proyectos *mpl*; **perdre la ~** perder la vista; **perdre de ~** perder de vista; (*principes, objectifs*) olvidar; **à la ~ de tous** a la vista de todos; **hors de ~** fuera de la vista; **à première ~** a primera vista; **connaître qn de ~** conocer a algn de vista; **à ~** (*Comm*) a vista; **tirer à ~** disparar sin dar la voz de alto; **à ~ d'œil** a ojos vistas; **avoir ~ sur** tener vistas a; **en ~** a la vista; (*Comm*) en vistas; **avoir qch en ~** tener algo en vistas; **arriver/être en ~ d'un endroit** llegar/estar a la vista de un lugar; **en ~ de faire qch** con intención de hacer algo; **~ d'ensemble** vista de conjunto; **~ de l'esprit** teoría pura

vulgaire [vylgɛʀ] *adj* vulgar; **de ~s touristes/chaises de cuisine** simples turistas/sillas de cocina; **nom ~** (*Bot, Zool*) nombre *m* común

vulgariser [vylgaʀize] *vt* (*connaissances*) divulgar; (*rendre vulgaire*) vulgarizar

vulnérable [vylneʀabl] *adj* vulnerable; (*stratégiquement*) atacable

wagon [vagɔ̃] *nm* vagón *m*
wagon-lit [vagɔ̃li] (*pl* **wagons-lits**) *nm* coche-cama *m*
wagon-restaurant [vagɔ̃RɛstɔRɑ̃] (*pl* **wagons-restaurants**) *nm* coche-restaurante *m*
wallon, ne [walɔ̃, ɔn] *adj* valón(-ona) ■ *nm* (*Ling*) valón *m* ■ *nm/f*: **Wallon, ne** valón(-ona)
watt [wat] *nm* vatio *m*
w-c [vese] *nmpl* W-C *mpl*
Web [wɛb] *nm inv*: **le ~** la Red, la Web
webcam [wɛbkam] *nf* webcam *f*
week-end [wikɛnd] (*pl* **~s**) *nm* fin *m* de semana
western [wɛstɛRn] *nm* película del oeste, western *m*
whisky [wiski] (*pl* **whiskies**) *nm* whisky *m*
wifi [wifi] *nm* Wi-Fi *m*

xénophobe [gzenɔfɔb] *nm/f* xenófobo(-a)
xérès [gzeRɛs] *nm* jerez *m*
xylophone [gzilɔfɔn] *nm* xilófono *m*

Z

y [i] *adv* allí; (*plus près*) ahí; (*ici*) aquí
  ■ *pron* (*la préposition espagnole dépend du verbe employé*) a ou de ou en él, ella, ello;
  nous y sommes enfin ya estamos aquí;
  à l'hôtel? j'y reste 3 semaines ¿en el hotel? me voy a quedar 3 semanas; **j'y pense** (*je n'ai pas oublié*) lo tengo en mente; (*décision à prendre*) me lo estoy pensando; **j'y suis!** ¡ya caigo!; **je n'y suis pour rien** no he tenido nada que ver (en esto); **s'y entendre (en qch)** entender de (algo); *voir aussi* **aller**; **avoir**
yacht ['jɔt] *nm* yate *m*
yaourt ['jauʀt] *nm* yogur *m*
yeux ['jø] *nmpl de* œil
yoga ['jɔga] *nm* yoga *m*
yoghourt ['jɔguʀt] *nm* = **yaourt**
yougoslave ['jugɔslav] (*Hist*) *adj* yugoslavo(-a) ■ *nm/f*: **Yougoslave** yugoslavo(-a)
Yougoslavie ['jugɔslavi] *nf* (*Hist*) Yugoslavia

zapper [zape] *vi* hacer zapping
zapping [zapiŋ] *nm*: **faire du ~** hacer zapping, zapear
zèbre [zɛbʀ] *nm* cebra
zébré, e [zebʀe] *adj* rayado(-a)
zèle [zɛl] *nm* celo; **faire du ~** (*péj*) pasarse en el celo
zélé, e [zele] *adj* (*fonctionnaire*) diligente; (*défenseur*) celoso(-a)
zéro [zeʀo] *adj* cero ■ *nm* (*Scol*) cero;
  au-dessus/au-dessous de ~ sobre/bajo cero; **réduire à ~** reducir a cero; **partir de ~** partir de cero; **trois (buts) à ~** tres (goles) a cero
zeste [zɛst] *nm* cáscara; **un ~ de citron** un trocito de limón
zézayer [zezeje] *vi* cecear
zigouiller [ziguje] (*fam*) *vt* cepillarse a, cargarse a
zigzag [zigzag] *nm* zigzag *m*
zigzaguer [zigzage] *vi* zigzaguear
zinc [zɛ̃g] *nm* (*Chim*) cinc *m*; (*comptoir*) barra
zipper [zipe] *vt* (*Inform*) comprimir
zizi [zizi] (*fam*) *nm* pito
zodiaque [zɔdjak] *nm* zodíaco
zona [zona] *nm* zona
zone [zon] *nf* zona; (*Inform*) campo;
  la ~ (*quartiers*) las barriadas marginales;

de seconde ~ (*fig*) de segunda; **~ bleue**
zona azul; **~ d'action** (*Mil*) radio de
acción; **~ d'extension** *ou* **d'urbanisation**
zona urbanizable; **~ franche** zona
franca; **~ industrielle** polígono
industrial; **~ résidentielle** zona
residencial; **~s monétaires** zonas *fpl*
monetarias
zoo [zo(o)] *nm* zoo
zoologie [zɔɔlɔʒi] *nf* zoología
zoologique [zɔɔlɔʒik] *adj* zoológico(-a)
zut [zyt] *excl* ¡mecachis!

Perspectives sur l'espagnol

Introduction

Perspectives sur l'espagnol vous propose une initiation passionnante au monde hispanophone. En vous emmenant sur les lieux où l'espagnol se parle à travers le monde, les pages qui suivent vous offrent la possibilité faire connaissance avec cette langue et avec ses locuteurs.

Des conseils pratiques sur la langue et des notes abordant les problèmes de traduction les plus fréquents vous aideront à parler l'espagnol avec davantage d'assurance. Une partie très utile consacrée à la correspondance vous fournit toutes les informations dont vous avez besoin pour pouvoir communiquer efficacement.

Nous avons également inclus un certain nombre de liens vers des ressources en ligne qui vous permettront d'approfondir vos lectures sur les pays hispanophones et la langue espagnole.

Nous espérons que vous prendrez plaisir à consulter votre supplément *Perspectives sur l'espagnol*. Nous sommes sûrs qu'il vous aidera à mieux connaître le monde hispanophone et à prendre confiance en vous, à l'écrit comme à l'oral.

Portrait de l'Espagne

- L'Espagne est le deuxième plus grand pays d'Europe occidentale par sa superficie, avec 504,800 km² de territoire (pratiquement la taille de la France, qui est de 549,000 km²).

- La montagne la plus haute d'Espagne, le Teide (3,718 m), se trouve dans les îles Canaries, à Ténérife.

- L'Èbre, fleuve d'une longueur de 910 km, prend sa source dans les monts Cantabriques et se jette dans la Méditerranée.

- L'Espagne compte 40,8 millions d'habitants. La population espagnole est l'une de celles qui dans le monde augmentent le moins rapidement.

- Le catholicisme est la religion principale en Espagne.

- L'économie espagnole occupe le dixième rang mondial (l'économie française se classe au cinquième rang).

- Près de 52 millions de touristes étrangers visitent l'Espagne chaque année. L'Andalousie est la destination la plus populaire.

Quelques liens utiles :
www.ine.es
Institut espagnol de la statistique.
www.cervantes.es
Informations sur la culture et la langue espagnoles.

Le monde hispanophone

PAYS OU RÉGIONS OÙ L'ESPAGNOL EST LA LANGUE PRINCIPALE OU LA LANGUE OFFICIELLE

PAYS OU RÉGIONS OÙ UNE GRANDE PARTIE DE LA POPULATION PARLE L'ESPAGNOL

Ártico

ndorra

Océano
Pacífico

Filipinas

Guinea
Ecuatorial

Océano
Índico

Les autres langues de l'Espagne

Langue	Description brève	Zones d'implantation
basque (*euskera*)	N'est affilié à aucune autre langue connue	Pays Basque (frontière entre l'Espagne et la France)
catalan (*catalán*)	Très proche du français et de l'espagnol	Catalogne (nord-est de l'Espagne), Valence et les Baléares
galicien (*gallego*)	Proche du portugais	Galice (nord-ouest de l'Espagne)

Lien utile :
www.la-moncloa.es
Informations sur le Premier ministre et le gouvernement

L'espagnol d'Amérique latine

On dénombre 417 millions d'hispanophones à travers le monde ; seul le chinois compte davantage de locuteurs. L'espagnol d'Amérique latine diffère de celui qu'on parle en Europe (l'espagnol péninsulaire). Il existe aussi des différences importantes au sein de l'espagnol américain. Par exemple, une ampoule électrique se dit *un foco* au Mexique, mais *una bujía* en Amérique centrale. Les accents et la prononciation varient eux aussi énormément dans toute cette région.

Certains mots sont communs à la plupart des pays d'Amérique latine. Par exemple :

Espagnol d'Amérique latine	Français	Espagnol péninsulaire
carro	voiture	*coche*
computadora	ordinateur	*ordenador*
papa	pomme de terre	*patata*

> **Deux exemples de langues amérindiennes**
> Le *náhuatl*, la langue des Aztèques, est toujours parlé par un million de Mexicains. Nous lui devons des mots comme « tomate », « avocat », « chocolat » et « chili ». Le *quechua* reste en usage chez 13 millions de descendants des Incas vivant dans la région des Andes. Les mots « lama », « condor » et « puma » sont tous issus du *quechua*.

Portrait de l'Amérique hispanophone

- Avec 2 780,000 km² de superficie, l'Argentine est le plus grand pays hispanophone d'Amérique latine avant le Mexique (1 958,000 km²) et le Pérou (1,285,000 km²).

- Le Mexique est, de loin, le pays le plus peuplé (101 millions d'habitants), mais il est devancé par le minuscule Salvador pour la densité de la population (310 habitants/km² contre 110 en France).

- Le Cerro Aconcagua (6,959 m), la montagne la plus haute du monde si l'on exclut la chaîne de l'Himalaya, se trouve en Argentine, à la frontière avec le Chili. Le point le plus bas d'Amérique du Sud, Península Valdés (40 m sous le niveau de la mer), est également en Argentine.

- À 3,630 mètres d'altitude, la ville bolivienne de La Paz est la capitale la plus haute des Amériques.

- Le désert d'Atacama (dont la plus grande partie se trouve dans le nord du Chili) est l'endroit le plus aride de la planète.

- Le deuxième fleuve le plus long du monde, l'Amazone, prend sa source dans les Andes péruviennes et traverse le Brésil d'ouest en est, en direction de l'Atlantique. Les chutes de l'Ange (*Salto del Angel*) au Venezuela sont les chutes d'eau les plus hautes du monde.

- Deux pays latino-américains seulement n'ont pas d'accès à la mer : la Bolivie et le Paraguay.

- Le Chili fait plus de 4,000 kilomètres de long, mais seulement 177 kilomètres de large en moyenne.

- L'économie mexicaine occupe le neuvième rang mondial (la France occupe le cinquième).

Lien utile :
http://www.mal217.org/
Maison de l'Amérique latine : informations et manifestations autour de l'Amérique latine.

Améliorer votre prononciation

Il existe différentes méthodes pour améliorer votre accent et prendre confiance en vous à l'oral :

• lire à voix haute pour se mettre en confiance

• écouter la radio en espagnol

• regarder des films en espagno

• parler avec des hispanophones

Lien utile :
http://www.geocities.com/spanishradio/
Sélection de radios espagnoles et latino-américaines.

Quelques sons spécifiques à l'espagnol

• **Z** et **c**. La plupart des espagnols prononcent le *z* et le *c* dans *ce* et *ci* en plaçant le bout de la langue sous les incisives supérieures (comme pour le *th* du mot *thing* en anglais) contrairement à la majorité des latino-américains pour qui la prononciation est la même que celle du *s* de *sauver* par exemple.

• **Ll**. La prononciation de *ll* (*llamar*, *ella*) varie beaucoup à travers le monde hispanophone ; chez certains, il s'apparente au *y* de *yak*, et chez d'autres au *lli* de *million*.

• **J** et **g**. *J* et *g* lorsqu'il est suivi d'un *e* ou d'un *i* s'apparentent à un *r* « dur », semblable à celui que l'on trouve en allemand ou en néerlandais et dont la prononciation se fait au niveau de la gorge (*jefe*, *ajo*, *gente*). En Amérique latine, ce son est plus doux et se rapproche d'un *h* aspiré très prononcé.

• **B** et **v**. Au début d'un mot et après *m* et *n* (*vaso*, *ambulancia*), ces deux lettres ont exactement la même prononciation : elles s'apparentent au *b* de *boulanger*. Dans les autres cas, essayez de prononcer un *b* sans que vos lèvres se touchent (*obra*, *uva*).

• **D**. Entre deux voyelles et après les consonnes autres que *l* ou *n* (*modo*, *ardiente*), la prononciation de *d* est très atténuée, la langue venant à peine effleurer les incisives.

• **H**. En espagnol, le *h* est toujours muet (*hablar* se prononce « ablar »).

• **R** et **rr**. Rr (comme dans *perro*) est plus fortement roulé que *r* (*pero*), mais au début d'un mot et après *l*, *n* ou *s* (par exemple dans *rápido*), un *r* simple se prononce comme *rr*.

• **Ñ**. La *tilde* change la prononciation de *n* pour produire un son similaire à *oignon* (par exemple dans *baño*).

Exprimez-vous avec plus de naturel

Les mots et expressions de la conversation

En français, nous émaillons nos conversations de mots et de formules comme *donc, alors, au fait* pour structurer notre réflexion et souvent aussi pour exprimer un état d'esprit. Les mots espagnols, ci-dessous, jouent le même rôle. Le fait de les employer vous fera gagner en aisance et en naturel.

- **además**
  Además, no tienes nada que perder.
  (= de plus)

- **está bien**
  ¡**Está bien**! Lo haré. (= d'accord !)

- **bueno**
  ¡**Bueno**! Haremos lo que tú quieras.
  (= bon !, d'accord !)

- **por cierto**
  Por cierto, ¿has sacado las entradas?
  (= au fait, à propos)

- **claro**
  ¿Te gusta el fútbol? – ¡**Claro que sí/no**!
  (= bien sûr/bien sûr que non)

- **desde luego**
  Desde luego que me gusta! (= bien sûr)

- **entonces**
  Si no es tu padre, ¿**entonces** quién es?
  (= alors)
  ¿**Entonces**, vienes o te quedas?
  (= alors, donc)

- **pues**
  Pues, como te iba contando...
  (= donc, eh bien)

- **por supuesto**
  Por supuesto que sí/no. (= bien sûr)

- **de todas formas/maneras**
  De todas formas/maneras iremos.
  (= de toute façon)

- **vale**
  ¿Vamos a tomar algo? – ¡**Vale**!
  (= d'accord)

- **venga**
  ¡**Venga**, vámonos!
  (= allez ; employé en Espagne)

Exprimez-vous avec plus de naturel

En variant les mots que vous employez pour faire passer une idée, vous contribuerez également à donner le sentiment que vous êtes à l'aise en espagnol. À titre d'exemple, vous connaissez déjà *Me gusta el mar*, mais pour changer vous pourriez dire *Me encanta el mar*. Voici d'autres suggestions :

Pour dire ce que vous aimez ou n'aimez pas

Me ha gustado mucho tu regalo.	J'ai beaucoup aimé...
Estaba encantado/encantada con el regalo.	J'ai adoré...
No me gusta comer fuera de casa.	Je n'aime pas...
Mi vecina *me cae muy mal*.	Je n'aime pas du tout...
Detesto cualquier tipo de violencia.	Je déteste...

Pour exprimer votre opinion

Creo que es demasiado caro.	Je crois/trouve...
Pienso que es normal.	Je pense que...
Me parece que le va a encantar tu visita.	Il me semble que...
Estoy seguro/segura de que no es culpa tuya.	Je suis sûr/sûre que...
En mi opinión, fue un error.	À mon avis...

Pour exprimer votre accord/votre désaccord

Tienes razón.	Tu as raison.
Estoy (No estoy) de acuerdo contigo.	Je suis (je ne suis pas) d'accord...
¡Claro que sí!	Bien sûr !
¡Naturalmente!	Bien sûr !
En eso te equivocas.	Sur ce point tu as tort.

La correspondance

La section suivante sur la correspondance a été conçue pour vous aider à communiquer en toute confiance en espagnol, à l'écrit comme à l'oral. Grâce à des exemples de lettres, de courriels, et aux parties consacrées aux SMS et aux conversations téléphoniques, vous pouvez être sûr que vous disposez de tout le vocabulaire nécessaire à une correspondance réussie.

Les SMS

Abbreviation	Espagnol	Français
+ trd	*más tarde*	plus tard
2	*tú*	tu, toi
a2	*adiós*	au revoir
bboo	*besos*	bisous, grosses bises
find	*fin de semana*	week-end
gnl	*genial*	génial
h lgo HL	*hasta luego*	à plus tard
LAP	*lo antes posible*	le plus vite possible
msj	*mensaje*	message
NLS	*no lo sé*	je ne sais pas
q acc? q hcs?	*¿qué haces?*	qu'est-ce que tu fais ?/qu'est-ce que tu deviens ?
QT1BD	*¡que tengas un buen día!*	passe une bonne journée !
q tl?	*¿qué tal?*	comment ça va ?
salu2	*saludos*	amitiés
tq	*te quiero*	je t'aime
x	*por*	pour, par, etc.
xdon	*perdón*	pardon
xq	*porque*	parce que
xq?	*¿por qué?*	pourquoi ?

Courrier électronique

Archivo	Edición	Ver	Herramientas	**Correo**	Ayuda	Enviar

A: belen.huertas@globanet.es

Nuevo mensaje
Responder al autor
Responder a todos
Reenviar
Archivo adjunto

Cc:

Copia oculta:

Asunto: Concierto

En espagnol, lorsqu'on donne son adresse électronique à quelqu'un, on dit : *belen punto huertas arroba globanet punto es*

Hola,
¿qué tal el fin de semana?

Me sobran dos entradas para el concierto de mañana, de unos amigos que no pueden venir. Si te interesa, o conoces a alguien que quiera ir, avísame en cuanto puedas.

archivo	fichier	*responder a todos*	répondre à tous
edición (f)	édition	*reenviar*	transférer
ver	affichage	*archivo adjunto*	pièce jointe
herramientas (fpl)	outils	*A*	à
correo	écrire	*CC*	cc (copie carbone)
ayuda	aide	*copia oculta*	cci (copie carbone invisible)
enviar	envoyer	*asunto*	objet, sujet
nuevo mensaje (m)	nouveau message	*de*	de
responder al autor	répondre	*fecha*	date

Courrier électronique

D'autres termes peuvent vous être utiles sur Internet :

adelante	page suivante, avancer d'une page
atrás	page précédente, reculer d'une page
acceder al sistema	se connecter, ouvrir une session
banda ancha	haut-débit
bajarse algo de Internet	télécharger qch sur internet
borrar	effacer, supprimer
buscador (m)	moteur de recherche
buscar	rechercher
clicar en ou *hacer clic en*	cliquer sur
copia de seguridad	sauvegarde
copiar	copier
correo basura	pourriel, spam
cortar y pegar	copier-coller
descargarse algo de Internet	télécharger qch sur Internet
e-mail ou *email (m)*	courriel, e-mail
enlaces (mpl)	liens
historial (m)	historique
icono	icone
Internet (m ou f)	Internet
mandar un e-mail ou *un email a alguien*	envoyer un courriel/e-mail à quelqu'un
navegar por Internet	surfer sur la Toile
página de inicio	page d'accueil
página web	page web
preguntas frecuentes	FAQ
sitio web	site web
el ou *la Web*	la Toile, le Web

Écrire une lettre personnelle

La ville d'où vous écrivez et la date ; on ne donne pas son adresse complète →

Barcelona,
5 de junio de 2007

Queridos amigos: ← Mettez deux-points ici

Muchas gracias por la preciosa pulsera que me mandasteis por mi cumpleaños, me ha gustado muchísimo. Voy a disfrutar de verdad poniéndomela para mi fiesta del sábado, y estoy segura de que a Cristina le va a dar una envidia tremenda.

En realidad no hay demasiadas cosas nuevas que contaros, ya que últimamente parece que no hago otra cosa que estudiar para los exámenes, que ya están a la vuelta de la esquina. No sabéis las ganas que tengo de terminarlos todos y poder empezar a pensar en las vacaciones.

Paloma me encarga que os dé recuerdos de su parte.

Muchos besos de

Ana

Écrire une lettre personnelle

Autres manières de commencer une lettre personnelle	Autres manières de terminer une lettre personnelle
Querido Juan *Mi querida Marta* *Queridísimo Antonio*	*Con mucho cariño* *Un fuerte abrazo de…* *Un beso muy fuerte* *Afectuosamente*

Quelques formules utiles

Muchas gracias por la carta.	Merci beaucoup pour ta lettre.
Me alegró mucho recibir noticias tuyas.	Ça m'a fait très plaisir d'avoir de tes nouvelles.
Perdona que no te haya escrito antes.	Excuse-moi de ne pas t'avoir écrit plus tôt.
Dale un beso a Eduardo de mi parte.	Embrasse Eduardo de ma part.
Mamá te manda recuerdos.	Maman te dit bonjour.
Escríbeme pronto.	Écris-moi vite.

madre, padre, hijo, hija, hermano, hermana, abuelo, abuela, tio, tia, primo prima, sobrino, sobrina nieto, nieta, esposo, esposa

Écrire une lettre officielle

Vos nom et adresse ➤ José Arteaga Pérez
Plaza San Agustín 45, 3º A
34012 Zaragoza

19 de marzo de 2007 ◀ Date

Hotel Sol y Mar
Paseo Marítimo 12 ◀ Le nom et l'adresse de la personne ou de l'entreprise à laquelle vous écrivez
08005 Barcelona

Estimados señores: ◀ Mettez deux-points ici

Como continuación a nuestra conversación telefónica de esta mañana, les escribo para confirmarles la reserva de una habitación doble con baño para las noches del miércoles 1 y el jueves 2 de julio de 2007.

Como hemos acordado, le adjunto un cheque de 30€ como garantía para la reserva.

Sin otro particular, les envío un atento saludo.

José Arteaga Pérez

Dans de nombreux pays hispanophones, la plupart des gens ont deux *appellidos* ou noms de famille. Le premier est le nom de famille de leur père, et le second le premier nom de famille de leur mère. Par exemple, les enfants de Juan Arteaga López, mari de Carmen Pérez Rodríguez s'appelleraient Arteaga Pérez. Une femme mariée garde généralement son nom de famille au lieu de prendre celui de son mari.

Écrire une lettre officielle

Autres manières de commencer une lettre officielle	Autres manières de terminer une lettre officielle
Estimado señor (García) *Estimados señores* *Muy señor mío/Muy señores míos* (surtout utilisé en Espagne) *De nuestra consideración* (surtout utilisé en Amérique latine)	*Reciba un atento saludo de ….* *Un cordial saludo* *Le/les saluda atentamente*

Quelques formules utiles

Agradecemos su carta de…	*Nous vous remercions pour votre lettre du…*
En relación con…	*Suite à…*
Les ruego que me envíen…	*Je vous prie de m'envoyer…*
Sin otro particular, quedo a la espera de su respuesta.	*Dans l'attente de votre réponse, …*
Muchas gracias de antemano por…	*Je vous remercie d'avance pour…*

Sr. D. est l'abréviation de Señor Don

Sr. D. José María Álvarez Martín
c/ Colón 59, 3º dcha.
08720 Vilafranca del Penedés
Barcelona
SPAIN

3º dcha. signifie que la personne vit au troisième étage et que sa porte est à droite (pour « gauche » on aurait *izqda*).

Le code postal vient avant le nom de la ville.

Téléphoner

Pour demander des renseignements

¿Cuál es el prefijo de Léon?	Quel est l'indicatif de Léon ?
¿Qué hay que hacer para llamar al exterior?	Qu'est-ce qu'il faut faire pour passer un appel vers l'extérieur ?
¿Podría decirme cuál es la extensión del Sr. Ruiz?	Est-ce que vous pouvez me donner le numéro de poste de M. Ruiz ?

Quand on répond à votre appel

Hola, ¿está Susana?	Bonjour, est-ce que Susana est là ?
Por favor, ¿podría hablar con Carlos García?	Est-ce que je pourrais parler à Carlos García, s'il vous plaît ?
¿Es usted la Sra. Reyes?	Madame Reyes ?
¿Puede decirle que me llame?	Est-ce que vous pouvez lui demander de me rappeler ?
Le vuelvo a llamar dentro de media hora.	Je rappellerai dans une demi-heure.
¿Podría dejar un recado?	Est-ce que je pourrais laisser un message ?

Quand vous répondez au téléphone

¿Diga?/¿Dígame?/¿Sí?	(en Espagne)
¿Aló?¿Diga?/¿Dígame?/¿Sí?/Oigo	(en Amérique latine)
¿Hola?	(dans le cône Sud)
¿Bueno?	(au Mexique)
	Allô ?
¿Con quién hablo?	Qui est à l'appareil ?
Soy Marcos.	C'est Marcos.
Sí, soy yo.	Oui, c'est moi.
¿Quiere dejar un mensaje?	Est-ce que vous voulez laisser un message ?

Téléphoner

Ce que vous entendrez peut-être

¿De parte de quién?	C'est de la part de qui ?
Le paso.	Je vous le/la passe.
No cuelgue.	Ne quittez pas.
No contesta.	Ça ne répond pas.
La línea está ocupada.	La ligne est occupée.
¿Quiere dejar un mensaje?	Est-ce que vous voulez laisser un message ?

En cas de problème

Perdone, me he equivocado de número.	Pardon, je me suis trompé de numéro.
No se oye bien.	On n'entend pas bien.
Se corta.	Il y a des coupures.
Me estoy quedando sin batería.	Je n'ai presque plus de batterie.
Se oye muy mal.	On entend très mal.

Pour donner son numéro de téléphone
Pour donner son numéro de téléphone à quelqu'un en espagnol, on regroupe généralement les chiffres par deux. Par exemple :

88 73 14

ochenta y ocho / setenta y tres / catorce

Si le nombre de chiffres est impair, on regroupe trois chiffres que l'on donne séparément. Par exemple :

959 48 32 94

nueve-cinco-nueve / cuarenta y ocho / treinta y dos / noventa y cuatro

Locutions espagnoles

En espagnol comme dans bien d'autres langues, les gens ont recours à des expressions vivantes qui viennent d'images basées sur leur perception de la vie réelle. Les expressions courantes ci-dessous ont été regroupées en fonction du type d'images qu'elles évoquent. Pour rendre le tout plus amusant, nous vous donnons la traduction mot à mot ainsi que l'équivalent en français.

La table

En todas partes cuecen habas.
mot à mot :

→ C'est partout pareil.
On cuit des fèves partout.

llamar al pan pan y al vino vino
mot à mot :

→ appeler un chat un chat
appeler le pain pain et le vin vin

Eso es pedir peras al olmo.
mot à mot :

→ C'est demander la lune/l'impossible.
C'est demander des poires à l'orme.

llegar para los postres
mot à mot :

→ arriver après la bataille
arriver à temps pour le dessert

Entre col y col, lechuga.
mot à mot :

→ Il faut varier les plaisirs.
Entre le chou et le chou, la laitue.

Les animauz

aburrirse como una ostra
mot à mot :

→ s'ennuyer comme un rat mort
s'ennuyer comme une huître

si los burros volaran
mot à mot :

→ quand les poules auront des dents
si les ânes pouvaient voler

estar más loco que una cabra
mot à mot :

→ être fou à lier
être plus fou qu'une chèvre

No es tan fiero el león como lo pintan.
mot à mot :

→ Beaucoup de bruit pour rien.

Le lion n'est pas aussi féroce qu'on le dit.

Locutions espagnoles

Les objets

consultar algo con la almohada
    mot à mot :
→ La nuit porte conseil.
discuter de quelque chose avec son oreiller

empezar la casa por el tejado
    mot à mot :
→ mettre la charrue avant les bœufs
commencer la maison par le toit

Quien parte y reparte, se lleva la mejor parte.
    mot à mot :
→ C'est celui qui partage qui prend la meilleure part.
C'est celui qui partage qui prend la meilleure part.

Le climat

Ha llovido mucho desde entonces.

    mot à mot :
→ Beaucoup d'eau a coulé sous les ponts depuis.
Il a beaucoup plu depuis.

Nunca llueve a gusto de todos.

    mot à mot :
→ On ne peut pas contenter tout le monde.
La pluie ne satisfait jamais tout le monde.

Abril, aguas mil.
    mot à mot :
→ En avril, ne te découvre pas d'un fil.
Avril, mille eaux.

Al mal tiempo, buena cara.

    mot à mot :
→ faire contre mauvaise fortune bon cœur
Par mauvais temps, bonne figure.

Locutions espagnoles

Les parties du corps

romperse la cabeza
      mot à mot :
→ se creuser la tête
se casser la tête

Cuatro ojos ven más que dos.
      mot à mot :
→ Deux avis valent mieux qu'un.
Quatre yeux voient mieux que deux.

Quien tiene boca se equivoca.
      mot à mot :
→ L'erreur est humaine.
Quiconque a une bouche se trompe.

Me costó un riñón.
      mot à mot :
→ Ça m'a coûté une fortune.
Ça m'a coûté un rein.

Les vêtements

cambiar de chaqueta
      mot à mot :
→ retourner sa veste
changer de veste

estar hasta el gorro
      mot à mot :
→ en avoir par-dessus la tête
en avoir ras le chapeau

querer nadar y guardar la ropa
      mot à mot :
→ vouloir le beurre et l'argent du beurre
vouloir nager tout habillé

Les couleurs

no distinguir lo blanco de lo negro
      mot à mot :
→ être bête comme ses pieds
ne pas distinguer le blanc du noir

ponerse de mil colores
      mot à mot :
→ piquer un fard
passer par mille couleurs

estar más rojo que un cangrejo
      mot à mot :
→ être rouge comme une écrevisse
être plus rouge qu'un crabe

Quelques problèmes de traduction courants

Dans les pages suivantes, nous abordons quelques-unes des difficultés de traduction que vous risquez de rencontrer. Nous espérons que les astuces que nous vous donnons vous permettront d'éviter les pièges classiques de l'espagnol écrit et parlé.

Je, tu, il/elle…

En français, le pronom personnel sujet (« je », « tu », « il/elle », etc.) est obligatoire alors qu'en espagnol *Yo*, *tú*, *él*, *ella*, etc. ne sont généralement pas utilisés si le verbe permet de savoir clairement qui accomplit l'action :

Je parle espagnol.	→ **Hablo** español.
Nous avons deux voitures.	→ **Tenemos** dos coches.

Utilisez *yo*, *tú*, *él* et les autres pronoms sujets pour créer un effet d'insistance, d'opposition ou bien quand ils peuvent servir à éviter une ambiguïté quant à la personne dont il est question :

Toi, **tu** n'es pas obligé de venir.	→ **Tú** no tienes por qué venir.
Lui, **il** conduit mais pas elle.	→ **Él** conduce pero ella no.

« Tu » et « vous » en espagnol

En espagnol, on peut, en fonction de son interlocuteur, employer une forme polie ou une forme plus familière comme on le fait en français avec le vouvoiement et le tutoiement. Cependant, à la différence du français, l'espagnol permet de faire cette distinction de façon explicite au singulier comme au pluriel.

- Lorsqu'on s'adresse à une personne que l'on connaît, on emploie le pronom **tú**. Souvenez-vous, cependant, que le pronom personnel est souvent omis en espagnol :

Est-ce que **tu** vas venir au cours de mathématiques ?	→ *¿Tú vienes a la clase de matemáticas?* *¿Vienes a la clase de matemáticas?*
Tu me prêtes ce CD ?	→ *¿Me prestas este CD?*

Quelques problèmes de traduction courants

• Pour s'adresser à plusieurs personnes que l'on connaît, on utilise **vosotros** et **vosotras** (féminin) en Espagne. En Amérique latine, on emploie **ustedes** suivi du verbe à la troisième personne du pluriel.

Vous comprenez, les enfants ?	→ *¿**Entendéis**, niños?*
Vous avez voyagé au Chili récemment ?	→ *¿**Vosotros** habéis viajado a Chile recientemente?* (en Espagne) *¿**Ustedes** han viajado a Chile recientemente?*
Vous avez regardé le match, les gars ?	→ *¿**Vosotros** habéis mirado el partido ?* (En Espagne) *¿**Ustedes** han mirado el partido?*

• Le vouvoiement se fait avec **usted** suivi de la troisième personne du singulier, ou, si l'on s'adresse à plus d'une personne, **ustedes** suivi du verbe à la troisième personne du pluriel :

Excusez-moi madame, pouvez-**vous** me dire où se trouve la gare ?	→ *Perdone, Señora, ¿**Usted** puede decirme dónde se encuentra la estación de tren?*
Vous connaissez ma femme ? (à une personne)	→ *¿**Usted** conoce a mi mujer?*
Vous êtes allés au Chili récemment ?	→ *¿**Ustedes** han ido a Chile recientemente?*

Vos et tú
En Argentine et dans certaines parties de l'Amérique centrale, on emploie **vos** à la place de **tú**.

Quelques problèmes de traduction courants

La conjonction « et »

« Et » se traduit par **y** sauf devant les mots qui commencent par **i-** ou **hi-**, où il devient **e** pour faciliter la prononciation :

Toi **et** moi sommes des amis. → *Tú **y** yo somos amigos.*
Il mange des tomates **et** des figues. → *El come tomates **e** higos.*

La conjonction « ou »

« Ou » se traduit par **o**, mais devant un mot qui commence par **o-**, on emploie **u** :

Aujourd'hui **ou** demain. → *Hoy **o** mañana.*
Pour une raison **ou** une autre. → *Por una razón **u** otra.*

Attention aux prépositions !

• Un verbe qui a pour objet direct une personne ou un animal domestique doit être suivi de la préposition **a**.

Je m'occupe **de ma petite sœur**. → *Cuido **a mi hermana pequeña**.*
Ils adorent **leur chien**. → *Quieren mucho **a su perro**.*
Il **appelle sa mère**. → *El llama **a** su mamá.*
J'**aime Pierre**. → *Amo **a** Pierre.*

• La préposition **a** doit également être employée devant **alguien**, **nadie**, **cualquier/cualquiera**, **ninguno/ninguna**, **quien/quienes**, etc. :

Il a vu **quelqu'un** qui s'approchait. → *Vió **a alguien** que se acercaba.*
Qui regardes-tu ? → *¿**A quién** miras?*

• Il existe un certain nombre de verbes qui, quelle que soit la nature de leur COD, sont suivis de la préposition **a** en espagnol ; c'est le cas de **acompañar**, **igualar**, **preceder**, **seguir**, **superar**, entre autres.

Le cycliste **suit** le guide. → *El ciclista **sigue al** guía.*
Ce produit **surpasse** tous les autres. → *Este producto **supera a** todos los otros.*
l'année qui **précéda** la guerre → *el año que **precedió a** la guerra*

27

Quelques problèmes de traduction courants

• Il ne faut pas oublier que des structures qui n'ont pas de préposition en français peuvent en comporter une en espagnol, et inversement. En outre, pour une tournure ou un verbe donné, la préposition n'est pas forcément la même dans les deux langues, comme les exemples ci-dessous l'illustrent. Votre dictionnaire montre clairement comment utiliser les prépositions, n'hésitez pas à vous y référer !

Il pense **à** toi.	→ *El piensa **en** ti.*
J'ai rêvé **de** vous.	→ *Yo soñé **con** vosotros.*
Elle compte **sur** lui.	→ *Ella cuenta **con** él.*
Il est fou **d'**elle.	→ *El está loco **por** ella.*
Nous sommes fâchés **contre** vous.	→ *Estamos enfadados **con** ustedes.*
Je suis **en** vacances.	→ *Estoy **de** vacaciones.*

• Attention aussi à la traduction de « de » suivi d'un verbe à l'infinitif :

Le travail me **permet d'être** occupé.	→ *El trabajo me **permite estar** ocupado.*
Nous **avons besoin d'appeler** le médecin.	→ ***Necesitamos llamar** al médico.*
Ils **m'ont demandé d'aller** au supermarché.	→ *Ellos **me pidieron que** fuera al supermercado.*

Quelques problèmes de traduction courants

Traduction d'« être »

Il existe deux verbes « être » en espagnol, **ser** et **estar**. Le choix de l'un ou l'autre est déterminé par le point de vue qu'on adopte sur la chose ou la personne que l'on décrit.

- On utilise **ser** devant un nom, un pronom, un nombre, un infinitif pour définir quelque chose, décrire des propriétés intrinsèques, immuables et naturelles :

C'**est** une maison	→ *Eso **es** una casa.*
C'**est** à moi.	→ *Eso **es** mío.*
L'eau **est** transparente	→ *El agua **es** transparente.*
Le mieux **est** de se réveiller tôt.	→ *Lo mejor **será** levantarse temprano.*

→ On emploie **ser** pour donner l'heure également :

Il **est** midi.	→ **Son** las doce.

- **Estar** est employé :

→ Pour situer quelque chose dans l'espace (personne, objet, lieu, concept) :

Je **suis** à Madrid.	→ ***Estoy** en Madrid.*
L'ordinateur **est** sur la table.	→ *El ordenador **está** sobre la mesa.*
Madrid **est** près de Tolède.	→ *Madrid **está** cerca de Toledo.*
Où **est** la vérité?	→ *¿Dónde **está** la verdad?*

→ Pour montrer le caractère temporaire, variable, apparent de quelque chose :

Elle **est** triste.	→ *Ella **está** triste.*
Tu **es** très jolie aujourd'hui.	→ ***Estás** muy guapa hoy.*

Notez qu'il serait parfaitement correct d'avoir **ser** dans ces phrases, mais le sens serait alors différent :

Elle **est** triste.	→ *Ella **es** triste.* (= Elle est d'un naturel triste)
Tu **es** jolie.	→ *Tú **eres** guapa.* (à une personne qui est naturellement jolie)

Quelques problèmes de traduction courants

• On peut utiliser **ser** ou **estar** :

➜ Pour indiquer le jour, la date ou la saison :

Aujourd'hui c'**est** mardi.	➜ *Hoy **es** martes.*
	***Estamos** hoy a martes.*
Nous **sommes** le 20 août.	➜ *Es el 20 de agosto.*
	***Estamos** a 20 de agosto.*
C'**est** l'été.	➜ *Es el verano.*
	***Estamos** en verano.*

➜ Pour situer un événement dans le temps :

Ton anniversaire **est** en ➜ *Tu cumpleaños **es** en septiembre.*
    septembre
(Ici, **ser** est employé pour évoquer objectivement un événement qui est
    immuablement associé à une date.)

Demain nous serons en hiver. ➜ *Mañana **estaremos** en invierno.*
(Ici en revanche, **estar** est employé car c'est celui ou celle qui parle qui se
    situe dans le temps.)

➜ Dans les structures impersonnelles :

Il **est** tôt. ➜ *Es temprano.*
(objectivité du point de vue)

Il **fait** gris dans le Nord. ➜ *Está nublado por el norte.*
(conditions passagères)

➜ Avec la voix passive :

L'autoroute a **été construite** ➜ *La carretera ha **sido construida** por su*
    par son entreprise.   *empresa.*
(insistance sur l'action elle-même avec **ser**)

L'autoroute **sera** complètement ➜ *La carretera **estará** completamente*
    construite en 2010.   ***construida** en 2010.*
(insistance sur le résultat d'une action avec **estar**)

Quelques problèmes de traduction courants

Traduction d'« être en train de »

En français, pour parler de quelque chose qui est en cours ou qui était en cours à un moment du passé, on emploie la tournure « être en train de » suivie du verbe à l'infinitif. En espagnol, on utilise la structure **estar** + verbe au gérondif (forme se terminant par **-ando** pour les infinitifs en **-ar**, ou **-iendo** pour les infinitifs en **-er** et **-ir**).

Il **est en train de travailler** chez lui.	➔ El **está trabajando** en su casa.
Ils **sont en train de lire**.	➔ Ellos **están leyendo**.

Traduction d'« avoir »

« Avoir » se traduit de différentes manières en espagnol :

• **Tener** traduit « avoir » dans les expressions qui décrivent des sentiments ou des sensations :

J'**ai** chaud/froid.	➔ **Tengo** calor/frío.
Nous **avons** faim/soif.	➔ **Tenemos** hambre/sed.
N'**aie** pas peur.	➔ No **tengas** miedo.
Tu **as** raison.	➔ **Tienes** razón.

• On utilise aussi **tener** pour donner son âge :

Quel âge **as**-tu ?	➔ ¿Cuántos años **tienes**?
J'**ai** quinze ans.	➔ **Tengo** quince (años).

• « Il y a » se traduit par **hay** (forme impersonnelle de **haber**) lorsque l'on parle de l'existence de quelque chose qui est indéfini :

Dans la chambre, **il y a** des lampes.	➔ En el cuarto **hay** lámparas.
Il y a une pharmacie près de chez moi.	➔ **Hay** una farmacia cerca de mi casa.

• Dans les expressions de temps, « il y a » se traduit par **hace** (forme impersonnelle de **hacer** « faire », à mettre en rapport avec la tournure « cela fait ») :

Il y a deux ans qu'il est parti.	➔ **Hace** dos años que él se fue.
Il y a longtemps que c'est fini.	➔ **Hace** mucho tiempo que se terminó.

Quelques problèmes de traduction courants

Un certain nombre de termes espagnols et français se ressemblent mais certain
n'ont pas du tout le même sens : ce sont des faux amis. Le mot espagnol **equipaje**,
par exemple, n'a pas le même sens que le mot « équipage » en français, puisqu'il
se traduit par « bagages » (« équipage » se dit **tripulación** en espagnol). Voici
quelques autres exemples de faux amis :

*Ellos iban a **batirse** cuando la policía llegó.*	→ Ils allaient **se battre** quand la polic est arrivée.
Ils voulaient **bâtir** le pont le plus haut du monde.	→ *Ellos querían **construir** el puente más alto del mundo.*
*El quiere **demandar** al periodista que ha escrito el artículo.*	→ Il veut **poursuivre** le journaliste q a écrit l'article.
Il est venu lui **demander** son numéro de téléphone.	→ *El vino para **preguntarle** su número de teléfono.*
*La niña **exprime** una naranja.*	→ La petite fille **presse** une orange.
Il **exprime** facilement ses sentiments.	→ *El **expresa** fácilmente sus sentimientos.*
*Cuando yo la conocí, ella tenía el pelo **largo**.*	→ Quand je l'ai connue, elle avait les cheveux **longs**.
Il porte toujours des pantalons **larges**.	→ *El lleva siempre pantalones **anchos**.*
*Nosotros buscamos un lugar a la **sombra** para comer.*	→ Nous avons cherché un endroit à l'**ombre** pour déjeuner.
L'appartement est grand mais un peu **sombre**.	→ *El apartamento es grande, pero un poco **oscuro**.*

ESPAÑOL – FRANCÉS

ESPAGNOL – FRANÇAIS

a

a mano à la main; **escrito a máquina** tapé à la machine; **le echaron a patadas** ils l'ont flanqué dehors à coups de pied aux fesses

7 (*razón*): **a 30 euros el kilo** à 30 euros le kilo; **a más de 50 km/h** à plus de 50 km/h; **se vende lana a peso** laine vendue au poids

8 (*complemento directo: no se traduce*): **vi a Juan/a tu padre** j'ai vu Jean/ton père

9 (*dativo*): **se lo di a Pedro** je l'ai donné à Pierre

10 (*verbo + a + infin*): **empezó a trabajar** il a commencé à travailler; (*no se traduce*): **voy a verle** je vais le voir; **vengo a decírtelo** je viens te le dire

11 (*percepción, sentimientos*): **huele a rosas** ça sent la rose; **miedo a la verdad** peur *f* de la vérité

12 (*simultaneidad*): **al verle, le reconocí inmediatamente** quand je l'ai vu, je l'ai tout de suite reconnu

13 (*n + a + infin*): **el camino a recorrer** le chemin à parcourir; **asuntos a tratar** ordre *m* du jour

14 (*imperativo*): **¡a callar!** taisez-vous!; **¡a comer!** on mange!

15 (*frases adverbiales*): **a no ser que** sauf si; **a lo mejor** peut-être

16 (*desafío*): **¡a que no!** je parie que non!

a [a] (*a + el* = **al**) *prep* **1** (*dirección*) à; **fueron a Madrid/Grecia** ils sont allés à Madrid/en Grèce; **caerse al río** tomber dans la rivière; **subirse a la mesa** monter sur la table; **bajarse a la calle** descendre dans la rue; **llegó a la oficina** il est arrivé au bureau; **me voy a casa** je rentre à la maison *o* chez moi; **mira a la izquierda** regarde à gauche

2 (*distancia*): **está a 15 km de aquí** c'est à 15 km d'ici

3 (*posición*): **estar a la mesa** être à table; **escríbelo al margen** écris-le dans la marge; **al lado de** à côté de

4 (*tiempo*): **a las 10/a medianoche** à 10 heures/à minuit; **a la mañana siguiente** le lendemain matin; **a los pocos días** peu de jours après; **estamos a 9 de julio** nous sommes le 9 juillet; **a los 24 años** à (l'âge de) 24 ans; **una vez a la semana** une fois par semaine

5 (*manera*): **a la francesa** à la française; **a caballo** à cheval; **a cuadros** à carreaux; **a oscuras** à tâtons; **a la plancha** (*Culin*) grillé; **a toda prisa** en toute hâte

6 (*medio, instrumento*): **a lápiz** au crayon;

abad, esa [a'βað, 'ðesa] *nm/f* abbé (abbesse)

abadía [aβa'ðia] *nf* abbaye *f*

abajo [a'βaxo] *adv* **1** (*posición*) en bas; **allí abajo** là-bas; **el piso de abajo** l'appartement du dessous; **la parte de abajo** le bas; **más abajo** plus bas; (*en texto*) ci-dessous; **desde abajo** d'en bas; **abajo del todo** tout en bas; **Pedro está abajo** Pedro est en bas; **el abajo firmante** le soussigné; **de mil euros para abajo** au-dessous de mille euros

2 (*dirección*): **ir calle abajo** descendre la rue; **río abajo** en descendant le courant, en aval

■ *prep*: **abajo de** (*AM*) sous; **abajo de la mesa** sous la table

■ *excl*: **¡abajo!** descends!; **¡abajo el gobierno!** à bas le gouvernement!

abalanzarse [aβalan'θarse] *vpr*: **~ sobre/contra** se jeter sur/contre

abandonado, -a [aβando'naðo, a] *adj* abandonné(e)

abandonar [aβando'nar] vt
abandonner; (salir de, tb Inform) quitter;
abandonarse vpr (descuidarse) se laisser
aller; ~se a (desesperación, dolor)
s'abandonner à; ~se a la bebida
s'adonner à la boisson
abandono [aβan'dono] nm abandon m;
por ~ (Deporte) par abandon
abanicar [aβani'kar] vt éventer
abanico [aβa'niko] nm éventail m
abaratarse vpr (artículo) coûter moins
cher; (precio) baisser
abarcar [aβar'kar] vt (temas, período)
comprendre; (rodear con los brazos)
embrasser; (AM: acaparar) accaparer;
quien mucho abarca poco aprieta qui
trop embrasse mal étreint
abarrotado, -a [aβarro'taðo, a] adj:
~ (de) plein(e) à craquer (de)
abarrotar [aβarro'tar] vt bourrer
abarrotero, -a [aβarro'tero, a] (AM)
nm/f (tendero) épicier(-ière)
abarrotes [aβa'rrotes] (AM) nmpl
(ultramarinos) épicerie fsg
abastecer [aβaste'θer] vt: ~ (de) fournir,
approvisionner (en); **abastecerse** vpr:
~se (de) s'approvisionner (en)
abastecimiento [aβasteθi'mjento] nm
approvisionnement m
abasto [a'βasto] nm: no dar ~ être
débordé(e); **abastos** nmpl provisions fpl;
no dar ~ a algo ne pas arriver à qch; no
dar ~ a o para hacer ne pas arriver à faire
abatible [aβa'tiβle] adj: asiento ~ siège
m rabattable
abatido, -a [aβa'tiðo, a] adj (deprimido)
abattu(e)
abatir [aβa'tir] vt abattre; (asiento)
rabattre; **abatirse** vpr se laisser abattre;
~se sobre (águila, avión) s'abattre sur
abdicar [aβði'kar] vi: ~ (en algn)
abdiquer (en faveur de qn)
abdomen [aβ'ðomen] nm abdomen m
abdominal [aβðomi'nal] adj
abdominal(e); **abdominales** nmpl
(tb: ejercicios abdominales)
abdominaux mpl
abecedario [aβeθe'ðarjo] nm
abécédaire m
abedul [aβe'ðul] nm bouleau m
abeja [a'βexa] nf abeille f
abejorro [aβe'xorro] nm bourdon m
abertura [aβer'tura] nf ouverture f;
(en falda, camisa) échancrure f
abeto [a'βeto] nm sapin m
abierto, -a [a'βjerto, a] pp de **abrir** ■ adj
ouvert(e); a campo ~ en rase campagne;
emitir en ~ (TV) diffuser en clair

abigarrado, -a [aβiɣa'rraðo, a] adj
bigarré(e)
abismal [aβis'mal] adj (diferencia)
colossal(e)
abismar [aβis'mar] vt (en dolor,
desesperación) plonger; **abismarse** vpr:
~se en plonger dans; (lectura) se plonger
dans; (AM: asombrarse) s'étonner de
abismo [a'βismo] nm abîme m; de sus
ideas a las mías hay un ~ entre ses idées
et les miennes, il y a un abîme
abjurar [aβxu'rar] vt abjurer ■ vi: ~ de
abjurer
ablandar [aβlan'dar] vt ramollir;
(persona) adoucir; (carne) attendrir;
ablandarse vpr se ramollir; s'adoucir
abnegación [aβneɣa'θjon] nf
abnégation f
abnegado, -a [aβne'ɣaðo, a] adj
(persona) qui fait preuve d'abnégation
abochornar [aβotʃor'nar] vt faire rougir
(de honte); **abochornarse** vpr rougir
(de honte)
abofetear [aβofete'ar] vt gifler
abogado, -a [aβo'ɣaðo, a] nm/f
avocat(e); ~ defensor avocat de la
défense; ~ del diablo avocat du diable;
~ del Estado ≈ procureur m général; ~ de
oficio avocat commis d'office
abogar [aβo'ɣar] vi: ~ por plaider pour
abolengo [aβo'lengo] nm lignage m;
de ~ (familia, persona) de vieille souche
abolición [aβoli'θjon] nf abolition f
abolir [aβo'lir] vt abolir
abolladura [aβoʎa'ðura] nf bosse f
abollar [aβo'ʎar] vt (metal) bosseler;
(coche) cabosser; **abollarse** vpr se
bosseler; se cabosser
abominable [aβomi'naβle] adj
abominable
abonado, -a [aβo'naðo, a] adj (deuda
etc) acquitté(e) ■ nm/f abonné(e)
abonar [aβo'nar] vt (deuda etc) acquitter;
(terreno) fumer; **abonarse** vpr: ~se a
s'abonner à; ~ a algn abonner qn à;
~ dinero en una cuenta verser de l'argent
sur un compte
abono [a'βono] nm (fertilizante) engrais
msg; (suscripción) abonnement m
abordar [aβor'ðar] vt aborder
aborigen [aβo'rixen] nm/f aborigène
m/f
aborrecer [aβorre'θer] vt abhorrer
abortar [aβor'tar] vi (espontáneamente)
faire une fausse couche; (de manera
provocada) avorter ■ vt (huelga, golpe de
estado) faire avorter; (Inform)
abandonner

aborto [a'βorto] nm (espontáneo) fausse couche f; (provocado) avortement m

abotonar [aβoto'nar] vt boutonner; **abotonarse** vpr se boutonner

abrasar [aβra'sar] vt brûler ■ vi être très chaud; **abrasarse** vpr: ~se de calor étouffer (de chaleur); ~se vivo griller vif

abrazar [aβra'θar] vt (tb fig) embrasser; **abrazarse** vpr s'embrasser

abrazo [a'βraθo] nm accolade f; dar un ~ a algn serrer qn dans ses bras; "un ~" (en carta) "amitiés"

abrebotellas [aβreβo'teʎas] nm inv ouvre-bouteille m

abrecartas [aβre'kartas] nm inv coupe-papier m inv

abrelatas [aβre'latas] nm inv ouvre-boîte m

abreviar [aβre'βjar] vt abréger ■ vi (apresurarse) s'empresser; **bueno, para ~** bon, pour abréger

abreviatura [aβreβja'tura] nf abréviation f

abridor [aβri'ðor] nm (de botellas) ouvre-bouteille m; (de latas) ouvre-boîte m

abrigar [aβri'ɣar] vt abriter; (suj: ropa) couvrir; (fig: sospechas, dudas) nourrir ■ vi (ropa) tenir chaud; **abrigarse** vpr se couvrir

abrigo [a'βriɣo] nm (prenda) manteau m; (lugar) abri m; **al ~ de** à l'abri de; ~ **de pieles** manteau de fourrure

abril [a'βril] nm avril m; ver tb **julio**

abrillantar [aβriʎan'tar] vt faire reluire

abrir [a'βrir] vt, vi ouvrir; **abrirse** vpr s'ouvrir; **en un ~ y cerrar de ojos** en un clin d'œil; ~ **la mano** (en examen, oposición) être indulgent(e); **~se a** (puerta, ventana) donner sur; **~se paso** se frayer un chemin

abrochar [aβro'tʃar] vt (con botones) boutonner; (con hebilla) boucler; **abrocharse** vpr (zapatos) se lacer; (abrigo) se boutonner; **~se el cinturón** attacher sa ceinture

abrumar [aβru'mar] vt (agobiar) accabler; (apabullar) écraser

abrupto, -a [a'βrupto, a] adj abrupt(e)

absceso [aβs'θeso] nm abcès msg

absolución [aβsolu'θjon] nf (Rel) absolution f; (Jur) non-lieu m

absoluto, -a [aβso'luto, a] adj absolu(e); **en ~** (para nada) en aucun cas; (en respuesta) pas du tout

absolver [aβsol'βer] vt (Rel, Jur) absoudre

absorbente [aβsor'βente] adj absorbant(e); (película, libro) prenant(e)

absorber [aβsor'βer] vt absorber; **absorberse** vpr: ~se en algo s'absorber dans qch

absorto, -a [aβ'sorto, a] pp de **absorber** ■ adj: ~ en absorbé(e) par o dans

abstemio, -a [aβs'temjo, a] adj abstinent(e)

abstención [aβsten'θjon] nf abstention f

abstenerse [aβste'nerse] vpr s'abstenir; ~ de algo se priver de qch; ~ de hacer s'abstenir de faire

abstinencia [aβsti'nenθja] nf abstinence f

abstracción [aβstrak'θjon] nf abstraction f; ~ hecha de abstraction faite de

abstracto, -a [aβ'strakto, a] adj abstrait(e); **en ~** dans l'abstrait

abstraer [aβstra'er] vt (problemas, cuestión) isoler; **abstraerse** vpr: ~se (de) s'abstraire (de)

abstraído, -a [aβstra'iðo, a] adj abstrait(e)

absuelto [aβ'swelto] pp de **absolver**

absurdo, -a [aβ'surðo] adj absurde ■ nm absurdité f; lo ~ es que ... l'absurde, c'est que ...

abuchear [aβutʃe'ar] vt huer

abuela [a'βwela] nf grand-mère f; (pey) mémère f; ¡cuéntaselo a tu ~! (fam) avec moi ça ne prend pas!; **no tener** o **necesitar ~** (fam) s'envoyer des fleurs

abuelo [a'βwelo] nm grand-père m; (pey) pépère m; **abuelos** nmpl grands-parents mpl; (antepasados) ancêtres mpl

abultado, -a [aβul'taðo, a] adj (mejillas) bouffi(e); (facciones) saillant(e); (paquete) volumineux(-euse)

abultar [aβul'tar] vt (importancia, consecuencias) exagérer ■ vi prendre de la place

abundancia [aβun'danθja] nf abondance f; **en ~** en abondance

abundante [aβun'dante] adj abondant(e)

abundar [aβun'dar] vi abonder; ~ **en** abonder en; ~ **en una opinión** abonder dans un sens

aburrido, -a [aβu'rriðo, a] adj (hastiado) saturé(e); (que aburre) ennuyeux(-euse)

aburrimiento [aβurri'mjento] nm ennui m

aburrir [aβu'rrir] vt ennuyer; **aburrirse** vpr s'ennuyer; **~se como una almeja** u **ostra** s'ennuyer comme un rat mort

abusar [aβu'sar] vi: ~ **de** abuser de

abusivo, -a [aβu'siβo, a] adj abusif(-ive)

abuso [a'βuso] *nm* abus *msg*; ~ **de autoridad** abus d'autorité; ~ **de confianza** abus de confiance

a/c *abr* (= *al cuidado de*) abs (= *aux bons soins de*); (= *a cuenta*) a/o (= *un acompte de*)

acá [a'ka] *adv* (*esp AM: lugar*) ici; **pasearse de ~ para allá** faire les cent pas; **¡vente para ~!** approche un peu!; **de junio ~** depuis juin; **más ~** en deçà

acabado, -a [aka'βaðo, a] *adj* (*mueble, obra*) achevé(e), fini(e); (*persona*) usé(e) ■ *nm* finition *f*

acabar [aka'βar] *vt* achever, finir; (*comida, bebida*) terminer, finir; (*retocar*) parachever ■ *vi* finir; **acabarse** *vpr* finir, se terminer; (*gasolina, pan, agua*) être épuisé(e); ~ **con** en finir avec; (*destruir*) liquider; ~ **en** se terminer en; ~ **mal** finir mal; **¡acabáramos!** c'est pas trop tôt!; **esto acabará conmigo** cela va mal finir; ~ **de hacer** venir de faire; ~ **haciendo** *o* **por hacer** finir par faire; **no acaba de gustarme** cela ne me plaît pas vraiment; **¡se acabó!** terminé! (*¡basta!*) ça suffit!; **se me acabó el tabaco** je n'ai plus de cigarettes

acabóse [aka'βose] *nm*: **esto es el ~** c'est le bouquet

academia [aka'ðemja] *nf* académie *f*; (*de enseñanza*) école *f* privée; **la Real A~** l'Académie royale d'Espagne; ~ **militar** école militaire

académico, -a [aka'ðemiko, a] *adj* académique ■ *nm/f* académicien(ne)

acallar [aka'ʎar] *vt* faire taire

acalorado, -a [akalo'raðo, a] *adj* échauffé(e)

acalorarse [akalo'rarse] *vpr* (*fig*) s'échauffer

acampada [akam'paða] *nf*: **ir de ~** partir camper

acampar [akam'par] *vi* camper

acantilado [akanti'laðo] *nm* falaise *f*

acaparar [akapa'rar] *vt* (*alimentos, gasolina*) accumuler; (*atención*) accaparer

acariciar [akari'θjar] *vt* caresser; (*esperanza*) nourrir

acarrear [akarre'ar] *vt* transporter; (*fig*) entraîner

acaso [a'kaso] *adv* peut-être; **por si ~** au cas où; **si ~** à la rigueur; **¿~?** (*AM: fam*) alors ...?; **¿~ es mi culpa?** alors, c'est ma faute?

acatamiento [akata'mjento] *nm* respect *m*

acatar [aka'tar] *vt* respecter

acatarrarse [akata'rrarse] *vpr* s'enrhumer

acaudalado, -a [akauða'laðo, a] *adj* nanti(e)

acaudillar [akauði'ʎar] *vt* (*motín, revolución*) diriger; (*tropas*) commander

acceder [akθe'ðer] *vi*: ~ **a** accéder à; (*Inform*) avoir accès à

accesible [akθe'siβle] *adj* accessible; ~ **a algn** (*comprensible*) accessible à qn

acceso [ak'θeso] *nm* (*tb Med, Inform*) accès *msg*; **tener ~ à** avoir accès à; **de ~ múltiple** à accès multiples; ~ **aleatorio/ directo/secuencial** (*Inform*) accès aléatoire/direct/séquentiel

accesorio, -a [akθe'sorjo, a] *adj* accessoire ■ *nm* accessoire *m*; **accesorios** *nmpl* (*prendas de vestir, Auto*) accessoires *mpl*; (*de cocina*) ustensiles *mpl*

accidentado, -a [akθiðen'taðo, a] *adj* (*terreno*) accidenté(e); (*viaje, día*) agité(e) ■ *nm/f* accidenté(e)

accidental [akθiðen'tal] *adj* accidentel(le)

accidentarse [akθiðen'tarse] *vpr* avoir un accident

accidente [akθi'ðente] *nm* accident *m*; **accidentes** *nmpl* (*tb*: **accidentes geográficos**) accidents *mpl* de terrain; **por ~** accidentellement; **tener** *o* **sufrir un ~** avoir un accident; ~ **laboral** *o* **de trabajo/de tráfico** accident du travail/ de la circulation

acción [ak'θjon] *nf* action *f*; ~ **liberada** action entièrement libérée; ~ **ordinaria/ preferente** action ordinaire/de priorité

accionar [akθjo'nar] *vt* actionner; (*Inform*) commander

accionista [akθjo'nista] *nm/f* actionnaire *m/f*

acebo [a'θeβo] *nm* houx *msg*

acechar [aθe'tʃar] *vt* guetter

acecho [a'θetʃo] *nm*: **estar al ~ (de)** être à l'affût (de)

aceitar [aθei'tar] *vt* huiler

aceite [a'θeite] *nm* huile *f*; ~ **de colza/de girasol/de hígado de bacalao/de oliva/ de ricino/de soja** huile de colza/de tournesol/de foie de morue/d'olive/de ricin/de soja

aceitera [aθei'tera] *nf* huilier *m*

aceitoso, -a [aθei'toso, a] *adj* (*comida*) gras(se); (*consistencia, líquido*) huileux(-euse)

aceituna [aθei'tuna] *nf* olive *f*; ~ **rellena** olive fourrée

acelerador [aθelera'ðor] *nm* accélérateur *m*

acelerar [aθele'rar] *vt, vi* accélérer; ~ **el paso/la marcha** presser le pas/l'allure

acelga [a'θelɣa] *nf* blette *f*

acento [a'θento] *nm* accent *m*; **~ cerrado** fort accent

acentuar [aθen'twar] *vt* accentuer; **acentuarse** *vpr* s'accentuer

acepción [aθep'θjon] *nf* acception *f*

aceptable [aθep'taβle] *adj* acceptable

aceptación [aθepta'θjon] *nf* acceptation *f*; **tener gran ~** être très populaire

aceptar [aθep'tar] *vt* accepter; **~ hacer algo** accepter de faire qch

acequia [a'θekja] *nf* canal *m* d'irrigation

acera [a'θera] *nf* trottoir *m*

acerca [a'θerka]: **~ de** *prep* de, sur, à propos de

acercar [aθer'kar] *vt* approcher; **acercarse** *vpr* approcher; **~se a** s'approcher de

acerico [aθe'riko] *nm* pelote *f* à épingles

acero [a'θero] *nm* acier *m*; **~ inoxidable** acier inoxydable

acérrimo, -a [a'θerrimo, a] *adj* acharné(e)

acertado, -a [aθer'taðo, a] *adj* (*respuesta, medida*) pertinent(e); (*color, decoración*) heureux(-euse)

acertar [aθer'tar] *vt* (*blanco*) atteindre; (*solución, adivinanza*) trouver ■ *vi* réussir; **~ a hacer algo** réussir à faire qch; **~ con** (*camino, calle*) trouver

acertijo [aθer'tixo] *nm* devinette *f*

achacar [atʃa'kar] *vt*: **~ algo a** imputer qch à

achacoso, -a [atʃa'koso, a] *adj* souffreteux(-euse)

achantar [atʃan'tar] (*fam*) *vt* (*acobardar*) démonter; **achantarse** *vpr* se dégonfler

achaque [a'tʃake] *vb ver* **achacar** ■ *nm* ennui *m* de santé

achicar [atʃi'kar] *vt* rétrécir; (*humillar*) abaisser; (*Náut*) écoper; **achicarse** *vpr* se rétrécir; (*fig*) s'humilier

achicharrar [atʃitʃa'rrar] *vt* (*comida*) brûler; **achicharrarse** *vpr* (*comida*) attacher; (*planta*) griller; (*persona*) se consumer

achicoria [atʃi'korja] *nf* chicorée *f*

aciago, -a [a'θjaɣo, a] *adj* funeste

acicalarse [aθika'larse] *vpr* se faire beau (belle)

acicate [aθi'kate] *nm* stimulant *m*

acidez [aθi'ðeθ] *nf* acidité *f*

ácido, -a ['aθiðo, a] *adj* acide ■ *nm* (*tb fam: droga*) acide *m*

acierto [a'θjerto] *vb ver* **acertar** ■ *nm* (*al adivinar*) découverte *f*; (*éxito, logro*) réussite *f*, idée *f* judicieuse; (*habilidad*)

adresse *f*; **fue un ~ suyo** ce fut judicieux de sa part

aclamación [aklama'θjon] *nf* acclamation *f*; **por ~** par acclamation

aclamar [akla'mar] *vt* (*aplaudir*) acclamer; (*proclamar*) proclamer

aclaración [aklara'θjon] *nf* éclaircissement *m*

aclarar [akla'rar] *vt* éclaircir; (*ropa*) rincer ■ *vi* (*tiempo*) s'éclaircir; **aclararse** *vpr* (*persona*) s'expliquer; (*asunto*) s'éclaircir; **~se la garganta** s'éclaircir la gorge

aclaratorio, -a [aklara'torjo, a] *adj* explicatif(-ive)

aclimatación [aklimata'θjon] *nf* acclimatation *f*

aclimatar [aklima'tar] *vt* acclimater; **aclimatarse** *vpr* s'acclimater; **~se a algo** s'acclimater à qch, se faire à qch

acné [ak'ne] *nm o nf* acné *f*

acobardar [akoβar'ðar] *vt* intimider; **acobardarse** *vpr* se laisser intimider; **~se (ante)** reculer (devant)

acogedor, a [akoxe'ðor, a] *adj* accueillant(e)

acoger [ako'xer] *vt* accueillir; **acogerse** *vpr*: **~se a** (*ley, norma etc*) se référer à

acogida [ako'xiða] *nf* accueil *m*

acometer [akome'ter] *vt* (*empresa, tarea*) entreprendre ■ *vi*: **~ (contra)** s'attaquer (à)

acometida [akome'tiða] *nf* attaque *f*; (*de gas, agua*) branchement *m*

acomodado, -a [akomo'ðaðo, a] *adj* huppé(e)

acomodador, a [akomoða'ðor, a] *nm/f* placeur(ouvreuse)

acomodar [akomo'ðar] *vt* (*paquetes, maletas*) disposer; (*personas*) placer; **acomodarse** *vpr* s'installer; **~se a** s'accommoder à; **¡acomódese a su gusto!** mettez-vous à l'aise!

acompañar [akompa'ɲar] *vt* accompagner; **¿quieres que te acompañe?** veux-tu que je t'accompagne?; **~ a algn a la puerta** raccompagner qn à la porte; **le acompaño en el sentimiento** veuillez accepter mes condoléances

acondicionar [akondiθjo'nar] *vt*: **~ (para)** aménager (pour)

acongojar [akongo'xar] *vt* angoisser

aconsejar [akonse'xar] *vt* conseiller; **aconsejarse** *vpr*: **~se con o de** prendre conseil auprès de; **~ a algn hacer o que haga/que no haga algo** conseiller à qn de faire/de ne pas faire qch

acontecer [akonte'θer] *vi* arriver
acontecimiento [akonteθi'mjento]
nm événement *m*
acopio [a'kopjo] *nm*: **hacer ~** faire
provision de
acoplar [ako'plar] *vt*: **~ (a)** accoupler (à)
acordar [akor'ðar] *vt* décider; (*precio,
condiciones*) convenir de; **acordarse** *vpr*:
~se de (hacer) se souvenir de (faire);
~ hacer algo (*resolver*) décider de faire qch
acorde [a'korðe] *adj* (*Mús*) accordé(e);
(*conforme*) du même avis ■ *nm* (*Mús*)
accord *m*; **~ (con)** conforme (à)
acordeón [akorðe'on] *nm* accordéon *m*
acorralar [akorra'lar] *vt* acculer; (*fig*)
intimider
acortar [akor'tar] *vt* raccourcir;
(*cantidad*) réduire; **acortarse** *vpr*
raccourcir
acosar [ako'sar] *vt* traquer; (*fig*)
harceler; **~ a algn a preguntas** harceler
qn de questions
acoso *nm* harcèlement *m*; **~ sexual**
harcèlement *m* sexuel
acostar [akos'tar] *vt* (*en cama*) coucher;
(*en suelo*) allonger; (*barco*) accoster;
acostarse *vpr* (*para descansar*) s'allonger;
(*para dormir*) se coucher; **~se con algn**
coucher avec qn
acostumbrar [akostum'brar] *vt*: **~ a
algn a hacer algo** habituer qn à faire qch;
acostumbrarse *vpr*: **~se a** prendre
l'habitude de; (*ciudad*) se faire à; **~ (a)
hacer algo** prendre l'habitude de faire
qch
ácrata ['akrata] *adj, nm/f* anarchiste *m/f*
acre ['akre] *adj* âcre; (*crítica, humor, tono*)
mordant(e) ■ *nm* acre *m*
acrecentar [akreθen'tar] *vt* accroître;
acrecentarse *vpr* s'accroître
acreditar [akreði'tar] *vt* accréditer;
(*Com*) créditer; **acreditarse** *vpr*: **~se
como** (*propietario*) établir sa qualité de;
(*buen médico*) se faire une réputation de;
~ como reconnaître comme; **~ para**
accréditer pour
acreedor, a [akree'ðor, a] *adj*: **~ a**
(*respeto*) digne de ■ *nm/f*
créancier(-ière); **~ común** (*Com*)
créancier; **~ diferido** (*Com*) créancier à
terme; **~ con garantía** (*Com*) créancier-
gagiste
acribillar [akriβi'ʎar] *vt*: **~ a balazos**
cribler de balles; **~ a preguntas** harceler
de questions
acróbata [a'kroβata] *nm/f* acrobate *m/f*
acta ['akta] *nf* (*de reunión*) procès-verbal
m; (*certificado*) certificat *m*; **levantar ~**

(*Jur*) dresser procès-verbal; **~ notarial**
acte *m* notarié
actitud [akti'tuð] *nf* attitude *f*; **adoptar
una ~ firme** adopter une attitude ferme
activar [akti'βar] *vt* (*mecanismo*)
actionner; (*acelerar*) activer; (*economía,
comercio*) relancer
actividad [aktiβi'ðað] *nf* activité *f*
activo, -a [ak'tiβo, a] *adj* actif(-ive)
■ *nm* (*Com*) actif *m*; **el ~ y el pasivo** l'actif
et le passif; **estar en ~** (*Mil*) être en
activité; **~ circulante/fijo/inmaterial/
invisible/realizable** actif circulant/
immobilisé/incorporel/invisible/
réalisable; **~s bloqueados/congelados**
actifs *mpl* gelés
acto ['akto] *nm* (*tb Teatro*) acte *m*;
(*ceremonia*) cérémonie *f*; **en el ~** sur-le-
champ; **~ seguido** immédiatement;
hacer ~ de presencia faire acte de
présence
actor [ak'tor] *nm* acteur *m*; (*Jur*)
plaignant(e)
actriz [ak'triθ] *nf* actrice *f*
actuación [aktwa'θjon] *nf* (*acción*)
action *f*; (*comportamiento*)
comportement *m*; (*Jur*) procédure *f*;
(*Teatro*) jeu *m*
actual [ak'twal] *adj* actuel(le); **el 6 del ~**
le 6 courant
actualidad [aktwali'ðað] *nf* actualité *f*;
la ~ l'actualité; **en la ~** actuellement;
ser de gran ~ être d'actualité
actualizar [aktwali'θar] *vt* actualiser,
mettre à jour
actualmente [ak'twalmente] *adv* à l'
heure actuelle, actuellement
actuar [ak'twar] *vi* (*comportarse*) agir;
(*actor*) jouer; (*Jur*) entamer une
procédure; **~ de** tenir le rôle de
acuarela [akwa'rela] *nf* aquarelle *f*
acuario [a'kwarjo] *nm* aquarium *m*;
A~ (*Astrol*) Verseau *m*; **ser A~** être (du)
Verseau
acuartelar [akwarte'lar] *vt* (*retener en
cuartel*) consigner; (*alojar*) caserner
acuático, -a [a'kwatiko, a] *adj*
aquatique
acuchillar [akutʃi'ʎar] *vt* poignarder;
(*Tec*) raboter
acuciante [aku'θjante] *adj* pressant(e)
acuciar [aku'θjar] *vt* presser
acudir [aku'ðir] *vi* aller; **~ a** (*amistades
etc*) avoir recours à; **~ en ayuda de** venir
en aide à; **~ a una cita** aller à un rendez-
vous; **~ a una llamada** répondre à un
appel; **no tener a quién ~** n'avoir
personne à qui faire appel

acuerdo [a'kwerðo] *vb ver* **acordar** ■ *nm* accord *m*; (*decisión*) décision *f*; **¡de ~!** d'accord!; **de ~ con** en accord avec; (*acción, documento*) conformément à; **de común** ~ d'un commun accord; **estar de** ~ être d'accord; **llegar a un** ~ parvenir à un accord; **tomar un** ~ adopter une résolution; ~ **de pago respectivo** (*Com*) convention entre compagnies d'assurances par laquelle chacune s'engage à dédommager son propre client; ~ **general sobre aranceles aduaneros y comercio** (*Com*) accord général sur les tarifs douaniers et le commerce

acumular [akumu'lar] *vt* accumuler

acuñar [aku'ɲar] *vt* (*moneda*) frapper; (*palabra, frase*) consacrer

acupuntura [akupun'tura] *nf* acupuncture *f*

acurrucarse [akurru'karse] *vpr* se blottir

acusación [akusa'θjon] *nf* accusation *f*

acusado, -a [aku'saðo, a] *adj* (*Jur*) accusé(e); (*acento*) prononcé(e) ■ *nm/f* (*Jur*) accusé(e)

acusar [aku'sar] *vt* accuser; (*revelar*) manifester; (*suj: aparato*) indiquer; **acusarse** *vpr*: ~**se de algo** s'accuser de qch; (*Rel*) confesser qch; ~ **recibo de** accuser réception de

acuse [a'kuse] *nm*: ~ **de recibo** accusé *m* de réception

acústico, -a [a'kustiko, a] *adj* acoustique ■ *nf* acoustique *f*

adaptación [aðapta'θjon] *nf* adaptation *f*

adaptador [aðapta'ðor] *nm* adaptateur *m*

adaptar [aðap'tar] *vt*: ~ **(a)** adapter (à); **adaptarse** *vpr*: ~**se (a)** s'adapter (à)

adecuado, -a [aðe'kwaðo, a] *adj* adéquat(e); **el hombre ~ para el puesto** l'homme tout désigné pour le poste

adecuar [aðe'kwar] *vt*: ~ **a** adapter à

a. de J.C. *abr* (= *antes de Jesucristo*) av. J.-C. (= *avant Jésus-Christ*)

adelantado, -a [aðelan'taðo, a] *adj* avancé(e); (*reloj*) en avance; **pagar por ~** payer d'avance

adelantamiento [aðelanta'mjento] *nm* (*Auto*) dépassement *m*

adelantar [aðelan'tar] *vt, vi* avancer; (*Auto*) doubler, dépasser; **adelantarse** *vpr* (*tomar la delantera*) prendre les devants; (*anticiparse*) être en avance; ~**se a algn** devancer qn; ~ **a algn en algo** devancer qn en qch; **así no adelantas nada** cela ne t'avance à rien

adelante [aðe'lante] *adv* devant ■ *excl* (*incitando a seguir*) en avant!; (*autorizando a entrar*) entrez!; **en ~** désormais; **de hoy en ~** à l'avenir; **más ~** (*después*) plus tard; (*más allá*) plus loin

adelanto [aðe'lanto] *nm* progrès *msg*; (*de dinero, hora*) avance *f*; **los ~s de la ciencia** les progrès de la science

adelgazar [aðelɣa'θar] *vt* (*persona*) faire maigrir ■ *vi* maigrir

ademán [aðe'man] *nm* geste *m*; **ademanes** *nmpl* gestes *mpl*; **en ~ de hacer** en faisant mine de faire; **hacer ~ de hacer** faire mine de faire

además [aðe'mas] *adv* de plus; ~ **de** en plus de

adentrarse [aðen'trarse] *vpr*: ~ **en** pénétrer dans

adentro [a'ðentro] *adv* dedans; **mar ~** au large; **tierra ~** à l'intérieur des terres; **para sus ~s** dans son for intérieur; ~ **de** (*AM*: *dentro de*) dans

adepto, -a [a'ðepto, a] *nm/f* adepte *m/f*

aderezar [aðere'θar] *vt* assaisonner

adeudar [aðeu'ðar] *vt* (*dinero*) devoir; **adeudarse** *vpr* (*persona*) s'endetter; ~ **una suma en una cuenta** débiter une somme sur un compte

adherir [aðe'rir] *vt*: ~ **algo a algo** faire adhérer une chose à une autre; **adherirse** *vpr* (*a propuesta*) adhérer

adhesión [aðe'sjon] *nf* adhésion *f*

adhesivo, -a [aðe'siβo, a] *adj* adhésif(-ive) ■ *nm* adhésif *m*

adicción [aðik'θjon] *nf* (*a drogas etc*) dépendance *f*

adición [aði'θjon] *nf* addition *f*; (*cosa añadida*) ajout *m*

adicto, -a [a'ðikto, a] *adj* (*Med*) drogué(e); (*a ideología*) acquis(e); (*persona*) dépendant(e) ■ *nm/f* (*Med*) drogué(e); (*partidario*) fanatique *m/f*

adiestrar [aðjes'trar] *vt* entraîner; **adiestrarse** *vpr*: ~**se (en)** s'entraîner (à)

adinerado, -a [aðine'raðo, a] *adj* fortuné(e)

adiós [a'ðjos] *excl* (*despedida*) au revoir!; (*al pasar*) salut!; (*¡ay!*) aïe!

aditivo [aði'tiβo] *nm* additif *m*

adivinanza [aðiβi'nanθa] *nf* devinette *f*

adivinar [aðiβi'nar] *vt* (*pensamientos*) deviner; (*el futuro*) lire

adivino, -a [aði'βino, a] *nm/f* devin(eresse)

adj *abr* = **adjunto**

adjetivo [aðxe'tiβo] *nm* adjectif *m*

adjudicar [aðxuði'kar] *vt* adjuger; **adjudicarse** *vpr*: ~**se algo** s'adjuger qch

adjuntar [aðxun'tar] vt joindre; ~ **un archivo a un correo** (*Inform*) joindre un fichier à un mail

adjunto, -a [að'xunto, a] *adj* (*documento*) joint(e); (*médico, director etc*) adjoint(e) ■ *nm/f* (*profesor*) assistant(e) ■ *adv* ci-joint

administración [aðministra'θjon] *nf* administration f; **A~ pública** fonction f publique; **A~ de Correos** Postes et Télécommunications *fpl*; **A~ de Justicia** justice f

administrador, a [aðministra'ðor, a] *nm/f* administrateur(-trice), gérant(e)

administrar [aðminis'trar] vt administrer, gérer; (*medicamento, sacramento*) administrer

administrativo, -a [aðministra'tiβo, a] *adj* administratif(-ive) ■ *nm/f* (*de oficina*) préposé(e)

admirable [aðmi'raβle] *adj* admirable

admiración [aðmira'θjon] *nf* (*estimación*) admiration f; (*asombro*) étonnement m; (*Ling*) exclamation f; **no salgo de mi ~** je n'en reviens pas

admirar [aðmi'rar] vt (*estimar*) admirer; (*asombrar*) étonner; **admirarse** *vpr*: **~se de** s'étonner de; **se admiró de que ...** il s'est étonné que ...; **no es de ~ que ...** rien d'étonnant à ce que ...

admisible [aðmi'siβle] *adj* acceptable

admisión [aðmi'sjon] *nf* admission f; (*de razones etc*) acceptation f

admitir [aðmi'tir] vt (*razonamiento etc*) admettre; (*local*) contenir; (*regalos*) accepter; **esto no admite demora** cela ne peut attendre; **la cuestión no admite dudas** cela ne fait aucun doute

adobar [aðo'βar] vt (*Culin*) préparer

adobe [a'ðoβe] *nm* torchis *msg*

adoctrinar [aðoktri'nar] vt endoctriner

adolecer [aðole'θer] vi: **~ de** souffrir de

adolescente [aðoles'θente] *adj, nm/f* adolescent(e)

adonde [a'ðonde] (*esp AM*) *conj* où

adónde [a'ðonde] *adv* où

adopción [aðop'θjon] *nf* adoption f

adoptar [aðop'tar] vt adopter

adoptivo, -a [aðop'tiβo, a] *adj* adoptif(-ive); (*lengua, país*) d'adoption

adoquín [aðo'kin] *nm* pavé m

adorar [aðo'rar] vt adorer

adormecer [aðorme'θer] vt endormir; **adormecerse** *vpr* somnoler; (*miembro*) s'endormir

adornar [aðor'nar] vt orner; (*habitación, mesa*) décorer

adorno [a'ðorno] *nm* ornement m; **de ~** d'ornement

adosado, -a [aðo'saðo, a] *adj*: **chalet ~** maison f jumelle

adquiera etc [að'kjera] *vb ver* **adquirir**

adquirir [aðki'rir] vt acquérir

adquisición [aðkisi'θjon] *nf* acquisition f

adrede [a'ðreðe] *adv* exprès, à dessein

adscribir [aðskri'βir] vt: **~ a** (*trabajo, puesto*) assigner à; **le adscribieron al cuerpo diplomático** il a été attaché au corps diplomatique

adscrito [að'skrito] *pp de* **adscribir**

ADSL *sigla m* ADSL m

aduana [a'ðwana] *nf* douane f

aduanero, -a [aðwa'nero, a] *adj, nm/f* douanier(-ière)

aducir [aðu'θir] vt alléguer

adueñarse [aðwe'ɲarse] *vpr*: **~ de** s'approprier

adular [aðu'lar] vt aduler

adulterar [aðulte'rar] vt (*alimentos, vino*) frelater

adulterio [aðul'terjo] *nm* adultère m

adúltero, -a [a'ðultero, a] *adj, nm/f* adultère m/f

adulto, -a [a'ðulto, a] *adj, nm/f* adulte m/f

adusto, -a [a'ðusto, a] *adj* (*expresión, carácter*) sévère; (*paisaje, región*) austère

advenedizo, -a [aðβene'ðiðo, a] *nm/f* intrus(e)

advenimiento [aðβeni'mjento] *nm* avènement m; **~ al trono** avènement au trône

adverbio [að'βerβjo] *nm* adverbe m

adversario, -a [aðβer'sarjo, a] *nm/f* adversaire m/f

adversidad [aðβersi'ðað] *nf* adversité f

adverso, -a [að'βerso, a] *adj* adverse

advertencia [aðβer'tenθja] *nf* avertissement m

advertir [aðβer'tir] vt (*observar*) observer; **~ a algn de algo** avertir qn de qch; **~ a algn que ...** avertir qn que ...

advierta etc [að'βjerta] *vb ver* **advertir**

adyacente [aðja'θente] *adj* adjacent(e)

aéreo, -a [a'ereo, a] *adj* aérien(ne); **por vía aérea** par avion

aerobic [ae'roβik] *nm inv* aérobic f

aerodeslizador [aeroðesli'θeante], **aerodeslizante** [aeroðesliθa'ðor] *nm* aéroglisseur m

aerodinámico, -a [aerodi'namiko, a] *adj* aérodynamique

aeromozo, -a [aero'moθo, a] (*AM*) *nm/f* (*Aviat*) steward (hôtesse de l'air)

aeronave [aero'naβe] *nf* aéronef m

aeroplano [aero'plano] *nm* aéroplane *m*
aeropuerto [aero'pwerto] *nm*
aéroport *m*
aerosol [aero'sol] *nm* aérosol *m*
a/f *abr* (= *a favor*) à l'attention de
afabilidad [afaβili'ðað] *nf* affabilité *f*
afable [a'faβle] *adj* affable
afán [a'fan] *nm* (*ahínco*) ardeur *f*; (*deseo*)
soif *f*; **con ~** avec ardeur
afanar [afa'nar] (*fam*) *vt* (*robar*) rafler;
afanarse *vpr* (*atarearse*) s'affairer; **~se
por hacer** s'évertuer à faire
afear [afe'ar] *vt* enlaidir
afección [afek'θjon] *nf* infection *f*
afectación [afekta'θjon] *nf* affectation *f*
afectado, -a [afek'taðo, a] *adj*
affecté(e); **afectados** *nmpl* (*epidemias*)
victimes *fpl*; (*catástrofes*) sinistrés *mpl*
afectar [afek'tar] *vt* affecter; **por lo que
afecta a esto** quant à cela
afectísimo, -a [afek'tisimo, a] *adj*:
suyo ~ respectueusement vôtre
afectivo, -a [afek'tiβo, a] *adj* (*problema*)
affectif(-ive); (*persona*) affectueux(-euse)
afecto, -a [a'fekto, a] *adj*: **~ a** (*ideología*)
acquis(e) à; (*Jur*) soumis(e) à ■ *nm*
(*cariño*) affection *f*; **tenerle ~ a algn** avoir
de l'affection pour qn
afectuoso, -a [afek'twoso, a] *adj*
affectueux(-euse); **"un saludo ~"**
(*en carta*) "affectueusement"
afeitar [afei'tar] *vt* raser; **afeitarse** *vpr*
se raser; **~se la barba/el bigote** se raser
la barbe/la moustache
afeminado, -a [afemi'naðo, a] *adj*
efféminé(e)
Afganistán [afɣanis'tan] *nm*
Afghanistan *m*
afianzamiento [afjanθa'mjento] *nm*
consolidation *f*; (*salud*) amélioration *f*
afianzar [afjan'θar] *vt* (*objeto,
conocimientos*) consolider; (*salud*) assurer;
afianzarse *vpr* se cramponner;
(*establecerse*) s'établir; **~se en** (*idea,
opinión*) se cramponner à
afiche [a'fitʃe] (*AM*) *nm* (*cartel*) affiche *f*
afición [afi'θjon] *nf* goût *m*, penchant *m*;
la ~ les supporters *mpl*; **~ a** goût pour *o*
de; **por ~** par goût; **músico de ~**
musicien(ne) amateur
aficionado, -a [afiθjo'naðo, a] *adj*,
nm/f amateur *m*; **ser ~ a algo** être
amateur de qch
aficionar [afiθjo'nar] *vt*: **~ a algn a algo**
donner le goût de qch; **aficionarse**
vpr: **~se a algo** prendre goût à qch
afilado, -a [afi'laðo, a] *adj* (*cuchillo*)
aiguisé(e); (*lápiz*) bien taillé(e)

afilar [afi'lar] *vt* (*cuchillo*) aiguiser; (*lápiz*)
tailler; **afilarse** *vpr* (*cara*) s'affiner
afiliarse [afi'ljarse] *vpr*: **~ (a)** s'affilier (à)
afín [a'fin] *adj* (*carácter*) semblable;
(*ideas, opiniones*) voisin(e)
afinar [afi'nar] *vt* (*Mús*) accorder;
(*puntería, Tec*) ajuster; (*motor*) régler ■ *vi*
(*Mús*) être accordé(e)
afincarse [afin'karse] *vpr*: **~ en** s'établir à
afinidad [afini'ðað] *nf* affinité *f*;
por ~ par affinité
afirmación [afirma'θjon] *nf*
affirmation *f*
afirmar [afir'mar] *vt* affirmer; (*objeto*)
consolider ■ *vi* acquiescer; **afirmarse**
vpr (*recuperar el equilibrio*) se rétablir;
~ haber hecho/que affirmer avoir fait/
que; **~se en lo dicho** confirmer ce qui à
été dit
afirmativo, -a [afirma'tiβo, a] *adj*
affirmatif(-ive)
aflicción [aflik'θjon] *nf* affliction *f*
afligir [afli'xir] *vt* affliger; **afligirse** *vpr*
s'affliger; **~se (por** *o* **con** *o* **de)** s'affliger
(de); **no te aflijas tanto** ne te laisse pas
abattre
aflojar [aflo'xar] *vt* desserrer; (*cuerda*)
détendre ■ *vi* (*tormenta, viento*) se calmer;
aflojarse *vpr* (*pieza*) prendre du jeu
aflorar [aflo'rar] *vi* affleurer
afluente [aflu'ente] *adj, nm* affluent *m*
afluir [aflu'ir] *vi*: **~ a** (*gente, sangre*)
affluer à; (*río*) se jeter dans
afmo., -a. *abr* = **afectísimo, a**
afónico, -a [a'foniko, a] *adj*: **estar ~** être
aphone
aforo [a'foro] *nm* (*Tec*) jaugeage *m*; (*de
teatro*) capacité *f*; **el teatro tiene un ~ de
2.000** ce théâtre a 2 000 places
afortunado, -a [afortu'naðo, a] *adj*
(*persona*) chanceux(-euse); (*coincidencia,
hallazgo*) heureux(-euse)
afrancesado, -a [afranθe'saðo, a] (*pey*)
adj partisan des Français (lors de la guerre
d'Indépendance, et aux XVIII et XIX siècles)
afrenta [a'frenta] *nf* affront *m*
África ['afrika] *nf* Afrique *f*; **~ del Sur**
Afrique du Sud
africano, -a [afri'kano, a] *adj* africain(e)
■ *nm/f* Africain(e)
afrontar [afron'tar] *vt* affronter; (*dos
personas*) confronter
afuera [a'fwera] *adv* (*esp AM*) dehors;
afueras *nfpl* banlieue *fsg*
agachar [aɣa'tʃar] *vt* incliner;
agacharse *vpr* s'incliner
agalla [a'ɣaʎa] *nf* (*Zool*) ouïe *f*; **tener ~s**
(*fam*) ne pas avoir froid aux yeux

agarradera [aɣarraˈðera] (AM) nf (asa) anse f; **agarraderas** nfpl (fam): **tener (buenas) ~s** être pistonné(e)
agarrado, -a [aɣaˈrraðo, a] adj radin(e)
agarrar [aɣaˈrrar] vt saisir; (esp AM: recoger) prendre; (fam: enfermedad) attraper ■ vi (planta) prendre; **agarrarse** vpr (comida) coller; (dos personas) s'accrocher; **agarró y se fue** (AM) sans faire ni une ni deux il a fichu le camp; **~se (a)** s'accrocher (à); **agarrársela con algn** (AM: tenerla tomada con algn) avoir qn dans le nez
agarrotar [aɣarroˈtar] vt (reo) faire subir le supplice du garrot à; (fardo) ficeler; (persona) garrotter; **agarrotarse** vpr (Med) avoir des crampes; (motor) se gripper
agasajar [aɣasaˈxar] vt accueillir chaleureusement
agazapar [aɣaθaˈpar] vt saisir; **agazaparse** vpr (persona, animal) se tapir
agencia [aˈxenθja] nf agence f; **~ de créditos/inmobiliaria** établissement m de crédit/agence immobilière; **~ matrimonial/de publicidad/de viajes** agence matrimoniale/de publicité/de voyages
agenciarse [axenˈθjarse] vpr se procurer; **agenciárselas para hacer algo** se débrouiller pour faire qch
agenda [aˈxenda] nf agenda m; (orden del día) ordre m du jour
agente [aˈxente] nm agent m; **~ acreditado/de bolsa/de negocios/de seguros** agent accrédité/de change/d'affaires/d'assurances; **~ femenino** auxiliaire f de police; **~ (de policía)** agent (de police)
ágil [ˈaxil] adj agile
agilidad [axiliˈðað] nf agilité f
agilizar [axiliˈθar] vt activer
agitación [axitaˈθjon] nf agitation f
agitado, -a [axiˈtaðo, a] adj (día, viaje, vida) agité(e)
agitar [axiˈtar] vt agiter; (fig) troubler, inquiéter; **agitarse** vpr s'agiter; (inquietarse) se troubler, s'inquiéter
aglomeración [aɣlomeraˈθjon] nf: **~ de gente** rassemblement m; **~ de tráfico** embouteillage m
agnóstico, -a [aɣˈnostiko, a] adj, nm/f agnostique m/f
agobiar [aɣoˈβjar] vt (suj: trabajo) accabler; (: calor) accabler, étouffer; **agobiarse** vpr: **~se por** o **con** crouler sous; **sentirse agobiado por** être accablé(e) de o par

agolparse [aɣolˈparse] vpr (acontecimientos) se précipiter; (problemas) affluer; (personas) se presser, se bousculer
agonía [aɣoˈnia] nf agonie f
agonizante [aɣoniˈθante] adj agonisant(e)
agonizar [aɣoniˈθar] vi agoniser, être à l'agonie
agosto [aˈɣosto] nm août m; **hacer el o su ~** faire son beurre; ver tb **julio**
agotado, -a [aɣoˈtaðo, a] adj épuisé(e); (pila) à plat
agotador, a [aɣotaˈðor, a] adj épuisant(e)
agotamiento [aɣotaˈmjento] nm épuisement m
agotar [aɣoˈtar] vt épuiser; **agotarse** vpr s'épuiser; (libro) être épuisé(e)
agraciado, -a [aɣraˈθjaðo, a] adj qui a du charme ■ nm/f (en sorteo, lotería) gagnant(e); **el número ~** (en sorteo) le numéro gagnant
agradable [aɣraˈðaβle] adj agréable
agradar [aɣraˈðar] vi plaire; **esto no me agrada** cela ne me plaît pas; **le agrada estar en su compañía** votre compagnie lui est agréable
agradecer [aɣraðeˈθer] vt remercier; **¡se agradece!** mille fois merci!; **le agradecería me enviara ...** je vous serais reconnaissant de m'envoyer ...; **te agradezco que hayas venido** je te remercie d'être venu
agradecido, -a [aɣraðeˈθiðo, a] adj: **~ (por/a)** reconnaissant(e) (de/envers); **¡muy ~!** merci beaucoup!, merci bien!
agradecimiento [aɣraðeθiˈmjento] nm remerciement m
agradezca etc [aɣraˈðeθka] vb ver **agradecer**
agrado [aˈɣraðo] nm agrément m, plaisir m; (amabilidad) amabilité f; **ser de tu** etc **~** être à ton etc goût
agrandar [aɣranˈdar] vt agrandir; (exagerar) amplifier, grossir; **agrandarse** vpr s'agrandir
agrario, -a [aˈɣrarjo, a] adj agraire
agravante [aɣraˈβante] adj (circunstancia) aggravant(e) ■ nm o nf: **con el o la ~ de que ...** le problème étant que ...
agravar [aɣraˈβar] vt aggraver; **agravarse** vpr s'aggraver
agraviar [aɣraˈβjar] vt offenser; (perjudicar) faire du tort à; **agraviarse** vpr s'offenser
agravio [aˈɣraβjo] nm offense f; (Jur) appel m

agredir [aɣre'ðir] *vt* agresser;
(*verbalmente*) injurier

agregado [aɣre'ɣaðo] *nm* agrégat *m*;
(*profesor*) maître *m* de conférences (*à
l'université*), professeur certifié(e) (*dans
l'enseignement secondaire*); **~ comercial/
cultural/diplomático/militar** attaché
commercial/culturel/diplomatique/
militaire

agregar [aɣre'ɣar] *vt*: **~ (a)** ajouter (à);
(*unir*) associer (à); **agregarse** *vpr*: ~se a
se joindre à

agresión [aɣre'sjon] *nf* agression *f*

agresivo, -a [aɣre'siβo, a] *adj*
agressif(-ive)

agriar [a'ɣrjar] *vt* aigrir; (*leche*) faire
tourner; **agriarse** *vpr* s'aigrir; (*leche*)
tourner

agrícola [a'ɣrikola] *adj* agricole

agricultor, a [aɣrikul'tor, a] *nm/f*
agriculteur(-trice)

agricultura [aɣrikul'tura] *nf*
agriculture *f*

agridulce [aɣri'ðulθe] *adj* aigre-doux
(-douce)

agrietarse [aɣrje'tarse] *vpr* se crevasser;
(*piel*) se gercer

agrimensor, a [aɣrimen'sor, a] *nm/f*
arpenteur *m*

agrio, -a ['aɣrjo, a] *adj* aigre; (*carácter*)
aigri(e), revêche; **agrios** *nmpl* agrumes *mpl*

agroturismo [aɣrotu'rismo] *nm*
agritourisme *m*

agrupación [aɣrupa'θjon] *nf*
groupement *m*, regroupement *m*

agrupar [aɣru'par] *vt* (*personas*) grouper;
(*libros, datos*) regrouper; (*Inform*) grouper,
regrouper; **agruparse** *vpr* se regrouper

agua ['aɣwa] *nf* eau *f*; (*lluvia*) pluie *f*, eau
de pluie; **aguas** *nfpl* (*de joya*) eau *fsg*;
(*mar*) eau *fsg*, eaux *fpl*; **a dos ~s** (*tejado*) à
deux pentes; **hacer ~** (*embarcación*) faire
eau; **se me hace la boca ~** ça me met
l'eau à la bouche; **~s abajo** en aval; **~s
arriba** en amont; **nunca digas, "de esta
~ no beberé"** il ne faut pas dire,
"Fontaine, je ne boirai pas de ton eau";
estar con el ~ al cuello avoir la corde au
cou; **estar como pez en el ~** être comme
un poisson dans l'eau; **quedar algo en ~
de borrajas** s'en aller en eau de boudin;
romper ~s (*Med*) perdre les eaux; **tomar
las ~s** prendre les eaux; **venir como ~ de
mayo** tomber à pic, arriver comme mars
en carême; **~ bendita/caliente/
corriente/destilada/dulce/oxigenada/
potable/salada** eau bénite/chaude/
courante/distillée/douce/oxygénée/
potable/salée; **~ de colonia** eau de
Cologne; **~ mineral (con/sin gas)** eau
minérale (gazeuse/non gazeuse); **~s
jurisdiccionales/residuales/termales**
eaux territoriales/résiduaires/
thermales; **~s mayores/menores** (*Med*)
selles *fpl*/urine *fsg*

aguacate [aɣwa'kate] *nm* avocat *m*;
(*árbol*) avocatier *m*

aguacero [aɣwa'θero] *nm* averse *f*

aguado, -a [a'ɣwaðo, a] *adj* (*leche, vino*)
baptisé(e)

aguafiestas [aɣwa'fjestas] *nm/f inv*
trouble-fête *m/f inv*, rabat-joie *m/f inv*

aguanieve [aɣwa'njeβe] *nf* neige *f*
fondue

aguantar [aɣwan'tar] *vt* supporter,
endurer; (*risa, ganas*) réprimer ■ *vi* (*ropa*)
résister; **aguantarse** *vpr* (*persona*) se
dominer; **no sé cómo aguanta** je ne sais
pas comment il tient le coup

aguante [a'ɣwante] *nm* (*paciencia*)
patience *f*; (*resistencia*) résistance *f*

aguar [a'ɣwar] *vt* (*leche, vino*) baptiser,
couper; **la fiesta a algn** gâcher son
plaisir à qn

aguardar [aɣwar'ðar] *vt* attendre ■ *vi*:
~ (a que) attendre (que)

aguardiente [aɣwar'ðjente] *nm* eau-
de-vie *f*

aguarrás [aɣwa'rras] *nm* essence *f* de
térébenthine

agudeza [aɣu'ðeθa] *nf* (*oído, olfato*)
finesse *f*; (*vista*) acuité *f*; (*de sonido*) aigu
m; (*fig: ingenio*) finesse *f*, finesse;
(*ocurrencia*) mot *m* d'esprit

agudizar [aɣuði'θar] *vt* aiguiser; (*crisis*)
intensifier; **agudizarse** *vpr* s'aiguiser;
(*crisis*) s'intensifier

agudo, -a [a'ɣuðo, a] *adj* (*afilado*)
tranchant(e), coupant(e); (*vista*)
perçant(e); (*oído, olfato*) fin(e); (*sonido,
dolor*) aigu(ë); (*ingenioso*) subtil(e)

agüero [a'ɣwero] *nm*: **ser de buen/mal ~**
être de bon/mauvais augure; **pájaro de
mal ~** oiseau *m* de mauvais augure

aguijón [aɣi'xon] *nm* (*de insecto*) dard *m*;
(*fig: estímulo*) aiguillon *m*

águila ['aɣila] *nf* aigle *m*; **ser un ~** (*fig*)
être un as

aguileño, -a [aɣi'leɲo, a] *adj* (*nariz*)
aquilin(e); (*rostro*) allongé(e), long
(longue)

aguinaldo [aɣi'naldo] *nm* étrennes *fpl*

aguja [a'ɣuxa] *nf* aiguille *f*; (*para hacer
punto*) aiguille à tricoter; (*para hacer
ganchillo*) crochet *m*; (*Arq*) aiguille, flèche
f; (*Tec*) percuteur *m*; (*Inform*) tête *f*;

agujas nfpl (Ferro) aiguillage m; **carne de ~** côtes fpl; **buscar una ~ en un pajar** chercher une aiguille dans une botte de foin; **~ de tejer** (AM) aiguille à tricoter

agujerear [aɣuxere'ar] vt (perforar: ropa, cristal, madera) trouer

agujero [aɣu'xero] nm trou m

agujetas [aɣu'xetas] nfpl courbatures fpl

aguzar [aɣu'θar] vt (herramientas) aiguiser, affiler; (ingenio, entendimiento) aiguillonner, stimuler; **~ el oído/la vista** aiguiser l'ouïe/la vue

ahí [a'i] adv (lugar) là; **de ~ que** donc, d'où il s'ensuit que; **~ está el problema** tout le problème est là; **~ llega** le voilà; **por ~** par là; (lugar indeterminado) là-bas; **¡hasta ~ hemos llegado!** dire qu'on en est arrivé là!; **¡~ va!** le voilà!; **~ donde le ve** tel que vous le voyez; **¡~ es nada!** incroyable!; **200 o por ~** environ 200

ahijado, -a [ai'xaðo, a] nm/f filleul(e)

ahogar [ao'ɣar] vt étouffer; (en el agua) noyer; (grito, sollozo) contenir, étouffer; (fig: angustiar) angoisser; **ahogarse** vpr (en el agua) se noyer; (por asfixia) s'asphyxier

ahondar [aon'dar] vt creuser ■ vi: **~ en** (problema) approfondir, creuser

ahora [a'ora] adv maintenant; (hace poco) tout à l'heure; **~ bien** o **que** cependant, remarquez (que); **~ mismo** à l'instant (même); **~ voy** j'arrive; **¡hasta ~!** à tout de suite!, à bientôt!; **por ~** pour le moment; **de ~ en adelante** désormais, dorénavant

ahorcar [aor'kar] vt pendre; **ahorcarse** vpr se pendre

ahorita [ao'rita] (esp AM: fam) adv tout de suite

ahorrar [ao'rrar] vt économiser, épargner; **ahorrarse** vpr: **~se molestias** s'éviter des ennuis; **~ a algn algo** épargner qch à qn; **no ~ esfuerzos/sacrificios** ne pas ménager ses efforts/être avare de sacrifices

ahorro [a'orro] nm économie f, épargne f; **ahorros** nmpl économies fpl

ahuecar [awe'kar] vt (madera, tronco) évider; (voz) enfler ■ vi: **¡ahueca!** (fam) fous le camp!; **ahuecarse** vpr (fig) être bouffi(e) d'orgueil

ahumar [au'mar] vt fumer; (llenar de humo) enfumer; **ahumarse** vpr (habitación) se remplir de fumée; (comida) prendre un goût de fumé

ahuyentar [aujen'tar] vt (ladrón, fiera) mettre en fuite; (fig) chasser

airado, -a [ai'raðo, a] adj furieux(-euse)

airar [ai'rar] vt (persona) irriter, fâcher; **airarse** vpr (irritarse) s'irriter, se fâcher

aire ['aire] nm (tb Mús) air m; **aires** nmpl: **darse ~s** se donner des airs; **al ~ libre** en plein air; **cambiar de ~** changer d'air; **dejar en el ~** laisser sans réponse; **tener ~ de** avoir l'air de; **estar en el ~** (Radio) être sur les ondes; (fig) être en suspens; **tener un ~ con** o **darse un ~ a** ressembler à; **tomar el ~** prendre l'air; **~ acondicionado** air conditionné; **~ popular** (Mús) air populaire

airearse [aire'arse] vpr prendre l'air

airoso, -a [ai'roso, a] adj: **salir ~ de algo** bien s'en tirer

aislado, -a [ais'laðo, a] adj isolé(e)

aislar [ais'lar] vt isoler; **aislarse** vpr: **~se (de)** s'isoler

ajardinado, -a [axarði'naðo, a] adj aménagé(e)

ajedrez [axe'ðreθ] nm échecs mpl

ajeno, -a [a'xeno, a] adj d'autrui; **ser ~ a** (impropio de) contraire à; **estar ~ a algo** être étranger à qch; **por razones ajenas a nuestra voluntad** pour des raisons indépendantes de notre volonté

ajetreado, -a [axetre'aðo, a] adj (día) mouvementé(e)

ajetreo [axe'treo] nm agitation f

ají [a'xi] (AM) nm piment m rouge; (salsa) sauce f au piment

ajo ['axo] nm ail m; **estar en el ~** (fam) être dans le coup; **~ blanco** sauce f à l'ail

ajuar [a'xwar] nm (de casa) mobilier m; (de novia) trousseau m

ajustado, -a [axus'taðo, a] adj (ropa) ajusté(e); (precio) raisonnable; (resultado) serré(e); (cálculo) exact(e)

ajustar [axus'tar] vt ajuster; (reloj, cuenta) régler; (concertar) convenir de; (Tec) ajuster, régler; (Imprenta) mettre en pages; (diferencias) aplanir ■ vi (ventana, puerta) cadrer; **ajustarse** vpr: **~se a** se conformer à; **~ algo a algo** ajuster qch à qch; (fig) adapter qch à qch; **~ cuentas con algn** régler ses comptes avec qn

ajuste [a'xuste] nm (de reloj) réglage m; (Fin) fixation f (des prix); (acuerdo) accord m; (Inform) correction f; **~ de cuentas** (fig) règlement m de comptes

al [al] (= a + el) ver **a**

ala ['ala] nf aile f; (de sombrero) bord m ■ nm/f (baloncestista) ailier m; **cortar las ~s a algn** mettre des bâtons dans les roues à qn; **dar ~s a algn** donner à qn l'occasion d'être insolent; **~ delta** deltaplane

alabanza [ala'βanθa] nf éloge m, louange f

alabar [ala'βar] vt (persona) louer, faire l'éloge de; (obra etc) louer, vanter

alacena [ala'θena] nf garde-manger m inv

alacrán [ala'kran] nm scorpion m

alambrada [alam'braða] nf, **alambrado** [alam'braðo] nm grillage m

alambre [a'lambre] nm fil m de fer; **~ de púas** fil de fer barbelé

alameda [ala'meða] nf peupleraie f; (lugar de paseo) promenade f (bordée d'arbres)

álamo ['alamo] nm peuplier m; **~ temblón** tremble m

alarde [a'larðe] nm: **hacer ~ de** se vanter de, faire étalage de

alargador [alarɣa'ðor] nm (Elec) rallonge f

alargar [alar'ɣar] vt rallonger; (estancia, vacaciones) prolonger; (brazo) allonger, tendre; (paso) presser; **alargarse** vpr (días) rallonger; (discurso, reunión) se prolonger; **~ algo a algn** tendre qch à qn; **~se** o **hasta** (persona) aller jusqu'à; **~se en** (explicación) se perdre en

alarido [ala'riðo] nm hurlement m

alarma [a'larma] nf (señal de peligro) alarme f, alerte f; **voz de ~** ton m alarmé; **dar/sonar la ~** donner/sonner l'alarme; **~ de incendios** avertisseur m d'incendie

alarmante [alar'mante] adj alarmant(e)

alarmar [alar'mar] vt alarmer; **alarmarse** vpr s'alarmer

alba ['alβa] nf aube f

albacea [alβa'θea] nm/f exécuteur m testamentaire

albahaca [al'βaka] nf basilic m

Albania [al'βanja] nf Albanie f

albañil [alβa'ɲil] nm maçon m

albarán [alβa'ran] nm bordereau m

albaricoque [alβari'koke] nm abricot m

albedrío [alβe'ðrio] nm: **libre ~** libre arbitre m

alberca [al'βerka] nf réservoir m d'eau; (AM) piscine f

albergar [alβer'ɣar] vt héberger; (esperanza) nourrir; **albergarse** vpr s'abriter; (alojarse) se faire héberger

albergue [al'βerɣe] vb ver **albergar** ■ nm abri m; **~ juvenil** o **de juventud** auberge f de jeunesse

albóndigas [al'βondiɣas] nfpl boulettes fpl de viande

albornoz [alβor'noθ] nm (para el baño) sortie f de bain; (de los árabes) burnous msg

alborotar [alβoro'tar] vt agiter; (amotinar) ameuter ■ vi faire du tapage; **alborotarse** vpr s'agiter

alboroto [alβo'roto] nm tapage m

alborozar [alβoro'θar] vt réjouir; **alborozarse** vpr se réjouir

alborozo [alβo'roθo] nm réjouissance f

álbum ['alβum] (pl **~s** o **~es**) nm album m; **~ de recortes** recueil m de coupures de journaux

alcachofa [alka'tʃofa] nf artichaut m; **~ de ducha/de regadera** pomme f de douche/d'arrosoir

alcalde, -esa [al'kalde, alkal'desa] nm/f maire m

alcaldía [alkal'dia] nf mairie f

alcance [al'kanθe] vb ver **alcanzar** ■ nm portée f; (Com) solde m débiteur; **al ~ de la mano** à portée de main; **estar a mi etc/fuera de mi etc ~** être/ne pas être à ma etc portée; **de gran ~** (Mil) longue portée; (fig) de grande importance

alcantarilla [alkanta'riʎa] nf (subterránea) égout m; (en la calle) caniveau m

alcanzar [alkan'θar] vt atteindre; (persona) rattraper; (autobús) attraper; (AM: entregar) passer ■ vi être suffisant(e); (para todos) suffire; **~ a hacer** arriver à faire

alcaparra [alka'parra] nf câpre f

alcayata [alka'jata] nf (clavo) piton m

alcázar [al'kaθar] nm citadelle f; (Náut) dunette f

alcoba [al'koβa] nf alcôve f

alcohol [al'kol] nm alcool m; (tb: **alcohol metílico**) alcool à brûler; **no bebe ~** il ne prend pas d'alcool

alcohólico, -a [al'koliko, a] adj, nm/f alcoolique m/f; **~s anónimos** ligue fsg des alcooliques anonymes

alcoholímetro [alko'limetro] nm alcoomètre m

alcoholismo [alko'lismo] nm alcoolisme m

alcornoque [alkor'noke] nm chêne-liège m; (fam) andouille f

alcurnia [al'kurnja] nf noble lignée f

aldaba [al'daβa] nf heurtoir m

aldea [al'dea] nf hameau m

aldeano, -a [alde'ano, a] adj, nm/f villageois(e)

aleación [alea'θjon] nf alliage m

aleatorio, -a [alea'torjo, a] adj aléatoire; **acceso ~** (Inform) accès msg aléatoire

aleccionar [alekθjo'nar] vt instruire; (regañar) faire la leçon à

alegación [aleɣa'θjon] nf allégation f
alegar [ale'ɣar] vt alléguer ■ vi (AM) discuter; **~ que ...** alléguer que ...
alegato [ale'ɣato] nm plaidoyer m; (AM) discussion f
alegoría [aleɣo'ria] nf allégorie f
alegrar [ale'ɣrar] vt réjouir; (casa) égayer; (fiesta) animer; (fuego) attiser; **alegrarse** vpr (fam) se griser; **~se de** être heureux(-euse) de
alegre [a'leɣre] adj gai(e), joyeux(-euse); (fam: con vino) éméché(e)
alegría [ale'ɣria] nf joie f, gaîté f; **~ vital** joie de vivre
alejamiento [alexa'mjento] nm éloignement m
alejar [ale'xar] vt éloigner; (ideas) repousser; **alejarse** vpr s'éloigner
alemán, -ana [ale'man, ana] adj allemand(e) ■ nm/f Allemand(e) ■ nm (Ling) allemand m
Alemania [ale'manja] nf Allemagne f; **~ Occidental/Oriental** (Hist) Allemagne de l'Ouest/de l'Est
alentador, a [alenta'ðor, a] adj encourageant(e)
alentar [alen'tar] vt encourager
alergia [a'lerxja] nf allergie f
alero [a'lero] nm auvent m; (Deporte) ailier m; (Auto) garde-boue m inv
alerta [a'lerta] adj inv vigilant(e) ■ nf alerte f ■ adv: **estar o mantenerse ~** être sur ses gardes
aleta [a'leta] nf (pez) nageoire f; (foca) aileron m; (nariz) aile f; (Deporte) palme f; (Auto) garde-boue m inv
aletargar [aletar'ɣar] vt endormir; **aletargarse** vpr s'assoupir
aletear [alete'ar] vi (ave) battre des ailes; (pez) battre des nageoires; (individuo) agiter les bras
alevín [ale'βin] nm alevin m
alfabeto [alfa'βeto] nm alphabet m
alfalfa [al'falfa] nf luzerne f
alfarería [alfare'ria] nf poterie f; (tienda) magasin m de poterie
alfarero, -a [alfa'rero, a] nm/f potier m
alféizar [al'feiθar] nm embrasure f
alférez [al'fereθ] nm (Mil) sergent m
alfil [al'fil] nm (Ajedrez) fou m
alfiler [alfi'ler] nm épingle f; (broche) broche f; **prendido con ~es** précaire; **~ de corbata** épingle de cravate; **~ de gancho** (AM: imperdible grande) (grande) épingle de nourrice
alfiletero [alfile'tero] nm porte-aiguilles m inv
alfombra [al'fombra] nf tapis msg

alfombrar [alfom'brar] vt recouvrir d'un tapis
alfombrilla [alfom'briʎa] nf carpette f; (Inform) tapis m de souris
alforja [al'forxa] nf sacoche f
algarabía [alɣara'βia] (fam) nf brouhaha m
algas ['alɣas] nfpl algues fpl
álgebra ['alxeβra] nf algèbre f
álgido, -a ['alxiðo, a] adj crucial(e)
algo ['alɣo] pron quelque chose; (una cantidad pequeña) un peu ■ adv un peu, assez; **~ así (como)** quelque chose comme; **~ es ~** c'est toujours quelque chose; **¿~ más?** c'est tout?; (en tienda) et avec ceci?; **por ~ será** il y a bien une raison; **es ~ difícil** c'est un peu difficile
algodón [alɣo'ðon] nm coton m; **~ de azúcar** barbe f à papa; **~ hidrófilo** coton hydrophile
algodonero, -a [alɣoðo'nero, a] adj cotonnier(-ière) ■ nm (Bot) cotonnier m
alguacil [alɣwa'θil] nm (de juzgado) huissier m; (de ayuntamiento) employé m municipal; (Taur) officiel m à cheval
alguien ['alɣjen] pron quelqu'un
alguno, -a [al'ɣuno, a] adj (delante de nm: algún) quelque, un (une); (después de n): **no tiene talento ~** il n'a aucun talent ■ pron quelqu'un; **~ de ellos** l'un d'eux; **algún que otro libro** quelques livres; **algún día iré** j'irai un jour; **sin interés ~** sans aucun intérêt; **~ que otro** quelque; **~s piensan** certains pensent
alhaja [a'laxa] nf joyau m; (persona) perle f; (niño) bijou m
alhelí [ale'li] nm giroflée f
aliado, -a [a'ljaðo, a] adj, nm/f allié(e) ■ nm (Chi: Culin) sandwich m mixte; (bebida) mélange m
alianza [a'ljanθa] nf alliance f
aliarse [alj'arse] vpr: **~ (con/a)** s'allier (à)
alias ['aljas] adv alias
alicates [ali'kates] nmpl pince fsg; **~ de uñas** coupe-ongles m inv
aliciente [ali'θjente] nm stimulant m; (atractivo) attrait m, charme m
alienación [aljena'θjon] nf aliénation f
aliento [a'ljento] vb ver **alentar** ■ nm haleine f; (fig) courage m; **sin ~** hors d'haleine
aligerar [alixe'rar] vt alléger; (dolor) soulager; **aligerarse** vpr: **~se de** (ropa) enlever; (prejuicios) se débarrasser de; **~ el paso** presser le pas
alijo [a'lixo] nm saisie f
alimaña [ali'maɲa] nf animal m nuisible
alimentación [alimenta'θjon] nf

alimentation f; **tienda de ~** magasin m d'alimentation; **~ continua** alimentation en continu

alimentar [alimen'tar] vt nourrir, alimenter; (suj: alimento) nourrir; **alimentarse** vpr: **~se de** o **con** s'alimenter de

alimenticio, -a [alimen'tiθjo, a] adj (sustancia) alimentaire; (nutritivo) nourrissant(e)

alimento [ali'mento] nm aliment m; **alimentos** nmpl (Jur) aliments mpl

alineación [alinea'θjon] nf alignement m; (Deporte) formation f

alinear [aline'ar] vt aligner; (Deporte) faire jouer; **alinearse** vpr s'aligner; (Deporte) rentrer

aliñar [ali'nar] vt assaisonner

aliño [a'lino] nm assaisonnement m

alisar [ali'sar] vt lisser; (madera) polir

alistarse [alis'tarse] vpr s'inscrire; (Mil) s'enrôler; (AM: prepararse) se préparer

aliviar [ali'βjar] vt (carga) alléger; (persona) soulager

alivio [a'liβjo] nm soulagement m

aljibe [al'xiβe] nm citerne f

allá [a'ʎa] adv là-bas; (por ahí) par là; **~ abajo/arriba** en bas/en haut; **hacia ~** par là-bas; **más ~** plus loin; **más ~ de** au-delà de; **~ por** vers; **¡~ tú!** tant pis pour toi!; **el más ~** l'au-delà m

allanamiento [aʎana'mjento] nm: **~ de morada** violation f de domicile

allanar [aʎa'nar] vt aplanir; (muro) raser; (obstáculos) surmonter; (entrar a la fuerza en) forcer; (Jur) rentrer par effraction; **allanarse** vpr: **~se a** se soumettre à

allegado, -a [aʎe'ɣaðo, a] adj partisan(e) ■ nm/f proche parent(e)

allí [a'ʎi] adv (lugar) là; **~ mismo** là précisément; **por ~** par là

alma ['alma] nf (tb Tec) âme f; (de negocio) nœud m; (de fiesta) clou m; (de reunión) objet m principal; **se le cayó el ~ a los pies** les bras lui en sont tombés; **entregar el ~** rendre l'âme; **estar con el ~ en la boca** être à l'agonie; **tener el ~ en un hilo** être mort(e) d'inquiétude; **estar como ~ en pena** être comme une âme en peine; **ir como ~ que lleva el diablo** courir comme un(e) dératé(e); **lo agradezco/lo siento en el ~** je vous remercie/je le regrette infiniment; **no puedo con mi ~** je n'en peux plus (de fatigue); **con toda el ~** du fond du cœur

almacén [alma'θen] nm (tb Mil) magasin m; (al por mayor) magasin de gros; (AM) épicerie f; **(grandes) almacenes** grands magasins mpl; **~ depositario** (Com) dépôt m

almacenaje [almaθe'naxe] nm emmagasinage m, stockage m; **~ secundario** (Inform) mémoire f auxiliaire

almacenar [almaθe'nar] vt emmagasiner, stocker; (Inform) mémoriser

almacenero, -a [almaθe'nero, a] (AM) nm/f épicier(-ière)

almanaque [alma'nake] nm almanach m

almeja [al'mexa] nf (Zool) clovisse f; (Culin) palourde f

almendra [al'mendra] nf amande f; **~s garrapiñadas** pralines fpl

almendro [al'mendro] nm amandier m

almíbar [al'miβar] nm sirop m; **en ~** au sirop

almidón [almi'ðon] nm amidon m

almirante [almi'rante] nm amiral m

almirez [almi'reθ] nm mortier m

almizcle [al'miθkle] nm musc m

almohada [almo'aða] nf oreiller m; (funda) taie f d'oreiller; **lo consultaré etc con la ~** la nuit porte conseil

almohadilla [almoa'ðiʎa] nf (para sentarse) coussinet m; (para planchar) pattemouille f; (para sellar) tampon m encreur; (en los arreos) tapis msg de selle; (AM) pelote f à épingles; (tecla) touche f dièse

almohadón [almoa'ðon] nm coussin m; (funda de almohada) taie f d'oreiller

almorranas [almo'rranas] nfpl hémorroïdes fpl

almorzar [almor'θar] vt: **~ una tortilla** déjeuner d'une omelette ■ vi déjeuner

almuerzo [al'mwerθo] vb ver **almorzar** ■ nm déjeuner m

alocado, -a [alo'kaðo, a] adj écervelé(e); (acción) irréfléchi(e)

alojamiento [aloxa'mjento] nm logement m; (de visitante) hébergement m

alojar [alo'xar] vt loger; **alojarse** vpr: **~se en** (persona) loger à; (bala, proyectil) se loger dans

alondra [a'londra] nf alouette f

alpargata [alpar'ɣata] nf espadrille f

Alpes ['alpes] nmpl: **los ~** les Alpes fpl

alpinismo [alpi'nismo] nm alpinisme m

alpinista [alpi'nista] nm/f alpiniste m/f

alpiste [al'piste] nm alpiste m; (AM: fam: dinero) fric m

alquilar [alki'lar] vt louer; **"se alquila casa"** "maison à louer"

alquiler [alki'ler] nm location f; (precio) loyer m; **de ~** à louer; **~ de coches/automóviles** location de voitures

alquimia [al'kimja] nf alchimie f

alquitrán [alki'tran] nm goudron m

alrededor [alreðe'ðor] adv autour; **alrededores** nmpl environs mpl; **~ de** autour de; (aproximadamente) environ; **a su ~** autour de lui; **mirar a su ~** regarder autour de soi

alta ['alta] nf: **dar a algn de ~** (Med) déclarer qn guéri; (en empleo) autoriser qn à reprendre son travail (après un congé de maladie); **darse de ~** (Med) se déclarer guéri(e); (en club, asociación) devenir membre

altanería [altane'ria] nf arrogance f; (de aves) haut vol m

altanero, -a [alta'nero, a] adj hautain(e)

altar [al'tar] nm autel m; **~ mayor** maître-autel m

altavoz [alta'βoθ] nm haut-parleur m

alteración [altera'θjon] nf altération f; (alboroto) altercation f; (agitación) agitation f; **~ del orden público** trouble m de l'ordre public

alterar [alte'rar] vt modifier; (persona) perturber; (alimentos, medicinas) altérer; **alterarse** vpr (persona) se troubler; (enfadarse) se fâcher; **~ el orden público** troubler l'ordre public

altercado [alter'kaðo] nm altercation f

alternar [alter'nar] vt: **~ algo con** o **y algo** alterner une chose et une autre ■ vi fréquenter des gens; **alternarse** vpr se relayer; **~ con** fréquenter

alternativa [alterna'tiβa] nf alternative f; **no tener otra ~** ne pas avoir le choix; **tomar la ~** (Taur) recevoir l'alternative

alternativo, -a [alterna'tiβo, a] adj alternatif(-ive); (hojas, ángulo) alterne

alterno, -a [al'terno, a] adj (días) tous les deux; (Elec) alternatif(-ive); (Bot, Mat) alterne

alteza [al'teθa] nf altesse f; **su A~ Real** Son Altesse Royale

altibajos [alti'βaxos] nmpl (del terreno) inégalités fpl; (fig) des hauts et des bas mpl

altiplanicie [altipla'niθje] nf haut plateau m

altiplano [alti'plano] nm = **altiplanicie**

altisonante [altiso'nante] adj ronflant(e)

altitud [alti'tuð] nf altitude f; **a una ~ de** à une altitude de

altivez [alti'βeθ] nf hauteur f, morgue f

altivo, -a [al'tiβo, a] adj hautain(e), altier(-ière)

alto, -a ['alto, a] adj haut(e); (persona) grand(e); (sonido) aigu(ë); (precio, ideal, clase) élevé(e) ■ nm haut m; (AM) tas

msg; (Mús) alto m ■ adv haut; (río) en crue ■ excl halte!; **la pared tiene 2 metros de ~** le mur fait 2 mètres de haut; **alta costura** haute couture; **alta fidelidad/frecuencia** haute fidélité/fréquence; **en alta mar** en haute mer; **alta tensión** haute tension; **en voz alta** à voix haute; **a altas horas de la noche** à une heure avancée de la nuit; **en lo ~ de** en haut de, tout en haut de; **hacer un ~** faire une halte; **pasar por ~** passer outre; **por todo lo ~** sur un grand pied; **poner la radio más ~** mettre la radio plus fort; **¡más ~, por favor!** plus fort, s'il vous plaît!; **declarar/respetar el ~ el fuego** déclarer/observer le cessez-le-feu; **dar el ~** crier "Halte-là!"

altoparlante [altopar'lante] (AM) nm haut-parleur m

altruismo [al'truismo] nm altruisme m

altura [al'tura] nf hauteur f; (de persona) taille f; (altitud) altitude f; **alturas** nfpl hauteurs fpl; **la pared tiene 1.80 de ~** le mur fait 1 mètre 80 de hauteur o de haut; **a estas ~s del año** à cette époque de l'année; **estar a la ~ de las circunstancias** être à la hauteur des circonstances; **ha sido un partido de gran ~** cela a été un grand match; **a estas ~s** à l'heure qu'il est

alubias [a'luβjas] nfpl haricots mpl

alucinación [aluθina'θjon] nf hallucination f

alucinar [aluθi'nar] vi avoir des hallucinations ■ vt halluciner

alud [a'luð] nm avalanche f

aludir [alu'ðir] vi: **~ a** faire allusion à; **darse por aludido** se sentir visé

alumbrado [alum'braðo] nm éclairage m

alumbramiento [alumbra'mjento] nm accouchement m

alumbrar [alum'brar] vt éclairer; (Med) accoucher de ■ vi éclairer

aluminio [alu'minjo] nm aluminium m

alumno, -a [a'lumno, a] nm/f élève m/f

alunizar [aluni'θar] vi alunir

alusión [alu'sjon] nf allusion f; **hacer ~ a** faire allusion à

aluvión [alu'βjon] nm (de agua) inondation f; (de gente, noticias) déluge m; **~ de improperios** torrent m d'injures

alverja [al'verxa] (AM) nf pois msg de senteur

alza ['alθa] nf hausse f; **estar en ~** (precio) être en hausse; (estimación) être bien coté(e); **jugar al ~** jouer à la hausse; **cotizarse en ~** être coté(e) à la hausse;

~ telescópica hausse télescopique;
~s fijas/graduables hausses fixes/
graduées

alzada [al'θaða] *nf* (*de caballos*) hauteur *f*
au garrot; **recurso de ~** (*Jur*) recours *msg*
hiérarchique

alzamiento [alθa'mjento] *nm* (*rebelión*)
soulèvement *m*; (*de precios*) relèvement
m; (*de muro*) élévation *f*; (*en subasta*)
surenchère *f*

alzar [al'θar] *vt* (*tb castigo*) lever; (*precio,
muro, monumento*) élever; (*poner derecho*) redresser; (*Agr*)
rentrer; (*Tip*) assembler; **alzarse** *vpr*
s'élever; (*rebelarse*) se soulever; (*Com*)
faire banqueroute; (*Jur*) interjeter appel;
~ la voz élever la voix; **~se con el premio**
remporter le gros lot; **~se en armas**
prendre les armes

ama ['ama] *nf* maîtresse *f* (de maison),
propriétaire *f*; (*criada*) gouvernante *f*;
(*madre adoptiva*) mère *f* adoptive; **~ de
casa** ménagère *f*; **~ de cría** o **leche**
nourrice *f*; **~ de llaves** gouvernante

amabilidad [amaβili'ðað] *nf*
amabilité *f*

amable [a'maβle] *adj* aimable; **es Ud
muy ~** c'est très aimable à vous

amaestrado, -a [amaes'traðo, a] *adj*
dressé(e)

amaestrar [amaes'trar] *vt* dresser

amago [a'mayo] *nm* menace *f*; (*gesto*)
ébauche *f*, commencement *m*; (*Med*)
symptôme *m*; **hizo un ~ de levantarse** il
commença à se lever

amainar [amai'nar] *vt* (*Náut*) amener
■ *vi* tomber

amalgama [amal'yama] *nf* amalgame *m*

amalgamar [amalya'mar] *vt*
amalgamer

amamantar [amaman'tar] *vt* allaiter,
donner le sein à

amanecer [amane'θer] *vi*: **amanece** le
jour se lève ■ *nm* lever *m* du jour; **el niño
amaneció con fiebre** l'enfant s'est
réveillé avec de la fièvre; **amanecimos
en Lugo** à l'aube nous sommes arrivés à
Lugo

amanerado, -a [amane'raðo, a] *adj*
maniéré(e); (*lenguaje*) affecté(e)

amansar [aman'sar] *vt* apprivoiser;
(*persona*) amadouer; **amansarse** *vpr*
(*persona*) s'amadouer; (*aguas, olas*)
s'apaiser

amante [a'mante] *adj*: **~ de**
amoureux(-euse) de ■ *nm/f* amant
(maîtresse)

amapola [ama'pola] *nf* coquelicot *m*

amar [a'mar] *vt* aimer

amargado, -a [amar'yaðo, a] *adj*
amer(-ère), aigri(e)

amargar [amar'yar] *vt* (*comida*) rendre
amer(-ère); (*fig: estropear*) gâcher ■ *vi*
(*naranja*) se gâter; **amargarse** *vpr*
s'aigrir; **~ la vida a algn** empoisonner la
vie de qn

amargo, -a [a'maryo, a] *adj* amer(-ère)

amargura [amar'yura] *nf* (*tristeza*)
chagrin *m*; (*amargor*) amertume *f*

amarillento, -a [amari'ʎento, a] *adj*
jaunâtre; (*tez*) jaune

amarillo, -a [ama'riʎo, a] *adj* (*color*)
jaune ■ *nm* jaune *m*; **la prensa amarilla**
la presse à sensation

amarra [a'marra] *nf* amarre *f*; **amarras**
nfpl piston *msg*; **tener buenas ~s** être
pistonné(e); **soltar ~s** larguer les
amarres

amarrar [ama'rrar] *vt* (*Náut*) amarrer;
(*atar*) ficeler, ligoter

amasar [ama'sar] *vt* (*masa*) pétrir; (*yeso,
mortero*) gâcher; (*fig*) tramer; **~ una
fortuna** amasser une fortune

amasijo [ama'sixo] *nm* (*fig*) ramassis
msg; (*Culin*) pétrissage *m*

amateur ['amatur] *nm/f* amateur *m*

amazona [ama'θona] *nf* amazone *f*,
cavalière *f*

Amazonas [ama'θonas] *nm*: **el (Río) ~**
l'Amazone *f*

ambages [am'baxes] *nmpl*: **sin ~** sans
ambages

ámbar ['ambar] *nm* ambre *m* (jaune)

ambición [ambi'θjon] *nf* ambition *f*

ambicionar [ambiθjo'nar] *vt*
ambitionner; **~ hacer** ambitionner de
faire

ambicioso, -a [ambi'θjoso, a] *adj*
ambitieux(-ieuse)

ambidextro, -a [ambi'ðekstro, a] *adj*
ambidextre

ambientación [ambjenta'θjon] *nf*
(*Cine, Teatro, TV*) cadre *m*

ambiente [am'bjente] *nm* (*atmósfera,
tb fig*) atmosphère *f*; (*entorno*) air *m*
ambiant, milieu *m*

ambigüedad [ambiɣwe'ðað] *nf*
ambiguïté *f*

ambiguo, -a [am'biɣwo, a] *adj*
ambigu(ë)

ámbito ['ambito] *nm* domaine *m*; (*fig*)
cercle *m*

ambos, -as ['ambos, as] *adj pl* les deux
■ *pron pl* tous (toutes) les deux

ambulancia [ambu'lanθja] *nf*
ambulance *f*

ambulante [ambu'lante] adj
ambulant(e)

ambulatorio [ambula'torjo] nm
dispensaire m

amedrentar [ameðren'tar] vt effrayer;
amedrentarse vpr s'effrayer

amén [a'men] excl amen!; **~ de** outre; **en
un decir ~** en un clin d'œil; **decir ~ a todo**
dire amen à tout

amenaza [ame'naθa] nf menace f

amenazar [amena'θar] vt menacer;
~ con (hacer) menacer de (faire); **~ de
muerte** menacer de mort

amenidad [ameni'ðað] nf aménité f

ameno, -a [a'meno, a] adj amène

América [a'merika] nf Amérique f;
~ Central/Latina Amérique centrale/
latine; **~ del Norte/del Sur** Amérique du
Nord/du Sud

americana [ameri'kana] nf veste f

americano, -a [ameri'kano, a] adj
américain(e) ∎ nm/f Américain(e)

ametralladora [ametraʎa'ðora] nf
mitrailleuse f

amianto [a'mjanto] nm amiante m

amigable [ami'ɣaβle] adj amical(e)

amígdala [a'miɣðala] nf amygdale f

amigdalitis [amiɣða'litis] nf
amygdalite f

amigo, -a [a'miɣo, a] adj ami(e) ∎ nm/f
(gen) ami(e); (amante) petit(e) ami(e);
hacerse ~s devenir amis; **ser ~ de algo**
être un ami de qch; **ser muy ~s** être très
amis; **~ corresponsal** correspondant m;
~ íntimo o **de confianza** ami intime

amilanar [amila'nar] vt effrayer;
amilanarse vpr s'effrayer

aminorar [amino'rar] vt (velocidad etc)
ralentir ∎ vi (calor, odio) diminuer

amistad [amis'tað] nf amitié f;
amistades nfpl (amigos) amis mpl;
romper las ~es se brouiller; **trabar ~ con**
se lier d'amitié avec

amistoso, -a [amis'toso, a] adj amical(e)

amnesia [am'nesja] nf amnésie f

amnistía [amnis'tia] nf amnistie f

amo [a'mo] nm (dueño) maître m (de
maison), propriétaire m; (jefe) patron m;
hacerse el ~ (de algo) prendre la
direction (de qch)

amodorrarse [amoðo'rrarse] vpr
s'assoupir

amoldar [amol'dar] vt: **~ a** adapter à;
amoldarse vpr: **~se (a)** (prenda, zapatos)
prendre la forme (de); **~se a** s'adapter à

amonestación [amonesta'θjon] nf
admonestation f; **amonestaciones** nfpl
(Rel) bans mpl

amonestar [amones'tar] vt
admonester; (Rel) publier les bans de

amontonar [amonto'nar] vt entasser,
amonceler; (riquezas etc) accumuler,
amasser; **amontonarse** vpr (gente) se
masser; (hojas, nieve etc) s'entasser;
(trabajo) s'accumuler

amor [a'mor] nm amour m; **de mil ~es**
très volontiers; **hacer el ~** faire l'amour;
(cortejar) faire la cour; **tener ~es con algn**
avoir une liaison avec qn; **hacer algo por
~ al arte** faire qch pour l'amour de l'art;
¡por (el) ~ de Dios! pour l'amour de Dieu!;
estar al ~ de la lumbre être au coin du
feu; **~ interesado/libre/platónico**
amour intéressé/libre/platonique;
~ a primera vista coup m de foudre;
~ propio amour-propre m

amoratado, -a [amora'taðo, a] adj (por
frío) violacé(e); (por golpes) couvert(e) de
bleus; **ojo ~** œil m au beurre noir

amordazar [amorða'θar] vt bâillonner;
(fig) faire taire

amorfo, -a [a'morfo, a] adj amorphe

amoroso, -a [amo'roso, a] adj
amoureux(-euse); (carta) d'amour

amortiguador [amortiɣwa'ðor] nm
(dispositivo) amortisseur m; (parachoques)
pare-chocs m inv; (silenciador) silencieux
msg; **amortiguadores** nmpl (Auto)
suspension fsg

amortiguar [amorti'ɣwar] vt amortir;
(dolor) atténuer; (color) neutraliser; (luz)
baisser

amortización [amortiθa'θjon] nf
amortissement m

amotinar [amoti'nar] vt ameuter;
amotinarse vpr se mutiner

amparar [ampa'rar] vt secourir;
(suj: ley) protéger; **ampararse** vpr se
mettre à l'abri; **~se en** (ley, costumbre) se
prévaloir de

amparo [am'paro] nm protection f;
al ~ de grâce à

amperio [am'perjo] nm ampère m

ampliación [amplja'θjon] nf
agrandissement m; (de capital)
augmentation f; (de estudios)
approfondissement m; (cosa añadida)
extension f

ampliar [am'pljar] vt agrandir; (estudios)
approfondir; (sonido) amplifier

amplificación [amplifika'θjon] nf
amplification f

amplificador [amplifika'ðor] nm
amplificateur m

amplificar [amplifi'kar] vt amplifier

amplio, -a ['ampljo, a] adj (habitación)

vaste; (ropa, consecuencias) ample; (calle) large

amplitud [ampli'tuð] nf étendue f; (Fís) amplitude f; **de gran ~** de grande envergure; **~ de miras** largeur f d'esprit

ampolla [am'poʎa] nf ampoule f

ampuloso, -a [ampu'loso, a] adj ampoulé(e)

amputar [ampu'tar] vt amputer

amueblar [amwe'βlar] vt meubler

amuleto [amu'leto] nm amulette f

anacronismo [anakro'nismo] nm anachronisme m

anales [a'nales] nmpl annales fpl

analfabetismo [analfaβe'tismo] nm analphabétisme m

analfabeto, -a [analfa'βeto, a] adj, nm/f analphabète m/f

analgésico [anal'xesiko] nm analgésique m

análisis [a'nalisis] nm inv analyse f; **~ clínico** analyse médicale; **~ de costos-beneficios** analyse coûts-avantages; **~ de mercados** étude f de marché; **~ de sangre** analyse de sang

analista [ana'lista] nm/f analyste m/f; **~ de sistemas** (Inform) analyste-programmeur m

analizar [anali'θar] vt analyser

analogía [analo'xia] nf analogie f; **por ~ con** par analogie avec

analógico, -a [ana'loxiko, a] adj analogique

análogo, -a [a'naloɣo, a] adj analogue; **~ a** analogue à

anaquel [ana'kel] nm rayon m

anaranjado, -a [anaran'xaðo, a] adj orangé(e)

anarquía [anar'kia] nf anarchie f

anarquismo [anar'kismo] nm anarchisme m

anarquista [anar'kista] nm/f anarchiste m/f

anatomía [anato'mia] nf anatomie f

anca ['anka] nf (de animal) croupe f; **ancas** nfpl (fam) cuisses fpl; **~s de rana** (Culin) cuisses de grenouille

ancho, -a ['antʃo, a] adj large ■ nm largeur f; (Ferro) écartement m; **~ de miras** large d'esprit; **a lo ~** sur toute la largeur; **me está/queda ~ el vestido** je nage dans cette robe; **estar a sus anchas** être à l'aise; **ir muy ~s** prendre de grands airs; **ponerse ~** prendre un air de supériorité; **quedarse tan ~** ne pas se décontenancer; **le viene muy ~ el cargo** il n'est pas à la hauteur pour ce poste

anchoa [an'tʃoa] nf anchois msg

anchura [an'tʃura] nf largeur f

anciano, -a [an'θjano, a] adj vieux (vieille) ■ nm/f personne f âgée

ancla ['ankla] nf ancre f; **echar/levar ~s** jeter/lever l'ancre

anclar [an'klar] vi mouiller l'ancre

Andalucía [andalu'θia] nf Andalousie f

andaluz, a [anda'luθ, a] adj andalou(se) ■ nm/f Andalou(se)

andamiaje [anda'mjaxw] nm échafaudage m

andamio [an'damjo] nm échafaudage m

PALABRA CLAVE

andar [an'dar] vt parcourir
■ vi **1** (persona, animal) marcher; (coche) rouler; **andar a caballo/en bicicleta** aller à cheval/à vélo
2 (funcionar: máquina, reloj) marcher
3 (estar) être; **¿qué tal andas?** comment vas-tu?; **andar mal de dinero/de tiempo** être à court d'argent/de temps; **andar haciendo algo** être en train de faire qch; **anda (metido) en asuntos sucios** il est impliqué dans des affaires louches; **siempre andan a gritos** ils sont tout le temps en train de crier; **anda por los cuarenta** il a environ quarante ans; **no sé por dónde anda** je ne sais pas où il est; **anda tras un empleo** il cherche du travail
4 (revolver): **no andes ahí/en mi cajón** ne touche pas à ça/à mon tiroir
5 (obrar): **andar con cuidado** o **con pies de plomo** faire bien attention, regarder où l'on met les pieds
andarse vpr: **no te andes en la herida** ne retourne pas le couteau dans la plaie; **andarse con rodeos** o **por las ramas** tourner autour du pot; **andarse con historias** raconter des histoires; **todo se andará** chaque chose en son temps
■ excl: **¡anda!** (sorpresa) eh bien!; (para animar) allez!; **¡anda (ya)!** (incredulidad) allons donc!
■ nm: **~es** démarche f

andén [an'den] nm quai m; (AM) trottoir m

Andes ['andes] nmpl: **los ~** les Andes fpl

Andorra [an'dorra] nf Andorre f

andrajo [an'draxo] nm loque f, haillon m; (prenda) guenilles fpl; (persona) loque f

andrajoso, -a [andra'xoso, a] adj déguenillé(e), loqueteux(-euse)

anduve etc [an'duβe] vb ver **andar**

anduviera etc [andu'βjera] vb ver **andar**

anécdota [a'nekðota] nf anecdote f

anegar [ane'ɣar] vt (lugar) inonder; (ahogar) noyer; (fig): ~ **de** écraser de; **anegarse** vpr être inondé(e); **~se en llanto** fondre en larmes

anejo, -a [a'nexo, a] adj, nm = **anexo**

anemia [a'nemja] nf anémie f

anestesia [anes'tesja] nf anesthésie f; **~ general/local** anesthésie générale/locale

anexar [anek'sar] vt annexer; **~ algo a algo** (Pol) annexer qch à qch

anexión [anek'sjon] nf annexion f

anexionamiento [aneksjona'mjento] nm = **anexión**

anexo, -a [a'nekso, a] adj annexe ∎ nm annexe f; **llevar ~** comprendre

anfibio, -a [an'fiβjo, a] adj amphibie ∎ nm amphibien m

anfiteatro [anfite'atro] nm amphithéâtre m

anfitrión, -ona [anfi'trjon, ona] nm/f amphitryon m, hôte(sse); **el equipo ~** (Deporte) l'équipe qui reçoit

ángel ['anxel] nm ange m; **tener ~** avoir du charme; **~ de la guarda** ange gardien

angelical [anxeli'kal] adj angélique

angélico, -a [an'xeliko, a] adj = **angelical**

angina [an'xina] nf: **tener ~s** avoir une angine; **~ de pecho** angine f de poitrine

anglicano, -a [angli'kano, a] adj, nm/f anglican(e)

anglosajón, -ona [anglosa'xon, ona] adj anglo-saxon(ne) ∎ nm/f Anglo-Saxon(ne)

angosto, -a [an'gosto, a] adj étroit(e), resserré(e)

anguila [an'gila] nf anguille f; **anguilas** nfpl (Náut) savates fpl

angulas [an'gulas] nfpl civelles fpl

ángulo ['angulo] nm (tb fig) angle m; (rincón) coin m; **~ agudo/obtuso/recto** angle aigu/obtus/droit

angustia [an'gustja] nf angoisse f; (agobio) anxiété f

angustiar [angus'tjar] vt angoisser; **angustiarse** vpr s'angoisser

anhelar [ane'lar] vt être avide de; **~ hacer** mourir d'envie de faire

anhelo [a'nelo] nm désir m ardent

anhídrido [an'iðriðo] nm: **~ carbónico** dioxyde m de carbone

anidar [ani'ðar] vt (fig) loger ∎ vi nicher

anillo [a'niʎo] nm bague f; **venir como ~ al dedo** venir à point nommé; **~ de boda** alliance f; **~ de compromiso** bague de fiançailles

animación [anima'θjon] nf animation f

animado, -a [ani'maðo, a] adj (vivaz) plein(e) de vie o d'entrain; (fiesta, conversación) animé(e); (alegre) joyeux(-euse); **dibujos ~s** dessins mpl animés

animador, a [anima'ðor, a] nm/f (TV, Deporte) animateur(-trice); (persona alegre) boute-en-train m inv; **~ cultural** animateur culturel

animadversión [animaðβer'sjon] nf animadversion f

animal [ani'mal] adj animal(e) ∎ nm animal m; **ser un ~** (fig) être un animal

animar [ani'mar] vt animer; (dar ánimo a) encourager; (habitación, vestido) égayer; (fuego) ranimer; **animarse** vpr s'égayer; **~ a algn a hacer/para que haga** encourager qn à faire; **~se a hacer** se décider à faire

ánimo ['animo] nm courage m; (mente) esprit m ∎ excl courage!; **cobrar ~** reprendre courage; **apaciguar los ~s** calmer les esprits; **dar ~(s) a algn** encourager qn; **tener ~(s) (para)** être d'humeur (à); **con/sin ~ de hacer** avec l'intention/sans intention de faire

animoso, -a [ani'moso, a] adj courageux(-euse)

aniquilar [aniki'lar] vt anéantir; (salud) ruiner

anís [a'nis] nm anis msg

aniversario [aniβer'sarjo] nm anniversaire m

anoche [a'notʃe] adv hier soir, la nuit dernière; **antes de ~** avant-hier soir

anochecer [anotʃe'θer] vi commencer à faire nuit ∎ nm crépuscule m; **al ~** à la tombée de la nuit

anodino, -a [ano'ðino, a] adj (película, novela) insipide; (persona) insignifiant(e)

anomalía [anoma'lia] nf anomalie f

anonadado, -a [anona'ðaðo, a] adj abattu(e)

anonimato [anoni'mato] nm anonymat m

anónimo, -a [a'nonimo, a] adj anonyme ∎ nm lettre f anonyme

anorexia [ano'reksja] nf anorexie f

anormal [anor'mal] adj anormal(e) ∎ nm/f débile m/f mental(e)

anotar [ano'tar] vt annoter

anquilosarse [ankilo'sarse] vpr s'ankyloser; (fig) vieillir

ansia ['ansja] nf (deseo) avidité f; (ansiedad) angoisse f

ansiar [an'sjar] *vt* être avide de; **~ hacer** brûler de faire

ansiedad [ansje'ðað] *nf* angoisse *f*

ansioso, -a [an'sjoso, a] *adj (codicioso)* avide; *(preocupado)* anxieux(-euse); **~ de** *o* **por (hacer)** avide de (faire)

antagónico, -a [anta'ɣoniko, a] *adj* antagonique

antagonista [antaɣo'nista] *nm/f* adversaire *m/f*

antaño [an'taɲo] *adv* jadis, autrefois

Antártico [an'tartiko] *nm*: **el ~** l'Antarctique *m*

ante ['ante] *prep* devant; *(enemigo, peligro, en comparación con)* face à; *(datos, cifras)* en présence de ■ *nm* daim *m*; **~ todo** avant tout

anteanoche [antea'notʃe] *adv* avant-hier soir

anteayer [antea'jer] *adv* avant-hier

antebrazo [ante'βraθo] *nm* avant-bras *m inv*

antecedente [anteθe'ðente] *adj* antérieur(e) ■ *nm* antécédent *m*; **antecedentes** *nmpl* antécédents *mpl*; **no tener ~s** avoir un casier judiciaire vierge; **estar en ~s** être au courant; **poner a algn en ~s** mettre *o* tenir qn au courant; **~s penales** casier *msg* judiciaire

anteceder [anteθe'ðer] *vt*: **~ a** précéder

antecesor, a [anteθe'sor, a] *nm/f* prédécesseur *m*

antedicho, -a [ante'ðitʃo, a] *adj* susdit(e)

antelación [antela'θjon] *nf*: **con ~** à l'avance

antemano [ante'mano]: **de ~** *adv* d'avance

antena [an'tena] *nf* antenne *f*; **~ parabólica** antenne parabolique

anteojo [ante'oxo] *nm* lunette *f*; **anteojos** *nmpl (esp AM)* lunettes *fpl*

antepasados [antepa'saðos] *nmpl* ancêtres *mpl*

anteponer [antepo'ner] *vt*: **~ algo a algo** faire passer une chose avant une autre

anteproyecto [antepro'jekto] *nm* avant-projet *m*; *(anteproyecto de ley)* avant-projet de loi

anterior [ante'rjor] *adj*: **~ (a)** *(en orden)* qui précède; *(en el tiempo)* antérieur(e) (à)

anterioridad [anterjori'ðað] *nf*: **con ~ a** préalablement à, avant

antes ['antes] *adv* avant; *(primero)* d'abord; *(con prioridad)* avant tout; *(hace tiempo)* autrefois ■ *prep*: **~ de** *(antiguamente)* avant ■ *conj*: **~ de ir/de** que te vayas avant d'aller/que tu ne partes; **~ bien** plutôt; **~ de nada** avant tout; **dos días ~** deux jours plus tôt; **la tarde de ~** la veille au soir; **no quiso venir ~** il n'a pas voulu venir plus tôt; **mucho ~** longtemps auparavant; **poco ~** peu avant; **~ muerto que esclavo** plutôt la mort que l'esclavage; **tomo el avión ~ que el barco** je préfère l'avion au bateau; **~ que yo** avant moi; **lo ~ posible** au plus tôt; **cuanto ~ mejor** le plus tôt sera le mieux

antiaéreo, -a [antia'ereo, a] *adj* antiaérien(ne)

antibalas [anti'βalas] *adj inv*: **chaleco ~** gilet *m* pare-balles

antibiótico [anti'βjotiko] *nm* antibiotique *m*

anticiclón [antiθi'klon] *nm* anticyclone *m*

anticipación [antiθipa'θjon] *nf*: **con 10 minutos de ~** avec 10 minutes d'avance; **hacer algo con ~** faire qch à l'avance

anticipado, -a [antiθi'paðo, a] *adj* anticipé(e); **por ~** d'avance, par anticipation

anticipar [antiθi'par] *vt* anticiper; **anticiparse** *vpr (estación)* être en avance; **~se (a)** *(adelantarse)* devancer; *(prever)* prévenir; **~se a su época** être en avance sur son temps

anticipo [anti'θipo] *nm* avance *f*; **ser un ~ de** être un avant-goût de

anticonceptivo, -a [antikonθep'tiβo, a] *adj* contraceptif(-ive) ■ *nm* contraceptif *m*; **métodos ~s** méthodes *fpl* contraceptives

anticongelante [antikonxe'lante] *nm (Auto)* antigel *m*

anticuado, -a [anti'kwaðo, a] *adj (ropa, estilo)* démodé(e); *(modelo, máquina, término)* vieillot(te), vieux (vieille)

anticuario [anti'kwarjo] *nm* antiquaire *m/f*

anticuerpo [anti'kwerpo] *nm* anticorps *msg*

antidepresivo [antiðpre'siβo] *nm* antidépresseur *m*

antídoto [an'tiðoto] *nm* antidote *m*; *(fig)*: **ser el ~** *o* **contra** être l'antidote contre

antiestético, -a [anties'tetiko, a] *adj* inesthétique

antifaz [anti'faθ] *nm* masque *m*

antiglobalización [antiɣloβa'pθa'θjon] *nf* antimondialisation *f*

antiglobalizador, a [antiɣloβaliða'ðor] *adj, nm/f* altermondialiste *m/f*

antigualla [anti'ɣwaʎa] nf (pey: objeto) antiquité f; **antiguallas** nfpl vieilleries fpl

antiguamente [an'tiɣwamente] adv autrefois, jadis

antigüedad [antiɣwe'ðað] nf antiquité f; (en empleo) ancienneté f; **antigüedades** nfpl antiquités fpl

antiguo, -a [an'tiɣwo, a] adj ancien(ne), vieux (vieille) ■ nm: **los ~s** les Anciens mpl; **a la antigua** à l'ancienne

Antillas [an'tiʎas] nfpl: **las ~** les Antilles fpl; **el mar de las ~** la mer des Antilles

antílope [an'tilope] nm antilope f

antinatural [antinatu'ral] adj anormal(e); (perverso) contre nature; (afectado) forcé(e)

antipatía [antipa'tia] nf antipathie f; (a cosa) répugnance f

antipático, -a [anti'patiko, a] adj antipathique; (gesto etc) déplaisant(e)

antirrobo [anti'rroβo] adj inv antivol

antisemita [antise'mita] adj, nm/f antisémite m/f

antiséptico, -a [anti'septiko, a] adj antiseptique ■ nm antiseptique m

antítesis [an'titesis] nf inv: **ser la ~ de** être l'antithèse de

antivirus [anti'birus] nm inv (Inform) antivirus program, antivirus m

antojadizo, -a [antoxa'ðiθo, a] adj capricieux(-ieuse)

antojarse [anto'xarse] vpr: **se me antoja comprarlo** j'ai envie de me l'acheter; **se me antoja que** j'imagine que

antojo [an'toxo] nm caprice m, lubie f; (Anat, de embarazada, lunar) envie f; **hacer algo a su ~** faire qch à sa guise

antología [antolo'xia] nf anthologie f

antorcha [an'tortʃa] nf torche f

antro ['antro] nm (fig) antre m; **~ de perdición** (fig) lieu m de perdition

antropófago, -a [antro'pofaɣo, a] adj, nm/f anthropophage m/f

antropología [antropolo'xia] nf anthropologie f

anual [a'nwal] adj annuel(le)

anuario [a'nwarjo] nm annuaire m

anudar [anu'ðar] vt nouer; **anudarse** vpr s'emmêler; **se me anudó la voz/la garganta** j'eus la gorge serrée

anulación [anula'θjon] nf annulation f; (ley) abrogation f; (persona) annihilation f

anular [anu'lar] vt annuler; (ley) abroger; (persona) annihiler ■ nm (tb: **dedo anular**) annulaire m; **anularse** vpr (Mat) s'annuler

anunciación [anunθja'θjon] nf (Rel): **la A~** l'Annonciation f

anunciante [anun'θjante] nm/f (Com) annonceur m (publicitaire) ■ adj: **empresa ~** annonceur

anunciar [anun'θjar] vt annoncer; (Com) faire de la publicité pour

anuncio [a'nunθjo] nm annonce f; (pronóstico) signe m; (Com) publicité f; (cartel) panneau m publicitaire; (Teatro, Cine) affiche f; (señal) pancarte f; **~s por palabras** petites annonces fpl

anzuelo [an'θwelo] nm hameçon m; (fig) appât m; **caer en el ~** tomber dans le piège; **tragarse el ~** mordre à l'hameçon

añadidura [aɲaði'ðura] nf ajout m; (vestido) rallonge f; **por ~** par surcroît

añadir [aɲa'ðir] vt ajouter; (prenda) rallonger

añejo, -a [a'ɲexo, a] adj (vino) vieux (vieille); (pey: tocino, jamón) rance

añicos [a'ɲikos] nmpl morceaux mpl; **hacer ~** (cosa) mettre en morceaux; **hacerse ~** briser en mille morceaux; (cristal) voler en éclats

añil [a'ɲil] nm indigo m

año ['aɲo] nm an m; (duración) année f; **el ~ que viene** l'année prochaine, l'an prochain; **los ~s 80** les années 80; **¡Feliz A~ Nuevo!** Bonne et heureuse année!; **en el ~ de la nana** il y a des siècles; **entrado en ~s** d'un certain âge; **estar de buen ~** être en pleine forme; **hace ~s** il y a des années; **tener 15 ~s** avoir 15 ans; **~ académico** o **escolar/bisiesto/sabático** année scolaire o universitaire/bissextile/sabbatique; **~ económico** o **fiscal** exercice m financier; **~ entrante** année qui commence

año-luz [aɲo'luθ] (pl **años-luz**) nm année-lumière f

añoranza [aɲo'ranθa] nf nostalgie f

apabullar [apaβu'ʎar] vt sidérer

apacentar [apaθen'tar] vt faire paître

apacible [apa'θiβle] adj paisible; (clima) doux (douce); (lluvia) fin(e)

apaciguar [apaθi'ɣwar] vt apaiser, calmer; **apaciguarse** vpr s'apaiser, se calmer

apadrinar [apaðri'nar] vt (Rel) être le parrain de; (fig) parrainer

apagado, -a [apa'ɣaðo, a] adj éteint(e); (color) terne; (sonido) étouffé(e); (tímido) effacé(e); **estar ~** être éteint

apagar [apa'ɣar] vt éteindre; (sonido) étouffer; (sed) étancher; (Inform) débrancher; **apagarse** vpr s'éteindre; (sonido) se perdre; **~ el sistema** (Inform) sortir du système

apagón [apa'ɣon] nm panne f
apalabrar [apala'βrar] vt (persona) engager; (piso) convenir (verbalement) de
apalear [apale'ar] vt rosser; (fruta) gauler; (grano) éventer
apañar [apa'ɲar] (fam) vt (arreglar) rafistoler; (vestido) raccommoder; (robar) piquer; **apañarse** vpr: **~se (con)** se débrouiller (avec); **~se o apañárselas (para hacer)** se débrouiller (pour faire); **apañárselas por su cuenta** se débrouiller tout(e) seul(e)
aparador [apara'ðor] nm buffet m; (escaparate) vitrine f
aparato [apa'rato] nm appareil m; (Radio, TV) poste m; (boato) apparat m; **aparatos** nmpl (gimnasia) agrès mpl; **~ circulatorio/digestivo/respiratorio** appareil circulatoire/digestif/respiratoire; **~ de facsímil** télécopieur m; **~s de mando** (Aviat etc) commandes fpl
aparatoso, -a [apara'toso, a] adj spectaculaire
aparcamiento [aparka'mjento] nm (lugar) parking m; (maniobra) stationnement m
aparcar [apar'kar] vt garer ■ vi se garer
aparearse [apare'arse] vpr s'apparier
aparecer [apare'θer] vi apparaître; (publicarse) paraître; (ser encontrado) être trouvé(e); **aparecerse** vpr apparaître; **apareció borracho** il est revenu soûl
aparejado, -a [apare'xaðo, a] adj: **llevar o traer ~** entraîner; **ir ~ con** aller de pair avec
aparejador, a [aparexa'ðor, a] nm/f (Arq) aide-architecte
aparejo [apa'rexo] nm (de pesca) matériel m (de pêche); (de caballería) harnachement m; (Náut) gréement m; (de poleas) moufle f; **aparejos** nmpl matériel msg
aparentar [aparen'tar] vt (edad) faire ■ vi se faire remarquer; **~ hacer** faire semblant de faire; **~ tristeza** faire semblant d'être triste
aparente [apa'rente] adj apparent(e); (fam: atractivo) attrayant(e)
aparezca etc [apa'reθka] vb ver **aparecer**
aparición [apari'θjon] nf apparition f; (de libro) parution f
apariencia [apa'rjenθja] nf apparence f; **apariencias** nfpl (aspecto) apparences fpl; **en ~** en apparence; **tener (la) ~ de** avoir l'apparence de; **guardar las ~s** sauver les apparences

apartado, -a [apar'taðo, a] adj (lugar) éloigné(e); (aislado: persona) à l'écart ■ nm paragraphe m, alinéa m; **~ (de correos)** boîte f postale
apartamento [aparta'mento] nm studio m
apartar [apar'tar] vt écarter; (quitar) retirer; (comida, dinero) mettre de côté; **apartarse** vpr s'écarter; **~ a algn de** écarter qn de; (de estudios, vicio) détourner qn de; **~se de** s'éloigner de, se retirer de; (de creencia, partido) prendre ses distances vis-à-vis de; **¡aparta!** ôte-toi de là!
aparte [a'parte] adv (en otro sitio) de côté; (en sitio retirado) à l'écart; (además) en outre ■ prep: **~ de** à part ■ nm aparté m; (tipográfico) paragraphe m ■ adj à part; **~ de que** sans compter que, en plus du fait que; **"punto y ~"** "point à la ligne"; **dejar ~** laisser de côté
aparthotel [aparto'tel] nm résidence f hôtelière
apasionado, -a [apasjo'naðo, a] adj passionné(e); (pey: persona) partial(e); **~ de/por** passionné(e) de/par
apasionar [apasjo'nar] vt: **le apasiona el fútbol** c'est un passionné de football; **apasionarse** vpr se passionner; **~se por** se passionner pour; (persona) être passionnément amoureux(-euse) de; (deporte, política) être mordu(e) de
apatía [apa'tia] nf indolence f
apático, -a [a'patiko, a] adj apathique
Apdo. abr (= Apartado (de Correos)) B.P. (= boîte postale)
apeadero [apea'ðero] nm (Ferro) halte f; (alojamiento) pied-à-terre m inv
apearse [ape'arse] vpr: **~ (de)** descendre (de)
apechugar [apetʃu'ɣar] vi: **~ con algo** se coltiner qch
apedrear [apeðre'ar] vt lapider
apegarse [ape'ɣarse] vpr: **~ a** (a persona) s'attacher à; (a cargo) prendre à cœur
apego [a'peɣo] nm: **~ a/por** (persona) attachement m à/pour; (cargo) intérêt m pour; (objeto) attachement m
apelación [apela'θjon] nf appel m; **interponer/presentar ~** faire/interjeter appel
apelar [ape'lar] vi: **~ (contra)** (Jur) faire appel (de); **~ a** faire appel à; (justicia) avoir recours à
apellidarse [apeʎi'ðarse] vpr: **se apellida Pérez** il s'appelle Pérez
apellido [ape'ʎiðo] nm nom m de famille

apelmazarse [apelma'θarse] *vpr* (*masa*) se tasser; (*arroz*) se coller; (*prenda*) rétrécir

apenar [ape'nar] *vt* peiner, faire de la peine à; (*AM: avergonzar*) faire honte à; **apenarse** *vpr* avoir de la peine; (*AM*) avoir honte

apenas [a'penas] *adv* à peine, presque pas ■ *conj* dès que; **~ si podía levantarse** c'est à peine s'il pouvait se lever

apéndice [a'pendiθe] *nm* appendice *m*
apendicitis [apendi'θitis] *nf* appendicite *f*
aperitivo [aperi'tiβo] *nm* apéritif *m*
aperos [a'peros] *nmpl* (*utensilios*) matériel *msg*; (*Agr*) matériel agricole
apertura [aper'tura] *nf* ouverture *f*; (*de curso*) rentrée *f* (des classes); (*de parlamento*) rentrée parlementaire; **~ de un juicio hipotecario** (*Com*) ouverture d'un jugement hypothécaire; **~ centralizada** (*Auto*) verrouillage *m* centralisé (des portières)
apesadumbrar [apesaðum'brar] *vt* attrister; **apesadumbrarse** *vpr*: **~se (con** *o* **por)** s'affliger (de)
apestar [apes'tar] *vt* empester ■ *vi*: **~ (a)** empester; **estar apestado de** être infesté de
apetecer [apete'θer] *vt*: **¿te apetece una tortilla?** as-tu envie d'une omelette?
apetecible [apete'θiβle] *adj* appétissant(e); (*olor*) agréable; (*objeto*) séduisant(e)

apetito [ape'tito] *nm* (*tb fig*) appétit *m*; **despertar** *o* **abrir el ~** réveiller *o* ouvrir l'appétit, mettre en appétit
apetitoso, -a [apeti'toso, a] *adj* alléchant(e)
apiadarse [apja'ðarse] *vpr*: **~ de** s'apitoyer sur
ápice ['apiθe] *nm* (*fig*) summum *m*; **ni un ~** pas le moins du monde; **no ceder un ~** ne pas céder d'un pouce
apilar [api'lar] *vt* empiler; **apilarse** *vpr* s'empiler
apiñarse [api'ɲarse] *vpr* se presser
apio ['apjo] *nm* céleri *m*
apisonadora [apisona'ðora] *nf* rouleau *m* compresseur
aplacar [apla'kar] *vt* apaiser; (*sed*) étancher; (*entusiasmo*) refroidir; **aplacarse** *vpr* s'apaiser; (*entusiasmo*) se refroidir
aplanar [apla'nar] *vt* aplanir; **aplanarse** *vpr* s'effondrer
aplastante [aplas'tante] *adj* écrasant(e)
aplastar [aplas'tar] *vt* écraser
aplatanarse [aplata'narse] (*fam*) *vpr* se ramollir
aplaudir [aplau'ðir] *vt*, *vi* applaudir
aplauso [a'plauso] *nm* applaudissement *m*; (*fig*) éloge *m*
aplazamiento [aplaθa'mjento] *nm* ajournement *m*
aplazar [apla'θar] *vt* (*reunión*) ajourner
aplicación [aplika'θjon] *nf* application *f*; **aplicaciones** *nfpl* applications *fpl*; **aplicaciones de gestión** gestion *f*
aplicado, -a [apli'kaðo, a] *adj* appliqué(e), studieux(-euse)
aplicar [apli'kar] *vt* mettre en pratique; (*ley, norma*) appliquer; **aplicarse** *vpr* s'appliquer; **~ (a)** appliquer (à); **~ el oído a una puerta** écouter à une porte
aplique [a'plike] *vb ver* **aplicar** ■ *nm* applique *f*
aplomo [a'plomo] *nm* aplomb *m*
apocado, -a [apo'kaðo, a] *adj* timoré(e)
apoderado [apoðe'raðo] *nm* (*Jur, Com*) mandataire *m*, fondé *m* de pouvoir
apoderarse [apoðe'rarse] *vpr*: **~ de** s'emparer de, s'approprier
apodo [a'poðo] *nm* surnom *m*
apogeo [apo'xeo] *nm* apogée *m*
apolillarse [apoli'ʎarse] *vpr* (*ropa*) être mangé(e) par les mites; (*madera*) être vermoulu(e); (*fig*) se rouiller
apoltronarse [apoltro'narse] *vpr* se prélasser
apoplejía [apople'xia] *nf* apoplexie *f*
aporrear [aporre'ar] *vt* cogner sur

aportar [apor'tar] vt (datos) fournir; (dinero) apporter ■ vi (Náut) aborder; **aportarse** vpr (AM) arriver

aposento [apo'sento] nm appartement m

aposta [a'posta] adv à dessein, exprès

apostar [apos'tar] vt (dinero) parier; (tropas) poster ■ vi parier; **apostarse** vpr se poster; **¿qué te apuestas a que ...?** on parie combien que ...?

apóstol [a'postol] nm apôtre m

apóstrofo [a'postrofo] nm apostrophe f

apoyar [apo'jar] vt (tb fig) appuyer; **apoyarse** vpr: **~se en** (tb fig) s'appuyer o reposer sur; **~ algo en/contra** appuyer qch sur/contre

apoyo [a'pojo] nm appui m; (fundamento) fondement m

apreciable [apre'θjaβle] adj appréciable

apreciar [apre'θjar] vt apprécier

aprecio [a'preθjo] nm estime f; (Com) estimation f; **tener ~ a/sentir ~ por** avoir/ressentir de l'estime pour

aprehender [apreen'der] vt (armas, drogas) saisir; (persona) appréhender

apremiante [apre'mjante] adj pressant(e)

apremiar [apre'mjar] vt, vi presser; **apremiaba conseguirlo** il était urgent d'y parvenir; **~ a algn a hacer/para que haga** presser qn de faire

aprender [apren'der] vt, vi apprendre; **aprenderse** vpr: **~se algo** apprendre qch; **~ a conducir** apprendre à conduire; **~ de memoria/de carretilla** apprendre par cœur; **para que aprendas** ça t'apprendra

aprendiz, a [apren'diθ, a] nm/f apprenti(e); (recadero) galopin m

aprendizaje [aprendi'θaxe] nm apprentissage m

aprensión [apren'sjon] nm appréhension f; **aprensiones** nfpl appréhensions fpl; **dar ~ (hacer)** avoir des scrupules (à faire)

aprensivo, -a [apren'siβo, a] adj appréhensif(-ive), méfiant(e)

apresar [apre'sar] vt (delincuente) incarcérer; (contrabando) saisir; (soldado) mettre aux arrêts

apresurado, -a [apresu'raðo, a] adj (decisión) hâtif(-ive); (persona) pressé(e)

apresurar [apresu'rar] vt hâter, presser; **apresurarse** vpr se presser; **~se (a hacer)** se hâter (de faire); **me apresuré a sugerir que ...** je me suis empressé de suggérer que ...

apretado, -a [apre'taðo, a] adj serré(e); (estrecho de espacio) à l'étroit; (programa) chargé(e); **íbamos muy ~s en el autobús** nous étions à l'étroit dans l'autobus; **vivir ~** vivre à l'étroit

apretar [apre'tar] vt serrer; (labios) pincer; (gatillo, botón) appuyer sur ■ vi (calor etc) redoubler; (zapatos, ropa) serrer, être trop juste; **apretarse** vpr se serrer; **~ la mano a algn** serrer la main à qn; **~ el paso** presser le pas; **la apretó contra su pecho** il la serra contre lui; **~se el cinturón** (fig) se serrer la ceinture

apretón [apre'ton] nm: **~ de manos** poignée f de main; **apretones** nmpl cohue fsg

aprieto [a'prjeto] vb ver **apretar** ■ nm gêne f, embarras msg; **estar en un ~** être dans l'embarras; **estar en ~s** traverser des moments difficiles; **ayudar a algn a salir de un ~** aider qn à se tirer d'embarras

aprisa [a'prisa] adv vite

aprisionar [aprisjo'nar] vt (poner en prisión) emprisonner; (sujetar) serrer

aprobación [aproβa'θjon] nf approbation f; **dar su ~** donner son approbation

aprobar [apro'βar] vt (decisión) approuver; (examen, materia) être reçu(e) à ■ vi (en examen) réussir; **~ por mayoría/por unanimidad** approuver à la majorité/à l'unanimité; **~ por los pelos** réussir de justesse

apropiación [apropja'θjon] nf appropriation f

apropiado, -a [apro'pjaðo, a] adj approprié(e)

apropiarse [apro'pjarse] vpr: **~ de** s'approprier, s'emparer de

aprovechado, -a [aproβe'tʃaðo, a] adj (estudiante) appliqué(e); (económico) économe; (día, viaje) bien employé(e) ■ nm/f (pey: persona) profiteur(-euse)

aprovechamiento [aproβetʃa'mjento] nm exploitation f, utilisation f; (académico) progrès mpl

aprovechar [aproβe'tʃar] vt profiter de; (tela, comida, ventaja) tirer profit de ■ vi progresser; **aprovecharse** vpr: **~se de** (pey) profiter de; **¡que aproveche!** bon appétit!; **~ la ocasión para hacer** profiter de l'occasion pour faire

aproximación [aproksima'θjon] nf rapprochement m; (de lotería) lot m de consolation; **con ~** par approximation

aproximado, -a [aproksi'maðo, a] adj approximatif(-ive)

aproximarse [aproksi'marse] vpr (s')approcher

apruebe etc [a'prweβe] vb ver **aprobar**
aptitud [apti'tuð] nf: **~ (para)** aptitude f
(pour), dispositions fpl (pour); **~ para los
negocios** dispositions pour les affaires
apto, -a ['apto, a] adj: **~ (para)** apte (à),
capable (de); (apropiado) qui convient (à)
■ nm (Escol) mention f"passable"; **~/no ~
para menores** (Cine) convient/interdit
aux moins de 18 ans
apuesta [a'pwesta] nf pari m
apuntador [apunta'ðor] nm (Teatro)
souffleur m
apuntalar [apunta'lar] vt étayer
apuntar [apun'tar] vt (con arma) viser;
(con dedo) montrer o désigner du doigt;
(datos) noter; (Teatro) souffler;
(posibilidad) émettre; (persona: en examen)
noter; **apuntarse** vpr (tanto, victoria)
remporter; (en lista, registro) s'inscrire;
~ una cantidad en la cuenta de algn
mettre o verser une somme sur le compte
de qn; **~se en un curso** s'inscrire à un
cours; **¡yo me apunto!** je marche!
apunte [a'punte] nm croquis msg;
(Teatro: voz) voix fsg du souffleur; (: texto)
texte m du souffleur; **apuntes** nmpl
(Escol) notes fpl; **tomar ~s** prendre des
notes
apuñalar [apuɲa'lar] vt poignarder
apurado, -a [apu'raðo, a] adj
(necesitado) dans la gêne; (situación)
difficile, délicat(e); (AM: con prisa)
pressé(e); **estar en una situación
apurada** traverser un moment difficile,
être dans une situation critique; **estar ~
(avergonzado)** être embarrassé(e); (en
peligro) être en mauvaise posture
apurar [apu'rar] vt (bebida, cigarrillo)
finir; (recursos) épuiser; (persona: agobiar)
mettre à bout; (: causar vergüenza a)
mettre dans l'embarras; (: apresurar)
presser; **apurarse** vpr s'inquiéter; (esp
AM: darse prisa) se dépêcher; **no se apure
Ud** ne vous inquiétez pas
apuro [a'puro] nm (aprieto, vergüenza)
gêne f, embarras msg; (penalidad)
affliction f; (AM: prisa) hâte f; **estar en ~s
(dificultades)** avoir des ennuis; (falta de
dinero) être dans la gêne; **poner a algn
en un ~** mettre qn dans l'embarras
aquejado, -a [ake'xaðo, a] adj: **~ de**
(Med) atteint(e)
aquel, aquella [a'kel, a'keʎa] (mpl **~los**,
fpl **~las**) [a'keʎos, as] adj ce (cette);
(pl) ces
aquél, aquélla [a'kel, a'keʎa] (mpl **~los**,
fpl **~las**) [a'keʎos, as] pron celui-là (celle-
là); (pl) ceux-là (celles-là)

aquello [a'keʎo] pron cela; **~ que hay allí**
ce qu'il y a là-bas
aquí [a'ki] adv ici; (entonces) alors; **~
abajo/arriba** en bas/là-haut; **~ mismo**
ici même; **~ yace** ci-gît; **de ~ en adelante**
désormais; **de ~ a poco** d'ici peu; **de ~ a
siete días** d'ici sept jours; **de ~ que ...** de
là que ...; **hasta ~** jusqu'ici; **por ~** par ici
aquietar [akje'tar] vt apaiser
ara ['ara] nf autel m; **aras** nfpl (beneficio):
en ~s de au nom de
árabe ['araβe] adj arabe
■ nm/f Arabe m/f ■ nm (Ling) arabe m
Arabia [a'raβja] nf Arabie f; **~ Saudí** o
Saudita Arabie saoudite
arado [a'raðo] nm charrue f
Aragón [ara'ɣon] nm Aragon m
aragonés, -esa [araɣo'nes, esa] adj
aragonais(e) ■ nm/f Aragonais(e) ■ nm
(Ling) aragonais msg
arancel [aran'θel] nm (tb: **arancel de
aduanas**) tarif m douanier
arandela [aran'dela] nf rondelle f; (de
vela) bobèche f; (adorno de vestido) ruche f;
(AM: volante) volant m
araña [a'raɲa] nf araignée f; (lámpara)
lustre m
arañar [ara'ɲar] vt (herir) griffer; (raspar)
érafler; **arañarse** vpr s'égratigner
arañazo [ara'ɲaθo] nm égratignure f
arar [a'rar] vt labourer
arbitraje [arβi'traxe] nm arbitrage m
arbitrar [arβi'trar] vt arbitrer; (recursos)
concevoir ■ vi arbitrer
arbitrariedad [arβitrarje'ðað] nf
arbitraire m
arbitrario, -a [arβi'trarjo, a] adj arbitraire
arbitrio [ar'βitrjo] nm volonté f; (Jur)
arbitrage m; **quedar al ~ de algn**
dépendre de la volonté de qn
árbitro, -a [ar'βitro, a] nm/f arbitre m
árbol ['arβol] nm (Bot, Tec) arbre m; (Náut)
mât m; **~ de Navidad** arbre de Noël;
~ frutal arbre fruitier; **~ genealógico**
arbre généalogique
arbolado, -a [arβo'laðo, a] adj boisé(e);
(camino) bordé(e) d'arbres ■ nm bois msg
arboleda [arβo'leða] nf bois msg,
bosquet m
arbusto [ar'βusto] nm arbuste m
arca ['arka] nf coffre m; **arcas** nfpl
(públicas) caisses fpl de l'État, trésor msg
public; **A~ de la Alianza** arche f
d'alliance; **A~ de Noé** Arche de Noé
arcada [ar'kaða] nf arcade f; (de puente)
arche f; **arcadas** nfpl (Med) nausées fpl;
me dieron ~s, me dio una ~ j'ai été pris(e)
de nausées

arcaico, -a [ar'kaiko, a] *adj* archaïque
arce ['arθe] *nm* érable *m*
arcén [ar'θen] *nm* (*de autopista*)
accotement *m*; (*de carretera*) bas-côté *m*
archipiélago [artʃi'pjelaɣo] *nm*
archipel *m*
archivador [artʃiβa'ðor] *nm* classeur *m*
archivar [artʃi'βar] *vt* (*tb Inform*)
archiver
archivo [ar'tʃiβo] *nm* archives *fpl*;
(*Inform*) fichier *m*; **A~ Nacional** Archives
nationales; **nombre de ~** (*Inform*) nom *m*
de fichier; **~ adjunto** (*Inform*) pièce *f*
jointe; **~ de transacciones** (*Inform*)
fichier mouvements; **~ maestro** (*Inform*)
fichier maître; **~s policíacos** archives de
la police
arcilla [ar'θiʎa] *nf* argile *f*
arco ['arko] *nm* arc *m*; (*Mús*) archet *m*;
(*AM: Deporte*) but *m*; **~ iris** arc-en-ciel *m*
arder [ar'ðer] *vi* brûler; **~ en deseos de**
hacer mourir d'envie de faire; **~ sin llama**
se consumer; **estar que arde** (*fam*)
bouillir de rage; **esto está que arde** (*fig*)
ça sent le brûlé
ardid [ar'ðið] *nm* ruse *f*
ardiente [ar'ðjente] *adj* ardent(e);
ser un ~ defensor/partidario de être un
ardent défenseur/partisan de
ardilla [ar'ðiʎa] *nf* écureuil *m*
ardor [ar'ðor] *nm* ardeur *f*; **con ~** (*fig*)
avec ardeur; **~ de estómago** brûlures *fpl*
d'estomac
arduo, -a ['arðwo, a] *adj* ardu(e)
área ['area] *nf* (*zona*) surface *f*; (*medida*)
are *m*; (*Deporte*) zone *f*; **~ de excedentes**
(*Inform*) zone de débordement; **~ de**
servicios (*Auto*) aire *f* de service
ARENA [a'rena] (*Els*) *sigla f* (= *Alianza*
Republicana Nacionalista) *parti politique*
arena [a'rena] *nf* sable *m*; (*de una lucha*)
arène *f*; (*Taur*) arènes *fpl*; **~s movedizas**
sables mouvants
arenal [are'nal] *nm* étendue *f* de sable;
(*arena movediza*) sables *mpl* mouvants
arengar [aren'gar] *vt* haranguer
arenisca [are'niska] *nf* grès *msg*
arenoso, -a [are'noso, a] *adj*
sablonneux(-euse)
arenque [a'renke] *nm* hareng *m*
argamasa [arɣa'masa] *nf* mortier *m*
Argel [ar'xel] *n* Alger *m*
Argelia [ar'xelja] *nf* Algérie *f*
argelino, -a [arxe'lino, a] *adj*
algérien(ne) ■ *nm/f* Algérien(ne)
Argentina [arxen'tina] *nf* Argentine *f*
argentino, -a [arxen'tino, a] *adj*
argentin(e) ■ *nm/f* Argentin(e)

argolla [ar'ɣoʎa] *nf* anneau *m*; (*AM: anillo*
de matrimonio) alliance *f*
argot [ar'ɣo] (*pl* **~s**) *nm* argot *m*
argucia [ar'ɣuθja] *nf* argutie *f*
argüir [ar'ɣwir] *vt* arguer (de); (*argumentar*)
arguer (de); (*indicar*) sous-entendre
■ *vi* argumenter; **~ a favor/en contra**
de argumenter en faveur de/contre;
~ que (*alegar*) arguer que; (*deducir*)
déduire que
argumentación [arɣumenta'θjon] *nf*
argumentation *f*
argumentar [arɣumen'tar] *vt*
argumenter; (*deducir*) déduire ■ *vi*
discuter; **~ que** (*alegar*) avancer que; **~**
a favor/en contra de avancer des
arguments en faveur de/contre
argumento [arɣu'mento] *nm* argument
m; (*Cine, TV*) scénario *m*
aria ['arja] *nf* aria *f*
aridez [ari'ðeθ] *nf* aridité *f*
árido, -a ['ariðo, a] *adj* aride
áridos ['ariðos] *nmpl* (*Agr*) grains *mpl*
Aries ['arjes] *nm* (*Astrol*) Bélier *m*; **ser ~**
être (du) Bélier
arisco, -a [a'risko, a] *adj* (*persona*)
bourru(e); (*animal*) farouche
aristocracia [aristo'kraθja] *nf*
aristocratie *f*
aristócrata [aris'tokrata] *nm/f*
aristocrate *m/f*
aritmética [arit'metika] *nf*
arithmétique *f*
arma ['arma] *nf* arme *f*; **armas** *nfpl* (*Mil*)
armes *fpl*; **rendir las ~s** rendre les armes;
ser de ~s tomar ne pas être commode;
~ blanca (*cuchillo*) arme blanche;
(*espada*) épée *f*; **~ de doble filo** (*fig*) arme
à double tranchant; **~ de fuego** arme à
feu; **~s cortas** armes légères; **~s de**
destrucción masiva armes de
destruction massive
armada [ar'maða] *nf* marine *f* de guerre;
(*flota*) flotte *f*
armadillo [arma'ðiʎo] *nm* tatou *m*
armado, -a [ar'maðo, a] *adj* armé(e)
armador [arma'ðor] *nm* (*Náut: dueño*)
armateur *m*; (*Tec*) monteur *m*
armadura [arma'ðura] *nf* (*Mil*) armure *f*;
(*Tec, Fís*) armature *f*; (*tejado*) charpente *f*;
(*de gafas*) monture *f*; (*Zool*) ossature *f*
armamento [arma'mento] *nm*
armement *m*
armar [ar'mar] *vt* armer; (*Mec, Tec*)
monter; (*ruido, escándalo*) faire,
provoquer; **armarse** *vpr*: **~se (con/de)**
s'armer (de); **~ la gorda** (*fam*) faire du
barouf; **~la** faire un esclandre; **~se un lío**

s'arracher les cheveux; **~se de valor/paciencia** s'armer de courage/patience

armario [ar'marjo] *nm* armoire *f*; **~ de cocina** garde-manger *m inv*; **~ de luna** armoire à glace; **~ empotrado** placard *m*

armatoste [arma'toste] *nm* (*fam*) monument *m*

armazón [arma'θon] *nf, nm* armature *f*; (*Arq*) échafaudage *m*; (*Auto*) châssis *msg*

armería [arme'ria] *nf* musée *m* de l'armée; (*tienda*) armurerie *f*

armiño [ar'miɲo] *nm* hermine *f*; **de ~** d'hermine

armisticio [armis'tiθjo] *nm* armistice *m*

armonía [armo'nia] *nf* harmonie *f*

armónica [ar'monika] *nf* harmonica *m*

armonioso, -a [armo'njoso, a] *adj* harmonieux(-euse)

armonizar [armoni'θar] *vt* harmoniser ■ *vi*: **~ con** (*fig*) être en harmonie avec

arneses [ar'neses] *nmpl* (*para caballerías*) harnais *mpl*

aro ['aro] *nm* cercle *m*, anneau *m*; (*juguete*) cerceau *m*; (*AM: pendiente*) anneau; **entrar** *o* **pasar por el ~** mettre les pouces

aroma [a'roma] *nm* arôme *m*, parfum *m*

aromaterapia [aromatera'pia] *nf* aromathérapie *f*

aromático, -a [aro'matiko, a] *adj* aromatique

arpa ['arpa] *nf* harpe *f*

arpía [ar'pia] *nf* (*fig*) harpie *f*, mégère *f*

arpillera [arpi'ʎera] *nf* serpillière *f*

arpón [ar'pon] *nm* harpon *m*

arquear [arke'ar] *vt*, **arquearse** *vpr* fléchir

arqueología [arkeolo'xia] *nf* archéologie *f*

arqueólogo, -a [arke'oloɣo, a] *nm/f* archéologue *m/f*

arquetipo [arke'tipo] *nm* archétype *m*

arquitecto, -a [arki'tekto, a] *nm/f* architecte *m/f*; **~ paisajista** *o* **de jardines** paysagiste *m/f*

arquitectura [arkitek'tura] *nf* architecture *f*

arrabal [arra'βal] *nm* faubourg *m*; (*barrio bajo*) bas quartiers *mpl*; **arrabales** *nmpl* (*afueras*) faubourgs *mpl*

arraigado, -a [arrai'ɣaðo, a] *adj* (*tb fig*) enraciné(e)

arraigar [arrai'ɣar] *vi* prendre racine; (*ideas, costumbres*) s'enraciner, prendre racine; (*persona*) s'installer, s'établir; **arraigarse** *vpr* (*costumbre*) s'enraciner, prendre racine; (*persona*) s'installer, s'établir

arrancar [arran'kar] *vt* arracher; (*árbol*) déraciner; (*carteles, colgaduras*) retirer; (*esparadrapo*) enlever; (*suspiro*) pousser; (*Auto, máquina*) mettre en marche; (*Inform*) démarrer ■ *vi* (*Auto, máquina*) démarrer; (*persona*) s'en aller; **~ información a algn** soutirer un renseignement à qn; **~ de** (*fig*) provenir de; **~ de raíz** déraciner

arranque [a'rranke] *vb ver* **arrancar** ■ *nm* (*Auto*) démarrage *m*; (*de enfermedad*) début *m*; (*de tradición*) origine *f*; (*fig: arrebato*) élan *m*

arrasar [arra'sar] *vt* aplanir; (*derribar*) raser ■ *vi* (*fig*) faire un triomphe *o* tabac (*fam*)

arrastrado, -a [arras'traðo, a] *adj* misérable; (*AM: servil*) servile ■ *nm/f* (*fam: bribón*) coquin(-ine)

arrastrar [arras'trar] *vt* traîner; (*suj: agua, viento, tb fig*) entraîner ■ *vi* traîner; **arrastrarse** *vpr* se traîner; (*fig*) s'abaisser; **llevar algo arrastrando** traîner qch depuis longtemps

arrastre [a'rrastre] *nm* remorquage *m*; (*Pesca*) chalutage *m*; **estar para el ~** (*fam*) être foutu(e); **~ de papel por fricción/por tracción** (*en impresora*) entraînement *m* par friction/par ergots

arre ['arre] *excl* hue!

arrear [arre'ar] *vt* exciter; (*fam*) flanquer ■ *vi* (*fam*) se grouiller

arrebatado, -a [arreβa'taðo, a] *adj* emporté(e), impétueux(-euse); (*cara*) congestionné(e); (*color*) vif (vive)

arrebatar [arreβa'tar] *vt* arracher; (*fig*) transporter; **arrebatarse** *vpr* s'emporter

arrebato [arre'βato] *nm* emportement *m*; (*éxtasis*) transport *m*; **~ de cólera/entusiasmo** élan *m o* mouvement *m* de colère/d'enthousiasme

arrecife [arre'θife] *nm* récif *m*; (*tb*: **arrecife de coral**) récif de corail

arredrarse [arre'drarse] *vpr*: **~ (por** *o* **ante algo)** s'effrayer (de qch)

arreglado, -a [arre'ɣlaðo, a] *adj* (*persona*) soigné(e); (*vestido*) impeccable; (*habitación*) ordonné(e), en ordre; (*conducta*) réglé(e); **¡estamos ~s!** nous voilà bien avancés!

arreglar [arre'ɣlar] *vt* ranger, mettre en ordre; (*persona*) préparer; (*algo roto*) réparer, arranger; (*problema*) régler; (*entrevista*) fixer; **arreglarse** *vpr* s'arranger, se régler; (*acicalarse*) se pomponner; **~se (para hacer)** se préparer (à faire); **arreglárselas** (*fam*) se débrouiller, s'en sortir; **~se el pelo/las uñas** s'arranger les cheveux/se faire les ongles

arreglo [a'rreɣlo] nm rangement m, ordre m; (acuerdo) arrangement m, accord m; (Mús) arrangement; (Inform) tableau m; (de algo roto) réparation f; (de persona) toilette f, soin m; **con ~ a** conformément à; **llegar a un ~** parvenir à un accord; **~ de cuentas** (fig) règlement m de comptes

arrellanarse [arreʎa'narse] vpr: **~ en** (sillón) se carrer o se prélasser dans

arremangar [arreman'gar] vt relever, retrousser; **arremangarse** vpr retrousser ses manches

arremeter [arreme'ter] vi: **~ contra** se jeter à l'assaut de, fondre sur; (fig) s'en prendre à, s'attaquer à

arrendamiento [arrenda'mjento] nm location f; (contrato) bail m; (precio) loyer m

arrendar [arren'dar] vt louer

arrendatario, -a [arrenda'tarjo, a] nm/f locataire m/f

arreos [a'rreos] nmpl harnais msg; (fig) attirail m

arrepentimiento [arrepenti'mjento] nm repentir m; **sentir/tener ~** éprouver du repentir

arrepentirse [arrepen'tirse] vpr: **~ (de)** se repentir (de); **~ de haber hecho algo** se repentir d'avoir fait qch; **mostrarse arrepentido** regretter, être navré(e)

arrestar [arres'tar] vt arrêter; (Mil) mettre aux arrêts

arresto [a'rresto] nm arrestation f; (Mil) arrêts mpl; **arrestos** nmpl (audacia) audace fsg; **~ domiciliario** assignation f à domicile; **~ menor** détention d'une durée d'un à trente jours; **~ mayor** détention d'une durée d'un à six mois

arriar [a'rrjar] vt amener; (un cable) mollir

PALABRA CLAVE

arriba [a'rriβa] adv **1** (posición) en haut; **allí arriba** là-haut; **el piso de arriba** l'appartement du dessus; **la parte de arriba** le haut; **la orden vino de arriba** (fig) l'ordre est venu d'en haut; **más arriba** plus haut; **desde arriba** d'en haut; **arriba del todo** tout en haut; **Juan está arriba** Juan est en haut; **lo arriba mencionado** ce qui est mentionné ci-dessus; **de cien euros para arriba** au-dessus de cent euros; **euro arriba, euro abajo** à quelques euros près

2 (dirección): **ir calle arriba** remonter la rue; **río arriba** en amont

3: **mirar a algn de arriba abajo** regarder qn de haut en bas

■ prep: **arriba de** (AM) sur, au-dessus de; **arriba de 200 euros** plus de 200 euros

■ excl: **¡arriba!** (¡levanta!) debout!; (ánimo) courage!; **¡manos arriba!** haut les mains!; **¡arriba España!** vive l'Espagne!

arribar [arri'βar] vi arriver

arribista [arri'βista] nm/f arriviste m/f

arriendo [a'rrjendo] vb ver **arrendar**
■ nm = **arrendamiento**

arriero [a'rrjero] nm muletier m

arriesgado, -a [arrjes'ɣaðo, a] adj (peligroso) risqué(e), hasardeux(-euse); (audaz: persona) audacieux(-euse)

arriesgar [arrjes'ɣar] vt, **arriesgarse** vpr risquer; **~ el pellejo** risquer sa peau; **~se a hacer algo** se risquer à faire qch

arrimar [arri'mar] vt (acercar) approcher de; (dejar de lado) abandonner, laisser tomber; **arrimarse** vpr: **~se a** (acercarse) s'approcher de; (apoyarse) s'appuyer sur; (fig) se rapprocher de, se placer sous la protection de; **~ el hombro** (ayudar) donner un coup de main; (trabajar) travailler dur; **~se al sol que más calienta** se ranger du côté du plus fort; **arrímate a mí** approche-toi de moi

arrinconar [arrinko'nar] vt (algo viejo) mettre dans un coin, mettre au rebut; (enemigo) acculer; (fig: persona) laisser tomber, délaisser

arroba [a'rroβa] nf (Inform) arobase su f

arrodillarse [arroði'ʎarse] vpr s'agenouiller

arrogancia [arro'ɣanθja] nf arrogance f

arrogante [arro'ɣante] adj arrogant(e)

arrojar [arro'xar] vt (piedras) jeter; (pelota) lancer; (basura) jeter, déverser; (humo) cracher; (persona) chasser, mettre dehors; (Com) totaliser; **arrojarse** vpr se jeter

arrojo [a'rroxo] nm hardiesse f

arrollador, a [arroʎa'ðor, a] adj (éxito) retentissant(e); (fuerza) irrésistible; (mayoría) écrasant(e)

arrollar [arro'ʎar] vt (suj: vehículo) renverser; (: agua) emporter, rouler; (Deporte) écraser ■ vi (tener éxito electoral) avoir une majorité écrasante

arropar [arro'par] vt couvrir; **arroparse** vpr se couvrir

arroyo [a'rrojo] nm ruisseau m; (de la calle) caniveau m; **recoger a algn del ~** tirer qn du ruisseau

arroz [a'rroθ] *nm* riz *m*; **~ blanco** (*Culin*) riz blanc; **~ con leche** riz au lait

arruga [a'rruɣa] *nf* ride *f*; (*en ropa*) pli *m*

arrugar [arru'ɣar] *vt* (*piel*) rider; (*ropa, papel*) froisser; (*ceño, frente*) froncer; **arrugarse** *vpr* se rider; (*ropa*) se froisser; (*persona*) se froisser

arruinar [arrwi'nar] *vt* ruiner; **arruinarse** *vpr* se ruiner

arrullar [arru'ʎar] *vt* bercer ■ *vi* roucouler

arsenal [arse'nal] *nm* (*Mil*) arsenal *m*; (*Náut*) chantier *m* naval

arsénico [ar'seniko] *nm* arsenic *m*

arte ['arte] *nm* (*gen m en sg y siempre f en pl*) art *m*; (*maña*) don *m*; **artes** *nfpl* arts *mpl*; **~s y oficios** arts et métiers; **por amor al ~** pour l'amour de l'art; **por ~ de magia** comme par enchantement; **Bellas A~s** Beaux-Arts *mpl*; **con malas ~s** par des moyens peu orthodoxes; **no tener ~ ni parte en algo** n'être pour rien dans qch, n'avoir rien à voir avec qch; **~ abstracto** art abstrait; **~s plásticas** arts plastiques

artefacto [arte'fakto] *nm* engin *m*, machine *f*; (*Arqueología*) objet *m* (*fabriqué*); (*explosivo*) engin explosif

arteria [ar'terja] *nf* artère *f*

artesanía [artesa'nia] *nf* artisanat *m*; **de ~** artisanal(e)

artesano, -a [arte'sano, a] *nm/f* artisan(e)

ártico, -a ['artiko, a] *adj* arctique ■ *nm*: **el Ártico** l'Arctique *m*

articulación [artikula'θjon] *nf* articulation *f*

articulado, -a [artiku'laðo, a] *adj* articulé(e)

articular [artiku'lar] *vt* articuler

artículo [ar'tikulo] *nm* article *m*; **artículos** *nmpl* (*Com*) articles *mpl*; **~ de fondo** article de fond; **~s de escritorio/ tocador** articles de bureau/toilette; **~s de lujo/marca/primera necesidad** articles de luxe/marque/première nécessité

artífice [ar'tifiθe] *nm/f* artisan(e); (*fig*) auteur *m*

artificial [artifi'θjal] *adj* artificiel(le); (*fig*) artificiel(le), forcé(e)

artificio [arti'fiθjo] *nm* appareil *m*, engin *m*; (*artesanía*) art *m*; (*truco*) artifice *m*

artillería [artiʎe'ria] *nf* artillerie *f*

artilugio [arti'luxjo] *nm* engin *m*; (*ardid*) subterfuge *m*

artimaña [arti'maɲa] *nf* (*ardid*) stratagème *m*; (*astucia*) astuce *f*, ruse *f*

artista [ar'tista] *nm/f* artiste *m/f*; **~ de**
cine artiste de cinéma; **~ de teatro** comédien(ne)

artístico, -a [ar'tistiko, a] *adj* artistique

artritis [ar'tritis] *nf* arthrite *f*

arveja [ar'βexa] (*AM: guisante*) *nf* pois *msg*

arzobispo [arθo'βispo] *nm* archevêque *m*

as [as] *nm* as *m*; **ser un as (de)** (*fig*) être un as (de); **as del fútbol** as du football

asa ['asa] *nf* anse *f*

asado [a'saðo] *nm* (*carne*) rôti *m*; (*Csur: barbacoa*) barbecue *m*

asaduras [asa'ðuras] *nfpl* (*Culin*) abats *mpl*

asalariado, -a [asala'rjaðo, a] *adj, nm/f* salarié(e)

asaltador, a [asalta'ðor, a], **asaltante** [asal'tante] *nm/f* assaillant(e)

asaltar [asal'tar] *vt* (*banco etc*) attaquer; (*persona, fig*) assaillir; (*Mil*) prendre d'assaut

asalto [a'salto] *nm* (*a banco*) hold-up *m inv*; (*a persona*) agression *f*; (*Mil*) assaut *m*; (*Boxeo*) round *m*; **tomar por ~** prendre d'assaut

asamblea [asam'blea] *nf* (*corporación*) assemblée *f*, rassemblement *m*; (*reunión*) assemblée

asar [a'sar] *vt* rôtir (*au four*), griller (*au feu de bois, au grill*); **asarse** *vpr* (*fig*) cuire; **~ a preguntas** harceler de questions; **me aso de calor** (*fig*) j'étouffe de chaleur; **~ al horno/a la parrilla** rôtir au four/sur le gril; **aquí se asa uno vivo** on cuit ici!

asbesto [as'βesto] *nm* asbeste *m*

ascendencia [asθen'denθja] *nf* ascendance *f*; **de ~ francesa** d'origine française; **tener ~ sobre algn** avoir de l'ascendant sur qn

ascender [asθen'der] *vi* monter; (*Deporte*) monter, passer; (*en puesto de trabajo*) monter en grade ■ *vt* faire monter; **~ a s'élever à**; **ascendió a general** il a accédé au grade de général, il est passé général

ascendiente [asθen'djente] *nm* ascendant *m*; **ascendientes** *nmpl* ascendants *mpl*

ascensión [asθen'sjon] *nf* ascension *f*; **la A~** (*Rel*) l'Ascension

ascenso [as'θenso] *nm* promotion *f*

ascensor [asθen'sor] *nm* ascenseur *m*

ascético, -a [as'θetiko, a] *adj* ascétique

asco ['asko] *nm*: **¡qué ~!** (que) c'est dégoûtant!; **el ajo me da ~** j'ai horreur de l'ail; **hacer ~s a algo** faire la fine bouche devant qch; **estar hecho un ~** être dégoûtant(e); **poner a algn de ~** (*AM*) abreuver qn d'injures; **ser un ~** (*clase, libro*) être nul(le); (*película*) être un navet; **morirse de ~** s'ennuyer à mourir

ascua ['askwa] *nf* braise *f*; **arrimar el ~ a su sardina** tirer la couverture à soi; **estar en** *o* **sobre ~s** être sur des charbons ardents

aseado, -a [ase'aðo, a] *adj* (*persona*) impeccable, bien mis(e); (*casa*) impeccable

asear [ase'ar] *vt* (*casa*) arranger; (*persona*) arranger, faire la toilette de; **asearse** *vpr* (*persona*) s'arranger, faire sa toilette

asediar [ase'ðjar] *vt* assiéger; (*fig*) assaillir

asedio [a'seðjo] *nm* siège *m*; (*Com*) forte demande *f*

asegurado, -a [aseɣu'raðo, a] *adj, nm/f* assuré(e)

asegurar [aseɣu'rar] *vt* assurer; (*cuerda, clavo*) fixer; (*maleta*) bien fermer; (*afirmar*) assurer, certifier; (*garantizar*) garantir; **asegurarse** *vpr*: **~se (de)** s'assurer (de); **~se (contra)** (*Com*) s'assurer (contre), prendre une assurance (contre); **se lo aseguro** je vous assure

asemejarse [aseme'xarse] *vpr*: **~ a** ressembler à

asentado, -a [asen'taðo, a] *adj* sensé(e); **estar ~ en** être situé(e) dans *o* sur; (*persona*) être établi(e) à

asentar [asen'tar] *vt* (*sentar*) asseoir; (*poner*) placer; (*alisar*) aplatir; (*golpe*) assener; (*instalar*) installer; (*asegurar*) assurer; (*Com*) inscrire; **asentarse** *vpr* (*persona*) s'établir; (*líquido, polvo*) se déposer

asentir [asen'tir] *vi* acquiescer; **~ con la cabeza** acquiescer d'un signe de tête

aseo [a'seo] *nm* hygiène *f*, toilette *f*; (*orden*) soin *m*; **aseos** *nmpl* (*servicios*) toilettes *fpl*; **cuarto de ~** cabinet *m* de toilette; **~ personal** hygiène personnelle

aséptico, -a [a'septiko, a] *adj* aseptique

asequible [ase'kiβle] *adj* (*precio*) abordable; (*meta*) accessible; (*persona*) accessible, abordable; **~ a** (*comprensible*) accessible à, à la portée de

aserrar [ase'rrar] *vt* scier

asesinar [asesi'nar] *vt* assassiner

asesinato [asesi'nato] *nm* assassinat *m*

asesino [ase'sino] *nm* assassin *m*

asesor, a [ase'sor, a] *nm/f* conseiller(-ère), consultant(e); (*Com*) consultant(e); **~ administrativo** conseiller en gestion; **~ de imagen** conseiller en relations publiques

asesorar [aseso'rar] *vt* (*Jur, Com*) conseiller; **asesorarse** *vpr*: **~se con** *o* **de** prendre conseil de

asesoría [aseso'ria] *nf* (*cargo*) conseil *m*; (*oficina*) cabinet *m* d'expert-conseil

asestar [ases'tar] *vt* (*golpe*) assener; (*tiro*) envoyer

asfalto [as'falto] *nm* bitume *m*

asfixia [as'fiksja] *nf* asphyxie *f*

asfixiar [asfik'sjar] *vt* (*suj: persona*) asphyxier; (: *calor*) étouffer; **asfixiarse** *vpr* être asphyxié(e), être étouffé(e); **~se de calor** étouffer de chaleur

asgo *etc* ['asgo] *vb ver* **asir**

así [a'si] *adv* (*de esta manera*) ainsi; (*aunque*) même si; (*tan pronto como*) dès que ■ *conj* (+ *subj*) même si; **~, ~** comme ci comme ça, couci-couça; **~ de grande** grand(e) comme ça; **~ llamado** soi-disant, prétendu; **~ es la vida** c'est la vie; **¡~ sea!** ainsi soit-il!; **y ~ sucesivamente** et ainsi de suite; **~ y todo** malgré tout; **¿no es ~?** n'est-ce pas (vrai)?; **mil euros o ~** à peu près mille euros; **~ como** (*también*) ainsi que, de même que; (*en cuanto*) dès que; **~ pues** ainsi donc; **~ que** (*en cuanto*) dès que; (*por consiguiente*) donc

Asia ['asja] *nf* Asie *f*

asiático, -a [a'sjatiko, a] *adj* asiatique ■ *nm/f* Asiatique *m/f*

asidero [asi'ðero] *nm* anse *f*

asiduidad [asiðwi'ðað] *nf* assiduité *f*

asiduo, -a [a'siðwo, a] *adj* assidu(e) ■ *nm/f* habitué(e)

asiento [a'sjento] *vb ver* **asentar**; **asentir** ■ *nm* siège *m*; (*de silla etc*) assise *f*; (*de cine, tren*) place *f*; (*Com*) inscription *f*; **tomar ~** prendre place; **~ delantero/trasero** siège avant/arrière

asignación [asiɣna'θjon] *nf* attribution *f*; (*reparto*) assignation *f*; (*paga*) traitement *m*; (*Com*) allocation *f*; **~ de presupuesto** crédit *m* budgétaire; **~ (semanal)** salaire *m* (hebdomadaire); (*a un hijo*) argent *m* de poche

asignar [asiɣ'nar] *vt* assigner; (*cantidad*) allouer, attribuer

asignatura [asiɣna'tura] *nf* matière *f*, discipline *f*; **~ pendiente** épreuve *f* à repasser; (*fig*) partie *f* remise

asilado, -a [asi'laðo, a] *nm/f* (*Pol*) réfugié(e) politique; (*en asilo de ancianos*) pensionnaire *m/f*

asilo [a'silo] *nm* asile *m*; **derecho de ~** droit *m* d'asile; **pedir/dar ~ a algn** demander/donner asile à qn; **~ de ancianos** asile de vieillards, hospice *m*;

~ **de pobres** hospice des pauvres;
~ **político** asile politique

asimilación [asimila'θjon] *nf*
assimilation *f*

asimilar [asimi'lar] *vt* assimiler;
asimilarse *vpr*: ~**se a** s'assimiler à

asimismo [asi'mismo] *adv* tout autant,
pareillement

asir [a'sir] *vt* saisir; **asirse** *vpr*: ~**se a** *o* **de**
se saisir de, s'accrocher à

asistencia [asis'tenθja] *nf* assistance *f*;
(*tb*: **asistencia médica**) soins *mpl*
médicaux; ~ **social/técnica** assistance
sociale/technique

asistenta [asis'tenta] *nf* femme *f* de
ménage

asistente [asis'tente] *nm/f* assistant(e)
■ *nm* (*Mil*) ordonnance *f*; **los** ~**s** les
assistants; ~ **social** employé(e) des
services sociaux; (*mujer*) assistante
sociale

asistido, -a [asis'tiðo, a] *adj* (*Auto*:
dirección) assisté(e); ~ **por ordenador**
assisté par ordinateur

asistir [asis'tir] *vt* (*Med*) assister, soigner;
(*ayudar*) assister, secourir; (*acompañar*)
assister ■ *vi*: ~ **(a)** assister (à)

asma ['asma] *nf* asthme *m*

asno ['asno] *nm* (*tb fig*) âne *m*

asociación [asoθja'θjon] *nf* association
f; ~ **de ideas** association d'idées

asociado, -a [aso'θjaðo, a] *adj, nm/f*
associé(e)

asociar [aso'θjar] *vt* associer; **asociarse**
vpr: ~**se (a)** s'associer (à)

asolar [aso'lar] *vt* dévaster, ravager

asomar [aso'mar] *vt* sortir, mettre
dehors ■ *vi* (*sol*) poindre, se montrer;
(*barco*) apparaître; **asomarse** *vpr*: ~**se**
a *o* **por** se montrer à, se mettre à; ~ **la**
cabeza por la ventana se mettre à la
fenêtre, mettre la tête à la fenêtre

asombrar [asom'brar] *vt* (*causar*
asombro) étonner; (*causar admiración*)
stupéfier; **asombrarse** *vpr*: ~**se (de)**
(*sorprenderse*) s'étonner (de); (*asustarse*)
s'effrayer (de)

asombro [a'sombro] *nm* (*sorpresa*)
étonnement *m*, stupéfaction *f*; (*susto*)
frayeur *f*; **no salir de su** ~ ne pas en
revenir

asombroso, -a [asom'broso, a] *adj*
étonnant(e), stupéfiant(e)

asomo [a'somo] *nm* signe *m*, ombre *f*; **ni**
por ~ pas le moins du monde, en aucune
manière

aspa ['aspa] *nf* croix *f* sg de Saint André;
(*de molino*) aile *f*; **en** ~ en forme de X

aspaviento [aspa'βjento] *nm* gestes *mpl*
outranciers; **hacer** ~**s** faire des simagrées

aspecto [as'pekto] *nm* aspect *m*, air *m*;
(*de salud*) mine *f*; (*fig*) aspect; **bajo este**
~ vu(e) sous cet angle; **tener buen/mal**
~ (*persona*) avoir bonne/mauvaise mine;
en todos los ~**s** sous tous les rapports

aspereza [aspe'reθa] *nf* rugosité *f*; (*de*
sabor) âpreté *f*; (*de terreno, carácter*)
aspérité *f*

áspero, -a ['aspero, a] *adj*
rugueux(-euse); (*sabor*) âpre

aspersión [asper'sjon] *nf* aspersion *f*;
riego por ~ arrosage *m* par aspersion

aspiración [aspira'θjon] *nf* aspiration *f*;
aspiraciones *nfpl* (*ambiciones*)
aspirations *fpl*

aspirador [aspira'ðor] *nm*, **aspiradora**
[aspira'ðora] *nf* aspirateur *m*

aspirante [aspi'rante] *nm/f* candidat(e)

aspirar [aspi'rar] *vt* aspirer ■ *vi*: ~ **a**
(*hacer*) aspirer à (faire)

aspirina [aspi'rina] *nf* aspirine *f*

asquear [aske'ar] *vt* écœurer;
asquearse *vpr*: ~**se (de)** être dégoûté(e)
(de)

asqueroso, -a [aske'roso, a] *adj, nm/f*
dégoûtant(e)

asta ['asta] *nf* hampe *f*; **astas** *nfpl* (*Zool*)
bois *mpl*; **a media** ~ en berne

asterisco [aste'risko] *nm* astérisque *m*

astigmatismo [astiɣma'tismo] *nm*
astigmatisme *m*

astilla [as'tiʎa] *nf* éclat *m*; (*de leña*)
écharde *f*; (*de hueso*) esquille *f*; **astillas**
nfpl (*para fuego*) petit bois *m*; **hacer** ~**s**
briser; **de tal palo tal** ~ tel père, tel fils

astilleros [asti'ʎeros] *nmpl* chantier *m*
naval; (*de la Armada*) arsenal *m*

astringente [astrin'xente] *adj*
astringent(e) ■ *nm* astringent *m*

astro ['astro] *nm* astre *m*

astrología [astrolo'xia] *nf* astrologie *f*

astronauta [astro'nauta] *nm/f*
astronaute *m/f*

astronave [astro'naβe] *nf* astronef *m*

astronomía [astrono'mia] *nf*
astronomie *f*

astrónomo, -a [as'tronomo, a] *nm/f*
astronome *m/f*

astucia [as'tuθja] *nf* astuce *f*

astuto, -a [as'tuto, a] *adj*
astucieux(-euse); (*taimado*) rusé(e)

asumir [asu'mir] *vt* assumer

asunción [asun'θjon] *nf* prise *f* de
possession; **la A**~ l'Assomption *f*

asunto [a'sunto] *nm* (*tema*) sujet *m*;
(*negocio*) affaire *f*; (*argumento*) thème *m*;

¡eso es ~ mío! cela me regarde!; **~s a tratar** affaires à régler; **ir al ~ en** venir aux choses sérieuses; **A~s Exteriores** Affaires étrangères

asustar [asus'tar] *vt* faire peur à; (*ahuyentar*) mettre en fuite; **asustarse** *vpr*: **~se (de o por)** avoir peur (de)

atacar [ata'kar] *vt* attaquer; (*teoría*) s'attaquer à

atadura [ata'ðura] *nf* attache *f*, lien *m*; (*impedimento*) entrave *f*, lien

atajar [ata'xar] *vt* (*interrumpir*) couper court à, interrompre; (*cortar el paso a*) barrer la route à; (*enfermedad*) enrayer; (*riada, sublevación*) endiguer; (*incendio*) maîtriser; (*discurso*) interrompre; (*Deporte*) plaquer ■ *vi* prendre un raccourci

atajo [a'taxo] *nm* raccourci *m*; (*Deporte*) plaquage *m*; **son un ~ de cobardes/ ladrones** c'est une bande de lâches/ voleurs; **soltar un ~ de mentiras** débiter un tissu de mensonges

atañer [ata'ɲer] *vt* (*persona*) concerner; (*gobierno*) incomber à; **en lo que atañe a eso** en ce qui concerne cela

ataque [a'take] *vb ver* **atacar** ■ *nm* (*Mil*) attaque *f*, raid *m*; (*Med*) attaque; (*de ira, nervios, risa*) crise *f*; **¡al ~!** à l'attaque!; **~ cardíaco** crise cardiaque

atar [a'tar] *vt* attacher, ligoter; **atarse** *vpr* (*zapatos*) attacher; (*corbata*) nouer; **~ la lengua a algn** (*fig*) réduire qn au silence; **~ cabos** déduire par recoupements; **~ corto a algn** tenir la bride haute à qn

atardecer [atarðe'θer] *vi*: **atardece a las 8** la nuit tombe à 8 h ■ *nm* tombée *f* du jour; **al ~** à la tombée du jour

atareado, -a [atare'aðo, a] *adj* affairé(e)

atascar [atas'kar] *vt* boucher; **atascarse** *vpr* se boucher; (*coche*) s'embourber; (*motor*) se gripper; (*fig: al hablar*) bafouiller; (*en problema*) s'enliser

atasco [a'tasko] *nm* obstruction *f*; (*Auto*) bouchon *m*

ataúd [ata'uð] *nm* cercueil *m*, bière *f*

ataviar [ata'βjar] *vt* parer; **ataviarse** *vpr* se parer

atavío [ata'βio] *nm* toilette *f*; **atavíos** *nmpl* (*adornos*) toilette, atours *mpl*

atemorizar [atemori'θar] *vt* faire peur à; **atemorizarse** *vpr*: **~se (de o por)** s'effrayer (de)

Atenas [a'tenas] *n* Athènes

atención [aten'θjon] *nf* attention *f* ■ *excl* attention!; **atenciones** *nfpl* (*amabilidad*) attentions *fpl*, égards *mpl*; **en ~ a esto** eu égard à cela; **llamar la ~ a**

algn (*despertar curiosidad*) attirer l'attention de qn; (*reprender*) rappeler qn à l'ordre; **prestar ~** prêter attention; **"a la ~ de ..."** (*en carta*) "à l'attention de ..."

atender [aten'der] *vt* (*consejos*) tenir compte de; (*Tec*) entretenir; (*enfermo, niño*) s'occuper de, soigner; (*petición*) accéder à ■ *vi*: **~ a** se soucier de; (*detalles*) s'arrêter sur; **~ al teléfono** répondre au téléphone; **~ a la puerta** aller ouvrir la porte

atenerse [ate'nerse] *vpr*: **~ a** s'en tenir à; **~ a las consecuencias** penser aux conséquences

atentado [aten'taðo] *nm* attentat *m*; (*delito*) atteinte *f*, attentat; **~contra la vida de algn** attentat à la vie de qn; **~ contra el pudor** attentat à la pudeur; **~ contra la salud pública** atteinte à la santé publique; **~ golpista** coup *m* d'État; **~ suicida** attentat suicide

atentamente [a'tentamente] *adv* attentivement; **le saluda ~** (*en carta*) recevez mes salutations distinguées

atentar [aten'tar] *vi*: **~ a o contra** (*seguridad*) attenter à; (*moral, derechos*) porter atteinte à; **~ contra** (*Pol*) attenter à la vie de, commettre un attentat contre

atento, -a [a'tento, a] *adj* attentif(-ive); (*cortés*) attentionné(e); **~ a** attentif(-ive) à; **su atenta (carta)** (*Com*) votre courrier

atenuar [ate'nwar] *vt* atténuer; **atenuarse** *vpr* s'atténuer

ateo, -a [a'teo, a] *adj, nm/f* athée *m/f*

aterido, -a [ate'riðo, a] *adj*: **~ de frío** transi(e)

aterrador, a [aterra'ðor, a] *adj* épouvantable, effroyable

aterrar [ate'rrar] *vt* effrayer; (*aterrorizar*) terrifier; **aterrarse** *vpr*: **~se de o por** être terrifié(e) par

aterrizaje [aterri'θaxe] *nm* (*Aviat*) atterrissage *m*; **~ forzoso** atterrissage forcé

aterrizar [aterri'θar] *vi* atterrir

aterrorizar [aterrori'θar] *vt* terroriser; **aterrorizarse** *vpr*: **~se (de o por)** être terrorisé(e) (par)

atesorar [ateso'rar] *vt* amasser; (*fig*) accumuler

atestado, -a [ates'taðo, a] *adj* (*testarudo*) entêté(e) ■ *nm* (*Jur*) procès-verbal *m*; **~ de** plein(e) à craquer de

atestar [ates'tar] *vt* envahir; (*Jur*) attester

atestiguar [atesti'ɣwar] *vt* (*Jur*) témoigner; (*fig: dar prueba de*) témoigner de

atiborrar [atiβo'rrar] vt envahir; **atiborrarse** vpr: ~se (de) se gaver (de)

ático ['atiko] nm attique m; ~ **de lujo** appartement de grand standing construit sur le toit d'un immeuble

atinado, -a [ati'naðo, a] adj approprié(e); (sensato) sensé(e)

atinar [ati'nar] vi viser juste; (fig) deviner juste; ~ **con** o **en** (solución) trouver; ~ **a hacer** réussir à faire

atisbar [atis'βar] vt épier; (vislumbrar) percevoir

atizar [ati'θar] vt (fuego, fig) attiser; (horno etc) alimenter; (Deporte) battre à plate couture; (fam: golpe) flanquer

atlántico, -a [at'lantiko, a] adj atlantique ■ nm: **el (Océano) A~** l'(océan m) Atlantique m

atlas ['atlas] nm atlas m

atleta [at'leta] nm/f athlète m/f

atlético, -a [at'letiko, a] adj (competición) d'athlétisme; (persona) athlétique

atletismo [atle'tismo] nm athlétisme m

atmósfera [at'mosfera] nf atmosphère f

atolladero [atoʎa'ðero] nm (fig) impasse f; **estar en un ~** être dans une impasse; **sacar a algn de un ~** tirer qn d'embarras

atómico, -a [a'tomiko, a] adj atomique

atomizador [atomiθa'ðor] nm atomiseur m

átomo ['atomo] nm atome m

atónito, -a [a'tonito, a] adj pantois(e)

atontado, -a [aton'taðo, a] adj étourdi(e); (bobo) stupide ■ nm/f abruti(e)

atontar [aton'tar] vt abrutir; **atontarse** vpr s'abêtir

atormentar [atormen'tar] vt tourmenter, torturer; **atormentarse** vpr se tourmenter

atornillar [atorni'ʎar] vt visser

atosigar [atosi'ɣar] vt empoisonner; **atosigarse** vpr être obsédé(e)

atracador, a [atraka'ðor, a] nm/f malfaiteur m

atracar [atra'kar] vt (Náut) amarrer; (atacar) attaquer à main armée ■ vi amarrer; **atracarse** vpr: ~se (de) se bourrer (de)

atracción [atrak'θjon] nf attirance f; **atracciones** nfpl (diversiones) attractions fpl; **sentir ~ por** éprouver de l'attirance pour; **centro/punto de ~** centre m/point m d'attraction

atraco [a'trako] nm agression f; (en banco) hold-up m inv; ~ **a mano armada** attaque f à main armée

atracón [atra'kon] nm: **darse** o **pegarse un ~ (de)** (fam) s'empiffrer (de), se bourrer (de)

atractivo, -a [atrak'tiβo, a] adj attirant(e) ■ nm attrait m

atraer [atra'er] vt attirer; **atraerse** vpr s'attirer; **dejarse ~ por** se laisser attirer par; **~se a algn** conquérir qn

atragantarse [atraɣan'tarse] vpr: ~ **(con)** s'étrangler (avec); **se me ha atragantado el chico ése** je ne peux pas le voir, celui-là; **se me ha atragantado el inglés** l'anglais et moi, ça fait deux

atrancar [atran'kar] vt (puerta) barricader; (desagüe) boucher; **atrancarse** vpr (desagüe) se boucher; (mecanismo) se gripper; (fig: al hablar) bafouiller

atrapar [atra'par] vt attraper

atrás [a'tras] adv (posición) derrière, en arrière; (dirección) derrière; ~ **de** prep (AM: detrás de) derrière; **años/meses ~** des années/mois auparavant; **días ~** cela fait des jours et des jours; **asiento/parte de ~** siège m/partie f arrière; **cuenta ~** compte m à rebours; **marcha ~** marche f arrière; **echarse para ~** se rejeter en arrière; **ir hacia ~** (movimiento) aller en arrière; (dirección) aller derrière; **estar ~** être o se trouver derrière o en arrière; **está más ~** c'est plus loin derrière; **volverse ~** revenir en arrière, reculer; (desdecirse) se dédire

atrasado, -a [atra'saðo, a] adj (pago) arriéré(e); (país) sous-développé(e); (trabajo) en retard; (costumbre) passé(e); (moda) dépassé(e); **el reloj está** o **va ~** la pendule retarde; **ir ~** (Escol) être en retard; **poner fecha atrasada a** antidater

atrasar [atra'sar] vi, vt retarder; **atrasarse** vpr (persona) s'attarder; (tren) avoir du retard; (reloj) retarder

atraso [a'traso] nm retard m; **atrasos** nmpl (Com) arriérés mpl

atravesar [atraβe'sar] vt traverser; (poner al través) barrer; **atravesarse** vpr se mettre en travers de; **ese tipo se me ha atravesado** je ne peux pas souffrir ce type

atraviese etc [atra'βjese] vb ver **atravesar**

atrayente [atra'jente] adj alléchant(e)

atreverse [atre'βerse] vpr: ~ **a (hacer)** oser (faire)

atrevido, -a [atre'βiðo, a] adj (audaz) audacieux(-euse); (descarado) insolent(e); (moda, escote) osé(e) ■ nm/f audacieux(-euse), insolent(e)

atrevimiento [atreβi'mjento] nm
(audacia) audace f; (descaro) insolence f
atribuciones [atribu'θjones] nfpl (Pol,
Admin) attributions fpl
atribuirse [atribu'irse] vpr s'attribuer
atribular [atriβu'lar] vt affliger;
atribularse vpr être affligé(e)
atributo [atri'βuto] nm attribut m,
apanage m; (emblema) attributs mpl
atril [a'tril] nm pupitre m; (Mús)
lutrin m
atrocidad [atroθi'ðað] nf atrocité f;
atrocidades nfpl (disparates)
énormités fpl
atropellar [atrope'ʎar] vt écraser;
(derribar) renverser; (empujar) bousculer;
(agraviar) malmener; **atropellarse** vpr
s'embrouiller
atropello [atro'peʎo] nm (Auto) collision
f; (contra propiedad, derechos) violation f;
(empujón) bousculade f; (agravio) insulte
f; (atrocidad) atrocité f
atroz [a'troθ] adj atroce; (frío) terrible;
(hambre) de loup; (sueño) irrésistible;
(película, comida) épouvantable
A.T.S. sigla m/f (= Ayudante Técnico
Sanitario) infirmier(-ère)
atto., -a. abr (= atento, a) dévoué(e)
atuendo [a'twendo] nm tenue f
atún [a'tun] nm thon m
aturdir [atur'ðir] vt assommer; (suj:
ruido) assourdir; (: vino) étourdir; (: droga)
abrutir; (: noticia) laisser sans voix;
aturdirse vpr être assourdi(e); (por
órdenes contradictorias) être
décontenancé(e)
atusarse [atu'sarse] vpr se pomponner
audacia [au'ðaθja] nf audace f
audaz [au'ðaθ] adj audacieux(-euse)
audible [au'ðiβle] adj audible
audición [auði'θjon] nf audition f;
~ **radiofónica** audition radiophonique
audiencia [au'ðjenθja] nf audience f;
~ **pública** (Pol) audience publique
audífono [au'ðifono] nm audiophone m
audiolibro [auðjo'liβro] nm livre-
cassette m
audiovisual [auðjoβi'swal] adj audio-
visuel(le)
auditor [auði'tor] nm (Jur) assesseur m;
(Com) commissaire m aux comptes
auditorio [auði'torjo] nm auditoire m;
(sala) auditorium m
auge ['auxe] nm apogée m; (Com, Econ)
essor m; **estar en ~** être en plein essor
augurar [auɣu'rar] vt (suj: hecho) laisser
présager; (: persona) prédire
augurio [au'ɣurjo] nm présage m

aula ['aula] nf (en colegio) salle f de classe,
classe f; (en universidad) salle de cours;
~ **magna** amphithéâtre m
aullar [au'ʎar] vi grogner; (fig: viento)
hurler
aullido [au'ʎiðo] nm hurlement m
aumentar [aumen'tar] vt augmenter;
(vigilancia) redoubler de; (Foto) agrandir;
(con microscopio) grossir ■ vi augmenter;
(vigilancia) redoubler de
aumento [au'mento] nm augmentation
f; (vigilancia) redoublement m; **en ~**
(precios) en hausse
aun [a'un] adv même; ~ **así** même ainsi;
~ **cuando** même si
aún [a'un] adv (todavía) encore, toujours;
~ **no** pas encore, toujours pas; ~ **más**
encore plus; ¿**no ha venido ~?** il n'est pas
encore arrivé?, il n'est toujours pas arrivé?
aunque [a'unke] conj bien que, même si
aúpa [a'upa] adj: **de ~** (fam: catarro)
carabiné(e); (: chica) bien roulé(e);
(: espectáculo) sensass
auricular [auriku'lar] nm (Telec)
écouteur m; **auriculares** nmpl
écouteurs mpl
aurora [au'rora] nf aurore f; ~ **boreal(is)**
aurore boréale
auscultar [auskul'tar] vt ausculter
ausencia [au'senθja] nf absence f;
brillar por su ~ briller par son absence
ausentarse [ausen'tarse] vpr: ~ **(de)**
s'absenter (de)
ausente [au'sente] adj absent(e) ■ nm/f
(Escol) absent(e); (Jur) personne f portée
disparue
auspicio [aus'piθjo] nm: **buen/mal ~**
bons/mauvais auspices mpl; **auspicios**
nmpl: **bajo los ~s de** sous les auspices de
austeridad [austeri'ðað] nf (de vida)
austérité f; (de mirada) sévérité f
austero, -a [aus'tero, a] adj austère;
(lenguaje) dépouillé(e)
austral [aus'tral] adj austral(e) ■ nm
(AM: 1985-1991) austral m
Australia [aus'tralja] nf Australie f
australiano, -a [austra'ljano, a] adj
australien(ne) ■ nm/f Australien(ne)
Austria ['austrja] nf Autriche f
austriaco, -a [aus'trjako, a],
austríaco, -a [aus'triako, a] adj
autrichien(ne) ■ nm/f Autrichien(ne)
auténtico, -a [au'tentiko, a] adj
authentique; (cuero) véritable; **es un ~**
campeón c'est un vrai champion
auto ['auto] nm (coche) auto f; (Jur) arrêté
m; **autos** nmpl (Jur) pièces fpl d'un
dossier; (: acta) procédure f judiciaire;

~ de comparecencia assignation *f*;
~ de ejecución titre *m* exécutoire;
~ sacramental *drame religieux espagnol des XVI et XVII siècles, comparable aux mystères français du Moyen Âge*

autoadhesivo, -a [autoaðe'siβo, a] *adj* autocollant(e)

autobiografía [autoβjoɣra'fia] *nf* autobiographie *f*

autobronceador [autoβronθea'ðor] *nm* autobronzant *m*

autobús [auto'βus] *nm* autobus *m*;
~ de línea car *m*

autocar [auto'kar] *nm* autocar *m*;
~ de línea car *m*

autóctono, -a [au'toktono, a] *adj* autochtone

autodefensa [autoðe'fensa] *nf* autodéfense *f*

autodeterminación [autoðetermina'θjon] *nf* autodétermination *f*

autodidacta [autoði'ðakta] *adj, nm/f* autodidacte *m/f*

autoescuela [autoes'kwela] *nf* auto-école *f*

autógrafo [au'toɣrafo] *nm* autographe *m*

autómata [au'tomata] *nm* (*persona*) automate *m*

automático, -a [auto'matiko, a] *adj* automatique; (*reacción*) machinal(e)
■ *nm* bouton-pression *m*

automotor, -triz [automo'tor, 'triz] *adj* automoteur(-trice) ■ *nm* automotrice *f*

automóvil [auto'moβil] *nm* automobile *f*

automovilismo [automoβi'lismo] *nm* automobilisme *m*

automovilista [automoβi'lista] *nm/f* (*conductor*) automobiliste *m/f*

automovilístico, -a [automoβi'listiko, a] *adj* (*industria*) automobile

autonomía [autono'mia] *nf* autonomie *f*; (*territorio*) région *f* autonome;
Estatuto de A~ (*Esp*) statut *m* d'autonomie

autonómico, -a [auto'nomiko, a] (*Esp*) *adj* (*elecciones*) des communautés autonomes; (*política*) d'autonomie des régions; **gobierno ~** gouvernement *m* régional autonome

autónomo, -a [au'tonomo, a] *adj* (*Pol, Inform*) autonome; (*trabajador*) indépendant(e)

autopista [auto'pista] *nf* autoroute *f*;
~ de peaje autoroute à péage

autopsia [au'topsja] *nf* autopsie *f*

autor, a [au'tor, a] *nm/f* auteur *m*; **los ~es del atentado** les auteurs de l'attentat

autoridad [autori'ðað] *nf* autorité *f*;
autoridades *nfpl* (*Pol*) autorités *fpl*;
la ~ política/judicial les autorités politiques/judiciaires; **ser una ~ en física/matemáticas** faire autorité en matière de physique/de mathématiques;
tener ~ sobre algn avoir autorité sur qn;
~ local autorité locale

autoritario, -a [autori'tarjo, a] *adj* autoritaire

autorización [autoriθa'θjon] *nf* autorisation *f*

autorizado, -a [autori'θaðo, a] *adj* autorisé(e)

autorizar [autori'θar] *vt* autoriser;
~ a hacer autoriser à faire

autoservicio [autoser'βjeθjo] *nm* (*tienda*) libre-service *m*; (*restaurante*) self-service *m*

autostop [auto'stop] *nm* auto-stop *m*;
hacer ~ faire de l'auto-stop

autostopista [autosto'pista] *nm/f* auto-stoppeur(-euse)

autovía [auto'βia] *nf* route *f* à quatre voies

auxiliar [auksi'ljar] *vt* secourir, venir en aide à ■ *adj* auxiliaire; (*profesor*) suppléant(e) ■ *nm/f* auxiliaire *m/f*

auxilio [auk'siljo] *nm* aide *f*, secours *msg*
■ *excl* au secours!; **primeros ~s** premiers secours *mpl*; **prestar ~ a algn** venir en aide à qn, porter secours à qn; **~ en carretera** secours *mpl* d'urgence

Av. *abr* (= *Avenida*) av. (= *avenue*)

a/v *abr* (= *a la vista*) *ver* **vista**

aval [a'βal] *nm* aval *m*; (*garantía*) garantie *f*; **~ bancario** garantie bancaire

avalancha [aβa'lantʃa] *nf* avalanche *f*

avance [a'βanθe] *vb ver* **avanzar** ■ *nm* (*de tropas*) avance *f*, progression *f*; (*de la ciencia*) progrès *msg*; (*pago*) avance; (*TV: de noticias*) flash *m* (d'information); (*del tiempo*) prévisions *fpl* météorologiques;
(*Cine*) bande-annonce *f*

avanzar [aβan'θar] *vt* avancer ■ *vi* avancer, progresser; (*proyecto*) avancer; (*alumno*) avancer, faire des progrès

avaricia [aβa'riθja] *nf* avarice *f*

avaricioso, -a [aβari'θjoso, a] *adj* avaricieux(-euse)

avaro, -a [a'βaro, a] *adj, nm/f* avare *m/f*

Avda. *abr* (= *Avenida*) av. (= *avenue*)

AVE ['aβe] *sigla m* (= *Alta Velocidad Española*) ≈ TGV *m* (= *train à grande vitesse*)

ave ['aβe] *nf* oiseau *m*; **~ de rapiña** oiseau de proie; **~s de corral** oiseaux *mpl* de basse-cour, volaille *f*

avecinarse [aβeθi'narse] *vpr* approcher
avellana [aβe'ʎana] *nf* noisette *f*
avellano [aβe'ʎano] *nm* noisetier *m*,
coudrier *m*
avemaría [aβema'ria] *nm* Ave (Maria) *m*
avena [a'βena] *nf* avoine *f*
avenida [aβe'niða] *nf* avenue *f*; (*de río*)
crue *f*
avenir [aβe'nir] *vt* mettre d'accord;
avenirse *vpr* (*personas*) s'entendre; **~se a
hacer** consentir à faire; **~se a razones** se
rendre à la raison
aventajado, -a [aβenta'xaðo, a] *adj*
remarquable
aventajar [aβenta'xar] *vt*: **~ a algn (en
algo)** surpasser qn (en qch)
aventura [aβen'tura] *nf* aventure *f*
aventurado, -a [aβentu'raðo, a] *adj*
aventureux(-euse)
aventurero, -a [aβentu'rero, a] *adj,
nm/f* aventurier(-ère)
avergonzar [aβerɣon'θar] *vt* faire honte
à; **avergonzarse** *vpr*: **~se de (hacer)**
avoir honte de (faire)
avería [aβe'ria] *nf* (*Tec*) panne *f*, avarie *f*;
(*Auto*) panne
averiguación [aβeriɣwa'θjon] *nf*
enquête *f*; (*descubrimiento*) découverte *f*
averiguar [aβeri'ɣwar] *vt* enquêter sur;
(*descubrir*) découvrir
aversión [aβer'sjon] *nf* aversion *f*;
cobrar ~ a prendre en aversion
avestruz [aβes'truθ] *nm* autruche *f*
aviación [aβja'θjon] *nf* aviation *f*
aviador, a [aβja'ðor, a] *nm/f*
aviateur(-trice)
avidez [aβi'ðeθ] *nf*: **~ de** o **por**
empressement *m* à; (*pey*) avidité *f* de;
con ~ avec avidité
ávido, -a ['aβiðo, a] *adj*: **~ de** o **por** avide
de
avinagrado, -a [aβina'ɣraðo, a] *adj*
aigri(e), revêche; (*voz*) aigre
avión [a'βjon] *nm* avion *m*; (*ave*)
martinet *m*; **por ~** (*Correos*) par avion;
~ de caza avion de chasse, chasseur *m*;
~ de combate/de hélice/de reacción
avion de combat/à hélice/à réaction
avioneta [aβjo'neta] *nf* avion *m* léger
avisar [aβi'sar] *vt* (*ambulancia, fontanero*)
appeler; (*médico*) prévenir; **~ (de)**
(*advertir*) avertir (de); (*informar*) avertir
(de), faire part (de); **~ a algn con
antelación** prévenir qn
aviso [a'βiso] *nm* avis *msg*; (*Com*)
commande *f*; (*Inform*) message *m*
d'incitation; **estar/poner sobre ~** être
sur ses gardes/mettre en garde; **hasta**

nuevo ~ jusqu'à nouvel ordre; **sin previo
~** sans préavis; **~ escrito** notification *f*
par écrit
avispa [a'βispa] *nf* guêpe *f*
avispado, -a [aβis'paðo, a] *adj* éveillé(e)
avispero [aβis'pero] *nm* guêpier *m*;
meterse en un ~ se fourrer dans un
guêpier
avituallar [aβitwa'ʎar] *vt* ravitailler
avivar [aβi'βar] *vt* aviver; (*paso*) presser;
avivarse *vpr* se raviver; (*discusión*)
s'animer
axila [ak'sila] *nf* aisselle *f*
axioma [ak'sjoma] *nm* axiome *m*
ay [ai] *excl* aïe!; (*aflicción*) hélas!; **¡ay de
mí!** pauvre de moi!
aya ['aja] *nf* (*institutriz*) gouvernante *f*;
(*niñera*) nurse *f*
ayer [a'jer] *adv, nm* hier *m*; **antes de ~**
avant-hier; **~ por la tarde** hier après-midi
ayote [a'jote] (*Méx: calabaza*) *nm* courge *f*
ayuda [a'juða] *nf* aide *f*; (*Med*) lavement
m ■ *nm*: **~ de cámara** valet *m* de
chambre
ayudante, -a [aju'ðante, a] *nm/f*
adjoint(e); (*Escol*) assistant(e); (*Mil*)
adjudant *m*
ayudar [aju'ðar] *vt* aider; **~ a algn a
hacer algo** aider qn à faire qch
ayunar [aju'nar] *vi* jeûner
ayunas [a'junas] *nfpl*: **estar en ~** être à
jeun; (*fig*) ne rien savoir
ayuno [a'juno] *nm* jeûne *m*
ayuntamiento [ajunta'mjento] *nm*
(*concejo*) municipalité *f*; (*edificio*) mairie *f*,
hôtel *m* de ville; (*cópula*) copulation *f*
azabache [aθa'βatʃe] *nm* jais *msg*
azada [a'θaða] *nf* houe *f*
azafata [aθa'fata] *nf* hôtesse *f* de l'air;
(*de congreso*) hôtesse d'accueil
azafrán [aθa'fran] *nm* safran *m*
azahar [aθa'ar] *nm* fleur *f* d'oranger
azar [a'θar] *nm* (*casualidad*) hasard *m*;
(*desgracia*) malheur *m*; **al/por ~** au/par
hasard; **juegos de ~** jeux *mpl* de hasard
azoramiento [aθora'mjento] *nm*
trouble *m*
azorar [aθo'rar] *vt* faire honte; **azorarse**
vpr se troubler
Azores [a'θores] *nfpl*: **las (Islas) ~** les
Açores *fpl*
azotar [aθo'tar] *vt* fouetter; (*suj: lluvia*)
fouetter, cingler; (*fig*) sévir
azote [a'θote] *nm* coup *m* de fouet;
(*a niño*) fessée *f*; (*fig*) fléau *m*; (*látigo*)
fouet *m*
azotea [aθo'tea] *nf* terrasse *f*; **andar** o
estar mal de la ~ travailler du chapeau

azteca [aθ'teka] *adj* aztèque ■ *nm/f* Aztèque *m/f*

azúcar [a'θukar] *nm o nf* sucre *m*; **~ glaseado** sucre glace

azucarado, -a [aθuka'raðo, a] *adj* sucré(e)

azucarero, -a [aθuka'rero, a] *adj* (*industria*) sucrier(-ère); (*comercio*) du sucre ■ *nm* sucrier *m*

azucena [aθu'θena] *nf* lis *m*, lys *m*

azufre [a'θufre] *nm* soufre *m*

azul [a'θul] *adj* bleu(e) ■ *nm* bleu *m*; **~ celeste/marino** bleu ciel/marine

azulejo [aθu'lexo] *nm* carreau *m* (*au mur*)

azuzar [aθu'θar] *vt* exciter

b

baba ['baβa] *nf* bave *f*; **caérsele la ~ a algn** (*fig*) baver d'admiration

babero [ba'βero] *nm* bavoir *m*

babor [ba'βor] *nm*: **a o por ~** à bâbord

baboso, -a [ba'βoso, a] (*AM*: *fam*) *adj*, *nm/f* idiot(e), imbécile *m/f*

baca ['baka] *nf* (*Auto*) galerie *f*

bacalao [baka'lao] *nm* morue *f*; **cortar el ~** (*fig*) être le grand manitou

bache ['batʃe] *nm* nid *m* de poule; (*fig*) crise *f* passagère; **~ de aire** trou *m* d'air

bachillerato [batʃiʎe'rato] *nm* baccalauréat *m*; **B~ Unificado Polivalente** *classes de troisième, seconde, première*

bacteria [bak'terja] *nf* bactérie *f*

báculo ['bakulo] *nm* (*bastón*) canne *f*; (*fig*) soutien *m*

bádminton ['baðminton] *nm* badminton *m*

bagaje [ba'ɣaxe] *nm* (*de ejército*) barda *m*; (*fig*) bagage *m*; **~ cultural** bagage *m* culturel

Bahama [ba'ama] *nfpl*: **las (Islas) ~s** les (îles) Bahamas *fpl*

bahía [ba'ia] *nf* baie *f*

bailar [bai'lar] *vt* danser; (*peonza, trompo*) faire tourner ■ *vi* danser;

(*peonza, trompo*) tourner; **te bailan los pies en esos zapatos** tu nages dans ces souliers

bailarín, -ina [baila'rin, ina] *nm/f* danseur(-euse)

baile ['baile] *nm* danse *f*; (*fiesta*) bal *m*; **~ de disfraces** bal masqué; **~ de salón** danse de salon; **~ flamenco** flamenco *m*; **~ regional** danse folklorique

baja ['baxa] *nf* baisse *f*; (*Mil*) perte *f*; **dar de ~ a algn** (*soldado*) réformer qn; (*empleado*) congédier qn; (*miembro de club*) exclure qn; **darse de ~** (*de trabajo*) démissionner; (*por enfermedad*) se faire porter malade; (*de club*) se retirer; **estar de ~** (*enfermo*) être en congé de maladie; **jugar a la ~** (*Bolsa*) jouer à la baisse

bajada [ba'xaða] *nf* baisse *f*; (*declive, camino*) pente *f*; **~ de aguas** gouttière *f*; **~ de bandera** (*en taxi*) prise *f* en charge

bajar [ba'xar] *vi* descendre; (*temperatura, precios, calidad*) baisser ■ *vt* baisser; (*escalera, maletas*) descendre; (*persiana*) abaisser; (*Internet*) télécharger; **bajarse** *vpr* **~ de** descendre de; **~ de** (*de coche, autobús*) descendre de; **los coches han bajado de precio** le prix des voitures a baissé; **~ los humos a algn** rabattre son caquet à qn; **~se algo de Internet** télécharger qch sur Internet

bajeza [ba'xeθa] *nf* bassesse *f*

bajío [ba'xio] (*AM*) *nm* banc *m* de sable

bajo, -a ['baxo, a] *adj* (*piso*) inférieur(e); (*empleo*) médiocre; (*persona, animal*) petit(e); (*ojos*) baissé(e); (*sonido*) faible; **~ en** (*metal*) à faible teneur en ■ *adv* bas ■ *prep* sous ■ *nm* (*Mús*) basse *f*; (*en edificio*) rez-de-chaussée *m inv*; **bajos** *nmpl* (*de falda, de pantalón*) bas *msg*; **hablar en voz baja** parler à voix basse; **caer ~** (*fig*) tomber bas; **de clase baja** (*pey*) de bas étage; **~ la lluvia** sous la pluie; **~ su punto de vista** de son point de vue

bajón [ba'xon] *nm* chute *f*; (*de salud*) aggravation *f*; **dar** o **pegar un ~** (*fam*) chuter

bakalao [baka'lao] *nm* (*fam*) techno *f*

bala ['bala] *nf* (*proyectil*) balle *f*; **como una ~** comme l'éclair

balance [ba'lanθe] *nm* (*Com*) bilan *m*; (: *libro*) livre *m* de comptes; **hacer ~ de** faire le point de; **~ consolidado** bilan consolidé; **~ de comprobación** balance *f* de vérification

balancear [balanθe'ar] *vt* (*suj: viento, olas*) balancer; **balancearse** *vpr* se balancer

balanceo [balan'θeo] *nm* balancement *m*

balanza [ba'lanθa] *nf* balance *f*; (*Astrol*): **B~** Balance; **~ comercial** balance commerciale; **~ de pagos** balance des paiements; **~ de poder(es)** équilibre *m* des pouvoirs

balar [ba'lar] *vi* bêler

balaustrada [balaus'traða] *nf* balustrade *f*; (*en escalera*) rampe *f*

balazo [ba'laθo] *nm* (*disparo*) coup *m* de feu; (*herida*) blessure *f* par balle

balbucear [balβuθe'ar] *vi, vt* balbutier

balbuceo [balβu'θeo] *nm* balbutiement *m*

balbucir [balβu'θir] = **balbucear**

balcón [bal'kon] *nm* balcon *m*

balde ['balde] *nm* (*esp AM*) seau *m*; **de ~** gratis; **en ~** en vain

baldío, -a [bal'dio, a] *adj* en friche; (*esfuerzo, ruego*) vain(e)

baldosa [bal'dosa] *nf* (*para suelos*) carreau *m*; (*azulejo*) petit carreau en faïence

baldosín [baldo'sin] *nm* (*de pared*) petit carreau *m* en faïence

Baleares [bale'ares] *nfpl*: **las (Islas) ~** les (îles) Baléares *fpl*

balido [ba'liðo] *nm* bêlement *m*

baliza [ba'liθa] *nf* (*Aviat, Náut*) balise *f*

ballena [ba'ʎena] *nf* baleine *f*

ballet [ba'le] (*pl* ~**s**) *nm* ballet *m*

balneario, -a [balne'arjo, a] *adj* thermal(e); (*AM*) balnéaire ■ *nm* station *f* thermale/balnéaire

balón [ba'lon] *nm* ballon *m*

baloncesto [balon'θesto] *nm* basket-ball *m*

balonmano [balon'mano] *nm* hand-ball *m*

balonvolea [balombo'lea] *nm* volley-ball *m*

balsa ['balsa] *nf* (*Náut*) radeau *m*; (*charca*) mare *f*; **estar como ~ de aceite** (*mar*) être d'huile; **ser una ~ de aceite** (*fig*) être de tout repos

bálsamo ['balsamo] *nm* baume *m*

baluarte [ba'lwarte] *nm* (*de muralla*) rempart *m*; (*fig*) bastion *m*

bambolearse [bambole'arse] *vpr* osciller; (*silla*) branler; (*persona*) tituber

bambú [bam'bu] *nm* bambou *m*

banana [ba'nana] (*AM*) *nf* banane *f*

banano [ba'nano] (*AM*) *nm* bananier *m*

banca ['banka] *nf* (*AM: asiento*) banc *m*; (*Com*) banque *f*; **la gran ~** la grande banque

bancario, -a [ban'karjo, a] *adj* bancaire; **giro ~** virement *m* bancaire

bancarrota [banka'rrota] *nf* faillite *f*; (*fraudulenta*) banqueroute *f*; **hacer** *o* **declararse en ~** faire faillite

banco ['banko] *nm* banc *m*; (*de carpintero*) établi *m*; (*Com*) banque *f*; **~ comercial** banque *f* commerciale; **~ de arena** banc de sable; **~ de crédito** établissement *m* de crédit; **~ de datos** (*Inform*) banque de données; **~ de hielo** banquise *f*; **~ de sangre** banque du sang; **~ mercantil** banque d'affaires; **B~ Mundial** Banque mondiale; **~ por acciones** banque de dépôt

banda ['banda] *nf* bande *f*; (*honorífica*) écharpe *f*; (*Mús*) fanfare *f*; (*para el pelo*) ruban *m*; (*bandada*) volée *f*, bande; **la B~ Oriental** l'Uruguay *m*; **cerrarse en ~** ne rien vouloir entendre; **fuera de ~** (*Deporte*) en touche; **~ ancha** (*Inform*) haut débit *m*; **~ sonora** (*Cine*) bande son; **~ de sonido** bande sonore; **~ sonora** (*Cine*) bande son; **~ transportadora** tapis *m* roulant

bandada [ban'daða] *nf* (*de pájaros*) volée *f*; (*de peces*) banc *m*

bandazo [ban'daθo] *nm*: **dar ~s** (*coche*) faire des embardées

bandeja [ban'dexa] *nf* plateau *m*; **servir algo en ~** (*fig*) servir qch sur un plateau d'argent; **~ de entrada/salida** corbeille *f* arrivée/départ

bandera [ban'dera] *nf* (*tb Inform*) drapeau *m*; **izar (la) ~** hisser les couleurs; **arriar la ~** amener les couleurs; **jurar ~** prêter serment au drapeau; **~ blanca** drapeau blanc

banderilla [bande'riʎa] *nf* (*Taur*) banderille *f*; (*tapa*) apéritif *m*

banderín [bande'rin] *nm* (*para la pared*) fanion *m*

bandido [ban'diðo] *nm* bandit *m*

bando ['bando] *nm* arrêt *m*; (*facción*) faction *f*; **los bandos** *nmpl* (*Rel*) les bans *mpl*; **pasar al otro ~** passer à l'ennemi

bandolera [bando'lera] *nf* (*bolso*) cartouchière *f*; **llevar en ~** porter en bandoulière

bandolero [bando'lero] *nm* brigand *m*

banner ['baner] (*pl* **~s**) *nm* (*Inform*) bandeau *m*

banquero [ban'kero] *nm* banquier *m*

banqueta [ban'keta] *nf* banquette *f*; (*AM*) trottoir *m*

banquete [ban'kete] *nm* banquet *m*; **~ de bodas** repas *msg* de noces

banquillo [ban'kiʎo] *nm* (*Jur*) banc *m* des accusés; (*Deporte*) gradin *m*, banquette *f*

bañador [baɲa'ðor] *nm* maillot *m* de bain

bañar [ba'ɲar] *vt* baigner; (*objeto*) tremper; **bañarse** *vpr* se baigner; (*en la bañera*) prendre un bain; **bañado en** baigné(e) de; **~ en** *o* **de** (*de pintura*) enduire de; (*chocolate*) enrober de

bañera [ba'ɲera] *nf* baignoire *f*

bañero [ba'ɲero] *nm* maître-nageur *m*

bañista [ba'ɲista] *nm/f* baigneur(-euse)

baño ['baɲo] *nm* bain *m*; (*en río, mar, piscina*) baignade *f*; (*cuarto*) salle *f* de bains; (*bañera*) baignoire *f*; (*capa*) couche *f*; **tomar ~s de sol** prendre des bains de soleil; **~ (de) María** bain-marie *m*; **~ de vapor** bain de vapeur; **~ turco** bain turc

bar [bar] *nm* bar *m*; **ir de ~es** faire la tournée des bars

barahúnda [bara'unda] *nf* tapage *m*

baraja [ba'raxa] *nf* jeu *m* de cartes

---

barajar [bara'xar] *vt* battre; (*fig*) envisager; (*datos*) brasser

baranda [ba'randa], **barandilla** [baran'diʎa] *nf* (*en escalera*) rampe *f*; (*en balcón*) balustrade *f*

baratija [bara'tixa] *nf* babiole *f*; **baratijas** *nfpl* (*Com*) camelote *f*

baratillo [bara'tiʎo] *nm* friperie *f*

barato, -a [ba'rato, a] *adj* bon marché *inv* ■ *adv* bon marché; **lo ~ sale caro** ce qui est bon marché revient cher

baraúnda [bara'unda] *nf* = **barahúnda**

barba ['barβa] *nf* barbe *f*; (*mentón*) menton *m*; **tener ~** avoir de la barbe; **reírse en las ~s de algn** rire au nez de qn; **salir algo a 9 euros por ~** (*fam*) revenir à 9 euros par tête de pipe; **con ~ de tres días** avec une barbe de trois jours; **subirse a las ~s de algn** prendre des libertés avec qn; **se rió en mis propias ~s** il m'a ri au nez

barbacoa [barβa'koa] *nf* barbecue *m*

barbaridad [barβari'ðað] *nf* atrocité *f*; (*imprudencia, temeridad*) témérité *f*;

(*disparate*) énormité f; **come una ~** (*fam*) il mange énormément; **¡qué ~!** (*fam*) quelle horreur!; **cuesta una ~** (*fam*) cela coûte les yeux de la tête; **decir ~es** dire des énormités

barbarie [bar'βarje] nf barbarie f

bárbaro, -a ['barβaro, a] adj barbare; (*osado*) audacieux(-euse); (*fam: estupendo*) sensas; (*éxito*) monstre ■ nm/f (*pey: salvaje*) barbare m/f ■ adv: **lo pasamos ~** (*fam*) ça a été génial; **¡qué ~!** c'est formidable!; **es un tipo ~** (*fam*) c'est un type sensass

barbero [bar'βero] nm barbier m, coiffeur m

barbilla [bar'βiʎa] nf collier m (de barbe)

barbo ['barβo] nm barbeau m; **~ de mar** rouget m

barbotar [barβo'tar], **barbotear** [barβote'ar] vt, vi bredouiller

barbudo, -a [bar'βuðo, a] adj barbu(e)

barca ['barka] nf barque f; **~ de pasaje** bac m; **~ pesquera** barque de pêche

barcaza [bar'kaθa] nf péniche f; **~ de desembarco** péniche de débarquement

Barcelona [barθe'lona] n Barcelone

barcelonés, -esa [barθelo'nes, esa] adj barcelonais(e) ■ nm/f Barcelonais(e), natif(-ive) o habitant(e) de Barcelone

barco ['barko] nm bateau m; (*buque*) bâtiment m; **ir en ~** aller en bateau; **~ de carga** cargo m; **~ de guerra** bateau de guerre; **~ de vela** bateau à voiles; **~ mercante** navire m marchand

baremo [ba'remo] nm barème m

barítono [ba'ritono] nm baryton m

barman ['barman] nm inv barman m

barniz [bar'niθ] nm (*tb fig*) vernis msg; **~ de uñas** vernis à ongles

barnizar [barni'θar] vt vernir

barómetro [ba'rometro] nm baromètre m

barquero [bar'kero] nm barreur m

barquillo [bar'kiʎo] nm (*dulce*) cornet m

barra ['barra] nf (*tb Jur*) barre f; (*de un bar, café*) comptoir m; (*de pan*) pain m long; (*palanca*) levier m; **no pararse en ~s** ne reculer devant rien; **~ americana** bar m américain; **~ de espaciado** (*Inform*) barre d'espacement; **~ de labios** bâton m de rouge à lèvres; **~ libre** (*en bar*) boissons fpl à volonté; **~s paralelas** barres fpl parallèles

barraca [ba'rraka] nf baraque f; (*en feria*) stand m; (*en Valencia*) sorte de chaumière des rizières de la région de Valence

barranco [ba'rranko] nm précipice m; (*rambla*) fossé m

barrenar [barre'nar] vt forer

barreno [ba'rreno] nm mine f

barrer [ba'rrer] vt balayer; (*niebla, nubes*) dissiper; (*fig*) balayer ■ vi balayer; (*fig*) tout rafler; **~ para dentro** tirer la couverture à soi

barrera [ba'rrera] nf barrière f; (*Mil*) barrage m; (*obstáculo*) obstacle m; **poner ~s a** faire obstacle à; **~ arancelaria** (*Com*) barrière douanière; **~ del sonido** mur m du son; **~ generacional** conflit m des générations

barriada [ba'rrjaða] nf quartier m

barricada [barri'kaða] nf barricade f

barrida [ba'rriða] nf, **barrido** [ba'rriðo] nm balayage m; **dar un barrido rápido** passer un coup de balai

barriga [ba'rriɣa] nf panse f, ventre m; **rascarse o tocarse la ~** (*fam*) se tourner les pouces; **echar ~** prendre du ventre

barrigón, -ona [barri'ɣon, ona], **barrigudo, -a** [barri'ɣuðo, a] adj bedonnant(e)

barril [ba'rril] nm baril m; **cerveza de ~** bière f pression

barrio ['barrjo] nm quartier m; (*en las afueras*) faubourg m; (*Ven: de chabolas*) bidonville m; **irse al otro ~** (*fam*) passer l'arme à gauche (*fam*); **de ~** (*cine, tienda*) de quartier; **~ chino** quartier des prostituées; **~s bajos** bas quartiers mpl

barro ['barro] nm boue f; (*arcilla*) terre f (glaise)

barroco, -a [ba'rroko, a] adj (*tb fig*) baroque ■ nm baroque m

barrote [ba'rrote] nm (*de ventana etc*) barreau m

barruntar [barrun'tar] vt (*conjeturar*) deviner; (*presentir*) pressentir

bartola [bar'tola]: **a la ~** adv: **tirarse** o **tumbarse a la ~** prendre ses aises

bártulos ['bartulos] nmpl attirail m

barullo [ba'ruʎo] nm tohu-bohu m inv; (*desorden*) pagaille f; **¡qué ~!** quelle pagaille!; **a ~** (*fam*) en pagaille

basar [ba'sar] vt: **~ algo en** (*fig*) fonder qch sur; **basarse** vpr: **~se en** se fonder sur

báscula ['baskula] nf bascule f; **~ biestable** (*Inform*) bascule

base ['base] nf base f ■ adj (*color, salario*) de base; **bases** nfpl (*de concurso, juego*) règlement msg; **a ~ de** (*mediante*) grâce à; **a ~ de bien** on ne peut mieux; **de ~** (*militante, asamblea*) de base; **carecer de ~** être dénué(e) de fondement; **partir de la ~ de que ...** partir du principe que ...; **~ aérea/espacial/militar/naval** base aérienne/spatiale/militaire/navale; **~ de datos** (*Inform*) base de données; **~ de operaciones** base d'opérations; **~ imponible** (*Fin*) assiette *f* de l'impôt

básico, -a ['basiko, a] *adj* (*elemento, norma, condición*) de base

basílica [ba'silika] *nf* basilique *f*

PALABRA CLAVE

bastante [bas'tante] *adj* 1 (*suficiente*) assez de; **bastante dinero** assez d'argent; **bastantes libros** assez de livres 2 (*valor intensivo*): **bastante gente** pas mal de gens; **hace bastante tiempo que ocurrió** cela fait assez longtemps que c'est arrivé
■ *adv* 1 (*suficiente*) assez; **¿hay bastante?** il y en a assez?; **(lo) bastante inteligente (como) para hacer algo** assez intelligent pour faire qch
2 (*valor intensivo*) assez; **bastante rico** assez riche; **voy a tardar bastante** je serai assez long

bastar [bas'tar] *vi* suffire; **bastarse** *vpr*: **~se (por sí mismo)** se suffire (à soi-même); **~ para hacer** suffire pour faire; **¡basta!** ça suffit!; **me basta con 5 5** me suffisent; **me basta con ir** il me suffit d'aller; **basta (ya) de ...** arrêtez de ...

bastardilla [bastar'ðiʎa] *nf* (*Tip*) italique *m*

bastardo, -a [bas'tarðo, a] *adj, nm/f* bâtard(e)

bastidor [basti'ðor] *nm* (*de costura*) métier *m* à broder; (*de coche, Arte*) châssis *msg*; **entre ~es** en coulisse

basto, -a ['basto, a] *adj* rustre; (*tela*) grossier(-ière); **bastos** *nmpl* (*Naipes*) l'une des quatre couleurs du jeu de cartes espagnol

bastón [bas'ton] *nm* (*cayado*) canne *f*; (*vara*) bâton *m*; (*tb:* **bastón de esquí**) bâton de ski; **~ de mando** bâton de commandement

bastoncillo [baston'θiʎo] *nm* (*de algodón*) bâtonnet *m*

basura [ba'sura] *nf* ordures *fpl*; (*tb:* **cubo de la basura**) boîte *f* à ordures

basurero [basu'rero] *nm* (*persona*) éboueur *m*; (*lugar*) décharge *f*; (*cubo*) poubelle *f*

bata ['bata] *nf* robe *f* de chambre; (*Med, Tec, Escol*) blouse *f*

batalla [ba'taʎa] *nf* bataille *f*; **de ~** de tous les jours; **~ campal** bataille rangée

batallar [bata'ʎar] *vi* batailler; **~ por**

batallón [bata'ʎon] *nm* bataillon *m*; **un ~ de gente** une multitude de gens

batata [ba'tata] *nf* (*AM: Bot, Culin*) patate *f* douce

batería [bate'ria] *nf* batterie *f* ■ *nm/f* (*persona*) batteur *m*; **aparcar/estacionar en ~** se garer/stationner en épi; **~ de cocina** batterie de cuisine

batido, -a [ba'tiðo, a] *adj* (*camino*) battu(e); (*mar*) agité(e) ■ *nm* (*de chocolate, frutas*) milk-shake *m*

batidora [bati'ðora] *nf* mixeur *m*; **~ eléctrica** batteur *m* électrique

batir [ba'tir] *vt* battre ■ *vi*: **~ (contra)** battre (contre); **batirse** *vpr*: **~se en duelo** se battre en duel; **~se en retirada** battre en retraite; **~ palmas** battre des mains

batuta [ba'tuta] *nf* (*Mús*) baguette *f*; **llevar la ~** mener la danse

baúl [ba'ul] *nm* malle *f*; (*AM: Auto*) coffre *m*

bautismo [bau'tismo] *nm* (*Rel*) baptême *m*; **~ de fuego** baptême du feu

bautizar [bauti'θar] *vt* baptiser

bautizo [bau'tiθo] *nm* baptême *m*

bayeta [ba'jeta] *nf* (*para limpiar*) chiffon *m* à poussière; (*AM: pañal*) lange *m*

bayoneta [bajo'neta] *nf* baïonnette *f*

baza ['baθa] *nf* (*Naipes*) pli *m*; (*fig*) atout *m*; **meter ~** mettre son grain de sel

bazar [ba'θar] *nm* (*comercio*) bazar *m*

bazofia [ba'θofja] *nf*: **es una ~** c'est infect; **esa novela es una ~** ce roman est nul

beato, -a [be'ato, a] *adj, nm/f* (*pey*) bigot(e); (*Rel*) bienheureux(-euse)

bebé [be'βe] (*pl* **~s**) *nm* bébé *m*

bebedor, a [beβe'ðor, a] *adj, nm/f* buveur(-euse)

beber [be'βer] *vt, vi* boire; **~ por** (*brindar*) boire à; **~ a sorbos** boire à petites gorgées; **se lo bebió todo** il a tout bu; **~ como un cosaco** boire comme un trou; *ver* **agua**

bebida [be'βiða] *nf* boisson *f*

bebido, -a [be'βiðo, a] *adj* ivre

beca ['beka] *nf* bourse *f*

becario, -a [be'karjo, a] *nm/f* boursier(-ière)

bedel [be'ðel] *nm* (*Escol, Univ*) appariteur *m*

béisbol ['beisβol] *nm* base-ball *m*

Belén [be'len] *n* Bethléem

belén [be'len] *nm* crèche *f*

belga ['belɣa] *adj* belge ■ *nm/f* Belge *m/f*

Bélgica ['belxika] *nf* Belgique *f*

bélico, -a ['beliko, a] *adj* (*armamento, preparativos*) de guerre; (*conflicto*) armé(e); (*actitud*) belliqueux(-euse)

beligerante [belixe'rante] *adj* belligérant(e)

belleza [be'λeθa] *nf* beauté *f*

bello, -a ['beλo, a] *adj* beau (belle); **Bellas Artes** beaux-arts *mpl*

bellota [be'λota] *nf* gland *m*

bemol [be'mol] *nm* bémol *m*; **esto tiene ~es** (*fam*) c'est pas de la tarte

bencina [ben'θina] (*Chi*) *nf* (*gasolina*) essence *f*

bendecir [bende'θir] *vt*: ~ **la mesa** bénir la table

bendición [bendi'θjon] *nf* bénédiction *f*; **ser una ~** être une bénédiction; **dar** o **echar la ~** donner sa bénédiction

bendito, -a [ben'dito, a] *pp de* **bendecir**
  ■ *adj* bénit(e); (*feliz*) bienheureux(-euse)
  ■ *nm/f* brave homme/femme; (*ingenuo*) benêt *m*; **¡~ sea Dios!** Dieu soit loué!; **dormir como un ~** dormir à poings fermés

beneficencia [benefi'θenθja] *nf* (*tb*: **beneficencia pública**) assistance *f* publique

beneficiar [benefi'θjar] *vt* profiter à; **beneficiarse** *vpr*: ~**se (de** o **con)** bénéficier (de)

beneficiario, -a [benefi'θjarjo, a] *nm/f* bénéficiaire *m/f*

beneficio [bene'fiθjo] *nm* (*bien*) bienfait *m*; (*ganancia*) bénéfice *m*; **a/en ~ de** au bénéfice de; **sacar ~ de** tirer profit de; **en ~ propio** dans son propre intérêt; ~ **bruto/neto/por acción** bénéfice brut/net/(net) par action

beneficioso, -a [benefi'θjoso, a] *adj* salutaire; (*Econ*) rentable

benéfico, -a [be'nefiko, a] *adj* (*organización, festival*) de bienfaisance; **sociedad benéfica** œuvre *f* de bienfaisance

benevolencia [beneβo'lenθja] *nf* bienveillance *f*

benévolo, -a [be'neβolo, a] *adj* bienveillant(e)

benigno, -a [be'niɣno, a] *adj* bienveillant(e); (*clima*) clément(e); (*resfriado, Med*) bénin (bénigne)

berberecho [berβe'retʃo] *nm* coque *f*

berenjena [beren'xena] *nf* aubergine *f*

Berlín [ber'lin] *n* Berlin

Bermudas [ber'mudas] *nfpl*: **las (Islas) ~** les (îles) Bermudes *fpl*

bermudas [ber'muðas] *nfpl* o *nmpl* bermuda *msg*

berrear [berre'ar] *vi* mugir; (*niño*) brailler

berrido [be'rriðo] *nm* mugissement *m*; (*niño*) braillement *m*

berrinche [be'rrintʃe] (*fam*) *nm* petite colère *f*; (*disgusto*) rogne *f*; **llevarse un ~** se mettre en rogne

berro ['berro] *nm* cresson *m*

berza ['berθa] *nf* chou *m*; ~ **lombarda** chou rouge

besamel [besa'mel] *nf* béchamel *f*

besar [be'sar] *vt* embrasser; (*fig: tocar*) effleurer; **besarse** *vpr* s'embrasser

beso ['beso] *nm* baiser *m*

bestia ['bestja] *nf* bête *f*; (*fig*) brute *f*; **¡no seas ~!** ne sois pas si vache!; (*idiota*) ne sois pas si bête!; **a lo ~** comme une brute; **mala ~** peau de vache; ~ **de carga** bête de somme

bestial [bes'tjal] *adj* (*inhumano*) bestial(e); (*fam: calor*) accablant(e); (*error*) aberrant(e)

bestialidad [bestjali'ðað] *nf* bestialité *f*; (*fam*) énormité *f*

besugo [be'suɣo] *nm* daurade *f*; (*fam*) bourrique *f*

betún [be'tun] *nm* cirage *m*; (*Quím*) bitume *m*; **quedar a la altura del ~** (*fam*) passer pour un(e) minable

biberón [biβe'ron] *nm* biberon *m*

Biblia ['biβlja] *nf* Bible *f*

bibliografía [biβljoɣra'fia] *nf* bibliographie *f*

biblioteca [biβljo'teka] *nf* bibliothèque *f*; ~ **de consulta** bibliothèque de consultation

bibliotecario, -a [biβljote'karjo, a] *nm/f* bibliothécaire *m/f*

bicarbonato [bikarβo'nato] *nm* bicarbonate *m*

bicho ['bitʃo] *nm* bestiole *f*; (*fam*) bête *f*; (*Taur*) taureau *m*; ~ **raro** (*fam*) drôle d'oiseau *m*; **mal ~** (*fam*) chameau *m*

bici ['biθi] (*fam*) *nf* vélo *m*

bicicleta [biθi'kleta] *nf* bicyclette *f*

bidé [bi'ðe] *nm* bidet *m*

bidón [bi'ðon] *nm* bidon *m*

○ **PALABRA CLAVE**

bien [bjen] *nm* bien *m*; **te lo digo por tu bien** je te le dis pour ton bien; **el bien y el mal** (*moral*) le bien et le mal; **hacer el bien** faire le bien
  bienes (*posesiones*)
  ■ *nmpl* biens *mpl*; **bienes de consumo** biens de consommation; **bienes de equipo** biens d'équipement; **bienes gananciales** biens communs; **bienes**

inmuebles/muebles biens immeubles/ meubles; **bienes raíces** biens-fonds *mpl*
■ *adv* **1** *(de manera satisfactoria, correcta)* bien; **trabaja/come bien** il travaille/ mange bien; **huele bien** cela sent bon; **sabe bien** cela a bon goût; **contestó bien** il a bien répondu; **lo pasamos muy bien** nous nous sommes bien amusés; **hiciste bien en llamarme** tu as bien fait de m'appeler; **el paseo te sentará bien** la promenade te fera du bien; **no me siento bien** je ne me sens pas bien; **viven bien** *(económicamente)* ils vivent bien **2** *(valor intensivo)* bien; **un café bien caliente** un café bien chaud; **¡es bien caro!** c'est bien cher!; **¡tienes bien de regalos!** tu en as des cadeaux! **3**: **estar bien**; **estoy muy bien aquí** je suis très bien ici; **¿estás bien?** ça va (bien)?; **ese chico está muy bien** il est très beau, ce garçon; **ese libro está muy bien** ce livre est très bien, c'est un très bon livre; **está bien que vengan** c'est bien qu'ils viennent; **¡eso no está bien!** ce n'est pas bien!; **se está bien aquí** on est bien ici; **el traje me está bien** le costume me va bien; **¡ya está bien!** là, ça va!; **¡pues sí que estamos bien!** qu'est-ce qu'on est bien!; **¡está bien! lo haré** c'est bon! je le ferai
4 *(de buena gana)*: **yo bien que iría pero ...** moi, j'irais bien, mais ...
5 *(ya)*: **bien se ve que ...** on voit bien que ...; **¡bien podías habérmelo dicho!** tu aurais pu me le dire!
6: **no quiso o bien no pudo venir** il n'a pas voulu venir, ou plutôt il n'a pas pu
■ *excl*: **¡bien!** *(aprobación)* bien!; **¡muy bien!** très bien!; **¡qué bien!** comme c'est bien!
■ *adj inv (matiz despectivo)*: **niño bien** fils *msg* de bonne famille; **gente bien** gens *mpl* bien
■ *conj* **1**: **bien ... bien**; **bien en coche bien en tren** soit en voiture soit en train
2: **ahora bien** mais, cependant
3: **no bien** *(esp AM)*: **no bien llegue te llamaré** dès que j'arrive, je t'appelle
4: **si bien** si; *ver tb* **más**

bienal [bje'nal] *adj* biennal(e)
bienestar [bjenes'tar] *nm* bien-être *m*; *(económico)* confort *m*; **el Estado del B~** l'État-providence *m*
bienhechor, a [bjene't∫or, a] *adj, nm/f* bienfaiteur(-trice)
bienvenida [bjembe'niða] *nf* bienvenue *f*; **dar la ~ a** souhaiter la bienvenue à

bienvenido, -a [bjembe'niðo, a] *adj*: **~ (a)** bienvenu(e) (à) ■ *excl* bienvenue!
bife ['bife] *(AM) nm* bifteck *m*
bifocal [bifo'kal] *adj (gafas, lentes)* à double foyer
bifurcación [bifurka'θjon] *nf* bifurcation *f*
bifurcarse [bifur'karse] *vpr* bifurquer
bigamia [bi'ɣamja] *nf* bigamie *f*
bigote [bi'ɣote] *nm (tb: **bigotes**)* moustache *f*
bigotudo, -a [biɣo'tuðo, a] *adj* moustachu(e)
bikini [bi'kini] *nm* bikini *m*; *(Culin)* sandwich au jambon et au fromage passé au four
bilateral [bilate'ral] *adj* bilatéral(e)
bilbaíno, -a [bilβa'ino, a] *adj* de Bilbao ■ *nm/f* natif(-ive) o habitant(e) de Bilbao
bilingüe [bi'lingwe] *adj* bilingue
billar [bi'ʎar] *nm* billard *m*; **~ americano** billard américain
billete [bi'ʎete] *nm* billet *m*; *(en autobús, metro)* ticket *m*; **sacar (un) ~** prendre un billet; **un ~ de 5 euros** un billet de 5 euros; **medio ~** billet demi-tarif; **~ de ida** aller *m* simple; **~ de ida y vuelta** aller-retour *m*; **~ electrónico** billet électronique *m*
billetera [biʎe'tera] *nf*, **billetero** [biʎe'tero] *nm* portefeuille *m*
billón [bi'ʎon] *nm* billion *m*
bimensual [bimen'swal] *adj* bimensuel(le)
bimotor [bimo'tor] *adj, nm* bimoteur *m*
bingo ['bingo] *nm* bingo *m*
biodegradable [bioðeɣra'ðaβle] *adj* biodégradable
biodiversidad [bioðiβersi'ðað] *nf* biodiversité *f*
biografía [bjoɣra'fia] *nf* biographie *f*
biología [biolo'xia] *nf* biologie *f*
biológico, -a [bio'loxiko, a] *adj* biologique; *(cultivo, producto)* bio(logique); **guerra biológica** guerre *f* biologique
biólogo, -a [bi'oloɣo, a] *nm/f* biologiste *m/f*
biombo ['bjombo] *nm* paravent *m*
biopsia [bi'opsja] *nf* biopsie *f*
bioterrorismo [bioterro'rismo] *nm* bioterrorisme *m*
biquini [bi'kini] *nm* = **bikini**
Birmania [bir'manja] *nf* Birmanie *f*
birria ['birrja] *nf*: **ser una ~** être un(e) rien du tout; *(película)* être un navet; *(libro)* être un torchon
bis [bis] *adv* bis; **viven en el 27 ~** ils habitent au 27 bis; **artículo 47 ~** article 47 bis

bisabuelo, -a [bisa'βwelo, a] nm/f
arrière-grand-père (arrière-grand-mère);
bisabuelos nmpl arrière-grands-parents
mpl

bisagra [bi'saɣra] nf charnière f

bisiesto, -a [bi'sjesto, a] adj ver **año**

bisnieto, -a [bis'njeto, a] nm/f arrière-
petit-fils (arrière-petite-fille); **bisnietos**
nmpl arrière-petits-enfants mpl

bisonte [bi'sonte] nm (Zool) bison m

bisté [bis'te], **bistec** [bis'tek] (pl ~s) nm
bifteck m

bisturí [bistu'ri] (pl ~es) nm bistouri m

bisutería [bisute'ria] nf bijoux mpl en
toc; **pendientes/collar de ~** boucles fpl
d'oreille/collier m en toc

bit [bit] nm (Inform) bit m; **~ de parada/
de paridad** bit d'arrêt/de parité

bizco, -a ['biθko, a] adj qui louche
■ nm/f personne f qui louche; **dejar a
algn ~** (fam) en boucher un coin à qn

bizcocho [biθ'kotʃo] nm biscuit m

bizquear [biθke'ar] vi loucher

blanca ['blan'ka] nf (Mús) blanche f;
estar sin ~ être fauché(e)

blanco, -a ['blanko, a] adj blanc (blanche)
■ nm/f (individuo) Blanc (Blanche) ■ nm
blanc m; (Mil) cible f; **cheque en ~** chèque
m en blanc; **noche en ~** nuit f blanche;
dejar algo en ~ laisser qch en blanc; **dar
en el ~** faire mouche; **hacer ~ (en)**
frapper (sur); **poner los ojos en ~** rouler
les yeux; **quedarse en ~** (mentalmente)
avoir un trou; **ser el ~ de las burlas** être
l'objet des railleries; **votar en ~** voter
blanc; **~ del ojo** blanc m de l'œil

blancura [blan'kura] nf blancheur f

blandir [blan'dir] vt brandir

blando, -a ['blando, a] adj mou (molle);
(padre, profesor) indulgent(e); (carne,
fruta) tendre ■ nm/f poule f mouillée;
~ de corazón au cœur tendre

blandura [blan'dura] nf mollesse f;
(de padre, profesor) indulgence f

blanquear [blanke'ar] vt blanchir ■ vi
pâlir

blanquecino, -a [blanke'θino, a] adj
blanchâtre; (luz) blafard(e)

blasfemar [blasfe'mar] vi: **~ (contra)**
blasphémer (contre)

blasfemia [blas'femja] nf blasphème m

blasón [bla'son] nm blason m; (fig)
gloire f

bledo ['bleðo] nm: **(no) me importa un ~**
ça ne me fait ni chaud ni froid

blindado, -a [blin'daðo, a] adj blindé(e)
■ nm (Mil) blindé m; **coche** (Esp) o **carro**
(AM) **~** véhicule m blindé

blindaje [blin'daxe] nm blindage m

bloc [blok] (pl ~s) nm bloc-notes msg;
(cuaderno) bloc m; **~ de dibujo** bloc à dessin

blog [bloɣ] (pl ~s) nm blog m

bloque ['bloke] nm (tb Inform) bloc m;
(de noticias) rubrique f; (de expedición)
gros m; **en ~** en bloc; **~ de cilindros** bloc-
cylindres msg

bloquear [bloke'ar] vt bloquer; (Mil)
faire le blocus de; **fondos bloqueados**
fonds mpl bloqués

bloqueo [blo'keo] nm blocage m; (Mil)
blocus msg; **~ informativo** black-out m
inv; **~ mental** blocage

blusa ['blusa] nf blouse f; (de mujer)
chemisier m

boa ['boa] nf boa m

boato [bo'ato] nm faste m

bobada [bo'βaða] nf sottise f; **decir ~s**
dire des bêtises

bobina [bo'βina] nf bobine f

bobo, -a ['boβo, a] adj (tonto) sot (sotte);
(cándido) naïf (naïve) ■ nm/f sot (sotte)
■ nm (Teatro) bouffon m; **hacer el ~** faire
le pitre

boca ['boka] nf bouche f; (de animal
carnívoro, horno) gueule f; (de crustáceo)
pince f; (de avispa) bec m; (Inform) fente f;
(de puerto, túnel, cueva) entrée f; **~ abajo**
sur le ventre; **~ arriba** sur le dos; **hacerle
a algn el ~ a ~** faire du bouche à bouche à
qn; **se me hace la ~ agua** j'en ai l'eau à la
bouche; **todo salió a pedir de ~** tout s'est
parfaitement déroulé; **en ~ de todos** sur
toutes les lèvres; **andar de ~ en ~** circuler
de bouche en bouche; **¡cállate la ~!** (fam)
la ferme!; **meterse en la ~ del lobo** se
jeter dans la gueule du loup; **partirle la
~ a algn** (fam) casser la gueule à qn;
quedarse con la ~ abierta en rester
bouche bée; **no abrir la ~** ne pas piper
mot; **~ de dragón** (Bot) gueule-de-loup f;
~ de incendios bouche d'incendie; **~ de
metro** bouche de métro; **~ de riego** prise
f d'eau; **~ del estómago** creux msg de
l'estomac

bocacalle [boka'kaʎe] nf: **una ~ de la
avenida** une rue qui donne dans l'avenue;
la primera ~ a la derecha la première à
droite

bocadillo [boka'ðiʎo] nm sandwich m

bocado [bo'kaðo] nm bouchée f; (para
caballo) mors msg; (mordisco) coup m de
dent; **no probar ~** ne rien manger; **~ de
Adán** pomme f d'Adam

bocajarro [boka'xarro] nm: **a ~** adv à brûle-
pourpoint; **decir algo a ~** dire qch sans
mâcher ses mots

bocanada [boka'naða] nf bouffée f; (de líquido) gorgée f; **a ~s** (salir, llegar, entrar) par à-coups

bocata [bo'kata] (fam) nm casse-croûte m inv

bocatería [bokate'ria] nf sandwicherie f

boceto [bo'θeto] nm esquisse f; (plano) ébauche f

bochorno [bo'tʃorno] nm (vergüenza) honte f; (calor): **hace ~** il fait lourd

bochornoso, -a [botʃor'noso, a] adj (día) lourd(e); (situación) orageux(-euse)

bocina [bo'θina] nf (Mús) corne f; (Auto) klaxon m; (megáfono) porte-voix m inv; **tocar la ~** klaxonner

boda ['boða] nf (tb: **bodas**) noce f, mariage m; (fiesta) noce; **~s de oro** noces fpl d'or; **~s de plata** noces d'argent

bodega [bo'ðeɣa] nf (de vino) cave f; (esp AM) bistrot m; (granero) grenier m; (establecimiento) marchand m de vin; (de barco) cale f

bodegón [boðe'ɣon] nm taverne f; (Arte) nature morte f

bofe ['bofe] nm (tb: **bofes**: de res) mou m; **echar los ~s** (fam) trimer

bofetada [bofe'taða] nf gifle f; **dar de ~s a algn** bourrer qn de coups

bofetón [bofe'ton] nm = **bofetada**

boga ['boɣa] nf: **en ~** en vogue

bogar [bo'ɣar] vi ramer

Bogotá [boɣo'ta] n Bogota

bohemio, -a [bo'emjo, a] adj, nm/f bohémien(ne)

boicot [boi'ko(t)] (pl **~s**) nm boycott m; **hacer el ~ a** boycotter

boicotear [boikote'ar] vt boycotter

boicoteo [boiko'teo] nm boycottage m

boina ['boina] nf béret m

bola ['bola] nf boule f; (canica) bille f; (pelota) balle f, ballon m; (Naipes) chelem m; (betún) cirage m; (fam) bobard m; (AM: rumor) rumeur f; **bolas** nfpl (AM: Caza) bolas fpl; **no dar pie con ~** faire tout de travers; **~ de billar** boule de billard; **~ de naftalina** boule de naphtaline; **~ de nieve** boule de neige; **~ del mundo** globe m terrestre

bolchevique [boltʃe'βike] adj bolchevique ■ nm/f bolchevik m/f

boleadoras [bolea'ðoras] (AM) nfpl bolas fpl

bolera [bo'lera] nf bowling m

boleta [bo'leta] (AM) nf (billete) laissez-passer m inv; (permiso) bon m; (cédula para votar) bulletin m de vote

boletería [bolete'ria] (AM) nf (taquilla) guichet m

boletín [bole'tin] nm bulletin m; **~ informativo o de noticias** informations fpl; **~ de pedido** bulletin de commande; **~ de precios** tarifs mpl; **~ de prensa** communiqué m de presse; **~ escolar** (Esp) bulletin scolaire

● **BOLETÍN OFICIAL DEL ESTADO**
●
● Le *Boletín Oficial del Estado*, ou *BOE*, est
● le journal officiel où sont consignées
● toutes les lois et résolutions adoptées
● par "las Cortes" (le parlement
● espagnol). C'est un ouvrage très
● consulté, notamment parce que l'on y
● trouve les avis d'"oposiciones"
● (concours publics).

boleto [bo'leto] nm billet m; **~ de apuestas** coupon m de pari; **~ electrónico** billet électronique

boli ['boli] (fam) nm stylo m

bolígrafo [bo'liɣrafo] nm stylo bille m, stylo m à bille

bolívar [bo'liβar] nm bolivar m

Bolivia [bo'liβja] nf Bolivie f

boliviano, -a [boli'βjano, a] adj bolivien(ne) ■ nm/f Bolivien(ne)

bollería [boʎe'ria] nf viennoiserie f

bollo ['boʎo] nm petit pain m; (de bizcocho) brioche f; (abolladura) bosse f; **bollos** nmpl (AM: apuros) ennuis mpl; (fam) gnon m; **no está el horno para ~s** ce n'est vraiment pas le moment

bolo ['bolo] nm quille f ■ adj (Cam, Cu, Méx) ivre, soûl(e); **(juego de) ~s** (jeu m de) quilles fpl

bolsa ['bolsa] nf sac m, poche f; (tela) sacoche f; (AM: bolsillo) poche; (Escol) bourse f; (Anat, Minería) poche; **La B~** la Bourse; **hacer ~s** faire de faux plis; **jugar a la B~** jouer à la Bourse; **~ de agua caliente** bouillotte f; **~ de aire** poche d'air; **~ de deportes** sac de sport; **~ de dormir** (AM) sac de couchage; **~ de estudios** bourse d'études; **~ de la compra** panier m de la ménagère; **"B~ de la propiedad"** "Marché m immobilier"; **~ de papel/plástico** sac en papier/plastique; **B~ de trabajo** Bourse du travail; **~ de viaje** sac de voyage

bolsillo [bol'siʎo] nm poche f; (cartera) porte-monnaie m inv; **de ~** de poche; **meterse a algn en el ~** mettre qn dans sa poche; **lo pagó de su ~** il l'a payé de sa poche

bolsista [bol'sista] nm/f (Fin) agent m de change

bolso ['bolso] nm sac m; (de mujer) sac à main

bomba ['bomba] nf (Mil) bombe f; (Tec) pompe f ■ adj (fam): **noticia ~** nouvelle f sensationnelle ■ adv (fam): **pasarlo ~** s'amuser comme un fou o des petits fous; **a prueba de ~** à l'épreuve des bombes; **caer algo como una ~** faire l'effet d'une bombe; **~ atómica** bombe atomique; **~ de agua/de gasolina/de incendios** pompe à eau/à essence/à incendie; **~ de efecto retardado/de neutrones** bombe à retardement/à neutrons; **~ de humo** fumigène m; **~ lacrimógena** bombe lacrymogène

bombardear [bombarðe'ar] vt bombarder; **~ a preguntas** bombarder de questions

bombardeo [bombar'ðeo] nm bombardement m

bombardero [bombar'ðero] nm bombardier m

bombear [bombe'ar] vt (agua) pomper; (Mil) bombarder; (Deporte) lober; **bombearse** vpr (se) gondoler

bombero [bom'bero] nm pompier m; **(cuerpo de) ~s** (corps msg des sapeurs-) pompiers mpl

bombilla [bom'biʎa] nf (Esp: Elec) ampoule f; (Arg) tube en métal qui sert à boire le maté

bombín [bom'bin] nm pompe f à vélo

bombo ['bombo] nm (Mús) grosse caisse f; (Tec) tambour m; **hacer algo a ~ y platillo** faire qch en grande pompe; **tengo la cabeza hecha un ~** j'en ai la tête grosse comme ça; **dar ~ a** (a persona) ne pas tarir d'éloges sur; (asunto) faire du tam-tam autour de

bombón [bom'bon] nm (Culin) crotte f de chocolat, chocolat m; **ser un ~** (fam) être un canon

bombona [bom'bona] nf bouteille f

bonachón, -ona [bona'tʃon, ona] adj bon enfant inv ■ nm/f bonne pâte f

bonanza [bo'nanθa] nf (Náut) bonace f; (fig) prospérité f; (Minería) riche filon m

bondad [bon'dað] nf bonté f; **tenga la ~ de** veuillez avoir l'amabilité de

bondadoso, -a [bonda'ðoso, a] adj bon (bonne)

bonificación [bonifika'θjon] nf bonification f

bonito, -a [bo'nito, a] adj joli(e) ■ adv (AM: fam) gentiment ■ nm (atún) thon m; **un ~ sueldo/una bonita cantidad** un beau salaire/une coquette somme

bono ['bono] nm bon m; **~s del Estado** obligations fpl de l'État; **~ del Tesoro** bon du Trésor

bonobús [bono'βus] nm (Esp) carte de transport (en autobus urbain)

boquerón [boke'ron] nm anchois msg; (agujero) large brèche f

boquete [bo'kete] nm brèche f

boquiabierto, -a [bokia'βjerto, a] adj: **quedarse ~** en rester bouche bée; **nos dejó ~s** nous sommes restés bouche bée

boquilla [bo'kiʎa] nf (de manguera) prise f d'eau; (mechero) bec m; (calentador) brûleur m; (para cigarro) fume-cigarette m; (Mús) bec; **de ~** en l'air

borbotón [borβo'ton] nm: **salir a borbotones** jaillir à gros bouillons

borda ['borða] nf (Náut) bord m; **echar o tirar algo por la ~** jeter o lancer qch par-dessus bord

bordado [bor'ðaðo] nm broderie f ■ adj: **el cuadro le quedó o salió ~** il a réussi ce tableau à la perfection

bordar [bor'ðar] vt broder

borde ['borðe] nm bord m; **al ~ de** (fig) au bord de; **ser ~** (Esp: fam) ne pas se prendre pour n'importe qui

bordear [borðe'ar] vt longer

bordillo [bor'ðiʎo] nm (en acera) bord m; (en carretera) accotement m

borla ['borla] nf gland m; (para polvos) houppette f

borracho, -a [bo'rratʃo, a] adj (persona) soûl(e), saoul(e); (: por costumbre) ivrogne ■ nm/f (temporalmente) soûlard(e); (habitualmente) ivrogne m/f; **bizcocho ~** baba m au rhum

borrador [borra'ðor] nm (de escrito, carta) brouillon m; (cuaderno) cahier m de brouillon; (goma) gomme f; (Com) main f courante; (para pizarra) chiffon m à effacer

borrar [bo'rrar] vt gommer; (de lista) barrer; (tachar) raturer; (cinta, Inform) effacer; (Pol etc) éliminer; **borrarse** vpr (de club, asociación) quitter; (recuerdo, imagen) s'effacer

borrasca [bo'rraska] nf tempête f

borrico, -a [bo'rriko, a] nm/f âne (ânesse); (fig) bourrique f

borrón [bo'rron] nm tache f d'encre; **hacer ~ y cuenta nueva** tourner la page

borroso, -a [bo'rroso, a] adj flou(e); (escritura) indécis(e)

bosque ['boske] nm bois msg, forêt f

bosquejo [bos'kexo] nm ébauche f, esquisse f

bostezar [boste'θar] vi bâiller

bostezo [bos'teθo] nm bâillement m

bota ['bota] nf botte f; (de vino) gourde f; **ponerse las ~s** (fam) s'en mettre plein les poches; (comer mucho y bien) s'en mettre plein la panse; **~s de esquí** chaussures fpl de ski; **~s de agua** o **goma** bottes fpl en caoutchouc; **~s de montar** bottes d'équitation

botánica [bo'tanika] nf botanique f

botánico, -a [bo'taniko, a] adj botanique ■ nm/f botaniste m/f

botar [bo'tar] vt (balón) faire rebondir; (Náut) lancer, mettre à la mer; (fam) mettre à la porte; (esp AM: fam) jeter, balancer ■ vi (persona) bondir; (balón) rebondir

bote ['bote] nm bond m; (tarro) pot m; (lata) boîte f de conserve; (en bar) pourboire m; (embarcación) canot m; (en juego) cagnotte f; **de ~ en ~** plein à craquer; **dar un ~** laisser un pourboire; **dar ~s** (Auto etc) cahoter; **tener a algn en el ~** avoir qn dans sa poche; **un ~ de tomate** des tomates en conserve; **~ de la basura** (AM) poubelle f; **~ salvavidas** canot de sauvetage

botella [bo'teʎa] nf bouteille f; **~ de oxígeno** bouteille d'oxygène; **~ de vino** bouteille de vin

botellín [bote'ʎin] nm petite bouteille f

botica [bo'tika] nf pharmacie f

boticario, -a [boti'karjo, a] nm/f pharmacien(ne)

botijo [bo'tixo] nm cruche f

botín [bo'tin] nm (calzado) bottine f; (polaina) guêtre f; (Mil, de atraco, robo) butin m

botiquín [boti'kin] nm armoire f à pharmacie; (portátil) trousse f à pharmacie; (enfermería) infirmerie f

botón [bo'ton] nm bouton m; **pulsar el ~** appuyer sur le bouton; **~ de arranque** (Auto) démarreur m; **~ de oro** bouton m d'or

botones [bo'tones] nm inv groom m

bóveda ['boβeða] nf (Arq) voûte f; **~ celeste** voûte céleste

boxeador, a [boksea'ðor, a] nm/f boxeur m

boxear [bokse'ar] vi boxer

boxeo [bok'seo] nm boxe f

boya ['boja] nf (Náut) bouée f; (en red) flotteur m

boyante [bo'jante] adj (Náut) lège; (feliz) débordant(e) de joie; (negocio) prospère

bozal [bo'θal] nm (de perro) muselière f; (de caballo) licou m

bracear [braθe'ar] vi agiter les bras; (nadar) nager la brasse

bracero, -a [bra'θero, a] nm/f journalier(-ière)

bragas ['bragas] nfpl culotte f

bragueta [bra'ɣeta] nf braguette f

braille [breil] nm braille m

bramar [bra'mar] vi (toro, viento, mar) mugir; (venado) bramer; (elefante) barrir

bramido [bra'miðo] nm (de toro, viento, lluvia) mugissement m; (del venado) bramement m; (del elefante) barrissement m; (de persona) hurlement m

brasa ['brasa] nf braise f; **a la ~** (carne, pescado) braisé(e)

brasero [bra'sero] nm (para los pies) brasero m; (AM: chimenea) cheminée f

Brasil [bra'sil] nm Brésil m

brasileño, -a [brasi'leɲo, a] adj brésilien(ne) ■ nm/f Brésilien(ne)

braveza [bra'βeθa] nf férocité f; (valor) bravoure f; (de viento, mar, lluvia) violence f

bravío, -a [bra'βio, a] adj féroce

bravo, -a ['braβo, a] adj (soldado) vaillant(e); (animal: feroz) féroce; (: salvaje) sauvage; (toro) de combat; (mar) déchaîné(e); (terreno) accidenté(e); (AM: fam) en colère ■ excl bravo!; **patatas bravas** (Culin) pommes de terre frites accommodées avec une sauce relevée

bravura [bra'βura] nf (de persona) bravoure f; (de animal) férocité f

braza ['braθa] nf: **nadar a (la) ~** nager la brasse

brazada [bra'θaða] nf brasse f; (de hierba, leña) brassée f

brazalete [braθa'lete] nm bracelet m; (banda) brassard m

brazo ['braθo] nm bras msg; (Zool) patte f de devant, antérieur m; (Bot, Pol) branche f; **brazos** nmpl journaliers mpl; **cogidos del ~** bras dessus, bras dessous; **cruzarse de ~s** rester les bras croisés; **no dar su ~ a torcer** ne pas en démordre; **ir del ~** se donner le bras; **luchar a ~ partido** combattre corps à corps; **ser el ~ derecho de algn** (fig) être le bras droit de qn; **tener/llevar en ~s a algn** tenir/prendre qn dans ses bras; **huelga de ~s caídos** grève f sur le tas; **~ de gitano** roulé m

brea ['brea] nf brai m

brebaje [bre'βaxe] nm breuvage m

brecha ['bretʃa] nf brèche f; (en la cabeza) blessure f; (Mil) percée f; **hacer** o **abrir ~ en** faire impression sur

breva ['breβa] nf figue f fraîche; (puro) cigare m aplati; **¡no caerá esa ~!** ce serait trop beau!

breve ['breβe] *adj (pausa, encuentro, discurso)* bref (brève) ■ *nf (Mús)* brève f; **en ~** d'ici peu; *(en pocas palabras)* en bref

brevedad [breβe'ðað] *nf* brièveté f; **a la mayor ~ posible** dans les meilleurs délais; **con la mayor ~** au plus tôt

brezal [bre'θal], **brezo** ['breθo] *nm* bruyère f

bribón, -ona [bri'βon, ona] *nm/f* fripouille f; *(pillo)* coquin(e)

bricolaje [briko'laxe] *nm* bricolage m

brida ['briða] *nf (tb Tec)* bride f; **a toda ~** à bride abattue

bridge [britʃ] *nm (Naipes)* bridge m

brigada [bri'γaða] *nf brigade f* ■ *nm (Mil)* brigadier m; **B~ de Estupefacientes** brigade des stupéfiants; **B~ de Investigación Criminal** police f judiciaire

brillante [bri'ʎante] *adj* brillant(e) ■ *nm (joya)* brillant m

brillar [bri'ʎar] *vi* briller; **~ por su ausencia** briller par son absence

brillo ['briʎo] *nm* éclat m; **dar** o **sacar ~ a** faire reluire

brincar [brin'kar] *vi (persona, animal)* bondir; **~ de** *(de alegría etc)* bondir de; **está que brinca** il(elle) est fou(folle) de rage

brinco ['brinko] *nm (salto)* bond m; **de un ~ en** moins de deux; **dar** o **pegar un ~** faire un bond; **dar** o **pegar ~s de alegría** bondir de joie

brindar [brin'dar] *vi:* **~ a** o **por** porter un toast à ■ *vt (oportunidad, amistad)* offrir; **brindarse** *vpr:* **~se a hacer algo** s'offrir pour faire qch; **lo cual brinda la ocasión de ...** ceci me permet de ...

brindis ['brindis] *nm inv (al beber, frase)* toast m; *(Taur)* hommage m

brío ['brio] *nm (tb:* **bríos)** énergie f, brio m; **con ~** avec brio

brisa ['brisa] *nf* brise f

británico, -a [bri'taniko, a] *adj* britannique ■ *nm/f* Britannique m/f

brizna ['briθna] *nf* brin m; *(paja)* fétu m; **no tener ni ~ de sentido común** ne pas avoir un grain de bon sens

broca ['broka] *nf (Costura)* broche f; *(Tec)* foret m; *(clavo)* broquette f

brocal [bro'kal] *nm* margelle f

brocha ['brotʃa] *nf (de pintar)* brosse f; *(de afeitar)* blaireau m; **pintor de ~ gorda** *(de paredes)* peintre m en bâtiment; *(fig)* barbouilleur m

broche ['brotʃe] *nm (en vestido)* agrafe f; *(joya)* broche f

broma ['broma] *nf* plaisanterie f; **de** o **en ~** pour rire; **gastar una ~ a algn** faire une blague à qn; **ni en ~** en aucun cas; **tomar algo a ~** ne pas prendre qch au sérieux; **~ pesada** plaisanterie f de mauvais goût

bromear [brome'ar] *vi* plaisanter

bromista [bro'mista] *adj, nm/f* farceur(-euse)

bronca ['bronka] *nf* dispute f; *(regañina)* réprimande f; **armar una ~** faire une scène; **buscar ~** chercher querelle; **echar una ~ a algn** passer un savon à qn

bronce ['bronθe] *nm* bronze m

bronceado, -a [bronθe'aðo, a] *adj* bronzé(e) ■ *nm (de piel)* basané(e); *(Tec)* bronzage m

bronceador, a [bronθea'ðor] *adj* solaire ■ *nm* produit m solaire

broncearse [bronθe'arse] *vpr* se faire bronzer

bronco, -a ['bronko, a] *adj (modales)* bourru(e); *(voz)* rauque

bronquio ['bronkjo] *nm* bronche f

bronquitis [bron'kitis] *nf inv* bronchite f

brotar [bro'tar] *vi (Bot)* pousser; *(aguas, lágrimas)* jaillir; *(Med)* se déclarer

brote ['brote] *nm (Bot)* pousse f; *(Med)* accès m sg; *(de insurrección, huelga)* vague f; **~s de soja** germes mpl de soja

bruces ['bruθes]: **de ~** *adv* sur le ventre, à plat ventre; **acostarse de ~** se coucher sur le ventre; **estar de ~** être sur le ventre, être à plat ventre; **caer de ~** s'étaler de tout son long; **darse de ~ con algn** tomber nez à nez avec qn

brujería [bruxe'ria] *nf* sorcellerie f

brujo, -a ['bruxo, a] *nm/f* sorcier(ière) ■ *nf (pey)* sorcière f

brújula ['bruxula] *nf* boussole f

bruma ['bruma] *nf* brume f

brumoso, -a [bru'moso, a] *adj* brumeux(-euse)

bruñir [bru'ɲir] *vt* polir

brusco, -a ['brusko, a] *adj* brusque

Bruselas [bru'selas] *n* Bruxelles

brutal [bru'tal] *adj* brutal(e); *(fam: tremendo)* énorme

brutalidad [brutali'ðað] *nf* brutalité f

bruto, -a ['bruto, a] *adj (persona)* brutal(e); *(estúpido)* imbécile; *(metal, piedra, peso)* brut(e) ■ *nm* brute f; **a la bruta, a lo ~** à la va-vite; **en ~** brut(e)

Bs.As. *abr* = **Buenos Aires**

bucal [bu'kal] *adj* buccal(e); **por vía ~** par voie orale

bucear [buθe'ar] *vi* plonger; **~ en** *(documentos, pasado)* fouiller dans

buceo [bu'θeo] *nm* plongée f, plongeon m; **~ de altura** plongée en haute mer

bucle ['bukle] *nm* boucle f; *(de carretera)* tournant m; *(Inform)* boucle f, cycle m

buen [bwen] *adj ver* **bueno**
buenamente ['bwenamente] *adv* tout bonnement; (*de buena gana*) volontiers
buenaventura [bwenaβen'tura] *nf* chance *f*; (*adivinación*) bonne aventure *f*; **decir** o **echar la ~ a algn** dire la bonne aventure à qn

 PALABRA CLAVE

bueno, -a ['bweno, a] *adj* (*antes de nmsg:* **buen**) 1 (*excelente etc*) bon(ne); **es un libro bueno** o **es un buen libro** c'est un bon livre; **tiene buena voz** il a une belle voix; **hace buen tiempo** il fait beau/beau temps; **ya está bueno** (*de salud*) il va bien maintenant; **lo bueno fue que** le meilleur c'est que
2 (*bondadoso*): **es buena persona** c'est quelqu'un de bien; **el bueno de Paco** ce bon Paco; **fue muy bueno conmigo** il a été très gentil avec moi
3 (*apropiado*): **ser bueno para** être bien pour; **es un buen momento (para)** c'est le moment (de); **creo que vamos por buen camino** je crois que nous sommes sur la bonne voie
4 (*grande*): **un buen trozo** un bon bout; **un buen número de** bon nombre de; **le di un buen rapapolvo** je lui ai passé un savon
5 (*irónico*): **¡buen conductor estás hecho!** comme tu conduis bien!; **¡estaría bueno que ...!** il ne manquerait plus que...!; **una pelea de las buenas** une sacrée bagarre
6 (*sabroso*): **está bueno este bizcocho** ce gâteau est très bon
7 (*atractivo: fam*): **Carmen está muy buena** Carmen est vachement mignonne
8 (*saludos*): **¡buenos días!** bonjour!; **¡buenas tardes!** bonjour!; (*más tarde*) bonsoir!; **¡buenas noches!** bonne nuit!; **¡buenas!** salut!
9 (*otras locuciones*): **un buen día** un beau jour; **estar de buenas** être de bonne humeur; **por las buenas o por las malas** de gré ou de force; **de buenas a primeras** tout d'un coup; **¡la ha liado buena ...!** il (elle) a mis une belle pagaille!
■ *excl:* **¡bueno!** bon!; **bueno, ¿y qué?** bon, et alors?

Buenos Aires [bweno'saires] *n* Buenos Aires
buey [bwei] *nm* bœuf *m*
búfalo ['bufalo] *nm* buffle *m*
bufanda [bu'fanda] *nf* cache-nez *m inv*

bufar [bu'far] *vi* (*caballo*) souffler; (*gato*) cracher; **~ de rabia** pester
bufete [bu'fete] *nm* étude *f*, cabinet *m*
buffer ['bufer] *nm* (*Inform*) mémoire *f* tampon
buhardilla [buar'ðiʎa] *nf* mansarde *f*; (*ventana*) lucarne *f*
búho ['buo] *nm* hibou *m inv*; (*fig: persona*) ours *m sg*
buhonero [buo'nero] *nm* colporteur *m*
buitre ['bwitre] *nm* vautour *m*
bujía [bu'xia] *nf* (*vela, Elec, Auto*) bougie *f*
bula ['bula] *nf* bulle *f*
bulbo ['bulβo] *nm* (*Bot*) bulbe *m*; **~ raquídeo** bulbe rachidien
bulevar [bule'βar] *nm* boulevard *m*
Bulgaria [bul'ɣarja] *nf* Bulgarie *f*
búlgaro, -a ['bulɣaro, a] *adj* bulgare ■ *nm/f* Bulgare *m/f*
bulla ['buʎa] *nf* raffut *m*; (*follón*) pagaille *f*; **armar** o **meter ~** faire du raffut
bullicio [bu'ʎiθjo] *nm* brouhaha *m*; (*movimiento*) bousculade *f*
bullir [bu'ʎir] *vi* (*líquido*) bouillonner; **~ (de)** (*muchedumbre, público*) bouillir (de); (*insectos*) grouiller (de)
bulto ['bulto] *nm* paquet *m*; (*en superficie, Med*) grosseur *f*; (*silueta*) masse *f*; **hacer ~** prendre de la place; **escurrir el ~** se dérober; **a ~** au jugé; **de ~** (*error*) de taille; (*argumento*) de poids
buñuelo [bu'ɲwelo] *nm* beignet *m*; (*fig*) travail *m* d'amateur
BUP [bup] (*Esp*) *sigla m* (*Escol:* = *Bachillerato Unificado y Polivalente*) troisième, seconde, première
buque ['buke] *nm* navire *m*; **~ cisterna/escuela/insignia/mercante** bateau-citerne *m*/navire-école *m*/vaisseau *m* amiral/bateau *m* de commerce; **~ de guerra** navire de guerre
burbuja [bur'βuxa] *nf* bulle *f*; **hacer ~s** pétiller
burbujear [burβuxe'ar] *vi* pétiller
burdel [bur'ðel] *nm* bordel *m*
burdo, -a ['burðo, a] *adj* grossier(-ière)
burgués, -esa [bur'ɣes, esa] *adj* (*tb pey*) bourgeois(e) ■ *nm/f* bourgeois(e); **pequeño ~** petit(e)-bourgeois(e); (*Pol, pey*) bourgeois(e)
burguesía [burɣe'sia] *nf* bourgeoisie *f*
burla ['burla] *nf* moquerie *f*; (*broma*) blague *f*; **hacer ~ a algn/de algo** se moquer de qn/de qch; **hacer ~ a algn** faire la nique à qn
burladero [burla'ðero] *nm* (*Taur*) palissade *f*

burlar [bur'lar] *vt* (*persona*) tromper; (*vigilancia*) déjouer; (*seducir*) séduire; **burlarse** *vpr*: **~se (de)** se moquer (de)

burlón, -ona [bur'lon, ona] *adj* moqueur(-euse)

burocracia [buro'kraθja] *nf* (*tb pey*) bureaucratie *f*

burócrata [bu'rokrata] *nm/f* (*tb pey*) bureaucrate *m*

burrada [bu'rraða] (*fam*) *nf*: **decir/ hacer/soltar ~s** dire/faire/lâcher des âneries; **una ~** (*mucho*) une flopée

burro, -a ['burro, a] *nm/f* âne *m* (ânesse); (*fig: ignorante*) âne *m*; (: *bruto*) abruti *m* ■ *adj* crétin(e); **caerse del ~** reconnaître ses erreurs; **hacer el ~** faire l'âne; **no ver tres en un ~** être myope comme une taupe; **~ de carga** (*fig*) bourreau *m* de travail

bursátil [bur'satil] *adj* boursier(-ière)

bus [bus] *nm* bus *msg*

busca ['buska] *nf*: **en ~ de** à la recherche de ■ *nm* (*Telec*) bip-(bip) *m*

buscador, a [buska'ðor, a] *nm/f*: **~ (de)** chercheur(-euse) (de) ■ *nm* (*Inform*) moteur *m* de recherche

buscar [bus'kar] *vt* (*tb Inform*) chercher; (*beneficio*) rechercher ■ *vi* chercher; **ven a ~me a la oficina** viens me chercher au bureau; **~ una aguja en un pajar** chercher une aiguille dans une botte de foin; **~le 3 pies aí gato** chercher midi à quatorze heures; **"~ y reemplazar"** (*Inform*) "recherche-remplacement"; **se busca secretaria** on demande une secrétaire; **se la buscó** c'est bien fait pour lui; **~ camorra** chercher noise

busque *etc* ['buske] *vb ver* **buscar**

búsqueda ['buskeða] *nf* recherche *f*

busto ['busto] *nm* (*Anat, Arte*) buste *m*

butaca [bu'taka] *nf* fauteuil *m*; **~ de patio** fauteuil d'orchestre

butano [bu'tano] *nm* butane *m*; **bombona de ~** bouteille *f* de butane; **color ~** orangé(e)

buzo ['buθo] *nm* (*mono*) bleu *m* (de travail); (*AM: chándal*) survêtement *m* ■ *nm/f* (*persona*) plongeur(-euse), homme *m* grenouille

buzón [bu'θon] *nm* boîte *f* aux lettres; **echar al ~** mettre dans la boîte aux lettres; **~ de voz** messagerie *f* vocale

C

C. *abr* (= *centígrado*) C (= *Celsius*)

c. *abr* (= *capítulo*) chap. (= *chapitre*)

C/ *abr* = **calle**

c/ *abr* (*Com*) = **cuenta**

ca [ka] *excl* pas question!

c.a. *abr* = **corriente alterna**

cabal [ka'βal] *adj* (*peso, precio*) juste; (*definición*) exact(e); (*honrado*) bien

cábala ['kaβala] *nf* cabale *f*; **cábalas** *nfpl* (*suposiciones*): **hacer ~s** faire des suppositions

cabalgar [kaβal'ɣar] *vt* monter ■ *vi* chevaucher

cabalgata [kaβal'ɣata] *nf* défilé *m*; **la ~ de los Reyes Magos** le défilé des Rois mages

caballa [ka'βaʎa] *nf* maquereau *m*

caballeresco, -a [kaβaʎe'resko, a] *adj* chevaleresque

caballería [kaβaʎe'ria] *nf* monture *f*; (*Mil*) cavalerie *f*; **~ andante** chevalerie *f* errante

caballeriza [kaβaʎe'riθa] *nf* écurie *f*

caballero [kaβa'ʎero] *nm* gentleman *m*; (*de la orden de caballería*) chevalier *m*; (*en trato directo*) monsieur *m*; **de ~** d'homme, pour homme; **"C~s"** "Messieurs"; **~ andante** chevalier errant

caballerosidad [kaβaʎerosi'ðað] *nf* courtoisie *f*

caballete [kaβa'ʎete] *nm* (*de pintor*) chevalet *m*; (*de pizarra*) support *m*; (*de mesa*) tréteau *m*; (*de tejado*) faîte *m*

caballito [kaβa'ʎito] *nm* cheval *m* à bascule; **caballitos** *nmpl* chevaux *mpl* de bois; **montar a los ~s** faire un tour de manège; **~ del diablo** demoiselle *f*; **~ de mar** hippocampe *m*

caballo [ka'βaʎo] *nm* cheval *m*; (*Ajedrez, Naipes*) cavalier *m*; **a ~** à cheval; **a ~ entre** à cheval sur; **es su ~ de batalla** c'est son cheval de bataille; **~ blanco** bailleur *m* de fonds; **~ de carreras** cheval de course; **~ vapor** cheval-vapeur *m*

cabaña [ka'βaɲa] *nf* cabane *f*

cabaré, cabaret (*pl* **~s**) [kaβa're] *nm* cabaret *m*

cabecear [kaβeθe'ar] *vt*: **~ el balón** faire une tête ■ *vi* (*caballo*) encenser; (*dormitar*) piquer du nez

cabecera [kaβe'θera] *nf* (*de mesa, tribunal*) bout *m*; (*de cama*) tête *f*; (*en libro*) frontispice *m*; (*periódico*) manchette *f*, gros titre *m*; (*de río*) source *f*; **médico de ~** médecin *m* traitant

cabecilla [kaβe'θiʎa] *nm* chef *m* de file, meneur(-euse)

cabellera [kaβe'ʎera] *nf* chevelure *f*; (*de cometa*) queue *f*

cabello [ka'βeʎo] *nm* cheveu *m*; **~ de ángel** cheveux *mpl* d'ange

caber [ka'βer] *vi* tenir, rentrer; (*Mat*) faire; **caben 3 más** on peut encore en mettre 3; **no cabe duda** cela ne fait pas de doute; **dentro de lo que cabe** autant que possible; **cabe la posibilidad de que** il est possible que; **me cupo el honor de** il m'est revenu l'honneur de; **no cabe en sí de alegría** il ne se tient plus de joie

cabestrillo [kaβes'triʎo] *nm*: **en ~** en écharpe

cabeza [ka'βeθa] *nf* tête *f*; (*Pol*) chef *m*; **caer de ~** tomber la tête la première; **~ abajo/arriba** tête en bas/en haut; **a la ~ de** (*de pelotón*) en tête de; (*de empresa*) à la tête de; **tirarse de ~** plonger; **tocamos a 3 por ~** ça fait 3 par tête; **romperse la ~** se creuser la tête; **sentar la ~** se ranger; **se me va la ~** je perds la tête; **~ atómica/nuclear** tête atomique/ogive *f* nucléaire; **~ cuadrada** tête de mule; **~ de ajo** tête d'ail; **~ de escritura** tête d'écriture; **~ de familia** chef de famille; **~ de ganado** tête de bétail; **~ de impresión/de lectura** tête d'impression/de lecture; **~ de partido** chef-lieu *m* d'arrondissement;

~ de turco tête de turc; **~ impresora** tête imprimante; **~ loca** *o* **de chorlito** tête de linotte

cabezada [kaβe'θaða] *nf* coup *m* de tête; **dar ~s** piquer du nez; **echar una ~** faire un somme

cabezón, -ona [kaβe'θon, ona] *adj* qui a une grosse tête; (*vino*) capiteux(-euse); (*terco*) entêté(e)

cabida [ka'βiða] *nf* capacité *f*; (*depósito*) contenance *f*; **dar ~ a** admettre; **tener ~ para** avoir une capacité de

cabildo [ka'βildo] *nm* (*de iglesia*) chapitre *m*; (*Pol*) conseil *m* municipal

cabina [ka'βina] *nf* cabine *f*; **~ de mandos** cabine de pilotage; **~ telefónica** cabine téléphonique

cabizbajo, -a [kaβiθ'βaxo, a] *adj* tête basse *inv*

cable ['kaβle] *nm* câble *m*; (*de electrodoméstico*) fil *m*; **conectar con ~** connecter par câble

cabo ['kaβo] *nm* bout *m*; (*Mil*) caporal *m*; (*de policía*) brigadier *m*; (*Náut*) cordage *m*; (*Geo*) cap *m*; **al ~ de 3 días** au bout de 3 jours; **al fin y al ~** en fin de compte; **de ~ a rabo** (*contar, saber*) de bout en bout; (*leer*) d'un bout à l'autre; **llevar a ~** mener à bien; **atar ~s** faire des rapprochements; **no dejar ~s sueltos** ne rien laisser en suspens; **las Islas de C~ Verde** les îles *fpl* du Cap-Vert; **C~ de Buena Esperanza** cap de Bonne Espérance; **C~ de Hornos** cap Horn

cabra ['kaβra] *nf* chèvre *f*; **estar como una ~** être timbré(e); **~ montés** chèvre sauvage

cabré *etc* [ka'βre] *vb ver* **caber**

cabrear [kaβre'ar] (*fam*) *vt* énerver; **cabrearse** (*fam*) ■ *vpr* s'emporter; **estar cabreado** être en colère

cabrío, -a [ka'βrio, a] *adj*: **macho ~** bouc *m*; *ver* **ganado**

cabriola [ka'βrjola] *nf* cabriole *f*; **hacer ~s** faire des cabrioles

cabritilla [kaβri'tiʎa] *nf*: **de ~** en chevreau

cabrito [ka'βrito] *nm* chevreau *m*; (*fam!*) vache *f* (*fam!*)

cabrón [ka'βron] (*fam!*) *nm* salaud *m* (*fam!*)

caca ['kaka] (*fam*) *nf* caca *m* ■ *excl*: **no toques, ¡~!** ne touche pas à ça, c'est caca!

cacahuete [kaka'wete] (*Esp*) *nm* cacahuète *f*

cacao [ka'kao] *nm* cacao *m*, chocolat *m*; (*Bot*) cacaoyer *m*; (*tb*: **crema de cacao**) beurre *m* de cacao; (*follón*) boucan *m*

cacarear [kakare'ar] *vt* s'enorgueillir de ◼ *vi* caqueter

cacería [kaθe'ria] *nf* partie *f* de chasse

cacerola [kaθe'rola] *nf* casserole *f*, marmite *f*

cachalote [katʃa'lote] *nm* cachalot *m*

cacharro [ka'tʃarro] *nm* ustensile *m*; (*trasto*) machin *m*, truc *m*; (*de cerámica*) poterie *f*; (*AM: fam*) taule *f*

cachear [katʃe'ar] *vt* fouiller

cachemir [katʃe'mir] *nm*, **cachemira** [katʃe'mira] *nf* cachemire *m*; **de ~** en cachemire

cachete [ka'tʃete] *nm* claque *f*

cachiporra [katʃi'porra] *nf* massue *f*

cachivache [katʃi'βatʃe] *nm* truc *m*, machin *m*

cacho, -a ['katʃo, a] *nm* morceau *m*; (*AM*) corne *f*

cachondeo [katʃon'deo] (*fam*) *nm* rigolade *f*; **estar de ~** plaisanter, blaguer; **tomarse algo a ~** prendre qch à la rigolade

cachondo, -a [ka'tʃondo, a] (*fam*) *adj* marrant(e), rigolo(te); **estar ~** être excité(e)

cachorro, -a [ka'tʃorro, a] *nm/f* chiot *m*; (*de león*) lionceau *m*; (*de lobo*) louveteau *m*

cacique [ka'θike] *nm* (*AM*) cacique *m*; (*Pol*) personnage *m* influent; (*fig*) petit chef *m*

caciquismo [kaθi'kismo] *nm* caciquisme *m*

caco ['kako] *nm* filou *m*

cacto ['kakto] *nm*, **cactus** ['kaktus] *nm inv* cactus *m inv*

cada ['kaða] *adj inv* chaque; (*antes de número*) tous les; **~ día** tous les jours; **~ dos días** tous les deux jours; **~ cual/ uno** chacun; **~ vez más/menos** de plus en plus/de moins en moins; **~ vez que** chaque fois que; **uno de ~ diez** un sur dix; **¿~ cuánto?** tous les combien?; **¡tienes ~ idea!** tu as de ces idées!

cadalso [ka'ðalso] *nm* échafaud *m*

cadáver [ka'ðaβer] *nm* cadavre *m*

cadena [ka'ðena] *nf* chaîne *f*; **cadenas** *nfpl* (*Auto*) chaînes *fpl*; **reacción en ~** réaction *f* en chaîne; **trabajo en ~** travail *m* à la chaîne; **tirar de la ~ del wáter** tirer la chasse d'eau; **~ de caracteres** chaîne de caractères; **~ de montaje** chaîne de montage; **~ montañosa** chaîne de montagnes; **~ perpetua** (*Jur*) emprisonnement *m* à perpétuité

cadera [ka'ðera] *nf* hanche *f*

cadete [ka'ðete] *nm* cadet *m*

caducar [kaðu'kar] *vi* expirer

caduco, -a [ka'ðuko, a] *adj* dépassé(e); **de hoja caduca** à feuilles caduques

caer [ka'er] *vi* tomber; (*precios*) baisser; (*sol*) se coucher; **caerse** *vpr* tomber; **dejar ~** laisser tomber; **dejarse ~** s'écrouler, se laisser tomber; **dejarse ~ por** passer; **estar al ~** être sur le point d'arriver; **¡no caigo!** je ne vois pas; **¡ya caigo!** j'y suis!; **me cae bien/mal** (*persona*) je le trouve sympathique/antipathique; (*vestido*) ça me va bien/ça ne me va pas; (*alimento*) ça me réussit/ça ne me réussit pas; **~ en desgracia** tomber en disgrâce; **~ en la cuenta** saisir, se rendre compte; **~ en la trampa** tomber dans le panneau; **~ enfermo** tomber malade; **su cumpleaños cae en viernes** son anniversaire tombe un vendredi; **mi casa cae por aquí/a la derecha** ma maison se trouve par ici/à droite; **se me cayó el libro** j'ai fait tomber le livre

café [ka'fe] (*pl* **~s**) *nm* café *m*; **~ con leche** café crème, café au lait; **~ solo** *o* **negro** café (noir)

cafeína [kafe'ina] *nf* caféine *f*

cafetera [kafe'tera] *nf* cafetière *f*

cafetería [kafete'ria] *nf* cafétéria *f*

cagar [ka'ɣar] (*fam!*) *vi* chier (*fam!*); **cagarse** *vpr* se dégonfler; **¡la hemos cagado!** on a fait une gaffe!; **~se de miedo** avoir la trouille; **¡me cago en diez/la mar!** Bon Dieu!

caída ['kaiða] *nf* chute *f*; (*declive*) pente *f*; (*de tela*) tombée *f*; (*de precios, moneda*) baisse *f*; **a la ~ del sol/de la tarde** à la tombée du jour/de la nuit; **sufrir una ~** faire une chute; **~ libre** chute libre

caído, -a [ka'iðo, a] *adj* tombant(e) ◼ *nm/f*: **los ~s** les morts *mpl*; **~ del cielo** tombé(e) du ciel

caiga *etc* ['kaiɣa] *vb ver* **caer**

caimán [kai'man] *nm* caïman *m*

caja ['kaxa] *nf* boîte *f*, caisse *f*; (*para reloj*) boîtier *m*; (*Tip*) casse *f*; **ingresar en ~** encaisser; **~ de ahorros** caisse d'épargne; **~ de cambios** boîte de vitesses; **~ de caudales** coffre *m* fort; **~ de fusibles** boîte à fusibles; **~ de música** boîte à musique; **~ de resonancia** caisse de résonance; **~ fuerte** coffre fort; **~ negra** (*Aviat*) boîte noire

cajero, -a [ka'xero, a] *nm/f* caissier(-ière); **~ automático** distributeur *m* automatique

cajetilla [kaxe'tiʎa] *nf* paquet *m*

cajón [ka'xon] *nm* caisse *f*; (*de mueble*) tiroir *m*; **¡es de ~!** ça va de soi!; **~ de embalaje** caisse d'emballage

cal [kal] nf chaux fsg; **cerrar algo a ~ y canto** fermer qch à double tour; **~ viva** chaux vive

cal. abr (= caloría(s)) cal. (= calorie(s))

cala ['kala] nf crique f; (de barco) cale f

calabacín [kalaβa'θin] nm, **calabacita** [kalaβa'θita] nf (AM) courgette f

calabaza [kala'βaθa] nf courge f, citrouille f; **dar ~s a** (en examen) recaler; (novio) envoyer promener

calabozo [kala'βoθo] nm taule f; (celda) cachot m

calada [ka'laða] nf bouffée f

calado, -a [ka'laðo, a] adj ajouré(e) ■ nm broderie f ajourée; (de barco) tirant m d'eau; (de las aguas) profondeur f; **estoy ~ (hasta los huesos)** je suis trempé(e) (jusqu'aux os)

calamar [kala'mar] nm calmar m; **~es a la romana** calmars mpl à la Romaine

calambre [ka'lambre] nm crampe f; **dar ~** envoyer une décharge

calamidad [kalami'ðað] nf calamité f; **es una ~** (persona) c'est un(e) bon(ne) à rien

calar [ka'lar] vt transpercer; (Auto) caler; (melón, sandía) couper pour goûter; (ideas, palabras) saisir, comprendre; **calarse** vpr (motor) caler; (mojarse) se tremper; (gafas) chausser; (sombrero) enfoncer; **¡le tengo calado!** (fam) je le connais sur le bout des doigts

calavera [kala'βera] nf tête f de mort ■ nm (pey) noceur m

calcar [kal'kar] vt décalquer; (imitar) calquer; **es calcado a su abuelo** c'est tout le portrait de son grand-père

calcetín [kalθe'tin] nm chaussette f

calcinar [kalθi'nar] vt calciner

calcio ['kalθjo] nm calcium m

calcomanía [kalkoma'nia] nf décalcomanie f

calculador, a [kalkula'ðor, a] adj calculateur(-trice)

calculadora [kalkula'ðora] nf calculatrice f

calcular [kalku'lar] vt calculer; (gastos, pérdidas) évaluer, calculer; **calculo que ...** je pense que ...

cálculo ['kalkulo] nm (tb Med) calcul m; **según mis ~s** d'après mes calculs; **obrar con mucho ~** agir avec beaucoup de prudence; **~ de costo** calcul du prix; **~ diferencial** calcul différentiel

caldear [kalde'ar] vt chauffer; (ánimos) réchauffer

caldera [kal'dera] nf chaudière f

calderilla [kalde'riʎa] nf ferraille f

caldero [kal'dero] nm chaudron m

caldo ['kaldo] nm bouillon m; (vino) cru m; **poner a ~ a algn** passer un savon à qn; **~ de cultivo** bouillon de culture

calefacción [kalefak'θjon] nf chauffage m; **~ central** chauffage central

calendario [kalen'darjo] nm calendrier m

calentador [kalenta'ðor] nm calorifère m; **~ de agua** chauffe-eau m inv

calentamiento [kalenta'mjento] nm échauffement m

calentar [kalen'tar] vt faire chauffer; (habitación) réchauffer; (motor) faire tourner; (ánimos) échauffer; (sexualmente) exciter; (pegar) flanquer une calotte à; (AM: enfurecer) échauffer ■ vi chauffer; **calentarse** vpr se chauffer, se réchauffer; (motor) chauffer; (discusión, ánimos) s'échauffer

calentura [kalen'tura] nf fièvre f; (de boca) bouton m de fièvre

calibrar [kali'βrar] vt (Tec) calibrer; (consecuencias) évaluer; (importancia) jauger

calibre [ka'liβre] nm calibre m; (fig) calibre, envergure f

calidad [kali'ðað] nf qualité f; **de ~** de qualité; **en ~ de** en qualité de; **ser de primera ~** être de premier choix; **~ de carta** o **de correspondencia** qualité courrier; **~ texto** (Inform) qualité de texte

cálido, -a ['kaliðo, a] adj chaud(e); (palabras, aplausos) chaleureux(-euse)

caliente [ka'ljente] vb ver **calentar** ■ adj chaud(e); **estar/ponerse ~** (fam) être excité(e)/s'exciter; **en ~** à chaud

calificación [kalifika'θjon] nf qualification f; (en examen) note f; **~ de sobresaliente** mention f très bien

calificar [kalifi'kar] vt noter; **~ como/de** traiter de

calima [ka'lima], **calina** [ka'lina] nf (neblina) brume f de chaleur; (calor) chaleur f caniculaire

cáliz ['kaliθ] nm calice m

caliza [ka'liθa] nf pierre f à chaux

callado, -a [ka'ʎaðo, a] adj: **estar ~** être silencieux(-euse); **ser ~** être peu bavard(e)

callar [ka'ʎar] vt taire; (persona, oposición) faire taire ■ vi se taire; **callarse** vpr se taire; **¡calla!** silence!; **¡cállate!** tais-toi!; **¡cállate la boca!** la ferme!

calle [ka'ʎe] nf rue f; (Deporte) couloir m; **la ~** (en conjunto) la rue; **salir** o **irse a la ~** sortir; **poner a algn (de patitas) en la ~** mettre qn à la porte, flanquer qn dehors;

ir ~ **abajo/arriba** descendre/remonter la rue; ~ **de sentido único** rue à sens unique; ~ **mayor** grand-rue f; ~ **peatonal** rue piétonne

calleja [ka'ʎexa] nf = **callejuela**

callejear [kaʎexe'ar] vi flâner

callejero, -a [kaʎe'xero, a] adj ambulant(e); (verbena) en plein air; (riña) de rue; (persona) flâneur(-euse); (perro) errant(e) ▪ nm plan m

callejón [kaʎe'xon] nm passage m, couloir m; ~ **sin salida** impasse f, voie f sans issue; (fig) impasse f

callejuela [kaʎe'xwela] nf ruelle f, venelle f

callista [ka'ʎista] nm/f pédicure m/f

callo ['kaʎo] nm (en pies) cor m; (en manos) durillon m; **callos** nmpl (Culin) tripes fpl

calma ['kalma] nf calme m; **hacer algo con ~** faire qch calmement; ~ **chicha** calme plat; **perder la ~** perdre son calme; **¡~!, ¡con ~!** du calme!

calmante [kal'mante] adj calmant(e) ▪ nm calmant m, tranquillisant m

calmar [kal'mar] vt calmer ▪ vi (tempestad, viento) se calmer; **calmarse** vpr se calmer

calor [ka'lor] nm chaleur f; **entrar en ~** se réchauffer; (Deporte) s'échauffer; **hace ~** il fait chaud; **tener ~** avoir chaud

caloría [kalo'ria] nf calorie f

calumnia [ka'lumnja] nf calomnie f

caluroso, -a [kalu'roso, a] adj chaud(e); (acogida, aplausos) chaleureux(euse)

calvario [kal'βarjo] nm calvaire m

calvicie [kal'βiθje] nf calvitie f

calvo, -a ['kalβo, a] adj, nm/f chauve m/f

calzada [kal'θaða] nf chaussée f

calzado, -a [kal'θaðo, a] adj chaussé(e) ▪ nm chaussure f

calzador [kalθa'ðor] nm chausse-pied m

calzar [kal'θar] vt chausser; (Tec) caler; **calzarse** vpr: **~se los zapatos** se chausser; **¿qué (número) calza?** quelle est votre pointure?

calzón [kal'θon] nm (tb: **calzones**) caleçon m; (AM: de hombre) slip m; (: de mujer) culotte f

calzoncillos [kalθon'θiʎos] nmpl slip msg

cama ['kama] nf lit m; **estar en ~** être alité(e); **guardar ~** garder le lit; **hacer la ~** faire le lit; **hacer la ~ a algn** jouer un tour de cochon à qn; ~ **en petaca** lit en portefeuille; ~ **individual/de matrimonio** lit simple/double; ~ **nido** lit gigogne

camafeo [kama'feo] nm camée m

camaleón [kamale'on] nm caméléon m

cámara ['kamara] nf chambre f; (Cine, TV) caméra f; (fotográfica) appareil-photo m; (de vídeo) caméscope m ▪ nm/f (Cine, TV) caméraman m; **a ~ lenta** au ralenti; **música de ~** musique f de chambre; ~ **alta/baja** Chambre haute/basse; ~ **de aire** chambre à air; ~ **de comercio** chambre de commerce; ~ **de gas** chambre à gaz; ~ **de vídeo** caméscope m; ~ **frigorífica** chambre froide; ~ **nupcial/oscura** chambre nuptiale/noire

camarada [kama'raða] nm/f camarade m/f; (de trabajo) collègue m/f

camarera [kama'rera] nf (en hotel) femme f de chambre; (AM) hôtesse f de l'air; ver tb **camarero**

camarero, -a [kama'rero, a] nm/f (en restaurante) serveur(-euse); (en bar) garçon m de café (serveuse); **¡camarera, por favor!** mademoiselle, s'il vous plaît!

camarilla [kama'riʎa] nf clique f; (Pol) groupe m de pression, lobby m

camarón [kama'ron] nm crevette f grise

camarote [kama'rote] nm cabine f

cambiante [kam'bjante] adj variable; (humor) changeant(e)

cambiar [kam'bjar] vt, vi changer; (fig) échanger; **cambiarse** vpr (de casa) changer; (de ropa) se changer; ~ **algo por algo** changer qch pour o contre qch; ~ **de coche/de idea/de trabajo** changer de voiture/d'idée/de travail; ~ **de marcha** changer de vitesse; ~**(se) de sitio** changer de place

cambio ['kambjo] nm changement m; (de dinero, impresiones) échange m; (Com: tipo de cambio) change m; (dinero menudo) monnaie f; **a ~ de** en échange de; **en ~** (por otro lado) en revanche, par contre; (en lugar de eso) à la place; ~ **a término** change à terme; ~ **de divisas** change de devises; ~ **de domicilio** changement de domicile; ~ **de la guardia** relève f de la garde; ~ **de línea/de página** (Inform) changement de ligne/de page; ~ **de marchas** o **de velocidades** changement de vitesses; ~ **de vía** aiguillage m

camelar [kame'lar] (fam) vt baratiner; **camelarse** vpr entortiller, embobeliner

camelo [ka'melo] nm chameau m; (fam) dealer m

camerino [kame'rino] nm loge f

camilla [ka'miʎa] nf civière f, brancard m; (mesa) guéridon m

caminante [kami'nante] nm/f marcheur(-euse)

caminar [kami'nar] vi marcher, cheminer ▪ vt faire à pied

caminata [kami'nata] *nf* trotte *f* (*fam*)
camino [ka'mino] *nm* (*tb Inform*) chemin *m*; **a medio ~** à mi-chemin; **en el ~** en chemin, chemin faisant; **~ de** vers; **estar/ponerse en ~** être/se mettre en route; **C~s, Canales y Puertos** (*Univ*) Ponts *mpl* et Chaussées; **ir por buen/mal ~** (*fig*) être sur la bonne/mauvaise voie; **~ de cabras** sentier *m* de chèvres; **C~ de Santiago** chemin de Saint-Jacques; **~ particular** voie *f* privée; **~ vecinal** chemin vicinal

● **CAMINO DE SANTIAGO**
●
● Le *Camino de Santiago* est un
● pèlerinage célèbre depuis le Moyen-
● Âge. Il a pour point de départ les
● Pyrénées et se termine à Saint-
● Jacques-de-Compostelle, au nord-
● ouest de l'Espagne, où serait enterré
● l'apôtre saint Jacques. De nos jours,
● ce pèlerinage attire toujours un grand
● nombre de croyants et de touristes.

camión [ka'mjon] *nm* camion *m*, poids *msg* lourd; **estar como un ~** (*fam: mujer*) être bien roulée; **~ cisterna** camion citerne; **~ de la basura** camion des éboueurs; **~ de mudanzas** camion de déménagement
camionero [kamjo'nero] *nm* camionneur *m*, routier *m*
camioneta [kamjo'neta] *nf* camionnette *f*
camisa [ka'misa] *nf* (*tb Tec*) chemise *f*; **~ de fuerza** camisole *f* de force
camiseta [kami'seta] *nf* tee-shirt *m*; (*ropa interior*) maillot *m* de corps; (*de deportista*) maillot
camisón [kami'son] *nm* chemise *f* de nuit
camorra [ka'morra] *nf*: **armar ~** faire un scandale; **buscar ~** chercher querelle
campamento [kampa'mento] *nm* colonie *f* de vacances; (*Mil*) camp *m*
campana [kam'pana] *nf* cloche *f*; (*Csur*) campagne *f*; **~ de cristal** cloche de verre
campanario [kampa'narjo] *nm* clocher *m*
campanilla [kampa'niʎa] *nf* clochette *f*; (*Bot*) campanule *f*
campaña [kam'paɲa] *nf* campagne *f*; **hacer ~ (en pro de/contra)** faire campagne (en faveur de o pour/contre); **~ de venta** campagne commerciale; **~ electoral/publicitaria** campagne électorale/publicitaire

campechano, -a [kampe'tʃano, a] *adj* sans façon; **es muy ~** il est très nature
campeón, -ona [kampe'on, ona] *nm/f* champion(ne)
campeonato [kampeo'nato] *nm* championnat *m*; **de ~** (*fam*) du tonnerre, formidable
campesino, -a [kampe'sino, a] *adj* champêtre; (*gente*) de la campagne ■ *nm/f* paysan(ne)
campestre [kam'pestre] *adj* champêtre
camping ['kampin] (*pl* **~s**) *nm* camping *m*; **ir de o hacer ~** aller en camping, faire du camping
campo ['kampo] *nm* campagne *f*; (*Agr, Elec, Fís*) champ *m*; (*Inform*) champ, zone *f*; (*Mil, de fútbol, rugby*) terrain *m*; (*ámbito*) domaine *m*; **a ~ traviesa** o **través** à travers champs; **dormir a ~ raso** dormir à la belle étoile; **trabajo de ~** travaux *mpl* pratiques (sur le terrain); **~ de batalla** champ de bataille; **~ de concentración** camp *m* de concentration; **~ de deportes/de golf** terrain de sports/de golf; **~ de minas** champ de mines; **~ de trabajo** champ de travail; **~ magnético** champ magnétique; **~ petrolífero** champ pétrolifère, gisement *m* de pétrole; **~ raso** rase campagne *f*; **~ visual** champ visuel
camposanto [kampo'santo] *nm* cimetière *m*
camuflaje [kamu'flaxe] *nm* camouflage *m*
cana ['kana] *nf* cheveu *m* blanc; **tener ~s** avoir des cheveux blancs; **echar una ~ al aire** se payer une partie de plaisir; *ver tb* **cano**
Canadá [kana'ða] *nm* Canada *m*
canadiense [kana'ðjense] *adj* canadien(ne) ■ *nm/f* Canadien(ne)
canal [ka'nal] *nm* canal *m*; (*de televisión*) chaîne *f*; (*de tejado*) chéneau *m*, gouttière *f*; **abrir algo en ~** ouvrir qch de haut en bas; **~ de distribución** réseau *m* de distribution; **C~ de la Mancha** la Manche; **C~ de Panamá** canal de Panama
canalizar [kanali'θar] *vt* canaliser
canalla [ka'naʎa] *nm* canaille *f*
canalón [kana'lon] *nm* tuyau *m* de descente; (*del tejado*) chéneau *m*; **canalones** *nmpl* (*Culin*) cannelloni *mpl*
canapé [kana'pe] (*pl* **~s**) *nm* (*tb Culin*) canapé *m*
Canarias [ka'narjas] *nfpl*: **las (Islas) ~** les (îles) Canaries *fpl*

canario, -a [ka'narjo, a] *adj* des (îles)
Canaries ■ *nm/f* natif(-ive) o habitant(e)
des (îles) Canaries ■ *nm* (*Zool*) canari *m*,
serin *m*; **amarillo ~** jaune canari *inv*,
jaune serin *inv*

canasta [ka'nasta] *nf* corbeille *f*; (*en
baloncesto*) panier *m*; (*Naipes*) canasta *f*;
hacer ~ réussir un panier

canastilla [kanas'tiʎa] *nf* trousse *f* à
couture; (*de niño*) layette *f*

canasto [ka'nasto] *nm* corbeille *f*

cancela [kan'θela] *nf* portillon *m*

cancelación [kanθela'θjon] *nf* (*ver vt*)
annulation *f*; résiliation *f*; suppression *f*;
acquittement *m*

cancelar [kanθe'lar] *vt* (*visita, vuelo*)
annuler; (*contrato*) résilier; (*permiso*)
supprimer; (*deuda*) s'acquitter de; (*cuenta
corriente*) fermer

cáncer ['kanθer] *nm* cancer *m*; **C~** (*Astrol*)
Cancer; **ser C~** être (du) Cancer

cancha ['kantʃa] *nf* terrain *m*; (*de tenis*)
court *m* ■ *excl* (*Csur*) dégagez!, faites
place!

canciller [kanθi'ʎer] *nm* chancelier *m*;
(*AM*) ministre *m* des Affaires étrangères

canción [kan'θjon] *nf* chanson *f*; **~ de
cuna** berceuse *f*; **~ infantil** comptine *f*;
~ popular chanson populaire

candado [kan'daðo] *nm* cadenas *msg*

candente [kan'dente] *adj* chauffé(e) au
rouge; (*tema, problema*) brûlant(e)

candidato, -a [kandi'ðato, a] *nm/f*
candidat(e); (*para puesto*) candidat(e),
postulant(e)

candidez [kandi'ðeθ] *nf* candeur *f*;
(*falta de malicia*) innocence *f*

cándido, -a ['kandiðo, a] *adj* candide,
innocent(e)

candil [kan'dil] *nm* lampe *f* à huile

candor [kan'dor] *nm* candeur *f*

canela [ka'nela] *nf* cannelle *f*; **~ en rama**
cannelle en branche

cangrejo [kan'grexo] *nm* crabe *m*;
(*de río*) écrevisse *f*

canguro [kan'guro] *nm* kangourou *m*;
(*de niños*) baby-sitter *m/f*; **hacer de ~**
garder des enfants

caníbal [ka'niβal] *adj, nm/f* cannibale *m/f*

canica [ka'nika] *nf* bille *f*

canijo, -a [ka'nixo, a] *adj* chétif(-ive)

canino, -a [ka'nino, a] *adj* canin(e)
■ *nm* canine *f*; **tener un hambre canina**
avoir une faim de loup

canjear [kanxe'ar] *vt*: **~ (por)** échanger
(pour); (*Com*) changer (pour)

cano, -a ['kano, a] *adj* (*pelo, cabeza*) blanc
(blanche)

canoa [ka'noa] *nf* canoë *m*

canon ['kanon] *nm* canon *m*; (*Com*) taxe
f, impôt *m*

canónigo [ka'noniɣo] *nm* chanoine *m*

canonizar [kanoni'θar] *vt* canoniser

canoso, -a [ka'noso, a] *adj*
grisonnant(e), aux cheveux blancs; (*pelo*)
grisonnant(e)

cansado, -a [kan'saðo, a] *adj* fatigué(e);
(*viaje, trabajo*) fatigant(e); **estoy ~ de
hacerlo** j'en ai assez de faire ça

cansancio [kan'sanθjo] *nm* fatigue *f*;
hasta el ~ à satiété

cansar [kan'sar] *vt* fatiguer; (*aburrir*)
ennuyer; (*hartar*) lasser; **cansarse** *vpr*:
~se (de hacer) se lasser (de faire)

cantábrico, -a [kan'taβriko, a] *adj*
cantabrique; **Mar C~** golfe *m* de
Gascogne

cántabro, -a ['kantaβro, a] *adj* de la
province de Santander ■ *nm/f* natif(-ive)
o habitant(e) de la province de Santander

cantante [kan'tante] *nm/f*
chanteur(-euse)

cantar [kan'tar] *vt* chanter ■ *vi*
chanter; (*fam: criminal*) se mettre à table;
(: *oler mal*) puer, cocoter ■ *nm* chanson *f*;
estaba cantado c'était à prévoir; **~ de
plano** passer aux aveux; **en menos que
canta un gallo** en un rien de temps; **~le a
algn las cuarenta** dire à qn ses quatre
vérités; **~ a dos voces** chanter en duo

cántara ['kantara] *nf* bidon *m*

cántaro ['kantaro] *nm* cruche *f*

cante ['kante] *nm*: **~ jondo** chant *m*
flamenco

cantera [kan'tera] *nf* (*lugar*) carrière *f*;
(*fig: de profesionales, futbolistas*) mine *f*

cantidad [kanti'ðað] *nf* quantité *f* ■ *adv*
(*fam*) plein; **el café me gusta ~** j'adore le
café, je raffole du café; **~ alzada** forfait *m*;
gran ~ de une grande quantité de, bon
nombre de; **en ~** en quantité

cantimplora [kantim'plora] *nf* gourde *f*

cantina [kan'tina] *nf* cantine *f*; (*de
estación*) buffet *m*; (*esp AM: taberna*) café *m*

canto ['kanto] *nm* chant *m*; (*de mesa,
moneda*) bord *m*; (*de libro*) tranche *f*; (*de
cuchillo*) dos *msg*; **faltó el ~ de un duro** il
s'en est fallu d'un cheveu; **de ~** de côté,
sur le côté; **~ rodado** galet *m*

canturrear [kanture'ar] *vi* chantonner

canuto [ka'nuto] *nm* petit tube *m*; (*fam:
droga*) joint *m*

caña ['kaɲa] *nf* (*Bot*) tige *f*; (: *especie*)
roseau *m*; (*de hueso*) os *msg* long; (*vaso*)
verre *m*; (*de cerveza*) demi *m*; (*AM*) alcool
m de canne à sucre; **dar** o **meter ~** (*fam: a*

un coche) appuyer sur le champignon; (: *a algn*) secouer; **~ de azúcar/de pescar** canne f à sucre/à pêche

cañada [ka'ɲaða] nf vallon m; (*de ganado*) chemin m de transhumance

cáñamo ['kaɲamo] nm chanvre m

cañería [kaɲe'ria] nf tuyauterie f

caño ['kaɲo] nm (*tubo*) tuyau m; (*de fuente*) jet m

cañón [ka'ɲon] nm canon m; (*Geo*) canyon m

caoba [ka'oβa] nf acajou m

caos ['kaos] nm chaos msg

C.A.P. sigla m (= *Certificado de Aptitud Pedagógica*) certificat d'aptitude à l'enseignement

cap. abr (= *capítulo*) chap. (= *chapitre*)

capa ['kapa] nf (*prenda*) cape f; (*Culin, Geo*) couche f; (*de polvo*) pellicule f; **defender a ~ y espada** défendre avec acharnement; **~ de ozono** couche d'ozone; **~s sociales** couches fpl sociales

capacidad [kapaθi'ðað] nf contenance f, capacité f; **este teatro tiene una ~ de mil espectadores** ce théâtre peut contenir mille spectateurs; **tener ~ para los idiomas/las matemáticas** être doué(e) pour les langues/les mathématiques; **tener ~ de adaptación/de trabajo** avoir une capacité d'adaptation/de travail; **~ adquisitiva** pouvoir m d'achat

capacitar [kapaθi'tar] vt: **~ a algn para** préparer qn à

capar [ka'par] vt castrer

caparazón [kapara'θon] nm (*de ave*) carcasse f; (*de tortuga*) carapace f

capataz [kapa'taθ] nm contremaître m

capaz [ka'paθ] adj capable; **ser ~ de (hacer)** être capable de (faire); **es ~ que venga mañana** (*AM*) il viendra probablement demain

capcioso, -a [kap'θjoso, a] adj: **pregunta capciosa** question f captieuse

capellán [kape'ʎan] nm aumônier m; (*sacerdote*) chapelain m

caperuza [kape'ruθa] nf capuche f; (*de bolígrafo*) capuchon m

capicúa [kapi'kua] adj inv palindrome ■ nf nombre m palindrome

capilla [ka'piʎa] nf chapelle f; **~ ardiente** chapelle ardente

capital [kapi'tal] adj (*tb Jur*) capital(e) ■ nm capital m ■ nf capitale f; **inversión de ~es** investissement m de capitaux; **~ activo** capital circulant o d'exploitation; **~ arriesgado o riesgo** capital-risques msg; **~ autorizado o social** capital social; **~ emitido** capital émis; **~ en acciones**

capital en actions; **~ improductivo/ pagado** capital improductif/versé; **~ invertido o utilizado** capital investi, mise f de fonds

capitalismo [kapita'lismo] nm capitalisme m

capitalista [kapita'lista] adj, nm/f capitaliste m/f

capitán [kapi'tan] nm capitaine m; **~ general** ≈ général m de corps d'armée

capitanear [kapitane'ar] vt commander; (*equipo*) être le capitaine de; (*pandilla, expedición*) être à la tête de

capitulación [kapitula'θjon] nf capitulation f; **capitulaciones matrimoniales** contrat msg de mariage

capitular [kapitu'lar] vi capituler

capítulo [ka'pitulo] nm chapitre m

capó [ka'po] nm capot m

capón [ka'pon] nm (*pollo*) chapon m; (*golpe*) tape f sur la tête

capota [ka'pota] nf (*de coche*) capote f

capote [ka'pote] nm (*de militar*) capote f; (*de torero*) cape f; **echar un ~ a algn** prêter main forte à qn

capricho [ka'pritʃo] nm caprice m; **darse un ~** s'offrir un caprice

caprichoso, -a [kapri'tʃoso, a] adj capricieux(-euse)

Capricornio [kapri'kornjo] nm (*Astrol*) Capricorne m; **ser ~** être (du) Capricorne

cápsula ['kapsula] nf capsule f; **~ espacial** capsule spatiale

captar [kap'tar] vt (*indirecta, sentido*) saisir; (*Radio*) capter; (*atención, apoyo*) attirer

captura [kap'tura] nf capture f

capturar [kaptu'rar] vt capturer

capucha [ka'putʃa] nf, **capuchón** [kapu'tʃon] nm capuche f; (*de bolígrafo*) capuchon m

capullo [ka'puʎo] nm (*Zool*) cocon m; (*Bot*) bouton m; (*fam!*) corniaud m; **~ de rosa** bouton de rose

caqui ['kaki] adj inv kaki inv ■ nm (*fruta*) kaki m

cara ['kara] nf visage m, face f; (*expresión*) mine f; (*de disco, papel*) face; (*fam: descaro*) culot m, toupet m ■ adv: **(de) ~ a** vis à vis de, face à; **de ~** de face; **decir algo ~ a ~** dire qch en face; **mirar ~ a ~** regarder bien en face; **dar la ~** ne pas se dérober; **echar algo en ~ a algn** reprocher qch à qn; **¿~ o cruz?** pile ou face?; **poner/tener ~ de** prendre/avoir un air de; **¡qué ~ más dura!** quel culot!, en voilà du toupet!; **tener buena/mala ~** avoir bonne/ mauvaise mine; (*herida, asunto, guiso*)

avoir bon/mauvais aspect; **tener mucha ~** avoir un culot monstre; **de una ~** (disquete) d'une seule face
carabina [kara'βina] nf carabine f; (persona) chaperon m
Caracas [ka'rakas] n Caracas
caracol [kara'kol] nm escargot m; (concha) coquille f d'escargot; (rizo) boucle f; (espAM) coquillage m; **escalera de ~** escalier m en colimaçon
carácter [ka'rakter] (pl **caracteres**) nm caractère m; **tener buen/mal ~** avoir bon/mauvais caractère; **~ alfanumérico** caractère alphanumérique; **~ de cambio de página** (Inform) caractère de changement de page; **caracteres de imprenta** caractères mpl d'imprimerie
característica [karakte'ristika] nf caractéristique f
característico, -a [karakte'ristiko, a] adj caractéristique
caracterizar [karakteri'θar] vt caractériser; (Teatro) bien interpréter; **caracterizarse** vpr (Teatro) se mettre en costume; **~se por** se caractériser par
caradura [kara'ðura] nm/f: **es un ~** c'est un malotru
carajillo [kara'xiʎo] nm café m mêlé de cognac
carajo [ka'raxo] (fam!) nm: **¡~!** merde! (fam!); **¡qué ~!** et quoi encore!, mon œil!; **me importa un ~** je m'en fous pas mal!; **¡vete al ~!** va te faire voir!
caramba [ka'ramba] excl dis donc!, mince alors!
carámbano [ka'rambano] nm glaçon m
caramelo [kara'melo] nm bonbon m; (azúcar fundido) caramel m
carátula [ka'ratula] nf masque m; (de libro) titre m; **la ~** le théâtre
caravana [kara'βana] nf caravane f; (de vehículos, gente) file f; (Auto) bouchon m
carbón [kar'βon] nm charbon m; **papel ~** carbone m; **al ~** au charbon; **~ de leña** o **vegetal** charbon de bois
carboncillo [karβon'θiʎo] nm fusain m
carbonilla [karβo'niʎa] nf poussière f de charbon
carbonizar [karβoni'θar] vt carboniser; **quedar carbonizado** être réduit en cendres
carbono [kar'βono] nm carbone m
carburador [karβura'ðor] nm carburateur m
carburante [karβu'rante] nm carburant m
carcajada [karka'xaða] nf éclat m de rire; **reír(se) a ~s** éclater de rire

cárcel ['karθel] nf prison f, maison f d'arrêt
carcelero, -a [karθe'lero, a] nm/f gardien(ne) de prison
carcoma [kar'koma] nf termite m
carcomer [karko'mer] vt manger, ronger; (salud, confianza) miner; **carcomerse** vpr: **~se de** être rongé(e) par
cardar [kar'ðar] vt carder
cardenal [karðe'nal] nm cardinal m; (Med) bleu m
cardiaco, -a [kar'ðjako, a], **cardíaco, -a** [kar'ðiako, a] adj cardiaque; **estar ~** (fam) être énervé(e)
cardinal [karði'nal] adj (Gramática) cardinal(e); **puntos ~es** points mpl cardinaux
cardo ['karðo] nm (comestible) cardon m; (espinoso) chardon m; **ser un ~** (fam) être laid(e) comme un pou; (arisco) être grincheux(-euse)
carecer [kare'θer] vi: **~ de** manquer de
carencia [ka'renθja] nf manque m; (escasez) carence f
carente [ka'rente] adj: **~ de** dépourvu(e) de
carestía [kares'tia] nf (Com) cherté f; (escasez) pénurie f; **época de ~** période f de pénurie
careta [ka'reta] nf masque m; **quitarle a algn la ~** démasquer qn; **~ antigás** masque à gaz
carga ['karɣa] nf charge f; (de barco, camión) chargement m, cargaison f; (de bolígrafo, pluma) cartouche f, recharge f; (Inform) chargement m; **de ~** (animal) de charge; **buque de ~** cargo m; **la ~ fiscal** la charge fiscale; **zona de ~ y descarga** zone f de livraisons; **~ aérea** fret m aérien; **~ afectiva** charge affective; **~ explosiva** charge explosive; **~ útil** charge utile
cargado, -a [kar'ɣaðo, a] adj chargé(e); (café, té) serré(e), fort(e); (ambiente) raréfié(e), vicié(e); **~ de hombros/ espalda** les épaules voûtées/le dos voûté
cargamento [karɣa'mento] nm chargement m, cargaison f
cargar [kar'ɣar] vt charger; (impuesto) imposer, taxer; (Com) débiter ■ vi charger; **cargarse** vpr (fam: estropear) bousiller; (: matar) liquider; (: ley, proyecto) supprimer; (: suspender) recaler, coller; (Elec) se charger; (cielo, nubes) se couvrir; **te la vas a ~** (fam) cela va te coûter cher; **~ las tintas** forcer la note; **~ (contra)** charger (contre); **~ con** porter; (responsabilidad) assumer; **los indecisos me cargan** les gens indécis me portent sur les nerfs; **~ a** o **en la espalda** prendre

sur son dos; **~se de** (de dinero) se munir de; (de paquetes) se charger de; (de obligaciones) assumer

cargo ['karɣo] nm (Com etc) débit m; (puesto) charge f; **cargos** nmpl (Jur) accusations fpl; **altos ~s** (Com) cadres mpl supérieurs; (Pol) autorités fpl; **una cantidad en ~ a algn** une somme portée au compte de qn; **estar a(l) ~ de** être à (la) charge de; **hacerse ~ de** (de deudas, poder) assumer; (darse cuenta de) se rendre compte de; **me da ~ de conciencia** cela me donne de remords

carguero [kar'ɣero] nm cargo m; (avión) avion-cargo m

Caribe [ka'riβe] nm: **el ~** les Caraïbes fpl

caribeño, -a [kari'βeɲo, a] adj des Caraïbes

caricatura [karika'tura] nf caricature f

caricia [ka'riθja] nf caresse f

caridad [kari'ðað] nf charité f; **obras de ~** œuvres fpl de charité; **vivir de la ~** vivre de la charité

caries ['karjes] nf inv carie f

cariño [ka'riɲo] nm affection f; **sí, ~** oui, chéri; **sentir ~ por/tener ~ a** ressentir/avoir de l'affection pour; **tomar ~ a algn** s'attacher à qn; **hacer algo con ~** prendre plaisir à faire qch

cariñoso, -a [kari'ɲoso, a] adj affectueux(-euse); **"saludos ~s"** "affectueusement"

carisma [ka'risma] nm charisme m

caritativo, -a [karita'tiβo, a] adj charitable

cariz [ka'riθ] nm (de los acontecimientos) tournure f

carmesí [karme'si] adj cramoisi(e) ■ nm cramoisi m

carmín [kar'min] nm carmin m; **~ (de labios)** rouge m (à lèvres)

carnal [kar'nal] adj charnel(le); **primo ~** cousin m germain

carnaval [karna'βal] nm carnaval m

CARNAVAL

Les réjouissances du Carnaval se déroulent pendant les trois jours qui précèdent le début du carême ("Cuaresma"). En déclin sous le régime franquiste, le carnaval connaît aujourd'hui un regain de popularité dans toute l'Espagne. Le carnaval de Cadix et celui de Tenerife sont particulièrement renommés pour leur animation : défilés, feux d'artifice et déguisements souvent somptueux.

carne ['karne] nf chair f; (Culin) viande f; **carnes** nfpl (fam) graisse fsg; **en ~ viva** à vif; **en ~ y hueso** en chair et en os; **~ de cañón** chair à canon; **~ de cerdo/de cordero** viande de porc/d'agneau; **~ de gallina** chair de poule; **~ de membrillo** gelée f de coing; **~ de ternera/de vaca** viande de veau/de bœuf; **~ picada** viande hachée

carné [kar'ne] nm = **carnet**

carnero [kar'nero] nm veau m

carnet [kar'ne] (pl **~s**) nm: **~ de conducir** permis msg de conduire; **~ de identidad** carte f d'identité; **~ de socio** carte de membre

carnicería [karniθe'ria] nf boucherie f

carnicero, -a [karni'θero, a] adj carnassier(-ière); (pájaro, ave) de proie ■ nm/f boucher(-ère)

carnívoro, -a [kar'niβoro, a] adj carnivore ■ nm carnivore m

carnoso, -a [kar'noso, a] adj charnu(e)

caro, -a ['karo, a] adj cher (chère) ■ adv cher; **te costará/lo pagarás ~** (fig) cela te coûtera/tu le paieras cher

carpa ['karpa] nf carpe f; (de circo) chapiteau m; (AM) tente f

carpeta [kar'peta] nf dossier m, chemise f; **~ (de anillas)** classeur m

carpintería [karpinte'ria] nf menuiserie f

carpintero [karpin'tero] nm menuisier m; **pájaro ~** pic m

carraspear [karraspe'ar] vi (toser) se racler la gorge, s'éclaircir la gorge

carrera [ka'rrera] nf course f; (Univ) études fpl; (profesión) carrière f; **tienes una ~ en las medias** tes bas sont filés; **aquí se recogen ~s a las medias** ici on reprise les bas; **a la ~** à toute vitesse; **darse o echar o pegar una ~** filer à toute allure o à toutes jambes; **de ~s** de course; **en una ~** d'une traite; **~ de armamentos/de obstáculos** course aux armements/d'obstacles

carreta [ka'rreta] nf charrette f

carrete [ka'rrete] nm pellicule f; (Tec) bobine f

carretera [karre'tera] nf route f; **~ de circunvalación** boulevard m périphérique; **~ nacional/secundaria** route nationale/secondaire

carretilla [karre'tiʎa] nf brouette f

carril [ka'rril] nm chemin m; (de autopista) file f, voie f; (Ferro) voie f

carril-bici [karril'βiθi] (pl **carriles-bici**) nm piste f cyclable

carrillo [ka'rriʎo] nm joue f

carrito [ka'rrito] nm chariot m, caddie m
carro ['karro] nm chariot m; (con dos ruedas) charrette f; (AM) voiture f; **¡para el ~!** arrête là!, c'est bon, ça suffit!; **~ blindado/de combate** char m d'assaut/de combat
carrocería [karroθe'ria] nf carrosserie f
carroña [ka'rroɲa] nf charogne f
carroza [ka'rroθa] nf carrosse m; (en desfile) char m ■ nm/f croulant(e), vieux schnock (vieille taupe)
carta ['karta] nf lettre f; (Naipes) carte f; (Jur) charte f; **a la ~** à la carte; **dar ~ blanca a algn** donner carte blanche à qn; **echar una ~ (al correo)** mettre une lettre (à la poste); **echar las ~s a algn** tirer les cartes à qn; **tomar ~s en el asunto** intervenir dans l'affaire; **~ certificada** lettre recommandée; **~ de ajuste** (TV) mire f; **~ de crédito documentaria** lettre de crédit; **~ de crédito irrevocable** (Com) lettre de crédit irrévocable; **~ de pedido** bon m de commande; **~ de vinos** carte des vins; **~ marítima** carte marine; **~ urgente** lettre urgente; **~ verde** carte verte
cartabón [karta'βon] nm équerre f
cartel [kar'tel] nm affiche f; (Com) cartel m, trust m; **en ~** à l'affiche
cartelera [karte'lera] nf rubrique f; (en la calle) panneau m d'affichage; (en París) colonne f Morris; **lleva mucho/poco tiempo en ~** il est à l'affiche depuis longtemps/peu
cartera [kar'tera] nf (tb: **cartera de bolsillo**) portefeuille m; (de cobrador) serviette f; (de colegial) cartable m; (AM) sac à main m; **ministro sin ~** (Pol) ministre m sans portefeuille; **ocupa la ~ de Agricultura** il occupe le portefeuille de l'Agriculture; **tener algo en ~** avoir qch de prévu; **efectos en ~** (Econ) avoirs mpl fonciers; **~ de mano** serviette, porte-documents m inv; **~ de pedidos** carnet m de commandes; ver tb **cartero**
carterista [karte'rista] nm/f pickpocket m, voleur(-euse) à la tire
cartero, -a [kar'tero] nm/f facteur(-trice)
cartilla [kar'tiʎa] nf livret m scolaire; **~ de ahorros** livret de caisse d'épargne; **~ de racionamiento** carte f de rationnement
cartón [kar'ton] nm carton m; (de tabaco) cartouche f; **de ~** en carton; **~ piedra** papier m mâché
cartucho [kar'tutʃo] nm cartouche f; (cucurucho) cornet m; **~ de datos** (Inform) chargeur m
cartulina [kartu'lina] nf bristol m

CASA ['kasa] (Esp) sigla f (Aviat) = Construcciones Aeronáuticas S.A.
casa ['kasa] nf maison f; **sentirse como en su ~** se sentir comme chez soi; **ir a ~** rentrer chez soi; **salir de ~** sortir de chez soi; **irse de ~** faire sa malle; **él es como de la ~** c'est comme s'il était de la famille; **llevar la ~** tenir sa maison; **echar la ~ por la ventana** (gastar) jeter l'argent par les fenêtres; (recibir a lo grande) mettre les petits plats dans les grands; **~ consistorial** hôtel m de ville, mairie f; **~ de campo** maison de campagne; **~ de citas/de discos** maison de rendez-vous/de disques; **~ de fieras** ménagerie f; **~ de huéspedes** pension f de famille; **~ de la moneda** hôtel des monnaies; **~ de socorro** dispensaire m
casado, -a [ka'saðo, a] adj, nm/f marié(e)
casamiento [kasa'mjento] nm mariage m
casar [ka'sar] vt marier ■ vi: **~ (con)** aller bien (avec); **casarse** vpr: **~se (con)** se marier (avec); **~se por lo civil/por la Iglesia** se marier civilement/religieusement
cascabel [kaska'βel] nm grelot m; (Zool) serpent m à sonnettes
cascada [kas'kaða] nf cascade f; **en ~** en cascade
cascanueces [kaska'nweθes] nm inv casse-noisettes msg
cascar [kas'kar] vt casser; (fam: golpear) tabasser ■ vi (fam) papoter; (: morir) clamser; **cascarse** vpr se casser; (voz) s'érailler
cáscara ['kaskara] nf coquille f; (de fruta) pelure f; (de patata) épluchure f; (de limón, naranja) écorce f
casco ['kasko] nm casque m; (Náut) coque f; (Zool) sabot m; (pedazo roto) tesson m; **cascos** nmpl (fam: cabeza) cervelle fsg; (: auriculares) écouteurs mpl; **el ~ antiguo** la vieille ville; **el ~ urbano** le centre ville
caserío [kase'rio] nm hameau m; (casa) manoir m
casero, -a [ka'sero, a] adj (cocina) maison; (remedio) de bonne femme; (trabajos) domestique ■ nm/f propriétaire m/f; (Com) syndic m; **"comida casera"** "cuisine maison"; **pan ~** pain m de ménage; **ser muy ~** être très casanier(-ière)
caseta [ka'seta] nf baraque f; (de perro) niche f; (para bañista) cabine f; (de feria) stand m
casete [ka'sete] nm magnétophone m ■ nf cassette f

casi ['kasi] adv presque; ~ **nunca/nada** presque jamais/rien; ~ **te caes** tu as manqué (de) o failli tomber

casilla [ka'siʎa] nf casier m; (Ajedrez, en crucigrama) case f; **sacar a algn de sus ~s** faire sortir qn de ses gonds; **C~ de Correo(s)** (AM) boîte f postale

casillero [kasi'ʎero] nm casier m; (marcador) tableau m, marqueur m

casino [ka'sino] nm casino m; (asociación) cercle m, club m

caso ['kaso] nm cas msg; **en ~ de ...** en cas de ...; **en ~ (de) que venga** au cas où il viendrait; **el ~ es que** le fait est que; **en el mejor/peor de los ~s** dans le meilleur/pire des cas; **en ese ~** dans ce cas; **en todo ~** en tout cas; **en último ~** en dernier recours; **¡eres un ~!** tu es un cas!; **(no) hacer ~ a** o **de algo/algn** (ne pas) faire cas de qch/qn; **hacer ~ omiso de** faire fi de; **hacer** o **venir al ~** venir à propos; **yo en tu ~ ...** moi, à la place ..., moi, si j'étais à ta place ...

caspa ['kaspa] nf (en pelo) pellicule f

cassette [ka'set] nm, nf = **casete**

casta ['kasta] nf race f; (clase social) caste f; (de persona) lignée f

castaña [kas'taɲa] nf châtaigne f, marron m; (fam: tb: **castañazo**) gnon m, marron m; (: Auto) gnon m; (: puñetazo) châtaigne, coup m de poing; ~ **pilonga** châtaigne sèche

castañetear [kastaɲete'ar] vi: **le castañetean los dientes** il claque des dents

castaño, -a [kas'taɲo, a] adj marron; (pelo) brun(e) ■ nm châtaignier m, marronnier m; ~ **de Indias** marronnier des Indes

castañuelas [kasta'ɲwelas] nfpl castagnettes fpl

castellano, -a [kaste'ʎano, a] adj castillan(e) ■ nm/f (persona) Castillan(e) ■ nm (Ling) castillan m

castidad [kasti'ðað] nf chasteté f

castigar [kasti'ɣar] vt punir, châtier; (cuerpo, campos) affecter; (Deporte) pénaliser

castigo [kas'tiɣo] nm punition f; (Deporte) pénalisation f; (fig) enfer m

Castilla [kas'tiʎa] nf Castille f

castillo [kas'tiʎo] nm château m; **hacer ~s en el aire** bâtir des châteaux en Espagne; ~ **de popa** dunette f

castizo, -a [kas'tiθo, a] adj (Ling) pur(e); (auténtico) de pure souche

casto, -a ['kasto, a] adj chaste

castor [kas'tor] nm castor m

castrar [kas'trar] vt châtrer

castrense [kas'trense] adj militaire

casual [ka'swal] adj fortuit(e)

casualidad [kaswali'ðað] nf hasard m; **dar la ~ (de) que** se trouver que; **se da la ~ que ...** il se trouve que ...; **por ~** par hasard; **¡qué ~!** quel hasard!

cataclismo [kata'klismo] nm cataclysme m

catalán, -ana [kata'lan, ana] adj catalan(e) ■ nm/f Catalan(e) ■ nm (Ling) catalan m

catalizador [katali'θaðor] nm catalyseur m

catalogar [katalo'ɣar] vt cataloguer; ~ **a algn de** cataloguer qn comme

catálogo [ka'taloɣo] nm catalogue m

Cataluña [kata'luɲa] nf Catalogne f

catar [ka'tar] vt goûter

catarata [kata'rata] nf cataracte f

catarro [ka'tarro] nm rhume m

catástrofe [ka'tastrofe] nf catastrophe f

catastrófico, -a [katas'trofiko, a] adj catastrophique

catear [kate'ar] (fam) vt recaler, coller

cátedra ['kateðra] nf chaire f; **sentar ~ sobre un argumento** argumenter comme un expert; (pey) étaler sa science

catedral [kate'ðral] nf cathédrale f

catedrático, -a [kate'ðratiko, a] nm/f professeur m

categoría [kateɣo'ria] nf catégorie f; **de ~** de classe; **de segunda ~** de seconde catégorie; **un empleo de baja ~** un emploi subalterne; **no tiene ~** il n'a aucune classe

categórico, -a [kate'ɣoriko, a] adj catégorique

cateto, -a [ka'teto, a] nm/f (pey) rustre m, péquenaud(e) (fam) ■ nm (Geom) côté m

catolicismo [katoli'θismo] nm catholicisme m

católico, -a [ka'toliko, a] adj, nm/f
catholique m/f

catorce [ka'torθe] adj inv, nm inv
quatorze m inv; ver tb **seis**

cauce ['kauθe] nm (de río) lit m; (fig)
voie f

caucho ['kautʃo] nm caoutchouc m;
(AM) pneu m; **de ~** en caoutchouc

caución [kau'θjon] nf caution f

caudal [kau'ðal] nm débit m; (fortuna)
fortune f, capital m; (abundancia)
abondance f

caudaloso, -a [kauða'loso, a] adj à fort
débit

caudillo [kau'ðiʎo] nm chef m; **el C~** le
Caudillo, le général Franco

causa ['kausa] nf cause f; **a/por ~ de**
à/pour cause de

causar [kau'sar] vt causer

cautela [kau'tela] nf précaution f,
prudence f

cauteloso, -a [kaute'loso, a] adj
prudent(e)

cautivar [kauti'βar] vt captiver

cautiverio [kauti'βerjo] nm,
cautividad [kautiβi'ðað] nf captivité f

cautivo, -a [kau'tiβo, a] adj, nm/f
captif(-ive)

cauto, -a ['kauto, a] adj prudent(e),
avisé(e)

cava ['kaβa] nm cava m, équivalent du
"champagne" français ■ nf cave f

cavar [ka'βar] vt, vi creuser

caverna [ka'βerna] nf caverne f

cavidad [kaβi'ðað] nf cavité f

cavilar [kaβi'lar] vi: **~ (sobre)** méditer
(sur)

cayado [ka'jaðo] nm (de pastor) houlette
f; (de obispo) houlette, crosse f

cayendo etc [ka'jendo] vb ver **caer**

caza ['kaθa] nf chasse f ■ nm (Aviat)
chasseur m; **dar ~ a** faire la chasse à; **ir de
~** aller à la chasse; **andar a la ~ de algo/
algn** être à l'affût de qch/qn; **~ furtiva**
braconnage m; **~ mayor/menor** gros/
menu gibier m

cazador, a [kaθa'ðor, a] adj, nm/f
chasseur(-euse); **~ furtivo** braconnier m

cazadora [kaθa'ðora] nf blouson m

cazar [ka'θar] vt (buscar) chasser;
(perseguir) pourchasser; (coger) attraper;
(indirecta, intención) saisir; (marido)
dénicher; **~las al vuelo** ne rien laisser
passer

cazo ['kaθo] nm (cacerola) poêlon m;
(cucharón) louche f

cazuela [ka'θwela] nf (vasija) marmite f;
(guisado) ragoût m

c/c. abr (Com: = cuen[...]
(= compte courant)

CD sigla m (= compac[...]
disc); (Pol: = Cuerpo [...]
(= corps diplomatique[...]

c/d abr (= en casa de) c[...]
de; (= con descuento) av[...]

CD-Rom sigla m CD-Rom[...]

CE sigla m (= Consejo de Europ[...]
(= Conseil de l'Europe) ■ sigla f[...]
(= Comunidad Europea) CE f (= Con[...]
européenne)

cebada [θe'βaða] nf orge f

cebar [θe'βar] vt (animal) gaver,
engraisser; (persona) gaver; (anzuelo)
amorcer; (Mil, Tec) charger; **cebarse** vpr
se gaver; **~se en/con** s'acharner sur/à;
estar cebado être gros comme une
barrique

cebo ['θeβo] nm appât m, amorce f; (fig)
appât, leurre m

cebolla [θe'βoʎa] nf oignon m

cebolleta [θeβo'ʎeta] nf oignon m
nouveau; (en vinagre) petit oignon blanc

cebra ['θeβra] nf zèbre m; **paso de ~**
passage m pour piétons

cecear [θeθe'ar] vi zézayer

ceceo [θe'θeo] nm zézaiement m

ceder [θe'ðer] vt céder ■ vi céder;
(disminuir) diminuer; (fiebre) tomber;
(dolor) s'apaiser; **"ceda el paso"** "cédez
le passage"

cedro ['θeðro] nm cèdre m

cédula ['θeðula] nf cédule f; **~ de
identidad** (AM) carte f d'identité; **~ en
blanco** billet m en blanc; **~ hipotecaria**
cédule hypothécaire

cegar [θe'ɣar] vt aveugler; (tubería,
ventana) boucher; **cegarse** vpr (fig)
s'aveugler; **~se de ira** se fâcher tout
rouge

ceguera [θe'ɣera] nf cécité f

ceja ['θexa] nf sourcil m; **~s pobladas**
sourcils mpl fournis; **arquear las ~s**
écarquiller les yeux; **fruncir las ~s** froncer
les sourcils

cejar [θe'xar] vi: **(no) ~ en su empeño/
propósito** (ne pas) renoncer à son
engagement/dessein

celador, a [θela'ðor, a] nm/f (de hospital)
gardien(ne); (de cárcel) gardien(ne) de
prison

celda ['θelda] nf cellule f; (de abejas)
cellule, alvéole m of

celebración [θeleβra'θjon] nf
célébration f

celebrar [θele'βrar] vt célébrer ■ vi (Rel)
officier; **celebrarse** vpr se célébrer;

...o que sigas bien je suis ravi(e) que ...es bien

...re ['θeleβre] adj célèbre

...ridad [θeleβri'ðað] nf célébrité f

...ste [θe'leste] adj (tb: **azul celeste**) ...eu ciel inv; (cuerpo, bóveda) céleste ...a nm bleu m ciel

...lestial [θeles'tjal] adj céleste

célibato [θeli'βato] nm célibat m

célibe ['θeliβe] adj, nm/f célibataire m/f

celo ['θelo] nm zèle m; (®: tb: **papel celo**) papier m collant, scotch® m; **celos** nmpl (de niño, amante) jalousie fsg; **dar ~s a algn** rendre qn jaloux(-ouse); **tener ~s de algn** être jaloux(-ouse) de qn; **estar en ~** être en chaleur

celofán [θelo'fan] nm cellophane f

celoso, -a [θe'loso, a] adj jaloux(-ouse); **~ en** (el trabajo, cumplimiento) zélé(e) dans

célula ['θelula] nf cellule f; **~ fotoeléctrica** cellule photoélectrique

celulitis [θelu'litis] nf cellulite f

celulosa [θelu'losa] nf cellulose f

cementerio [θemen'terjo] nm cimetière m; **~ de coches** cimetière de voitures, casse f

cemento [θe'mento] nm (argamasa) mortier m; (para construcción) ciment m; (AM: cola) colle f; **~ armado** ciment armé

cena ['θena] nf dîner m, souper m

cenagal [θena'ɣal] nm bourbier m

cenar [θe'nar] vt: **~ algo** manger qch pour le dîner ■ vi souper, dîner

cenicero [θeni'θero] nm cendrier m

cenit [θe'nit] nm zénith m; (de carrera) sommet m, faîte m

ceniza [θe'niθa] nf cendre f; **cenizas** nfpl (de persona) cendres fpl

censo ['θenso] nm recensement m; **~ electoral** recensement électoral

censura [θen'sura] nf censure f

censurar [θensu'rar] vt censurer

centella [θen'teʎa] nf étincelle f; (rayo) foudre f; **como una ~** comme la foudre

centellear [θenteʎe'ar] vi étinceler; (estrella) scintiller

centenar [θente'nar] nm centaine f

centenario, -a [θente'narjo, a] adj, nm centenaire m

centeno [θen'teno] nm seigle m

centésimo, -a [θen'tesimo, a] adj, nm/f centième m

centígrado [θen'tiɣraðo] adj centigrade

centímetro [θen'timetro] nm centimètre m; **~ cuadrado/cúbico** centimètre carré/cube

céntimo ['θentimo] nm centime m

centinela [θenti'nela] nm sentinelle f; **estar de ~** être de garde; **hacer de ~** monter la garde

centollo [θen'toʎo] nm araignée f de mer

central [θen'tral] adj central(e) ■ nf centrale f; **~ eléctrica/nuclear** centrale électrique/nucléaire; **~ sindical** centrale syndicale; **~ térmica** centrale thermique

centralita [θentra'lita] nf standard m

centralizar [θentrali'θar] vt centraliser

centrar [θen'trar] vt centrer; (interés, atención) attirer; (esfuerzo, trabajo) concentrer ■ (en) centrer; **centrarse** vpr s'adapter

céntrico, -a ['θentriko, a] adj central(e); **zona céntrica** zone f centrale, quartier m central

centrifugar [θentrifu'ɣar] vt essorer

centrista [θen'trista] adj centriste

centro ['θentro] nm centre m; **ser del ~** (Pol) être au centre; **ser el ~ de las miradas** être le point de mire; **~ comercial** centre commercial; **~ de beneficios** (Com) centre de profit; **~ de computación** centre de calcul; **~ (de determinación) de costes** centre (de détermination) des coûts; **~ de gravedad** centre de gravité; **~ de mesa** surtout m de table; **~ de salud** centre de santé; **~ docente** centre d'enseignement; **~ social** foyer m socio-éducatif; **~ turístico** centre touristique

centroamericano, -a [θentroameri'kano, a] adj d'Amérique centrale ■ nm/f natif(-ive) o habitant(e) d'Amérique centrale

ceñido, -a [θe'ɲiðo, a] adj cintré(e)

ceñir [θe'ɲir] vt serrer; **ceñirse** vpr (vestido) coller; **~se a algo/a hacer algo** s'en tenir à qch/à faire qch

ceño ['θeɲo] nm froncement m; **fruncir el ~** froncer les sourcils

CEOE sigla f (= Confederación Española de Organizaciones Empresariales) ≈ CNPF m (= Conseil national du patronat français)

cepillar [θepi'ʎar] vt brosser; (madera) raboter; **cepillarse** vpr (fam) liquider; (: acostarse con algn) se faire

cepillo [θe'piʎo] nm brosse f; (para madera) rabot m; (Rel) tronc m; **~ de dientes** brosse à dents

cera ['θera] nf cire f; (del oído) cérumen m; **~ de abejas** cire d'abeilles

cerámica [θe'ramika] nf céramique f; **de ~** en céramique

cerca ['θerka] nf haie f ■ adv (en el espacio) près; (en el tiempo) bientôt ■ prep: **~ de** (cantidad) près de, environ;

(*distancia*) près de; **de ~** de près; **por aquí**
~ tout près d'ici
cercanía [θerkaˈnia] *nf* proximité *f*;
  cercanías *nfpl* (*de ciudad*) alentours *mpl*;
  tren de ~s train *m* de banlieue
cercano, -a [θerˈkano, a] *adj* proche;
  (*pueblo etc*) voisin(e); **~ a** proche de;
  C~ Oriente Proche-Orient *m*
cercar [θerˈkar] *vt* clôturer;
  (*manifestantes*) encercler; (*Mil*) assiéger
cerciorar [θerθjoˈrar] *vt* (*asegurar*)
  assurer; **cerciorarse** *vpr*: **~se (de)**
  s'assurer (de)
cerco [ˈθerko] *nm* cercle *m*; (*de ventana,
  puerta*) cadre *m*; (*AM*) clôture *f*; (*Mil*)
  siège *m*
Cerdeña [θerˈðeɲa] *nf* Sardaigne *f*
cerdo, -a [ˈθerðo, a] *nm/f* cochon (truie);
  (*fam: persona sucia*) cochon(ne); (: *sin
  escrúpulos*) salaud *m*, salope *f*; **(carne de)**
  ~ (viande *f* de) porc *m*
cereal [θereˈal] *nm* céréale *f*; **cereales**
  nmpl (*Culin*) céréales *fpl*
cerebral [θereˈβral] *adj* cérébral(e)
cerebro [θeˈreβro] *nm* cerveau *m*; **ser un
  ~** être un cerveau; **es el ~ de la banda**
  c'est le cerveau de la bande
ceremonia [θereˈmonja] *nf* cérémonie *f*;
  hablar sin ~s parler sans cérémonies
ceremonial [θeremoˈnjal] *adj* (*traje*) de
  cérémonie; (*danza*) cérémoniel(le) ■ *nm*
  cérémonial *m*
ceremonioso, -a [θeremoˈnjoso, a] *adj*
  cérémonieux(-euse)
cereza [θeˈreθa] *nf* cerise *f*
cerilla [θeˈriʎa] *nf*, **cerillo** [θeˈriʎo] (*AM*)
  ■ *nm* allumette *f*
cernerse [θerˈnerse] *vpr*: **~ sobre**
  (*tempestad*) menacer; (*desgracia*) planer
  sur
cero [ˈθero] *nm* zéro *m*; **8 grados bajo ~**
  8 degrés au dessous de zéro; **15 a ~** 15 à
  zéro; **a partir de ~** à zéro; **ser un ~ a la
  izquierda** être un zéro
cerrado, -a [θeˈrraðo, a] *adj* fermé(e);
  (*cielo*) couvert(e); (*curva*) en épingle à
  cheveux; (*poco sociable*) renfermé(e);
  (*bruto*) borné(e); (*acento*) marqué(e),
  prononcé(e); (*noche*) obscur(e); (*barba*)
  dru(e), fourni(e); **a puerta cerrada** à
  huis-clos
cerradura [θerraˈðura] *nf* serrure *f*
cerrajero, -a [θerraˈxero, a] *nm/f*
  serrurier *m*
cerrar [θeˈrrar] *vt* fermer; (*paso, entrada*)
  barrer; (*sobre*) cacheter, fermer; (*debate,
  plazo*) clore, clôturer; (*cuenta*) clore,
  fermer ■ *vi* fermer; **cerrarse** *vpr* se

fermer; (*herida*) se refermer; **~ con llave**
fermer à clef; **~ la marcha** fermer la
marche; **~ el sistema** (*Inform*) fermer o
boucler le système; **~ un trato** conclure
un marché; **¡cierra la boca!** la ferme!;
~se a algo se refuser à qch, s'opposer à qch
cerro [ˈθerro] *nm* tertre *m*; **irse por los ~s
de Ubeda** divaguer, s'éloigner du sujet
cerrojo [θeˈrroxo] *nm* verrou *m*; **echar** o
correr el ~ verrouiller
certamen [θerˈtamen] *nm* concours *msg*
certero, -a [θerˈtero, a] *adj* adroit(e)
certeza [θerˈteθa], **certidumbre**
  [θertiˈðumbre] *nf* certitude *f*; **tener la
  ~ de que** avoir la certitude que
certificado, -a [θertifiˈkaðo, a] *adj*
  recommandé(e) ■ *nm* certificat *m*;
  ~ médico certificat médical
certificar [θertifiˈkar] *vt* certifier;
  (*Correos*) envoyer en recommandé
cervatillo [θerβaˈtiʎo] *nm* faon *m*
cervecería [θerβeθeˈria] *nf* brasserie *f*
cerveza [θerˈβeθa] *nf* bière *f*
cesante [θeˈsante] *adj* en disponibilité;
  (*AM*) au chômage
cesar [θeˈsar] *vi* cesser; (*empleado*) se
  démettre de ses fonctions ■ *vt*
  (*funcionario, ministro*) démettre de ses
  fonctions; **~ de hacer** arrêter de faire; **sin
  ~** sans cesse
cesárea [θeˈsarea] *nf* césarienne *f*
cese [ˈθese] *nm* fin *f*; (*despido*) révocation *f*
césped [ˈθespeð] *nm* gazon *m*, pelouse *f*;
  (*Deporte*) gazon
cesta [ˈθesta] *nf* panier *m*; **~ de la
  compra** panier à provisions
cesto [ˈθesto] *nm* panier *m*, corbeille *f*
cetro [ˈθetro] *nm* sceptre *m*
chabacano, -a [tʃaβaˈkano, a] *adj*
  vulgaire ■ *nm* (*Méx*) abricot *m*
chabola [tʃaˈβola] *nf* cabane *f*;
  chabolas *nfpl* (*zona*) bidonville *m*
chacal [tʃaˈkal] *nm* chacal *m*
chacha [ˈtʃatʃa] (*fam*) *nf* bonne *f*
cháchara [ˈtʃatʃara] *nf*: **estar de ~** parler
  à bâtons rompus
chacra [ˈtʃakra] (*And, Csur*) *nf* ferme *f*
chafar [tʃaˈfar] *vt* (*ropa*) aplatir; (*hierba*)
  coucher; (*ropa*) chiffonner; (*fig: planes*)
  bouleverser
chal [tʃal] *nm* châle *m*
chalado, -a [tʃaˈlaðo, a] (*fam*) *adj*
  taré(e); **estar ~ por algn** en pincer pour qn
chalé [tʃaˈle] (*pl ~s*) *nm* villa *f*; (*en la
  montaña*) chalet *m*
chaleco [tʃaˈleko] *nm* gilet *m*; **~ antibala**
  gilet pare-balles; **~ salvavidas** gilet de
  sauvetage

chalet [tʃa'le] (pl ~s) nm = **chalé**

champán [tʃam'pan], **champaña** [tʃam'paɲa] nm champagne m

champú [tʃam'pu] (pl ~es, ~s) nm shampooing m

chamuscar [tʃamus'kar] vt roussir

chance ['tʃanθe] (AM) nm o nf occasion f

chancho, -a ['tʃantʃo, a] (AM) nm/f porc m

chanchullo [tʃan'tʃuʎo] (fam) nm magouille f

chandal [tʃan'dal] nm survêtement m

chantaje [tʃan'taxe] nm chantage m; **hacer ~ a algn** faire chanter qn

chapa ['tʃapa] nf (de metal, insignia) plaque f; (de madera) planche f; (de botella) capsule f; (AM) serrure f; **de 3 ~s** (madera) en 3 épaisseurs; **~ (de matrícula)** (Csur) plaque d'immatriculation

chaparrón [tʃapa'rron] nm averse f

chapotear [tʃapote'ar] vi patauger

chapucero, -a [tʃapu'θero, a] (pey) adj (trabajo) bâclé(e) ■ nm/f: **ser (un) ~** bâcler son travail

chapurr(e)ar [tʃapurr(e)'ar] vt (idioma) baragouiner

chapuza [tʃa'puθa] nf bricole f; (pey) travail m bâclé; (trabajo extra) travail supplémentaire

chapuzón [tʃapu'θon] nm: **darse un ~** faire trempette

chaqueta [tʃa'keta] nf (de lana) gilet m; (de traje) veste f; **cambiar de ~** (fig) retourner sa veste

chaquetón [tʃake'ton] nm veste f

charca ['tʃarka] nf mare f

charco ['tʃarko] nm flaque f

charcutería [tʃarkute'ria] nf charcuterie f

charla ['tʃarla] nf bavardage m; (conferencia) petit discours msg

charlar [tʃar'lar] vi bavarder

charlatán, -ana [tʃarla'tan, ana] adj bavard(e) ■ nm/f bavard(e); (estafador) charlatan m

charol [tʃa'rol] nm cuir m verni; (AM) plateau m; **de ~** verni(e)

chárter ['tʃarter] adj inv: **vuelo ~** vol m charter

chascarrillo [tʃaska'rriʎo] nm histoire f drôle

chasco ['tʃasko] nm (desengaño) déception f; (broma) tour m; **me llevé un ~** ça m'a fait l'effet d'une douche froide

chasis ['tʃasis] nm inv châssis msg

chasquear [tʃaske'ar] vt faire claquer

chasquido [tʃas'kiðo] nm claquement m; (de madera) craquement m

chat ['tʃat] (pl ~s) nm (Inform) chat m

chatarra [tʃa'tarra] nf ferraille f; **estar hecho o ser una ~** ne plus être qu'un vieux tas de ferraille

chatear [tʃate'ar] vi (Inform) chatter

chato, -a ['tʃato, a] adj (persona) au nez épaté; (nariz) épaté(e); (Pe, Chi: bajito) petit(e) ■ nm petit verre m (de vin); **hola, ~** salut, vieux; **beber unos ~s** boire un pot

chaval, a [tʃa'βal, a] nm/f gars msg, fille f; **estás hecho un ~** tu ne fais pas ton âge

checo(e)slovaco, -a [tʃeko(e)sloˈβako, a] adj tchécoslovaque ■ nm/f Tchécoslovaque m/f

Checo(e)slovaquia [tʃeko(e)sloˈβakja] nf Tchécoslovaquie f

chepa ['tʃepa] nf bosse f

cheque ['tʃeke] nm chèque m; **~ abierto/ cruzado/en blanco** chèque non barré/à ordre/en blanc; **~ al portador** chèque au porteur; **~ de viaje** chèque de voyage; **~ sin fondos** chèque sans provision

chequeo [tʃe'keo] nm (Med) bilan m de santé; (Auto) vérification f

chequera [tʃe'kera] (AM) nf chéquier m

chica ['tʃika] nf fille f; **¿qué tal, ~?** alors, comment vas?; ver tb **chico**

chicano, -a [tʃi'kano, a] adj, nm/f Chicano m

chícharo ['tʃitʃaro] (Méx) nm (guisante) petit pois msg

chichón [tʃi'tʃon] nm bosse f (à la tête)

chicle ['tʃikle] nm chewing-gum m

chico, -a ['tʃiko, a] adj (esp AM) petit(e) ■ nm (niño) petit garçon m; (muchacho) garçon

chiflado, -a [tʃi'flaðo, a] (fam) adj givré(e) ■ nm/f taré(e); **estar ~ por algn** être fou (folle) de qn

chiflar [tʃi'flar] vi siffler; **le chiflan los helados** il raffole des glaces; **nos chifla montar en moto** on adore faire de la moto

Chile ['tʃile] nm Chili m

chile ['tʃile] nm piment m fort

chileno, -a [tʃi'leno, a] adj chilien(ne) ■ nm/f Chilien(ne)

chillar [tʃi'ʎar] vi (persona) pousser des cris aigus; (animal) glapir

chillido [tʃi'ʎiðo] nm (de persona) cri m aigu; (de animal) glapissement m

chillón, -ona [tʃi'ʎon, ona] adj (niño) brailleur(-euse); (voz, color) criard(e)

chimenea [tʃime'nea] nf cheminée f; **~ de ventilación** bouche f d'aération

chimpancé [tʃimpan'θe] (pl ~s) nm chimpanzé m

China ['tʃina] nf: **la ~** la Chine

china ['tʃina] nf caillou m; (porcelana) porcelaine f; (Csur: india) indienne f; (: criada) domestique f; **te tocó la ~** tu as gagné le gros lot (iron); ver tb **chino**

chinche ['tʃintʃe] nm/f punaise f; **morirse como ~s** tomber comme des mouches

chincheta [tʃin'tʃeta] nf punaise f

chino, -a ['tʃino, a] adj chinois(e) ■ nm/f Chinois(e) ■ nm (Ling) chinois msg; (And, Csur: indio) indien m; (: criado) domestique m; (Méx) boucle f; **trabajar como un ~** trimer

chipirón [tʃipi'ron] nm petit calmar m

Chipre ['tʃipre] nf Chypre f

chipriota [tʃi'prjota] adj chypriote ■ nm/f Chypriote m/f

chiquillo, -a [tʃi'kiʎo, a] (fam) nm/f môme m/f

chirimoya [tʃiri'moja] nf (Bot) anone f

chiringuito [tʃirin'gito] nm kiosque m

chiripa [tʃi'ripa] nf: **por** o **de ~** sur un coup de pot

chirriar [tʃi'rrjar] vi (goznes) grincer; (pájaros) piailler

chirrido [tʃi'rriðo] nm grincement m

chis [tʃis] excl chut

chisme ['tʃisme] nm ragot m; (fam) truc m

chismoso, -a [tʃis'moso, a] adj cancanier(-ère) ■ nm/f commère f

chispa ['tʃispa] nf étincelle f; (de lluvia) petite goutte f; **una ~** (fam) un tout petit peu; **estar que echa ~s** être énervé(e); **no tiene ni ~ de gracia** il n'a pas le moindre sens de l'humour

chispear [tʃispe'ar] vi étinceler; (lloviznar) pleuvoter

chisporrotear [tʃisporrote'ar] vi crépiter; (aceite) grésiller

chiste ['tʃiste] nm histoire f drôle; **~ verde** histoire cochonne

chistoso, -a [tʃis'toso, a] adj (situación) comique; (persona) spirituel(le)

chivo, -a ['tʃiβo, a] nm/f chevreau(-vrette); **~ expiatorio** tête f de turc

chocante [tʃo'kante] adj (sorprendente) choquant(e); (gracioso) drôle; **es ~ que sea así** c'est choquant que ce soit comme ça

chocar [tʃo'kar] vi (coches etc) cogner; (Mil, fig) s'affronter ■ vt (copas) s'entrechoquer; (sorprender) choquer; **~ con** rentrer dans; (fig) s'accrocher avec; **¡chócala!** (fam) tope là!

chochear [tʃotʃe'ar] vi devenir gâteux(-euse)

chocho, -a ['tʃotʃo, a] adj gâteux(-euse); **estar ~ por algn/algo** raffoler de qn/qch

chocolate [tʃoko'late] adj (AM) chocolat inv ■ nm chocolat m; (fam: hachís) hasch m

chocolatina [tʃokola'tina] nf chocolat m

chofer ['tʃofer], **chófer** [tʃo'fer] nm chauffeur m

chollo ['tʃoʎo] (fam) nm bon plan m

choque ['tʃoke] vb ver **chocar** ■ nm choc m; (impacto) impact m; (fig: disputa) heurt m

chorizo [tʃo'riθo] nm chorizo m; (fam) voyou m

chorrear [tʃorre'ar] vt dégouliner ■ vi dégouliner; (gotear) goutter; **estar chorreando** être trempé(e)

chorro ['tʃorro] nm (de líquido) jet m; (de luz) filet m; (fig) flot m; **a ~s** à flots; **llover a ~s** pleuvoir des cordes; **salir a ~s** couler à flots; **propulsión a ~** propulsion f par réaction

choza ['tʃoθa] nf hutte f

chubasco [tʃu'βasko] nm bourrasque f

chubasquero [tʃuβas'kero] nm ciré m

chuchería [tʃutʃe'ria] nf babiole f; (para comer) amuse-gueule m inv

chuleta [tʃu'leta] nf côte f; (Escol etc: fam) pompe f

chulo, -a ['tʃulo, a] adj (fam: bonito) classe; (Méx) beau (belle); (pey) effronté(e) ■ nm effronté m; (matón) frimeur m; (madrileño) type des bas-fonds de Madrid; (tb: **chulo de putas**) maquereau m; (And) vautour m; **ponerse ~ (con algn)** faire l'insolent(e) (avec qn)

chupar [tʃu'par] vt (líquido) aspirer; (caramelo) sucer; (absorber) absorber; **chuparse** vpr (dedo) sucer; (mano) se lécher; (Med) s'émacier; **para ~se los dedos** à s'en lécher les babines

chupete [tʃu'pete] nm sucette f

chupito [tʃu'pito] nm (fam) petit verre m; **un ~ de whisky por favor** un baby s'il vous plaît

churro ['tʃurro] nm ≈ beignet m; (fam) bricolage m; (And, Csur: fam) beau mec (belle fille)

chusma ['tʃusma] (*pey*) *nf* foule *f*
chutar [tʃu'tar] *vi* (*Deporte*) shooter; **esto va que chuta** (*fam*) ça marche comme sur des roulettes; **con 30 vas que chutas** (*fam*) tu auras assez avec 30 euros
Cía *abr* (= *compañía*) Cie (= *compagnie*)
cianuro [θja'nuro] *nm* (*Quím*) cyanure *m*
cibercafé [θiβerka'fe] *nm* cybercafé *m*
cibernauta [θiβer'nauta] *nm/f* cybernaute *m/f*
cicatriz [θika'triθ] *nf* cicatrice *f*
cicatrizar [θikatri'θar] *vt, vi* cicatriser; **cicatrizarse** *vpr* se cicatriser
ciclismo [θi'klismo] *nm* cyclisme *m*
ciclista [θi'klista] *adj, nm/f* cycliste *m/f*; **vuelta ~** course *f* cycliste
ciclo ['θiklo] *nm* cycle *m*
ciclomotor [θiklomo'tor] *nm* cyclomoteur *m*
ciclón [θi'klon] *nm* cyclone *m*
cicloturismo [θiklotu'rismo] *nm* cyclotourisme *m*
ciego, -a ['θjeɣo, a] *vb ver* **cegar** ■ *adj* aveugle; (*Constr*) bouché(e) ■ *nm/f* aveugle *m/f*; **a ciegas** à l'aveuglette; **quedarse ~** devenir aveugle; **~ de ira** aveuglé(e) par la colère
cielo ['θjelo] *nm* ciel *m*; (*Arq: tb:* **cielo raso**) faux-plafond *m*; **sí, ~** oui, mon ange; **¡~s!** Mon Dieu!, juste ciel!; **vimos el ~ abierto** la solution nous est apparue; **~ de la boca** voûte *f* palatine
ciempiés [θjem'pjes] *nm inv* mille-pattes *m inv*
cien [θjen] *adj inv, nm inv* cent *m*; **al ~ por ~** à cent pour cent
ciénaga ['θjenaɣa] *nf* marécage *m*
ciencia ['θjenθja] *nf* science *f*; **saber algo a ~ cierta** être sûr(e) et certain(e) de qch; **~s empresariales** études *fpl* de commerce; **~s exactas** sciences *fpl* exactes, mathématiques *fpl*; **~s ocultas** sciences occultes
ciencia-ficción ['θjenθjafik'θjon] *nf* science-fiction *f*
cieno ['θjeno] *nm* vase *f*
científico, -a [θjen'tifiko, a] *adj, nm/f* scientifique *m/f*
ciento ['θjento] *adj, nm* cent *m*; **~ cuarenta** cent quarante; **el 10 por ~** dix pour cent
cierre ['θjerre] *vb ver* **cerrar** ■ *nm* fermeture *f*; (*pulsera*) fermoir *m*; (*de emisión*) fin *f*; **precio de ~** cours *msg* de clôture; **~ del sistema** (*Inform*) clôture *f* du système; **~ de cremallera** fermeture éclair; **~ relámpago** (*And, Csur*) fermeture éclair

cierto, -a ['θjerto, a] *adj* certain(e); **~ hombre/día** un certain homme/jour; **ciertas personas** certaines personnes; **sí, es ~** oui, c'est certain; **por ~** à propos; **lo ~ es que ...** ce qui est sûr c'est que ...; **estar en lo ~** avoir raison
ciervo ['θjerβo] *nm* cerf *m*
cifra ['θifra] *nf* chiffre *m*; **en ~** codé(e); **~ de negocios/de venta** chiffre d'affaires/de ventes; **~ de referencia** prix *msg* de base; **~ global** chiffre global
cifrar [θi'frar] *vt* coder; (*esperanzas, felicidad*) placer; **cifrarse** *vpr*: **~se en** s'élever à
cigala [θi'ɣala] *nf* langoustine *f*
cigarra [θi'ɣarra] *nf* cigale *f*
cigarrillo [θiɣa'rriʎo] *nm* cigarette *f*
cigarro [θi'ɣarro] *nm* cigarette *f*; (*puro*) cigare *m*
cigüeña [θi'ɣweɲa] *nf* cigogne *f*
cilíndrico, -a [θi'lindriko, a] *adj* cylindrique
cilindro [θi'lindro] *nm* cylindre *m*
cima ['θima] *nf* sommet *m*, cime *f*; (*de árbol*) cime; (*apogeo*) sommet
cimbrearse [θimbre'arse] *vpr* se déhancher; (*ramas, tallos*) ployer
cimentar [θimen'tar] *vt* (*edificio*) jeter les fondations de; (*consolidar*) cimenter; **cimentarse** *vpr*: **~se en** se fonder sur
cimientos [θi'mjentos] *nmpl* fondations *fpl*; (*fig*) fondements *mpl*
cinc [θink] *nm* zinc *m*
cincel [θin'θel] *nm* ciseau *m*
cincelar [θinθe'lar] *vt* ciseler
cinco ['θinko] *adj inv, nm inv* cinq *m inv*; *ver tb* **seis**
cincuenta [θin'kwenta] *adj inv, nm inv* cinquante *m inv*; *ver tb* **sesenta**
cine ['θine] *nm* cinéma *m*; **hacer ~** faire du cinéma; **~ de estreno** cinéma d'exclusivité; **el ~ mudo** le cinéma muet
cineasta [θine'asta] *nm/f* cinéaste *m/f*
cinematográfico, -a [θinemato'ɣrafiko, a] *adj* cinématographique
cínico, -a ['θiniko, a] *adj, nm/f* cynique *m/f*; (*desvergonzado*) effronté(e)
cinismo [θi'nismo] *nm* (*ver adj*) cynisme *m*; effronterie *f*
cinta ['θinta] *nf* ruban *m*, bande *f*; **~ adhesiva/aislante** ruban adhésif/ isolant; **~ de carbón** ruban carbone; **~ de múltiples impactos** bande d'impacts multiple; **~ de vídeo** cassette *f* vidéo; **~ magnética** (*Inform*) bande magnétique; **~ métrica** mètre *m* à ruban; **~ transportadora** convoyeur *m*, stéréoduc *m*; **~ virgen** cassette vierge

cintura [θin'tura] *nf* taille *f*; **meter a algn en ~** faire entendre raison à qn

cinturón [θintu'ron] *nm* ceinture *f*; **~ de miseria** (*Méx*) bidonville *m*; **~ de seguridad** ceinture de sécurité; **~ industrial** zone *f* industrielle; **~ salvavidas** ceinture de sauvetage

ciprés [θi'pres] *nm* cyprès *m*

circo ['θirko] *nm* cirque *m*

circuito [θir'kwito] *nm* circuit *m*; **TV por ~ cerrado** télévision *f* en circuit fermé; **~ impreso** circuit imprimé; **~ lógico** (*Inform*) porte *f*, circuit logique

circulación [θirkula'θjon] *nf* circulation *f*; **"cerrado a la ~ rodada"** fermé au trafic routier"; **poner algo en ~** mettre qch en circulation

circular [θirku'lar] *adj, nf* circulaire *f* ■ *vt* (*orden*) faire circuler ■ *vi* circuler; **¡circulen!** circulez!

círculo ['θirkulo] *nm* cercle *m*; **en ~** en cercle, en rond; **en ~s políticos** dans les cercles politiques; **~ vicioso** cercle vicieux

circundar [θirkun'dar] *vt* entourer

circunferencia [θirkunfe'renθja] *nf* circonférence *f*

circunscribir [θirkunskri'βir] *vt* (*actuación, discurso*) circonscrire; **circunscribirse** *vpr* se circonscrire; **~se a (hacer)** se limiter o s'en tenir à (faire)

circunscripción [θirkunskrip'θjon] *nf* circonscription *f*

circunspecto, -a [θirkuns'pekto, a] *adj* circonspect(e)

circunstancia [θirkuns'tanθja] *nf* circonstance *f*; **~s agravantes/ atenuantes** circonstances *fpl* aggravantes/atténuantes; **estar a la altura de las ~s** être à la hauteur des circonstances; **poner cara de ~s** faire une figure de circonstance

circunvalación [θirkumbala'θjon] *nf* **ver carretera**

cirio ['θirjo] *nm* cierge *m*

ciruela [θi'rwela] *nf* prune *f*; **~ claudia** reine *f* claude; **~ pasa** pruneau *m*

cirugía [θiru'xia] *nf* chirurgie *f*; **~ estética/plástica** chirurgie esthétique/plastique

cirujano, -a [θiru'xano, a] *nm/f* chirurgien(ne)

cisne ['θisne] *nm* cygne *m*; **canto de ~** chant *m* du cygne

cisterna [θis'terna] *nf* chasse *f* d'eau; (*depósito*) citerne *f*

cita ['θita] *nf* rendez-vous *m inv*; (*referencia*) citation *f*; **acudir/faltar a una ~** se rendre à/manquer un rendez-vous

citación [θita'θjon] *nf* citation *f*

citar [θi'tar] *vt* donner rendez-vous à; (*Jur*) citer; **citarse** *vpr*: **~se (con)** prendre rendez-vous (avec)

cítrico, -a ['θitriko, a] *adj* citrique ■ *nm*: **~s** agrumes *mpl*

ciudad [θju'ðað] *nf* ville *f*; **~ universitaria** cité *f* universitaire; **la C~ Condal** Barcelone; **C~ del Cabo** le Cap; **~ dormitorio** cité-dortoir *f*; **~ perdida** (*Méx*) bidonville *m*; **~ satélite** ville satellite

ciudadanía [θjuðaða'nia] *nf* citoyenneté *f*

ciudadano, -a [θjuða'ðano, a] *adj, nm/f* citadin(e)

cívico, -a ['θiβiko, a] *adj* civique; (*persona*) civil(e)

civil [θi'βil] *adj* civil(e) ■ *nm* civil *m*; **casarse por lo ~** se marier civilement

civilización [θiβiliθa'θjon] *nf* civilisation *f*

civilizar [θiβili'θar] *vt* civiliser

civismo [θi'βismo] *nm* civisme *m*

cizaña [θi'θaɲa] *nf*: **meter/sembrar ~** mettre/semer la zizanie

cl. *abr* (= *centilitro(s)*) cl (= *centilitre(s)*)

clamar [kla'mar] *vt* clamer ■ *vi* crier; **~ venganza** crier vengeance

clamor [kla'mor] *nm* clameur *f*

clandestino, -a [klandes'tino, a] *adj* clandestin(e)

clara ['klara] *nf* (*de huevo*) blanc *m*

claraboya [klara'βoja] *nf* lucarne *f*

clarear [klare'ar] *vi* (*el día*) se lever; (*el cielo*) s'éclaircir

clarete [kla'rete] *nm* rosé *m*

claridad [klari'ðað] *nf* clarté *f*

clarificar [klarifi'kar] *vt* éclaircir

clarinete [klari'nete] *nm* clarinette *f*

clarividencia [klariβi'ðenθja] *nf* clairvoyance *f*

claro, -a ['klaro, a] *adj* clair(e) ■ *nm* éclaircie *f*; (*entre asientos*) place *f* libre ■ *adv* clairement ■ *excl* bien sûr!; **estar ~** être clair(e); **lo tengo muy ~** pour moi c'est clair; **no lo tengo muy ~** je ne sais pas vraiment; **hablar ~** parler haut et clair, parler franchement; **a las claras** clairement; **no sacamos nada en ~** nous n'avons rien tiré au clair; **~ que sí/no** bien sûr que oui/non

clase ['klase] *nf* genre *m*, classe *f*; (*lección*) cours *msg*; **la ~ dirigente** la classe dirigeante; **dar ~(s)** (*profesor*) faire cours, donner des cours; (*alumno*) avoir cours; **tener ~** avoir de la classe; **de toda(s) ~(s)** de toute(s) sorte(s);

~ **alta/media/obrera/social** classe dominante/moyenne/ouvrière/sociale; ~**s particulares** cours particuliers

clásico, -a ['klasiko, a] *adj* classique

clasificación [klasifika'θjon] *nf* classement *m*; *(de cartas, líneas)* tri *m*

clasificar [klasifi'kar] *vt* classer; *(cartas)* trier; *(Inform)* classifier, trier; **clasificarse** *vpr* se qualifier

claudicar [klauði'kar] *vi* céder

claustro ['klaustro] *nm* cloître *m*; *(Univ, Escol)* conseil *m*; *(: junta)* assemblée *f*, réunion *f*

cláusula ['klausula] *nf* clause *f*; ~ **de exclusión** clause d'exclusion

clausura [klau'sura] *nf* clôture *f*; **de ~** *(Rel)* claustral; *(: monja)* cloîtré(e)

clausurar [klausu'rar] *vt* clore; *(local)* fermer

clavar [kla'βar] *vt* enfoncer; *(clavo)* clouer; *(alfiler)* épingler; *(mirada)* fixer; *(fam: cobrar caro)* arnaquer; **clavarse** *vpr* s'enfoncer

clave ['klaβe] *nf* clef *f* ■ *adj inv* clé; **en ~** *(mensaje)* codé(e); ~ **de búsqueda/ de clarificación** clef de recherche/de classement

clavel [kla'βel] *nm* œillet *m*

clavícula [kla'βikula] *nf* clavicule *f*

clavija [kla'βixa] *nf* cheville *f*; *(Elec)* fiche *f*

clavo ['klaβo] *nm* clou *m*; *(Bot, Culin)* clou de girofle; **dar en el** ~ mettre dans le mille, faire mouche

claxon ['klakson] *(pl* ~**s)** *nm* klaxon *m*; **tocar el** ~ klaxonner

clemencia [kle'menθja] *nf* clémence *f*

cleptómano, -a [klep'tomano, a] *nm/f* cleptomane *m/f*

clérigo ['kleriɣo] *nm* ecclésiastique *m*

clero ['klero] *nm* clergé *m*

clic [klik] *nm* *(Inform)* clic *m*; **hacer** ~ **en** cliquer sur

clicar [kli'kar] *vi* *(Inform)* cliquer; ~ **dos veces** cliquer deux fois

cliché [kli'tʃe] *nm* cliché *m*

cliente, -a ['kljente, a] *nm/f* client(e)

clientela [kljen'tela] *nf* clientèle *f*

clima ['klima] *nm* climat *m*

climatizado, -a [klimati'θaðo, a] *adj* climatisé(e)

clímax ['klimaks] *nm inv* apogée *m*, point *m* culminant; *(sexual)* orgasme *m*

clínica ['klinika] *nf* clinique *f*

clínico, -a ['kliniko, a] *adj* clinique

clip [klip] *(pl* ~**s)** *nm* trombone *m*; *(de pelo)* barrette *f*

clítoris ['klitoris] *nm inv* clitoris *m inv*

cloaca [klo'aka] *nf* égout *m*

cloro ['kloro] *nm* chlore *m*

club [klub] *(pl* ~**s** *o* ~**es)** *nm* club *m*

cm. *abr (= centímetro(s))* cm *m* *(= centimètre(s))*

C.N.T. *sigla f (Esp:* = *Confederación Nacional de Trabajo)* syndicat; *(AM:* = *Confederación Nacional de Trabajadores)* syndicat

coacción [koak'θjon] *nf* contrainte *f*

coaccionar [koakθjo'nar] *vt* contraindre

coagular [koaɣu'lar] *vt* coaguler; **coagularse** *vpr* se coaguler

coágulo [ko'aɣulo] *nm* caillot *m*

coalición [koali'θjon] *nf* coalition *f*

coartada [koar'taða] *nf* alibi *m*

coba ['koβa] *nf*: **dar** ~ **a algn** passer de la pommade à qn

cobarde [ko'βarðe] *adj* lâche ■ *nm/f* lâche *m/f*, peureux(-euse)

cobardía [koβar'ðia] *nf* lâcheté *f*

cobaya [ko'βaja] *nm o nf* cobaye *m*

cobertizo [koβer'tiθo] *nm* hangar *m*, remise *f*; *(de animal)* abri *m*

cobertura [koβer'tura] *nf* couverture *f*; ~ **de dividendo** rapport *m* dividendes-résultat; **no tengo** ~ *(Telec)* je n'ai pas de réception

cobija [ko'βixa] *(AM) nf* couverture *f*

cobijar [koβi'xar] *vt* héberger, loger; **cobijarse** *vpr*: ~**se (de)** se protéger (de); ~ **(de)** protéger (de)

cobijo [ko'βixo] *nm* abri *m*; **dar** ~ **a algn** héberger qn

cobra ['koβra] *nf* cobra *m*

cobrador, a [koβra'ðor, a] *nm/f* receveur(-euse)

cobrar [ko'βrar] *vt* *(cheque)* toucher, encaisser; *(sueldo)* toucher; *(precio)* faire payer; *(deuda, alquiler, gas)* encaisser; *(caza)* rapporter; *(fama, importancia)* acquérir; *(cariño)* prendre en; *(fuerza, valor)* reprendre ■ *vi* toucher son salaire; **cóbrese** payez-vous; **cóbrese al entregar** paiement *m* à la livraison; **¡vas a ~!** qu'est-ce que tu vas prendre!; **a ~** à encaisser; **cantidades por ~** sommes *fpl* dues

cobre ['koβre] *nm* cuivre *m*; **cobres** *nmpl* *(Mús)* cuivres *mpl*; **sin un** ~ *(AM: fam)* sans un sou

cobro ['koβro] *nm* *(de cheque)* encaissement *m*; *(pago)* paiement *m*; **presentar al** ~ encaisser; *ver tb* **llamada**

cocaína [koka'ina] *nf* cocaïne *f*

cocción [kok'θjon] *nf* cuisson *f*

cocear [koθe'ar] *vi* ruer

cocer [ko'θer] vt (faire) cuire ▪ vi cuire; (agua) bouillir; **cocerse** vpr cuire; (tramarse) mijoter

coche ['kotʃe] nm voiture f; (para niños) poussette f; **~ blindado** voiture blindée; **~ celular** fourgon m cellulaire; **~ comedor** wagon-restaurant m; **~ de bomberos** voiture des pompiers; **~ de carreras** voiture de course; **~s de choque** autos fpl tamponneuses; **~ de línea** autocar m; **~ fúnebre** corbillard m

coche-cama ['kotʃe'kama] (pl **coches-cama**) nm wagon m lit

cochera [ko'tʃera] nf garage m; (de autobuses) dépôt m

cochino, -a [ko'tʃino, a] adj dégoûtant(e) ▪ nm/f cochon (truie); (persona) cochon(ne)

cocido, -a [ko'θiðo, a] adj (patatas) bouilli(e); (huevos) dur(e) ▪ nm pot-au-feu m inv

cocina [ko'θina] nf cuisine f; (aparato) cuisinière f; **~ casera** cuisine maison; **~ eléctrica/de gas** cuisinière électrique/à gaz; **~ francesa** cuisine française

cocinar [koθi'nar] vt, vi cuisiner

cocinero, -a [koθi'nero, a] nm/f cuisinier(-ière)

coco ['koko] nm noix fsg de coco; (fam) citrouille f; **el ~** le grand méchant loup

cocodrilo [koko'ðrilo] nm crocodile m

cocotero [koko'tero] nm cocotier m

cóctel ['koktel] nm cocktail m; **~ molotov** cocktail Molotov

codazo [ko'ðaθo] nm: **dar un ~ a algn** donner un coup de coude à qn; **abrirse paso a ~s** jouer des coudes

codicia [ko'ðiθja] nf convoitise f

codiciar [koði'θjar] vt convoiter

codicioso, -a [koði'θjoso, a] adj avide; (expresión) de convoitise

código ['koðiɣo] nm (tb Jur) code m; **~ binario** code binaire; **~ civil/postal** code civil/postal; **~ de barras** code (à) barres; **~ de caracteres/de control** code à caractères/de contrôle; **~ de (la) circulación** code de la route; **~ máquina/de operación** code machine inv/d'opération; **~ militar/penal** code militaire/pénal

codillo [ko'ðiλo] nm (Zool) coude m, épaule f; (Culin) épaule; (Tec) coude

codo ['koðo] nm coude m; **hablar por los ~s** bavarder comme une pie; **~ a ~** coude à coude

codorniz [koðor'niθ] nf caille f

coerción [koer'θjon] nf coercition f

coetáneo, -a [koe'taneo, a] nm/f contemporain(e)

coexistir [koeksis'tir] vi: **~ (con)** coexister (avec)

cofradía [kofra'ðia] nf confrérie f

cofre ['kofre] nm coffre m; (de joyas) coffret m; (Méx) voiture f

coger [ko'xer] vt prendre; (objeto caído) ramasser; (pelota) attraper; (frutas) cueillir; (sentido, indirecta) comprendre, saisir; (tomar prestado) emprunter; (AM: fam!) baiser (fam!); **cogerse** vpr se prendre; **~ a algn desprevenido** prendre qn au dépourvu; **~ cariño a algn** prendre qn en affection; **~ celos de algn** être jaloux(-ouse) de qn; **~ manía a algn** prendre qn en grippe; **~se a** s'accrocher à, s'agripper à; **iban cogidos de la mano** ils se tenaient par la main

cogollo [ko'ɣoλo] nm cœur m

cogote [ko'ɣote] nm nuque f

cohecho [ko'etʃo] nm subornation f

coherente [koe'rente] adj cohérent(e); **ser ~ con** être en accord avec

cohesión [koe'sjon] nf cohésion f

cohete [ko'ete] nm fusée f, pétard m; (tb: **cohete espacial**) fusée

cohibido, -a [koi'βiðo, a] adj: **estar/sentirse ~** être/se sentir gêné(e); (tímido) être/se sentir intimidé(e)

cohibir [koi'βir] vt intimider; (reprimir) réprimer; **cohibirse** vpr se retenir

coincidencia [koinθi'ðenθja] nf coïncidence f

coincidir [koinθi'ðir] vi (en lugar) se rencontrer; **coincidimos en ideas** nous partageons les mêmes idées; **~ con** coïncider avec

coito ['koito] nm coït m

cojear [koxe'ar] vi boiter; (mueble) être bancal(e)

cojera [ko'xera] nf claudication f

cojín [ko'xin] nm coussin m

cojinete [koxi'nete] nm palier m

cojo, -a ['koxo, a] vb ver **coger** ▪ adj boiteux(-euse); (mueble) bancal(e) ▪ nm/f (persona) boiteux(-euse); **ir a la pata coja** aller à cloche-pied

cojón [ko'xon] (fam!) nm couille f (fam!); **¡cojones!** putain! (fam!); **lo hizo por cojones** il a fallu qu'il le fasse

cojonudo, -a [koxo'nuðo, a] (Esp: fam!) adj super

col [kol] nf chou m; **~es de Bruselas** choux mpl de Bruxelles

col. abr (= columna) col (= colonne)

col.ª abr (= columna) col (= colonne)

cola ['kola] nf queue f; (para pegar) colle f; (de vestido) traîne f; **estar/ponerse a la ~**

être/se mettre à la queue; **hacer ~** faire la queue; **traer ~** avoir des suites

colaborador, a [kolaβora'ðor, a] *nm/f* collaborateur(-trice)

colaborar [kolaβo'rar] *vi*: **~ con** collaborer avec

colada [ko'laða] *nf*: **hacer la ~** faire la lessive

colador [kola'ðor] *nm* (*de té*) passoire *f*; (*para verduras*) écumoire *f*

colapso [ko'lapso] *nm* collapsus *msg*; (*de circulación*) embouteillage *m*; (*en producción*) effondrement *m*; **~ cardíaco** collapsus cardiovasculaire

colar [ko'lar] *vt* filtrer ■ *vi* (*mentira*) prendre, passer; **colarse** *vpr* (*en cola*) se glisser, se faufiler; (*viento, lluvia*) s'engouffrer; (*fam: equivocarse*) se gourer; **~se en** (*concierto, cine*) se faufiler dans

colcha ['koltʃa] *nf* couvre-lit *m*

colchón [kol'tʃon] *nm* matelas *m*; **~ inflable/neumático** matelas gonflable/pneumatique

colchoneta [koltʃo'neta] *nf* tapis *msg*

colección [kolek'θjon] *nf* collection *f*

coleccionar [kolekθjo'nar] *vt* collectionner

coleccionista [kolekθjo'nista] *nm/f* collectionneur(-euse)

colecta [ko'lekta] *nf* collecte *f*

colectivo, -a [kolek'tiβo, a] *adj* collectif(-ive) ■ *nm* collectif *m*; (*AM*) autobus *msg*; (: taxi) taxi *m*

colega [ko'leɣa] *nm/f* collègue *m/f*; (*Pol*) homologue *m*; (*amigo*) copain (copine)

colegial, a [kole'xjal, a] *adj, nm/f* collégien(ne)

colegio [ko'lexjo] *nm* collège *m*; (*de abogados, médicos*) ordre *m*; **ir al ~** aller à l'école *o* au collège; **~ electoral** collège électoral; **~ mayor** résidence *f* universitaire

○ **COLEGIO**
○
○ Le mot *colegio* désigne le plus souvent
○ une école privée, qu'elle soit primaire
○ ou secondaire. Il peut également
○ s'appliquer à une école primaire
○ publique, bien qu'il existe aussi,
○ dans ce cas, le terme "escuela".
○ Les établissements publics du
○ secondaire s'appellent "institutos".
○ Enfin, certaines écoles privées sont
○ appelées "academias"; on y propose
○ des activités extrascolaires telles
○ que l'informatique ou les langues
○ étrangères.

colegir [kole'xir] *vt* déduire

cólera ['kolera] *nf* colère *f* ■ *nm* choléra *m*; **montar en ~** se mettre en colère, s'emporter

colérico, -a [ko'leriko, a] *adj* colérique; (*persona*) coléreux(-euse)

colesterol [koleste'rol] *nm* cholestérol *m*

coleta [ko'leta] *nf* queue *f*, couette *f*; **cortarse la ~** abandonner l'arène

colgante [kol'ɣante] *adj* pendant(e), suspendu(e) ■ *nm* pendentif *m*; *ver tb* **puente**

colgar [kol'ɣar] *vt* accrocher; (*teléfono*) raccrocher; (*ropa*) étendre; (*ahorcar*) pendre ■ *vi* raccrocher; **~ de** pendre à, être suspendu(e) à; **no cuelgue** ne raccrochez pas

cólico ['koliko] *nm* colique *f*

coliflor [koli'flor] *nf* chou *m* fleur

colilla [ko'liʎa] *nf* mégot *m*

colina [ko'lina] *nf* colline *f*

colirio [ko'lirjo] *nm* collyre *m*

colisión [koli'sjon] *nf* collision *f*; (*de intereses, ideas*) conflit *m*

collar [ko'ʎar] *nm* collier *m*

colmar [kol'mar] *vt* remplir à ras bord; (*ansias, exigencias*) satisfaire; **~ a algn de regalos/de atenciones** combler qn de cadeaux/d'attentions

colmena [kol'mena] *nf* ruche *f*

colmillo [kol'miʎo] *nm* canine *f*; (*de elefante*) défense *f*; (*de perro*) croc *m*

colmo ['kolmo] *nm*: **ser el ~ de la locura/ frescura/insolencia** être le comble de la folie/du toupet/de l'insolence; **para ~ (de desgracias)** pour comble (de malheurs); **¡eso es ya el ~!** ça c'est le comble!

colocación [koloka'θjon] *nf* (*de piedra*) pose *f*; (*de persona*) placement *m*; (*empleo*) emploi *m*, travail *m*; (*disposición*) emplacement *m*

colocar [kolo'kar] *vt* (*piedra*) poser; (*cuadro*) accrocher; (*poner en empleo*) placer; **colocarse** *vpr* se placer; (*Deporte*) se classer; (*fam: drogarse*) se défoncer; (*conseguir trabajo*): **~se (de)** trouver du travail (comme)

Colombia [ko'lombja] *nf* Colombie *f*

colombiano, -a [kolom'bjano, a] *adj* colombien(ne) ■ *nm/f* Colombien(ne)

Colonia [ko'lonja] *nf* Cologne *f*

colonia [ko'lonja] *nf* colonie *f*; (*tb:* **agua de colonia**) eau *f* de cologne; (*Méx*) quartier *m*; **~ de verano** colonie de vacances; **~ proletaria** (*Méx*) bidonville *m*

colonización [koloniθa'θjon] *nf* colonisation *f*

colonizador, a [koloniθa'ðor, a] *adj,
nm/f* colonisateur(-trice)
colonizar [koloni'θar] *vt* coloniser
coloquial [kolo'kjal] *adj* familier(-ière),
parlé(e)
coloquio [ko'lokjo] *nm* colloque *m*
color [ko'lor] *nm* couleur *f*; **de ~** de
couleur; **de ~ amarillo/azul/naranja**
de couleur jaune/bleue/orange; **de ~es**
(*lápices*) de couleurs; **en ~** en couleur;
a todo ~ tout en couleur; **le salieron los
~es** il s'est mis à rougir; **dar ~ a** donner
du relief à
colorado, -a [kolo'raðo, a] *adj* rouge;
(*AM: chiste*) grivois(e); **ponerse ~**
rougir
colorante [kolo'rante] *nm* colorant *m*
colorar [kolo'rar], **colorear** [kolore'ar]
vt colorer
colorete [kolo'rete] *nm* fard *m*
columna [ko'lumna] *nf* colonne *f*;
~ blindada colonne blindée; **~ vertebral**
colonne vertébrale
columpiar [kolum'pjar] *vt* balancer;
columpiarse *vpr* se balancer
columpio [ko'lumpjo] *nm* balançoire *f*
coma ['koma] *nf* virgule *f* ■ *nm* (*Med*)
coma *m*
comadrona [koma'ðrona] *nf* sage-
femme *f*
comandancia [koman'danθja] *nf*
(*mando*) commandement *m*; (*edificio*)
commandement, commanderie *f*
comandante [koman'dante] *nm*
commandant *m*
comarca [ko'marka] *nf* contrée *f*
comba ['komba] *nf* courbure *f*, corde *f*;
saltar a la ~ sauter à la corde; **no pierde
~** il n'en perd pas une
combar [kom'bar] *vt* courber;
combarse *vpr* se courber
combate [kom'bate] *nm* combat *m*;
fuera de ~ hors de combat; (*Boxeo*)
knock-out; (*fam*) groggy
combatiente [komba'tjente] *nm*
combattant *m*
combatir [komba'tir] *vt, vi* combattre;
~ por combattre pour
combinación [kombina'θjon] *nf*
combinaison *f*
combinar [kombi'nar] *vt* combiner;
(*esfuerzos*) unir
combustible [kombus'tiβle] *adj, nm*
combustible *m*
combustión [kombus'tjon] *nf*
combustion *f*
comedia [ko'meðja] *nf* comédie *f*;
hacer ~ faire la comédie

comediante [kome'ðjante] *nm/f*
comédien(ne)
comedido, -a [kome'ðiðo, a] *adj*
modéré(e)
comedor [kome'ðor] *nm* salle f à
manger; (*de colegio, hotel*) réfectoire *m*
comensal [komen'sal] *nm/f* invité(e),
convive *m/f*
comentar [komen'tar] *vt* commenter;
comentó que ... il a observé *o* remarqué
que ...
comentario [komen'tarjo] *nm*
commentaire *m*; **comentarios** *nmpl*
(*chismes*) commentaires *mpl*; **dar lugar
a ~s** donner lieu à des commentaires,
prêter à commentaires; **~ de texto**
commentaire de texte
comentarista [komenta'rista] *nm/f*
commentateur(-trice)
comenzar [komen'θar] *vt, vi*
commencer; **~ a/por hacer** commencer
à/par faire
comer [ko'mer] *vt* manger; (*Damas,
Ajedrez*) souffler; (*metal, madera*) manger,
ronger ■ *vi* manger; (*almorzar*) manger,
déjeuner; **comerse** *vpr* manger; **le
come la envidia** l'envie le ronge; **dar de
~ a algn** donner à manger à qn; **está
para comérsela** elle est belle à croquer;
~ el coco a algn (*fam*) bourrer le crâne à
qn; **~se el coco** (*fam*) se faire du mouron
comercial [komer'θjal] *adj*
commercial(e)
comercializar [komerθjali'θar] *vt*
commercialiser
comerciar [komer'θjar] *vi*: **~ en** faire le
commerce de; **~ con** avoir des relations
commerciales avec; (*pey*) faire
commerce de
comercio [ko'merθjo] *nm* commerce *m*;
~ autorizado commerce autorisé;
~ electrónico commerce électronique;
~ justo commerce équitable; **~ exterior/
interior** commerce extérieur/intérieur
comestible [komes'tiβle] *adj*
comestible ■ *nm*: **~s** aliments *mpl*;
tienda de ~s épicerie *f*, alimentation *f*
cometa [ko'meta] *nm* comète *f* ■ *nf*
cerf-volant *m*
cometer [kome'ter] *vt* commettre
cometido [kome'tiðo] *nm* rôle *m*; (*deber*)
devoir *m*
comezón [kome'θon] *nf* démangeaison *f*
cómic ['komik] *nm* bande f dessinée
comicios [ko'miθjos] *nmpl* comices *mpl*
cómico, -a ['komiko, a] *adj* comique
■ *nm/f* (*de TV, cabaret*) comique *m/f*;
(*de teatro*) comédien(ne)

comida [ko'miða] *vb, nf* nourriture *f*; (*almuerzo*) repas *msg*; (*esp AM*) dîner *m*; ~ **basura** malbouffe *f*

comidilla [komi'ðiʎa] *nf*: **ser la ~ del barrio** être sur toutes les lèvres

comienzo [ko'mjenθo] *vb ver* **comenzar** ■ *nm* commencement *m*; **dar ~ a un acto** commencer une cérémonie; ~ **del archivo** (*Inform*) tête *f* du fichier

comillas [ko'miʎas] *nfpl* guillemets *mpl*; **entre ~** entre guillemets

comilona [komi'lona] (*fam*) *nf* gueuleton *m*

comino [ko'mino] *nm* cumin *m*; **(no) me importa un ~** je m'en balance

comisaría [komisa'ria] *nf* (*tb*: **comisaría de Policía**) commissariat *m*

comisario [komi'sarjo] *nm* commissaire *m*

comisión [komi'sjon] *nf* commission *f*; ~ **mixta/permanente** commission paritaire/permanente; **comisiones bancarias** commissions bancaires; **Comisiones Obreras** (*Esp*) syndicat ouvrier

comité [komi'te] (*pl* ~**s**) *nm* comité *m*; ~ **de empresa** comité d'entreprise

comitiva [komi'tiβa] *nf* suite *f*, cortège *m*

como ['komo] *adv* comme; (*en calidad de*) en ■ *conj* (*condición*) si; (*causa*) comme; **lo hace ~ yo** il le fait comme moi; **tan grande ~** aussi grand que; **¡tanto ~ eso ...!** pas tant que ça!; **eran ~ diez** ils devaient être 10; **llegó ~ a las cuatro** il est arrivé vers les 4 heures; **sabe ~ a cebolla** ça a comme un goût d'oignon; ~ **testigo** en tant que témoin; ~ **ser** (*AM*) (*tal como*) comme; **a ~ dé/diera lugar** (*Cam, Méx*) à tout prix; ~ **quieras** comme tu voudras; ~ **lluva no salimos** s'il pleut on reste à la maison; ~ **ella no llegaba me fui** comme elle n'arrivait pas, je suis parti; **¡~ no quieras cien euros ...!** à moins que tu ne veuilles cent euros!; **así fue ~ ocurrió** c'est ainsi que ça s'est passé; **es ~ para echarse a llorar** ça donne envie de pleurer; **¡~ que lo voy a permitir!** et vous croyez que je vais permettre cela?; ~ **si estuviese ciego** comme s'il était aveugle; ~ **si lo viera** comme si je le voyais; ~ **si nada** *o* **tal cosa** comme si de rien n'était

cómo ['komo] *adv* comment ■ *excl* comment! ■ *nm*: **el ~ y el porqué** le pourquoi et le comment; **¿~ (ha dicho)?** comment?, vous avez dit?; **¿~ está Ud?** comment allez-vous?; **¿~ son?** comment

sont-ils?; **¿a ~ están?** combien coûtent-ils?; **¡~ no!** bien sûr!; (*esp AM*: **¡claro!**) pardi!; **¡~ corre!** comme il cavale!

cómoda ['komoða] *nf* commode *f*

comodidad [komoði'ðað] *nf* confort *m*; (*conveniencia*) avantage *m*; **comodidades** *nfpl* aises *fpl*

comodín [komo'ðin] *nm* (*Naipes*) joker *m*; (*Inform*) caractère *m* de remplacement

cómodo, -a ['komoðo, a] *adj* confortable; (*máquina, herramienta*) pratique; **estar/ponerse/sentirse ~** être/se mettre/se sentir à l'aise

compact disc [kompakt'disk] *nm* C.D. *m*

compacto, -a [kom'pakto, a] *adj* compact(e)

compadecer [kompaðe'θer] *vt* plaindre; **compadecerse** *vpr*: ~**se de** se plaindre de

compadre [kom'paðre] *nm* parrain *m*; (*en oración directa*) (mon) vieux; (*esp AM*: *fam*) copain *m*

compañero, -a [kompa'ɲero, a] *nm/f* collègue *m/f*; (*en juego*) partenaire *m/f*; (*en estudios*) camarade *m/f*; (*novio*) compagnon (compagne); ~ **de clase** camarade de classe; ~ **de equipo** coéquipier(-ère); ~ **de trabajo** collègue de travail

compañía [kompa'ɲia] *nf* compagnie *f*; **en ~ de** en compagnie de; **malas ~s** mauvaises fréquentations *fpl*; **hacer ~ a algn** tenir compagnie à qn; ~ **afiliada** filiale *f*; ~ **concesionaria/inversionista** compagnie concessionnaire/actionnaire; ~ **(no) cotizable** compagnie (non) cotée en Bourse; ~ **de seguros** compagnie d'assurance

comparación [kompara'θjon] *nf* comparaison *f*; **en ~ con** par comparaison à

comparar [kompa'rar] *vt*: ~ **a/con** comparer à/avec

comparecer [kompare'θer] *vi* (*tb Jur*) comparaître

comparsa [kom'parsa] *nm/f* (*Teatro, Cine*) figurant(e) ■ *nf* (*de carnaval etc*) mascarade *f*

compartimento [komparti'mento], **compartimiento** [komparti'mjento] *nm* compartiment *m*; ~ **estanco** compartiment étanche

compartir [kompar'tir] *vt* partager

compás [kom'pas] *nm* (*Mús*) rythme *m*; (*para dibujo*) compas *msg*; **al ~** au même rythme; **llevar el ~** battre la mesure; ~ **de espera** (*fig*) attente *f*

compasión [kompa'sjon] nf
compassion f; **sin ~** sans pitié

compasivo, -a [kompa'siβo, a] adj
compatissant(e)

compatibilidad [kompatiβili'ðað] nf
compatibilité f

compatible [kompa'tiβle] adj; **~ (con)**
compatible (avec)

compatriota [kompa'trjota] nm/f
compatriote m/f

compendiar [kompen'djar] vt résumer

compendio [kom'pendjo] nm
abrégé m

compenetrarse [kompene'trarse] vpr
(personas) s'entendre sur tout; **estamos
muy compenetrados** nous nous
entendons à merveille

compensación [kompensa'θjon] nf
compensation f, dédommagement m;
(Jur, Com) compensation; **en ~** en
compensation, à titre de
dédommagement

compensar [kompen'sar] vt (persona)
compenser; (contrarrestar: pérdidas)
compenser, contrebalancer; (: peso,
balanza) compenser, équilibrer;
(indemnizar) dédommager ■ vi (esfuerzos,
trabajo) récompenser

competencia [kompe'tenθja] nf
compétition f, concurrence f; (Jur,
habilidad) compétence f; **competencias**
nfpl (Pol) compétences fpl; **la ~** (Com) la
compétition o concurrence; **hacer la ~ a**
faire concurrence à; **ser de la ~ de algn**
être de la compétence de qn

competente [kompe'tente] adj
compétent(e)

competición [kompeti'θjon] nf
compétition f

competir [kompe'tir] vi concourir;
~ en (fig) rivaliser en; **~ por** rivaliser pour;
(Deporte) être en compétition pour,
concourir pour

compilar [kompi'lar] vt compiler

complacencia [kompla'θenθja] nf
complaisance f

complacer [kompla'θer] vt faire plaisir
à; **complacerse** vpr: **~se en (hacer)** se
complaire à (faire)

complaciente [kompla'θjente] adj
complaisant(e); **ser ~ con** o **para con**
montrer de la complaisance envers

complejo, -a [kom'plexo, a] adj
complexe ■ nm (Psico) complexe m;
~ deportivo cité f des sports; **~ industrial**
complexe industriel

complemento [komple'mento] nm
complément m

completar [komple'tar] vt compléter

completo, -a [kom'pleto, a] adj
complet(-ète); (persona) accompli(e),
parfait(e); (éxito, fracaso) total(e) ■ nm
salle f comble; **al ~** au complet; **por ~**
complètement; (Chi: Culin) hot-dog m

complicado, -a [kompli'kaðo, a] adj
compliqué(e); **estar ~ en** être impliqué(e)
dans

complicar [kompli'kar] vt compliquer;
complicarse vpr se compliquer; **~ a**
algn en impliquer qn dans; **~se la vida
(con)** se compliquer la vie o l'existence
(avec)

cómplice ['kompliθe] nm/f
complice m/f

complot [kom'plo(t)] (pl **~s**) nm
complot m

componer [kompo'ner] vt (tb Mús, Lit)
composer; (algo roto) réparer;
componerse vpr (Méx) se remettre;
~se de se composer de; **componérselas
para hacer algo** s'arranger pour faire
qch

comportamiento [komporta'mjento]
nm comportement m

comportar [kompor'tar] vt comporter;
comportarse vpr se comporter

composición [komposi'θjon] nf
composition f

compositor, a [komposi'tor, a] nm/f
(Mús) compositeur(-trice)

compostura [kompos'tura] nf tenue f,
maintien m; **perder la ~** perdre
contenance

compra ['kompra] nf achat m; **hacer/ir
a la ~** faire/aller faire les courses; **ir de ~s**
faire les magasins; **ir de ~** (Com)
achat en vrac; **~ proteccionista** (Com)
achat de soutien; **~ a plazos** achat à
crédit

comprador, a [kompra'ðor, a] nm/f
acheteur(-euse)

comprar [kom'prar] vt acheter;
comprarse vpr s'acheter

compraventa [kompra'βenta] nf
(negocio) commerce m; **(contrato de) ~**
contrat m d'achat et de vente

comprender [kompren'der] vt
comprendre; **hacerse ~** se faire
comprendre

comprensión [kompren'sjon] nf
compréhension f

comprensivo, -a [kompren'siβo, a] adj
compréhensif(-ive)

compresa [kom'presa] nf (tb: **compresa
higiénica**) serviette f hygiénique; (Med)
compresse f

comprimido, -a [kompri'miðo, a] *adj*
comprimé(e) ■ *nm* (*Med*) comprimé *m*,
cachet *m*

comprimir [kompri'mir] *vt* comprimer;
(*Inform*) compresser, comprimer

comprobante [kompro'βante] *nm*
(*Com*) reçu *m*, récépissé *m*; (*Jur*) pièce *f*
justificative *o* à l'appui

comprobar [kompro'βar] *vt* vérifier;
(*Inform*) vérifier, contrôler

comprometer [komprome'ter] *vt*
compromettre; **comprometerse** *vpr* se
compromettre; **~ a algn a hacer** mettre
qn dans l'obligation de faire; **~se a hacer**
s'engager à faire

compromiso [kompro'miso] *nm*
(*acuerdo*) compromis *msg*; (*obligación*)
engagement *m*; (*situación difícil*)
embarras *msg*; **libre de ~** (*Com*) sans
engagement; **poner a algn en un ~**
mettre qn dans l'embarras

compuesto, -a [kom'pwesto, a] *pp de*
componer ■ *adj* composé(e) ■ *nm*
composé *m*; **~ de** composé(e) de

computador [komputa'ðor] *nm*,
computadora [komputa'ðora]
nf ordinateur *m*; **~ central** ordinateur
central; **~ especializado** ordinateur
spécialisé

cómputo ['komputo] *nm* calcul *m*

comulgar [komul'ɣar] *vi* (*Rel*)
communier; **~ con** (*con ideas, valores*)
partager

común [ko'mun] *adj* commun(e) ■ *nm*:
el ~ de las gentes le commun des
mortels; **por lo ~** généralement; **en ~** en
commun; **hacer/poner algo en ~** faire/
mettre qch en commun

comunicación [komunika'θjon] *nf*
communication *f*; **comunicaciones** *nfpl*
(*transportes, Telec*) communications *fpl*;
vía de ~ voie *f* de communication

comunicado [komuni'kaðo] *nm*
communiqué *m*; **~ de prensa**
communiqué de presse

comunicar [komuni'kar] *vt*
communiquer ■ *vi* (*teléfono*) être
occupé; **comunicarse** *vpr*
communiquer; **~ con** communiquer
avec; **está comunicando** (*Telec*) c'est
occupé

comunidad [komuni'ðað] *nf*
communauté *f*; **en ~** en communauté;
~ autónoma (*Pol*) communauté
autonome; **~ de vecinos** copropriétaires
mpl, association *f* de copropriétaires;
C~ (Económica) Europea Communauté
(économique) européenne

COMUNIDAD AUTÓNOMA

La Constitution espagnole de 1978
prévoit l'établissement de 19 régions
dotées d'une certaine liberté de
gestion. Il s'agit des *comunidades
autónomas* ou *autonomías*. Dans
certaines d'elles, telles que la
Catalogne ou le Pays basque, qui ont
une langue, une histoire et une
culture propres, le sentiment
d'appartenance à l'Espagne est
affaibli depuis longtemps. C'est
pourquoi, dans tous les domaines à
l'exception des affaires étrangères et
de la défense nationale, certains
autonomías ont des pouvoirs plus
étendus que d'autres. Les 19 régions
sont les suivantes: Andalucía, Aragón,
Asturias, Islas Baleares, Canarias,
Cantabria, Castilla y León, Castilla-La
Mancha, Cataluña, Extremadura,
Galicia, Madrid, Murcia, Navarra,
País Vasco, La Rioja, Comunidad
Valenciana, Ceuta, Melilla.

comunión [komu'njon] *nf* communion
f; **primera ~** première communion

comunismo [komu'nismo] *nm*
communisme *m*

comunista [komu'nista] *adj, nm/f*
communiste *m/f*

PALABRA CLAVE

con [kon] *prep* **1** (*medio, compañía, modo*)
avec; **comer con cuchara** manger
une cuillère; **café con leche** café au lait;
con habilidad avec habileté; **pasear con
algn** se promener avec qn
2 (*actitud, situación*): **piensa con los ojos
cerrados** il pense les yeux fermés; **estoy
con un catarro** j'ai un rhume
3 (*contenido*): **una libreta con
direcciones** un carnet d'adresses; **una
maleta con ropa** une valise contenant
des vêtements
4 (*a pesar de*): **con todo, merece
nuestros respetos** malgré tout, il mérite
notre respect
5 (*relación, trato*): **es muy bueno (para)
con los niños** il sait s'y prendre avec les
enfants
6 (+ *infin*): **con llegar tan tarde se quedó
sin comer** comme il est arrivé très tard, il
n'a pas pu manger; **con estudiar un
poco apruebas** en étudiant un peu tu y
arriveras

7 (*queja*): **¡con las ganas que tenía de hacerlo!** moi qui avais tellement envie de le faire!
■ *conj* **1**: **con que**; **será suficiente con que le escribas** il suffit que tu lui écrives **2**: **con tal (de) que** du moment que

conato [ko'nato] *nm* tentative *f*; (*de incendio*) début *m*

concebir [konθe'βir] *vt, vi* concevoir; **¡no lo concibo!** je n'arrive pas à le comprendre!

conceder [konθe'ðer] *vt* accorder; (*premio*) décerner

concejal, -a [konθe'xal, a] *nm/f* conseiller(-ère) *m/f* municipal

concentración [konθentra'θjon] *nf* concentration *f*

concentrar [konθen'trar] *vt* concentrer; (*personas*) rassembler; **concentrarse** *vpr* se concentrer; **~se (en)** se concentrer (sur)

concepción [konθep'θjon] *nf* conception *f*

concepto [kon'θepto] *nm* (*idea*) concept *m*; **en ~ de** (*Com*) à o au titre de; **tener buen/mal ~ de algn** avoir bonne/ mauvaise opinion de qn; **bajo ningún ~** en aucun cas

concernir [konθer'nir] *vi* concerner; **en lo que concierne a** en ce qui concerne

concertar [konθer'tar] *vt* (*precio*) se mettre d'accord sur; (*entrevista*) fixer; (*tratado, paz*) conclure; (*esfuerzos*) associer; (*Mús*) accorder ■ *vi* (*Mús*) être en harmonie; (*concordar*): **~ con** concorder avec

concesión [konθe'sjon] *nf* (*Com: adjudicación*) concession *f*; **hacer concesiones** faire des concessions; **sin concesiones** sans concessions

concesionario, -a [konθesjo'narjo, a] *nm/f* (*Com*) concessionnaire *m/f*

concha ['kontʃa] *nf* (*de molusco*) coquille *f*; (*de tortuga*) carapace *f*; (*AM: fam!: coño*) moule *f* (*fam!*)

conciencia [kon'θjenθja] *nf* conscience *f*; **libertad de ~** liberté *f* de conscience; **hacer algo a ~** faire qch consciencieusement; **tener/tomar ~ de** avoir/prendre conscience de; **tener la ~ limpia** *o* **tranquila** avoir la conscience tranquille; **tener plena ~ de** avoir pleine conscience de

concienciar [konθjen'θjar] *vt* faire prendre conscience à; **concienciarse** *vpr* prendre conscience

concienzudo, -a [konθjen'θuðo, a] *adj* consciencieux(-euse)

concierto [kon'θjerto] *nm* (*Mús: acto*) concert *m*; (: *obra*) concerto *m*; (*convenio*) accord *m*

conciliar [konθi'ljar] *vt* concilier ■ *adj* (*Rel*) conciliaire; **~ el sueño** trouver le sommeil

concilio [kon'θiljo] *nm* concile *m*

conciso, -a [kon'θiso, a] *adj* concis(e)

concluir [konklu'ir] *vt* terminer; **concluirse** *vpr* prendre fin, se terminer; **todo ha concluido** c'est terminé ■ *vi* (se) terminer;

conclusión [konklu'sjon] *nf* conclusion *f*; **llegar a la ~ de que ...** en arriver à la conclusion que ...

concluyente [konklu'jente] *adj* concluant(e)

concordia [kon'korðja] *nf* concorde *f*

concretar [konkre'tar] *vt* concrétiser; (*fecha, día*) fixer; **concretarse** *vpr*: **~se a (hacer)** s'en tenir à (faire)

concreto, -a [kon'kreto, a] *adj* concret(-ète); (*determinado*) précis(e) ■ *nm* (*AM: hormigón*) béton *m*; **en ~** en somme; (*específicamente*) en particulier; **un día ~** un jour précis; **no hay nada en ~** il n'y a rien de concret

concurrencia [konku'rrenθja] *nf* assistance *f*; (*de sucesos, factores*) concours *m*

concurrido, -a [konku'rriðo, a] *adj* fréquenté(e)

concurrir [konku'rrir] *vi* (*sucesos*) coïncider; (*factores*) concourir; (*ríos*) confluer; (*avenidas*) converger; (*público*) assister

concursante [konkur'sante] *nm/f* concurrent(e); (*para proyecto, trabajo*) candidat(e)

concurso [kon'kurso] *nm* concours *m*

conde [kon'konde] *nm* comte *m*

condecoración [kondekora'θjon] *nf* décoration *f*

condecorar [kondeko'rar] *vt* décorer

condena [kon'dena] *nf* condamnation *f*; **cumplir una ~** purger une peine

condenar [konde'nar] *vt* condamner; **condenarse** *vpr* (*Jur*) se reconnaître coupable; (*Rel*) se damner; **~ (a)** condamner (à); **~ a algn a hacer** condamner qn à faire qch

condensar [konden'sar] *vt* condenser; **condensarse** *vpr* se condenser

condesa [kon'desa] *nf* comtesse *f*

condición [kondi'θjon] *nf* condition *f*; (*modo de ser*) caractère *m*; (*estado*) état *m*; **condiciones** *nfpl* capacités *fpl*, aptitudes *fpl*; **a ~ de que ...** à condition que ...; **no**

estar en condiciones de/hacer ne pas être en état de/faire; **las condiciones del contrato** les conditions du contrat; **condiciones de trabajo/venta/vida** conditions de travail/vente/vie

condicional [kondiθjo'nal] adj conditionnel(le); ver **libertad**

condicionar [kondiθjo'nar] vt conditionner; **estar condicionado a** dépendre de

condimento [kondi'mento] nm condiment m

condolerse [kondo'lerse] vpr compatir

condón [kon'don] nm préservatif m

conducir [kondu'θir] vt conduire; (suj: camino, escalera, negocio) conduire, mener ■ vi conduire; **conducirse** vpr se conduire; **esto no conduce a nada/ninguna parte** cela ne mène à rien/nulle part

conducta [kon'dukta] nf conduite f

conducto [kon'dukto] nm conduit m; **por ~ oficial** par voie officielle

conductor, a [konduk'tor, a] adj (Fís, Elec) conducteur(-trice) ■ nm conducteur m ■ nm/f conducteur(-trice)

conduje etc [kon'duxe] vb ver **conducir**

conduzca etc [kon'duθka] vb ver **conducir**

conectar [konek'tar] vt relier; (tubos) raccorder; (Telec) brancher; (enchufar) connecter, brancher; (Inform) connecter ■ vi: ~ **(con)** (TV, Radio) donner l'antenne (à); (fam: personas) être sur la même longueur d'ondes que

conejillo [kone'xiʎo] nm: ~ **de Indias** cochon m d'Inde; (fig) cobaye m

conejo [ko'nexo] nm lapin m

conexión [konek'sjon] nf connexion f; **conexiones** nfpl (amistades) contacts mpl

confección [konfek'θjon] nf confection f; **ropa de ~** prêt-à-porter m; ~ **de caballero/señora** prêt-à-porter pour hommes/femmes

confeccionar [konfe(k)θjo'nar] vt confectionner

confederación [konfeðera'θjon] nf confédération f

conferencia [konfe'renθja] nf conférence f; (Telec) communication f interurbaine; ~ **a cobro revertido** (Telec) appel m en PCV; ~ **de prensa** conférence de presse

conferir [konfe'rir] vt conférer; (fig) conférer

confesar [konfe'sar] vt confesser, avouer ■ vi (Rel) confesser; (Jur) avouer;

confesarse vpr se confesser; **he de ~ que** je dois avouer que

confesión [konfe'sjon] nf confession f, aveu m; (Rel) confession

confesionario [konfesjo'narjo] nm (Rel) confessionnal m

confeti [kon'feti] nm confetti m

confiado, -a [kon'fiaðo, a] adj confiant(e); **está ~ en que aprobará** il est confiant de son succès

confianza [kon'fjanθa] nf confiance f; (familiaridad) familiarité f; **de ~** (persona) de confiance; (alimento) de qualité; **en ~** en (toute) confiance; **margen de ~** marge f de confiance; **tener ~ con algn** être intime avec qn; **tomarse ~s con algn** (pey) se permettre des familiarités avec qn; **hablar con ~** parler en toute confiance

confiar [kon'fjar] vt confier ■ vi avoir confiance; **confiarse** vpr être confiant(e); ~ **en** avoir confiance en; ~ **en hacer/que** compter faire/que

confidencia [konfi'ðenθja] nf confidence f

confidencial [konfiðen'θjal] adj confidentiel(le); **"~"** (en sobre) "confidentiel"

confidente [konfi'ðente] nm/f (amigo) confident(e); (policial) informateur(-trice), indicateur(-trice)

configurar [konfiɣu'rar] vt façonner

confín [kon'fin] nm: **el ~ del mundo** le bout du monde; **confines** nmpl (límites): **en los confines de** aux confins de

confinar [konfi'nar] vt (desterrar) confiner

confirmar [konfir'mar] vt confirmer; **confirmarse** vpr se confirmer; (Rel) faire sa confirmation; **la excepción confirma la regla** l'exception confirme la règle

confiscar [konfis'kar] vt confisquer

confitería [konfite'ria] nf (tienda) confiserie f; (Csur: café) café m

confitura [konfi'tura] nf confiture f

conflictivo, -a [konflik'tiβo, a] adj conflictuel(le); (época) de conflit

conflicto [kon'flikto] nm conflit m; (fig: problema) problème m; **estar en un ~** être dans l'embarras; ~ **laboral** conflit social o du travail

confluir [konflu'ir] vi (ríos, personas) confluer; (carreteras) se rejoindre

conformar [konfor'mar] vt (carácter, paisaje) façonner; (persona) contenter, satisfaire ■ vi: ~ **con** être conforme à; **conformarse** vpr: ~**se con** se contenter de; (resignarse) se résigner à; ~ **algo a** o con adapter qch à; **~se con** hacer se contenter de faire

conforme [kon'forme] *adj* conforme; *(de acuerdo)* d'accord; *(satisfecho)* content(e), satisfait(e) ■ *conj (tal como)* tel que, comme; *(a medida que)* à mesure que ■ *excl* d'accord ■ *prep*: **~ a** conformément à; **~ con** content(e) o satisfait(e) de

conformidad [konformi'ðað] *nf* conformité f; *(aprobación)* accord m, approbation f; *(resignación)* résignation f; **en ~ con** conformément à; **dar su ~** donner son accord

conformista [konfor'mista] *adj, nm/f* conformiste m/f

confortable [konfor'taβle] *adj* confortable

confortar [konfor'tar] *vt* réconforter

confrontar [konfron'tar] *vt* confronter; *(situación, peligro)* affronter; **confrontarse** *vpr* s'affronter; **~se con** affronter

confundir [konfun'dir] *vt* confondre; *(persona: embrollar)* embrouiller; *(: desconcertar)* déconcerter; **confundirse** *vpr (equivocarse)* se tromper; *(hacerse borroso)* se confondre; *(turbarse)* être confundu(e); *(mezclarse)* se confondre; **~ algo/algn con** confondre qch/qn avec; **~se de** se tromper de

confusión [konfu'sjon] *nf* confusion f

confuso, -a [kon'fuso, a] *adj* confus(e)

congelado, -a [konxe'laðo, a] *adj (carne, pescado)* congelé(e) ■ *nm*: **~s** *(Culin)* surgelés mpl

congelador [konxela'ðor] *nm* congélateur m

congelar [konxe'lar] *vt* congeler; *(Com, Fin)* geler; **congelarse** *vpr* se congeler; *(fam: persona)* se geler; *(sangre, grasa)* se figer

congeniar [konxe'njar] *vi*: **~ (con)** s'entendre (avec)

congestión [konxes'tjon] *nf (de tráfico)* encombrement m; *(Med)* congestion f

congestionar [konxestjo'nar] *vt* congestionner; **congestionarse** *vpr* se congestionner

conglomerado [konglome'raðo] *nm (Constr, Tec)* aggloméré m; *(de factores, intereses)* conglomérat m

congoja [kon'goxa] *nf* chagrin m

congraciarse [kongra'θjarse] *vpr*: **~ con** s'attirer les bonnes grâces de

congratular [kongratu'lar] *vt* féliciter; **congratularse** *vpr*: **~se de** o **por** se féliciter de

congregación [kongreɣa'θjon] *nf* congrégation f

congregar [kongre'ɣar] *vt* réunir, rassembler; **congregarse** *vpr* se réunir, se rassembler

congreso [kon'greso] *nm* congrès m; **C~ de los Diputados** *(Esp: Pol)* ≈ Assemblée nationale

conjetura [konxe'tura] *nf* conjecture f; **sólo podemos hacer ~s** nous sommes réduits aux conjectures

conjugar [konxu'ɣar] *vt* conjuguer

conjunción [konxun'θjon] *nf (Ling)* conjonction f; *(de esfuerzos, cualidades)* conjugaison f

conjunto, -a [kon'xunto, a] *adj* commun(e) ■ *nm* ensemble m; *(de circunstancias)* concours msg; *(de música pop)* groupe m; **de ~** *(visión, estudio)* d'ensemble; **en ~** dans l'ensemble

conjurar [konxu'rar] *vt, vi* conjurer; **conjurarse** *vpr* se conjurer

conmemoración [konmemora'θjon] *nf* commémoration f

conmemorar [konmemo'rar] *vt* commémorer

conmigo [kon'miɣo] *pron* avec moi

conmoción [konmo'θjon] *nf* commotion f; *(en sociedad, costumbres)* bouleversement m; **~ cerebral** *(Med)* commotion cérébrale

conmovedor, a [konmoβe'ðor, a] *adj* émouvant(e)

conmover [konmo'βer] *vt* émouvoir; *(suj: terremoto, estrépito)* ébranler; **conmoverse** *vpr* s'émouvoir

conmutador [konmuta'ðor] *nm (AM: Telec)* central m téléphonique

cono ['kono] *nm (Geom)* cône m; **C~ Sur** *(Geo)* Chili, Argentine, Uruguay

conocedor, -a [konoθe'ðor, a] *adj, nm/f* connaisseur(-euse)

conocer [kono'θer] *vt* connaître; *(reconocer)* reconnaître; **conocerse** *vpr* se connaître; **dar a ~** faire connaître o savoir; **darse a ~** se faire connaître; **se conoce que ...** il semble o paraît que ...

conocido, -a [kono'θiðo, a] *adj* connu(e) ■ *nm/f (persona)* connaissance f

conocimiento [konoθi'mjento] *nm* connaissance f; *(de la madurez)* jugeote f; *(Náut: tb: **conocimiento de embarque**)* connaissement m; **conocimientos** *nmpl (saber)* connaissances fpl; **hablar con ~ de causa** parler en connaissance de cause; **perder/recobrar el ~** perdre/ reprendre connaissance; **poner en ~ de**

algn faire savoir à qn; **tener ~ de** avoir connaissance de; **~ (de embarque) aéreo** (*Com*) lettre *f* de transport aérien

conozca *etc* [ko'noθka] *vb ver* **conocer**

conque ['konke] *conj* ainsi donc, alors

conquista [kon'kista] *nf* conquête *f*

conquistador, a [konkista'ðor, a] *adj, nm/f* conquérant(e) ▪ *nm* (*de América*) conquistador *m*; (*seductor*) séducteur *m*

conquistar [konkis'tar] *vt* conquérir; (*puesto*) obtenir; (*simpatía, fama*) conquérir; (*enamorar*) conquérir, faire la conquête de

consagrar [konsa'ɣrar] *vt* consacrer; **consagrarse** *vpr*: **~se a** se consacrer à; **~ como** (*acreditar*) sacrer; **~se como** se confirmer comme

consciente [kons'θjente] *adj* conscient(e); **estar ~** être conscient(e); **ser ~ de** être conscient(e) de

consecuencia [konse'kwenθja] *nf* conséquence *f*; **a ~ de** par suite de; **en ~** en conséquence

consecuente [konse'kwente] *adj*: **~ (con)** conséquent(e) (avec)

consecutivo, -a [konseku'tiβo, a] *adj* consécutif(-ive)

conseguir [konse'ɣir] *vt* obtenir; (*sus fines*) parvenir à; **~ hacer** arriver à faire

consejero, -a [konse'xero, a] *nm/f* (*persona*) conseiller(-ère); (*Pol*) ministre dans une communauté autonome

consejo [kon'sexo] *nm* conseil *m*; **dar un ~** donner un conseil; **~ de administración** (*Com*) conseil d'administration; **C~ de Europa** Conseil de l'Europe; **~ de guerra/ de ministros** conseil de guerre/des ministres

consenso [kon'senso] *nm* consensus *m*

consentimiento [konsenti'mjento] *nm* consentement *m*; **dar su ~** donner son consentement

consentir [konsen'tir] *vt* consentir; (*mimar*) gâter ▪ *vi*: **~ en hacer** consentir à faire; **~ a algn hacer algo/que algn haga algo** permettre à qn de faire qch/ que qn fasse qch

conserje [kon'serxe] *nm* concierge *m*

conserva [kon'serβa] *nf* conserve *f*; **conservas** *nfpl* conserves *fpl*; **en ~** en conserve

conservación [konserβa'θjon] *nf* (*de paisaje, naturaleza*) conservation *f*; (*de especie*) protection *f*

conservador, a [konserβa'ðor, a] *adj, nm/f* conservateur(-trice)

conservante [konser'βante] *nm* conservateur *m*

conservar [konser'βar] *vt* (*gen*) conserver; (*costumbre, figura*) garder; **conservarse** *vpr*: **~se bien** (*comida etc*) bien se conserver; **~se joven** être bien conservé

conservatorio [konserβa'torjo] *nm* (*Mús*) conservatoire *m*; (*AM*) serre *f*

considerable [konsiðe'raβle] *adj* (*importante*) important(e); (*grande*) considérable

consideración [konsiðera'θjon] *nf* considération *f*; **de ~** (*herida, daño*) grave; **tomar en ~** prendre en considération; **¡qué falta de ~!** quel manque de considération!; **de mi/nuestra (mayor) ~ ...** (*AM: Admin*) Madame, Monsieur, ...

considerado, -a [konsiðe'raðo, a] *adj* (*atento*) attentionné(e); (*respetado*) respecté(e); **estar bien/mal ~** être bien/ mal vu(e)

considerar [konsiðe'rar] *vt* considérer

consigna [kon'siɣna] *nf* consigne *f*

consigo [kon'siɣo] *vb ver* **conseguir** ▪ *pron* (*m*) avec lui; (*f*) avec elle; (*usted(es)*) avec vous; **~ mismo** avec soi-même

consiguiendo *etc* [konsi'ɣjendo] *vb ver* **conseguir**

consiguiente [konsi'ɣjente] *adj*: **el ~ susto/nerviosismo** la peur/nervosité qui en résulte; **por ~** par conséquent

consistente [konsis'tente] *adj* consistant(e); (*material, pared, teoría*) solide; **~ en** qui consiste en

consistir [konsis'tir] *vi*: **~ en** consister en

consola [kon'sola] *nf* (*de videojuegos*) console *f*

consolación [konsola'θjon] *nf ver* **premio**

consolar [konso'lar] *vt* consoler; **consolarse** *vpr*: **~se (con)** se consoler (avec); **~se haciendo** se consoler en faisant

consolidar [konsoli'ðar] *vt* consolider

consomé [konso'me] (*pl* **~s**) *nm* (*Culin*) consommé *m*

consonante [konso'nante] *nf* consonne *f* ▪ *adj* consonantique

consorcio [kon'sorθjo] *nm* (*Com*) consortium *m*

conspiración [konspira'θjon] *nf* conspiration *f*

conspirador, a [konspira'ðor, a] *nm/f* conspirateur(-trice)

conspirar [konspi'rar] *vi* conspirer

constancia [kons'tanθja] *nf* constance *f*; (*testimonio*) témoignage *m*; **dejar ~ de algo** faire état de qch

constante [kons'tante] *adj* constant(e) ■ *nf* (*Mat, fig*) constante *f*

constar [kons'tar] *vi*: **~ (en)** figurer (dans); **~ de** se composer de; **hacer ~** manifester; **me consta que ...** je suis conscient que ...; **(que) conste que lo hice por ti** n'oublie pas que c'est pour toi que je l'ai fait

constatar [konsta'tar] *vt* constater

consternación [konsterna'θjon] *nf* consternation *f*

constipado, -a [konsti'paðo, a] *adj*: **estar ~** être enrhumé(e) ■ *nm* rhume *m*

constitución [konstitu'θjon] *nf* constitution *f*; (*de tribunal, equipo etc*) composition *f*

constitucional [konstituθjo'nal] *adj* constitutionnel(le)

constituir [konstitu'ir] *vt* constituer; **constituirse** *vpr* se constituer

constituyente [konstitu'jente] *adj* constituant(e); **cortes ~s** assemblée *f* constituante

constreñir [konstre'nir] *vt* (*limitar*) restreindre; (*obligar*) contraindre

construcción [konstruk'θjon] *nf* construction *f*

constructor, a [konstruk'tor, a] *nm/f* constructeur(-trice) ■ *nf* entrepreneur *m*

construir [konstru'ir] *vt* construire

construyendo *etc* [konstru'jendo] *vb ver* **construir**

consuelo [kon'swelo] *vb ver* **consolar** ■ *nm* consolation *f*; **sin ~** inconsolable

cónsul ['konsul] *nm* consul *m*

consulado [konsu'laðo] *nm* consulat *m*

consulta [kon'sulta] *nf* consultation *f*; (*Med: consultorio*) cabinet *m*; **horas de ~** heures *fpl* de consultation; **obra de ~** ouvrage *m* de référence

consultar [konsul'tar] *vt* consulter; **~ algo con algn** consulter qn au sujet de qch; **~ un archivo** (*Inform*) consulter un fichier

consultorio [konsul'torjo] *nm* (*Med*) cabinet *m*; (*en periódico etc*) courrier *m* du cœur

consumar [konsu'mar] *vt* consommer; (*sentencia*) exécuter

consumición [konsumi'θjon] *nf* consommation *f*; **~ mínima** prix *m* minimum de la consommation

consumidor, a [konsumi'ðor, a] *nm/f* consommateur(-trice)

consumir [konsu'mir] *vt* consommer; **consumirse** *vpr* se consumer; (*caldo*) réduire; (*persona*) dépérir; **~se (de celos/**de envidia/de rabia) se consumer (de jalousie/d'envie/de rage)

consumismo [konsu'mismo] *nm* (*Com*) surconsommation *f*

consumo [kon'sumo] *nm* consommation *f*; **bienes/sociedad de ~** biens *mpl*/ société *f* de consommation

contabilidad [kontaβili'ðað] *nf* comptabilité *f*; **~ de costes** *o* **analítica** comptabilité analytique; **~ de doble partida/por partida simple** comptabilité en partie double/en partie simple; **~ de gestión** comptabilité de gestion

contable [kon'taβle] *nm/f* comptable *m/f*; **~ de costos** analyste *m/f* des coûts

contacto [kon'takto] *nm* contact *m*; **estar/ponerse en ~ con algn** être/se mettre en contact avec qn; **perder ~** (*amigos*) se perdre de vue

contado, -a [kon'taðo, a] *adj*: **en casos ~s** dans de rares cas ■ *nm*: **al ~** au comptant; **pagar al ~** payer comptant

contador, a [konta'ðor, a] *nm/f* (AM: *contable*) comptable *m/f* ■ *nm* (*aparato*) compteur *m*

contagiar [konta'xjar] *vt* (*enfermedad*) passer; (*persona*) contaminer; (*fig: entusiasmo*) transmettre; **contagiarse** *vpr* (*sentimiento*) se transmettre; **~se de la gripe** attraper la grippe

contagio [kon'taxjo] *nm* contagion *f*

contagioso, -a [konta'xjoso, a] *adj* (*tb fig*) contagieux(-euse)

contaminación [kontamina'θjon] *nf* (*de alimentos*) contamination *f*; (*del agua, ambiente*) pollution *f*

contaminar [kontami'nar] *vt* (*aire, agua*) polluer; (*fig*) contaminer

contante [kon'tante] *adj*: **dinero ~** argent *m* comptant; **dinero ~ y sonante** espèces *fpl* sonnantes et trébuchantes

contar [kon'tar] *vt* (*dinero etc*) compter; (*historia etc*) conter ■ *vi* compter; **contarse** *vpr* (*calcularse*) se compter; (*incluirse*) compter; **~ con** (*persona*) compter avec; (*disponer de: plazo etc*) disposer de; (: *habitantes*) compter; **sin ~** sans compter; **le cuento entre mis amigos** il est de mes amis; **¿qué (te) cuentas?** comment tu vas?

contemplación [kontempla'θjon] *nf* contemplation *f*; **contemplaciones** *nfpl* (*miramientos*) égards *mpl*; **no andarse con contemplaciones** ne pas faire de façons

contemplar [kontem'plar] *vt* contempler; (*considerar*) envisager; (*mimar*) être aux petits soins pour

contemporáneo, -a [kontempo'raneo, a] *adj, nm/f* contemporain(e)

contendiente [konten'djente] *adj, nm/f* (*persona, país*) rival(e); (*Deporte*) adversaire *m/f*

contenedor [kontene'ðor] *nm* conteneur *m*

contener [konte'ner] *vt* contenir; (*risa, caballo etc*) retenir; **contenerse** *vpr* se retenir

contenido, -a [konte'niðo, a] *adj* contenu(e) ■ *nm* contenu *m*

contentar [konten'tar] *vt* faire plaisir à; **contentarse** *vpr*: **~se (con)** se contenter (de); **~se con hacer** se contenter de faire

contento, -a [kon'tento, a] *adj*: **~ (con/de)** content(e) (de)

contestación [kontesta'θjon] *nf* réponse *f*; **~ a la demanda** (*Jur*) plaidoyer *m*

contestador [kontesta'ðor] *nm*: **~ automático** répondeur *m*

contestar [kontes'tar] *vt* répondre; (*Jur*) plaider ■ *vi* répondre; **~ a una pregunta/a un saludo** répondre à une question/à un salut

contexto [kon'teksto] *nm* contexte *m*

contienda [kon'tjenda] *nf* dispute *f*

contigo [kon'tiɣo] *pron* avec toi

contiguo, -a [kon'tiɣwo, a] *adj*: **~ (a)** contigu(ë) (à)

continente [konti'nente] *nm* continent *m*

contingencia [kontin'xenθja] *nf* (*posibilidad*) éventualité *f*; (*riesgo*) risque *m*

contingente [kontin'xente] *adj* contingent(e); (*posible*) possible ■ *nm* (*Mil, Com*) contingent *m*

continuación [kontinwa'θjon] *nf* (*de trabajo, estancia, obras*) poursuite *f*; (*de novela, película, calle*) suite *f*; **a ~** juste après

continuar [konti'nwar] *vt* continuer, poursuivre; (*reanudar*) reprendre ■ *vi* (*permanecer*) rester; (*mantenerse, prolongarse*) continuer; (*telenovela etc*) reprendre; **~ haciendo** continuer de o à faire; **~ siendo** être toujours

continuo, -a [kon'tinwo, a] *adj* continu(e); (*llamadas, quejas*) continuel(le)

contorno [kon'torno] *nm* (*silueta*) contours *mpl*; (*en dibujo*) contour *m*; **contornos** *nmpl* (*alrededores*) environs *mpl*

contorsión [kontor'sjon] *nf* contorsion *f*

contra ['kontra] *prep* contre ■ *adj* (*Nic*)

contra ■ *adv*: **en ~ (de)** contre ■ *nm/f*

contra *m/f* ■ *nf*: **la C~** (**nicaragüense**) les Contras *mpl* ■ *nm* ver **pro**

contraataque [kontraa'take] *nm* contre-attaque *f*

contrabajo [kontra'βaxo] *nm* contrebasse *f*

contrabandista [kontraβan'dista] *nm/f* contrebandier(-ière)

contrabando [kontra'βando] *nm* contrebande *f*; **de ~** de contrebande; **llevar/pasar algo de ~** passer qch en contrebande; **~ de armas** contrebande d'armes

contracción [kontrak'θjon] *nf* contraction *f*

contracorriente [kontrako'rrjente]: **a ~** *adv* à contre-courant

contradecir [kontraðe'θir] *vt* contredire; **contradecirse** *vpr* se contredire; **esto se contradice con ...** ceci est en contradiction avec ...

contradicción [kontraðik'θjon] *nf* contradiction *f*; **el espíritu de la ~** l'esprit de contradiction; **en ~ con** en contradiction avec

contradictorio, -a [kontraðik'torjo, a] *adj* contradictoire

contraer [kontra'er] *vt* contracter; **contraerse** *vpr* se contracter; **~ matrimonio con** épouser

contraluz [kontra'luθ] *nm* (*Foto*) contre-jour *m*; **a ~** à contre-jour

contrapelo [kontra'pelo]: **a ~** *adv* (*tb fig*) à rebrousse-poil

contrapesar [kontrape'sar] *vt* contrebalancer

contrapeso [kontra'peso] *nm* (*tb fig*) contrepoids *msg*; (*Com*) contrepartie *f*

contraportada [kontrapor'taða] *nf* page *f* de garde

contraproducente [kontraproðu'θente] *adj* qui n'a pas l'effet escompté

contrariar [kontra'rjar] *vt* contrarier

contrariedad [kontrarje'ðað] *nf* contretemps *msg*; (*disgusto*) contrariété *f*

contrario, -a [kon'trarjo, a] *adj*: **~ (a)** opposé(e) (à); (*equipo etc*) adverse ■ *nm/f* adversaire *m/f*; **al ~** au contraire; **por el ~** tout au contraire; **ser ~ a** être opposé(e) à; (*a intereses, opinión*) être contraire à; **llevar la contraria** contredire; **de lo ~** sinon; **salvo indicación contraria** sauf indication contraire; **todo lo ~** tout le contraire

contrarrestar [kontrarres'tar] *vt* compenser

contraseña [kontra'seɲa] nf mot m
de passe

contrastar [kontrastar] vi: ~ **(con)**
trancher (avec) ■ vt (comprobar) vérifier

contraste [kon'traste] nm contraste m

contratar [kontra'tar] vt engager,
recruter; (servicios) faire appel à

contratiempo [kontra'tjempo] nm
contretemps msg; **a** ~ (fig) à contretemps

contratista [kontra'tista] nm/f
entrepreneur(-euse)

contrato [kon'trato] nm contrat m;
~ **a precio fijo** forfait m; ~ **a término/**
de compraventa/de trabajo contrat à
terme/de vente/de travail

contravenir [kontraβe'nir] vt
contrevenir

contraventana [kontraβen'tana] nf
volet m

contribución [kontriβu'θjon] nf
contribution f; **exento de**
contribuciones exonéré d'impôts;
~ **territorial** impôt m foncier; ~ **urbana**
impôts mpl locaux

contribuir [kontriβu'ir] vi: ~ **(a)**
contribuer (à); ~ **con** participer à raison de

contribuyente [kontriβu'jente] nm/f
contribuable m/f

contrincante [kontrin'kante] nm
concurrent(e)

control [kon'trol] nm contrôle m;
(dominio: de nervios, impulsos) maîtrise f;
(tb: **control de policía**) contrôle; **llevar**
el ~ (de situación) maîtriser; (en asunto)
diriger; **perder el** ~ perdre le contrôle;
~ **de calidad/de cambios/de costos/**
de existencia/de precios (Com) contrôle
de qualité/des changes/des coûts/du
stock/des prix; ~ **de créditos**
encadrement m du crédit; ~ **de (la)**
natalidad contrôle des naissances; ~ **de**
pasaportes contrôle des passeports

controlador, a [kontrola'ðor, a] nm/f:
~ **aéreo** contrôleur m aérien

controlar [kontro'lar] vt contrôler;
(nervios, impulsos) maîtriser;
controlarse vpr se maîtriser

controversia [kontro'βersja] nf
controverse f

contundente [kontun'dente] adj
(prueba) indiscutable; (fig: argumento etc)
radical(e); (arma) contendant(e)

contusión [kontu'sjon] nf contusion f

convalecencia [kombale'θenθja] nf
convalescence f

convaleciente [kombale'θjente] adj,
nm/f convalescent(e)

convalidar [kombali'ðar] vt valider

convencer [komben'θer] vt convaincre;
convencerse vpr: ~**se (de)** se persuader
(de); ~ **a algn de (que haga) algo**
convaincre qn de (faire) qch; ~ **a algn**
para que haga convaincre qn de faire;
esto no me convence (nada) cela ne me
convainc pas (du tout)

convencimiento [kombenθi'mjento]
nm certitude f; **llegar al/tener el** ~ **de**
que … arriver à/avoir la certitude que …

convención [komben'θjon] nf
convention f

conveniencia [kombe'njenθja] nf
(oportunidad) opportunité f; (provecho)
intérêt m; (utilidad) avantage m;
conveniencias nfpl (tb: **conveniencias**
sociales) convenances fpl; **ser de la** ~ **de**
algn être à la convenance de qn

conveniente [kombe'njente] adj
opportun(e); (útil) pratique; **(no) es**
~ **(hacer)** il (n')est (pas) bon (de faire)

convenio [kom'benjo] nm accord m;
~ **colectivo/salarial** accord collectif/
salarial

convenir [kombe'nir] vt convenir de
■ vi convenir; ~ **(en) hacer** convenir de
faire; "**sueldo a** ~" "salaire négociable";
conviene recordar que … il convient de
rappeler que …; **no te conviene salir** tu
ne devrais pas sortir

convento [kom'bento] nm couvent m

convenza etc [kom'benθa] vb ver
convencer

converger [komber'xer], **convergir**
[komber'xir] vi converger

conversación [kombersa'θjon] nf
conversation f; **conversaciones** nfpl
(Pol) pourparlers mpl

conversar [komber'sar] vi discuter

conversión [komber'sjon] nf
transformation f; (Rel) conversion f

convertir [komber'tir] vt transformer;
(Rel): ~ **a** convertir à; (Com): ~ **(en)**
changer (en); **convertirse** vpr (Rel):
~**se (a)** se convertir (à)

convicción [kombik'θjon] nf
conviction f; **convicciones** nfpl (ideas)
convictions fpl

convicto, -a [kom'bikto, a] adj
condamné(e)

convidado, -a [kombi'ðaðo, a] nm/f
convive m/f

convidar [kombi'ðar] vt: ~ **(a)** convier
(à); ~ **a algn a hacer** inviter qn à faire

convincente [kombin'θente] adj
convaincant(e)

convite [kom'bite] nm (banquete)
banquet m; (invitación) invitation f

convivencia [kombi'βenθja] *nf*
cohabitation *f*

convivir [kombi'βir] *vi* cohabiter

convocar [kombo'kar] *vt* convoquer; **~ (a)**
(*personas*) convoquer (à); (*huelga*) appeler à

convocatoria [komboka'torja] *nf*
convocation *f*; (*huelga*) appel *m*

convulsión [kombul'sjon] *nf* (*Med*)
convulsion *f*; (*política*) bouleversement *m*

conyugal [konju'ɣal] *adj* conjugal(e);
vida ~ vie *f* conjugale

cónyuge ['konjuxe] *nm/f* conjoint(e)

coñac [ko'nak] (*pl* **~s**) *nm* cognac *m*

coño ['kono] (*fam!*) *nm* con *m* (*fam!*)
■ *excl* merde! (*fam!*); **¡qué ~!** merde! (*fam!*)

cooperación [koopera'θjon] *nf*
coopération *f*

cooperar [koope'rar] *vi* coopérer

cooperativa [koopera'tiβa] *nf*
coopérative *f*; **~ agrícola** coopérative
agricole

coordinador, a [koorðina'ðor, a] *nm/f*
coordinateur(-trice) ■ *nf* bureau *m* de
coordination

coordinar [koorði'nar] *vt* coordonner

copa ['kopa] *nf* (*recipiente*) verre *m* à pied;
(*de champán*: *Deporte*) coupe *f*; (*de árbol*)
cime *f*; (*de sombrero*) calotte *f*; **copas** *nfpl*
(*Naipes*) l'une des quatre couleurs du jeu de
cartes espagnol; **tomar una ~** prendre un
verre *o* un pot; **ir de ~s** aller prendre un
pot; **sombrero de ~** haut-de-forme *m*;
huevo a la ~ (*Chi*) œuf *m* à la coque

copia ['kopja] *nf* copie *f*; (*llave*) double *m*;
hacer ~ de seguridad (*Inform*) faire une
sauvegarde; **~ de respaldo** *o* **de seguridad**
(*Inform*) sauvegarde *f*; **~ de trabajo** (*Inform*)
fichier *m* de travail; **~ impresa** (*Inform*)
tirage *m* papier; **~ vaciada** (*Inform*)
vidage *m*

copiar [ko'pjar] *vt* copier; (*Inform*) faire
une copie de; **~ al pie de la letra** copier
mot pour mot; **~ y pegar** copier coller

copioso, -a [ko'pjoso, a] *adj*
abondant(e); (*comida*) copieux(-euse)

copla ['kopla] *nf* (*canción*) couplet *m*; (*Lit*)
strophe *f*

copo ['kopo] *nm*: **~ de nieve** flocon *m* de
neige; **~s de avena** flocons *mpl* d'avoine

coqueta [ko'keta] *nf* (*mujer*) coquette *f*;
(*mueble*) coiffeuse *f*

coquetear [kokete'ar] *vi* flirter

coraje [ko'raxe] *nm* courage *m*; (*esp AM*)
colère *f*; **le da ~ hacer ...** ça l'énerve de
faire ...

coral [ko'ral] *adj* (*Mús*) de chœur ■ *nf*
(*Mús*) chorale *f* ■ *nm* (*Zool*) corail *m*; **de ~**
en corail

coraza [ko'raθa] *nf* cuirasse *f*; (*Zool*)
carapace *f*

corazón [kora'θon] *nm* cœur *m*; (*Bot*)
noyau *m*; **corazones** *nmpl* (*Naipes*)
cœur *msg*; **ser de buen ~** avoir bon cœur;
de (todo) ~ de tout cœur; **estar mal del ~**
être malade du cœur

corazonada [koraθo'naða] *nf*
pressentiment *m*

corbata [kor'βata] *nf* cravate *f*

Córcega ['korθeɣa] *nf* Corse *f*

corchete [kor'tʃete] *nm* agrafe *f*;
corchetes *nmpl* (*Tip*) crochets *mpl*

corcho ['kortʃo] *nm* liège *m*; (*Pesca, tapón*)
bouchon *m*; **de ~** en liège

cordel [kor'ðel] *nm* corde *f*

cordero [kor'ðero] *nm* agneau *m*;
~ lechal agneau de lait

cordial [kor'ðjal] *adj* cordial(e) ■ *nm*
cordial *m*

cordialidad [korðjali'ðað] *nf*
cordialité *f*

cordillera [korði'ʎera] *nf* cordillère *f*

Córdoba ['korðoβa] *n* Cordoue *f*

córdoba ['korðoβa] *nm* (*Nic*) monnaie du
Nicaragua

cordón [kor'ðon] *nm* (*cuerda*) ficelle *f*;
(*de zapatos*) lacet *m*; (*Elec, policial*) cordon
m; (*Csur*) bord *m* du trottoir; **~ umbilical**
cordon ombilical

cordura [kor'ðura] *nf* sagesse *f*; (*Med*)
santé *f* mentale; **con ~** avec sagesse

córner ['korner] (*pl* **~s**) *nm* (*Deporte*)
corner *m*

corneta [kor'neta] *nf* (*Mús*) cornet *m*;
(*Mil*) clairon *m*

cornisa [kor'nisa] *nf* corniche *f*

coro ['koro] *nm* chœur *m*; **a ~** (*responder
etc*) en chœur

corona [ko'rona] *nf* couronne *f*; (*de
santo*) auréole *f*; **la ~** (*Pol*) la Couronne;
~ de laurel couronne de laurier

coronación [korona'θjon] *nf* (*tb fig*)
couronnement *m*

coronar [koro'nar] *vt* couronner

coronel [koro'nel] *nm* colonel *m*

coronilla [koro'niʎa] *nf* sommet *m* du
crâne; **estar hasta la ~ (de)** en avoir
jusque-là (de)

corporación [korpora'θjon] *nf*
corporation *f*

corporal [korpo'ral] *adj* (*ejercicio*)
physique; (*castigo, higiene*) corporel(le)

corpulento, -a [korpu'lento a] *adj*
(*persona*) corpulent(e); (*árbol, tronco*)
énorme

corral [ko'rral] *nm* (*patio*) cour *f*; (*de
animales*) basse-cour *f*; (*de niño*) parc *m*

correa [ko'rrea] nf courroie f; (cinturón) ceinture f; (de perro) laisse f; **~ del ventilador** (Auto) courroie du ventilateur

corrección [korrek'θjon] nf correction f; **~ (de pruebas)** (Tip) correction (d'épreuves); **~ en pantalla** correction sur écran

correccional [korrekθjo'nal] nm pénitencier m; **~ de menores** maison f de correction

correcto, -a [ko'rrekto, a] adj correct(e)

corredor, a [korre'ðor, a] nm/f coureur(-euse) ■ nm (pasillo) corridor m; (balcón corrido) galerie f; (Com) courtier m; **~ de apuestas** bookmaker m; **~ de bolsa/de fincas** agent m de change/immobilier

corregir [korre'xir] vt corriger; **corregirse** vpr se corriger; **se le ha corregido la miopía** on lui a corrigé sa myopie

correo [ko'rreo] nm courrier m; (servicio) poste f; **Correos** nmpl (servicio) la Poste, les PTT fpl; (edificio) la Poste; **a vuelta de ~** par retour de courrier; **echar al ~** mettre à la poste; **~ aéreo** courrier par avion; **~ basura** (Inform) spam m; **~ electrónico/urgente/certificado** courrier électronique/"urgent"/recommandé

correr [ko'rrer] vt (mueble etc) déplacer; (riesgo) courir; (suerte) risquer; (aventura) vivre; (cortinas: cerrar) fermer; (: abrir) ouvrir; (cerrojo) tourner ■ vi (persona, rumor) courir; (coche, agua, viento) aller vite; (tiempo) passer; (apresurarse) se presser; **correrse** vpr (persona, terreno) se déplacer; (colores) couler; (fam: tener orgasmo) jouir; **echar a ~** se mettre à courir; **~ con los gastos** payer; **~ mundo** parcourir le monde; **eso corre de mi cuenta** je m'en occupe; **nos corrimos una juerga** (fam) on s'est bien éclaté; **a todo ~** à toute vitesse

correspondencia [korrespon'denθja] nf correspondance f; **~ directa** (Com) correspondance directe

corresponder [korrespon'der] vi (dinero, tarea) revenir; (en amor) aimer en retour; **corresponderse** vpr (amarse) bien s'entendre; **~ a** (invitación) répondre à; (a favor, cariño) rendre; (convenir, ajustarse, pertenecer) correspondre à; **al gobierno le corresponde ...** le gouvernement a pour tâche de ...; **~se con** correspondre à; **"a quien corresponda"** "à qui de droit"

correspondiente [korrespon'djente] adj (respectivo) correspondant(e); **~ (a)** (adecuado) qui correspond (à)

corresponsal [korrespon'sal] nm/f correspondant(e); (Com) agent m

corrida [ko'rriða] nf corrida f; (carrera corta) sprint m; (Chi) file f

corrido, -a [ko'rriðo, a] adj (avergonzado) contrit(e); (balcón etc) extérieur(e) ■ nm (Méx) ballade f; **de ~** couramment; **un kilo ~** un bon kilo

corriente [ko'rrjente] adj courant(e); (suceso, costumbre) habituel(le); (común) commun(e) ■ nf courant m; (tb: **corriente de aire**) courant d'air ■ nm: **el 16 del ~** le 16 courant; **las ~s artísticas** les courants artistiques; **estar al ~ de** être au courant de; **seguir la ~ a algn** ne pas contrarier qn; **poner/tener al ~** mettre/tenir au courant; **~ alterna/continua** courant alternatif/continu; **~ sanguínea** flux msg sanguin

corrija etc [ko'rrixa] vb ver **corregir**

corrillo [ko'rriʎo] nm petit groupe m

corro ['korro] nm cercle m; **hacer ~ aparte** faire bande à part; **jugar al ~** faire la ronde

corroborar [korroβo'rar] vt corroborer

corroer [korro'er] vt corroder; (suj: envidia) ronger; **corroerse** vpr se désagréger

corromper [korrom'per] vt pourrir; (aguas) polluer; (fig: costumbres, moral) corrompre; (: juez etc) corrompre, soudoyer; **corromperse** vpr pourrir; (costumbres) se corrompre; (persona, justicia) se laisser soudoyer

corrosivo, -a [korro'siβo, a] adj corrosif(-ive)

corrupción [korrup'θjon] nf putréfaction f; (fig) corruption f

corsé [kor'se] nm corset m

cortacésped [korta'θespeð] nm tondeuse f (à gazon)

cortado, -a [kor'taðo, a] adj (leche) tourné(e); (con cuchillo) coupé(e); (piel, labios) craquelé(e); (tímido) coincé(e) ■ nm café m avec un nuage de lait; **estar ~** être coincé(e); **quedarse ~** rester sans voix

cortafuegos [korta'fweɣos] nm inv (en el bosque) pare-feu m, coupe-feu m; (Internet) firewall, pare-feu m

cortar [kor'tar] vt couper; (discusión) interrompre; (piel, labios) fendre ■ vi couper; (viento) être glacial(e); (AM: Telec) raccrocher; **cortarse** vpr se couper; (turbarse) se troubler; (Telec) s'interrompre; (*leche*) tourner; **~ el paso (a algn)** barrer le passage (à qn); **~ por lo sano** trancher dans le vif; **~ de raíz** tuer dans l'œuf; **~se el pelo** se (faire) couper les cheveux; **~se el dedo** se couper le doigt; **se le cortan los labios** ses lèvres se gercent

cortaúñas [korta'uɲas] *nm inv* coupe-ongles *m inv*

corte ['korte] *nm* coupure f; (*de pelo, vestido*) coupe f; (*de tela*) pièce f; (*de helado*) tranche f napolitaine ■ *nf* (*real*) cour f; **me da ~ pedírselo** cela m'embête de le lui demander; **¡qué ~ le di!** je lui ai rabattu son caquet!; **las C~s** le parlement espagnol; **hacer la ~ a algn** faire la cour à qn; **~ de corriente/de luz** coupure de courant/d'électricité; **~ de mangas** bras *m* d'honneur; **C~ Internacional de Justicia** Cour internationale de justice; **~ y confección** confection f

○ **LAS CORTES**
○
○ Le Parlement espagnol, ou *Cortes*
○ (*Españolas*), se compose d'une
○ chambre basse ("Congreso de los
○ Diputados") et d'une chambre haute
○ ("Senado"). Les membres de la
○ chambre basse, ou "diputados", sont élus
○ au suffrage universel et à la
○ proportionnelle. Quant aux membres
○ du "Senado", ou "senadores", certains
○ d'entre eux sont élus au suffrage
○ universel et d'autres sont nommés
○ par les Parlements régionaux.

cortejar [korte'xar] *vt* courtiser

cortejo [kor'texo] *nm* cortège *m*; **~ fúnebre** cortège funèbre

cortés [kor'tes] *adj* courtois(e), poli(e)

cortesía [korte'sia] *nf* courtoisie f, politesse f; **de ~** (*visita, carta*) de courtoisie

corteza [kor'teθa] *nf* (*de árbol*) écorce f; (*de pan, queso*) croûte f; (*de fruta*) peau f; **~ terrestre** écorce o croûte terrestre

cortina [kor'tina] *nf* rideau *m*; **~ de humo** rideau de fumée

corto, -a ['korto, a] *adj* court(e); (*tímido*) timide, timoré(e); (*tonto*) bouché(e) ■ *nm* (*Cine*) court-métrage *m*; **~ de luces** bête; **~ de oído** dur(e) d'oreille; **~ de vista** myope; **quedarse ~** ne pas être à la hauteur

cortocircuito [kortoθir'kwito] *nm* court-circuit *m*

cortometraje [kortome'traxe] *nm* court-métrage *m*

cosa ['kosa] *nf* chose f; (*asunto*) affaire f; **es ~ de una hora** c'est l'affaire d'une heure; **como si tal ~** comme si de rien n'était; **eso es ~ mía** c'est mon affaire; **llévate tus ~s** prends tes affaires; **es poca ~** ce n'est pas grand-chose; **¡qué ~ más rara!** comme c'est drôle!; **eso son ~s de la edad** c'est de son o leur âge; **tal como están las ~s** vu l'état actuel des choses; **lo que son las ~s** c'est drôle, la vie; **las ~s como son** les choses étant ce qu'elles sont

coscorrón [kosko'rron] *nm* coup *m* sur la tête; **darse un ~** se cogner la tête

cosecha [ko'setʃa] *nf* récolte f; (*de vino*) cru *m*

cosechar [kose'tʃar] *vt* récolter ■ *vi* faire la récolte

coser [ko'ser] *vt* coudre; **~ algo a algo** coudre qch à qch

cosmético, -a [kos'metiko, a] *adj, nm* cosmétique *m*

cosquillas [kos'kiʎas] *nfpl*: **hacer ~** chatouiller; **tener ~** être chatouilleux(-euse)

costa ['kosta] *nf* (*Geo*) côte f; **costas** *nfpl* (*Jur*) dépens *mpl*; **a ~** (*Com*) au coût; **a ~ de** aux dépens de; (*trabajo*) à force de; (*grandes esfuerzos*) au prix de; (*su vida*) au péril de; **a toda ~** coûte que coûte, à tout prix; **C~ Brava/del Sol** Costa Brava/del Sol; **C~ Azul/Cantábrica/de Marfil** Côte d'Azur/cantabrique/d'Ivoire

costado [kos'taðo] *nm* côté *m*; **de ~** (*dormir etc*) sur le côté; **español por los 4 ~s** espagnol jusqu'au bout des ongles; **rodeado por los 4 ~s** encerclé de tous côtés

costar [kos'tar] *vt, vi* coûter; **me cuesta hablarle** j'ai du mal à lui parler; **¿cuánto cuesta?** combien ça coûte?; **te costará caro** (*fig*) cela va te coûter cher

costarricense [kostarri'θense], **costarriqueño, -a** [kostarri'keɲo, a] *adj* costaricien(ne), de Costa Rica ■ *nm/f* Costaricien(ne)

costear [koste'ar] *vt* payer; (*Com*) financer; (*Náut*) longer la côte de; **costearse** *vpr* rentrer dans ses frais, couvrir ses frais

costero, -a [kos'tero, a] *adj* côtier(-ière)

costilla [kos'tiʎa] *nf* (*Anat*) côte f; (*Culin*) côtelette f

costo ['kosto] *nm* coût *m*, prix *msg*; (*esp AM*) *ver* **coste**; **~ directo/de expedición/ de sustitución** coût direct/d'expédition/ de remplacement; **~ unitario** prix unitaire

costoso, -a [kos'toso, a] *adj* coûteux(-euse); *(difícil)* difficile

costra ['kostra] *nf (de suciedad)* couche *f*; *(Med, de cal etc)* croûte *f*

costumbre [kos'tumbre] *nf* coutume *f*, habitude *f*; *(tradición)* coutume; **como de ~** comme d'habitude

costura [kos'tura] *nf* couture *f*

costurera [kostu'rera] *nf* couturière *f*

costurero [kostu'rero] *nm* boîte *f* à couture

cotejar [kote'xar] *vt*: **~ (con)** comparer (à *o* avec)

cotidiano, -a [koti'ðjano, a] *adj* quotidien(ne)

cotilla [ko'tiʎa] *nm/f* commère *f*

cotillear [kotiʎe'ar] *vi* faire des commérages

cotización [kotiθa'θjon] *nf (Com)* cours *m*; *(de club, del trabajador)* cotisation *f*

cotizar [koti'θar] *vt (Com)* coter; *(pagar)* cotiser ∎ *vi (trabajador)* cotiser; **cotizarse** *vpr (fig)* être bien coté(e); **~se a** *(Com)* être coté(e) à

coto ['koto] *nm (tb: **coto de caza**)* réserve *f*; *(Chi)* goitre *m*; **poner ~ a** mettre fin à

cotorra [ko'torra] *nf (loro)* perruche *f*; *(fam: persona)* pie *f*

COU [kou] *(Esp)* sigla *m* (= *Curso de Orientación Universitaria*) Terminale

coyote [ko'jote] *nm* coyote *m*; *(Méx: fam)* guide *m*

coyuntura [kojun'tura] *nf* articulation *f*, jointure *f*; *(fig)* conjoncture *f*, occasion *f*; **esperar una ~ favorable** attendre une conjoncture favorable, attendre l'occasion favorable

coz [koθ] *nf* ruade *f*

cráneo ['kraneo] *nm* crâne *m*; **ir de ~** aller droit au désastre

cráter ['krater] *nm* cratère *m*

creación [krea'θjon] *nf* création *f*

creador, a [krea'ðor, a] *adj, nm/f* créateur(-trice)

crear [kre'ar] *vt* créer; **crearse** *vpr* se créer

creativo, -a [krea'tiβo, a] *adj* créatif(-ive)

crecer [kre'θer] *vi* grandir; *(pelo)* pousser; *(ciudad)* s'agrandir; *(río)* grossir; *(riqueza, odio)* augmenter; *(cólera)* monter; **crecerse** *vpr* s'enorgueillir

creces ['kreθes] : **con ~** *adv (pagar)* au centuple

crecido, -a [kre'θiðo, a] *adj*: **estar ~** avoir grandi; *(planta)* avoir poussé

creciente [kre'θjente] *adj* croissant(e); **cuarto ~** premier quartier *m*

crecimiento [kreθi'mjento] *nm* croissance *f*; *(de planta)* pousse *f*; *(de ciudad)* agrandissement *m*

credenciales [kreðen'θjales] *nfpl* lettres *fpl* de créance

crédito ['kreðito] *nm* crédit *m*; **a ~** à crédit; **dar ~ a** accorder crédit à, croire; **~ al consumido** crédit à la consommation; **ser digno de ~** être digne de confiance; **~ rotativo** *o* **renovable** crédit à renouvellement automatique

credo ['kreðo] *nm* credo *m*

crédulo, -a ['kreðulo, a] *adj* crédule

creencia [kre'enθja] *nf* croyance *f*

creer [kre'er] *vt, vi* croire; **creerse** *vpr (considerarse)* se croire; *(aceptar)* croire; **~ en** croire en; **¡ya lo creo!** je crois *o* pense bien; **creo que no/sí** je crois que non/oui; **no se lo cree** il n'y croit pas; **se cree alguien** il a une bonne opinion de lui

creíble [kre'iβle] *adj* croyable

creído, -a [kre'iðo, a] *adj* présomptueux(-euse)

crema ['krema] *adj inv (color)* crème *inv* ∎ *nf* crème *f*; *(para zapatos)* cirage *m*; **la ~ de la sociedad** la crème de la société; **~ de afeitar** crème à raser; **~ de cacao** beurre *m* de cacao; **~ de champiñones/de espárragos** velouté *m* de champignons/d'asperges; **~ hidratante** crème hydratante; **~ pastelera** crème pâtissière

cremallera [krema'ʎera] *nf* fermeture *f* éclair®

crematorio [krema'torjo] *nm (tb: **horno crematorio**)* four *m* crématoire

crepitar [krepi'tar] *vi* crépiter

crepúsculo [kre'puskulo] *nm* crépuscule *m*

cresta ['kresta] *nf* crête *f*

creyendo *etc* [kre'jendo] *vb ver* **creer**

creyente [kre'jente] *nm/f* croyant(e)

creyó *etc* [kre'jo] *vb ver* **creer**

crezca *etc* ['kreθka] *vb ver* **crecer**

cría ['kria] *vb ver* **criar** ∎ *nf (de animales)* élevage *m*; *(cachorro)* petit *m*; *ver tb* **crío**

criada [kri'aða] *nf* bonne *f*; *ver tb* **criado**

criadero [kria'ðero] *nm* élevage *m*

criado, -a [kri'aðo, a] *nm/f* domestique *m/f*

crianza [kri'anθa] *nf* allaitement *m*; *(formación)* éducation *f*; *(de animales)* élevage *m*; **vino de ~** grand cru *m*

criar [kri'ar] *vt* allaiter, nourrir; *(educar)* éduquer, élever; *(parásitos)* produire; *(animales)* élever ∎ *vi* avoir des petits;

criarse vpr être élevé; (formarse) se
former
criatura [kria'tura] nf créature f; (niño)
gosse m
criba ['kriβa] nf crible m; (fig) crible,
tamis m
cribar [kri'βar] vt cribler, tamiser
crimen ['krimen] nm crime m;
~ pasional crime passionnel
criminal [krimi'nal] adj criminel(le);
(tiempo, viaje etc) horrible ■ nm/f
criminel(le)
crin [krin] nf (tb: **crines**) crinière f
crío, -a ['krio, a] (fam) nm/f bébé m;
(más mayor) marmot m
crisis ['krisis] nf inv crise f; **~ nerviosa**
dépression f nerveuse
crispar [kris'par] vt crisper; **crisparse**
vpr se crisper; **ese ruido me crispa los
nervios** ce bruit me porte sur les nerfs
cristal [kris'tal] nm verre m; (Quím)
cristal m; (de ventana) vitre f; **cristales**
nmpl (trozos rotos) bouts mpl de verre;
de ~ en verre; **~ ahumado** verre fumé;
~ de roca cristal de roche
cristalino, -a [krista'lino, a] adj
cristallin(e) ■ nm cristallin m
cristalizar [kristali'θar] vi cristalliser;
(fig) se cristalliser; **cristalizarse** vpr se
cristalliser
cristiandad [kristjan'dað] nf
chrétienté f
cristianismo [kristja'nismo] nm
christianisme m
cristiano, -a [kris'tjano, a] adj, nm/f
chrétien(ne); **hablar en ~** parler
espagnol; (fig) parler clairement
Cristo ['kristo] nm le Christ; (crucifijo)
crucifix m; **armar un ~** faire du chahut
criterio [kri'terjo] nm critère m; (opinión)
avis m; (discernimiento) discernement m,
jugement m; (enfoque) attitude f,
démarche f; **lo dejo a su ~** la décision
vous appartient
crítica ['kritika] nf critique f; **la ~** (Teatro
etc) la critique; ver tb **crítico**
criticar [kriti'kar] vt (censurar) critiquer;
(novela, película) faire la critique de ■ vi
critiquer
crítico, -a ['kritiko, a] adj, nm/f critique
m/f
Croacia [kro'aθja] n Croatie f
croar [kro'ar] vi coasser
cromo ['kromo] nm chrome m; (para
niños) vignette f
crónica ['kronika] nf chronique f;
~ deportiva/de sociedad rubrique
sportive/mondaine

crónico, -a ['kroniko, a] adj (tb fig)
chronique
cronómetro [kro'nometro] nm
chronomètre m
croqueta [kro'keta] nf croquette f
cruce ['kruθe] vb ver **cruzar** ▶ nm
croisement m; (miradas) rencontre f;
(de carreteras) carrefour m; (Telec etc)
interférence f; **luces de ~** feux mpl de
croisement; **~ de peatones** passage m
clouté
crucificar [kruθifi'kar] vt (tb fig)
crucifier
crucifijo [kruθi'fixo] nm crucifix msg
crucigrama [kruθi'ɣrama] nm mots mpl
croisés
crudo, -a ['kruðo, a] adj cru(e); (invierno
etc) rigoureux(-euse) ■ nm pétrole m
brut; (Pe) serpillière f
cruel [krwel] adj cruel(le)
crueldad [krwel'ðað] nf cruauté f
crujido [kru'xiðo] nm craquement m
crujiente [kru'xjente] adj (galleta)
croquant(e); (pan) croustillant(e)
crujir [kru'xir] vi craquer; (dientes)
grincer; (nieve, arena) crisser
cruz [kruθ] nf croix fsg; (de moneda) pile f;
con los brazos en ~ les bras en croix;
~ gamada croix gammée; **C~ Roja** Croix-
Rouge f
cruzado, -a [kru'θaðo, a] adj croisé(e);
(en calle, carretera) de travers ■ nm
croisé m
cruzar [kru'θar] vt croiser; (calle,
desierto) traverser; (palabras) échanger;
cruzarse vpr se croiser; **~le la cara a
algn** donner une gifle à qn; **~se con algn**
croiser qn; **~se de brazos** (tb fig) se
croiser les bras
cta., c.^{ta} abr = **cuenta**
c/u abr (= cada uno) ver **cada**
cuaderno [kwa'ðerno] nm bloc m notes;
(de escuela) cahier m; **~ de bitácora**
(Náut) livre m de bord
cuadra ['kwaðra] nf écurie f; (AM: Arq)
pâté m de maisons
cuadrado, -a [kwa'ðraðo, a] adj (tb fam)
carré(e) ■ nm (Mat) carré m; **metro/
kilómetro ~** mètre m/kilomètre m carré
cuadrar [kwa'ðrar] vt (Mat) élever au
carré; (Pe) garer ■ vi (Tip) justifier;
cuadrarse vpr (soldado) se mettre au
garde-à-vous; **~ (con)** (informaciones)
correspondre (à); (cuentas) s'accorder
(avec); **~ por la derecha/izquierda** (Tip)
justifier à droite/gauche
cuadrilátero [kwaðri'latero] nm
(Deporte) ring m; (Geom) quadrilatère m

cuadrilla [kwa'ðriʎa] nf (de obreros etc) équipe f; (de ladrones, amigos) bande f
cuadro ['kwaðro] nm tableau m; (cuadrado) carré m; (Deporte, Med) équipe f; (Pol, Mil, tb de bicicleta) cadre m; **a/de ~s** à carreaux; **~ de mandos** tableau de bord
cuádruple ['kwaðruple] adj quadruple
cuajar [kwa'xar] vt (leche) cailler; (sangre) coaguler; (huevo) faire durcir ■ vi (Culin, nieve) prendre; (fig: planes) aboutir; (: acuerdo) marcher; (: idea) se réaliser; **cuajarse** vpr (leche) se cailler; **~ algo de** remplir qch de
cuajo ['kwaxo] nm: **de ~** (arrancar etc) à la racine
cual [kwal] adv comme, tel que, tel un ■ pron: **el/la ~** lequel (laquelle), qui; **los/las ~es** lesquels (lesquelles), qui; **lo ~** ce qui, ce que; **allá cada ~** chacun ses goûts; **son a ~ más gandul** ils sont tous plus fainéants les uns que les autres; **cada ~** chacun; **con o por lo ~** c'est pourquoi; **del ~** duquel, dont; **tal ~** tel quel
cuál [kwal] pron (interrogativo) lequel, laquelle, lesquels, lesquelles ■ adj (esp AM: fam): **¿~es primos?** quels cousins?
cualesquier(a) [kwales'kjer(a)] pl de **cualquier(a)**
cualidad [kwali'ðað] nf qualité f
cualquier(a) [kwal'kjer(a)] (pl **cualesquiera**) adj (indefinido) n'importe quel(le); (tras sustantivo) quelconque ■ pron: **~** quiconque, n'importe qui; (a la hora de escoger) n'importe lequel (laquelle); **cualquier día de estos** un de ces jours; **no es un hombre ~** ce n'est pas n'importe qui; **en cualquier momento** à n'importe quel moment; **en cualquier parte** n'importe où; **eso ~ lo sabe hacer** ça, n'importe qui peut le faire; **es un ~** c'est un pas-grand-chose; **~ que sea** (objeto) quel(le) que ce soit; (persona) qui que ce soit
cuando ['kwando] adv quand ■ conj quand, lorsque; (puesto que) puisque, du moment que; (si) si ■ prep: **yo, ~ niño ...** moi, quand j'étais petit ...; **aun ~** même si, même quand; **aun ~ no sea así** même si ce n'est pas le cas; **~ más/menos** tout au plus/au moins; **de ~ en ~** de temps en temps, de temps à autre; **ven ~ quieras** viens quand tu voudras
cuándo ['kwando] adv quand, lorsque; **¿desde ~?, ¿de ~ acá?** depuis quand?
cuantioso, -a [kwan'tjoso, a] adj considérable

○ **PALABRA CLAVE**

cuanto, -a ['kwanto, a] adj 1 (todo): **tiene todo cuanto desea** il a tout ce qu'il veut; **le daremos cuantos ejemplares necesite** nous vous donnerons autant d'exemplaires qu'il vous en faudra; **cuantos hombres la ven la admiran** tous les hommes qui la voient l'admirent
2: **unos cuantos**; **había unos cuantos periodistas** il y avait quelques journalistes
3 (+ más): **cuanto más vino bebas peor te sentirás** plus tu boiras de vin plus tu te sentiras mal; **cuanto más tiempo estemos mejor** plus on reste mieux c'est
■ pron 1: **tome cuanto/cuantos quiera** prends-en autant que tu voudras
2: **unos cuantos** quelques-uns
■ adv: **en cuanto**; **en cuanto profesor es excelente** comme professeur, il est excellent; **en cuanto a mí** quant à moi; ver tb **antes**
■ conj 1: **cuanto más lo pienso menos me gusta** plus j'y pense moins ça ne me plaît
2: **en cuanto**; **en cuanto llegue/llegué** dès qu'il arrive/arriva

cuánto, -a ['kwanto, a] adj (exclamativo) que de, quel(le); (interrogativo) combien de ■ pron, adv combien; **¡cuánta gente!** que de gens!; **¿~ tiempo?** combien de temps?; **¿~ cuesta?** combien ça coûte?; **¿a ~ estamos?** le combien sommes-nous?; **¿~ hay de aquí a Bilbao?** combien y a-t-il d'ici à Bilbao?; **¡~ me alegro!** comme je suis content!; **Señor no sé ~s** Monsieur Untel
cuarenta [kwa'renta] adj inv, nm inv quarante m inv; ver tb **sesenta**
cuarentena [kwaren'tena] nf quarantaine f
cuaresma [kwa'resma] nf carême m
cuarta ['kwarta] nf empan m; (Mús) quarte f; ver tb **cuarto**
cuartel [kwar'tel] nm caserne f; **no dar ~** ne pas faire de quartier; **~ general** quartier m général
cuarteto [kwar'teto] nm quatuor m
cuarto, -a ['kwarto, a] adj quatrième ■ nm (Mat) quart m; (habitación) chambre f, pièce f; (Zool) quartier m; **no tener un ~** ne pas avoir un sou; **~ creciente/menguante** premier/dernier quartier; **~ de baño/de estar** salle f de bains/de séjour; **~s de final** (Deporte) quarts mpl de finale; **~ de hora** quart

d'heure; **~ de huéspedes** chambre d'amis; **~ de kilo** une demi-livre; **~ delantero/trasero** avant-/arrière-train m; *ver tb* **sexto**

cuarzo ['kwarθo] nm quartz m

cuatro ['kwatro] adj inv, nm inv quatre m inv; *ver tb* **seis**

cuatrocientos, -as [kwatro'θjentos, as] adj quatre cents; *ver tb* **seiscientos**

Cuba ['kuβa] nf Cuba m

cuba ['kuβa] nf cuve f, tonneau m; (tina) cuve; **estar como una ~** (fam) être rond(e)

cubano, -a [ku'βano, a] adj cubain(e) ■ nm/f Cubain(e)

cúbico, -a ['kuβiko, a] adj cubique

cubierta [ku'βjerta] nf couverture f; (neumático) pneu m; (Náut) pont m

cubierto, -a [ku'βjerto, a] pp de **cubrir** ■ adj couvert(e); (vacante) pourvu(e) ■ nm couvert m; **~ de** couvert(e) de, recouvert(e) de; **a o bajo ~** à l'abri; **precio del ~** prix msg par personne

cubilete [kuβi'lete] nm gobelet m, cornet m

cubito [ku'βito] nm: **~ de hielo** glaçon m

cubo ['kuβo] nm (Mat, Geom) cube m; (recipiente) seau m; (Tec) tambour m; **~ de la basura** poubelle f

cubrecama [kuβre'kama] nm couvre-lit m, dessus msg de lit

cubrir [ku'βrir] vt couvrir; (esconder) cacher; (polvo, nieve) recouvrir, couvrir; (vacante) pourvoir à; **cubrirse** vpr se couvrir; **lo cubrieron las aguas** les eaux l'ont englouti; **el agua casi me cubría** je n'avais presque pas pied; **~ de** couvrir de; **~se de** se couvrir de, se recouvrir de; **~se de gloria** se couvrir de gloire

cucaracha [kuka'ratʃa] nf cafard m

cuchara [ku'tʃara] nf cuiller f o cuillère f; (Tec) benne f preneuse

cucharada [kutʃa'raða] nf cuillerée f; **~ colmada/rasa** cuiller f o cuillère f pleine à ras bord/rase

cucharadita [kutʃara'ðita] nf cuillerée f à café

cucharilla [kutʃa'riʎa] nf petite cuiller f o cuillère f

cucharón [kutʃa'ron] nm louche f

cuchichear [kutʃitʃe'ar] vi chuchoter

cuchilla [ku'tʃiʎa] nf lame f

cuchillo [ku'tʃiʎo] nm couteau m

cuchitril [kutʃi'tril] (pey) nm taudis msg, bouge m

cuclillas [ku'kliʎas] nfpl: **en ~** accroupi(e)

cuco, -a ['kuko, a] adj (mono) joli(e); (astuto) malin(-igne) ■ nm coucou m

cucurucho [kuku'rutʃo] nm cornet m; **helado de ~** cornet de glace

cuello ['kweʎo] nm cou m; (de ropa) col m; (de botella) goulot m; **~ a la caja/alto/de pico** col rond/roulé/en V; **~ uterino** col de l'utérus

cuenca ['kwenka] nf (tb: **cuenca del ojo**) orbite f; (Geo: valle) vallée f; (: fluvial) bassin m

cuenco ['kwenko] nm bol m

cuenta ['kwenta] vb ver **contar** ■ nf compte m; (en restaurante) addition f; (de collar) grain m; **a fin de ~s** au bout du compte; **en resumidas ~s** en bref; **ajustar las ~s a algn** régler son compte à qn; **caer en la ~** y être; **llevar la ~ de algo** faire le compte de qch; **eso corre de mi ~** c'est moi qui m'en charge o occupe; (yo pago) c'est moi qui paie; **dar ~ de** rendre compte de; **darse ~ de algo** se rendre compte de qch; **echar ~s** faire le point; **perder la ~ de** ne pas se rappeler; **tener en ~** tenir compte de; **por la ~ que me** etc **trae** j'ai etc intérêt; **trabajar por su ~** travailler à son compte; **abonar una cantidad en ~ a algn** créditer le compte de qn d'une somme; **liquidar una ~** régler un compte; **más de la ~** (fam) plus que de raison; **~ a plazo (fijo)** compte de dépôt; **~ atrás** compte à rebours; **~ común** compte joint; **~ corriente** compte courant; **~ de ahorros** compte épargne; **~ de asignación** compte d'affectation; **~ de caja/de capital** compte caisse/capital; **~ de correo** compte de courrier électronique; **~ de crédito** (Inform) compte client; **~ de gastos e ingresos** compte de dépenses et de recettes; **~ por cobrar/por pagar** somme f à percevoir/à payer

cuentakilómetros [kwentaki'lometros] nm inv compteur m kilométrique; (velocímetro) compteur de vitesse

cuento ['kwento] vb ver **contar** ■ nm conte m; (patraña) histoire f; **es el ~ de nunca acabar** c'est une histoire à n'en plus finir; **eso no viene a ~** ceci n'a rien à voir; **tener mucho ~** être très comédien; **vivir del ~** vivre de l'air du temps; **~ chino** histoire à dormir debout; (fam) bobard m; **~ de hadas** conte de fées

cuerda ['kwerða] nf corde f; (de reloj) ressort m; **dar ~ a un reloj** remonter une montre; **~ floja** corde raide; **~s vocales** cordes vocales; *ver tb* **cuerdo**

cuerdo, -a ['kwerðo, a] adj sensé(e); (prudente) sage, prudent(e)

cuerno ['kwerno] nm corne f; (Mús) cor m; **mandar a algn al ~** envoyer paître; **¡y un ~!** mon œil!; **poner los ~s a** (fam) faire porter des cornes à; **~ de caza** corne de chasse

cuero ['kwero] nm cuir m; (Carib: fam!) pute f(fam!); **en ~s** tout(e) nu(e); **~ cabelludo** cuir chevelu

cuerpo ['kwerpo] nm corps msg; (Geom) solide m; (fig) partie f principale; **a ~** sans manteau; **luchar ~ a** lutter corps à corps; **tomar ~** (plan etc) prendre corps; **~ de bomberos** régiment m de sapeurs-pompiers; **~ diplomático** corps diplomatique

cuervo ['kwerβo] nm corbeau m; (Csur) vautour m

cuesta ['kwesta] vb ver **costar**
■ nf pente f; (en camino etc) côte f; **ir ~ arriba/abajo** monter/descendre; **este trabajo se me hace muy ~ arriba** (fig) j'ai du mal à faire ce travail; **a ~s** sur le dos

cuestión [kwes'tjon] nf question f; (riña) dispute f, querelle f; **en ~ de** en matière de; **eso es otra ~** ça c'est une autre histoire; **es ~ de** c'est une question de

cueva ['kweβa] nf grotte f, caverne f; **~ de ladrones** caverne de voleurs

cuidado, -a [kwi'ðaðo] adj soigné(e)
■ nm précaution f; (preocupación) souci m; (de los niños etc) soin m ■ excl attention!; **eso me trae sin ~** ça je m'en fiche; **estar al ~ de** s'occuper de; **tener ~** faire attention; **~ con el perro** attention au chien; **~s intensivos** soins mpl intensifs

cuidadoso, -a [kwiða'ðoso, a] adj soigneux(-euse); (prudente) prudent(e)

cuidar [kwi'ðar] vt soigner; (niños, casa) s'occuper de ■ vi: **~ de** prendre soin de; **cuidarse** vpr prendre soin de soi; **~se de hacer** prendre soin de faire; **¡cuídate!** prends soin de toi!, fais attention à toi!

culata [ku'lata] nf crosse f; **le salió el tiro por la ~** ça a été l'arroseur arrosé

culebra [ku'leβra] nf couleuvre f

culebrón [kule'βron] nm (fam) série f télévisée

culinario, -a [kuli'narjo, a] adj culinaire

culminación [kulmina'θjon] nf point m culminant

culo ['kulo] nm (fam!) cul m (fam!); (en botella: final) fond m; **¡vamos de ~!** (fam) nous voilà bien!; **¡vete a tomar por ~!** (fam!) va te faire enculer! (fam!)

culpa ['kulpa] nf faute f; (Jur) culpabilité f; **culpas** nfpl (Rel) fautes fpl; **echar la ~**

a algn accuser qn; **por ~ de** à cause de; **tengo la ~** c'est de ma faute

culpabilidad [kulpaβili'ðað] nf culpabilité f

culpable [kul'paβle] adj, nm/f coupable m/f; **ser ~ (de)** être coupable (de); **confesarse ~** plaider coupable; **declarar ~ a algn** déclarer qn coupable

culpar [kul'par] vt accuser

cultivar [kulti'βar] vt cultiver; (amistad) entretenir

cultivo [kul'tiβo] nm culture f; (cosecha) récolte f

culto, -a ['kulto, a] adj cultivé(e); (lenguaje) choisi(e); (palabra) savant(e) ■ nm culte m; **rendir ~ a** (Rel, fig) rendre un culte à

cultura [kul'tura] nf culture f; **la ~** la culture

culturismo [kultu'rismo] nm culturisme m

cumbre ['kumbre] nf (tb fig) sommet m

cumpleaños [kumple'aɲos] nm inv anniversaire m; **¡feliz ~!** joyeux anniversaire!

cumplido, -a [kum'pliðo, a] adj (cortés) poli(e); (plazo) échu(e); (información) complet(-ète); (tamaño) grand(e) ■ nm compliment m; **cumplidos** nmpl (amabilidades) politesses fpl; **con el servicio militar** ~ dégagé des obligations militaires; **visita de ~** visite f de politesse

cumplimentar [kumplimen'tar] vt complimenter, adresser ses compliments à; (orden) exécuter

cumplimiento [kumpli'mjento] nm accomplissement m; (de norma) respect m

cumplir [kum'plir] vt accomplir; (ley) respecter; (promesa) tenir; (años) avoir ■ vi (pago) arriver à échéance; (plazo) expirer; **cumplirse** vpr (plazo) expirer; (plan, pronósticos) se réaliser, s'accomplir; **~ con** (deber) faire, remplir; (persona) ne pas manquer à; **hoy cumple dieciocho años** aujourd'hui il a dix-huit ans; **hacer algo por ~** faire qch pour la forme, faire qch par politesse; **hoy se cumplen dos años/tres meses de** ça fait aujourd'hui deux ans/trois mois que

cúmulo ['kumulo] nm tas msg; (nube) cumulus msg

cuna ['kuna] nf berceau m; **canción de ~** berceuse f

cundir [kun'dir] vi (rumor, pánico) se répandre, se propager; (trabajo) avancer, progresser; (aceite, hilo) durer

cuneta [ku'neta] nf fossé m

cuña ['kuɲa] nf (Tec) coin m; (Med) bassin m; **tener ~s** (AM) avoir du piston; **~ publicitaria** message m publicitaire

cuñado, -a [ku'ɲaðo, a] nm/f beau-frère (belle-sœur)

cuota ['kwota] nf quota m; (parte proporcional) quote-part f; (de club etc) cotisation f; **de ~** (AM: carretera) à péage

cupo ['kupo] vb ver **caber** ■ nm quote-part f; (Mil) contingent m; **~ de importación** (Com) contingent d'importation; **~ de ventas** quota m de ventes; ver **excedente**

cupón [ku'pon] nm billet m; (de resguardo) bon m; (Com) coupon m

cúpula ['kupula] nf coupole f

cura ['kura] nf guérison f; (tratamiento) soin m ■ nm curé m; **~ de desintoxicación** cure f de désintoxication; **~ de urgencia** soins mpl d'urgence

curación [kura'θjon] nf guérison f; (tratamiento) traitement m

curandero, -a [kuran'dero, a] nm/f guérisseur(-euse)

curar [ku'rar] vt (enfermo, enfermedad: herida) guérir; (: con apósitos) panser; (Culin) faire sécher; (cuero) tanner; **curarse** vpr (persona) se rétablir; (herida) se guérir

curiosear [kurjose'ar] vt fouiner dans ■ vi fouiner

curiosidad [kurjosi'ðað] nf curiosité f; **sentir** o **tener ~ por** o **de (hacer)** être curieux(-euse) de (faire)

curioso, -a [ku'rjoso, a] adj curieux(-euse); (aseado) propre, soigné(e) ■ nm/f (pey) curieux(-euse); **¡qué ~!** comme c'est étrange!

currante [ku'rrante] nm/f (fam) bosseur(-euse)

currar [ku'rrar], **currelar** [kurre'lar] vi (fam) bosser, trimer

currículo [ku'rrikulo], **currículum** [ku'rrikulum] nm (tb: **currículo vitae**) curriculum m (vitae)

curro ['kurro] nm (fam) job m

cursi ['kursi] adj de mauvais goût; (afectado) maniéré(e)

cursillo [kur'siʎo] nm cours msg; (de reciclaje etc) stage m; (de conferencias) cycle m

cursiva [kur'siβa] nf italiques mpl

curso ['kurso] nm cours msg; (Escol, Univ) année f; **en ~** (año, proceso) en cours; **dar ~ a** donner suite à; **moneda de ~ legal** monnaie f à cours légal; **en el ~ de** au cours de; **~ acelerado/por**

correspondencia cours accéléré/par correspondance

cursor [kur'sor] nm (Inform) curseur m; (Tec) curseur, coulisseau m

curtido, -a [kur'tiðo, a] adj (cara, cuero) tanné(e); (fig: persona) expérimenté(e), chevronné(e)

curtir [kur'tir] vt (pieles) tanner, corroyer; (suj: sol, viento) tanner; (fig) endurcir, aguerrir; **curtirse** vpr (fig) s'endurcir, s'aguerrir

curva ['kurβa] nf virage m, tournant m; (Mat) courbe f; **~ de rentabilidad** (Com) courbe de rentabilité

cúspide ['kuspiðe] nf sommet m; (fig) faîte m, comble m

custodia [kus'toðja] nf surveillance f; (de hijos) garde f; (Jur) détention f; **estar bajo la ~ policial** être en garde à vue

custodiar [kusto'ðjar] vt surveiller

cutis ['kutis] nm inv peau f

cutre ['kutre] (fam) adj minable

cuyo, -a ['kujo, a] pron (complemento de sujeto) dont le, dont la; (: plural) dont les; (complemento de objeto) dont; (tras preposición) de qui, duquel, de laquelle; (: plural) desquels, desquelles; **la señora en cuya casa me hospedé** la dame chez qui j'étais logé; **el asunto ~s detalles conoces** l'affaire dont tu connais les détails; **por ~ motivo** c'est pourquoi; **en ~ caso** auquel cas

C.V. abr (= caballos de vapor) CV (= cheval vapeur); (= curriculum vitae) CV m (= curriculum vitae)

d

D. *abr* = *Don* (con apellido) Monsieur *m*; (sólo con nombre) Don *m*

Da. *abr* = *Doña* (con apellido) Madame *f*; (sólo con nombre) Doña *f*, ≈ Madame

dádiva ['daðiβa] *nf* (donación) don *m*; (regalo) présent *m*

dado, -a ['daðo, a] *pp de* **dar** ■ *adj*: **en un momento** ~ à un moment donné ■ *nm* (para juego) dé *m*; **dados** *nmpl* (juego) dés *mpl*; **ser** ~ **a hacer algo** être enclin(e) à faire qch; ~ **que** étant donné que

daltónico, -a [dal'toniko, a] *adj, nm/f* daltonien(ne)

dama ['dama] *nf* dame *f*; **damas** *nfpl* (juego) dames *fpl*; **primera** ~ (Teatro) premier rôle *m* féminin; (Pol) première dame; ~ **de honor** (de novia) demoiselle *f* d'honneur; (de reina) dame d'honneur; (en concurso) dauphine *f*

danés, -esa [da'nes, esa] *adj* danois(e) ■ *nm/f* Danois(e) ■ *nm* (Ling) danois *m*

danza ['danθa] *nf* danse *f*

danzar [dan'θar] *vt* danser ■ *vi* danser; (fig: moverse) s'agiter

dañar [da'ɲar] *vt* (mueble, cuadro, motor) abîmer; (cosecha) endommager; (salud, reputación) nuire à; **dañarse** *vpr* (cosecha) se gâter

dañino, -a [da'ɲino, a] *adj* (sustancia) nocif(-ive); (animal) nuisible

daño ['daɲo] *nm* (a mueble, máquina) dommage *m*; (a cosecha, región) dégât *m*; (a persona, animal) mal *m*; ~**s y perjuicios** (Jur) dommages *mpl* et intérêts *mpl*; **hacer** ~ (alimento) ne pas réussir; **hacer** ~ **a algn** (producir dolor) faire mal à qn; (fig: ofender) blesser qn; **eso me hace** ~ ça ne me réussit pas; **hacerse** ~ se faire mal

🔵 **PALABRA CLAVE**

dar [dar] *vt* **1** donner; **dar algo a algn** donner qch à qn; **dar un golpe/una patada** donner un coup/un coup de pied; **dar clase** faire la classe; **dar la luz** allumer (la lumière); **dar las gracias** remercier; **dar olor** répandre une odeur; **dar de beber a algn** donner à boire à qn; *ver tb* **paseo** *y otros sustantivos*

2 (causar: alegría) donner; (: problemas) causer; (: susto) faire

3 (+ n = perífrasis de verbo): **me da pena/asco** cela me désole/dégoûte; **da gusto escucharle** c'est bien agréable de l'écouter; **me da no sé qué** (reparo) cela m'embête un peu

4 (considerar): **dar algo por descontado** considérer qch comme chose faite; **lo doy por hecho/terminado** je considère que c'est fait/terminé

5 (hora): **el reloj dio las 6** la pendule sonna 6 heures; *ver tb* **más**

6 (dar a + infin): **dar a conocer** faire connaître

■ *vi* **1**: **dar a** (ventana, habitación) donner sur; (botón etc) appuyer sur

2: **dar con**; **dimos con él dos horas más tarde** nous l'avons rencontré deux heures plus tard; **al final di con la solución** finalement j'ai trouvé la solution

3: **dar en** (blanco) atteindre; **dar en el suelo** tomber par terre; **el sol me da en la cara** j'ai le soleil dans la figure

4: **dar de sí** (zapatos, ropa) s'élargir

5: **dar para**; **el sueldo no da para más** ce salaire est très juste

6: **le dio por comprarse ...** il s'est mis en tête de s'acheter ...

7: **dar que** (+ infin): **dar que pensar** donner à penser; **el niño da mucho que hacer** cet enfant donne beaucoup de travail

8: **me da igual** *o* **lo mismo** ça m'est égal; **¿qué más te da?** qu'est-ce que ça peut te faire?

darse *vpr* **1** se donner; **darse un baño** prendre un bain; **darse un golpe** se cogner **2** (*ocurrir*): **se han dado muchos casos** il y a eu de nombreux cas
3: **darse a**: **darse a la bebida** s'adonner à la boisson
4: **darse por**: **darse por vencido** se déclarer vaincu; **darse por satisfecho** s'estimer satisfait
5: **se me dan bien/mal las ciencias** je suis bon/mauvais en sciences
6: **dárselas de**: **se las da de experto** il joue les experts

dardo ['darðo] *nm* dard *m*
datar [da'tar] *vi*: **~ de** dater de
dátil ['datil] *nm* datte *f*
dato ['dato] *nm* (*detalle*) fait *m*; (*Mat*) donnée *f*; **datos** *nmpl* (*información*, *Inform*) données *fpl*; **~s de entrada/de salida** données en entrée/en sortie; **~s personales** identité *fsg*
dcha. *abr* (= *derecha*) dr. (= *droite*)

 PALABRA CLAVE

de [de] (*de + el* = **del**) *prep* **1** (*gen: complemento de n*) de, d'; **la casa de Isabel/de mis padres/de los Alvarez** la maison d'Isabelle/de mes parents/des Alvarez; **una copa de vino** un verre de vin; **clases de inglés** cours *mpl* d'anglais
2 (*posesión: con ser*): **es de ellos** c'est à eux
3 (*origen, distancia*) de; **soy de Gijón** je suis de Gijón; **salir del cine/de la casa** sortir du cinéma/de la maison; **de lado** de côté; **de atrás/delante** de derrière/devant
4 (*materia*) en; **un abrigo de lana** un manteau en laine; **de madera** en bois
5 (*uso*) à; **una máquina de coser/escribir** une machine à coudre/écrire
6 (*traje, aspecto*): **ir vestido de gris** être habillé en gris, être vêtu de gris; **la niña del vestido azul** la fille en robe bleue; **la del pelo negro** celle qui a les cheveux noirs
7 (*profesión*): **trabaja de profesora** elle travaille comme professeur
8 (*hora, tiempo*): **a las 8 de la mañana** à 8 heures du matin; **de día/de noche** le jour/la nuit; **de hoy en ocho días** aujourd'hui en huit; **de niño era gordo** quand il était petit, il était gros
9 (*medida, distribución*): **5 metros de largo/ancho** 5 mètres de long/large; **de 2 en 2** de 2 en 2; **uno de cada tres** un sur trois

10 (*comparaciones*): **más/menos de cien personas** plus/moins de 100 personnes; **el más caro de la tienda** le plus cher du magasin; **menos/más de lo pensado** moins/plus qu'on ne pensait
11 (*adj + de + inf*): **es difícil de creer** c'est difficile à croire; **eso es difícil de hacer** il est difficile de faire cela
12 (*causa, modo*): **no puedo dormir del calor que hace** je ne peux pas dormir à cause de la chaleur; **de puro tonto se le olvidó coger dinero** il est si bête qu'il a oublié de prendre de l'argent; **temblar de miedo/de frío** trembler de peur/de froid; **de un trago** d'un coup; **de un solo golpe** d'un seul coup
13 (*condicional + infin*): **de no ser así** si ce n'était pas comme ça; **de ser posible** si c'est possible; **de no terminarlo hoy** si ce n'est pas fini aujourd'hui
14: **el pobre de Juan** le pauvre Juan; **el tonto de Carlos** cet idiot de Carlos
15: **de no** (*AM: si no*) sinon; **hazlo, de no ...!** fais-le sinon ...!

dé [de] *vb ver* **dar**
deambular [deambu'lar] *vi* (*persona*) déambuler; (*animal*) vagabonder
debajo [de'βaxo] *adv* dessous; **~ de** sous; **por ~ de** en dessous de
debate [de'βate] *nm* débat *m*
debatir [deβa'tir] *vt* débattre (de) ■ *vi* débattre; **debatirse** *vpr* (*forcejear*) se débattre
deber [de'βer] *nm* (*obligación*) devoir *m*; **deberes** *nmpl* (*Escol*) devoirs *mpl* ■ *vt* devoir; **deberse** *vpr*: **~se a** être dû (due) à; **debo hacerlo** je dois le faire; **debería dejar de fumar** il devrait arrêter de fumer; **debe (de) ser canadiense** il doit être canadien; **¿qué/cuánto le debo?** qu'est ce que/combien est-ce que je vous dois?; **queda a ~ 500 euros** il reste à payer 500 euros; **como debe ser** comme il se doit
debido, -a [de'βiðo, a] *adj* (*cuidado*, *respeto*) dû (due); **~ a** en raison de; **a su ~ tiempo** en temps voulu; **como es ~** comme il convient
débil ['deβil] *adj* faible
debilidad [deβili'ðað] *nf* faiblesse *f*; **tener ~ por algn/algo** avoir un faible pour qn/qch
debilitar [deβili'tar] *vt* (*persona*, *resistencia*) affaiblir; (*cimientos*) ébranler; **debilitarse** *vpr* s'affaiblir
debutar [deβu'tar] *vi* (*en actuación*) débuter
década ['dekaða] *nf* décennie *f*

decadencia [deka'ðenθja] nf (de edificio) délabrement m; (de persona) déchéance f; (de sociedad) décadence f

decaer [deka'er] vi (espectáculo) perdre de son attrait; (negocio) dépérir; (civilización, imperio) devenir décadent(e); (costumbres) tomber en désuétude; (éxito, afición, interés) retomber; (salud) décliner

decaído, -a [deka'iðo, a] adj: **estar ~** (desanimado) être abattu(e)

decano, -a [de'kano, a] nm/f (tb Univ) doyen(ne)

decapitar [dekapi'tar] vt décapiter

decena [de'θena] nf: **una ~** une dizaine

decencia [de'θenθja] nf décence f

decente [de'θente] adj décent(e); (honesto) convenable

decepción [deθep'θjon] nf déception f

decepcionar [deθepθjo'nar] vt décevoir

decidir [deθi'ðir] vt décider (de) ■ vi décider; **decidirse** vpr: **~se (a hacer algo)** se décider (à faire qch); **¡decídete!** décide-toi!; **~se por** se décider pour

décima ['deθima] nf (Mat) dixième m; **décimas** nfpl (Med) dixièmes mpl (de degré)

decimal [deθi'mal] adj décimal(e)

decímetro [de'θimetro] nm décimètre m

décimo, -a ['deθimo, a] adj, nm dixième m; ver tb **sexto**

decir [de'θir] vt dire; (fam: llamar) appeler ■ nm: **es un ~** disons; **decirse** vpr: **se dice que ...** on dit que ...; **¡no me digas!** (sorpresa) non!; **~ para sí** se dire; **~ (de)** (revelar) en dire long (sur); **~ por ~** dire comme ça; **querer ~** vouloir dire; **es ~** c'est-à-dire; **ni que ~ tiene que ...** il va sans dire que ...; **como quien dice**, **como si dijéramos** comme qui dirait; **que digamos, que se diga** vraiment; **¡quién lo diría!** qui l'eût cru!; **por así ~lo** pour ainsi dire; **el qué dirán** le qu'en dira-t-on; **¡diga!, ¡dígame!** (Telec) allô!; **le dije que fuera más tarde** je lui ai dit d'y aller plus tard; **dicho sea de paso** soit dit en passant; **que ya es ~** ce n'est pas peu dire; **por no ~** pour ne pas dire; **¿cómo se dice "cursi" en francés?** comment dit-on "cursi" en français?

decisión [deθi'sjon] nf décision f; **tomar una ~** prendre une décision

decisivo, -a [deθi'siβo, a] adj décisif(-ive)

declaración [deklara'θjon] nf déclaration f; (Jur) déposition f; **falsa ~** (Jur) faux témoignage m; **prestar ~** (Jur) faire une déposition; **tomar ~ a algn** (Jur) prendre la déposition de qn; **~ de**

derechos (Pol) déclaration des droits; **~ de la renta** déclaration de revenus; **~ fiscal** déclaration d'impôts; **~ jurada** déposition

declarar [dekla'rar] vt déclarer ■ vi (para la prensa, en público) faire une déclaration; (Jur) faire une déposition; **declararse** vpr (a una chica) déclarer son amour; (guerra, incendio) se déclarer; **~ culpable/inocente a algn** déclarer qn coupable/innocent; **~se culpable/inocente** se déclarer coupable/innocent

declinar [dekli'nar] vt décliner ■ vi (poder) décliner; (fiebre) baisser

declive [de'kliβe] nm pente f; (fig) déclin m; **en ~** en pente; (fig: imperio, economía) en déclin

decoración [dekora'θjon] nf décoration f; (Teatro) décor m; **~ de escaparates/de interiores** décoration de vitrines/d'intérieur

decorado [deko'raðo] nm décor m

decorar [deko'rar] vt décorer

decorativo, -a [dekora'tiβo, a] adj décoratif(-ive)

decoro [de'koro] nm (en comportamiento etc) correction f

decoroso, -a [deko'roso, a] adj correct(e); (digno) respectable

decrecer [dekre'θer] vi diminuer; (nivel de agua) baisser; (días) raccourcir

decrépito, -a [de'krepito, a] adj décrépit(e); (sociedad) en décrépitude

decretar [dekre'tar] vt décréter

decreto [de'kreto] nm décret m

dedal [de'ðal] nm (para costura) dé m; (fig: medida) doigt m

dedicación [deðika'θjon] nf (a trabajo etc) engagement m; (de persona) dévouement m; **con ~ exclusiva** o **plena** à plein temps

dedicar [deði'kar] vt dédicacer; (tiempo, dinero, esfuerzo) consacrer; **dedicarse** vpr: **~se a** se consacrer à; **¿a qué se dedica usted?** qu'est-ce que vous faites dans la vie?

dedicatoria [deðika'torja] nf dédicace f

dedo ['deðo] nm doigt m; **~ (del pie)** orteil m; **contar con los ~s** compter sur les doigts; **chuparse los ~s** se régaler; **a ~** (entrar, nombrar) au piston; **hacer ~** (fam) faire du stop; **poner el ~ en la llaga** toucher le point sensible; **no tiene dos ~s de frente** il n'est pas très futé; **estar a dos ~s de** être à deux doigts de; **~ anular** annulaire m; **~ corazón** majeur m; **~ gordo** pouce m; (en pie) gros orteil m; **~ índice** index msg; **~ meñique** auriculaire m

deducción [deðuk'θjon] *nf* déduction *f*

deducir [deðu'θir] *vt* déduire

defecto [de'fekto] *nm* défaut *m*; **por ~** (*Inform*) par défaut

defectuoso, -a [defek'twoso, a] *adj* défectueux(-euse)

defender [defen'der] *vt* défendre; **defenderse** *vpr*: **~se de algo** se défendre de qch; **~se contra algo/algn** se défendre contre qch/qn; **~se bien** (*en profesión etc*) bien se défendre; **me defiendo en inglés** (*fig*) je ne me défends pas mal en anglais

defensa [de'fensa] *nf* (*tb Jur*) défense *f*; (*de tesis, ideas*) soutien *m* ▪ *nm* (*Deporte*) défense *f*; **defensas** *nfpl* (*Med*) défenses *fpl*; **en ~ propia** en légitime défense

defensivo, -a [defen'siβo, a] *adj* (*movimiento, actitud*) de défense

defensor, a [defen'sor, a] *adj* (*persona*) qui défend ▪ *nm/f* (*tb*: **abogado defensor**) avocat(e) de la défense; (*protector*) défenseur *m*; **~ del pueblo** (*Esp*) défenseur du peuple

deficiente [defi'θjente] *adj* (*trabajo*) insuffisant(e); (*salud*) déficient(e) ▪ *nm/f*: **ser un ~ mental/físico** être handicapé mental/physique ▪ *nm* (*Escol*) mauvaise note *f*; **~ en** insuffisant(e) en

déficit ['defiθit] (*pl* **~s**) *nm* déficit *m*; **~ presupuestario** déficit budgétaire

definición [defini'θjon] *nf* définition *f*

definir [defi'nir] *vt* définir

definitivo, -a [defini'tiβo, a] *adj* définitif(-ive); **en definitiva** définitivement; (*en conclusión, resumen*) en définitive

deformación [deforma'θjon] *nf* déformation *f*; **~ profesional** déformation professionnelle

deformar [defor'mar] *vt* déformer; **deformarse** *vpr* se déformer

deforme [de'forme] *adj* difforme

defraudar [defrau'ðar] *vt* (*a personas*) tromper; (*a Hacienda*) frauder

defunción [defun'θjon] *nf* décès *m*; **"cerrado por ~"** "fermé pour cause de décès"

degeneración [dexenera'θjon] *nf* dégradation *f*

degenerar [dexene'rar] *vi* dégénérer; **~ en** dégénérer en

degollar [deɣo'ʎar] *vt* égorger

degradar [deɣra'ðar] *vt* (*tb Mil*) dégrader; (*Inform: datos*) altérer; **degradarse** *vpr* se dégrader

degustación [deɣusta'θjon] *nf* dégustation *f*

dejadez [dexa'ðeθ] *nf* laisser-aller *m*

dejar [de'xar] *vt* laisser; (*persona, empleo, pueblo*) quitter ▪ *vi*: **~ de** arrêter de; **dejarse** *vpr* se laisser aller; **~ a algn (hacer algo)** laisser qn (faire qch); **~ de fumar** arrêter de fumer; **no dejes de visitarles** continue à leur rendre visite; **le dejó su novia** sa fiancée l'a quitté; **no dejes de comprar un billete** n'oublie pas d'acheter un billet; **¡déjame en paz!** laisse-moi tranquille!; **~ a un lado** laisser de côté; **~ caer** (*objeto*) laisser tomber; (*fig: insinuar*) glisser; **~ atrás** dépasser qn; **~ entrar/salir** laisser entrer/sortir; **~ pasar** laisser passer; **¡déjalo!** laisse tomber!; **te dejo en tu casa** je te laisse chez toi; (*a un pasajero*) je te dépose chez toi; **~ a algn sin algo** laisser qn sans qch; **deja mucho que desear** cela laisse beaucoup à désirer; **~se persuadir** se laisser convaincre; **~se llevar por algn/algo** se laisser entraîner par qn/qch; **¡déjate de tonterías!** arrête de dire des bêtises!

deje ['dexe], **dejo** ['dexo] *nm* accent *m*; (*sabor*) arrière-goût *m*

del [del] = **de + el**

del. *abr* (*Admin*) = **delegación**

delantal [delan'tal] *nm* tablier *m*

delante [de'lante] *adv* devant ▪ *prep*: **~ de** devant; **la parte de ~** la partie avant; **estando otros ~** devant d'autres personnes; **por ~ (de)** par devant; **~ mío/nuestro** (*esp Csur: fam*) devant moi/nous

delantera [delan'tera] *nf* (*de vestido*) devant *m*; (*coche*) avant *m*; (*Teatro*) fauteuil *m* d'orchestre; (*Deporte*) avance *f*; **llevar la ~ (a algn)** mener (devant qn); **coger** *o* **tomar la ~ (a algn)** devancer (qn)

delantero, -a [delan'tero, a] *adj* (*asiento, balcón*) avant; (*vagón*) de tête; (*patas de animal*) de devant ▪ *nm* (*Deporte*) avant *m*; **~ centro** avant-centre *m*

delatar [dela'tar] *vt* dénoncer; (*sonrisa, gesto, ropas*) trahir; **los delató a la policía** il les a dénoncés à la police

delator, a [dela'tor, a] *adj* (*gesto, sonrisa*) révélateur(-trice) ▪ *nm/f* dénonciateur(-trice)

delegación [deleɣa'θjon] *nf* délégation *f*; (*Méx: comisaría*) commissariat *m*; (*: ayuntamiento*) mairie *f*; **~ de poderes** (*Pol*) délégation de pouvoirs; **D~ de Educación/de Hacienda/de Trabajo** ≈ ministère *m* de l'Éducation/des Finances/du Travail

delegado, -a [dele'ɣaðo, a] *nm/f* délégué(e)

delegar [dele'ɣar] *vt*: **~ algo en algn** déléguer qch à qn

deletrear [deletre'ar] *vt* épeler ■ *vi*
articuler

delfín [del'fin] *nm* dauphin *m*

delgadez [delɣa'ðeθ] *nf* maigreur *f*;
(*fineza*) minceur *f*

delgado, -a [del'ɣaðo, a] *adj* maigre;
(*fino*) mince

deliberación [deliβera'θjon] *nf*
délibération *f*

deliberar [deliβe'rar] *vi*: ~ **(sobre)**
délibérer (sur)

delicadeza [delika'ðeθa] *nf* délicatesse
f; **tener la ~ de hacer** avoir la délicatesse
de faire

delicado, -a [deli'kaðo, a] *adj* délicat(e)

delicia [de'liθja] *nf* délice *m*

delicioso, -a [deli'θjoso, a] *adj*
délicieux(-euse)

delimitar [delimi'tar] *vt* délimiter

delincuencia [delin'kwenθja] *nf*
délinquance *f*; ~ **juvenil** délinquance
juvénile

delincuente [delin'kwente] *nm/f*
délinquant(e); ~ **habitual** délinquant(e)
récidiviste; ~ **juvenil** jeune délinquant(e)

delineante [deline'ante] *nm/f*
dessinateur(-trice)

delirar [deli'rar] *vi* délirer

delirio [de'lirjo] *nm* délire *m*; **con ~** (*fam*)
à la folie; **sentir/tener ~ por algo/algn**
aimer qch/qn à la folie; ~**s de grandeza**
folie *f* des grandeurs

delito [de'lito] *nm* délit *m*; **en flagrante ~**
en flagrant délit

delta ['delta] *nm* delta *m*

demacrado, -a [dema'kraðo, a] *adj*
émacié(e)

demanda [de'manda] *nf* (*tb Com, Jur*)
demande *f*; (*reivindicación*) requête *f*;
hay poca/mucha ~ de este producto
la demande pour ce produit est faible/
forte; **en ~ de** pour demander;
entablar ~ (*Jur*) intenter une action
en justice; **presentar ~ de divorcio**
demander le divorce; ~ **de mercado**
(*Com*) demande du marché; ~ **de pago**
avertissement *m*; ~ **final** (*Com*) dernier
rappel *m*; ~ **indirecta** (*Com*) demande
induite

demandante [deman'dante] *nm/f* (*Jur*)
demandeur(-deresse)

demandar [deman'dar] *vt* demander;
(*Jur*) poursuivre; ~ **a algn por calumnia/
por daños y perjuicios** poursuivre qn en
diffamation/en dommages-intérêts

demarcación [demarka'θjon] *nf*
démarcation *f*; (*zona*) zone *f*; (*jurisdicción*)
circonscription *f*

demás [de'mas] *adj*: **los ~ niños** les
autres enfants *mpl* ■ *pron*: **los/las ~** les
autres; **lo ~ le reste; por lo ~** à part cela;
por ~ en vain; **y ~** et cetera

demasiado, -a [dema'sjaðo, a] *adj*:
~ **vino** trop de vin ■ *adv* trop; ~**s libros**
trop de livres; **¡es ~!** c'est trop!; **es ~
pesado para levantarlo** c'est trop lourd
pour être soulevé; ~ **lo sé** je ne le sais que
trop bien; **hace ~ calor** il fait trop chaud

demencia [de'menθja] *nf* démence *f*;
~ **senil** démence sénile

demente [de'mente] *adj, nm/f*
dément(e)

democracia [demo'kraθja] *nf*
démocratie *f*

demócrata [de'mokrata] *adj, nm/f*
démocrate *m/f*

democrático, -a [demo'kratiko, a] *adj*
démocratique

demolición [demoli'θjon] *nf*
démolition *f*

demonio [de'monjo] *nm* (*tb fig*) démon
m; **¡~s!** mince!; **¿cómo ~s?** comment
diable?; **¿qué ~s será?** (*fam*) qu'est-ce que
ça peut bien être?; **¿dónde ~ lo habré
dejado?** où diable l'ai-je laissé?

demora [de'mora] *nf* retard *m*

demorar [demo'rar] *vt* retarder ■ *vi*: ~
en (*AM*) mettre du temps à; **demorarse**
vpr s'attarder; ~**se al** *o* **en hacer algo**
prendre du retard en faisant qch

demos ['demos] *vb ver* **dar**

demostración [demostra'θjon] *nf*
démonstration *f*; (*de sinceridad*) preuve *f*

demostrar [demos'trar] *vt* (*sinceridad*)
prouver; (*afecto, fuerza*) montrer;
(*funcionamiento, aplicación*) démontrer

demostrativo, -a [demostra'tiβo, a]
adj démonstratif(-ive)

demudado, -a [demu'ðaðo, a] *adj*:
tener el rostro ~ avoir le visage pâle

den [den] *vb ver* **dar**

denegar [dene'ɣar] *vt* refuser; (*demanda,
recurso*) rejeter

denigrar [deni'ɣrar] *vt* dénigrer;
(*humillar*) humilier

● **DENOMINACIÓN DE ORIGEN**
●
● La *denominación de origen* ou "D.O." est
● l'équivalent espagnol de l'appellation
● d'origine contrôlée. Ce label est
● attribué à des produits agricoles (vins,
● fromages, charcuterie) dont il
● garantit la qualité et la conformité
● aux caractéristiques d'une région
● donnée.

denotar [deno'tar] *vt* dénoter
densidad [densi'ðað] *nf* densité *f*; **~ de caracteres** (*Inform*) espacement *m* des caractères; **~ de población** densité de population
denso, -a ['denso, a] *adj* dense; (*humo, niebla*) épais(se); (*novela, discurso*) complexe
dentadura [denta'ðura] *nf* denture *f*; **~ postiza** dentier *m*
dentera [den'tera] *nf* frisson *m*; **me da** ~ ça me fait frémir
dentífrico, -a [den'tifriko, a] *adj*: **crema** o **pasta dentífrica** pâte *f* dentifrice ■ *nm* dentifrice *m*
dentista [den'tista] *nm/f* dentiste *m/f*
dentro ['dentro] *adv* dedans ■ *prep*: **~ de** dans; **allí ~** à l'intérieur; **mirar por ~** regarder à l'intérieur; **~ de lo posible** dans la mesure du possible; **~ de lo que cabe** relativement; **~ de tres meses** dans trois mois; **~ de poco** sous peu
denuncia [de'nunθja] *nf* plainte *f*; **hacer** o **poner una ~** déposer une plainte
denunciar [denun'θjar] *vt* (*en comisaría*) déposer une plainte contre; (*en prensa etc*) dénoncer
departamento [departa'mento] *nm* département *m*; (*AM*) appartement *m*; (*en mueble*) compartiment *m*; **~ de envíos** (*Com*) service *m* des expéditions
dependencia [depen'denθja] *nf* dépendance *f*; (*Pol*) bureau *m*; (*Com*) succursale *f*; **dependencias** *nfpl* dépendances *fpl*
depender [depen'der] *vi*: **~ de** dépendre de; **todo depende** tout dépend; **no depende de mí** cela ne dépend pas de moi; **depende de lo que haga él** cela dépend de ce qu'il fait
dependienta [depen'djenta] *nf* vendeuse *f*
dependiente [depen'djente] *adj*: **~ (de)** dépendant(e) (de) ■ *nm* vendeur *m*
depilar [depi'lar] *vt* épiler; **depilarse** *vpr* s'épiler
depilatorio, -a [depila'torjo, a] *adj, nm* dépilatoire *m*
deplorable [deplo'raβle] *adj* déplorable
deplorar [deplo'rar] *vt* déplorer
deponer [depo'ner] *vt* (*rey, gobernante*) déposer; (*actitud*) laisser libre cours à; **~ las armas** déposer les armes
deportar [depor'tar] *vt* déporter
deporte [de'porte] *nm* sport *m*; **hacer ~** faire du sport
deportista [depor'tista] *adj, nm/f* sportif(-ive); **ser muy ~** être très

sportif(-ive); **ser poco ~** ne pas être très sportif(-ive)
deportivo, -a [depor'tiβo, a] *adj* sportif(-ive) ■ *nm* voiture *f* de sport
depositar [deposi'tar] *vt* déposer; **depositarse** *vpr* se déposer; **~ la confianza en algn** accorder sa confiance à qn
depositario, -a [deposi'tarjo, a] *nm/f*: **~ de** dépositaire *m/f* de; **~ judicial** administrateur(-trice) judiciaire
depósito [de'posito] *nm* dépôt *m*; (*de agua, gasolina etc*) réserve *f*; **dejar dinero en ~** laisser de l'argent en dépôt; **~ de cadáveres** morgue *f*
depreciar [depre'θjar] *vt* déprécier; **depreciarse** *vpr* se déprécier
depredador, a [depreða'ðor, a] *adj* prédateur(-trice) ■ *nm* prédateur *m*
depresión [depre'sjon] *nf* dépression *f*; **~ nerviosa** dépression nerveuse
deprimido, -a [depri'miðo, a] *adj* déprimé(e)
deprimir [depri'mir] *vt*, **deprimirse** *vpr* déprimer
deprisa [de'prisa] *adv* vite; **¡~!** vite!; **~ y corriendo** vite fait bien fait
depuración [depura'θjon] *nf* (*tb Pol*) épuration *f*; (*Inform*) décontamination *f*
depurar [depu'rar] *vt* épurer; (*Inform*) décontaminer
derecha [de'retʃa] *nf* main *f* droite; (*Pol*) droite *f*; **a la ~** à droite; **a ~s** (*hacer*) bien; **de ~s** (*Pol*) de droite
derecho, -a [de'retʃo, a] *adj* droit(e) ■ *nm* droit *m*; (*lado*) côté *m* droit ■ *adv* droit; **derechos** *nmpl* droits *mpl*; **a mano derecha** à droite; **Facultad de D~** Faculté *f* de Droit; **estudiante de D~** étudiant(e) en Droit; **"reservados todos los ~s"** "tous droits réservés"; **¡no hay ~!** il n'y a pas de justice!; **tener ~ a algo** avoir droit à qch; **tener ~ a hacer algo** avoir le droit de faire qch; **estar en su ~** être dans son droit; **~ a voto** droit de vote; **~s civiles** droits civiques; **~s de patente** propriété *f* industrielle; **~ de propiedad literaria** copyright *m*; **~ de timbre** (*Com*) droit de timbre; **~s humanos/de autor** droits de l'homme/d'auteur; **~ mercantil/penal/de retención** droit commercial/pénal/de rétention; **~s portuarios/de muelle** (*Com*) droit de mouillage/de bassin
deriva [de'riβa] *nf*: **ir/estar a la ~** (*tb fig*) aller/être à la dérive
derivado, -a [deri'βaðo, a] *adj* dérivé(e) ■ *nm* dérivé *m*

derivar [deri'βar] vt (*conclusión*) arriver à; (*conversación*) dévier ■ vi dévier; **derivarse** vpr: **~se de** dériver de
derramamiento [derrama'mjento] nm: **~ de sangre** épanchement m de sang
derramar [derra'mar] vt (*verter*) verser; (*esparcir*) renverser; **derramarse** vpr se répandre; **~ lágrimas** verser o répandre des larmes
derrame [de'rrame] nm écoulement m; (*Med*) épanchement m; **~ cerebral** hémorragie f cérébrale
derretido, -a [derre'tiðo, a] adj fondu(e); **estar ~ por algn** se mourir d'amour pour qn
derretir [derre'tir] vt fondre; **derretirse** vpr fondre; (*fig*) se mourir d'amour; **~se de calor** être en nage
derribar [derri'βar] vt faire tomber; (*construcción*) abattre; (*gobierno, político*) renverser
derrocar [derro'kar] vt (*gobierno*) renverser; (*ministro*) destituer
derrochar [derro'tʃar] vt dilapider; (*energía, salud*) déborder de
derroche [de'rrotʃe] nm gaspillage m; (*de salud, alegría*) débordement m
derrota [de'rrota] nf déroute f; (*Deporte, Pol*) défaite f; **sufrir una grave ~** subir un échec grave
derrotar [derro'tar] vt vaincre; (*enemigo*) mettre en déroute; (*Deporte, Pol*) battre
derrotero [derro'tero] nm cap m; **tomar otros ~s** prendre une autre voie
derruir [derru'ir] vt démolir
derrumbar [derrum'bar] vt démolir; **derrumbarse** vpr s'écrouler; (*esperanzas*) s'effondrer; (*persona*) se laisser aller
derruyendo etc [derru'jendo] vb ver **derruir**
des [des] vb ver **dar**
desabotonar [desaβoto'nar] vt déboutonner; **desabotonarse** vpr se déboutonner
desabrido, -a [desa'βriðo, a] adj (*comida*) insipide; (*persona*) désagréable; (*tiempo*) mauvais(e)
desabrochar [desaβro'tʃar] vt défaire; **desabrocharse** vpr (*cinturón*) défaire
desacato [desa'kato] nm manque m de respect; (*Jur*) outrage m; **~ a la autoridad** outrage à agent de la force publique
desacertado, -a [desaθer'taðo, a] adj erroné(e); (*inoportuno*) mal à propos
desacierto [desa'θjerto] nm erreur f
desaconsejado, -a [desakonse'xaðo, a] adj: **estar ~** être déconseillé(e)

desaconsejar [desakonse'xar] vt: **~ algo a algn** déconseiller qch à qn
desacreditar [desakreði'tar] vt discréditer
desacuerdo [desa'kwerðo] nm désaccord m; (*disconformidad*) contradiction f; **en ~** en désaccord
desafiar [desa'fjar] vt affronter; **~ a algn a hacer** mettre qn au défi de faire
desafilado, -a [desafi'laðo, a] adj émoussé(e)
desafinado, -a [desafi'naðo, a] adj: **estar ~** être désaccordé(e)
desafinar [desafi'nar] vi détonner; **desafinarse** vpr se désaccorder
desafío [desa'fio] nm défi m
desaforado, -a [desafo'raðo, a] adj (*grito*) terrible; (*ambición*) démesuré(e)
desafortunadamente [desafortu'naðamente] adv malheureusement
desafortunado, -a [desafortu'naðo, a] adj malheureux(-euse); (*inoportuno*) inopportun(e)
desagradable [desaɣra'ðaβle] adj désagréable; **ser ~ con algn** être désagréable avec qn; **es ~ tener que hacerlo** il est désagréable d'avoir à le faire
desagradecido, -a [desaɣraðe'θiðo, a] adj ingrat(e)
desagrado [desa'ɣraðo] nm mécontentement m; **con ~** de mauvaise grâce
desagraviar [desaɣra'βjar] vt se racheter
desagüe [de'saɣwe] nm écoulement m; (*de lavadora*) vidange f; **tubo de ~** tuyau m d'écoulement
desaguisado [desaɣi'saðo] nm dommage m
desahogado, -a [desao'ɣaðo, a] adj aisé(e); (*espacioso*) spacieux(-euse)
desahogar [desao'ɣar] vt laisser libre cours à; **desahogarse** vpr se soulager; **se desahogó conmigo** il s'est défoulé sur moi
desahogo [desa'oɣo] nm soulagement m; (*comodidad*) commodité f; **vivir con ~** vivre dans l'aisance
desahuciar [desau'θjar] vt (*enfermo*) condamner; (*inquilino*) expulser
desahucio [de'sauθjo] nm expulsion f
desaire [des'aire] nm mépris m; **hacer un ~ a algn** faire un affront à qn; **¿me va usted a hacer ese ~?** vous n'allez pas me faire cet affront?
desajustar [desaxus'tar] vt desserrer; (*planes*) déranger; **desajustarse** vpr se desserrer

desajuste [desa'xuste] *nm* (*de situación*)
dérèglement *m*; (*de piezas*) desserrage *m*;
(*desacuerdo*) désaccord *m*; ~ **económico/**
de horarios décalage *m* économique/
horaire
desalentador, a [desalenta'ðor, a] *adj*
décourageant(e)
desalentar [desalen'tar] *vt* décourager;
desalentarse *vpr* se décourager
desaliento [desa'ljento] *vb ver*
desalentar ■ *nm* découragement *m*
desaliño [desa'liɲo] *nm* négligence *f*
desalmado, -a [desal'maðo, a] *adj*
méchant(e), cruel(le)
desalojar [desalo'xar] *vt* (*salir de*)
quitter; (*expulsar*) déloger; (*líquido, aire*)
déplacer; **la policía desalojó el local** la
police a évacué les locaux
desamparado, -a [desampa'raðo, a]
adj (*persona*) désemparé(e); (*lugar:*
expuesto) exposé(e); (: *desierto*) déserté(e)
desamparar [desampa'rar] *vt*
abandonner
desandar [desan'dar] *vt*: ~ **lo andado** *o*
el camino revenir sur ses pas
desangrar [desan'grar] *vt* saigner;
desangrarse *vpr* se vider de son sang;
(*morir*) rendre l'âme
desanimado, -a [desani'maðo, a] *adj*
déprimé(e); (*espectáculo, fiesta*) boudé(e)
desanimar [desani'mar] *vt* décourager;
(*deprimir*) déprimer; **desanimarse** *vpr*
se décourager
desapacible [desapa'θiβle] *adj*
orageux(-euse); (*carácter*) désagréable
desaparecer [desapare'θer] *vi* disparaître
■ *vt* (AM: *Pol*) faire disparaître; ~ **de vista**
(*fig*) disparaître de la circulation
desaparecido, -a [desapare'θiðo, a] *adj*
disparu(e) ■ *nm/f* (AM: *Pol*) disparu(e);
desaparecidos *nmpl* disparus *mpl*
desaparición [desapari'θjon] *nf*
disparition *f*
desapasionado, -a [desapasjo'naðo, a]
adj impartial(e)
desapego [desa'peɣo] *nm* indifférence *f*;
(*a dinero*) désintéressement *m*
desapercibido, -a [desaperθi'βiðo, a]
adj: **pasar** ~ passer inaperçu(e); **me**
cogió ~ il m'a pris au dépourvu
desaprensivo, -a [desapren'siβo, a] *adj*
sans scrupules ■ *nm/f* personne *f* sans
scrupules
desaprobar [desapro'βar] *vt*
désapprouver
desaprovechar [desaproβe'tʃar] *vt*
(*oportunidad, tiempo*) perdre; (*comida, tela*)
ne pas apprécier; (*talento*) gâcher

desarmar [desar'mar] *vt* désarmer;
(*mueble, máquina*) démonter;
desarmarse *vpr* (*romperse*) se casser;
(*ser desarmable*) se démonter
desarme [de'sarme] *nm* désarmement
m; ~ **nuclear** désarmement nucléaire
desarraigo [desa'rraiɣo] *nm*
déracinement *m*
desarreglo [desa'rreɣlo] *nm* désordre *m*;
(*en horarios*) irrégularité *f*; **desarreglos**
nmpl (Med) troubles *mpl*
desarrollar [desarro'Áar] *vt* développer;
(*planta, semilla*) faire pousser; (*plan etc*)
mettre au point; **desarrollarse** *vpr* se
développer; (*hechos, reunión*) se dérouler;
la acción se desarrolla en Roma l'action
f se déroule à Rome
desarrollo [desa'rroÁo] *nm*
développement *m*; (*de acontecimientos*)
déroulement *m*; **país en vías de** ~ pays
msg en voie de développement; **la**
industria está en pleno ~ l'industrie *f* est
en plein essor
desarticular [desartiku'lar] *vt* (*huesos*)
disloquer; (*mecanismo, bomba*)
désamorcer; (*grupo terrorista*)
démanteler
desasir [desa'sir] *vt* (*soltar*) lâcher;
desasirse *vpr*: ~**se (de)** se défaire (de)
desasosegar [desasose'ɣar] *vt*
inquiéter; **desasosegarse** *vpr*
s'inquiéter
desasosiego [desaso'sjeɣo] *vb ver*
desasosegar ■ *nm* inquiétude *f*; (*Pol*)
agitation *f*
desastrado, -a [desas'traðo, a] *adj*
(*desaliñado*) négligé(e); (*descuidado*)
négligent(e)
desastre [de'sastre] *nm* désastre *m*;
(*fam: persona*) catastrophe *f*; **¡qué ~!** quel
désastre!; **la función fue un** ~ le
spectacle a été un désastre; **ir hecho un**
~ être négligé
desastroso, -a [desas'troso, a] *adj*
désastreux(-euse); **ser ~ para (hacer)**
être nul quand il s'agit de (faire)
desatado, -a [desa'taðo, a] *adj*
furieux(-euse)
desatar [desa'tar] *vt* (*nudo*) défaire;
(*cordones, cuerda*) dénouer; (*perro,*
prisionero) détacher; (*protesta, odio*)
déchaîner; **desatarse** *vpr* se défaire;
(*perro, prisionero*) se détacher; (*tormenta*)
se déchaîner; ~**se en injurias** se répandre
en injures; **se le desató la lengua** ça lui a
délié la langue
desatascar [desatas'kar] *vt* (*cañería*)
déboucher; (*carro, ruedas*) libérer;

desatascarse *vpr* (*cañería*) se déboucher; (*tráfico*) se fluidifier
desatender [desaten'der] *vt* (*consejos, súplicas*) ignorer; (*trabajo, hijo*) négliger
desatento, -a [desa'tento, a] *adj* impoli(e); **estar ~** être distrait(e)
desatinado, -a [desati'naðo, a] *adj* immodéré(e)
desatino [desa'tino] *nm* folie *f*; (*falta de juicio*) manque *m* de jugement; **decir ~s** raconter des bêtises
desatornillar [desatorni'ʎar] *vt* (*tornillo*) dévisser; (*estructura*) démonter; **desatornillarse** *vpr* (*ver vt*) se dévisser; se démonter
desatrancar [desatran'kar] *vt* (*puerta*) débarrer; (*cañería*) déboucher
desautorizar [desautori'θar] *vt* (*oficial*) désavouer; (*informe, declaraciones*) désapprouver; (*huelga, manifestación*) interdire
desavenencia [desaβe'nenθja] *nf* désaccord *m*; (*discordia*) conflit *m*
desayunar [desaju'nar] *vt*: **~ algo** prendre qch au p'tit déjeuner ■ *vi* prendre le petit déjeuner; **desayunarse** *vpr* prendre le petit déjeuner; **~ con café** prendre du café au petit déjeuner
desayuno [desa'juno] *nm* petit déjeuner *m*
desazón [desa'θon] *nf* malaise *m*; (*fig*) contrariété *f*
desazonarse [desaθo'narse] *vpr* se faire du souci
desbandarse [desβan'darse] *vpr* se débander
desbarajuste [desβara'xuste] *nm* pagaille *f*; **¡qué ~!** quelle pagaille!
desbaratar [desβara'tar] *vt* déranger; (*plan*) bouleverser; **desbaratarse** *vpr* (*máquina*) se dérégler; (*peinado*) se défaire
desbloquear [desβloke'ar] *vt* (*Com, negociaciones*) débloquer; (*tráfico*) rétablir
desbocado, -a [desβo'kaðo, a] *adj* (*caballo*) emballé(e); (*cuello*) détendu(e); (*herramienta*) émoussé(e); (*fig*) galopant(e)
desbordar [desβor'ðar] *vt* déborder; (*fig: paciencia, tolerancia*) pousser à bout; (*: previsiones, expectativas*) dépasser ■ *vi* déborder; **desbordarse** *vpr*: **~se (de)** déborder (de); **estar desbordado de trabajo** être débordé de travail; **~se de alegría** déborder de joie
descabalgar [deskaβal'ɣar] *vi*: **~ (de)** descendre (de)
descabellado, -a [deskaβe'ʎaðo, a] *adj* fantaisiste

descafeinado, -a [deskafei'naðo, a] *adj* décaféiné(e); (*fam: obra, proyecto*) qui manque de corps ■ *nm* décaféiné *m*
descalabro [deska'laβro] *nm* revers *msg*; (*daño*) coup *m*
descalificar [deskalifi'kar] *vt* (*Deporte*) disqualifier; (*desacreditar*) discréditer
descalzar [deskal'θar] *vt* déchausser; (*zapato*) ôter; **descalzarse** *vpr* se déchausser
descalzo, -a [des'kalθo, a] *adj* (*persona*) pieds nus; (*fig*) sans un sou; **estar/ir (con los pies) ~(s)** être/aller pieds nus
descambiar [deskam'bjar] *vt* (*Com*) échanger
descaminado, -a [deskami'naðo, a] *adj*: **estar** *o* **ir ~** se leurrer; **en eso no anda usted muy ~** sur ce point vous ne vous trompez pas tout à fait
descampado [deskam'paðo] *nm* terrain *m* vague; **comer al ~** pique-niquer
descansado, -a [deskan'saðo, a] *adj* reposant(e); (*oficio, actividad*) facile; **estar/sentirse ~** être/se sentir reposé(e)
descansar [deskan'sar] *vt* reposer ■ *vi* (*reposar*) se reposer; (*no trabajar*) faire une pause; (*dormir*) se coucher; (*cadáver, restos*) reposer; **~ (sobre** *o* **en)** (*mueble, muro*) reposer (contre *o* sur); **¡que descanse!** reposez-vous bien!; **¡descansen!** (*Mil*) repos!; **descanse en paz** qu'il repose en paix
descansillo [deskan'siʎo] *nm* palier *m*
descanso [des'kanso] *nm* repos *msg*; (*en el trabajo*) pause *f*; (*alivio*) soulagement *m*; (*Teatro, Cine*) entracte *m*; (*Deporte*) mi-temps *fsg*; **día de ~** jour *m* de congé; **~ por enfermedad/maternidad** congé *m* maladie/de maternité; **tomarse unos días de ~** prendre quelques jours de congé
descapotable [deskapo'taβle] *nm* (*tb*: **coche descapotable**) décapotable *f*
descarado, -a [deska'raðo, a] *adj* éhonté(e); (*insolente*) effronté(e)
descarga [des'karɣa] *nf* déchargement *m*; (*Mil*) décharge *f*
descargable [deskar'ɣaβle] *adj* téléchargeable
descargar [deskar'ɣar] *vt* décharger; (*golpe*) envoyer; (*nube, tormenta*) déverser; (*cólera*) faire passer; (*de una obligación*) libérer de; (*de culpa*) déclarer innocent ■ *vi* décharger; (*tormenta*) éclater; (*nube*) crever; (*río*) se jeter dans; **descargarse** *vpr* se décharger; **~se de** (*penas*) se soulager de; (*responsabilidades*) se décharger de

descargo [des'karɣo] nm (de obligación) libération f; (Com) crédit m; (de conciencia) soulagement m; (Jur) décharge f; ~ **de una acusación** réfutation f d'une accusation

descaro [des'karo] nm effronterie f; (insolencia) impudence f; ¡**qué ~!** quel toupet!

descarriar [deska'rrjar] vt (fig) dévergonder; **descarriarse** vpr se dévergonder

descarrilamiento [deskarrila'mjento] nm déraillement m

descarrilar [deskarri'lar] vi dérailler

descartar [deskar'tar] vt rejeter; **descartarse** vpr (Naipes) se défausser

descascarillado, -a [deskaskari'ʎaðo, a] adj écaillé(e)

descendencia [desθen'denθja] nf (estirpe) lignée f; (hijos) descendance f; **morir sin dejar ~** mourir sans laisser d'enfants

descender [desθen'der] vt descendre ■ vi descendre; (temperatura, nivel) baisser; (agua, lava) couler; ~ **de** descendre de; ~ **de categoría** se déclasser

descendiente [desθen'djente] nm/f descendant(e)

descenso [des'θenso] nm descente f; (de temperatura, fiebre) baisse f; (Deporte) déclassement m; (en un trabajo) rétrogradation f

descifrar [desθi'frar] vt déchiffrer; (motivo, actitud) comprendre; (problema) cerner; (misterio) élucider

descolgar [deskol'ɣar] vt décrocher; (con cuerdas) descendre à l'aide de cordes; **descolgarse** vpr se laisser glisser; (lámpara, cortina) se décrocher; ~**se por** descendre de; ~**se de** (esp Deporte) se détacher de; **dejó el teléfono descolgado** il a décroché le téléphone

descolorido, -a [deskolo'riðo, a] adj (tela, cuadro) passé(e); (persona) pâlot(te)

descomponer [deskompo'ner] vt décomposer; (desordenar) déranger; (estropear) casser; (facciones) altérer; (estómago) détraquer; (persona: molestar) énerver; (: irritar) exaspérer; **descomponerse** vpr se décomposer; (estómago) se détraquer; (encolerizarse) se mettre en colère; (Méx) se casser

descomposición [deskomposi'θjon] nf décomposition f; ~ **de vientre** diarrhée f

descomprimir [deskompri'mir] (Inform) décompresser, dézipper

descompuesto, -a [deskom'pwesto, a] pp de **descomponer** ■ adj (alimento) pourri(e); (vino) frelaté(e); (Méx: máquina) en panne; (persona, rostro) décomposé(e); (con diarrea) dérangé(e)

descomunal [deskomu'nal] adj énorme

desconcertado, -a [deskonθer'taðo, a] adj déconcerté(e)

desconcertar [deskonθer'tar] vt déconcerter; **desconcertarse** vpr se déconcerter

desconcierto [deskon'θjerto] vb ver **desconcertar** ■ nm désorientation f; (confusión) discorde f; **sembrar el ~** semer la discorde

desconectar [deskonek'tar] vt déconnecter; (desenchufar) débrancher; (apagar) éteindre; (Inform) désélectionner ■ vi (perder atención) déconnecter

desconfianza [deskon'fjanθa] nf méfiance f

desconfiar [deskon'fjar] vi: ~ **de algn/ algo** se méfier de qn/qch; ~ **de que algn/ algo haga algo** (dudar) craindre que qn/ qch (ne) fasse qch; **"desconfíe de las imitaciones"** (Com) "méfiez-vous des imitations"

descongelar [deskonxe'lar] vt décongeler; (Pol, Com) dégeler; **descongelarse** vpr se décongeler; se dégeler

descongestionar [desconxestjo'nar] vt décongestionner

desconocer [deskono'θer] vt (dato) ignorer; (persona) ne pas connaître

desconocido, -a [deskono'θiðo, a] adj, nm/f inconnu(e); **está ~** (persona) il est transformé; **está ~** c'est transformé; **el soldado ~** le soldat inconnu

desconsiderado, -a [deskonsiðe'raðo, a] adj irrespectueux(-euse); (insensible) ingrat(e)

desconsolar [deskonso'lar] vt affliger; **desconsolarse** vpr s'affliger

desconsuelo [deskon'swelo] vb ver **desconsolar** ■ nm affliction f, chagrin m

descontado, -a [deskon'taðo, a] adj: **por ~** c'est certain; **dar por ~ (que)** escompter (que)

descontar [deskon'tar] vt (deducir) déduire; (rebajar) faire une remise de

descontento, -a [deskon'tento, a] adj mécontent(e) ■ nm mécontentement m

descorazonar [deskoraθo'nar] vt décourager; **descorazonarse** vpr perdre courage

descorchar [deskor'tʃar] vt déboucher

descorrer [desko'rrer] *vt* (*cortina, cerrojo*) tirer

descortés [deskor'tes] *adj* discourtois(e); (*grosero*) grossier(-ière)

descoser [desko'ser] *vt* découdre; **descoserse** *vpr* se découdre

descosido, -a [desko'siðo, a] *adj* décousu(e) ■ *nm* (*en prenda*) trou *m*; **como un ~** (*beber*) comme un trou; (*comer*) comme quatre; (*trabajar*) comme un forcené

descrédito [des'kreðito] *nm* discrédit *m*; **caer en ~** se discréditer; **ir en ~ de** discréditer

descremado, -a [deskre'maðo, a] *adj* écrémé(e)

describir [deskri'βir] *vt* décrire

descripción [deskrip'θjon] *nf* description *f*

descuartizar [deskwarti'θar] *vt* (*Culin: cerdo*) équarrir; (*: pollo*) dépecer; (*cuerpo, persona*) écorcher

descubierto, -a [desku'βjerto, a] *pp de* **descubrir** ■ *adj* découvert(e); (*coche*) décapoté(e); (*campo*) nu(e) ■ *nm* (*Com: en el presupuesto*) déficit *m*; (*: bancario*) découvert *m*; **al ~** en plein air; **poner al ~** révéler; **quedar al ~** rester à découvert; **estar en ~** (*Com*) être à découvert

descubrimiento [deskuβri'mjento] *nm* découverte *f*; (*de secreto*) divulgation *f*; (*de estatua*) inauguration *f*

descubrir [desku'βrir] *vt* découvrir; (*placa, estatua*) inaugurer; (*poner al descubierto*) révéler; (*delatar*) dénoncer; **descubrirse** *vpr* se découvrir; (*fig*) éclater; **~se ante** tirer son chapeau à

descuento [des'kwento] *vb ver* **descontar** ■ *nm* remise *f*; **hacer un ~ del 3%** faire une remise de 3%; **con ~** avec remise; **~ por pago al contado/par volumen de compras** (*Com*) remise pour paiement comptant/sur la quantité

descuidado, -a [deskwi'ðaðo, a] *adj* négligé(e); (*desordenado*) négligent(e); (*jardín, casa*) à l'abandon; **estar ~** être pris(e) au dépourvu; **coger** *o* **pillar a algn ~** prendre qn au dépourvu

descuidar [deskwi'ðar] *vt* négliger ■ *vi* ne plus y penser; **descuidarse** *vpr* (*despistarse*) ne pas faire attention; (*abandonarse*) s'oublier; **¡descuida!** n'y pense plus!

descuido [des'kwiðo] *nm* négligence *f*; **al menor ~** à la moindre négligence; **con ~** sans faire attention; **en un ~** dans un moment d'inattention; **por ~** par inadvertance

○ **PALABRA CLAVE**

desde ['desðe] *prep* **1** (*lugar, posición*) depuis; **desde Burgos hasta mi casa hay 30 km** de Burgos à chez moi il y a 30 km; **hablaba desde el balcón** il parlait du balcon

2 (*tiempo*) depuis; **desde ahora** à partir de maintenant; **desde entonces** depuis ce temps-là; **desde niño** depuis qu'il est tout petit; **desde 3 años atrás** depuis 3 ans; **nos conocemos desde 1987/desde hace 20 años** nous nous connaissons depuis 1987/depuis 20 ans; **no le veo desde 1992/desde hace 5 años** je ne le vois plus depuis 1992/depuis 5 ans; **¿desde cuándo vives aquí?** depuis quand est-ce que tu habites ici?

3 (*gama*): **desde los más lujosos hasta los más económicos** des plus luxueux aux plus avantageux

4: **desde luego (que no/sí)** bien sûr (que non/si); **desde luego, no hay quien te entienda!** qu'est-ce que tu peux être compliqué!

■ *conj*: **desde que**; **desde que recuerdo** aussi loin que je m'en souvienne; **desde que llegó no ha salido** depuis qu'il est rentré il n'est pas sorti

desdecirse [desde'θirse] *vpr*: **~ de** se dédire de

desdén [des'ðen] *nm* dédain *m*

desdeñar [desðe'ɲar] *vt* dédaigner

desdicha [des'ðitʃa] *nf* malheur *m*

desdichado, -a [desði'tʃaðo, a] *adj* (*sin suerte*) infortuné(e); (*infeliz*) malheureux(-euse) ■ *nm/f* miséreux(-euse)

desdoblar [desðo'βlar] *vt* (*extender*) déplier; (*convertir en dos*) dédoubler

desear [dese'ar] *vt* désirer; **¿qué desea?** (*en tienda*) que désirez-vous?; **te deseo mucha suerte** je te souhaite bonne chance; **dejar mucho que ~** laisser beaucoup à désirer; **estoy deseando que esto termine** je souhaite que ça se termine

desecar [dese'kar] *vt* assécher; **desecarse** *vpr* se dessécher

desechar [dese'tʃar] *vt* jeter; (*oferta*) rejeter

desecho [de'setʃo] *nm* déchet *m*; **desechos** *nmpl* ordures *fpl*; **de ~** (*materiales*) de rebut; (*ropa*) à jeter

desembalar [desemba'lar] *vt* déballer

desembarazar [desembara'θar] *vt* débarrasser; **desembarazarse** *vpr*: **~se de** se débarrasser de

desembarcar [desembar'kar] *vt*
débarquer

desembocadura [desemboka'ðura] *nf*
(*de río*) embouchure *f*; (*de calle*) bout *m*

desembocar [desembo'kar] *vi*: ~ **en** (*río*)
se jeter dans; (*fig*) déboucher sur

desembragar [desembra'ɣar] *vt*, *vi*
débrayer

desembrollar [desembro'ʎar] *vt*
débrouiller

desemejanza [deseme'xanθa] *nf*
dissemblance *f*

desempaquetar [desempake'tar] *vt*
déballer

desempatar [desempa'tar] *vi*:
volvieron a jugar para ~ ils ont joué à
nouveau pour se départager

desempate [desem'pate] *nm* (*Fútbol*)
belle *f*; (*Tenis*) tie-break *m*; **partido de ~**
belle; **gol de ~** but *m* de la victoire

desempeñar [desempe'ɲar] *vt* (*cargo,
función*) occuper; (*papel*) jouer; (*deber*)
accomplir; (*lo empeñado*) dégager;
desempeñarse *vpr* (*de deudas*)
s'acquitter; ~ **un papel** (*fig*) jouer un rôle

desempeño [desem'peɲo] *nm* (*de cargo*)
accomplissement *m*; (*de lo empeñado*)
dégagement *m*

desempleado, -a [desemple'aðo, a] *adj*
au chômage ■ *nm/f* chômeur(-euse)

desempleo [desem'pleo] *nm* chômage *m*

desempolvar [desempol'βar] *vt*
dépoussiérer; (*recuerdos*) rassembler;
(*volver a usar*) ressortir

desencadenar [desenkaðe'nar] *vt*
(*preso, perro*) désenchaîner; (*ira, conflicto*)
déchaîner; (*guerra*) déclencher;
desencadenarse *vpr* (*conflicto, tormenta*)
se déchaîner; (*guerra*) se déclencher

desencajar [desenka'xar] *vt* (*mandíbula*)
décrocher; (*hueso, pieza*) déboîter;
desencajarse *vpr* se déboîter

desencanto [desen'kanto] *nm*
désenchantement *m*

desenchufar [desentʃu'far] *vt* débrancher

desenfadado, -a [desenfa'ðaðo, a] *adj*
décontracté(e)

desenfado [desen'faðo] *nm*
décontraction *f*

desenfocado, -a [desenfo'kaðo, a] *adj*
(*Foto*) flou(e)

desenfrenado, -a [desenfre'naðo, a]
adj (*pasión*) sans bornes; (*lenguaje,
conducta*) débridé(e); (*multitud*)
déchaîné(e)

desenfreno [desen'freno] *nm*
(*libertinaje*) libertinage *m*; (*falta de control*)
déchaînement *m*

desenganchar [desengan'tʃar] *vt*
décrocher; (*caballerías*) dételer; (*Tec*)
déclencher; **desengancharse** *vpr*
(*fam: de drogas*) décrocher

desengañar [desenga'ɲar] *vt*
désillusionner; (*abrir los ojos a*)
détromper; **desengañarse** *vpr*: ~**se (de)**
perdre ses illusions (sur); **¡desengáñate!**
détrompe-toi!

desengaño [desen'gaɲo] *nm* désillusion
f; **llevarse un ~ (con algn)** être déçu(e)
(par qn); **sufrir un ~ amoroso** avoir une
déception amoureuse

desenlace [desen'laθe] *nm*
dénouement *m*

desenmarañar [desenmara'ɲar] *vt* (*fig*)
débrouiller

desenmascarar [desenmaska'rar] *vt*
(*fig*) démasquer

desenredar [desenre'ðar] *vt*
débrouiller

desenroscar [desenros'kar] *vt* dévisser;
desenroscarse *vpr* se dévisser

desenterrar [desente'rrar] *vt* déterrer

desentonar [desento'nar] *vi* détonner

desentrañar [desentra'ɲar] *vt* (*misterio*)
percer; (*sentido*) éclaircir

desentumecer [desentume'θer] *vt*
(*pierna*) dégourdir; (*Deporte*) échauffer;
desentumecerse *vpr* se dégourdir

desenvoltura [desembol'tura] *nf*
désinvolture *f*

desenvolver [desembol'βer] *vt* défaire;
desenvolverse *vpr* se dérouler;
~ **se bien/mal** bien/mal se débrouiller;
~**se en la vida** se débrouiller dans la vie

deseo [de'seo] *nm* désir *m*; ~ **de (hacer)**
désir de (faire); **arder en ~s de hacer
algo** désirer ardemment faire qch

deseoso, -a [dese'oso, a] *adj*: **estar ~ de
(hacer)** être désireux(-euse) de (faire)

desequilibrado, -a [desekili'βraðo, a]
adj, nm/f déséquilibré(e)

desertar [deser'tar] *vi* (*soldado*) déserter;
~ **de** (*sus deberes*) manquer à; (*una
organización*) déserter

desértico, -a [de'sertiko, a] *adj*
désertique

desesperación [desespera'θjon] *nf*
désespoir *m*; (*irritación*) exaspération *f*;
es una ~ tener que ... c'est malheureux
de devoir ...

desesperar [desespe'rar] *vt* désespérer;
(*exasperar*) exaspérer ■ *vi*: ~ **(de)**
désespérer (de); **desesperarse** *vpr*
perdre espoir; (*impacientarse*)
s'impatienter; ~ **de hacer** désespérer
de faire

desestabilizar [desestaβili'θar] vt
déstabiliser

desestimar [desesti'mar] vt
(menospreciar) mésestimer; (rechazar)
rejeter

desfachatez [desfatʃa'teθ] nf aplomb m;
¡qué ~! quel culot!; **tener la ~ de hacer**
avoir l'aplomb de faire

desfalco [des'falko] nm détournement
m de fonds

desfallecer [desfaʎe'θer] vi défaillir;
~ de agotamiento défaillir de fatigue;
~ de hambre/sed mourir de faim/soif

desfasado, -a [desfa'saðo, a] adj
déphasé(e); (costumbres) vieux jeu inv

desfase [des'fase] nm (en mecanismo)
déphasage m; (entre ideas, circunstancias)
décalage m; **~ horario** décalage horaire

desfavorable [desfaβo'raβle] adj
défavorable

desfigurar [desfiɣu'rar] vt défigurer

desfiladero [desfila'ðero] nm défilé m

desfilar [desfi'lar] vi défiler; **desfilaron
ante el general** ils ont défilé devant le
général

desfile [des'file] nm défilé m; **~ de
modelos** défilé de mode

desfogarse [desfo'ɣarse] vpr (fig) se
défouler

desgajar [desɣa'xar] vt arracher;
(naranja) cueillir; **desgajarse** vpr (rama)
s'arracher

desgana [des'ɣana] nf (falta de apetito)
manque m d'appétit; (falta de entusiasmo)
manque d'entrain; **hacer algo a o con ~**
faire qch à contrecœur

desganado, -a [desɣa'naðo, a] adj:
estar ~ (sin apetito) ne pas avoir d'appétit;
(sin entusiasmo) manquer d'entrain

desgarrador, a [desɣarra'ðor, a] adj
déchirant(e)

desgarrar [desɣa'rrar] vt (tb fig)
déchirer; (carne) déchiqueter;
desgarrarse vpr (prenda) se déchirer;
(carne) partir en lambeaux

desgastar [desɣas'tar] vt user;
desgastarse vpr s'user

desgaste [des'ɣaste] nm usure f; **~ físico**
déchéance f physique

desglosar [desɣlo'sar] vt disjoindre;
(tema, escrito) décomposer

desgracia [des'ɣraθja] nf malheur m;
por ~ malheureusement; **no hubo que
lamentar ~s personales** il n'y a pas eu de
victimes à déplorer; **caer en ~** tomber en
disgrâce; **tener la ~ de** avoir le malheur de

desgraciado, -a [desɣra'θjaðo, a] adj
malheureux(-euse); (miserable)

infortuné(e); (AM: fam) infâme ▪ nm/f
(miserable) infortuné(e); (infeliz)
malheureux(-euse); ¡~! (insulto)
malheureux(-euse)!; **es un pobre ~** c'est
un pauvre malheureux

desgravación [desɣraβa'θjon] nf (Com):
~ fiscal dégrèvement m fiscal

desgravar [desɣra'βar] vt dégrever
▪ vi (Fin) détaxer; **acciones/
operaciones que desgravan** actions
fpl/opérations fpl qui donnent droit à
un dégrèvement

deshabitado, -a [desaβi'taðo, a] adj
(edificio) inhabité(e); (zona) déserté(e)

deshacer [desa'θer] vt défaire;
(proyectos) ruiner; (Tec) démonter;
(familia, grupo) désunir; (enemigo)
détruire; (disolver) dissoudre; (derretir)
fondre; (contrato) annuler; (intriga)
dénouer; **deshacerse** vpr se défaire;
(planes) s'écrouler; (familia, grupo) se
désunir; (disolverse) se dissoudre;
(derretirse) fondre; **~se de** se défaire de;
(Com: existencias) liquider; **~se en
cumplidos/atenciones/lágrimas** se
répandre en compliments/être plein
d'attentions/fondre en larmes; **~se por
algo** se démener pour qch

desharrapado, -a [desharra'paðo, a]
adj en haillons

deshecho, -a [de'setʃo, a] pp de
deshacer ▪ adj défait(e); (roto) cassé(e);
(helado, pastel) fondu(e); **estoy ~**
(cansado) je suis mort(e) de fatigue;
(deprimido) je suis abattu(e)

desheredar [desere'ðar] vt déshériter

deshidratar [desiðra'tar] vt
déshydrater; **deshidratarse** vpr se
déshydrater

deshielo [des'jelo] nm dégel m

deshonesto, -a [deso'nesto, a] adj
malhonnête

deshonor [deso'nor] nm, **deshonra**
[de'sonra] nf déshonneur m

deshora [de'sora]: **a ~(s)** adv (llegar) au
mauvais moment; (hablar) quand il ne
faut pas; (acostarse, comer) à des heures
impossibles

deshuesar [deswe'sar] vt (carne)
désosser; (fruta) dénoyauter

desierto, -a [de'sjerto, a] adj déserté(e)
▪ nm désert m; **declarar ~ un premio** ne
pas décerner un prix (à cause du niveau
insuffisant des candidats)

designar [desiɣ'nar] vt désigner;
~ (para) (nombrar) désigner (pour)

designio [de'siɣnjo] nm dessein m;
~s divinos volonté f divine

desigual [desi'ɣwal] *adj* inégal(e);
(*tamaño, escritura*) irrégulier(-ière)
desilusión [desilu'sjon] *nf* désillusion f
desilusionar [desilusjo'nar] *vt*
désillusionner; (*decepcionar*) décevoir;
desilusionarse *vpr* perdre ses illusions
desinfectar [desinfek'tar] *vt*
désinfecter
desinflar [desin'flar] *vt* dégonfler;
desinflarse *vpr* se dégonfler
desintegración [desinteɣra'θjon] *nf*
désintégration f
desinterés [desinte'res] *nm* (*altruismo*)
désintéressement *m*; **~ por** (*familia*,
actividad) désintérêt *m* pour
desintoxicarse [desintoksi'karse] *vpr*
se désintoxiquer
desistir [desis'tir] *vi* renoncer; **~ de**
(*hacer*) renoncer à (faire)
desleal [desle'al] *adj* déloyal(e)
deslealtad [desleal'tað] *nf* déloyauté f
desleír [desle'ir] *vt* diluer
deslenguado, -a [deslen'gwaðo, a] *adj*
(*grosero*) fort(e) en gueule
desligar [desli'ɣar] *vt* (*separar*) séparer;
(*desatar*) délier; **desligarse** *vpr* se détacher
desliz [des'liθ] *nm* (*fig*) impair *m*;
cometer un ~ commettre un impair
deslizar [desli'θar] *vt* glisser; **deslizarse**
vpr glisser; (*aguas mansas, lágrimas*)
couler; (*horas*) passer; (*con disimulo*:
entrar, salir) se glisser
deslucido, -a [deslu'θiðo, a] *adj* terne;
quedar ~ être fâché(e)
deslumbrar [deslum'brar] *vt* éblouir
desmadrarse [desma'ðrarse] (*fam*) *vpr*
se défouler
desmán [des'man] *nm* abus *msg*
desmandarse [desman'darse] *vpr*
(*descontrolarse*) se rebeller
desmantelar [desmante'lar] *vt*
démanteler; (*casa, fábrica*) vider; (*Náut*)
démâter
desmayarse [desma'jarse] *vpr* perdre
connaissance
desmayo [des'majo] *nm* (*Med*)
évanouissement *m*; (*desaliento*)
découragement *m*; **sufrir un ~** perdre
connaissance; **sin ~** sans relâche
desmedido, -a [desme'ðiðo, a] *adj*
démesuré(e)
desmejorar [desmexo'rar] *vi* (*Med*)
s'affaiblir
desmembrar [desmem'brar] *vt*
démembrer; **desmembrarse** *vpr*
(*imperio*) se morceler
desmemoriado, -a [desmemo'rjaðo, a]
adj distrait(e)

desmentir [desmen'tir] *vt* démentir;
desmentirse *vpr* se dédire
desmenuzar [desmenu'θar] *vt* (*pan*)
émietter; (*roca*) effriter; (*carne*) couper
en morceaux; (*asunto, teoría*) examiner
en détail; **desmenuzarse** *vpr* (*pan*)
s'émietter; (*roca*) s'effriter
desmerecer [desmere'θer] *vi* (*marca*)
baisser; (*belleza*) se flétrir; **~ de** (*cosa*)
ne pas être à la hauteur de; (*persona*) ne pas
être digne de
desmesurado, -a [desmesu'raðo, a] *adj*
(*ambición, egoísmo*) démesuré(e);
(*habitación, gafas*) énorme
desmontable [desmon'taβle] *adj* (*que se
quita*) démontable; (*que se puede plegar*)
pliable
desmontar [desmon'tar] *vt* démonter;
(*escopeta*) désarmer; (*tierra*) aplatir;
(*quitar los árboles a*) déboiser; (*jinete*)
descendre de cheval ■ *vi* (*de caballería*)
mettre pied à terre
desmoralizar [desmorali'θar] *vt*
démoraliser; **desmoralizarse** *vpr* se
démoraliser; **estar desmoralizado** être
démoralisé
desmoronar [desmoro'nar] *vt* saper;
desmoronarse *vpr* s'écrouler;
(*convicción, ilusión*) s'ébranler
desnatado, -a [desna'taðo, a] *adj*
écrémé(e)
desnivel [desni'βel] *nm* (*de terreno*)
dénivellation f; (*económico, cultural*)
différence f; (*de fuerzas*) déséquilibre *m*
desnudar [desnu'ðar] *vt* dénuder;
desnudarse *vpr* se dénuder; **~ (de)**
(*despojarse*) se dépouiller (de)
desnudo, -a [des'nuðo, a] *adj* nu(e);
(*árbol*) dépouillé(e); (*paisaje*) dénudé(e)
■ *nm* (*Arte*) nu *m*; **~ de** dénué(e) de;
poner al ~ mettre à nu; **ir medio ~** se
balader à moitié nu(e)
desnutrición [desnutri'θjon] *nf*
malnutrition f
desnutrido, -a [desnu'triðo, a] *adj*
mal nourri(e)
desobedecer [desoβeðe'θer] *vt, vi*
désobéir
desobediente [desoβe'ðjente] *adj*
désobéissant(e)
desocupado, -a [desoku'paðo, a] *adj*
(*persona: ocioso*) désœuvré(e);
(: *desempleado*) sans emploi;
(*casa*) inoccupé(e); (*asiento, servicios*)
libre
desocupar [desoku'par] *vt* (*vivienda*)
libérer; (*local*) vider; **desocuparse** *vpr*
se libérer

desodorante [desoðo'rante] *nm*
déodorant *m*

desolación [desola'θjon] *nf* désolation *f*

desorbitado, -a [desorβi'taðo, a] *adj*
(*deseos*) démesuré(e); (*precio*)
exorbitant(e); **con los ojos ~s** les yeux
exorbités

desorden [de'sorðen] *nm* désordre *m*;
(*en escrito*) confusion *f*; (*en horarios*)
irrégularité *f*; **desórdenes** *nmpl* (*Pol*)
troubles *mpl*; (*excesos*) excès *mpl*; **ir en ~**
(*gente*) marcher dans le plus grand
désordre; **estar en ~** (*cabellos, habitación*)
être en désordre

desordenado, -a [desorðe'naðo, a] *adj*
(*habitación, objetos*) en désordre; (*persona*)
désordonné(e)

desorganización [desorɣaniθa'θjon] *nf*
désorganisation *f*

desorganizar [desorɣani'θar] *vt*
bouleverser

desorientado, -a [desorjen'taðo, a] *adj*
(*extraviado*) égaré(e); (*confundido*)
confus(e)

desorientar [desorjen'tar] *vt* (*extraviar*)
égarer; (*desconcertar*) désorienter; (*al
electorado*) confondre; **desorientarse**
vpr s'égarer

despabilado, -a [despaβi'laðo, a] *adj*
(*despierto*) réveillé(e); (*fig*) éveillé(e)

despabilar [despaβi'lar] *vt* réveiller; (*fig*)
secouer ■ *vi* se réveiller; (*fig*) s'éveiller;
despabilarse *vpr* se réveiller;
¡despabílate! (*date prisa*) réveille-toi!

despachar [despa'tʃar] *vt* (*negocio*)
expédier; (*trabajo*) terminer;
(*correspondencia*) s'occuper de; (*fam:
comida*) se taper; (: *bebida*) descendre;
(*mensaje, carta*) envoyer; (*en tienda:
cliente*) servir; (*entradas*) distribuer;
(*empleado*) se débarrasser de; (*visitas*)
décliner; (*matar*) descendre; (*Arg:
maletas*) enregistrer ■ *vi* (*en tienda*)
servir; **despacharse** *vpr* se dépêcher;
está despachando con el jefe il discute
avec le chef; **~se de algo** se débarrasser
de qch; **~se a su gusto con algn** soulager
sa conscience auprès de qn

despacho [des'patʃo] *nm* bureau *m*;
(*envío*) dépêche *f*; (*Com: venta*) envoi *m*;
(*comunicación oficial*) dépêche; (: *a
distancia*) ordre *m*; **~ de billetes** *o* **boletos**
(*AM*) bureau de tabac; **~ de localidades**
guichet *m*; **mesa de ~** bureau; **muebles
de ~** mobilier *m* de bureau

despacio [des'paθjo] *adv* lentement;
(*cuidadosamente: AM: en voz baja*)
doucement; **¡~!** doucement!; **ya**

hablaremos más ~ on parlera plus
longuement

desparpajo [despar'paxo] *nm*
(*desenvoltura*) aisance *f*; (*pey*) insolence *f*

desparramar [desparra'mar] *vt*
répandre

despavorido, -a [despaβo'riðo, a] *adj*
terrorisé(e)

despecho [des'petʃo] *nm* dépit *m*; **a ~ de**
en dépit de; **por ~** par dépit

despectivo, -a [despek'tiβo, a] *adj*
(*tono, modo*) condescendant(e); (*Ling*)
péjoratif(-ive)

despedazar [despeða'θar] *vt* réduire en
miettes; **despedazarse** *vpr* tomber en
miettes

despedida [despe'ðiða] *nf* (*adiós*) congé
m; (*antes de viaje*) adieux *mpl*; (*en carta*)
formule *f* de politesse; **regalo/cena de ~**
cadeau *m*/dîner *m* d'adieu; **hacer una ~ a
algn** fêter le départ de qn; **hacer su ~ de
soltero/soltera** enterrer sa vie de
garçon/jeune fille

despedir [despe'ðir] *vt* (*decir adiós a*) dire
au revoir à; (*empleado*) renvoyer; (*arrojar*)
lancer, jeter; (*olor, calor*) dégager;
despedirse *vpr* quitter son emploi; **~se
de algn** dire au revoir à qn; **se
despidieron** ils se sont dit au revoir; **salir
despedido** être lancé(e); **ir a ~ a algn**
aller prendre congé de qn

despegar [despe'ɣar] *vt*, *vi* décoller;
despegarse *vpr* se décoller; **sin ~ los
labios** sans piper mot

despego [des'peɣo] *nm* = **desapego**

despegue [des'peɣe] *vb ver* **despegar**
■ *nm* décollage *m*

despejado, -a [despe'xaðo, a] *adj*
dégagé(e); (*persona*) réveillé(e)

despejar [despe'xar] *vt* dégager;
(*desalojar*) vider; (*misterio*) éclaircir; (*Mat:
incógnita*) isoler; (*mente*) rafraîchir ■ *vi*
s'éclaircir; **despejarse** *vpr* s'éclaircir;
(*persona*) émerger; **¡despejen!** évacuez
les lieux!; **salir a ~se** sortir pour se
changer les idées

despellejar [despeʎe'xar] *vt* (*animal*)
écorcher; (*fig*) ne pas ménager

despensa [des'pensa] *nf* armoire *f* à
provisions

despeñadero [despeɲa'ðero] *nm*
précipice *m*

despeñarse [despe'ɲarse] *vpr* basculer

desperdiciar [desperði'θjar] *vt*
gaspiller; (*oportunidad*) manquer

desperdicio [desper'ðiθjo] *nm*
gaspillage *m*; (*residuo*) déchet *m*;
desperdicios *nmpl* (*basura*) ordures *fpl*;

(*residuos*) déchets *mpl*; (*de comida*) restes *mpl*; **el libro no tiene ~** le livre est excellent du début à la fin

desperdigarse [desperði'ɣarse] *vpr* se disperser; (*semillas etc*) s'éparpiller

desperezarse [despere'θarse] *vpr* s'étirer

desperfecto [desper'fekto] *nm* (*deterioro*) dommage *m*; (*defecto*) imperfection *f*

despertador [desperta'ðor] *nm* réveil *m*

despertar [desper'tar] *vt* réveiller; (*sospechas, admiración*) éveiller; (*apetito*) aiguiser ■ *vi* se réveiller ■ *nm* (*de persona*) réveil *m*; (*día, era*) aube *f*; **despertarse** *vpr* se réveiller

despiadado, -a [despja'ðaðo, a] *adj* impitoyable

despido [des'piðo] *vb ver* **despedir** ■ *nm* (*de trabajador*) licenciement *m*; **~ improcedente** licenciement abusif; **~ injustificado** renvoi *m* injustifié; **~ libre** faculté *f* de licencier arbitrairement; **~ voluntario** chômage *m* volontaire

despierto, -a [des'pjerto, a] *vb ver* **despertar** ■ *adj* réveillé(e); (*fig*) éveillé(e)

despilfarro [despil'farro] *nm* gaspillage *m*

despistado, -a [despis'taðo, a] *adj* (*distraído*) distrait(e); (*desorientado*) dérouté(e) ■ *nm/f* distrait(e)

despistar [despis'tar] *vt* (*perseguidor*) semer; (*desorientar*) dérouter; **despistarse** *vpr* (*distraerse*) être distrait(e)

despiste [des'piste] *nm* distraction *f*; (*confusión*) confusion *f*; **tiene un terrible ~** il est terriblement distrait

desplazamiento [desplaθa'mjento] *nm* déplacement *m*; (*Inform*) défilement *m*; **~ hacia arriba/abajo** (*Inform*) déplacement vers le haut/bas; **gastos de ~** frais *mpl* de déplacement

desplazar [despla'θar] *vt* déplacer; (*tropas*) transférer; (*fig*) supplanter; (*Inform*) faire défiler; **desplazarse** *vpr* se déplacer

desplegar [desple'ɣar] *vt* déployer; (*tela, papel*) déplier; **desplegarse** *vpr* (*Mil*) se déployer

despliegue [des'pljeɣe] *vb ver* **desplegar** ■ *nm* déploiement *m*

desplomarse [desplo'marse] *vpr* s'écrouler; **se ha desplomado el techo** le toit s'est effondré

desplumar [desplu'mar] *vt* (*ave*) déplumer; (*fam*) plumer

despoblado, -a [despo'βlaðo, a] *adj* (*sin habitantes*) vide; (*con pocos habitantes*) dépeuplé(e) ■ *nm* terrain *m* vague

despojar [despo'xar] *vt* (*casa*) dépouiller; **~ de** (*persona: de sus bienes*) dépouiller de; (: *de título, derechos*) retirer; (: *de su cargo*) relever; **despojarse** *vpr*: **~se de** (*ropa*) enlever; (*posesiones*) se dépouiller de

despojo [des'poxo] *nm* (*usurpación*) spoliation *f*; (*botín*) butin *m*; **despojos** *nmpl* (*Culin*) abats *mpl*; (*de banquete*) reliefs *mpl*; (*cadáver*) dépouille *fsg*

desposado, -a [despo'saðo, a] *adj* tout juste marié(e) ■ *nm/f* jeune marié(e)

desposar [despo'sar] *vt* (*suj: sacerdote*) marier; **desposarse** *vpr* se marier

desposeer [despose'er] *vt*: **~ (de)** déposséder (de); **~ a algn de su autoridad** priver qn de son autorité

déspota ['despota] *nm/f* despote *m*

despreciar [despre'θjar] *vt* mépriser; (*oferta, regalo*) dédaigner

desprecio [des'preθjo] *nm* dédain *m*; **un ~** un affront; **le hicieron el ~ de no acudir** ils lui ont fait l'affront de ne pas venir

desprender [despren'der] *vt* ôter; (*olor, calor*) dégager; (*chispas*) jeter; **desprenderse** *vpr* se détacher; (*olor, perfume*) se dégager; **~ (de)** (*separar*) ôter (de); **~se de algo** se défaire de qch; **de ahí se desprende que** il en découle que

desprendimiento [desprendi'mjento] *nm* générosité *f*; **~ de retina** décollement *m* de la rétine; **~ de tierras** éboulement *m* de terrain

despreocupado, -a [despreoku'paðo, a] *adj*: **estar ~** (*sin preocupación*) ne pas s'inquiéter; **ser ~** être insouciant(e)

despreocuparse [despreoku'parse] *vpr*: **~ (de)** (*dejar de inquietarse*) ne plus s'occuper (de); (*desentenderse*) se désintéresser (de)

desprestigiar [despresti'xjar] *vt* discréditer; **desprestigiarse** *vpr* se discréditer

desprevenido, -a [despreβe'niðo, a] *adj* dépourvu(e); **coger** (*Esp*) *o* **agarrar** (*AM*) **a algn ~** prendre qn au dépourvu

desproporcionado, -a [desproporθjo'naðo, a] *adj* disproportionné(e)

desprovisto, -a [despro'βisto, a] *adj*: **~ de** dépourvu(e) de; **estar ~ de** être dépourvu(e) de

después [des'pwes] *adv* après; (*desde entonces*) dès lors; (*entonces*) alors ■ *prep*: **~ de** après ■ *conj*: **~ (de) que** après que; **poco ~** peu après; **un año ~** un an après;

~ **se debatió el tema** puis on a discuté de l'affaire; ~ **de comer** après manger; ~ **de corregir el texto** après avoir corrigé le texte; ~ **de esa fecha** (*pasado*) après cette date; (*futuro*) passée cette date; ~ **de todo** après tout; ~ **de verlo** après l'avoir vu; **mi nombre está ~ del tuyo** mon nom vient après le tien; ~ **(de) que lo escribí** après que je l'eus écrit

desquiciar [deski'θjar] *vt* (*puerta*) sortir de ses gonds; (*planes*) bouleverser; (*persona*) rendre fou (folle); **el pobre está desquiciado** le pauvre est ébranlé

desquite [des'kite] *nm*: **tomarse el ~ (de)** prendre sa revanche (sur)

destacar [desta'kar] *vt* (*Arte*) mettre en relief; (*fig*) souligner; (*Mil*) détacher ∎ *vi* (*sobresalir*: *montaña, figura*) ressortir; (: *obra, persona*) se démarquer; **destacarse** *vpr* se démarquer; **quiero ~ que ...** je veux souligner que ...; ~ **en/por algo** briller en/par qch; ~**(se) entre los demás** se démarquer des autres

destajo [des'taxo] *nm*: **trabajar a ~** (*por pieza*) travailler à la pièce; (*mucho*) travailler d'arrache-pied

destapar [desta'par] *vt* découvrir; (*botella*) déboucher; (*cacerola*) ôter le couvercle de; **destaparse** *vpr* (*botella*) se déboucher; (*en la cama*) se découvrir

destartalado, -a [destarta'laðo, a] *adj* (*casa*) délabré(e); (*coche*) démantibulé(e)

destello [des'teʎo] *nm* (*de diamante, metal*) scintillement *m*; (*de estrella*) scintillation *f*; (*de faro*) lueur *f*; **un ~ de lucidez/genio** un éclair de lucidité/génie

destemplado, -a [destem'plaðo, a] *adj* (*Mús*) désaccordé(e); (*voz*) discordant(e); (*Meteorología*) mauvais(e); **estar/sentirse ~** (*Med*) être/se sentir indisposé(e)

desteñir [deste'ɲir] *vt* (*sol, lejía*) passer ∎ *vi* (*tejido*) déteindre; **desteñirse** *vpr* déteindre; **esta tela no destiñe** cette toile ne déteint pas

desternillarse [desterni'ʎarse] *vpr*: ~ **de risa** se tordre de rire

desterrar [deste'rrar] *vt* exiler; (*pensamiento, tristeza*) chasser; (*sospechas*) bannir

destiempo [des'tjempo]: **a ~** *adv* mal à propos

destierro [des'tjerro] *vb ver* **desterrar** ∎ *nm* (*expulsión*) interdiction *f* de séjour; (*exilio*) exil *m*; **vivir en el ~** vivre en exil

destilar [desti'lar] *vt, vi* distiller

destilería [destile'ria] *nf* distillerie *f*

destinar [desti'nar] *vt* (*funcionario, militar*) affecter; (*habitación, tarea*) assigner; ~ **a o para** (*fondos*) destiner à; **es un libro destinado a los niños** c'est un livre pour enfants; **una carta que viene destinada a usted** une lettre qui vous est adressée

destinatario, -a [destina'tarjo, a] *nm/f* destinataire *m/f*

destino [des'tino] *nm* (*suerte*) destin *m*; (*de viajero*) destination *f*; (*función*) fonction *f*; (*de funcionario, militar*) poste *m*; **con ~ a** à destination de; **salir con ~ a** partir pour

destituir [destitu'ir] *vt*: ~ **a** (**de**) destituer (de)

destornillador [destorni'ʎaðor] *nm* tournevis *msg*

destornillar [destorni'ʎar] *vt* = **desatornillar**

destreza [des'treθa] *nf* dextérité *m*; (*maña*) adresse *f*

destrozar [destro'θar] *vt* (*romper*) casser; (*planes, campaña, persona*) anéantir; (*nervios*) mettre à vif; **está destrozado por la noticia** il est anéanti par la nouvelle

destrozo [des'troθo] *nm* destruction *f*; **destrozos** *nmpl* (*daños*) dégâts *mpl*

destrucción [destruk'θjon] *nf* destruction *f*

destructivo, -a [destruk'tiβo, a] *adj* destructeur(-trice)

destruir [destru'ir] *vt* détruire; (*persona: moralmente*) briser; (*negocio, comarca*) ruiner; (*político, competidor, ilusiones*) anéantir; (*argumento*) démolir

desuso [de'suso] *nm* non utilisation *f*; **caer en ~** tomber en désuétude; **estar en ~** être inusité(e); **una expresión (caída) en ~** une expression tombée en désuétude

desvalido, -a [desβa'liðo, a] *adj* déshérité(e); **niños ~s** enfants *mpl* déshérités

desvalijar [desβali'xar] *vt* dévaliser; (*coche*) cambrioler

desván [des'βan] *nm* grenier *m*

desvanecerse [desβane'θerse] *vpr* (*Med*) s'évanouir; (*fig*) se dissiper; (*borrarse*) s'effacer

desvanecimiento [desβaneθi'mjento] *nm* (*de contornos, colores*) effacement *m*; (*de dudas*) dissipation *f*; (*Med*) évanouissement *m*

desvariar [desβa'rjar] *vi* délirer

desvarío [desβa'rio] *nm* délire *m*; **desvaríos** *nmpl* (*disparates*) absurdités *fpl*

desvelar [desβe'lar] vt (suj: café, preocupación) tenir éveillé(e); **desvelarse** vpr rester éveillé(e); **~se por algo** se démener pour qch; **~se por los demás** se donner du mal pour autrui

desvelos [des'βelos] nmpl (preocupación) soucis mpl

desvencijado, -a [desβenθi'xaðo, a] adj (silla) branlant(e); (máquina) détraqué(e)

desventaja [desβen'taxa] nf inconvénient m; **estar en** o **llevar ~** être désavantagé(e)

desventura [desβen'tura] nf malheur m

desvergonzado, -a [desβerɣon'θaðo, a] adj, nm/f dévergondé(e); (descarado) effronté(e)

desvergüenza [desβer'ɣwenθa] nf dévergondage m; (descaro) toupet m; **¡qué ~!** quel toupet!; **tener la ~ de hacer** avoir le toupet de faire

desvestir [desβes'tir] vt déshabiller; **desvestirse** vpr se déshabiller

desviación [desβja'θjon] nf (de río) détournement m; (Auto) déviation f; (de la conducta) écart m; **~ de la columna** (Med) scoliose f

desviar [des'βjar] vt dévier; (de objetivo) écarter; (río, mirada) détourner; **desviarse** vpr (apartarse del camino) s'égarer; (rumbo) faire un détour; (Auto) faire une embardée; **~se de un tema** s'éloigner du sujet

desvío [des'βio] vb ver **desviar** ■ nm (Auto) détour m

desvirtuar [desβir'twar] vt (actuación, labor) nuire à; (argumento) démolir; (sentido) affaiblir; **desvirtuarse** vpr perdre sa signification première

desvivirse [desβi'βirse] vpr: **~ por algo/algn** se mettre en quatre pour qch/qn; **~ por hacer** se tuer à faire

detalle [de'taʎe] nm détail m; (delicadeza) attention f; **narrar con (todo) ~** raconter en détail; **no pierde ~** il n'en perd pas une miette; **tener un ~ con algn** avoir une attention pour qn; **¡qué ~!** comme c'est gentil!; **al ~** (Com) au détail; **comercio al ~** commerce m de détail; **vender al ~** vendre au détail; **~ de cuenta** détail d'un compte

detallista [deta'ʎista] adj méticuleux(-euse) ■ nm/f (Com) détaillant(e)

detective [detek'tiβe] nm/f détective m; **~ privado** détective privé

detener [dete'ner] vt arrêter; (retrasar) ralentir; **detenerse** vpr s'arrêter; (demorarse) s'attarder; **¡deténgase!**

arrêtez-vous!; **~se a hacer algo** s'attarder à faire qch

detenido, -a [dete'niðo, a] adj arrêté(e); (minucioso) minutieux(-euse); (preso) détenu(e) ■ nm/f détenu(e)

detenimiento [deteni'mjento] nm: **con ~** avec soin

detergente [deter'xente] nm détergent m

deteriorar [deterjo'rar] vt détériorer; **deteriorarse** vpr se détériorer

determinación [determina'θjon] nf détermination f; (decisión) décision f

determinado, -a [determi'naðo, a] adj déterminé(e); **a una hora determinada** à une heure précise; **no hay ningún tema ~** aucun sujet n'a été déterminé

determinar [determi'nar] vt déterminer; **determinarse** vpr: **~se a hacer** se déterminer à faire; **el reglamento determina que ...** le règlement prévoit que ...; **aquello determinó la caída del gobierno** cela a déterminé la chute du gouvernement

detestar [detes'tar] vt détester

detrás [de'tras] adv derrière; (en sucesión) après ■ prep: **~ de** derrière; **hacer algo por ~ de algn** faire qch dans le dos de qn; **ir ~ de algn/algo** être derrière qn/qch; **por ~** par derrière; **~ mio/nuestro** (esp Csur) derrière moi/nous

detrimento [detri'mento] nm: **en ~ de** au détriment de

deuda [de'uða] nf dette f; **estar en ~ con algn** (fig) avoir une dette envers qn; **contraer ~s** contracter des dettes; **~ a largo plazo** dette à long terme; **~ exterior/pública** dette extérieure/publique

devaluación [deβalwa'θjon] nf dévaluation f

devaluar [deβalu'ar] vt dévaluer

devastar [deβas'tar] vt dévaster

devoción [deβo'θjon] nf dévotion f; **sentir ~ por algn/algo** avoir de la dévotion pour qn/algo

devolución [deβolu'θjon] nf restitution f; (de carta) retour m; (de dinero) remboursement m; **no se admiten devoluciones** (Com) ni repris ni échangé

devolver [deβol'βer] vt rendre; (a su sitio) remettre; (producto, carta, favor) retourner; (regalo, factura) renvoyer; (fam: vomitar) rendre ■ vi (fam) rendre; **devolverse** vpr (AM) revenir; **~ la pelota a algn** (fig) renvoyer la balle à qn

devorar [deβo'rar] vt dévorer; (fig: fortuna) manger; **~ a algn con los ojos**

dévorer qn des yeux; **todo lo devoró el fuego** il fut dévoré par les flammes; **le devoran los celos** il est dévoré de jalousie

devoto, -a [de'βoto, a] adj (Rel) dévot(e); (amigo) dévoué(e) ▪ nm/f dévot(e); (adepto) adepte m/f; **~ de** (Rel) dévot(e) à; (muy aficionado a) adepte de; **su ~ servidor** votre dévoué serviteur

devuelto [de'βwelto] pp de **devolver**

devuelva etc [de'βwelβa] vb ver **devolver**

di [di] vb ver **dar**; **decir**

día ['dia] nm (24 horas) journée f; (lo que no es noche) jour m; **¿qué ~ es?** quel jour est-on?; **estar/poner al ~** (cuentas) être/mettre à jour; (persona) être/mettre au courant; **el ~ de mañana** demain; **el ~ menos pensado te haremos una visita** quand tu t'y attendras le moins, nous te rendrons visite; **hoy (en) ~** aujourd'hui; **al ~ siguiente** le jour suivant; **tener un mal ~** passer une mauvaise journée; **~ a ~** jour après jour; **¡cualquier ~ se mata!** il va finir par se tuer!; **todos los ~s** tous les jours; **un ~ de estos** un de ces jours; **un ~ sí y otro no** tous les deux jours; **vivir al ~** vivre au jour le jour; **es de ~** il fait jour; **del ~** (estilos) au goût du jour; (pan) frais (fraîche); (menú) du jour; **de un ~ para otro** d'un jour à l'autre; **en pleno ~** en plein jour; **en su ~** en son temps; **¡hasta otro ~!** à un autre jour!; **¡buenos ~s!** bonjour!; **~ domingo/lunes** etc (AM) dimanche/lundi etc; **~ de los (santos) inocentes** (28 diciembre) jour des Saints Innocents, ≈ le premier avril; **~ de precepto** jour du Seigneur; **D~ de Reyes** Epiphanie f; **~ festivo** o **feriado** (AM) o **de fiesta** jour férié; **~ hábil/inhábil** jour ouvrable/chômé; **~ laborable** jour de travail; **~ lectivo/libre** jour de classe/de congé

diabetes [dja'βetes] nf diabète m

diabético, -a [dja'βetiko, a] nm/f diabétique m/f

diablo ['djaβlo] nm diable m; **¿cómo/qué ~s ...?** comment/que diable ...?; **pobre ~** pauvre diable; **hace un frío de mil ~s** o **de todos los ~s** il fait un froid de tous les diables; **mandar algo/a algn al ~** envoyer qch/qn au diable; **¡al ~ con ...!** au diable ...!

diablura [dja'βlura] nf diablerie f

diadema [dja'ðema] nf diadème m

diafragma [dja'fraɣma] nm diaphragme m

diagnosis [djaɣ'nosis] nf inv diagnostic m

diagnóstico [djaɣ'nostiko] nm diagnostic m

diagonal [djaɣo'nal] adj oblique ▪ nf diagonale f; **en ~** en diagonale

diagrama [dja'ɣrama] nm diagramme m; **~ de barras** diagramme en bâtons; **~ de flujo** (Inform) organigramme m

dial [di'al] nm (de radio) bande f de fréquence

dialecto [dja'lekto] nm dialecte m

dialogar [djalo'ɣar] vi dialoguer; **~ con** (Pol) s'entretenir avec

diálogo ['djaloɣo] nm dialogue m

diamante [dja'mante] nm diamant m; **diamantes** nmpl (Naipes) carreau msg; **~ (en) bruto** diamant brut; (fig) perle f rare

diámetro [di'ametro] nm diamètre m; **3 m de ~** 3 m de diamètre

diana ['djana] nf (Mil) réveil m; (de blanco) mouche f; **hacer ~** faire mouche

diapositiva [djaposi'tiβa] nf (Foto) diapositive f

diario, -a ['djarjo, a] adj quotidien(ne) ▪ nm quotidien m; (para memorias) journal m; (Com) livre m journal; **a ~** tous les jours; **de** o **para ~** de tous les jours; **~ de navegación** (Náut) journal de bord; **~ de sesiones** compte rendu d'une session du Parlement; **~ hablado** (Radio) journal

diarrea [dja'rrea] nf diarrhée f

dibujar [diβu'xar] vt, vi dessiner; **dibujarse** vpr (emoción) se peindre; **~se en el horizonte/a lo lejos** se dessiner à l'horizon/au loin

dibujo [di'βuxo] nm dessin m; **~s animados** dessins mpl animés; **~ artístico** dessin d'art; **~ lineal/técnico** dessin industriel

diccionario [dikθjo'narjo] nm dictionnaire m; **~ enciclopédico** dictionnaire encyclopédique

dicho, -a ['ditʃo, a] pp de **decir** ▪ adj: **en ~s países** dans ces pays ▪ nm proverbe m; **mejor ~** plutôt; **propiamente ~** proprement dit; **~ y hecho** aussitôt dit, aussitôt fait; **~ sea de paso** soit dit en passant

dichoso, -a [di'tʃoso, a] adj heureux(-euse); **¡aquel ~ coche!** (fam) cette sacrée voiture!

diciembre [di'θjembre] nm décembre m; ver tb **julio**

dictado [dik'taðo] nm dictée f; **escribir al ~** écrire sous la dictée; **los ~s de la conciencia** ce que dicte la conscience

dictador [dikta'ðor] nm dictateur m

dictadura [dikta'ðura] nf dictature f

dictamen [dik'tamen] *nm* expertise *f*;
~ **contable** rapport *m* comptable;
~ **facultativo** (*Med*) diagnostic *m*

dictar [dik'tar] *vt* dicter; (*decreto*)
prendre; (*ley*) édicter; (*AM*: *clase*) faire;
(: *conferencia*) donner

didáctico, -a [di'ðaktiko, a] *adj*
didactique; (*educativo*) éducatif(-ive)

diecinueve [djeθinu'eβe] *adj inv, nm inv*
dix-neuf *m inv*; **el siglo** ~ le dix-neuvième
siècle; *ver tb* **seis**

dieciocho [djeθi'otʃo] *adj inv, nm inv* dix-
huit *m inv*; *ver tb* **seis**

dieciséis [djeθi'seis] *adj inv, nm inv* seize
m inv; *ver tb* **seis**

diecisiete [djeθi'sjete] *adj inv, nm inv* dix-
sept *m inv*; *ver tb* **seis**

diente ['djente] *nm* dent *f*; **enseñar los**
~**s** (*fig*) grincer des dents; **hablar entre**
~**s** parler entre ses dents; **hincarle el** ~ **a**
(*comida*) mordre à belles dents dans; (*fig*:
asunto) s'attaquer à; ~ **de ajo** gousse *f*
d'ail; ~ **de leche** dent de lait; ~ **de león**
pissenlit *m*; ~**s postizos** fausses dents

diera *etc* ['djera] *vb ver* **dar**

diesel ['disel] *adj*: **motor** ~ (moteur *m*)
diesel *m*

diestro, -a ['djestro, a] *adj* droit(e);
(*hábil*) adroit(e) ■ *nm* (*Taur*) matador *m*;
a ~ **y siniestro** au hasard

dieta ['djeta] *nf* régime *m*; **dietas** *nfpl*
(*de viaje, hotel*) frais *mpl*; **la** ~ **mediterránea**
la cuisine méditerranéenne; **estar a** ~ être
au régime

dietética [dje'tetika] *nf* diététique *f*

dietético, -a [dje'tetiko, a] *adj*
diététique ■ *nm/f* diététicien(ne)

diez [djeθ] *adj inv, nm inv* dix *m inv*; *ver tb*
seis

diezmar [djeθ'mar] *vt* décimer

difamar [difa'mar] *vt* diffamer

diferencia [dife'renθja] *nf* différence *f*;
diferencias *nfpl* (*desacuerdos*) différend
msg; **a** ~ **de** à la différence de; **hacer** ~
entre faire la différence entre; ~ **salarial**
inégalité *f* de salaire

diferenciar [diferen'θjar] *vt*: ~ (**de**)
distinguer (de); (*hacer diferente*)
différencier ■ *vi*: ~ **enter A y B** distinguer
A de B; **diferenciarse** *vpr*: ~**se** (**de**) se
distinguer (de); **¿en qué se diferencian?**
en quoi sont-ils différents?

diferente [dife'rente] *adj* différent(e)
■ *adv* différemment

diferido [dife'riðo] *nm*: **en** ~ (*TV*) en
différé

difícil [di'fiθil] *adj* difficile; **es un**
hombre ~ (**de tratar**) c'est quelqu'un de

difficile; **ser** ~ **de hacer/entender/**
explicar être difficile à faire/
comprendre/expliquer

dificultad [difikul'taδ] *nf* difficulté *f*;
dificultades *nfpl* (*problemas*) difficultés
fpl; **poner** ~**es (a algn)** faire des
difficultés (à qn)

dificultar [difikul'tar] *vt* (*explicación*,
labor) rendre difficile; (*visibilidad*) brouiller

difteria [dif'terja] *nf* diphtérie *f*

difundir [difun'dir] *vt* (*calor, noticia*)
diffuser; (*doctrina, rumores*) répandre;
difundirse *vpr* se diffuser; (*doctrina*) se
répandre

difunto, -a [di'funto, a] *adj, nm/f*
défunt(e)

difusión [difu'sjon] *nf* diffusion *f*;
(*de teoría*) généralisation *f*; **un programa**
de gran ~ une émission à grande
diffusion

diga *etc* ['diɣa] *vb ver* **decir**

digerir [dixe'rir] *vt* digérer

digestión [dixes'tjon] *nf* digestion *f*;
corte de ~ crampe *f* d'estomac

digestivo, -a [dixes'tiβo, a] *adj*
digestif(-ive) ■ *nm* digestif *m*

digital [dixi'tal] *adj* digital(e)

dignarse [diɣ'narse] *vpr*: ~ (**a**) **hacer**
daigner faire

dignatario, -a [diɣna'tarjo, a] *nm/f*
dignitaire *m/f*

dignidad [diɣni'ðað] *nf* dignité *f*; **hacer**
algo con ~ faire qch avec dignité

digno, -a [di'ɣno, a] *adj* (*sueldo, nivel de*
vida) décent(e); (*comportamiento, actitud*)
digne; ~ **de** digne de; **es** ~ **de mención** ça
mérite d'être mentionné; **es** ~ **de verse**
ça mérite d'être vu; **poco** ~ peu digne

dije ['dixe] *vb ver* **decir** ■ *adj* (*Chi: fam*)
sympa

dilapidar [dilapi'ðar] *vt* dilapider

dilatar [dila'tar] *vt* dilater; (*prolongar*,
aplazar) prolonger; **dilatarse** *vpr* se
dilater

dilema [di'lema] *nm* dilemme *m*

diligencia [dili'xenθja] *nf* diligence *f*;
(*trámite*) acte *m* de procédure;
diligencias *nfpl* (*Jur*) formalités *fpl*;
~**s judiciales/previas** enquête *fsg*
judiciaire/préliminaire

diligente [dili'xente] *adj* diligent(e);
poco ~ pas très sérieux(-euse)

diluir [dilu'ir] *vt* diluer

diluvio [di'luβjo] *nm* déluge *m*; **un** ~ **de**
cartas (*fig*) un déluge de lettres

dimensión [dimen'sjon] *nf* dimension *f*;
(*de catástrofe*) proportions *fpl*;
dimensiones *nfpl* (*tamaño*) dimensions

fpl; **tomar las dimensiones de** prendre les dimensions de

diminuto, -a [dimi'nuto, a] *adj* tout(e) petit(e)

dimitir [dimi'tir] *vi*: ~ **(de)** démissionner (de)

dimos ['dimos] *vb ver* **dar**

Dinamarca [dina'marka] *nf* Danemark *m*

dinámico, -a [di'namiko, a] *adj* dynamique

dinamita [dina'mita] *nf* dynamite *f*

dinamo [di'namo], **dínamo** ['dinamo] *nf, nm en AM* dynamo *f*

dineral [dine'ral] *nm* fortune *f*

dinero [di'nero] *nm* argent *m*; **es hombre de ~** c'est un homme riche; **andar mal de ~** être sans le sou; **~ caro** (*Com*) argent cher; **~ contante (y sonante)** espèces *fpl*; **~ efectivo** o **en metálico** liquide *m*; **~ suelto** menue monnaie *f*

dinosaurio [dino'saurjo] *nm* dinosaure *m*

dio [djo] *vb ver* **dar**

diócesis ['djoθesis] *nf inv* diocèse *m*

Dios [djos] *nm* Dieu *m*; **~ mediante** si Dieu le veut; **¡gracias a ~!** grâce à Dieu!; **a la buena de ~** au petit bonheur la chance; **armar** o **armarse la de ~ (es Cristo)** (*fam*) foutre la pagaille; **como ~ manda** comme il faut; **¡dios mío!** mon Dieu!; **¡por ~!** grand Dieu!; **estar dejado de la mano de ~** être abandonné de Dieu; **¡sabe ~!** Dieu seul le sait!; **¡que sea lo que ~ quiera!** advienne que pourra!; **si ~ quiere** si Dieu le veut; **~ te lo pague** Dieu te le rendra; **ni ~** (*fam*) pas un chat; **¡válgame ~!** que Dieu me protège!; **¡vaya por ~!** grand Dieu!

dios [djos] *nm* dieu *m*

diosa ['djosa] *nf* déesse *f*

diploma [di'ploma] *nm* diplôme *m*

diplomacia [diplo'maθja] *nf* diplomatie *f*

diplomado, -a [diplo'maðo, a] *adj, nm/f* diplômé(e)

diplomático, -a [diplo'matiko, a] *adj* diplomatique ■ *nm/f* diplomate *m/f*

diptongo [dip'tongo] *nm* diphtongue *f*

diputación [diputa'θjon] *nf* ≈ conseil *m* général

diputado, -a [dipu'taðo, a] *nm/f* député *m*

dique ['dike] *nm* digue *f*; **~ de contención** barrage *m*

diré *etc* [di're] *vb ver* **decir**

dirección [direk'θjon] *nf* direction *f*; (*fig*: *tendencia*) tendance *f*; (*señas*) adresse *f*; (*Cine, Teatro*) mise *f* en scène; **ir/salir con ~ a** aller/sortir en direction de; **cambio de ~** déviation *f*; **~ absoluta/relativa** (*Inform*) adresse absolue/relative; **~ administrativa** administration *f*; **~ asistida** (*Auto*) direction assistée; **D~ General de Seguridad/de Turismo** ≈ ministère *m* de la Sécurité et des Transports/du Tourisme; **~ prohibida/única** sens *m* interdit/unique

directa [di'rekta] *nf* (*Auto*) quatrième *f*, cinquième *f*

directiva [direk'tiβa] *nf* comité *m* directeur

directo, -a [di'rekto, a] *adj* direct(e); (*traducción*) exact(e); **transmitir en ~** (*TV*) diffuser en direct

director, a [direk'tor, a] *adj* directeur(-trice) ■ *nm/f* directeur(-trice); (*Cine, TV*) metteur *m* en scène; (*de orquesta*) chef *m*; **~ adjunto** directeur adjoint; **~ comercial** directeur commercial; **~ de sucursal** directeur de succursale; **~ ejecutivo** directeur exécutif; **~ general** o **gerente** directeur général

directorio [direk'torjo] *nm* (*Inform*) répertoire *m*; (*Com*) programme *m*

dirigente [diri'xente] *adj, nm/f* dirigeant(e)

dirigir [diri'xir] *vt* diriger; (*carta, pregunta*) adresser; (*obra de teatro, film*) mettre en scène; (*sublevación*) prendre la tête de; (*esfuerzos*) concentrer; **dirigirse** *vpr*: **~se a** s'adresser à; **~ a** o **hacia** diriger vers; **no ~ la palabra a algn** ne pas adresser la parole à qn; **~se a algn solicitando algo** s'adresser à qn pour solliciter qch; "**diríjase a ...**" "s'adresser à ..."

dirija *etc* [di'rixa] *vb ver* **dirigir**

discapacitado, -a [diskapaθi'taðo, a] *adj, nm/f* handicapé(e); **~ psíquico** handicapé mental

discernir [disθer'nir] *vt* discerner ■ *vi*: **~ entre ... y ...** discerner ... de ...

disciplina [disθi'plina] *nf* discipline *f*

discípulo, -a [dis'θipulo, a] *nm/f* disciple *m*

disco ['disko] *nm* disque *m*; (*Auto*) feu *m*; **~ compacto** disque compact; **~ de arranque** disquette *f* d'initialisation; **~ de densidad doble/sencilla** disquette double densité/densité simple; **~ de una cara/dos caras** disquette simple face/double face; **~ de freno** disque (de frein); **~ de larga duración** 33 tours *m inv*; **~ de reserva** disquette de sauvegarde; **~ de**

sistema disque système; **~ duro** o **rígido/flexible** o **floppy** disque dur/disquette; **~ maestro** disque d'exploitation; **~ sencillo** 45 tours *m inv*; **~ virtual** zone *f* disque en mémoire

disconforme [diskon'forme] *adj* non conforme; **estar ~ (con)** ne pas être conforme (à)

discordia [dis'korðja] *nf* désaccord *m*

discoteca [disko'teka] *nf* discothèque *f*

discreción [diskre'θjon] *nf* discrétion *f*; *(prudencia)* prudence *f*; **añadir azúcar a ~** *(Culin)* rajouter du sucre à volonté; **comer/beber a ~** manger/boire à volonté

discrecional [diskreθjo'nal] *adj (uso, poder)* discrétionnaire; *(servicio)* optionnel(le)

discrepancia [diskre'panθja] *nf* différence *f*; *(desacuerdo)* différend *m*

discreto, -a [dis'kreto, a] *adj* discret(-ète); *(sensato)* judicieux(-euse); *(mediano)* décent(e)

discriminación [diskrimina'θjon] *nf* discrimination *f*

disculpa [dis'kulpa] *nf* excuse *f*; **pedir ~s a/por** demander pardon à/pour

disculpar [diskul'par] *vt* pardonner; **disculparse** *vpr*: **~se (de/por)** s'excuser (de/pour)

discurrir [disku'rrir] *vt* échafauder ■ *vi* réfléchir; *(el tiempo)* s'écouler; **~ (por)** *(gente, río)* passer (par)

discurso [dis'kurso] *nm* discours *msg*; **pronunciar un ~** prononcer un discours; **~ de clausura** discours de clôture

discusión [disku'sjon] *nf* discussion *f*; **tener una ~** avoir une discussion

discutir [disku'tir] *vt* discuter ■ *vi* discuter; *(disputar)*: **~ (con)** se disputer (avec); **~ de política** discuter politique; **¡no discutas!** ne discute pas!

disecar [dise'kar] *vt (animal)* empailler; *(planta)* sécher

diseminar [disemi'nar] *vt* éparpiller; *(fig)* répandre

diseñar [dise'ɲar] *vt* créer

diseño [di'seɲo] *nm (Tec)* conception *f*; *(boceto)* ébauche *f*; *(Costura)* dessin *m*; **de ~ italiano** de création italienne; **traje/objetos de ~** costume *m*/objets *mpl* de créateur; **~ asistido por ordenador** conception assistée par ordinateur; **~ de modas** dessin de mode; **~ gráfico/industrial** conception graphique/industrielle

disfraz [dis'fraθ] *nm* déguisement *m*; *(fig)* prétexte *m*; **bajo el ~ de** sous le prétexte de

disfrazar [disfra'θar] *vt* déguiser; **disfrazarse** *vpr* se déguiser; **~se de** se déguiser en

disfrutar [disfru'tar] *vt* jouir de ■ *vi* prendre beaucoup de plaisir; **¡que disfrutes!** profites-en!; **~ de buena salud** jouir d'une bonne santé; **~ de la vida** profiter de la vie

disgregar [disɣre'ɣar] *vt (manifestantes)* disperser; *(familia, imperio)* diviser; **disgregarse** *vpr (muchedumbre)* se disperser; *(imperio, país)* se diviser

disgustar [disɣus'tar] *vt* déplaire à; **disgustarse** *vpr* être contrarié(e); *(dos personas)* s'accrocher; **estaba muy disgustado con ella/con el asunto** elle/l'affaire l'avait beaucoup contrarié

disgusto [dis'ɣusto] *nm* désagrément *m*; *(pesadumbre)* contrariété *f*; *(desgracia)* malheur *m*; *(riña)* accrochage *m*; **dar un ~ a algn** donner un choc à qn; **hacer algo a ~** faire qch à contre-cœur; **sentirse/estar a ~** se sentir/être mal à l'aise; **matar a algn a ~s** faire mourir qn de chagrin; **llevarse un ~** avoir un choc

disidente [disi'ðente] *adj, nm/f* dissident(e)

disimular [disimu'lar] *vt* dissimuler ■ *vi* faire comme si de rien n'était

disipar [disi'par] *vt* dissiper; *(fortuna)* dilapider; **disiparse** *vpr* se dissiper

dislocar [dislo'kar] *vt (articulación)* déboîter; *(hechos)* déformer; **dislocarse** *vpr* se déboîter

disminución [disminu'θjon] *nf* diminution *f*; **ir en ~** aller en diminuant

disminuido, -a [disminu'iðo, a] *nm/f*: **~ mental/físico** handicapé(e) mental(e)/physique

disminuir [disminu'ir] *vt (gastos, cantidad, dolor)* diminuer; *(temperatura, velocidad, población)* réduire ■ *vi (días, población, número)* diminuer; *(precios, temperatura, memoria)* baisser; *(velocidad)* décroître

disociarse [diso'θjarse] *vpr*: **~ (de)** se dissocier (de)

disolver [disol'βer] *vt* dissoudre; *(manifestación)* disperser; *(contrato)* dénoncer; **disolverse** *vpr* se dissoudre; *(manifestantes)* se disperser

dispar [dis'par] *adj (distinto)* distinct(e); *(irregular)* inégal(e)

disparar [dispa'rar] *vt, vi* tirer; **dispararse** *vpr (precios)* monter en flèche; *(persona: al hablar o actuar)* s'emporter; **se disparó el arma** le coup de feu est parti tout seul

disparate [dispa'rate] *nm* bêtise *f*; (*error*) absurdité *f*; **decir ~s** dire des bêtises; **¡qué ~!** quelle imprudence!

disparo [dis'paro] *nm* tir *m*; **disparos** *nmpl* (*tiroteo*) coups *mpl* de feu

dispensar [dispen'sar] *vt* dispenser; (*bienvenida*) souhaiter; **¡usted dispense!** je vous prie de m'excuser!; **~ a algn de hacer algo** dispenser qn de faire qch

dispersar [disper'sar] *vt* éparpiller; (*manifestación, fig*) disperser; (*Mil: enemigo*) mettre en déroute;
dispersarse *vpr* se disperser; (*luz*) se répandre

disponer [dispo'ner] *vt* disposer; (*mandar*) ordonner ■ *vi*: **~ de** disposer de; **disponerse** *vpr*: **~se a** o **para hacer** se disposer à faire; **la ley dispone que ... la** loi stipule que ...; **no puede ~ de esos bienes** il ne peut disposer librement de ces biens; **puede ~ de mí** vous pouvez disposer de moi

disponible [dispo'niβle] *adj* disponible; **no estar ~** ne pas être disponible

disposición [disposi'θjon] *nf* disposition *f*; **última ~** dernières volontés *fpl*; **~ para** (*aptitud*) dispositions *fpl* pour; **a (la) ~ de** à (la) disposition de; **a su ~** à votre disposition; **no estar en ~ de hacer** ne pas être en état de faire; **~ de ánimo** disposition d'esprit

dispositivo [disposi'tiβo] *nm* dispositif *m*; **~ de alimentación** silo *m*; **~ de almacenaje** (*Inform*) unité *f* de stockage; **~ de seguridad** dispositif de sécurité; **~ intrauterino** dispositif intra-utérin; **~ periférico** (*Inform*) périphérique *m*; **~ policial** dispositif policier

dispuesto, -a [dis'pwesto, a] *pp de* **disponer** ■ *adj* (*preparado*) préparé(e); (*capaz*) capable; **estar ~/poco ~ a hacer** être disposé(e)/peu disposé(e) à faire

disputar [dispu'tar] *vt* (*Deporte, premio, derecho*) disputer ■ *vi* discuter; **disputarse** *vpr* se disputer; **~ por** disputer

disquetera [diske'tera] *nf* (*Inform*) lecteur *m* de disquette

distancia [dis'tanθja] *nf* distance *f*; (*en el tiempo*) écart *m*; (*entre opiniones*) différence *f*; **a ~** à distance; **a gran** o **a larga ~** à grande distance; **¿a qué ~ está?** c'est à quelle distance?; **a 20 m de ~** à 20 m de distance; **guardar las ~s** garder ses distances; **~ de seguridad** (*Auto*) distance de sécurité; **~ focal** distance focale

distanciar [distan'θjar] *vt* distancer; (*amigos, hermanos*) éloigner; **distanciarse** *vpr* (*enemistarse*) se distancier; **~se (de)** (*alejarse*) s'éloigner (de)

distante [dis'tante] *adj* distant(e)

distar [dis'tar] *vi*: **dista 5 kms de aquí** c'est à 5 km d'ici; **no dista mucho de aquí** ce n'est pas très loin d'ici; **dista mucho de la verdad** c'est loin d'être vrai

diste ['diste], **disteis** ['disteis] *vb ver* **dar**

distensión [disten'sjon] *nf* détente *f*

distinción [distin'θjon] *nf* distinction *f*; **a ~ de** à la différence de; **sin ~ de** sans distinction de; **no hacer distinciones** ne pas faire de distinction

distinguido, -a [distin'giðo, a] *adj* distingué(e)

distinguir [distin'gir] *vt* distinguer ■ *vi*: **~ (entre)** distinguer (entre); **distinguirse** *vpr* se distinguer; **~ X de Y** distinguer X de Y; **a lo lejos no se distingue** de loin cela ne se voit pas

distintivo, -a [distin'tiβo, a] *adj* distinctif(-ive) ■ *nm* (*insignia*) insigne *m*; (*fig*) point *m* fort

distinto, -a [dis'tinto, a] *adj*: **~ (a** o **de)** distinct(e) (de); **distintos** (*varios*) plusieurs *mpl*

distracción [distrak'θjon] *nf* distraction *f*

distraer [distra'er] *vt* distraire; (*fondos*) détourner ■ *vi* distraire; **distraerse** *vpr* (*entretenerse*) se distraire; (*perder la concentración*) être distrait(e); **~ a algn de su pensamiento** tirer qn de ses pensées

distraído, -a [distra'iðo, a] *adj* distrait(e); (*entretenido*) amusé(e); (*que entretiene*) amusant(e) ■ *nm*: **hacerse el ~** faire la sourde oreille; **con aire ~** d'un air distrait; **me miró distraída** elle m'a regardé distraitement

distribuidor, a [distriβui'ðor, a] *nm/f* (*persona*) distributeur(-trice) ■ *nf* (*Com*) concessionnaire *m*; (*Cine*) distributeur *m*; **su ~ habitual** votre concessionnaire habituel

distribuir [distriβu'ir] *vt* (*riqueza, beneficio*) répartir; (*cartas, trabajo*) distribuer; (*Arq*) concevoir

distrito [dis'trito] *nm* district *m*; **~ electoral** circonscription *f* électorale; **~ judicial** district; **~ postal** secteur *m* postal; **~ universitario** ≈ académie *f*

disturbio [dis'turβjo] *nm* troubles *mpl*; **~s callejeros** agitations *fpl* de rue; **~ de orden público** trouble *m* de l'ordre public

disuadir [diswa'ðir] vt: ~ (de) dissuader (de); ~ **a algn de hacer** dissuader qn de faire

disuelto [di'swelto] pp de **disolver**

disyuntiva [disjun'tiβa] nf alternative f

DIU ['diu] sigla m (= dispositivo intrauterino) stérilet m

diurno, -a ['djurno, a] adj de jour; (Zool) diurne

divagar [diβa'ɣar] vi divaguer

diván [di'βan] nm divan m

divergencia [diβer'xenθja] nf divergence f

diversidad [diβersi'ðað] nf diversité f

diversificar [diβersifi'kar] vt diversifier; **diversificarse** vpr se diversifier

diversión [diβer'sjon] nf distraction f

diverso, -a [di'βerso, a] adj (variado) varié(e); (diferente) distinct(e) ■ nm: ~s (Com) articles mpl divers; ~s libros plusieurs livres; ~s colores couleurs fpl variées

divertido, -a [diβer'tiðo, a] adj amusant(e); (fiesta) réussi(e); (película, libro) divertissant(e)

divertir [diβer'tir] vt amuser; **divertirse** vpr s'amuser

dividendo [diβi'ðendo] nm (Com): ~s dividendes mpl; ~ **definitivo** superdividende m; ~s **por acción** taux mpl de rendement d'une action

dividir [diβi'ðir] vt partager; (separar) séparer; (partido, opinión pública) diviser; (Mat): ~ (**por** o **entre**) diviser (par) ■ vi (Mat) diviser; **dividirse** vpr se diviser

divierta etc [di'βjerta] vb ver **divertir**

divino, -a [di'βino, a] adj (Rel, fam) divin(e)

divirtiendo etc [diβir'tjendo] vb ver **divertir**

divisa [di'βisa] nf devise f; **divisas** nfpl (Com) devises fpl; **control/mercado de** ~s contrôle m/marché m des changes

divisar [diβi'sar] vt deviner

división [diβi'sjon] nf division f; (de herencia) partage m

divorciar [diβor'θjar] vt prononcer le divorce de; **divorciarse** vpr: ~se (**de**) divorcer (de)

divorcio [di'βorθjo] nm divorce m

divulgar [diβul'ɣar] vt divulguer; (popularizar) vulgariser

DNI (Esp) sigla m (= Documento Nacional de Identidad) ver **documento**

Dña. abr (= Doña) Mme (= Madame)

do [do] nm (Mús) do m

dobladillo [doβla'ðiʎo] nm ourlet m

doblar [do'βlar] vt plier; (cantidad, Cine) doubler ■ vi (campana) sonner le glas;

doblarse vpr se plier; ~ **la esquina** tourner au coin de la rue; ~ **a la derecha/izquierda** tourner à droite/gauche; ~**le en edad a algn** avoir le double de l'âge de qn

doble ['doβle] adj double ■ nm: **el** ~ le double ■ nm/f (Teatro, Cine) double m; **dobles** nmpl (Deporte): **partido de** ~s double msg; ~ **o nada** quitte ou double; **a** ~ **página** à double page; **con** ~ **sentido** à double sens; **es tu** ~ c'est ton sosie; **su sueldo es el** ~ **del mío** il gagne deux fois plus que moi; **trabaja el** ~ **que tú** il travaille deux fois plus que toi; ~ **cara/densidad** (Inform) double face f/densité f; ~ **espacio** espace m double

doblegar [doβle'ɣar] vt obliger; **doblegarse** vpr (ceder) se plier

doblez [do'βleθ] nm (pliegue) pli m ■ nf (falsedad) fausseté f

doce ['doθe] adj inv, nm inv douze m inv; **las** ~ midi, minuit; ver tb **seis**

docena [do'θena] nf douzaine f; **por** ~s (fig) par douzaines

docente [do'θente] adj: **centro/personal** ~ centre m/personnel m d'enseignement; **cuerpo** ~ corps msg enseignant

dócil ['doθil] adj docile

doctor, a [dok'tor, a] nm/f (médico) médecin m; (Univ) docteur m; ~ **en filosofía** docteur en philosophie

doctorado [dokto'raðo] nm doctorat m

doctrina [dok'trina] nf doctrine f

documentación [dokumenta'θjon] nf documentation f

documental [dokumen'tal] adj, nm documentaire m

documento [doku'mento] nm (certificado) justificatif m; (histórico) document m; (fig: testimonio) témoignage m; **documentos** nmpl (de identidad) papiers mpl; ~ **justificativo** justificatif; **D**~ **Nacional de Identidad** carte f d'identité

○ **DOCUMENTO NACIONAL DE**
○ **IDENTIDAD**
○
○ Le Documento Nacional de Identidad,
○ appelé également DNI ou "carnet de
○ identidad" est la carte d'identité
○ nationale espagnole, comportant
○ la photographie, l'état civil et les
○ empreintes digitales du titulaire.
○ Comme en France, il faut toujours en
○ être muni et le présenter à la police en
○ cas de contrôle.

dólar ['dolar] *nm* dollar *m*

doler [do'ler] *vi* faire mal; (*fig*) peiner; **dolerse** *vpr* se plaindre; (*de las desgracias ajenas*) compatir; **me duele el brazo** mon bras me fait mal; **esta inyección no duele** cette piqûre ne fait pas mal; **no me duele el dinero** ce n'est pas l'argent qui compte; **¡ahí le duele!** (*fig*) c'est donc ça!

dolor [do'lor] *nm* douleur *f*; **~ agudo/ sordo** douleur aiguë/sourde; **~ de cabeza** mal *m* de tête; **~ de estómago** maux *mpl* d'estomac; **~ de muelas** mal de dents; **~ de oídos** maux d'oreilles

domar [do'mar] *vt* dompter

domesticar [domesti'kar] *vt* domestiquer

doméstico, -a [do'mestiko, a] *adj, nm/f* domestique *m/f*; **economía doméstica** économie *f* domestique

domiciliación [domiθilja'θjon] *nf*: **~ de pagos** virement *m* automatique

domicilio [domi'θiljo] *nm* domicile *m*; **servicio a ~** service *m* à domicile; **sin ~ fijo** sans domicile fixe; **~ particular** domicile particulier; **~ social** (*Com*) siège *m* social

dominante [domi'nante] *adj* dominant(e); (*persona*) dominateur(-trice)

dominar [domi'nar] *vt* dominer; (*adversario, caballo, idioma*) maîtriser; (*epidemia*) enrayer ■ *vi* dominer; **dominarse** *vpr* se dominer; **tener dominado a algn** tenir qn à sa merci

domingo [do'mingo] *nm* dimanche *m*; **D~ de Ramos/de Resurrección** dimanche des Rameaux/de Pâques; *ver tb* **sábado**

dominicano, -a [domini'kano, a] *adj* dominicain(e) ■ *nm/f* Dominicain(e)

dominio [do'minjo] *nm* domination *f*; (*territorio*) dominion *m*; (*de las pasiones, de idioma*) maîtrise *f*; **dominios** *nmpl* (*tierras*) domaine *msg*; **ser del ~ público** relever du domaine public

dominó [domi'no] *nm* domino *m*; (*juego*) dominos *mpl*

don [don] *nm* don *m*; (*tratamiento: con apellido*) Monsieur *m*; (*: sólo con nombre*) Don *m*, ≈ Monsieur; **D~ Juan Gómez** Monsieur Juan Gómez; **tener ~ de gentes** savoir s'y prendre avec les gens; **un ~ de la naturaleza** un don de la nature; **tener ~ de mando** être organisateur(-trice) dans l'âme; **tener un ~ para el dibujo/la música** être doué(e) pour le dessin/la musique

donar [do'nar] *vt* faire un don de; (*sangre*) donner

donativo [dona'tiβo] *nm* don *m*

doncella [don'θeʎa] *nf* (*criada*) bonne *f*

donde ['donde] *adv* où ■ *prep*: **el coche está allí ~ el farol** la voiture est là-bas, près du réverbère; (*fam*): **se fue ~ sus tíos** il est allé chez ses tíos; **por ~** par où; **a/ en ~** où; **~ sea** où que ce soit; **está ~ el médico** il est chez le médecin

dónde ['donde] *adv* où; **¿a ~ vas?** où vas-tu?; **¿de ~ vienes?** d'où viens-tu?; **¿en ~?** où?; **¿por ~?** par où?; **¿hasta ~?** jusqu'où?

dondequiera [donde'kjera] *adv* n'importe où ■ *conj*: **~ que** où que

doña ['doɲa] *nf* (*tratamiento: con apellido*) Madame *f*; (*: sólo con nombre*) Doña *f*, ≈ Madame

dorado, -a [do'raðo, a] *adj* doré(e) ■ *nm* dorure *f*

dormir [dor'mir] *vt* endormir ■ *vi* dormir; **dormirse** *vpr* s'endormir; **~ la siesta** faire la sieste; **se me ha dormido el brazo/la pierna** j'ai eu des fourmis dans le bras/la jambe; **~la** *o* **~ la mona** (*fam*) cuver son vin; **~ como un lirón/ tronco** dormir comme un loir/une souche; **~ a pierna suelta** avoir un sommeil de plomb; **~ con algn** (*eufemismo*) coucher avec qn; **~se en los laureles** s'endormir sur ses lauriers; **quedarse dormido** être endormi(e); **estar medio dormido** être à moitié endormi(e)

dormitar [dormi'tar] *vi* somnoler

dormitorio [dormi'torjo] *nm* chambre *f*; (*en una residencia*) dortoir *m*

dorsal [dor'sal] *adj* dorsal(e) ■ *nm* (*Deporte*) dossard *m*

dorso ['dorso] *nm* dos *m*; **escribir algo al ~** écrire qch au dos; **"véase al ~"** "voir au dos"

DOS [dos] sigla m (= sistema operativo de disco) DOS msg (= Disc-Operating System)

dos [dos] adj inv, nm inv deux inv; **los ~** les deux; **cada ~ por tres** toutes les trente secondes; **de ~ en ~** deux par deux; **~ piezas** deux-pièces m inv; **estar a ~** (Tenis) faire un double; ver tb **seis**

doscientos, -as [dos'θjentos, as] adj deux cents; ver tb **seiscientos**

dosis ['dosis] nf inv dose f

dotado, -a [do'taðo, a] adj doué(e); **~ de** doté(e) de

dotar [do'tar] vt équiper; **~ de o con** (proveer: de inteligencia, simpatía) douer de; (: de dinero) allouer; (: de personal, maquinaria) doter de

dote ['dote] nf dot f; **dotes** nfpl (aptitudes) dons mpl

doy [doj] vb ver **dar**

dragar [dra'ɣar] vt draguer

drama ['drama] nm drame m

dramático, -a [dra'matiko, a] adj dramatique; **obra dramática** œuvre f dramatique

dramaturgo, -a [drama'turɣo, a] nm/f dramaturge m/f

drástico, -a ['drastiko, a] adj drastique

drenaje [dre'naxe] nm drainage m

droga ['droɣa] nf drogue f; **~ dura/ blanda** drogue dure/douce; **el problema de la ~** le problème de la drogue

drogadicto, -a [droɣa'ðikto, a] nm/f drogué(e)

droguería [droɣe'ria] nf droguerie f

ducha ['dutʃa] nf douche f; **darse una ~** prendre une douche

ducharse [du'tʃarse] vpr se doucher

duda ['duða] nf doute m; **sin ~** sans aucun doute; **¡sin ~!** sûrement!; **no cabe ~** il n'y a pas de doute; **no le quepa ~** cela va de soi; **poner algo en ~** mettre qch en doute; **para salir de ~s** pour en avoir le cœur net; **¿alguna ~?** des questions?; **tengo mis ~s** je n'en suis pas si sûr(e)

dudar [du'ðar] vt, vi douter; **~ (de)** douter (de); **dudó entre ...** il a hésité entre ...; **dudó si comprarlo o no** il a hésité à l'acheter; **dudo que sea cierto** je crains que ce ne soit pas vrai

dudoso, -a [du'ðoso, a] adj douteux(-euse)

duelo ['dwelo] vb ver **doler** ■ nm duel m; (ceremonia) deuil m; **batirse en ~** se battre en duel

duende ['dwende] nm lutin m; **tiene ~** (en flamenco) elle a de la classe

dueño, -a ['dweɲo, a] nm/f (propietario) propriétaire m/f; (empresario) patron(ne);

ser **~ de sí mismo** être maître de soi; **eres (muy) ~ de hacer como te parezca** tu es libre de faire comme bon te semblera; **hacerse ~ de una situación** se rendre maître de la situation

duerma etc ['dwerma] vb ver **dormir**

dulce ['dulθe] adj doux (douce) ■ nm gourmandise f; (pastel) douceur f; **~ de almíbar** fruit m confit

dulzura [dul'θura] nf douceur f; **con ~** avec douceur

duna ['duna] nf dune f

duplicar [dupli'kar] vt (llave, documento) faire un double de; (cantidad) doubler; **duplicarse** vpr se multiplier par deux

duque ['duke] nm duc m

duquesa [du'kesa] nf duchesse f

duración [dura'θjon] nf durée f; (de máquina) durée de vie; **de larga ~** (enfermedad) de longue durée; (pila, disco) longue durée; **de corta ~** de courte durée

duradero, -a [dura'ðero, a] adj (material) résistant(e); (fe, paz) durable

durante [du'rante] adv pendant; **~ toda la noche** pendant toute la nuit; **habló ~ una hora** il a parlé pendant une heure

durar [du'rar] vi durer; (persona: en cargo) rester

durazno [du'raθno] (AM) nm pêche f; (árbol) pêcher m

durex® ['dureks] (AM) nm scotch® m

dureza [du'reθa] nf dureté f; (de clima) rigueur f; (callosidad) callosité f

duro, -a ['duro, a] adj dur(e) ■ adv dur ■ nm pièce f de cinq pesetas; **a duras penas** à grand-peine; **estar ~** être dur(e); **un tipo ~** un dur; **el sector ~ del partido** la faction dure du parti; **ser ~ con algn** être dur(e) avec qn; **~ de mollera** (torpe) dur(e) à la détente; **~ de oído** dur(e) d'oreille; **es ~ de pelar** il faut se le farcir; **trabajar ~** travailler dur; **estar sin un ~** être sans le sou

DVD [deβ'de] sigla m (= disco de vídeo digital) DVD m (= digital versatile disc)

e

E *abr* (= *este*) E (= *est*)

e [e] *conj* (*delante de i- e hi-, pero no hie-*) et; *ver tb* **y**

e/ *abr* (Com) = **envío**

ebanista [eβa'nista] *nm/f* ébéniste *m/f*

ébano ['eβano] *nm* ébène *m*

ebrio, -a ['eβrjo] *adj* ivre

ebullición [eβuʎi'θjon] *nf* ébullition *f*; **punto de ~** point *m* d'ébullition

eccema [ek'θema] *nm* eczéma *m*

echar [e'tʃar] *vt* (*lanzar*) jeter; (*verter*) verser; (*gasolina, carta, freno*) mettre; (*sal, especias*) ajouter; (*comida*) servir; (*dientes*) pousser; (*expulsar*) mettre dehors; (*empleado*) renvoyer; (*hojas*) pousser; (*despedir: humo*) rejeter; (: *agua*) cracher; (*reprimenda*) faire; (*cerrojo*) fermer; (*película*) passer ∎ *vi*: **~ a andar/volar/correr** se mettre à marcher/voler/courir; **echarse** *vpr* s'allonger; **~ a cara o cruz algo** jouer qch à pile ou face; **~ la buenaventura a algn** dire la bonne aventure à qn; (*echar las cartas a algn*) tirer les cartes à qn; **~ cuentas** faire ses comptes; **~ la culpa a** accuser; **~ chispas** jeter des éclairs;

~ por tierra s'écrouler; **~ de menos** regretter; **la echo de menos** elle me manque; **~ mano a** mettre la main sur; **~ a suertes** décider à pile ou face; **~se atrás** se pencher en arrière; (*fig*) se dédire; **~se a llorar/reír/temblar** se mettre à pleurer/rire/trembler; **~se novia/novio** se fiancer; **~se a perder** (*alimento*) se gâter; (*persona*) dégénérer

eclesiástico, -a [ekle'sjastiko, a] *adj* ecclésiastique ∎ *nm* ecclésiastique *m*

eclipse [e'klipse] *nm* éclipse *f*

eco ['eko] *nm* écho *m*; **encontrar un ~ en** trouver un écho dans; **hacerse ~ de una opinión** se faire l'écho d'une opinion; **tener ~** faire écho

ecología [ekolo'xia] *nf* écologie *f*

ecológico, -a [eko'loxiko, a] *adj* écologique

ecologista [ekolo'xista] *adj, nm/f* écologiste *m/f*

economato [ekono'mato] *nm* économat *m*

economía [ekono'mia] *nf* économie *f*; (*de empresa*) situation *f* économique; **hacer ~s** faire des économies; **~s de escala** économies d'échelle; **~ de mercado** économie de marché; **~ dirigida/doméstica/mixta/sumergida** économie dirigée/nationale/mixte/souterraine

económico, -a [eko'nomiko, a] *adj* économique; (*persona*) économe

economista [ekono'mista] *nm/f* économiste *m/f*

ecotasa [eko'tasa] *nf* éco-taxe *f*

ecu ['eku] *nm* écu *m*

ecuación [ekwa'θjon] *nf* équation *f*

ecuador [ekwa'ðor] *nm* équateur *m*; **(el) E~** (l')Équateur

ecuánime [e'kwanime] *adj* (*carácter*) juste; (*juicio*) impartial(e)

ecuatoriano, -a [ekwato'rjano, a] *adj* équatorien(ne) ∎ *nm/f* Équatorien(ne)

ecuestre [e'kwestre] *adj* équestre

eczema [ek'θema] *nm* = **eccema**

edad [e'ðað] *nf* âge *m*; **¿qué ~ tienes?** quel âge as-tu?; **tiene ocho años de ~** il a huit ans; **de corta ~** en culottes courtes; **ser de mediana ~** être d'âge mûr; **ser de ~ avanzada** être âgé(e); **ser mayor/menor de ~** être majeur/mineur; **(no) estar en ~ de algo** (ne pas) être en âge de faire qch; **la E~ Media** le Moyen Âge; **tercera ~** troisième âge; **la ~ del pavo** l'âge ingrat; **E~ de Hierro/Piedra** âge de fer/de pierre

edición [eði'θjon] *nf* édition *f*; **"al cerrar la ~"** (*Tip*) "nouvelles de dernière heure"; **última ~** dernière édition

edificar [edifi'kar] *vt* édifier

edificio [eði'fiθjo] *nm* édifice *m*, bâtiment *m*; **~ público** bâtiment public

editar [eði'tar] *vt* éditer; (*preparar textos*) mettre en page

editor, a [eði'tor, a] *nm/f* éditeur(-trice); (*redactor*) rédacteur(-trice) ■ *adj*: **casa ~a** maison d'édition

editorial [eðito'rjal] *adj* éditorial(e) ■ *nm* éditorial *m* ■ *nf* (*tb*: **casa editorial**) maison f d'édition

edredón [eðre'ðon] *nm* couette *f*

educación [eðuka'θjon] *nf* éducation *f*; **ser de buena/mala ~** être bien/mal élevé(e); **sin ~** sans aucune éducation; **¡qué falta de ~!** quel manque d'éducation!

educar [eðu'kar] *vt* éduquer

EE.UU. *sigla mpl* (= *Estados Unidos*) EU *mpl* (= *États-Unis*), US(A) *mpl* (= *United States (of America)*)

efectista [efek'tista] *adj* spectaculaire

efectivamente [efekti'βamente] *adv* effectivement

efectivo, -a [efek'tiβo, a] *adj* effectif(-ive) ■ *nm*: **en ~** (*Com*) en espèces; **efectivos** *nmpl* (*de policía, ejército*) effectifs *mpl*; **hacer ~ un cheque** encaisser un chèque

efecto [e'fekto] *nm* (*tb Deporte*) effet *m*; **efectos personales** (*tb*: **efectos personales**) effets *mpl*; (*Com*) actif *m*; (*Econ*) valeurs *fpl*; **hacer o surtir ~** (*medida*) avoir de l'effet; (*medicamento*) faire de l'effet; **hacer o causar ~** faire de l'effet; **al o a tal ~** à cet effet; **a ~s de** à des fins de; **en ~** en effet; **tener ~** avoir lieu; **~s a cobrar** effets à recevoir; **~s especiales** effets spéciaux; **~s secundarios** (*Med*) effets secondaires; (*Com*) retombées *fpl*; **~s sonoros** effets de son

efectuar [efek'twar] *vt* effectuer; **efectuarse** *vpr* avoir lieu

eficacia [efi'kaθja] *nf* efficacité *f*

eficaz [efi'kaθ] *adj* efficace

eficiente [efi'θjente] *adj* efficace

efusivo, -a [efu'siβo, a] *adj* expansif(-ive); **mis más efusivas gracias** mes plus vifs remerciements

EGB *sigla f* (*Esp*: = *Educación General Básica*) enseignement primaire et premier cycle de l'enseignement secondaire

egipcio, -a [e'xipθjo, a] *adj* égyptien(ne) ■ *nm/f* Égyptien(ne)

Egipto [e'xipto] *nm* Egypte *f*

egoísmo [eɣo'ismo] *nm* égoïsme *m*

egoísta [eɣo'ista] *adj, nm/f* égoïste *m/f*

Eire ['eire] *nm* Eire *f*

ej. *abr* (= *ejemplo*) ex. (= *exemple*)

eje ['exe] *nm* axe *m*

ejecución [exeku'θjon] *nf* exécution *f*; (*Jur*) saisie *f*; **poner en ~** (*plan*) mettre à exécution

ejecutar [exeku'tar] *vt* exécuter; (*Jur*) saisir

ejecutivo, -a [exeku'tiβo, a] *adj* exécutif(-ive) ■ *nm/f* exécutif *m*; **el ~** l'exécutif; **el poder ~** le pouvoir exécutif

ejemplar [exem'plar] *adj* exemplaire ■ *nm* (*Zool etc*) spécimen *m*; (*de libro, periódico*) exemplaire *m*; **~ de regalo** exemplaire offert à titre gracieux

ejemplo [e'xemplo] *nm* exemple *m*; **por ~** par exemple; **dar ~** donner l'exemple

ejercer [exer'θer] *vt* exercer ■ *vi*: **~ de** exercer le métier de

ejercicio [exer'θiθjo] *nm* exercice *m*; **hacer ~** prendre de l'exercice; **~ acrobático** (*Aviat*) exercice acrobatique; **~ comercial** exercice; **~s espirituales** retraite *fsg*

ejército [e'xerθito] *nm* armée *f*; **entrar en el ~** entrer dans l'armée; **~ de ocupación** troupes *fpl* d'occupation; **E~ de Tierra/del Aire** armée de terre/de l'air

ejote [e'xote] (*AM*) *nm* haricot *m* vert

○ **PALABRA CLAVE**

el [el] (*f* **la**, *pl* **los** *o* **las**) *art def* **1** le, la, les; **el libro/la mesa/los estudiantes/las flores** le livre/la table/les étudiants/les fleurs; **el amor/la juventud** l'amour/la jeunesse; **me gusta el fútbol** j'aime le football; **está en la cama** il est au lit
2: **romperse el brazo** se casser le bras; **levantó la mano** il leva la main; **se puso el sombrero** il mit son chapeau
3 (*en descripción*): **tener la boca grande/los ojos azules** avoir une grande bouche/les yeux bleus
4 (*con días*): **me iré el viernes** je m'en irai vendredi; **los domingos suelo ir a nadar** le dimanche je vais nager
5 (*en exclamación*): **¡el susto que me diste!** tu m'as fait une de ces peurs!
■ *pron* **demos**: **mi libro y el de usted** mon livre et le vôtre; **las de Pepe son mejores** celles de Pepe sont mieux; **no la(s) blanca(s) sino la(s) gris(es)** pas la(les) blanche(s), la(les) grise(s)
■ *pron rel* **1**: **el/la/los/las que** (*sujeto*) celui/celle/ceux/celles qui; (: *objeto*)

celui/celle/ceux/celles que; **el/la que quiera que se vaya** que celui/celle qui le veut s'en aille; **el que sea** n'importe qui; **llévese el que más le guste** emportez celui que vous préférez; **el que compré ayer** celui que j'ai acheté hier; **la que está debajo** celle qui est dessous
2: **el/la/los/las que** (con preposición) lequel/laquelle/lesquels/lesquelles; **la persona con la que hablé** la personne avec laquelle j'ai parlé
■ conj: **el que sea tan vago me molesta** ça m'ennuie qu'il soit si paresseux

él [el] pron pers (sujeto) il; (con preposición) lui; **para él** pour lui; **es él** c'est lui
elaborar [elaβo'rar] vt élaborer; (madera etc) travailler
elasticidad [elastiθi'ðað] nf élasticité f
elástico, -a [e'lastiko, a] adj, nm élastique m
elección [elek'θjon] nf élection f; (selección) choix m; (alternativa) alternative f; **elecciones** nfpl élections fpl; **elecciones generales** élections
electorado [elekto'raðo] nm électorat m
electricidad [elektriθi'ðað] nf électricité f
electricista [elektri'θista] nm/f électricien(ne)
eléctrico, -a [e'lektriko, a] adj électrique
electro... [elektro] pref électro...
electrocardiograma [elektrokarðjo'ɣrama] nm électrocardiogramme m
electrocutar [elektroku'tar] vt électrocuter; **electrocutarse** vpr s'électrocuter
electrodo [elek'troðo] nm électrode f
electrodoméstico [elektroðo'mestiko] nm électroménager m
electromagnético, -a [elektromaɣ'netiko, a] adj électromagnétique
electrónica [elek'tronika] nf électronique f
electrónico, -a [elek'troniko, a] adj électronique; **proceso ~ de datos** (Inform) traitement m électronique des données
elefante [ele'fante] nm éléphant m
elegancia [ele'ɣanθja] nf élégance f
elegante [ele'ɣante] adj (de buen gusto) élégant(e); (fino) raffiné(e); **estar o ir ~** être élégant(e)
elegir [ele'xir] vt choisir; (por votación) élire

elemental [elemen'tal] adj élémentaire
elemento [ele'mento] nm élément m; (AM: fam) type m; **elementos** nmpl (de una ciencia) rudiments mpl; (de la naturaleza) éléments mpl; **estar en su ~** être dans son élément; **~s de juicio** éléments de jugement; **¡menudo ~!** bon à rien!
elepé [ele'pe] (pl ~s) nm 33 tours m inv
elevación [eleβa'θjon] nf élévation f
elevar [ele'βar] vt élever; (producción) augmenter; **elevarse** vpr s'élever; **~se a** s'élever à
eligiendo etc [eli'xjenðo] vb ver **elegir**
elija etc [e'lixa] vb ver **elegir**
eliminar [elimi'nar] vt éliminer; (Med) enlever; (Inform) supprimer
eliminatoria [elimina'torja] nf épreuve f éliminatoire; (Deporte) éliminatoires mpl
élite ['elite] nf élite f
ella ['eʎa] pron elle; **de ~** à elle
ellas ['eʎas] pron ver **ellos**
ello ['eʎo] pron cela; **es por ~ que ...** c'est pour cela que ...
ellos, -as ['eʎos, as] pron ils (elles); (después de prep) eux (elles); **de ~** à eux (elles)
elocuencia [elo'kwenθja] nf éloquence f
elogiar [elo'xjar] vt louer
elogio [e'loxjo] nm éloge m; **hacer ~s a o de** faire l'éloge de; **deshacerse en ~s** ne pas tarir d'éloges
elote [e'lote] (AM) nm épi m de maïs
eludir [elu'ðir] vt (deber) faillir à; (responsabilidad) rejeter; (justicia) se soustraire à; (respuesta) éluder
email ['imeil] (pl ~s) nm mail m, e-mail m; **mandar un ~ a algn** envoyer un mail à qn
emanar [ema'nar] vi: **~ de** émaner de; (situación) découler de
emancipar [emanθi'par] vt affranchir; **emanciparse** vpr s'émanciper; (siervo) s'affranchir
embadurnar [embaður'nar] vt: **~ (de)** badigeonner (de); **embadurnarse** vpr: **~se (de)** se badigeonner (de)
embajada [emba'xaða] nf ambassade f; (mensaje) dépêche f
embajador, a [embaxa'ðor, a] nm/f ambassadeur(-drice)
embaladura [embala'ðura] (AM) nf, **embalaje** [emba'laxe] nm emballage m
embalar [emba'lar] vt emballer; **embalarse** vpr s'emballer
embalsamar [embalsa'mar] vt embaumer

embalse [em'balse] nm réservoir m
embarazada [embara'θaða] adj f
enceinte ▪ nf femme f enceinte
embarazo [embara'raθo] nm (de mujer)
grossesse f; (estorbo, vergüenza)
embarras m
embarazoso, -a [embara'θoso, a] adj
embarrassant(e)
embarcación [embarka'θjon] nf
embarcation f; ~ de arrastre chalutier m
embarcadero [embarka'ðero] nm
embarcadère m
embarcar [embar'kar] vt embarquer;
embarcarse vpr s'embarquer; ~ a algn
en una empresa (fig) embarquer qn dans
une affaire; ~(se) en (AM: tren, avión)
monter dans
embargar [embar'ɣar] vt (Jur) saisir;
me embargaba la emoción l'émotion
m'envahissait
embargo [em'barɣo] nm (Jur) saisie f;
(Com, Pol) embargo m; sin ~ cependant
embargue etc [em'barɣe] vb ver
embargar
embarque [em'barke] vb ver embarcar
▪ nm embarquement m; tarjeta/sala de
~ carte f/salle f d'embarquement
embaucar [embau'kar] vt enjôler
embeber [embe'βer] vt boire ▪ vi (tela)
rétrécir; **embeberse** vpr: ~se en (en
libro, etc) se plonger dans
embellecer [embeʎe'θer] vt embellir;
embellecerse vpr embellir
embestida [embes'tiða] nf charge f
embestir [embes'tir] vt charger ▪ vi
charger; (olas) rugir
emblema [em'blema] nm emblème m
embobado, -a [embo'βaðo, a] adj
bouche bée
embolia [em'bolja] nf embolie f;
~ cerebral embolie cérébrale
émbolo ['embolo] nm piston m
embolsarse [embol'sarse] vpr
empocher
emborrachar [emborra'tʃar] vt soûler;
emborracharse vpr se soûler
emboscada [embos'kaða] nf
embuscade f
embotar [embo'tar] vt (sentidos)
émousser; (facultades) diminuer
embotellamiento [emboteʎa'mjento]
nm embouteillage m
embotellar [embote'ʎar] vt mettre en
bouteille; (tráfico) embouteiller;
embotellarse vpr être embouteillé(e)
embrague [em'braɣe] nm embrayage m
embriagar [embrja'ɣar] vt soûler; (fig)
griser; **embriagarse** vpr se soûler

embrión [em'brjon] nm embryon m;
en ~ (proyecto) à l'état embryonnaire
embrollar [embro'ʎar] vt embrouiller;
embrollarse vpr s'embrouiller
embrollo [em'broʎo] nm
enchevêtrement m; (fig: lío) beaux draps
mpl
embrujado, -a [embru'xaðo, a] adj
ensorcelé(e)
embrutecer [embrute'θer] vt abrutir;
embrutecerse vpr s'abrutir
embudo [em'buðo] nm entonnoir m
embuste [em'buste] nm mensonge m
embustero, -a [embus'tero, a] adj, nm/f
menteur(-euse)
embutido [embu'tiðo] nm (Culin)
charcuterie f; (Tec) emboutissage m
emergencia [emer'xenθja] nf urgence f;
(surgimiento) émergence f
emerger [emer'xer] vi émerger
emigración [emiɣra'θjon] nf (de
personas) émigration f; (de pájaros)
migration f; la ~ (emigrantes)
l'émigration
emigrante [emi'ɣrante] adj qui émigre
▪ nm/f émigrant(e)
emigrar [emi'ɣrar] vi (personas) émigrer;
(pájaros) migrer
eminencia [emi'nenθja] nf: ser una ~
(en algo) être un génie (en qch); (en
títulos): Su/Vuestra E~ (Rel) Son/Votre
Eminence
eminente [emi'nente] adj éminent(e)
emisario [emi'sarjo] nm émissaire m
emisión [emi'sjon] nf émission f; ~ de
acciones/de valores (Com) émission
d'actions/de titres; ~ gratuita de
acciones (Com) émission prioritaire
emisor, a [emi'sor, a] nm émetteur m
▪ nf station f d'émission
emitir [emi'tir] vt émettre; (voto)
exprimer; ~ una señal sonora émettre
un signal sonore
emoción [emo'θjon] nf (excitación)
excitation f; (sentimiento) émotion f;
¡qué ~! quelle émotion!
emocionante [emoθjo'nante] adj
excitant(e); (conmovedor) émouvant(e)
emocionar [emoθjo'nar] vt exciter;
(conmover, impresionar) émouvoir;
emocionarse vpr s'émouvoir
emotivo, -a [emo'tiβo, a] adj (escena)
émouvant(e); (persona) émotif(-ive)
empadronarse [empaðro'narse] vpr
se faire recenser
empalagoso, -a [empala'ɣoso, a] adj
(alimento) écœurant(e); (fig: persona)
mielleux(-euse); (: estilo) à l'eau de rose

empalmar [empal'mar] vt (cable) rallonger; (carretera) rejoindre; (sesión) prolonger ■ vi (dos caminos) se rejoindre; ~ **con** (tren) assurer la correspondance avec

empalme [em'palme] nm (Tec) jointure f; (de carreteras) croisement m; (de trenes) correspondance f

empanada [empa'naða] nf sorte de chausson salé fourré de tomates, viande etc

empantanarse [empanta'narse] vpr être inondé(e); (fig) être dans une impasse

empañar [empa'ɲar] vt embuer; **empañarse** vpr s'embuer

empapar [empa'par] vt mouiller; (suj: toalla, esponja etc) absorber; **empaparse** vpr: ~**se (de)** (persona) être trempé(e) (par); (esponja, comida) absorber

empapelar [empape'lar] vt tapisser

empaquetar [empake'tar] vt empaqueter

empastar [empas'tar] vt plomber

empaste [em'paste] nm plombage m

empatar [empa'tar] vi faire match nul ■ vt (Ven) assembler; **empataron a 1** il y a eu 1 partout; **estar empatados** (dos equipos) être à égalité

empate [em'pate] nm match m nul; **un ~ a cero** zéro partout

empecé etc [empe'θe], **empecemos** etc [empe'θemos] vb ver **empezar**

empedernido, -a [empeðer'niðo, a] adj invétéré(e)

empedrado, -a [empe'ðraðo, a] adj pavé(e) ■ nm (pavimento) pavement m

empeine [em'peine] nm (de pie) cou-de-pied m; (de zapato) empeigne m

empellón [empe'ʎon] nm coup m; **dar empellones a algn** rouer qn de coups; **abrirse paso a empellones** se frayer un chemin à coups de coude

empeñado, -a [empe'ɲaðo, a] adj (persona) endetté(e); (objeto) mis(e) en gage; ~ **en** (obstinado) déterminé(e) à

empeñar [empe'ɲar] vt mettre en gage; **empeñarse** vpr s'endetter; ~**se en hacer** s'acharner à faire

empeño [em'peɲo] nm acharnement m; (cosa prendada) gage m; **casa de ~s** établissement m de prêts sur gages, mont-de-piété m; **con ~** avec acharnement; **poner ~ en hacer algo** mettre de l'acharnement à faire qch; **tener ~ en hacer algo** être determiné(e) à faire qch

empeorar [empeo'rar] vt, vi empirer

empequeñecer [empekeɲe'θer] vt rapetisser; (fig) banaliser

emperador [empera'ðor] nm empereur m

emperatriz [empera'triθ] nf impératrice f

empezar [empe'θar] vt commencer ■ vi commencer; **empezó a llover** il a commencé à pleuvoir; **bueno, para ~** voyons, pour commencer; ~ **a hacer** commencer à faire; ~ **por (hacer)** commencer par (faire)

empiece etc [em'pjeθe] vb ver **empezar**

empiezo etc [em'pjeθo] vb ver **empezar**

empinar [empi'nar] vt redresser; **empinarse** vpr (persona) se mettre sur la pointe des pieds; (animal) se mettre sur ses pattes de derrière; (camino) grimper; ~ **el codo** (fam) lever le coude

empírico, -a [em'piriko, a] adj empirique

emplazamiento [emplaθa'mjento] nm emplacement m; (Jur) citation f

emplazar [empla'θar] vt construire; (Jur) citer à comparaître; (citar) citer

empleado, -a [emple'aðo, a] adj, nm/f employé(e); **le está bien** ~ c'est bien fait pour lui; **empleada del hogar** employée de maison; ~ **público** fonctionnaire m

emplear [emple'ar] vt employer; **emplearse** vpr: ~**se de** o **como** trouver un emploi de, se faire embaucher comme; ~ **mal el tiempo** mal gérer son temps

empleo [em'pleo] nm emploi m; **"modo de ~"** "mode d'emploi"

empobrecer [empoβre'θer] vt appauvrir; **empobrecerse** vpr s'appauvrir

empollar [empo'ʎar] vt, vi (Zool) couver; (Escol: fam) bûcher

empollón, -ona [empo'ʎon, ona] (fam) nm/f (Escol) bûcheur(-euse)

emporio [em'porjo] nm centre m commercial; (AM) grand magasin m

empotrado, -a [empo'traðo, a] adj ver **armario**

emprender [empren'der] vt entreprendre; ~**la con algn** (fam) s'en prendre à qn; ~**la a bofetadas/ golpes (con algn)** commencer à gifler/ taper (qn)

empresa [em'presa] nf entreprise f; (esp Teatro) direction f; **la libre ~** la libre entreprise; ~ **filial/matriz** filiale f/ société f mère

empresario, -a [empre'sarjo, a] nm/f (Com) chef m d'entreprise; (Teatro, Mús) impresario m; ~ **de pompas fúnebres** entrepreneur m de pompes funèbres

empréstito [em'prestito] *nm* emprunt
m; (*Com*) capital *m* d'emprunt
empujar [empu'xar] *vt* pousser; **~ a
algn a hacer** pousser qn à faire
empuje [em'puxe] *nm* poussée *f*; (*fig*)
brio *m*
empujón [empu'xon] *nm* coup *m*;
abrirse paso a empujones se frayer un
chemin à coups de coude
empuñar [empu'nar] *vt* empoigner;
~ las armas (*fig*) prendre les armes
emular [emu'lar] *vt* imiter

 PALABRA CLAVE

en [en] *prep* **1** (*posición*) dans; (: *sobre*): **en
la mesa** sur la table; (: *dentro*): **está en el
cajón** c'est dans le tiroir; **en el periódico**
dans le journal; **en el suelo** par terre;
en Argentina/Francia/España en
Argentine/France/Espagne; **en La Paz/
París/Londres** à La Paz/Paris/Londres;
en casa à la maison; **en la oficina/el
colegio** au bureau/à l'école; **en el quinto
piso** au cinquième étage
2 (*dirección*) dans; **entró en el aula** il est
entré dans la salle de classe; **la pelota
cayó en el tejado** le ballon est tombé sur
le toit
3 (*tiempo*) en; **en 1605/invierno** en
1605/hiver; **en el mes de enero** au mois
de janvier; **caer en martes** tomber un
mardi; **en aquella ocasión/época** à
cette occasion/époque; **en ese
momento** à ce moment; **en tres
semanas** dans trois semaines; **en la
mañana** (*AM*) le matin
4 (*manera*): **en avión/autobús** en avion/
autobus; **viajar en tren** voyager en train;
escrito en inglés écrit en anglais; **en
broma** pour rire; **en un susurro** dans un
murmure
5 (*forma*): **en espiral** en spirale; **en punta**
pointu
6 (*tema, ocupación*): **experto en la
materia** expert en la matière; **trabaja
en la construcción** il travaille dans la
construction
7 (*precio*) pour; **lo vendió en 20 dólares** il
l'a vendu pour 20 dollars
8 (*diferencia*) de; **reducir/aumentar en
una tercera parte/en un 20 por ciento**
diminuer/augmenter d'un tiers/de 20
pour cent
9 (*después de vb que indica gastar etc*) en;
se le va la mitad del sueldo en comida il
dépense la moitié de son salaire en
nourriture

10 (*adj + en + infin*): **lento en reaccionar**
lent à réagir
11: **¡en marcha!** en route!

enaguas [e'naɣwas] (*AM*) *nfpl*
combinaison *f*
enajenación [enaxena'θjon] *nf*
aliénation *f*; (*tb*: **enajenación mental**)
aliénation (mentale)
enajenar [enaxe'nar] *vt* aliéner; (*fig*)
déranger
enamorado, -a [enamo'raðo, a] *adj,
nm/f* amoureux(-euse); **estar ~ (de)** être
amoureux(-euse) (de); **ser un ~ de** (*fig*)
être un amoureux de
enamorar [enamo'rar] *vt* rendre
amoureux(-euse); **enamorarse** *vpr*:
~se (de) tomber amoureux(-euse) (de)
enano, -a [e'nano, a] *adj* nain(e); (*fam*:
muy pequeño) de poupée ■ *nm/f* nain(e)
enardecer [enarðe'θer] *vt* (*incitar*)
inciter; (*entusiasmar*) enflammer;
enardecerse *vpr* (*excitarse*) s'enhardir;
(*exaltarse*) s'enflammer
encabezamiento [enkaβeθa'mjento]
nm en-tête *m*; (*de periódico*) titre *m*; **~
normal** (*Tip etc*) titre courant
encabezar [enkaβe'θar] *vt* (*movimiento*)
prendre la tête de; (*lista*) être en tête de;
(*carta, libro*) commencer
encadenar [enkaðe'nar] *vt* enchaîner;
(*bicicleta*) attacher; **encadenarse** *vpr*
s'enchaîner; (*fig*) s'assujettir
encajar [enka'xar] *vt* encastrer,
emboîter; (*fam*: *golpe*) envoyer; (: *broma,
mala noticia*) encaisser ■ *vi* s'encastrer,
s'emboîter; **encajarse** *vpr* (*mecanismo*)
se coincer; (*un sombrero*) mettre; **~ con**
(*fig*) cadrer avec
encaje [en'kaxe] *nm* encastrement *m*
encalar [enka'lar] *vt* blanchir à la chaux
encallar [enka'ʎar] *vi* (*Náut*) échouer
encaminar [enkami'nar] *vt*: **~ (a)**
diriger (vers); **encaminarse** *vpr*: **~se a**
o **hacia** se diriger vers
encantado, -a [enkan'taðo, a] *adj*
enchanté(e); **¡~!** enchanté(e)!; **estar ~
con algn/algo** être charmé(e) par
qn/qch
encantador, a [enkanta'ðor, a] *adj,
nm/f* charmeur(-euse); **~ de serpientes**
charmeur de serpents
encantar [enkan'tar] *vt* enchanter;
me encantan los animales j'adore les
animaux; **le encanta esquiar** il adore
skier
encanto [en'kanto] *nm* (*atractivo*)
charme *m*; (*magia*) enchantement *m*;

(expresión de ternura) ravissement *m*;
como por ~ comme par enchantement
encarcelar [enkarθe'lar] *vt*
emprisonner
encarecer [enkare'θer] *vt* augmenter le
prix de; *(importancia)* souligner ▪ *vi*
augmenter; **encarecerse** *vpr*
augmenter; **le encareció que hiciera** il a
insisté pour qu'il fasse
encarecimiento [enkareθi'mjento] *nm*
renchérissement *m*
encargado, -a [enkar'ɣaðo, a] *adj*
chargé(e) ▪ *nm/f (gerente)* gérant(e);
(responsable) responsable *m/f*; **~ de
negocios** responsable commercial(e)
encargar [enkar'ɣar] *vt* charger; *(Com)*
commander; **encargarse** *vpr*: **~se de** se
charger de ; **~ a algn que haga algo**
charger qn de faire qch
encargo [en'karɣo] *nm* requête *f*; *(Com)*
commande *f*; **hecho ~** fait sur mesure
encariñarse [enkari'ɲarse] *vpr*: **~ con** se
prendre d'affection pour
encarnizado, -a [enkarni'θaðo, a] *adj*
(lucha) sanglant(e)
encasillar [enkasi'ʎar] *vt (Teatro)*
attribuer une place à; *(pey)* caser
encauzar [enkau'θar] *vt* diriger; *(fig)*
orienter
encendedor [enθende'ðor] *(esp AM) nm*
briquet *m*
encender [enθen'der] *vt* allumer;
(entusiasmo, cólera) déclencher;
encenderse *vpr* s'allumer; *(de cólera)*
s'enflammer
encendido, -a [enθen'diðo, a] *adj*
allumé(e); *(mejillas)* en feu; *(mirada)*
enflammé(e) ▪ *nm* allumage *m*
encerado, -a [enθe'raðo, a] *adj (suelo)*
ciré(e) ▪ *nm (Escol)* tableau *m*
encerar [enθe'rar] *vt (suelo)* cirer
encerrar [enθe'rrar] *vt (persona, animal)*
enfermer; *(libros, documentos)* serrer; *(fig)*
renfermer; **encerrarse** *vpr* s'enfermer;
(fig) se réfugier; **~ en** *(Pol)* occuper
encharcar [entʃar'kar] *vt* détremper;
encharcarse *vpr* être inondé(e)
enchufado, -a [entʃu'faðo, a] *(fam)*
nm/f pistonné(e)
enchufar [entʃu'far] *vt (Elec)* brancher;
(Tec) assembler; *(fam: persona)* pistonner
enchufe [en'tʃufe] *nm (Elec: clavija)* prise
f mâle; (: *toma)* prise femelle; *(Tec)*
jointure *f*; *(fam: recomendación)* piston *m*;
(: *puesto)* poste obtenu par piston; **tiene un
~ en el ministerio** il est pistonné par
quelqu'un au ministère
encía [en'θia] *nf* gencive *f*

enciclopedia [enθiklo'peðja] *nf*
encyclopédie *f*
encienda *etc* [en'θjenda] *vb ver*
encender
encierro [en'θjerro] *vb ver* **encerrar**
▪ *nm* retraite *f*; *(Taur)* lâchage des taureaux
dans les rues avant une corrida; **el ~ en la
fábrica** *(Pol)* l'occupation de l'usine
encima [en'θima] *adv (en la parte de
arriba)* en-haut; *(además)* en plus; **~ de**
(sobre) sur; *(además de)* en plus de; **por ~
de** plus haut que; *(fig)* plus haut placé(e)
que; **por ~ de todo** par-dessus tout;
leer/mirar algo por ~ lire/regarder qch
distraitement; **¿llevas dinero ~?** as-tu de
l'argent sur toi?; **se me vino ~** il est venu
me voir à l'improviste; **~ mío/nuestro** *etc*
(esp Csur: fam) au-dessus de moi/nous *etc*
encina [en'θina] *nf* chêne *m* vert
encinta [en'θinta] *adj f* enceinte
enclenque [en'klenke] *adj* malingre
encoger [enko'xer] *vt (ropa)* rétrécir;
(piernas) étendre; *(músculos)* bander; *(fig)*
intimider ▪ *vi* rétrécir; **encogerse** *vpr*
rétrécir; *(fig)* être intimidé(e); **~se de
hombros** hausser les épaules
encolar [enko'lar] *vt* recoller
encolerizar [enkoleri'θar] *vt* mettre
en colère; **encolerizarse** *vpr* se mettre
en colère
encomendar [enkomen'dar] *vt*
remettre; **encomendarse** *vpr*: **~se a**
s'en remettre à
encomiar [enko'mjar] *vt* faire l'éloge de
encomienda [enko'mjenda] *vb ver*
encomendar ▪ *nf (AM)* colis *m*; **~ postal**
colis postal
encontrado, -a [enkon'traðo, a] *adj*
opposé(e)
encontrar [enkon'trar] *vt* trouver;
encontrarse *vpr (reunirse)* se retrouver;
(estar) se trouver; *(sentirse)* se sentir;
(entrar en conflicto) s'opposer; **~ a algn
bien/cambiado** trouver qn bien/changé;
~se con algn/algo tomber sur qn/qch;
~se bien (de salud) aller bien
encrespar [enkres'par] *vt* faire
moutonner; **encresparse** *vpr* moutonner
encrucijada [enkruθi'xaða] *nf*
croisement *m*; **encontrarse** *o* **estar en
una ~** *(fig)* ne plus savoir sur quel pied
danser
encuadernación [enkwaðerna'θjon] *nf*
reliure *f*; *(taller)* atelier *m* de relieur
encuadrar [enkwa'ðrar] *vt* encadrer;
(Foto) cadrer
encubrir [enku'βrir] *vt* cacher; *(Jur)*
couvrir

encuentro [en'kwentro] *vb ver*
encontrar ■ *nm* rencontre *f*; (*Mil*) choc
m; (*discusión*) discussion *f*; **ir/salir al ~ de
algn** aller/sortir à la rencontre de qn
encuesta [en'kwesta] *nf* sondage *m*;
(*investigación*) enquête *f*; **~ de opinión**
sondage d'opinion; **~ judicial** enquête
judiciaire
endeble [en'deβle] *adj* (*argumento*)
mauvais(e); (*persona*) faible
endémico, -a [en'demiko, a] *adj*
endémique
endemoniado, -a [endemo'njaðo, a]
adj démoniaque; (*fig: travieso*)
vicieux(-euse); (: *tiempo*) de chien; (*sabor*)
infect(e)
enderezar [endere'θar] *vt* (*tb fig*)
redresser; (*enmendar*) corriger;
enderezarse *vpr* se redresser
endeudarse [endeu'ðarse] *vpr*
s'endetter
endiablado, -a [endja'βlaðo, a] *adj*
(*hum: genio, carácter*) espiègle;
(: *intención*) diabolique; (: *tiempo*) de chien
endiñar [endi'nar] (*fam*) *vt* refiler
endosar [endo'sar] *vt* endosser; **~ algo a
algn** (*fam*) refiler qch à qn
endulzar [endul'θar] *vt* (*café*) sucrer;
(*salsa, fig*) adoucir; **endulzarse** *vpr* (*ver
vt*) sucrer; adoucir, s'adoucir
endurecer [endure'θer] *vt* durcir;
(*fig: persona*) endurcir; **endurecerse** *vpr*
(*ver vt*) se durcir; s'endurcir
enema [e'nema] *nm* lavement *m*
enemigo, -a [ene'miɣo, a] *adj, nm/f*
ennemi(e); **ser ~ de** être l'ennemi(e) de
enemistad [enemis'tað] *nf* aversion *f*
enemistar [enemis'tar] *vt* séparer;
enemistarse *vpr*: **~se (con)** se fâcher
(avec)
energía [ener'xia] *nf* énergie *f*;
~ atómica/nuclear/solar énergie
atomique/nucléaire/solaire
enérgico, -a [e'nerxiko, a] *adj*
énergique
energúmeno, -a [ener'ɣumeno, a]
nm/f énergumène *m/f*; **ponerse como
un ~ con algo** se mettre dans une colère
noire pour qch
enero [e'nero] *nm* janvier *m*; *ver tb* **julio**
enfadado, -a [enfa'ðaðo, a] *adj* en
colère
enfadar [enfa'ðar] *vt* fâcher; **enfadarse**
vpr se fâcher
enfado [en'faðo] *nm* colère *f*
énfasis ['enfasis] *nm* emphase *f*; **con ~**
avec emphase; **poner ~ en** mettre
l'accent sur

enfático, -a [en'fatiko, a] *adj*
emphatique
enfermar [enfer'mar] *vt* rendre malade
■ *vi* tomber malade; **enfermarse** *vpr*
(*esp AM*) tomber malade; **su actitud me
enferma** (*fam*) son attitude me rend
malade; **~ del corazón** souffrir d'une
maladie de cœur
enfermedad [enferme'ðað] *nf* maladie *f*
enfermería [enferme'ria] *nf* infirmerie *f*
enfermero, -a [enfer'mero, a] *nm/f*
infirmier(-ère); **enfermera jefa**
infirmière en chef
enfermizo, -a [enfer'miθo, a] *adj*
maladif(-ive)
enfermo, -a [en'fermo, a] *adj* malade
■ *nm/f* malade *m/f*; (*en hospital*)
patient(e); **~ del corazón/hígado**
malade du cœur/foie; **caer** *o* **ponerse ~**
tomber malade; **¡me pone ~!** (*fam*) il me
rend malade!
enflaquecer [enflake'θer] *vt* faire
maigrir ■ *vi* maigrir; (*fuerzas, ánimo*)
faiblir
enfocar [enfo'kar] *vt* (*luz, foco*) diriger;
(*persona, objeto*) diriger le projecteur sur;
(*Foto*) faire la mise au point sur; (*fig:
problema*) envisager
enfoque [en'foke] *vb ver* **enfocar** ■ *nm*
(*Foto*) objectif *m*; (*fig*) point *m* de vue
enfrentar [enfren'tar] *vt* (*peligro*)
affronter; (*contendientes*) confronter;
enfrentarse *vpr* s'affronter; (*dos equipos*)
se rencontrer; **~se** *o* **con** (*problema*) se
trouver face à; (*enemigo*) faire face à
enfrente [en'frente] *adv* en face; **~ de**
devant; **la casa de ~** la maison d'en face;
~ mío/nuestro *etc* (*esp C sur: fam*) devant
moi/nous *etc*
enfriamiento [enfria'mjento] *nm*
rafraîchissement *m*; (*Med*)
refroidissement *m*
enfriar [enfri'ar] *vt* (*algo caliente,
amistad*) refroidir; (*habitación*) rafraîchir;
enfriarse *vpr* se refroidir; (*habitación*) se
rafraîchir; (*Med*) prendre froid
enfurecer [enfure'θer] *vt* rendre
furieux(-euse); **enfurecerse** *vpr* devenir
furieux(-euse); (*mar*) se déchaîner
engalanar [engala'nar] *vt* (*persona*)
habiller; (*ciudad, calle*) décorer;
engalanarse *vpr* bien s'habiller
enganchar [engan'tʃar] *vt* (*persona, dos
vagones*) accrocher; (*caballos*) atteler;
(*teléfono, electricidad*) mettre; (*fam:
persona*) mettre le grappin sur; (*pez*)
ferrer; (*Taur*) encorner; **engancharse**
vpr (*Mil*) s'engager; **~se (en)** (*ropa*)

s'accrocher (à); **~se (a)** (fam: drogas) devenir accro (à); **se le enganchó la falda en el clavo** elle a accroché sa jupe au clou

enganche [en'gantʃe] nm (Tec) crochet m; (Ferro) accrochage m; (Mil) recrutement m; (Méx: Com) dépôt m

engañar [enga'ɲar] vt tromper; (estafar) escroquer ■ vi tromper; **engañarse** vpr se tromper; **~ el hambre** tromper la faim; **las apariencias engañan** les apparences sont trompeuses

engaño [en'gaɲo] nm (mentira) mensonge m; (trampa) piège m; (estafa) escroquerie f; **estar en o padecer un ~** être trompé(e); **inducir o llevar a ~** prêter à confusion

engañoso, -a [enga'ɲoso, a] adj trompeur(-euse)

engarzar [engar'θar] vt (joya) sertir; (cuentas) enfiler; (fig) associer

engatusar [engatu'sar] (fam) vt enjôler

engendrar [enxen'drar] vt procréer; (fig) engendrer

engendro [en'xendro] (pey) nm monstre m; (novela, cuadro etc) monstruosité f

englobar [englo'βar] vt englober

engordar [engor'ðar] vt faire grossir ■ vi grossir; **~ un kilo** prendre un kilo; **los dulces engordan** les sucreries, ça fait grossir

engorroso, -a [engo'rroso, a] adj empoisonnant(e)

engranaje [engra'naxe] nm engrenage m

engrandecer [engrande'θer] vt (hacer más grande) agrandir; (ennoblecer) ennoblir

engrasar [engra'sar] vt graisser

engreído, -a [engre'iðo, a] adj suffisant(e)

engrosar [engro'sar] vt (manuscrito) grossir; (muro) épaissir; (capital, filas) augmenter ■ vi grossir

enhebrar [ene'βrar] vt enfiler

enhorabuena [enora'βwena] nf: **dar la ~ a algn** féliciter qn; **¡~!** félicitations!

enigma [e'niɣma] nm énigme f

enjabonar [enxaβo'nar] vt savonner; **enjabonarse** vpr se savonner; **~se la barba/las manos** se savonner la barbe/les mains

enjambre [en'xambre] nm essaim m; (fig) meute f

enjaular [enxau'lar] vt mettre en taule; (fam: persona) mettre en tôle

enjuagar [enxwa'ɣar] vt rincer; **enjuagarse** vpr se rincer

enjuague [en'xwaɣe] vb ver **enjuagar** ■ nm rinçage m; (fig) magouille f

enjugar [enxu'ɣar] vt éponger; (lágrimas) essuyer; **enjugarse** vpr: **~se el sudor** s'éponger; **~se las lágrimas** essuyer ses larmes

enjuiciar [enxwi'θjar] vt (Jur) instruire; (opinar sobre) juger

enjuto, -a [en'xuto, a] adj décharné(e)

enlace [en'laθe] vb ver **eniazar** ■ nm (relación) lien m; (tb: **enlace matrimonial**) union f; (de trenes) liaison f; **~ de datos** enchaînement m des faits; **~ policial** contact m; **~ sindical** délégué(e) syndical(e); **~ telefónico** liaison téléphonique

enlatado, -a [enla'taðo, a] adj (comida) en conserve; (fam, pey: música) en conserve

enlazar [enla'θar] vt attacher; (conceptos, organizaciones) faire le lien entre; (AM) prendre au lasso ■ vi: **~ con** faire le lien avec

enlodar [enlo'ðar] vt tacher de boue; (fama) entacher

enloquecer [enloke'θer] vt rendre fou (folle) ■ vi devenir fou (folle); **me enloquece el chocolate** (fig) je raffole du chocolat; **~ de** (fig) devenir fou (folle) de

enlutado, -a [enlu'taðo, a] adj en deuil

enmarañar [enmara'ɲar] vt emmêler; (fig) embrouiller; **enmarañarse** vpr s'embrouiller

enmarcar [enmar'kar] vt encadrer; (fig) constituer le cadre de

enmascarar [enmaska'rar] vt masquer; **enmascararse** vpr se mettre un masque

enmendar [enmen'dar] vt (escrito) modifier; (constitución, ley) amender; (comportamiento) améliorer; **enmendarse** vpr (persona) s'améliorer

enmienda [en'mjenda] vb ver **enmendar** ■ nf amendement m; (de carácter) amélioration f; **no tener ~** être incorrigible

enmohecerse [enmoe'θerse] vpr (metal) s'oxyder; (muro, plantas, alimentos) moisir

enmudecer [enmuðe'θer] vi rester muet(te); (perder el habla) devenir muet(te)

ennegrecer [enneɣre'θer] vt noircir; **ennegrecerse** vpr (se) noircir

ennoblecer [ennoβle'θer] vt faire honneur à

en.º abr = **enero**

enojar [eno'xar] vt mettre en colère; (disgustar) contrarier; **enojarse** vpr (ver vt) se mettre en colère; être contrarié(e)

enojoso, -a [eno'xoso, a] *adj*
ennuyeux(-euse)

enorgullecer [enorɣuʎe'θer] *vt*
enorgueillir; **enorgullecerse** *vpr*
s'enorgueillir

enorme [e'norme] *adj* énorme

enormidad [enormi'ðað] *nf* énormité *f*

enrarecido, -a [enrare'θiðo, a] *adj*
raréfié(e)

enredadera [enreða'ðera] *nf* plante *f*
grimpante

enredar [enre'ðar] *vt* emmêler; (*fig:
asunto*) embrouiller ■ *vi* (*molestar*) faire
des bêtises; (*trastear*) tripoter;
enredarse *vpr* s'emmêler; (*fig*)
s'embrouiller; **~ a algn en** (*fig: implicar*)
mêler qn à; **~se en** se prendre dans; (*fig*)
se mêler à; **~se con algn** (*fam*)
s'amouracher de qn

enredo [en'reðo] *nm* nœud *m*; (*fig: lío*)
pétrin *m*; (: *amorío*) amourette *f*

enrejado [enre'xaðo] *nm* grille *f*; (*en
jardín*) treillis *m*

enrevesado, -a [enreβe'saðo, a] *adj*
épineux(-euse)

enriquecer [enrike'θer] *vt* enrichir ■ *vi*
s'enrichir; **enriquecerse** *vpr* s'enrichir

enrojecer [enroxe'θer] *vt*, vi rougir;
enrojecerse *vpr* rougir

enrolar [enro'lar] *vt* enrôler; **enrolarse**
vpr s'enrôler

enrollar [enro'ʎar] *vt* enrouler;
enrollarse *vpr* (*fam: al hablar*) s'éterniser;
~se con algn (*fam*) sortir avec qn; **~se
bien/mal** (*fam*) être très/peu causant(e)

enroscar [enros'kar] *vt* (*tornillo, tuerca*)
visser; (*cable, cuerda*) lover; **enroscarse**
vpr (*serpiente*) se lover; (*planta*) se vriller

ensaimada [ensai'maða] *nf grande
brioche ronde, spécialité des îles Baléares*

ensalada [ensa'laða] *nf* salade *f*;
~ mixta/rusa salade mixte/russe

ensaladilla [ensala'ðiʎa] *nf* (*tb:
ensaladilla rusa*) salade *f* russe

ensalzar [ensal'θar] *vt* encenser

ensambladura [ensambla'ðura] *nf*
(*Tec: acoplamiento*) assemblage *m*;
(: *pieza*) joint *m*

ensamblaje [ensam'blaxe] *nm*

ensanchar [ensan'tʃar] *vt* élargir;
ensancharse *vpr* s'élargir; (*fig: persona*)
se rengorger

ensanche [en'santʃe] *nm* élargissement
m; (*zona*) terrain *m* à lotir

ensangrentar [ensangren'tar] *vt*
ensanglanter

ensañarse [ensa'ɲarse] *vpr*: **~ con**
tourmenter

ensartar [ensar'tar] *vt* enfiler; **~ (con)**
(*atravesar*) transpercer (de)

ensayar [ensa'jar] *vt* essayer; (*Teatro*)
répéter ■ *vi* répéter

ensayo [en'sajo] *nm* essai *m*; (*Teatro,
Mús*) répétition *f*; (*Escol*) dissertation *f*;
pedido de ~ (*Com*) commande *f* d'essai;
~ general répétition générale

enseguida [ense'ɣuiða] *adv* = **en
seguida**; *ver* **seguida**

ensenada [ense'naða] *nf* crique *f*

enseñanza [ense'ɲanθa] *nf*
enseignement *m*; **~ primaria/media/
superior** enseignement primaire/
secondaire/supérieur

enseñar [ense'ɲar] *vt* enseigner;
(*mostrar*) montrer; (*señalar*) signaler;
~ a algn a hacer montrer à qn comment
faire

enseres [en'seres] *nmpl* effets *mpl*;
(*útiles*) matériel *msg*

ensillar [ensi'ʎar] *vt* seller

ensimismarse [ensimis'marse] *vpr*
s'absorber; (*AM*) se vanter; **~ en**
s'absorber dans

ensombrecer [ensombre'θer] *vt*
assombrir; **ensombrecerse** *vpr* (*fig:
rostro*) s'assombrir

ensortijado, -a [ensorti'xaðo, a] *adj*
(*pelo*) frisé(e)

ensuciar [ensu'θjar] *vt* salir;
ensuciarse *vpr* se salir

ensueño [en'sweɲo] *nm* rêve *m*;
(*fantasía*) illusion *f*; **de ~** de rêve

entablar [enta'βlar] *vt* (*suelo, hueco*)
planchéier; (*Ajedrez, Damas*) disposer;
(*conversación, lucha*) engager; (*pleito,
negociaciones*) entamer

entablillar [entaβli'ʎar] *vt* mettre une
attelle à

entallar [enta'ʎar] *vt* (*traje*) ajuster

ente ['ente] *nm* entité *f*; (*ser*) être *m*; (*fam*)
phénomène *m*; **~ público** (*Esp*) télévision
f espagnole

entender [enten'der] *vt*, vi comprendre
■ *nm*: **a mi ~** d'après moi; **entenderse**
vpr (*a sí mismo*) se comprendre; (2
personas) s'entendre; **~ de** s'y entendre
en; **~ algo de** avoir quelques notions de;
~ por entendre par; **dar a ~ que ...** donner
à entendre que ...; **~se bien/mal (con
algn)** s'entendre bien/mal (avec qn);
¿entiendes? tu comprends?; **yo me
entiendo** (*fam*) je me comprends

entendido, -a [enten'diðo, a] *adj*
(*experto*) compétent(e); (*informado*)
informé(e) ■ *nm/f* connaisseur(-euse)
■ *excl* entendu!

entendimiento [entendi'mjento] *nm*
entente *f*; *(inteligencia)* entendement *m*

enterado, -a [ente'raðo, a] *adj*
informé(e); **estar ~ de** être au courant
de; **no darse por ~** jouer les ignorants

enteramente [en'teramente] *adv*
entièrement

enterarse [ente'rarse] *vpr*: **~ (de)**
apprendre; **no se entera de nada** *(fam)* il
ne se rend compte de rien; **para que te
enteres ...** *(fam)* je te ferais remarquer ...

entereza [ente'reθa] *nf* droiture *f*;
(fortaleza) courage *m*; *(integridad)*
intégrité *f*; *(firmeza)* fermeté *f*

enternecer [enterne'θer] *vt* attendrir;
enternecerse *vpr* s'attendrir

entero, -a [en'tero, a] *adj* *(íntegro)* au
complet; *(no roto, fig)* entier(-ère) ■ *nm*
(Mat) entier *m*; *(Com)* point *m*; *(AM)*
versement *m*; *(Arg)* bleu *m* de travail; **las
acciones han subido dos ~s** les actions
ont augmenté de deux points; **por ~**
entièrement

enterrador [enterra'ðor] *nm* fossoyeur *m*

enterrar [ente'rrar] *vt* enterrer

entibiar [enti'βjar] *vt* tiédir; **entibiarse**
vpr tiédir

entidad [enti'ðað] *nf* *(empresa)*
entreprise *f*; *(organismo, Filos)* entité *f*;
(sociedad) société *f*; **de menor/poca ~** de
moindre importance/de peu
d'importance

entienda *etc* [en'tjenda] *vb ver*
entender

entierro [en'tjerro] *vb ver* **enterrar**
■ *nm* enterrement *m*

entonación [entona'θjon] *nf*
intonation *f*

entonar [ento'nar] *vt* entonner; *(colores)*
harmoniser; *(Med)* fortifier ■ *vi* *(al
cantar)* donner le ton; **entonarse** *vpr*
(Med) se fortifier; **~ con** *(colores)* se marier
bien avec

entonces [en'tonθes] *adv* alors; **desde ~**
depuis; **en aquel ~** ce temps-là;
(pues) ~ (et) alors; **¡(pues) ~!** et alors!

entornar [entor'nar] *vt* *(puerta, ventana)*
entrebâiller; *(los ojos)* garder mi-clos

entorno [en'torno] *nm* environnement
m; **~ de redes** *(Inform)* environnement de
réseaux

entorpecer [entorpe'θer] *vt* *(tb fig)*
gêner; *(mente, persona)* abrutir

entrada [en'traða] *nf* entrée *f*; *(de año,
libro)* début *m*; *(ingreso, Com)* recette *f*;
entradas *nfpl* *(Com)* recettes *fpl*; **~s
brutas** recettes brutes; **~s y salidas**
(Com) recettes et dépenses; **~ de aire**

(Tec) entrée d'air; **de ~** d'entrée; **"~ gratis"**
"entrée gratuite"; **dar ~ a algn** admettre
qn; **tener ~s** avoir le front dégarni

entrado, -a [en'traðo, a] *adj*: **~ en años**
d'un âge avancé; **(una vez) ~ el verano**
l'été venu

entramparse [entram'parse] *vpr*
s'endetter

entrante [en'trante] *adj* prochain(e)
■ *nm* encaissement *m*; *(Culin)* entrée *f*

entrañable [entra'ɲaβle] *adj* *(amigo)*
cher(-ère); *(trato)* cordial(e)

entrañas [en'traɲas] *nfpl* entrailles *fpl*;
sin ~ *(fig)* sans merci

entrar [en'trar] *vt* mettre; *(Inform)* entrer
■ *vi* entrer; *(caber: anillo, zapato)* aller;
(: tornillo, personas) rentrer; *(año,
temporada)* commencer; *(en profesión etc)*
entrer; *(en categoría, planes)* rentrer; **le
entraron ganas de reír** il eut envie de
rire; **me entró sueño/frío** j'ai eu
sommeil/froid; **~ en acción** entrer en
action; *(entrar en funcionamiento)*
commencer à fonctionner; **no me entra**
je ne saisis pas; **~ a** *(AM)* entrer dans

entre ['entre] *prep* *(dos cosas)* entre; *(más
de dos cosas)* parmi; **se abrieron paso ~ la
multitud** ils se frayèrent un passage à
travers la foule; **~ otras cosas** entre
autres; **lo haremos ~ todos** nous le
ferons tous ensemble; **~ más estudia,
más aprende** *(esp AM: fam)* plus il étudie,
plus il apprend

entreabrir [entrea'βrir] *vt* entrouvrir

entrecejo [entre'θexo] *nm*: **fruncir el ~**
froncer les sourcils

entrecortado, -a [entrekor'taðo, a] *adj*
entrecoupé(e)

entrega [en'treɣa] *nf* *(de mercancías)*
livraison *f*; *(de premios)* remise *f*; *(de
novela, serial)* épisode *m*; *(dedicación)*
ardeur *f*; **"~ a domicilio"** "livraison à
domicile"; **novela por ~s** roman-
feuilleton *m*

entregar [entre'ɣar] *vt* livrer; *(dar)*
remettre; **entregarse** *vpr* se livrer;
a ~ *(Com)* à livrer; **~se a** *(al trabajo)* se
consacrer à; *(al vicio)* se livrer à

entrelazar [entrela'θar] *vt* entrelacer

entremeses [entre'meses] *nmpl*
entrées *fpl*

entremeterse [entreme'terse] *vpr*
= **entrometerse**

entremetido, -a [entreme'tiðo, a] *adj*
= **entrometido**

entremezclar [entremeθ'klar] *vt*
mélanger; **entremezclarse** *vpr* se
mélanger

entrenador, a [entrena'ðor, a] nm/f entraîneur(-euse)

entrenar [entre'nar] vt entraîner ■ vi (Deporte) s'entraîner; **entrenarse** vpr s'entraîner

entrepierna [entre'pjerna] nf entrejambes msg

entresacar [entresa'kar] vt (árboles) déboiser; (pelo) désépaissir; (frases, páginas) sélectionner

entresuelo [entre'swelo] nm entresol m

entretanto [entre'tanto] adv entre-temps

entretener [entrete'ner] vt amuser; (retrasar) retenir; (distraer) distraire; (fig) entretenir; **entretenerse** vpr s'amuser; (retrasarse) s'attarder; (distraerse) se distraire; **no le entretengo más** je ne vous retiendrai pas plus longtemps

entretenido, -a [entrete'niðo, a] adj amusant(e); (tarea) prenant(e)

entretenimiento [entreteni'mjento] nm distraction f

entrever [entre'βer] vt entrevoir

entrevista [entre'βista] nf entrevue f; (para periódico: TV) interview f

entrevistar [entreβis'tar] vt interviewer; **entrevistarse** vpr: **~se (con)** avoir une entrevue (avec)

entristecer [entriste'θer] vt attrister; **entristecerse** vpr s'attrister

entrometerse [entrome'terse] vpr: **~ (en)** se mêler de

entrometido, -a [entrome'tiðo, a] adj, nm/f indiscret(-ète)

entumecer [entume'θer] vt engourdir; **entumecerse** vpr s'engourdir

entumecido, -a [entume'θiðo, a] adj engourdi(e)

enturbiar [entur'βjar] vt (agua) troubler; (alegría) gâter; **enturbiarse** vpr (ver vt) se troubler; retomber

entusiasmar [entusjas'mar] vt enthousiasmer; **entusiasmarse** vpr: **~se (con o por)** s'enthousiasmer (pour)

entusiasmo [entu'sjasmo] nm: **~ (por)** enthousiasme m (pour); **con ~** avec enthousiasme

entusiasta [entu'sjasta] adj, nm/f enthousiaste m/f; **~ de** enthousiaste de

enumerar [enume'rar] vt énumérer

enunciación [enunθja'θjon] nf énonciation f

enunciado [enun'θja'ðo] nm énoncé m

envainar [embai'nar] vt rengainer

envalentonar [embalento'nar] (pey) vt stimuler; **envalentonarse** vpr se vanter

envanecer [embane'θer] vt monter à la tête; **envanecerse** vpr: **~se de hacer/ de haber hecho** se vanter de faire/d'avoir fait

envasar [emba'sar] vt conditionner; **envasado al vacío** conditionné sous vide

envase [em'base] nm (recipiente) récipient m; (botella) bouteille f; (lata) boîte f de conserve; (bolsa) poche f; (acción) conditionnement m

envejecer [embexe'θer] vt, vi vieillir

envenenar [embene'nar] vt empoisonner; (fig: relaciones) envenimer

envergadura [emberγa'ðura] nf envergure f; **de gran ~** de grande envergure

envés [em'bes] nm envers m

enviar [em'bjar] vt envoyer; **~ a algn a hacer** envoyer qn faire

enviciarse [embi'θjarse] vpr: **~ (con)** s'intoxiquer (avec)

envidia [em'biðja] nf envie f; (celos) jalousie f; **tiene ~ de nuestro coche** notre voiture lui fait envie

envidiar [embi'ðjar] vt envier; (tener celos de) jalouser

envío [em'bio] nm envoi m; (en barco) expédition f; **gastos de ~** frais mpl d'envoi; **~ contra reembolso** envoi contre remboursement

enviudar [embju'ðar] vi devenir veuf (veuve)

envoltorio [embol'torjo] nm paquet m

envolver [embol'βer] vt envelopper; (enemigo) encercler; **envolverse** vpr: **~se en** s'envelopper dans; **~ a algn en** (implicar) impliquer qn dans

envuelto etc [em'bwelto], **envuelva** etc [em'bwelβa] vb ver **envolver**

enyesar [enje'sar] vt plâtrer

enzarzarse [enθar'θarse] vpr: **~ en** se mêler à

épica ['epika] nf poésie f épique

épico, -a ['epiko, a] adj épique

epidemia [epi'ðemja] nf épidémie f

epilepsia [epi'lepsja] nf épilepsie f

epílogo [e'piloγo] nm épilogue m

episodio [epi'so'ðjo] nm épisode m

epístola [e'pistola] nf lettre f

época ['epoka] nf époque f; **de ~** d'époque; **hacer ~** faire époque

equilibrar [ekili'βrar] vt équilibrer

equilibrio [ekili'βrjo] nm équilibre m; **mantener/perder el ~** garder/perdre l'équilibre; **~ político** équilibre politique

equilibrista [ekili'βrista] nm/f équilibriste m/f

equipaje [eki'paxe] nm bagages mpl; **hacer el ~** faire ses bagages; **~ de mano** bagages à main

equipar [eki'par] vt: ~ **(con** o **de)** équiper (de)

equiparar [ekipa'rar] vt: ~ **algo/a algn** a o **con** (igualar) mettre qch/qn sur un pied d'égalité avec; (comparar) comparer qch/qn à; **equipararse** vpr: ~**se con** se comparer à

equipo [e'kipo] nm (grupo, Deporte) équipe f; (instrumentos) matériel m, équipement m; **trabajo en** ~ travail d'équipe; ~ **de alta fidelidad** matériel haut fidélité; ~ **de música** chaîne f stéréo; ~ **de rescate** équipe de sauvetage

equis ['ekis] nf (letra) X, x m inv; (fam: cantidad indeterminada) x m

equitación [ekita'θjon] nf équitation f

equitativo, -a [ekita'tiβo, a] adj équitable

equivalente [ekiβa'lente] adj équivalent(e) ■ nm équivalent m

equivaler [ekiβa'ler] vi: ~ **a (hacer)** équivaloir à (faire)

equivocación [ekiβoka'θjon] nf erreur f

equivocado, -a [ekiβo'kaðo, a] adj (decisión, camino) mauvais(e); **estás (muy)** ~ tu te trompes (sur toute la ligne)

equivocarse [ekiβo'karse] vpr se tromper; ~ **de camino/número** se tromper de chemin/numéro

equívoco, -a [e'kiβoko, a] adj équivoque ■ nm (ambigüedad) ambiguïté f; (malentendido) quiproquo m

era ['era] vb ver **ser** ■ nf ère f; (Agr) aire f

erais ['erais] vb ver **ser**

éramos ['eramos] vb ver **ser**

eran ['eran] vb ver **ser**

erario [e'rarjo] nm biens mpl

eras ['eras] vb ver **ser**

erección [erek'θjon] nf érection f

eres ['eres] vb ver **ser**

erguir [er'γir] vt (alzar) lever; (poner derecho) redresser; **erguirse** vpr se redresser

erigir [eri'xir] vt ériger; **erigirse** vpr: ~**se en** s'ériger en

erizarse [eri'θarse] vpr se hérisser

erizo [e'riθo] nm hérisson m; (tb: **erizo de mar**) oursin m

ermita [er'mita] nf ermitage m

ermitaño, -a [ermi'taɲo, a] nm/f ermite m/f

erosión [ero'sjon] nf érosion f

erosionar [erosjo'nar] vt éroder

erótico, -a [e'rotiko, a] adj érotique

erotismo [ero'tismo] nm érotisme m

erradicar [erraði'kar] vt éradiquer

errar [e'rrar] vi errer; (equivocarse) se tromper ■ vt: ~ **el camino** s'égarer; ~ **el tiro** manquer son coup

errata [e'rrata] nf errata m inv

erróneo, -a [e'rroneo, a] adj erroné(e)

error [e'rror] nm erreur f; **estar en un** ~ être dans l'erreur; ~ **de escritura/de lectura** (Inform) erreur d'écriture/de lecture; ~ **de imprenta** erreur d'impression; ~ **judicial** erreur judiciaire

eructar [eruk'tar] vi roter

erudito, -a [eru'ðito, a] adj, nm/f érudit(e); **los** ~**s en esta materia** les experts en la matière

erupción [erup'θjon] nf éruption f; (de violencia) explosion f

es [es] vb ver **ser**

E/S abr (Inform: = entrada/salida) E/S (= entrée/sortie)

ESA sigla f (= Administración o Agencia Espacial Europea) ASE f (= Agence spatiale européenne)

esa ['esa] adj demos ver **ese**

ésa ['esa] pron ver **ése**

esbelto, -a [es'βelto, a] adj svelte

esbozo [es'βoθo] nm ébauche f

escabeche [eska'βetʃe] nm escabèche f; **en** ~ à l'escabèche

escabroso, -a [eska'βroso, a] adj (accidentado) accidenté(e); (fig: complicado) épineux(-euse); (: atrevido) scabreux(-euse)

escabullirse [eskaβu'ʎirse] vpr s'esquiver; (de entre los dedos) filer

escafandra [eska'fandra] nf (tb: **escafandra autónoma**) scaphandre m (autonome); ~ **espacial** scaphandre spatial

escala [es'kala] nf échelle f; (tb: **escala de cuerda**) échelle de corde; (Aviat, Náut) escale f; **en gran/pequeña** ~ à grande/petite échelle; **una investigación a** ~ **nacional** une enquête à l'échelon national; **reproducir a** ~ reproduire à l'échelle; **hacer** ~ **en** faire escale à; ~ **móvil** échelle mobile; ~ **salarial** échelle des salaires

escalafón [eskala'fon] nm (en empresa) échelle f des salaires; (en organismo público) échelons mpl de solde; **subir en el** ~ monter en grade

escalar [eska'lar] vt escalader; (fig) monter ■ vi faire de l'escalade; (fig) monter en grade

escalera [eska'lera] nf escalier m; (tb: **escalera de mano**) marchepied m; (Naipes) suite f; ~ **de caracol/de incendios** escalier en colimaçon/de

secours; **~ de tijera** escabeau m;
~ mecánica escalier roulant

escalfar [eskal'far] vt pocher

escalinata [eskali'nata] nf perron m

escalofriante [eskalo'frjante] adj
d'horreur

escalofrío [eskalo'frio] nm frisson m;
escalofríos nmpl (fig): **dar** o **producir ~s
a algn** donner des frissons à qn

escalón [eska'lon] nm marche f; (de
escalera de mano, fig) échelon m

escalope [eska'lope] nm escalope f

escama [es'kama] nf écaille f; (de jabón)
paillette f

escamar [eska'mar] vt (pez) écailler;
(producir recelo) rendre
soupçonneux(-euse)

escamotear [eskamote'ar] vt (sueldo)
subtiliser; (verdad) cacher

escampar [eskam'par] vi se dégager

escandalizar [eskandali'θar] vt
scandaliser; **escandalizarse** vpr se
scandaliser

escándalo [es'kandalo] nm scandale m;
armar un ~ faire un scandale; **¡es un ~!**
c'est un scandale!

escandaloso, -a [eskanda'loso, a] adj
scandaleux(-euse); (niño) turbulent(e)

escanear [eskane'ar] vt scanner

escáner [es'kaner] nm (aparato) scanner
m; (imagen) examen m au scanner

escandinavo, -a [eskandi'naβo, a] adj
scandinave ■ nm/f Scandinave m/f

escaño [es'kaɲo] nm siège m

escapar [eska'par] vi: **~ (de)** (de encierro)
s'échapper (de); (de peligro) échapper à;
(Deporte) faire une échappée; **escaparse**
vpr: **~se (de)** s'échapper (de); (agua, gas)
fuir; **dejar ~ una oportunidad** laisser
échapper une occasion; **se le escapó el
secreto** il a vendu la mèche; **se le escapó
la risa** un rire lui a échappé; **no se le
escapa un detalle** pas un détail ne lui
échappe

escaparate [eskapa'rate] nm vitrine f

escape [es'kape] nm (de agua, gas) fuite f;
(tb: **tubo de escape**) pot m
d'échappement; **salir a ~** sortir à toute
vitesse; **tecla de ~** touche f
d'échappement

escarabajo [eskara'βaxo] nm
scarabée m

escaramuza [eskara'muθa] nf
escarmouche f

escarbar [eskar'βar] vt ratisser ■ vi
fouiller; **escarbarse** vpr: **~se los dientes**
se curer les dents; **~ en** (en asunto)
démêler

escarceos [eskar'θeos] nmpl (fig) écarts
mpl; **~ amorosos** ébats mpl amoureux

escarcha [es'kartʃa] nf rosée f

escarchado, -a [eskar'tʃaðo, a] adj
glacé(e)

escarlata [eskar'lata] adj écarlate

escarlatina [eskarla'tina] nf
scarlatine f

escarmentar [eskarmen'tar] vt punir
■ vi comprendre la leçon; **¡para que
escarmientes!** ça t'apprendra!

escarmiento [eskar'mjento] vb ver
escarmentar ■ nm punition f; (aviso)
leçon f

escarnio [es'karnjo] nm raillerie f;
(insulto) quolibet m

escarola [eska'rola] nf scarole f

escarpado, -a [eskar'paðo, a] adj
escarpé(e)

escasear [eskase'ar] vi être rare

escasez [eska'seθ] nf (falta) manque m;
(pobreza) misère f; **vivir con ~** vivre
pauvrement

escaso, -a [es'kaso, a] adj faible;
(posibilidades) compté(e); (recursos)
insuffisant(e); (público) peu
nombreux(-euse); **estar ~ de algo** être à
court de qch; **duró una hora escasa** cela
a duré une heure à peine

escatimar [eskati'mar] vt (sueldo, tela)
lésiner sur; (elogios, esfuerzos) ménager;
no ~ esfuerzos (para) ne pas ménager
ses efforts (pour)

escayola [eska'jola] nf plâtre m

escena [es'θena] nf scène f; **poner en ~**
mettre en scène; **hacer una ~** (fam) faire
une scène

escenario [esθe'narjo] nm scène f;
el ~ del crimen les lieux du crime

escenografía [esθenoɣra'fia] nf
scénographie f

escepticismo [esθepti'θismo] nm
scepticisme m

escéptico, -a [es'θeptiko, a] adj, nm/f
sceptique m/f

escisión [esθi'sjon] nf (Bio) excision f;
(de partido) scission f; **~ nuclear** fission
nucléaire

esclarecer [esklare'θer] vt éclaircir

esclavitud [esklaβi'tuð] nf esclavage m

esclavizar [esklaβi'θar] vt asservir

esclavo, -a [es'klaβo, a] adj, nm/f
esclave m/f

esclusa [es'klusa] nf écluse f

escoba [es'koβa] nf balai m; **pasar la ~**
passer le balai

escobilla [esko'βiʎa] nf (del wáter)
balayette f; (esp AM) brosse f

escocer [esko'θer] vi brûler; **escocerse**
vpr s'irriter; **me escuece mucho la
herida** ma blessure me brûle

escocés, -esa [esko'θes, esa] adj
écossais(e) ■ nm/f Écossais(e); **falda
escocesa** kilt m; **tela escocesa** tissu m
écossais

Escocia [es'koθja] nf Écosse f

escoger [esko'xer] vt choisir

escogido, -a [esko'xiðo, a] adj choisi(e)

escolar [esko'lar] adj, nm/f scolaire m/f

escollo [es'koʎo] nm (tb fig) écueil m

escolta [es'kolta] nf escorte f

escoltar [eskol'tar] vt escorter

escombros [es'kombros] nmpl
décombres mpl

esconder [eskon'der] vt cacher;
esconderse vpr se cacher

escondidas [eskon'diðas] nfpl (AM)
cache-cache m inv; **a ~** en cachette;
hacer algo a ~ de algn faire qch en
cachette de qn

escondite [eskon'dite] nm cachette f;
(juego) cache-cache m inv

escondrijo [eskon'drixo] nm cachette f

escopeta [esko'peta] nf fusil m; **~ de aire
comprimido** fusil à air comprimé

escoria [es'korja] nf (mineral) scorie f;
(fig) lie f

Escorpio [es'korpjo] nm (Astrol) Scorpion
m; **ser ~** être (du) Scorpion

escorpión [eskor'pjon] nm scorpion m

escotado, -a [esko'taðo, a] adj
décolleté(e); **ir muy ~** porter des
vêtements très décolletés

escote [es'kote] nm décolleté m; **pagar a
~** payer son écot

escotilla [esko'tiʎa] nf (Náut) écoutille f

escozor [esko'θor] nm cuisson f

escribible [eskri'βiβle] adj (CD/DVD)
gravable

escribir [eskri'βir] vt, vi écrire;
escribirse vpr s'écrire; **~ a máquina**
taper à la machine; **¿cómo se escribe?**
comment ça s'écrit?

escrito, -a [es'krito, a] pp de **escribir**
■ adj écrit(e) ■ nm (documento) écrit m;
(manifiesto) manifeste m; **por ~** par écrit

escritor, a [eskri'tor, a] nm/f écrivain
m/f

escritorio [eskri'torjo] nm (mueble)
secrétaire m; (oficina) bureau m

escritura [eskri'tura] nf écriture f; (Jur)
écrit m; **~ de propiedad** titre m de
propriété; **Sagrada E~** l'Écriture

escrúpulo [es'krupulo] nm: **me da ~
(hacer)** j'ai des scrupules (à faire);
escrúpulos nmpl (dudas) scrupules mpl

escrupuloso, -a [eskrupu'loso, a] adj
scrupuleux(-euse); (aprensivo) maniaque

escrutar [eskru'tar] vt scruter; (votos)
dépouiller le scrutin

escrutinio [eskru'tinjo] nm examen m
attentif; (de votos) scrutin m

escuadra [es'kwaðra] nf équerre f; (Mil)
escouade f; (Náut) escadre f

escuadrilla [eskwa'ðriʎa] nf escadrille f

escuadrón [eskwa'ðron] nm escadron m

escuálido, -a [es'kwaliðo, a] adj
efflanqué(e)

escuchar [esku'tʃar] vt écouter; (esp AM):
oír) entendre ■ vi écouter; **escucharse**
vpr (AM: Telec): **~se muy mal** entendre
très mal

escudo [es'kuðo] nm bouclier m;
(insignia) écusson m; (moneda) écu m;
~ de armas armes fpl

escudriñar [eskuðri'ɲar] vt scruter

escuela [es'kwela] nf école f; **~ de
arquitectura/Bellas Artes/idiomas**
école d'architecture/des Beaux Arts/de
langues; **~ normal** école normale

escueto, -a [es'kweto, a] adj (estilo)
dépouillé(e); (explicación) concis(e)

escuincle [es'kwinkle] (Méx: fam) nm
gosse m

esculpir [eskul'pir] vt sculpter

escultor, a [eskul'tor, a] nm/f
sculpteur m

escultura [eskul'tura] nf sculpture f

escupidera [eskupi'ðera] nf crachoir m;
(orinal) pot m de chambre

escupir [esku'pir] vt, vi cracher; **~ (a la
cara) a algn** (fig) abreuver qn d'injures

escurreplatos [eskurre'platos] nm inv
égouttoir m

escurridizo, -a [eskurri'ðiθo, a] adj
glissant(e); (fig: persona) fuyant(e)

escurridor [eskurri'ðor] nm essoreuse f

escurrir [esku'rrir] vt (ropa) essorer;
(verduras) égoutter; (platos) laisser
s'égoutter; (líquidos) verser la dernière
goutte de ■ vi (ropa, botella) goutter;
(líquidos) couler; **escurrirse** vpr (líquido)
s'écouler; (ropa, platos) s'égoutter;
(resbalarse) glisser; (escaparse) s'esquiver;
~ el bulto (fig) se dérober

ese¹ ['ese] nf (letra) S, s m; **hacer ~s** (en
carretera) faire des zigzags; (borracho)
avancer en zigzags

ese² ['ese], **esa** ['esa], **esos** ['esos], **esas**
['esas] adj (demostrativo: sg) ce (cette);
(: pl) ces

ése ['ese], **ésa** ['esa], **ésos** ['esos], **ésas**
['esas] pron (sg) celui-là (celle-là); (pl)
ceux-là (celles-là); **~ ... éste ...** celui-ci ...

celui-là ...; **¡no me vengas con ésas!** tu ne vas pas revenir là-dessus

esencia [e'senθja] nf essence f; (de doctrina) essentiel m; **en ~** par essence

esencial [esen'θjal] adj essentiel(le); **lo ~** l'essentiel m

esfera [es'fera] nf sphère f; (de reloj) cadran m; **~ impresora** boule f d'impression; **~ profesional/social** sphère professionnelle/sociale; **~ terrestre** globe m terrestre

esférico, -a [es'feriko, a] adj sphérique

esforzarse [esfor'θarse] vpr s'efforcer; **~ por hacer** s'efforcer de faire

esfuerzo [es'fwerθo] vb ver **esforzarse** ■ nm effort m; **hacer un ~ (para hacer)** faire un effort (pour faire); **con/sin ~** avec/sans effort

esfumarse [esfu'marse] vpr (persona) s'évanouir dans la nature; (esperanzas) partir en fumée

esgrima [es'ɣrima] nf escrime f

esgrimir [esɣri'mir] vt (arma) manier; (argumento) déployer

esguince [es'ɣinθe] nm entorse f

eslabón [esla'βon] nm maillon m; **el ~ perdido** (Bio, fig) le chaînon manquant

eslavo, -a [es'laβo, a] adj slave ■ nm/f Slave m/f ■ nm (Ling) langue f slave

eslip [es'lip] nm slip m

eslovaco, -a [eslo'βako, a] adj slovaque ■ nm/f Slovaque m/f ■ nm (Ling) slovaque m

Eslovaquia [eslo'βakja] nf Slovaquie f

esmaltar [esmal'tar] vt émailler

esmalte [es'malte] nm émail m; **~ de uñas** vernis m à ongles

esmerado, -a [esme'raðo, a] adj soigné(e)

esmeralda [esme'ralda] nf émeraude f ■ adj émeraude

esmerarse [esme'rarse] vpr: **~ (en)** se donner du mal (pour)

esmero [es'mero] nm soin m; **con ~** avec soin

esnob [es'nob] adj inv, nm/f snob m/f

esnobismo [esno'βismo] nm snobisme m

eso ['eso] pron ce, cela; **~ de su coche** cette histoire avec sa voiture; **~ de ir al cine** cette histoire d'aller au cinéma; **a ~ de las cinco** vers cinq heures; **en ~** sur ce; **por ~** c'est pour ça; **~ es** c'est cela; **~ mismo** cela-même; **nada de ~** rien de tout ça; **no es ~** ce n'est pas cela; **¡~ sí que es vida!** ça, c'est la vie!; **por ~ te lo dije** c'est pour cela que je te l'ai dit; **y ~ que llovía** pourtant il pleuvait!

esos ['esos] adj demos ver **ese**

ésos ['esos] pron ver **ése**

espabilar [espaβi'lar] vt = **despabilar**

espacial [espa'θjal] adj spatial(e)

espaciar [espa'θjar] vt espacer

espacio [es'paθjo] nm espace m; (Mús) interligne m; **el ~** l'espace m; **ocupar mucho ~** prendre beaucoup de place; **a dos ~s, a doble ~** (Tip) à double interligne; **en el ~ de una hora/de 3 días** en l'espace d'une heure/de 3 jours; **por ~ de** durant; **~ aéreo/exterior** espace aérien/extérieur

espacioso, -a [espa'θjoso, a] adj spacieux(-euse)

espada [es'paða] nf épée f ■ nm (Taur) épée; **espadas** nfpl (Naipes) l'une des quatre couleurs du jeu de cartes espagnol; **estar entre la ~ y la pared** être entre le marteau et l'enclume

espaguetis [espa'ɣetis] nmpl spaghettis mpl

espalda [es'palda] nf dos msg; (Natación) dos crawlé; **a ~s de algn** dans le dos de qn; **a (las) ~s de** (de edificio) derrière; **dar la ~ a algn** tourner le dos à qn; **estar de ~s** être de dos; **por la ~** (atacar) par derrière; (disparar) dans le dos; **ser cargado de ~s** être voûté; **tenderse de ~s** s'allonger sur le dos; **volver la ~ a algn** tourner le dos à qn

espantajo [espan'taxo] nm, **espantapájaros** [espanta'paxaros] nm inv épouvantail m

espantar [espan'tar] vt (persona) effrayer; (animal) faire fuir; (fig) chasser; **espantarse** vpr s'effrayer; (ahuyentar) déguerpir; (fig) se dissiper

espanto [es'panto] nm frayeur f; (terror) panique f; **~ de** (frío) de canard; (ruido) assourdissant(e); **¡qué ~!** quelle horreur!

espantoso, -a [espan'toso, a] adj effrayant(e); (fam: desmesurado) terrible; (: feísimo) repoussant(e)

España [es'paɲa] nf Espagne f

español, a [espa'ɲol, a] adj espagnol(e) ■ nm/f Espagnol(e) ■ nm (Ling) espagnol m

esparadrapo [espara'ðrapo] nm sparadrap m

esparcimiento [esparθi'mjento] nm éparpillement m; (fig) divertissement m

esparcir [espar'θir] vt (objetos) éparpiller; (semillas) semer; (líquido, noticia) répandre; **esparcirse** vpr s'éparpiller; (noticia) se répandre; (divertirse) se divertir

espárrago [es'parraɣo] nm asperge f; **¡vete a freír ~s!** (fam) va te faire cuire un œuf!; **~ triguero** asperge sauvage

esparto [es'parto] *nm* alfa *m*

espasmo [es'pasmo] *nm* spasme *m*

espátula [es'patula] *nf* spatule *f*

especia [es'peθja] *nf* condiment *m*

especial [espe'θjal] *adj* spécial(e); **en ~** spécialement

especialidad [espeθjali'ðað] *nf* spécialité *f*; (Escol) spécialisation *f*

especialista [espeθja'lista] *nm/f* spécialiste *m/f*; (Cine) cascadeur(-euse)

especialmente [espe'θjalmente] *adv* spécialement

especie [es'peθje] *nf* espèce *f*; **una ~ de** une espèce de; **pagar en ~** payer en espèces

especificar [espeθifi'kar] *vt* spécifier

específico, -a [espe'θifiko, a] *adj* spécifique

espécimen [es'peθimen] (*pl* **especímenes**) *nm* spécimen *m*; (muestra) échantillon *m*

espectáculo [espek'takulo] *nm* spectacle *m*; **dar un ~** se donner en spectacle

espectador, a [espekta'ðor, a] *nm/f* spectateur(-trice); (de incidente) badaud *m*; **los ~es** (Teatro) les spectateurs

espectro [es'pektro] *nm* spectre *m*; (fig: gama) gamme *f*

especular [espeku'lar] *vi* (meditar): **~ sobre** spéculer sur; **~ (en)** (Com) spéculer (en)

espejismo [espe'xismo] *nm* mirage *m*

espejo [es'pexo] *nm* miroir *m*; **mirarse al ~** se regarder dans la glace; **~ retrovisor** rétroviseur *m*

espeluznante [espeluθ'nante] *adj* à faire dresser les cheveux sur la tête

espera [es'pera] *nf* attente *f*; (Jur) délai *m* de grâce; **a la o en ~ de** dans l'attente de; **en ~ de su contestación/carta** dans l'attente de votre réponse/lettre

esperanza [espe'ranθa] *nf* espoir *m*; **hay pocas ~s de que venga** il y a peu de chances pour qu'il vienne; **dar ~s a algn** donner de l'espoir à qn; **~ de vida** espérance *f* de vie

esperar [espe'rar] *vt* attendre; (desear, confiar) espérer ■ *vi* attendre; **esperarse** *vpr*: **como podía ~se** comme on pouvait s'y attendre; **hacer ~ a algn** faire attendre qn; **ir a ~ a algn** aller attendre qn; **espero que venga** j'espère qu'il va venir; **~ un bebé** attendre un enfant; **es de ~ que** il faut espérer que

esperma [es'perma] *nm* sperme *m* ■ *nf* (Carib, Col) bougie *f*

espesar [espe'sar] *vt* épaissir; **espesarse** *vpr* s'épaissir

espeso, -a [es'peso, a] *adj* épais(se)

espesor [espe'sor] *nm* épaisseur *f*; (densidad) densité *f*

espía [es'pia] *nm/f* espion(ne)

espiar [espi'ar] *vt* espionner ■ *vi*: **~ para** être un espion à la solde de

espiga [es'piɣa] *nf* épi *m*

espigón [espi'ɣon] *nm* (Bot) piquant *m*; (Náut) digue *f*

espina [es'pina] *nf* (Bot) épine *f*; (de pez) arête *f*; **me da mala ~** ça ne me dit rien qui vaille; **~ dorsal** épine dorsale

espinaca [espi'naka] *nf* (Bot) épinard *m*; **~s** (Culin) épinards *mpl*

espinazo [espi'naθo] *nm* épine *f* dorsale

espinilla [espi'niʎa] *nf* (Anat) tibia *m*; (Med) point *m* noir

espinoso, -a [espi'noso, a] *adj* épineux(euse)

espionaje [espjo'naxe] *nm* espionnage *m*

espiral [espi'ral] *adj* en spirale ■ *nf* spirale *f*; (anticonceptivo) stérilet *m*; **la ~ inflacionista** la spirale inflationniste; **en ~** en spirale

espirar [espi'rar] *vt*, *vi* expirer

espíritu [es'piritu] *nm* esprit *m*; **~ de cuerpo/de equipo** esprit de corps/ d'équipe; **~ de lucha** naturel *m* bagarreur; **E~ Santo** Saint-Esprit *m*

espiritual [espiri'twal] *adj* spirituel(le)

espita [es'pita] *nf* robinet *m*

espléndido, -a [es'plendiðo, a] *adj* (magnífico) splendide; (generoso) généreux(-euse)

esplendor [esplen'dor] *nm* splendeur *f*; (apogeo) apogée *m*

espolear [espole'ar] *vt* éperonner; (fig: persona) tanner

espoleta [espo'leta] *nf* goupille *f*

espolón [espo'lon] *nm* (de ave) ergot *m*; (malecón) jetée *f*

espolvorear [espolβore'ar] *vt* saupoudrer

esponja [es'ponxa] *nf* éponge *f*; **beber como o ser una ~** boire comme un trou; **~ de baño** éponge de toilette

esponjoso, -a [espon'xoso, a] *adj* spongieux(-euse); (bizcocho) imbibé(e)

espontaneidad [espontanei'ðað] *nf* spontanéité *f*

espontáneo, -a [espon'taneo, a] *adj* spontané(e) ■ *nm/f* (esp Taur) spectateur qui s'élance dans l'arène pour participer à la corrida

esposar [espo'sar] *vt* passer les menottes à

esposo, -a [es'poso, a] *nm/f* époux(-ouse); **esposas** *nfpl* (*para detenidos*) menottes *fpl*

espray [es'prai] *nm* aérosol *m*

espuela [es'pwela] *nf* éperon *m*

espuma [es'puma] *nf* mousse *f*; (*sobre olas*) écume *f*; **echar ~ por la boca** (*perro*) baver; (*fig: persona*) écumer de rage; **~ de afeitar** mousse à raser

espumadera [espuma'ðera] *nf* écumoire *f*

espumoso, -a [espu'moso, a] *adj* moussant(e)

esqueleto [eske'leto] *nm* squelette *m*

esquema [es'kema] *nm* schéma *m*; (*guión*) plan *m*; **en ~** schématiquement

esquí [es'ki] (*pl* **~s**) *nm* ski *m*; **~ acuático** ski nautique

esquiar [es'kjar] *vi* skier

esquilar [eski'lar] *vt* tondre

esquimal [eski'mal] *adj* esquimau(de) ▪ *nm/f* Esquimau(de)

esquina [es'kina] *nf* coin *m*; **doblar la ~** tourner au coin de la rue; **hacer ~ con** faire le coin avec

esquinazo [eski'naθo] *nm*: **dar ~ a algn** planter là qn

esquirol [eski'rol] *nm* briseur *m* de grève

esquivar [eski'βar] *vt* esquiver

esquivo, -a [es'kiβo, a] *adj* (*huraño*) asocial(e); (*desdeñoso*) dédaigneux(-euse)

esta ['esta] *adj ver* **este²**

está [es'ta] *vb ver* **estar**

ésta ['esta] *pron ver* **éste**

estabilidad [estaβili'ðað] *nf* stabilité *f*

estable [es'taβle] *adj* stable

establecer [estaβle'θer] *vt* établir; **establecerse** *vpr* s'établir; **~se de o como médico** s'établir comme médecin

establecimiento [estaβleθi'mjento] *nm* établissement *m*

establo [es'taβlo] *nm* étable *f*; (*granero*) grange *f*

estaca [es'taka] *nf* (*palo*) piquet *m*; (*con punta*) pieu *m*

estación [esta'θjon] *nf* gare *f*; (*del año*) saison *f*; (*Rel*) station *f*; **~ de autobuses/ de ferrocarril** gare routière/de chemin de fer; **~ de esquí** station de sports d'hiver; **~ de metro** station de métro; **~ de radio** station d'émission; **~ de servicio** station-service *f*; **~ de trabajo** station de travail; **~ de visualización** visuel *m*; **~ meteorológica** station météorologique

estacionamiento [estaθjona'mjento] *nm* stationnement *m*

estacionar [estaθjo'nar] *vt* (*Auto*) garer;

estacionarse *vpr* (*Auto*) se garer; (*Med*) se stabiliser

estacionario, -a [estaθjo'narjo, a] *adj* (*estado*) stationnaire; (*mercado*) calme

estadio [es'taðjo] *nm* stade *m*

estadista [esta'ðista] *nm* (*Pol*) homme *m* d'Etat; (*Estadística*) statisticien(ne)

estadística [esta'ðistika] *nf* statistique *f*

estado [es'taðo] *nm* état *m*; **el E~** l'Etat; **estar en ~ (de buena esperanza)** attendre un heureux événement; **~ civil** état civil; **~ de ánimo** état d'âme; **~ de cuenta(s)** relevé *m* de compte; **~ de emergencia** *o* **excepción** état d'urgence; **~ de pérdidas y ganancias** compte *m* de profits et pertes; **~ de sitio** état de siège; **~ financiero** bilan *m* financier; **~ mayor** (*Mil*) état-major *m*; **E~s Unidos** Etats-Unis

estadounidense [estaðouni'ðense] *adj* américain(e) ▪ *nm/f* Américain(e)

estafa [es'tafa] *nf* escroquerie *f*

estafar [esta'far] *vt* escroquer; **les estafaron 8 millones** ils les ont escroqués de 8 millions

estafeta [esta'feta] *nf* bureau *m* de poste

estáis [es'tais] *vb ver* **estar**

estallar [esta'ʎar] *vi* (*bomba*) exploser; (*volcán*) entrer en éruption; (*vidrio*) voler en éclats; (*bolsa, fig*) éclater; **~ (de)** (*de ira*) exploser de; (*de curiosidad*) être pris(e) de; **~ en llanto** fondre en larmes

estallido [esta'ʎiðo] *nm* explosion *f*; (*fig: de guerra*) déclenchement *m*

estampa [es'tampa] *nf* estampe *f*; (*porte*) allure *f*; **ser la viva ~ de** être l'image même de

estampado, -a [estam'paðo, a] *adj* imprimé(e) ▪ *nm* (*dibujo*) imprimé *m*

estampar [estam'par] *vt* imprimer; (*metal*) estamper; (*fam: beso*) plaquer; (*: bofetada*) envoyer; **~ algo contra la pared** (*fam*) écraser qch contre le mur

estampida [estam'piða] (*esp AM*) *nf* débandade *f*

estampido [estam'piðo] *nm* détonation *f*

están [es'tan] *vb ver* **estar**

estancado, -a [estan'kaðo, a] *adj* stagnant(e)

estancar [estan'kar] *vt* stagner; (*asunto, negociación*) paralyser; **estancarse** *vpr* stagner; (*fig: progreso*) piétiner; (*persona*): **~se** en s'enliser dans

estancia [es'tanθja] *nf* séjour *m*; (*sala*) salle *f*; (*AM*) ferme *f* d'élevage

estanciero [estan'θjero] (*AM*) *nm* (*Agr*) éleveur *m*

estanco, -a [es'tanko, a] *adj*: compartimento ~ compartiment *m* étanche ■ *nm* bureau *m* de tabac

estándar [es'tandar] *adj* normal(e); *(medio)* standard ■ *nm* standard *m*

estandarizar [estandari'θar] *vt* standardiser; **estandarizarse** *vpr* se standardiser

estandarte [estan'darte] *nm* étendard *m*

estanque [es'tanke] *vb ver* **estancar** ■ *nm* bassin *m*; *(Chi)* réservoir *m*

estanquero, -a [estan'kero, a] *nm/f* buraliste *m/f*

estante [es'tante] *nm (de mueble)* rayonnage *m*; *(adosado)* étagère *f*; *(AM: soporte)* étai *m*

estantería [estante'ria] *nf* rayonnage *m*

estaño [es'taɲo] *nm* étain *m*

 PALABRA CLAVE

estar [es'tar] *vi* **1** *(posición)* être; **está en la Plaza Mayor** il est sur la Plaza Mayor; **¿está Juan?** (est-ce que) Juan est là?; **estamos a 30 km de Junín** nous sommes à 30 km de Junín

2 (+ *adj o adv: estado*) être; **estar enfermo** être malade; **estar lejos** être loin; **está roto** c'est cassé; **está muy elegante** il est très élégant; **¿cómo estás?** comment vas-tu?; *ver tb* **bien**

3 (+ *gerundio*) être en train de; **estoy leyendo** je suis en train de lire

4 *(uso pasivo)*: **está condenado a muerte** il est condamné à mort; **está envasado en ...** c'est enveloppé dans ...

5 *(tiempo)*: **estamos en octubre/2008** nous sommes en octobre/2008

6 *(estar listo)*: **¿está la comida?** le repas est prêt?; **¿estará para mañana?** ce sera prêt pour demain?; **ya está** ça y est; **en seguida está** tout de suite

7 *(sentar)* aller; **el traje le está bien** le costume lui va bien

8: **estar a** *(con fechas)*: **¿a cuántos estamos?** nous sommes le combien?; **estamos a 5 de mayo** nous sommes le 5 mai; *(con precios)*: **las manzanas están a dos** les pommes sont à deux euros; *(con grados)*: **estamos a 25°** il fait 25°; **está a régimen** il est au régime

9: **estar con**; **está con gripe** il a la grippe; *(apoyar)*: **estoy con él** je suis (d'accord) avec lui

10: **estar de** *(ocupación)*: **estar de vacaciones/viaje** être en vacances/voyage; *(trabajo)*: **está de camarero** il travaille comme garçon de café; *(actitud)*:

está de mal humor il est de mauvaise humeur

11: **estar en** *(consistir)* résider dans

12: **estar para** *(a punto de)*: **está para salir** il est prêt à sortir; *(disponible)*: **no estoy para nadie** je n'y suis pour personne; *(con humor de)*: **no estoy para bromas** je ne suis pas d'humeur à plaisanter

13: **estar por** *(a favor de)* être pour; **estoy por dejarlo** je suis pour le laisser tomber; *(sin hacer)*: **está por limpiar** ça reste à nettoyer

14: **estar que**; **¡está que trina!** il en est fumasse!; **estoy que me caigo de sueño** c'est que je tombe de sommeil

15: **estar sin**; **estar sin dinero** ne pas avoir d'argent; **la casa está sin terminar** la maison n'est pas finie

16 *(locuciones)*: **¡ya estuvo!** *(AM: fam)* ça suffit!; **¿estamos?** *(¿de acuerdo?)* d'accord?; **¡ya está bien!** bon, ça va!

estarse *vpr*: **se estuvo en la cama toda la tarde** il est resté au lit tout l'après-midi; **¡estáte quieto!** reste tranquille!

estas ['estas] *adj demos ver* **este²**

éstas ['estas] *pron ver* **éste**

estatal [esta'tal] *adj (política)* gouvernemental(e); *(enseñanza)* public(-ique)

estático, -a [es'tatiko, a] *adj* statique

estatua [es'tatwa] *nf* statue *f*

estatura [esta'tura] *nf* stature *f*

estatuto [esta'tuto] *nm* statut *m*; **~s sociales** *(Com)* statuts

este¹ ['este] *adj* est; *(viento)* d'est ■ *nm* est *m*; **los países del E~** les pays *mpl* de l'Est

este² ['este], **esta** ['esta], **estos** ['estos], **estas** ['estas] *adj (demostrativo: sg)* ce (cette); (: *pl*) ces ■ *excl (AM: fam: esto)* euh!

esté [es'te] *vb ver* **estar**

éste ['este], **ésta** ['esta], **éstos** ['estos], **éstas** ['estas] *pron (sg)* celui-ci (celle-ci); *(pl)* ceux-ci (celles-ci); **ése ... ~ ...** celui-ci ... celui-là ...

estelar [este'lar] *adj (Astron)* stellaire; *(actuación)* de star; *(reparto)* prestigieux(-euse)

estén [es'ten] *vb ver* **estar**

estepa [es'tepa] *nf* steppe *f*

estera [es'tera] *nf* sparterie *f*

estéreo [es'tereo] *adj inv, nm* stéréo *f*; **en ~** en stéréo

estereotipo [estereo'tipo] *(pey) nm* stéréotype *m*

estéril [es'teril] *adj* stérile
esterilizar [esterili'θar] *vt* stériliser
esterlina [ester'lina] *adj*: **libra ~** livre *f*
sterling
estés [es'tes] *vb ver* **estar**
estética [es'tetika] *nf* esthétique *f*
estético, -a [es'tetiko, a] *adj* esthétique
estibador [estiβa'ðor] *nm* docker *m*
estiércol [es'tjerkol] *nm* fumier *m*
estilarse [esti'larse] *vpr* être en vogue
estilo [es'tilo] *nm* style *m*; (*Natación*)
nage *f*; **~ de vida** style de vie; **al ~ de** à la
mode de; **por el ~** de ce genre; **tener ~**
avoir du style
estima [es'tima] *nf* estime *f*; **le tiene en
mucha ~** il a beaucoup d'estime pour lui
estimación [estima'θjon] *nf* (*valoración*)
estimation *f*; (*estima*) estime *f*
estimar [esti'mar] *vt* estimer; **~ algo en**
(*valorar*) estimer qch à
estimulante [estimu'lante] *adj*
stimulant(e) ■ *nm* stimulant *m*
estimular [estimu'lar] *vt* stimuler
estímulo [es'timulo] *nm* stimulation *f*
estipulación [estipula'θjon] *nf*
stipulation *f*
estipular [estipu'lar] *vt* stipuler
estirado, -a [esti'raðo, a] *adj* tendu(e);
(*engreído*) infatué(e)
estirar [esti'rar] *vt* étirer; (*brazo, pierna*)
tendre; (*fig: dinero*) faire durer ■ *vi* tirer;
estirarse *vpr* s'étirer; **~ la pata** (*fam*)
partir les pieds devant; **~ las piernas** (*fig*)
se dégourdir les jambes
estirón [esti'ron] *nm* étirement *m*;
dar *o* **pegar un ~** pousser comme une
asperge
estirpe [es'tirpe] *nf* souche *f*
estival [esti'βal] *adj* estival(e)
esto ['esto] *pron* cela, ça, c' ■ *excl* (*fam*)
euh!; **~ de la boda** cette affaire de la
noce; **~ es, ...** c'est-à-dire, ...; **en ~** sur ce;
por ~ c'est pour ça
Estocolmo [esto'kolmo] *n* Stockolm
estofado, -a [esto'faðo, a] *adj* cuit(e) à
l'étouffée ■ *nm* estouffade *f*
estofar [esto'far] *vt* cuire à l'étouffée
estómago [es'tomaɣo] *nm* estomac *m*;
tener ~ (*fig*) avoir de l'estomac;
revolverle el ~ a algn (*fam*) retourner les
sangs à qn
estorbar [estor'βar] *vt* gêner; (*planes*)
paralyser ■ *vi* gêner
estorbo [es'torβo] *nm* gêne *f*
estornudar [estornu'ðar] *vi* éternuer
estos ['estos] *adj ver* **este²**
éstos ['estos] *pron ver* **éste**
estoy [es'toi] *vb ver* **estar**

estrado [es'traðo] *nm* estrade *f*;
estrados *nmpl* (*Jur*) salles *fpl* d'audience
estrafalario, -a [estrafa'larjo, a] *adj*
extravagant(e)
estrago [es'traɣo] *nm*: **hacer** *o* **causar ~s**
en faire des ravages parmi
estragón [estra'ɣon] *nm* estragon *m*
estrambótico, -a [estram'botiko, a]
adj extravagant(e)
estrangular [estrangu'lar] *vt* étrangler;
(*Med*) obstruer
Estrasburgo [estras'βurɣo] *n*
Strasbourg
estratagema [estrata'xema] *nf*
stratagème *m*
estrategia [estra'texja] *nf* stratégie *f*
estratégico, -a [estra'texiko, a] *adj*
stratégique
estrato [es'trato] *nm* strate *f*; **~ social**
couche *f* sociale
estrechamente [estretʃa'mente] *adv*
(*íntimamente*) étroitement; (*pobremente*)
à l'étroit
estrechar [estre'tʃar] *vt* rétrécir;
(*persona*) serrer; (*lazos de amistad*)
resserrer; **estrecharse** *vpr* se rétrécir;
(*dos personas*) se rapprocher; (*fam: en
asiento*) se serrer; **~ la mano** serrer la main
estrechez [estre'tʃeθ] *nf* étroitesse *f*;
estrecheces *nfpl* (*apuros*) difficultés *fpl*
financières
estrecho, -a [es'tretʃo, a] *adj* étroit(e);
(*amistad*) intime ■ *nm* détroit *m*; **~ de
miras** borné(e); **estar/ir muy ~s** être très
serrés; **E~ de Gibraltar** détroit de
Gibraltar
estrella [es'treʎa] *nf* étoile *f*; (*Cine etc*)
star *f*; **tener (buena)/mala ~** être né(e)
sous une (bonne)/mauvaise étoile; **ver
las ~s** (*fam*) voir trente-six chandelles;
~ de mar étoile de mer; **~ fugaz** étoile
filante; **E~ Polar** étoile polaire
estrellado, -a [estre'ʎaðo, a] *adj* en
forme d'étoile; (*cielo*) étoilé(e); (*huevos*)
sur le plat
estrellar [estre'ʎar] *vt* briser en mille
morceaux; (*huevos*) faire cuire sur le plat;
estrellarse *vpr* se briser en mille
morceaux; (*coche*) s'écraser; (*fracasar*)
échouer; **se estrellaron en la carretera**
ils sont morts dans un accident de voiture
estremecer [estreme'θer] *vt*
bouleverser; (*suj: miedo, frío*) faire
frissonner; **estremecerse** *vpr*
frissonner; (*edificio*) trembler; **~se de**
frissonner de
estremecimiento [estremeθi'mjento]
nm frisson *m*

estrenar [estre'nar] vt (vestido) étrenner; (casa) pendre la crémaillère; (película, obra de teatro) donner la première de; **estrenarse** vpr: ~**se como** (persona) faire ses débuts

estreno [es'treno] nm inauguration f; (Cine, Teatro) première f

estreñido, -a [estre'ɲiðo, a] adj constipé(e)

estreñimiento [estreɲi'mjento] nm constipation f

estrépito [es'trepito] nm fracas msg

estrepitoso, -a [estrepi'toso, a] adj (caída) spectaculaire; (gritos) perçant(e); (fracaso, victoria) fracassant(e); **aplausos ~s** un tonnerre d'applaudissements

estrés [es'tres] nm stress m

estría [es'tria] nf (en tronco) strie f; (columna) striure f; ~**s** (en la piel) vergetures fpl

estribación [estriβa'θjon] nf (Geo, frec pl) contrefort m

estribar [estri'βar] vi: ~ **en** reposer sur; **la dificultad estriba en el texto** la difficulté se situe dans le texte

estribillo [estri'βiʎo] nm refrain m

estribo [es'triβo] nm (de jinete) étrier m; (de tren) marchepied m; (de oído) osselet m; (de puente, cordillera) contrefort m; **perder los ~s** (fig) monter sur ses grands chevaux

estribor [estri'βor] nm (Náut) tribord m

estricto, -a [es'trikto, a] adj strict(e)

estridente [estri'ðente] adj (color) criard(e); (voz) strident(e)

estropajo [estro'paxo] nm lavette f

estropear [estrope'ar] vt (material) abîmer; (máquina, coche) casser; (planes) détruire; (cosecha) gâter; (persona) ravager; **estropearse** vpr tomber en panne; (envejecer) vieillir

estructura [estruk'tura] nf structure f

estruendo [es'trwendo] nm vacarme m

estrujar [estru'xar] vt (limón) presser; (bayeta, papel) tordre; (persona) serrer; **estrujarse** vpr (personas) se serrer; ~**se la cabeza** o **los sesos** se ronger les sangs

estuario [es'twarjo] nm estuaire m

estuche [es'tutʃe] nm trousse f

estudiante [estu'ðjante] nm/f étudiant(e)

estudiantil [estuðjan'til] adj estudiantin(e)

estudiar [estu'ðjar] vt étudier; (carrera) faire des études de ◆ vi étudier; ~ **para abogado** faire des études pour devenir avocat

estudio [es'tuðjo] nm étude f; (proyecto) projet m; (piso) atelier m; (Radio, TV etc: local) studio m; **estudios** nmpl études fpl; **cursar** o **hacer ~s** faire des études; ~ **de desplazamientos y tiempos/de motivación** étude des cadences/ enquête f sur la motivation; ~ **del trabajo/de viabilidad** étude du travail/ de faisabilité

estudioso, -a [estu'ðjoso, a] adj studieux(-euse) ◆ nm/f: ~ **de** spécialiste m/f de

estufa [es'tufa] nf radiateur m

estupefaciente [estupefa'θjente] adj stupéfiant(e) ◆ nm stupéfiant m

estupefacto, -a [estupe'fakto, a] adj: **quedarse ~** être stupéfait(e); **me dejó ~** il m'a laissé stupéfait; **me miró ~** il m'a regardé avec stupéfaction

estupendo, -a [estu'pendo, a] adj formidable; **¡~!** super!

estupidez [estupi'ðeθ] nf stupidité f

estúpido, -a [es'tupiðo, a] adj stupide

estupor [estu'por] nm stupeur f

estuve etc [es'tuβe] vb ver **estar**

esvástica [es'βastika] nf croix f gammée

ETA ['eta] sigla f (Pol: = Euskadi Ta Askatasuna) ETA m

etapa [e'tapa] nf étape f; **por ~s** par étapes; **quemar ~s** brûler les étapes

etarra [e'tarra] adj, nm/f membre m/f de l'ETA

etc. abr (= etcétera) etc. (= et cetera)

etcétera [et'θetera] adv et cetera

eternidad [eterni'ðað] nf éternité f; **una ~** (fam) une éternité

eterno, -a [e'terno, a] adj éternel(le); (fam: larguísimo) à n'en plus finir

ética ['etika] nf éthique f; ~ **profesional** éthique professionnelle

ético, -a ['etiko, a] adj éthique

Etiopía [etio'pia] nf Ethiopie f

etiqueta [eti'keta] nf (tb Inform) étiquette f; **traje de ~** tenue f de soirée

étnico, -a ['etniko, a] adj ethnique

ETT [ete'te] sigla f (= Empresa de Trabajo Temporal) agence f d'intérim

Eucaristía [eukaris'tia] nf Eucharistie f

eufemismo [eufe'mismo] nm euphémisme m

euforia [eu'forja] nf euphorie f

euro ['euro] nm euro m

Eurocheque [euro'tʃeke] nm Eurochèque m

eurodiputado, -a [euroðipu'taðo, a] nm/f député(e) européen(ne)

Europa [eu'ropa] nf Europe f

europeo, -a [euro'peo, a] *adj*
europeen(ne) ■ *nm/f* Européen(ne)
Euskadi [eus'kaði] *nm* pays *m* basque
euskera [eus'kera], **eusquera**
[eus'kera] *nm* basque *m*
eutanasia [euta'nasja] *nf* euthanasie *f*
evacuación [eβakwa'θjon] *nf*
évacuation *f*
evadir [eβa'ðir] *vt* éviter; (*impuesto*)
frauder; **evadirse** *vpr* s'évader
evaluar [eβa'lwar] *vt* (*valorar*) évaluer;
(*calificar*) noter
evangelio [eβan'xeljo] *nm* Évangile *m*
evaporar [eβapo'rar] *vt* faire évaporer;
evaporarse *vpr* s'évaporer; (*fam:
persona*) se volatiliser
evasión [eβa'sjon] *nf* évasion *f*; **de ~**
(*novela, película*) d'évasion; **~ de capitales**
évasion des capitaux; **~ fiscal** *o* **de
impuestos** évasion fiscale
evasiva [eβa'siβa] *nf* réponse *f* évasive;
contestar con ~s faire des réponses
évasives
evasivo, -a [eβa'siβo, a] *adj* évasif(-ive)
evento [e'βento] *nm* événement *m*
eventual [eβen'twal] *adj* (*circunstancias*)
éventuel(le); (*trabajo*) temporaire
evidencia [eβi'ðenθja] *nf* évidence *f*;
poner en ~ (*a algn*) tourner en ridicule;
(*algo*) mettre en évidence; **ponerse en ~**
se montrer sous son vrai jour
evidenciar [eβiðen'θjar] *vt* rendre
évident(e); **evidenciarse** *vpr* être
manifeste
evidente [eβi'ðente] *adj* évident(e)
evitar [eβi'tar] *vt* éviter; (*molestia*)
épargner; (*tentación*) résister à; **~ hacer**
éviter de faire; **si puedo ~lo** si je peux
faire autrement
evocar [eβo'kar] *vt* évoquer
evolución [eβolu'θjon] *nf* évolution *f*;
evoluciones *nfpl* (*giros*) évolutions *fpl*
evolucionar [eβoluθjo'nar] *vi* évoluer
ex [eks] *prep* ex; **el ex ministro** l'ex-
ministre
exacerbar [eksaθer'βar] *vt* exacerber;
(*persona*) exaspérer
exactamente [ek'saktamente] *adv*
exactement
exactitud [eksakti'tuð] *nf* exactitude *f*;
(*fidelidad*) fidélité *f*
exacto, -a [ek'sakto, a] *adj* exact(e); **¡~!**
exactement!; **eso no es del todo ~** ce
n'est pas tout à fait exact; **para ser ~** pour
être exact
exageración [eksaxera'θjon] *nf*
exagération *f*
exagerar [eksaxe'rar] *vt, vi* exagérer

exaltado, -a [eksal'taðo, a] *adj, nm/f*
exalté(e)
exaltar [eksal'tar] *vt* exalter; **exaltarse**
vpr s'exalter
examen [ek'samen] *nm* examen *m*;
~ de conciencia examen de conscience;
~ de conducir épreuve *f* de conduite;
~ de ingreso examen d'entrée;
~ eliminatorio épreuve éliminatoire;
~ final examen final
examinar [eksami'nar] *vt* examiner;
(*Escol*) faire passer un examen à;
examinarse *vpr*: **~se (de)** passer un
examen (de)
exasperar [eksaspe'rar] *vt* exaspérer;
exasperarse *vpr* s'irriter
Exc.[a] *abr* = **Excelencia**
excavador, a [ekskaβa'ðor, a] *nm/f*
(*persona*) mineur *m* ■ *nf* (*Tec*) excavateur
m, excavatrice *f*
excavar [ekska'βar] *vt, vi* excaver
excedencia [eksθe'ðenθja] *nf*: **estar en
~** être en congé sabbatique; **pedir** *o*
solicitar la ~ demander *o* solliciter un
congé sabbatique
excedente [eksθe'ðente] *adj* (*producto,
dinero*) excédentaire; (*funcionario*)
en disponibilité ■ *nm* excédent *m*;
~ de cupo exempté *m* de service
militaire
exceder [eksθe'ðer] *vt* surpasser;
excederse *vpr* dépasser; **~se en gastos**
faire trop de dépenses; **~se en sus
funciones** outrepasser ses pouvoirs
excelencia [eksθe'lenθja] *nf* excellence
f; **E~** (*tratamiento*) Excellence; **por ~** par
excellence
excelente [eksθe'lente] *adj* excellent(e)
excentricidad [eksθentriθi'ðað] *nf*
excentricité *f*
excéntrico, -a [eks'θentriko, a] *adj,
nm/f* excentrique *m/f*
excepción [eksθep'θjon] *nf*: **ser/hacer
una ~** être/faire une exception; **a o con ~
de** à l'exception de; **sin ~** sans exception;
de ~ d'exception
excepcional [eksθepθjo'nal] *adj*
exceptionnel(le)
excepto [eks'θepto] *adv* excepté
exceptuar [eksθep'twar] *vt* excepter
excesivo, -a [eksθe'siβo, a] *adj*
excessif(-ive)
exceso [eks'θeso] *nm* excès *msg*; (*Com*)
excédent *m*; **excesos** *nmpl* (*desórdenes*)
excès *mpl*; **con** *o* **en ~** à l'excès; **~ de
equipaje/peso** excédent de bagages/
poids; **~ de velocidad** excès de vitesse
excitación [eksθita'θjon] *nf* excitation *f*

excitar [eksθi'tar] vt exciter; **excitarse** vpr s'exciter; **me excita los nervios** il me porte sur les nerfs

exclamación [eksklama'θjon] nf exclamation f

exclamar [ekskla'mar] vt, vi s'exclamer

excluir [eksklu'ir] vt (descartar) exclure; (no incluir): ~ **(de)** exclure (de)

exclusión [eksklu'sjon] nf exclusion f; **con ~ de** à l'exclusion de

exclusiva [eksklu'siβa] nf exclusivité f; **modelo en ~** modèle m exclusif

exclusivo, -a [eksklu'siβo, a] adj exclusif(-ive); **trabajar con dedicación exclusiva por** travailler exclusivement pour; **derecho ~** droit m exclusif

Excmo. abr (= Excelentísimo) titre de courtoisie

excomulgar [ekskomul'ɣar] vt excommunier

excomunión [ekskomu'njon] nf excommunion f

excursión [ekskur'sjon] nf (por el campo) randonnée f; (viaje) excursion f; **ir de ~** faire une excursion

excursionista [ekskursjo'nista] nm/f (por campo) randonneur(-euse); (en excursión de un día) excursionniste m/f

excusa [eks'kusa] nf excuse f; **presentar sus ~s** présenter ses excuses

excusar [eksku'sar] vt excuser; **excusarse** vpr s'excuser; ~ **(de hacer)** (eximir) excuser (de faire)

exhalar [eksa'lar] vt exhaler

exhaustivo, -a [eksaus'tiβo, a] adj exhaustif(-ive)

exhausto, -a [ek'sausto, a] adj épuisé(-e)

exhibición [eksiβi'θjon] nf exhibition f; (de película) projection f

exhibir [eksi'βir] vt exhiber; (película) projeter; **exhibirse** vpr s'exhiber

exhortar [eksor'tar] vt: ~ **a** exhorter à

exigencia [eksi'xenθja] nf exigence f; ~**s del trabajo/de la situación** exigences du travail/de la situation

exigente [eksi'xente] adj exigeant(e); **ser ~ con algn** être exigeant(e) avec qn

exigir [eksi'xir] vt (reclamar) exiger; (necesitar) demander ■ vi être exigeant(e)

exiliado, -a [eksi'ljaðo, a] adj, nm/f exilé(e)

exilio [ek'siljo] nm exil m

eximir [eksi'mir] vt: ~ **a algn (de)** exempter qn (de)

existencia [eksis'tenθja] nf existence f; **existencias** nfpl (artículos) stock m;

~ **de mercancías** (Com) stock de marchandises; **en ~** (Com) en stock; **amargar la ~ a algn** (fam) empoisonner la vie de qn

existir [eksis'tir] vi exister; (vivir) vivre

éxito ['eksito] nm succès m; **tener ~** avoir du succès; ~ **editorial** best-seller m

exonerar [eksone'rar] vt: ~ **de** (de cargo) destituer de; (de obligación) dispenser de

exorbitante [eksorβi'tante] adj exorbitant(e)

exorcizar [eksorθi'θar] vt exorciser

exótico, -a [ek'sotiko, a] adj exotique

expandirse [ekspan'dirse] vpr se dilater; se répandre

expansión [ekspan'sjon] nf expansion f; (diversión) distraction f; **economía en ~** économie f en expansion; ~ **económica** expansion économique

expansivo, -a [ekspan'siβo, a] adj (onda) de propagation; (carácter) expansif(-ive)

expatriarse [ekspa'trjarse] vpr s'expatrier

expectativa [ekspekta'tiβa] nf expectative f; (perspectiva) perspective f; **estar a la ~** être dans l'expectative

expedición [ekspeði'θjon] nf expédition f; **gastos de ~** frais mpl d'expédition

expediente [ekspe'ðjente] nm (Jur: procedimiento) procédure f; (: papeles) démarches fpl; (Escol: tb: **expediente académico**) dossier m scolaire; **abrir/formar ~ a algn** ouvrir un dossier au nom de qn/instruire le dossier de qn; **cubrir el ~** (fam) pratiquer la politique du moindre effort

expedir [ekspe'ðir] vt (carta, mercancías) expédier; (documento) délivrer; (cheque) établir

expendedor, a [ekspende'ðor, a] nm/f vendeur(-euse); (Teatro) ouvreur(-euse) ■ nm (tb: **expendedor automático**) guichet m automatique; ~ **de cigarrillos** distributeur m de cigarettes

expensas [eks'pensas] nfpl (Jur) frais mpl; **a ~ de** aux frais de

experiencia [ekspe'rjenθja] nf expérience f

experimentado, -a [eksperimen'taðo, a] adj expérimenté(e)

experimentar [eksperimen'tar] vt (en laboratorio) expérimenter; (probar) tester; (deterioro, aumento) connaître; (sensación) ressentir

experimento [ekspe'rimento] nm expérience f

experto, -a [eks'perto, a] adj, nm/f expert(e)

expiar [ekspi'ar] *vt* expier

expirar [ekspi'rar] *vi* expirer

explanada [ekspla'naða] *nf* esplanade *f*

explayarse [ekspla'jarse] *vpr* s'étendre; *(fam: divertirse)* se changer les idées; *(desahogarse)* se soulager; **~ con algn** se confier à qn

explicación [eksplika'θjon] *nf* explication *f*

explicar [ekspli'kar] *vt* expliquer; **explicarse** *vpr* s'expliquer; **~se algo** s'expliquer qch; **no me lo explico** je ne me l'explique pas

explícito, -a [eks'pliθito, a] *adj* explicite

explique *etc* [eks'plike] *vb ver* **explicar**

explorador, a [eksplora'ðor, a] *nm/f* explorateur(-trice); *(Mil)* éclaireur(-euse) ■ *nm (Med)* explorateur *m*; *(radar)* détecteur *m* de radar

explorar [eksplo'rar] *vt* explorer; **~ el terreno** *(fig)* tâter le terrain

explosión [eksplo'sjon] *nf* explosion *f*; **~ atómica/nuclear** explosion atomique/ nucléaire

explosivo, -a [eksplo'siβo, a] *adj* explosif(-ive) ■ *nm* explosif *m*

explotación [eksplota'θjon] *nf* exploitation *f*; **~ agrícola/minera/ petrolífera** exploitation agricole/ minière/pétrolifère

explotar [eksplo'tar] *vt* exploiter ■ *vi* exploser

exponer [ekspo'ner] *vt* exposer; **exponerse** *vpr*: **~se a (hacer) algo** s'exposer à (faire) qch

exportación [eksporta'θjon] *nf* exportation *f*

exportar [ekspor'tar] *vt* exporter

exposición [eksposi'θjon] *nf* exposition *f*; **E~ Universal** exposition universelle

exprés [eks'pres] *adj inv (café)* express ■ *nm* express *msg*

expresamente [eks'presamente] *adv (decir)* expressément; *(ir)* exprès

expresar [ekspre'sar] *vt* exprimer; **expresarse** *vpr* s'exprimer

expresión [ekspre'sjon] *nf* expression *f*; **~ corporal** expression corporelle

expresivo, -a [ekspre'siβo, a] *adj (vivo)* expressif(-ive); *(cariñoso)* expansif(-ive)

expreso, -a [eks'preso, a] *adj (explícito)* exprès(-esse); *(claro)* explicite; *(tren)* express ■ *nm (Ferro)* express *msg*

exprimidor [eksprimi'ðor] *nm* presse-citrons *msg*

exprimir [ekspri'mir] *vt* presser; *(fig: explotar)* sucer jusqu'à la moelle;

exprimirse *vpr*: **~se el cerebro** *o* **los sesos** se ronger les sangs

expropiar [ekspro'pjar] *vt* exproprier

expuesto, -a [eks'pwesto, a] *pp de* **exponer** ■ *adj* exposé(e); **estar ~ a** être exposé(e) à; **según lo ~ arriba** d'après ce qui a été dit plus haut

expulsar [ekspul'sar] *vt* expulser; *(humo)* cracher

expulsión [ekspul'sjon] *nf* expulsion *f*; *(de humo)* émission *f*

exquisito, -a [ekski'sito, a] *adj* exquis(e)

éxtasis ['ekstasis] *nm* extase *f*

extender [eksten'der] *vt* étendre; *(mantequilla, pintura)* étaler; *(certificado, documento)* délivrer; *(cheque, recibo)* établir; **extenderse** *vpr* s'étendre; *(en el tiempo)* se prolonger; *(costumbre, rumor)* se répandre

extendido, -a [eksten'diðo, a] *adj* étendu(e); *(costumbre, creencia)* répandu(e)

extensión [eksten'sjon] *nf* étendue *f*; *(Telec)* poste *m*; *(Com: de plazo)* prolongation *f*; **en toda la ~ de la palabra** dans tous les sens du terme; **por ~** par extension

extenso, -a [eks'tenso, a] *adj* étendu(e)

extenuar [ekste'nwar] *vt* exténuer

exterior [ekste'rjor] *adj* extérieur(e) ■ *nm* extérieur *m*; *(aspecto)* aspect *m*; *(países extranjeros)* étranger *m*; **exteriores** *nmpl (Cine)* extérieurs *mpl*; **Asuntos E~es** Affaires *fpl* étrangères; **al ~** à l'extérieur; **en el ~** en extérieur

exterminar [ekstermi'nar] *vt* exterminer

exterminio [ekster'minjo] *nm* extermination *f*

externo, -a [eks'terno, a] *adj* externe; *(culto)* extérieur(e) ■ *nm/f* externe *m/f*; **de uso ~** *(Med)* à usage externe

extinguir [ekstin'gir] *vt (fuego)* éteindre; *(raza)* provoquer l'extinction de; **extinguirse** *vpr* s'éteindre

extinto, -a [eks'tinto, a] *adj* disparu(e)

extintor [ekstin'tor] *nm (tb:* **extintor de incendios**) extincteur *m*

extirpar [ekstir'par] *vt (mal)* déraciner; *(Med)* extirper

extorsión [ekstor'sjon] *nf* extorsion *f*; *(molestia)* gêne *f*

extra ['ekstra] *adj inv (tiempo, paga)* supplémentaire; *(chocolate)* extra; *(calidad)* super ■ *nm/f (Cine)* figurant(e) ■ *nm (bono)* bonus *m inv*; *(de menú, cuenta)* supplément *m*; *(periódico)* édition *f* spéciale

extra... ['ekstra] *pref* extra...

extracción [ekstrak'θjon] *nf* extraction *f*; (*en lotería*) tirage *m*

extracto [eks'trakto] *nm* résumé *m*; (*de café, hierbas*) extrait *m*

extradición [ekstraði'θjon] *nf* extradition *f*

extraer [ekstra'er] *vt* extraire

extraescolar [ekstraesko'lar] *adj*: **actividad ~** activité *f* extrascolaire

extralimitarse [ekstralimi'tarse] *vpr*: **~ (en)** dépasser les limites (de)

extranjero, -a [ekstran'xero, a] *adj, nm/f* étranger(-ère) ■ *nm* étranger *m*; **en el ~** à l'étranger

extrañar [ekstra'ɲar] *vt* étonner; (*AM: echar de menos*) regretter; (*algo nuevo*) ne pas reconnaître; **extrañarse** *vpr*: **~se (de)** s'étonner (de); **me extraña** ça m'étonne; **te extraño mucho** tu me manques beaucoup

extrañeza [ekstra'ɲeθa] *nf* (*rareza*) singularité *f*; (*asombro*) étonnement *m*

extraño, -a [eks'traɲo, a] *adj* étranger(-ère); (*raro*) bizarre ■ *nm/f* étranger(-ère); **... lo que por ~ que parezca** ... ce qui, aussi bizarre que cela puisse paraître

extraordinario, -a [ekstraorði'narjo, a] *adj* extraordinaire; (*edición*) spécial(e) ■ *nm* (*de periódico*) numéro *m* spécial; **horas extraordinarias** heures *fpl* supplémentaires

extrarradio [ekstra'rraðjo] *nm* banlieue *f*

extravagancia [ekstraβa'ɣanθja] *nf* extravagance *f*

extravagante [ekstraβa'ɣante] *adj* extravagant(e)

extraviar [ekstra'βjar] *vt* (*objeto*) égarer; **extraviarse** *vpr* s'égarer

extravío [ekstra'βio] *nm* objet *m* perdu; (*fig*) égarement *m*

extremar [ekstre'mar] *vt* pousser à l'extrême; **extremarse** *vpr*: **~se en** se surpasser dans

extremaunción [ekstremaun'θjon] *nf* extrême-onction *f*

extremeño, -a [ekstre'meɲo, a] *adj* d'Estrémadure ■ *nm/f* natif(-ive) *o* habitant(e) d'Estrémadure

extremidad [ekstremi'ðað] *nf* extrémité *f*; **extremidades** *nfpl* (*Anat*) extrémités *fpl*

extremo, -a [eks'tremo, a] *adj* extrême ■ *nm* (*punta*) extrémité *f*; (*fig*) extrême *m*; **en último ~** en dernière extrémité; **pasar de un ~ a otro** (*fig*) passer d'un extrême à

l'autre; **con** *o* **por ~** extrêmement; **la extrema derecha/izquierda** (*Pol*) l'extrême droite/gauche; **~ derecho/ izquierdo** (*Deporte*) aile *f* droite/gauche; **E~ Oriente** Extrême-Orient *m*

extrovertido, -a [ekstroβer'tiðo, a] *adj, nm/f* extraverti(e)

exuberancia [eksuβe'ranθja] *nf* exubérance *f*

exuberante [eksuβe'rante] *adj* exubérant(e)

eyacular [ejaku'lar] *vi* éjaculer

f

fa [fa] *nm* fa *m*

fábrica ['faβrika] *nf* usine *f*; (*fabricación*) fabrique *f*; **de ~** (*Arq*) en brique; **marca/precio de ~** marque *f*/prix *m* de fabrique; **~ de cerveza** brasserie *f*; **~ de textil** manufacture *f* textile; **F~ de Moneda y Timbre** ≈ Hôtel *m* de la Monnaie

fabricación [faβrika'θjon] *nf* fabrication *f*; **de ~ casera** fait(e) maison; **de ~ nacional** de fabrication nationale; **~ en serie** fabrication en série

fabricante [faβri'kante] *nm/f* fabricant(e)

fabricar [faβri'kar] *vt* fabriquer; (*fig: cuento*) monter; **~ en serie** fabriquer en série

fábula ['faβula] *nf* (*tb chisme, mentira*) fable *f*

fabuloso, -a [faβu'loso, a] *adj* fabuleux(-euse)

facción [fak'θjon] *nf* (*Pol*) faction *f*; **facciones** *nfpl* (*del rostro*) traits *mpl*

faceta [fa'θeta] *nf* facette *f*

facha ['fatʃa] (*fam*) *adj, nm/f* (*pey*) facho *m/f* ▪ *nf* (*aspecto*) aspect *m*; **estar hecho una ~** ressembler à un épouvantail; **¡qué ~ tienes!** tu es grotesque!

fachada [fa'tʃaða] *nf* façade *f*

fácil ['faθil] *adj* facile; **es ~ que venga** il est probable qu'il vienne; **~ de hacer** facile à faire; **~ de usar** (*Inform*) convivial(e)

facilidad [faθili'ðað] *nf* facilité *f*; **facilidades** *nfpl* (*condiciones favorables*) facilités *fpl*; **tener ~ para las matemáticas** avoir des facilités en mathématiques; **"~es de pago"** (*Com*) "facilités de paiement"; **~ de palabra** facilité d'élocution

facilitar [faθili'tar] *vt* faciliter; (*proporcionar*) fournir; **le agradecería me facilitara ...** je vous serais reconnaissant de bien vouloir me fournir ...

fácilmente [faθil'mente] *adv* facilement

facsímil [fak'simil] *nm* fac-similé *m*

factible [fak'tiβle] *adj* faisable

factor [fak'tor] *nm* (*tb Mat*) facteur *m*; (*Com*) agent *m*; (*Ferro*) préposé *m* au fret; **~ sorpresa** facteur surprise

factoría [fakto'ria] *nf* (*fábrica*) fabrique *f*; (*agencia*) succursale *f*

factura [fak'tura] *nf* facture *f*; **presentar ~ a** présenter sa facture à

facturación [faktura'θjon] *nf* (*Com*) facturation *f*; (: *ventas*) chiffre *m* d'affaires; **~ de equipajes** enregistrement *m* des bagages

facturar [faktu'rar] *vt* (*Com*) facturer; (*equipaje*) enregistrer

facultad [fakul'tað] *nf* faculté *f*; **tener/no tener ~ para hacer algo** avoir/ne pas avoir la faculté de faire qch; **~es mentales** facultés *fpl* mentales

faena [fa'ena] *nf* tâche *f*; (*Chi*) équipe *f* d'ouvriers; **~s domésticas** tâches *fpl* domestiques; **hacerle una ~ a algn** (*fam*) ficher la frousse à qn

faisán [fai'san] *nm* faisan *m*

faja ['faxa] *nf* (*para la cintura*) ceinture *f*; (*de mujer*) gaine *f*; (*de tierra, libro etc*) bande *f*

fajo ['faxo] *nm* liasse *f*

falacia [fa'laθja] *nf* fausseté *f*

falda ['falda] *nf* jupe *f*; (*Geo*) versant *m*; (*de mesa, camilla*) jupe *f*; (*regazo*) genoux *mpl*; **faldas** *nfpl* (*fam: mujeres*) bonnes femmes *fpl*; **~ escocesa** kilt *m*; **~ pantalón** jupe-culotte *f*

falla ['faʎa] *nf* (*Geo*) faille *f*; (*defecto*) défaillance *f*

fallar [fa'ʎar] *vt* (*Jur*) prononcer; (*blanco*) manquer ▪ *vi* échouer; (*cuerda, rama*) céder; (*motor*) tomber en panne; (*frenos*) lâcher; **~ a algn** décevoir qn; **le falló la memoria** il a eu un trou de mémoire; **le fallaron las piernas** les jambes lui ont manqué; **sin ~** sans faute; **~ en favor/ en contra** (*Jur*) se prononcer en faveur/ contre

fallecer [faʎe'θer] *vi* décéder
fallecimiento [faʎeθi'mjento] *nm*
décès *m*
fallido, -a [fa'ʎiðo, a] *adj* avorté(e)
fallo ['faʎo] *nm* (*Jur*) jugement *m*; (*defecto*,
Inform) défaut *m*; (*error*) erreur *f*; (*de
motor*) défaillance *f*; (*Deporte*) faute *f*;
~ cardíaco crise *f* cardiaque
falsedad [false'ðað] *nf* fausseté *f*;
(*mentira*) mensonge *m*
falsificar [falsifi'kar] *vt* falsifier
falso, -a ['falso, a] *adj* faux (fausse);
(*puerta*) dérobé(e); **declarar en ~** faire
une fausse déclaration; **dar un paso en ~**
(*tb fig*) faire un faux pas
falta ['falta] *nf* (*carencia*) manque *m*;
(*defecto, en comportamiento*) défaut *m*;
(*ausencia*) absence *f*; (*en examen, ejercicio,
Deporte*) faute *f*; (*Jur*) erreur *f*; **echar en ~**
(*persona, clima*) regretter; **echo en ~ mis
gafas** j'aurais bien besoin de mes
lunettes; **hace ~ hacerlo** il faut le faire;
no hace ~ que vengas il n'est pas
nécessaire que tu viennes; **me hace ~ un
lápiz** j'ai besoin d'un crayon; **sin ~** sans
faute; **a/por ~ de** faute de; **~ de
asistencia** non-assistance *f*; **~ de
educación** manque d'éducation; **~ de
ortografía** faute d'orthographe; **~ de
respeto** manque de respect
faltar [fal'tar] *vi* manquer; (*escasear*) se
faire rare; **le falta algo** il lui manque qch;
¿falta algo? il manque qch?; **falta mucho
todavía** il reste encore beaucoup de
temps; **¿falta mucho?** c'est encore loin?;
faltan 2 horas para llegar il reste encore
2 heures avant que l'on arrive; **falta poco
para que termine** c'est presque fini; **~ al**

respeto a algn manquer de respect à qn;
~ a una cita/a clase manquer un rendez-
vous/la classe; **~ al trabajo** ne pas aller à
son travail; **faltó a su palabra/promesa**
il a manqué à sa parole/promesse; **~ por
hacer** rester à faire; **~ a la verdad** faire
une entorse à la vérité; **¡no faltaba
o faltaría más!** (*naturalmente*) mais
comment donc!; (*¡ni hablar!*) pas question!;
¡lo que faltaba! c'est le bouquet!
falto, -a ['falto, a] *adj*: **está ~ de** il (elle)
manque de
fama ['fama] *nf* (*celebridad*) célébrité *f*;
(*reputación*) réputation *f*; **tener ~ de** avoir
la réputation de; **tener mala ~** avoir
mauvaise réputation
famélico, -a [fa'meliko, a] *adj* famélique
familia [fa'milja] *nf* famille *f*; **de buena ~**
de bonne famille; **estamos (como) en ~**
on est en famille; **~ numerosa** famille
nombreuse; **~ política** famille politique
familiar [fami'ljar] *adj* familial(e);
(*conocido, informal*) familier(-ère) ■ *nm/f*
parent(e)
familiaridad [familjari'ðað] *nf*
familiarité *f*; **familiaridades** *nfpl* (*pey*)
familiarités *fpl*
familiarizarse [familjari'θarse] *vpr*:
~ con se familiariser avec
famoso, -a [fa'moso, a] *adj* célèbre
fanático, -a [fa'natiko, a] *adj, nm/f*
fanatique *m/f*; **ser un ~ de** être un
fanatique de
fanatismo [fana'tismo] *nm* fanatisme *m*
fanfarrón, -ona [fanfa'rron, ona] *adj,
nm/f* fanfaron(ne)
fango ['fango] *nm* fange *f*
fangoso, -a [fan'goso, a] *adj*
fangeux(-euse); (*consistencia*)
visqueux(-euse)
fantasía [fanta'sia] *nf* fantaisie *f*;
fantasías *nfpl* (*ilusiones*) illusions *fpl*;
joyas de ~ bijoux *mpl* fantaisie
fantasma [fan'tasma] *nm* fantôme *m*;
(*pey: presuntuoso*) frimeur *m*; **compañía ~**
société *f* fantôme
fantástico, -a [fan'tastiko, a] *adj*
fantastique
farmacéutico, -a [farma'θeutiko, a]
adj pharmaceutique ■ *nm/f*
pharmacien(ne)
farmacia [far'maθja] *nf* pharmacie *f*;
~ de guardia pharmacie de garde
fármaco ['farmako] *nm* médicament *m*
faro ['faro] *nm* (*Náut, Auto*) phare *m*;
(*señal*) feu *m*; **~s antiniebla/delanteros/
traseros** feux *mpl* antibrouillard/avant/
arrière

farol [fa'rol] nm lanterne f; (Ferro) feu m; (poste) réverbère m; **echarse** o **tirarse un ~** (fam) frimer

farola [fa'rola] nf réverbère m

farsa ['farsa] nf farce f; **¡es una ~!** (fig) quelle farce!

farsante [far'sante] nm/f farceur(-euse)

fascículo [fas'θikulo] nm fascicule m

fascinar [fasθi'nar] vt fasciner

fascismo [fas'θismo] nm fascisme m

fascista [fas'θista] adj, nm/f fasciste m/f

fase ['fase] nf phase f

fashion ['fæʃon] (fam) adj à la mode

fastidiar [fasti'ðjar] vt (molestar) ennuyer; (estropear) gâcher; **fastidiarse** vpr prendre sur soi; **¡no fastidies!** tu n'y penses pas!; **¡no te fastidia!** tu imagines!; **ando fastidiado del estómago** mon estomac me fait souffrir

fastidio [fas'tiðjo] nm ennui m; **¡qué ~!** c'est trop bête!

fastidioso, -a [fasti'ðjoso, a] adj fastidieux(-euse)

fastuoso, -a [fas'twoso, a] adj fastueux(-euse)

fatal [fa'tal] adj fatal(e); (fam: malo) dur(e) ■ adv très mal; **lo pasó ~** il l'a très mal vécu

fatalidad [fatali'ðað] nf fatalité f

fatiga [fa'tiɣa] nf fatigue f; **fatigas** nfpl (penalidades) tracas mpl

fatigar [fati'ɣar] vt fatiguer; (molestar) ennuyer; **fatigarse** vpr se fatiguer

fatigoso, -a [fati'ɣoso, a] adj (tarea) pénible; (respiración) difficile

favor [fa'ßor] nm faveur f; **haga el ~ de ...** faites-moi le plaisir de ...; **por ~** s'il vous plaît; **a ~** pour; **a ~ de** en faveur de; (Com) à l'ordre de; **en ~ de** en faveur de; **gozar del ~ de algn** jouir de l'estime de qn

favorable [faßo'raßle] adj favorable; **ser ~ a algo** être favorable à qch

favorecer [faßore'θer] vt favoriser; (suj: vestido, peinado) avantager

favorito, -a [faßo'rito, a] adj, nm/f favori(te)

fax [faks] nm fax m

fe [fe] nf foi f; **de buena/mala fe** de bonne/mauvaise foi; **dar fe de** faire foi de; **tener fe en algo/algn** avoir foi en qch/qn; **fe de bautismo/de vida** certificat m de baptême/de vie; **fe de erratas** errata m

fealdad [feal'dað] nf laideur f

febrero [fe'ßrero] nm février m; ver tb **julio**

febril [fe'ßril] adj fiévreux(-euse); (fig) fébrile

fecha ['fetʃa] nf date f; **en ~ próxima** prochainement; **hasta la ~** jusqu'à aujourd'hui; **por estas ~s** aux alentours de cette date; **~ de caducidad** (de alimentos) date limite de consommation; (de contrato) terme m; **~ de vencimiento** (Com) date d'échéance; **~ límite** o **tope** date limite

fechar [fe'tʃar] vt dater

fecundar [fekun'dar] vt féconder

fecundo, -a [fe'kundo, a] adj (mujer, fig) fécond(e); (tierra) fertile

felicidad [feliθi'ðað] nf bonheur m; (dicha) félicité f; **~es** tous mes etc vœux

felicitación [feliθita'θjon] nf (enhorabuena) vœux mpl; (tarjeta) carte de vœux; **~ navideña** o **de Navidad** carte de Noël

felicitar [feliθi'tar] vt: **~ (por)** féliciter (pour); **me felicitó por mi cumpleaños** il me souhaita un bon anniversaire; **~ las Pascuas** souhaiter un joyeux Noël; **¡te felicito!** je te félicite!, tous mes vœux!

feligrés, -esa [feli'ɣres, esa] nm/f fidèle m/f

feliz [fe'liθ] adj heureux(-euse); **¡~ cumpleaños!** bon anniversaire!; **¡felices Pascuas!/Navidades!** joyeux Noël!

felpudo [fel'puðo] nm paillasson m

femenino, -a [feme'nino, a] adj féminin(e); (Zool, Bio) femelle ■ nm (Ling) féminin m

feminista [femi'nista] adj, nm/f féministe m/f

fenomenal [fenome'nal] adj (fam: enorme) phénoménal(e); (: estupendo) sensationnel(le) ■ adv vachement bien

fenómeno [fe'nomeno] nm phénomène m ■ adv: **lo pasamos ~** on s'est vachement bien amusé ■ excl super!

feo, -a ['feo, a] adj laid(e) ■ nm: **hacer un ~ a algn** faire un sale coup à qn; **esto se está poniendo ~** ça va mal tourner; **más que Picio** laid comme un pou

féretro ['feretro] nm cercueil m

feria ['ferja] nf foire f; (AM: mercado de pueblo) marché m; (Méx: cambio) monnaie f; **ferias** nfpl (fiestas) fêtes fpl; **~ comercial o de muestras** marché m/ salon m

fermentar [fermen'tar] vi fermenter

ferocidad [feroθi'ðað] nf férocité f

feroz [fe'roθ] adj féroce; (fam: hambre) de loup; (fig) de fer; **vía férrea** voie f ferrée

férreo, -a ['ferreo, a] adj ferreux(-euse); (fig) de fer; **vía férrea** voie f ferrée

ferretería [ferrete'ria] nf ferronnerie f

ferrocarril [ferroka'rril] nm chemin m de fer; **~ de vía estrecha/única** chemin de fer à voie étroite/unique

ferroviario, -a [ferrovja'rjo, a] adj ferroviaire ■ nm/f employé(e) des chemins de fer

fértil ['fertil] adj (tierra, fig) fertile; (persona) fécond(e)

ferviente [fer'βjente] adj fervent(e)

fervor [fer'βor] nm ferveur f

fervoroso, -a [ferβo'roso, a] adj = **ferviente**

festejar [feste'xar] vt fêter

festejo [fes'texo] nm fête f; **festejos** nmpl (fiestas) festivités fpl

festín [fes'tin] nm festin m

festival [festi'βal] nm festival m

festividad [festiβi'ðað] nf festivité f

festivo, -a [fes'tiβo, a] adj festif(-ive); (alegre) joyeux(-euse); **día ~** jour m de fête

fétido, -a ['fetiðo, a] adj fétide

feto ['feto] nm fœtus msg

fiable [fi'aβle] adj (persona) digne de confiance; (máquina) fiable; (criterio, versión) valable

fiador, a [fja'ðor, a] nm/f garant(e); **salir ~ por algn** se porter garant de qn

fiambre ['fjambre] adj (Culin) froid(e) ■ nm (Culin) charcuterie f; (fam) macchabée m

fianza ['fjanθa] nf caution f; **libertad bajo ~** (Jur) liberté f sous caution

fiar [fi'ar] vt vendre à crédit; (salir garante de) se porter garant de ■ vi vendre à crédit; **fiarse** vpr: **~se de algn/algo** avoir confiance en qn/qch; **es de ~** on peut se fier à lui

fibra ['fiβra] nf fibre f; (fig) punch m; **~ de vidrio** fibre de verre; **~ óptica** (Inform) fibre optique

ficción [fik'θjon] nf fiction f; **literatura/ obra de ~** littérature f/œuvre f de fiction

ficha ['fitʃa] nf fiche f; (en juegos, casino) jeton m; **~ policial** fiche de police; **~ técnica** (Cine) fiche technique

fichar [fi'tʃar] vt ficher; (Deporte) recruter; (fig) classer ■ vi (deportista) se faire recruter; (trabajador) pointer; **estar fichado** être fiché

fichero [fi'tʃero] nm fichier m; **nombre de ~** (Inform) nom m de fichier; **~ activo/ archivado/indexado** (Inform) fichier actif/archivé/indexé; **~ de reserva** (Inform) fichier de sauvegarde

ficticio, -a [fik'tiθjo, a] adj (imaginario) fictif(-ive); (falso) simulé(e)

fidelidad [fiðeli'ðað] nf fidélité f; **alta ~** haute fidélité

fideos [fi'ðeos] nmpl vermicelles mpl

fiebre ['fjeβre] nf fièvre f; **tener ~** avoir de la fièvre; **~ amarilla** fièvre jaune; **~ del heno** rhume m des foins; **~ palúdica** paludisme m

fiel [fjel] adj fidèle ■ nm aiguille f; **los ~es** (Rel) les fidèles mpl

fieltro ['fjeltro] nm feutre m

fiera ['fjera] nf bête f féroce; **ponerse hecho una ~** devenir féroce; **ser un(a) ~ en** o **para algo** être un crack de qch

fiero, -a ['fjero, a] adj féroce

fiesta ['fjesta] nf fête f; (vacaciones: tb: **fiestas**) fêtes fpl; **hoy/mañana es ~** aujourd'hui/demain c'est fête; **estar de ~** faire la fête; **~ de guardar** (Rel) Fête d'obligation; **~ nacional** fête nationale

figura [fi'ɣura] nf figure f; (forma, imagen) silhouette f; (de porcelana, cristal) figurine f; **~ retórica** figure de rhétorique

figurar [fiɣu'rar] vt, vi figurer; **figurarse** vpr se figurer; **¡figúrate!** figure-toi!; **ya me lo figuraba** je l'avais bien dit

fijador [fixa'ðor] nm fixateur m

fijar [fi'xar] vt fixer; (sellos) coller; (cartel) afficher; (residencia) établir; **fijarse** vpr: **~se (en)** observer; **~ algo a** attacher qch à; **¡fíjate!** figure-toi!

fijo, -a ['fixo, a] adj fixe; (sujeto): **~ (a)** fixé(e) (à) ■ adv: **mirar ~** regarder fixement; **de ~** assurément

fila ['fila] nf file f; (Deporte, Teatro) rang m; (fig: facción) faction f; **filas** nfpl (Mil) service m militaire; **ponerse en ~** se mettre en file; **en primera ~** au premier rang; **alistarse** o **incorporarse a ~s** être incorporé dans l'armée; **~ india** file indienne

filántropo, -a [fi'lantropo, a] *nm/f*
philanthrope *m/f*

filatelia [fila'telja] *nf* philatélie *f*

filete [fi'lete] *nm* filet *m*

filial [fi'ljal] *adj* filial(e) ■ *nf* filiale *f*

Filipinas [fili'pinas] *nfpl:* **las (Islas)** ~ les
(îles) Philippines *fpl*

filipino, -a [fili'pino, a] *adj* philippin(e)
■ *nm/f* Philippin(e)

filmar [fil'mar] *vt* filmer

filo ['filo] *nm* fil *m*; **sacar** ~ **a** aiguiser; **al** ~
de la medianoche à minuit sonnante;
arma de doble ~ (*fig*) arme *f* à double
tranchant

filón [fi'lon] *nm* filon *m*

filosofía [filoso'fia] *nf* philosophie *f*;
tomarse algo con mucha ~ prendre qch
avec philosophie

filósofo, -a [fi'losofo, a] *nm/f*
philosophe *m/f*

filtrar [fil'trar] *vt* filtrer ■ *vi* s'infiltrer;
filtrarse *vpr* (*líquido*) s'infiltrer; (*luz,
noticia*) filtrer; (*fig: dinero*) s'envoler

filtro ['filtro] *nm* filtre *m*; (*papel*) buvard
m; ~ **de aceite** (*Auto*) filtre à huile

fin [fin] *nm* fin *f*; **a** ~ **de cuentas** en fin de
compte; **al** ~ à la fin; **al** ~ **y al cabo**
finalement; **a** ~ **de (que)** afin que; **a** ~**es**
de à la fin de; **por/en** ~ enfin; **dar** *o* **poner**
~ **a algo** mettre fin à qch; **con el** ~ **de**
dans le but de; **sin** ~ tant qu'on en veut;
llegar a ~ **de mes** (*fig*) boucler ses fins de
mois; ~ **de año** fin d'année; ~ **de archivo**
(*Inform*) fin de fichier; ~ **de registro**
(*Inform*) fin de sauvegarde; ~ **de semana**
fin de semaine

final [fi'nal] *adj* final(e) ■ *nm* (*de partido,
tarde*) fin *f*; (*de calle, novela*) bout *m* ■ *nf*
(*Deporte*) finale *f*; **al** ~ à la fin; **a** ~**es de**
mayo fin mai

finalidad [finali'ðað] *nf* finalité *f*

finalista [fina'lista] *nm/f* finaliste *m/f*

finalizar [finali'θar] *vt* terminer ■ *vi*
toucher à sa fin; ~ **la sesión** (*Inform*) clore
la session

financiar [finan'θjar] *vt* financer

financiero, -a [finan'θjero, a] *adj*
financier(-ère) ■ *nm/f* financier *m*

finca ['finka] *nf* (*rústica*) ferme *f*; (*urbana*)
propriété *f*

finde ['finde] (*fam*) *nm* week-end *m*

fingir [fin'xir] *vt* feindre ■ *vi* mentir;
fingirse *vpr*: ~ **se dormido** faire semblant
de dormir; ~**se un sabio** se donner des
airs de savant

finlandés, -esa [finlan'des, esa] *adj*
finlandais(e) ■ *nm/f* Finlandais(e) ■ *nm*
(*Ling*) finnois *m*

Finlandia [fin'landja] *nf* Finlande *f*

fino, -a ['fino, a] *adj* fin(e); (*tipo*) mince;
(*de buenas maneras*) délicat(e) ■ *nm* (*jerez*)
xérès *m*

firma ['firma] *nf* signature *f*; (*Com*) firme *f*

firmamento [firma'mento] *nm*
firmament *m*

firmar [fir'mar] *vt, vi* signer; ~ **un**
contrato signer un contrat; **firmado y**
sellado signé et scellé

firme ['firme] *adj* solide; (*fig*) ferme
■ *nm* chaussée *f*; **mantenerse** ~ (*fig*)
tenir ferme; **de** ~ avec acharnement; **¡~s!**
(*Mil*) garde-à-vous!; **oferta en** ~ (*Com*)
offre *f* ferme

firmemente ['firmemente] *adv*
fermement

firmeza [fir'meθa] *nf* fermeté *f*; (*solidez*)
solidité *f*; (*perseverancia*) persévérance *f*

fiscal [fis'kal] *adj* fiscal(e) ■ *nm* (*Jur*)
avocat *m* général

fisco ['fisko] *nm* fisc *m*; **declarar algo al** ~
déclarer qch au fisc

fisgar [fis'xar] *vt* fouiner dans ■ *vi*
fouiner

fisgonear [fisxone'ar] *vt* fureter dans
■ *vi* fureter

física ['fisika] *nf* physique *f*; *ver tb* **físico**

físico, -a ['fisiko, a] *adj* physique ■ *nm*
physique *m* ■ *nm/f* physicien(ne)

fisura [fi'sura] *nf* fissure *f*; (*Med*)
fracture *f*

flác(c)ido, -a ['fla(k)θiðo, a] *adj* flasque

flaco, -a ['flako, a] *adj* (*delgado*) maigre;
(*débil*) faible; **punto** ~ point *m* faible

flagrante [fla'xrante] *adj* flagrant(e);
en ~ **delito** en flagrant délit

flamante [fla'mante] (*fam*) *adj* (*vistoso*)
voyant(e); (*nuevo*) flambant neuf (neuve)

flamenco, -a [fla'menko, a] *adj* (*de
Flandes*) flamand(e); (*baile, música*)
flamenco ■ *nm/f* Flamand(e) ■ *nm*
flamenco *m*; (*Ling*) flamand *m*; (*Zool*)
flamant *m*; **los** ~**s** les Flamands; **ponerse**
~ frimer

flan [flan] *nm* flan *m* au caramel; ~ **de**
arroz/verduras boule *f* de riz/légumes

flaqueza [fla'keθa] *nf* faiblesse *f*

flash [flas] (*pl* ~**es**) *nm* (*Foto*) flash *m*

flauta ['flauta] *nf* flûte *f* ■ *nm/f* flûtiste
m/f; **¡la gran** ~! (*AM: fam*) flûte!; **de la**
gran ~ (: *bárbaro*) du tonnerre; **hijo de la**
gran ~ (*AM: fam!*) fils m de pute (fam!);
~ **dulce** flûte à bec; ~ **travesera** flûte
traversière

flecha ['fletʃa] *nf* flèche *f*

flechazo [fle'tʃaθo] *nm* (*enamoramiento*)
coup *m* de foudre; (*disparo*) tir *m* de flèche

fleco ['fleko] *nm* frange *f*

flema ['flema] *nm* flegme *m*

flequillo [fle'kiʎo] *nm* frange *f*

flexible [flek'siβle] *adj* (*material*) souple; (*fig*) flexible

flexión [flek'sjon] *nf* flexion *f*

flexo ['flekso] *nm* lampe *f* de bureau

flojera [flo'xera] *nf* défaillance *f*; (*AM*) paresse *f*; **me da ~ (hacer)** j'ai la flemme de (faire)

flojo, -a ['floxo, a] *adj* (*cuerda, nudo*) lâche; (*persona, Com: sin fuerzas*) faible; (*perezoso: espAM*) paresseux(-euse); (*viento, vino, trabajo*) léger(-ère); (*estudiante*) faible; (*conferencia*) ennuyeux(-euse); **está ~ en matemáticas** il est faible en mathématiques

flor [flor] *nf* fleur *f*; **en ~** en fleur; **la ~ y nata de la sociedad** (*fig*) la crème de la société; **en la ~ de la vida** dans la fleur de l'âge; **a ~ de piel** (*fig*) à fleur de peau; **es ~ de amigo** (*And, Csur*) c'est un super ami

florecer [flore'θer] *vi* fleurir

floreciente [flore'θjente] *adj* fleurissant(e)

florero [flo'rero] *nm* pot *m* de fleurs

floristería [floriste'ria] *nf* fleuriste *m*

flota ['flota] *nf* flotte *f*

flotador [flota'ðor] *nm* flotteur *m*; (*para nadar*) bouée *f*

flotar [flo'tar] *vi* flotter

flote ['flote] *nm*: **a ~** à flot; **salir a ~** (*fig*) être remis(e) à flot

fluctuar [fluk'twar] *vi* fluctuer

fluidez [flui'ðeθ] *nf* fluidité *f*; **con ~** avec fluidité

fluido, -a [flu'iðo, a] *adj, nm* fluide *m*

fluir [flu'ir] *vi* couler; (*fig: ideas*) venir

flujo ['fluxo] *nm* flux *m*; (*Med*) écoulement *m*; **~ y reflujo** flux et reflux; **~ de efectivo** (*Com*) marge *f* brute d'autofinancement

fluvial [fluβi'al] *adj* fluvial(e); **vía ~** voie *f* fluviale

foca ['foka] *nf* phoque *m*; (*fam: persona gorda*) gros tas *m*

foco ['foko] *nm* foyer *m*; (*AM: bombilla*) ampoule *f*; (*: farola*) réverbère *m*; **~ de infección** (*Med*) foyer d'infection

fofo, -a ['fofo, a] *adj* (*esponjoso*) mou (molle); (*carnes*) flasque

fogata [fo'yata] *nf* feu *m* de bois

fogón [fo'yon] *nm* (*de cocina*) plaque *f*

fogoso, -a [fo'yoso, a] *adj* fougueux(-euse)

folio ['foljo] *nm* feuille *f* de papier; (*Imprenta*) folio *m*; **de tamaño ~** en feuillet

folklore [fol'klore] *nm* folklore *m*

follaje [fo'ʎaxe] *nm* feuillage *m*

folletín [foʎe'tin] *nm* feuilleton *m*; (*fig*) mélodrame *m*

folleto [fo'ʎeto] *nm* (*de propaganda*) prospectus *msg*; (*informativo*) dépliant *m*; (*con instrucciones*) livret *m*

follón [fo'ʎon] (*fam*) *nm* bordel *m*; **armar un ~** faire du bordel; **se armó un ~** ça a été la panique

fomentar [fomen'tar] *vt* promouvoir; (*odio, envidia*) fomenter

fomento [fo'mento] *nm* promotion *f*

fonda ['fonda] *nf* auberge *f*

fondo ['fondo] *nm* fond *m*; (*profundidad*) profondeur *f*; (*AM: prenda*) combinaison *f*; **fondos** *nmpl* (*Com, de museo, biblioteca*) fonds *msg*; **a/de ~** à/de fond; **a ~ perdido** à fonds perdu; **al ~ de la calle/del pasillo** au bout de la rue/au fond du couloir; **en el ~** au fond; **tener buen ~** avoir un bon fond; **los bajos ~s** les bas-fonds *mpl*; **~ común** fonds *msg* commun; **~ de amortización** (*Com*) fonds *mpl* d'amortissement; **~ del mar** fond de la mer; **F~ Monetario Internacional** Fonds *msg* monétaire international

fontanería [fontane'ria] *nf* plomberie *f*

fontanero [fonta'nero] *nm* plombier *m*

footing ['futin] *nm* footing *m*; **hacer ~** faire du footing

forastero, -a [foras'tero, a] *nm/f* étranger(-ère)

forcejear [forθexe'ar] *vi* lutter

forense [fo'rense] *nm/f* (*tb*: **médico forense**) médecin *m* légiste

forjar [for'xar] *vt* forger; (*imperio, fortuna*) bâtir; **forjarse** *vpr* (*porvenir*) s'assurer; (*ilusiones*) se faire; **hierro forjado** fer *m* forgé

forma ['forma] *nf* forme *f*; (*manera*) façon *f*, manière *f*; **formas** *nfpl* (*del cuerpo*) formes *fpl*; **en (plena) ~** en (pleine) forme; **en baja ~ (física)** pas en bonne forme; **en ~ de** en forme de; **~ de pago** (*Com*) mode de paiement; **guardar las ~s** se tenir convenablement; **de ~ que ...** de sorte que ...; **de todas ~s** de toute façon

formación [forma'θjon] *nf* formation *f*; **~ a cargo de la empresa** formation continue; **~ profesional** formation professionnelle

formal [for'mal] *adj* (*defecto*) de forme; (*requisito, promesa*) formel(le); (*persona: de fiar*) sérieux(-euse)

formalidad [formali'ðað] *nf* sérieux *m*; (*trámite*) formalité *f*

formalizar [formali'θar] vt officialiser;
formalizarse vpr se ranger

formar [for'mar] vt former; (*hacer*) faire
■ vi (*Mil*) se mettre en formation;
(*Deporte*) se placer; **formarse** vpr se
former; (*jaleo, lío*) se produire; **~ parte de**
faire partie de

formatear [formate'ar] vt (*Inform*)
formater

formativo, -a [forma'tiβo, a] *adj*
formateur(-trice)

formato [for'mato] *nm* format *m*; **sin ~**
(*disco, texto*) non formaté(e); **~ de**
registro format d'enregistrement

formidable [formi'ðaβle] *adj* formidable

fórmula ['formula] *nf* formule *f*; (*fig:*
método) solution *f*; **hacer algo por (pura)**
~ faire qch pour la forme; **~ de cortesía**
formule de courtoisie; **~ uno** (*Auto*)
formule un

formular [formu'lar] vt formuler; (*idea*)
émettre

formulario [formu'larjo] *nm* formulaire
m; **rellenar un ~** remplir un formulaire;
~ de pedido (*Com*) bon *m* de commande;
~ de solicitud (*Com*) formulaire de
demande

fornido, -a [for'niðo, a] *adj* corpulent(e)

forrar [fo'rrar] vt (*abrigo*) doubler; (*libro,*
sofá) recouvrir; (*puerta*) blinder; **forrarse**
vpr (*fam*) amasser une petite fortune

forro ['forro] *nm* (*de abrigo*) doublure *f*;
(*de libro*) couverture *f*; (*de sofá*) tissu *m*

fortalecer [fortale'θer] vt fortifier;
(*músculos*) endurcir; **fortalecerse** vpr se
fortifier; (*músculos*) s'endurcir

fortaleza [forta'leθa] *nf* (*Mil*) forteresse
f; (*fuerza*) force *f*

fortuito, -a [for'twito, a] *adj* fortuit(e)

fortuna [for'tuna] *nf* fortune *f*; **por ~** par
hasard; **probar ~** tenter sa chance

forzar [for'θar] vt forcer; (*proceso*)
accélérer; (*violar*) violer; (*vista*) aiguiser;
~ a algn a hacer algo forcer qn à faire qch

forzoso, -a [for'θoso, a] *adj* forcé(e)

fosa ['fosa] *nf* fosse *f*; **~s nasales** fosses
fpl nasales

fósforo ['fosforo] *nm* phosphore *m*;
(*AM: cerilla*) allumette *f*

fósil ['fosil] *adj, nm* fossile *m*

foso ['foso] *nm* (*hoyo, Auto*) fosse *f*;
(*Teatro*) fosse d'orchestre; (*de castillo*)
douves *fpl*

foto ['foto] *nf* photo *f*; **sacar** o **hacer una**
~ faire une photo

fotocopia [foto'kopja] *nf* photocopie *f*

fotocopiadora [fotokopja'ðora] *nf*
photocopieuse *f*

fotocopiar [fotoko'pjar] vt photocopier

fotografía [fotoɣra'fia] *nf*
photographie *f*

fotógrafo, -a [fo'toɣrafo, a] *nm/f*
photographe *m/f*

fracasar [fraka'sar] vi échouer

fracaso [fra'kaso] *nm* échec *m*; (*desastre*)
catastrophe *f*; (*revés*) revers *msg*

fracción [frak'θjon] *nf* fraction *f*; (*Pol*)
scission *f*

fraccionamiento [frakθjona'mjento]
(*AM*) *nm* lotissement *m*

fractura [frak'tura] *nf* fracture *f*; (*grieta*)
cassure *f*

fragancia [fra'ɣanθja] *nf* parfum *m*

frágil ['fraxil] *adj* fragile; **"fragil"** (*Com*)
"fragile"

fragmento [fraɣ'mento] *nm* fragment
m; (*Mús*) morceau *m* choisi

fragua ['fraɣwa] *nf* forge *f*

fraguar [fra'ɣwar] vt forger ■ vi prendre

fraile ['fraile] *nm* moine *m*

frambuesa [fram'bwesa] *nf* framboise *f*

francamente [franka'mente] *adv*
franchement

francés, -esa [fran'θes, esa] *adj*
français(e) ■ *nm/f* Français(e) ■ *nm*
(*Ling*) français *m*

Francia ['franθja] *nf* France *f*

franco, -a ['franko, a] *adj* franc(he);
(*Com: exento: entrada, puerto*) franco ■ *nm*
franc *m*; **~ de derechos** (*Com*) hors taxe;
~ al costado del buque (*Com*) franco
long du bord; **~ puesto sobre vagón**
(*Com*) franco wagon; **~ a bordo** (*Com*)
franco à bord; **~ en fábrica** (*Com*) départ
usine; **~ ~** (*Csur*) en permission

francotirador, a [frankotira'ðor, a]
nm/f franc-tireur *m*

franela [fra'nela] *nf* flanelle *f*

franja ['franxa] *nf* (*en vestido, bandera*)
frange *f*; (*de tierra, luz*) bande *f*

franquear [franke'ar] vt (*paso, entrada*)
débarrasser; (*carta etc*) affranchir;
(*obstáculo*) franchir; **franquearse** vpr:
~se con algn parler à cœur ouvert
avec qn

franqueo [fran'keo] *nm*
affranchissement *m*

franqueza [fran'keθa] *nf* franchise *f*;
con ~ avec franchise

○ **FRANQUISMO**

○ Le régime politique qui fut celui de
○ Francisco Franco de la fin de la guerre
○ civile espagnole, en 1939, jusqu'à sa
○ mort en 1975, est connu sous le nom

de *franquismo*. Franco était un
dictateur autoritaire aux idées de
droite pour qui l'Espagne devait être
un pays traditionnel, catholique et
autosuffisant. Dans les années 60,
l'Espagne commença à s'ouvrir au
reste du monde et connut une
augmentation de la croissance
économique et de l'opposition
politique intérieure. À la mort de
Franco, elle devint une monarchie
démocratique et constitutionnelle.

frasco ['frasko] *nm* flacon *m*
frase ['frase] *nf* phrase *f*; (*locución*)
expression *f*; **~ hecha** expression *f* figée;
(*despectivo*) cliché *m*
fraterno, -a [fra'terno, a] *adj*
fraternel(le)
fraude ['frauðe] *nm* fraude *f*
fraudulento, -a [frauðu'lento, a] *adj*
frauduleux(-euse)
frazada [fra'θaða] (*AM*) *nf* couvre-lit *m*
frecuencia [fre'kwenθja] *nf* fréquence *f*;
con ~ fréquemment; **~ de red/del reloj**
(*Inform*) fréquence d'alimentation/
d'horloge
frecuentar [frekwen'tar] *vt* fréquenter
frecuente [fre'kwente] *adj* fréquent(e);
(*habitual*) habituel(le)
fregadero [freɣa'ðero] *nm* lave-vaisselle *m*
fregado, -a [fre'ɣaðo, a] (*fam*) *adj* (*AM*:
molesto) embêtant(e) ■ *nm* dispute *f*
fregar [fre'ɣar] *vt* laver; (*AM*: *fam*)
énerver
fregona [fre'ɣona] *nf* serpillière *f*; (*pey*:
sirvienta) boniche *f*
freír [fre'ir] *vt* frire; **freírse** *vpr* frire; **~ a
preguntas a algn** assommer qn de
questions
frenar [fre'nar] *vt, vi* freiner; **~ en seco**
freiner brusquement
frenazo [fre'naθo] *nm* coup *m* de frein
frenético, -a [fre'netiko, a] *adj*
frénétique; (*persona*) hors de soi;
ponerse ~ se mettre en colère
freno ['freno] *nm* frein *m*; (*de cabalgadura*)
mors *m*; **poner ~ a algo** (*fig*) réfréner qch;
~ de mano frein à main
frente ['frente] *nm* front *m*; (*Arq, de
objeto*) devant *m* ■ *nf* front ■ *adv* (*esp
Csur: fam*): **~ mío/nuestro** *etc* en face de
moi/nous *etc*; **hacer ~ común con algn**
faire cause commune avec qn; **~ a** en face
de; (*en comparación con*) par rapport à; **~ a
~** face à face; **chocar de ~** se heurter de
front; **hacer ~ a** faire face à; **ir/ponerse
al ~ de** être/se mettre à la tête de; **~ de
batalla** front de bataille; **~ único** front
commun
fresa ['fresa] *nf* (*Esp*) fraise *f*; (*de dentista*)
roulette *f*
fresco, -a ['fresko, a] *adj* frais (fraîche);
(*ropa*) léger(-ère); (*descarado*) insolent(e);
(*descansado*) frais (fraîche) et dispos(e)
■ *nm* (*aire*) frais *m*; (*Arte*) fresque *f*; (*AM*)
boisson *f* fraîche ■ *nm/f* (*fam*: *descarado*)
insolent(e); (: *desvergonzado*) effronté(e);
al ~ au frais; **hace ~** il fait frais; **estar/
quedarse tan ~** demeurer
imperturbable; **tomar el ~** prendre le
frais; **¡qué ~!** quelle insolence!
frescura [fres'kura] *nf* fraîcheur *f*;
(*descaro*) insolence *f*
frialdad [frjal'daθ] *nf* froideur *f*;
(*indiferencia*) froideur glaciale
fricción [frik'θjon] *nf* friction *f*
frigidez [frixi'ðeθ] *nf* frigidité *f*
frigorífico, -a [friɣo'rifiko, a] *adj*
frigorifique ■ *nm* réfrigérateur *m*;
camión ~ camion *m* frigorifique
frijol [fri'xol] (*AM*) *nm* haricot *m* sec;
(*verde*) haricot vert
frío, -a ['frio, a] *adj* froid(e); (*fig*: *poco
entusiasta*) pas très chaud(e); (*relaciones*)
tendu(e) ■ *nm* froid *m*; **coger ~** prendre
froid; **tener ~** avoir froid; **hace ~** il fait
froid; **¡qué ~!** il fait un de ces froids!;
quedarse ~ commencer à avoir froid
frito, -a ['frito, a] *pp de* **freír** ■ *adj* (*Culin*)
frit(e) ■ *nm*: **~s** (*Culin*) friture *f*; **me tiene
o trae ~ ese hombre** (*fam*) ce type est
barbant; **quedarse ~** (*fam*) s'endormir
frívolo, -a ['friβolo, a] *adj* frivole
frontal [fron'tal] *adj* frontal(e); (*choque*)
de front
frontera [fron'tera] *nf* frontière *f*; **sin ~s**
sans limite
fronterizo, -a [fronte'riθo, a] *adj*
(*pueblo, paso*) frontalier(-ère); (*países*)
limitrophe
frontón [fron'ton] *nm* (*cancha*) fronton
m; (*juego*) pelote *f* basque
frotar [fro'tar] *vt, vi* frotter; **frotarse**
vpr: **~se las manos** se frotter les mains
fructífero, -a [fruk'tifero, a] *adj*
fructueux(-euse)
fruncir [frun'θir] *vt* froncer; (*labios*)
plisser
frustrar [frus'trar] *vt* frustrer;
frustrarse *vpr* (*plan etc*) échouer
fruta ['fruta] *nf* fruit *m*; **~ del tiempo**
fruit de saison; **~ escarchada** fruit
confit
frutería [frute'ria] *nf* boutique *f* de fruits
et légumes

frutero, -a [fru'tero, a] *adj* fruitier(-ère) ■ *nm/f* marchand(e) de fruits et légumes ■ *nm* compotier *m*

frutilla [fru'tiʎa] (And, Csur) *nf* fraise *f*

fruto ['fruto] *nm* fruit *m*; **dar** o **producir ~** porter ses fruits; **~s secos** fruits *mpl* secs

fue [fwe] *vb ver* **ser**; **ir**

fuego ['fweɣo] *nm* feu *m*; **prender ~ a** mettre le feu à; **a ~ lento** à petit feu; **¡alto el ~!** cessez le feu!; **estar entre dos ~s** être pris(e) entre deux feux; **¿tienes ~?** t'as du feu?; **~s artificiales** o **de artificio** feux *mpl* d'artifice

fuente ['fwente] *nf* fontaine *f*; (*bandeja*) plateau *m*; (*fig*) source *f*; **de buena ~** de source sûre; **de ~s fidedignas** de sources bien informées; **~ de alimentación** (*Inform*) source d'alimentation; **~ de soda** (*AM*) buvette *f*

fuera ['fwera] *vb ver* **ser**; **ir** ■ *adv* dehors; (*de viaje*) en voyage ■ *prep* **~ de** hors de; (*fig*) sauf; **¡~!** dehors!; **~ de alcance** hors de portée; **~ de combate** hors de combat; (*Boxeo*) K.O.; (*Fútbol*) hors jeu; **~ de la ley** hors-la-loi; **estar ~ de lugar** ne pas être à sa place; **~ de serie/ servicio/temporada** hors série/service/ saison; **~ de sí** hors de soi; **~ de (toda) duda/sospecha** au-dessus de tout soupçon; **por ~** au dehors; **los de ~** les étrangers *mpl*

fuera-borda [fwera'βorða] *nm inv* hors-bord *m*

fuerte ['fwerte] *adj* fort(e); (*resistente*) solide; (*chocante*) choquant(e) ■ *adv* (*sujetar*) solidement; (*golpear*) violemment; (*llover*) à verse; (*gritar*) fort ■ *nm* (*Mil*) fort *m*; (*fig*): **el canto no es mi ~** le chant, ce n'est pas mon fort

fuerza ['fwerθa] *vb ver* **forzar** ■ *nf* force *f*; (*Mil: tb*: **fuerzas**) forces *fpl*; **a ~ de** à force de; **cobrar ~s** prendre des forces; **empujar/tirar con ~/con todas sus ~s** pousser/tirer avec force/de toutes ses forces; **tener ~** avoir de la force; **tener ~s para hacer** avoir la force de faire; **a** o **por la ~** de force; **con ~ legal** (*Com*) à force de loi; **por ~** forcément; **~s aéreas/ armadas** forces aériennes/armées; **~ bruta** force brute; **~ de arrastre** (*Tec*) effort *m* de traction; **~s de Orden Público** forces de l'ordre; **~ de voluntad** volonté *f*; **~ mayor** force majeure; **~ vital** énergie *f* vitale

fuga ['fuɣa] *nf* fugue *f*; (*de gas, agua*) fuite *f*; **~ de capitales** (*Econ*) fuite des capitaux; **~ de cerebros** (*fig*) fuite des cerveaux

fugarse [fu'ɣarse] *vpr* s'enfuir; (*amantes*) faire une fugue

fugaz [fu'ɣaθ] *adj* fugitif(-ive)

fugitivo, -a [fuxi'tiβo, a] *adj* en fuite ■ *nm/f* fugitif(-ive)

fui *etc* [fwi] *vb ver* **ser**; **ir**

fulano, -a [fu'lano, a] *nm/f* un(e) tel(le)

fulminante [fulmi'nante] *adj* explosif(-ive); (*Med, fig*) foudroyant(e); (*fam: éxito*) fulgurant(e)

fumador, a [fuma'ðor, a] *nm/f* fumeur(-euse)/non fumeur(-euse)

fumar [fu'mar] *vt, vi* fumer; **fumarse** *vpr* fumer; (*fam: herencia*) manger; (: *clases, trabajo*) manquer; **~ en pipa** fumer la pipe

función [fun'θjon] *nf* fonction *f*; (*Teatro etc*) représentation *f*; **entrar en funciones** entrer en fonction; **~ de tarde/de noche** matinée *f*/soirée *f*; **en ~ de** en fonction de; **presidente/director en funciones** président/directeur par intérim

funcional [funθjo'nal] *adj* fonctionnel(le)

funcionar [funθjo'nar] *vi* fonctionner; **"no funciona"** "en panne"

funcionario, -a [funθjo'narjo, a] *nm/f* fonctionnaire *m/f*

funda ['funda] *nf* étui *m*; (*de almohada*) taie *f*; (*de disco*) pochette *f*

fundación [funda'θjon] *nf* fondation *f*

fundamental [fundamen'tal] *adj* fondamental(e)

fundamentar [fundamen'tar] *vt* (*fig*): **~ (en)** fonder (sur)

fundamento [funda'mento] *nm* fondement *m*; **fundamentos** *nmpl* (*de ciencia, arte*) fondements *mpl*; **eso carece de ~** ça ne tient pas debout

fundar [fun'dar] *vt* fonder; (*fig: basar*): **~ en** fonder sur; **fundarse** *vpr*: **~se en** se fonder sur

fundición [fundi'θjon] *nf* (*fábrica*) fonderie *f*; (*de metal, Tip*) fonte *f*

fundir [fun'dir] *vt* fondre; (*Com, fig*) fusionner; **fundirse** *vpr* (*colores etc*) se fondre; (*Elec, nieve, mantequilla*) fondre; (*fig*) fusionner

fúnebre ['funeβre] *adj* funèbre; (*fig*) sombre

funeral [fune'ral] *nm* funérailles *fpl*

funeraria [fune'rarja] *nf* pompes *fpl* funèbres

funesto, -a [fu'nesto, a] *adj* funeste

furgón [fur'ɣon] *nm* (*camión*) camion *m*; (*Ferro*) wagon *m*

furgoneta [furɣo'neta] *nf* fourgonnette *f*

furia ['furja] *nf* furie *f*; **hecho una ~** comme une furie

furibundo, -a [furi'βundo, a] *adj* furibond(e)

furioso, -a [fu'rjoso, a] *adj* furieux(-euse); (*violento*) violent(e)

furor [fu'ror] *nm* fureur *f*; **hacer ~** faire fureur

furtivo, -a [fur'tiβo, a] *adj* furtif(-ive); (*cazador*) braconnier *m*

fusible [fu'siβle] *nm* fusible *m*

fusil [fu'sil] *nm* fusil *m*

fusilar [fusi'lar] *vt* fusiller

fusión [fu'sjon] *nf* fusion *f*

fútbol ['futβol] *nm* football *m*

futbolín [futβo'lin] *nm* baby-foot *m*

futbolista [futβo'lista] *nm/f* footballeur(-euse)

futuro, -a [fu'turo, a] *adj* futur(e) ■ *nm* avenir *m*; (*Ling*) futur *m*; **futuros** *nmpl* (*Com*) opérations *fpl* à terme; **futura madre** future maman *f*

gabardina [gaβar'ðina] *nf* imperméable *m*; (*tela*) gabardine *f*

gabinete [gaβi'nete] *nm* cabinet *m*; (*de abogados*) étude *f*; **~ de consulta/de lectura** salle *f* de consultation/de lecture

gaceta [ga'θeta] *nf* gazette *f*

gachas ['gatʃas] *nfpl* polenta *f*

gafas ['gafas] *nfpl* lunettes *fpl*; **~ de sol** lunettes de soleil

gafe ['gafe] *adj*: **ser ~** porter la poisse

gaita ['gaita] *nf* cornemuse *f*; (*cosa engorrosa*) fardeau *m*

gajes ['gaxes] *nmpl*: **~ del oficio** aléas *mpl* du métier

gajo ['gaxo] *nm* (*de naranja*) quartier *m*; (*racimo*) grappe *f*

gala ['gala] *nf* gala *m*; **galas** *nfpl* (*atuendo*) atours *mpl*; **de ~** de gala; **vestir de ~** mettre sa tenue de gala; (*Mil*) être en grand uniforme; **hacer ~ de** se targuer de; **tener algo a ~** mettre un point d'honneur à faire qch; **con sus mejores ~s** de ses plus beaux atours

galante [ga'lante] *adj* galant(e)

galantería [galante'ria] *nf* galanterie *f*; (*cumplido*) courtoisie *f*

galápago [ga'lapaɣo] *nm* tortue *f* marine

galaxia [ga'laksja] *nf* galaxie *f*

galera [ga'lera] nf (nave) galère f;
(Tip) galée f; **galeras** nfpl (castigo)
galères fpl

galería [gale'ria] nf galerie f; (para
cortina) tringle f; **hacer algo para la ~**
faire qch pour sauver les apparences;
~ comercial galerie commerciale;
~ secreta passage m secret

Gales ['gales] nm: **(el País de) ~** le pays de
Galles

galés, -esa [ga'les, esa] adj gallois(e)
■ nm/f Gallois(e) ■ nm gallois msg

galgo, -a ['galɣo, a] nm/f lévrier
(levrette)

Galicia [ga'liθja] nf Galice f, Galicia f

galimatías [galima'tias] nm inv
galimatias msg

gallardía [gaʎar'ðia] nf (en aspecto) grâce
f; (al actuar) vaillance f

gallego, -a [ga'ʎeɣo, a] adj galicien(ne);
(AM: pey) espagnol(e) ■ nm/f
Galicien(ne); (AM: pey) Espingouin m
■ nm (Ling) galicien m

galleta [ga'ʎeta] nf galette f; (fam:
bofetada) baffe f

gallina [ga'ʎina] nf poule f ■ nm (fam)
poule mouillée; **carne de ~** chair f de
poule; **~ ciega** colin-maillard m; **~ clueca**
poule pondeuse

gallinero [gaʎi'nero] nm poulailler m;
(donde se vocea) volière f

gallo ['gaʎo] nm coq m; (pescado) raie f;
(Mús) couac m; **en menos que canta un
~** en un clin d'œil; **otro ~ nos cantara** ça
serait tout autre chose

galón [ga'lon] nm galon m

galopar [galo'par] vi galoper

gama ['gama] nf gamme f; (Zool) femelle
f du daim

gamba ['gamba] nf crevette f

gamberro, -a [gam'berro, a] nm/f
vandale m/f, voyou m

gamuza [ga'muθa] nf chamois msg;
(bayeta) peau f de chamois

gana ['gana] nf (deseo) envie f; (apetito)
faim f; **de buena/mala ~** volontiers/à
contrecœur; **me dan ~s de hacer** ça me
donne envie de faire; **tener ~s de (hacer)**
avoir envie de (faire); **me quedé con las
~s de ir** j'y serais bien allé; **no me da la
(real) ~** je n'en ai pas (vraiment) envie;
son ~s de molestar c'est vraiment pour
le plaisir d'embêter le monde; **hacer algo
con/sin ~s** faire qch volontiers/à
contrecœur

ganadería [ganaðe'ria] nf bétail m;
(cría) élevage m; (comercio) commerce m
du bétail

ganado [ga'naðo] nm bétail m; **~ bovino
o vacuno** bovins mpl; **~ caballar/cabrío**
cheveaux mpl/chèvres fpl; **~ lanar/
porcino** moutons mpl/porcs mpl

ganador, a [gana'ðor, a] adj, nm/f
gagnant(e)

ganancia [ga'nanθja] nf gain m;
ganancias nfpl (ingresos) revenus mpl;
(beneficios) gains mpl; **pérdidas y ~s**
profits et pertes; **sacar ~ de** tirer profit
de; **~ bruta/líquida** bénéfice m brut/net;
~s de capital plus-values fpl (de capital)

ganar [ga'nar] vt gagner; (fama,
experiencia) acquérir; (premio) remporter;
(peso) prendre; (apoyo) s'assurer ■ vi
(Deporte) gagner; (mejorar) améliorer;
ganarse vpr: **~se la vida** gagner sa vie;
le gana en simpatía il est plus
sympathique; **~ a algn para una causa**
rallier qn à une cause; **se lo ha ganado** il
l'a bien gagné; **~ tiempo** gagner du
temps; **salir ganando** sortir gagnant

ganchillo [gan'tʃiʎo] nm crochet m;
hacer ~ faire du crochet; **aguja de ~**
crochet

gancho ['gantʃo] nm crochet m; (fam:
atractivo) charme m; **usar algo/a algn
como ~** utiliser qch/qn comme appât

gandul, a [gan'dul, a] adj, nm/f
feignant(e)

ganga ['ganga] nf (Com) affaire f

gangrena [gan'grena] nf gangrène f

gángster ['ganster] (pl **~s**) nm gangster m

ganso, -a ['ganso, a] nm/f jars (oie);
(fam) tarte f; **hacer el ~** faire l'imbécile

ganzúa [gan'θua] nf crochet m

garabatear [garaβate'ar] vt griffonner
■ vi avoir une écriture de chat

garabato [gara'βato] nm gribouillage m;
garabatos nmpl (escritura) pattes fpl de
mouche

garaje [ga'raxe] nm garage m; **plaza de ~**
place f de parking

garante [ga'rante] adj, nm/f garant(e)

garantía [garan'tia] nf garantie f; **de
máxima ~** garanti(e) à cent pour cent

garantizar [garanti'zar] vt garantir; **te
garantizo que no vendrá** je te garantis
qu'il ne viendra pas

garbanzo [gar'βanθo] nm pois msg
chiche; **~ negro** (fig) brebis fsg galeuse

garbo ['garβo] nm allure f; (gracia) grâce
f; **andar con ~** avoir une démarche
élégante

garfio ['garfjo] nm (Tec) crochet m;
(Alpinismo) piton m

garganta [gar'ɣanta] nf gorge f; **se me
hizo un nudo en la ~** j'ai eu la gorge nouée

gargantilla [garɣan'tiʎa] nf collier m
gárgara ['garɣara] nf gargarisme m;
  hacer ~s faire des gargarismes; **¡vete a
  hacer ~s!** (fam) va te faire voir!
garita [ga'rita] nf guérite f
garra ['garra] nf griffe f; (de ave) serre f;
  caer en las ~s de algn tomber entre les
  griffes de qn
garrafa [ga'rrafa] nf carafe f
garrapata [garra'pata] nf puce f
garrote [ga'rrote] nm (palo) gourdin m;
  (porra) massue f; (ejecución) garrot m
garza ['garθa] nf héron m
gas [gas] nm gaz m; **gases** nmpl (Med)
  gaz mpl; **a todo ~** plein gaz; **~es
  lacrimógenos** gaz mpl lacrymogènes;
  ~ natural gaz m naturel
gasa ['gasa] nf gaze f; (de pañal) couche f
gaseosa [gase'osa] nf limonade f
gaseoso, -a [gase'oso, a] adj
  gazeux(-euse)
gasoil [ga'soil], **gasóleo** [ga'soleo] nm
  gas oil m
gasolina [gaso'lina] nf essence f
gasolinera [gasoli'nera] nf station-
  service f
gastado, -a [gas'taðo, a] adj (ropa)
  usé(e); (mechero) fini(e); (bolígrafo) qui n'a
  plus d'encre; (fig: político) dépassé(e)
gastar [gas'tar] vt dépenser; (malgastar)
  perdre; (desgastar) user; (usar) porter;
  (fig: persona) user; **gastarse** vpr s'user;
  ~ bromas faire des blagues; **¿qué
  número gastas?** quelle est ta pointure?
gasto ['gasto] nm dépense f; **gastos**
  nmpl (desembolsos) dépenses fpl; (costes)
  frais mpl; **cubrir ~s** couvrir les frais;
  meterse en ~s faire des frais inutiles;
  ~ corriente/fijo (Com) dépenses
  courantes/frais fixes; **~s de
  desplazamiento** frais de déplacement;
  ~s de distribución/representación
  (Com) frais de distribution/représentation;
  ~s de mantenimiento frais de
  maintenance; **~s de tramitación** (Com)
  frais de dossier; **~s generales** frais
  généraux; **~s vencidos** (Com) frais à payer
gastritis [gas'tritis] nf gastrite f
gastronomía [gastrono'mia] nf
  gastronomie f
gata ['gata] nf ver **gato**
gatear [gate'ar] vi marcher à quatre
  pattes
gatillo [ga'tiʎo] nm gâchette f
gato, -a ['gato, a] nm/f chat(te) ■ nm
  (Tec) cric m; **andar a gatas** marcher à
  quatre pattes; **dar a algn ~ por liebre**
  rouler qn; **aquí hay ~ encerrado** il y a

anguille sous roche; **~ de Angora** chat
  Angora; **~ montés/siamés** chat
  sauvage/siamois
gaviota [ga'βjota] nf mouette f
gay [ge] adj, nm homo m
gazpacho [gaθ'patʃo] nm gaspacho m
  (soupe froide espagnole)
gel [xel] nm (de ducha) gel m; (de baño)
  bain m moussant
gelatina [xela'tina] nf gélatine f
gema ['xema] nf gemme m
gemelo, -a [xe'melo, a] adj, nm/f
  jumeau(-elle); **gemelos** nmpl (de camisa)
  boutons mpl de manchette; (anteojos)
  jumelles fpl; **~s de campo/de teatro**
  jumelles de campagne/de spectacle
gemido [xe'miðo] nm gémissement m
Géminis ['xeminis] nm (Astrol) Gémeaux
  mpl; **ser ~** être (des) Gémeaux
gemir [xe'mir] vi gémir; (animal) geindre
gen [xen] nm gène m
gen. abr (Ling) = **género**
generación [xenera'θjon] nf génération
  f; **primera/segunda** etc **~** (Inform)
  première/deuxième etc génération
general [xene'ral] adj général(e) ■ nm
  général m; **en** o **por lo ~** en général; **~ de
  brigada/de división** général de brigade/
  de division
Generalitat [xenerali'tat] nf
  gouvernement catalan
generalizar [xenerali'θar] vt, vi
  généraliser; **generalizarse** vpr se
  généraliser
generalmente [xene'ralmente] adv
  généralement
generar [xene'rar] vt (energía) générer;
  (interés) provoquer
género ['xenero] nm genre m; (Com)
  article m; **géneros** nmpl (productos)
  articles mpl; **~ chico** (zarzuela) comédie
  musicale espagnole; **~s de punto** tricots
  mpl; **~ humano** genre humain;
  ~ literario genre littéraire
generosidad [xenerosi'ðað] nf
  générosité f
generoso, -a [xene'roso, a] adj
  généreux(-euse)
genética [xe'netika] nf génétique f
genial [xe'njal] adj (artista, obra) de
  génie; (fam: idea) génial(e); (: persona)
  spirituel(le)
genio ['xenjo] nm tempérament m; (mal
  carácter) mauvais caractère m; (persona,
  en cuentos) génie; **tener mal ~** être soupe
  au lait inv, être emporté(e); **tener un ~
  vivo** être un peu vif (vive), être soupe au
  lait inv

genital [xeni'tal] adj génital(e) ■ nm:
~es organes mpl génitaux

genoma [xe'noma] nm génome m

gente ['xente] nf gens mpl; (fam: familia)
petite famille f; (AM: fam): **una ~ como
usted** quelqu'un comme vous; **es buena
~** (fam) c'est un bon gars; **~ baja/bien**
petits gens/gens bien; **~ de la calle** gens
comme vous et moi; **~ gorda** (fig) les
grosses légumes fpl; **~ menuda** les tout
petits

gentileza [xenti'leθa] nf: **tener la ~ de
hacer** avoir la gentillesse de faire; **por ~
de** avec l'aimable autorisation de

gentío [xen'tio] nm foule f; **¡qué ~!** quel
peuple!

genuino, -a [xe'nwino, a] adj
authentique

geografía [xeoɣra'fia] nf géographie f

geología [xeolo'xia] nf géologie f

geometría [xeome'tria] nf géométrie f

geranio [xe'ranjo] nm géranium m

gerencia [xe'renθja] nf direction f;
(cargo) gérance f

gerente [xe'rente] nm/f (supervisor)
gérant(e); (jefe) directeur(-trice)

geriatría [xerja'tria] nf gériatrie f

germen ['xermen] nm germe m

germinar [xermi'nar] vi germer

gesticular [xestiku'lar] vi gesticuler;
(hacer muecas) faire des grimaces

gestión [xes'tjon] nf gestion f; (trámite)
démarche f; **hacer las gestiones
preliminares** faire les démarches
préliminaires; **~ de cartera/de riesgos**
(Com) gestion de portefeuille/des
risques; **~ de personal** gestion du
personnel; **~ financiera** (Com) gestion
financière; **~ interna** (Inform) gestion
des disques

gestionar [xestjo'nar] vt s'occuper de

gesto ['xesto] nm geste m; (mueca)
grimace f; **hacer ~s** faire des gestes;
hacer ~s a algn faire de grands gestes
à qn

Gibraltar [xiβral'tar] nm Gibraltar m

gibraltareño, -a [xiβralta'reɲo, a] adj
de Gibraltar ■ nm/f natif(-ive) o
habitant(e) de Gibraltar

gigante [xi'ɣante] adj géant(e) ■ nm/f
géant(e); (fig) génie m

gigantesco, -a [xiɣan'tesko, a] adj
gigantesque

gilipollas [xili'poʎas] (fam!) adj inv, nm/f
inv con(ne) (fam!)

gimnasia [xim'nasja] nf gymnastique f;
hacer ~ faire de la gymnastique

gimnasio [xim'nasjo] nm gymnase m

gimnasta [xim'nasta] nm/f gymnaste
m/f

gimotear [ximote'ar] vi pleurnicher

Ginebra [xi'neβra] n Genève

ginebra [xi'neβra] nf genièvre m

ginecólogo, -a [xine'koloɣo, a] nm/f
gynécologue m/f

gira ['xira] nf excursion f; (de grupo)
tournée f

girar [xi'rar] vt (hacer girar) faire tourner;
(dar la vuelta) tourner; (giro postal, letra de
cambio) virer ■ vi tourner; **~ (a/hacia)**
(torcer) virer (à); **~ en torno a**
(conversación) s'orienter vers; **~ alrededor
de algo** tourner autour de qch; **~ en
descubierto** être à découvert

girasol [xira'sol] nm tournesol m

giratorio, -a [xira'torjo, a] adj
tournant(e)

giro ['xiro] nm tour m; (Com) virement m;
(tb: **giro postal**) mandat m (postal); **dar
un ~** tourner; **dar un ~ de 180 grados**
(fig) faire un demi-tour; **~ a la vista** (Com)
virement à vue; **~ bancario** virement
bancaire

gis [xis] (Méx) nm craie f

gitano, -a [xi'tano, a] adj gitan(e)
■ nm/f Gitan(e)

glacial [gla'θjal] adj (zona) glaciaire;
(frío, fig) glacial(e)

glaciar [gla'θjar] nm glacier m

glándula ['glandula] nf glande f

global [glo'βal] adj global(e)

globalización [gloβaliθa'θjon] nf
mondialisation f

globo ['gloβo] nm globe m; (para volar,
juguete) ballon m; **~ ocular** globe
oculaire; **~ terráqueo o terrestre** globe
terrestre

glóbulo ['gloβulo] nm: **~ blanco/rojo**
globule m blanc/rouge

gloria ['glorja] nf gloire f; (Rel) paradis m;
estar en la ~ être aux anges; **es una ~**
(fam) quel délice; **saber a ~** être
délicieux(-euse)

glorieta [glo'rjeta] nf (de jardín) tonnelle
f; (Auto, plaza) rond-point m

glorificar [glorifi'kar] vt glorifier

glorioso, -a [glo'rjoso, a] adj
glorieux(-euse)

glosario [glo'sarjo] nm glossaire m

glotón, -ona [glo'ton, ona] adj, nm/f
glouton(ne)

glucosa [glu'kosa] nf glucose m

gobernador, a [goβerna'ðor, a] nm/f
gouverneur m; **G~ civil** représentant du
gouvernement au niveau local; **G~ militar**
gouverneur militaire

gobernante [goβer'nante] *adj*
gouvernant(e) ■ *nm* gouvernant *m*
gobernar [goβer'nar] *vt* gouverner;
(*nave*) piloter; (*fam*) dominer ■ *vi*
gouverner; (*Náut*) piloter; **~ mal** mal
gouverner
gobierno [go'βjerno] *vb ver* **gobernar**
■ *nm* gouvernement *m*; (*Náut*) pilotage
m; **G~ Vasco/de Aragón** gouvernement
basque/d'Aragon; **G~ Civil** *institution
représentant le gouvernement au niveau
local*
goce ['goθe] *vb ver* **gozar** ■ *nm*
jouissance *f*
gol [gol] *nm* but *m*; **meter un ~** marquer
un but
golf [golf] *nm* golf *m*
golfa ['golfa] (*fam*) *nf* pute *f*
golfo¹ ['golfo] *nm* voyou *m*; (*gamberro*)
casse-pieds *m inv*; (*hum: pillo*) radin
golfo² ['golfo] *nm* golfe *m*
golondrina [golon'drina] *nf* hirondelle *f*
golosina [golo'sina] *nf* gourmandise *f*
goloso, -a [go'loso, a] *adj* gourmand(e);
(*empleo*) de rêve
golpe ['golpe] *nm* coup *m*; **no dar ~** ne
pas en ficher une rame; **dar el ~** faire
sensation; **darse un ~** se cogner; **de un ~**
en un clin d'œil; **de ~ y porrazo** tout d'un
coup; **cerrar una puerta de ~** claquer la
porte; **~ bajo** coup bas; **~ de fortuna/de
maestro** coup du destin/de maître; **~ de
gracia** coup de grâce; **~ de tos** quinte *f*
de toux
golpear [golpe'ar] *vt* frapper, heurter
■ *vi* cogner; (*lluvia*) tomber dru; (*puerta*)
battre; **golpearse** *vpr* se cogner
goma ['goma] *nf* gomme *f*; (*gomita,
Costura*) élastique *m*; **~ de mascar**
chewing-gum *m*; **~ de pegar** colle *f*;
~ dos (*explosivo*) plastic *m*
gordo, -a ['gorðo, a] *adj* gros(se); (*libro,
árbol, tela*) épais(se); (*fam: problema*) de
taille; (*accidente*) catastrophique ■ *nm/f*
gros homme (grosse femme) ■ *nm*
(*tb:* **premio gordo**) gros lot *m*; (*de la
carne*) gras *msg*; **¡~!** (*Chi: fam*) chéri(e)!;
ese tipo me cae ~ ce type ne me revient
pas

EL GORDO

El Gordo désigne le gros lot attribué
au tirage de la loterie nationale
espagnole "Lotería Nacional", en
particulier à Noël. Le tirage au sort
exceptionnel "Sorteo Extraordinario
de Navidad" du 22 décembre atteint
une valeur de plusieurs millions
d'euros. Étant donné le coût élevé
des billets, les Espagnols jouent
souvent en groupe et se partagent
ensuite les gains.

gordura [gor'ðura] *nf* obésité *f*; (*grasa*)
graisse *f*
gorila [go'rila] *nm* gorille *m*; (*Csur: fam:
jefe militar*) chef *m*
gorjear [gorxe'ar] *vi* triller
gorra ['gorra] *nf* casquette *f*, béret *m*;
(*de niño*) bonnet *m*; **de ~** (*sin pagar*) à l'œil;
~ de montar bombe *f*; **~ de paño** béret de
laine; **~ de visera** casquette à visière
gorrión [go'rrjon] *nm* moineau *m*
gorro ['gorro] *nm* bonnet *m*; **estoy hasta
el ~** j'en ai par-dessus la tête; **~ de baño**
bonnet de bain; **~ de punto** bonnet
tricoté
gorrón, -ona [go'rron, ona] *nm/f*
parasite *m/f*
gota ['gota] *nf* goutte *f*; **gotas** *nfpl*
(*de medicamento*) gouttes *fpl*; **una ~,
unas ~s** (*un poco*) une goutte; **~ a** *adv*
(*caer*) goutte à goutte ■ *nm inv* (*Med*)
goutte-à-goutte *m inv*; **ni ~** pas une
miette; **la ~ que colma el vaso** la goutte
d'eau qui fait déborder le vase; **como dos
~s de agua** comme deux gouttes d'eau;
caer unas o cuatro ~s tomber deux ou
trois gouttes
gotear [gote'ar] *vi* goutter; (*lloviznar*)
pleuvoter
gotera [go'tera] *nf* gouttière *f*; (*mancha*)
tache *f* d'humidité
gozar [go'θar] *vi* jouir; **~ de** jouir de;
~ con algo jouir de qch; **~ haciendo algo**
éprouver un immense plaisir à faire qch
gozne ['goθne] *nm* gond *m*
gozo ['goθo] *nm* (*alegría*) plaisir *m*;
(*placer*) jouissance *f*; **¡mi ~ en un pozo!**
adieu veau, vache, cochon, couvée!
gr. *abr* (= *gramo(s)*) g (= *gramme(s)*)
grabación [graβa'θjon] *nf*
enregistrement *m*
grabado, -a [gra'βaðo, a] *adj* (*Mús*)
enregistré(e) ■ *nm* gravure *f*; **~ al agua
fuerte** gravure à l'eau-forte; **~ en cobre/
madera** gravure sur cuivre/bois
grabadora [graβa'ðora] *nf*
magnétophone *m*; **~ de CD/DVD** graveur
m de CD/DVD
grabar [gra'βar] *vt* (*en piedra, Arte*)
graver; (*discos, en video, Inform*)
enregistrer; **lo tengo grabado en la
memoria** ça reste gravé dans ma
mémoire

gracia ['graθja] nf grâce f; (chiste) plaisanterie f; (: irónico) plaisanterie lourde; (humor) humour m; **¡muchas ~s!** merci beaucoup!; **~s a** grâce à; **¡~s a Dios!** grâce à Dieu!; **caerle en ~ a algn** être dans les bonnes grâces de qn; **tener ~** (chiste etc) être amusant(e); (irónico) être très amusant(e); **¡qué ~!** (gracioso) comme c'est drôle!; (irónico) très drôle!; **no me hace ~ (hacer)** ça ne m'amuse pas (de faire); **dar las ~s a algn por algo** remercier qn de o pour qch

gracioso, -a [gra'θjoso, a] adj amusant(e) ■ nm/f (Teatro) bouffon(ne); **su graciosa Majestad** sa gracieuse Majesté; **¡qué ~!** (irónico) très amusant!; **es ~ que ...** c'est curieux que ...

grada ['graða] nf marche f; **gradas** nfpl (de estadio) gradins mpl

gradería [graðe'ria] nf gradins mpl; **~ cubierta** stade m couvert

grado ['graðo] nm degré m; (Escol) classe f; (Univ) titre m; (Mil) grade m; **de buen ~** de bon gré; **quemaduras de primer/ segundo ~** brûlures fpl au premier/ second degré; **en sumo ~** au plus haut degré; **~ centí~/Fahrenheit** degré centigrade/Fahrenheit

graduación [graðwa'θjon] nf (medición en grados) gradation f; (escala) échelle f; (del alcohol) degré m; (Univ) remise f du diplôme; (Mil) grade m; **de alta ~** de haut rang

graduado, -a [gra'ðwaðo, a] adj gradué(e) ■ nm/f (Univ) diplômé(e) ■ nm: **~ escolar** ≈ brevet m des collèges; **~ social** ≈ B.T.S. m d'assistance sociale

gradual [gra'ðwal] adj progressif(-ive)

graduar [gra'ðwar] vt graduer; (volumen) mesurer; (Mil): **~ a algn de** conférer à qn le grade de; **graduarse** vpr (Univ) être diplômé(e); (Mil): **~se (de)** obtenir son grade (de); **~se la vista** se faire vérifier la vue

gráfica ['grafika] nf courbe f; **~ de temperatura** (Med) courbe de température

gráfico, -a ['grafiko, a] adj graphique; (revista) d'art; (expresivo) vivant(e) ■ nm graphique m; **gráficos** nmpl (tb Inform) graphiques mpl; **~ de barras** (Com) graphique à barres; **~ de sectores** o **tarta** (Com) camembert m; **~s empresariales** (Com) graphiques de l'entreprise

gragea [gra'xea] nf (Med) pilule f; (caramelo) dragée f

grajo ['graxo] nm corbeau m

Gral. abr (Mil: = General) gᵃˡ (= Général)

gramática [gra'matika] nf grammaire f; ver tb **gramático**

gramatical [gramati'kal] adj grammatical(e)

gramático, -a [gra'matiko, a] nm/f grammairien(ne)

gramo ['gramo] nm gramme m

gran [gran] adj ver **grande**

granada [gra'naða] nf grenade f; **~ de mano** grenade à main

granate [gra'nate] adj grenat adj inv ■ nm grenat m

Gran Bretaña [grambre'taɲa] nf Grande-Bretagne f

grande ['grande] adj grand(e); (Arg: fam: gracioso) rigolo(-ote) ■ nm grand m; **gran miedo** grand peur; **¿cómo es de ~?** c'est grand comment?; **a lo ~** dans le faste; **pasarlo en ~** faire une fête grandiose; **los zapatos le están** o **quedan ~s** ces chaussures sont trop grandes pour lui

grandeza [gran'deθa] nf grandeur f

grandioso, -a [gran'djoso, a] adj grandiose

granel [gra'nel] nm: **a ~** (Com) en vrac

granero [gra'nero] nm grenier m

granito [gra'nito] nm granit m; **poner/ aportar su ~ de arena** apporter sa modeste contribution

granizado [grani'θaðo] nm jus m de fruit glacé; **~ de café** café m frappé

granizar [grani'θar] vi grêler

granizo [gra'niθo] nm grêlon m

granja ['granxa] nf ferme f; **~ avícola** ferme avicole

granjear [granxe'ar] vt (amistad, simpatía) gagner; **granjearse** vpr gagner

granjero, -a [gran'xero, a] nm/f fermier(-ère)

grano ['grano] nm grain m; (Med) bouton m; **ir al ~** aller droit au but

granuja [gra'nuxa] nm (bribón) fripouille f; (golfillo) filou m

grapa ['grapa] nf agrafe f; (Csur: aguardiente barato) tord-boyaux m inv

grapadora [grapa'ðora] nf agrafeuse f

grasa ['grasa] nf graisse f; (sebo) gras m; **grasas** nfpl (de persona) graisse; **~ de ballena/de pescado** graisse de baleine/ de poisson

grasiento, -a [gra'sjento, a] adj gras(se); (sucio) graisseux(-euse)

graso, -a ['graso, a] adj gras(se)

gratificación [gratifika'θjon] nf gratification f

gratificar [gratifi'kar] vt (recompensar) gratifier; **"se gratificará"** "récompense"

gratis ['gratis] adj inv, adv gratis inv

gratitud [grati'tuð] nf gratitude f

grato, -a ['grato, a] adj agréable; **ser ~ de hacer** être heureux(-euse) de faire; **nos es ~ informarle que ...** nous sommes heureux de vous informer que ...; **persona non-grata** persona f non grata

gratuito, -a [gra'twito, a] adj gratuit(e)

gravamen [gra'βamen] nm (carga) poids msg; (impuesto) servitude f, hypothèque f; **libre de ~** (Econ) non grevé(e) d'hypothèque

gravar [gra'βar] vt (Jur: propiedad) grever; **~ (con impuesto)** (producto) imposer

grave ['graβe] adj grave; **estar ~** être grave; **herida ~** blessure f grave

gravedad [graβe'ðað] nf gravité f

gravilla [gra'βiλa] nf gravillon m

gravitar [graβi'tar] vi graviter; **~ sobre algn** peser sur qn

graznar [graθ'nar] vi (cuervo) croasser; (pato) cancaner

Grecia ['greθja] nf Grèce f

gremio ['gremjo] nm corporation f

greña ['grena] nf (tb: **greñas**) tignasse f; **andar a la ~** se disputer

gresca ['greska] nf altercation f

griego, -a ['grjeɣo, a] adj grec(que) ■ nm/f Grec(que) ■ nm (Ling) grec m

grieta ['grjeta] nf (en pared, madera) fente f; (en terreno, Med) crevasse f

grifo ['grifo] nm robinet m; (And) station-service f

grilletes [gri'λetes] nmpl fers mpl

grillo ['griλo] nm grillon m; **grillos** nmpl (de preso) fers mpl

gripe ['gripe] nf grippe f; **~ aviar** grippe f aviaire

gris [gris] adj gris(e); (vida) triste; (personaje) terne; (estudiante) médiocre ■ nm gris msg; **~ marengo/perla** gris anthracite/perle

gritar [gri'tar] vt, vi crier; **¡no (me) grites!** ne crie pas (après moi)!

grito ['grito] nm cri m; **a ~ pelado** en hurlant; **a ~s** en criant; **dar ~s** pousser des cris; **poner el ~ en el cielo** pousser des hauts cris; **es el último ~** (de moda) c'est le dernier cri

grosella [gro'seλa] nf groseille f; **~ negra** cassis msg

grosería [grose'ria] nf grossièreté f

grosero, -a [gro'sero, a] adj grossier(-ère)

grosor [gro'sor] nm grosseur f

grotesco, -a [gro'tesko, a] adj grotesque

grúa ['grua] nf grue f; **~ corrediza** o **móvil** pont m roulant; **~ de pescante** grue à flèche; **~ de torre** grue de chantier; **~ puente** grue à chevalet

grueso, -a ['grweso, a] adj épais(se); (persona) corpulent(e); (mar) fort(e) ■ nm grosseur f; **el ~ de** le gros de

grulla ['gruλa] nf grue f

grumo ['grumo] nm grumeau m

gruñido [gru'niðo] nm grognement m

grupa ['grupa] nf (Zool) croupe f

grupo ['grupo] nm groupe m; **~ de presión** groupe de pression; **~ sanguíneo** groupe sanguin

gruta ['gruta] nf grotte f

guadaña [gwa'ðana] nf serpe f

guagua ['gwaɣwa] nf (Ant, Canarias) autobus msg; (And, Csur) bébé m

guante ['gwante] nm gant m; **se ajusta como un ~** il te/lui etc va comme un gant; **más suave que un ~** doux (douce) comme un agneau; **arrojar el ~ a algn** jeter le gant à qn; **echar el ~ a algn** prendre qn au collet; **con ~ blanco** (fig) en prenant des gants; **~s de goma** gants de caoutchouc

guantera [gwan'tera] nf (Auto) boîte f à gants

guapo, -a ['gwapo, a] adj beau (belle) ■ nm (And: fam) beau gosse m; **estar ~** être beau; **¡ven, ~!** (a niños) viens, mon mignon!; **¿quién será el ~ que se atreva?** alors, qui est chiche d'y aller?

guarda ['gwarða] nm/f gardien(ne) ■ nf garde f; **~ forestal** garde m forestier; **~ jurado** vigile m

guardabosques [gwarða'βoskes] nm/f inv garde m forestier

guardacostas [gwarða'kostas] nm inv garde m côte

guardaespaldas [gwarðaes'paldas] nm/f inv garde m/f du corps

guardameta [gwarða'meta] nm gardien m de but

guardar [gwar'ðar] vt garder; (poner: en su sitio) mettre; (: en sitio seguro) ranger; (ley) observer; (ocultar) garder (pour soi); **~ de** garder de; **~ cama/silencio** garder le lit/le silence; **~ el sitio** (en cola) garder la place; **~ las apariencias** sauver les apparences; **~se de** (evitar) se garder de; **~se de hacer** (abstenerse) se garder de faire; **se la tengo guardada** il me le paiera

guardarropa [gwarða'rropa] nm (armario) armoire f; (en establecimiento público) vestiaire m; (ropas) garde-robe f

guardería [gwarðe'ria] nf garderie f

guardia ['gwarðja] nf garde f ■ nm/f (de tráfico, municipal etc) agent m; (policía) policier (femme policier); **estar de ~** être de garde; **estar/ponerse en ~** être sur ses gardes/se mettre en garde; **montar ~** monter la garde; **la G~ Civil** la Garde Civile espagnole; **un ~ civil** ≈ un gendarme; **~ de tráfico** agent de la circulation; **~ municipal** o **urbana** agent de police; **G~ Nacionai** (Nic, Pan) ≈ gendarmerie f nationale

guardián, -ana [gwar'ðjan, ana] nm/f gardien(ne)
guarecer [gware'θer] vt héberger; **guarecerse** vpr: **~se (de)** s'abriter (de)
guarida [gwa'riða] nf abri m; (fig: de delincuentes) repaire m
guarnecer [gwarne'θer] vt garnir; (Tec) revêtir; (Mil) doter d'une garnison
guarnición [gwarni'θjon] nf (de vestimenta) ornement m; (de piedra preciosa) chaton m; (Culin) garniture f; (arneses) harnachement m; (Mil) garnison f
guarro, -a ['gwarro, a] adj (fam) sale ■ nm/f cochon (truie); (fam: persona) cochon(ne)
guasa ['gwasa] nf blague f; **con** o **de ~** pour rire
guasón, -ona [gwa'son, ona] adj, nm/f blagueur(-euse)
Guatemala [gwate'mala] nf Guatemala m
gubernativo, -a [guβerna'tiβo, a] adj du gouvernement
guerra ['gerra] nf guerre f; **~ a muerte** guerre à mort; **Primera/Segunda G~ Mundial** Première/Deuxième Guerre mondiale; **estar en ~** être en guerre; **dar ~** donner du fil à retordre; **~ atómica/bacteriológica/nuclear/psicológica** guerre atomique/bactériologique/nucléaire/psychologique; **~ civil/fría** guerre civile/froide; **~ de guerrillas**

guérilla f, guerre de partisans; **~ de precios** (Com) guerre des prix
guerrear [gerre'ar] vi guerroyer
guerrero, -a [ge'rrero, a] adj de guerre; (carácter) guerrier(-ère) ■ nm/f guerrier(-ère)
guerrilla [ge'rriʎa] nf guérilla f
guerrillero, -a [gerri'ʎero, a] nm/f guérillero m
guía ['gia] vb ver **guiar** ■ nm/f (persona) guide m/f ■ nf (libro) guide m; (Bot) élagage m; (Inform) message m; **~ de ferrocarriles** horaire m des trains; **~ telefónica** annuaire m; **~ turística** (libro) guide m touristique; **~ turístico** (persona) guide m/f
guiar [gi'ar] vt guider; (Auto) diriger; **guiarse** vpr: **~se por** suivre
guijarro [gi'xarro] nm caillou m
guillotina [giʎo'tina] nf guillotine f; (para papel) coupe-papier m inv
guinda ['ginda] nf griotte f
guindilla [gin'diʎa] nf piment m
guiñapo [gi'ɲapo] nm (harapo) haillon m; (persona) chiffe f molle; **estar hecho un ~** être lessivé
guiñar [gi'ɲar] vt cligner de
guión [gi'on] nm (Ling) tiret m; (esquema) plan m; (Cine) scénario m
guionista [gjo'nista] nm/f scénariste m/f
guiri ['giri] (fam) nm/f étranger(-ère)
guirnalda [gir'nalda] nf guirlande f
guisado [gi'saðo] nm ragoût m
guisante [gi'sante] nm petit pois msg
guisar [gi'sar] vt, vi faire cuire; (fig) tramer
guiso ['giso] nm plat m
guitarra [gi'tarra] nf guitare f
gula ['gula] nf gloutonnerie f
gusano [gu'sano] nm ver m; (de mariposa, pey) larve f; (Cu: pey) réfugié cubain; **~ de seda** ver à soie
gustar [gus'tar] vt goûter ■ vi plaire; **~ de hacer** prendre plaisir à faire; **me gustan las uvas** j'aime le raisin; **le gusta nadar** il aime nager; **me gusta ese chico/esa chica** j'aime bien ce garçon/cette fille; **¿usted gusta?** vous en prendrez bien?; **como usted guste** comme il vous plaira
gusto ['gusto] nm goût m; (agrado, placer) plaisir m; (afición) intérêt m; **a su** etc **~** à votre etc aise; **hacer algo con ~** faire qch avec plaisir; **dar ~ a algn** faire plaisir à qn; **que da ~** bien agréable; **tiene un ~ amargo** ça a un goût amer; **tener buen/mal ~** avoir bon/mauvais goût; **sobre ~s no hay nada escrito** chacun ses goûts;

de buen/mal ~ de bon/mauvais goût; **darse el ~ de hacer algo** se faire le plaisir de faire qch; **estar/sentirse a ~** être/se sentir à l'aise; **¡mucho** o **tanto ~ (en conocerle)!** enchanté(e) o ravi(e) de faire votre connaissance; **el ~ es mío** tout le plaisir est pour moi; **coger** o **tomar ~ a algo** prendre goût à qch

gustoso, -a [gus'toso, a] *adj* savoureux(-euse); **aceptar ~** accepter avec joie

ha [a] *vb ver* **haber**
Ha. *abr* (= *Hectárea(s)*) ha (= *hectare(s)*)
haba ['aβa] *nf* fève *f*; **en todas partes cuecen ~s** ça peut arriver à tout le monde
Habana [a'βana] *nf*: **la ~** la Havane
habano [a'βano] *nm* havane *m*
habéis [a'beis] *vb ver* **haber**

 PALABRA CLAVE

haber [a'βer] *vb aux* **1** (*tiempos compuestos*) avoir; (*con verbos pronominales y de movimiento*) être; **he/había comido** j'ai/j'avais mangé; **antes/después de haberlo visto** avant/après l'avoir vu; **si lo hubiera sabido, habría ido** si j'avais su, j'y serais allé; **se ha sentado** il s'est assis; **ella había salido** elle était sortie; **¡haberlo dicho antes!** il fallait le dire plus tôt!
2: **haber de** (+ *infin*): **he de hacerlo** je dois le faire; **ha de llegar mañana** il doit arriver demain; **no ha de tardar** (*AM*) il arrivera bientôt; **has de estar loco** (*AM*) tu dois être tombé sur la tête

■ *vb impers* **1** (*existencia*) avoir; **hay un hermano/dos hermanos** il y a un frère/ deux frères; **¿cuánto hay de aquí a Sucre?** il y a combien d'ici à Sucre?; **habrá**

unos 4° (de temperatura) il doit faire 4°; **no hay cintas blancas, pero sí las hay rojas** il n'y a pas de rubans blancs, mais il y en a des rouges; **¡no hay quien le entienda!** personne n'arrive à le comprendre!; **no hay nada como un buen filete** il n'y a rien de tel qu'un bon filet
2 (tener lugar): **hubo mucha sequía/una guerra** il y a eu une grande sécheresse/ une guerre; **¿hay partido mañana?** il y a un match demain?
3: **¡no hay de o por** (AM) **qué!** il n'y a pas de quoi!
4: **¿qué hay?** (¿qué pasa?) qu'est-ce qu'il y a?; (¿qué tal?) ça va?; **¡qué hubo!**; **¡qué húbole!** (esp Méx, Chi: fam) salut!
5 (haber que + infin): **hay que apuntarlo para acordarse** il faut le marquer pour s'en souvenir; **¡habrá que decírselo!** il faudra le lui dire!
6: **¡hay que ver!** il faut voir!
7: **he aquí las pruebas** voici les preuves
8: **¡habráse visto!** (fam) eh bien dis o dites donc!; **¡hubiera visto ...!** (Méx: si hubiera visto) si vous aviez vu ...!
haberse vpr: **voy a habérmelas con él** je vais m'expliquer avec lui
■ nm **1** (Com) crédit m; **¿cuánto tengo en el haber?** j'ai combien sur mon compte?; **tiene varias novelas en su haber** il a plusieurs romans à son actif
2 haberes nmpl avoirs mpl

habichuela [aβi'tʃwela] nf haricot m
hábil ['aβil] adj habile; **día ~** jour m ouvrable
habilidad [aβili'ðað] nf habileté f; **habilidades** nfpl (aptitudes) aptitudes fpl; **tener ~ manual** être habile de ses mains
habilitar [aβili'tar] vt (autorizar, Jur) habiliter; (financiar) financer; **~ (para)** (casa, local) aménager (pour); **~ a algn para hacer** habiliter qn à faire
hábilmente ['aβilmente] adv habilement
habitación [aβita'θjon] nf pièce f; (dormitorio) chambre f; **~ doble** o **de matrimonio** chambre double; **~ sencilla** o **individual** chambre simple
habitante [aβi'tante] nm/f habitant(e)
habitar [aβi'tar] vt, vi habiter
hábito ['aβito] nm (costumbre) habitude f; (traje) habit m; **tener el ~ de hacer algo** avoir l'habitude de faire qch
habitual [aβi'twal] adj habituel(le)

habituar [aβi'twar] vt: **~ a algn a (hacer)** habituer qn à (faire); **habituarse** vpr: **~se a (hacer)** s'habituer à (faire)
habla ['aβla] nf (capacidad de hablar) parole f; (forma de hablar) langage m; (dialecto) parler m; **perder el ~** perdre l'usage de la parole/se mettre à parler; **de ~ francesa/española** de langue française/ espagnole; **estar/ponerse al ~** être en train de parler/se mettre à parler; **estar al ~** (Telec) être à l'appareil; **¡González al ~!** (Telec) González à l'appareil!
hablador, a [aβla'ðor, a] adj, nm/f bavard•e
habladuría [aβlaðu'ria] nf commérage m; **habladurías** nfpl (chismes) commérages mpl
hablante [a'βlante] nm/f (Ling) locuteur(-trice); **los ~s de catalán** les personnes parlant catalan
hablar [a'βlar] vt, vi parler; **hablarse** vpr se parler; **~lo (con algn)** en parler (avec qn); **~ con** parler avec; **¡ya puede ~!** (Telec) à vous!; **¡ni ~!** pas question!; **~ alto/claro** parler fort/ clairement; **dar que ~** faire jaser; **~ por los codos** bavarder comme une pie; **~ entre dientes** marmonner; **~ de** parler de; **~ mal/bien de algn** dire du mal/du bien de qn; **~ de tú/de usted** tutoyer/vouvoyer; **"se habla francés"** "on parle français"; **no se hablan** ils ne se parlent plus; **no me hablo con mi hermana** je ne parle plus à ma sœur
habré etc [a'βre] vb ver **haber**
hacendoso, -a [aθen'doso, a] adj travailleur(-euse)

 PALABRA CLAVE

hacer [a'θer] vt **1** (producir, ejecutar) faire; **hacer una película/un ruido** faire un film/un bruit; **hacer la compra** faire les courses; **hacer la comida** faire à manger; **hacer la cama** faire le lit
2 (obrar) faire; **¿qué haces?** qu'est-ce que tu fais?; **eso no se hace** ça ne se fait pas; **¡así se hace!** c'est comme ça que l'on fait!; **¡bien hecho!** bravo!; **¿cómo has hecho para llegar tan rápido?** comment as-tu fait pour arriver si vite?; **no hace más que criticar** il ne fait que critiquer; **¡eso está hecho!** tout de suite!; **hacer el papel del malo** (Teatro) avoir le rôle du méchant; **hacer el tonto/el ridículo** faire l'idiot/le pitre

3 (*dedicarse a*) faire de; **hacer teatro** faire du théâtre; **hacer español/económicas** faire de l'espagnol/de l'économie; **hacer yoga/gimnasia/deporte** faire du yoga/ de la gym/du sport
4 (*causar*): **hacer ilusión** faire plaisir; **hacer gracia** faire rire
5 (*conseguir*): **hacer amigos** se faire des amis; **hacer una fortuna** faire une fortune
6 (*dar aspecto de*): **ese peinado te hace más joven** cette coiffure te rajeunit
7 (*cálculo*): **esto hace 100** et voilà 100
8 (*como sustituto de vb*) faire; **él bebió y yo hice lo mismo** il a bu et j'ai fait la même chose
9 (+ *inf, + que*): **les hice venir** je les ai fait venir; **hacer trabajar a los demás** faire travailler les autres; **aquello me hizo comprender** cela m'a fait comprendre; **hacer reparar algo** faire réparer qch; **esto nos hará ganar tiempo** ça nous fera gagner du temps; **harás que no quiera venir** tu vas lui ôter l'envie de venir
10 (+ *adj*) rendre; **hacer feliz a algn** rendre qn heureux
■ *vi* 1: **hiciste bien en decírmelo** tu as bien fait de me le dire
2 (*convenir*): **si os hace** si ça vous dit; **¿hace?** ça vous dit?
3: **no le hace** (*AM: no importa*) ça ne fait rien
4: **haz como que no lo sabes** fais comme si tu ne savais rien
5: **hacer de** (*objeto*) servir de; **la tabla hace de mesa** la planche sert de table; **hacer de madre** jouer le rôle de mère; (*pey*) jouer les mères poules; (*Teatro*): **hacer de Otelo** jouer Othello
■ *vb impers* 1: **hace calor/frío** il fait chaud/froid; *ver tb* **bueno**; **sol**; **tiempo**
2 (*tiempo*): **hace 3 años** il y a 3 ans; **hace un mes que voy/no voy** cela fait un mois que j'y vais/je n'y vais plus; **desde hace mucho** depuis longtemps; **no lo veo desde hace mucho** cela fait longtemps que je ne l'ai pas vu
hacerse *vpr* 1 (*volverse*) se faire; **hacerse viejo** se faire vieux; **se hicieron amigos** ils sont devenus amis
2 (*resultar*): **se me hizo muy duro el viaje** j'ai trouvé le voyage très pénible
3 (*acostumbrarse*): **hacerse a** se faire à; **hacerse a una idea** se faire à une idée
4 (*obtener*): **hacerse de** *o* **con algo** obtenir qch
5 (*fingir*): **hacerse el sordo** *o* **el sueco** faire la sourde oreille

6: **hacerse idea de algo** se faire une idée de qch; **hacerse ilusiones** se faire des illusions
7: **se me hace que** (*AM: me parece que*) il me semble que

hacha ['atʃa] *nf* hache *f*; (*antorcha*) mèche *f*; **ser un ~** (*fig*) être un as
hachís [a'tʃis] *nm* haschich *m*
hacia ['aθja] *prep* vers; (*actitud*) envers; **~ adelante/atrás/dentro/fuera** devant/derrière/dedans/dehors; **~ abajo/arriba** en bas/haut; **mira ~ acá** regarde par ici; **~ mediodía/finales de mayo** vers midi/la fin mai
hacienda [a'θjenda] *nf* (*propiedad*) propriété *f*; (*finca*) ferme *f*; (*AM*) hacienda *f*; **(Ministerio de) H~** (ministère *m* des) Finances *fpl*; **~ pública** trésor *m* public
hada ['aða] *nf* fée *f*; **~ madrina** fée marraine
haga *etc* ['aɣa] *vb ver* **hacer**
Haití [ai'ti] *nm* Haïti *f*
halagar [ala'ɣar] *vt* flatter; (*agradar*) réjouir
halago [a'laɣo] *nm* flatterie *f*
halagüeño, -a [ala'ɣweno, a] *adj* réjouissant(e); (*lisonjero*) flatteur(-euse)
halcón [al'kon] *nm* faucon *m*
hallar [a'ʎar] *vt* trouver; **hallarse** *vpr* se trouver; **se halla fuera** il est dehors
hallazgo [a'ʎaθɣo] *nm* trouvaille *f*
halterofilia [altero'filja] *nf* haltérophilie *f*
hamaca [a'maka] *nf* hamac *m*; (*asiento*) chaise *f* longue
hambre ['ambre] *nf* faim *f*; **~ de** (*fig*) faim de; **tener ~** avoir faim; **pasar ~** souffrir de la faim
hambriento, -a [am'brjento, a] *adj*, *nm/f* affamé(e); **los ~s** les affamés; **~ de** (*fig*) affamé(e) de
hamburguesa [ambur'ɣesa] *nf* hamburger *m*
hamburguesería [amburɣese'ria] *nf* sandwicherie *f*
han [an] *vb ver* **haber**
harapiento, -a [ara'pjento, a] *adj* en haillons
harapos [a'rapos] *nmpl* haillons *mpl*
haré *etc* [a're] *vb ver* **hacer**
harina [a'rina] *nf* farine *f*; **eso es ~ de otro costal** c'est une autre paire de manches; **~ de maíz/de trigo** farine de maïs/de blé
hartar [ar'tar] *vt* (*de comida*) gaver; (*saturar*) saturer; (*fastidiar*) fatiguer; **hartarse** *vpr* (*cansarse*) se lasser; (*de*

comida): **~se (de)** se gaver (de); **~se de leer/reír** se lasser de lire/rire; **¡me estás hartando!** tu m'ennuies!

hartazgo [ar'taθɣo] *nm*: **darse un ~ (de)** avoir son content (de)

harto, -a ['arto, a] *adj*: **~ (de)** rassasié(e) (de); (*cansado*) fatigué(e) (de) ■ *adv* (*bastante*) assez; (*muy*) bien assez; **estar ~ de hacer/algn** en avoir marre de faire/ qn; **¡estoy ~ de decírtelo!** je te l'ai assez dit!; **¡me tienes ~!** tu me fatigues!

has [as] *vb ver* **haber**

Has. *abr* (= *Hectáreas*) ha (= hectares)

hasta ['asta] *adv* même, voire ■ *prep* jusqu'à ■ *conj*: **~ que** jusqu'à ce que; (*Cam, Col, Méx: no ... hasta*): **viene ~ las cuatro** il ne vient pas avant quatre heures; **~ luego o ahora** (*fam*), **~ siempre** (*Arg*) salut!; **~ mañana/el sábado** à demain/samedi; **~ la fecha/ahora** jusqu'à aujourd'hui/maintenant; **~ nueva orden** jusqu'à nouvel ordre; **¿~ qué punto?** à quel point?; **~ tal punto que ...** à tel point que ...; **¿~ cuándo/ dónde?** on se voit quand/où?; **~ ayer empezó** (*AM*) cela n'a commencé qu'hier

hastiar [as'tjar] *vt* fatiguer; **hastiarse** *vpr*: **~se de (hacer)** se lasser de (faire)

hastío [as'tio] *nm* ennui *m*

hatillo [a'tiʎo] *nm* affaires *fpl*

hay [ai] *vb ver* **haber**

Haya ['aja] *nf*: **la ~** La Haye

haya ['aja] *vb ver* **haber** ■ *nf* hêtre *m*

haz [aθ] *vb ver* **hacer** ■ *nm* botte *f*; (*de luz*) faisceau *m* ■ *nf* (*de tela*) endroit *m*

hazaña [a'θaɲa] *nf* exploit *m*

hazmerreír [aθmerre'ir] *nm inv*: **ser/ convertirse en el ~ de** être/devenir la risée de

he [e] *vb ver* **haber** ■ *adv*: **he aquí** voici; **he aquí por qué ...** voici pourquoi ...

hebilla [e'βiʎa] *nf* boucle *f*

hebra ['eβra] *nf* fil *m*; (*de carne*) nerf *m*; (*de tabaco*) fibre *f*; **pegar la ~** tailler une bavette

hebreo, -a [e'βreo, a] *adj* hébreu (*sólo m*), hébraïque ■ *nm/f* Hébreu *m* ■ *nm* (*Ling*) hébreu *m*

hechizar [etʃi'θar] *vt* ensorceler

hechizo [e'tʃiθo] *nm* sorcellerie *f*; (*encantamiento*) enchantement *m*; (*fig*) fascination *f*

hecho, -a ['etʃo, a] *pp de* **hacer** ■ *adj* fait(e); (*hombre, mujer*) mûr(e); (*vino*) arrivé(e) à maturation; (*ropa*) de prêt-à-porter ■ *nm* fait *m*; (*factor*) facteur *m* ■ *excl* c'est fait!; **¡bien ~!** bravo!, bien joué!; **muy/poco ~** (*Culin*) très/peu

cuit(e); **estaba ~ una fiera/un mar de lágrimas** il était dans une colère noire/en larmes; **bien/mal ~** bien/mal fait(e); **estar ~ a algo** s'être fait(e) à qch; **~ a la medida** fait(e) sur mesure; **de ~** de fait; **el ~ es que ...** le fait est que ...; **el ~ de que ...** le fait que ...

hechura [e'tʃura] *nf* (*confección*) confection *f*; (*corte, forma*) coupe *f*; (*Tec*) fabrication *f*

hectárea [ek'tarea] *nf* hectare *m*

heder [e'ðer] *vi* puer

hediondo, -a [e'ðjondo, a] *adj* puant(e); (*fig*) dégoûtant(e)

hedor [e'ðor] *nm* puanteur *f*

helada [e'laða] *nf* gelée *f*; **caer una ~** geler

heladera [ela'ðera] (*Csur*) *nf* réfrigérateur *m*

helado, -a [e'laðo, a] *adj* congelé(e); (*muy frío*) gelé(e); (*fig*) de glace ■ *nm* glace *f*; **¡estoy ~ (de frío)!** je gèle!; **dejar ~ a algn** épater qn; **quedarse ~** être abasourdi(e)

helar [e'lar] *vt* congeler; (*Bot*) geler; (*dejar atónito*) abasourdir ■ *vi* geler; **helarse** *vpr* geler; **~se de frío** mourir de froid; **ha helado esta noche** il a gelé cette nuit

helecho [e'letʃo] *nm* fougère *f*

hélice ['eliθe] *nf* hélice *f*

helicóptero [eli'koptero] *nm* hélicoptère *m*

hembra ['embra] *nf* femelle *f*; (*mujer*) femme *f*; **un elefante ~** un éléphant femelle

hemorragia [emo'rraxja] *nf* hémorragie *f*; **~ nasal** saignement de nez

hemorroides [emo'rroiðes] *nfpl* hémorroïdes *fpl*

hemos ['emos] *vb ver* **haber**

hendidura [endi'ðura] *nf* fente *f*; (*Geo*) faille *f*

heno ['eno] *nm* foin *m*

herbicida [erβi'θiða] *nm* herbicide *m*

heredad [ere'ðað] *nf* domaine *m*

heredar [ere'ðar] *vt* hériter

heredero, -a [ere'ðero, a] *nm/f* héritier(-ère); **príncipe ~** prince *m* héritier; **~ del trono** héritier du trône

hereje [e'rexe] *nm/f* hérésiarque *m/f*

herencia [e'renθja] *nf* héritage *m*; (*Bio*) hérédité *f*

herida [e'riða] *nf* blessure *f*; *ver tb* **herido**

herido, -a [e'riðo, a] *adj, nm/f* blessé(e); **resultar ~** être blessé(e); **sentirse ~** (*fig*) se sentir blessé(e)

herir [e'rir] *vt* blesser; (*vista, oídos*) irriter; **herirse** *vpr* se blesser

hermana [er'mana] *nf* sœur *f*; **~ gemela** sœur jumelle; **~ política** belle-sœur

hermanastro, -a [erma'nastro, a] *nm/f* demi-frère (demi-sœur)

hermandad [erman'dað] *nf* congrégation *f*; (*fraternidad*) fraternité *f*

hermano, -a [er'mano, a] *adj* (*ciudad*) jumeau (jumelle) ■ *nm* frère *m*; **él y ella son ~s** ils sont frère et sœur; **~ gemelo** frère jumeau; **~ político** beau-frère

hermético, -a [er'metiko, a] *adj* hermétique

hermoso, -a [er'moso, a] *adj* beau (belle); (*espacioso*) spacieux(-euse)

hermosura [ermo'sura] *nf* beauté *f*; **ese niño es una ~** c'est un beau bébé

hernia ['ernja] *nf* hernie *f*; **~ discal** hernie discale

héroe ['eroe] *nm* héros *msg*

heroína [ero'ina] *nf* (*mujer, droga*) héroïne *f*

heroísmo [ero'ismo] *nm* héroïsme *m*

herradura [erra'ðura] *nf* fer *m* à cheval

herramienta [erra'mjenta] *nf* outil *m*

herrero [e'rrero] *nm* forgeron *m*

herrumbre [e'rrumbre] *nf* rouille *f*

hervidero [erβi'ðero] *nm* (*fig: de personas*) foule *f*; (: *de animales*) troupeau *m*; (: *de pasiones*) déchaînement *m*

hervir [er'βir] *vt* (faire) bouillir ■ *vi* bouillir; (*fig*): **~ de** bouillir de; **~ en deseos de** brûler du désir de

hervor [er'βor] *nm*: **dar un ~ a** faire bouillir

hice *etc* ['iθe] *vb ver* **hacer**

hidratante [iðra'tante] *adj*: **crema ~** crème *f* hydratante

hidratar [iðra'tar] *vt* hydrater

hidrato [i'ðrato] *nm*: **~s de carbono** hydrates *mpl* de carbone

hidráulica [i'ðraulika] *nf* hydraulique *f*

hidráulico, -a [i'ðrauliko, a] *adj* hydraulique

hidroeléctrico, -a [iðroe'lektriko, a] *adj* hydroélectrique

hidrofobia [iðro'foβja] *nf* hydrophobie *f*

hidrógeno [i'ðroxeno] *nm* hydrogène *m*

hiedra [i'ðeðra] *nf* lierre *m*

hiel [jel] *nf* bile *f*; (*fig*) fiel *m*

hielo ['jelo] *vb ver* **helar** ■ *nm* glace *f*; (*fig*) froideur *f*; **hielos** *nmpl* (*escarcha*) gelées *fpl*; **romper el ~** (*fig*) rompre la glace

hiena ['jena] *nf* hyène *f*

hierba ['jerβa] *nf* herbe *f*; **mala ~** mauvaise herbe; (*fig*) mauvaise graine *f*

hierbabuena [jerβa'βwena] *nf* menthe *f*

hierro ['jerro] *nm* fer *m*; (*trozo, pieza*) bout *m* de fer; **de ~** en fer; (*fig: persona*) fort(e) comme un bœuf; (: *voluntad, salud*) de fer; **~ colado/forjado/fundido** fer coulé/forgé/fondu

hígado ['iɣaðo] *nm* foie *m*; **echar los ~s** se décarcasser

higiene [i'xjene] *nf* hygiène *f*

higiénico, -a [i'xjeniko, a] *adj* hygiénique

higo ['iɣo] *nm* figue *f*; **de ~s a brevas** tous les 36 du mois; **estar hecho un ~** (*fam*) être tout chiffonné; **~ chumbo** figue de Barbarie; **~ seco** figue sèche

higuera [i'ɣera] *nf* figuier *m*

hija ['ixa] *nf* fille *f*; (*uso vocativo*) ma fille; **~ política** belle-fille

hijastro, -a [i'xastro, a] *nm/f* beau-fils (belle-fille); **~s** beaux-enfants *mpl*

hijo ['ixo] *nm* (*retoño*) fils *msg*; (*uso vocativo*) fiston *m*, mon garçon; **hijos** *nmpl* (*hijos e hijas*) enfants *mpl*; (*descendientes*) enfants et petits-enfants *mpl*; **sin ~s** sans enfants; **cada ~ de vecino** tout un chacun; **~ adoptivo** fils adoptif; **~ de mamá/papá** fils à maman/papa; **~ de puta** (*fam!*) fils de pute (*fam!*); **~ ilegítimo** fils illégitime; **~ político** gendre *m*; **~ pródigo** fils prodigue

hilar [i'lar] *vt* filer; **~ delgado** o **fino** (*fig*) jouer finement

hilera [i'lera] *nf* rangée *f*

hilo ['ilo] *nm* fil *m*; (*de metal*) filon *m*; (*de agua, luz, voz*) filet *m*; **colgar de un ~** (*fig*) ne tenir qu'à un fil; **perder/seguir el ~** (*de relato, pensamientos*) perdre/suivre le fil; **traje de ~** costume *m* de toile

hilvanar [ilβa'nar] *vt* (*Costura*) ourler; (*bosquejar*) esquisser; (*precipitadamente*) ébaucher

himno ['imno] *nm* hymne *m*; **~ nacional** hymne national

hincapié [inka'pje] *nm*: **hacer ~ en** mettre l'accent sur

hincar [in'kar] *vt* planter; **hincarse** *vpr* s'enfoncer; **~le el diente a** (*comida*) mordre à belles dents dans; (*fig: asunto*) s'attaquer à; **~se de rodillas** s'agenouiller

hincha ['intʃa] *nm/f* (*fam: Deporte*) fan *m/f* ■ *nf*: **tenerle ~ a algn** avoir une dent contre qn

hinchado, -a [in'tʃaðo, a] *adj* (*Med*) enflammé(e); (*inflado*) enflé(e); (*estilo*) ronflant(e)

hinchar [in'tʃar] *vt* gonfler; (*fig*) exagérer; **hincharse** *vpr* (*Med*) s'enflammer; (*fig: engreírse*) se rengorger; **~se de (hacer)** en avoir marre de (faire)

hinchazón [intʃa'θon] nf inflammation f
hinojo [i'noxo] nm fenouil m; **de ~s** sur les genoux
hipermercado [ipermer'kaðo] nm hypermarché m
hipertexto [iper'teksto] nm hypertexte m
hipervínculo [iper'binkulo] nm hyperlien m
hípica ['ipika] nf équitation f; (local) hippodrome m
hípico, -a ['ipiko, a] adj (concurso) hippique; (carrera) de chevaux; **club ~** club m d'équitation
hipnotismo [ipno'tismo] nm hypnotisme m
hipnotizar [ipnoti'θar] vt hypnotiser
hipo [ipo] nm hoquet m; **me ha entrado ~** j'ai le hoquet; **tener ~** avoir le hoquet; **quitar el ~ a algn** (fig) couper le sifflet à qn
hipo... ['ipo] pref hypo...
hipocresía [ipokre'sia] nf hypocrisie f
hipócrita [i'pokrita] adj, nm/f hypocrite m/f
hipódromo [i'poðromo] nm hippodrome m
hipopótamo [ipo'potamo] nm hippopotame m
hipoteca [ipo'teka] nf hypothèque f; **pagar la ~** rembourser l'hypothèque
hipotenusa [ipote'nusa] nf hypoténuse f
hipótesis [i'potesis] nf inv hypothèse f
hiriente [i'rjente] adj blessant(e)
hispánico, -a [is'paniko, a] adj hispanique
hispano, -a [is'pano, a] adj espagnol(e); (en EEUU) hispano-américain(e) ■ nm/f Espagnol(e); (en EEUU) Hispano-Américain(e)
Hispanoamérica [ispanoa'merika] nf Amérique f latine
hispanoamericano, -a [ispanoameri'kano, a] adj hispano-américain(e) ■ nm/f Hispano-Américain(e)
histeria [is'terja] nf hystérie f; **~ colectiva** hystérie collective
historia [is'torja] nf histoire f; **historias** nfpl (chismes) histoires fpl drôles; **¡la ~ de siempre!, ¡la misma ~!** c'est toujours la même histoire!; **déjate de ~s** ne me raconte pas d'histoires; **pasar a la ~** passer à la postérité; **~ antigua/ contemporánea** histoire ancienne/ contemporaine; **~ natural** histoire naturelle
historiador, a [istorja'ðor, a] nm/f historien(ne)

historial [isto'rjal] nm (profesional) curriculum vitae m inv; (Med) antécédents mpl
histórico, -a [is'toriko, a] adj historique; (estudios) d'histoire
historieta [isto'rjeta] nf bande f dessinée
hito ['ito] nm (fig) fait m historique; **mirar a algn de ~ en ~** regarder fixement qn
hizo ['iθo] vb ver **hacer**
Hno(s). abr (= Hermano(s)) Fre(s) (= frère(s))
hocico [o'θiko] nm museau m; **estar de ~s** faire la tête; **torcer el ~** faire la moue; **meter el ~ en algo** mettre son nez dans qch
hockey ['xoki] nm hockey m; **~ sobre hielo/patines** hockey sur glace/patins
hogar [o'ɣar] nm foyer m; **labores del ~** tâches fpl domestiques; **crear/formar un ~** créer/fonder une famille
hogareño, -a [oɣa'reɲo, a] adj (ambiente) familial(e); (escena) de famille; (persona) casanier(-ère)
hoguera [o'ɣera] nf feu m de bois; (para herejes) bûcher m
hoja ['oxa] nf feuille f; (de flor) pétale m; (de cuchillo) lame f; (de puerta, ventana) battant m; **de ~ caduca/perenne** à feuille caduque/persistante; **~ de afeitar** lame de rasoir; **~ electrónica** o **de cálculo** feuille de calcul (électronique); **~ de pedido** bon m de commande; **~ de servicios** états mpl de service; **~ de trabajo** (Inform) feuille de programmation; **~ informativa** circulaire f
hojalata [oxa'lata] nf fer m blanc
hojaldre [o'xaldre] nm pâte f feuilletée
hojear [oxe'ar] vt feuilleter
hola ['ola] excl salut!
Holanda [o'landa] nf Hollande f
holandés, -esa [olan'des, esa] adj hollandais(e) ■ nm/f Hollandais(e) ■ nm (Ling) hollandais msg
holgado, -a [ol'ɣaðo, a] adj (prenda) ample; (situación) aisé(e); **iban muy ~s en el coche** ils étaient au large dans la voiture
holgar [ol'ɣar] vi: **huelga decir que** inutile de dire que
holgazán, -ana [olɣa'θan, ana] adj, nm/f paresseux(-euse)
holgura [ol'ɣura] nf ampleur f; (Tec) jeu m; **vivir con ~** vivre dans l'aisance; **cabemos con ~** on a largement la place
hollín [o'ʎin] nm suie f
hombre ['ombre] nm homme m; (raza humana): **el ~** l'homme ■ excl dis donc!;

hacerse ~ devenir un homme; **buen ~** bon gars *msg*; **pobre ~** pauvre homme; **¡sí, ~!** mais si!; **de ~ a ~** d'homme à homme; **ser muy ~** être un homme, un vrai; **~ de bien** homme de bien; **~ de confianza** homme de confiance; **~ de estado** homme d'Etat; **~ de la calle** homme de la rue; **~ de letras** homme de lettres; **~ de mundo** homme du monde; **~ de negocios** homme d'affaires; **~ de palabra** homme de parole

hombrera [om'brera] *nf* épaulette *f*
hombre-rana [ombre'rana] *nm* (*pl* **hombres-rana**) homme-grenouille *m*
hombro [om'bro] *nm* épaule *f*; **al ~** sur l'épaule; **arrimar el ~** se mettre au travail; **encogerse de ~s** hausser les épaules; **llevar/traer a ~s** porter sur les épaules; **mirar a algn por encima del ~** regarder qn de haut

hombruno, -a [om'bruno, a] *adj* hommasse
homenaje [ome'naxe] *nm* hommage *m*; **un partido (de) ~** un match d'adieu
homicida [omi'θiða] *adj* (*arma*) du crime; (*carácter*) meurtrier(-ère) ▪ *nm/f* meurtrier(-ère)
homicidio [omi'θiðjo] *nm* homicide *m*
homologar [omolo'ɣar] *vt* homologuer
homólogo, -a [o'moloɣo, a] *nm/f*: **su** *etc* **~ son** *etc* homologue
homosexual [omosek'swal] *adj, nm/f* homosexuel(le)
hondo, -a [ˈondo, a] *adj* profond(e); **en lo ~ de** au fin fond de
hondonada [ondo'naða] *nf* creux *msg*
Honduras [on'duras] *nf* Honduras *m*
hondureño, -a [ondu'reɲo, a] *adj* du Honduras ▪ *nm/f* natif(-ive) *o* habitant(e) du Honduras
honestidad [onesti'ðað] *nf* honnêteté *f*
honesto, -a [o'nesto, a] *adj* honnête; (*decente*) vertueux(-euse)
hongo [ˈoŋgo] *nm* champignon *m*; (*sombrero*) couvre-chef *m*; **hongos** *nmpl* (*Med*) champignons *mpl*, mycose *f*; **~s del pie** mycose au pied
honor [o'nor] *nm* honneur *m*; **en ~ a la verdad** ... la vérité est que ...; **hacer ~ a algo/algn** faire honneur à qch/qn; **en ~ de algn** en l'honneur de qn; **es un ~ para mí** ... c'est un honneur pour moi ...; **rendir los ~es a algn** rendre les honneurs à qn; **hacer los ~es** (*suj: anfitrión*) faire les honneurs de la maison; **~ profesional** honneur professionnel
honorable [ono'raβle] *adj* honorable

honorario, -a [ono'rarjo, a] *adj* nonoraire ▪ *nm*: **~s** honoraires *mpl*
honra [ˈonra] *nf* honneur *m*; (*renombre*) prestige *m*; **tener algo a mucha ~** s'enorgueillir de qch; **~s fúnebres** honneurs funèbres
honradez [onra'ðeθ] *nf* honnêteté *f*; (*de mujer*) vertu *f*
honrado, -a [on'raðo, a] *adj* honnête; (*mujer*) vertueux(-euse)
honrar [on'rar] *vt* honorer; **honrarse** *vpr*: **~ con algo/de hacer algo** s'enorgueillir de qch/de faire qch; **nos honró con su presencia/amistad** il nous a honorés de sa présence/son amitié
honroso, -a [on'roso, a] *adj* (*que da honra*) tout à l'honneur de qn; (*decoroso*) pour sauver l'honneur
hora [ˈora] *nf* heure *f*; **¿qué ~ es?** quelle heure est-il?; **¿tienes ~?** tu as l'heure?; **¿a qué ~?** à quelle heure?; **media ~** une demi-heure; **a la ~ de comer/del recreo** à l'heure du repas/de la récréation; **a primera/última ~** à la première/dernière heure; **a última ~** à la fin; **~ tras ~** heure après heure; **"última ~"** "dernière heure"; **¡es la ~!** c'est l'heure!; **noticias de última ~** nouvelles *fpl* de dernière heure; **a altas ~s (de la noche)** à des heures tardives; **a estas ~s** à l'heure qu'il est; **a la ~ en punto** à l'heure pile; **entre ~s** (*comer*) entre les repas; **por ~s** à l'heure; **¡a buena(s)~(s) me lo dices!** c'est maintenant que tu me le dis!; **a todas ~s** à toute heure; **en mala ~** par malchance; **me han dado ~ para mañana** ils m'ont fixé rendez-vous pour demain; **dar la ~** donner l'heure; **pasarse las ~s muertas haciendo algo** passer son temps à faire qch; **pedir ~** demander un rendez-vous; **poner el reloj en ~** mettre sa montre à l'heure; **no ver la ~ de** avoir hâte de; **¡ya era ~!** il était temps!; **~s de oficina/de trabajo/de visita** heures de bureau/de travail/de visite; **~s extra** heures sup; **~s extraordinarias** heures supplémentaires; **~ punta** *o* **pico** (*Méx*) heure de pointe
horadar [ora'ðar] *vt* forer
horario, -a [o'rarjo, a] *adj, nm* horaire *m*; **~ comercial** heures *fpl* ouvrables
horca [ˈorka] *nf* potence *f*; (*Agr*) fourche *f*
horcajadas [orka'xaðas]: **a ~** *adv* à califourchon
horchata [or'tʃata] *nf* ≈ sirop *m* d'orgeat
horizontal [oriθon'tal] *adj* horizontal(e)
horizonte [ori'θonte] *nm* horizon *m*

horma ['orma] nf forme f; **de ~ estrecha/ancha** (zapatos) large/ étroit(e)
hormiga [or'miɣa] nf fourmi f
hormigón [ormi'ɣon] nm béton m; **~ armado** béton armé
hormigueo [ormi'ɣeo] nm fourmis fpl; (fig) agitation f
hormona [or'mona] nf hormone f
hornada [or'naða] nf fournée f
hornillo [or'niʎo] nm réchaud m; **~ de gas** réchaud à gaz
horno ['orno] nm four m; (Culin) four, fourneau m; **alto(s) ~(s)** haut(s) fourneau(x); **al ~** (Culin) au four; **no estar el ~ para bollos** ne pas être d'humeur à plaisanter; **¡este lugar es un ~!** c'est pire que dans un four!; **~ crematorio** four crématoire; **~ microondas** four à micro-ondes
horóscopo [o'roskopo] nm horoscope m
horquilla [or'kiʎa] nf peigne m; (Agr) fourche f
horrendo, -a [o'rrendo, a] adj affreux(-euse)
horrible [o'rriβle] adj horrible
horripilante [orripi'lante] adj horripilant(e)
horror [o'rror] nm horreur f; **horrores** nmpl (atrocidades) horreurs fpl; **¡qué ~!** (fam) quelle horreur!; **me da ~** cela me fait horreur; **tener ~ a (hacer)** avoir horreur de (faire); **me gusta ~es** j'en raffole
horrorizar [orrori'θar] vt horrifier; **horrorizarse** vpr: **se horrorizó de pensarlo** il a été horrifié à cette idée; **estar horrorizado** être horrifié
horroroso, -a [orro'roso, a] adj affreux(-euse); (hambre, sueño) terrible
hortaliza [orta'liθa] nf légume m
hortelano, -a [orte'lano, a] nm/f maraîcher(-ère)
hortera [or'tera] (fam) adj, nm/f plouc m/f
hosco, -a ['osko, a] adj (persona) antipathique; (lugar) exécrable
hospedar [ospe'ðar] vt loger; **hospedarse** vpr se loger
hospital [ospi'tal] nm hôpital m; **~ clínico** clinique f
hospitalario, -a [ospita'larjo, a] adj hospitalier(-ère)
hospitalidad [ospitali'ðað] nf hospitalité f
hostal [os'tal] nm pension f
hostelería [ostele'ria] nf hôtellerie f
hostia ['ostja] nf (Rel) ostie f; (fam!) beigne f (fam!) ∎ excl: **¡~(s)!** (fam!) putain!

(fam!); **¡es la ~!** (fam!: como crítica) c'est nul!; (: apreciativo) c'est d'enfer!; **está (de) la ~** (fam!) il est vachement mignon; **está de mala ~** (fam!: mal humor) il fait la gueule (fam!); **tiene mala ~** (fam!: mala intención) c'est un salaud (fam!); **a toda ~** (fam!) à toute berzingue (fam!)
hostigar [osti'ɣar] vt (Mil, fig) harceler; (caballería) cravacher
hostil [os'til] adj hostile
hostilidad [ostili'ðað] nf hostilité f; **hostilidades** nfpl: **iniciar/romper las ~es** engager/cesser les hostilités
hotel [o'tel] nm hôtel m

● **HOTEL**
●
●
● Il existe en Espagne différents types
● d'hébergement dont le prix est
● fonction des services offerts aux
● voyageurs. Ce sont, par ordre
● décroissant de prix : l'hôtel (du 5 étoiles
● au 1 étoile), l'hostal, la pensión, la casa
● de huéspedes et la fonda. L'État gère
● également un réseau d'hôtels de luxe,
● appelés "paradores", généralement
● situés dans des lieux à caractère
● historique ou installés dans des
● monuments historiques.

hotelero, -a [ote'lero, a] adj, nm/f hôtelier(-ère)
hoy [oi] adv aujourd'hui; **~ mismo** aujourd'hui même; **~ (en) día, el día de ~** (AM) aujourd'hui; **~ por ~** aujourd'hui; **por ~** pour aujourd'hui; **de ~ en ocho días** aujourd'hui en huit; **de ~ en adelante** dorénavant
hoyo ['ojo] nm fosse f; (Golf) trou m
hoyuelo [oj'welo] nm fossette f
hoz [oθ] nf faux fsg; (Geo) gorge f
hube etc ['uβe] vb ver **haber**
hucha ['utʃa] nf tirelire f
hueco, -a ['weko, a] adj creux(-euse); (persona, estilo) vain(e) ∎ nm creux msg; (espacio) place f; **hacerle (un) ~ a algn** faire une place à qn; **tener un ~** avoir un trou; **~ de la escalera/del ascensor** cage f d'escalier/d'ascenseur; **~ de la mano** creux de la main
huela etc ['wela] vb ver **oler**
huelga ['welɣa] vb ver **oler** ∎ nf grève f; **declararse/estar en ~** se mettre/être en grève; **~ de brazos caídos** grève sur le tas; **~ de celo** grève du zèle; **~ de hambre** grève de la faim; **~ general** grève générale

huelguista [wel'ɣista] *nm/f* gréviste *m/f*
huella ['weʎa] *nf* trace *f*; **sin dejar ~** sans
laisser de traces; **perder las ~s** perdre la
trace; **seguir las ~s de algn** (*fig*) marcher
sur les traces de qn; **~ dactilar** trace de
doigt; **~ digital** empreinte *f* digitale
huérfano, -a ['werfano, a] *adj*: **~ (de)**
orphelin(e) (de) ■ *nm/f* orphelin(e);
quedar(se) ~ devenir orphelin(e)
huerta ['werta] *nf* verger *m*; (*en Murcia,
Valencia*) huerta *f*
huerto ['werto] *nm* (*de verduras*) jardin *m*
potager; (*de árboles frutales*) verger *m*
hueso ['weso] *nm* os *msg*; (*de fruta*) noyau
m; (*Méx: fam*) sinécure *f*; **estar en los ~s**
être sur les genoux; **estar calado** *o*
mojado hasta los ~s être trempé
jusqu'aux os; **ser un ~** (*profesor*) être un
tyran; **un ~ duro de roer** (*persona*) un(e)
dur(e) à cuire; **de color ~** blanc cassé
huésped, a ['wespeð, a] *nm/f* hôte *m/f*;
(*en hotel*) client(e)
huesudo, -a [we'suðo, a] *adj*
osseux(-euse)
huevas ['weβas] *nfpl* œufs *mpl* de
poisson; (*Chi: fam!*) couilles *fpl* (*fam!*)
huevera [we'βera] *nf* (*para servir*)
coquetier *m*; (*para transportar*) boîte *f* à
œufs
huevo ['weβo] *nm* œuf *m*; (*fam!*) couille *f*
(*fam!*); **me costó un ~** (*fam!: caro*) ça m'a
coûté la peau des fesses (*fam!*); (: *difícil*)
ça a été coton; **tener ~s** (*fam!*) avoir des
couilles (*fam!*); **~ duro/escalfado/frito**
œuf dur/poché/au plat; **~ estrellado**
œuf sur le plat; **~s revueltos** œufs *mpl*
brouillés; **~ pasado por agua** *o* (*AM*) **tibio**
o (*And, Csur*) **a la copa** œuf à la coque
huida [u'iða] *nf* fuite *f*; **~ de capitales**
(*Com*) fuite des capitaux
huidizo, -a [ui'ðiθo, a] *adj* (*tímido*)
farouche; (*mirada, frente*) fuyant(e);
(*tiempo*) passager(-ère)
huir [u'ir] *vt, vi* fuir; **~ de** fuir
hule ['ule] *nm* toile *f* cirée
humanidad [umani'ðað] *nf* humanité *f*;
humanidades *nfpl* (*Univ, Escol*) lettres *fpl*
humanitario, -a [umani'tarjo, a] *adj*
humanitaire
humano, -a [u'mano, a] *adj* humain(e)
■ *nm* humain *m*; **ser ~** être humain
humareda [uma'reða] *nf* nuage *m* de
fumée
humedad [ume'ðað] *nf* humidité *f*;
a prueba de ~ résiste à l'humidité
humedecer [umeðe'θer] *vt* humidifier;
humedecerse *vpr* s'humidifier
húmedo, -a ['umeðo, a] *adj* humide

humildad [umil'dað] *nf* humilité *f*
humilde [u'milde] *adj* humble
humillación [umiʎa'θjon] *nf*
humiliation *f*
humillar [umi'ʎar] *vt* humilier;
humillarse *vpr*: **~se (ante)** s'humilier
(devant); **sentirse humillado** se sentir
humilié
humo ['umo] *nm* fumée *f*; **humos** *nmpl*
(*fig: altivez*) air *m* hautain; **echar ~** fumer;
bajar los ~s a algn rabattre son caquet à
qn; **hacerse ~** (*And, Csur: fam*) s'évanouir
dans la nature
humor [u'mor] *nm* humeur *f*; **de buen/
mal ~** de bonne/mauvaise humeur; **(no)
estar de ~ para (hacer) algo** (ne pas) être
d'humeur à (faire) qch
humorista [umo'rista] *nm/f*
humoriste *m/f*
humorístico, -a [umo'ristiko, a] *adj*
humoristique
hundimiento [undi'mjento] *nm* (*de
barco*) naufrage *m*; (*de edificio*)
écroulement *m*; (*de tierra*) éboulement *m*;
(*del terreno*) creux *msg*
hundir [un'dir] *vt* (*barco, negocio*) couler;
(*edificio*) raser; (*pavimento*) enfoncer; (*fig:
persona*) abattre; **hundirse** *vpr* (*barco,
negocio*) couler; (*edificio*) s'écrouler;
(*terreno, cama*) s'affaisser; (*economía,
precios*) s'effondrer; **~se en la miseria**
sombrer dans la misère
húngaro, -a ['ungaro, a] *adj* hongrois(e)
■ *nm/f* Hongrois(e) ■ *nm* (*Ling*)
hongrois *m*
Hungría [un'gria] *nf* Hongrie *f*
huracán [ura'kan] *nm* ouragan *m*;
pasar/entrar como un ~ passer/entrer
en trombe
huraño, -a [u'raɲo, a] *adj* désagréable;
(*poco sociable*) peu sociable
hurgar [ur'ɣar] *vt* remuer ■ *vi*: **~ (en)**
fouiner (dans); **hurgarse** *vpr*: **~se (las
narices)** se curer (le nez); **~ en la herida**
(*fig*) remuer le couteau dans la plaie
hurón [u'ron] *nm* furet *m*
hurtadillas [urta'ðiʎas]: **a ~** *adv* à la
dérobée
hurtar [ur'tar] *vt* dérober; **hurtarse** *vpr*:
~se a se dérober
hurto ['urto] *nm* vol *m*
husmear [usme'ar] *vt* humer ■ *vi*
fouiner; **~ en** (*fam*) se mêler de
huyendo *etc* [u'jendo] *vb ver* **huir**

iba etc ['iβa] vb ver **ir**
ibérico, -a [i'βeriko, a] adj ibérique; **la Península ibérica** la Péninsule Ibérique
iberoamericano, -a [iβeroameri'kano, a] adj latino-américain(e) ■ nm/f Latino-américain(e)
Ibiza [i'βiθa] nf Ibiza f
iceberg [iθe'ber] (pl ~s) nm iceberg m
icono [i'kono] nm (tb Inform) icône f
iconoclasta [ikono'klasta] adj, nm/f (tb fig) iconoclaste m/f
ictericia [ikte'riθja] nf jaunisse f
I + D abr (= Investigación y Desarrollo) R&D f (= recherche-développement)
ida ['iða] nf aller m; **~ y vuelta** aller et retour; **~s y venidas** allées fpl et venues
idea [i'ðea] nf idée f; (propósito) intention f; **ideas** nfpl (manera de pensar) idées fpl; **a mala ~** dans l'intention de nuire; **no tengo la menor ~** je n'en ai pas la moindre idée; **hacerse a la ~ (de que)** se faire à l'idée (que); **cambiar de ~** changer d'idée; **¡ni ~!** aucune idée!; **tener ~ de (hacer) algo** avoir l'intention de (faire) qch; **tener mala ~** être malintentionné(e); **~ genial** idée géniale
ideal [iðe'al] adj idéal(e) ■ nm idéal m
idealista [iðea'lista] adj, nm/f idéaliste m/f

idealizar [iðeali'θar] vt idéaliser
idear [iðe'ar] vt concevoir
ídem ['iðem] pron idem
idéntico, -a [i'ðentiko, a] adj: **~ (a)** identique (à)
identidad [iðenti'ðað] nf identité f; **~ corporativa** image f de l'entreprise
identificación [iðentifika'θjon] nf identification f
identificar [iðentifi'kar] vt identifier; **identificarse** vpr: **~se (con)** s'identifier (à)
ideología [iðeolo'xia] nf idéologie f
idilio [i'ðiljo] nm idylle f
idioma [i'ðjoma] nm langue f
idiota [i'ðjota] adj, nm/f idiot(e)
idiotez [iðjo'teθ] nf idiotie f
ídolo ['iðolo] nm (tb fig) idole f
idóneo, -a [i'ðoneo, a] adj idéal(e); **~ para (hacer)** idéal(e) pour (faire)
iglesia [i'ɣlesja] nf église f; **la I~ católica** l'église catholique; **~ parroquial** église paroissiale
ignorancia [iɣno'ranθja] nf ignorance f
ignorante [iɣno'rante] adj, nm/f ignorant(e)
ignorar [iɣno'rar] vt ignorer; **ignoramos su paradero** nous ignorons où il se trouve

⊙ **PALABRA CLAVE**

igual [i'ɣwal] adj 1 (idéntico) pareil(le); **Pedro es igual que tú** Pedro est comme toi; **X es igual a Y** (Mat) X est égal à Y; **son iguales** ils sont pareils; **van iguales** (en carrera, competición) ils sont à égalité; **él, igual que tú, está convencido de que ...** comme toi, il est convaincu que ...; **¡es igual!** (no importa) ça ne fait rien!; **me da igual** ça m'est égal
2 (liso: terreno, superficie) égal(e)
3 (constante: velocidad, ritmo) égal(e)
4: **al igual que** comme
■ nm/f (persona) égal(e); **no tener igual** ne pas avoir d'égal; **sin igual** sans égal; **de igual a igual** d'égal à égal
■ adv 1 (de la misma manera) de la même façon, pareil (fam); **visten igual** ils s'habillent de la même façon
2 (fam: a lo mejor) peut-être que; **igual no lo saben todavía** peut-être qu'ils ne le savent pas encore
3 (esp Csur: fam: a pesar de todo) quand même; **era inocente pero me expulsaron igual** j'étais innocent mais ils m'ont renvoyé quand même

igualar [iɣwa'lar] vt égaliser; **igualarse** vpr (diferencias) s'aplanir; **~se (con)** (compararse) se comparer (avec)

igualdad [iɣwal'daθ] nf (tb Mat) égalité f; **en ~ de condiciones** dans les mêmes conditions

igualmente [i'ɣwalmente] adv également; (en comparación) aussi; **¡felices vacaciones! - ~** bonnes vacances! - à toi aussi

ilegal [ile'ɣal] adj illégal(e)

ilegible [ile'xiβle] adj illisible

ilegítimo, -a [ile'xitimo, a] adj illégitime

ileso, -a [i'leso, a] adj: **resultar** o **salir ~ (de)** sortir indemne (de), sortir sain(e) et sauf (sauve) (de)

ilícito, -a [i'liθito, a] adj illicite

ilimitado, -a [ilimi'taðo, a] adj illimité(e)

ilógico, -a [i'loxiko, a] adj illogique

iluminación [ilumina'θjon] nf illumination f, éclairage m; (de local, habitación) éclairage

iluminar [ilumi'nar] vt illuminer, éclairer; (adornar con luces) illuminer; (colorear: ilustración) enluminer; (fig: inspirar) éclairer; **iluminarse** vpr: **se le iluminó la cara** son visage s'est illuminé

ilusión [ilu'sjon] nf illusion f; (alegría) joie f; (esperanza) espoir m; (emoción) émotion f; **hacerle ~ a algn** faire plaisir à qn; **hacerse ilusiones** se faire des illusions; **no te hagas ilusiones** ne te fais pas d'illusions; **tener ~ por (hacer)** se réjouir de (faire)

ilusionado, -a [ilusjo'naðo, a] adj: **estar ~ (con)** se réjouir (de)

ilusionar [ilusjo'nar] vt réjouir; **ilusionarse** vpr: **~se (con)** se réjouir (de)

ilusionista [ilusjo'nista] nm/f illusionniste m/f

iluso, -a [i'luso, a] adj naïf(-ive) ■ nm/f rêveur(-euse)

ilusorio, -a [ilu'sorjo, a] adj illusoire

ilustración [ilustra'θjon] nf illustration f; (cultura) instruction f, culture f; **servir como** o **de ~** servir d'exemple; **la I~** le Siècle des lumières

ilustrado, -a [ilus'traðo, a] adj illustré(e); (persona) cultivé(e), instruit(e)

ilustrar [ilus'trar] vt illustrer; (instruir) instruire, cultiver; **ilustrarse** vpr s'instruire, se cultiver

ilustre [i'lustre] adj illustre, célèbre

imagen [i'maxen] nf image f; **ser la viva ~ de** être le portrait tout craché de; **a su ~** à son image

imaginación [imaxina'θjon] nf imagination f; **imaginaciones** nfpl (suposiciones) idées fpl; **no se me pasó por la ~ que ...** je n'aurais jamais imaginé que ...

imaginar [imaxi'nar] vt imaginer; (idear) imaginer, concevoir; **imaginarse** vpr s'imaginer; **~ que ...** (suponer) imaginer que ...; **¡imagínate!** tu te rends compte!; **imagínese que ...** figurez-vous que ...; **me imagino que sí** j'imagine que oui

imaginario, -a [imaxi'narjo, a] adj imaginaire

imaginativo, -a [imaxina'tiβo, a] adj imaginatif(-ive)

imán [i'man] nm aimant m

imbécil [im'beθil] adj, nm/f imbécile m/f

imitación [imita'θjon] nf imitation f; (parodia) imitation, pastiche m; (Com) contrefaçon f; **a ~ de** sur le modèle de; **de ~** en imitation; **desconfíe de las imitaciones** (Com) méfiez-vous des contrefaçons

imitar [imi'tar] vt imiter; (parodiar) imiter, pasticher

impaciencia [impa'θjenθja] nf impatience f

impaciente [impa'θjente] adj impatient(e); **estar ~** se tracasser; (deseoso) être impatient; **estar ~ (por hacer)** être impatient (de faire), avoir hâte (de faire)

impacto [im'pakto] nm impact m; (esp AM: fig) impression f; **~ ecológico** empreinte f écologique

impar [im'par] adj impair(e) ■ nm impair m

imparcial [impar'θjal] adj impartial(e)

impartir [impar'tir] vt (clases) donner; (orden) intimer

impasible [impa'siβle] adj impassible

impecable [impe'kaβle] adj impeccable

impedimento [impeði'mento] nm empêchement m, obstacle m

impedir [impe'ðir] vt (imposibilitar) empêcher; (estorbar) gêner; **~ a algn hacer** o **que haga algo** empêcher qn de faire qch; **~ el tráfico** bloquer la circulation

impenetrable [impene'traβle] adj impénétrable

imperar [impe'rar] vi régner; (fig) dominer, prévaloir

imperativo, -a [impera'tiβo, a] adj impératif(-ive) ■ nm (Ling) impératif m; **imperativos** nmpl (exigencias) impératifs mpl

imperceptible [imperθep'tiβle] *adj*
imperceptible

imperdible [imper'ðiβle] *nm* épingle *f*
à nourrice

imperdonable [imperðo'naβle] *adj*
impardonnable

imperfección [imperfek'θjon] *nf* (*en
prenda, joya, vasija*) défaut *m*; (*de persona*)
imperfection *f*

imperfecto, -a [imper'fekto, a] *adj*
défectueux(-euse); (*tarea, Ling*)
imparfait(e) ■ *nm* (*Ling*) imparfait *m*

imperial [impe'rjal] *adj* impérial(e)

imperialismo [imperja'lismo] *nm*
impérialisme *m*

imperio [im'perjo] *nm* empire *m*; **el ~ de
la ley/justicia** le règne de la loi/justice;
vale un ~ (*fig*) cela vaut son pesant d'or

imperioso, -a [impe'rjoso, a] *adj*
impérieux(-euse)

impermeable [imperme'aβle] *adj, nm*
imperméable *m*

impersonal [imperso'nal] *adj*
impersonnel(le)

impertinencia [imperti'nenθja] *nf*
impertinence *f*

impertinente [imperti'nente] *adj*
impertinent(e)

imperturbable [impertur'βaβle] *adj*
imperturbable

ímpetu ['impetu] *nm* (*violencia*) violence
f; (*energía*) énergie *f*; (*impetuosidad*)
fougue *f*

impetuoso, -a [impe'twoso, a] *adj*
impétueux(-euse); (*paso, ritmo*)
soutenu(e)

impío, -a [im'pio, a] *adj* (*sin fe*) impie;
(*irreverente*) irrévérencieux(-euse); (*cruel*)
impitoyable

implacable [impla'kaβle] *adj*
implacable

implantar [implan'tar] *vt* implanter;
implantarse *vpr* s'implanter

implicar [impli'kar] *vt* impliquer; **~ a
algn en algo** impliquer qn dans qch;
eso no implica que ... cela n'implique pas
que ...

implícito, -a [im'pliθito, a] *adj* (*tácito*)
tacite; (*sobreentendido*) implicite; **llevar ~**
comporter implicitement

implorar [implo'rar] *vt* implorer

imponente [impo'nente] *adj*
imposant(e); (*fam*) sensationnel(le)
■ *nm/f* (*Com*) déposant(e)

imponer [impo'ner] *vt* imposer;
(*respeto*) inspirer; (*Com*) placer, déposer
■ *vi* en imposer; **imponerse** *vpr* (*moda,
costumbre*) s'imposer; (*razón, equipo*)

l'emporter; **~se (a)** s'imposer (à); **~se
(hacer)** s'imposer (de faire); **~se un
deber** s'imposer un devoir

imponible [impo'niβle] *adj* (*Com*)
imposable; (*importación*) soumis(e) aux
droits de douane; **no ~** non imposable

impopular [impopu'lar] *adj*
impopulaire

importación [importa'θjon] *nf*
importation *f*

importancia [impor'tanθja] *nf*
importance *f*; **no dar ~ a** ne pas attacher
d'importance à; **darse ~** faire
l'important; **sin ~** sans importance;
no tiene ~ ce n'est pas important

importante [impor'tante] *adj*
important(e); **lo ~ es hacer .../que
haga ...** l'important c'est de faire .../qu'il
fasse ...

importar [impor'tar] *vt* importer;
(*ascender a: cantidad*) se monter à, coûter
■ *vi* importer; **me importa un bledo** o
rábano je m'en fiche pas mal; **¿le
importa que fume?** ça vous ennuie si je
fume?; **¿te importa prestármelo?** ça ne
te dérange pas de me le prêter?; **¿y a ti
qué te importa?** qu'est-ce que ça peut
(bien) te faire?; **¿qué importa?** qu'est-ce
que ça peut faire?; **no importa** ce n'est
pas grave, ça ne fait rien; **no le importa**
ça ne le regarde pas; **"no importa
precio"** "prix indifférent"

importe [im'porte] *nm* (*coste*) coût *m*;
(*total*) montant *m*

importunar [importu'nar] *vt*
importuner

imposibilidad [imposiβili'ðað] *nf*
impossibilité *f*

imposibilitar [imposiβili'tar] *vt* rendre
impossible; (*impedir*) empêcher

imposible [impo'siβle] *adj, nm*
impossible *m*; **es ~** c'est impossible;
es ~ de predecir c'est impossible à
prévoir; **hacer lo ~ por** faire l'impossible
pour

imposición [imposi'θjon] *nf* (*de moda*)
introduction *f*; (*sanción, condena*)
application *f*; (*mandato*) ordre *m*; (*Com:
impuesto*) imposition *f*; (: *depósito*) dépôt
m; **efectuar una ~** faire un dépôt

impostor, a [impos'tor, a] *nm/f*
imposteur *m*

impotencia [impo'tenθja] *nf*
impuissance *f*

impotente [impo'tente] *adj*
impuissant(e) ■ *nm* impuissant *m*

impracticable [imprakti'kaβle] *adj*
(*camino*) impraticable

impreciso, -a [impre'θiso, a] *adj* imprécis(e)

impregnar [impreɣ'nar] *vt* imprégner; **impregnarse** *vpr* s'imprégner

imprenta [im'prenta] *nf* imprimerie *f*; (*aparato*) presse *f*; **letra de ~** caractère *m* d'imprimerie

imprescindible [impresθin'diβle] *adj* indispensable; **es ~ hacer/que haga ...** il est indispensable de faire/qu'il fasse ...

impresión [impre'sjon] *nf* impression *f*; (*marca*) empreinte *f*; **tengo o me da la ~ de que no va a venir** j'ai (bien) l'impression qu'il ne viendra pas; **cambio de impresiones** échange *m* de vues; **~ digital** empreinte digitale

impresionable [impresjo'naβle] *adj* impressionnable

impresionante [impresjo'nante] *adj* impressionnant(e); (*conmovedor*) bouleversant(e)

impresionar [impresjo'nar] *vt* impressionner; (*conmover*) bouleverser, toucher; **impresionarse** *vpr* être impressionné(e); **se impresiona con facilidad** il ne faut pas grand-chose pour l'impressionner

impreso, -a [im'preso, a] *pp de* **imprimir** ■ *adj* imprimé(e) ■ *nm* (*solicitud*) imprimé *m*, formulaire *m*; **impresos** *nmpl* (*material impreso*) imprimés *mpl*; **~ de solicitud** formulaire de demande

impresora [impre'sora] *nf* (*Inform*) imprimante *f*; **~ de chorro de tinta** imprimante à jet d'encre; **~ de línea** imprimante ligne par ligne; **~ de margarita** imprimante à marguerite; **~ de matriz (de agujas)** imprimante matricielle; **~ de rueda** imprimante à marguerite; **~ (por) láser** imprimante laser

imprevisto, -a [impre'βisto, a] *adj* imprévu(e) ■ *nm* imprévu *m*

imprimir [impri'mir] *vt* imprimer

improbable [impro'βaβle] *adj* improbable

improcedente [improθe'ðente] *adj* inopportun(e); (*Jur*) irrégulier(-ère)

improductivo, -a [improðuk'tiβo, a] *adj* improductif(-ive)

improperio [impro'perjo] *nm* insulte *f*, injure *f*

impropio, -a [im'propjo, a] *adj* impropre; **~ de o para** peu approprié(e) à

improvisado, -a [improβi'saðo, a] *adj* improvisé(e)

improvisar [improβi'sar] *vt, vi* improviser

improviso [impro'βiso] *adv*: **de ~** à l'improviste

imprudencia [impru'ðenθja] *nf* imprudence *f*; (*indiscreción*) indiscrétion *f*; **~ temeraria** (*Jur*) imprudence

imprudente [impru'ðente] *adj* imprudent(e); (*indiscreto*) indiscret(-ète)

impúdico, -a [im'puðiko, a] *adj* impudique, indécent(e)

impuesto, -a [im'pwesto, a] *pp de* **imponer** ■ *adj*: **estar ~ en** s'y connaître en ■ *nm* impôt *m*; (*derecho*) droit *m*, taxe *f*; **anterior al ~** avant impôt; **libre de ~s** exonéré(e) d'impôt; **sujeto a ~** soumis(e) à l'impôt; **~ de lujo** taxe de luxe; **~ de plusvalía** impôt sur les plus-values; **~ de transferencia de capital** droit de mutation; **~ de venta** taxe à l'achat; **~ directo/indirecto** impôt direct/indirect; **~ sobre el valor añadido** o (*AM*) **agregado** taxe à la valeur ajoutée; **~ sobre la propiedad** impôt foncier; **~ sobre la renta/sobre la renta de las personas físicas** impôt sur le revenu/sur le revenu des personnes physiques; **~ sobre la riqueza** impôt sur la fortune

impugnar [impuɣ'nar] *vt* contester; (*refutar*) réfuter

impulsar [impul'sar] *vt* propulser; (*economía*) stimuler; **él me impulsó a hacerlo** o **a que lo hiciera** il m'a poussé à le faire

impulsivo, -a [impul'siβo, a] *adj* impulsif(-ive)

impulso [im'pulso] *nm* impulsion *f*; (*fuerza*) élan *m*; **a ~s del miedo** poussé(e) par la peur; **dar ~ a** donner une impulsion à

impune [im'pune] *adj* impuni(e)

impureza [impu'reθa] *nf* impureté *f*; **impurezas** *nfpl* (*de agua, aire*) impuretés *fpl*

impuro, -a [im'puro, a] *adj* impur(e)

imputar [impu'tar] *vt* imputer

inacabable [inaka'βaβle] *adj* interminable

inaccesible [inakθe'siβle] *adj* inaccessible; (*fig: precio*) inabordable

inacción [inak'θjon] *nf* inaction *f*

inaceptable [inaθep'taβle] *adj* inacceptable

inactividad [inaktiβi'ðað] *nf* inactivité *f*; (*Com*) inutilisation *f*

inactivo, -a [inak'tiβo, a] *adj* inactif(-ive); (*período*) d'inaction; (*Com*) inutilisé(e); **la población inactiva** les inactifs

inadecuado, -a [inaðe'kwaðo, a] *adj* inadéquat(e)

inadmisible [inaðmi'siβle] adj
inadmissible
inadvertido, -a [inaðβer'tiðo, a] adj:
pasar ~ passer inaperçu(e)
inagotable [inaɣo'taβle] adj
inépuisable, intarissable
inaguantable [inaɣwan'taβle] adj
insupportable
inalterable [inalte'raβle] adj
inaltérable; (persona) entier(-ère)
inanición [inani'θjon] nf inanition f
inanimado, -a [inani'maðo, a] adj
inanimé(e)
inapreciable [inapre'θjaβle] adj (poco
importante) insignifiant(e); (de gran valor)
inestimable; (invisible: objeto) invisible
inaudito, -a [inau'ðito, a] adj inouï(e)
inauguración [inauɣura'θjon] nf
inauguration f
inaugurar [inauɣu'rar] vt inaugurer
inca ['inka] adj inca inv ■ nm/f Inca m/f
incalculable [inkalku'laβle] adj
incalculable
incandescente [inkandes'θente] adj
incandescent(e)
incansable [inkan'saβle] adj infatigable
incapacidad [inkapaθi'ðað] nf
incapacité f; **~ para hacer** incapacité à
faire; **~ física** incapacité physique; **~
laboral** incapacité de travail; **~ mental**
incapacité mentale
incapacitar [inkapaθi'tar] vt: **~ (para)**
(inhabilitar) rendre inapte (à);
(descalificar) déclarer inapte (à)
incapaz [inka'paθ] adj incapable; **~ de
hacer algo** incapable de faire qch
incautación [inkauta'θjon] nf saisie f
incautarse [inkau'tarse] vpr: **~ de**
s'emparer de
incauto, -a [in'kauto, a] adj (imprudente)
imprudent(e); (crédulo) crédule
incendiar [inθen'djar] vt incendier;
incendiarse vpr prendre feu, brûler
incendiario, -a [inθen'djarjo, a] adj,
nm/f incendiaire m/f
incendio [in'θendjo] nm incendie m
incentivo [inθen'tiβo] nm stimulation f,
aiguillon m
incertidumbre [inθerti'ðumbre] nf
incertitude f
incesante [inθe'sante] adj incessant(e)
incesto [in'θesto] nm inceste m
incidencia [inθi'ðenθja] nf (repercusión)
incidence f; (suceso) incident m
incidente [inθi'ðente] nm incident m
incidir [inθi'ðir] vi: **~ en** affecter; **~ en un
error** tomber dans l'erreur
incienso [in'θjenso] nm encens msg

incineración [inθinera'θjon] nf
incinération f
incinerar [inθine'rar] vt incinérer
incipiente [inθi'pjente] adj naissant(e)
incisión [inθi'sjon] nf incision f
incisivo, -a [inθi'siβo, a] adj
(instrumento) tranchant(e); (fig)
incisif(-ive) ■ nm incisive f
incitar [inθi'tar] vt inciter; **~ a algn a
hacer** inciter qn à faire, pousser qn à faire
inclemencia [inkle'menθja] nf sévérité
f; **inclemencias** nfpl (del tiempo)
rigueurs fpl
inclinación [inklina'θjon] nf inclinaison
f; (fig) inclination f, penchant m; **tener ~
por algn/algo** avoir un penchant pour
qn/qch
inclinar [inkli'nar] vt incliner; (cabeza,
cuerpo) incliner, pencher; **inclinarse** vpr
pencher; (persona) se pencher; **~se ante**
s'incliner devant; **me inclino a pensar
que …** j'incline à penser que …
incluir [inklu'ir] vt (abarcar)
comprendre; (meter) inclure; **todo
incluido** (Com) tout compris
inclusive [inklu'siβe] adv (incluido)
inclus, y compris; (incluso) même
incluso, -a [in'kluso, a] adv, prep même
incógnito [in'koɣnito]: **de ~** adv
incognito
incoherente [inkoe'rente] adj
incohérent(e)
incomodar [inkomo'ðar] vt
incommoder; **incomodarse** vpr se
fâcher
incomodidad [inkomoði'ðað] nf ennui
m; (de vivienda, asiento) manque m de
confort
incómodo, -a [in'komoðo, a] adj
(vivienda) inconfortable; (asiento) peu
confortable; (molesto) incommodant(e);
sentirse ~ se sentir mal à l'aise
incomparable [inkompa'raβle] adj
incomparable
incompatible [inkompa'tiβle] adj:
~ (con) incompatible (avec)
incompetencia [inkompe'tenθja] nf
incompétence f
incompetente [inkompe'tente] adj
incompétent(e)
incompleto, -a [inkom'pleto, a] adj
incomplet(-ète)
incomprensible [inkompren'siβle] adj
incompréhensible
incomunicado, -a [inkomuni'kaðo, a]
adj (aislado: persona) isolé(e); (: pueblo)
coupé(e) de tout; (preso) mis(e) au
régime cellulaire

inconcebible [inkonθe'βiβle] *adj* inconcevable

incondicional [inkondiθjo'nal] *adj* inconditionnel(le)

inconexo, -a [inko'nekso, a] *adj* décousu(e)

inconfundible [inkonfun'diβle] *adj* caractéristique

incongruente [inkon'grwente] *adj* incongru(e); **~ (con)** *(actitud)* en désaccord (avec)

inconsciencia [inkons'θjenθja] *nf* inconscience *f*

inconsciente [inkons'θjente] *adj* inconscient(e); **el ~** inconscient(e) de

inconsecuente [inkonse'kwente] *adj*: **~ (con)** inconséquent(e) (avec)

inconsiderado, -a [inkonsiðe'raðo, a] *adj* inconsidéré(e)

inconsistente [inkonsis'tente] *adj* inconsistant(e)

inconstancia [inkons'tanθja] *nf* inconstance *f*

inconstante [inkons'tante] *adj* inconstant(e)

incontable [inkon'taβle] *adj* innombrable, incalculable

incontestable [inkontes'taβle] *adj* incontestable

incontinencia [inkonti'nenθja] *nf* incontinence *f*

inconveniencia [inkombe'njenθja] *nf* inconvenance *f*

inconveniente [inkombe'njente] *adj* déplacé(e) ▪ *nm* inconvénient *m*; **el ~ es que ...** l'inconvénient, c'est que ...; **no hay ~ en** o **para hacer eso** il n'y a pas d'inconvénient à faire cela; **no tengo ~** je n'y vois pas d'inconvénients

incordiar [inkor'ðjar] *(fam) vt* emmerder *(fam!)*

incorporación [inkorpora'θjon] *nf* incorporation *f*

incorporar [inkorpo'rar] *vt* incorporer; *(enderezar)* lever; **incorporarse** *vpr* se lever; **~se a** *(puesto)* se présenter à; *(grupo, manifestación)* s'incorporer à

incorrección [inkorrek'θjon] *nf* incorrection *f*

incorrecto, -a [inko'rrekto, a] *adj* incorrect(e)

incorregible [inkorre'xiβle] *adj* incorrigible

incredulidad [inkreðuli'ðað] *nf* incrédulité *f*

incrédulo, -a [in'kreðulo, a] *adj* incrédule

increíble [inkre'iβle] *adj* incroyable

incremento [inkre'mento] *nm* augmentation *f*

increpar [inkre'par] *vt* admonester

incubar [inku'βar] *vt* couver

inculcar [inkul'kar] *vt* inculquer

inculpar [inkul'par] *vt* inculper

inculto, -a [in'kulto, a] *adj* inculte ▪ *nm/f* ignorant(e)

incumplimiento [inkumpli'mjento] *nm (de promesa)* manquement *m*; *(Com)* rupture *f*; **por ~** par défaut; **~ de contrato** rupture de contrat

incurrir [inku'rrir] *vi*: **~ en** *(error)* tomber dans; *(crimen)* en arriver à; *(enfado)* risquer de

indagación [indaɣa'θjon] *nf* recherche *f*

indagar [inda'ɣar] *vt* rechercher; *(policía)* enquêter sur

indecente [inde'θente] *adj* indécent(e); *(indigno)* peu convenable; *(ruin: comportamiento)* incorrect(e)

indecible [inde'θiβle] *adj* indicible; **sufrir lo ~** souffrir atrocement

indeciso, -a [inde'θiso, a] *adj* indécis(e)

indefenso, -a [inde'fenso, a] *adj (animal, persona)* sans défense; *(ciudad)* indéfendable

indefinido, -a [indefi'niðo, a] *adj (indeterminado)* indéfini(e); *(ilimitado)* indéterminé(e)

indeleble [inde'leβle] *adj* indélébile

indemne [in'demne] *adj*: **salir ~ de** sortir indemne de

indemnizar [indemni'θar] *vt*: **~ (de)** indemniser (de)

independencia [independen'denθja] *nf* indépendance *f*; **con ~ de** indépendamment de

independiente [independen'djente] *adj* indépendant(e); *(Inform)* autonome

indeterminado, -a [indetermi'naðo, a] *adj* indéterminé(e)

India ['indja] *nf*: **la ~** l'Inde *f*

indicación [indika'θjon] *nf* indication *f*; *(señal: de persona)* signe *m*; **indicaciones** *nfpl (instrucciones)* indications *fpl*

indicador [indika'ðor] *nm* indicateur *m*; *(Auto)* panneau *m* de signalisation; **~ de encendido** *(Inform)* voyant *m* "sous tension"

indicar [indi'kar] *vt* indiquer

índice ['indiθe] *nm* index *m*; **~ de materias** table *f* des matières; **~ de natalidad** taux *msg* de natalité; **~ de precios al por menor** *(Com)* indice *m* des prix de détail; **~ del coste de (la) vida** indice du coût de la vie

indicio [in'diθjo] *nm* indice *m*; (*Inform*) repère *m*

indiferencia [indife'renθja] *nf* indifférence *f*

indiferente [indife'rente] *adj*: ~ **(a)** indifférent(e) (à); **es ~ que viva en Madrid o Valencia** peu importe qu'il habite à Madrid ou à Valence; **me es ~ hacerlo hoy o mañana** cela m'est égal de le faire aujourd'hui ou demain; **a Alfonso le era ~ Carmen** Carmen laissait Alfonso indifférent

indígena [in'dixena] *adj*, *nm/f* indigène *m/f*

indigencia [indi'xenθja] *nf* indigence *f*

indigestión [indixes'tjon] *nf* indigestion *f*

indigesto, -a [indi'xesto, a] *adj* indigeste; (*persona*) insupportable

indignación [indiɣna'θjon] *nf* indignation *f*

indignar [indiɣ'nar] *vt* indigner; **indignarse** *vpr*: ~**se (por)** s'indigner (de)

indigno, -a [in'diɣno, a] *adj*: ~ **(de)** indigne (de)

indio, -a ['indjo, a] *adj* indien(ne) ▪ *nm/f* Indien(ne); **hacer el ~** faire l'imbécile; **subírsele o asomarle el ~** (*Csur: fam*) s'exciter

indirecta [indi'rekta] *nf* allusion *f*; **soltar una ~** faire une allusion

indirecto, -a [indi'rekto, a] *adj* indirect(e)

indiscreción [indiskre'θjon] *nf* indiscrétion *f*; **..., si no es ~** ..., si ce n'est pas indiscret

indiscreto, -a [indis'kreto, a] *adj* indiscret(-ète)

indiscriminado, -a [indiskrimi'naðo, a] *adj* (*golpes*) distribué(e) au hasard; **de un modo ~** sans discriminisation

indiscutible [indisku'tiβle] *adj* indiscutable

indispensable [indispen'saβle] *adj* indispensable

indisponer [indispo'ner] *vt* indisposer; **indisponerse** *vpr* (*Med*) se sentir indisposé(e); ~**se con o contra algn** se brouiller avec qn

indisposición [indisposi'θjon] *nf* indisposition *f*

indistinto, -a [indis'tinto, a] *adj* indistinct(e); **es ~ que hables tú o ella** peu importe que ce soit toi ou elle qui parle

individual [indiβi'ðwal] *adj* individuel(le); (*habitación, cama*) simple ▪ *nm* (*Deporte*) simple *m*

individuo [indi'βiðwo, a] *nm* individu *m*

índole ['indole] *nf* (*naturaleza*) nature *f*; (*clase*) caractère *m*

indómito, -a [in'domito, a] *adj* indomptable

inducir [indu'θir] *vt* induire; ~ **a algn a hacer** inciter qn à faire; ~ **a algn a error** induire qn en erreur

indudable [indu'ðaβle] *adj* indubitable; **es ~ que ...** il n'y a aucun doute que ...

indulgencia [indul'xenθja] *nf* indulgence *f*; **proceder sin ~ contra** se montrer implacable envers

indultar [indul'tar] *vt* gracier; ~ **(de)** (*Jur*) dispenser (de)

indulto [in'dulto] *nm* grâce *f*

industria [in'dustrja] *nf* industrie *f*; (*habilidad*) adresse *f*; ~ **agropecuaria** industrie agricole et de la pêche; ~ **pesada** industrie lourde; ~ **petrolífera** industrie du pétrole

industrial [indus'trjal] *adj* industriel(le) ▪ *nm* industriel *m*

inédito, -a [i'neðito, a] *adj* inédit(e)

inefable [ine'faβle] *adj* ineffable

ineficaz [inefi'kaθ] *adj* (*medida, medicamento*) inefficace; (*persona*) peu efficace

inepto, -a [i'nepto, a] *adj* inepte ▪ *nm/f* incapable *m/f*

inequívoco, -a [ine'kiβoko, a] *adj* clair(e)

inercia [i'nerθja] *nf* inertie *f*; **por ~** (*fig*) par habitude

inerme [i'nerme] *adj* (*sin armas*) désarmé(e); (*indefenso*) sans défense

inerte [i'nerte] *adj* inerte

inesperado, -a [inespe'raðo, a] *adj* inattendu(e)

inestable [ines'taβle] *adj* instable

inevitable [ineβi'taβle] *adj* inévitable

inexactitud [ineksakti'tuð] *nf* inexactitude *f*

inexacto, -a [inek'sakto, a] *adj* inexact(e)

inexperto, -a [ineks'perto, a] *adj* inexpérimenté(e)

infalible [infa'liβle] *adj* infaillible

infame [in'fame] *adj* infâme

infancia [in'fanθja] *nf* enfance *f*; **jardín de ~** jardin *m* d'enfants

infantería [infante'ria] *nf* infanterie *f*; ~ **de marina** infanterie de marine

infantil [infan'til] *adj* (*programa, juego*) pour les enfants; (*población*) enfantin(e); (*pey*) puéril(e)

infarto [in'farto] *nm* (*tb*: **infarto de miocardio**) infarctus *msg*

infatigable [infati'ɣaβle] *adj* infatigable

infección [infek'θjon] *nf* infection *f*

infeccioso, -a [infek'θjoso, a] *adj* (*Med*) infectieux(-euse); (*fig*) contagieux(-euse)

infectar [infek'tar] *vt* infecter; **infectarse** *vpr* s'infecter

infeliz [infe'liθ] *adj, nm/f* malheureux(-euse)

inferior [infe'rjor] *adj, nm/f* inférieur(e); **~ (a)** inférieur(e) (à); **un número ~ a 9** un chiffre inférieur à 9; **una cantidad ~** une quantité moindre

inferir [infe'rir] *vt* inférer; (*herida*) infliger

infestar [infes'tar] *vt* infester

infidelidad [infiðeli'ðað] *nf* infidélité *f*; **infidelidades** *nfpl* (*adulterios*) infidélités *fpl*; **~ conyugal** infidélité conjugale

infiel [in'fjel] *adj, nm/f* infidèle *m/f*

infierno [in'fjerno] *nm* (*Rel*) enfer *m*; **ser un ~** (*fig*) être un enfer; **¡vete al ~!** va-t'en au diable!; **está en el quinto ~** il est à l'autre bout du monde

infiltrarse [infil'trarse] *vpr* s'infiltrer

ínfimo, -a ['infimo, a] *adj* infime

infinidad [infini'ðað] *nf*: **una ~ de** une infinité de; **una ~ de veces** un nombre incalculable de fois

infinito, -a [infi'nito, a] *adj* infini(e) ■ *adv* infiniment ■ *nm* (*tb Mat*) infini *m*; **hasta lo ~** jusqu'à l'infini

inflación [infla'θjon] *nf* (*Econ*) inflation *f*

inflacionario, -a [inflaθjo'narjo, a] *adj* inflationniste

inflamar [infla'mar] *vt* enflammer; **inflamarse** *vpr* s'enflammer; (*hincharse*) s'enfler

inflar [in'flar] *vt* gonfler; (*fig*) exagérer; **inflarse** *vpr* s'enfler; **~se de** (*chocolate etc*) se bourrer de

inflexible [inflek'siβle] *adj* (*material*) indéformable; (*persona*) inflexible

infligir [infli'xir] *vt* infliger

influencia [in'flwenθja] *nf* influence *f*

influenciar [inflwen'θjar] *vt* influencer

influir [influ'ir] *vt* influencer ■ *vi* agir; **~ en** *o* **sobre** influer sur, influencer

influjo [in'fluxo] *nm* influence *f*; **~ de capitales** afflux *msg* de capitaux

influyendo *etc* [influ'jendo] *vb ver* **influir**

influyente [influ'jente] *adj* influent(e)

información [informa'θjon] *nf* (*sobre un asunto, Inform*) information *f*; (*noticias, informe*) informations *fpl*; (*Jur*) enquête *f*; **I~** (*oficina, Telec*) Renseignements *mpl*; (*mostrador*) Information; **abrir una ~** (*Jur*) ouvrir une enquête; **~ deportiva** nouvelles *fpl* sportives

informal [infor'mal] *adj* (*persona*) peu sérieux(-euse); (*estilo, lenguaje*) informel(le)

informar [infor'mar] *vt* informer; (*dar forma a*) donner forme à ■ *vi* (*dar cuenta de*): **~ de/sobre** informer de/sur; **informarse** *vpr*: **~se (de)** s'informer (de); **~ (contra)** (*Jur*) plaider (contre), **(les) informó que ... il** (les) a informé(s) que ...

informática [infor'matika] *nf* informatique *f*; **~ de gestión** informatique de gestion

informe [in'forme] *adj* informe ■ *nm* rapport *m*; (*Jur*) plaidoyer *m*; **informes** *nmpl* (*referencias*) références *fpl*; **~ anual** rapport annuel

infortunio [infor'tunjo] *nm* infortune *f*

infracción [infrak'θjon] *nf* infraction *f*

infranqueable [infranke'aβle] *adj* infranchissable

infravalorar [infrabalo'rar] *vt* sous-estimer

infringir [infrin'xir] *vt* transgresser

infructuoso, -a [infruk'twoso, a] *adj* infructueux(-euse)

infundado, -a [infun'daðo, a] *adj* peu fondé(e)

infundir [infun'dir] *vt*: **~ ánimo** *o* **valor** insuffler du courage; **~ respeto** inspirer le respect; **~ miedo** inspirer de la crainte

infusión [infu'sjon] *nf* infusion *f*; **~ de manzanilla** infusion de camomille

ingeniar [inxe'njar] *vt* inventer; **ingeniarse** *vpr*: **~se** *o* **ingeniárselas para hacer** se débrouiller pour faire

ingeniería [inxenje'ria] *nf* ingénierie *f*; **~ de sistemas** (*Inform*) développement *m* de systèmes

ingeniero, -a [inxe'njero, a] *nm/f* ingénieur *m*; (*esp Méx*: *título de cortesía*: *tb*: **Ingeniero**) Monsieur (Madame); **~ agrónomo** ingénieur agronome; **~ de caminos** ingénieur des travaux publics; **~ de montes** ingénieur des Eaux et Forêts; **~ de sonido** ingénieur du son; **~ naval** ingénieur des constructions navales

ingenio [in'xenjo] *nm* génie *m*; (*Tec*) engin *m*; **aguzar el ~** faire travailler sa matière grise; **~ azucarero** raffinerie *f* de sucre

ingenioso, -a [inxe'njoso, a] *adj* (*hábil*) ingénieux(-euse); (*divertido*) spirituel(le)

ingenuidad [inxenwi'ðað] *nf* ingénuité *f*

ingenuo, -a [in'xenwo, a] *adj* ingénu(e)

ingerir [inxe'rir] *vt* ingérer

Inglaterra [ingla'terra] *nf* Angleterre *f*

ingle ['ingle] *nf* aine *f*
inglés, -esa [in'gles, esa] *adj*
anglais(e) ■ *nm/f* Anglais(e) ■ *nm* (*Ling*)
anglais *msg*
ingratitud [ingrati'tuð] *nf* ingratitude *f*
ingrato, -a [in'grato, a] *adj* ingrat(e)
ingrediente [ingre'ðjente] *nm*
ingrédient *m*; **ingredientes** *nmpl* (*AM*)
tapas *fpl*
ingresar [ingre'sar] *vt* (*dinero*) déposer;
(*enfermo*) faire entrer ■ *vi*: **~ (en)** (*en
facultad, escuela*) être admis(e) (à); (*en
club etc*) s'inscrire (à); (*en ejército*) entrer
(dans); (*en hospital*) entrer à; **~ a** (*esp AM*)
rentrer dans
ingreso [in'greso] *nm* admission *f*; (*en
ejército*) entrée *f*; **ingresos** *nmpl* (*dinero*)
revenus *mpl*; (: Com) recettes *fpl*;
~ gravable revenu imposable;
~s accesorios avantages *mpl* en nature;
~s brutos revenus bruts; **~s devengados**
revenus salariaux; **~s exentos de
impuestos** revenus non imposables;
~s personales disponibles revenus
disponibles
inhabitable [inaβi'taβle] *adj*
inhabitable
inhalar [ina'lar] *vt* inhaler
inherente [ine'rente] *adj*: **~ a**
inhérent(e) à
inhibir [ini'βir] *vt* (*Med*) inhiber;
inhibirse *vpr*: **~se (de hacer)** s'abstenir
(de faire)
inhóspito, -a [i'nospito, a] *adj*
inhospitalier(-ère)
inhumano, -a [inu'mano, a] *adj*
inhumain(e)
inicial [ini'θjal] *adj* initial(e); (*letra*)
premier(-ère) ■ *nf* initiale *f*
iniciar [ini'θjar] *vt* commencer; **~ (en)**
(*persona*) initier (à); **~ a algn en un
secreto** mettre qn dans le secret;
~ la sesión (*Inform*) ouvrir la session
iniciativa [iniθja'tiβa] *nf* initiative *f*;
la ~ privada l'initiative privée; **por ~
propia** de sa *etc* propre initiative; **tomar
la ~** prendre l'initiative
inicio [i'niθjo] *nm* début *m*
ininterrumpido, -a [ininterrum'piðo,
a] *adj* ininterrompu(e)
injerencia [inxe'renθja] *nf* ingérence *f*
injertar [inxer'tar] *vt* greffer
injuria [in'xurja] *nf* injure *f*
injuriar [inxu'rjar] *vt* injurier
injurioso, -a [inxu'rjoso, a] *adj*
injurieux(-euse)
injusticia [inxus'tiθja] *nf* injustice *f*;
con ~ injustement

injusto, -a [in'xusto, a] *adj* injuste
inmadurez [inmaðu'reθ] *nf*
immaturité *f*
inmediaciones [inmeðja'θjones] *nfpl*
environs *mpl*
inmediato, -a [inme'ðjato, a] *adj*
immédiat(e); (*contiguo*) contigu(ë); **~ a**
contigu(ë) à; **de ~** (*esp AM*) tout de suite
inmejorable [inmexo'raβle] *adj*
excellent(e)
inmenso, -a [in'menso, a] *adj*
immense
inmerecido, -a [inmere'θiðo, a] *adj*
(*críticas*) injustifié(e); (*premio*)
immérité(e)
inmigración [inmiɣra'θjon] *nf*
immigration *f*
inmigrante [inmi'ɣrante] *adj, nm/f*
immigrant(e)
inmiscuirse [inmisku'irse] *vpr*: **~ (en)**
s'immiscer (dans)
inmobiliaria [inmoβi'ljarja] *nf* (*tb*:
agencia inmobiliaria) agence *f*
immobilière
inmobiliario, -a [inmoβi'ljarjo, a] *adj*
immobilier(-ère)
inmoral [inmo'ral] *adj* immoral(e)
inmortal [inmor'tal] *adj* immortel(le)
inmortalizar [inmortali'θar] *vt*
immortaliser
inmóvil [in'moβil] *adj* immobile
inmueble [in'mweβle] *adj*: **bienes ~s**
biens *mpl* immeubles ■ *nm* immeuble *m*
inmundicia [inmun'diθja] *nf* saleté *f*
inmundo, -a [in'mundo, a] *adj* (*lugar*)
immonde; (*lenguaje*) vulgaire
inmune [in'mune] *adj*: **~ (a)**
immunisé(e) (contre)
inmunidad [inmuni'ðað] *nf*
immunité *f*; **~ diplomática/
parlamentaria** immunité diplomatique/
parlementaire
inmutarse [inmu'tarse] *vpr* se troubler;
siguió sin ~ il poursuivit sans se troubler
le moins du monde
innato, -a [in'nato, a] *adj* inné(e)
innecesario, -a [inneθe'sarjo, a] *adj*
pas nécessaire
innoble [in'noβle] *adj* ignoble
innovación [innoβa'θjon] *nf*
innovation *f*
inocencia [ino'θenθja] *nf* innocence *f*
inocentada [inoθen'taða] *nf* (*broma*)
≈ poisson *m* d'avril; **gastar una ~ a algn**
≈ faire un poisson d'avril à qn
inocente [ino'θente] *adj, nm/f*
innocent(e); **día de los (Santos) I~s** jour
m des (saints) Innocents

DÍA DE LOS SANTOS INOCENTES

Le 28 décembre, jour des saints Innocents, l'Église commémore le massacre des enfants de Judée ordonné par Hérode. Cette journée est l'occasion pour les Espagnols de se faire des plaisanteries et de se jouer des tours appelés *inocentadas*, un peu comme lors du premier avril en France.

inocuo, -a [i'nokwo, a] *adj* inoffensif(-ive)

inodoro, -a [ino'ðoro, a] *adj* inodore ■ *nm* cabinet *m*

inofensivo, -a [infen'siβo, a] *adj* inoffensif(-ive)

inolvidable [inolβi'ðaβle] *adj* inoubliable

inopinado, -a [inopi'naðo, a] *adj* inopiné(e)

inoportuno, -a [inopor'tuno, a] *adj* inopportun(e)

inoxidable [inoksi'ðaβle] *adj* inoxydable; **acero ~** acier *m* inoxydable

inquebrantable [inkeβran'taβle] *adj* (*fe*) inébranlable; (*promesa*) solennel(le)

inquietar [inkje'tar] *vt* inquiéter; **inquietarse** *vpr* s'inquiéter

inquieto, -a [in'kjeto, a] *adj* inquiet(-ète); (*niño*) turbulent(e); **estar ~ por** être inquiet(-ète) de

inquietud [inkje'tuð] *nf* inquiétude *f*; (*agitación*) dissipation *f*

inquilino, -a [inki'lino, a] *nm/f* locataire *m/f*; (*Com*) preneur(-euse) à bail

inquirir [inki'rir] *vt* s'enquérir de

insalubre [insa'luβre] *adj* insalubre

inscribir [inskri'βir] *vt* inscrire; **inscribirse** *vpr* (*Escol etc*) s'inscrire

inscripción [inskrip'θjon] *nf* inscription *f*

insecticida [insekti'θiða] *nm* insecticide *m*

insecto [in'sekto] *nm* insecte *m*

inseguridad [inseɣuri'ðað] *nf* insécurité *f*; (*inestabilidad*) instabilité *f*; (*de carácter*) manque *m* de confiance; (*indecisión*) indécision *f*; **~ ciudadana** insécurité urbaine

inseguro, -a [inse'ɣuro, a] *adj* incertain(e); (*persona*) pas sûr(e) de soi; (*lugar*) peu sûr(e); (*terreno*) instable; (*escalera*) branlant(e); **sentirse ~** ne pas se sentir en sécurité

insensato, -a [insen'sato, a] *adj* insensé(e)

insensibilidad [insensiβili'ðað] *nf* insensibilité *f*

insensible [insen'siβle] *adj* insensible

insertar [inser'tar] *vt* insérer; **insertarse** *vpr*: **~se en** s'insérer dans

inservible [inser'βiβle] *adj* inutilisable

insidioso, -a [insi'ðjoso, a] *adj* insidieux(-euse); (*persona*) fourbe

insignia [in'siɣnja] *nf* (*emblema*) insigne *m*; (*estandarte*) enseigne *f*; **buque ~** vaisseau *m* amiral

insignificante [insiɣnifi'kante] *adj* insignifiant(e)

insinuar [insi'nwar] *vt* insinuer; **insinuarse** *vpr*: **él se me insinuó** il me fit des avances

insípido, -a [in'sipiðo, a] *adj* insipide

insistencia [insis'tenθja] *nf* insistance *f*; **con ~** avec insistance

insistir [insis'tir] *vi*: **~ (en)** insister (sur)

insolación [insola'θjon] *nf* insolation *f*

insolencia [inso'lenθja] *nf* insolence *f*

insolente [inso'lente] *adj* insolent(e)

insólito, -a [in'solito, a] *adj* insolite

insoluble [inso'luβle] *adj* (*problema*) insoluble; **~ (en)** (*sustancia*) insoluble (dans)

insolvencia [insol'βenθja] *nf* (*Com*) insolvabilité *f*

insomnio [in'somnjo] *nm* insomnie *f*

insondable [inson'daβle] *adj* insondable

insonorizar [insonori'θar] *vt* insonoriser

insoportable [insopor'taβle] *adj* insupportable

insospechado, -a [insospe'tʃaðo, a] *adj* insoupçonné(e)

inspección [inspek'θjon] *nf* inspection *f*; **I~** inspection

inspeccionar [inspekθjo'nar] *vt* inspecter; (*Inform*) contrôler

inspector, a [inspek'tor, a] *nm/f* inspecteur(-trice)

inspiración [inspira'θjon] *nf* inspiration *f*; **de ~ clásica/romántica** d'inspiration classique/romantique

inspirar [inspi'rar] *vt* inspirer; **inspirarse** *vpr*: **~se en** s'inspirer de

instalación [instala'θjon] *nf* installation *f*; **instalaciones** *nfpl*; (*de centro deportivo, hotel*) installations *fpl*; **~ eléctrica** installation électrique

instalar [insta'lar] *vt* installer; **instalarse** *vpr* s'installer

instancia [ins'tanθja] *nf* instance *f*; **a ~s de** à la requête de; **en última ~** en dernier ressort

instantánea [instan'tanea] *nf*
instantané *m*

instantáneo, -a [instan'taneo, a] *adj*
instantané(e); **café ~** café *m* instantané

instante [ins'tante] *nm* instant *m*; **a
cada ~** à tout instant; **al ~** à l'instant; **en
un ~** en un instant

instar [ins'tar] *vt*: **~ a algn a hacer** *o* **para
que haga** prier instamment qn de faire

instaurar [instau'rar] *vt* instaurer

instigar [insti'ɣar] *vt*: **~ a algn a (hacer)**
inciter qn à (faire)

instinto [ins'tinto] *nm* instinct *m*; **por ~**
d'instinct; **~ de conservación** instinct de
conservation; **~ maternal/sexual**
instinct maternel/sexuel

institución [institu'θjon] *nf* institution
f; **instituciones** *nfpl* (*de un país*)
institutions *fpl*; **~ benéfica** société *f* de
bienfaisance

instituir [institu'ir] *vt* instituer

instituto [insti'tuto] *nm* (*Escol*) lycée *m*;
(*de investigación, cultural etc*) institut *m*;
I~ de Bachillerato (*Esp*) lycée

institutriz [institu'triθ] *nf* préceptrice *f*

instrucción [instruk'θjon] *nf*
instruction *f*; (*Deporte*) entraînement *m*;
(*Inform*) instruction; **instrucciones** *nfpl*
(*normas de uso, órdenes*) instructions *fpl*;
instrucciones de funcionamiento
(*Inform*) guide *m* de l'utilisateur; **~ del
sumario** (*Jur*) instruction

instructivo, -a [instruk'tiβo, a] *adj*
instructif(-ive)

instruir [instru'ir] *vt* (*tb Jur*) instruire

instrumento [instru'mento] *nm*
instrument *m*; (*Com*) effet *m*; **~ de
cuerda/de percusión/de viento**
instrument à cordes/à percussion/à vent

insubordinarse [insuβorði'narse] *vpr*:
~ (contra) se rebeller (contre)

insuficiencia [insufi'θjenθja] *nf*
insuffisance *f*; **~ cardíaca/renal**
insuffisance cardiaque/rénale

insuficiente [insufi'θjente] *adj*
insuffisant(e) ■ *nm* (*Escol*) note *f*
inférieure à la moyenne

insufrible [insu'friβle] *adj*
= **insoportable**

insular [insu'lar] *adj* insulaire

insultar [insul'tar] *vt* insulter

insulto [in'sulto] *nm* insulte *f*

insumiso [insu'miso] (*Esp*) *nm* (*Mil*)
réfractaire au service militaire et au service
civil

insuperable [insupe'raβle] *adj*
(*excelente*) incomparable; (*invencible*)
insurmontable

insurgente [insur'xente] *adj, nm/f*
insurgé(e)

insurrección [insurrek'θjon] *nf*
insurrection *f*

intachable [inta'tʃaβle] *adj*
irréprochable

intacto, -a [in'takto, a] *adj* intact(e)

integral [inte'ɣral] *adj* intégral(e);
(*idiota*) parfait(e); **pan ~** pain *m* complet

integrar [inte'ɣrar] *vt* composer; (*Mat*)
intégrer; **integrarse** *vpr* s'intégrer

integridad [inteɣri'ðað] *nf* intégrité *f*;
en su ~ dans son intégralité

íntegro, -a ['inteɣro, a] *adj* intègre;
(*texto*) intégral(e)

intelectual [intelek'twal] *adj, nm/f*
intellectuel(le)

inteligencia [inteli'xenθja] *nf*
intelligence *f*; **~ artificial** intelligence
artificielle

inteligente [inteli'xente] *adj*
intelligent(e)

inteligible [inteli'xiβle] *adj* intelligible

intemperie [intem'perje] *nf* intempérie
f; **a la ~** sans abri

intempestivo, -a [intempes'tiβo, a]
adj intempestif(-ive)

intención [inten'θjon] *nf* intention *f*;
con segundas intenciones avec des
intentions cachées; **con ~** à dessein,
intentionnellement; **buena/mala ~**
bonne/mauvaise intention; **de buena/
mala ~** bien/mal intentionné(e)

intencionado, -a [intenθjo'naðo, a] *adj*
intentionnel(le); **bien/mal ~** bien/mal
intentionné(e)

intensidad [intensi'ðað] *nf* intensité *f*;
llover con ~ pleuvoir dru

intenso, -a [in'tenso, a] *adj* intense

intentar [inten'tar] *vt*: **~ (hacer)** essayer
o tenter de (faire)

intento [in'tento] *nm* essai *m*, tentative
f; (*propósito*) intention *f*; **al primer/
segundo ~** à la première/seconde
tentative

intercalar [interka'lar] *vt* intercaler

intercambio [inter'kambjo] *nm*
échange *m*

interceder [interθe'ðer] *vi*: **~ (por)**
intercéder (en faveur de)

interceptar [interθep'tar] *vt*
intercepter; (*tráfico*) entraver

intercesión [interθe'sjon] *nf*
intercession *f*

interés [inte'res] *nm* intérêt *m*;
intereses *nmpl* (*dividendos, aspiraciones*)
intérêts *mpl*; (*patrimonio*) biens *mpl*; **con
un ~ de 9 por ciento** à 9 pour cent

d'intérêt; **dar a ~** prêter à o avec intérêt; **devengar ~** rapporter un intérêt; **sentir/ tener ~ en** éprouver/avoir de l'intérêt pour; **tipo de ~** (Com) taux msg d'intérêt; **intereses acumulados** intérêts cumulés; **~ compuesto/simple** intérêt composé/ simple; **intereses creados** coalition f d'intérêts; **intereses por cobrar/por pagar** intérêts à percevoir/à verser; **~ propio** intérêt personnel

interesado, -a [intere'saðo, a] adj, nm/f intéressé(e); **~ en/por** intéressé(e) par

interesante [intere'sante] adj intéressant(e); **hacerse el/la ~** faire l'intéressant(e)

interesar [intere'sar] vt intéresser; (Med) affecter ▪ vi être intéressant(e); **interesarse** vpr: **~se en** o por s'intéresser à; **no me interesan los toros** les courses de taureaux ne m'intéressent pas

interferencia [interfe'renθja] nf (Radio, TV, Telec) interférence f; **~ (en)** (injerencia) ingérence f (dans)

interferir [interfe'rir] vt (Telec) brouiller ▪ vi (persona): **~ (en)** s'immiscer (dans)

interfono [inter'fono] nm interphone m

interino, -a [inte'rino, a] adj intérimaire ▪ nm/f intérimaire m/f; (Med) remplaçant(e)

interior [inte'rjor] adj intérieur(e) ▪ nm intérieur m; (Deporte) inter m; (Col, Ven: tb: **interiores**) caleçon m; **Ministerio del I~** ministère m de l'Intérieur; **dije para mi ~** je me suis dit en mon for intérieur; **habitación ~** chambre f de derrière; **ropa ~** linge m de corps; **vida ~** vie f intérieure

interjección [interxek'θjon] nf interjection f

interlocutor, a [interloku'tor, a] nm/f interlocuteur(-trice); **mi ~** mon interlocuteur

intermediario, -a [interme'ðjarjo, a] adj, nm/f intermédiaire m/f

intermedio, -a [inter'meðjo, a] adj intermédiaire ▪ nm (Teatro, Cine) intervalle m

interminable [intermi'naβle] adj interminable

intermitente [intermi'tente] adj intermittent(e) ▪ nm (Auto) clignotant m

internacional [internaθjo'nal] adj international(e)

internado [inter'naðo] nm internat m

internar [inter'nar] vt interner; **internarse** vpr (penetrar): **~se en** pénétrer dans

internauta [inter'nauta] nm/f internaute m/f

Internet [inter'net] nm Internet m; **navegar por ~** naviguer sur l'Internet

interno, -a [in'terno, a] adj interne; (Pol etc) intérieur(e) ▪ nm/f (alumno) interne m/f; (médico) généraliste m/f; **medicina interna** médecine f générale

interponer [interpo'ner] vt interposer; (Jur: apelación) interjeter; **interponerse** vpr s'interposer; **~ (entre)** interposer (entre); **~ recurso (contra)** interjeter appel (contre)

interpretación [interpreta'θjon] nf interprétation f; **mala ~** mauvaise o fausse interprétation

interpretar [interpre'tar] vt interpréter; **~ mal** mal interpréter

intérprete [in'terprete] nm/f interprète m/f

interrogación [interroɣa'θjon] nf interrogation f; (tb: **signo de interrogación**) point m d'interrogation

interrogar [interro'ɣar] vt interroger

interrumpir [interrum'pir] vt interrompre

interrupción [interrup'θjon] nf interruption f

interruptor [interrup'tor] nm (Elec) interrupteur m

intersección [intersek'θjon] nf intersection f

interurbano, -a [interur'βano, a] adj interurbain(e); **llamada/conferencia interurbana** appel m interurbain/ communication f interurbaine

intervalo [inter'βalo] nm intervalle m; **a ~s** à intervalles

intervención [interβen'θjon] nf intervention f; (Telec) écoute f téléphonique; **la política de no ~** la politique de non-intervention; **~ quirúrgica** intervention chirurgicale

intervenir [interβe'nir] vt (Med) pratiquer une intervention sur; (suj: policía) saisir; (teléfono) placer sous écoute téléphonique; (cuenta bancaria) bloquer ▪ vi intervenir

interventor, a [interβen'tor, a] nm/f (en elecciones) inspecteur(-trice); (Com) audit m/f

interviú [inter'βju] nf interview f

intestino [intes'tino] nm intestin m; **~ delgado/grueso** intestin grêle/gros intestin

intimar [inti'mar] vt: **~ a algn a que ...** intimer à qn de ... ▪ vi se lier d'amitié

intimidad [intimi'ðað] nf intimité f; (amistad) amitié f; **en la ~** dans l'intimité

íntimo, -a ['intimo, a] adj intime

intolerable [intole'raβle] *adj* intolérable

intoxicación [intoksika'θjon] *nf* intoxication *f*; **~ alimenticia** intoxication alimentaire

Intranet [intra'net] *nm* Intranet *m*

intranquilizarse *vpr* s'inquiéter

intranquilo, -a [intran'kilo, a] *adj* inquiet(-ète)

intransigente [intransi'xente] *adj* intransigeant(e)

intransitable [intransi'taβle] *adj* impraticable

intrépido, -a [in'trepiðo, a] *adj* intrépide

intriga [in'triɣa] *nf* intrigue *f*

intrigar [intri'ɣar] *vt, vi* intriguer

intrincado, -a [intrin'kaðo, a] *adj* (*camino*) embrouillé(e); (*bosque*) impénétrable; (*problema, asunto*) inextricable

intrínseco, -a [in'trinseko, a] *adj* intrinsèque

introducción [introðuk'θjon] *nf* introduction *f*

introducir [introðu'θir] *vt* introduire; **introducirse** *vpr* s'introduire

intromisión [intromi'sjon] *nf* intromission *f*

introvertido, -a [introβer'tiðo, a] *adj, nm/f* introverti(e)

intruso, -a [in'truso, a] *nm/f* intrus(e)

intuición [intwi'θjon] *nf* intuition *f*; **por ~** par intuition; **tener una gran ~** avoir beaucoup d'intuition

inundación [inunda'θjon] *nf* inondation *f*

inundar [inun'dar] *vt* inonder; **inundarse** *vpr* s'inonder

inusitado, -a [inusi'taðo, a] *adj* (*espectáculo*) insolite; (*hora, calor*) inhabituel(le)

inútil [i'nutil] *adj* (*herramienta*) inutilisable; (*esfuerzo*) inutile; (*persona: minusválido*) handicapé(e); (: *pey*) bon(ne) à rien, inepte; **declarar ~ algn** (*Mil*) réformer qn

inutilidad [inutili'ðað] *nf* inutilité *f*; (*ineptitud*) ineptie *f*

inutilizar [inutili'θar] *vt* rendre inutilisable

invadir [imba'ðir] *vt* envahir

inválido, -a [im'baliðo, a] *adj* invalide ▪ *nm/f* handicapé(e)

invariable [imba'rjable] *adj* invariable

invasión [imba'sjon] *nf* invasion *f*

invasor, a [imba'sor, a] *adj* envahissant(e) ▪ *nm/f* envahisseur *m*

invención [imben'θjon] *nf* invention *f*

inventar [imben'tar] *vt* inventer

inventario [imben'tarjo] *nm* inventaire *m*; **hacer ~ de** faire l'inventaire de

inventiva [imben'tiβa] *nf* inventivité *f*

invento [im'bento] *nm* invention *f*

inventor, a [imben'tor, a] *nm/f* inventeur(-trice)

invernadero [imberna'ðero] *nm* serre *f*

inverosímil [imbero'simil] *adj* invraisemblable

inversión [imber'sjon] *nf* (*Com*) investissement *m*; **~ de capitales** investissement de capitaux; **inversiones extranjeras** investissements étrangers

inverso, -a [im'berso, a] *adj* inverse; **en orden ~** dans l'ordre inverse; **a la inversa** à l'inverse; **traducción inversa** thème *m*

inversor, a [imber'sor, a] *nm/f* (*Com*) investisseur *m*

invertir [imber'tir] *vt* (*Com*) investir; (*poner del revés*) intervertir; (*tiempo*) consacrer

investigación [imbestiɣa'θjon] *nf* recherche *f*; **~ de los medios de publicidad** recherche sur les supports publicitaires; **~ del mercado** étude *f* de marché; **~ y desarrollo** (*Com*) recherche et développement

investigar [imbesti'ɣar] *vt* (*indagar*) chercher; (*estudiar*) faire des recherches en

invierno [im'bjerno] *nm* hiver *m*

invisible [imbi'siβle] *adj* invisible; **exportaciones/importaciones ~s** exportations *fpl*/importations *fpl* invisibles

invitación [imbita'θjon] *nf* invitation *f*

invitado, -a [imbi'taðo, a] *nm/f* invité(e)

invitar [imbi'tar] *vt* inviter; **~ a algn a hacer algo** inviter qn à faire qch; **~ a algo** inviter à qch; **te invito a un café** je te paie un café; **invito yo** c'est moi qui invite *o* paie

invocar [imbo'kar] *vt* (*tb Inform*) invoquer

involucrar [imbolu'krar] *vt*: **~ a algn en** impliquer qn dans; **involucrarse** *vpr*: **~se en** s'impliquer dans

involuntario, -a [imbolun'tarjo, a] *adj* involontaire

inyección [injek'θjon] *nf* piqûre *f*, injection *f*; **poner una ~ a algn** faire une piqûre à qn; **ponerse una ~** se faire une piqûre; **~ intramuscular** injection intramusculaire; **~ intravenosa** injection intraveineuse, intraveineuse *f*

inyectar [injek'tar] *vt* (*Med*) injecter; **~ (en)** (*introducir*) injecter (dans)

○ PALABRA CLAVE

ir [ir] vi **1** aller; **ir andando** marcher;
fui en tren j'y suis allé en train; **voy a la
calle** je sors; **¡(ahora) voy!** j'y vais!;
ir desde X a Y (extenderse) aller de X à Y;
ir de pesca/de vacaciones aller à la
pêche/en vacances
2: **ir (a) por**; **ir (a) por el médico** aller
chercher le docteur
3 (progresar) aller; **el trabajo va muy
bien** le travail marche très bien; **¿cómo
te va?** tu t'y fais?; **¿cómo te va en el
trabajo?** comment ça va au travail?; **me
va muy bien** ça va très bien; **le fue fatal**
ça n'a pas du tout été
4 (funcionar): **el coche no va muy bien**
la voiture ne marche pas très bien
5 (sentar): **me va estupendamente**
(ropa, color) cela me va à merveille;
(medicamento) c'est exactement ce qu'il
me fallait
6 (aspecto): **ir con zapatos negros**
porter des chaussures noires; **iba
muy bien vestido** il était très bien
habillé
7 (combinar): **ir con algo** aller avec qch
8 (excl): **¡que va!** (no) mais non!; **¿qué
tal? - ¡vaya!** ça va? - à peu près!; **vamos,
no llores** allons, ne pleure pas; **vamos
a ver** voyons voir; **¡vaya coche!**
(admiración) quelle super voiture!;
(desprecio) quelle voiture minable!;
que le vaya bien (esp AM: despedida)
salut!; **¡vete a saber!** allez savoir!
9: **ir a mejor/peor** aller mieux/mal;
ir de mal en peor aller de mal en pis;
va para largo ça va prendre du temps;
en esta casa cada uno va a lo suyo
dans cette maison c'est chacun pour soi;
¡a eso voy! j'y viens!; **eso no va por ti** ça
ne s'applique pas à toi; **ni me va ni me
viene** ça ne me regarde pas
10: **no vaya a ser**; **tienes que correr,
no vaya a ser que pierdas el tren** il faut
que tu te dépêches, sinon tu vas rater
ton train
■ vb aux **1**: **ir a**; **voy/iba a hacerlo hoy** je
vais/j'allais le faire aujourd'hui
2 (+ gerundio) **iba anocheciendo**
il commençait à faire nuit; **todo se me
iba aclarando** tout devenait clair pour
moi
3 (+ pp = pasivo): **van vendidos 300
ejemplares** 300 exemplaires ont déjà été
vendus
irse vpr **1**: **¿por dónde se va al parque?**
comment va-t-on au parc?

2: **irse (de)** (marcharse) s'en aller (de); **ya
se habrán ido** ils doivent être déjà partis;
¡vete! vas-y!; (con enfado) va-t-en!;
¡vámonos! allons-y!, on y va!; **¡nos
fuimos!** (AM: vámonos) on y va!

IRA sigla m (= Ejército Republicano Irlandés)
IRA f (= Armée Républicaine Irlandaise)
ira ['ira] nf colère f
Irak [i'rak] nm = **Iraq**
Irán [i'ran] nm Iran m
iraní [ira'ni] adj iranien(ne) ■ nm/f
Iranien(ne)
Iraq [i'rak] nm Irak m
iraquí [ira'ki] adj irakien(ne),
iraquien(ne) ■ nm/f Irakien(ne),
Iraquien(ne)
iris ['iris] nm inv (arco iris) arc-en-ciel m;
(Anat) iris msg
Irlanda [ir'landa] nf Irlande f; **~ del
Norte** Irlande du Nord
irlandés, -esa [irlan'des, esa] adj
irlandais(e) ■ nm/f Irlandais(e) ■ nm
(Ling) irlandais msg
ironía [iro'nia] nf ironie f
irónico, -a [i'roniko, a] adj ironique
IRPF (Esp) sigla m (= Impuesto sobre la
Renta de las Personas Físicas) ≈ IRPP m
(= impôt sur le revenu des personnes
physiques)
irracional [irraθjo'nal] adj
irrationnel(le)
irreal [irre'al] adj irréel(le)
irrecuperable [irrekupe'raβle] adj
irrécupérable
irreflexión [irreflek'sjon] nf irréflexion f
irregular [irreɣu'lar] adj irrégulier(-ère)
irremediable [irreme'ðjaβle] adj
irrémédiable
irreparable [irrepa'raβle] adj
irréparable
irresoluto, -a [irreso'luto, a] adj
irrésolu(e)
irrespetuoso, -a [irrespe'twoso, a] adj
irrespectueux(-euse)
irresponsable [irrespon'saβle] adj
irresponsable
irreversible [irreβer'siβle] adj
irréversible
irrigar [irri'ɣar] vt irriguer
irrisorio, -a [irri'sorjo, a] adj dérisoire
irritación [irrita'θjon] nf irritation f
irritar [irri'tar] vt irriter; **irritarse** vpr
s'irriter
irrupción [irrup'θjon] nf irruption f
isla ['isla] nf île f; **las I~s Filipinas/
Malvinas/Canarias** les îles Philippines/
Malouines/Canaries

Islam [is'lam] *nm* Islam *m*

islandés, -esa [islan'des, esa] *adj* islandais(e) ■ *nm/f* Islandais(e) ■ *nm* (*Ling*) islandais *msg*

Islandia [is'landja] *nf* Islande *f*

isleño, -a [is'leɲo, a] *adj, nm/f* insulaire *m/f*

Israel [isra'el] *nm* Israël *m*

israelí [israe'li] *adj* israélien(ne) ■ *nm/f* Israélite *m/f*

istmo ['istmo] *nm* isthme *m*; **el l~ de Panamá** l'isthme de Panama

Italia [i'talja] *nf* Italie *f*

italiano, -a [ita'ljano, a] *adj* italien(ne) ■ *nm/f* Italien(ne) ■ *nm* (*Ling*) italien *m*

itinerario [itine'rarjo] *nm* itinéraire *m*

IVA ['iβa] (*Esp*) *sigla m* (*Com*: = *Impuesto sobre el Valor Añadido*) TVA *f* (= *taxe à la valeur ajoutée*)

izar [i'θar] *vt* hisser

izdo. *abr* (= *izquierdo*) g (= *gauche*)

izquierda [iθ'kjerða] *nf* gauche *f*; (*lado izquierdo*) côté *m* gauche; **a la ~** à gauche; **a la ~ del edificio** à gauche de l'immeuble; **el camino de la ~** le chemin de gauche; **es un cero a la ~** (*fam*) c'est un nullard; **conducción por la ~** conduite *f* à gauche; **ser de ~s** être de gauche

izquierdista [iθkjer'ðista] *adj* (*Pol*) de gauche ■ *nm/f* gauchiste *m/f*

izquierdo, -a [iθ'kjerðo, a] *adj* gauche

J

jabalí [xaβa'li] *nm* sanglier *m*

jabalina [xaβa'lina] *nf* javelot *m*

jabón [xa'βon] *nm* savon *m*; **dar ~ a algn** passer de la pommade à qn; **~ de afeitar** savon à barbe; **~ de baño** savon liquide; **~ de tocador** savon de toilette; **~ en polvo** savon en poudre

jabonar [xaβo'nar] *vt* savonner; **jabonarse** *vpr* se savonner

jaca ['xaka] *nf* bidet *m*; (*yegua*) petite jument *f*

jacinto [xa'θinto] *nm* jacinthe *f*

jactarse [xak'tarse] *vpr*: **~ (de)** se vanter (de)

jadear [xaðe'ar] *vi* haleter

jadeo [xa'ðeo] *nm* halètement *m*

jaguar [xa'ɣwar] *nm* jaguar *m*

jalea [xa'lea] *nf* gelée *f*

jaleo [xa'leo] *nm* (*barullo*) tapage *m*; (*riña*) grabuge *m*; **armar un ~** faire (toute) une histoire; **me armé un ~ con las fechas** je me suis embrouillé dans ces dates; **¡qué ~!** quelle pagaille!

jalón [xa'lon] *nm* (*AM: estirón*) coup *m*; (*estaca, fig*) jalon *m*

jamás [xa'mas] *adv* jamais; **¿se vio ~ tal cosa?** a-t-on jamais vu cela?

jamón [xa'mon] *nm* jambon *m*; **¡y un ~!** (*fam*) mon œil!; **~ de York/serrano** jambon cuit/cru

Japón [xa'poṇ] *nm* Japon *m*

japonés, -esa [xapo'nes, esa] *adj* japonais(e) ■ *nm/f* Japonais(e) ■ *nm* (*Ling*) japonais *msg*

jaque ['xake] *nm* (*Ajedrez*) échec *m*; **dar ~** mettre en échec; **tener en ~ a algn** tracasser qn; **~ mate** échec et mat

jaqueca [xa'keka] *nf* migraine *f*

jarabe [xa'raβe] *nm* sirop *m*; **~ para la tos** sirop contre la toux

jarcia [xar'θja] *nf* (*Náut*) cordage *m*

jardín [xar'ðin] *nm* jardin *m*; **~ botánico** jardin botanique; **~ de (la) infancia** *o* **de infantes** (*AM*) jardin d'enfants

jardinería [xarðine'ria] *nf* jardinage *m*

jardinero, -a [xarði'nero, a] *nm/f* jardinier(-ère)

jarra ['xarra] *nf* jarre *f*; (*de leche*) cruchon *m*; (*de cerveza*) chope *f*; **de** *o* **en ~s** les poings sur les hanches

jarro ['xarro] *nm* broc *m*; **ser un ~ de agua fría** faire l'effet d'une douche froide

jaula ['xaula] *nf* cage *f*; (*embalaje*) cageot *m*

jauría [xau'ria] *nf* meute *f*

jazmín [xaθ'min] *nm* jasmin *m*

jefa ['xefa] *nf* ver **jefe**

jefatura [xefa'tura] *nf* (*liderato*) commandement *m*; (*sede*) direction *f*; **J~ de la aviación civil** Direction de l'aviation civile; **~ de policía** préfecture *f* de police

jefe, -a ['xefe, a] *nm/f* chef *m*; **ser el ~** (*fig*) être le chef; **comandante en ~** commandant *m* en chef; **~ ejecutivo** (*Com*) directeur *m* des ventes; **~ de estación** chef de gare; **~ de estado** chef d'état; **~ de estado mayor** chef d'état major; **~ de estudios** surveillant *m* général; **~ de gobierno** chef de gouvernement; **~ de negociado** chef de service; **~ de oficina/de producción** (*Com*) chef de bureau/de production; **~ de redacción** rédacteur *m* en chef

jeque ['xeke] *nm* cheik *m*

jerarquía [xerar'kia] *nf* hiérarchie *f*; (*persona*) supérieur *m*

jerárquico, -a [xe'rarkiko, a] *adj* hiérarchique

jerez [xe'reθ] *nm* xérès *msg*, jerez *msg*; **J~ de la Frontera** Jerez

jerga ['xerɣa] *nf* jargon *m*; **~ informática** jargon informatique

jeringa [xe'ringa] *nf* seringue *f*; (*esp AM*: *fam*) ennui *m*; **~ de engrase** graisseur *m*

jeringuilla [xerin'guiʎa] *nf* seringue *f*

jeroglífico [xero'ɣlifiko] *nm* hiéroglyphe *m*; (*pasatiempo*) rébus *m*

jersey [xer'sei] (*pl* **~s** *o* **jerséis**) *nm* pullover *m*

Jerusalén [xerusa'len] *n* Jérusalem

Jesucristo [xesu'kristo] *nm* Jésus-Christ *m*

jesuita [xe'swita] *adj, nm* jésuite *m*

Jesús [xe'sus] *nm* Jésus *m*; **¡Jesús!** mon Dieu!; (*al estornudar*) à tes *o* vos souhaits!

jinete [xi'nete] *nm* cavalier *m*; **ser buen/mal ~** être un bon/mauvais cavalier

jipijapa [xipi'xapa] (*AM*) *nm* panama *m*

jirafa [xi'rafa] *nf* girafe *f*

jirón [xi'ron] *nm* lambeau *m*; (*Pe*: *calle*) rue *f*

jocoso, -a [xo'koso, a] *adj* cocasse

jofaina [xo'faina] *nf* cuvette *f*

jornada [xor'naða] *nf* journée *f*; (*Deporte*) étape *f*; **~ de 8 horas** journée de 8 heures; (*trabajar a*) **~ intensiva/partida** (faire la) journée continue/discontinue

jornal [xor'nal] *nm* journée *f*

jornalero [xorna'lero] *nm* journalier *m*

joroba [xo'roβa] *nf* bosse *f*

jorobado, -a [xoro'βaðo, a] *adj, nm/f* bossu(e)

jota ['xota] *nf* (*letra*) j *m inv*; (*danza*) jota *f*; **no entiendo ni ~** je n'y pige rien; **no sabe ni ~** il n'en sait rien; **no veo ni ~** je n'y vois rien

joven ['xoβen] *adj* jeune ■ *nm* jeune homme *m*; (*Méx*: *señor*) monsieur *m* ■ *nf* jeune fille *f*; **¡oiga, ~!** eh, jeune homme!

jovial [xo'βjal] *adj* jovial(e)

joya ['xoja] *nf* bijou *m*; (*persona*) perle *f*; **~s de fantasía** bijoux *mpl* fantaisie

joyería [xoje'ria] *nf* bijouterie *f*

joyero [xo'jero] *nm* bijoutier *m*; (*caja*) coffret *m* à bijoux

juanete [xwa'nete] *nm* (*del pie*) oignon *m*

jubilación [xuβila'θjon] *nf* retraite *f*

jubilado, -a [xuβi'laðo, a] *adj, nm/f* retraité(e)

jubilar [xuβi'lar] *vt* mettre à la retraite; (*fam*: *algo viejo*) mettre au rancart; **jubilarse** *vpr* prendre sa retraite

júbilo ['xuβilo] *nm* joie *f*

judía [xu'ðia] *nf* haricot *m*; **~ verde** haricot vert; **~ blanca** flageolet *m*; *ver tb* **judío**

judicial [xuði'θjal] *adj* judiciaire

judío, -a [xu'ðio, a] *adj, nm/f* juif(-ive)

judo ['juðo] *nm* judo *m*

juego ['xweɣo] *vb ver* **jugar** ■ *nm* jeu *m*; (*vajilla*) service *m*; (*herramientas*) assortiment *m*; **estar en ~** être en jeu; **fuera de ~** hors-jeu; **hacer ~ con** aller avec, faire pendant à; **hacerle el ~ a algn** faire le jeu de qn; **por ~** par jeu, pour jouer; **~ de azar** jeu de hasard; **~ de café** service à café; **~ de caracteres** (Inform) jeu de caractères; **~ de cartas** o **de naipes** jeu de cartes; **~ de palabras** jeu de mots; **~ de programas** (Inform) jeu de programmes; **~ limpio** jeu franc, fair-play m; **~s malabares** jongleries fpl; **J~s Olímpicos** Jeux olympiques; **~ sucio** jeu déloyal

juerga ['xwerɣa] nf fête f; **ir de ~** faire la fête; **tomar a ~ algo** ne pas prendre qch au sérieux

jueves ['xweβes] nm inv jeudi m; **la fiesta no fue nada del otro ~** la fête n'était pas géniale; ver tb **sábado**

juez [xweθ] nm/f (f tb: **jueza**) juge m; **~ de instrucción** juge d'instruction; **~ de línea** juge de touche; **~ de paz** juge de paix; **~ de salida** starter m

jugada [xu'ɣaða] nf (en juego) coup m; (fig) mauvais tour m; **buena/mala ~** bon/mauvais tour

jugador, a [xuɣa'ðor, a] nm/f joueur(-euse)

jugar [xu'ɣar] vt, vi jouer; **jugarse** vpr (partido) se jouer; (lotería) être tiré(e); (vida, puesto, futuro) jouer; **~ a** jouer à; **~(se) algo a cara o cruz** jouer qch à pile ou face; **~ sucio** ne pas jouer franc jeu; **¿quién juega?** à qui le tour?; **¡me la han jugado!** (fam) on m'a eu!, on m'a refait!; **~se el todo por el todo** jouer le tout pour le tout

jugo ['xuɣo] nm jus msg; (fig: de artículo etc) suc m; **sacarle ~ a algo** (fig) profiter au maximum de qch; **~ de naranja/de piña** jus d'orange/d'ananas

jugoso, -a [xu'ɣoso, a] adj juteux(-euse); (fig) savoureux(-euse)

juguete [xu'ɣete] nm jouet m

juguetear [xuɣete'ar] vi jouer

juguetería [xuɣete'ria] nf magasin m de jouets

juguetón, -ona [xuɣe'ton, ona] adj joueur(-euse)

juicio ['xwiθjo] nm jugement m; (sensatez) esprit m; (opinión) avis msg; (Jur) procès msg; **a mi** etc **~** à mon etc avis; **estar fuera de ~** avoir perdu l'esprit; **estar algn en su (sano) ~** avoir tous ses esprits; **perder el ~** perdre la tête; **poner algo en tela de ~** remettre qch en question; **J~ Final** jugement dernier

juicioso, -a [xwi'θjoso, a] adj sage

julio ['xuljo] nm juillet m; **el uno de ~** le premier juillet; **el dos/once de ~** le deux/ onze juillet; **a primeros/finales de ~** début/fin juillet

junco ['xunko] nm jonc m; (Náut) jonque f

jungla ['xungla] nf jungle f

junio ['xunjo] nm juin m; ver tb **julio**

junta ['xunta] nf comité m; (organismo) assemblée f, conseil m; (Tec: punto de unión) joint m; (: arandela) joint, rondelle f; **~ constitutiva** (Com) comité constitutif; **~ de culata** (Auto) joint de culasse; **~ directiva** équipe f de direction; **~ general extraordinaria** assemblée générale extraordinaire; **~ militar** junte f militaire

juntar [xun'tar] vt (grupo, dinero) rassembler; (rodillas, pies) joindre; **juntarse** vpr (ríos, carreteras) se rejoindre; (personas) se rassembler; (: citarse) se voir; (: acercarse) se rapprocher; (: vivir juntos) vivre à la colle; **~se a** o **con algn** rejoindre qn

junto, -a ['xunto, a] adj ensemble ■ adv: **todo ~** tout ensemble; **~ a** (cerca de) à côté de; (además de) avec; **~ con** ci-joint; **~s** ensemble; (próximos) rapprochés; (en contacto) joints

jurado [xu'raðo] nm jury m; (individuo: Jur) juré m; (: de concurso) membre m du jury

juramento [xura'mento] nm serment m; (maldición) juron m; **bajo ~** sous la foi du serment; **prestar ~** prêter serment; **tomar ~** faire prêter serment de

jurar [xu'rar] vt, vi jurer; **~ en falso** se parjurer; **jurárse(la)s a algn** garder un chien de sa chienne à qn

jurídico, -a [xu'riðiko, a] adj juridique

jurisdicción [xurisðik'θjon] nf juridiction f

jurisprudencia [xurispru'ðenθja] nf jurisprudence f

jurista [xu'rista] nm/f juriste m/f

justamente ['xustamente] adv justement

justicia [xus'tiθja] nf justice f; **en ~** en toute justice; **hacer ~** rendre la justice; **ser de ~** être juste; **su físico hacía ~ a su imagen** son physique correspondait à l'image qu'on se faisait de lui

justiciero, -a [xusti'θjero, a] adj justicier(-ère)

justificación [xustifika'θjon] nf justification f; **~ automática** (Inform) justification automatique

justificar [xustifi'kar] vt justifier; **justificarse** vpr se justifier

justo, -a ['xusto, a] adj juste; (exacto) exact(e); (preciso) précis(e) ■ adv précisément; **¡~!** juste!; **llegaste muy ~** tu es arrivé juste à temps; **venir muy ~** (dinero, comida) être (tout) juste suffisant;

me viene o **está muy justa esta falda** cette jupe est un peu juste pour moi; **vivir muy ~** parvenir tout juste à joindre les deux bouts

juvenil [xuβe'nil] *adj* juvénile; (*equipo*) junior; (*moda, club*) de jeunes; (*aspecto*) jeune

juventud [xuβen'tuð] *nf* jeunesse *f*; (*jóvenes*) jeunes *mpl*

juzgado [xuθ'ɣaðo] *nm* tribunal *m*; **~ de instrucción/de primera instancia** tribunal *m* de police/de première instance

juzgar [xuθ'ɣar] *vt* juger; (*opinar*) penser; **a ~ por** ... à en juger par ...; **~ mal** se méprendre (sur); **júzguelo usted mismo** jugez-en vous-même; **la juzgo muy capaz de hacerlo** j'estime qu'elle est très capable de le faire; **lo juzgo mi deber** j'estime que c'est mon devoir

karate [ka'rate], **kárate** ['karate] *nm* karaté *m*

Kg., kg. *abr* (= *kilogramo(s)*) kg, K (= *kilogramme(s)*)

kilo ['kilo] *nm* kilo *m*; (*fam*) million *m* de pesetas

kilocaloría [kilokalo'ria] *nf* kilocalorie *f*

kilogramo [kilo'ɣramo] *nm* kilogramme *m*

kilometraje [kilome'traxe] *nm* kilométrage *m*

kilómetro [ki'lometro] *nm* kilomètre *m*; **~ cuadrado** kilomètre carré

kilovatio [kilo'βatjo] *nm* kilowatt *m*; **~ hora** kilowatt-heure *m*

kiosco ['kjosko] *nm* = **quiosco**

km *abr* (= *kilómetro(s)*) km (= *kilomètre(s)*)

km/h *abr* (= *kilómetros por hora*) km/h (= *kilomètres/heure*)

kosovar [koso'bar] *adj* kosovar ◼ *nm/f* Kosovar *m/f*

kv *abr* (= *kilovatio(s)*) kW (= *kilowatt*)

kv/h *abr* (= *kilovatios-hora*) kWh (= *kilowattheure*)

l

l. abr (= litro(s)) l (= litre(s)); (Jur) = **ley**
L/ abr (Com) = **letra**
la [la] art def la ■ pron (a ella) la, l'; (usted)
vous; (cosa) la ■ nm (Mús) la m inv; **está**
en la cárcel il est en prison; **la del**
sombrero rojo celle qui porte un
chapeau rouge
laberinto [laβe'rinto] nm labyrinthe m
labia ['laβja] nf (locuacidad) volubilité f;
(pey) bagout m; **tener mucha ~** avoir du
bagout
labio ['laβjo] nm lèvre f; (de vasija etc)
bord m; **~ inferior/superior** lèvre
inférieure/supérieure
labor [la'βor] nf travail m, labeur m;
(Agr) labour m; (obra) travail; (Costura,
de punto) ouvrage m; **~ de equipo** travail
d'équipe; **~ de ganchillo** ouvrage au
crochet; **~es domésticas** o **del hogar**
tâches fpl domestiques
laborable [laβo'raβle] adj (Agr)
labourable; **día ~** jour m ouvrable
laboral [laβo'ral] adj du travail
laboratorio [laβora'torjo] nm
laboratoire m
laborioso, -a [laβo'rjoso, a] adj (persona)
travailleur(-euse); (negociaciones, trabajo)
laborieux(-euse)
labrado, -a [la'βrado, a] adj (campo)

labouré(e); (madera) travaillé(e); (metal,
cristal) ciselé(e) ■ nm (de madera etc)
travail m
Labrador [laβra'ðor] nm Labrador m
labrador, a [laβra'ðor, a] nm/f
cultivateur(-trice)
labrar [la'βrar] vt (tierra) labourer;
(madera, cuero) travailler; (metal, cristal)
ciseler; (porvenir, ruina) courir à
labriego, -a [la'βrjeɣo, a] nm/f
paysan(ne)
laca ['laka] nf laque f; **~ de uñas** vernis
msg à ongles
lacayo [la'kajo] nm laquais msg
lacio, -a ['laθjo, a] adj raide
lacónico, -a [la'koniko, a] adj laconique
lacra ['lakra] nf cicatrice f; (fig) fléau m;
~ social fléau de la société
lacrar [la'krar] vt cacheter
lacre ['lakre] nm cire f (à cacheter)
lactancia [lak'tanθja] nf allaitement m
lácteo, -a ['lakteo, a] adj: **productos ~s**
produits mpl laitiers
ladear [laðe'ar] vt pencher; **ladearse**
vpr se pencher; (Aviat) virer sur l'aile
ladera [la'ðera] nf versant m
lado ['laðo] nm côté m; (de cuerpo, Mil)
flanc m; **~ izquierdo/derecho** côté
gauche/droit; **al ~ (de)** à côté (de);
estar/ponerse del ~ de algn être/se
mettre du côté de qn; **hacerse a un ~** se
mettre sur le côté; **poner de ~** mettre o
placer de côté; **poner a un ~** mettre à
côté; **me da de ~** je m'en fiche; **por un ~**
...., por otro ~ ... d'un côté ..., d'un autre
côté ...; **por todos ~s** de tous les côtés
ladrar [la'ðrar] vi aboyer
ladrido [la'ðriðo] nm aboiement m
ladrillo [la'ðriʎo] nm brique f; **este libro**
es un ~ (fig) ce livre est un pavé
ladrón, -ona [la'ðron, ona] nm/f
voleur(-euse) ■ nm (Elec) prise f multiple
lagartija [laɣar'tixa] nf lézard m
lagarto [la'ɣarto] nm lézard m; (AM:
caimán) caïman m
lago ['laɣo] nm lac m
lágrima ['laɣrima] nf larme f; **~s de**
cocodrilo larmes de crocodile
laguna [la'ɣuna] nf lagune f; (en escrito,
conocimientos) lacune f
laico, -a ['laiko, a] adj, nm/f laïque m/f
lamentable [lamen'taβle] adj
(desastroso) déplorable; (lastimoso)
lamentable
lamentar [lamen'tar] vt (desgracia,
pérdida) pleurer; **lamentarse** vpr: **~se**
(de) se lamenter (sur); **lamento tener**
que decirle ... je regrette d'avoir à vous

dire ...; **lamento que no haya venido** je regrette qu'il ne soit pas venu; **lo lamento mucho** je regrette beaucoup

lamento [la'mento] *nm* plainte *f*

lamer [la'mer] *vt* lécher

lámina ['lamina] *nf* (*de metal, papel*) feuille *f*; (*ilustración, de madera*) planche *f*

lámpara ['lampara] *nf* lampe *f*; (*mancha*) tache *f*; **~ de alcohol/de gas** lampe à alcool/à gaz; **~ de pie** lampe de chevet

lana ['lana] *nf* laine *f*; (*AM: fam: dinero*) fric *m*; **de ~** en laine

lancha ['lantʃa] *nf* canot *m*, vedette *f*; **~ de socorro** canot de sauvetage; **~ motora** canot à moteur; **~ neumática** canot pneumatique; **~ torpedera** vedette lance-torpilles

langosta [lan'gosta] *nf* (*insecto*) sauterelle *f*; (*crustáceo*) langouste *f*

langostino [langos'tino] *nm* langoustine *f*

languidecer [langiðe'θer] *vi* languir

languidez [langi'ðeθ] *nf* langueur *f*

lánguido, -a ['langiðo, a] *adj* languissant(e)

lanza ['lanθa] *nf* lance *f*

lanzamiento [lanθa'mjento] *nm* lancer *m*; (*de cohete, Com*) lancement *m*; **~ de pesos** lancer du poids

lanzar [lan'θar] *vt* lancer; **lanzarse** *vpr*: **~se a** se jeter à; (*al vacío*) se jeter dans; (*fig*) se lancer à; **~se contra algn/algo** se lancer contre qch/qch

lapa ['lapa] *nf* bernicle *f*, bernique *f*; **pegarse como** *o* **ser una ~** (*fam*) être pot de colle

lapicero [lapi'θero] *nm* crayon *m*; (*AM: bolígrafo*) stylo *m*

lápida ['lapiða] *nf* pierre *f* tombale; **~ conmemorativa** plaque *f* commémorative

lapidario, -a [lapi'ðarjo, a] *adj, nm* lapidaire *m*

lápiz ['lapiθ] *nm* crayon *m* (à papier); **a ~** au crayon; **~ de color** crayon de couleur; **~ de labios/de ojos** rouge *m* à lèvres/ crayon pour les yeux; **~ óptico** *o* **luminoso** crayon optique

lapón, -ona [la'pon, ona] *adj* lapon(e) ◼ *nm/f* Lapon(e) ◼ *nm* (*Ling*) lapon *m*

lapso ['lapso] *nm* (*tb: lapso de tiempo*) laps *msg* de temps; (*error*) lapsus *msg*

lapsus ['lapsus] *nm inv* lapsus *msg*

largar [lar'ɣar] *vt* (*Náut: cable*) larguer; (*fam: dinero, bofetada*) allonger; (: *discurso*) infliger; (*AM*) lancer ◼ *vi* (*fam: hablar*) causer; **largarse** *vpr* (*fam*) se casser; **~se a** (*AM*) se mettre à

largo, -a ['larɣo, a] *adj* long (longue); (*persona: alta*) grand(e); (: *generosa*) large ◼ *nm* longueur *f*; (*Mús*) largo *m*; **dos horas largas** deux bonnes heures; **a ~ plazo** à long terme; **tiene 9 metros de ~** il fait 9 mètres de long; **¡~ (de aquí)!** (*fam*) fous le camp!; **~ y tendido** (*hablar*) en long et en large; **a lo ~** (*posición*) en long; **a lo ~ de** (*espacio*) le long de; (*tiempo*) pendant; **hacerse muy ~** traîner en longueur; **a la larga** à la fin; **me dio largas con la promesa de que ...** il s'est débarrassé de moi en promettant que ...

largometraje [larɣome'traxe] *nm* long métrage *m*

laringe [la'rinxe] *nf* larynx *msg*

laringitis [larin'xitis] *nf* laryngite *f*

larva ['larβa] *nf* larve *f*

las [las] *art def, pron* les; **~ que cantan** celles qui chantent

lascivo, -a [las'θiβo, a] *adj* lascif(-ive)

láser ['laser] *nm* laser *m*; **rayo ~** rayon *m* laser

lástima ['lastima] *nf* pitié *f*; **dar ~** faire pitié; **es una ~ que** quel dommage que; **¡qué ~!** quel dommage!; **estar hecho una ~** faire pitié à voir

lastimar [lasti'mar] *vt* (*herir*) blesser; (*ofender*) peiner; **lastimarse** *vpr* se blesser

lastimero, -a [lasti'mero, a] *adj* navrant(e)

lastre ['lastre] *nm* (*Tec, Náut*) leste *m*; (*fig*) poids *msg* mort

lata ['lata] *nf* (*metal*) fer *m* blanc; (*envase*) boîte *f* de conserve; (*fam*) plaie *f*; **en ~** en conserve; **dar la ~** enquiquiner; **¡qué ~!** quelle plaie!

latente [la'tente] *adj* latent(e)

lateral [late'ral] *adj* latéral(e) ◼ *nm* (*de iglesia, camino*) côté *m*; (*Deporte*) aile *f*

latido [la'tiðo] *nm* (*del corazón*) battement *m*

latifundio [lati'fundjo] *nm* latifundio *m*, latifundium *m*

latifundista [latifun'dista] *nm/f* propriétaire *m/f* d'un latifundio

latigazo [lati'ɣaθo] *nm* coup *m* de fouet; (*fig: dolor*) douleur *f* vive

látigo ['latiɣo] *nm* fouet *m*

latín [la'tin] *nm* (*Ling*) latin *m*; **saber (mucho) ~** (*fam*) ne pas être né(e) de la dernière pluie

latino, -a [la'tino, a] *adj* latin(e)

Latinoamérica [latinoa'merika] *nf* Amérique *f* latine

latinoamericano, -a [latinoameri'kano, a] *adj* latino-américain(e) ◼ *nm/f* Latino-américain(e)

latir [la'tir] vi battre
latitud [lati'tuð] nf latitude f; **latitudes** nfpl (región) latitudes fpl
latón [la'ton] nm laiton m
latoso, -a [la'toso, a] adj enquiquinant(e)
laúd [la'uð] nm (Mús) luth m
laurel [lau'rel] nm laurier m; **dormirse en los ~es** s'endormir sur ses lauriers
lava ['laβa] nf lave f
lavabo [la'βaβo] nm lavabo m; (servicio) toilettes fpl
lavado [la'βaðo] nm nettoyage m; (de cuerpo) toilette f; **~ de cerebro** lavage m de cerveau; **~ de estómago** lavage d'estomac
lavadora [laβa'ðora] nf machine f à laver
lavanda [la'βanda] nf lavande f
lavandería [laβande'ria] nf blanchisserie f; **~ automática** laverie f automatique
lavaplatos [laβa'platos] nm inv lave-vaisselle m inv
lavar [la'βar] vt laver; **lavarse** vpr se laver; **~y marcar** (pelo) faire un shampooing et une mise en plis; **~ en seco** nettoyer m à sec; **~se las manos** se laver les mains; (fig) s'en laver les mains
lavavajillas [laβaβa'xiʎas] nm inv = **lavaplatos**
laxante [lak'sante] nm laxatif m
lazada [la'θaða] nf nœud m
lazarillo [laθa'riʎo] nm guide m/f d'aveugle; **perro ~** chien m d'aveugle
lazo ['laθo] nm nœud m; (para animales) lasso m; (trampa) piège m; (vínculo) lien m; **~ corredizo** nœud coulant; **~s de amistad/de parentesco** liens mpl d'amitié/de parenté
L/C abr (= Letra de Crédito) L/C (= lettre de crédit)
le [le] pron (directo) le; (: usted) vous; (indirecto) lui; (: usted) vous
leal [le'al] adj loyal(e)
lealtad [leal'tað] nf loyauté f
lección [lek'θjon] nf leçon f; **dar lecciones de** donner des leçons de; **dar una ~ a algn** (fig) donner une bonne leçon à qn; **~ práctica** leçon de choses
leche ['letʃe] nf lait m; **dar una ~ a algn** (fam) filer un gnon à qn; **darse una ~** (fam) se filer un gnon; **¡~!** (fam) putain! (fam!); **tener o estar de mala ~** (fam) être de mauvais poil; **~ condensada/descremada o desnatada** lait condensé/écrémé; **~ en polvo** lait en poudre
lechera [le'tʃera] nf (recipiente) pot m à lait; vertb **lechero**

lechero, -a [le'tʃero, a] adj, nm/f laitier(-ère)
lecho ['letʃo] nm lit m, couche f; **~ de muerte** lit de mort; **~ de río** lit de la rivière
lechón [le'tʃon] nm cochon m de lait
lechoso, -a [le'tʃoso, a] adj laiteux(-euse)
lechuga [le'tʃuɣa] nf laitue f
lechuza [le'tʃuθa] nf chouette f
lector, a [lek'tor, a] nm/f lecteur(-trice) ■ nm (Inform) lecteur m ■ nf: **~a de fichas** (Inform) lecteur de cartes; **~ de discos compactos** lecteur m de CD; **~ óptico de caracteres** (Inform) lecteur optique de caractères
lectura [lek'tura] nf lecture f
leer [le'er] vt lire; **~ algo en los ojos/la cara de algn** lire qch dans les yeux/sur le visage de qn; **~ entre líneas** lire entre les lignes
legado [le'ɣaðo] nm (Jur, fig) legs msg; (enviado) légat m
legajo [le'ɣaxo] nm dossier m
legal [le'ɣal] adj légal(e); (fam: persona) réglo adj inv
legalidad [leɣali'ðað] nf légalité f; (normas) législation f
legalizar [leɣali'θar] vt légaliser
legaña [le'ɣaɲa] nf chassie f
legar [le'ɣar] vt (Jur, fig) léguer
legendario, -a [lexen'darjo, a] adj légendaire
legión [le'xjon] nf (Mil, fig) légion f; **L~ Extranjera** Légion étrangère
legionario [lexjo'narjo, a] nm légionnaire m
legislación [lexisla'θjon] nf législation f; **~ antimonopolio** lois fpl anti-trust
legislar [lexis'lar] vi légiférer
legislatura [lexisla'tura] nf législature f
legitimar [lexiti'mar] vt légitimer
legítimo, -a [le'xitimo, a] adj (genuino) véritable; (legal) légitime; **en legítima defensa** en légitime défense
lego, -a ['leɣo, a] adj (Rel) séculaire; (ignorante) profane ■ nm/f profane m/f
legua ['leɣwa] nf lieue f; **se ve o se nota a la ~** ça se voit comme le nez au milieu de la figure
legumbres [le'ɣumbres] nfpl légumes mpl
leído, -a [le'iðo, a] adj instruit(e)
lejanía [lexa'nia] nf éloignement m
lejano, -a [le'xano, a] adj éloigné(e); **L~ Oriente** Extrême-Orient m
lejía [le'xia] nf lessive f

lejos ['lexos] *adv* loin; **a lo ~** au loin; **de** *o* **desde ~** de loin; **está muy ~** c'est très loin; **¿está ?** c'est loin?; **ir demasiado ~** *(fig)* aller trop loin; **sin ir más ~** sans aller plus loin; **llegar ~** *(fig)* aller loin; **~ de** loin de

lelo, -a ['lelo, a] *adj* bébête ■ *nm/f* sot(te)

lema ['lema] *nm* devise *f*; *(Pol)* slogan *m*

lencería [lenθe'ria] *nf* linge *m*; *(ropa interior)* lingerie *f*

lengua ['lengwa] *nf* langue *f*; **dar a la ~** causer; **irse de la ~** avoir la langue bien pendue; **morderse la ~** *(fig)* se mordre les doigts; **~s clásicas** langues mortes; **~ de tierra** *(Geo)* langue de terre; **~ materna** langue maternelle

○ **LENGUAS COOFICIALES**
○
○ En vertu de la Constitution
○ espagnole, les "lenguas cooficiales"
○ ou "oficiales" jouissent du même
○ statut que le "castellano" dans les
○ régions où subsiste une langue
○ indigène. C'est le cas du "gallego" en
○ Galice, de l'"euskera" au Pays basque
○ et du "catalan" en Catalogne et aux
○ Baléares. Les gouvernements
○ régionaux encouragent l'utilisation
○ de ces langues par le biais des médias
○ et du système scolaire. Des trois
○ régions qui possèdent leur propre
○ langue, c'est en Catalogne que la
○ "lengua cooficial" est la plus parlée.

lenguado [len'gwaðo] *nm* sole *f*

lenguaje [len'gwaxe] *nm* langage *m*; **en ~ llano** simplement; **~ comercial** langage commercial; **~ de programación** *(Inform)* langage de programmation; **~ ensamblador** *o* **de bajo nivel** *(Inform)* assembleur *m*; **~ máquina** *(Inform)* langage machine; **~ periodístico** langage journalistique

lengüeta [len'gweta] *nf* *(de zapatos, Mús)* languette *f*

lente ['lente] *nf* lentille *f*; *(lupa)* loupe *f*; **lentes** *nmpl* *(gafas)* lorgnon *m*; **~s de contacto** lentilles de contact

lenteja [len'texa] *nf* lentille *f*

lentejuela [lente'xwela] *nf* paillette *f*

lentilla [len'tiʎa] *nf* lentille *f*

lentitud [lenti'tuð] *nf* lenteur *f*; **con ~** avec lenteur

lento, -a ['lento, a] *adj* lent(e)

leña ['leɲa] *nf* *(para el fuego)* bois *msg*; **dar** *o* **repartir ~ a** distribuer des coups à;

echar ~ al fuego *(fig)* mettre de l'huile sur le feu

leñador, a [leɲa'ðor, a] *nm/f* bûcheron(ne)

leño ['leɲo] *nm* tronc *m*; *(fig)* crétin *m*

Leo ['leo] *nm* *(Astrol)* Lion *m*; **ser ~** être (du) Lion

león [le'on] *nm* lion *m*; **~ marino** otarie *f*

leopardo [leo'parðo] *nm* léopard *m*

leotardos [leo'tarðos] *nmpl* collants *mpl*

lepra ['lepra] *nf* lèpre *f*

leproso, -a [le'proso, a] *nm/f* lépreux(-euse)

lerdo, -a ['lerðo, a] *adj* lent(e)

les [les] *pron* *(directo)* les; *(: ustedes)* vous; *(indirecto)* leur; *(: ustedes)* vous

lesbiana [les'βjana] *nf* lesbienne *f*

lesión [le'sjon] *nf* lésion *f*

lesionado, -a [lesjo'naðo, a] *adj* blessé(e)

letal [le'tal] *adj* létal(e)

letanía [leta'nia] *nf* *(Rel)* litanie *f*; *(retahíla)* chapelet *m*

letargo [le'tarɣo] *nm* léthargie *f*

letra ['letra] *nf* lettre *f*; *(escritura)* écriture *f*; *(Com)* traite *f*; *(Mús: de canción)* paroles *fpl*; **Letras** *nfpl* *(Univ, Escol)* Lettres *fpl*; **escribir 4 ~s a algn** écrire un petit mot à qn; **~ bancaria** traite bancaire; **~ bastardilla/negrita** *(Tip)* italique *m*/caractères *mpl* gras; **~ de cambio** *(Com)* lettre de change; **~ de imprenta** *o* **de molde** caractère *m* d'imprimerie; **~ de patente** *(Com)* brevet *m* d'invention; **~ inicial** initiale *f*; **~ mayúscula/minúscula** lettre majuscule/minuscule

letrado, -a [le'traðo, a] *adj* instruit(e) ■ *nm/f* avocat(e)

letrero [le'trero] *nm* panneau *m*; *(anuncio)* écriteau *m*

letrina [le'trina] *nf* latrines *fpl*

leucemia [leu'θemja] *nf* leucémie *f*

levadizo, -a [leβa'ðiθo, a] *adj*: **puente ~** pont-levis *m* basculant; *(Hist)* pont-levis *m*

levadura [leβa'ðura] *nf* levure *f*; **~ de cerveza** levure de bière; **~ en polvo** *(Culin)* levure en poudre

levantamiento [leβanta'mjento] *nm* soulèvement *m*; *(de castigo, orden)* levée *f*; **~ de pesos** haltérophilie *f*

levantar [leβan'tar] *vt* lever; *(velo, telón)* relever; *(paquete, niño)* soulever; *(voz)* élever; *(mesa)* débarrasser; *(polvo)* soulever; *(construir)* élever; **levantarse** *vpr* se lever; *(desprenderse)* s'enlever; *(sesión)* être levé(e); **~ el ánimo** ranimer les esprits; **no levanto cabeza** tout va de travers

levante [le'βante] *nm* (Geo) levant *m*; (viento) vent *m* d'Est; **el L~** le Levant
levar [le'βar] *vt*: **~ anclas** lever l'ancre
leve ['leβe] *adj* léger(-ère)
levedad [leβe'ðað] *nf* légèreté *f*; (de herida) caractère *m* bénin
levita [le'βita] *nf* redingote *f*
léxico, -a ['leksiko, a] *adj* lexical(e) ■ *nm* lexique *m*
ley [lei] *nf* loi *f*; (de sociedad) règlement *m*; **de ~** (oro, plata) au titre; **vivir fuera de la ~** vivre en dehors des lois; **según la ~** d'après la loi; **aplicar la ~ del embudo** faire deux poids, deux mesures; **~ de la gravedad** loi de la pesanteur
leyenda [le'jenda] *nf* légende *f*
leyendo *etc* [le'jendo] *vb ver* **leer**
liar [li'ar] *vt* (atar) lier; (enredar) embrouiller; (cigarrillo) rouler; (envolver) enrouler; **liarse** *vpr* (fam) s'embrouiller; **~ a algn en algo** (fam) embarquer qn dans qch; **~se a palos** se taper dessus; **~se a hacer algo** se mettre à faire qch; **~se haciendo algo** se plonger dans qch; **~se con algn** (fam) avoir une liaison avec qn; **¡la que has liado!** tu te rends compte de ce que tu as fait?
Líbano ['liβano] *nm*: **el ~** le Liban
libelo [li'βelo] *nm* libelle *m*
libélula [li'βelula] *nf* libellule *f*
liberación [liβera'θjon] *nf* libération *f*
liberal [liβe'ral] *adj*, *nm/f* (Pol, Econ) libéral(e); **profesiones ~es** professions *fpl* libérales
liberalidad [liβerali'ðað] *nf* libéralité *f*
liberar [liβe'rar] *vt* libérer; **liberarse** *vpr* se libérer
libertad [liβer'tað] *nf* liberté *f*; **libertades** *nfpl* (pey) libertés *fpl*; **estar en ~** être en liberté; **poner a algn en ~** remettre qn en liberté; **~ bajo fianza/bajo palabra** liberté sous caution/sur parole; **~ condicional** liberté conditionnelle; **~ de comercio** libre-échange *m*; **~ de culto/de expresión/de prensa** liberté du culte/d'expression/de presse; **~ provisional** liberté provisoire
libertar [liβer'tar] *vt* (preso) délivrer
libertino, -a [liβer'tino, a] *adj*, *nm/f* libertin(e)
libra ['liβra] *nf* livre *f*; **L~** (Astrol) Balance *f*; **ser L~** être (de la) Balance; **~ esterlina** livre sterling
librar [li'βrar] *vt* (de castigo, obligación) soustraire; (de peligro) sauver; (batalla) livrer; (cheque) virer; (Jur) exempter ■ *vi* avoir un jour de congé; **librarse** *vpr*: **~se de algn/algo** échapper à qn/qch; **libro**

los domingos je ne travaille pas le dimanche; **de buena nos hemos librado** nous l'avons échappé belle
libre ['liβre] *adj* libre; **~ a bordo** (Com) franco à bord; **~ de impuestos** exonéré(e) d'impôts; **~ de preocupaciones** libre de toute préoccupation; **tiro ~** coup *m* franc; **los 100 metros ~s** le 100 mètres nage libre; **al aire ~** à l'air libre; **entrada ~** entrée *f* libre; **día ~** jour *m* de congé; **¿estás ~?** tu es libre?
librería [liβre'ria] *nf* librairie *f*; (estante) bibliothèque *f*; **~ de ocasión** librairie de livres d'occasion
librero, -a [li'βrero, a] *nm/f* libraire *m/f* ■ *nm* (Méx) librairie *f*
libreta [li'βreta] *nf* cahier *m*; **~ de ahorros** livret *m* de caisse d'épargne
libro ['liβro] *nm* livre *m*; **~ azul/blanco** (Pol) livre bleu/blanc; **~ de actas** minutes *fpl*; **~ de bolsillo** livre de poche; **~ de caja/de caja auxiliar** (Com) livre de caisse/de petite caisse; **~ de cocina** livre de cuisine; **~ de consulta** ouvrage *m* de référence; **~ de cuentas** livre de comptes; **~ de cuentos** livre de contes; **~ de entradas y salidas** (Com) main *f* courante; **~ de familia** (Jur) livret *m* de famille; **~ de honor** livre d'or; **~ de reclamaciones** registre des réclamations; **~ de texto** manuel *m*; **~ mayor** (Com) grand livre
licencia [li'θenθja] *nf* (Admin, Jur) licence *f*, autorisation *f*; **~ de apertura** licence; **~ de armas/de caza** permis *msg* de port d'arme/de chasse; **~ de exportación** (Com) licence d'exportation; **~ de obras** permis de construire; **~ fiscal** patente *f*; **~ poética** licence poétique
licenciado, -a [liθen'θjaðo, a] *adj* (soldado) libéré(e); (Univ) titulaire d'une maîtrise ■ *nm/f* titulaire *m/f* d'une maîtrise; **L~** (abogado) Maître; **L~ en Filosofía y Letras** titulaire d'une maîtrise de Lettres

● **LICENCIADO**
●
●
● Au terme de cinq ans d'études
● universitaires en moyenne, les é
● tudiants espagnols se voient décerner
● le titre *licenciado*. Si, comme c'est le
● cas pour les infirmières, les études ne
● durent que trois ans, ou bien si l'on
● choisit de ne pas effectuer les deux
● années de spé cialisation, on reçoit
● le titre de *diplomado*. Les "cursos de

posgrado", ou diplômes de troisième
cycle, sont de plus en plus répandus
en Espagne ; c'est notamment le cas
des "masters", qui s'effectuent en
un an.

licenciar [liθen'θjar] vt (soldado) libérer;
licenciarse vpr terminer son service
militaire; (Univ) passer sa maîtrise; **~se
en letras** obtenir une maîtrise de lettres
licencioso, -a [liθen'θjoso, a] adj
licencieux(-euse)
licitar [liθi'tar] vt faire une enchère sur
■ vi faire monter les enchères
lícito, -a [li'θito, a] adj (legal) licite;
(justo) juste; (permisible) permis(e)
licor [li'kor] nm liqueur f
licuadora [likwa'ðora] nf mixeur m
licuar [li'kwar] vt passer au mixeur
lid [lið] nf lutte f; **lides** nfpl matière f
líder [li'ðer] nm/f leader m
liderazgo [liðe'raθɣo] nm leadership m
lidia ['liðja] nf (Taur) combat m; (: una
lidia) corrida f; **toros de ~** taureaux mpl
de combat
lidiar [li'ðjar] vt combattre ■ vi: **~ con**
(dificultades, enemigos) batailler avec
liebre ['ljeβre] nf lièvre m; (Chi: microbús)
minibus msg; **dar gato por ~** rouler
lienzo ['ljenθo] nm toile f; (Arq) mur m
liga ['liɣa] nf (de medias) porte-jarretelles
m inv; (Deporte) compétition f; (Pol)
ligue f
ligadura [liɣa'ðura] nf ligature f; **~ de
trompas** (Med) ligature des trompes
ligamento [liɣa'mento] nm ligament m
ligar [li'ɣar] vt lier; (Med) ligaturer ■ vi
(fam: persona) draguer; (: 2 personas) se
faire du gringue; **ligarse** vpr (fig) se lier;
~ con (fam) draguer; **estar muy ligado a
algn/algo** être très attaché à qn/qch;
~se a algn (fam) draguer qn
ligereza [lixe'reθa] nf légèreté f
ligero, -a [li'xero, a] adj léger(-ère)
■ adv (andar) d'un pas léger; (moverse)
avec légèreté; **a la ligera** à la légère
light [lait] adj inv (cigarrillo) léger(-ère);
(comida) allégé(e)
liguero [li'ɣero] nm porte-jarretelles m
inv
lija ['lixa] nf (pez) roussette f; (tb: **papel
de lija**) papier m de verre
lila ['lila] adj inv lilas adj inv ■ nf (Bot) lilas
msg ■ nm (color) lilas msg; (fam: tonto)
crétin
lima ['lima] nf (herramienta, Bot) lime f;
comer como una ~ manger comme
quatre; **~ de uñas** lime à ongles

limar [li'mar] vt limer; **~ asperezas** (fig)
passer l'éponge
limitación [limita'θjon] nf limitation f;
limitaciones nfpl (carencias) limites fpl;
~ de velocidad limitation de vitesse
limitar [limi'tar] vt limiter; (terreno,
tiempo) délimiter ■ vi: **~ con** (Geo) faire
frontière avec; **limitarse** vpr: **~se a
(hacer)** se limiter à (faire)
límite ['limite] nm limite f; **límites** nmpl
(de finca, país) limites fpl; **fecha ~** date f
limite; **situación ~** situation f limite; **no
tener ~s** être sans limite; **~ de crédito**
découvert m autorisé; **~ de página** fin f
de page; **~ de velocidad** limitation f de
vitesse
limítrofe [li'mitrofe] adj limitrophe
limón [li'mon] nm citron m ■ adj:
amarillo ~ jaune citron inv
limonada [limo'naða] nf limonade f
limosna [li'mosna] nf aumône f; **pedir ~**
demander l'aumône, mendier; **vivir de la
~** vivre de mendicité
limpiaparabrisas [limpjapara'βrisas]
nm inv essuie-glace m
limpiar [lim'pjar] vt nettoyer; (fam:
robar) soulager (de); **limpiarse** vpr: **~se
la cara/los pies** se laver la figure/les
pieds; **~ en seco** nettoyer à sec
limpieza [lim'pjeθa] nf propreté f; (acto,
Policía) nettoyage m; (habilidad) adresse f;
operación de ~ (Mil) opération f de
nettoyage; **~ en seco** nettoyage à sec;
~ étnica purification f ethnique
limpio, -a ['limpjo, a] adj propre;
(conducta, negocio) net(te); (cielo, pared)
dégagé(e); (aire) pur(e); (agua) clair(e);
(conciencia) tranquille ■ adv: **jugar ~** (fig)
jouer franc jeu; **pasar a ~** mettre au
propre; **gana 2.000 euros limpias** il
gagne 2 000 euros net; **sacar algo en ~**
tirer qch au clair; **~ de** libre de; **a grito/
puñetazo ~** avec force cris/coups de
poing
linaje [li'naxe] nm lignée f
lince ['linθe] nm lynx msg; **ser un ~**
(observador) ne pas avoir les yeux dans sa
poche; (astuto) être rusé(e) comme un
renard
linchar [lin'tʃar] vt lyncher
lindar [lin'dar] vi: **~ con** border; (fig)
friser
linde ['linde] nm o nf (de bosque, terreno)
limite f
lindero [lin'dero] nm = **linde**
lindo, -a ['lindo, a] adj joli(e) ■ adv (AM)
bien; **canta muy ~** (AM) il chante très
bien; **de lo ~** (fam: muy bien) vachement;

disfrutar/divertirse de lo ~ vachement bien s'amuser

línea ['linea] nf ligne f; **en ~** (Inform) en ligne; **de primera ~** en première ligne; **en ~s generales** globalement; **guardar la ~** garder la ligne; **fuera de ~** (Inform) déconnecté(e); **~ aérea** ligne aérienne; **~ de fuego** (Mil) ligne de tir; **~ de meta** (Deporte) ligne de touche; (: de carrera) ligne d'arrivée; **~ discontinua** (Auto) ligne discontinue; **~ dura** (Pol) noyau m dur; **~s enemigas** (Mil) lignes ennemies; **~ recta** ligne droite

lingote [lin'gote] nm lingot m

lingüística [lin'gwistika] nf linguistique f

lino ['lino] nm lin m

linóleo [li'noleo] nm linoléum m

linterna [lin'terna] nf lampe f de poche

lío ['lio] nm paquet m; (desorden) fatras msg; (fam: follón) bordel m; (: relación amorosa) liaison f; **armar un ~** foutre le bordel; **hacerse un ~** s'emmêler les pédales; **meterse en un ~** se fourrer dans un drôle de pétrin; **tener un ~ con** algn avoir une liaison avec qn

liquen ['liken] nm lichen m

liquidación [likiða'θjon] nf (de empresa) dépôt m de bilan; (de salario) prime f; (de existencias, cuenta, deuda) liquidation f

liquidar [liki'ðar] vt liquider

líquido, -a ['likiðo, a] adj liquide; (ganancia) net(te) ■ nm liquide m; (Com: ganancia) bénéfice m net; **~ de frenos** liquide de frein

lira ['lira] nf (Mús) lyre f; (moneda) lire f

lírico, -a ['liriko, a] adj lyrique

lirio ['lirjo] nm iris msg

lirón [li'ron] nm loir m; **dormir como un ~** dormir comme un loir

Lisboa [lis'βoa] n Lisbonne

lisiado, -a [li'sjaðo, a] adj, nm/f estropié(e)

lisiar [li'sjar] vt estropier; **lisiarse** vpr se blesser

liso, -a ['liso, a] adj (superficie, cabello) lisse; (tela, color) uni(e); (And, Csur: grosero) grossier(-ère); **lisa y llanamente** purement et simplement

lisonja [li'sonxa] nf flatterie f

lista ['lista] nf liste f; (franja) rayure f; **pasar ~** faire la liste; **tela a ~s** tissu m rayé; **~ de correos** poste f restante; **~ de direcciones** fichier m d'adresses; **~ de espera** liste d'attente; **~ de platos** carte f; **~ de precios** tarif m; **~ electoral** liste électorale

listo, -a ['listo, a] adj intelligent(e); (preparado) prêt(e); **~ para empezar**

prêt(e) à commencer; **¿estás ~?** tu es prêt(e)?; **pasarse de ~** se tromper lourdement

listón [lis'ton] nm planche f

litera [li'tera] nf (en barco, tren) couchette f; (en dormitorio) lit m superposé

literal [lite'ral] adj littéral(e)

literario, -a [lite'rarjo, a] adj littéraire

literatura [litera'tura] nf littérature f

litigar [liti'γar] vi (Jur) plaider; (fig) être en conflit

litigio [li'tixjo] nm (Jur, fig) litige m; **en ~ con** en litige avec

litografía [litoγra'fia] nf lithographie f

litoral [lito'ral] adj littoral(e) ■ nm littoral m

litro ['litro] nm litre m

lívido, -a ['liβiðo, a] adj livide

llaga ['ʎaγa] nf plaie f

llama ['ʎama] nf flamme f; (Zool) lama m; **en ~s** en flammes

llamada [ʎa'maða] nf (telefónica) appel m; (a la puerta) coup m; (: timbre) coup de sonnette; (en un escrito) renvoi m; **~ a cobro revertido** appel en PCV; **~ al orden** o **de atención** rappel m à l'ordre; **~ interurbana** appel interurbain

llamado [ʎa'maðo] (AM), **llamamiento** [ʎama'mjento] nm appel m

llamar [ʎa'mar] vt appeler; (convocar) convoquer ■ vi (a la puerta) frapper; (al timbre) sonner; **llamarse** vpr s'appeler; **¿cómo te llamas?** comment t'appelles-tu?; **~ la atención** attirer l'attention; **~ por teléfono** appeler, téléphoner; **me han llamado payaso/cobarde** ils m'ont traité de clown/lâche; **¿quién llama?** (Telec) qui est à l'appareil?; **~ al orden** rappeler à l'ordre

llamarada [ʎama'raða] nf flambée f; (rubor) rougeur f passagère

llamativo, -a [ʎama'tiβo, a] adj voyant(e); (color) criard(e)

llano, -a ['ʎano, a] adj (superficie) plat(e); (persona, estilo) simple ■ nm plaine f; **Los L~s** (Ven) les Plaines

llanta ['ʎanta] nf jante f; (AM: cámara) chambre f à air

llanto ['ʎanto] nm pleurs mpl, larmes fpl

llanura [ʎa'nura] nf plaine f

llave ['ʎaβe] nf clé f, clef f; (de gas, agua) robinet m; (Tec) clé; (de la luz) interrupteur m; (Tip) crochet m; **cerrar con ~** o **echar la ~** fermer à clé; **~ de contacto** (Auto) clé de contact; **~ de judo** prise f de judo; **~ de paso** robinet d'arrêt; **~ inglesa** clé anglaise; **~ maestra** passe-partout m inv

llavero [ʎa'βero] nm porte-clefs msg
llegada [ʎe'ɣaða] nf arrivée f
llegar [ʎe'ɣar] vi arriver; (ruido) parvenir; (bastar) suffire; **llegarse** vpr: **~se a** aller à; **~ a** arriver à; **llegó a pegarme** il est allé jusqu'à me frapper; **~ a saber** finir par savoir; **~ a (ser) famoso/jefe** devenir célèbre/le patron; **~ a las manos** en venir aux mains; **~ a las manos de algn** tomber entre les mains de qn; **no llegues tarde** ne rentre pas trop tard; **esta cuerda no llega** cette corde n'est pas assez longue
llenar [ʎe'nar] vt remplir; (superficie) couvrir; (tiempo) faire passer; (satisfacer) combler ■ vi rassasier; **llenarse** vpr: **~se (de)** se remplir (de); (al comer) se rassasier (de)
lleno, -a ['ʎeno, a] adj plein(e), rempli(e); (persona: de comida) rassasié(e) ■ nm (Teatro) salle f comble; **~ de polvo/de gente/de errores** rempli(e) de poussière/de gens/d'erreurs; **dar de ~ contra algo** heurter qch de plein fouet
llevar [ʎe'βar] vt porter; (en coche) emmener; (transportar) transporter; (ruta) suivre; (dinero) avoir sur soi; (coche, moto) conduire; (soportar) supporter; (negocio) diriger; (ritmo, compás) mener; (Mat) retenir; **llevarse** vpr (estar de moda) se porter beaucoup; **me llevó una hora hacerlo** j'ai mis une heure à le faire; **llevamos dos días aquí** nous sommes ici depuis deux jours; **llevo un año estudiando** cela fait un an que j'étudie; **~ hecho/vendido/estudiado** avoir fait/vendu/étudié; **él me lleva 2 años** il a 2 ans de plus que moi; **~ a** (suj: camino) mener à; **~ adelante** (fig) faire avancer; **~ la contraria/la corriente a algn** contredire/suivre qn; **~ ventaja** avoir l'avantage; **~ los libros** (Com) tenir les registres; **~ una vida tranquila** mener une vie paisible; **nos llevó a cenar fuera** il nous a emmenés dîner; **~ de paseo** emmener faire un tour; **~se el dinero/coche** prendre l'argent/la voiture; **~se algo/a algn por delante** (atropellar) percuter qch/qn; **~se un susto/disgusto/sorpresa** être effrayé(e)/mécontent(e)/surpris(e); **~se bien/mal (con algn)** bien/ne pas s'entendre (avec qn); **dejarse ~ por algo/algn** se laisser emporter par qch/se laisser faire par qn
llorar [ʎo'rar] vt, vi pleurer; **~ a moco tendido** (fam) pleurer toutes les larmes de son corps; **~ de risa** pleurer de rire
lloriquear [ʎorike'ar] vi pleurnicher
lloro ['ʎoro] nm pleur m

llorón, -ona [ʎo'ron, ona] adj, nm/f pleurnichard(e)
lloroso, -a [ʎo'roso, a] adj (ojos) gonflé(e) par les larmes; (persona) qui a pleuré
llover [ʎo'βer] vi pleuvoir; **~ a cántaros** o **a cubos** o **a mares** pleuvoir à seaux o des cordes; **como llovido del cielo** tombé(e) du ciel; **llueve sobre mojado** les catastrophes se succèdent
llovizna [ʎo'βiθna] nf bruine f
lloviznar [ʎoβiθ'nar] vi pleuvoter
llueve etc ['ʎweβe] vb ver **llover**
lluvia ['ʎuβja] nf pluie f; **día de ~** jour m pluvieux o de pluie; **~ radioactiva** pluie radioactive
lluvioso, -a [ʎu'βjoso, a] adj pluvieux(-euse)

 PALABRA CLAVE

lo [lo] art def **1**: **lo bueno/caro** ce qui est bon/cher; **lo mejor/peor** le mieux/pire; **lo gracioso fue que ...** ce qui est drôle, c'est que ...; **lo mío** ce qui est à moi; **olvidaste lo esencial** tu as oublié l'essentiel; **¡no sabes lo aburrido que es!** tu ne peux pas savoir comme c'est ennuyeux!; **con lo poco que gana** avec le peu d'argent qu'il gagne
2: **lo + de** (pron dem): **¿sabes lo del presidente?** tu es au courant pour le président?; **olvida lo de ayer** oublie ce qui s'est passé hier; **(a) lo de** (Csur: a casa de) chez; (+ inf): **¿a quién se le ocurrió lo de esperar aquí?** qui a eu l'idée d'attendre ici?
3: **lo que** (pron rel): **lo que yo pienso** ce que je pense; **lo que más me gusta** ce que j'aime le plus; **lo que pasa es que ...** ce qu'il y a, c'est que ...; **más de lo que crees** plus que tu ne crois; **en lo que se refiere a** pour ce qui est de; **lo que quieras** ce que tu veux o voudras; **lo que sea** quoi que ce soit; **(a) lo que** (AM: en cuanto) dès que
4: **lo cual**; **lo cual es lógico** ce qui est logique
■ pron pers **1** (a él) le, l'; **lo han despedido** ils l'ont renvoyé; **no lo conozco** je ne le connais pas
2 (a usted) vous; **lo escucho señor** je vous écoute, monsieur
3 (cosa, animal) le, l'; **te lo doy** je te le donne; **no lo veo** je ne le vois pas
4 (concepto) le, l'; **no lo sabía** je ne le savais pas; **voy a pensarlo** je vais y réfléchir; **es fácil, pero no lo parece** c'est facile, mais ça n'en a pas l'air

loable [lo'aβle] *adj* louable

loar [lo'ar] *vt* louer

lobo ['loβo] *nm* loup *m*; ~ **de mar** (*fig*) loup de mer; ~ **marino** phoque *m*

lóbrego, -a ['loβreɣo, a] *adj* sombre

lóbulo ['loβulo] *nm* lobe *m*

local [lo'kal] *adj* local(e) ■ *nm* local *m*; (*bar*) bar *m*

localidad [lokali'ðað] *nf* localité *f*; (*Teatro*) place *f*

localizar [lokali'θar] *vt* localiser; **localizarse** *vpr* (*dolor*) être localisé(e)

loción [lo'θjon] *nf* lotion *f*; ~ **capilar** lotion capillaire

loco, -a ['loko, a] *adj, nm/f* (*Med*) fou (folle); ~ **de atar** *o* **remate**, ~ **rematado** fou (folle) à lier; **a lo** ~ à la va-vte; **ando** ~ **con el examen** l'examen me rend malade; **estar** ~ **de alegría** être fou (folle) de joie; **estar** ~ **con algo/por algn** être fou (folle) de qch/de qn; **como un** ~ comme un fou; **me vuelve** ~ (*me gusta mucho*) j'en suis fou (folle); (*me marea*) il me rend fou (folle)

locomotora [lokomo'tora] *nf* locomotive *f*

locuaz [lo'kwaθ] *adj* loquace

locución [loku'θjon] *nf* (*Ling*) locution *f*

locura [lo'kura] *nf* folie *f*; **con** ~ follement

locutor, a [loku'tor, a] *nm/f* (*Radio, TV*) speaker(ine)

locutorio [loku'torjo] *nm* cabine *f* téléphonique

lodo ['loðo] *nm* boue *f*

lógica ['loxika] *nf* logique *f*

lógico, -a ['loxiko, a] *adj* logique; **es** ~ **que** ... il est logique que ...

logística [lo'xistika] *nf* logistique *f*

logotipo [loɣo'tipo] *nm* logo *m*

logrado, -a [lo'ɣraðo, a] *adj* réussi(e)

lograr [lo'ɣrar] *vt* réussir; (*victoria*) remporter; ~ **hacer algo** réussir à faire qch; ~ **que algn venga** réussir à faire venir qn

logro ['loɣro] *nm* réussite *f*

loma ['loma] *nf* colline *f*

lombriz [lom'briθ] *nf* (*Zool*) ver *m* de terre; (*Med*) ver

lomo ['lomo] *nm* (*de animal*) dos *msg*, échine *f*; (*Culin: de cerdo*) épaule *f*; (: *de vaca*) entrecôte *f*; (*de libro*) dos; **a** ~**s de** (*caballo*) à dos de; ~ **de burro** (*Arg: fam*) ralentisseur *m*

lona ['lona] *nf* toile *f* cirée

loncha ['lontʃa] *nf* tranche *f*

lonche ['lontʃe] (*AM*) *nm* petit-déjeuner *m*

lonchería [lontʃe'ria] (*AM*) *nf* cafétéria *f*

Londres ['londres] *n* Londres

longaniza [longa'niθa] *nf* sorte de merguez

longitud [lonxi'tuð] *nf* longueur *f*; (*Geo*) longitude *f*; **tener 3 metros de** ~ faire 3 mètres de long; **salto de** ~ (*Deporte*) saut *m* en longueur; ~ **de onda** (*Fís*) longueur d'onde

lonja ['lonxa] *nf* (*edificio*) halle *f*; (*de jamón, embutido*) tranche *f*; ~ **de pescado** halle *f* au poisson

loro ['loro] *nm* perroquet *m*

los [los] *art def* les ■ *pron* les; (*ustedes*) vous; **mis libros y** ~ **de usted** mes livres et les vôtres; ~ **de Ana** son verdes ceux d'Ana sont verts

losa ['losa] *nf* dalle *f*; ~ **sepulcral** pierre *f* tombale

lote ['lote] *nm* (*de libros, Com, Inform*) lot *m*; (*de comida*) portion *f*

lotería [lote'ria] *nf* loterie *f*; **le tocó la** ~ il a gagné le gros lot; ~ **nacional** loterie nationale; ~ **primitiva** (*Esp*) ≈ Loto *m*

LOTERÍA

D'importantes sommes d'argent sont dépensées chaque année en Espagne à ce jeu de hasard. L'État a institué deux loteries, dont il le perçoit directement les gains : la *Lotería Primitiva* et la *Lotería Nacional*. Une des loteries les plus célèbres est organisée par l'influente et prospère association d'aide aux aveugles, "la ONCE".

loza ['loθa] *nf* (*material*) faïence *f*; (*vajilla*) vaisselle *f*

lozano, -a [lo'θano, a] *adj* vigoureux(-euse)

lubricante [luβri'kante] *adj* lubrifiant(e) ■ *nm* lubrifiant *m*

lubricar [luβri'kar] *vt* lubrifier

luces ['luθes] *nfpl de* **luz**

lucha ['lutʃa] *nf* lutte *f*; ~ **contra/por** lutte contre/pour; ~ **de clases** lutte des classes; ~ **libre** lutte libre

luchar [lu'tʃar] *vi* lutter; ~ **contra/por** (*problema*) lutter contre/pour

lucidez [luθi'ðeθ] *nf* lucidité *f*

lúcido, -a [lu'θiðo, a] *adj* lucide; **estar** ~ être lucide

luciérnaga [lu'θjernaɣa] *nf* ver *m* luisant

lucir [lu'θir] *vt* (*vestido, coche*) étrenner; (*conocimientos*) étaler; (*habilidades*) exhiber ■ *vi* briller; (*AM: parecer*) sembler; **lucirse** *vpr* (*presumir*) se montrer; **¡te has lucido!** (*irónico*) bien joué!; **no me luce lo que trabajo** mon travail n'est pas productif; **la casa luce limpia** (*AM*) la maison a l'air très propre

lucro ['lukro] (*pey*) *nm* lucre *m*; **el afán** *o* **ánimo de ~** le goût du lucre; **organización sin ánimo de ~** organisation f à but non lucratif

lúdico, -a ['luðiko, a] *adj* ludique

ludópata [lu'ðopata] *adj, nm/f* ludopathe *m/f*

luego ['lweɣo] *adv* (*después*) après; (*más tarde*) puis; (*AM: fam: en seguida*) tout de suite ▪ *conj* (*consecuencia*) donc; **desde ~** évidemment; **¡hasta ~!** à plus tard!, salut!; **¿y ~?** et maintenant?; **~ lo sabía** donc, il le savait; **~ ~** (*esp Méx*) dare-dare

lugar [lu'ɣar] *nm* lieu *m*, endroit *m*; (*en lista*) place f; **en ~ de** au lieu de; **en primer ~** en premier lieu; **dar a ~** donner lieu à; **hacer ~** faire de la place; **fuera de ~** (*comentario, comportamiento*) déplacé(e); **tener ~** avoir lieu; **yo en su ~** moi, à sa place; **sin ~ a dudas** sans aucun doute; **~ común** lieu commun

lugareño, -a [luɣa'reɲo, a] *nm/f* villageois(e)

lugarteniente [luɣarte'njente] *nm* remplaçant *m*

lúgubre ['luɣuβre] *adj* lugubre

lujo ['luxo] *nm* luxe *m*; **de ~** de luxe; **permitirse el ~ de hacer** se permettre le luxe de faire; **con todo ~ de detalles** avec force détails

lujoso, -a [lu'xoso, a] *adj* luxueux(-euse)

lujuria [lu'xurja] *nf* luxure f

lumbre ['lumbre] *nf* feu *m* (de bois); **a la ~** près du feu

lumbrera [lum'brera] *nf* (*genio*) lumière f

luminoso, -a [lumi'noso, a] *adj* lumineux(-euse)

luna ['luna] *nf* lune f; (*vidrio*) glace f; **media ~** demi-lune; **estar en la ~** être dans la lune; **pedir la ~** demander la lune; **~ creciente/menguante** lune croissante/décroissante; **~ de miel** lune de miel; **~ llena/nueva** pleine/nouvelle lune

lunar [lu'nar] *adj* lunaire ▪ *nm* grain *m* de beauté; (*diseño*) pois *msg*; **tela de ~es** tissu *m* à pois

lunes ['lunes] *nm inv* lundi *m*; *ver tb* **sábado**

lupa ['lupa] *nf* loupe f

lustrar [lus'trar] *vt* lustrer; (*AM: zapatos*) cirer

lustre ['lustre] *nm* lustre *m*; (*fig*) éclat *m*; **dar ~ a algo** faire briller qch

lustroso, -a [lus'troso, a] *adj* brillant(e)

luto ['luto] *nm* deuil *m*; **ir** *o* **vestirse de ~** porter des habits de deuil; **~ oficial** deuil national

Luxemburgo [luksem'burɣo] *nm* Luxembourg *m*

luz [luθ] (*pl* **luces**) *nf* lumière f; **dar a ~ un niño** mettre un enfant au monde; **dar la ~** donner de la lumière; **encender** (*Esp*) *o* **prender** (*esp AM*)**/apagar la ~** allumer/ éteindre la lumière; **les cortaron la ~** ils leur ont coupé l'électricité; **a la ~ de** (*tb fig*) à la lumière de; **a todas luces** de toute évidence; **a media ~** dans la pénombre; **se hizo la ~ sobre ...** la lumière se fit sur ...; **sacar a la ~** tirer au clair; **el Siglo de las Luces** le Siècle des Lumières; **tener pocas luces** ne pas être une lumière; **~ de cruce** feu *m* de croisement; **~ de la luna** clair *m* de lune; **~ eléctrica** lumière électrique; **~ intermitente** lumière intermittente; (*Auto*) clignotant *m*; **~ roja/verde** (*Auto*) feu rouge/vert; **~ solar** *o* **del sol** lumière du jour; **~ trasera/de freno** feu arrière/ de stop

m

laminada contre-plaqué m; **de ~** en bois; **tiene buena ~** il a de bonnes dispositions; **tiene ~ de profesor** il a l'étoffe d'un professeur

madero [ma'ðero] nm madrier m

madrastra [ma'ðrastra] nf belle-mère f

madre ['maðre] adj (lengua) maternel(le); (acequia) maîtresse ■ nf mère f; (de vino etc) lie f; **¡~ mía!** mon Dieu!; **¡tu ~!** (fam!) va te faire foutre! (fam!); **salirse de ~** (río) sortir de son lit; (persona) dépasser les bornes; **~ adoptiva/de alquiler/soltera** mère adoptive/porteuse/célibataire; **~ patria** mère patrie; **~ política** belle-mère f

Madrid [ma'ðrið] n Madrid

madriguera [maðri'yera] nf terrier m

madrileño, -a [maðri'leɲo, a] adj madrilène ■ nm/f Madrilène m/f

madrina [ma'ðrina] nf marraine f; **~ de boda** demoiselle f d'honneur

madrugada [maðru'yaða] nf aube f; **de ~ de bon matin**; **a las 4 de la ~** à 4 heures du matin

madrugador, a [maðruɣa'ðor, a] adj lève-tôt inv

madrugar [maðru'ɣar] vi se lever tôt; (anticiparse) s'avancer

madurar [maðu'rar] vt, vi mûrir

madurez [maðu'reθ] nf maturité f

maduro, -a [ma'ðuro, a] adj mûr(e); (hombre, mujer) d'âge mûr; **poco ~** immature

maestra [ma'estra] nf ver **maestro**

maestría [maes'tria] nf maestria f; (Escol: grado) maîtrise f

maestro, -a [ma'estro, a] adj maître(sse) ■ nm/f (de escuela) maître(sse) (d'école), instituteur(-trice) (en la vida) maître m ■ nm maître m; (Mús) maestro m; **~ albañil** maître maçon m; **~ de obras** maître d'ouvrage

magdalena [mayda'lena] nf madeleine f

magia ['maxja] nf magie f; **~ negra** magie noire

mágico, -a ['maxiko, a] adj magique

magisterio [maxis'terjo] nm (enseñanza) études fpl d'instituteur(-trice); (profesión) métier m d'instituteur(-trice); (maestros) corps msg des instituteurs

magistrado [maxis'traðo] nm (Jur) magistrat m; **primer M~** (AM) président m

magnánimo, -a [may'nanimo, a] adj magnanime

magnate [may'nate] nm magnat m; **~ de la prensa** magnat de la presse

---

M. abr (= mujer) F (= féminin); (= Metro) M(o) (= métro)

m. abr (= metro(s)) m (= mètre(s)); (= minuto(s)) min. (= minute(s)); (= masculino) m (= masculin)

M.ª abr = María

macarrones [maka'rrones] nmpl (Culin) macarons mpl

macedonia [maθe'ðonja] nf: **~ de frutas** macédoine f de fruits

macerar [maθe'rar] vt macérer

maceta [ma'θeta] nf pot m de fleurs

machacar [matʃa'kar] vt (ajos) réduire en purée; (asignatura) rabâcher; (enemigo) écraser ■ vi insister

machete [ma'tʃete] nm machette f

machismo [ma'tʃismo] nm machisme m

machista [ma'tʃista] adj, nm/f machiste m/f

macho ['matʃo] adj (Bot, Zool) mâle; (fam) macho ■ nm mâle m; (fig) macho m; (fam: apelativo) mec m; (Tec) cheville f; (Elec) prise f mâle; (Costura) crochet m

macizo, -a [ma'θiθo, a] adj massif(-ive) ■ nm (Geo, de flores) massif m; **¡qué chica más maciza!** (fam) quelle belle plante!

madeja [ma'ðexa] nf (de lana) écheveau m

madera [ma'ðera] nf bois msg; **una ~** un morceau de bois; **~ contrachapada** o

magnético, -a [maɣ'netiko, a] *adj*
magnétique

magnetizar [maɣneti'θar] *vt (tb fig)*
magnétiser

magnetofón [maɣneto'fon] *nm*
magnétophone *m*

magnetofónico, -a [maɣneto'foniko,
a] *adj*: **cinta magnetofónica** bande *f*
magnétique

magnetófono [maɣne'tofono] *nm*
= **magnetofón**

magnífico, -a [maɣ'nifiko, a] *adj*
magnifique; *(carácter)* exceptionnel(le);
(tratamiento: rector) titre honorifique du
recteur; **¡~!** magnifique!

magnitud [maɣni'tuð] *nf (física)*
grandeur *f*, *(de problema etc)* ampleur *f*

mago, -a ['maɣo, a] *nm/f* mage *m*; **los
Reyes M~s** les Rois *mpl* Mages

magrebí [maɣre'βi] *adj* maghrébin(e)
■ *nm/f* Maghrébin(e)

magro, -a ['maɣro, a] *adj, nm* maigre *m*

maguey [ma'ɣei] *nm (Bot)* agave *m*

magullar [maɣu'ʎar] *vt* contusionner;
(lastimar) abîmer; **magullarse** *vpr* se
faire une o des contusion(s)

mahometano, -a [maome'tano, a] *adj*
mahométan(e) ■ *nm/f* Mahométan(e)

mahonesa [mao'nesa] *nf* = **mayonesa**

mail [meil] *(pl ~s) (fam) nm* mail *m*

maillot [ma'jot] *nm* maillot *m*

maíz [ma'iθ] *nm* maïs *m*

majadero, -a [maxa'ðero, a] *adj* imbécile

majestad [maxes'tað] *nf* majesté *f*;
Su M~ Sa Majesté; **(Vuestra) M~** (Votre)
Majesté

majestuoso, -a [maxes'twoso, a] *adj*
majestueux(-euse)

majo, -a ['maxo, a] *adj* beau (belle);
(persona, apelativo) mignon(ne);
(: elegante) classe *inv*; *(apelativo cariñoso)*
mignon(ne)

mal [mal] *adv* mal; *(oler, saber)* mauvais
■ *adj* = **malo** ■ *nm*: **el ~** le mal;
(desgracia) le malheur ■ *conj*: **~ que le
pese** qu'il le veuille ou non; **me entendió
~** il m'a mal compris; **haces ~ en callarte**
tu as tort de te taire; **hablar ~ de algn**
dire du mal de qn; **ir de ~ en peor** aller de
mal en pis; **si ~ no recuerdo** si mes
souvenirs sont exacts; **¡menos ~!**
heureusement!; **menos ~ que**
heureusement que; **~ que bien** tant bien
que mal; **~ de ojo** mauvais œil *m*

malabarismo [malaβa'rismo] *nm*
jonglerie *f*; **hacer ~s** *(fig)* louvoyer

malabarista [malaβa'rista] *nm/f*
jongleur(-euse)

malaria [ma'larja] *nf* malaria *f*

malcriado, -a [mal'krjaðo, a] *adj* mal
élevé(e)

maldad [mal'dað] *nf* méchanceté *f*

maldecir [malde'θir] *vt, vi* maudire; **~ de**
maudire

maldición [maldi'θjon] *nf* malédiction *f*;
¡~! malédiction!

maldito, -a [mal'dito, a] *adj* maudit(e);
¡~ sea! *(fam)* maudit(e) soit …!;
**¡malditas las ganas que tengo
de verle!** *(fam)* comme si j'avais envie
de le voir!

maleante [male'ante] *nm/f* malfaiteur
m, criminel(le)

maledicencia [maleði'θenθja] *nf*
médisance *f*

maleducado, -a [maleðu'kaðo, a] *adj*
mal élevé(e)

malentendido [malenten'diðo] *nm*
malentendu *m*

malestar [males'tar] *nm* malaise *m*

maleta [ma'leta] *nf* valise *f*; **hacer la ~**
faire sa valise

maletera [male'tera] *(AM) nf*,
maletero [male'tero] *nm (Auto)*
coffre *m*

maletín [male'tin] *nm (de uso profesional)*
serviette *f*; *(de viaje)* mallette *f*

maleza [ma'leθa] *nf (hierbas malas)*
mauvaises herbes *fpl*; *(arbustos)* fourré *m*

malgastar [malɣas'tar] *vt* gaspiller;
(oportunidades) laisser passer; *(salud)*
abîmer

malhechor, a [male'tʃor, a] *nm/f*
malfaiteur *m*

malhumorado, -a [malumo'raðo, a]
adj de mauvaise humeur

malicia [ma'liθja] *nf* méchanceté *f*;
(de niño) malice *f*

malicioso, -a [mali'θjoso, a] *adj*
malicieux(-euse); *(con mala intención)*
méchant(e); *(de malpensado)* mauvais(e)

maligno, -a [ma'liɣno, a] *adj (Med)*
malin (maligne); *(ser)* méchant(e)

malla ['maʎa] *nf* maille *f*; *(esp AM)* maillot
m de bain; *(tb: **mallas**)* collants *mpl*

Mallorca [ma'ʎorka] *nf* Majorque *f*

malo, -a ['malo, a] *adj (antes de nmsg:
mal)* mauvais(e); *(niño)* méchant(e)
■ *nm/f (en cuentos, cine)* méchant(e);
estar ~ *(persona)* être malade; *(comida)*
être mauvais(e); **ser ~ de** *(entender, hacer)*
être difficile à; **ser ~ haciendo/en algo**
ne pas savoir faire qch/être mauvais(e)
en qch; **estar de malas** être fâché(e);
lo ~ es que … le problème, c'est que …;
por las malas de force

malograrse [malo'ɣrarse] vpr (plan) tomber à l'eau; (cosecha) être gâché(e); (carrera profesional) se briser; (Pe: fam) s'abîmer; **el malogrado actor** l'acteur mort prématurément

malparado, -a [malpa'raðo, a] adj: **salir ~** s'en tirer mal

malpensado, -a [malpen'saðo, a] adj malveillant(e)

malsano, -a [mal'sano, a] adj malsain(e)

maltratar [maltra'tar] vt maltraiter; **niños maltratados** enfants mpl maltraités

maltrecho, -a [mal'tretʃo, a] adj en mauvais état

malvado, -a [mal'βaðo, a] adj méchant(e)

malversar [malβer'sar] vt détourner

Malvinas [mal'βinas] nfpl: **las (Islas) ~** les (îles) Malouines fpl

malvivir [malβi'βir] vi vivre à l'étroit

mama ['mama] nf mamelle f

mamá [ma'ma] nf (fam) maman f; (Cam, Carib, Méx: cortesía) mère f; **~ grande** (Col) grand-maman f

mamar [ma'mar] vt (pecho) téter; (ideas) se nourrir de ■ vi téter; **dar de ~** allaiter

mamarracho [mama'rratʃo] nm (persona despreciable) rien-du-tout m/f inv; (por su apariencia física) original(e)

mamífero, -a [ma'mifero, a] adj, nm mammifère m

mampara [mam'para] nf (entre habitaciones) cloison f; (biombo) écran m

mampostería [mamposte'ria] nf maçonnerie f

manada [ma'naða] nf (de leones, lobos) horde f; (de búfalos, elefantes) troupeau m; **llegaron en ~** (fam) ils sont arrivés en bande

manantial [manan'tjal] nm source f

manar [ma'nar] vt laisser couler ■ vi jaillir

mancha ['mantʃa] nf tache f; **la M~** la Manche

manchar [man'tʃar] vt, vi tacher; **mancharse** vpr se tacher

manchego, -a [man'tʃeɣo, a] adj de la Manche ■ nm/f natif(-ive) o habitant(e) de la Manche

manco, -a ['manko, a] adj manchot(e); (incompleto) incomplet(-ète); **no ser ~** (fig) être dégourdi(e)

mancomunar [mankomu'nar] vt mettre en commun; (Jur) rendre solidaires

mancomunidad [mankomuni'ðað] nf (de bienes) copropriété f; (de personas, Jur) association f; (de municipios) syndicat m

mandamiento [manda'mjento] nm (Rel) commandement m; **~ judicial** mandat m d'arrêt

mandar [man'dar] vt ordonner; (Mil) commander; (enviar) envoyer ■ vi commander; (en un país) diriger; **mandarse** vpr: **~se mudar** (AM: fam) se casser; **¿mande?** je vous demande pardon?; **¿manda usted algo más?** désirez-vous autre chose?; **se lo mandaremos por correo** nous vous l'enverrons par courrier; **~ hacer un traje** se faire faire un costume; **~ a algn a hacer algo** ordonner à qn de faire qch; **~ a algn a paseo** o **a la porra** envoyer qn au diable

mandarina [manda'rina] nf mandarine f

mandato [man'dato] nm (orden) ordre m; (Pol) mandat m; (Inform) commande f; **~ judicial** mandat d'arrêt

mandíbula [man'diβula] nf mandibule f

mandil [man'dil] nm tablier m

mando ['mando] nm (Mil) commandement m; (de organización, país) direction f; (Tec) commande f; **los (altos) ~s** les chefs mpl; **el alto ~** le haut commandement; **al ~ (de)** sous la responsabilité (de); **tomar el ~** prendre le commandement; **~ a distancia** télécommande f

manejable [mane'xaβle] adj maniable; (libro) peu encombrant(e); (persona) facile

manejar [mane'xar] vt manier; (máquina) manœuvrer; (caballo) mener; (pey: a personas) manœuvrer; (casa, negocio) mener; (dinero, números) brasser; (idioma) maîtriser; (AM: Auto) conduire ■ vi (AM: Auto) conduire; **manejarse** vpr se débrouiller; **"~ con cuidado"** "manipuler avec précaution"

manejo [ma'nexo] nm maniement m; (de máquinas) manœuvre f; (AM: de negocio) conduite f; (soltura) aisance f; **manejos** nmpl (pey) manœuvres fpl

manera [ma'nera] nf manière f, façon f; **maneras** nfpl (modales) manières fpl; **~ de pensar/de ser** façon de penser/ d'être; **a mi ~** à ma façon; **de cualquier ~** de toute manière; (pey) n'importe comment; **de mala ~** (fam) brutalement; **¡de ninguna ~!** en aucun cas!; **de otra ~** autrement; **de todas ~s** de toute manière; **en gran ~** largement; **sobre ~** énormément; **a mi ~ de ver** d'après moi;

no hay ~ de persuadirle il n'y a pas moyen de le persuader; **de ~ que** de sorte que

manga ['manga] *nf* manche *f*; (*Geo*) tuyau *m*; **de ~ corta/larga** à manches courtes/longues; **en ~s de camisa** en bras de chemise; **andar ~ por hombro** être débraillé(e); **tener ~ ancha** être très ouvert(e); **~ de pastelero** douille *f* (de pâtissier); **~ de riego** tuyau d'irrigation; **~ de viento** manche *f* à air

mangar [man'gar] (*fam*) *vt* piquer

mango ['mango] *nm* manche *m*; (*Bot*) mangue *f*; **~ de escoba** manche à balai

mangonear [mangone'ar] (*pey*) *vt* commander ■ *vi* se mêler de tout

manguera [man'gera] *nf* lance *f* d'arrosage; **~ de incendios** lance d'incendie

manía [ma'nia] *nf* manie *f*; **tiene sus ~s** il a ses petites manies; **tener ~ a algn/algo** avoir de l'antipathie pour qn/qch

maníaco, -a [ma'niako, a] *adj, nm/f* maniaque *m/f*

maniatar [manja'tar] *vt* ligoter

maniático, -a [ma'njatiko, a] *adj, nm/f* maniaque *m/f*

manicomio [mani'komjo] *nm* asile *m* (de fous)

manifestación [manifesta'θjon] *nf* manifestation *f*; (*declaración*) déclaration *f*

manifestar [manifes'tar] *vt* manifester; (*declarar*) déclarer; **manifestarse** *vpr* (*Pol*) manifester; (*interés, dolor*) se manifester

manifiesto, -a [mani'fjesto, a] *pp de* **manifestar** ■ *adj* manifeste ■ *nm* (*Arte, Pol*) manifeste *m*; **poner (algo) de ~** mettre (qch) en évidence

manillar [mani'ʎar] *nm* guidon *m*

maniobra [ma'njoβra] *nf* manœuvre *f*; **maniobras** *nfpl* (*Mil, pey*) manœuvres *fpl*

maniobrar [manio'βrar] *vi* manœuvrer; (*Mil*) faire des manœuvres

manipulación [manipula'θjon] *nf* manipulation *f*

manipular [manipu'lar] *vt* manipuler

maniquí [mani'ki] *nm/f* mannequin *m/f* ■ *nm* (*de escaparate*) mannequin *m*

manirroto, -a [mani'rroto, a] *adj, nm/f* dépensier(-ère)

manivela [mani'βela] *nf* manivelle *f*

manjar [man'xar] *nm* mets *msg*

mano ['mano] *nf* main *f*; (*Zool*) patte *f*, griffe *f*; (*Culin*) pied *m*; (*de pintura*) couche *f* ■ *nm* (*Méx: fam*) copain *m*; **a ~** à la main; **estar/tener algo a ~** être/avoir qch à

portée de la main; **a ~ derecha/izquierda** à (main) droite/gauche; **hecho a ~** fait à la main; **a ~s llenas** à pleines mains; **de primera ~** de première main; **de segunda ~** d'occasion; **robo a ~ armada** vol *m* à main armée; **Pedro es mi ~ derecha** Pedro est mon bras droit; **darse la(s) ~(s)** se donner la main; **echar una ~** donner un coup de main; **hacer algo ~ a ~** faire qch en tête à tête; **echar ~ a algn** mettre la main sur qn; **echar ~ de algo** (*para usarlo*) recourir à qch; **estrechar la ~ a algn** serrer la main à qn; **dar algo en ~** donner qch en mains propres; **ir de la ~** échapper; **tener buena/mala ~** être doué(e)/peu doué(e) pour qch; **meter ~** (*fam*) peloter; **traer** *o* **llevar algo entre ~s** avoir qch entre les mains; **estar en ~s de algn** être entre les mains de qn; **estar en buenas ~s** être en de bonnes mains; **se le fue la ~** il n'y est pas allé de main morte; (*con ingredientes*) il a eu la main un peu lourde; **haré lo que esté en mi ~** je ferai mon possible; **¡~s a la obra!** au travail!; **pillar/coger/sorprender a algn con las ~s en la masa** prendre qn la main dans le sac; **~ de obra** main-d'œuvre *f*; **~ dura** sévérité *f*

manojo [ma'noxo] *nm* (*de hierbas*) brassée *f*; (*de llaves*) trousseau *m*; **ser un ~ de nervios** être un paquet de nerfs

manopla [ma'nopla] *nf* moufle *f*; **~ de cocina** poignée *f*

manoseado, -a [manose'aðo, a] *adj* (*tema*) rebattu(e); (*papel*) manipulé(e)

manosear [manose'ar] *vt* (*libro*) manipuler; (*flores*) écraser; (*tema, asunto*) rebattre; (*fam: una persona*) tripoter

manos libres [manos'liβres] *nm inv* (*Telec*) kit *m* mains libres

manotazo [mano'taθo] *nm* gifle *f*

mansalva [man'salβa]: **a ~** *adv* sans risque

mansedumbre [manse'ðumbre] *nf* (*de persona*) douceur *f*; (*de animal*) docilité *f*

mansión [man'sjon] *nf* demeure *f*

manso, -a ['manso, a] *adj* (*persona*) doux (douce); (*animal*) apprivoisé(e); (*aguas*) tranquille; (*Chi: fam*) énorme

manta ['manta] *nf* couvre-lit *m*; (*AM*) poncho *m*; **una ~ de azotes/palos** une volée de coups de fouet/de bâton; **a ~** (*llover*) des cordes; (*reírse*) aux larmes

manteca [man'teka] *nf* (*de cerdo*) saindoux *m*; (*de cacao: AM*) beurre *m*; (*de leche*) crème *f*

mantel [man'tel] *nm* nappe *f*

mantendré etc [manten'dre] vb ver
mantener

mantener [mante'ner] vt maintenir;
(familia) subvenir aux besoins de; (Tec)
assurer la maintenance (de); (actividad)
conserver; (edificio) soutenir;
mantenerse vpr (edificio) être
soutenu(e); (no ceder) se maintenir;
~ la línea garder la ligne; **~ el equilibrio**
garder l'équilibre; **~ algo encendido/
caliente** laisser qch allumé(e)/garder qch
au chaud; **~ a algn informado** tenir qn
au courant; **~ a algn con vida** maintenir
qn en vie; **~se a distancia** garder ses
distances; **~se (de/con)** vivre (de); **~se
en forma** garder la forme; **~se en pie**
rester debout; **~se firme** rester ferme

mantenimiento [manteni'mjento] nm
(Tec) maintenance f; (de orden, relaciones)
maintien m; (sustento) subsistance f;
ejercicios de ~ exercices mpl de
gymnastique

mantequilla [mante'kiʎa] nf beurre m

manto ['manto] nm cape f

mantuve etc [man'tuβe] vb ver
mantener

manual [ma'nwal] adj manuel(le) ∎ nm
manuel m

manufactura [manufak'tura] nf
manufacture f

manufacturado, -a [manufaktu'raðo,
a] adj manufacturé(e)

manuscrito, -a [manus'krito, a] adj
manuscrit(e) ∎ nm manuscrit m

manutención [manuten'θjon] nf (de
persona) subsistance f; (de alimentos,
dinero) conservation f

manzana [man'θana] nf pomme f; (de
edificios) pâté m; **~ de la discordia** (fig)
pomme de discorde

manzanilla [manθa'niʎa] nf camomille
f; (vino) manzanilla m

manzano [man'θano] nm pommier m

maña ['maɲa] nf adresse f; **mañas** nfpl
(artimañas) ruses fpl; **con ~** avec adresse;
darse (buena) ~ para hacer algo être
doué(e) pour faire qch

mañana [ma'ɲana] adv demain ∎ nm:
(el) ~ (le) lendemain ∎ nf matin m; **de o
por la ~** le matin; **¡hasta ~!** à demain!;
pasado ~ après-demain; **~ por la ~**
demain matin; **a las 3 de la ~** à 3 heures
du matin; **a media ~** tard dans la matinée

mañoso, -a [ma'ɲoso, a] adj adroit(e)

mapa ['mapa] nm carte f

maqueta [ma'keta] nf maquette f

maquillaje [maki'ʎaxe] nm
maquillage m

maquillar [maki'ʎar] vt maquiller;
maquillarse vpr se maquiller

máquina ['makina] nf machine f; (de
tren) locomotive f; (Cam, Cu) voiture f; **a
toda ~** à toute allure; **escrito a ~** tapé à la
machine; **~ de coser/de escribir/de
vapor** machine à coudre/à écrire/à
vapeur; **~ fotográfica** appareil m
photographique; **~ herramienta**
machine-outil f; **~ tragaperras** machine
à sous

maquinación [makina'θjon] nf
machination f

maquinal [maki'nal] adj machinal(e)

maquinaria [maki'narja] nf
machinerie f

maquinilla [maki'niʎa] nf (tb:
maquinilla de afeitar) rasoir m;
~ eléctrica rasoir électrique

maquinista [maki'nista] nm
mécanicien m

mar [mar] nm o nf mer f; **~ de fondo** lame
f de fond; (fig) malaise m; **~ gruesa** mer
forte; **~ adentro** au large; **en alta ~** en
haute mer; **por ~** par mer; **hacerse a la ~**
partir en mer; **a ~es** (llover) à verse;
(llorar) comme une madeleine; **estar
hecho un ~ de lágrimas** pleurer comme
une fontaine; **es la ~ de guapa** elle est
très jolie; **la ~ de bien** très bien; **el M~
Negro/Báltico** la Mer Noire/Baltique; **el
M~ Muerto/Rojo** la Mer Morte/Rouge;
el M~ del Norte la Mer du Nord

mar. abr = **marzo**

maraña [ma'raɲa] nf enchevêtrement m

maratón [mara'ton] nm marathon m

maravilla [mara'βiʎa] nf merveille f;
(Bot) souci m; **¡qué ~!** quelle merveille!;
hacer ~s faire des merveilles; **a (las mil)
~s** à merveille

maravillar [maraβi'ʎar] vt émerveiller;
maravillarse vpr: **~se (de)** s'émerveiller
(de)

maravilloso, -a [maraβi'ʎoso, a] adj
merveilleux(-euse); **¡es ~!** c'est
merveilleux!

marca ['marka] nf marque f; (acto)
marquage m; (Deporte) record m; **de ~**
(Com) de marque; **~ de fábrica** marque;
~ propia/registrada marque propre/
déposée

marcador [marka'ðor] nm (Deporte)
tableau m

marcapasos [marka'pasos] nm inv
stimulateur m cardiaque

marcar [mar'kar] vt marquer; (número de
teléfono) composer; (Com) étiqueter ∎ vi
(Deporte) marquer; (Telec) composer le

numéro; (*en peluquería*) faire une mise en plis; **mi reloj marca las 2** à ma montre il est 2 heures; **~ el compás** (*Mús*) battre la mesure; **~ el paso** marquer le pas; **lavar y ~** faire un shampooing et une mise en plis

marcha ['martʃa] *nf* marche *f*; (*Auto*) vitesse *f*; (*dirección*) tournure *f*; (*fam: animación*) fête *f*; **dar ~ atrás** (*Auto, fig*) faire marche arrière; **estar en ~** être en marche; (*negocio*) marcher; **hacer algo sobre la ~** faire qch au fur et à mesure; **poner en ~** faire démarrer; **ponerse en ~** se mettre en marche; **a ~s forzadas** (*fig*) en quatrième vitesse; **¡en ~!** (*Mil*) en avant, marche!; (*fig*) allons-y!; **una persona/una ciudad/un bar con (mucha) ~** une personne/une ville/un bar (très) dynamique/une ville/un bar (très) animé(e)

marchar [mar'tʃar] *vi* marcher; (*ir*) partir; **marcharse** *vpr* s'en aller; **todo marcha bien** tout va bien

marchitarse [martʃi'tarse] *vpr* se faner

marcial [mar'θjal] *adj* martial(e)

marco ['marko] *nm* cadre *m*; (*moneda*) mark *m*

marea [ma'rea] *nf* marée *f*; **~ alta/baja** marée haute/basse; **una ~ de gente** une marée humaine; **~ negra** marée noire

marear [mare'ar] *vt* (*Med*) donner mal au cœur à; (*fam*) harceler; **marearse** *vpr* avoir le mal de mer; (*desmayarse*) s'évanouir; (*estar aturdido*) être abruti(e); (*emborracharse*) se soûler; *ver tb* **mareo**

maremoto [mare'moto] *nm* raz-de-marée *m inv*

mareo [ma'reo] *nm* mal *m* au cœur; (*en barco*) mal de mer; (*en avión*) mal de l'air; (*en coche*) mal des transports; (*desmayo*) évanouissement *m*; (*aturdimiento*) abrutissement *m*; (*fam: lata*) ennui *m*

marfil [mar'fil] *nm* ivoire *m*

margarina [marɣa'rina] *nf* margarine *f*

margarita [marɣa'rita] *nf* marguerite *f*

margen ['marxen] *nm o nf* (*de río, camino*) bord *m*; (*de página*) marge *f* ■ *nm* marge; **~ de beneficio o de ganancia** marge bénéficiaire; **~ de confianza** marge de confiance; **dar ~ para** donner l'occasion de; **dejar a algn al ~** laisser qn en plan; **mantenerse al ~** rester en marge; **al ~ de lo que digas** quoi que tu dises

marginar [marxi'nar] *vt* (*socialmente*) marginaliser

marica [ma'rika] *nm* (*fam!: homosexual*) pédé *m* (*fam!*); (*: cobarde*) poule *f* mouillée

maricón [mari'kon] *nm* (*fam!: homosexual*) pédé *m* (*fam!*); (*: insulto*) connard *m* (*fam!*)

marido [ma'riðo] *nm* mari *m*

marihuana [mari'wana] *nf* marijuana *f*

marina [ma'rina] *nf* (*Mil*) marine *f*; **~ mercante** marine marchande

marinero, -a [mari'nero, a] *adj* marin(e) ■ *nm* marin *m*

marino, -a [ma'rino, a] *adj* marin(e) ■ *nm* marin *m*

marioneta [marjo'neta] *nf* marionnette *f*

mariposa [mari'posa] *nf* papillon *m*; (*Tec*) veilleuse *f*; (*en natación*) brasse *f* papillon

mariquita [mari'kita] *nm* (*fam!*) pédé *m* (*fam!*) ■ *nf* coccinelle *f*

marisco [ma'risko] *nm* fruit *m* de mer

marítimo, -a [ma'ritimo, a] *adj* maritime

mármol ['marmol] *nm* marbre *m*

marqués, -esa [mar'kes, esa] *nm/f* marquis(e)

marrón [ma'rron] *adj* marron

marroquí [marro'ki] *adj* marocain(e) ■ *nm/f* Marocain(e) ■ *nm* (*cuero*) maroquin *m*

Marruecos [ma'rrwekos] *nm* Maroc *m*

martes ['martes] *nm inv* mardi *m*; **~ de carnaval** Mardi-Gras *msg*; *ver tb* **sábado**

● **MARTES Y TRECE**
●
● En Espagne, selon une superstition,
● le mardi, et en particulier le mardi 13,
● est un jour qui porte malheur.

martillo [mar'tiʎo] *nm* marteau *m*; **~ neumático** marteau piqueur *m*

mártir ['martir] *nm/f* martyr(e)

martirio [mar'tirjo] *nm* martyre *m*

marxismo [mark'sismo] *nm* marxisme *m*

marxista [mark'sista] *adj, nm/f* marxiste *m/f*

marzo ['marθo] *nm* mars *msg*; *ver tb* **julio**

mas [mas] *conj* mais

○ **PALABRA CLAVE**

más [mas] *adv* **1** (*compar*) plus; **más grande/inteligente** plus grand/intelligent; **trabaja más (que yo)** il travaille plus (que moi); **más de mil** plus de mille; **más de lo que yo creía** plus que je ne croyais
2 (+ *sustantivo*) plus de; **más libros** plus de livres; **más tiempo** plus longtemps

3 (*tras sustantivo*) en plus, de plus;
3 personas más (que ayer) 3 personnes
de plus (qu'hier)
4 (*superl*): **el más ... el** le plus ...; **el más
inteligente (de)** le plus intelligent (de);
el coche más grande la voiture la plus
grande; **el que más corre** le plus rapide;
puedo hacerlo como el que más je peux
le faire comme personne
5 (*adicional*): **deme una más** donnez-m'en
encore une; **un poco más** encore un peu;
¿qué más? quoi d'autre?, quoi encore?;
¿quién más? qui d'autre?; **¿quieres más?**
en veux-tu plus o davantage?
6 (*negativo*): **no tengo más dinero** je n'ai
plus d'argent; **no viene más por aquí** il
ne vient plus par ici; **no sé más** je n'en
sais pas plus o davantage; **nunca más**
plus jamais; **no hace más que hablar** il
ne fait que parler; **no lo sabe nadie más
que él** il n'y a que lui qui le sache
7 (+ *adj*: *valor intensivo*): **¡qué perro más
sucio!** comme ce chien est sale!; **¡es más
tonto!** qu'est-ce qu'il est bête!
8 (*locuciones*): **más o menos** plus ou
moins; **más ni menos** ni plus ni moins;
los más la plupart; **es más, acabamos
pegándonos** on a même fini par se
battre; **más aún** mieux encore; **más
bien** plutôt; **¡más te vale!** ça vaut mieux
pour toi!; **más vale tarde que nunca**
mieux vaut tard que jamais; **a más
tardar** au plus tard; **a más y mejor** à qui
mieux mieux; **¡qué más da!** qu'est-ce que
cela fait!; *ver tb* **cada**
9: **de más**; **veo que aquí estoy de más** je
vois que je suis de trop ici; **tenemos uno
de más** nous en avons un de trop
10 (*AM*): **más seulement**; **así no más**
comme ça; **ayer no más** pas plus tard
qu'hier
11: **por más**; **por más que lo intento** j'ai
beau essayer; **por más que quisiera ...**
j'ai beau vouloir ...
12 (*Mat*): **2 más 2 son 4** 2 plus 2 font 4
▪ *nm* (*Mat*: *signo*) signe *m* plus; **este
trabajo tiene sus más y sus menos** ce
travail a de bons et de mauvais côtés

masa ['masa] *nf* masse *f*; (*Csur*) gâteau
m; **las masas** *nmpl* (*Pol*) les masses *fpl*;
en ~ en masse
masacre [ma'sakre] *nf* massacre *m*
masaje [ma'saxe] *nm* massage *m*
máscara ['maskara] *nf* (*tb Inform*)
masque *m* ▪ *nm/f* personne *f* masquée;
~ antigás/de oxígeno masque à gaz/à
oxygène

mascarilla [maska'riʎa] *nf* (*Med, en
cosmética*) masque *m*
masculino, -a [masku'lino, a] *adj*
masculin(e); (*Bio*) masculin(e), mâle
▪ *nm* (*Ling*) masculin *m*
masificación [masifika'θjon] *nf*
encombrement *m*
masivo, -a [ma'siβo, a] *adj* massif(-ive)
masón [ma'son] *nm* franc-maçon *m*
masoquista [maso'kista] *adj, nm/f*
masochiste *m/f*
máster ['master] *nm* (*Escol*) mastère *m*
masticar [masti'kar] *vt, vi* mastiquer
mástil ['mastil] *nm* mât *m*; (*de guitarra*)
manche *m*
mastín [mas'tin] *nm* mâtin *m*
masturbación [masturβa'θjon] *nf*
masturbation *f*
masturbarse [mastur'βarse] *vpr* se
masturber
mata ['mata] *nf* (*esp AM*) arbuste *m*; (*de
espinas*) brassée *f*; (*de perejil*) bouquet *m*;
matas *nfpl* (*matorral*) fourrés *mpl*; **~ de
pelo** touffe *f* de cheveux
matadero [mata'ðero] *nm* abattoir *m*
matador, -a [mata'ðor, a] *adj* laid(e) à
faire peur ▪ *nm* (*Taur*) matador *m*
matamoscas [mata'moskas] *nm inv*
tue-mouches *m inv*
matanza [ma'tanθa] *nf* (*de gente*)
massacre *m*; (*de cerdo: acción*) abattage *m*
du cochon; (: *época*) saison de l'abattage du
cochon; (: *carne*) viande du cochon abattu
matar [ma'tar] *vt* tuer; (*hambre, sed*)
apaiser ▪ *vi* tuer; **matarse** *vpr* se tuer;
~ a algn a disgustos faire mourir qn
d'inquiétude; **~las callando** agir en
douce; **~se trabajando** o **trabajar** se
tuer au travail; **~se por hacer algo** se
tuer à faire qch
matasellos [mata'seʎos] *nm inv* cachet
m de la poste
mate ['mate] *adj* mat(e) ▪ *nm* (*en
ajedrez*) mat *m*; (*And, Csur: hierba, infusión*)
maté *m*, thé *m* des Jésuites; (: *vasija*)
récipient *m* pour le maté; **~ de coca/de
menta** thé à la coca/à la menthe
matemáticas [mate'matikas] *nfpl*
mathématiques *fpl*, maths *fpl*; *ver tb*
matemático
matemático, -a [mate'matiko, a] *adj*
mathématique ▪ *nm/f*
mathématicien(ne); **¡es ~!** c'est
mathématique!
materia [ma'terja] *nf* matière *f*; **en ~ de**
en matière de; **entrar en ~** entrer en
matière; **~ prima** matière première
material [mate'rjal] *adj* matériel(le);

(autor) corporel(le) ■ nm matière f, matériau m; (dotación) matériel m; (cuero) peau f; ~ de construcción matériau de construction; ~es de derribo décombres mpl; **no tener tiempo ~ para algo** ne pas avoir le temps matériel de faire qch

materialista [materja'lista] adj matérialiste

materialmente [mate'rjalmente] adv: **es ~ imposible** c'est matériellement impossible

maternal [mater'nal] adj maternel(le)
maternidad [materni'ðað] nf maternité f
materno, -a [ma'terno, a] adj maternel(le)
matinal [mati'nal] adj matinal(e)
matiz [ma'tiθ] nm nuance f; **un (cierto) ~ irónico** une (légère) nuance d'ironie
matizar [mati'θar] vt, vi préciser
matón [ma'ton] nm dur m
matorral [mato'rral] nm buisson m
matraca [ma'traka] nf matraque f; (fam: lata) plaie f
matrícula [ma'trikula] nf (Escol) inscription f; (Auto) immatriculation f; (: placa) plaque f d'immatriculation; **~ de honor** mention f très bien
matricular [matriku'lar] vt (coche) immatriculer; (alumno) inscrire; **matricularse** vpr s'inscrire
matrimonial [matrimo'njal] adj (contrato) de mariage; (vida) conjugal(e)
matrimonio [matri'monjo] nm (pareja) couple m; (boda) mariage m; **~ civil/clandestino** mariage civil/clandestin; **contraer ~ (con)** se marier (avec)
matriz [ma'triθ] nf (Anat) utérus msg; (Tec, Mat) matrice f; **casa ~** (Com) maison f mère
maullar [mau'ʎar] vi miauler
máxime ['maksime] adv particulièrement
máximo, -a ['maksimo, a] adj maximal(e), maximum; (longitud, altitud) maximal(e); (galardón) supérieur(e) ■ nm maximum m; **como ~** au plus; **al ~** au maximum; **lo ~** le maximum; **~ líder o jefe, líder ~** (esp AM) président m
mayo ['majo] nm mai m; ver tb **julio**
mayonesa [majo'nesa] nf mayonnaise f
mayor [ma'jor] adj (adulto) adulte; (de edad avanzada) âgé(e); (Mús, fig) majeur(e); (compar: de tamaño) plus grand(e); (: de edad) plus âgé(e); (superl: ver compar) très grand(e); très âgé(e); (calle, plaza) grand(e) ■ nm (AM: Mil)

major m; **mayores** nmpl adultes mpl; **al por ~** en gros; **~ de edad** majeur(e)
mayordomo [major'ðomo] nm majordome m
mayoría [majo'ria] nf majorité f; **en la ~ de los casos** dans la majorité des cas; **en su ~** en majorité; **~ absoluta/relativa** majorité absolue/relative; **~ de edad** majorité
mayorista [majo'rista] nm/f grossiste m/f
mayúscula [ma'juskula] nf (tb: **letra mayúscula**) majuscule f
mayúsculo, -a [ma'juskulo, a] adj (susto) terrible; (error) magistral(e)
mazapán [maθa'pan] nm pâte f d'amande
mazo ['maθo] nm maillet m; (de mortero) pilon m; (naipes) paquet m; (billetes) liasse f
me [me] pron me; (en imperativo) moi; **me lo compró** il me l'a acheté; **¡dámelo!** donne-le-moi!
mear [me'ar] (fam) vt, vi pisser; **mearse** vpr pisser; **~ de risa** pisser de rire
mecánica [me'kanika] nf mécanique f
mecánico, -a [me'kaniko, a] adj mécanique ■ nm/f mécanicien(ne)
mecanismo [meka'nismo] nm mécanisme m
mecanografía [mekanoɣra'fia] nf dactylographie f
mecanógrafo, -a [meka'noɣrafo, a] nm/f dactylo(graphe) m/f
mecate [me'kate] (AM) nm corde f
mecedor [meθe'ðor] (AM) nm, **mecedora** [meθe'ðora] nf fauteuil m à bascule
mecer [me'θer] vt balancer; **mecerse** vpr se balancer
mecha ['metʃa] nf mèche f; **mechas** nfpl (en el pelo) mèches fpl; **a toda ~** à toute allure
mechero [me'tʃero] nm briquet m
mechón [me'tʃon] nm (de pelo) mèche f; (de lana) brins mpl
medalla [me'ðaʎa] nf médaille f
media ['meðja] nf moyenne f; (prenda de vestir) bas msg; (AM) chaussette f
mediano, -a [me'ðjano, a] adj moyen(ne); **de tamaño ~** de taille moyenne; **el ~** celui du milieu
medianoche [meðja'notʃe] nf minuit m
mediante [me'ðjante] adv grâce à
mediar [me'ðjar] vi servir d'intermédiaire; (tiempo) s'écouler; (distancia) séparer; (problema: interponerse) s'interposer; **media el hecho de que ...** il y a le fait que ...; **~ por**

algn intercéder en faveur de qn; **entre ambos media un abismo** un abîme les sépare

mediático, -a [me'ðjatiko, a] *adj* des médias

medicación [meðika'θjon] *nf* (*acción*) prise *f* de médicaments; (*medicamentos*) médicaments *mpl*

medicamento [meðika'mento] *nm* médicament *m*

medicina [meði'θina] *nf* (*ciencia*) médecine *f*; (*medicamento*) médicament *m*; **estudiante de ~** étudiant(e) en médecine; **~ general** médecine générale

medición [meði'θjon] *nf* mesure *f*

médico, -a ['meðiko, a] *adj* médical(e) ▪ *nm/f* médecin *m/f*; **~ de cabecera** médecin de famille; **~ forense** médecin légiste; **~ residente** interne *m/f*

medida [me'ðiða] *nf* mesure *f*; (*de camisa etc*) taille *f*; **medidas** *nfpl* (*de persona*) mesures *fpl*; **en cierta ~** dans une certaine mesure; **en gran ~** en grande partie; **un traje a la ~** un costume sur mesure; **~ de cuello** encolure *f*; **a ~ de mi etc capacidad/necesidad** dans la mesure de mes *etc* possibilités/besoins; **con ~** avec mesure; **sin ~** sans aucune mesure; **a ~ que ...** à mesure que ...; **en la ~ de lo posible** dans la mesure du possible; **tomar ~s** prendre des mesures

medio, -a ['meðjo, a] *adj* moyen(ne) ▪ *adv* à moitié ▪ *nm* milieu *m*; (*método*) moyen *m*; **medios** *nmpl* moyens *mpl*; **a medias** à moitié; **pagar a medias** partager les frais; **~ litro** un demi-litre; **media hora/docena/manzana** une demi-heure/douzaine/pomme; **las tres y media** trois heures et demie; **a ~ camino** à mi-chemin; **a media luz** dans la pénombre; **~ dormido/enojado** à moitié endormi/fâché; **a ~ terminar** à moitié fait; **en ~, entre medias** au milieu; **por ~ de** au moyen de; **(de) por ~** au milieu; **en los ~s financieros** dans les milieux financiers; **~ ambiente** environnement *m*; **~s de comunicación/transporte** moyens de communication/transport; **M~ Oriente** Moyen-Orient *m*

medioambiental [meðjoambjen'tal] *adj* (*efectos*) sur l'environnement; (*política*) écologique

mediocre [me'ðjokre] (*pey*) *adj* médiocre

mediodía [meðjo'ðia] *nm* midi *m*; **a ~** à midi

medir [me'ðir] *vt* mesurer; **medirse** *vpr* se mesurer; **~ mal sus fuerzas** trop présumer de ses forces; **~ las palabras**

acciones (*fig*) mesurer ses paroles/actes; **¿cuánto mides?** - je mesure combien? - **mido 1.50 m** tu mesures combien? - je mesure 1 m 50; **~se con algn** se mesurer à qn

meditar [meði'tar] *vt* méditer ▪ *vi*: **~ (sobre)** méditer (sur)

mediterráneo, -a [meðite'rraneo, a] *adj* méditerranéen(ne) ▪ *nm*: **el (mar) M~** la (Mer) Méditerranée

médula ['meðula] *nf* moelle *f*; **hasta la ~** (*fig*) jusqu'à la moelle; **~ espinal** moelle épinière

medusa [me'ðusa] (*Esp*) *nf* méduse *f*

megafonía [meɣafo'nia] *nf* sono *f*; (*técnica*) sonorisation *f*

megáfono [me'ɣafono] *nm* porte-voix *m inv*

megalómano, -a [meɣa'lomano, a] *nm/f* mégalomane *m/f*

mejicano, -a [mexi'kano, a] (*Esp*) *adj* mexicain(e) ▪ *nm/f* Mexicain(e)

Méjico ['mexiko] (*Esp*) *nm* Mexique *m*

mejilla [me'xiʎa] *nf* joue *f*

mejillón [mexi'ʎon] *nm* moule *f*

mejor [me'xor] *adj* meilleur(e) ▪ *adv* mieux; **lo ~** le mieux; **en lo ~ de la vida** dans la fleur de l'âge; **será ~ que vayas** il vaut mieux que tu t'en ailles; **a lo ~** peut-être; **~ dicho** plutôt; **¡(tanto) ~!** tant mieux!; **es el ~ de todos** c'est le meilleur de tous; **~ vámonos** (*esp AM: fam*) allons-y; **tu, ~ te callas** (*esp AM: fam*) toi, tu ferais mieux de te taire

mejora [me'xora] *nf* amélioration *f*

mejorar [mexo'rar] *vt* améliorer ▪ *vi* s'améliorer; (*enfermo*) se rétablir; **mejorarse** *vpr* s'améliorer; (*paciente*) se rétablir; **mejorando lo presente** à l'exception des personnes ici-présentes; **¡que se mejore!** je vous souhaite un prompt rétablissement

mejoría [mexo'ria] *nf* (*de enfermo*) rétablissement *m*; (*del tiempo*) amélioration *f*

melancólico, -a [melan'koliko, a] *adj* mélancolique

melena [me'lena] *nf* (*de persona*) chevelure *f*; (*de león*) crinière *f*; **melenas** *nfpl* (*pey*) tignasse *fsg*

mellizo, -a [me'ʎiθo, a] *adj, nm/f* jumeau(-elle); **mellizos** *nmpl* (*AM*) jumelles *fpl*; (*de ropa*) boutons *mpl* de manchette

melocotón [meloko'ton] (*Esp*) *nm* pêche *f*

melodía [melo'ðia] *nf* mélodie *f*

melodrama [melo'ðrama] *nm* mélodrame *m*

melón [me'lon] *nm* melon *m*

membrete [mem'brete] *nm* en-tête *m*

membrillo [mem'briʎo] *nm* (*fruto*) coing *m*; (*árbol*) cognassier *m*; (*tb:* **carne de membrillo**) confiture *f* de coings

memorable [memo'raβle] *adj* mémorable

memoria [me'morja] *nf* mémoire *f*; (*informe*) rapport *m*; **memorias** *nfpl* (*de autor*) mémoires *fpl*; **tener buena/mala ~** avoir une bonne/mauvaise mémoire; **~ anual** rapport annuel; **aprender/saber/recitar algo de ~** apprendre/savoir/réciter qch par cœur; **a la ~ de** à la mémoire de; **en ~ de** en mémoire de; **ahora que me viene a la ~** ça me revient; **~ auxiliar/fija/fija programable** (*Inform*) mémoire auxiliaire/morte/morte programmable; **~ de acceso aleatorio** (*Inform*) mémoire vive; **~ del teclado** (*Inform*) mémoire du clavier

memorizar [memori'θar] *vt* mémoriser

menaje [me'naxe] *nm* (*de cocina*) ustensiles *mpl* de cuisine; (*del hogar*) ustensiles de ménage

mencionar [menθjo'nar] *vt* mentionner; **sin ~ ...** sans parler de ...

mendigar [mendi'ɣar] *vt, vi* mendier

mendigo, -a [men'diɣo, a] *nm/f* mendiant(e)

mendrugo [men'druɣo] *nm* quignon *m*

menear [mene'ar] *vt* remuer; (*cadera*) balancer; **menearse** *vpr* remuer; (*al andar*) se déhancher; (*fam*) se manier

menester [menes'ter] *nm*: **es ~ hacer algo** il faut faire qch; **menesteres** *nmpl* devoirs *mpl*

menestra [me'nestra] *nf*: **~ de verduras** macédoine *f* de légumes (*parfois avec des morceaux de viande*)

menguante [men'gwante] *adj* décroissant(e)

menguar [men'gwar] *vt* diminuer ■ *vi* décroître; (*número*) réduire; (*días*) diminuer; (*marea*) descendre

meningitis [menin'xitis] *nf* méningite *f*

menopausia [meno'pausja] *nf* ménopause *f*

menor [me'nor] *adj* (*más pequeño: compar*) plus petit(e); (*número: superl*) moindre; (*más joven*) plus jeune; (*Mús*) mineur(e) ■ *nm/f* (*tb:* **menor de edad**) mineur(e); **Juanito es ~ que Pepe** Juanito est plus jeune que Pepe; **ella es la ~ de todas** c'est la plus jeune de toutes; **no tengo la ~ idea** je n'en ai pas la moindre idée; **al por ~** au détail

Menorca [me'norka] *nf* Minorque *f*

menos ['menos] *adv* **1** (*compar*) moins; **me gusta menos (que el otro)** je l'aime moins (que l'autre); **menos de 50** moins de 50; **menos de lo que esperaba** moins que je n'en attendais; **hay 7 de menos** il y en a 7 de moins

2 (+ *sustantivo*) moins de; **menos gente** moins de gens; **menos coches** moins de voitures

3 (*tras sustantivo*) de moins; **3 libros menos (que ayer)** 3 livres de moins (qu'hier)

4 (*superl*): **es la menos lista (de su clase)** c'est la moins intelligente (de sa classe); **el libro menos vendido** le livre le moins vendu; **de todas ellas es la que menos me agrada** c'est celle qui me plaît le moins parmi elles; **es el que menos culpa tiene** c'est celui qui est le moins coupable; **lo menos que ...** le moins que ...

5 (*locuciones*): **no quiero verle y menos visitarle** je ne veux pas le voir, encore moins lui rendre visite; **menos aun cuando ...** d'autant moins que ...; **¡menos mal (que ...)!** heureusement (que ...)!; **al o por lo menos** (tout) au moins; **si al menos ...** si seulement ...; **qué menos que entres y tomes un café** tu peux bien entrer prendre un café; **¡eso es lo de menos!** ça, c'est le moins important!

6 (*Mat*): **5 menos 2** 5 moins 2
■ *prep* (*excepto*) sauf; **todos menos él** tous sauf lui
■ *conj*: **a menos que**: **a menos que venga mañana** à moins qu'il ne vienne demain
■ *nm* (*Mat: signo*) signe *m* moins

menospreciar [menospre'θjar] *vt* sous-estimer; (*despreciar*) mépriser

mensaje [men'saxe] *nm* message *m*; (*Telec*) minimessage *m* SMS; **enviar un ~ a algn** (*por móvil*) envoyer un minimessage SMS à qn; **~ de error** (*Inform*) message *m* d'erreur; **~ de texto** (*Telec*) minimessage *m* SMS

mensajero, -a [mensa'xero, a] *nm/f* messager(-ère)

menstruación [menstrwa'θjon] *nf* menstruation *f*

mensual [men'swal] *adj* mensuel(elle); **100 euros ~es** 100 euros par mois

mensualidad [menswali'ðað] *nf* mensualité *f*

menta ['menta] nf menthe f
mental [men'tal] adj mental(e)
mentalidad [mentali'ðað] nf
mentalité f
mentalizar [mentali'θar] vt faire
prendre conscience à; **mentalizarse**
vpr: **~se (de/de que)** se faire à l'idée
(de/que)
mentar [men'tar] vt mentionner; **~le la
madre a algn** (fam) mettre qn plus bas
que terre
mente ['mente] nf esprit m; **tener en ~
(hacer)** avoir dans l'idée (de faire); **tener
la ~ en blanco** avoir la tête vide
mentir [men'tir] vi mentir; ¡miento! que
dis-je!
mentira [men'tira] nf mensonge m; **eso
es ~** ce n'est pas vrai; **una ~ como una
casa** (fam) un mensonge gros comme
une maison; **parece ~ que ...** on ne dirait
vraiment pas que ...; (como reproche) cela
paraît incroyable que ...; **de ~** (pistola)
pour rire; (historia) pour blaguer;
~ piadosa pieux mensonge
mentiroso, -a [menti'roso, a] adj, nm/f
menteur(-euse)
menú [me'nu] nm (tb Inform) menu m;
guiado por ~ (Inform) contrôlé par menu
menudo, -a [me'nuðo, a] adj (muy
pequeño) menu(e); (sin importancia)
insignifiant(e); **i~ negocio!** drôle
d'affaire!; **i~ chaparrón/lío!** quelle
engueulade/histoire!; **i~ sitio/actor!**
(pey) drôle d'endroit/d'acteur!; **a ~** souvent
meñique [me'ɲike] nm (tb: **dedo
meñique**) auriculaire m
meollo [me'oʎo] nm: **el ~ del asunto** le
fond du problème
mercado [mer'kaðo] nm marché m;
M~ Común marché commun; **~ de valores**
marché des valeurs; **~ exterior/interior**
marché extérieur/intérieur; **~ laboral**
marché du travail; **~ negro** marché noir
mercancía [merkan'θia] nf
marchandise f; **~s en depósito**
marchandises en stock
mercantil [merkan'til] adj
commercial(e)
mercenario, -a [merθe'narjo, a] adj, nm
mercenaire m
mercería [merθe'ria] nf mercerie f;
artículos/sección de ~ mercerie
mercurio [mer'kurjo] nm mercure m
merecer [mere'θer] vt mériter; **merece
la pena** ça vaut la peine
merecido, -a [mere'θiðo, a] adj
mérité(e); **recibir su ~ en** prendre pour
son grade

merendar [meren'dar] vt prendre pour
son goûter ■ vi prendre son goûter;
(en el campo) pique-niquer
merengue [me'renge] nm meringue f
meridiano, -a [meri'ðjano, a] adj:
**la explicación es de una claridad
meridiana** l'explication est on ne peut
plus claire ■ nm méridien m
merienda [me'rjenda] vb ver **merendar**
■ nf goûter m; (en el campo) pique-nique
m; **~ de negros** foire f d'empoigne
mérito ['merito] nm mérite m; **hacer ~s**
se faire remarquer par son zèle; **restar ~
a** ôter tout mérite à
merluza [mer'luθa] nf colin m; **coger
una ~** (fam) prendre une cuite
merma ['merma] nf perte f
mermar [mer'mar] vt diminuer ■ vi
(comida) réduire; (fortuna) diminuer
mermelada [merme'laða] nf
confiture f
mero, -a ['mero, a] adj simple; (Cam,
Méx: fam: verdadero) vrai(e); (: principal)
principal(e); (: exacto) précis(e) ■ nm
(Zool) mérou m ■ adv (Cam, Méx: fam)
précisément; **allí ~** là-bas précisément;
el ~ ~ (Méx: fam) le grand manitou
merodear [meroðe'ar] vi: **~ por (un
lugar)** rôder dans (un endroit)
mes [mes] nm mois msg; **el ~ corriente** ce
mois-ci; **llegar a fin de ~** joindre les deux
bouts
mesa ['mesa] nf table f; **poner/quitar la
~** mettre/débarrasser la table; **~ de billar**
table de billard; **~ electoral** bureau m de
vote; **~ redonda** table ronde
mesero, -a [me'sero] (esp Méx) nm/f
garçon (serveuse)
meseta [me'seta] nf plateau m
mesilla [me'siʎa] nf (tb: **mesilla de
noche**) table f de nuit
mesón [me'son] nm restaurant m
mestizo, -a [mes'tiθo, a] adj, nm/f
métis(-isse)
mesura [me'sura] nf (moderación)
mesure f; (en trato con gente) réserve f
meta ['meta] nf (tb Fútbol) but m
metabolismo [metaβo'lismo] nm
métabolisme m
metáfora [me'tafora] nf métaphore f
metal [me'tal] nm métal m; (Mús)
cuivres mpl
metálico, -a [me'taliko, a] adj
métallique ■ nm: **en ~** en espèces
metalurgia [meta'lurxja] nf
métallurgie f
meteoro [mete'oro] nm météore m;
como un ~ comme un éclair

meteorología [meteorolo'xia] *nf* météorologie *f*

meter [me'ter] *vt* mettre; (*involucrar*) mêler; (*Costura*) raccourcir; (*miedo*) faire; (*paliza*) flanquer; (*marchas: Auto*) mettre, passer; **meterse** *vpr*: **~se en** (*un lugar*) entrer dans; (*negocios, política*) se lancer dans; (*entrometerse*) se mêler de; **~ algo en o** (*esp AM*) **a** mettre qch dans; **~ ruido** faire du bruit; **~ una mentira** glisser un mensonge; **~ prisa a algn** bousculer qn; **~se a hacer algo** se mettre à faire qch; **~se a escritor** se lancer dans la littérature; **~se con algn** s'en prendre à qn; (*en broma*) taquiner qn; **~se en todo/donde no le llaman** se mêler de tout/de ce qui ne le regarde pas

meticuloso, -a [metiku'loso, a] *adj* méticuleux(-euse)

metódico, -a [me'toðiko, a] *adj* méthodique

método [me'toðo] *nm* méthode *f*; **con ~** avec méthode

metodología [metoðolo'xia] *nf* méthodologie *f*

metralleta [metra'ʎeta] *nf* mitraillette *f*

metro ['metro] *nm* mètre *m*; (*tren: tb*: **metropolitano**) métro *m*; **~ cuadrado/cúbico** mètre carré/cube

mexicano, -a [mexi'kano, a] (*AM*) *adj* mexicain(e) ■ *nm/f* Mexicain(e)

México ['mexiko] (*AM*) *nm* Mexique *m*; **Ciudad de ~** Mexico

mezcla ['meθkla] *nf* mélange *m*

mezclar [meθ'klar] *vt* mélanger; (*cosas, ideas dispares*) mêler; **mezclarse** *vpr* se mélanger; **~ a algn en** (*fam*) mêler qn à; **~se en algo** (*pey*) se mêler de qch; **~se con algn** (*pey*) fréquenter qn

mezquino, -a [meθ'kino, a] *adj* mesquin(e)

mezquita [meθ'kita] *nf* mosquée *f*

mg. *abr* (= *miligramo(s)*) mg (= *milligramme(s)*)

mi [mi] *adj* mon (ma) ■ *nm* (*Mús*) mi *m*; **mi hijo** mon fils; **mis hijos** mes enfants

mí [mi] *pron* moi; **¿y a mí qué?** qu'est-ce que ça peut bien me faire à moi?; **para mí que ...** à mon avis ...; **por mí no hay problema** pour ma part il n'y a pas de problème; **por mí mismo** de moi-même

michelín [mitʃe'lin] *nm* bourrelet *m*

micro ['mikro] *nm* micro *m*; (*AM: microordenador*) micro-ordinateur *m*; (: *microbús*) minibus *msg*; (*Arg*) autocar *m* ■ *nf* (*a veces nm: Chi*) minibus

microbio [mi'kroβjo] *nm* microbe *m*

micrófono [mi'krofono] *nm* microphone *m*

microondas [mikro'ondas] *nm inv* (*tb*: **horno microondas**) four *m* à micro-ondes

microscopio [mikros'kopjo] *nm* microscope *m*

miedo ['mjeðo] *nm* peur *f*; **meter ~ a** faire peur à; **tener ~** avoir peur; **tener ~ de que** avoir peur que; **de ~** (*fam*) terrible; **ese chica está de ~** cette fille est sublime; **pasarlo de ~** s'en donner à cœur joie; **me da ~** cela me fait peur; **me da ~ pensarlo/perderlo** je tremble à cette idée/à l'idée de le perdre; **hace un frío de ~** (*fam*) il fait un froid de loup

miedoso, -a [mje'ðoso, a] *adj* peureux(-euse)

miel [mjel] *nf* miel *m*

miembro ['mjembro] *nm* membre *m*; **~ viril** membre viril

mientras ['mjentras] *conj* pendant que ■ *adv* en attendant; **~ viva/pueda** tant que je vivrai/pourrai; **~ que** tandis que; **~ tanto** entre-temps; **~ más tiene, más quiere** (*esp AM*) plus on en a, plus on en veut

miércoles ['mjerkoles] *nm inv* mercredi *m*; **~ de ceniza** mercredi des Cendres; *ver tb* **sábado**

mierda ['mjerða] (*fam!*) *nf* merde *f*(*fam!*); **ser una ~** (*pey*) être de la merde; **¡vete a la ~!** va te faire voir!; **¡~!** merde!; **de ~** de merde, merdique

miga ['miɣa] *nf* mie *f*; (*una miga*) miette *f*; **hacer buenas ~s** (*fam*) faire bon ménage; **estar hecho ~s** (*fam*) être lessivé; **esto tiene ~** ce n'est pas rien

migración [miɣra'θjon] *nf* migration *f*

mil [mil] *adj, nm* mille *m*; **dos ~ libras** deux milles livres; **~es de veces** des milliers de fois

milagro [mi'laɣro] *nm* miracle *m*; **de ~** par miracle; **hacer ~s** faire des miracles

milagroso, -a [mila'ɣroso, a] *adj* miraculeux(-euse)

milésimo, -a [mi'lesimo, a] *adj, nm/f* millième *m*

mili ['mili] *nf*: **la ~** (*fam*) le service (militaire); **hacer la ~** faire son service

milicia [mi'liθja] *nf* milice *f*

milímetro [mi'limetro] *nm* millimètre *m*

militante [mili'tante] *adj, nm/f* militant(e)

militar [mili'tar] *adj, nm/f* militaire *m* ■ *vi*: **~ en** (*Pol*) militer dans; **los ~es** les militaires *mpl*, l'armée *f*

millar [mi'ʎar] *nm* millier *m*; **a ~es** par milliers

millón [mi'ʎon] *nm* million *m*

millonario, -a [miʎo'narjo, a] *adj, nm/f* millionnaire *m/f*

mimar [mi'mar] *vt* gâter

mimbre ['mimbre] *nm o nf* osier *m*; **de ~** en osier

mímica ['mimika] *nf* mimique *f*

mimo ['mimo] *nm* (*gesto cariñoso*) mamours *mpl*; (*en trato con niños: pey*) indulgence *f*; (*Teatro*) mime *m*; **un trabajo hecho con ~** un travail fait avec amour

mina ['mina] *nf* mine *f*; **ese negocio es una ~** c'est une affaire en or; **ese actor es una ~** cet acteur vaut de l'or

minar [mi'nar] *vt* miner

mineral [mine'ral] *adj* minéral(e) ◼ *nm* minéral *m*

minero, -a [mi'nero, a] *adj* minier(-ière) ◼ *nm/f* mineur *m*

miniatura [minja'tura] *nf* miniature *f*; **en ~** en miniature

minifalda [mini'falda] *nf* mini-jupe *f*

mínimo, -a ['minimo, a] *adj* (*temperatura, salario*) minimal(e); (*detalle, esfuerzo*) minime ◼ *nm* minimum *m*; **lo ~ que puede hacer** le moins qu'il puisse faire; **como ~** au minimum; **en lo más ~** le moins du monde

ministerio [minis'terjo] *nm* ministère *m*; **M~ de Asuntos Exteriores/de Comercio e Industria** ministère des Affaires étrangères/du Commerce et de l'Industrie; **M~ del Interior/de Hacienda** ministère de l'Intérieur/des Finances

ministro, -a [mi'nistro, a] *nm/f* ministre *m*; **M~ de Hacienda/del Interior** ministre des Finances/de l'Intérieur

minoría [mino'ria] *nf* minorité *f*

minucioso, -a [minu'θjoso, a] *adj* minutieux(-euse)

minúscula [mi'nuskula] *nf* minuscule *f*; **con ~(s)** (*Tip*) en minuscule(s)

minusválido, -a [minus'βaliðo, a] *adj, nm/f* handicapé(e)

minuta [mi'nuta] *nf* (*de comida*) menu *m*; (*de abogado etc*) minute *f*

minutero [minu'tero] *nm* aiguille *f* des minutes

minuto [mi'nuto] *nm* minute *f*

mío, -a ['mio, a] *adj* mien(-enne) ◼ *pron* le mien (la mienne); **un amigo ~** un de mes amis; **lo ~** ce qui m'appartient; **los ~s** les miens

miope ['mjope] *adj* myope

mira ['mira] *nf* (*de arma*) viseur *m*; **con la ~ de (hacer)** dans le but de (faire); **con ~s a (hacer)** en vue de (faire); **de amplias/estrechas ~s** large/étroit(e) d'esprit

mirada [mi'raða] *nf* regard *m*; (*momentánea*) coup *m* d'œil; **echar una ~ a** jeter un coup d'œil à; **levantar/bajar la ~** lever/baisser les yeux; **resistir la ~ de algn** soutenir le regard de qn; **~ de soslayo** regard de travers; **~ fija** regard fixe; **~ perdida** regard dans le vague

mirado, -a [mi'raðo, a] *adj* réservé(e); **estar bien/mal ~** être bien/mal vu(e)

mirador [mira'ðor] *nm* mirador *m*

mirar [mi'rar] *vt* regarder; (*considerar*) penser à ◼ *vi* regarder; (*suj: ventana etc*) donner sur; **mirarse** *vpr* se regarder; **~ algo/a algn de reojo** regarder qch/qn du coin de l'œil; **~ algo por encima** survoler qch; **~ algo/a algn por encima del hombro** regarder qch/qn de haut; **~ (hacia/por)** regarder (vers/par); **~ (en/por)** veiller (à); **~ fijamente** regarder fixement; **~ por la ventana** regarder par la fenêtre; **mira a ver si está ahí** regarde s'il y est; **~ bien/mal a algn** apprécier/ne pas apprécier qn; **mirándolo bien, ...** réflexion faite, ...; **~ por algn/algo** veiller sur qn/qch; **~se al espejo** se regarder dans le miroir; **~se a los ojos** se regarder dans les yeux

mirilla [mi'riʎa] *nf* judas *msg*

mirlo ['mirlo] *nm* merle *m*

misa ['misa] *nf* messe *f*; **lo que él dice va a ~** ce qu'il dit est parole d'évangile; **~ de difuntos/del gallo** messe des morts/de minuit

miserable [mise'raβle] *adj, nm/f* misérable *m/f*

miseria [mi'serja] *nf* misère *f*; (*tacañería*) mesquinerie *f*; **una ~** (*muy poco*) une misère; **hundir(se) en la ~** être au trente-sixième dessous

misericordia [miseri'korðja] *nf* miséricorde *f*

misil [mi'sil] *nm* missile *m*

misión [mi'sjon] *nf* mission *f*; **misiones** *nfpl* (*Rel*) missions *fpl*

misionero, -a [misjo'nero, a] *nm/f* missionnaire *m/f*

mismo, -a ['mismo, a] *adj*: **el ~ libro/apellido** le même livre/nom de famille; (*con pron personal*): **mi** *etc* **~** moi *etc* même ◼ *adv*: **aquí/hoy ~** (*dando énfasis*) ici/aujourd'hui même; (*por ejemplo*) par exemple ici/aujourd'hui; **ayer ~** pas plus tard qu'hier ◼ *conj*: **lo ~ que** de même que; **el ~ color** la même couleur; **ahora ~** à l'instant; **por lo ~** du coup; **lo hizo por sí ~** il l'a fait de lui-même; **en ese ~ momento** à ce moment-là; **vino el ~ Ministro** le ministre en personne est venu; **yo ~ lo vi** je l'ai vu de mes propres yeux; **quiero lo ~** je veux la même chose; **es/da lo ~** peu importe; **lo ~ viene** rien ne dit qu'il ne viendra pas, il peut très bien venir; **quedamos en las mismas** nous en sommes au même point; **volver a las mismas** en revenir où on en était; **~ que** (*Méx: esp en prensa*) qui; **detuvieron al ladrón, ~ que** fue trasladado a la cárcel ils ont arrêté le voleur qui a été conduit en prison

misterio [mis'terjo] *nm* mystère *m*; **hacer algo con (mucho) ~** faire qch en (grand) secret

misterioso, -a [miste'rjoso, a] *adj* mystérieux(-euse)

mitad [mi'tað] *nf* moitié *f*; (*centro*) milieu *m*; **~ y ~** moitié moitié; **a ~ de precio** à moitié prix; **en** *o* **a ~ del camino** à michemin; **cortar por la ~** partager en deux

mitigar [miti'ɣar] *vt* atténuer

mitin ['mitin] *nm* (*esp Pol*) meeting *m*

mito ['mito] *nm* mythe *m*

mixto, -a ['miksto, a] *adj* mixte; (*ensalada*) composé(e)

m/n *abr* (*Econ*) = *moneda nacional*

M.° *abr* = *Ministerio*

m/o *abr* (*Com*: = *mi orden*) notre réf

mobiliario [moβi'ljarjo] *nm* mobilier *m*

mochila [mo'tʃila] *nf* sac *m* à dos

moción [mo'θjon] *nf* motion *f*; **~ de censura** motion de censure

moco ['moko] *nm* morve *f*; **limpiarse los ~s** se moucher; **no es ~ de pavo** ce n'est pas rien

moda ['moða] *nf* mode *f*; **estar de ~** être à la mode; **pasado de ~** démodé(e); **ir a la ~** suivre la mode; **a la última ~** à la dernière mode

modales [mo'ðales] *nmpl* manières *fpl*; **buenos ~** bonnes manières

modalidad [moðali'ðað] *nf* modalité *f*

modelar [moðe'lar] *vt* modeler

modelo [mo'ðelo] *adj inv* modèle ■ *nm/f* modèle *m*; (*en moda, publicitario*) mannequin *m* ■ *nm* (*a imitar*) modèle

moderado, -a [moðe'raðo, a] *adj* modéré(e)

moderar [moðe'rar] *vt* modérer; **moderarse** *vpr*: **~se (en)** se modérer (dans)

modernizar [moðerni'θar] *vt* moderniser; **modernizarse** *vpr* se moderniser

moderno, -a [mo'ðerno, a] *adj* moderne

modestia [mo'ðestja] *nf* modestie *f*

modesto, -a [mo'ðesto, a] *adj* modeste

módico, -a ['moðiko, a] *adj* modique

modificar [moðifi'kar] *vt* modifier

modisto, -a [mo'ðisto, a] *nm/f* couturier(-ère)

modo ['moðo] *nm* (*manera*) manière *f*; (*Inform, Mús, Ling*) mode *f*; **modos** *nmpl* (*modales*): **buenos/malos ~s** bonnes/ mauvaises manières; **"~ de empleo"** "mode d'emploi"; **a ~ de** en guise de; **de cualquier ~** de n'importe quelle manière; **de este ~** de cette façon; **de ningún ~** en aucune façon; **de todos ~s** de toute manière; **de un ~ u otro** d'une façon ou de l'autre; **en cierto ~** d'une certaine manière; **de ~ que** de sorte que

modorra [mo'ðorra] *nf* léthargie *f*

mofa ['mofa] *nf*: **hacer ~ de algn** se moquer de qn

mofarse [mo'farse] *vpr*: **~ de** se moquer de

moho ['moo] *nm* (*en pan etc*) moisi *m*; (*en metal*) rouille *f*

mojar [mo'xar] *vt* mouiller; **mojarse** *vpr* se mouiller; **~ el pan en el café/en salsa** tremper son pain dans le café/dans la sauce

mojón [mo'xon] *nm* borne *f*; **~ kilométrico** borne kilométrique

molde ['molde] *nm* moule *m*; (*Tip*) forme *f*; **romper ~s** rompre les schémas traditionnels

mole ['mole] *nf* masse *f* ■ *nm* (*Méx*) (sorte *f* de viande en) daube *f*

moler [mo'ler] *vt* moudre; (*cansar*) crever; **~ a algn a palos** rouer qn de coups

molestar [moles'tar] *vt* (*suj: olor, ruido*) gêner; (: *visitas, niño*) déranger; (: *zapato, herida*) faire mal à; (: *comentario, actitud*) vexer ■ *vi* (*visitas, niño*) déranger; **molestarse** *vpr* se déranger; (*ofenderse*) se vexer; **¿le molesta el humo?** la fumée vous dérange?; **me molesta tener que hacerlo** cela m'ennuie de devoir faire cela; **siento ~le** je regrette de vous déranger; **~se (en)** prendre la peine (de)

molestia [mo'lestja] *nf* gêne *f*; (*Med*) douleur *f*; **tomarse la ~ de** prendre la peine de; **no es ninguna ~** cela ne me dérange pas du tout, je vous en prie; **"perdonen las ~s"** "veuillez nous excuser pour le désagrément"

molesto, -a [mo'lesto, a] *adj* gênant(e), désagréable; **estar ~** (*Med*) se sentir mal; (*enfadado*) être fâché(e); **estar ~ con algn** ne pas être à l'aise avec qn

molido, -a [mo'liðo, a] *adj*: **estar ~** être crevé(e)

molinillo [moli'niʎo] *nm*: **~ de café** moulin *m* à café

molino [mo'lino] nm moulin m
momentáneo, -a [momen'taneo, a] adj momentané(e)
momento [mo'mento] nm moment m; **es el/no es el ~ de (hacer)** c'est/ce n'est pas le moment de (faire); **en estos ~s** en ce moment; **un buen/mal ~** un bon/mauvais moment; **al ~** sur le champ; **a cada ~** à tout moment; **en un ~** en un instant; **de ~** pour le moment; **del ~ (actual)** du moment; **por el ~** pour le moment; **de un ~ a otro** d'un moment à l'autre; **por ~s** par moments
momia ['momja] nf momie f
monarca [mo'narka] nm monarque m; **los ~s** le roi et la reine
monarquía [monar'kia] nf monarchie f
monárquico, -a [mo'narkiko, a] adj monarchique ■ nm/f monarchiste m/f
monasterio [monas'terjo] nm monastère m

○ **La Moncloa**
○
○ Le palais de la Moncloa à Madrid est
○ la résidence officielle du chef du
○ gouvernement espagnol. Par
○ extension, l'expression "la Moncloa"
○ désigne souvent le chef du
○ gouvernement et ses collaborateurs.

mondar [mon'dar] vt éplucher; **mondarse** vpr: **~se de risa** (fam) se tordre de rire
moneda [mo'neða] nf (unidad monetaria) monnaie f; (pieza) pièce f de monnaie; **una ~ de 2 euros** une pièce de 2 euros; **es ~ corriente** c'est monnaie courante; **~ de curso legal** monnaie au cours légal; **~ extranjera** monnaie étrangère
monedero [mone'ðero] nm porte-monnaie m inv
monetario, -a [mone'tarjo, a] adj monétaire
monitor, a [moni'tor] nm/f moniteur(-trice) ■ nm (TV, Inform) moniteur m; **~ en color** écran m couleur
monja ['monxa] nf religieuse f
monje ['monxe] nm moine m
mono, -a ['mono, a] adj beau (belle); (Col) blond(e) ■ nm/f singe (guenon) ■ nm (prenda: entera) bleu m de travail; (: con peto) salopette f
monólogo [mo'noloyo] nm monologue m
monopolio [mono'poljo] nm monopole m; **~ estatal** monopole d'État
monopolizar [monopoli'θar] vt monopoliser

monotonía [monoto'nia] nf monotonie f
monótono, -a [mo'notono, a] adj monotone
monovolumen [monobo'lumen] nm monospace m
monstruo ['monstrwo] nm monstre m; **~ de la música** monstre sacré de la musique
monstruoso, -a [mons'trwoso, a] adj monstrueux(-euse)
montaje [mon'taxe] nm montage m; (pey: historia falsa) mise f en scène
montaña [mon'taɲa] nf montagne f; (AM) forêt f; (de ropa, problemas) tas m sg; **~ rusa** montagne russe
montar [mon'tar] vt, vi monter; **montarse** vpr (en vehículo) monter; **~ un número** o **numerito** faire son numéro; **~ a caballo** monter à cheval; **botas de ~** bottes fpl d'équitation; **~ en cólera** se mettre en colère; **ir montado en autobús/bicicleta** être en autobus/bicyclette
monte ['monte] nm mont m; (área sin cultivar) bois m sg; **~ alto** futaie f; **~ bajo** maquis m sg; **~ de piedad** mont de piété
montón [mon'ton] nm tas m sg; (de gente, dinero) flopée f; **a montones** en masse; **del ~** de la masse
monumento [monu'mento] nm monument m
moño ['moɲo] nm chignon m; **estar hasta el ~** (fam) en avoir plein le dos
moqueta [mo'keta] nf moquette f
mora ['mora] nf (Bot) mûre f; **en ~** (Com) en retard
morada [mo'raða] nf demeure f
morado, -a [mo'raðo, a] adj violet(-ette) ■ nm violet m; **pasarlas moradas** en voir de toutes les couleurs; **ponerse ~ (a algo)** se gaver (de qch)
moral [mo'ral] adj moral(e) ■ nf morale f; (ánimo) moral m ■ nm (Bot) mûrier m; **tener baja la ~** ne pas avoir le moral
moraleja [mora'lexa] nf morale f
moralidad [morali'ðað] nf moralité f
morboso, -a [mor'βoso, a] adj morbide
morcilla [mor'θiʎa] nf (Culin) ≈ boudin m noir; **¡que le den ~!** qu'il aille se faire voir!
mordaz [mor'ðaθ] adj (crítica) sévère
mordaza [mor'ðaθa] nf bâillon m
morder [mor'ðer] vt, vi mordre; **morderse** vpr se mordre; **está que muerde** il n'est pas à prendre avec des pincettes; **~se las uñas** se ronger les ongles; **~se la lengua** se mordre la langue

mordisco [mor'ðisko] *nm* petite morsure *f*

moreno, -a [mo'reno, a] *adj* brun(e); (*de pelo*) mat(e); (*negro*) noir(e) ■ *nm/f* brun(e); (*negro*) noir(e); **estar ~** être bronzé(e); **ponerse ~** se bronzer

morfina [mor'fina] *nf* morphine *f*

moribundo, -a [mori'βundo, a] *adj*, *nm/f* moribond(e)

morir [mo'rir] *vi* mourir; (*olas, día*) se mourir; (*camino, río*) finir; **morirse** *vpr* mourir; **fue muerto a tiros/en un accidente** il a été tué par balles/dans un accident; **~ de frío/hambre** mourir de froid/faim; **¡me muero de hambre!** je meurs de faim!; **~se de envidia/de ganas/de vergüenza** mourir de jalousie/d'envie/de honte; **se muere por ella** il est fou d'elle; **se muere por comprar una moto** il meurt d'envie d'acheter une moto

moro, -a ['moro, a] *adj* maure (mauresque) ■ *nm/f* Maure (Mauresque); **¡hay ~s en la costa!** faites gaffe!, vingt-deux!

moroso, -a [mo'roso, a] *adj* retardataire ■ *nm* (*Com*) mauvais payeur *m*

morral [mo'rral] *nm* musette *f*

morro ['morro] *nm* museau *m*; (*Auto, Aviat*) devant *m*; **beber a ~** boire au goulot; **estar de ~s (con algn)** faire la gueule (à qn); **tener mucho ~** (*fam*) avoir du toupet

mortadela [morta'ðela] *nf* mortadelle *f*

mortaja [mor'taxa] *nf* linceul *m*; (*Tec*) mortaise *f*; (*AM*) papier *m* à cigarettes

mortal [mor'tal] *adj*, *nm/f* mortel(-elle)

mortalidad [mortali'ðað] *nf* mortalité *f*

mortero [mor'tero] *nm* mortier *m*

mortífero, -a [mor'tifero, a] *adj* meurtrier(-ère)

mortificar [mortifi'kar] *vt* mortifier; **mortificarse** *vpr* se mortifier

mosca ['moska] *nf* mouche *f*; **por si las ~s** au cas où; **estar ~** être sur le qui-vive; **tener la ~ en o detrás de la oreja** avoir la puce à l'oreille

Moscú [mos'ku] *n* Moscou

mosquear [moske'ar] (*fam*) *vt* (*hacer sospechar*) faire soupçonner; (*fastidiar*) agacer; **mosquearse** *vpr* se vexer

mosquitero [moski'tero] *nm* moustiquaire *f*

mosquito [mos'kito] *nm* moustique *m*

mostaza [mos'taθa] *nf* moutarde *f*

mostrador [mostra'ðor] *nm* comptoir *m*

mostrar [mos'trar] *vt* montrer; (*el camino*) montrer, indiquer; (*explicar*) expliquer; **mostrarse** *vpr*: **~se amable** se montrer aimable; **~ en pantalla** (*Inform*) visualiser

mota ['mota] *nf* poussière *f*; (*en tela: dibujo*) nœud *m*

mote ['mote] *nm* surnom *m*; (*And, Chi*) maïs *msg* cuit

motín [mo'tin] *nm* mutinerie *f*; (*del pueblo*) émeute *f*

motivar [moti'βar] *vt* motiver, encourager, stimuler; **(no) estar/ sentirse motivado (para hacer)** (ne pas) avoir le cœur (de faire)

motivo [mo'tiβo] *nm* motif *m*; **con ~ de** en raison de; **sin ~** sans raison; **no tener ~s para (hacer/estar)** ne pas avoir de raison de (faire/être)

moto ['moto], **motocicleta** [motoθi'kleta] *nf* moto *f*

motor, a [mo'tor, a] *adj* moteur(-trice) ■ *nm* moteur *m*; **~ a o de reacción/de explosión** moteur à réaction/à explosion

motora [mo'tora] *nf* canot *m*

movedizo, -a [moβe'ðiθo, a] *adj*: **arenas movedizas** sables *mpl* mouvants

mover [mo'βer] *vt* bouger; (*máquina*) mettre en marche; (*asunto*) activer; **moverse** *vpr* se déplacer; (*tierra*) glisser; (*con impaciencia*) gigoter; (*para conseguir algo*) se remuer; **~ a algn a hacer** (*inducir*) pousser qn à faire; **~ a compasión/risa** faire pitié/rire; **¡muévete!** magne-toi!, grouille-toi!; **~ la cabeza** (*para negar*) hocher la tête de droite à gauche; (*para asentir*) hocher la tête de haut en bas

móvil ['moβil] *adj* mobile; (*pieza de máquina*) roulant(e) ■ *nm* (*de crimen*) mobile *m*; (*teléfono*) (téléphone *m*) mobile *m*, (téléphone *m*) portable *m*

movilidad [moβili'ðað] *nf* mobilité *f*

movilizar [moβili'θar] *vt* mobiliser

movimiento [moβi'mjento] *nm* mouvement *m*; **el M~** (*Pol*) le Mouvement, *soulèvement du Général Franco en 1936 en Espagne*; **poner/estar en ~** mettre/être en mouvement; **~ de bloques** (*Inform*) transfert *m* de blocs; **~ de capital** mouvement de capitaux; **~ de divisas** mouvement de devises; **~ de mercancías** (*Com*) mouvement des marchandises; **~ obrero/político/ sindical** mouvement ouvrier/politique/ syndical; **~ sísmico** mouvement sismique

moza ['moθa] *nf* jeune fille *f*; **una buena ~** une belle femme, un beau brin de fille

mozo ['moθo] *nm* jeune homme *m*; (*en hotel*) groom *m*; (*camarero*) garçon *m*;

(*Mil*) conscrit *m*; **un buen ~** un beau garçon; **~ de estación** porteur *m*
MP3 *nm* MP3 *m*; **reproductor (de) ~** lecteur *m* MP3
muchacha [mu'tʃatʃa] *nf* fille *f*; (*criada*) domestique *f*
muchacho [mu'tʃatʃo] *nm* garçon *m*
muchedumbre [mutʃe'ðumbre] *nf* foule *f*

 PALABRA CLAVE

mucho, -a ['mutʃo, a] *adj* **1** (*cantidad, número*) beaucoup de; **mucha gente** beaucoup de monde; **mucho dinero** beaucoup d'argent; **hace mucho calor** il fait très chaud; **muchas amigas** beaucoup d'amies
2 (*sg: fam: grande*): **ésta es mucha casa para él** cette maison est bien trop grande pour lui
3 (*sg: demasiados*): **hay mucho gamberro aquí** il y a beaucoup de voyous par ici
■ *pron*: **tengo mucho que hacer** j'ai beaucoup (de choses) à faire; **muchos dicen que ...** beaucoup de gens disent que ...; *ver tb* **tener**
■ *adv* **1**: **te quiero mucho** je t'aime beaucoup; **lo siento mucho** je regrette beaucoup, je suis vraiment désolé; **mucho más/menos** beaucoup plus/moins; **mucho antes/mejor** bien avant/meilleur; **come mucho** il mange beaucoup; **viene mucho** il vient souvent; **¿te vas a quedar mucho?** tu vas rester longtemps?
2 (*respuesta*) très; **¿estás cansado? - ¡mucho!** tu es fatigué? - très!
3 (*locuciones*): **leo como mucho un libro al mes** je lis au maximum un livre par mois; **el mejor con mucho** de loin le meilleur; **ese ni con mucho llega a sargento** il ne réussira même pas à être sergent; **¡ni mucho menos!** loin de là!; **él no es ni mucho menos trabajador** il est loin d'être travailleur; **¡mucho la quieres tú!** (*irón*) tu parles que tu l'aimes bien!
4: **por mucho que**; **por mucho que la quieras** tu as beau l'aimer

muda ['muða] *nf* (*de ropa*) linge *m* de rechange; (*Zool, de voz*) mue *f*
mudanza [mu'ðanθa] *nf* déménagement *m*; **estar de ~** déménager; **camión/casa de ~s** camion *m*/entreprise *f* de déménagement
mudar [mu'ðar] *vt* changer; (*Zool*) muer; **mudarse** *vpr*: **~se (de ropa)** se changer;

~ de (*opinión, color*) changer de; **~se (de casa)** déménager; **la voz le está mudando** il est en train de muer
mudo, -a ['muðo, a] *adj* muet(te); (*callado*) silencieux(-euse); **quedarse ~ de asombro** rester bouche bée
mueble ['mweβle] *nm* meuble *m*
mueca ['mweka] *nf* grimace *f*; **hacer ~s a** faire des grimaces à
muela ['mwela] *vb ver* **moler** ■ *nf* (*diente de atrás*) molaire *f*; (*de molino*) meule *f*; (*de afilar*) meule, affiloir *m*; **~ del juicio** dent *f* de sagesse
muelle ['mweʎe] *adj* (*vida*) doux (douce) ■ *nm* ressort *m*; (*Náut*) quai *m*
muera *etc* ['mwera] *vb ver* **morir**
muerte ['mwerte] *nf* mort *f*; **dar ~ a** donner la mort à; **de mala ~** (*fam*) minable; **es la ~** (*fam*) c'est la galère!
muerto, -a ['mwerto, a] *pp de* **morir** ■ *adj* mort(e); (*color*) terne; (*manos*) ballant(e) ■ *nm/f* mort(e), mort(e); **cargar con el ~** (*fam*) payer les pots cassés; **echar el ~ a algn** mettre tout sur le dos de qn; **hacer el ~** (*nadando*) faire la planche; **estar ~ de cansancio/frío/hambre/sed** être mort(e) de fatigue/froid/faim/soif
muestra ['mwestra] *vb ver* **mostrar** ■ *nf* (*Com, Costura*) échantillon *m*; (*de sangre*) prélèvement *m*; (*en estadística*) échantillonnage *m*; (*señal*) preuve *f*; (*exposición*) foire *f*; (*demostración explicativa*) démonstration *f*; **dar ~s de** donner signe de; **~ al azar** (*Com*) échantillon *m* prélevé au hasard
muestreo [mwes'treo] *nm* (*estadístico*) échantillonnage *m*
mueva *etc* ['mweβa] *vb ver* **mover**
mugir [mu'xir] *vi* mugir
mugre ['muɣre] *nf* (*suciedad*) crasse *f*; (*: grasienta*) cambouis *msg*
mugriento, -a [mu'ɣrjento, a] *adj* crasseux(-euse)
mujer [mu'xer] *nf* femme *f*
mujeriego [muxe'rjeɣo] *adj, nm* coureur *m*
mula ['mula] *nf* mule *f*
muleta [mu'leta] *nf* (*para andar*) béquille *f*; (*Taur*) muleta *f*
mullido, -a [mu'ʎiðo, a] *adj* moelleux(-euse)
multa ['multa] *nf* amende *f*; (*Auto*) amende, contravention *f*; **me han puesto una ~** ils m'ont mis une amende
multar [mul'tar] *vt* condamner à une amende
multicine [multi'θine] *nm* cinéma *m* multisalle

multinacional [multinaθjo'nal] *adj* multinational(e) ■ *nf* multinationale *f*

múltiple ['multiple] *adj* multiple; **de tarea ~** (*Inform*) multitâche; **de usuario ~** (*Inform*) à utilisateurs multiples

multiplicar [multipli'kar] *vt* multiplier; **multiplicarse** *vpr* se multiplier; (*para hacer algo*) se démener, se mettre en quatre

multitud [multi'tuð] *nf* foule *f*; **~ de** multitude de

mundano, -a [mun'dano, a] *adj* mondain(e)

mundial [mun'djal] *adj* mondial(e) ■ *nm* (*Fútbol*) coupe *f* du monde

mundo ['mundo] *nm* monde *m*; **el otro ~** l'autre monde; **el ~ del espectáculo** le monde du spectacle; **todo el ~** tout le monde; **tiene ~** il sait comment se comporter en société; **un hombre de ~** un homme du monde; **hacer de algo un ~** faire tout un monde de qch; **el ~ es un pañuelo** le monde est petit; **por nada del ~** pour rien au monde; **no es nada del otro ~** ce n'est pas la mer à boire; **se le cayó el ~ (encima)** il est accablé par ce coup du sort; **el Tercer M~** le Tiers-Monde

munición [muni'θjon] *nf* munition *f*

municipal [muniθi'pal] *adj* municipal(e) ■ *nm/f* (*tb*: **policía municipal**) agent *m* de police

municipio [muni'θipjo] *nm* municipalité *f*

muñeca [mu'ɲeka] *nf* (*Anat*) poignet *m*; (*juguete, mujer*) poupée *f*; (*And, Csur: fam*) prise *f* de courant

muñeco [mu'ɲeko] *nm* (*juguete*) baigneur *m*; (*dibujo*) dessin *m*; (*marioneta, fig*) pantin *m*; **~ de nieve** bonhomme *m* de neige

mural [mu'ral] *adj* mural(e) ■ *nm* peinture *f* murale

muralla [mu'raʎa] *nf* muraille *f*

murciélago [mur'θjelaɣo] *nm* chauve-souris *fsg*

murmullo [mur'muʎo] *nm* murmure *m*

murmuración [murmura'θjon] *nf* médisance *f*

murmurar [murmu'rar] *vt, vi* murmurer; **~ (de)** (*criticar*) dire du mal (de)

muro ['muro] *nm* mur *m*; **~ de contención** mur de soutènement

muscular [musku'lar] *adj* musculaire

músculo ['muskulo] *nm* muscle *m*

museo [mu'seo] *nm* musée *m*; **~ de arte** *o* **de pintura** musée d'art; **~ de cera** musée de cire

musgo ['musɣo] *nm* mousse *f*

música ['musika] *nf* musique *f*; **irse con la ~ a otra parte** plier bagage; *ver tb* **músico**

musical [musi'kal] *adj* musical(e) ■ *nm* comédie *f* musicale

músico, -a ['musiko, a] *nm/f* musicien(ne)

muslo ['muslo] *nm* cuisse *f*

mustio, -a ['mustjo, a] *adj* (*planta*) flétri(e); (*persona*) triste

musulmán, -ana [musul'man, ana] *adj, nm/f* musulman(e)

mutación [muta'θjon] *nf* mutation *f*

mutilar [muti'lar] *vt* mutiler

mutismo [mu'tismo] *nm* mutisme *m*

mutuo, -a ['mutwo, a] *adj* mutuel(-elle)

muy [mwi] *adv* très; (*demasiado*) trop; **M~ Señor mío/Señora mía** cher Monsieur/chère Madame; **~ bien** très bien; **~ de noche** tard dans la nuit; **eso es ~ de él** c'est bien de lui; **eso es ~ español** c'est très espagnol; **por ~ tarde que sea** si tard soit-il

n

N *abr* (= *norte*) N (= *nord*)

N. *sigla f* (= *carretera nacional*) RN *f* (= *route nationale*)

n. *abr* (*Ling*: = *nombre*) n (= *nom*); (= *nacido, a*) né(e)

n/ *abr* = **nuestro, a**

nabo ['naβo] *nm* navet *m*

nácar ['nakar] *nm* nacre *f*

nacer [na'θer] *vi* naître; (*vegetal, barba, vello*) pousser; (*río*) prendre sa source; (*columna, calle*) commencer; **~ de** naître de; **ha nacido para poeta** c'est un poète né; **no ha nacido para trabajar** le travail et lui, ça fait deux

nacido, -a [na'θiðo, a] *adj*: **~ en** né(e) en

naciente [na'θjente] *adj* naissant(e); **el sol ~** le soleil levant

nacimiento [naθi'mjento] *nm* naissance *f*; (*de Navidad*) crèche *f*; (*de río*) source *f*; **ciego de ~** aveugle de naissance

nación [na'θjon] *nf* nation *f*; **Naciones Unidas** Nations unies

nacional [naθjo'nal] *adj* national(e)

nacionalidad [naθjonali'ðað] *nf* nationalité *f*; (*Esp: Pol: nación*) communauté *f* autonome

nacionalismo [naθjona'lismo] *nm* nationalisme *m*

nacionalista [naθjona'lista] *adj, nm/f* nationaliste *m/f*

nacionalizar [naθjonali'θar] *vt* nationaliser; **nacionalizarse** *vpr* se faire naturaliser

nada ['naða] *pron, adv* rien ■ *nf*: **la ~** le néant; **no decir ~** ne rien dire; **de ~** de rien; **¡~ de eso!** pas question!; **antes de ~** avant tout; **como si ~** comme si de rien n'était; **no ha sido ~** ce n'est pas bien grave; **~ menos que** ni plus ni moins que; **~ de ~** rien de rien; **para ~** (*inútilmente*) pour rien; (*claro que no*) pas du tout; **por ~** pour rien; **por ~ del mundo** pour rien au monde

nadador, a [naða'ðor, a] *nm/f* nageur(-euse)

nadar [na'ðar] *vi* nager; **~ en la abundancia** nager dans l'opulence; **~ contra corriente** nager à contre-courant

nadie ['naðje] *pron* personne; **~ habló** personne n'a parlé; **no había ~** il n'y avait personne; **no soy ~ para ...** ce n'est pas moi qui peut ...; **es un don ~** c'est un rien-du-tout

nado ['naðo] *adv*: **a ~** à la nage

nafta ['nafta] (*Csur*) *nf* (*gasolina*) essence *f*

naipe ['naipe] *nm* carte *f*

nalgas ['nalɣas] *nfpl* fesses *fpl*

nana ['nana] *nf* berceuse *f*; (*Cam, Méx: fam*) nourrice *f*

naranja [na'ranxa] *adj inv* orange ■ *nm* (*color*) orange *m* ■ *nf* (*fruta*) orange *f*; **media ~** (*fam*) moitié *f*

naranjada [naran'xaða] *nf* orangeade *f*

naranjo [na'ranxo] *nm* oranger *m*

narciso [nar'θiso] *nm* narcisse *m*

narcótico, -a [nar'kotiko, a] *adj, nm* narcotique *m*

narcotizar [narkoti'θar] *vt* administrer des narcotiques à

nardo ['narðo] *nm* nard *m*

narigón, -ona [nari'ɣon, ona], **narigudo, -a** [nari'ɣuðo, a] *adj*: **un tipo ~** un type au grand nez

nariz [na'riθ] *nf* nez *m*; **narices** *nfpl* narines *fpl*; **¡narices!** (*fam*) flûte alors!; **me dio con la puerta en las narices** il m'a fermé la porte au nez; **darse de narices contra algo/con algn** se trouver nez à nez avec qch/qn; **¡se me están hinchando las narices!** la moutarde me monte au nez!; **delante de las narices de algn** au nez de qn; **estar hasta las narices (de algo/algn)** (*fam*) en avoir ras le bol (de qch/qn); **meter las narices en**

algo *(fam)* mettre son nez dans qch;
hacer algo por narices *(fam)* faire qch
coûte que coûte; **~ chata/respingona**
nez épaté/en trompette
narración [narra'θjon] *nf* narration f
narrador, a [narra'ðor, a] *nm/f*
narrateur(-trice)
narrar [na'rrar] *vt* raconter
narrativa [narra'tiβa] *nf* genre m narratif
nata ['nata] *nf* crème f; *(en leche cocida)*
peau f; **~ montada** crème fouettée
natación [nata'θjon] *nf* natation f
natal [na'tal] *adj* natal(e)
natalidad [natali'ðað] *nf* natalité f;
control de ~ contrôle m des naissances;
índice o tasa de ~ taux msg de natalité
natillas [na'tiʎas] *nfpl* crème f renversée
nativo, -a [na'tiβo, a] *adj (costumbres)*
local(e), du pays; *(lengua)* maternel(le);
(país) natal(e) ■ *nm/f* natif(-ive)
nato, -a ['nato, a] *adj*: **un actor/pintor/**
músico ~ un acteur/peintre/musicien né
natural [natu'ral] *adj* naturel(le); *(luz)*
du jour; *(flor, fruta)* vrai(e); *(café)* non
traité(e) ■ *nm* naturel m; **~ de** natif(-ive)
de; **ser ~ en algn** être naturel chez qn;
es ~ que il est naturel que; **al ~** au naturel
naturaleza [natura'leθa] *nf* nature f;
por ~ par nature; **~ humana** nature
humaine; **~ muerta** nature morte
naturalidad [naturali'ðað] *nf* naturel
m; **con ~** avec naturel
naturalmente [natu'ralmente] *adv*
naturellement; **¡~!** naturellement!
naufragar [naufra'ɣar] *vi* faire
naufrage; *(negocio)* faire faillite;
(proyecto) tomber à l'eau
naufragio [nau'fraxjo] *nm* naufrage m
náufrago, -a ['naufraɣo, a] *nm/f*
naufragé(e)
náuseas ['nauseas] *nfpl* nausées fpl;
sentir ~ avoir des nausées; **me da ~** ça
me donne la nausée
náutico, -a ['nautiko, a] *adj* nautique
navaja [na'βaxa] *nf* couteau m (de
poche); **~ (de afeitar)** rasoir m à main
naval [na'βal] *adj* naval(e)
Navarra [na'βarra] *nf* Navarre f
nave ['naβe] *nf (barco)* navire m; *(Arq)* nef
f; *(almacén)* entrepôt m; **quemar las ~s**
couper les ponts; **~ espacial** vaisseau m
spatial; **~ industrial** atelier m
navegación [naβeɣa'θjon] *nf*
navigation f; *(viaje)* voyage m en mer;
~ aérea/costera/fluvial navigation
aérienne/côtière/fluviale
navegador [naβeɣa'ðor] *nm (Inform)*
navigateur m, logiciel m de navigation

navegante [naβe'ɣante] *nm/f*
navigateur(-trice)
navegar [naβe'ɣar] *vi* naviguer; **navigar**
por Internet surfer le net
navidad [naβi'ðað] *nf (tb:* **navidades**)
fêtes fpl de Noël; *(tb:* **día de navidad**) la
Noël; *(Rel)* Noël m; **por ~es** à Noël;
¡felices ~es! joyeux Noël!
navideño, -a [naβi'ðeɲo, a] *adj* de Noël
navío [na'βio] *nm* navire m
nazca *etc* ['naθka] *vb ver* **nacer**
nazi ['naθi] *adj* nazi(e) ■ *nm/f* Nazi(e)
n/cta *abr (Com:* = **nuestra cuenta**) notre
compte
NE *abr (*= **nor(d)este**) N.-E. (= nord-est)
neblina [ne'βlina] *nf* brume f
nebulosa [neβu'losa] *nf* nébuleuse f
necesario, -a [neθe'sarjo, a] *adj*:
~ (para) nécessaire (pour); **(no) es ~ que**
il (n')est (pas) nécessaire que; **si es ~ ...** si
nécessaire ...
neceser [neθe'ser] *nm* nécessaire m
necesidad [neθesi'ðað] *nf* besoin m;
(cosa necesaria) nécessité f; *(miseria)*
pauvreté f; **necesidades** *nfpl (penurias)*
privations fpl; **en caso de ~** en cas de
besoin; **de primera ~** de première
nécessité; **no hay ~ de/de que** il n'est pas
nécessaire de/que; **hacer sus ~es** faire
ses besoins
necesitado, -a [neθesi'taðo, a] *adj*
nécessiteux(-euse); **estar ~ de** avoir
grand besoin de
necesitar [neθesi'tar] *vt*: **~ (hacer)** avoir
besoin de (faire) ■ *vi*: **~ de** avoir besoin
de; **¿qué se necesita?** que faut-il?; **"se**
necesita camarero" "on demande un
garçon de café"
necio, -a ['neθjo, a] *adj, nm/f* idiot(e)
néctar ['nektar] *nm* nectar m
nectarina [nekta'rina] *nf* nectarine f
nefasto, -a [ne'fasto, a] *adj* néfaste
negación [neɣa'θjon] *nf* négation f
negar [ne'ɣar] *vt (hechos)* nier; *(permiso,*
acceso) refuser; **negarse** *vpr*: **~se a**
hacer algo se refuser à faire qch; **~ que**
nier que; **~ con la cabeza** faire non de la
tête; **~ el saludo a algn** ignorer qn; **¡me**
niego! je refuse!
negativa [neɣa'tiβa] *nf* négative f;
(rechazo) refus msg
negativo, -a [neɣa'tiβo, a] *adj*
négatif(-ive) ■ *nm (Foto)* négatif m
negligencia [neɣli'xenθja] *nf*
négligence f
negligente [neɣli'xente] *adj*
négligent(e)
negociado [neɣo'θjaðo] *nm* bureau m

negociante [neɣo'θjante] nm/f (Com) négociant(e); (pey) trafiquant(e)

negociar [neɣo'θjar] vt négocier ■ vi: ~ **en** o **con** (Com) faire le commerce de o du commerce avec

negocio [ne'ɣoθjo] nm affaire f; (tienda) commerce m; **los ~s** les affaires fpl; **hacer** ~ faire des affaires; **hacer (un) buen/mal** ~ faire une bonne/mauvaise affaire; **¡eso es un ~!** ça rapporte!; ~ **sucio** affaire f louche; **¡mal ~!** (fam) ça va mal!

negra ['neɣra] nf (Mús) noire f; **tener la** ~ avoir la poisse; ver tb **negro**

negro, -a ['neɣro, a] adj noir(e); (futuro) sombre; (tabaco) brun(e) ■ nm (color) noir m ■ nf: **la negra** la poisse ■ nm/f (persona) noir(e); (AM: fam) chéri(e); **¡estoy ~!** je suis furax!; **¡me pone ~!** ça o il me porte sur les nerfs!; **verse ~ para hacer algo** avoir beaucoup de mal à faire qch; **trabajar como un** ~ travailler comme un forçat

nene, -a ['nene, a] nm/f petit(e)

nenúfar [ne'nufar] nm nénuphar m

neón [ne'on] nm: **luz de** ~ néon m

neoyorquino, -a [neojor'kino, a] adj new yorkais(e) ■ nm/f New Yorkais(e)

nervio ['nerβjo] nm nerf m; (Bot, Arq) nervure f; **ser puro** ~ être un paquet de nerfs; **alterarle** o **crisparle los ~s a algn** taper sur les nerfs de qn; **estar de los ~s** (fam: Med) avoir les nerfs; **tener los ~s destrozados** avoir les nerfs en pelote; **me pone los ~s de punta** ça o il me tape sur le système

nerviosismo [nerβjo'sismo] nm état m d'agitation, nervosité f

nervioso, -a [ner'βjoso, a] adj nerveux(-euse); **¡me pone ~!** ça m'énerve!

neto, -a ['neto, a] adj net (nette)

neumático, -a [neu'matiko, a] adj (cámara) à air; (martillo) pneumatique ■ nm pneu m; ~ **de recambio** roue f de secours

neumonía [neumo'nia] nf pneumonie f; ~ **asiática** SARS m, pneumonie atypique

neurona [neu'rona] nf neurone m

neutral [neu'tral] adj neutre

neutralizar [neutrali'θar] vt neutraliser

neutro, -a ['neutro, a] adj (tb Ling) neutre; (Bio) asexué(e)

neutrón [neu'tron] nm neutron m

nevada [ne'βaða] nf chute f de neige

nevar [ne'βar] vi neiger

nevera [ne'βera] (Esp) nf réfrigérateur m

nexo ['nekso] nm lien m

n/f abr (Com: = nuestro favor) notre crédit

ni [ni] conj ni; (tb: **ni siquiera**) même pas; **ni aunque** même si; **ni blanco ni negro** ni blanc ni noir; **ni (el) uno ni (el) otro** ni l'un ni l'autre; **¡ni que fuese un dios!** comme si c'était un dieu!; **¡ni hablar!** pas question!

Nicaragua [nika'raɣwa] nf Nicaragua m

nicaragüense [nikara'ɣwense] adj nicaraguayen(ne) ■ nm/f Nicaraguayen(ne)

nicho ['nitʃo] nm niche f

nicotina [niko'tina] nf nicotine f

nido ['niðo] nm nid m; ~ **de amor** nid d'amour; ~ **de ladrones** repaire m de voleurs; ~ **de víboras** nid de vipères

niebla ['njeβla] nf brouillard m; **hay ~** il y a du brouillard

niego etc ['njeɣo], **niegue** etc ['njeɣe] vb ver **negar**

nieto, -a ['njeto, a] nm/f petit-fils (petite-fille); **los nietos** nmpl les petits-enfants

nieve ['njeβe] vb ver **nevar** ■ nf neige f; (AM: helado) glace f; **copo de** ~ flocon m de neige

Nilo ['nilo] nm: **el (Río)** ~ le Nil

nimiedad [nimje'ðað] nf bagatelle f; (de problema, detalle) petitesse f

nimio, -a ['nimjo, a] adj insignifiant(e), sans importance

ninfa ['ninfa] nf nymphe f

ningún [nin'gun] adj ver **ninguno**

ninguno, -a [nin'guno, a] adj aucun(e) ■ pron personne; **no es ninguna belleza** c'est loin d'être une beauté; **de ninguna manera** en aucune manière; **en ningún sitio** nulle part; **no voy a ninguna parte** je ne vais nulle part; ~ **de ellos** aucun d'entre eux

niña ['niɲa] nf (petite) fille f; (del ojo) pupille f; **ser la** ~ **de los ojos de algn** (fig) tenir à qn comme à la prunelle de ses yeux; ver tb **niño**

niñera [ni'ɲera] nf nourrice f

niñería [niɲe'ria] (pey) nf enfantillage m

niñez [ni'ɲeθ] nf enfance f

niño, -a ['niɲo, a] adj jeune; (pey) puéril(e) ■ nm enfant m; (chico) (petit) garçon m; (bebé) petit enfant m; **los niños** nmpl les enfants; **de** ~ quand j'étais etc petit; **ser el** ~ **mimado de algn** être le chouchou de qn; ~ **bien** o **de papá** (pey) fils msg à papa; ~ **de pecho** nourrisson m; ~ **prodigio** enfant prodige

nipón, -ona [ni'pon, ona] adj nippon(e o ne) ■ nm/f Nippon(e o ne)

níquel ['nikel] nm nickel m

niquelar [nike'lar] vt nickeler

níspero ['nispero] *nm* néflier *m*
nitidez [niti'ðeθ] *nf* (*de imagen*) netteté *f*;
(*de atmósfera*) pureté *f*; **ver algo con ~**
voir qch très nettement
nítido, -a ['nitiðo, a] *adj* (*imagen*)
net(te); (*cielo*) dégagé(e); (*atmósfera*)
pur(e); (*gestión, conducta*) clair(e)
nitrato [ni'trato] *nm* nitrate *m*; **~ de
Chile** salpêtre *m* du Chili
nitrógeno [ni'troxeno] *nm* azote *m*
nivel [ni'βel] *nm* niveau *m*; **al mismo ~** au
même niveau; **de alto ~** de haut niveau;
a 900m sobre el ~ del mar à 900 m au-
dessus du niveau de la mer; **~ de aire**
(*Tec*) niveau à bulle (d'air); **~ del aceite**
niveau d'huile; **~ de vida** niveau de vie
nivelar [niβe'lar] *vt* niveler; (*ingresos,
categorías*) égaliser; (*balanza de pagos*)
équilibrer
n/l. *abr* (*Com*: = *nuestra letra*) notre lettre
NN. UU. *abr* (= *Naciones Unidas*) NU
(= Nations unies)
NO *abr* (= *noroeste*) N.-O. (= nord-ouest)

 PALABRA CLAVE

no [no] *adv* **1**: **¡no!** (*en respuesta*) non!;
ahora no pas maintenant; **no mucho**
pas tellement, pas beaucoup; **¡cómo no!**
bien sûr!; **¡que no!** non!
2 (*con verbo*) ne ... pas; **no viene** il ne vient
pas; **no es el mío** ce n'est pas le mien;
creo que no je crois que non; **decir que
no** dire non; **no quiero nada** je ne veux
rien; **no es que no quiera** ce n'est pas
que je ne veuille pas; **no dormir** ne pas
dormir; **"No Fumar"** "Défense de fumer"
3 (*no + sustantivo*): **pacto de no agresión**
pacte *m* de non-agression; **los países no
alineados** les pays non-alignés; **la no
intervención** la non-intervention; **el no
va más** le nec plus ultra
4 (*en comparación*): **mejor ir ahora que
no luego** mieux vaut partir maintenant
5: **no sea que haga frío** au cas où il ferait
froid
6: **no bien hubo terminado se marchó**
à peine eut-il terminé qu'il s'en alla
7: **¡a que no lo sabes!** je parie que tu ne
le sais pas!
■ *nm*: **un no rotundo** un non
catégorique

N.°, nº *abr* (= *número*) n[o] (= numéro)
n/o *abr* (*Com*: = *nuestra orden*) notre ordre
noble ['noβle] *adj, nm/f* noble *m/f*
nobleza [no'βleθa] *nf* noblesse *f*; **la ~** la
noblesse

noche ['notʃe] *nf* nuit *f*; (*la tarde*) soir *m*;
de ~, por la ~ le soir; (*de madrugada*) la
nuit; **se hace de ~** la nuit tombe; **es de
~** il fait nuit; **ayer por la ~** hier soir;
esta ~ ce soir; (*de madrugada*) cette nuit;
de la ~ a la mañana du jour au
lendemain; **hacer ~ en un sitio** passer la
nuit quelque part; **¡buenas ~s!** (*saludo*)
bonsoir!; (*despedida*) bonsoir!, bonne
nuit!; **~ cerrada** nuit noire; **~ de bodas**
nuit de noces

NOCHE DE SAN JUAN

La fête de la *Noche de San Juan* a lieu le
24 juin. Cette fête, qui coïncide avec le
solstice d'été, a remplacé d'anciennes
fêtes païennes. Durant les festivités,
où selon la tradition le feu joue un rôle
important, on danse autour de feux
de joie dans les villes et les villages.

Nochebuena [notʃe'βwena] *nf* nuit *f*
de Noël
Nochevieja [notʃe'βjexa] *nf* nuit *f* de la
Saint Sylvestre

NOCHEVIEJA

En Espagne, "las campanadas", les
douze coups de l'horloge de la "Puerta
del Sol" à Madrid, qui sont retransmis
en direct pour marquer le début de
chaque nouvelle année, représentent
le temps fort du réveillon de la Saint-
Sylvestre *Nochevieja*. Lorsque minuit
sonne, la tradition connue sous le
nom de "las uvas de la suerte" ou
"las doce uvas", veut que l'on mange
douze grains de raisin, un pour
chaque coup.

noción [no'θjon] *nf* notion *f*; **nociones**
nfpl (*rudimentos*) notions *fpl*
nocivo, -a [no'θiβo, a] *adj* nocif(-ive)
noctámbulo, -a [nok'tambulo, a] *adj,
nm/f* noctambule *m/f*
nocturno, -a [nok'turno, a] *adj*
nocturne; (*club*) de nuit; (*clases*) du soir
■ *nm* (*Mús*) nocturne *m*
nodriza [no'ðriθa] *nf* nourrice *f*;
buque/nave ~ bateau *m*/navire *m* de
ravitaillement
nogal [no'ɣal] *nm* noyer *m*
nómada ['nomaða] *adj, nm/f*
nomade *m/f*
nombramiento [nombra'mjento] *nm*
nomination *f*

nombrar [nom'brar] vt nommer; **~ a algn gobernador** nommer qn gouverneur; **~ a algn heredero** faire de qn son héritier

nombre ['nombre] nm nom m; (tb: **nombre completo**) nom (et prénoms); **abogado de ~** avocat m de renom; **~ y apellidos** nom et prénoms; **(estar/poner algo) a ~ de** (être/mettre qch) au nom de; **en ~ de** au nom de; **sin ~** sans nom; **su conducta no tiene ~** sa conduite dépasse les bornes; **~ común** nom commun; **~ de fichero** (Inform) nom de fichier; **~ de pila** prénom m; **~ de soltera** nom de jeune fille; **~ de usuario** (Inform) identifiant m; **~ propio** nom propre

nómina ['nomina] nf (de personal) liste f; (hoja de sueldo) feuille f de paie; **estar en ~** faire partie du personnel

nominal [nomi'nal] adj nominal(e)

nominar [nomi'nar] vt nommer

nominativo, -a [nomina'tiβo, a] adj (Ling) nominatif(-ive); **un cheque ~ a X** un chèque à l'ordre de X

nordeste [nor'ðeste] adj nord-est ■ nm nord-est m; (viento) nordet m

nórdico, -a ['norðiko, a] adj (zona) nord; (escandinavo) nordique ■ nm/f Nordique m/f

noreste [no'reste] adj, nm = **nordeste**

noria ['norja] nf (Agr) noria f; (de feria) grande roue f

normal [nor'mal] adj normal(e); **¡es ~ que ...!** c'est normal que ...!; **Escuela N~** ≈ École f normale; **gasolina ~** essence f ordinaire

normalidad [normali'ðað] nf normalité f; **restablecer la ~** rétablir l'ordre

normalizar [normali'θar] vt normaliser; (gastos) régulariser; **normalizarse** vpr se normaliser

normando, -a [nor'mando, a] adj normand(e) ■ nm/f Normand(e)

normativa [norma'tiβa] nf réglementation f

noroeste [noro'este] adj nord-ouest ■ nm nord-ouest m; (viento) noroît m

norte ['norte] adj nord ■ nm nord m; (tb: **viento (del) norte**) vent m du nord; (fig) objectif m; **país/gentes del ~** pays msg/peuples mpl du Nord; **al ~ de** au nord de

Norteamérica [nortea'merika] nf Amérique f du Nord

norteamericano, -a [norteameri'kano, a] adj américain(e) ■ nm/f Américain(e)

Noruega [no'rweɣa] nf Norvège f

noruego, -a [no'rweɣo, a] adj norvégien(ne) ■ nm/f Norvégien(ne) ■ nm (Ling) norvégien m

nos [nos] pron nous; **~ levantamos a las 7** nous nous levons à 7 heures

nosotros, -as [no'sotros, as] pron nous; **~ (mismos)** nous(-mêmes)

nostalgia [nos'talxja] nf nostalgie f

nota ['nota] nf note f; **notas** nfpl (apuntes) notes fpl; (Escol) résultats mpl; **tomar (buena) ~ de** prendre (bonne) note de qch; **de mala ~** mal famé(e); **dar la ~** (fam) se faire remarquer; **la ~ dominante** la note dominante; **tomar ~s** prendre des notes; **~ a pie de página** note de bas de page; **~s de sociedad** chronique fsg mondaine

notar [no'tar] vt (darse cuenta de) remarquer; (percibir) noter; (frío, calor) sentir; **notarse** vpr (efectos, cambio) se faire sentir; (mancha) se voir; **se nota que ...** on voit que ...; **te noto cambiado** je te trouve changé; **me noto cansado** je me sens fatigué; **hacerse ~** se faire remarquer

notarial [nota'rjal] adj notarial(e); **acta ~** acte m notarié

notario [no'tarjo] nm notaire m

noticia [no'tiθja] nf nouvelle f; (TV, Radio) information f; **las ~s** (TV) les informations; **según nuestras ~s** d'après nos informations; **tener ~s de algn** avoir des nouvelles de qn; **~(s) de última hora** nouvelle(s) de dernière minute

noticiero [noti'θjero] nm journal m

notificación [notifika'θjon] nf notification f

notificar [notifi'kar] vt notifier

notoriedad [notorje'ðað] nf notoriété f

notorio, -a [no'torjo, a] adj notoire

novato, -a [no'βato, a] adj, nm/f nouveau(-velle)

novecientos, -as [noβe'θjentos, as] adj neuf cents; ver tb **seiscientos**

novedad [noβe'ðað] nf nouveauté f; (noticia) nouvelle f; **novedades** nfpl (noticia) nouvelles fpl; (Com) nouveautés fpl; **sin ~** rien de neuf

novel [no'βel] adj débutant(e)

novela [no'βela] nf roman m; **~ policíaca** roman policier

noveno, -a [no'βeno, a] adj, nm/f neuvième m/f; ver tb **sexto**

noventa [no'βenta] adj inv, nm inv quatre-vingt-dix m inv; ver tb **sesenta**

novia ['noβja] nf ver **novio**
noviazgo [no'βjaθɣo] nm fiançailles fpl
novicio, -a [no'βiθjo, a] adj (Rel) novice;
(novato) nouveau(-velle) ■ nm/f (Rel)
novice m/f
noviembre [no'βjembre] nm novembre
m; ver tb **julio**
novillada [noβi'ʎaða] nf course de jeunes
taureaux
novillero [noβi'ʎero] nm torero
combattant de jeunes taureaux
novillo [no'βiʎo] nm jeune taureau m;
hacer ~s (fam) faire l'école buissonnière
novio, -a ['noβjo, a] nm/f (amigo íntimo)
petit(e) ami(e); (prometido) fiancé(e);
(en boda) marié(e); **los ~s** les fiancés mpl;
(en boda) les mariés mpl
nubarrón [nuβa'rron] nm gros nuage m
nube ['nuβe] nf nuage m; (de mosquitos)
nuée f; (Med: ocular) taie f; **una ~ de
polvo** un nuage de poussière; **los precios
están por las ~s** les prix sont
astronomiques; **estar en las ~s** être dans
les nuages; **vivir en las ~s** ne pas avoir les
pieds sur terre; **poner algo/a algn por
las ~s** porter qch/qn aux nues
nublado, -a [nu'βlaðo, a] adj
nuageux(-euse); (día) gris(e) ■ nm
nuages mpl lourds
nubosidad [nuβosi'ðað] nf nuages mpl;
había mucha ~ il y avait beaucoup de
nuages
nuca ['nuka] nf nuque f
nuclear [nukle'ar] adj nucléaire
núcleo ['nukleo] nm noyau m; **~ de
población** agglomération f; **~s de
resistencia** noyaux mpl de résistance;
~ urbano centre m urbain
nudillo [nu'ðiʎo] nm jointure f
nudista [nu'ðista] adj, nm/f nudiste m/f
nudo ['nuðo] nm nœud m; **se le hizo un ~
en la garganta** il avait la gorge nouée;
~ corredizo nœud coulant; **~ de carreteras**
nœud routier; **~ de comunicaciones**
nœud de communications
nudoso, -a [nu'ðoso, a] adj
noueux(-euse)
nuera ['nwera] nf belle-fille f
nuestro, -a ['nwestro, a] adj à nous
■ pron notre; **~ padre** notre père; **un
amigo ~** un de nos amis; **es el ~** c'est le
nôtre; **los ~s** les nôtres; (Deporte) notre
équipe
nueva ['nweβa] nf nouvelle f; **hacerse de
~s** feindre l'étonnement; ver tb **nuevo**
Nueva York [-'jork] n New York
Nueva Zelanda [-θe'landa] nf Nouvelle-
Zélande f

Nueva Zelandia [-θe'landja] (AM) nf
= **Nueva Zelanda**
nuevamente ['nweβamente] adv à
nouveau
nueve ['nweβe] adj inv, nm inv neuf m inv;
ver tb **seis**
nuevo, -a ['nweβo, a] adj
nouveau(-velle); (no usado) neuf (neuve)
■ nm/f nouveau(-velle); **ese abrigo está
~** ce manteau est neuf; **¿qué hay de ~?**
(fam) quoi de neuf?; **soy ~ aquí** je suis
nouveau ici; **de ~** de nouveau
nuez [nweθ] (pl **nueces**) nf noix fsg;
~ (de Adán) pomme f d'Adam; **~
moscada** noix muscade
nulidad [nuli'ðað] nf nullité f; **es una ~**
(pey) il est nul
nulo, -a ['nulo, a] adj nul(le); **soy ~
para la música** je suis nul(le) en
musique
núm. abr (= número) n[o] (= numéro)
numeración [numera'θjon] nf (de calle,
páginas) numérotation f; (sistema)
chiffres mpl; **~ arábiga/romana** chiffres
arabes/romains; **~ de línea** (Inform)
numérotation des lignes
numeral [nume'ral] adj (Ling)
numéral(e) ■ nm numéral m
numerar [nume'rar] vt numéroter;
numerarse vpr se numéroter
número ['numero] nm nombre m;
(de zapato) pointure f; (Teatro, de
publicación, de lotería) numéro m;
sin ~ sans nombre; **en ~s redondos**
en chiffres ronds; **hacer o montar un
~** (fam) faire un numéro; **hacer ~s**
faire les comptes; **ser el ~ uno** être le
numéro un; **estar en ~s rojos** être à
découvert; **~ atrasado** vieux numéro;
~ binario (Inform) nombre binaire;
~ de matrícula/de teléfono numéro
d'immatriculation/de téléphone;
~ de serie numéro de série; **~ decimal/
impar/par** nombre décimal/impair/pair;
~ personal de identificación (Inform etc)
numéro personnel d'identification;
~ romano chiffre romain
numeroso, -a [nume'roso, a] adj
nombreux(-euse); ver tb **familia**
nunca ['nunka] adv jamais; **~ me
escribes** tu ne m'écris jamais; **no estudia
~** il n'étudie jamais; **¿~ lo has pensado?**
tu n'y as jamais pensé?; **~ más** jamais
plus
nupcias ['nupθjas] nfpl: **en segundas ~**
en secondes noces
nutria ['nutrja] nf loutre f
nutrición [nutri'θjon] nf nutrition f

nutrido, -a [nu'triðo, a] *adj* nourri(e);
  (*grupo, representación*) dense; **bien/mal ~**
  bien/mal nourri(e); **~ de** truffé(e) de
nutrir [nu'trir] *vt* nourrir; **nutrirse** *vpr*:
  ~se de se nourrir de
nutritivo, -a [nutri'tiβo, a] *adj*
  nutritif(-ive)
nylon [ni'lon] *nm* nylon *m*

ñato, -a ['ɲato, a] (*Csur*) *adj* (*de nariz
  chata*) camus(e)
ñoñería [ɲoɲe'ria] *nf* (*de persona sosa*)
  fadeur *f*; (*de persona melindrosa*)
  pudibonderie *f*; (*una ñoñería*) niaiserie *f*
ñoño, -a ['ɲoɲo, a] *adj* (*soso*) fadasse
  (*fam*); (*melindroso*) pudibond(e)

O *abr* (= *oeste*) O (= *ouest*)

o [o] *conj* ou; **o ... o ...** soit ... soit ...; **o sea** c'est-à-dire

o/ *nm* (= *orden*) commande *f*

oasis [o'asis] *nm inv* oasis *msg o fsg*

obedecer [oβeðe'θer] *vt* obéir à ■ *vi* obéir; **~ a** (*Med, fig*) succomber à; **~ al hecho de** provenir du fait que

obediencia [oβe'ðjenθja] *nf* obéissance *f*

obediente [oβe'ðjente] *adj* obéissant(e)

obertura [oβer'tura] *nf* (*Mús*) ouverture *f*

obesidad [oβesi'ðað] *nf* obésité *f*

obeso, -a [o'βeso, a] *adj* obèse

obispo [o'βispo] *nm* évêque *m*

objeción [oβxe'θjon] *nf* objection *f*; **hacer una ~, poner objeciones** faire une objection, soulever des objections; **~ de conciencia** objection de conscience

objetar [oβxe'tar] *vt*: **~ que** objecter que ■ *vi* être objecteur de conscience; **¿algo que ~?** des objections?

objetivo, -a [oβxe'tiβo, a] *adj* objectif(-ive) ■ *nm* objectif *m*

objeto [oβ'xeto] *nm* objet *m*; (*finalidad*) objet, but *m*; **ser ~ de algo** être l'objet de qch; **con ~ de** dans le but de

objetor [oβxe'tor] *nm* (*tb*: **objetor de conciencia**) objecteur *m* de conscience

oblicuo, -a [o'βlikwo, a] *adj* oblique

obligación [oβliɣa'θjon] *nf* (*tb Com*) obligation *f*; **obligaciones** *nfpl* obligations *fpl*; **cumplir con mi** *etc* **~** remplir mon *etc* devoir

obligar [oβli'ɣar] *vt* obliger; **obligarse** *vpr*: **~se a hacer** s'obliger à faire

obligatorio, -a [oβliɣa'torjo, a] *adj* obligatoire

oboe [o'βoe] *nm* hautbois *msg*; (*músico*) hautboïste *m/f*

obra ['oβra] *nf* œuvre *f*; (*libro*) œuvre, ouvrage *m*; (*tb*: **obra dramática o de teatro**) pièce *f*; **obras** *nfpl* travaux *mpl*; **ser ~ de algn** être l'œuvre de qn; **por ~ de** à cause de; **estar de** *o* **en ~s** être en travaux; **~s benéficas/de caridad** œuvres *fpl* de bienfaisance/de charité; **~s completas** œuvres complètes; **~ de arte** œuvre d'art; **~ de consulta** ouvrage de référence; **~ maestra** chef-d'œuvre *m*; **~s públicas** travaux publics

obrar [o'βrar] *vt*: **~ milagros** (*fig*) faire des miracles ■ *vi* agir; **la carta obra en su poder** la lettre est en votre possession

obrero, -a [o'βrero, a] *adj* ouvrier(-ère) ■ *nm/f* ouvrier(-ère); (*del campo*) ouvrier(-ère) (agricole); **clase obrera** classe *f* ouvrière

obscenidad [oβsθeni'ðað] *nf* obscénité *f*

obsceno, -a [oβs'θeno, a] *adj* obscène

obscu... [oβsku] = **oscu...**

obsequiar [oβse'kjar] *vt*: **~ a algn con algo** faire cadeau de qch à qn; (*con una atención*) offrir qch à qn

obsequio [oβ'sekjo] *nm* (*regalo*) présent *m*; (*cortesía*) attention *f*

observación [oβserβa'θjon] *nf* observation *f*; **capacidad de ~** esprit *m* d'observation

observador, a [oβserβa'ðor, a] *adj* observateur(-trice) ■ *nm/f* observateur *m*

observar [oβser'βar] *vt* observer

obsesión [oβse'sjon] *nf* obsession *f*

obsesivo, -a [oβse'siβo, a] *adj* obsessionnel(le)

obsoleto, -a [oβso'leto, a] *adj* (*máquina*) obsolète; (*ideas*) désuet(ète)

obstáculo [oβs'takulo] *nm* obstacle *m*

obstante [oβs'tante] *adv*: **no ~** cependant

obstinado, -a [oβsti'naðo, a] *adj* obstiné(e)

obstinarse [oβsti'narse] *vpr* s'obstiner; **~ en** s'obstiner à

obstrucción [oβstruk'θjon] *nf* obstruction *f*

obstruir [oβstru'ir] vt obstruer; (*plan, labor, proceso*) faire obstacle à

obtener [oβte'ner] vt obtenir

obturador [oβtura'ðor] nm obturateur m

obvio, -a ['oββjo, a] adj évident(e)

ocasión [oka'sjon] nf occasion f; **¡~!** (*Com*) offre spéciale; **de ~** (*libro*) d'occasion; **con ~ de** à l'occasion de; **dar ~ de** donner l'occasion de; **en (algunas) ocasiones** parfois; **aprovechar la ~** profiter de l'occasion

ocasionar [okasjo'nar] vt occasionner

ocaso [o'kaso] nm (*puesta de sol*) coucher m du soleil; (*decadencia*) déclin m

occidente [okθi'ðente] nm occident m; **el O~** l'Occident m

O.C.D.E. sigla f (= *Organización para la Cooperación y el Desarrollo Económico*) OCDE f (= *Organisation de coopération et de développement économique*)

océano [o'θeano] nm océan m; **el ~ Atlántico** l'océan m Atlantique

ochenta [o'tʃenta] adj inv, nm inv quatre-vingts m; inv; ver tb **sesenta**

ocho ['otʃo] adj inv, nm inv huit m inv; **~ días** huit jours mpl; ver tb **seis**

ochocientos, -as [otʃo'θjentos, as] adj huit cents; ver tb **seiscientos**

ocio ['oθjo] nm (*tiempo*) loisir m; (*pey*) oisiveté f; **"guía del ~"** "guide m art et spectacles"

ocioso, -a [o'θjoso, a] adj: **estar ~** être oisif(-ive); **ser ~** être oiseux(-euse)

octavilla [okta'βiʎa] nm (*esp Pol*) tract m

octavo, -a [ok'taβo, a] adj, nm/f huitième m/f; ver tb **sexto**

octubre [ok'tuβre] nm octobre m; ver tb **julio**

ocular [oku'lar] adj (*inspección*) des yeux; **testigo ~** témoin m oculaire

oculista [oku'lista] nm/f oculiste m/f

ocultar [okul'tar] vt cacher; **ocultarse** vpr: **~se (tras/de)** se cacher (derrière/de)

oculto, -a [o'kulto, a] adj (*puerta, persona*) dissimulé(e); (*razón*) caché(e)

ocupación [okupa'θjon] nf occupation f

ocupado, -a [oku'paðo, a] adj occupé(e); **¿está ocupada la silla?** la place est prise?

ocupar [oku'par] vt occuper; **ocuparse** vpr: **~se de** s'occuper de; **~se de lo suyo** s'occuper de ses affaires

ocurrencia [oku'rrenθja] nf (*idea*) idée f; (: *graciosa*) trait m d'esprit; **¡qué ~!** (*pey*) quelle drôle d'idée!

ocurrir [oku'rrir] vi (*suceso*) se produire, se passer; **ocurrirse** vpr: **se me ha ocurrido que ...** il m'est venu à l'esprit que ...; **¿qué te ocurre?** qu'est-ce que tu as?; **¿qué ocurre?** qu'est-ce qui se passe?; **lo que ocurre es que ...** ce qui se passe, c'est que ...; **¡ni se te ocurra!** pas question!; **¡qué cosas se te ocurren!** tu as de ces idées!; **¿se te ocurre algo?** tu as une idée?

odiar [o'ðjar] vt (*a algn*) haïr; (*comida, trabajo*) détester

odio ['oðjo] nm haine f; **tener ~ a algn** détester qn, haïr qn

odioso, -a [o'ðjoso, a] adj (*persona*) odieux(-euse); (*tiempo*) exécrable; (*trabajo, tema*) insupportable

odontólogo, -a [oðon'toloɣo, a] nm/f odontologiste m/f

OEA sigla f (= *Organización de Estados Americanos*) OEA f (= *Organisation des États américains*)

oeste [o'este] nm ouest m; **película del ~** western m; ver tb **norte**

ofender [ofen'der] vt offenser; **ofenderse** vpr s'offenser; **~ a la vista** blesser la vue; **~ a los oídos** écorcher les oreilles; **sentirse ofendido** se froisser

ofensa [o'fensa] nf offense f; (*Jur*) délit m

ofensiva [ofen'siβa] nf offensive f

ofensivo, -a [ofen'siβo, a] adj (*palabra etc*) offensant(e); (*Mil*) offensif(-ive)

oferta [o'ferta] nf offre f; (*Com: de bajo precio*) promotion f; **la ~ y la demanda** l'offre et la demande; **artículos de o en ~** articles mpl en promotion; **~s de trabajo** offres fpl d'emploi; **~ monetaria** offre monétaire; **~ pública de compra** (*Com*) offre publique d'achat

oficial [ofi'θjal] adj officiel(le) ■ nm/f (*Mil*) officier m; (*en un trabajo*) ouvrier(-ère) qualifié(e)

oficina [ofi'θina] nf bureau m; **~ de empleo** agence f pour l'emploi; **~ de información** bureau d'information; **~ de objetos perdidos** bureau des objets trouvés; **~ de turismo** office m du tourisme

oficinista [ofiθi'nista] nm/f employé(e) de bureau

oficio [o'fiθjo] nm travail m; (*Rel*) office m; (*función*) fonction f; (*comunicado*) communiqué m; **ser del ~** être du métier; **sin ~ ni beneficio** sans profession; **buenos ~s (de algn)** bons offices (de qn); **~ de difuntos** office des morts

oficioso, -a [ofi'θjoso, a] adj officieux(-euse)

ofrecer [ofre'θer] vt offrir; (*fiesta*) donner; **ofrecerse** vpr: **~se a o para hacer algo** s'offrir pour faire qch; **~ la**

posibilidad de donner la possibilité de; **¿qué se le ofrece?, ¿se le ofrece algo?** puis-je vous aider?; **~se de** s'offrir comme
ofrecimiento [ofreθi'mjento] *nm* offre *f*
oftalmólogo, -a [oftal'moloɣo, a] *nm/f* ophtalmologue *m/f*
ofuscar [ofus'kar] *vt* aveugler; **ofuscarse** *vpr* se troubler; **estar ofuscado por o con algo** être aveuglé par qch
oída [o'iða] *nf*: **de ~s** par ouï-dire
oído [o'iðo] *nm* (Anat) oreille *f*; (sentido) ouïe *f*; **al ~** à l'oreille; **de ~** d'oreille; **tener ~** avoir de l'oreille; **tener buen ~** avoir une bonne oreille; **ser todo ~s** être tout ouïe; **ser duro de ~** être dur d'oreille; **no doy crédito a mis ~s** je n'en crois pas mes oreilles; **hacer ~s sordos a** faire la sourde oreille à; **~ interno** oreille interne
oiga *etc* ['oiɣa] *vb ver* **oír**
oír [o'ir] *vt* entendre; (atender a, esp AM) écouter ▪ *vi* entendre; **¡oye!, ¡oiga!** écoute!, écoutez!; **¿oiga?** (Telec) allo?; **~ misa** entendre la messe; **¡lo que hay que ~!** ce qu'il ne faut pas entendre!; **como quien oye llover** autant parler à un mur; **~ hablar de algn/algo** entendre parler de qn/qch
OIT *sigla f* (= Organización Internacional del Trabajo) OIT *f* (= Organisation internationale du travail)
ojal [o'xal] *nm* boutonnière *f*
ojalá [oxa'la] *excl* si seulement!, espérons! ▪ *conj* (tb: **ojalá que**) si seulement, espérons que; **~ (que) venga hoy** espérons qu'il viendra aujourd'hui!; **¡~ pudiera!** si seulement il pouvait!
ojeada [oxe'aða] *nf* coup *m* d'œil; **echar una ~ a** jeter un coup d'œil à
ojera [o'xera] *nf* cerne *m*; **tener ~s** avoir les yeux cernés
ojeriza [oxe'riθa] *nf*: **tener ~ a** prendre en grippe
ojeroso, -a [oxe'roso, a] *adj* (cara, aspecto) fatigué(e); (ojos) cerné(e)
ojo ['oxo] *nm* œil *m*; (de puente) arche *f*; (de cerradura) trou *m*; (de aguja) chas *msg* ▪ *excl* attention!; **tener ~ para** avoir l'œil pour; **~s saltones** yeux *mpl* globuleux; **ir/andar con ~** faire attention; **no pegar ~** ne pas fermer l'œil; **~ por ~** œil pour œil; **tener ~ clínico** avoir l'œil infaillible; **tener echado el ~ a algo/algn** avoir l'œil sur qch/qn; **en un abrir y cerrar de ~s** en un clin d'œil; **mirar o ver con buenos/malos ~s** voir d'un bon/mauvais œil; **a ~s vistas** à vue d'œil; **¡dichosos los ~s (que te ven)!** quelle bonne surprise!;

a ~ (de buen cubero) à vue de nez; **ten mucho ~ con ése** fais bien attention avec ce type-là; **ser el ~ derecho de algn** (fig) être le chouchou de qn; **~ de buey** œil-de-bœuf *m*
okupa *nm/f* (fam) squatteur(-euse) *m/f*
ola ['ola] *nf* vague *f*; **~ de calor/frío** vague *f* de chaleur/froid; **la nueva ~** la nouvelle vague
olé [o'le] *excl* olé!
oleada [ole'aða] *nf* (tb fig) vague *f*
oleaje [ole'axe] *nm* vagues *fpl*
óleo ['oleo] *nm*: **un ~** une peinture à l'huile; **al ~** à l'huile
oleoducto [oleo'ðukto] *nm* oléoduc *m*
oler [o'ler] *vt* (tb sospechar) sentir; (curiosear) mettre le nez (dans) ▪ *vi* (despedir olor) sentir; **huele a tabaco** ça sent le tabac; **huele a corrupción** ça sent la corruption; **huele mal** ça sent mauvais; (fig) ça sent le brûlé; **huele que apesta** ça pue
olfatear [olfate'ar] *vt* renifler; (con el hocico) flairer; (sospechar) flairer; (curiosear) mettre le nez (dans)
olfato [ol'fato] *nm* odorat *m*; **tener (buen) ~ para algo** avoir du flair pour qch
oligarquía [oliɣar'kia] *nf* oligarchie *f*
olimpíada [olim'pjaða] *nf* olympiade *f*; **olimpíadas** *nfpl* jeux *mpl* olympiques
oliva [o'liβa] *nf* olive *f*; **aceite de ~** huile *f* d'olive
olivo [o'liβo] *nm* olivier *m*
olla ['oʎa] *nf* marmite *f*; (comida) ragoût *m*; **~ a presión** cocotte-minute *f*
olmo ['olmo] *nm* orme *m*
olor [o'lor] *nm* odeur *f*; **mal ~** mauvaise odeur; **~ a** odeur de
oloroso, -a [olo'roso, a] *adj* odorant(e)
olvidar [olβi'ðar] *vt* oublier; **olvidarse** *vpr*: **~se (de)** oublier (de); **~ hacer algo** oublier de faire qch; **se me olvidó (hacerlo)** j'ai oublié (de le faire); **¡se me olvidaba!** j'allais l'oublier!
olvido [ol'βiðo] *nm* oubli *m*; **por ~** par inadvertance; **echar algo en el ~** tirer un trait sur qch; **caer en el ~** tomber dans l'oubli
ombligo [om'bliɣo] *nm* nombril *m*
OMG *nm* (= organismo modificado genéticamente) OGM *m* (= organisme génétiquement modifié)
omiso, -a [o'miso, a] *adj*: **hacer caso ~ de** passer outre à
omitir [omi'tir] *vt* omettre
omnipotente [omnipo'tente] *adj* omnipotent(e)
omoplato [omo'plato] *nm* omoplate *f*

OMS ['oms] *sigla f* (= *Organización Mundial de la Salud*) OMS *f* (= *Organisation mondiale de la santé*)

ONCE ['onθe] *sigla f* (= *Organización Nacional de Ciegos Españoles*) entreprise et organisme d'aide aux aveugles

once ['onθe] *adj inv, nm inv* onze *m inv* ■ *nf* (AM: *refrigerio, merienda*): **la ~, las ~s** le goûter, le thé; *ver tb* **seis**

onda ['onda] *nf* (*Fís*) onde *f*; (*del pelo*) ondulation *f*; **~s acústicas/hertzianas** ondes acoustiques/hertziennes; **~ corta/larga/media** onde courte/grande/moyenne; **la ~ expansiva** l'onde de choc porteuse; **~ sonora** onde sonore

ondear [onde'ar] *vi* onduler

ondular [ondu'lar] *vt, vi* onduler; **ondularse** *vpr* onduler

ONG *sigla f* (= *Organización no gubernamental*) ONG *f* (= *organisation non gouvernementale*)

ONU ['onu] *sigla f* (= *Organización de las Naciones Unidas*) ONU *f* (= *Organisation des Nations unies*)

OPA ['opa] *sigla f* (= *oferta pública de adquisición*) OPA *f* (= *offre publique d'achat*)

opaco, -a [o'pako, a] *adj* opaque

opción [op'θjon] *nf* (*elección*) choix *m*; (*una opción*) option *f*; (*derecho*): **~ a** choix entre; **no hay otra ~** il n'y a pas d'autre solution

opcional [opθjo'nal] *adj* facultatif(-ive)

OPEP [o'pep] *sigla f* (= *Organización de Países Exportadores del Petróleo*) OPEP *f* (= *Organisation des pays exportateurs de pétrole*)

ópera ['opera] *nf* opéra *m*; **~ bufa/cómica** opéra bouffe/comique

operación [opera'θjon] *nf* opération *f*; **~ a plazo** (*Com*) transaction *f* à terme; **operaciones accesorias** (*Inform*) gestion *f* des disques; **operaciones a término** (*Com*) marché *m* à terme

operar [ope'rar] *vt* opérer ■ *vi* opérer; (*Com*) faire des transactions; (*Mat*) faire une opération; **operarse** *vpr* (*cambio*) s'opérer; **~ a algn de algo** opérer qn de qch; **se han operado grandes cambios** il s'est opéré de grands changements; **~se (de)** être opéré(e) (de)

opereta [ope'reta] *nf* opérette *f*

opinar [opi'nar] *vt* penser ■ *vi*: **~ (de o sobre)** donner son avis (sur); **~ bien/mal de** penser du bien/mal de

opinión [opi'njon] *nf* opinion *f*, avis *msg*; **cambiar de ~** changer d'avis; **tener mala/buena ~ de algo/algn** avoir

mauvaise/bonne opinion de qch/qn; **la ~ pública** l'opinion publique

opio ['opjo] *nm* opium *m*

oponente [opo'nente] *nm/f* adversaire *m/f*

oponer [opo'ner] *vt* opposer; **oponerse** *vpr*: **~se (a)** s'opposer (à); **~ A a B** opposer A à B; **¡me opongo!** je m'y oppose!

oportunidad [oportuni'ðað] *nf* (*ocasión*) occasion *f*; (*posibilidad*) opportunité *f*; **oportunidades** *nfpl* (*Com*) promotions *fpl*; (*en trabajo, educación*) possibilités *fpl*; **dar a algn otra ~** redonner une chance à qn

oportuno, -a [opor'tuno, a] *adj* opportun(e); (*persona*) judicieux(-euse); **en el momento ~** au moment opportun; **¡qué ~!** (*irónico*) c'est bien le moment!

oposición [oposi'θjon] *nf* opposition *f*; **oposiciones** *nfpl* (*Esp*) concours *msg*; **la ~** (*Pol*) l'opposition; **hacer oposiciones (a), presentarse a unas oposiciones (a)** se présenter au concours (de)

OPOSICIÓN

Les *oposiciones* sont les examens qui, chaque année, permettent d'accéder, au niveau national ou régional, aux postes de la fonction publique, de l'enseignement, du système judiciaire, etc. Ces postes étant permanents, le nombre de candidats ("opositores") et le niveau des épreuves sont très élevés. Les candidats doivent étudier un grand nombre de sujets relevant de leur spécialité, mais aussi le fonctionnement de la Constitution. Il n'est pas rare de repasser les épreuves plusieurs années en suivant.

opresivo, -a [opre'siβo, a] *adj* (*régimen*) oppressif(-ive); (*medidas*) de répression

opresor, a [opre'sor, a] *nm/f* oppresseur *m*

oprimir [opri'mir] *vt* (*botón*) presser; (*suj: cinturón, ropa*) serrer; (*fig: corazón*) oppresser; (*obrero, campesino*) opprimer

optar [op'tar] *vi*: **~ por** opter pour; **~ a** aspirer à

optativo, -a [opta'tiβo, a] *adj* (*asignatura*) facultatif(-ive)

óptica ['optika] *nf* (*tienda*) opticien *m*; (*Fís, Tec*) optique *f*; *ver tb* **óptico**

óptico, -a ['optiko, a] *adj* optique ■ *nm/f* opticien(ne)

optimismo [opti'mismo] *nm* optimisme *m*

optimista [opti'mista] *adj, nm/f* optimiste *m/f*

óptimo, -a ['optimo, a] *adj* optimal(e)

opuesto, -a [o'pwesto, a] *pp de* **oponer** ■ *adj* opposé(e)

opulencia [opu'lenθja] *nf* opulence *f*

opulento, -a [opu'lento, a] *adj* opulent(e)

oración [ora'θjon] *nf* (*Rel*) prière *f*; (*Ling*) énoncé *m*

orador, a [ora'ðor, a] *nm/f* orateur(-trice)

oral [o'ral] *adj* oral(e); **por vía ~** par voie orale

orangután [orangu'tan] *nm* orang-outang *m*

orar [o'rar] *vi* prier

oratoria [ora'torja] *nf* éloquence *f*, bagou *m*

órbita ['orβita] *nf* orbite *f*; (*ámbito*) champ *m*

orden ['orðen] *nm* ordre *m* ■ *nf* (*mandato: Rel*) ordre *m*; **por ~** par ordre; **por ~ alfabético/de aparición** par ordre alphabétique/d'apparition; **estar/poner en ~** être/mettre en ordre; **del ~ de** de l'ordre de; **de primer ~** de premier ordre; **estar a la ~ del día** être à l'ordre du jour; **¡a sus órdenes!** à vos ordres!; **dar la ~ de hacer algo** donner l'ordre de faire qch; **~ bancaria** virement *m* bancaire; **~ de comparencia** assignation *f* à comparaître; **~ de compra** (*Com*) ordre d'achat; **~ del día** ordre du jour; **~ público** ordre public

ordenado, -a [orðe'naðo, a] *adj* ordonné(e)

ordenador [orðena'ðor] *nm* (*Inform*) ordinateur *m*; **~ central/de gestión/personal/de sobremesa** ordinateur central/de gestion/personnel/de bureau

ordenanza [orðe'nanθa] *nf* (*militar, municipal*) ordonnance *f* ■ *nm* (*en oficinas*) employé *m* de bureau; (*Mil*) ordonnance *f*

ordenar [orðe'nar] *vt* (*mandar*) ordonner; (*papeles, juguetes*) ranger; (*habitación, ideas*) mettre de l'ordre (dans); (*Rel*) ordonner; **ordenarse** *vpr* (*Rel*) être ordonné(e)

ordeñar [orðe'ɲar] *vt* traire

ordinario, -a [orði'narjo, a] *adj* ordinaire; (*pey*) grossier(-ère); **de ~** d'ordinaire

orégano [o'reɣano] *nm* origan *m*

oreja [o'rexa] *nf* oreille *f*; **sonrisa de ~ a ~** sourire *m* jusqu'aux oreilles; **ver las ~s al lobo** sentir le vent tourner

orfanato [orfa'nato] *nm* orphelinat *m*

orfandad [orfan'dað] *nf* fait d'être orphelin

orfebrería [orfeβre'ria] *nf* orfèvrerie *f*

orgánico, -a [or'ɣaniko, a] *adj* (*tb ley*) organique; (*todo*) organisé(e)

organigrama [orɣani'ɣrama] *nm* organigramme *m*

organismo [orɣa'nismo] *nm* organisme *m*; **~ internacional** organisation *f* internationale

organización [orɣaniθa'θjon] *nf* organisation *f*; **buena/mala ~** bonne/mauvaise organisation; **O~ de las Naciones Unidas** Organisation des Nations unies; **O~ del Tratado del Atlantico Norte** Organisation du traité de l'Atlantique Nord

organizar [orɣani'θar] *vt* organiser; (*crear*) fonder; **organizarse** *vpr* s'organiser; (*escándalo*) se produire

órgano ['orɣano] *nm* organe *m*; (*Mús*) orgue *m*

orgasmo [or'ɣasmo] *nm* orgasme *m*

orgía [or'xia] *nf* orgie *f*

orgullo [or'ɣuʎo] *nm* orgueil *m*

orgulloso, -a [orɣu'ʎoso, a] *adj* orgueilleux(-euse)

orientación [orjenta'θjon] *nf* orientation *f*; **~ profesional/universitaria** orientation professionnelle/des études; **tener sentido de la ~** avoir le sens de l'orientation

orientar [orjen'tar] *vt* orienter; (*esfuerzos*) diriger; **orientarse** *vpr* s'orienter; **~se (en/sobre)** s'orienter (vers/d'après)

oriente [o'rjente] *nm* orient *m*; **el O~** l'Orient *m*; **O~ Medio/Próximo** Moyen-/Proche-Orient; **Lejano O~** Extrême-Orient

origen [o'rixen] *nm* origine *f*; **de ~ español** d'origine espagnole; **de ~ humilde** d'origine modeste; **dar ~ a** donner lieu à; **país/lugar de ~** pays *msg*/lieu *m* d'origine; **idioma de ~** langue *f* maternelle

original [orixi'nal] *adj* original(e); (*relativo al origen*) originel(le) ■ *nm* original *m*; **el pecado ~** le péché originel

originalidad [orixinali'ðað] *nf* originalité *f*

originar [orixi'nar] *vt* causer, provoquer; **originarse** *vpr*: **~se (en)** trouver son origine (dans)

originario, -a [orixi'narjo, a] *adj* originaire; (*motivo, razón*) premier(-ère);

~ de originaire de; **país ~** pays *msg* d'origine

orilla [o'riʎa] *nf* bord *m*; **a ~s del mar/río** au bord de la mer/rivière

orina [o'rina] *nf* urine *f*

orinal [ori'nal] *nm* pot *m* de chambre

orinar [ori'nar] *vi* uriner; **orinarse** *vpr* faire pipi

orines [o'rines] *nmpl* urines *fpl*

oriundo, -a [o'rjundo, a] *adj*: **~ de** originaire de

ornitología [ornitolo'xia] *nf* ornithologie *f*

oro ['oro] *nm* or *m*; **~ de ley** or au titre; **de ~** en or; **ofrecer/prometer el ~ y el moro** promettre monts et merveilles; **no es ~ todo lo que reluce** tout ce qui brille n'est pas or; **hacerse de ~** rouler sur l'or; *ver tb* **oros**

oropel [oro'pel] *nm* oripeau *m*

oros ['oros] *nmpl* (*Naipes*) l'une des quatre couleurs d'un jeu de cartes espagnol

orquesta [or'kesta] *nf* orchestre *m*; **~ de cámara/de jazz** orchestre de chambre/de jazz

orquídea [or'kiðea] *nf* orchidée *f*

ortiga [or'tiɣa] *nf* ortie *f*

ortodoxo, -a [orto'ðokso, a] *adj* orthodoxe

ortografía [ortoɣra'fia] *nf* orthographe *f*

ortopedia [orto'peðja] *nf* orthopédie *f*

ortopédico, -a [orto'peðiko, a] *adj* orthopédique

oruga [o'ruɣa] *nf* chenille *f*

orzuelo [or'θwelo] *nm* orgelet *m*

os [os] *pron* vous; **vosotros os laváis** vous vous lavez; **¡callaros!** (*fam*) taisez-vous!

osa ['osa] *nf* ourse *f*; **O~ Mayor/Menor** Grande/Petite Ourse

osadía [osa'ðia] *nf* audace *f*

osar [o'sar] *vi* oser

oscilación [osθila'θjon] *nf* oscillation *f*; (*de precios, temperaturas*) fluctuation *f*

oscilar [osθi'lar] *vi* osciller; (*precio, temperatura*) fluctuer; (*titubear*) vaciller

oscurecer [oskure'θer] *vt* obscurcir ■ *vi* commencer à faire nuit; **oscurecerse** *vpr* s'obscurcir

oscuridad [oskuri'ðað] *nf* obscurité *f*; (*cualidad: de color*) foncé *m*

oscuro, -a [os'kuro, a] *adj* obscur(e); (*color etc*) foncé(e); (*día, cielo*) sombre; (*futuro*) sombre; **a oscuras** dans l'obscurité

óseo, -a ['oseo, a] *adj* osseux(-euse)

oso ['oso] *nm* ours *msg*; **~ blanco/pardo** ours blanc/brun; **hacer el ~** faire le clown; **~ de peluche** ours en peluche; **~ hormiguero** tamanoir *m*

ostentación [ostenta'θjon] *nf* ostentation *f*; **hacer ~ de algo** (*pey*) faire étalage de qch

ostentar [osten'tar] *vt* arborer; (*cargo, título, récord*) posséder

ostra ['ostra] *nf* huître *f* ■ *excl*: **¡~s!** (*fam*) mince!

OTAN ['otan] *sigla f* (= *Organización del Tratado del Atlántico Norte*) OTAN *f* (= *Organisation du traité de l'Atlantique Nord*)

otear [ote'ar] *vt* scruter

otitis [o'titis] *nf* otite *f*

otoñal [oto'ɲal] *adj* automnal(e); (*amor*) mûr(e)

otoño [o'toɲo] *nm* automne *m*

otorgar [otor'ɣar] *vt* octroyer, concéder; (*perdón*) accorder; (*poderes*) attribuer; (*premio*) décerner

otorrinolaringólogo, -a [otorrinolarin'goloɣo, a] *nm/f* (*tb*: **otorrino**) oto-rhino(-laryngologiste) *m/f*

 PALABRA CLAVE

otro, -a ['otro, a] *adj* **1** (*distinto: sg*) un(e) autre; (: *pl*) d'autres; **otra persona** une autre personne; **con otros amigos** avec d'autres amis

2 (*adicional*): **tráigame otro café (más), por favor** apportez-moi un autre café, s'il vous plaît; **otros 10 días más** encore 10 jours; **otros 33** autres; **otra vez** encore une fois

3 (*un nuevo*): **es otro Mozart** c'est un nouveau Mozart; **¡otra!** (*en concierto*) encore!; **¡a otra cosa!** passons à autre chose!

4: **otro tanto**: **comer otro tanto** manger autant; **recibió una decena de telegramas y otras tantas llamadas** il a reçu une dizaine de télégrammes et autant de coups de téléphone

■ *pron* **1**: **el otro/la otra** l'autre; **otros/otras** d'autres; **los otros/las otras** les autres; **no cojas esa gabardina, que es de otro** ne prends pas cet imperméable, il est à quelqu'un d'autre; **que lo haga otro** que quelqu'un d'autre le fasse

2 (*recíproco*): **se odian (la) una a (la) otra** elles se détestent l'une l'autre; **unos y otros** les uns et les autres

ovación [oβa'θjon] *nf* ovation *f*

ovalado, -a [oβa'laðo, a] *adj* oval(e)

óvalo ['oβalo] *nm* ovale *m*

ovario [o'βarjo] *nm* ovaire *m*

oveja [o'βexa] *nf* brebis *fsg*; **~ negra** (*de familia*) brebis galeuse

overol [oβe'rol] (*AM*) *nm* salopette *f*

ovillo [o'βiʎo] *nm* pelote *f*; **hacerse un ~** se pelotonner

OVNI ['oβni] *sigla m* (= *objeto volante (o volador) no identificado*) OVNI *m* (= *objet volant non identifié*)

ovulación [oβula'θjon] *nf* ovulation *f*

óvulo ['oβulo] *nm* ovule *m*

oxidar [oksi'ðar] *vt* oxyder, rouiller; **oxidarse** *vpr* s'oxyder, se rouiller; (*Tec*) s'oxyder

óxido ['oksiðo] *nm* oxyde *m*; (*sobre metal*) rouille *f*

oxigenado, -a [oksixe'naðo, a] *adj* (*agua*) oxygéné(e); (*pelo*) blond(e) oxygéné(e)

oxígeno [ok'sixeno] *nm* oxygène *m*

oyendo *etc* [o'jendo] *vb ver* **oír**

oyente [o'jente] *nm/f* auditeur(-trice)

P *abr* (*Rel*: = *Padre*) P (= *Père*); = *Papa*; (= *pregunta*) Q. (= *question*)

p. *abr* (*Tip*: = *página*) p (= *page*); (*Costura*) = **punto**

pabellón [paβe'ʎon] *nm* pavillon *m*; **~ de conveniencia** (*Com*) pavillon de complaisance; **~ de la oreja** pavillon de l'oreille

pacer [pa'θer] *vi* paître

paciencia [pa'θjenθja] *nf* patience *f*; **¡~!** patience!; **armarse de ~** s'armer de patience; **perder la ~** perdre patience

paciente [pa'θjente] *adj, nm/f* patient(e)

pacificar [paθifi'kar] *vt* pacifier

pacífico, -a [pa'θifiko, a] *adj* pacifique; **el (Océano) P~** le (o l'océan) Pacifique

pacifismo [paθi'fismo] *nm* pacifisme *m*

pacifista [paθi'fista] *nm/f* pacifiste *m/f*

pacotilla [pako'tiʎa] *nf*: **de ~** de pacotille

pactar [pak'tar] *vt, vi* pactiser

pacto ['pakto] *nm* pacte *m*

padecer [paðe'θer] *vt* (*dolor, enfermedad*) souffrir de; (*injusticia*) pâtir de; (*consecuencias, sequía*) subir ■ *vi*: **~ de** souffrir de

padecimiento [paðeθi'mjento] *nm* souffrance *f*

padrastro [pa'ðrastro] *nm* beau-père *m*; (*en las uñas*) envie *f*

padre ['paðre] nm père m; **padres** nmpl
(padre y madre) parents mpl ■ adj (fam):
una juerga ~ une bringue à tout casser;
un susto ~ une peur bleue; **García ~**
Garcia père; **¡tu ~!** (fam!) mon œil!;
~ adoptivo père adoptif; **~ de familia**
père de famille; **~ espiritual** père
spirituel; **P~ Nuestro** Notre Père;
~ político beau-père m

padrino [pa'ðrino] nm parrain m;
padrinos nmpl le parrain et la marraine;
~ de boda témoin m de mariage

padrón [pa'ðron] nm recensement m

paella [pa'eʎa] nf paella f

paga ['paɣa] nf paie f, paye f;
~ extra(ordinaria) treizième mois m

pagano, -a [pa'ɣano, a] adj, nm/f païen(ne)

pagar [pa'ɣar] vt, vi payer; **¡me las
pagarás!** tu me le payeras!; **~ al contado**
payer au comptant; **~ algo caro** (fig) payer
cher qch

pagaré [paɣa're] nm billet m à ordre

página ['paxina] nf page f; **~ web** page f
Web

pago ['paɣo] nm paiement m; **~(s)** (esp
And, Csur) région fsg; **en ~ de** en paiement
de; **~ a cuenta** acompte m; **~ a la
entrega/anticipado/en especie**
paiement à la livraison/anticipé/en
espèces; **~ inicial** versement m initial

pág(s). abr (= página(s)) pp (= page(s))

pague etc ['paɣe] vb ver **pagar**

país [pa'is] nm pays msg; **los P~es Bajos**
les Pays Bas; **el P~ Vasco** le Pays Basque

paisaje [pai'saxe] nm paysage m

paisano, -a [pai'sano, a] nm/f
compatriote m/f; (esp Csur) paysan(ne)
■ adj (esp Csur) paysan(ne); **vestir de ~**
être en civil

paja ['paxa] nf paille f; (fig) remplissage m

pajarita [paxa'rita] nf nœud m papillon

pájaro ['paxaro] nm oiseau m; (fam)
oiseau, loustic m; **tener la cabeza llena
de ~s** avoir la tête ailleurs o en l'air;
~ carpintero pic m

pajita [pa'xita] nf paille f

pala ['pala] nf pelle f; (de pingpong,
frontón) raquette f; (de hélice, remo) pale f;
~ mecánica pelle mécanique

palabra [pa'laβra] nf mot m; (promesa,
facultad, en asamblea) parole f; **faltar a su
~** manquer à sa parole; **dejar a algn con
la ~ en la boca** ne pas laisser qn terminer
sa phrase; **pedir/tener/tomar la ~**
demander/avoir/prendre la parole; **no
encuentro ~s para expresar ...** je ne
trouve pas les mots pour exprimer ...;
~ de honor parole d'honneur

palabrota [pala'βrota] nf gros mot m

palacio [pa'laθjo] nm palais msg; **~ de
justicia** palais de justice

paladar [pala'ðar] nm (tb fig) palais msg

paladear [palaðe'ar] vt savourer

palanca [pa'lanka] nf levier m; (fig)
piston m; **~ de cambio/mando** levier de
changement de vitesse/de commande

palangana [palan'gana] nf cuvette f

palco ['palko] nm (Teatro) loge f; **~ de
autoridades/de honor** tribune f
officielle/d'honneur

Palestina [pales'tina] nf Palestine f

palestino, -a [pales'tino, a] adj
palestinien(ne) ■ nm/f Palestinien(ne)

paleta [pa'leta] nf (de albañil) truelle f;
(Arte) palette f; (de hélice) pale f; (AM)
esquimau m; ver tb **paleto**

paleto, -a [pa'leto, a] adj, nm/f
péquenaud(e)

paliar [pa'ljar] vt pallier

paliativo [palja'tiβo] nm palliatif m

palidecer [paliðe'θer] vi pâlir

palidez [pali'ðeθ] nf pâleur f

pálido, -a ['paliðo, a] adj pâle

palillo [pa'liʎo] nm cure-dents msg;
(Mús) baguette f; **palillos** nmpl (para
comer: tb: **palillos chinos**) baguettes fpl;
estar hecho un ~ être maigre comme
un clou

paliza [pa'liθa] nf raclée f; **dar la
~ a algn** (fam) assommer qn; **dar una
~ a algn** flanquer une raclée à qn;
darse una ~ haciendo algo s'esquinter
à faire qch

palma ['palma] nf (de mano) paume f;
(árbol) palmier m; **batir o dar ~s** battre
des mains; **llevarse la ~** remporter la
palme, l'emporter

palmada [pal'maða] nf tape f;
palmadas nfpl (aplauso)
applaudissements mpl; (en música)
battements mpl de mains

palmar [pal'mar] (fam) vi (tb: **palmarla**)
clamser

palmear [palme'ar] vi applaudir;
(en flamenco) battre des mains

palmera [pal'mera] nf palmier m

palmo ['palmo] nm empan m; (fig) pied
m; **~ a ~** (recorrer) d'un bout à l'autre;
(registrar) de fond en comble; **dejar a
algn con un ~ de narices** couper le
souffle à qn

palo ['palo] nm (de madera) bâton m;
(poste) piquet m; (mango) manche m;
(golpe) coup m; (de golf) club m; (Náut)
mât m; (Naipes) couleur f; **vermut a ~
seco** vermouth m sec; **dar (de) ~s a algn**

rouer qn de coups; ¡qué ~! (fam) quelle tuile!

paloma [pa'loma] nf pigeon m; **la ~ de la paz** la colombe de la paix; **~ mensajera** pigeon voyageur

palomitas [palo'mitas] nfpl (tb: **palomitas de maíz**) pop-corn msg

palpar [pal'par] vt palper; (al andar a ciegas) tâter; **se palpaba la tensión** la tension était palpable

palpitación [palpita'θjon] nf palpitation f

palpitante [palpi'tante] adj palpitant(e); (fig) brûlant(e)

palpitar [palpi'tar] vi palpiter

palta ['palta] (And, Csur) nf avocat m

paludismo [palu'ðismo] nm paludisme m

pamela [pa'mela] nf capeline f

pampa ['pampa] (AM) nf pampa f

pan [pan] nm pain m; **un ~** un pain; **barra de ~** baguette f, flûte f; **eso es ~ comido** c'est du gâteau, c'est du tout cuit; **llamar al ~ ~ y al vino vino** appeler un chat un chat; **ganarse el ~** gagner son pain; **~ de molde** pain de mie; **~ integral** pain complet; **~ rallado** chapelure f

pana ['pana] nf velours msg côtelé; (Chi: avería) panne f

panadería [panaðe'ria] nf boulangerie f

Panamá [pana'ma] nm Panama m

panameño, -a [pana'meɲo, a] adj panaméen(ne) ■ nm/f Panaméen(ne)

pancarta [paŋ'karta] nf pancarte f

panda ['panda] nm panda m ■ nf (fam) bande f

pandereta [pande'reta] nf tambourin m

pandilla [pan'diʎa] nf bande f

panel [pa'nel] nm panneau m; **~ acústico** isolant m acoustique; **~ de control/de mandos** tableau m de contrôle/de commande; **~ de invitados** (Radio, TV) plateau m d'invités; **~ solar** panneau solaire

panfleto [pan'fleto] nm pamphlet m

pánico ['paniko] nm panique f

panorama [pano'rama] nm panorama m

pantalla [pan'taʎa] nf écran m; (de lámpara) abat-jour m; **servir de ~** servir de couverture à; **~ de ayuda** aide f (en ligne); **~ de cristal líquido** écran à cristaux liquides; **~ plana** écran plat; **~ táctil** écran tactile

pantalón [panta'lon] nm, **pantalones** [panta'lones] nmpl pantalon msg; **pantalones vaqueros** blue-jean msg

pantano [pan'tano] nm (ciénaga) marécage m; (embalse) barrage m; (fig: atolladero) bourbier m

panteón [pante'on] nm: **~ familiar** caveau m de famille

pantera [pan'tera] nf panthère f

pantis ['pantis] nmpl collant msg

pantomima [panto'mima] nf pantomime f

pantorrilla [panto'rriʎa] nf mollet m

panty(s) ['panti(s)] nm(pl) collant msg

panza ['panθa] nf panse f

pañal [pa'ɲal] nm lange m; **estar todavía en ~es** (proyecto) en être à ses débuts; (persona) être novice

paño ['paɲo] nm (tela) étoffe f; (trapo) torchon m; **en ~s menores** en petite tenue; **~s calientes** (fig) palliatifs mpl, baume msg; **~ de cocina** torchon; **~ de lágrimas** (fig) réconfort m

pañuelo [pa'ɲwelo] nm (para la nariz) mouchoir m; (para la cabeza) foulard m; **~ de papel** mouchoir en papier

Papa ['papa] nm Pape m

papa ['papa] (AM) nf pomme de terre f

papá [pa'pa] (fam) nm papa m; **papás** nmpl (padre y madre) parents mpl; **hijo de ~** fils msg à papa; **P~ Noel** père Noël m

papada [pa'paða] nf double menton m

papagayo [papa'ɣajo] nm perroquet m

paparrucha [papa'rrutʃa] nf (tontería) bourde f; (rumor falso) bobard m

papaya [pa'paja] nf papaye f

papel [pa'pel] nm papier m; (Teatro, fig) rôle m; **papeles** nmpl (documentos) papiers mpl; **~ carbón** papier carbone; **~ continuo** papier en continu; **~ de aluminio** papier aluminium; **~ de calco/de lija** papier calque/de verre; **~ de carta(s)/de fumar** papier à lettres/à cigarettes; **~ de envolver** papier d'emballage; **~ timbrado** o **del Estado** papier timbré; **~ de estaño** o **plata** papier aluminium; **~ higiénico** o (Méx) **sanitario/secante** papier hygiénique/buvard; **~ madera** (Csur) carton m; **~ moneda** papier-monnaie m; **~ térmico** papier thermique

papeleo [pape'leo] nm paperasserie f

papelera [pape'lera] nf corbeille f à papiers; (en la calle) poubelle f; (industria) papeterie f; **~ de reciclaje** (Inform) corbeille f

papelería [papele'ria] nf papeterie f

papeleta [pape'leta] nf (de rifa) billet m; (Pol) bulletin m; (Escol: calificación) relevé m de notes; ¡vaya ~! quelle histoire!, quelle affaire!

paperas [pa'peras] nfpl oreillons mpl

papilla [pa'piʎa] nf bouillie f; **dejar hecho** o **hacer ~** réduire o mettre en bouillie

paquete [pa'kete] nm paquet m; (esp AM: fam) ennui m; (Inform) progiciel m; ~ **de aplicaciones** lot m de logiciels; ~ **de gestión integrado** progiciel de gestion; ~ **integrado** progiciel; ~**s postales** colis mpl postaux; ~**-bomba** colis msg piégé

par [par] adj pair(e) ■ nm (de guantes, calcetines) paire f; (de veces, días) deux; (pocos) deux ou trois; (título) pair m; (Golf) par m ■ nf (Com) pair; ~**es o nones** pairs ou impairs; **a ~es** par paires; **abrir de ~ en ~** ouvrir tout grand; **a la ~** à la fois; **sobre/bajo la ~** (Econ) au dessus/au dessous du pair; **sin ~** unique

para ['para] prep pour; **decir ~ sí** se dire; ~ **ti** pour toi; **¿~ qué?** pourquoi faire?; **¿~ qué lo quieres?** que veux-tu en faire?; ~ **que te sientes** pour que tu t'assoies; ~ **entonces** à ce moment-là; **estará listo ~ mañana** ça sera prêt pour demain; **ir ~ casa** aller chez soi; ~ **ser tan mayor, está ágil** il est agile pour son âge; **¿quién es usted ~ gritar así?** vous vous prenez pour qui pour crier comme ça?; **tengo bastante ~ vivir** j'ai de quoi vivre; ~ **el caso que me haces** vu l'intérêt que tu me portes; ~ **eso no vengas** si c'est pour ça, ne viens pas; ~ **colmo** pour comble

parábola [pa'raβola] nf parabole f

parabólica [para'βolika] nf (tb: **antena parabólica**) antenne f parabolique

parabrisas [para'βrisas] nm inv pare-brise m inv

paracaídas [paraka'iðas] nm inv parachute m

paracaidista [parakai'ðista] nm/f parachutiste m/f; (Méx: fam) squatter m

parachoques [para'tʃokes] nm inv pare-chocs m inv

parada [pa'raða] nf arrêt m; ~ **de autobús/de taxis** arrêt d'autobus/ station f de taxis; ~ **discrecional** arrêt facultatif; ~ **en seco** arrêt net; ~ **militar** parade f; ver tb **parado**

paradero [para'ðero] nm endroit m; (And, Csur) halte f; **en ~ desconocido** parti sans laisser d'adresse

parado, -a [pa'raðo, a] adj arrêté(e); (tímido) timide; (sin empleo) au chômage; (confuso) confondu(e); (AM) debout ■ nm/f chômeur(-euse); **salir bien ~** bien s'en tirer

paradoja [para'ðoxa] nf paradoxe m

parador [para'ðor] nm (tb: **parador de turismo**) parador m (hôtel de première catégorie géré par l'état)

● **PARADOR NACIONAL**
●
● Le réseau des paradores a été mis en
● place par le gouvernement dans les
● années 50, au début de l'essor du
● tourisme en Espagne. Ils'agit d'hôtels
● de première catégorie, dans des sites
● uniques ou des lieux à caractère
● historique, souvent établis dans
● d'anciens châteaux et monastères.
● Il existe actuellement plus de 80
● paradores, tous classés trois-étoiles
● ou plus, offrant des prestations de
● qualité ainsi qu'un large éventail de
● spécialités locales.

paráfrasis [pa'rafrasis] nf inv paraphrase f

paraguas [pa'raɣwas] nm inv parapluie m

Paraguay [para'ɣwai] nm Paraguay m

paraguayo, -a [para'ɣwajo, a] adj paraguayen(ne) ■ nm/f Paraguayen(ne)

paraíso [para'iso] nm paradis msg; ~ **fiscal** paradis fiscal

paraje [pa'raxe] nm parage m

paralelo, -a [para'lelo, a] adj, nm parallèle m; **en ~** en parallèle

parálisis [pa'ralisis] nf inv paralysie f; ~ **cerebral/infantil/progresiva** paralysie cérébrale/infantile/progressive

paralítico, -a [para'litiko, a] adj, nm/f paralytique m/f

paralizar [parali'θar] vt paralyser; **paralizarse** vpr être paralysé(e); **estar/quedarse paralizado de miedo** être paralysé par la peur

paramilitar [paramili'tar] adj paramilitaire

páramo ['paramo] nm plateau m nu

parangón [paran'gon] nm: **sin ~** sans égal(e)

paranoico, -a [para'noiko, a] adj paranoïaque ■ nm/f paranoïaque m/f; (fig) maniaque, obsédé(e)

parapente [para'pente] nm (deporte, aparato) parapente m

parar [pa'rar] vt arrêter ■ vi s'arrêter; **pararse** vpr s'arrêter; (AM) se lever; **sin ~** sans arrêt; **no ~** ne pas arrêter; **no ~ de hacer algo** ne pas arrêter de faire qch; **ha parado de llover** il ne pleut plus; **fue a ~ a la comisaría** il a atterri au commissariat; **no sé en qué va a ~ todo esto** je ne sais pas comment tout cela va finir; **¡dónde va a ~!** ce n'est pas comparable!; ~**se a hacer algo** s'arrêter pour faire qch

pararrayos [para'rrajos] *nm inv* paratonnerre *m*

parásito, -a [pa'rasito, a] *adj, nm* parasite *m*; **un ~ de la sociedad** un parasite de la société

parcela [par'θela] *nf* parcelle *f*

parche ['partʃe] *nm (de rueda)* rustine *f*; *(de ropa)* pièce *f*; *(fig: de problema)* pis-aller *m inv*; **sólo estamos poniendo ~s** *(fig)* nous ne faisons que du rafistolage

parcial [par'θjal] *adj (pago, eclipse)* partiel(le); *(juicio)* partial(e)

parcialidad [parθjali'ðað] *nf* partialité *f*

pardillo, -a [par'ðiʎo, a] *adj, nm/f* péquenaud(e) *(fam)*; *(inocente)* naïf (naïve) ▪ *nm (Zool)* bouvreuil *m*

parecer [pare'θer] *nm* opinion *f*; *(aspecto)* allure *f* ▪ *vi* sembler; *(asemejarse a)* ressembler à; **parecerse** *vpr* se ressembler; **~se a** ressembler à; **parece mentira** cela semble incroyable; **al ~** à ce qu'il paraît; **parece que va a llover** on dirait qu'il va pleuvoir; **me parece bien/importante que ...** je trouve que c'est bien/qu'il est important que ...; **¿que te pareció la película?** comment as-tu trouvé le film?; **me parece bien** ça me va; **me parece que** il me semble que

parecido, -a [pare'θiðo, a] *adj* semblable ▪ *nm* ressemblance *f*; **~ a algo** semblable à qch; **un hombre bien ~** un bel homme

pared [pa'reð] *nf* mur *m*; *(de montaña)* paroi *f*; **subirse por las ~es** *(fam)* monter sur ses grands chevaux; **~ medianera/ divisoria** mur mitoyen/de refend

pareja [pa'rexa] *nf* paire *f*; *(hombre y mujer)* couple *m*; *(persona)* partenaire *m/f*; **una ~ de guardias** deux gendarmes; **la ~** *(de un par)* l'autre

parentela [paren'tela] *nf* parenté *f*

parentesco [paren'tesko] *nm* parenté *f*

paréntesis [pa'rentesis] *nm inv* parenthèse *f*; **entre ~** entre parenthèses

parezca *etc* [pa'reθka] *vb ver* **parecer**

pariente, -a [pa'rjente, a] *nm/f* parent(e)

parir [pa'rir] *vt (hijo)* accoucher de; *(animal)* mettre bas ▪ *vi (mujer)* accoucher; *(animal)* mettre bas; *(yegua)* mettre bas, poulliner; *(vaca)* mettre bas, vêler

París [pa'ris] *n* Paris

parisiense [pari'sjense], **parisino, -a** [pari'sino, a] *adj* parisien(ne) ▪ *nm/f* Parisien(ne)

parking ['parkin] *nm* parking *m*

parlamentario, -a [parlamen'tarjo, a] *adj, nm/f* parlementaire *m/f*

parlamento [parla'mento] *nm* parlement *m*; *(discurso)* discours *msg*; **P~ Europeo** Parlement européen

parlanchín, -ina [parlan'tʃin, ina] *adj, nm/f* bavard(e)

paro ['paro] *nm (huelga)* arrêt *m*; *(desempleo, subsidio)* chômage *m*; **estar en ~** être au chômage; **~ del sistema** *(Inform)* arrêt du système; **~ cardíaco** arrêt cardiaque

parodia [pa'roðja] *nf* parodie *f*

parodiar [paro'ðjar] *vt* parodier

parpadear [parpaðe'ar] *vi* clignoter

párpado ['parpaðo] *nm* paupière *f*

parque ['parke] *nm* parc *m*; **~ de atracciones** parc d'attractions; **~ de bomberos** caserne *f* de pompiers; **~ móvil** parc automobile; **~ nacional/ zoológico** parc national/zoologique

parquímetro [par'kimetro] *nm* parcmètre *m*, parcomètre *m*

parra ['parra] *nf* treille *f*

párrafo ['parrafo] *nm* paragraphe *m*

parrilla [pa'rriʎa] *nf* grill *m*; *(AM)* porte-bagages *m inv*; **carne a la ~** viande *f* grillée

parrillada [parri'ʎaða] *nf* grillade *f*

párroco ['parroko] *nm* curé *m*

parroquia [pa'rrokja] *nf* paroisse *f*; *(Com)* clientèle *f*

parsimonia [parsi'monja] *nf* parcimonie *f*; **con ~** avec parcimonie

parte ['parte] *nm* rapport *m* ▪ *nf* partie *f*; *(lado)* côté *m*; *(lugar, de reparto)* part *f*; **en alguna ~ de Europa** quelque part en Europe; **por todas ~s** partout; **en cualquier ~** partout, n'importe où; **en (gran) ~** en (grande) partie; **la mayor ~ de los españoles** la plupart des Espagnols; **de algún tiempo a esta ~** depuis quelque temps; **de ~ de algn** de la part de qn; **¿de ~ de quién?** *(Telec)* de la part de qui?; **por ~ de** de la part de; **yo por mi ~** en ce qui me concerne, quant à moi; **por una ~ ... por otra ~ ...** d'une part ... d'autre part; **dar ~ a algn** communiquer à qn; **formar ~ de** faire partie de; **ponerse de ~ de algn** prendre fait et cause pour qn; **tomar ~ (en)** prendre part (à); **~ de guerra** communiqué *m* de guerre; **~ meteorológico** bulletin *m* météorologique

partición [parti'θjon] *nf* partage *m*

participación [partiθipa'θjon] *nf* participation *f*; *(de lotería)* tranche *f*; **~ en los beneficios** participation aux bénéfices; **~ minoritaria** participation minoritaire

participante [partiθi'pante] *nm/f* participant(e)

participar [partiθi'par] *vt* communiquer ■ *vi*: **~ (en)** participer (à); **~ de algo** partager qch; **~ en una empresa** (*Com*) investir dans une entreprise; **le participo que ...** je vous informe que ...

partícipe [par'tiθipe] *nm/f*: **hacer ~ a algn de algo** faire part à qn de qch

particular [partiku'lar] *adj* particulier(-ière) ■ *nm* (*punto, asunto*) sujet *m*, chapitre *m*; (*individuo*) particulier *m*; **clases ~es** cours *mpl* particuliers; **en ~** en particulier; **no dijo mucho sobre el ~** il n'en a pas dit long sur ce sujet

partida [par'tiða] *nf* départ *m*; (*Com: de mercancía*) lot *m*; (: *de cuenta, factura*) entrée *f*; (: *de presupuesto*) chapitre *m*; (*juego*) partie *f*; (*grupo, bando*) bande *f*; **mala ~** mauvais tour *m*; **echar una ~** faire une partie; **~ de caza** partie de chasse; **~ de defunción/de matrimonio** extrait *m* d'acte de décès/de mariage; **~ de nacimiento** extrait de naissance

partidario, -a [parti'ðarjo, a] *adj*: **ser ~ de** être partisan(e) de ■ *nm/f* (*seguidor*) partisan(e)

partido [par'tiðo] *nm* parti *m*; (*Deporte*) match *m*; **sacar ~ de** tirer parti; **tomar ~** prendre parti; **~ amistoso** match amical; **~ de baloncesto** match de basket; **~ de fútbol** match de football; **~ de tenis** match de tennis; **~ judicial** arrondissement *m*

partir [par'tir] *vt* (*dividir*) partager; (*romper*) casser; (*rebanada, trozo*) couper ■ *vi* partir; **partirse** *vpr* se casser; **a ~ de** à partir de, à compter de; **~ de** partir de; **~se de risa** se tordre de rire

partitura [parti'tura] *nf* partition *f*

parto ['parto] *nm* (*de una mujer*) accouchement *m*; (*de un animal*) mise bas *f*; (*fig*) enfantement *m*; **estar de ~** être en couches

pasa ['pasa] *nf* raisin *m* sec; **~ de corinto** raisin de Corinthe

pasada [pa'saða] *nf* passage *m*; (*con trapo, escoba*) coup *m*; **de ~** (*leer, decir*) au passage; **mala ~** mauvais tour *m*

pasadizo [pasa'ðiθo] *nm* passage *m*

pasado, -a [pa'saðo, a] *adj* passé(e), (*muy hecho*) trop cuit(e); (*anticuado*) dépassé(e), démodé(e) ■ *nm* passé *m*; **~ mañana** après-demain; **el mes ~** le mois dernier; **~s dos días** deux jours plus tard; **lo ~, ~** tout ça, c'est du passé; **~ de**

moda démodé(e); **~ por agua** (*huevo*) à la coque

pasador [pasa'ðor] *nm* verrou *m*; (*de pelo*) barrette *f*; (*de corbata*) épingle *f*; (*AM*) lacet *m*

pasaje [pa'saxe] *nm* passage *m*; (*de barco, avión*) billet *m*; (*los pasajeros*) passagers *mpl*; **~ electrónico** billet *m* electronique

pasajero, -a [pasa'xero, a] *adj, nm/f* passager(-ère)

pasamontañas [pasamon'taɲas] *nm inv* passe-montagne *m*

pasaporte [pasa'porte] *nm* passeport *m*

pasar [pa'sar] *vt* passer; (*barrera, meta*) franchir; (*frío, calor, hambre*) avoir; (: *con énfasis*) souffrir de; (*rebasar*) dépasser ■ *vi* passer; (*ocurrir*) se passer; (*entrar*) entrer; **pasarse** *vpr* se passer; (*flores*) se faner; (*comida*) se gâter; (*excederse*) exagérer; **hacer ~ a algn** faire entrer qn; **~ a (hacer)** en venir à (faire); **~ de** dépasser de; **~ de largo** ne pas s'en faire; **~ de (hacer) a!go** (*fam*) se ficher de (faire) qch; **~ de todo** (*fam*) se ficher de tout; **¡pase!** entrez!; **~ por un sitio/una calle** passer par un endroit/une rue; **~ por alto** faire fi de, passer sous silence; **~ por una crisis** traverser une crise; **~ sin algo** se passer de qch; **~lo bien** s'amuser; **¿qué pasa?** que se passe-t-il?; **¿qué te pasa?** que t'arrive-t-il?; **¡cómo pasa el tiempo!** comme le temps passe vite!; **pase lo que pase** quoi qu'il en soit, advienne que pourra; **se hace ~ por médico** il se fait passer pour médecin; **pásate por casa/la oficina** passe chez moi/par mon bureau; **~se al enemigo** passer à l'ennemi; **~se de moda** passer de mode; **~se de la raya** dépasser les bornes; **¡no te pases!** n'exagère pas!; **me lo pasé bien/mal** cela s'est bien/mal passé; **se me pasó** j'ai complètement oublié; **se me pasó el turno** j'ai laissé passer mon tour; **no se le pasa nada** rien ne lui échappe; **ya se te pasará** ça te passera

pasarela [pasa'rela] *nf* passerelle *f*; (*de modas*) podium *m*

pasatiempo [pasa'tjempo] *nm* passe-temps *msg*; **pasatiempos** *nmpl* (*en revista*) jeux *mpl*

Pascua ['paskwa], **pascua** ['paskwa] *nf* (*tb*: **Pascua de Resurrección**) Pâques *fpl*; **Pascuas** *nfpl* Noël *msg*; **¡felices ~s!** joyeux Noël!; **de ~s a Ramos** tous les trente-six du mois; **hacer la ~ a algn** (*fam*) mettre qn dans le pétrin

pase ['pase] *nm* passe *m*; (*Com*) passavant *m*; (*Cine*) projection *f*; **~ de modelos** défilé *m* de mannequins

pasear [pase'ar] *vt, vi* promener; **pasearse** *vpr* se promener

paseo [pa'seo] *nm* promenade *f*; (*distancia corta*) pas *msg*; **dar un ~** faire une promenade; **mandar a algn a ~** envoyer qn promener; **¡vete a ~!** va te faire voir!; **~ marítimo** front *m* de mer

pasillo [pa'siʎo] *nm* couloir *m*; **~ aéreo** couloir aérien

pasión [pa'sjon] *nf* passion *f*

pasivo, -a [pa'siβo, a] *adj* passif(-ive) ■ *nm* (*Com*) passif *m*; **~ circulante** passif exigible

pasmar [pas'mar] *vt* ébahir; **pasmarse** *vpr* être ébahi(e), ne pas en revenir

pasmo ['pasmo] *nm* stupéfaction *f*

paso, -a ['paso, a] *adj* sec (sèche) ■ *nm* passage *m*; (*pisada, de baile*) pas *msg*; (*modo de andar*) pas, allure *f*; (*de montaña*) col *m*; (*Telec*) unité *f*; **pasos** *nmpl* (*gestiones*) démarches *fpl*; (*huellas*) pas *mpl*; **~ a ~** pas à pas; **a cada ~** à tout bout de champ; **a un ~** o **dos ~s** à deux pas; **a ese ~** à cette allure; **a ~ lento** à pas comptés; **a ~ ligero** d'un pas léger; **abrirse ~** se frayer un chemin; **salir al ~ de** répliquer à; **salir al ~** passer à la contre-offensive; **salir del ~** se tirer d'affaire; **dar un ~ en falso** faire un faux pas, trébucher; (*fig*) faire un faux pas, commettre une faute; **de ~, ...** au passage, ...; **estar de ~** être de passage; **un ~ atrás** un pas en arrière; **un mal ~** (*fig*) une mauvaise passe; **prohibido el ~** passage interdit; **ceda el ~** céder le passage, priorité; **~ a nivel** passage à niveau; **~ de peatones/de cebra** passage pour piétons/clouté; **~ elevado** saut-de-mouton *m*; **~ subterráneo** passage souterrain

pasota [pa'sota] (*fam*) *adj, nm/f* je-m'en-foutiste *m/f*

pasta ['pasta] *nf* pâte *f*; (*tb*: **pasta de té**) petit four *m*; (*fam*: *dinero*) fric *m*; (*encuadernación*) reliure *f*; **~ dentífrica** o **de dientes** dentifrice *m*; **~ de papel** pâte à papier

pastar [pas'tar] *vi* paître

pastel [pas'tel] *nm* gâteau *m*; (*de carne*) friand *m*; (*Arte*) pastel *m*; **se descubrió el ~** on a découvert le pot aux roses

pastelería [pastele'ria] *nf* pâtisserie *f*

pasteurizado, -a [pasteuri'θaðo, a] *adj* pasteurisé(e)

pastilla [pas'tiʎa] *nf* (*de jabón*) savonnette *f*; (*de chocolate*) tablette *f*; (*Med*) comprimé *m*, cachet *m*

pastillero, a [pasti'ʎero, a] *nm/f* (*fam*) accro *m/f* aux petites pilules

pasto ['pasto] *nm* pâture *f*; (*lugar*) pâturage *m*; **fue ~ de las llamas** il a été la proie des flammes

pastor, a [pas'tor, a] *nm/f* berger(-ère) ■ *nm* (*Rel*) pasteur *m*; **perro ~** chien *m* (de) berger; **~ alemán** berger allemand

pata ['pata] *nf* patte *f*; (*pie*) pied *m*; **~s arriba** (*caer*) les quatre fers en l'air; (*revuelto*) sens dessus dessous; **a cuatro ~s** à quatre pattes; **a la ~ coja** à cloche-pied; **meter la ~** mettre les pieds dans le plat; **tener mala ~** ne pas avoir de chance; **~ de cabra** (*Tec*) pince *f* à levier; **~ de gallo** pied-de-poule

patada [pa'taða] *nf* coup *m* de pied; **dar una ~ a algn/a algo** donner un coup de pied à qn/à qch; **a ~s** (*fam*: *en abundancia*) à foison; **echar a algn a ~s** éjecter qn à coup de pieds; **tratar a algn a ~s** recevoir qn comme un chien dans un jeu de quilles

patalear [patale'ar] *vi* trépigner

patata [pa'tata] *nf* pomme *f* de terre; **~s fritas** frites *fpl*; (*en rebanadas*) chips *fpl*; **no entender/no saber ni ~** (*fam*) ne comprendre/ne savoir que dalle

paté [pa'te] *nm* pâté *m*

patear [pate'ar] *vt* piétiner; (*fig*: *humillar*) houspiller; (*fam*: *ciudad, museo*) parcourir de long en large *o* en tous sens ■ *vi* trépigner

patentar [paten'tar] *vt* breveter

patente [pa'tente] *adj* manifeste ■ *nf* patente *f*, brevet *m*; (*Csur*) immatriculation *f*; **hacer ~** manifester

patera [pa'tera] (*Esp*) *nf* bateau *m* (*utilisé notamment par les immigrés clandestins venus d'Afrique du nord*)

paternal [pater'nal] *adj* paternel(le)

paterno, -a [pa'terno, a] *adj* paternel(le)

patético, -a [pa'tetiko, a] *adj* pathétique

patilla [pa'tiʎa] *nf* (*de gafas*) branche *f*; **patillas** *nfpl* (*de la barba*) favoris *mpl*

patín [pa'tin] *nm* patin *m*; (*de mar*) pédalo *m*; **~ de hielo/de ruedas** patin à glace/à roulettes

patinaje [pati'naxe] *nm* patinage *m*; **~ artístico** patinage artistique; **~ sobre hielo/sobre ruedas** patinage (sur glace)/à roulettes

patinar [pati'nar] *vi* patiner; (*fam*: *equivocarse*) se gourer

patio ['patjo] *nm* cour *f*; ~ **de butacas** (*Cine, Teatro*) orchestre *m*; ~ **de recreo** cour de récréation

pato ['pato] *nm* canard *m*; **pagar el** ~ (*fam*) payer les pots cassés

patológico, -a [pato'loxiko, a] *adj* pathologique

patoso, -a [pa'toso, a] *adj* lourdaud(e)

patraña [pa'traɲa] *nf* mensonge *m*

patria ['patrja] *nf* patrie *f*; ~ **chica** terroir *m*

patrimonio [patri'monjo] *nm* patrimoine *m*

patriota [pa'trjota] *nm/f* patriote *m/f*

patriotismo [patrjo'tismo] *nm* patriotisme *m*

patrocinar [patroθi'nar] *vt* (*sufragar*) sponsoriser, parrainer; (*apoyar*) appuyer, parrainer

patrocinio [patro'θinjo] *nm* parrainage *m*

patrón, -ona [pa'tron, ona] *nm/f* patron(ne); (*de pensión*) hôte (hôtesse); (*de barco*) patron *m* ■ *nm* patron *m*; ~ **oro** étalon-or *m*

patronal [patro'nal] *adj*: **la clase** ~ la classe patronale ■ *nf* patronat *m*; **cierre** ~ lock-out *m*

patrulla [pa'truʎa] *nf* patrouille *f*

pausa ['pausa] *nf* pause *f*; **con** ~ posément, tranquillement

pausado, -a [pau'saðo, a] *adj* posé(e)

pauta ['pauta] *nf* modèle *m*

pavimento [paβi'mento] *nm* pavement *m*

pavo ['paβo] *nm* dindon *m*; **¡no seas** ~! ne fais pas le mariolle!; **estar en la edad del** ~ être en plein âge bête; ~ **real** paon *m*

pavor [pa'βor] *nm* frayeur *f*

payaso, -a [pa'jaso, a] *nm/f* clown *m*

payo, -a ['pajo, a] *nm/f* gadjo *m/f*

paz [paθ] *nf* (*pl* **paces**) paix *f*; (*tranquilidad*) calme *m*; **dejar algo/a algn en** ~ laisser qch/qn en paix; **hacer las paces** faire la paix; **que en** ~ **descanse** qu'il repose en paix

PC (*pl* **PCs**) *sigla m* (*ordenador personal*) PC *m*

P.D. *abr* (= *posdata*) P.S. (= *post-scriptum*)

PDA (*pl* ~**s**) *sigle m* (= *personal digital assistant*) PDA *m*

peaje [pe'axe] *nm* péage *m*; **autopista de** ~ autoroute *f* à péage

peatón [pea'ton] *nm* piéton *m*

peca ['peka] *nf* tache *f* de rousseur

pecado [pe'kaðo] *nm* péché *m*; ~ **mortal/venial** péché mortel/véniel

pecador, a [peka'ðor, a] *adj, nm/f* pécheur(-eresse)

pecar [pe'kar] *vi* pécher; ~ **de generoso** pécher par excès de générosité

pecho ['petʃo] *nm* poitrine *f*; (*fig*) cœur *m*; **dar el** ~ **a** donner le sein à; **tomar algo a** ~ prendre qch à cœur; **la alegría no le cabía en el** ~ il ne se sentait plus de joie

pechuga [pe'tʃuɣa] *nf* (*de ave*) blanc *m*

peculiar [peku'ljar] *adj* caractéristique; (*particular*) particulier(-ère)

peculiaridad [pekuljari'ðað] *nf* particularité *f*

pedal [pe'ðal] *nm* pédale *f*; ~ **de embrague/de freno** pédale d'embrague/de frein

pedalear [peðale'ar] *vi* pédaler

pedante [pe'ðante] *adj, nm/f* pédant(e)

pedantería [peðante'ria] *nf* pédanterie *f*

pedazo [pe'ðaθo] *nm* morceau *m*; **hacer algo** ~**s** réduire qch en mille morceaux; **hacer** ~**s a algn** mettre qn en bouillie; **caerse algo a** ~**s** tomber en ruine; **ser un** ~ **de pan** (*fig*) avoir un cœur d'or

pediatra [pe'ðjatra] *nm/f* pédiatre *m/f*

pedido [pe'ðiðo] *nm* commande *f*; ~**s en cartera** commandes *fpl* en souffrance

pedir [pe'ðir] *vt* demander; (*Com*) commander ■ *vi* mendier; ~ **limosna** demander l'aumône; ~ **la mano de** demander la main de; ~ **disculpas** demander des excuses; ~ **prestado** emprunter; **me pidió que cerrara la puerta** il m'a demandé de fermer la porte; **¿cuánto piden por el coche?** combien demande-t-on pour cette voiture?

pedo ['peðo] (*fam!*) *adj inv*: **estar** ~ être rond(e) ■ *nm* (*ventosidad*) pet *m*; (*borrachera*) cuite *f*

pega ['peɣa] *nf* (*obstáculo*) problème *m*; (*fam: pregunta*) colle *f*; **de** ~ à la gomme, de pacotille; **nadie me** *etc* **puso** ~**s** personne n'a trouvé à redire

pegadizo, -a [peɣa'ðiθo, a] *adj* (*canción*) entraînant(e)

pegajoso, -a [peɣa'xoso, a] *adj* collant(e)

pegamento [peɣa'mento] *nm* colle *f*

pegar [pe'ɣar] *vt* coller; (*enfermedad, costumbre*) passer; (*golpear*) frapper; (*Costura*) coudre ■ *vi* (*adherirse*) se coller; (*armonizar*) aller bien; (*el sol*) taper; **pegarse** *vpr* se coller; (*costumbre, enfermedad*) s'attraper; (*dos personas*) se frapper; ~ **un grito** pousser un cri; ~ **un salto** faire un saut; ~ **un susto a algn** faire peur à qn; ~ **fuego** mettre le feu; ~ **la mesa a la pared** mettre la table contre le mur; ~ **en** toucher; **ese**

sombrero no pega con el abrigo ce chapeau ne va pas avec ce manteau; **~se un tiro** se tirer une balle dans la tête; **~se un golpe** se donner un coup; **me pega que ...** j'ai comme l'impression que ...; **~se a algn** se coller à qn; **pegársela a algn** (fam) tromper qn; **se me ha pegado la costumbre/el acento** j'ai pris l'habitude/l'accent

pegatina [peɣa'tina] nf adhésif m

pegote [pe'ɣote] (fam) nm emplâtre m; **tirarse un ~** (fam) s'envoyer des fleurs

peinado [pei'naðo] nm coupe f

peinar [pei'nar] vt peigner; (rastrear) passer au peigne fin; **peinarse** vpr se peigner

peine ['peine] nm peigne m

peineta [pei'neta] nf grand peigne m

p.ej. abr (= por ejemplo) p. ex. (= par exemple)

Pekín [pe'kin] n Pékin

pelado, -a [pe'laðo, a] adj pelé(e); (cabeza) tondu(e); (sueldo) simple, seul(e); (fam) fauché(e)

pelaje [pe'laxe] nm pelage m; (fig) dégaine f

pelar [pe'lar] vt (fruta, animal) peler; (patatas, marisco) éplucher; (habas) écosser; (nueces) écaler; (cortar el pelo) couper; (ave) plumer; **pelarse** vpr (la piel) peler; (cortarse el pelo) se faire couper les cheveux; **hace un frío que pela** il fait un froid de canard; **corre que se las pela** (fam) il court à toutes jambes

peldaño [pel'daɲo] nm marche f; (de escalera de mano) échelon m

pelea [pe'lea] nf (lucha) lutte f; (discusión) discussion f

peleado, -a [pele'aðo, a] adj: **estar ~ (con algn)** être brouillé(e) (avec qn)

pelear [pele'ar] vi se battre; (discutir) disputer; **pelearse** vpr se battre; se disputer; (enemistarse) se brouiller

peletería [pelete'ria] nf pelleterie f

pelícano [pe'likano] nm pélican m

película [pe'likula] nf film m; (capa fina, Foto) pellicule f; **de ~** (fam) sensass; **~ de dibujos (animados)** dessin m animé; **~ del oeste** western m; **~ muda** film muet

peligro [pe'liɣro] nm danger m; **"~ de muerte"** "danger de mort"; **correr ~ de** courir le risque de; **fuera de ~** hors de danger; **poner algo/a algn en ~** exposer qch/qn à un danger

peligroso, -a [peli'ɣroso, a] adj dangereux(-euse)

pelirrojo, -a [peli'rroxo, a] adj roux (rousse), rouquin(e) ■ nm/f rouquin(e)

pellejo [pe'ʎexo] nm peau f; **salvar el ~** sauver sa peau

pellizcar [peʎiθ'kar] vt pincer; (comida) grignoter; **pellizcarse** vpr se pincer

pellizco [pe'ʎiθko] nm pincement m; (pizca) pincée f

pelma ['pelma], **pelmazo, -a** [pel'maθo, a] (fam) nm/f casse-pieds m/fsg

pelo ['pelo] nm cheveux mpl; (un pelo) cheveu m; (: en el cuerpo) poil m; (de sierra) lame f; **a ~** (sin abrigo) peu couvert(e); (sin ayuda) tout(e) seul(e); **venir al ~** tomber à pic; **por los ~s** de justesse; **faltó un ~ para que ...** il s'en est fallu d'un poil que ...; **se me pusieron los ~s de punta** mes cheveux se sont dressés sur ma tête; **con ~s y señales** en long et en large; **no tener ~s en la lengua** ne pas mâcher ses mots; **tomar el ~ a algn** se payer la tête de qn; **¡y yo con estos ~s!** (fam) et moi qui ne suis même pas prêt(e)!

pelota [pe'lota] nf pelote f; (tb: **pelota vasca**) pelote; (fam: cabeza) bouille f ■ nm/f (fam) lèche-bottes m inv (fam); **en ~(s)** (fam) à poil; **devolver la ~ a algn** (fig) renvoyer la balle à qn; **hacer la ~ (a algn)** lécher les bottes (à qn)

pelotón [pelo'ton] nm peloton m; **~ de ejecución** peloton d'exécution

peluca [pe'luka] nf perruque f

peluche [pe'lutʃe] nm: **muñeco de ~** peluche f

peludo, -a [pe'luðo, a] adj (cabeza) chevelu(e); (persona, perro) poilu(e)

peluquería [peluke'ria] nf salon m de coiffure

peluquero, -a [pelu'kero, a] nm/f coiffeur(-euse)

pelusa [pe'lusa] nf (Bot) duvet m; (de tela) peluche f; (de polvo) mouton m; (celos) jalousie f

pelvis ['pelβis] nf bassin m

pena ['pena] nf peine f; (AM) honte f; **penas** nfpl pénalités fpl; **merecer/valer la ~** valoir la peine; **a duras ~s** à grand-peine; **sin ~ ni gloria** sans se faire remarquer, en passant inaperçu; **bajo o so ~ de** sous peine de; **me da ~** cela me fait de la peine; **es una ~** c'est vraiment dommage; **¡qué ~!** quel dommage!; **~ capital** peine capitale; **~ de muerte** peine de mort

penal [pe'nal] adj pénal; **antecedentes ~es** casier msg judiciaire

penalidades [penali'ðaðes] nfpl souffrances fpl

penalti [pe'nalti], **penalty** [pe'nalti] *nm* penalty *m*

pendiente [pen'djente] *adj* (*asunto*) en suspens; (*asignatura*) à repasser; (*terreno*) en pente ■ *nm* boucle *f* d'oreille ■ *nf* pente *f*; ~ **de confirmación** en instance de confirmation; **estar ~ de algo/algn** (*vigilar*) garder un œil sur qch/qn; **estar ~ de los labios/de las palabras de algn** être pendu(e) aux lèvres de qn/boire les paroles de qn

pene ['pene] *nm* pénis *msg*

penetración [penetra'θjon] *nf* pénétration *f*

penetrante [pene'trante] *adj* pénétrant(e)

penetrar [pene'trar] *vt, vi* pénétrer

penicilina [peniθi'lina] *nf* pénicilline *f*

península [pe'ninsula] *nf* péninsule *f*; **P~ Ibérica** péninsule ibérique

peninsular [peninsu'lar] *adj* péninsulaire

penique [pe'nike] *nm* penny *m*

penitencia [peni'tenθja] *nf* pénitence *f*; **en ~** en pénitence

penoso, -a [pe'noso, a] *adj* pénible

pensador, -a [pensa'ðor, a] *nm/f* penseur(-euse)

pensamiento [pensa'mjento] *nm* pensée *f*; **no le pasó por el ~** cela ne lui a pas traversé l'esprit

pensar [pen'sar] *vt, vi* penser; ~ **(hacer)** penser (faire); ~ **en** penser à; **he pensado que** j'ai pensé que; **¡ni ~lo!** (il n'en est) pas question!; **pensándolo bien** tout bien réfléchi; ~ **mal de algn** avoir une mauvaise opinion de qn; **tras pensárselo mucho** après y avoir bien réfléchi

pensativo, -a [pensa'tiβo, a] *adj* pensif(-ive)

pensión [pen'sjon] *nf* pension *f*; **media ~** (*en hotel*) demi-pension *f*; ~ **completa** pension complète; ~ **de jubilación** pension de retraite

pensionista [pensjo'nista] *nm/f* (*jubilado*) pensionné(e); (*Escol*) pensionnaire *m/f*

penúltimo, -a [pe'nultimo, a] *adj, nm/f* avant-dernier(-ière)

penumbra [pe'numbra] *nf* pénombre *f*

penuria [pe'nurja] *nf* pénurie *f*

peña ['peɲa] *nf* rocher *m*; (*grupo*) amicale *f*; (*Deporte*) club *m*

peñasco [pe'ɲasko] *nm* rocher *m*

peñón [pe'ɲon] *nm* piton *m*; **el P~** Gibraltar

peón [pe'on] *nm* manœuvre *m*, ouvrier *m*; (*esp AM*) ouvrier agricole; (*Ajedrez*) pion *m*; ~ **de albañil** aide-maçon *m*

peor [pe'or] *adj* (*compar*) moins bon, pire; (*superl*) pire ■ *adv* (*compar*) moins bien, pire; (*superl*) moins bien; **de mal en ~** de mal en pis; **A es ~ que B** A est pire que B, A est moins bien que B; **Z es el ~ de todos** Z est le pire de tous; **y lo que es ~** et le pire c'est que; **¡~ para ti!** tant pis pour toi!

pepinillo [pepi'niʎo] *nm* cornichon *m*

pepino [pe'pino] *nm* concombre *m*; **(no) me importa un ~** je m'en fiche complètement

pepita [pe'pita] *nf* pépin *m*; (*de mineral*) pépite *f*

pequeñez [peke'ɲeθ] *nf* petitesse *f*

pequeño, -a [pe'keɲo, a] *adj, nm/f* petit(e); ~ **burgués** petit bourgeois

pera ['pera] *adj inv* (*fam*) ≈ BCBG *inv* ■ *nf* poire *f*; **niño ~** petit snob; **eso es pedir ~s al olmo** c'est demander l'impossible

percance [per'kanθe] *nm* contretemps *msg*

percatarse [perka'tarse] *vpr*: ~ **de** se rendre compte de

percepción [perθep'θjon] *nf* perception *f*

percha ['pertʃa] *nf* cintre *m*; (*en la pared*) portemanteau *m*; (*de ave*) perchoir *m*

percibir [perθi'βir] *vt* percevoir

percusión [perku'sjon] *nf* percussion *f*

perdedor, a [perðe'ðor, a] *adj, nm/f* perdant(e)

perder [per'ðer] *vt* perdre; (*tren*) rater ■ *vi* perdre; **perderse** *vpr* se perdre; **echar a ~** (*comida*) gâcher, gâter; (*oportunidad*) laisser passer; ~ **el conocimiento** perdre connaissance; ~ **el juicio/la calma** perdre la tête/son calme; **tener algo/no tener nada que ~** avoir qch/ne rien avoir à perdre; **he perdido la costumbre** j'ai perdu l'habitude; ~**se en detalles** se perdre dans des détails; **¡no te lo pierdas!** ne rate pas ça!

perdición [perði'θjon] *nf* perdition *f*

pérdida ['perðiða] *nf* perte *f*; (*Com*) perte, manque *m* à gagner; **pérdidas** *nfpl* (*Com*) pertes *fpl*; **una ~ de tiempo** une perte de temps; **¡no tiene ~!** vous ne pouvez pas vous tromper!; ~ **contable** (*Com*) perte comptable

perdido, -a [per'ðiðo, a] *adj* perdu(e); **estar ~ por** être épris(e) de; **es un caso ~** c'est un cas désespéré; **tonto ~** (*fam*) bête à manger du foin, bête comme ses pieds

perdiz [per'ðiθ] *nf* perdrix *f*

perdón [per'ðon] *nm* pardon *m*; **¡~!** pardon!; **con ~** avec votre permission

perdonar [perðo'nar] vt pardonner; (la vida) gracier; (eximir) dispenser, exempter ■ vi pardonner; ¡perdone (usted)! pardon!; **perdone, pero me parece que ...** excusez-moi, mais il me semble que ...

perdurar [perðu'rar] vi perdurer; (continuar) durer

perecedero, -a [pereθe'ðero, a] adj périssable

perecer [pere'θer] vi périr

peregrino, -a [pere'ɣrino, a] adj (idea) curieux(-euse), bizarre ■ nm/f pèlerin(e)

perejil [pere'xil] nm persil m

perenne [pe'renne] adj permanent(e); **hoja ~** feuille persistante

pereza [pe'reθa] nf paresse f; **me da ~ hacerlo** cela ne me dit rien de le faire

perezoso, -a [pere'θoso, a] adj paresseux(-euse)

perfección [perfek'θjon] nf perfection f; **a la ~** à la perfection

perfeccionar [perfekθjo'nar] vt perfectionner

perfectamente [perfekta'mente] adv parfaitement; **¡~!** parfaitement!, certainement!

perfecto, -a [per'fekto, a] adj parfait(e)

perfil [per'fil] nm profil m; **perfiles** nmpl (de figura) contours mpl; **de ~** de profil; **~ del cliente** profil du client

perfilar [perfi'lar] vt profiler; **perfilarse** vpr se profiler; **el proyecto se va perfilando** peu à peu ce projet prend corps

perforación [perfora'θjon] nf perforation f

perforar [perfo'rar] vt perforer

perfume [per'fume] nm parfum m

pericia [pe'riθja] nf adresse f

periferia [peri'ferja] nf périphérie f

periférico, -a [peri'feriko, a] adj périphérique ■ nm (Inform) périphérique m; (AM: Auto) (boulevard m) périphérique m

perímetro [pe'rimetro] nm périmètre m

periódico, -a [pe'rjoðiko, a] adj périodique ■ nm journal m; **~ dominical** journal du dimanche

periodismo [perjo'ðismo] nm journalisme m

periodista [perjo'ðista] nm/f journaliste m/f

período [pe'rjoðo], **periodo** [pe'rioðo] nm période f; (menstruación) règles fpl; **~ contable** (Com) période comptable

perito, -a [pe'rito, a] nm/f expert(e); (técnico) technicien(ne); **~ agrónomo** agronome m/f; **~ industrial** technicien

perjudicar [perxuði'kar] vt nuire à, porter préjudice à

perjudicial [perxuði'θjal] adj néfaste, préjudiciable

perjuicio [per'xwiθjo] nm préjudice m; **en/sin ~ de** au/sans préjudice de

perla ['perla] nf perle f; **me viene de ~s** ça tombe à pic

permanecer [permane'θer] vi séjourner, rester; (seguir) rester

permanencia [perma'nenθja] nf durée f; (estancia) séjour m

permanente [perma'nente] adj permanent(e) ■ nf permanente f; **hacerse una ~** se faire faire une permanente

permiso [per'miso] nm permission f; (licencia) licence f, permis msg; **con ~** avec votre permission; **estar de ~** être en permission; **~ de conducir** permis de conduire; **~ de exportación/importación** licence d'exportation/d'importation; **~ de residencia** permis de séjour

permitir [permi'tir] vt permettre; **permitirse** vpr: **~se algo** se permettre qch; **no me puedo ~ ese lujo** je ne puis m'offrir ce luxe; **¿me permite?** vous permettez?

pernicioso, -a [perni'θjoso, a] adj pernicieux(-euse)

pero ['pero] conj mais ■ nm objection m; **~ ¿qué haces?** mais qu'est-ce que tu fais?; **¡~ si yo no he sido!** ce n'est pas moi!; **¡~ bueno!** mais (enfin) bon!

perpendicular [perpendiku'lar] adj perpendiculaire

perpetrar [perpe'trar] vt perpétrer

perpetuar [perpe'twar] vt perpétuer

perpetuo, -a [per'petwo, a] adj perpétuel(le); **cadena perpetua** réclusion f à perpétuité; **nieves perpetuas** neiges fpl éternelles

perplejo, -a [per'plexo, a] adj perplexe

perra ['perra] nf chienne f; (fam: dinero) tune f; (: manía) manie f; (: rabieta) colère f; **estoy sin una ~** je n'ai plus un rond

perrera [pe'rrera] nf chenil m

perrito [pe'rrito] nm: **~ caliente** hot-dog m

perro, -a ['perro, a] adj: **qué vida más perra** chienne de vie! ■ nm chien m; **ser ~ viejo** être un vieux renard; **de ~s** (tiempo) de chien; (noche) épouvantable; **~ callejero/guardián/guía** chien errant/de garde/d'aveugle

persa ['persa] adj persan(e) ■ nm/f Persan(e) ■ nm (Ling) persan m

persecución [perseku'θjon] nf
poursuite f; (Rel, Pol) persécution f
perseguir [perse'ɣir] vt poursuivre;
(atosigar, Rel, Pol) persécuter
perseverante [perseβe'rante] adj
persévérant(e)
perseverar [perseve'rar] vi persévérer;
~ **en** persévérer dans
persiana [per'sjana] nf persienne f
persignarse [persiɣ'narse] vpr se signer
persistente [persis'tente] adj
persistant(e)
persistir [persis'tir] vi: ~ **(en)** persister
(dans)
persona [per'sona] nf personne f; **por** ~
par personne; **es buena** ~ c'est quelqu'un
de bien; ~ **jurídica** personne morale;
~ **mayor** adulte m/f
personaje [perso'naxe] nm personnage m
personal [perso'nal] adj personnel(le);
(aseo) intime ■ nm personnel m; (fam)
gens mpl
personalidad [personali'ðað] nf
personnalité f
personarse [perso'narse] vpr: ~ **(en)** se
présenter (à)
personificar [personifi'kar] vt
personnifier
perspectiva [perspek'tiβa] nf
perspective f; **perspectivas** nfpl (de
futuro) perspectives fpl; **tener algo en** ~
avoir qch en perspective
perspicacia [perspi'kaθja] nf
perspicacité f
perspicaz [perspi'kaθ] adj perspicace
persuadir [perswa'ðir] vt persuader;
persuadirse vpr se persuader
persuasión [perswa'sjon] nf persuasion f
persuasivo, -a [perwa'siβo, a] adj
persuasif(-ive)
pertenecer [pertene'θer] vi: ~ **a**
appartenir à
perteneciente [pertene'θjente] adj:
ser ~ **a** appartenir à
pertenencia [perte'nenθja] nf
possession f; (a organización, club)
affiliation f; **pertenencias** nfpl
(posesiones) biens mpl
pertenezca etc [perte'neθka] vb ver
pertenecer
pértiga ['pertiɣa] nf perche f; **salto de** ~
saut m à la perche
pertinente [perti'nente] adj
pertinent(e); (momento etc) approprié(e);
~ **a** relatif(-ive) à
perturbado, -a [pertur'βaðo, a] adj
troublé(e) ■ nm/f (tb: **perturbado
mental**) malade m/f mental(e)

perturbar [pertur'βar] vt perturber,
troubler; (Med) troubler
Perú [pe'ru] nm Pérou m
peruano, -a [pe'rwano, a] adj
péruvien(ne) ■ nm/f Péruvien(ne)
perversión [perβer'sjon] nf perversion f
perverso, -a [perβerso, a] adj pervers(e)
pervertido, -a [perβer'tiðo, a] adj, nm/f
pervers(e)
pervertir [perβer'tir] vt pervertir;
pervertirse vpr se pervertir
pesa ['pesa] nf (peso) poids msg; (Deporte)
haltère m; **hacer** ~**s** faire des haltères
pesadez [pesa'ðeθ] nf lourdeur f;
(lentitud) lenteur f; (fastidio) ennui m; **es
una** ~ **tener que ...** quel ennui que d'avoir
à ...; ~ **de estómago** lourdeurs fpl
d'estomac; **tener** ~ **en los párpados**
avoir les paupières lourdes
pesadilla [pesa'ðiʎa] nf cauchemar m
pesado, -a [pe'saðo, a] adj lourd(e);
(lento) lent(e); (difícil, duro) pénible;
(aburrido) ennuyeux(-euse) ■ nm/f
enquiquineur(-euse); **tener el estómago**
~ avoir l'estomac lourd; **¡no seas** ~**!** ne
commence pas!
pésame ['pesame] nm condoléances fpl;
dar el ~ présenter ses condoléances
pesar [pe'sar] vt peser ■ vi peser; (fig:
opinión) compter; (arrepentirse de)
regretter ■ nm (remordimiento) remords
msg; (pena) chagrin m; **peso 50 kg** je pèse
50 kg; **a** ~ **de** en dépit de; **a** ~ **de que** bien
que; **pese a que** en dépit du fait que;
(no) me pesa haberlo hecho je (ne)
regrette (pas) de l'avoir fait; **lo haré mal
que me pese** je le ferai coûte que coûte
pesca ['peska] nf pêche f; **ir de** ~ aller à la
pêche; ~ **de altura/de bajura** pêche
hauturière/côtière
pescadería [peskaðe'ria] nf
poissonnerie f
pescadilla [peska'ðiʎa] nf merlan m
pescado [pes'kaðo] nm poisson m
pescador, a [peska'ðor, a] nm/f
pêcheur(-euse)
pescar [pes'kar] vt pêcher; (fam) choper;
(novio) se dénicher; (delincuente) cueillir
■ vi pêcher; **¡te pesqué!** (fam) je t'ai vu!
pescuezo [pes'kweθo] nm cou m
peseta [pe'seta] nf peseta f
pesimista [pesi'mista] adj, nm/f
pessimiste m/f
pésimo, -a ['pesimo, a] adj lamentable
peso ['peso] nm poids msg; (balanza)
balance f; (AM: moneda) peso m; **de poco**
~ léger(-ère); **levantamiento de** ~**s**
haltérophilie f; **vender a** ~ vendre au

poids; **argumento de ~** argument *m* de poids; **eso cae por su propio ~** cela tombe sous le sens; **~ bruto** poids brut; **~ específico** masse *f* spécifique; **~ neto** poids net; **~ pesado/pluma** (*Boxeo*) poids lourd/plume

pesquero, -a [pes'kero, a] *adj* (*industria*) de la pêche; (*barco*) de pêche

pesquisa [pes'kisa] *nf* recherche *f*

pestaña [pes'taɲa] *nf* cil *m*; (*borde*) bord *m*

pestañear [pestaɲe'ar] *vi* cligner des yeux; **sin ~** sans sourciller

peste ['peste] *nf* peste *f*; (*fig*) plaie *f*; (*mal olor*) puanteur *f*; **echar ~s** pester; **~ negra** peste noire

pesticida [pesti'θiða] *nm* pesticide *m*

pestillo [pes'tiʎo] *nm* verrou *m*; (*picaporte*) poignée *f*

petaca [pe'taka] *nf* (*para cigarros*) porte-cigarettes *m inv*; (*para tabaco*) tabatière *f*; (*para beber*) flasque *f*; (*AM*) valise *f*

pétalo ['petalo] *nm* pétale *m*

petardo [pe'tarðo] *nm* pétard *m*; **¡que ~ de película!** (*fam*) quelle barbe ce film!

petición [peti'θjon] *nf* demande *f*; (*Jur*) requête *f*; **a ~ de** à la demande de; **firmar una ~** signer une pétition

petrificar [petrifi'kar] *vt* pétrifier

petróleo [pe'troleo] *nm* pétrole *m*

petrolero, -a [petro'lero, a] *adj* pétrolier(-ère) ■ *nm* pétrolier *m*

peyorativo, -a [pejora'tiβo, a] *adj* péjoratif(-ive)

pez [peθ] *nm* poisson *m* ■ *nf* poix *fsg*; **estar como el ~ en el agua** être comme un poisson dans l'eau; **estar ~ en algo** être nul(le) en qch; **~ de colores** poisson rouge; **~ espada** poisson-épée *m*; **~ gordo** (*fig*) grosse légume *f*

pezón [pe'θon] *nm* mamelon *m*

pezuña [pe'θuɲa] *nf* (*de animal*) sabot *m*

piadoso, -a [pja'ðoso, a] *adj* pieux(-euse)

pianista [pja'nista] *nm/f* pianiste *m/f*

piano ['pjano] *nm* piano *m*; **~ de cola** piano à queue

piar [pjar] *vi* piailler

pibe, -a ['piβe, a] (*AM*) *nm/f* gosse *m/f*

picadillo [pika'ðiʎo] *nm* hachis *msg*

picado, -a [pi'kaðo, a] *adj* haché(e); (*hielo*) pilé(e); (*vino*) piqué(e); (*tela, ropa*) mangé(e); (*mar*) agité(e); (*diente*) gâté(e); (*tabaco*) découpé(e); (*enfadado*) piqué(e) ■ *nm*: **en ~** en piqué; **~ de viruelas** ravagé(e) par la petite vérole

picador [pika'ðor] *nm* (*Taur*) picador *m*; (*minero*) piqueur *m*

picadura [pika'ðura] *nf* piqûre *f*; (*tabaco picado*) tabac *m* gris

picante [pi'kante] *adj* épicé(e); (*comentario, chiste*) piquant(e)

picaporte [pika'porte] *nm* poignée *f*

picar [pi'kar] *vt* piquer; (*ave*) picoter; (*anzuelo*) mordre (à); (*Culin*) hacher; (*billete, papel*) poinçonner; (*comer*) grignoter ■ *vi* mordre; (*el sol*) brûler; (*pez*) mordre; **picarse** *vpr* (*vino*) se piquer; (*mar*) s'agiter; (*muela*) se gâter; (*ofenderse*) prendre la mouche; (*fam: con droga*) se shooter; **me pica el brazo** mon bras me démange; **me pica la curiosidad** ça pique ma curiosité; **¡picaste!** je t'ai eu!; **~se con algn** se fâcher avec qn

picardía [pikar'ðia] *nf* sournoiserie *f*; (*astucia*) astuce *f*; (*travesura*) espièglerie *f*

pícaro, -a ['pikaro, a] *adj* astucieux(-euse); (*travieso*) espiègle ■ *nm* canaille *f*; (*Lit*) picaro *m*

pichón, -ona [pi'tʃon, ona] *nm/f* pigeon *m*; (*apelativo*) mon (ma) chéri(e)

pico ['piko] *nm* bec *m*; (*de mesa, ventana*) coin *m*; (*Geo, herramienta*) pic *m*; (*fam: labia*) tchatche *f*; (: *de drogas*) shoot *m*; **no abrir el ~** ne pas ouvrir le bec; **son las 3 y ~** il est 3 heures et quelque; **peso 50 kilos y ~** je pèse 50 kg et quelque; **me costó un ~** ça m'a coûté une jolie somme

picotear [pikote'ar] *vt, vi* (*fam*) grignoter ■ *vi* (*ave*) picorer

picudo, -a [pi'kuðo, a] *adj* au bec pointu; (*zapato, tejado*) pointu(e)

pidiendo *etc* [pi'ðjendo] *vb ver* **pedir**

pie [pje] *nm* pied *m*; (*de página*) bas *msg*; **ir a ~** aller à pied; **a ~s juntillas** sur parole; **al ~ de** au pied de; **estar de ~** être debout; **de a ~** moyen(ne); **ponerse de ~** se mettre debout; **al ~ de la letra** au pied de la lettre; **con ~s de plomo** avec précaution; **con buen/mal ~** avec/sans succès; **de ~s a cabeza** des pieds à la tête; **en ~ de guerra** sur le pied de guerre; **en ~ de igualdad** sur un pied d'égalité; **sin ~s ni cabeza** sans queue ni tête; **dar ~** a donner prise à; **no dar ~ con bola** ne pas savoir où on en est; **hacer ~** (*en el agua*) avoir pied; **saber de qué ~ cojea algn** connaître les faiblesses de qn; **seguir en ~** (*propuesta, pregunta*) demeurer ouvert(e)

piedad [pje'ðað] *nf* pitié *f*; **tener ~ de algn** avoir pitié de qn

piedra ['pjeðra] *nf* pierre *f*; (*Med*) calcul *m*; (*Meteorología*) grêlon *m*; **quedarse/dejar de ~** rester/laisser de glace;

~ angular pierre angulaire; **~ de afilar** pierre à aiguiser; **~ preciosa** pierre précieuse

piel [pjel] *nf* peau *f*; (*de animal, abrigo*) fourrure *f* ■ *nm/f*: **~ roja** Peau-Rouge *m/f*; **abrigo de ~** manteau *m* de fourrure

pienso ['pjenso] *vb ver* **pensar** ■ *nm* (*Agr*) tourteau *m*

piercing ['pirsin] *nm* piercing *m*

pierda *etc* ['pjerða] *vb ver* **perder**

pierna ['pjerna] *nf* jambe *f*; (*de cordero*) gigot *m*

pieza ['pjeθa] *nf* pièce *f*; **quedarse de una ~** rester sans voix; **un dos/tres ~s** (*traje*) un costume deux-/trois-pièces; **~ de recambio** *o* **de repuesto** pièce de rechange

pigmeo, -a [piɣ'meo, a] *adj* pygmée ■ *nm/f* Pygmée *m/f*

pijama [pi'xama] *nm* pyjama *m*

pila ['pila] *nf* pile *f*; (*fregadero*) évier *f*; (*lavabo*) lavabo *m*; (*fuente*) fontaine *f*; **nombre de ~** prénom *m*; **tengo una ~ de cosas que hacer** (*fam*) j'ai une montagne de choses à faire; **~ bautismal** fonts *mpl* baptismaux

píldora ['pildora] *nf* pilule *f*; **la ~ (anticonceptiva)** la pilule (contraceptive); **tragarse la ~** (*creerse*) avaler la pilule

pileta [pi'leta] (*esp Csur*) *nf* évier *m*; (*piscina*) piscine *f*

pillaje [pi'ʎaxe] *nm* pillage *m*

pillar [pi'ʎar] *vt* coincer; (*fam: coger, sorprender*) pincer; (: *conseguir*) se dégotter; (: *atropellar*) faucher; (: *alcanzar*) attraper; (: *entender indirecta*) piger; **le pillé en casa/comiendo** je l'ai trouvé chez lui/en train de manger; **me pilla cerca/lejos** c'est près/loin de chez moi; **~ una borrachera** (*fam*) prendre une cuite; **~ un resfriado** (*fam*) choper un rhume

pillo, -a ['piʎo, a] *adj* malin(-igne), coquin(e) ■ *nm/f* fripouille *f*

piloto [pi'loto] *nm/f* pilote *m* ■ *nm* (*Arg*) imperméable *m* ■ *adj inv*: **programa/ piso ~** programme *m*/appartement *m* pilote; **~ automático** pilote automatique

pimentón [pimen'ton] *nm* piment *m* doux

pimienta [pi'mjenta] *nf* poivre *m*

pimiento [pi'mjento] *nm* poivron *m*

pin [pin] *nm* (*chapa*) pin's *m*

pinacoteca [pinako'teka] *nf* galerie *f* de peintures

pinar [pi'nar] *nm* pinède *f*

pincel [pin'θel] *nm* pinceau *m*

pinchar [pin'tʃar] *vt* piquer; (*neumático*) crever; (*teléfono*) mettre sur (table d')écoute ■ *vi* (*Auto*) crever; **pincharse** *vpr* se piquer; (*neumático*) crever; **ni pincha ni corta en esto** (*fam*) il n'a rien à voir là-dedans; (*no tiene influencia*) il compte pour du beurre là-dedans; **tener un neumático pinchado** avoir un pneu crevé

pinchazo [pin'tʃaθo] *nm* piqûre *f*; (*de dolor*) élancement *m*; (*de llanta*) crevaison *f*; **~ telefónico** écoute *f* téléphonique

pincho ['pintʃo] *nm* pointe *f*; (*de planta*) épine *f*; (*Culin*) amuse-gueule *m inv*; **~ de tortilla** fine tranche *f* d'omelette; **~ moruno** (chiche-)kebab *m*

pingüino [pin'gwino] *nm* pingouin *m*

pino ['pino] *nm* pin *m*; **en el quinto ~** dans un coin perdu

pinta ['pinta] *nf* (*mota*) tache *f*; (*aspecto*) mine *f*; **tener buena ~** avoir bonne mine; **por la ~** d'aspect

pintar [pin'tar] *vt* peindre; (*con lápices de colores*) colorier; (*fig*) dépeindre ■ *vi* peindre; (*fam*) compter; **pintarse** *vpr* se maquiller; (*uñas*) se faire; **pintárselas solo para hacer algo** être passé maître dans l'art de faire qch; **no pinta nada** (*fam*) il compte pour du beurre; **¿qué pinta aquí esto?** qu'est-ce que ça vient faire ici?

pintor, a [pin'tor, a] *nm/f* peintre *m/f*; **~ de brocha gorda** peintre en bâtiment

pintoresco, -a [pinto'resko, a] *adj* pittoresque

pintura [pin'tura] *nf* peinture *f*; (*lápiz de color*) crayon *m* de couleur; **~ a la acuarela** aquarelle *f*; **~ al óleo** peinture à l'huile; **~ rupestre** peinture rupestre

pinza ['pinθa] *nf* pince *f*; (*para colgar ropa*) pince à linge; **pinzas** *nfpl* pinces *fpl*; (*para depilar*) pince à épiler

piña ['piɲa] *nf* (*fruto del pino*) pomme *f* de pin; (*fruta*) ananas *msg*; (*fig: conjunto*) bande *f*

piñón [pi'ɲon] *nm* pignon *m*

piojo ['pjoxo] *nm* pou *m*

pionero, -a [pjo'nero, a] *adj, nm/f* pionnier(-ère)

pipa ['pipa] *nf* pipe *f*; (*Bot*) pépin *m*; **pipas** *nfpl* (*de girasol*) graines *fpl* (de tournesol); **pasarlo ~** (*fam*) bien s'amuser

pique ['pike] *vb ver* **picar** ■ *nm* brouille *f*; (*rivalidad*) compétition *f*; **irse a ~** couler à pic; (*familia, negocio*) aller à la dérive; **tener un ~ con algn** avoir une dent contre qn

piquete [pi'kete] nm piquet m

piragua [pi'raɣwa] nf pirogue f; (Deporte) canoë m

piragüismo [piraɣwismo] nm canoë-kayak m

pirámide [pi'ramiðe] nf pyramide f

pirata [pi'rata] adj: **edición/disco ~** édition f/disque m pirate ■ nm pirate m; **~ informático** pirate informatique

piratear [pirate'ar] vi (Inform) pirater

piratería [pirate'ria] nf (Inform) piratage m

Pirineo(s) [piri'neo(s)] nm(pl) Pyrénées fpl

pirómano, -a [pi'romano, a] nm/f pyromane m/f

piropo [pi'ropo] nm compliment m; **echar ~s a algn** faire des compliments à qn

pis [pis] (fam) nm pipi m, pisse f; **hacer ~** pisser

pisada [pi'saða] nf pas msg

pisar [pi'sar] vt fouler, marcher sur; (apretar con el pie, fig) écraser; (idea, puesto) piquer ■ vi marcher; **me has pisado** tu m'as marché dessus; **no ~ (por) un sitio** (fig) ne pas mettre les pieds quelque part; **~ fuerte** (fig) ne pas y aller par quatre chemins

piscina [pis'θina] nf piscine f

Piscis [pis'θis] nm (Astrol) Poissons mpl; **ser ~** être Poissons

piso [piso] nm (planta) étage m; (apartamento) appartement m; (suelo) sol m; **primer ~** premier étage; (AM: de edificio) rez-de-chaussée m inv

pista [pista] nf piste f; **estar sobre la ~ de algn** être sur la piste de qn; **~ de aterrizaje** piste d'atterrissage; **~ de auditoría** (Com) piste de vérification; **~ de baile** piste de danse; **~ de carreras** champ m de courses; **~ de hielo** patinoire f; **~ de tenis** court m de tennis

pistola [pis'tola] nf pistolet m

pistolero, -a [pisto'lero, a] nm/f gangster m

pistón [pis'ton] nm piston m

pitar [pi'tar] vt siffler; (Auto) klaxonner ■ vi siffler; (Auto) klaxonner; (fam) gazer; (AM) fumer; **salir pitando** se tirer

pitillo [pi'tiʎo] nm (fam) sèche f; (Col: pajita) paille f

pito ['pito] nm sifflement m; (silbato) sifflet m; (de coche) klaxon m; (fam: cigarrillo) clope f; (fam!: pene) bite f (fam!); **me importa un ~** je m'en fous

pitón [pi'ton] nm python m

pitorreo [pito'rreo] nm moquerie f; **estar de ~** se payer la tête des gens

pizarra [pi'θarra] nf ardoise f; (encerado) tableau m (noir)

pizca ['piθka] nf pincée f; (de pan) miette f; (fig) petit morceau m; **ni ~** pas une miette

pizza ['pitsa] nf pizza f

placa ['plaka] nf plaque f; (Inform) panneau m; **~ conmemorativa** plaque commémorative; **~ de matrícula** plaque d'immatriculation; **~ dental** plaque dentaire; **~ madre** (Inform) carte-mère f

placentero, -a [plaθen'tero, a] adj agréable

placer [pla'θer] nm plaisir m; **a ~** à loisir

plácido, -a ['plaθiðo, a] adj placide; (día, mar) calme

plaga ['plaɣa] nf fléau m; (fig) horde f

plagar [pla'ɣar] vt infester; **plagado de moscas/turistas** infesté de mouches/touristes

plagio ['plaxjo] nm plagiat m; (AM) kidnapping m

plan [plan] nm plan m, projet m; (idea) idée f; **¡menudo ~!** quelle idée géniale!; **tener ~** (fam) voir qn; **en ~ de cachondeo** (fam) pour rigoler; **en ~ económico** (fam) pas cher; **vamos en ~ de turismo** on y va en touristes; **si te pones en ese ~ ...** si tu le vois comme ça ...; **~ cotizable de jubilación** ≈ plan d'épargne-retraite; **~ de estudios** programme m; **~ de incentivos** (Com) système m de primes

plana ['plana] nf page f; **a toda ~** sur toute une page; **la primera ~** la une; **~ mayor** (Mil) état-major m

plancha ['plantʃa] nf (para planchar) fer m (à repasser); (ropa) repassage m; (de metal, madera, Tip) planche f; (Culin) grill m; **pescado a la ~** poisson m grillé

planchado, -a [plan'tʃaðo, a] adj repassé(e) ■ nm repassage m

planchar [plan'tʃar] vt, vi repasser

planeador [planea'ðor] nm planeur m

planear [plane'ar] vt planifier ■ vi planer

planeta [pla'neta] nm planète f

planicie [pla'niθje] nf plaine f

planificación [planifika'θjon] nf planification f; **diagrama de ~** (Com) planning m; **~ corporativa** (Com) planning de l'entreprise; **~ familiar** planning familial

plano, -a ['plano, a] adj plat(e) ■ nm plan m; **primer ~** (Cine) premier plan; **en primer/segundo ~** au premier/second plan; **caer de ~** tomber de tout son long; **rechazar algo de ~** rejeter entièrement qch; **me da el sol de ~** le soleil m'arrive en plein dessus (fam)

planta ['planta] nf plante f; (Tec) usine f; (piso) étage m; **tener buena ~** avoir de l'allure; **~ baja** rez-de-chaussée m inv

plantación [planta'θjon] nf plantation f

plantar [plan'tar] vt planter; (novio, trabajo) laisser tomber; **plantarse** vpr se planter; **~ a algn en la calle** mettre qn à la rue; **~se (en)** arriver (à)

plantear [plante'ar] vt exposer; (problema) poser; (proponer) proposer; **plantearse** vpr envisager; **se lo ~é** je le lui expliquerai

plantilla [plan'tiʎa] nf (de zapato) semelle f; (personal) personnel m; **estar en ~** faire partie du personnel

plasmar [plas'mar] vt (dar forma) modeler; (representar) reproduire; **plasmarse** vpr: **~se en** se concrétiser

plástico, -a ['plastiko, a] adj plastique ■ nm plastique m; **artes plásticas** arts mpl plastiques

plastilina® [plasti'lina] nf pâte à modeler

plata ['plata] nf (metal, dinero) argent m; (cosas de plata) argenterie f; **hablar en ~** aller droit au but

plataforma [plata'forma] nf plate-forme f; (tribuna) estrade f; (de zapatos) semelle f compensée; **~ de lanzamiento** rampe f de lancement; **~ digital** plate-forme numérique; **~ petrolera/de perforación** plate-forme pétrolière/de forage; **~ reivindicativa** plate-forme de revendications

plátano ['platano] nm banane f; (árbol) bananier m

platea [pla'tea] nf orchestre m

plateado, -a [plate'aðo, a] adj argenté(e); (Tec) plaqué(e) argent

platillo [pla'tiʎo] nm soucoupe f; (de balanza) plateau m; (de limosnas) timbale f; **platillos** nmpl (Mús) cymbales fpl; **~ volante** soucoupe volante

platino [pla'tino] nm platine m; **platinos** nmpl (Auto) vis fpl platinées

plato ['plato] nm assiette f; (guiso) plat m; (de tocadiscos) platine f; **pagar los ~s rotos** (fam) payer les pots cassés; **primer/segundo ~** entrée f/plat principal; **~ combinado** menu m express; **~ hondo/llano** o **pando** assiette creuse/plate

playa ['plaja] nf plage f; **~ de estacionamiento** (AM) place f de stationnement

playera [pla'jera] nf (AM) T-shirt m; **playeras** nfpl chaussures fpl en toile

plaza ['plaθa] nf place f; (mercado) place du marché; **~ de abastos** marché m; **~ de toros** arène f; **~ mayor** grand-place f

plazo ['plaθo] nm délai m; (pago parcial) terme m; **a corto/largo ~** à court/long terme; **comprar a ~s** acheter à tempérament; **nos dan un ~ de 8 días** ils nous donnent un délai de 8 jours

pleamar [plea'mar] nf pleine mer f

plebe ['pleβe] (pey) nf plèbe f

plebiscito [pleβis'θito] nm plébiscite m

plegable [ple'ɣaβle] adj pliable

plegar [ple'ɣar] vt plier; **plegarse** vpr se plier

pleito ['pleito] nm procès msg; (fig) conflit m; **entablar ~** entamer un procès; **poner (un) ~ a** poursuivre

pleno, -a ['pleno, a] adj plein(e) ■ nm plenum m; **en ~** (reunirse) au complet; (elegir) à l'unanimité; **en ~ día/verano** en plein jour/été; **en plena cara** en plein visage

pliego ['pljeɣo] vb ver **plegar** ■ nm (hoja) feuille f (de papier); (carta) pli m; **~ de cargos** charges fpl produites contre l'accusé; **~ de condiciones** cahier m des charges; **~ de descargo** témoignages mpl à la décharge de l'accusé

pliegue ['pljeɣe] vb ver **plegar** ■ nm pli m

plomero [plo'mero] (AM) nm plombier m

plomo ['plomo] nm plomb m; **plomos** nmpl (Elec) plombs mpl; **caer a ~** tomber de tout son long; **ser un ~** (fam) être une peste; (libro) être un torchon; **(gasolina) sin ~** (essence) sans plomb

pluma ['pluma] nf plume f; **de ~s** en plumes; **~ (estilográfica), ~ fuente** (AM) stylo-plume m

plumón [plu'mon] nm (AM) stylo-feutre m; (para saco de dormir) duvet m; (anorak) doudoune f

plural [plu'ral] adj pluriel(le) ■ nm pluriel m

pluralidad [plurali'ðað] nf pluralité f

pluriempleo [pluriem'pleo] nm cumul m d'emplois

plusvalía [plusβa'lia] nf (Com) plus-value f

P.º abr = **paseo**

población [poβla'θjon] nf population f; (pueblo, ciudad) peuplement m; (Chi) bidonville m; **~ activa/pasiva** population active/non active; **~ callampa** (Csur) bidonville

poblado, -a [po'βlaðo, a] adj peuplé(e); (barba, cejas) fourni(e) ■ nm hameau m; **~ de** peuplé(e) de; **densamente ~** densément peuplé(e)

poblar [po'βlar] vt peupler; **poblarse** vpr (árbol) reverdir; **~se de** se peupler de
pobre ['poβre] adj, nm/f pauvre m/f; **~ en recursos/proteínas** pauvre en ressources/protéines; **los ~s** les pauvres mpl; **¡~ hombre!** pauvre homme!; **¡el ~!** le pauvre!; **~ diablo** (fig) pauvre diable m
pobreza [po'βreθa] nf pauvreté f
pocilga [po'θilɣa] nf porcherie f

 PALABRA CLAVE

poco, -a ['poko, a] adj 1 (sg) peu de; **poco tiempo** peu de temps; **de poco interés** peu intéressant; **poca cosa** peu de chose
2 (pl) peu de; **pocas personas lo saben** peu de gens le savent; **unos pocos libros** quelques livres
■ adv 1 (comer, trabajar) peu; **poco amable/inteligente** peu aimable/intelligent; **es poco** c'est peu; **cuesta poco** cela ne coûte pas cher; **poco más o menos** à peu près; **a poco que se interese** ... pour peu qu'il montre de l'intérêt ...
■ pron: **unos/as pocos/as** quelques-uns/unes
2 (casi): **por poco me caigo** j'ai failli tomber
3 (locuciones de tiempo): **a poco de haberse casado** peu après s'être marié; **poco después** peu après; **dentro de poco** sous peu, bientôt; **hace poco** il n'y a pas longtemps
4: **poco a poco** peu à peu
■ nm: **un poco** un peu; **un poco triste** un peu triste; **un poco de dinero** un peu d'argent

podar [po'ðar] vt élaguer
podcast [pod'kast] nm podcast m
podcastear [podkaste'ar] vi podcaster

 PALABRA CLAVE

poder [po'ðer] vb aux (capacidad, posibilidad, permiso) pouvoir; **no puedo hacerlo** je ne peux pas le faire; **puede llegar mañana** il peut arriver demain; **pudiste haberte hecho daño** tu aurais pu te faire mal; **no se puede fumar en este hospital** on n'a pas le droit de fumer dans cet hôpital; **podías habérmelo dicho** tu aurais pu me le dire
■ vi 1 pouvoir; **tanto como puedas** autant que tu peux; **¿se puede?** on peut entrer?; **¡no puedo más!** je n'en peux plus!; **¡quién pudiera!** si seulement!;

no pude menos que dejarlo je n'ai pas pu m'empêcher de le laisser; **a o hasta más no poder** jusqu'à n'en plus pouvoir; **¡es tonto a más no poder!** il est on ne peut plus idiot!
2: **¿puedes con eso?** tu peux y arriver?; **no puedo con este crío** je n'arrive pas à venir à bout de cet enfant
3: **A le puede a B** (fam) A est plus fort que B
■ vb impers: **¡puede (ser)!** cela se peut!; **¡no puede ser!** ce n'est pas possible!; **puede que llueva** il pourrait pleuvoir
■ nm pouvoir m; **ocupar el poder** détenir le pouvoir; **detentar el poder** s'emparer du pouvoir; **estar en el poder** être au pouvoir; **en mi/tu** etc **poder** (posesión) en ma/ta etc possession; **en poder de** entre les mains de; **por poderes** (Jur) par procuration; **poder adquisitivo** pouvoir d'achat; **poder ejecutivo/legislativo/judicial** (Pol) pouvoir exécutif/législatif/judiciaire

poderoso, -a [poðe'roso, a] adj puissant(e)
podio ['poðjo], **podium** ['poðjum] nm podium m
podrido, -a [po'ðriðo, a] adj pourri(e); (fig) corrompu(e)
podrir [po'ðrir] vt = **pudrir**
poema [po'ema] nm poème m
poesía [poe'sia] nf poésie f
poeta [po'eta] nm poète m
póker ['poker] nm poker m
polaco, -a [po'lako, a] adj polonais(e)
■ nm/f Polonais(e) ■ nm (Ling) polonais msg
polar [po'lar] adj polaire
polaridad [polari'ðað] nf polarité f
polarizar [polari'θar] vt polariser; **polarizarse** vpr se polariser
polea [po'lea] nf poulie f
polémica [po'lemika] nf polémique f
polémico, -a [po'lemiko, a] adj controversé(e)
polen ['polen] nm pollen m
policía [poli'θia] nm/f policier, femme-policier, agent(e) (de police) ■ nf police f; **~ secreta** services mpl secrets

○ **POLICÍA**
○
○ La police espagnole se divise en deux
○ branches, toutes deux armées :
○ la "policía nacional", chargée de la
○ sécurité nationale et du maintien
○ de l'ordre en général, et la "policía

municipal", qui s'occupe de la circulation et du maintien de l'ordre au niveau municipal. La Catalogne et le Pays basque ont leurs propres forces de police : les Mossos d'Esquadra dans la première et l'Ertzaintza dans le second.

policíaco, -a [poli'θiako, a], **policial** [poli'θjal] *adj* policier(-ière)

polideportivo [poliðepor'tiβo] *nm* complexe *m* omnisports

poligamia [poli'γamja] *nf* polygamie *f*

polilla [po'liʎa] *nf* mite *f*

polio ['poljo] *nf* polio *f*

política [po'litika] *nf* politique *f*; **~ agraria** politique agricole; **~ de ingresos y precios** politique des revenus et des prix; **~ económica** politique économique; **~ exterior** politique extérieure; *ver tb* **político**

político, -a [po'litiko, a] *adj* politique ■ *nm/f* homme/femme politique; **padre/hermano ~** beau-père/-frère *m*; **madre política** belle-mère *f*

póliza ['poliθa] *nf* police *f*; *(sello)* timbre *m* fiscal; **~ de seguro(s)** police d'assurance

polizón [poli'θon] *nm* passager(-ère) clandestin(e)

pollera [po'ʎera] *(AM) nf* jupe *f*

pollería *nf* marchand *m* de volailles

pollo ['poʎo] *nm* poulet *m*; *(joven)* jeune homme *m*; *(Méx: fam)* immigré *m* clandestin; **~ asado** poulet rôti

polo ['polo] *nm* pôle *m*; *(helado)* glace *f*; *(Deporte, suéter)* polo *m*; **es el ~ opuesto de su hermano** c'est tout le contraire de son frère; **P~ Norte/Sur** Pôle Nord/Sud

Polonia [po'lonja] *nf* Pologne *f*

poltrona [pol'trona] *(esp AM) nf* fauteuil *m*

polvo ['polβo] *nm* poussière *f*; *(fam!)* baise *f(fam!)*; **polvos** *nmpl (en cosmética etc)* poudre *fsg*; **en ~** en poudre; **estar hecho ~** *(fam)* être fichu; *(: persona)* être crevé; *(: deprimido)* ne pas aller fort; **dejar hecho ~ a algn** *(fam)* épuiser qn; *(suj: noticia)* abattre qn; **~s de talco** talc *m*

pólvora ['polβora] *nf* poudre *f*; *(fuegos artificiales)* feux *mpl* d'artifice; **propagarse como la ~** se répandre comme une traînée de poudre

polvoriento, -a [polβo'rjento, a] *adj* poussiéreux(-euse)

pomada [po'maða] *nf* pommade *f*

pomelo [po'melo] *nm* pomélo *m*

pomo ['pomo] *nm* poignée *f*

pompa ['pompa] *nf* bulle *f*; *(ostentación)* pompe *f*; **~s fúnebres** pompes *fpl* funèbres

pomposo, -a [pom'poso, a] *(pey) adj* prétentieux(-euse); *(lenguaje, estilo)* pompeux(-euse)

pómulo ['pomulo] *nm* pommette *f*

pon [pon] *vb ver* **poner**

ponche ['pontʃe] *nm* punch *m*

poncho ['pontʃo] *(AM) nm* poncho *m*

ponderar [ponde'rar] *vt* soupeser; *(elogiar)* porter aux nues

pondré *etc* [pon'dre] *vb ver* **poner**

 PALABRA CLAVE

poner [po'ner] *vt* **1** *(colocar)* mettre, poser; *(ropa, mesa)* mettre; **poner algo a hervir/a secar** mettre qch à bouillir/à sécher; *(Telec)*: **póngame con el Sr. López** passez-moi M. López; **poner a algn a la cabeza de una empresa** placer qn à la tête d'une entreprise
2 *(fig: emoción, énfasis)* mettre; *(condiciones)* poser; **poner interés** porter de l'intérêt; **poner en claro/duda** mettre au clair/en doute; **poner al corriente** mettre au courant
3 *(imponer: tarea)* donner; *(multa)* condamner à
4 *(obra de teatro, película)* passer; **¿qué ponen en el Excelsior?** qu'est-ce qui passe à l'Excelsior?
5 *(tienda)* monter; *(casa)* arranger; *(instalar: gas etc)* (faire) mettre
6 *(radio, TV)* mettre; **ponlo más alto** mets-le plus fort
7 *(mandar: telegrama)* envoyer
8 *(suponer)*: **pongamos que ...** mettons que ...
9 *(contribuir)*: **el gobierno ha puesto un millón** le gouvernement a mis un million
10 *(+ adj)* rendre; **me estás poniendo nerviosa** tu commences à m'énerver
11 *(dar nombre)*: **al hijo le pusieron Diego** ils ont appelé leur fils Diego
12 *(decir por escrito)* dire; **¿qué pone el periódico?** que dit le journal?
13 *(huevos)* pondre
■ *vi (gallina)* pondre

ponerse *vpr* **1** *(colocarse)*: **se puso a mi lado** il s'est mis à côté de moi; **ponte en esa silla** mets-toi sur cette chaise
2 *(vestido, cosméticos)* mettre; **¿por qué no te pones el vestido nuevo?** pourquoi ne mets-tu pas ta nouvelle robe?
3 *(sol)* se coucher

4 (+ adj) devenir; **ponerse bueno** aller mieux; **ponerse malo** tomber malade; **ponerse rojo** devenir tout rouge; **se puso muy serio** il a pris un air très sérieux; **¡no te pongas así!** ne te mets pas dans cet état!

5: **ponerse a**: **se puso a llorar** il s'est mis à pleurer; **tienes que ponerte a estudiar** il faut que tu te mettes à étudier

6: **ponerse a bien con algn** se réconcilier avec qn; **ponerse a mal con algn** se mettre mal avec qn

7 (AM: parecer): **se me pone que ...** j'ai l'impression que ...

poniente [po'njente] nm couchant m
pontífice [pon'tifiθe] nm pontife m; **el Sumo P~** le souverain pontife
popa ['popa] nf poupe f; **a ~** en poupe; **de ~ a proa** d'un bout à l'autre
popular [popu'lar] adj populaire
popularidad [populari'ðað] nf popularité f
popularizar [populari'θar] vt populariser; **popularizarse** vpr se populariser

○ PALABRA CLAVE

por [por] prep 1 (objetivo, en favor de) pour; **luchar por la patria** combattre pour la patrie; **hazlo por mí** fais-le pour moi
2 (+ infin) pour; **por no llegar tarde** pour ne pas arriver tard; **por citar unos ejemplos** pour citer quelques exemples
3 (causa, agente) par; **por escasez de fondos** par manque de fonds; **le castigaron por desobedecer** il a été puni pour avoir désobéi; **por eso** c'est pourquoi; **escrito por él** écrit par lui
4 (tiempo): **por la mañana/Navidad** le matin/vers Noël
5 (duración): **se queda por una semana** il reste une semaine; **se fue por 3 días** il est parti pour 3 jours
6 (lugar): **pasar por Madrid** passer par Madrid; **ir a Guayaquil por Quito** aller à Guayaquil via Quito; **caminar por la calle/por las Ramblas** déambuler dans la rue/sur les Rambles; **por fuera/dentro** par dehors/dedans; **anda por la izquierda** marche à gauche; **vive por aquí** il habite par ici; **pasear por el jardín** se promener dans le jardin; **ver tb todo**
7 (cambio, precio): **te doy uno nuevo por el que tienes** je t'en donne un neuf contre le tien; **lo vendo por 1.000 euros** je le vends pour 1 000 euros

8 (valor distributivo): **6 euros por hora/cabeza** 6 euros de l'heure/par tête; **100km por hora** 100 km à l'heure; **veinte por ciento** vingt pour cent; **tres horas por semana** trois heures par semaine; **por centenares** par centaines
9 (modo, medio) par; **por avión/correo** par avion/la poste; **por orden** par ordre; **caso por caso** cas par cas; **por tamaños** par ordre de taille
10: **25 por 4 son 100** 4 fois 25 font 100
11: **ir/venir por algo/algn** aller/venir chercher qch/qn; **estar/quedar por hacer** être/rester à faire
12 (evidencia): **por lo que dicen** d'après ce qu'ils disent
13: **por bonito que sea** cela a beau être très joli; **por más que lo intento** j'ai beau essayer
14: **por si (acaso)** au cas où; **lo hice por si acaso** je l'ai fait au cas où; **por si acaso venía/viniera** cas où il serait venu/viendrait; **por si fuera poco** si ça n'était pas assez
15: **¿por qué?** pourquoi?; **¿por qué no?** pourquoi pas?

porcelana [porθe'lana] nf porcelaine f
porcentaje [porθen'taxe] nm pourcentage m; **~ de actividad** (Inform) taux msg d'activité
porción [por'θjon] nf portion f
pordiosero, -a [porðjo'sero, a] nm/f mendiant(e)
pormenor [porme'nor] nm détail m
pornografía [pornoɣra'fia] nf pornographie f
poro ['poro] nm pore m
poroso, -a [po'roso, a] adj poreux(-euse)
porque ['porke] conj parce que; **~ sí** parce que
porqué [por'ke] nm pourquoi m
porquería [porke'ria] nf cochonnerie f, saleté f; (algo sin valor) cochonnerie; (jugarreta) tour m de cochon; **porquerías** nfpl (comida) cochonneries fpl; **hacer ~s** faire des cochonneries; **de ~** (AM: fam) à la noix
porra ['porra] nf matraque f; **¡~s!** flûte!; **¡vete a la ~!** va te faire voir!
porrazo [po'rraθo] nm coup m; **darse un ~ con o contra algo** se cogner contre qch
porrón [po'rron] nm gourde f
portada [por'taða] nf couverture f
portador, -a [porta'ðor, a] nm/f porteur(-euse); (Com) porteur m; **cheque al ~** chèque m au porteur

portaequipajes | 580

portaequipajes [portaeki'paxes] *nm inv*
(*maletero*) coffre *m*; (*baca*) porte-bagages
m inv
portal [por'tal] *nm* (*entrada*) vestibule *m*;
(*puerta*) porte *f*; (*Inform*) portail *m*; **~ de
Belén** crèche *f*
portamaletas [portama'letas] *nm inv*
= **portaequipajes**
portarse [por'tarse] *vpr* se comporter;
~ bien/mal bien/mal se comporter; **se
portó muy bien conmigo** il s'est très bien
comporté avec moi
portátil [por'tatil] *adj* portatif(-ive);
(*ordenador*) portable
portavoz [porta'βoθ] *nm/f* porte-parole
m inv
portazo [por'taθo] *nm*: **dar un ~** claquer
la porte
porte ['porte] *nm* (*Com*) port *m*; (*aspecto*)
allure *f*; **~ debido/pagado** (*Com*) port
dû/payé
portento [por'tento] *nm* prodige *m*
porteño, -a [por'teno, a] *adj* de Buenos
Aires ■ *nm/f* natif(-ive) o habitant(e) de
Buenos Aires
portería [porte'ria] *nf* loge *f* (de
concierge); (*Deporte*) but *m*
portero, -a [por'tero, a] *nm/f* concierge
m/f; (*de club*) portier *m*; (*Deporte*)
gardien(ne) de but; **~ automático**
interphone *m*
pórtico ['portiko] *nm* portique *m*
portorriqueño, -a [portorri'keno, a]
adj portoricain(e) ■ *nm/f* Portoricain(e)
Portugal [portu'ɣal] *nm* Portugal *m*
portugués, -esa [portu'ɣes, esa] *adj*
portugais(e) ■ *nm/f* Portugais(e) ■ *nm*
(*Ling*) portugais *msg*
porvenir [porβe'nir] *nm* avenir *m*
pos [pos]: **en ~ de** *prep* après, en quête de
posada [po'saða] *nf* auberge *f*; **dar ~ a**
héberger
posar [po'sar] *vt, vi* poser; **posarse** *vpr*
se poser; (*polvo*) se déposer
posavasos [posa'basos] *nm inv* sous-
verre *m*
posdata [pos'ðata] *nf* post-scriptum *m inv*
pose ['pose] *nf* pose *f*
poseedor, a [posee'ðor, a] *nm/f*
possesseur *m*; (*de récord, título*)
détenteur(-trice)
poseer [pose'er] *vt* posséder;
(*conocimientos, belleza*) avoir; (*récord,
título*) détenir
posesión [pose'sjon] *nf* possession *f*;
estar en ~ de être en possession de,
détenir; **tomar ~ (de)** prendre
possession (de)

posesivo, -a [pose'siβo, a] *adj*
possessif(-ive)
posgrado [pos'ɣraðo] *nm* = **postgrado**
posibilidad [posiβili'ðað] *nf* possibilité *f*
posible [po'siβle] *adj* possible; **de ser ~** si
possible; **en** o **dentro de lo ~** dans la
mesure du possible; **es ~ que** il est
possible que; **hacer todo lo ~** faire tout
son *etc* possible; **lo antes ~** le plus tôt
possible; **lo menos/más ~** le moins/plus
possible; **estudiar lo más ~** étudier le
plus possible; **lo más pronto ~** le plus vite
possible; **ser/no ser ~ (hacer)** être/ne
pas être possible (de faire)
posición [posi'θjon] *nf* position *f*
positivo, -a [posi'tiβo, a] *adj*
positif(-ive) ■ *nf* (*Foto*) cliché *m*; **el test
dio ~** les résultats du test sont positifs
poso ['poso] *nm* (*de café*) marc *m*; (*de vino*)
lie *f*
posponer [pospo'ner] *vt* subordonner;
(*aplazar*) ajourner
posta ['posta] *nf*: **a ~** exprès
postal [pos'tal] *adj* postal(e) ■ *nf* carte *f*
postale
poste ['poste] *nm* poteau *m*; (*Deporte*)
pilier *m*
póster ['poster] *nm* poster *m*
postergar [poster'ɣar] *vt* reléguer; (*esp
AM: aplazar*) retarder
posteridad [posteri'ðað] *nf* postérité *f*
posterior [poste'rjor] *adj* de derrière;
(*parte*) postérieur(e); (*en el tiempo*)
ultérieur(e); **ser ~ a** être ultérieur(e) à
posterioridad [posterjori'ðað] *nf*: **con ~**
par la suite
postgrado [postɣraðo] *nm* troisième
cycle *m*
postizo, -a [pos'tiθo, a] *adj* faux
(fausse), postiche ■ *nm* postiche *m*
postor, a [pos'tor, a] *nm/f* offrant *m*;
al mejor ~ au plus offrant
postre ['postre] *nm* dessert *m* ■ *nf*:
a la ~ finalement; **para ~** (*fig*) pour finir
postrero, -a [pos'trero, a] *adj*
dernier(-ière); (*momentos, obra*) ultime
postulado [postu'laðo] *nm* postulat *m*
póstumo, -a ['postumo, a] *adj* posthume
postura [pos'tura] *nf* position *f*, posture
f; (*ante hecho, idea*) position
potable [po'taβle] *adj* potable
potaje [po'taxe] *nm* potage *m*
pote ['pote] *nm* pot *m*
potencia [po'tenθja] *nf* puissance *f*;
en ~ en puissance
potencial [poten'θjal] *adj* potentiel(le)
■ *nm* potentiel *m*; **~ eléctrico** potentiel
électrique

potenciar [poten'θjar] vt promouvoir
potente [po'tente] adj puissant(e)
potro ['potro] nm poulain m; (Deporte) cheval m d'arçon
pozo ['poθo] nm puits msg; (de río) endroit le plus profond; **ser un ~ de sabiduría** être un puits de science
PP sigla m (= Partido Popular) parti de droite
P.P. abr = **porte**
pp. abr (= páginas) pp (= pages)
p.p. abr (= por poderes) p.p. (= par procuration)
práctica ['praktika] nf pratique f; **prácticas** nfpl (Escol) travaux mpl pratiques; (Mil) entraînement m; **en la ~** dans la pratique; **llevar a la o poner en ~** mettre en pratique
practicante [prakti'kante] adj (Rel) pratiquant(e) ■ nm/f (Med) aide-soignant(e)
practicar [prakti'kar] vt, vi pratiquer
práctico, -a ['praktiko, a] adj pratique
practique etc [prak'tike] vb ver **practicar**
pradera [pra'ðera] nf prairie f
prado ['praðo] nm pré m; (AM) gazon m
Praga ['praɣa] n Prague
pragmático, -a [praɣ'matiko, a] adj pragmatique
preámbulo [pre'ambulo] nm préambule m; **sin ~s** sans préambule
precario, -a [pre'karjo, a] adj précaire
precaución [prekau'θjon] nf précaution f
precaverse [preka'βerse] vpr: **~ de o contra algo** se prémunir contre qch
precavido, -a [preka'βiðo, a] adj prévoyant(e)
precedente [preθe'ðente] adj précédent(e) ■ nm précédent m; **sin ~(s)** sans précédent; **establecer o sentar un ~** créer un précédent
preceder [preθe'ðer] vt précéder
precepto [pre'θepto] nm précepte m
preciado, -a [pre'θjaðo, a] adj précieux(-euse)
preciarse [pre'θjarse] vpr se vanter; **~ de** se vanter de
precinto [pre'θinto] nm (Com: tb: **precinto de garantía**) cachet m
precio ['preθjo] nm prix msg; **a cualquier ~** (fig) à tout prix; **no tener ~** (fig) ne pas avoir de prix; **"no importa ~"** "prix indifférent"; **a ~ de saldo** en réclame; **~ al contado** prix au comptant; **~ al detalle** prix de détail; **~ al detallista** prix de gros; **~ al por menor** prix de détail; **~ de compra/de coste/de entrega**

inmediata prix d'achat/de revient/de livraison immédiate; **~ de ocasión** prix avantageux; **~ de oferta** prix promotionnel; **~ de salida** prix initial, mise f à prix; **~ de venta al público** prix de vente conseillé; **~ por unidad** prix à l'unité, prix unitaire; **~ tope** prix plafond; **~ unitario** prix à l'unité
preciosidad [preθjosi'ðað] nf (valor) beauté f; (cosa bonita) merveille f; **es una ~** c'est une merveille
precioso, -a [pre'θjoso, a] adj (hermoso) beau (belle); (valioso) précieux(-euse)
precipicio [preθi'piθjo] nm (tb fig) précipice m
precipitación [preθipita'θjon] nf précipitation f
precipitado, -a [preθipi'taðo, a] adj précipité(e) ■ nm (Quím) précipité m
precipitar [preθipi'tar] vt précipiter; **precipitarse** vpr se précipiter
precisamente [preθisa'mente] adv précisément; **~ por eso** pour cette raison précisément; **~ fue él quien lo dijo** c'est précisément lui qui l'a dit; **no es ~ bueno** il n'est pas vraiment bon
precisar [preθi'sar] vt (necesitar) avoir besoin de; (determinar, especificar) préciser
precisión [preθi'sjon] nf précision f; **de ~** de précision
preciso, -a [pre'θiso, a] adj précis(e); (necesario) nécessaire; **en ese ~ momento** à ce moment précis; **es ~ que lo hagas** il faut que tu le fasses
preconcebido, -a [prekonθe'βiðo, a] adj préconçu(e)
precoz [pre'koθ] adj précoce
precursor, a [prekur'sor, a] nm/f précurseur m
predecir [preðe'θir] vt prédire
predestinado, -a [preðesti'naðo, a] adj prédestiné(e)
predicar [preði'kar] vt, vi prêcher
predicción [preðik'θjon] nf prédiction f; **~ del tiempo** prévisions fpl météorologiques
predilecto, -a [preði'lekto, a] adj préféré(e)
predisponer [preðispo'ner] vt prédisposer
predisposición [preðisposi'θjon] nf prédisposition f
predominante [preðomi'nante] adj prédominant(e)
predominar [preðomi'nar] vi prédominer
predominio [preðo'minjo] nm prédominance f

preescolar [preesko'lar] *adj* préscolaire
prefabricado, -a [prefaβri'kaðo, a] *adj* préfabriqué(e)
prefacio [pre'faθjo] *nm* préface *f*
preferencia [prefe'renθja] *nf* (*predilección*) préférence *f*; (*Auto, ventaja*) priorité *f*; **de ~** de préférence; **localidad de ~** place *f* de choix
preferible [prefe'riβle] *adj* préférable
preferir [prefe'rir] *vt* préférer; **~ hacer/que** préférer faire/que
prefiera *etc* [pre'fjera] *vb ver* **preferir**
prefijo [pre'fixo] *nm* (*Telec*) indicatif *m*; (*Ling*) préfixe *m*
pregonar [preɣo'nar] *vt* crier; (*edicto*) annoncer
pregunta [pre'ɣunta] *nf* question *f*; **hacer una ~** poser une question; **~ capciosa** question piège; **~s frecuentes** (*Inform*) foire *f* aux questions
preguntar [preɣun'tar] *vt, vi* demander; **preguntarse** *vpr* se demander; **~ por algn** demander qn; **~ por la salud de algn** s'enquérir de la santé de qn
prehistórico, -a [preis'toriko, a] *adj* préhistorique
prejubilar [prexubi'lar] *vt* mettre en préretraite
prejuicio [pre'xwiθjo] *nm* préjugé *m*; **tener ~s** avoir des préjugés
preliminar [prelimi'nar] *adj, nm* préliminaire *m*
preludio [pre'luðjo] *nm* prélude *m*
premeditación [premeðita'θjon] *nf* préméditation *f*
premiar [pre'mjar] *vt* récompenser; (*en un concurso*) décerner un prix à
premio [premjo] *nm* récompense *f*; (*de concurso etc*) prix *msg*; (*Com*) prime *f*; **~ gordo** gros lot *m*
premonición [premoni'θjon] *nf* prémonition *f*
prenatal [prena'tal] *adj* prénatal(e)
prenda ['prenda] *nf* (*ropa*) vêtement *m*; (*garantía*) gage *m*; (*fam: apelativo*) mon chou; **prendas** *nfpl* (*juego*) gages *mpl*; **dejar algo en ~** laisser qch en gage; **no soltar ~** (*fig*) ne pas dire un mot
prendedor [prende'ðor] *nm* broche *f*
prender [pren'der] *vt* (*sujetar*) attacher; (*delincuente*) arrêter; (*esp AM: encender*) allumer ■ *vi* (*idea, miedo*) s'enraciner; (*planta, fuego*) prendre; **prenderse** *vpr* prendre feu; (*esp AM: encenderse*) s'allumer; **~ fuego a algo** mettre le feu à qch
prendido, -a [pren'diðo, a] (*AM*) *adj* (*luz etc*) allumé(e)

prensa ['prensa] *nf* presse *f*; **tener mala ~** avoir mauvaise presse; **agencia/conferencia de ~** agence *f*/conférence *f* de presse
prensar [pren'sar] *vt* (*papel, uva*) presser
preñado, -a [pre'ɲaðo, a] *adj* (*mujer*) enceinte; **~ de** chargé(e) de
preocupación [preokupa'θjon] *nf* souci *m*
preocupado, -a [preoku'paðo, a] *adj* soucieux(-euse)
preocupar [preoku'par] *vt* préoccuper; **preocuparse** *vpr* (*inquietarse*) se soucier; **~se de algo** (*hacerse cargo*) s'occuper de qch; **~se por algo** se soucier de qch; **¡no te preocupes!** ne t'en fais pas!
preparación [prepara'θjon] *nf* préparation *f*
preparado, -a [prepa'raðo, a] *adj* (*dispuesto*) prêt(e); (*platos, estudiante etc*) préparé(e) ■ *nm* (*Med*) préparation *f*; **¡~s, listos, ya!** à vos marques ... prêts? ... partez!
preparar [prepa'rar] *vt* préparer; **prepararse** *vpr* se préparer; **~se para hacer algo** se préparer à faire qch
preparativos [prepara'tiβos] *nmpl* préparatifs *mpl*
preparatoria [prepara'torja] (*AM*) *nf* terminale *f*
prerrogativa [prerroɣa'tiβa] *nf* prérogative *f*
presa ['presa] *nf* (*de animal*) proie *f*; (*de agua*) barrage *m*; **hacer ~ en** avoir prise sur; **ser ~ de** (*fig: remordimientos*) être en proie à; (*llamas*) être la proie de
presagio [pre'saxjo] *nm* présage *m*
prescindir [presθin'dir] *vi*: **~ de** (*privarse de*) se passer de; (*descartar*) faire abstraction de; **no podemos ~ de él** nous ne pouvons nous passer de lui
prescribir [preskri'βir] *vt* prescrire
prescripción [preskrip'θjon] *nf* prescription *f*; **~ facultativa** prescription médicale
presencia [pre'senθja] *nf* présence *f*; **en ~ de** en présence de; **tener buena ~** avoir une bonne présentation; **~ de ánimo** présence d'esprit
presencial [presen'θjal] *adj*: **testigo ~** témoin *m* oculaire
presenciar [presen'θjar] *vt* (*accidente, discusión*) être témoin de; (*ceremonia etc*) assister à
presentación [presenta'θjon] *nf* présentation *f*; (*Jur: de pruebas, documentos*) production *f*

presentador, a [presenta'ðor, a] *nm/f* présentateur(-trice)

presentar [presen'tar] *vt* présenter; (*Jur: pruebas, documentos*) produire; **presentarse** *vpr* se présenter; **~ al cobro** (*Com*) présenter au recouvrement; **~se a la policía** se présenter à la police

presente [pre'sente] *adj* présent(e) ■ *nm* présent *m*; **los ~s** les personnes *fpl* présentes; **¡~!** présent!; **hacer ~** faire savoir; **tener ~** se souvenir de; **la ~ (carta)** la présente

presentimiento [presenti'mjento] *nm* pressentiment *m*

presentir [presen'tir] *vt* pressentir; **~ que** pressentir que

preservativo [preserβa'tiβo] *nm* préservatif *m*

presidencia [presi'ðenθja] *nf* présidence *f*; **ocupar la ~** occuper la présidence

presidente [presi'ðente] *nm/f* président(e)

presidiario [presi'ðjarjo] *nm* forçat *m*

presidio [pre'siðjo] *nm* prison *f*

presidir [presi'ðir] *vt* (*reunión*) présider; (*suj: sentimiento*) présider à

presión [pre'sjon] *nf* (*tb fig*) pression *f*; **a ~** à pression; **cerrar a ~** fermer avec des pressions; **grupo de ~** (*Pol*) groupe *m* de pression; **~ arterial** tension *f* artérielle; **~ atmosférica** pression atmosphérique; **~ sanguínea** tension veineuse

presionar [presjo'nar] *vt* (*coaccionar*) faire pression sur; (*botón*) presser ■ *vi*: **~ para** *o* **por** faire pression pour

preso, -a ['preso, a] *adj*: **~ de terror/pánico** pris(e) de terreur/panique ■ *nm/f* (*en la cárcel*) prisonnier(-ière); **tomar** *o* **llevar ~ a algn** faire prisonnier qn

prestación [presta'θjon] *nf* (*Admin*) prestation *f*; **prestaciones** *nfpl* (*Tec, Auto*) performances *fpl*; **~ social sustitutoria** service *m* des objecteurs de conscience

prestado, -a [pres'taðo, a] *adj* emprunté(e); **dar algo ~** prêter qch; **pedir ~** emprunter

préstamo ['prestamo] *nm* prêt *m*; **~ con garantía** prêt sur gages; **~ hipotecario** prêt hypothécaire

prestar [pres'tar] *vt* prêter; (*servicio*) rendre; **prestarse** *vpr*: **~se a hacer** s'offrir à faire; **~se a malentendidos** prêter à confusion

presteza [pres'teθa] *nf* promptitude *f*

prestigio [pres'tixjo] *nm* prestige *m*

presumido, -a [presu'miðo, a] *adj, nm/f* prétentieux(-euse); (*preocupado de su aspecto*) coquet(te)

presumir [presu'mir] *vt* présumer ■ *vi* (*tener aires*) s'afficher; **según cabe ~** selon toute vraisemblance, à ce que l'on suppose; **~ de listo** se croire fin

presunción [presun'θjon] *nf* présomption *f*

presunto, -a [pre'sunto, a] *adj* présumé(e); (*heredero*) présomptif(-ive)

presuntuoso, -a [presun'twoso, a] *adj* présomptueux(-euse)

presuponer [presupo'ner] *vt* présupposer

presupuesto [presu'pwesto] *pp de* **presuponer** ■ *nm* (*Fin*) budget *m*; (*de costo, obra*) devis *msg*; **asignación de ~** (*Com*) dotation *f* budgétaire

pretencioso, -a [preten'θjoso, a] *adj* prétentieux(-euse)

pretender [preten'der] *vt* prétendre; **~ que** prétendre que; **¿qué pretende usted?** que prétendez-vous?

pretendiente, -a [preten'djente] *nm/f* prétendant(e)

pretensión [preten'sjon] *nf* prétention *f*; **pretensiones** *nfpl* (*pey*) prétentions *fpl*; **tener muchas/pocas pretensiones** avoir des prétentions élevées/de faibles prétentions

pretexto [pre'teksto] *nm* (*excusa*) prétexte *m*; **so** *o* **con el ~ de** sous prétexte de

prevalecer [preβale'θer] *vi* prévaloir

prevención [preβen'θjon] *nf* prévention *f*

prevenido, -a [preβe'niðo, a] *adj*: **(estar) ~** (*preparado*) (être) prévenu(e); **(ser) ~** (*cuidadoso*) (être) averti(e); **hombre ~ vale por dos** un homme averti en vaut deux

prevenir [preβe'nir] *vt* prévenir; (*preparar*) préparer; **prevenirse** *vpr* se préparer; **~ (en) contra (de)/a favor de** prévenir contre/en faveur de; **~se contra** se prémunir contre

preventivo, -a [preβen'tiβo, a] *adj* préventif(-ive)

prever [pre'βer] *vt* prévoir

previo, -a ['preβjo, a] *adj* (*anterior*) préalable; **~ pago de los derechos** moyennant l'acquittement préalable des droits

previsión [preβi'sjon] *nf* prévision *f*; **en ~ de** en prévision de; **~ del tiempo** prévision météorologique; **~ de ventas** prévision des ventes

prima ['prima] nf prime f; ver tb **primo**; ~ **única** prime unique

primacía [prima'θia] nf primauté f

primario, -a [pri'marjo, a] adj primaire

primavera [prima'βera] nf printemps m

primera [pri'mera] nf première f; **a la ~** du premier coup; **de ~** (fam) de première

primero, -a [pri'mero, a] adj (delante de nmsg: **primer**) premier(-ière) ■ adv (en primer lugar) d'abord; (más bien) plutôt ■ nm: **ser/llegar el ~** être/arriver le premier; **a ~s (de mes)** en début de mois; **primer ministro** Premier ministre

primicia [pri'miθja] nf primeur f

primitivo, -a [primi'tiβo, a] adj primitif(-ive)

primo, -a ['primo, a] adj (Mat) premier(-ière) ■ nm/f cousin(e); (fam) idiot(e); **materias primas** matières fpl premières; **hacer el ~** faire l'idiot; ~ **hermano** cousin m germain

primogénito, -a [primo'xenito, a] adj aîné(e)

primordial [primor'ðjal] adj primordial(e)

princesa [prin'θesa] nf princesse f

principal [prinθi'pal] adj principal(e); (piso) premier(-ière) ■ nm principal m

príncipe ['prinθipe] nm prince m; ~ **de Gales** (tela) prince de Galles; ~ **heredero** prince héritier

principiante [prinθi'pjante] nm/f débutant(e)

principio [prin'θipjo] nm (comienzo) début m; (origen) commencement m; (fundamento, moral: tb Quím) principe m; **a ~s de** au début de; **al ~** au début; **en ~** en principe

pringoso, -a [prin'goso, a] adj gras(se)

pringue ['pringe] vb, nm (grasa) graisse f; (suciedad) saleté f

prioridad [priori'ðað] nf priorité f

prisa ['prisa] nf hâte f; (rapidez) rapidité f; **correr ~** être urgent(e); **darse ~** se presser; **tener ~** être pressé(e)

prisión [pri'sjon] nf prison f

prisionero, -a [prisjo'nero, a] nm/f prisonnier(-ière)

prismáticos [pris'matikos] nmpl jumelles fpl

privación [priβa'θjon] nf privation f; **privaciones** nfpl (necesidades) privations fpl

privado, -a [pri'βaðo, a] adj privé(e); **en ~** en privé; **"~ y confidencial"** "personnel"

privar [pri'βar] vt (despojar) priver; (fam: gustar) raffoler de; **privarse** vpr: **~se de** (abstenerse) se priver de; ~ **a algn de**

hacer empêcher qn de faire; **me privan las motos** la moto c'est mon dada

privilegiado, -a [priβile'xjaðo, a] adj, nm/f privilégié(e)

privilegio [priβi'lexjo] nm privilège m

pro [pro] nm profit m ■ prep: **asociación ~ ciegos** association f au profit des aveugles ■ pref: ~ **soviético/americano** pro-soviétique/américain; **en ~ de** en faveur de; **los ~s y los contras** le pour et le contre; **ciudadano de ~** honorable citoyen m; **hombre de ~** homme m de bien

proa ['proa] nf (Náut) proue f

probabilidad [proβaβili'ðað] nf probabilité f; **probabilidades** nfpl (perspectivas) chances fpl

probable [pro'βaβle] adj probable; **es ~ que** + subjun il est probable que + subjun; **es ~ que no venga** il est probable qu'il ne viendra pas

probador [proβa'ðor] nm cabine f d'essayage

probar [pro'βar] vt essayer; (demostrar) prouver; (comida) goûter ■ vi essayer; **probarse** vpr: **~se un traje** essayer un costume

probeta [pro'βeta] nf éprouvette f; **bebé~** bébé m éprouvette

problema [pro'βlema] nm problème m; **el ~ del paro** le problème du chômage

proceder [proθe'ðer] vi (actuar) procéder; (ser correcto) convenir ■ nm (comportamiento) procédé m; ~ **a** procéder à; ~ **de** provenir de; **no procede obrar así** il n'y a pas lieu d'agir ainsi

procedimiento [proθeði'mjento] nm (Jur, Admin) procédure f; (proceso) processus msg; (método) procédé m

procesado, -a [proθe'saðo, a] nm/f (Jur) prévenu(e)

procesador [proθesa'ðor] nm: ~ **de textos** (Inform) machine f de traitement de texte

procesar [proθe'sar] vt (Jur) accuser; (Inform) traiter

procesión [proθe'sjon] nf procession f; **la ~ va por dentro** il souffre en silence

proceso [pro'θeso] nm (desarrollo, procedimiento) processus msg; (Jur) procès msg; (lapso) cours msg; (Inform): ~ **(automático) de datos** traitement m (automatique) de données; ~ **de textos** traitement de textes; ~ **no prioritario** traitement non prioritaire; ~ **por pasadas** traitement séquentiel; ~ **en tiempo real** traitement en temps réel

proclamar [prokla'mar] vt proclamer

585 | **promiscuo**

procreación [prokrea'θjon] *nf*
procréation *f*
procrear [prokre'ar] *vt, vi* procréer
procurador, a [prokura'ðor, a] *nm/f*
(*Jur*) avoué *m*; (*Pol*) député *m*
procurar [proku'rar] *vt* (*intentar*) essayer
de; (*proporcionar*) procurer; **procurarse**
vpr se procurer
prodigio [pro'ðixjo] *nm* prodige *m*;
niño ~ enfant *m* prodige
prodigioso, -a [proði'xjoso, a] *adj*
prodigieux(-euse)
producción [proðuk'θjon] *nf*
production *f*; **~ en serie** production
en série
producir [proðu'θir] *vt* produire;
(*impresión, heridas, tristeza*) causer;
producirse *vpr* se produire
productividad [proðuktiβi'ðað] *nf*
productivité *f*
productivo, -a [proðuk'tiβo, a] *adj*
productif(-ive)
producto [pro'ðukto] *nm* produit *m*;
~ alimenticio produit alimentaire;
~ interior bruto produit intérieur brut;
~s lácteos produits laitiers; **~ nacional
bruto** produit national brut
productor, a [proðuk'tor, a] *adj, nm/f*
producteur(-trice)
proeza [pro'eθa] *nf* prouesse *f*
profanar [profa'nar] *vt* profaner
profano, -a [pro'fano, a] *adj, nm/f*
profane *m/f*; **soy ~ en la materia** je suis
profane en la matière
profecía [profe'θia] *nf* prophétie *f*
proferir [profe'rir] *vt* proférer
profesión [profe'sjon] *nf* profession *f*;
abogado de ~, de ~ abogado avocat *m*
de profession
profesional [profesjo'nal] *adj, nm/f*
professionnel(le)
profesor, a [profe'sor, a] *nm/f*
professeur *m*; **~ adjunto** professeur
assistant
profeta [pro'feta] *nm* prophète *m*
profetizar [profeti'θar] *vt, vi* prophétiser
prófugo, -a [pro'fuɣo, a] *nm/f*
fugitif(-ive) ■ *nm* (*Mil*) insoumis *msg*
profundidad [profundi'ðað] *nf*
profondeur *f*; **profundidades** *nfpl* (*de
océano etc*) profondeurs *fpl*; **tener una ~
de 30 cm** avoir une profondeur de 30 cm
profundizar [profundi'θar] *vi*: **~ en** (*fig*)
approfondir
profundo, -a [pro'fundo, a] *adj*
profond(e); **poco ~** peu profond
programa [pro'ɣrama] *nm* programme
m; **~ de estudios** programme;

~ verificador de ortografía (*Inform*)
vérificateur *m* d'orthographe
programación [proɣrama'θjon] *nf*
programmation *f*; **~ estructurada**
programmation structurée
programador, a [proɣrama'ðor, a]
nm/f programmeur(-euse) ■ *nm*
programmateur *m*; **~ de aplicaciones**
programmateur d'applications
programar [proɣra'mar] *vt*
programmer
progresar [proɣre'sar] *vi* progresser
progresista [proɣre'sista] *adj, nm/f*
progressiste *m/f*
progresivo, -a [proɣre'siβo, a] *adj*
progressif(-ive)
progreso [pro'ɣreso] *nm* (*avance*) progrès
msg; **el ~** le progrès; **hacer ~s** faire des
progrès
prohibición [proiβi'θjon] *nf* interdiction
f; (*Admin, Jur*) prohibition *f*; **levantar la ~
de** lever l'interdiction de
prohibir [proi'βir] *vt* interdire; (*Admin,
Jur*) prohiber; **"prohibido fumar"**
"défense de fumer"; **"prohibida la
entrada"** "entrée interdite"; **dirección
prohibida** (*Auto*) sens *m* interdit
prójimo ['proximo, a] *nm* prochain *m*
proletariado [proleta'rjaðo] *nm*
prolétariat *m*
proletario, -a [prole'tarjo, a] *adj, nm/f*
prolétaire *m/f*
proliferación [prolifera'θjon] *nf*
prolifération *f*; **~ de armas nucleares**
prolifération des armes nucléaires
proliferar [prolife'rar] *vi* proliférer
prolífico, -a [pro'lifiko, a] *adj* prolifique
prólogo ['proloɣo] *nm* prologue *m*
prolongación [prolonga'θjon] *nf*
prolongation *f*
prolongado, -a [prolon'gaðo, a] *adj*
(*largo*) prolongé(e); (*alargado*) allongé(e)
prolongar [prolon'gar] *vt* prolonger;
prolongarse *vpr* se prolonger
promedio [pro'meðjo] *nm* moyenne *f*
promesa [pro'mesa] *nf* promesse *f*
■ *adj*: **jóvenes ~s** jeunes espoirs *mpl*;
faltar a una ~ ne pas tenir une promesse
prometer [prome'ter] *vt*: **~ hacer algo**
promettre de faire qch ■ *vi* promettre;
prometerse *vpr* (*dos personas*) se fiancer
prometido, -a [prome'tiðo, a] *adj*
promis(e) ■ *nm/f* promis(e), fiancé(e)
prominente [promi'nente] *adj*
proéminent(e); (*artista*) en vue; (*político*)
important(e)
promiscuo, -a [pro'miskwo, a] (*pey*) *adj*
(*persona*) de mœurs légères

promoción [promo'θjon] *nf* promotion *f*; ~ **por correspondencia directa** (*Com*) publipostage *m*; ~ **de ventas** promotion des ventes

promotor, a [promo'tor, a] *nm/f* promoteur(-trice)

promover [promo'βer] *vt* promouvoir; (*escándalo, juicio*) provoquer

promulgar [promul'ɣar] *vt* promulguer

pronombre [pro'nombre] *nm* pronom *m*

pronosticar [pronosti'kar] *vt* pronostiquer

pronóstico [pro'nostiko] *nm* pronostic *m*; **de ~ leve** au pronostic dénué de toute gravité; **de ~ reservado** au pronostic réservé; ~ **del tiempo** prévisions *fpl* météorologiques

pronto, -a ['pronto, a] *adj* (*rápido*) rapide; (*preparado*) prêt(e) ■ *adv* rapidement; (*dentro de poco*) bientôt; (*temprano*) tôt ■ *nm* (*impulso*) élan *m*; (: *de ira*) accès *msg*; **al ~** au début; **de ~** tout à coup; **¡hasta ~!** à bientôt; **lo más ~ posible** le plus tôt possible; **por lo ~** pour l'instant; **tan ~ como** dès que

pronunciación [pronunθja'θjon] *nf* (*Ling*) prononciation *f*; (*Jur*) prononcé *m*

pronunciar [pronun'θjar] *vt* prononcer; **pronunciarse** *vpr* (*Mil*) se soulever; (*declararse*) se prononcer; ~**se sobre** se prononcer sur

propaganda [propa'ɣanda] *nf* propagande *f*; **hacer ~ de** (*Com*) faire de la propagande pour

propagar [propa'ɣar] *vt* propager; **propagarse** *vpr* se propager

propenso, -a [pro'penso, a] *adj*: ~ **a** enclin(e) à; **ser ~ a hacer algo** être enclin(e) à faire qch

propicio, -a [pro'piθjo, a] *adj* propice

propiedad [propje'ðað] *nf* propriété *f*; **ceder algo a algn en** ~ céder la propriété de qch à qn; **ser ~ de** être propriété de; **con** ~ (*hablar*) correctement; ~ **intelectual** propriété intellectuelle; ~ **particular** propriété privée; ~ **pública** (*Com*) propriété publique

propietario, -a [propje'tarjo, a] *nm/f* propriétaire *m*

propina [pro'pina] *nf* pourboire *m*; **dar algo de** ~ donner qch en pourboire

propio, -a ['propjo, a] *adj* propre; (*mismo*) en personne; **el ~ ministro** le ministre en personne; **¿tienes casa propia?** as-tu une maison à toi?; **eso es muy ~ de él** c'est bien de lui; **nombre** ~ nom *m* propre

proponer [propo'ner] *vt* proposer; **proponerse** *vpr*: ~**se hacer** se proposer de faire

proporción [propor'θjon] *nf* proportion *f*; **proporciones** *nfpl* (*dimensiones, tb fig*) proportions *fpl*; **en** ~ **con** en proportion de

proporcionado, -a [proporθjo'naðo, a] *adj* proportionné(e); **bien** ~ bien proportionné(e)

proporcionar [proporθjo'nar] *vt* offrir; (*Com*) fournir; **esto le proporciona una renta anual de ...** cela lui rapporte un revenu annuel de ...

proposición [proposi'θjon] *nf* proposition *f*; **proposiciones deshonestas** propositions malhonnêtes

propósito [pro'posito] *nm* intention *f* ■ *adv*: **a ~** à propos; **a ~ de** à propos de; **hacer algo a ~** faire qch exprès

propuesta [pro'pwesta] *nf* proposition *f*

propulsar [propul'sar] *vt* (*impulsar*) propulser; (*fig*) développer

propulsión [propul'sjon] *nf* propulsion *f*; ~ **a chorro** *o* **por reacción** propulsion par réaction

prórroga ['prorroɣa] *nf* (*de plazo*) prorogation *f*; (*Deporte*) prolongations *fpl*; (*Mil*) sursis *msg*

prorrogar [prorro'ɣar] *vt* (*plazo*) proroger; (*decisión*) différer

prorrumpir [prorrum'pir] *vi*: ~ **en lágrimas/carcajadas** éclater en sanglots/de rire; **el público prorrumpió en aplausos** les applaudissements ont fusé dans le public

prosa ['prosa] *nf* (*Lit*) prose *f*

proscrito, -a [pros'krito, a] *pp, adj, nm/f* proscrit(e)

proseguir [prose'ɣir] *vt* poursuivre ■ *vi* poursuivre; (*discusiones etc*) se poursuivre; ~ **con algo** poursuivre qch

prospección [prospek'θjon] *nf* prospection *f*

prospecto [pros'pekto] *nm* (*Med*) notice *f*; (*publicidad*) prospectus *msg*

prosperar [prospe'rar] *vi* prospérer

prosperidad [prosperi'ðað] *nf* prospérité *f*

próspero, -a ['prospero, a] *adj* prospère; ~ **año nuevo** bonne année!

prostíbulo [pros'tiβulo] *nm* bordel *m*

prostitución [prostitu'θjon] *nf* prostitution *f*

prostituir [prosti'twir] *vt* prostituer; **prostituirse** *vpr* se prostituer

prostituta [prosti'tuta] *nf* prostituée *f*

protagonista [protaɣo'nista] *nm/f* protagoniste *m/f*

protagonizar [protaɣoni'θar] *vt*
(*película, suceso*) être le/la protagoniste de
protección [protek'θjon] *nf* protection *f*
protector, a [protek'tor, a] *adj*
(*barrera, gafas, crema*) de protection;
(*tono*) protecteur(-trice) ■ *nm/f*
protecteur(-trice)
proteger [prote'xer] *vt* protéger;
protegerse *vpr*: ~**se (de)** se protéger
(de); ~ **contra grabación** o **contra
escritura** (*Inform*) protéger contre
l'écriture
protege-slip [protexes'lip] (*pl* ~**s**) *nm*
protège-slip *m*
proteína [prote'ina] *nf* protéine *f*
protesta [pro'testa] *nf* protestation *f*
protestante [protes'tante] *adj*
protestant(e)
protestar [protes'tar] *vt* (*cheque*)
protester ■ *vi* protester; **¡protesto!**
je proteste!
protocolo [proto'kolo] *nm* protocole *m*;
sin ~s sans protocole
prototipo [proto'tipo] *nm* prototype *m*
prov. *abr* = **provincia**
provecho [pro'βetʃo] *nm* profit *m*; **¡buen
~!** bon appétit!; **en ~ de** au profit de;
sacar ~ de tirer profit de
proveer [proβe'er] *vt* (*suministrar*)
fournir; (*preparar*) préparer ■ *vi*: ~ **a**
pourvoir à; **proveerse** *vpr*: ~**se de** se
pourvoir de
provenir [proβe'nir] *vi* provenir
proverbio [pro'βerβjo] *nm* proverbe *m*
providencia [proβi'ðenθja] *nf*
providence *f*; **providencias** *nfpl*
(*disposiciones*) mesures *fpl*
provincia [pro'βinθja] *nf* province *f*;
(*Admin*) ≈ département *m*; **un pueblo de
~s** un village de province

provinciano, -a [proβin'θjano, a] (*pey*)
adj provincial(e)
provisión [proβi'sjon] *nf*
(*abastecimiento*) provision *f*; (*precaución*)
mesure *f*; **provisiones** *nfpl* (*víveres*)
provisions *fpl*
provisional [proβisjo'nal] *adj*
provisoire
provocación [proβoka'θjon] *nf*
provocation *f*
provocar [proβo'kar] *vt* provoquer;
(*AM*): **¿te provoca un café?** ça te dit,
un café?
provocativo, -a [proβoka'tiβo, a] *adj*
provocant(e)
próximamente ['proksimamente] *adv*
prochainement
proximidad [proksimi'ðað] *nf*
proximité *f*; **proximidades** *nfpl*
(*cercanías*) proximité *fsg*
próximo, -a ['proksimo, a] *adj* (*cercano*)
proche; (*parada, año*) prochain(e); **en
fecha próxima** sous peu
proyectar [projek'tar] *vt* projeter;
proyectarse *vpr* se projeter
proyectil [projek'til] *nm* projectile *m*;
~ **teledirigido** projectile télécommandé
proyecto [pro'jekto] *nm* projet *m*; **tener
algo en ~** avoir qch en projet; ~ **de ley**
projet de loi
proyector [projek'tor] *nm* projecteur *m*
prudencia [pru'ðenθja] *nf* prudence *f*
prudente [pru'ðente] *adj* prudent(e)
prueba ['prweβa] *vb ver* **probar** ■ *nf*
(*gen*) épreuve *f*; (*testimonio*) témoignage
m; (*Jur*) preuve *f*; (*de ropa*) essayage *m*;
a ~ à l'épreuve; (*Com*) à l'essai; **a ~ de** à
l'épreuve de; **a ~ de agua/fuego**
étanche/à l'épreuve du feu; **en ~ de** en
témoignage de; **período/fase de ~**
période *f*/phase *f* d'essai; **poner/
someter a ~** mettre/soumettre à
l'épreuve; **¿tiene usted ~ de ello?** en
avez-vous la preuve?; ~ **de capacitación**
(*Com*) preuve d'aptitudes; ~ **de fuego**
(*fig*) épreuve du feu
prurito [pru'rito] *nm* (*tb fig*)
démangeaison *f*
psico... [siko] *pref* psycho...
psicoanálisis [sikoa'nalisis] *nm*
psychanalyse *f*
psicología [sikolo'xia] *nf* psychologie *f*
psicológico, -a [siko'loxiko, a] *adj*
psychologique
psicópata [si'kopata] *nm/f*
psychopathe *m/f*
psicosis [si'kosis] *nf inv* psychose *f*
psiquiatra [si'kjatra] *nm/f* psychiatre *m/f*

psiquiátrico, -a [si'kjatriko, a] *adj* psychiatrique

psíquico, -a ['sikiko, a] *adj* psychique

PSOE [pe'soe] *sigla m = Partido Socialista Obrero Español*

Pta. *abr* (Geo: = Punta) pte (= *pointe*)

pta(s). *abr* = **peseta(s)**

pts. *abr* = **pesetas**

púa ['pua] *nf* (de planta) piquant m; (de peine) dent f; (para guitarra) médiator m; **alambre de ~s** fil m de fer barbelé

pubertad [puβer'tað] *nf* puberté f

publicación [puβlika'θjon] *nf* publication f

publicar [puβli'kar] *vt* publier

publicidad [puβliθi'ðað] *nf* publicité f; **dar ~ a** rendre public(-ique); **~ en el punto de venta** publicité sur le point de vente

publicitario, -a [puβliθi'tarjo, a] *adj* publicitaire

público, -a ['puβliko, a] *adj* public(-ique) ■ *nm* public m; **el gran ~** le grand public; **en ~** en public; **hacer ~** (difundir) rendre public; **~ objetivo** (Com) public ciblé

puchero [pu'tʃero] *nm* (Culin: olla) marmite f; (: guiso) pot-au-feu m; **hacer ~s** bouder

púdico, -a ['puðiko, a] *adj* pudique

pudiendo etc [pu'ðjendo] *vb ver* **poder**

pudor [pu'ðor] *nm* pudeur f

pudrir [pu'ðrir] *vt* pourrir; **pudrirse** *vpr* pourrir

pueblo ['pweβlo] *vb ver* **poblar** ■ *nm* peuple m; (población pequeña) village m; **~ joven** (Pe) quartier m de bidonvilles

pueda etc ['pweða] *vb ver* **poder**

puente ['pwente] *nm* (gen) pont m; (de gafas) arcade f; (de dientes) bridge m; (Náut: tb: **puente de mando**) passerelle f; **curso ~** (Escol) cours msg d'adaptation; **hacer ~** (fam) faire le pont; **~ aéreo/colgante** pont aérien/suspendu; **~ levadizo** pont-levis m

puerco, -a ['pwerko, a] *adj* cochon(ne) ■ *nm/f* (Zool) porc (truie); (fam) porc (cochonne); **~ espín** porc-épic m

pueril [pwe'ril] *adj* puéril(e)

puerro ['pwerro] *nm* poireau m

puerta ['pwerta] *nf* porte f; (de coche) portière f; (de jardín) portail m, porte f; (portería: Deporte) but m; (Inform) port m; **a ~ cerrada** à huis clos; **~ batiente/blindada/corredera** porte battante/blindée/coulissante; **~ de servicio** porte de service; **~ (de transmisión) en paralelo/en serie** (Inform) port

parallèle/série; **~ giratoria** tourniquet m, porte à tambour; **~ principal/trasera** porte d'entrée/de derrière

puerto ['pwerto] *nm* (tb Inform) port m; (de montaña) col m; **llegar a ~** (fig) arriver à bon port; **~ franco** port franc

puertorriqueño, -a [pwertorri'keɲo, a] *adj* portoricain(e) ■ *nm/f* Portoricain(e)

pues [pwes] *conj* (en tal caso) donc; (puesto que) car ■ *adv* (así que) donc; **¡~ claro!** bien sûr!; **~ ... no sé** eh bien ... je ne sais pas; **~ sí** eh bien, oui!

puesta ['pwesta] *nf:* **~ a cero** (Inform) reinitialisation f; **~ al día/a punto** mise f à jour/au point; **~ del sol** coucher m du soleil; **~ en escena** mise en scène; **~ en marcha** mise en marche

puesto, -a ['pwesto, a] *pp de* **poner** ■ *adj:* **ir bien/muy ~** être bien habillé/tiré à quatre épingles ■ *nm* (tb Mil) poste m; (: en clasificación) rang m; (tb: **puesto de trabajo**) poste; (Com: en mercado) étal m, éventaire m; (: de flores, periódicos) kiosque m ■ *conj:* **~ que** puisque; **~ de mando/policía/socorro** poste de commandement/police/secours

pugna ['puɣna] *nf* lutte f

pugnar [puɣ'nar] *vi:* **~ por** lutter pour

pujar [pu'xar] *vi* (en subasta) surenchérir; (fig) faire un effort

pulcro, -a ['pulkro, a] *adj* propre

pulga ['pulɣa] *nf* puce f; **tener malas ~s** avoir mauvais caractère

pulgada [pul'ɣaða] *nf* (medida) pouce m

pulgar [pul'ɣar] *nm* pouce m

pulir [pu'lir] *vt* (tb fig) polir

pulla ['puʎa] *nf* (broma) pique f

pulmón [pul'mon] *nm* poumon m; **a pleno ~** à pleins poumons; **~ artificial/de acero** poumon artificiel/d'acier

pulmonía [pulmo'nia] *nf* pneumonie f

pulpa ['pulpa] *nf* pulpe f

pulpería [pulpe'ria] *nf* (AM) épicerie f

púlpito ['pulpito] *nm* (Rel) chaire f

pulpo ['pulpo] *nm* poulpe m

pulsación [pulsa'θjon] *nf* pulsation f; **pulsaciones por minuto** (del teclado) caractères mpl par minute

pulsar [pul'sar] *vt* (tecla) frapper; (botón) appuyer sur ■ *vi* (latir) battre

pulsera [pul'sera] *nf* bracelet m; **reloj de ~** montre-bracelet f

pulso ['pulso] *nm* (Med) pouls msg; (Col: pulsera) bracelet m; (: reloj de pulsera) montre-bracelet f; **a ~** (tb fig) à la force du poignet; **con ~ firme** de propos délibéré; **echar un ~** faire un bras de fer

pulverizador [pulβeriθa'ðor] nm pulvérisateur m

pulverizar [pulβeri'θar] vt pulvériser

puna ['puna] (And, Csur) nf (Med) puna f

punitivo, -a [puni'tiβo, a] adj punitif(-ive)

punta ['punta] nf pointe f; (de lengua, dedo) bout m; (fig: toque) pointe f; **horas ~** heures fpl de pointe; **tecnología ~** technologie f de pointe; **de ~** debout; **de ~ a ~** d'un bout à l'autre; **estar de ~** être à bout; **ir de ~ en blanco** être tiré à quatre épingles; **sacar ~ a** (lápiz) tailler; **sacarle ~ a todo** chercher la petite bête; **tener algo en la ~ de la lengua** avoir qch sur le bout de la langue; **se me pusieron los pelos de ~** j'en ai eu les cheveux qui se sont dressés sur la tête; **~ del iceberg** (fig) pointe de l'iceberg

puntada [pun'taða] nf (Costura) point m

puntal [pun'tal] nm étai m

puntapié [punta'pje] (pl **~s**) nm coup m de pied; **echar a algn a ~s** éjecter qn à coups de pied aux fesses

puntear [punte'ar] vt (dibujar) pointiller; (Mús) pincer

puntería [punte'ria] nf (de arma) visée f; (destreza) précision f

puntero, -a [pun'tero, a] adj (industria, país) de pointe ■ nm (vara) baguette f

puntiagudo, -a [puntja'ɣuðo, a] adj pointu(e)

puntilla [pun'tiʎa] nf (Costura) dentelle f fine; **(andar) de ~s** (marcher) sur la pointe des pieds

punto ['punto] nm point m; **a ~** (listo) au point; **estar a ~ de** être sur le point de; **llegar a ~** arriver à point; **al ~** immédiatement; **dos ~s** (Tip) deux points; **de ~** tricoté(e); **en ~** (horas) pile; **estar en su ~** (Culin) être à point; **hasta cierto ~** jusqu'à un certain point; **hasta tal ~ que** à tel point que; **hacer ~** tricoter; **poner a punto a ~** mettre un moteur au point; **~s a tratar** points à traiter; **~ acápite** (AM) point, à la ligne; **~ culminante** point culminant; **~ de apoyo** point d'appui; **~ débil** point faible; **~ de congelación** point de congélation; **~ de equilibrio** (Com) seuil m de rentabilité; **~ de fusión** point de fusion; **~ de partida** point de départ; **~ de pedido** (Com) point de réapprovisionnement; **~ de referencia** (Com) point de référence; **~ de salida** (Inform) point de départ; **~ de venta** (Com) point de vente; **~ de vista** point de vue; **~ final** point final; **~ muerto** point mort; **~ negro** (Auto) point noir; **~s suspensivos** points de suspension; **~ y coma** point-virgule m

puntuación [puntwa'θjon] nf (signos) ponctuation f; (puntos) points mpl

puntual [pun'twal] adj ponctuel(le)

puntualidad [puntwali'ðað] nf ponctualité f

puntualizar [puntwali'θar] vt préciser

puntuar [pun'twar] vt (Ling, Tip) ponctuer; (examen) noter ■ vi (Deporte) compter

punzada [pun'θaða] nf (puntura) piqûre f; (dolor) élancement m

punzante [pun'θante] adj (dolor) aigu(ë), lancinant(e); (herramienta) pointu(e); (comentario) piquant(e)

punzar [pun'θar] vt (pinchar) piquer ■ vi (doler) élancer

puñado [pu'ɲaðo] nm poignée f; **a ~s** à foison

puñal [pu'ɲal] nm poignard m

puñalada [puɲa'laða] nf coup m de poignard; **una ~ trapera** (fig) un coup de Jarnac

puñetazo [puɲe'taθo] nm coup m de poing

puño ['puɲo] nm (Anat) poing m; (de ropa) poignet m; (de herramienta) manche m; **como un ~** (verdad) flagrant(e); **de su ~ y letra** de sa main; **tener el corazón en un ~** avoir le cœur gros

pupila [pu'pila] nf (Anat) pupille f

pupitre [pu'pitre] nm pupitre m

puré [pu're] nm (Culin) purée f; **estar hecho ~** (fig) être à bout de forces; **~ de patatas/de verduras** purée de pommes de terre/de légumes

pureza [pu'reθa] nf pureté f

purga ['purɣa] nf purge f

purgante [pur'ɣante] adj purgatif(-ive) ■ nm purgatif m

purgar [pur'ɣar] vt purger; **purgarse** vpr se purger

purgatorio [purɣa'torjo] nm purgatoire m

purificar [purifi'kar] vt purifier

puritano, -a [puri'tano, a] adj, nm/f puritain(e)

puro, -a ['puro, a] adj pur(e); (esp Méx) même ■ nm (tabaco) cigare m ■ adv (esp Méx) uniquement; **de ~ cansado** à force de fatigue; **por pura casualidad/curiosidad** par pur hasard/pure curiosité

púrpura ['purpura] nf pourpre f

purpúreo, -a [pur'pureo, a] adj pourpré(e)

pus [pus] nm pus msg

puse etc ['puse] vb ver **poner**

pústula ['pustula] *nf* pustule *f*
puta ['puta] (*fam!*) *nf* putain *f*, pute *f*
(*fam!*); **de ~ madre** du tonnerre
putrefacción [putrefak'θjon] *nf*
putréfaction *f*
PVC *sigla m* (= *polyvinyl-chloride*) PVC *m*
PVP (*Esp*) *sigla m* = *Precio de Venta al Público*
pyme ['pime] *sigla f* (= *Pequeña y Mediana
Empresa*) PME *f* (= *petites et moyennes
entreprises*)

q

○ **PALABRA CLAVE**

que [ke] *pron rel* **1** (*sujeto*) qui; **el hombre
que vino ayer** l'homme qui est venu hier
2 (*objeto*) que; **el sombrero que te
compraste** le chapeau que tu t'es acheté;
la chica que invité la fille que j'ai invitée
3 (*circunstancial, con prep*): **el día que yo
llegué** le jour où je suis arrivé; **el piano
con que toca** le piano sur lequel il joue;
el libro del que te hablé le livre dont je
t'ai parlé; **la cama en que dormí** le lit
dans lequel j'ai dormi; *ver tb* **el**
■ *conj* **1** (*con oración subordinada*) que;
dijo que vendría il a dit qu'il viendrait;
espero que lo encuentres j'espère que tu
le retrouveras; *ver tb* **el**
2 (*con verbo de mandato*): **dile que me
llame** dis-lui de m'appeler
3 (*en oración independiente*): **¡que entre!**
qu'il (elle) entre!; **¡que se mejore tu
padre!** j'espère que ton père ira mieux!;
que lo haga él qu'il le fasse, lui; **que yo
sepa** que je sache
4 (*enfático*): **¿me quieres? - ¡que sí!** tu
m'aimes? - oh oui!
5 (*repetición*): **¿cómo has dicho? - ¿que si
...?** qu'est-ce que tu disais? - que si ...?

6 (*consecutivo*) que; **es tan grande que no lo puedo levantar** c'est si gros que je ne peux pas le soulever

7 (*en comparaciones*) que; **es más alto que tú** il est plus grand que toi; **ese libro es igual que el otro** ce livre est pareil que l'autre; *ver tb* **más**; **menos**; **mismo**

8 (*valor disyuntivo*): **que venga o que no venga** qu'il vienne ou qu'il ne vienne pas

9 (*porque*): **no puedo, que tengo que quedarme en casa** je ne peux pas, je dois rester à la maison

10 (*valor condicional*): **que no puedes, no lo haces** si tu ne peux pas, ne le fais pas

11 (*valor final*): **sal a que te vea** sors pour que je te voie

12: **todo el día toca que toca** toute la sainte journée; **y él dale que dale** (*hablando*) et lui qui n'arrêtait pas

13: **yo que tú ...** si j'étais toi ...

qué [ke] *adj* quel(le) ■ *pron* que, quoi; **¿~ edad tienes?** quel âge as-tu?; **¿a ~ velocidad?** à quelle vitesse?; **¡~ divertido/asco!** comme c'est drôle/dégoûtant!; **¡~ día más espléndido!** quelle journée splendide!; **¿~? quoi?; ¿~ quieres?** qu'est-ce que tu veux?; **¿de ~ me hablas?** de quoi me parles-tu?; **¿~ tal?** (comment) ça va?; **¿~ hay de nuevo?** quoi de neuf?; **¿~ más?** autre chose?; **no sé ~ quiere hacer** je ne sais pas ce qu'il veut faire; **¡y ~!** et alors!

quebradizo, -a [keβra'ðiθo, a] *adj* cassant(e); (*persona, salud*) fragile

quebrado, -a [ke'βraðo, a] *adj* (*roto*) cassé(e); (*línea*) brisé(e); (*terreno*) accidenté(e) ■ *nm/f* (*Com*) failli(e) ■ *nm* (*Mat*) fraction *f*; **~ rehabilitado** failli réhabilité

quebrantar [keβran'tar] *vt* (*moral*) casser; (*ley, secreto, promesa*) violer; (*salud*) affaiblir; **quebrantarse** *vpr* (*persona, fuerzas*) s'affaiblir

quebranto [ke'βranto] *nm* (*en salud*) affaiblissement *m*; (*en fortuna*) perte *f*; (*fig: pena*) affliction *f*

quebrar [ke'βrar] *vt* casser ■ *vi* faire faillite; **quebrarse** *vpr* se casser; (*línea, cordillera*) se briser; (*Med: herniarse*) se faire une hernie; **se le quebró la voz** sa voix s'est brisée

quedar [ke'ðar] *vi* rester; (*encontrarse*) se donner rendez-vous; **quedarse** *vpr* rester; **~ en** convenir de; **~ en nada** ne pas aboutir; **~ por hacer** rester à faire; **no te queda bien ese vestido** cette robe ne te va pas bien; **quedamos aquí** on se

retrouve là; **quedamos a las seis** (*en pasado*) on a dit 6 heures; (*en presente*) on se voit à 6 heures; **eso queda muy lejos** c'est très loin; **nos quedan 12 kms para llegar al pueblo** il nous reste encore 12 km avant d'arriver au village; **quedan dos horas** il reste deux heures; **eso queda por/hacia allí** c'est par là; **ahí quedó la cosa** la chose en est restée là; **no queda otra** il n'y en a plus; **~se ciego/mudo** devenir aveugle/muet; **~se (con) algo** garder qch; **~se con algn** (*fam*) taquiner qn; **~se sin** ne plus avoir de

quedo, -a ['keðo, a] *adj* (*voz*) bas (basse); (*pasos*) feutré(e) ■ *adv* (*hablar*) doucement; (*andar*) à pas feutrés

quehacer [kea'θer] *nm* tâche *f*; **~es (domésticos)** tâches *fpl* (domestiques)

queja ['kexa] *nf* plainte *f*

quejarse [ke'xarse] *vpr* se plaindre; **~ de que ...** se plaindre que ...

quejido [ke'xiðo] *nm* gémissement *m*, plainte *f*

quemado, -a [ke'maðo, a] *adj* brûlé(e) ■ *nm*: **oler a ~** sentir le brûlé; **estar ~** (*fam: irritado*) être en pétard; (*: político, actor*) être fini

quemadura [kema'ðura] *nf* brûlure *f*; (*de sol*) coup *m* de soleil

quemar [ke'mar] *vt* brûler; (*fig: malgastar*) gâcher; (*: deteriorar: imagen, persona*) détruire; (*fastidiar*) agacer ■ *vi* brûler; **quemarse** *vpr* (*consumirse*) brûler; (*del sol*) attraper un coup *o* des coups de soleil

quemarropa [kema'rropa]: **a ~** *adv* (*disparar*) à bout portant; (*preguntar*) à brûle-pourpoint

quepo *etc* ['kepo] *vb ver* **caber**

querella [ke'reʎa] *nf* (*Jur*) plainte *f*; (*disputa*) querelle *f*

querellarse [kere'ʎarse] *vpr* porter plainte

PALABRA CLAVE

querer [ke'rer] *vt* **1** (*desear*) vouloir; **quiero más dinero** je veux plus d'argent; **quisiera o querría un té** je voudrais un thé; **sin querer** sans le vouloir; **quiera o no quiera** qu'il le veuille ou non; **¡no quiero!** je ne veux pas!; **como Ud quiera** comme vous voudrez; **como quien no quiere la cosa** mine de rien; **¡qué más quisiera yo!** si seulement je pouvais!

2 (+ *vb dependiente*): **quiero ayudar/que vayas** je veux aider/que tu t'en ailles; **¿qué quieres decir?** que veux-tu dire?

3 (*para pedir algo*): **¿quiere abrir la ventana?** vous voulez bien ouvrir la fenêtre?
4 (*amar*) aimer; (*amigo, perro*) aimer bien; **quiere mucho a sus hijos** elle aime beaucoup ses enfants; **te quiero bien** je ne veux que ton bien; **¡por lo que más quieras!** je t'en prie!
5 (*requerir*): **esta planta quiere más luz** cette plante a besoin de plus de lumière
6 (*impersonal*): **quiere llover** il va pleuvoir
7: **como quiera que ...** (*dado que*) puisque ..., comme ...

querido, -a [ke'riðo, a] *adj* (*mujer, hijo*) chéri(e); (*tierra, amigo, en carta*) cher (chère) ■ *nm/f* amant(e); **nuestra querida patria** notre chère patrie; **¡sí, ~!** oui, chéri!
queso ['keso] *nm* fromage *m*; **dárselas con ~ a algn** (*fam*) mener qn en bateau; **~ cremoso** fromage crémeux; **~ rallado** fromage râpé
quicio ['kiθjo] *nm* gond *m*; **estar fuera de ~** aller de travers; **sacar a algn de ~** mettre qn hors de soi
quiebra ['kjeβra] *nf* effondrement *m*; (*Com*) faillite *f*
quiebro ['kjeβro] *vb ver* **quebrar** ■ *nm* (*del cuerpo*) déhanchement *m*; (*del torero*) écart *m*
quien [kjen] *pron* (*relativo: sujeto*) qui; (*: complemento*) qui, que; **la persona a ~ quiero** la personne que j'aime; **~ dice eso es tonto** (*indefinido*) celui qui dit cela est un idiot; **hay ~ piensa que** il y a des gens qui pensent que; **no hay ~ lo haga** il n'y a personne qui le fasse; **~ más, ~ menos tiene sus problemas** tout le monde a des problèmes
quién [kjen] *pron* (*interrogativo*) qui; **¿~ es?** qui est-ce?; (*Telec*) qui est à l'appareil?; **¡~ pudiera!** si seulement je pouvais!
quienquiera [kjen'kjera] (*pl* **quienesquiera**) *pron* quiconque
quiera *etc* ['kjera] *vb ver* **querer**
quieto, -a ['kjeto, a] *adj* (*manos, cuerpo*) immobile; (*carácter*) tranquille; **¡estate ~!** reste tranquille!
quietud [kje'tuð] *nf* (*inmovilidad*) immobilité *f*; (*tranquilidad*) tranquillité *f*, quiétude *f*
quilate [ki'late] *nm* carat *m*
quilla ['kiʎa] *nf* quille *f*
quimera [ki'mera] *nf* chimère *f*
química ['kimika] *nf* chimie *f*
químico, -a ['kimiko, a] *adj* chimique ■ *nm/f* chimiste *m/f*

quince ['kinθe] *adj inv, nm inv* quinze *m inv*; **~ días** quinze jours; *ver tb* **seis**
quinceañero, -a [kinθea'ɲero, a] *adj* adolescent(e) ■ *nm/f* garçon (fille) de quinze ans, adolescent(e)
quincena [kin'θena] *nf* quinzaine *f*
quincenal [kinθe'nal] *adj* (*pago, reunión*) bimensuel(le)
quiniela [ki'njela] *nf* (*impreso*) grille *f* o feuille *f* de paris; **quinielas** ≈ Loto *msg* sportif; **~ hípica** ≈ tiercé *m*
quinientos, -as [ki'njentos, as] *adj* cinq cents; *ver tb* **seiscientos**
quinina [ki'nina] *nf* quinine *f*
quinto, -a ['kinto, a] *adj* cinquième ■ *nm* (*Mil*) recrue *f*; (*ordinal*) cinquième *m*; *ver tb* **sexto**
quiosco ['kjosko] *nm* kiosque *m*
quirófano [ki'rofano] *nm* salle *f* d'opération
quirúrgico, -a [ki'rurxiko, a] *adj* chirurgical
quise *etc* ['kise] *vb ver* **querer**
quisquilloso, -a [kiski'λoso, a] *adj* (*susceptible*) chatouilleux(-euse); (*meticuloso*) pointilleux(-euse)
quiste ['kiste] *nm* kyste *m*
quitaesmalte [kitaes'malte] *nm* dissolvant *m*
quitamanchas [kita'mantʃas] *nm inv* détachant *m*
quitanieves [kita'njeβes] *nm inv* chasse-neige *m inv*
quitar [ki'tar] *vt* enlever; (*ropa*) enlever, ôter; (*dolor*) éliminer; (*vida*) donner la mort à ■ *vi*: **¡quita de ahí!** hors d'ici!; **quitarse** *vpr* (*mancha*) partir; (*ropa*) ôter; (*vida*) se donner la mort; **de quita y pon** amovible; **quítalo de ahí** enlève ça de là; **me quita mucho tiempo** cela me prend beaucoup de temps; **~ la televisión/radio** éteindre la télévision/radio; **~ la mesa** débarrasser la table; **el café me quita el sueño** le café m'empêche de dormir; **~ de en medio a algn** se débarrasser de qn; **eso no quita para que venga** cela ne m'empêche pas de venir; **~se algo de encima** se débarrasser de qch; **~se del tabaco/de fumar** arrêter de fumer; **se quitó el sombrero** il ôta son chapeau; **~se de** renoncer à
quite ['kite] *nm* (*esgrima*) parade *f*; (*Taur*) action de détourner l'attention du taureau; **estar al ~** être prêt à aider qn
Quito ['kito] *n* Quito
quizá(s) [ki'θa(s)] *adv* peut-être

r

rábano ['raβano] nm radis msg; **me importa un ~** je m'en moque comme de l'an quarante

rabia ['raβja] nf rage f; **¡qué ~!** c'est trop bête!; **me da ~** cela me fait rager; **tener ~ a algn** avoir une dent contre qn; **me da ~ marcharme** je dois partir, c'est trop bête!

rabiar [ra'βjar] vi (Med) avoir la rage; **~ por hacer algo** mourir d'envie de faire qch

rabieta [ra'βjeta] nf crise f de colère

rabino [ra'βino] nm rabbin m

rabioso, a [ra'βjoso, a] adj (perro) enragé(e); (dolor, ganas) fou (folle); **estar ~** (fig) être enragé(e)

rabo ['raβo] nm queue f

racha ['ratʃa] nf (de viento) rafale f; (serie) suite f; **buena/mala ~** bonne/mauvaise passe f; **~ de mala suerte** série f de malchances

racial [ra'θjal] adj racial(e)

racimo [ra'θimo] nm grappe f

raciocinio [raθjo'θinjo] nm raisonnement m

ración [ra'θjon] nf ration f; (en bar) portion f

racional [raθjo'nal] adj rationnel(le); **animal ~** être m doué de raison

racionalizar [raθjonali'θar] vt rationaliser

racionar [raθjo'nar] vt rationner

racismo [ra'θismo] nm racisme m

racista [ra'θista] adj, nm/f raciste m/f

radar [ra'ðar], **rádar** ['raðar] nm radar m

radiactivo, -a adj = **radioactivo**

radiador [raðja'ðor] nm radiateur m

radiante [ra'ðjante] adj radieux(-euse)

radical [raði'kal] adj radical(e) ■ nm (Ling, Mat) radical m

radicar [raði'kar] vi: **~ en** (consistir) résider en; (estar situado) être basé à; **radicarse** vpr s'établir

radio ['raðjo] nf (AM: a veces nm) radio f ■ nm rayon m; **por ~** à la radio; **~ de acción** rayon d'action

radioactividad [raðjoaktiβi'ðað] nf radioactivité f

radioactivo, -a [raðjoak'tiβo, a] adj radioactif(-ive)

radiocasete [raðjoca'sete] nm radio-cassette m

radiodifusión [raðjodifu'sjon] nf radio-diffusion f

radioemisora [raðjoemi'sora] nf station f (de radio)

radiografía [raðjoɣra'fia] nf radiographie f

radiotaxi [raðjo'taksi] nm radio-taxi m

radioterapia [raðjote'rapja] nf radiothérapie f

radioyente [raðjo'jente] nm/f auditeur(-trice)

ráfaga ['rafaɣa] nf rafale f; (de luz) jet m

raído, -a [ra'iðo, a] adj (ropa) râpé(e)

raigambre [rai'ɣambre] nf racines fpl

raíz [ra'iθ] (pl **raíces**) nf racine f; **~ cuadrada** racine carrée; **a ~ de** (como consecuencia de) à la suite de; (después de) après; **echar raíces** (fig) prendre racine

raja ['raxa] nf (de melón, limón) tranche f; (en tela, plástico) coupure f; (en muro, madera) fissure f

rajar [ra'xar] vt (tela) couper; (madera) fendre; (fam: herir) entailler ■ vi (fam) jacasser; **rajarse** vpr se fendre; (fam) se dégonfler

rajatabla [raxa'taβla]: **a ~** adv à la lettre

rallador [raʎa'ðor] nm râpe f

rallar [ra'ʎar] vt râper

rama ['rama] nf branche f; **andarse o irse por las ~s** (fig, fam) tourner autour du pot

ramaje [ra'maje] nm ramage m

ramal [ra'mal] nm (de cuerda) brin m; (Ferro) embranchement m; (Auto) bretelle f

rambla ['rambla] nf rambla f

ramificación [ramifika'θjon] nf
ramification f
ramificarse [ramifi'karse] vpr se
ramifier
ramillete [rami'ʎete] nm bouquet m
ramo ['ramo] nm bouquet m; (de
industria) branche f
rampa ['rampa] nf rampe f; ~ **de acceso**
rampe d'accès; ~ **de lanzamiento** rampe
de lancement
ramplón, -ona [ram'plon, ona] adj
vulgaire
rana ['rana] nf grenouille f; **salir** ~ (fam)
échouer; **cuando las ~s críen pelo** quand
les poules auront des dents
ranchero [ran'tʃero] nm (AM) fermier m;
(Méx) paysan m
rancho ['rantʃo] nm (comida) popote f;
(AM) ranch m; (: pequeño) petite ferme f;
(choza) cabane f; **ranchos** nmpl (Ven:
barrio de chabolas) bidonvilles mpl
rancio, -a ['ranθjo, a] adj rance; (vino,
fig) vieux (vieille)
rango ['rango] nm rang m
ranura [ra'nura] nf rainure f; (de teléfono)
fente f; ~ **de expansión** (Inform)
emplacement m
rapar [ra'par] vt raser
rapaz [ra'paθ] adj (ave) de proie ■ nf (tb
fig) rapace m ■ nm gamin m
rape ['rape] nm (pez) baudroie f; **al** ~ras inv
rapé [ra'pe] nm chique f
rapero, -a [ra'pero, a] adj rap ■ nm/f
rappeur(-euse)
rapidez [rapi'ðeθ] nf rapidité f
rápido, -a ['rapiðo, a] adj rapide ■ adv
rapidement ■ nm (Ferro) rapide m;
rápidos nmpl (de río) rapides mpl
rapiña [ra'piɲa] nm rapine f; **ave de** ~
oiseau m de proie
raptar [rap'tar] vt enlever
rapto ['rapto] nm rapt m, enlèvement m;
(impulso) accès m; (éxtasis) transport m,
ravissement m
raqueta [ra'keta] nf raquette f
raquítico, -a [ra'kitiko, a] adj
rachitique
raquitismo [raki'tismo] nm rachitisme m
rareza [ra'reθa] nf rareté f; (fig) manie f
raro, -a ['raro, a] adj rare; (extraño)
curieux(-euse); **¡qué** ~! que c'est curieux!;
¡qué cosa más rara! comme c'est bizarre!
ras [ras] nm: **a** ~ **de tierra/del suelo** à ras
de terre/au ras du sol
rascacielos [raska'θjelos] nm inv gratte-
ciel m inv
rascar [ras'kar] vt gratter; (raspar) racler;
rascarse vpr se gratter

rasgar [ras'ɣar] vt déchirer
rasgo ['rasɣo] nm trait m; **rasgos** nmpl
(de rostro) traits mpl; **a grandes ~s** à
grands traits
rasguñar [rasɣu'ɲar] vt égratigner;
rasguñarse vpr s'égratigner
rasguño [ras'ɣuɲo] nm égratignure f
raso, -a ['raso, a] adj ras(e) ■ nm satin
m; **cielo** ~ ciel m dégagé; **al** ~ à la belle
étoile
raspadura [raspa'ðura] nf (de pintura)
grattage m; (marca) rayure f;
raspaduras nfpl (restos) restes mpl
raspar [ras'par] vt gratter; (arañar) rayer;
(limar) râper ■ vi être rugueux(-euse);
(vino) être râpeux(-euse)
rastra ['rastra] nf: **a ~s** en traînant; (fig) à
contrecœur
rastreador, a [rastrea'ðor, a] adj: **perro**
~ chien m d'arrêt ■ nm (de huellas, pistas)
pisteur m; ~ **de minas** dragueur m de
mines
rastrear [rastre'ar] vt (pista) suivre;
(minas) draguer
rastrero, -a [ras'trero, a] adj (Bot)
grimpant(e); (Zool, fig) rampant(e)
rastro ['rastro] nm trace f; (Agr) râteau
m; (mercado) marché m aux puces; **el R~**
le marché aux puces de Madrid; **perder el** ~
perdre la trace; **desaparecer sin dejar** ~
disparaître sans laisser de traces; **¡ni** ~!
pas la moindre trace!
rastrojo [ras'troxo] nm chaume m
rasurarse [rasu'rarse] (AM) vpr se raser
rata ['rata] nf rat m
ratear [rate'ar] vt voler
ratero, -a [ra'tero, a] nm/f
voleur(-euse); (AM: de casas)
cambrioleur(-euse)
ratificar [ratifi'kar] vt ratifier;
ratificarse vpr: ~**se en algo** réaffirmer
qch
rato ['rato] nm moment m; **a ~s** par
moments; **de a ~s** (Arg) de temps en
temps; **al poco** ~ peu après; **~s libres** o
de ocio moments de loisir; **¡hasta otro** ~!
à la prochaine!; **hay para** ~ il y en a pour
un bon bout de temps; **pasar el** ~ passer
le temps; **pasar un buen/mal** ~ passer
un bon/mauvais moment
ratón [ra'ton] nm (tb Inform) souris fsg
ratonera [rato'nera] nf souricière f
raudal [rau'ðal] nm torrent m; **a ~s** à
flots; **entrar a ~s** entrer à flots
raya ['raja] nf raie f; (en tela) rayure f;
(Tip) tiret m; (de droga) ligne f; **a ~s** à
rayures; **pasarse de la** ~ dépasser les
bornes; **tener a** ~ tenir en respect

rayar [ra'jar] vt rayer ■ vi: **~ en** o **con** confiner à o avec; (parecerse a) friser; **raya en la cincuentena** il frise la cinquantaine; **al ~ el alba** au point du jour

rayo ['rajo] nm rayon m; (en una tormenta) foudre f; **ser un ~** (fig) être très vif (vive); **como un ~** comme un éclair; **la noticia cayó como un ~** la nouvelle a fait l'effet d'une bombe; **pasar como un ~** passer comme un éclair; **~ de luna** rayon de lune; **~ solar** o **de sol** rayon de soleil; **~s infrarrojos** rayons mpl infrarouges; **~s X** rayons X

raza ['raθa] nf race f; **de pura ~** (animal) de race; **~ humana** race humaine

razón [ra'θon] nf raison f; (Mat) relation f; **a ~ de 10 cada día** à raison de 10 par jour; **"~: aquí"** "s'adresser ici"; **en ~ de** en raison de; **en ~ directa con** en relation directe avec; **perder la ~** perdre la raison; **entrar en ~** entendre raison; **dar la ~ a algn** donner raison à qn; **dar ~ de** renseigner sur; **¡y con ~!** et pour cause!; **tener/no tener ~** avoir/ne pas avoir raison; **~ directa/inversa** relation directe/indirecte; **~ de ser** raison d'être

razonable [raθo'naβle] adj raisonnable

razonamiento [raθona'mjento] nm raisonnement m

razonar [raθo'nar] vt raisonner; (Com: cuenta) détailler ■ vi raisonner

reacción [reak'θjon] nf réaction f; **avión a ~** avion m à réaction; **~ en cadena** réaction en chaîne

reaccionar [reakθjo'nar] vi réagir

reaccionario, -a [reakθjo'narjo, a] adj, nm/f réactionnaire m/f

reacio, -a [re'aθjo, a] adj réticent(e); **ser/estar ~ a hacer algo** être/se montrer réticent(e) à faire qch

reactivar [reakti'βar] vt (economía, negociaciones) relancer; **reactivarse** vpr reprendre

reactor [reak'tor] nm réacteur m; (avión) avion m à réaction; **~ nuclear** réacteur nucléaire

readaptación [readapta'θjon] nf: **~ profesional** réadaptation f professionnelle

reajuste [rea'xuste] nm réajustement m; **~ de plantilla** compression f de personnel; **~ ministerial** remaniement m ministériel; **~ salarial** réajustement des salaires

real [re'al] adj (verdadero) réel(le); (del rey, fig) royal(e)

realce [re'alθe] vb ver **realzar** ■ nm relief m; **poner de ~** mettre en relief; **dar ~ a algo** (fig) mettre qch en relief

realidad [reali'ðað] nf réalité f; **en ~** en réalité

realista [rea'lista] adj réaliste; (Pol) royaliste ■ nm/f réaliste m/f; (Pol) royaliste m/f

realización [realiθa'θjon] nf réalisation f; **~ de plusvalías** réalisation de plus-values

realizador, -a [realiθa'ðor, a] nm/f (TV, Cine) réalisateur(-trice)

realizar [reali'θar] vt réaliser; **realizarse** vpr se réaliser; **~se** (como persona) se réaliser

realmente [re'almente] adv réellement; (con adjetivo) vraiment; **es ~ apasionante** c'est vraiment passion

realquilar [realki'lar] vt (subarrendar) sous-louer; (alquilar de nuevo) relouer

realzar [real'θar] vt (Tec) surélever; (belleza) rehausser, mettre en valeur; (importancia) augmenter

reanimar [reani'mar] vt ranimer; **reanimarse** vpr se ranimer

reanudar [reanu'ðar] vt renouer; (historia, viaje) reprendre

reaparición [reapari'θjon] nf réapparition f

rearme [re'arme] nm réarmement m

rebaja [re'βaxa] nf solde m; **"grandes ~s"** "soldes"

rebajar [reβa'xar] vt rabaisser; (reducir: artículo) solder; **rebajarse** vpr: **~se a hacer algo** s'abaisser à faire qch

rebanada [reβa'naða] nf tranche f

rebañar [reβa'ɲar] vt racler

rebaño [re'βaɲo] nm troupeau m

rebasar [reβa'sar] vt dépasser; (Auto) doubler

rebatir [reβa'tir] vt réfuter

rebeca [re'βeka] nf cardigan m

rebelarse [reβe'larse] vpr se rebeller

rebelde [re'βelde] adj rebelle ■ nm/f (Pol) rebelle m/f; (Jur) accusé(e) défaillant(e)

rebeldía [reβel'dia] nf rébellion f; (Jur) contumace f; **en ~** par contumace

rebelión [reβe'ljon] nf rébellion f

reblandecer [reβlande'θer] vt ramollir

rebobinar [reβoβi'nar] vt rembobiner

rebosante [reβo'sante] adj: **~ de** (fig) débordant(e) de

rebosar [reβo'sar] vt, vi déborder; **~ de salud** respirer la santé

rebotar [reβo'tar] vi rebondir

rebote [re'βote] nm rebondissement m; **de ~** (fig) par ricochet

rebozado, -a [reβo'θaðo, a] adj enrobé(e) de pâte à frire

rebozar [reβo'θar] vt enrober de pâte à frire

rebuscado, -a [reβus'kaðo, a] adj recherché(e)

rebuscar [reβus'kar] vt rechercher ■ vi: **~ (en o por)** chercher (dans)

rebuznar [reβuθ'nar] vi braire

recado [re'kaðo] nm course f; (mensaje) message m; (AM: montura) selle f; **recados** nmpl (compras) courses fpl, commissions fpl; **dejar/tomar un ~** (Telec) laisser/prendre un message; **fui a hacer unos ~s** je suis allé faire des courses

recaer [reka'er] vi rechuter; **~ en** (responsabilidad) retomber sur; (premio) échoir à; (criminal) retomber dans

recalcar [rekal'kar] vt (fig) souligner

recalcitrante [rekalθi'trante] adj récalcitrant(e)

recámara [re'kamara] nf (habitación) dressing-room m; (de arma) magasin m; (AM) chambre f

recambio [re'kambjo] nm (de pieza) pièce f détachée; (de pluma) recharge f; **piezas de ~** pièces fpl détachées

recapacitar [rekapaθi'tar] vi réfléchir

recargado, -a [rekar'ɣaðo, a] adj surchargé(e)

recargar [rekar'ɣar] vt recharger; (pago) alourdir

recargo [re'karɣo] nm majoration f de prix; (aumento) augmentation f

recatado, -a [reka'taðo, a] adj réservé(e)

recato [re'kato] nm réserve f

recaudación [rekauða'θjon] nf recette f; (acción) perception f

recaudador, a [rekauða'ðor, a] nm/f (tb: **recaudador de impuestos**) percepteur(-trice)

recelar [reθe'lar] vt: **~ que** (sospechar) soupçonner que; (temer) craindre que ■ vi se méfier; **recelarse** vpr se méfier

recelo [re'θelo] nm (desconfianza) méfiance f; (temor) crainte f

receloso, -a [reθe'loso, a] adj (suspicaz) méfiant(e); (temeroso) craintif(-ive)

recepción [reθep'θjon] nf réception f

recepcionista [reθepθjo'nista] nm/f réceptionniste m/f

receptáculo [reθep'takulo] nm réceptacle m

receptivo, -a [reθep'tiβo, a] adj réceptif(-ive)

receptor, a [reθep'tor, a] nm/f réceptionnaire m/f ■ nm (Telec, radio) récepteur m; **descolgar el ~** décrocher le récepteur

recesión [reθe'sjon] nf récession f

receta [re'θeta] nf (Culin) recette f; (Med) ordonnance f

rechazar [retʃa'θar] vt (ataque, oferta) repousser; (idea, acusación) rejeter

rechazo [re'tʃaθo] nm rejet m; (sentimiento) refoulement m; **de ~** par ricochet

rechinar [retʃi'nar] vi grincer

rechistar [retʃis'tar] vi: **sin ~** sans rechigner

rechoncho, -a [re'tʃontʃo, a] (fam) adj trapu(e)

rechupete [retʃu'pete]: **de ~** adj à s'en lécher les babines o doigts

recibidor [reθiβi'ðor] nm vestibule m

recibimiento [reθiβi'mjento] nm accueil m

recibir [reθi'βir] vt, vi recevoir; **recibirse** vpr (AM: Escol): **~se de** obtenir le diplôme de

recibo [re'θiβo] nm reçu m; **acusar ~ de** accuser réception de

reciclable [reθi'klaβle] adj recyclable

reciclaje [reθi'klaxe] nm recyclage m; **curso de ~** stage m de recyclage

reciclar [reθi'klar] vt recycler

recién [re'θjen] adv récemment; (AM: sólo) seulement; **~ casado** jeune marié; **el ~ llegado/nacido** le nouveau venu/-né; **~ a las seis me enteré** (AM) je ne l'ai appris qu'à six heures

reciente [re'θjente] adj récent(e); (pan, herida) frais (fraîche)

recientemente [re'θjentemente] adv récemment

recinto [re'θinto] nm enceinte f; **~ ferial** parc m des expositions

recio, -a ['reθjo, a] *adj* résistant(e); (*voz*) fort(e) ■ *adv* fortement

recipiente [reθi'pjente] *nm* (*objeto*) récipient *m*; (*persona*) récipiendaire *m/f*

reciprocidad [reθiproθi'ðað] *nf* réciprocité *f*

recíproco, -a [re'θiproko, a] *adj* réciproque

recital [reθi'tal] *nm* récital *m*

recitar [reθi'tar] *vt* réciter

reclamación [reklama'θjon] *nf* réclamation *f*; **~ salarial** revendication *f* salariale

reclamar [rekla'mar] *vt, vi* réclamer; **~ a algn en justicia** assigner qn en justice

reclamo [re'klamo] *nm* (*en caza*) appeau *m*; (*incentivo*) appât *m*; (*And, Csur: queja*) plainte *f*; **~ publicitario** réclame *f*

reclinar [rekli'nar] *vt* incliner; **reclinarse** *vpr* s'incliner

recluir [reklu'ir] *vt* enfermer; **recluirse** *vpr* vivre en reclus; **~ en su casa** s'enfermer chez soi

reclusión [reklu'sjon] *nf* réclusion *f*; (*voluntaria*) retraite *f*; **~ perpetua** réclusion à perpétuité

recluta [re'kluta] *nm/f* recrue *f* ■ *nf* recrutement *m*

reclutar [reklu'tar] *vt* recruter

recobrar [reko'βrar] *vt* récupérer; (*ciudad*) reprendre; **recobrarse** *vpr*: **~se (de)** se remettre (de); **~ el sentido** reprendre connaissance

recodo [re'koðo] *nm* coude *m*

recoger [reko'xer] *vt* (*firmas, dinero*) recueillir; (*fruta*) cueillir; (*del suelo*) ramasser; (*ordenar*) ranger; (*juntar*) rassembler; (*pasar a buscar*) prendre; (*dar asilo*) recueillir; (*plegar*) plier; (*faldas, mangas*) retrousser; (*polvo*) prendre; **recogerse** *vpr* se retirer; (*pelo*) se ramasser; **me recogieron en la estación** ils sont venus me chercher à la gare

recogida [reko'xiða] *nf* (*Agr*) cueillette *f*; (*de basura*) ramassage *m*; (*de cartas*) levée *f*; **horas de ~** heures *fpl* de levée; **~ de datos** (*Inform*) saisie *f* de données; **~ de equipajes** livraison *f* des bagages

recogido, -a [reko'xiðo, a] *adj* (*lugar*) retiré(e); (*pequeño*) petit(e)

recolección [rekolek'θjon] *nf* (*Agr*) récolte *f*; (*de datos, dinero*) collecte *f*

recomendación [rekomenda'θjon] *nf* recommandation *f*; **carta de ~** lettre *f* de recommandation

recomendar [rekomen'dar] *vt* recommander

recompensa [rekom'pensa] *nf* récompense *f*; **como o en ~ por** en récompense de

recompensar [rekompen'sar] *vt* récompenser

recomponer [rekompo'ner] *vt* réparer

reconciliación [rekonθilja'θjon] *nf* réconciliation *f*

reconciliar [rekonθi'ljar] *vt* réconcilier; **reconciliarse** *vpr* se réconcilier

recóndito, -a [re'kondito, a] *adj* (*lugar*) retiré(e); **en lo más ~ de ...** au plus profond de ...

reconfortar [rekonfor'tar] *vt* réconforter

reconocer [rekono'θer] *vt* reconnaître; **reconocerse** *vpr*: **se le reconoce por el habla** on le reconnaît à sa voix; **~ los hechos** reconnaître les faits

reconocido, -a [rekono'θiðo, a] *adj* reconnu(e)

reconocimiento [rekonoθi'mjento] *nm* reconnaissance *f*; **~ de la voz** (*Inform*) reconnaissance de la parole; **~ óptico de caracteres** (*Inform*) reconnaissance optique de caractères

reconquista [rekon'kista] *nf* reconquête *f*

reconstituyente [rekonstitu'jente] *nm* reconstituant *m*

reconstruir [rekonstru'ir] *vt* reconstruire; (*suceso*) reconstituer

reconversión [rekomber'sjon] *nf* reconversion *f*

recopilación [rekopila'θjon] *nf* (*resumen*) résumé *m*; (*colección*) recueil *m*, compilation *f*

recopilar [rekopi'lar] *vt* compiler

récord ['rekorð] (*pl* **records** *o* **~s**) *adj inv* record ■ *nm* record *m*; **cifras ~** chiffres *mpl* records; **batir el ~** battre le record

recordar [rekor'ðar] *vt* se rappeler; (*traer a la memoria*) rappeler ■ *vi* (*acordarse de*) se rappeler; **~ algo a algn** rappeler qch à qn; **recuérdale que me debe 5 dólares** rappelle-lui qu'il me doit 5 dollars; **que yo recuerde** pour autant que je me souvienne; **creo ~** je crois me rappeler; **si mal no recuerdo** si je me souviens bien; **me recuerda a su madre** elle me rappelle sa mère

recorrer [reko'rrer] *vt* parcourir; (*registrar*) fouiller

recorrido [reko'rriðo] *nm* parcours *msg*; **tren de largo ~** train *m* de grandes lignes

recortado, -a [rekor'taðo, a] *adj* découpé(e); (*barba*) taillé(e)

recortar [rekor'tar] vt découper; (*pelo*) rafraîchir; (*presupuesto, gasto*) réduire; **recortarse** vpr (*marcarse*) se détacher

recorte [re'korte] nm (*de telas, chapas: acto*) coupe f; (: *fragmento*) découpure f; (*de prensa*) coupure f; (*de presupuestos, gastos*) compression f; ~ **salarial** réduction f de salaire

recostado, -a [rekos'taðo, a] adj penché(e); **estar** ~ être allongé(e)

recostar [rekos'tar] vt appuyer; **recostarse** vpr s'appuyer

recoveco [reko'βeko] nm (*de camino, río*) coude m; (*en casa*) coin m

recreación [rekrea'θjon] nf récréation f

recrear [rekre'ar] vt recréer; **recrearse** vpr: ~**se con/en** prendre plaisir à

recreativo, -a [rekrea'tiβo, a] adj récréatif(-ive); **sala recreativa** salle f de jeux

recreo [re'kreo] nm récréation f

recriminar [rekrimi'nar] vt reprocher ■ vi récriminer

recrudecer [rekruðe'θer] vi redoubler d'intensité; **recrudecerse** vpr redoubler d'intensité

recrudecimiento [rekruðeθi'mjento] nm recrudescence f

recta ['rekta] nf ligne f droite; ~ **final** dernière ligne droite

rectángulo, -a [rek'tangulo, a] adj, nm rectangle m

rectificar [rektifi'kar] vt rectifier ■ vi se corriger

rectitud [rekti'tuð] nf rectitude f

recto, -a ['rekto, a] adj droit(e); (*juicio*) sain(e) ■ nm (*Anat*) rectum m; **en el sentido** ~ **de la palabra** au sens strict du terme

rector, a [rek'tor, a] adj, nm/f recteur(-trice)

recuadro [re'kwaðro] nm case f; (*Tip*) entrefilet m

recubrir [reku'βrir] vt: ~ **(con)** recouvrir (de)

recuento [re'kwento] nm décompte m; **hacer el ~ de** faire le décompte de

recuerdo [re'kwerðo] vb ver **recordar** ■ nm souvenir m; **recuerdos** nmpl (*saludos*) amitiés fpl; **¡~ a tu madre!** amitiés à ta mère!; **"R~ de Mallorca"** "Souvenir de Majorque"

recuperable [rekupe'raβle] adj récupérable

recuperación [rekupera'θjon] nf récupération f; (*de enfermo*) rétablissement m; (*Escol*) rattrapage m; ~ **de datos** (*Inform*) extraction f de données

recuperar [rekupe'rar] vt récupérer; (*Inform: archivo*) extraire, aller chercher; **recuperarse** vpr se récupérer; ~ **fuerzas** reprendre ses forces

recurrir [reku'rrir] vi (*Jur*) faire appel; ~ **a algo/a algn** recourir à qch/à qn

recurso [re'kurso] nm recours msg; **como último** ~ en dernier recours; ~**s económicos/naturales** ressources fpl économiques/naturelles

recusar [reku'sar] vt récuser

red [reð] nf (*tejido, trampa*) filet m; (*organización*) réseau m; **la R~** (*Inform*) le Net; **estar conectado al** ~ être connecté au réseau; ~ **local** (*Inform*) réseau local

redacción [reðak'θjon] nf rédaction f

redactar [reðak'tar] vt rédiger

redactor, a [reðak'tor, a] nm/f rédacteur(-trice); ~ **jefe** rédacteur en chef

redada [re'ðaða] nf (*tb*: **redada policial**) descente f

redicho, -a [re'ðitʃo, a] adj maniéré(e)

redil [re'ðil] nm bercail m

redimir [reði'mir] vt racheter

rédito ['reðito] nm (*Econ*) intérêt m

redoblar [reðo'βlar] vt redoubler ■ vi battre le tambour

redomado, -a [reðo'maðo, a] adj (*astuto*) rusé(e); **sinvergüenza** ~ fieffée canaille

redonda [re'ðonda] nf (*Mús*) ronde f; **a la** ~ à la ronde; **en varios kilómetros a la** ~ à plusieurs kilomètres à la ronde

redondear [reðonde'ar] vt (*negocio, velada*) conclure; (*cifra, objeto*) arrondir

redondel [reðon'del] nm cercle m; (*Taur*) arène f

redondo, -a [re'ðondo, a] adj rond(e); (*completo*) bon(ne) ■ nm: ~ **de carne** (*Culin*) romsteck m; **rehusar en** ~ refuser en bloc; **en números** ~**s** en chiffres ronds

reducción [reðuk'θjon] nf réduction f

reducido, -a [reðu'θiðo, a] adj réduit(e); **quedar** ~ **a** en être réduit(e) à

reducir [reðu'θir] vt réduire; **reducirse** vpr se réduire; **el terremoto redujo la ciudad a escombros** le tremblement de terre a réduit la ville à l'état de ruines; ~ **las millas a kilómetros** convertir les milles en kilomètres; ~**se a** (*fig*) se réduire à

redundancia [reðun'danθja] nf redondance f

reembolsar [re(e)mbol'sar] vt rembourser

reembolso [re(e)m'bolso] nm
remboursement m; **enviar algo contra ~**
envoyer qch contre remboursement;
contra ~ del flete port dû
reemplazar [re(e)mpla'θar] vt (tb
Inform) remplacer
reemplazo [re(e)m'plaθo] nm
remplacement m; **de ~** (Mil) du
contingent
reencuentro [re(e)n'kwentro] nm
rencontre f
reescribible [reeskri'βiβle] adj
réinscriptible
referencia [refe'renθja] nf référence f;
referencias nfpl (de trabajo) références
fpl; **con ~ a** en ce qui concerne; **hacer ~ a**
faire référence à; **~ comercial** (Com)
référence commerciale
referéndum [refe'rendum] (pl **~s**) nm
référendum m
referente [refe'rente] adj: **~ a** relatif(-ive) à
referir [refe'rir] vt rapporter; **referirse**
vpr: **~se a** se référer à; **~ al lector a un
apéndice** renvoyer le lecteur à un
appendice; **~ a** (Com) convertir en;
por lo que se refiere a eso en ce qui
concerne cela
refilón [refi'lon]: **de ~** adv en passant;
mirar a algn de ~ jeter un regard oblique
à qn
refinado, -a [refi'naðo, a] adj raffiné(e)
refinamiento [refina'mjento] nm
raffinement m; **~ por pasos** (Inform)
approximations fpl successives
refinar [refi'nar] vt (petróleo, azúcar)
raffiner; (modales) affiner
refinería [refine'ria] nf raffinerie f
reflejar [refle'xar] vt refléter; **reflejarse**
vpr se refléter
reflejo, -a [re'flexo, a] adj réflexe ■ nm
reflet m; (Anat) réflexe m; **reflejos** nmpl
(en el pelo) reflets mpl; **pelo castaño con
~s rubios** cheveux châtains à reflets
blonds
reflexión [reflek'sjon] nf réflexion f
reflexionar [refleksjo'nar] vi réfléchir;
~ sobre réfléchir sur; **¡reflexione!**
réfléchissez!
reflexivo, -a [reflek'siβo, a] adj
(carácter) réflexif(-ive); (Ling) réfléchi(e)
reflujo [re'fluxo] nm reflux m
reforma [re'forma] nf réforme f;
reformas nfpl (obras) transformations
fpl; **~ agraria/económica/educativa**
réforme agraire/économique/éducative
reformar [refor'mar] vt réformer; (texto)
refondre; (Arq) transformer;
reformarse vpr se réformer

reformatorio [reforma'torjo] nm (tb:
reformatorio de menores) maison f
de redressement o correction
reforzar [refor'θar] vt renforcer
refractario, -a [refrak'tarjo, a] adj
réfractaire; **ser ~ a** être réfractaire à
refrán [re'fran] nm proverbe m
refregar [refre'ɣar] vt frotter
refrenar [refre'nar] vt (deseos) refréner;
(marcha) freiner; (caballo) brider
refrendar [refren'dar] vt ratifier
refrescante [refres'kante] adj
rafraîchissant(e)
refrescar [refres'kar] vt rafraîchir ■ vi
se rafraîchir; **refrescarse** vpr se
rafraîchir
refresco [re'fresko] nm rafraîchissement
m; **de ~** (jugador, tropas) de renfort
refriega [re'frjeɣa] vb ver **refregar** ■ nf
bagarre f
refrigeración [refrixera'θjon] nf
réfrigération f; **sistema de ~** système m
de réfrigération
refrigerador [refrixera'ðor] (esp AM)
nm, **refrigeradora** [refrixera'ðora]
(AM) nf réfrigérateur m
refrigerar [refrixe'rar] vt réfrigérer
refuerce [re'fwerθe] [re'fwerθo] vb ver
reforzar
refuerzo [re'fwerθo] nm renfort m;
refuerzos nmpl (Mil) renforts m
refugiado, -a [refu'xjaðo, a] nm/f
réfugié(e)
refugiarse [refu'xjarse] vpr se réfugier
refugio [re'fuxjo] nm refuge m; **~ de
montaña** refuge; **~ atómico/
subterráneo** abri m antiatomique/
souterrain
refunfuñar [refunfu'ɲar] vi
ronchonner
refutar [refu'tar] vt réfuter
regadera [reɣa'ðera] nf arrosoir m;
(Méx: ducha) douche f; **estar como una ~**
(fam) travailler du chapeau
regadío [reɣa'ðio] nm irrigation f;
tierras de ~ terres irriguées
regalado, -a [reɣa'laðo, a] adj (gratis)
gratis; (vida) de château; **lo tuvo ~** on le
lui a apporté sur un plateau; **a precios ~s**
à un prix dérisoire
regalar [reɣa'lar] vt offrir; (mimar)
cajoler; **regalarse** vpr: **~se (con)** se
régaler (de)
regaliz [reɣa'liθ] nm réglisse m o f
regalo [re'ɣalo] nm cadeau m; (gusto)
régal m; (comodidad) aisance f
regañadientes [reɣaɲa'ðjentes]:
a ~ adv en rechignant

regañar [reɣa'ɲar] vt gronder ■ vi se fâcher; (dos personas) se disputer

regar [re'ɣar] vt arroser; (fig) semer

regatear [reɣate'ar] vt marchander ■ vi (Com) marchander; (Deporte) feinter; **no ~ esfuerzo** ne pas ménager ses efforts

regateo [reɣa'teo] nm (Com) marchandage m

regazo [re'ɣaθo] nm giron m

regeneración [rexenera'θjon] nf régénération f

regenerar [rexene'rar] vt régénérer

regentar [rexen'tar] vt (empresa, negocio) régenter; (local, bar) tenir; (puesto) être à la tête de

regente, -a [re'xente, a] adj (príncipe) régent(e) ■ nm/f (Com) gérant(e); (Pol) régent(e); (Méx: alcalde) maire m

régimen ['reximen] (pl **regímenes**) nm régime m; **estar/ponerse a ~** être/se mettre au régime

regimiento [rexi'mjento] nm régiment m

regio, -a ['rexjo, a] adj royal(e); (AM: fam) formidable

región [re'xjon] nf région f

regir [re'xir] vt (Econ, Jur, Ling) régir ■ vi (ley) être en vigueur; **mi abuela ya no rige** ma grand-mère perd la tête

registrar [rexis'trar] vt fouiller; (anotar) enregistrer; **registrarse** vpr (inscribirse) s'inscrire; (ocurrir) avoir lieu

registro [re'xistro] nm registre m; (inspección) fouille f; (de datos) enregistrement m; (oficina) bureau m d'enregistrement; **~ civil** état m civil; **~ de la propiedad** bureau des hypothèques; **~ electoral** registre électoral

regla ['reɣla] nf règle f; **en ~** en règle; **por ~ general** en règle générale; **las ~s del juego** les règles du jeu

reglamentar [reɣlamen'tar] vt réglementer

reglamentario, -a [reɣlamen'tarjo, a] adj réglementaire; **en la forma reglamentaria** en bonne et due forme

reglamento [reɣla'mento] nm règlement m; **~ del tráfico** code m de la route

regocijarse [reɣoθi'xarse] vpr: **~ de** o **por** se réjouir de

regocijo [reɣo'θixo] nm réjouissance f

regodearse [reɣoðe'arse] vpr: **~ con** o **en algo** se délecter de qch; (pey) se réjouir de qch

regodeo [reɣo'ðeo] nm délectation f

regresar [reɣre'sar] vi retourner ■ vt (Méx: devolver) rendre; **regresarse** vpr (AM) retourner

regresivo, -a [reɣre'siβo, a] adj régressif(-ive)

regreso [re'ɣreso] nm retour m; **estar de ~** être de retour

reguero [re'ɣero] nm traînée f; **como un ~ de pólvora** comme une traînée de poudre

regulador, a [reɣula'ðor, a] adj régulateur(-trice) ■ nm régulateur m; **~ cardíaco** stimulateur m cardiaque

regular [reɣu'lar] adj régulier(-ière); (mediano) moyen(ne); (fam: no bueno) médiocre ■ adv comme ci, comme ça ■ vt régler; (normas, salarios) contrôler; **por lo ~** en général; **línea ~** (Aviat) ligne f régulière

regularidad [reɣulari'ðað] nf régularité f; **con ~** régulièrement

regularizar [reɣulari'θar] vt régulariser

regusto [re'ɣusto] nm arrière-goût m

rehabilitación [reaβilita'θjon] nf (de drogadicto) rééducation f; (Arq, de memoria) réhabilitation f

rehabilitar [reaβili'tar] vt (drogadicto) rééduquer; (Arq, memoria) réhabiliter

rehacer [rea'θer] vt refaire; **rehacerse** vpr se rétablir; **va a ~ su vida** il va refaire sa vie

rehén [re'en] nm otage m

rehuir [reu'ir] vt fuir

rehusar [reu'sar] vt, vi refuser

reina ['reina] nf reine f; **~ de (la) belleza/ de las fiestas** reine de beauté/de la fête; **prueba ~** épreuve f phare

reinado [rei'naðo] nm règne m

reinante [rei'nante] adj régnant(e)

reinar [rei'nar] vi régner

reincidir [reinθi'ðir] vi (Jur) récidiver; **~ (en)** (recaer) retomber (dans)

reincorporarse [reinkorpo'rarse] vpr: **~ a** réintégrer; (Mil) être réincorporé dans

reino ['reino] nm royaume m; **~ animal/ vegetal** règne m animal/végétal; **el R~ Unido** le Royaume-Uni

reintegrar [reinte'ɣrar] vt réintégrer; **reintegrarse** vpr: **~se a** réintégrer

reír [re'ir] vi rire; **reírse** vpr rire; **~ entre dientes** rire sous cape; **~se de** rire de

reiterar [reite'rar] vt réitérer; **reiterarse** vpr: **~se en algo** réaffirmer qch

reivindicación [reiβindika'θjon] nf revendication f

reivindicar [reiβindi'kar] vt revendiquer

reja ['rexa] nf grille f

rejilla [re'xiʎa] nf grillage m; (en muebles) cannage m; (en hornillo, de ventilación) grille f; (para equipaje) filet m

rejuvenecer [rexuβene'θer] vt, vi rajeunir

relación [rela'θjon] nf relation f; (lista) liste f; (narración) récit m; **relaciones** nfpl (enchufes) relations fpl; **con ~ a, en ~ con** par rapport à; **estar en** o **tener buenas relaciones con** être en bons termes avec; **~ calidad-precio** rapport m qualité-prix; **~ costo-efectivo** o **costo rendimiento** (Com) rapport coût-efficacité; **relaciones carnales/ sexuales** relations charnelles/sexuelles; **relaciones comerciales** relations commerciales; **relaciones humanas/ laborales** relations humaines/ industrielles; **relaciones públicas** relations publiques

relacionar [relaθjo'nar] vt mettre en rapport; **relacionarse** vpr fréquenter

relajación [relaxa'θjon] nf relaxation f

relajado, -a [rela'xaðo, a] adj (costumbres, moral) relâché(e); (persona) détendu(e)

relajar [rela'xar] vt (mente, cuerpo) décontracter; (disciplina, moral) relâcher; **relajarse** vpr (distraerse) se détendre; (corromperse) se relâcher

relamerse [rela'merse] vpr se pourlécher

relamido, -a [rela'miðo, a] (pey) adj (pulcro) bichonné(e); (afectado) collet-monté inv

relámpago [re'lampaγo] adj inv: **visita/ huelga ~** visite f/grève f éclair ■ nm éclair m; **como un ~** comme un éclair

relatar [rela'tar] vt relater

relativo, -a [rela'tiβo, a] adj relatif(-ive); **en lo ~ a** en ce qui concerne

relato [re'lato] nm récit m

relax [re'las] nm relax m

relegar [rele'γar] vt reléguer; **~ algo al olvido** jeter qch aux oubliettes

relevante [rele'βante] adj remarquable

relevar [rele'βar] vt relever; **relevarse** vpr se relayer; **~ a algn de su cargo** relever qn de ses fonctions

relevo [re'leβo] nm relève f; **carrera de ~s** course f de relais; **coger** o **tomar el ~** prendre le relais

relieve [re'ljeβe] nm relief m; **bajo ~** bas-relief m; **un personaje de ~** un haut personnage; **dar ~ a** mettre en valeur; **poner de ~** mettre en relief

religión [reli'xjon] nf religion f

religioso, -a [reli'xjoso, a] adj, nm/f religieux(-euse)

relinchar [relin'tʃar] vi hennir

relincho [re'lintʃo] nm hennissement m

reliquia [re'likja] nf relique f; **~s del pasado** vestiges mpl du passé

rellano [re'ʎano] nm (Arq) palier m

rellenar [reʎe'nar] vt remplir; (Culin) farcir; (Costura) rembourrer

relleno, -a [re'ʎeno, a] adj plein(e); (Culin) farci(e) ■ nm (Culin) farce f; (de cojín) rembourrage m; (fig) remplissage m

reloj [re'lo(x)] nm montre f; **como un ~** comme du papier à musique; **contra ~** contre la montre; **~ de pie** horloge f de parquet; **~ (de pulsera)** montre; **~ de sol** cadran m solaire; **~ despertador** réveille-matin m inv; **~ digital** montre à affichage numérique

relojero, -a [relo'xero, a] nm/f horloger(-ère)

reluciente [relu'θjente] adj reluisant(e)

relucir [relu'θir] vi reluire; (fig) briller; **sacar algo a ~** remettre qch sur le tapis

relumbrar [relum'brar] vi reluire

remachar [rema'tʃar] vt river; (fig) insister sur

remache [re'matʃe] nm rivet m

remanente [rema'nente] nm (resto) reste m; (Com) surplus msg; (de producto) excédent m

remangarse [reman'garse] vpr retrousser ses manches

remanso [re'manso] nm (de río) bras msg mort

remar [re'mar] vi ramer

rematar [rema'tar] vt achever; (trabajo) parfaire; (Com) liquider; (Costura) arrêter ■ vi (en fútbol) tirer; **~ de cabeza** faire une tête

remate [re'mate] nm fin f; (extremo) couronnement m; (Deporte) tir m; (Arq) sommet m; (Com) liquidation f; **de ~** (tonto) complètement; **para ~** pour couronner le tout

remediar [reme'ðjar] vt remédier à; (evitar) éviter; **sin poder ~lo** sans pouvoir y remédier

remedio [re'meðjo] nm remède m; (Jur) secours msg; **poner ~ a** remédier à; **no tener más ~** ne pas avoir le choix; **¡qué ~!** c'est comme ça!, qu'y faire!; **como último ~** en dernier ressort; **sin ~** sans rémission

remendar [remen'dar] vt raccommoder; (con parche) rapiécer

remesa [re'mesa] nf (tb Com) envoi m

remiendo [re'mjendo] vb ver **remendar** ■ nm raccommodage m; (con parche) rapiéçage m; (fig) arrangement m

remilgado, -a [remil'γaðo, a] adj (melindroso) minaudier(-ière); (afectado) maniéré(e)

remilgo [re'milɣo] nm (melindre) minauderie f; (afectación) manière f

reminiscencia [reminis'θenθja] nf réminiscence f

remite [re'mite] nm expéditeur m

remitente [remi'tente] nm/f expéditeur(-trice)

remitir [remi'tir] vt envoyer ■ vi (tempestad) se calmer; (fiebre) baisser; **remitirse** vpr: **~se a** s'en remettre à

remo ['remo] nm rame f; **cruzar un río a ~** traverser un fleuve à la rame

remojar [remo'xar] vt laisser tremper; (fam: celebrar) arroser

remojo [re'moxo] nm: **dejar la ropa en ~** laisser tremper le linge

remolacha [remo'latʃa] nf betterave f

remolcador [remolka'ðor] nm remorqueur m

remolcar [remol'kar] vt remorquer

remolino [remo'lino] nm remous msg; (de pelo) épi m

remolque [re'molke] vb ver **remolcar** ■ nm remorque f; (cuerda) câble m de remorquage; **llevar a ~** prendre en remorque

remontar [remon'tar] vt remonter; (obstáculo) surmonter; **remontarse** vpr s'élever; **~se a** (Com) s'élever à; (en tiempo) remonter à; **~ el vuelo** monter en flèche

remorder [remor'ðer] vt causer du remords à; **me remuerde la conciencia** j'ai des remords

remordimiento [remorði'mjento] nm remords msg

remoto, -a [re'moto, a] adj éloigné(e)

remover [remo'βer] vt remuer

remozar [remo'θar] vt (Arq) rafraîchir

remuneración [remunera'θjon] nf rémunération f

remunerar [remune'rar] vt rémunérer

renacer [rena'θer] vi renaître

renacimiento [renaθi'mjento] nm renaissance f; **el R~** la Renaissance

renacuajo [rena'kwaxo] nm têtard m

renal [re'nal] adj rénal(e)

rencilla [ren'θiʎa] nf querelle f

rencor [ren'kor] nm (resentimiento) rancœur f; **guardar ~ a** garder rancune à

rencoroso, -a [renko'roso, a] adj rancunier(-ière)

rendición [rendi'θjon] nf reddition f

rendido, -a [ren'diðo, a] adj épuisé(e); **~ a sus encantos/a su belleza** fasciné(e) par son charme/sa beauté; **su ~ admirador** votre admirateur passionné

rendija [ren'dixa] nf fente f

rendimiento [rendi'mjento] nm rendement m; **sacar ~ a algo** tirer parti de qch; **alto/bajo ~** haut/bas rendement; **~ de capital** (Com) rémunération f du capital; **~ de trabajo** revenu m du travail

rendir [ren'dir] vt rapporter; (agotar) épuiser; (entregar) livrer ■ vi rapporter; **rendirse** vpr (tb: **cansarse**) se rendre; **~ homenaje/culto a** rendre hommage/un culte à; **~ cuentas a algn** rendre des comptes à qn; **el negocio no rinde** les affaires ne rapportent rien

renegar [rene'ɣar] vi renier; (quejarse) grommeler; (con imprecaciones) blasphémer

RENFE, Renfe ['renfe] sigla f (Ferro: = Red Nacional de los Ferrocarriles Españoles) société nationale des chemins de fer espagnols

renglón [ren'glon] nm ligne f; (Com) chapitre m; **a ~ seguido** à la ligne

renombrado, -a [renom'braðo, a] adj renommé(e)

renombre [re'nombre] nm renom m; **de ~** de renom

renovable [reno'βaβle] adj (energía) renouvelable

renovación [renoβa'θjon] nf (de contrato, sistema) renouvellement m; (Arq) rénovation f

renovar [reno'βar] vt renouveler; (Arq) rénover

renta ['renta] nf revenu m; (esp AM: alquiler) loyer m; **política de ~s** politique f salariale; **vivir de las ~s** vivre de ses rentes; **~ disponible** revenu (individuel) disponible; **~ gravable o imponible** revenu imposable; **~ nacional (bruta)** revenu national (brut); **~ no salarial** rente f; **~ sobre el terreno** (Com) revenu foncier; **~ vitalicia** rente viagère

rentable [ren'taβle] adj rentable; **no ~** non rentable

rentar [ren'tar] vt rapporter; (AM: alquilar) louer

renuncia [re'nunθja] nf renonciation f

renunciar [renun'θjar] vi renoncer; **~ a hacer algo** renoncer à faire qch

reñido, -a [re'niðo, a] adj (batalla, debate, votación) serré(e); **estar ~ con algn** être brouillé(e) avec qn; **estar ~ con algo** (conceptos etc) être incompatible avec qch; **está ~ con su familia** il est brouillé avec sa famille

reñir [re'nir] vt gronder ■ vi (pareja, amigos) se disputer; (físicamente) se battre

reo ['reo] nm/f (Jur) accusé(e); ~ **de muerto** condamné à mort

reojo [re'oxo] : **de** ~ adv (mirar) à la dérobée

reparación [repara'θjon] nf réparation f; **"reparaciones en el acto"** (calzado) "talon minute"

reparar [repa'rar] vt réparer ▪ vi: ~ **en** (darse cuenta de) s'apercevoir de; (poner atención a) remarquer; **sin ~ en los gastos** sans lésiner

reparo [re'paro] nm (duda) doute m; (inconveniente) obstacle m; (escrúpulo) scrupule m; **poner ~s** formuler des objections; **poner ~s a algo** contester qch; **no tuvo ~ en hacerlo** il n'a eu aucun scrupule à le faire

repartición [reparti'θjon] nf répartition f; (Csur: Admin) département m

repartidor, a [reparti'ðor, a] nm/f livreur(-euse)

repartir [repar'tir] vt distribuer; (Com) livrer; (riquezas) répartir

reparto [re'parto] nm (de dinero, poder) répartition f; (Com) livraison f; (Cine, Correos) distribution f; (AM: urbanización) lotissement m; **"~ a domicilio"** "livraison à domicile"

repasar [repa'sar] vt réviser

repaso [re'paso] nm révision f; **curso de ~** cours m de rattrapage; **~ general** révision générale

repatriar [repa'trjar] vt rapatrier; **repatriarse** vpr être rapatrié(e)

repelente [repe'lente] adj repoussant(e); (resabido) écœurant(e)

repensar [repen'sar] vt reconsidérer

repente [re'pente] nm accès msg; **de** ~ soudain; **~ de ira** accès de colère

repentino, -a [repen'tino, a] adj (súbito) subit(e); (inesperado) inopiné(e)

repercusión [reperku'sjon] nf répercussion f; **de amplia** ~ d'une grande portée

repercutir [reperku'tir] vi répercuter; **~ en** (fig) répercuter sur

repertorio [reper'torjo] nm répertoire m

repetición [repeti'θjon] nf répétition f; **escopeta/fusil de** ~ fusil m de chasse/ fusil à répétition

repetir [repe'tir] vt répéter; (Escol) redoubler; (plato, Teatro) reprendre ▪ vi (Escol) redoubler; (sabor) revenir; (en comida) en reprendre; **repetirse** vpr se répéter

repicar [repi'kar] vi (campanas) sonner, carillonner

repique [re'pike] vb ver **repicar** ▪ nm (de campanas) volée f

repiqueteo [repike'teo] nm (de campanas) volée f

repisa [re'pisa] nf étagère f; (Arq) console f; (de chimenea) dessus msg; (de ventana) rebord m

repitiendo etc [repi'tjendo] vb ver **repetir**

replantear [replante'ar] vt reconsidérer

replegarse [reple'ɣarse] vpr se replier

repleto, -a [re'pleto, a] adj plein(e); ~ **de** plein(e) de; **estoy** ~ je suis repu(e)

réplica ['replika] nf réplique f; **derecho de** ~ droit m de réponse

replicar [repli'kar] vt, vi répliquer; **¡no repliques!** et pas de discussion!

repliegue [re'pljeɣe] vb ver **replegarse** ▪ nm (Mil) repli m

repoblación [repoβla'θjon] nf repeuplement m; **~ forestal** reboisement m

repoblar [repo'βlar] vt repeupler; (bosque) reboiser

repollo [re'poʎo] nm chou m

reponer [repo'ner] vt (volver a poner) réinstaller; (reemplazar) remplacer; (Teatro) reprendre; **reponerse** vpr se remettre; ~ **que** répondre que

reportaje [repor'taxe] nm reportage m; **~ gráfico** reportage photographique

reportero, -a [repor'tero, a] nm/f reporter m; **~ gráfico** reporter photographe

reposacabezas [reposaka'βeθas] nm inv appui-tête m

reposado, -a [repo'saðo, a] adj reposé(e); (tranquilo) calme

reposar [repo'sar] vi reposer

reposición [reposi'θjon] nf (de dinero) réinvestissement m; (maquinaria) remplacement m; (Cine, Teatro) reprise f

reposo [re'poso] nm repos msg; **en** ~ en repos

repostar [repos'tar] vt se ravitailler en ▪ vi se ravitailler; (Auto) se ravitailler en carburant

repostería [reposte'ria] nf pâtisserie f

repostero, -a [repos'tero, a] nm/f pâtissier(-ière) ▪ nm (And, Chi) garde-manger m inv

reprender [repren'der] vt (persona) réprimander; (comportamiento) blâmer

represa [re'presa] nf barrage m

represalia [repre'salja] nf représailles fpl; **tomar ~s** exercer des représailles

representación [representa'θjon] nf représentation f; **en ~ de** en représentation de; **por ~** par représentation; ~ **visual** (Inform) représentation visuelle

representante [represen'tante] nm/f (Pol, Com) représentant(e); (de artista) agent m; ~ **diplomático** (Pol) représentant diplomatique

representar [represen'tar] vt représenter; (significar) signifier; **representarse** vpr se représenter; **tal acto representaría la guerra** une telle action entraînerait la guerre

representativo, -a [representa'tiβo, a] adj représentatif(-ive); **cargo ~** fonction f représentative

represión [repre'sjon] nf répression f

reprimenda [repri'menda] nf réprimande f

reprimir [repri'mir] vt réprimer; **reprimirse** vpr: ~**se de hacer algo** se retenir de faire qch

reprobar [repro'βar] vt réprouver; (AM: Escol) ajourner

reprochar [repro'tʃar] vt reprocher

reproche [re'protʃe] nm reproche m

reproducción [reproðuk'θjon] nf reproduction f

reproducir [reproðu'θir] vt reproduire; **reproducirse** vpr se reproduire

reproductor, a [reproðuk'tor, a] adj reproducteur(-trice) ■ nm: ~ **de MP3** lecteur m MP3

reptil [rep'til] nm reptile m

república [re'puβlika] nf république f; **R~ Árabe Unida** République arabe unie; **R~ Democrática/Federal Alemana** République démocratique/fédérale d'Allemagne; **R~ Dominicana** République dominicaine

republicano, -a [repuβli'kano, a] adj, nm/f républicain(e)

repudiar [repu'ðjar] vt répudier

repuesto [re'pwesto] pp de **reponer** ■ nm (pieza de recambio) pièce f de rechange; (abastecimiento) ravitaillement m; **rueda de ~** roue f de secours; **llevamos otro de ~** nous en avons un de rechange

repugnancia [repuɣ'nanθja] nf répugnance f

repugnante [repuɣ'nante] adj répugnant(e)

repugnar [repuɣ'nar] vt, vi répugner; **repugnarse** vpr s'opposer

repulsa [re'pulsa] nf condamnation f

repulsión [repul'sjon] nf répulsion f

repulsivo, -a [repul'siβo, a] adj répulsif(-ive)

reputación [reputa'θjon] nf réputation f

requemado, -a [reke'maðo, a] adj brûlé(e); (bronceado) hâlé(e)

requerimiento [rekeri'mjento] nm requête f; (Jur) mise f en demeure

requerir [reke'rir] vt requérir; ~ **a algn para que haga algo** (ordenar) requérir qn de faire qch

requesón [reke'son] nm fromage m blanc

requete... [rekete] pref très

réquiem ['rekjem] nm requiem m

requisito [reki'sito] nm condition f requise; ~ **previo** condition préalable; **tener los ~s para un cargo** remplir les conditions requises pour un poste

res [res] nf bête f

resaca [re'saka] nf (en el mar) ressac m; (de alcohol) gueule f de bois

resaltar [resal'tar] vt détacher ■ vi se détacher

resarcir [resar'θir] vt (reparar) dédommager; (pagar) indemniser; **resarcirse** vpr se rattraper; ~ **a algn de algo** dédommager qn de qch

resbaladizo, -a [resβala'ðiθo, a] adj glissant(e)

resbalar [resβa'lar] vi glisser; (gotas) couler; **resbalarse** vpr glisser; **le resbalaban las lágrimas por las mejillas** les larmes coulaient sur ses joues; **me resbala lo que piense de mí** je me moque de ce qu'il peut bien penser de moi

resbalón [resβa'lon] nm glissade f; (fig) faux-pas msg

rescatar [reska'tar] vt sauver; (pagando rescate) payer la rançon de; (objeto) récupérer

rescate [res'kate] nm sauvetage m; (dinero) rançon f; (de objeto) récupération f; **pagar un ~** payer une rançon

rescindir [resθin'dir] vt résilier

rescisión [resθi'sjon] nf résiliation f

rescoldo [res'koldo] nm braises fpl

resecar [rese'kar] vt dessécher; (Med) disséquer; **resecarse** vpr se dessécher

reseco, -a [re'seko, a] adj desséché(e)

resentido, -a [resen'tiðo, a] adj (envidioso) jaloux(-ouse); (dolido) aigri(e) ■ nm/f mauvais(e) coucheur(-euse)

resentimiento [resenti'mjento] nm ressentiment m

resentirse [resen'tirse] vpr: ~ **de** o **con** se ressentir de; **su salud se resiente** sa santé s'en ressent

reseña [re'seɲa] nf (descripción) description f; (informe, Lit) compte m rendu

reseñar [rese'ɲar] vt décrire; (Lit) faire le compte rendu de

reserva [re'serβa] nf réserve f; (de entradas) réservation f, location f; **a ~ de que ...** (AM) sous réserve que ...; **con ~** (con cautela) sous toutes réserves; (con condiciones) sous réserve; **de ~** en réserve; **tener algo de ~** avoir qch en réserve; **gran ~** (vino) grand cru m; **~ de caja** fond m de caisse; **~ de indios** réserve indienne; **~s del Estado** réserves de l'État; **~ en efectivo** réserve en argent liquide; **~s en oro** réserves d'or

reservado, -a [reser'βaðo, a] adj réservé(e) ■ nm cabinet m particulier; (Ferro) compartiment m réservé

reservar [reser'βar] vt réserver; (Teatro) réserver, louer; **reservarse** vpr se réserver

resfriado [res'friaðo] nm rhume m

resfriarse [res'friarse] vpr s'enrhumer

resfrío [res'frio] (espAM) nm rhume m

resguardar [resɣwar'ðar] vt protéger; **resguardarse** vpr: **~ de** se protéger de

resguardo [res'ɣwarðo] nm abri m; (justificante, recibo) reçu m

residencia [resi'ðenθja] nf résidence f; **~ de ancianos** maison f de retraite

residencial [resiðen'θjal] adj résidentiel(le) ■ nf (espAM: urbanización) lotissement m; (And, Chi) hôtel m modeste

residente [resi'ðente] adj, nm/f résident(e)

residir [resi'ðir] vi résider; **~ en** (habitar en: ciudad) résider à; (: país) résider en o à; (consistir en) résider dans

residuo [re'siðwo] nm (sobrante) résidu m; (desperdicios) résidus mpl; **~s radiactivos** déchets mpl radioactifs

resignación [resiɣna'θjon] nf résignation f

resignarse [resiɣ'narse] vpr: **~ a** se résigner à

resina [re'sina] nf résine f

resistencia [resis'tenθja] nf résistance f; **no ofrece ~** il n'offre pas de résistance; **la R~** (Mil) la Résistance; **~ pasiva** résistance passive

resistente [resis'tente] adj résistant(e); **~ al calor** résistant à la chaleur

resistir [resis'tir] vt résister à; (peso, calor, persona) supporter ■ vi résister; **resistirse** vpr résister; **~se a** (decir, salir) refuser de; (cambio, ataque) résister à; **no puedo ~ este frío** je ne peux pas supporter ce froid; **me resisto a creerlo** je me refuse à le croire; **se le resiste la química** la chimie lui donne du mal; **el detenido se resistió** le détenu a refusé d'obtempérer

resolución [resolu'θjon] nf résolution f; (arrojo) détermination f; **con ~** avec vigueur, avec fermeté; **tomar una ~** prendre une résolution; **~ judicial** décision f de justice

resolver [resol'βer] vt résoudre; **resolverse** vpr se résoudre

resonancia [reso'nanθja] nf résonance f; (fig) retentissement m

resonar [reso'nar] vi résonner

resoplar [reso'plar] vi haleter

resoplido [reso'pliðo] nm halètement m

resorte [re'sorte] nm (Tec, fig) ressort m

respaldar [respal'dar] vt appuyer; (Inform) sauvegarder; **respaldarse** vpr (en asiento) s'adosser; **~se en** (fig) s'appuyer sur

respaldo [res'paldo] nm (de sillón) dossier m; (fig) appui m

respectivamente [respektiβa'mente] adv respectivement

respectivo, -a [respek'tiβo, a] adj respectif(-ive); **en lo ~ a** en ce qui concerne

respecto [res'pekto] nm: **al ~** à ce sujet; **con ~ a** en ce qui concerne; **~ de** par rapport à

respetable [respe'taβle] adj respectable ■ nm public m

respetar [respe'tar] vt respecter

respeto [res'peto] nm respect m; **respetos** nmpl respects mpl; **por ~ a** par respect pour o envers; **presentar sus ~s a** présenter ses respects à; **faltar al ~ a algn** manquer de respect à qn

respetuoso, -a [respe'twoso, a] adj respectueux(-euse)

respingo [res'pingo] nm: **dar** o **pegar un ~** sursauter

respiración [respira'θjon] nf respiration f; **~ artificial** respiration artificielle; **~ asistida** respiration assistée; **~ boca a boca** bouche à bouche m

respirar [respi'rar] vt, vi respirer; **no dejar ~ a algn** ne pas laisser respirer qn; **estuvo escuchándole sin ~** il l'a écouté sans broncher o dire un mot; **por fin pude ~** (de alivio) j'ai enfin pu respirer

respiratorio, -a [respira'torjo, a] adj respiratoire

respiro [res'piro] nm répit m; (Com) délai m

resplandecer [resplande'θer] vi resplendir; (belleza) resplendir, rayonner

resplandeciente [resplande'θjente] adj resplendissant(e)

resplandor [resplan'dor] nm éclat m

responder [respon'der] vt répondre ■ vi répondre; (*corresponder*) payer de retour; ~ **a** (*situación*) répondre à; (*guardar relación*) avoir trait à; ~ **a una pregunta** répondre à une question; ~ **a una descripción** répondre à un signalement; ~ **de** o **por** répondre de o pour

respondón, -ona [respon'don, ona] adj effronté(e); **¡no seas ~!** ne réponds pas!

responsabilidad [responsaβili'ðað] nf responsabilité f; **bajo mi ~** sous ma responsabilité; ~ **ilimitada** (*Com*) responsabilité illimitée

responsabilizar [responsaβili'θar] vt responsabiliser, rendre responsable; **responsabilizarse** vpr: ~**se de** (*atentado*) revendiquer; (*crisis, accidente*) assumer la responsabilité de

responsable [respon'saβle] adj, nm/f responsable m/f; **la persona ~** la personne responsable; **hacerse ~ de algo** assumer la responsabilité de qch

respuesta [res'pwesta] nf réponse f

resquebrajar [reskeβra'xar] vt fendiller, fissurer; **resquebrajarse** vpr s'écailler

resquicio [res'kiθjo] nm fente f; (*fig*) possibilité f, rayon m

resta ['resta] nf soustraction f

restablecer [restaβle'θer] vt rétablir; **restablecerse** vpr se rétablir

restallar [resta'ʎar] vi claquer

restante [res'tante] adj restant(e); **lo ~** le reste, ce qui reste; **los ~s** les autres; (*cosas*) le reste

restar [res'tar] vt (*Mat*) soustraire; (*fig*) ôter ■ vi rester

restauración [restaura'θjon] nf restauration f

restaurante [restau'rante] nm restaurant m

restaurar [restau'rar] vt restaurer

restitución [restitu'θjon] nf restitution f

restituir [restitu'ir] vt restituer

resto ['resto] nm reste m; **restos** nmpl (*Culin, de civilización etc*) restes mpl; **echar el ~** jouer le tout pour le tout; ~**s mortales** dépouille fsg (mortelle)

restregar [restre'ɣar] vt frotter

restricción [restrik'θjon] nf restriction f; **sin ~ de** sans restriction de

restrictivo, -a [restrik'tiβo, a] adj restrictif(-ive)

restringir [restrin'xir] vt restreindre

resucitar [resuθi'tar] vt, vi ressusciter

resuello [re'sweʎo] vb, nm (*aliento*) souffle m

resuelto, -a [re'swelto, a] pp de **resolver** ■ adj résolu(e); **estar ~ a hacer algo** être résolu(e) à faire qch

resultado [resul'taðo] nm résultat m; **resultados** nmpl (*Inform*) résultats mpl; **dar ~** réussir

resultante [resul'tante] adj résultant(e)

resultar [resul'tar] vi (*ser*) être; (*llegar a ser*) finir par être; (*salir bien*) réussir; (*ser consecuencia*) résulter; ~ **a** (*Com*) revenir à; ~ **de** résulter de; **resulta que ...** il se trouve que ...; **el conductor resultó muerto** le chauffeur est mort; **no resultó** cela n'a pas réussi; **me resulta difícil hacerlo** il m'est difficile de le faire

resumen [re'sumen] nm résumé m; **en ~** en résumé; **hacer un ~** faire un résumé

resumir [resu'mir] vt résumer; **resumirse** vpr se résumer; **en resumidas cuentas** en résumé o en bref

resurgir [resur'xir] vi ressurgir

resurrección [resurrek'θjon] nf résurrection f

retablo [re'taβlo] nm retable m

retaguardia [reta'ɣwarðja] nf arrière-garde f

retahíla [reta'ila] nf chapelet m

retal [re'tal] nm coupon m

retar [re'tar] vt défier

retardar [retar'ðar] vt (*demorar*) retarder; (*hacer más lento*) ralentir

retazo [re'taθo] nm coupon m; **a ~s** (*contar*) par fragments

retención [reten'θjon] nf retenue f; (*Med*) rétention f; (*de prisionero*) détention f, garde f à vue; ~ **de llamadas** (*Telec*) mémoire f; ~ **de tráfico** embouteillage m, bouchon m; ~ **fiscal** prélèvement m fiscal

retener [rete'ner] vt retenir; (*suj: policía*) garder à vue; (*impuestos, sueldo*) prélever

retina [re'tina] nf rétine f

retintín [retin'tin] nm tintement m; **decir algo con ~** dire qch d'un ton malicieux

retirada [reti'raða] nf (*Mil*) retraite f; (*de dinero*) retrait m; (*de embajador*) rappel m; **batirse en ~** battre en retraite; ver tb **retirado**

retirado, -a [reti'raðo, a] adj (*lugar*) retiré(e); (*vida*) calme; (*jubilado*) retraité(e) ■ nm/f retraité(e)

retirar [reti'rar] vt retirer; (*jubilar*) mettre à la retraite; **retirarse** vpr se retirer; (*jubilarse*) prendre sa retraite; ~ **la acusación** retirer la plainte

retiro [re'tiro] nm retraite f; (*Deporte*) abandon m

reto ['reto] nm défi m

retocar [reto'kar] vt retoucher
retoño [re'toɲo] nm rejeton m
retoque [re'toke] vb ver **retocar** ■ nm
retouche f
retorcer [retor'θer] vt (tela) essorer;
(brazo) tordre; (argumento) déformer;
retorcerse vpr se tortiller; (persona)
se contorsionner; ~**se de dolor** se tordre
de douleur
retorcido, -a [retor'θiðo, a] adj (tronco)
tordu(e); (columna) tors(e); (personalidad)
retors(e); (mente) mal tourné(e)
retórica [re'torika] nf rhétorique f
retórico, -a [re'toriko, a] adj rhétorique
retornar [retor'nar] vt (carta) renvoyer;
(dinero) rendre ■ vi: ~ **(a)** retourner (à)
retorno [re'torno] nm retour m; ~ **del
carro** (Tip) retour du chariot; ~ **del carro
automático** (Tip) retour automatique
du chariot
retortijón [retorti'xon] nm (tb:
retortijón de tripas) crampe f
(d'estomac)
retozar [reto'θar] vi folâtrer
retozón, -ona [reto'θon, ona] adj folâtre
retracción [retrak'θjon] nf rétraction f
retractarse [retrak'tarse] vpr se
rétracter; **me retracto** je me rétracte
retraer [retra'er] vt (antena) rentrer;
(órgano) rétracter; **retraerse** vpr: ~**se
(de)** se retirer (de)
retraído, -a [retra'iðo, a] adj
renfermé(e)
retraimiento [retrai'mjento] nm
(aislamiento) retraite f; (timidez) réserve f
retransmisión [retransmi'sjon] nf
retransmission f
retransmitir [retransmi'tir] vt
retransmettre
retrasado, -a [retra'saðo, a] adj en
retard; (Med: tb: **retrasado mental**)
attardé(e); **estar ~** (reloj) être en retard,
retarder; (persona, país) être en retard
retrasar [retra'sar] vt, vi retarder;
retrasarse vpr (persona, tren) être en
retard; (reloj) retarder; (quedarse atrás)
s'attarder; (producción) prendre du retard
retraso [re'traso] nm retard m; **retrasos**
nmpl (Com) arriérés mpl; **llegar con ~**
arriver en retard; **llegar con 25 minutos
de ~** arriver avec 25 minutes de retard;
llevamos un ~ de 6 semanas nous
sommes en retard de 6 semaines;
~ **mental** déficience f mentale
retratar [retra'tar] vt (Arte) faire le
portrait de; (Foto) photographier; (fig)
décrire; **retratarse** vpr se faire faire son
portrait; (fig) se révéler

retrato [re'trato] nm portrait m; **ser el
vivo ~ de** être tout le portrait de
retrato-robot [re'tratoro'βo(t)] (pl
retratos-robot) nm portrait-robot m
retreta [re'treta] nf (Mil) retraite f
retrete [re'trete] nm toilettes fpl
retribución [retriβu'θjon] nf
rétribution f
retribuir [retriβu'ir] vt rétribuer
retro... [retro] pref rétro...
retroactivo, -a [retroak'tiβo, a] adj
rétroactif(-ive); **con efecto ~** avec effet
rétroactif
retroceder [retroθe'ðer] vi reculer;
la policía hizo ~ a la multitud la police
a fait reculer la foule
retroceso [retro'θeso] nm recul m
retrógrado, -a [re'troɣraðo, a] adj
rétrograde
retrospectivo, -a [retrospek'tiβo, a]
adj rétrospectif(-ive); **mirada
retrospectiva** regard m rétrospectif
retrovisor [retroβi'sor] nm rétroviseur m
retumbar [retum'bar] vi retentir
reuma [re'uma] nm rhumatisme m
reumatismo [reuma'tismo] nm
rhumatisme m
reunificar [reunifi'kar] vt réunifier
reunión [reu'njon] nf réunion f; ~ **de
ventas** (Com) meeting m commercial;
~ **en la cumbre** réunion au sommet;
~ **extraordinaria** réunion extraordinaire
reunir [reu'nir] vt réunir; (recoger)
rassembler, réunir; (personas)
rassembler; **reunirse** vpr se réunir;
reunió a sus amigos para discutirlo il
a réuni ses amis pour en débattre
revalidar [reβali'ðar] vt (título)
confirmer
revancha [re'βantʃa] nf revanche f
revelación [reβela'θjon] nf révélation f
revelado [reβe'laðo] nm
développement m
revelar [reβe'lar] vt révéler; (Foto)
développer
reventa [re'βenta] nf revente f
reventar [reβen'tar] vt (globo) faire
éclater; (presa) céder; (molestar) agacer
■ vi éclater; **reventarse** vpr éclater;
me revienta tener que ponérmelo ça
m'agace de devoir le mettre; ~ **de
(alegría)** sauter de; (ganas) mourir de;
~ **por** brûler de; **estar a ~** (lleno) être plein
à craquer; ~**se trabajando** se ruiner la
santé au travail
reventón [reβen'ton] nm crevaison f
reverencia [reβe'renθja] nf révérence f
reverenciar [reβeren'θjar] vt révérer

reverendo, -a [reβe'rendo, a] *adj*
révérend(e)

reverente [reβe'rente] *adj*
révérencieux(-euse)

reversible [reβer'siβle] *adj* réversible

reverso [re'βerso] *nm* revers *msg*

revertir [reβer'tir] *vi* revenir; **~ en
beneficio/en perjuicio de** tourner à
l'avantage/au désavantage de

revés [re'βes] *nm* envers *msg*; (*fig, Tenis*)
revers *msg*; **al ~** à l'envers; **y al ~** et
inversement; **volver algo al** *o* **del ~**
retourner qch; **los reveses de la fortuna**
les revers de fortune

revestir [reβes'tir] *vt* revêtir; **revestirse**
vpr (*Rel*) se revêtir; **el acto revestía gran
solemnidad** la cérémonie revêtait une
grande solennité; **~se con** *o* **de** s'armer de

revisar [reβi'sar] *vt* réviser

revisión [reβi'sjon] *nf* révision *f*; **~ de
cuentas** contrôle des comptes; **~ salarial**
révision des salaires

revisor, a [reβi'sor, a] *nm/f*
contrôleur(-euse); **~ de cuentas**
contrôleur(-euse) des comptes

revista [re'βista] *vb ver* **revestir** ■ *nf*
revue *f*, magazine *m*; **pasar ~ a** passer en
revue; **~ de libros** chronique *f* littéraire;
~ literaria revue littéraire; **~s del
corazón** presse *f* du cœur

revivir [reβi'βir] *vt, vi* revivre

revocación [reβoka'θjon] *nf* révocation *f*

revocar [reβo'kar] *vt* révoquer

revolcarse *vpr* se vautrer

revolotear [reβolote'ar] *vi* voltiger

revoltijo [reβol'tixo] *nm* embrouillamini *m*

revoltoso, -a [reβol'toso, a] *adj*
turbulent(e)

revolución [reβolu'θjon] *nf* révolution *f*;
(*Tec*) tour *m*

revolucionar [reβoluθjo'nar] *vt*
révolutionner

revolucionario, -a [reβoluθjo'narjo, a]
adj, nm/f révolutionnaire *m/f*

revolver [reβol'βer] *vt* remuer; (*casa*)
mettre sens dessus dessous; (*mezclar*)
remuer, agiter; (*Pol*) soulever ■ *vi*: **~ en**
fouiller dans; **revolverse** *vpr* (*en cama*)
s'agiter; (*de dolor*) s'agiter, se tordre;
(*Meteorología*) se gâter; **~se contra** se
retourner contre; **han revuelto toda la
casa** ils ont mis la maison sens dessus
dessous; **la injusticia me revuelve las
tripas** l'injustice me révolte

revólver [re'βolβer] *nm* révolver *m*

revuelo [re'βwelo] *nm* vol *m*; (*fig*) trouble
m; **armar** *o* **levantar un gran ~** jeter le
trouble

revuelta [re'βwelta] *nf* révolte *f*; (*pelea*)
bagarre *f*

revuelto, -a [re'βwelto, a] *pp de*
revolver ■ *adj* (*desordenado*) sens dessus
dessous; (*mar*) agité(e), houleux(-euse);
(*pueblo*) agité(e); (*tiempo*)
orageux(-euse); (*estómago*) barbouillé(e);
todo estaba ~ tout était sens dessus
dessous

rey [rei] *nm* roi *m*; **los R~es** le Roi et la
Reine, les Souverains; **el deporte ~** le
sport roi

⬤ **REYES MAGOS**
⬤
⬤ Selon la tradition espagnole, les Rois
⬤ mages apportent des cadeaux aux
⬤ enfants pendant la nuit qui précède
⬤ l'Épiphanie. Le lendemain soir, le 6
⬤ janvier, les Rois mages arrivent dans
⬤ la ville par mer ou par terre, et
⬤ participent à une procession connue
⬤ sous le nom de *cabalgatas*, à la plus
⬤ grande joie des enfants.

reyerta [re'jerta] *nf* rixe *f*

rezagado, -a [reθa'ɣaðo, a] *adj*:
quedar ~ être en retard; (*fig*) être à la
traîne

rezagar [reθa'ɣar] *vt* retarder;
rezagarse *vpr* traîner

rezar [re'θar] *vi* prier; **~ con** (*fam*) aller
avec

rezo ['reθo] *nm* prière *f*

rezongar [reθon'gar] *vi* ronchonner

rezumar [reθu'mar] *vt* laisser couler
■ *vi* suinter; **rezumarse** *vpr* transpirer

ría ['ria] *nf* ria *f*

riada [ri'aða] *nf* crue *f*, inondation *f*

ribera [ri'βera] *nf* rive *f*, berge *f*; (*área*)
rivage *m*, littoral *m*

ribete [ri'βete] *nm* (*de vestido*) liseré *m*;
ribetes *nmpl* (*atisbos*) côtés *mpl*;
muestra ~s de filósofo il a un côté
philosophe

ricino [ri'θino] *nm*: **aceite de ~** huile *f*
de ricin

rico, -a ['riko, a] *adj* riche; (*comida*)
délicieux(-euse); (*niño*) gentil(le) ■ *nm/f*
riche *m/f*; **nuevo ~** nouveau riche; **~ en**
riche en

rictus ['riktus] *nm* rictus *msg*; **~ de
amargura** grimace *f* d'amertume

ridiculez [riðiku'leθ] *nf* ridicule *m*;
(*nimiedad*) insignifiance *f*

ridiculizar [riðikuli'θar] *vt* ridiculiser

ridículo, -a [ri'ðikulo, a] *adj* ridicule;
hacer el ~ se couvrir de ridicule; **poner a**

algn en ~ tourner qn en ridicule; **ponerse en ~** s'exposer au ridicule

riego ['rjeɣo] vb ver **regar** ▪ nm arrosage m; **~ sanguíneo** irrigation f

riel [rjel] nm (Ferro) rail m; (de cortina) tringle f

rienda ['rjenda] nf rêne f; **dar ~ suelta a** donner libre cours à; **llevar las ~s** (fig) tenir les rênes

riesgo ['rjesɣo] nm risque m; **seguro a** o **contra todo ~** assurance f tous risques; **~ para la salud** risque pour la santé; **correr el ~ de** courir le risque de

rifa ['rifa] nf tombola f

rifar [ri'far] vt tirer au sort; **rifarse** vpr se disputer

rifle ['rifle] nm rifle m

rigidez [rixi'ðeθ] nf rigidité f

rígido, -a ['rixiðo, a] adj rigide; (cara) sévère

rigor [ri'ɣor] nm rigueur f; **el ~ del invierno** la rigueur de l'hiver; **con todo el ~ científico** avec la plus grande rigueur scientifique; **de ~** de rigueur; **después de los saludos de ~** après les salutations de rigueur

riguroso, -a [riɣu'roso, a] adj rigoureux(-euse); **de rigurosa actualidad** d'une actualité brûlante

rima ['rima] nf rime f; **rimas** nfpl (composición) rimes fpl; **~ asonante/ consonante** rime pauvre/riche

rimbombante [rimbom'bante] adj (fig) ronflant(e)

rímmel ['rimel] nm rimmel m

rincón [rin'kon] nm coin m; **buscar por los rincones** chercher dans tous les coins

rinoceronte [rinoθe'ronte] nm rhinocéros msg

riña ['riɲa] nf (disputa) dispute f; (pelea) bagarre f

riñón [ri'ɲon] nm (Anat) rein m; (Culin) rognon m; **me costó un ~** (fam) cela m'a coûté les yeux de la tête; **tener dolor de riñones** avoir mal aux reins; **tener riñones** (fig) avoir du cran

río ['rio] vb ver **reír** ▪ nm (que desemboca en otro río) rivière f; (que desemboca en el mar) fleuve m; (fig) flot m; **~ abajo/arriba** en aval/amont; **cuando el ~ suena, agua lleva** il n'y a pas de fumée sans feu; **a ~ revuelto, ganancia de pescadores** à quelque chose malheur est bon

Río de la Plata ['rioðela'plata] n Rio de la Plata

Rioja [ri'oxa] nf: **La ~** La Rioja

rioja [ri'oxa] nf rioja m

rioplatense [riopla'tense] adj de Rio de la Plata ▪ nm/f natif(-ive) o habitant(e) de Rio de la Plata

riqueza [ri'keθa] nf richesse f

risa ['risa] nf rire m; **¡qué ~!** que c'est drôle!; **caerse/morirse de ~** se tordre/ mourir de rire; **tomar algo a ~** (a la ligera) prendre qch à la rigolade; (con buen humor) prendre qch avec bonne humeur; **el libro es una ~** (es divertido) ce livre est à se tordre de rire; (no vale nada) ce livre ne vaut rien; **tener la ~ fácil** rire facilement; **~ de conejo** rire jaune

risco ['risko] nm rocher m escarpé

risotada [riso'taða] nf éclat m de rire

ristra ['ristra] nf chapelet m; **~ de ajos** chapelet d'ails

risueño, -a [ri'sweɲo, a] adj souriant(e)

ritmo ['ritmo] nm rythme m; **a ~ lento** au ralenti; **trabajar a ~ lento** travailler au ralenti; **~ de vida** rythme de vie

rito ['rito] nm rite m

ritual [ri'twal] adj rituel(le) ▪ nm rituel m

rival [ri'βal] nm/f rival(e)

rivalidad [riβali'ðað] nf rivalité f

rivalizar [riβali'θar] vi rivaliser

rizado, -a [ri'θaðo, a] adj (pelo) frisé(e); (mar) moutonneux(-euse) ▪ nm frisure f

rizar [ri'θar] vt friser; **rizarse** vpr (el pelo) se friser; (agua, mar) moutonner

rizo ['riθo] nm boucle f

RNE abr = Radio Nacional de España

robar [ro'βar] vt voler; (Naipes) piocher; (atención) dérober

roble ['roβle] nm chêne m

robo ['roβo] nm vol m; **¡esto es un ~!** c'est du vol!; **~ a mano armada** vol à main armée

robot [ro'βo(t)] (pl **~s**) adj, nm robot m; **~ de cocina** robot de cuisine

robustecer [roβuste'θer] vt fortifier

robusto, -a [ro'βusto, a] adj robuste

roca ['roka] nf roche f; **la R~** Gibraltar

roce ['roθe] vb ver **rozar** ▪ nm frottement m; (caricia) frôlement m; (Tec) friction f; (señal) éraflure f; (: en la piel) égratignure f; (trato) fréquentation f; **tener un ~ con** s'accrocher avec, avoir une prise de bec avec

rociar [ro'θjar] vt arroser

rocín [ro'θin] nm rosse f

rocío [ro'θio] nm rosée f

rock [rok] adj, nm (Mús) rock m

rocoso, -a [ro'koso, a] adj rocailleux(-euse)

rodado, -a [ro'ðaðo, a] adj: **tráfico ~** circulation f routière; **canto ~** galet m; **venir ~** se présenter on ne peut mieux

rodaja [ro'ðaxa] nf tranche f

rodaje [ro'ðaxe] nm (Cine) tournage m;
en ~ (Auto) en rodage

rodar [ro'ðar] vt (vehículo) roder; (bola)
faire rouler; (película) tourner ■ vi rouler;
(Cine) tourner; (persona) circuler

rodear [roðe'ar] vt entourer; (dar un
rodeo) contourner; **rodearse** vpr: **~se de
amigos** s'entourer d'amis; **rodeado de
misterio** entouré de mystère

rodeo [ro'ðeo] nm détour m; (AM:
Deporte) rodéo m; **dar un ~** faire un
détour; **dejarse de ~s** ne pas tergiverser;
hablar sin ~s parler sans détours

rodilla [ro'ðiʎa] nf genou m; **de ~s** à genoux

rodillo [ro'ðiʎo] nm rouleau m; (en
máquina de escribir, impresora) chariot m

roedor, a [roe'ðor, a] adj rongeur(-euse)
■ nm rongeur m

roer [ro'er] vt ronger

rogar [ro'ɣar] vt, vi prier; **se ruega no
fumar** prière de ne pas fumer; **me rogó
que me quedara** il m'a prié de rester; **no
se hace de ~** il ne se fait pas prier

rojizo, -a [ro'xiθo, a] adj rougeâtre

rojo, -a ['roxo, a] adj rouge ■ nm rouge
m ■ nm/f (Pol) rouge m/f; **ponerse ~**
rougir; **al ~ (vivo)** (metal) rouge; (fig)
chauffé(e) à blanc

rol [rol] nm rôle m

rollizo, -a [ro'ʎiθo, a] adj rondelet(te)

rollo, -a ['roʎo, a] adj (fam) barbant(e)
■ nm rouleau m; (fam: película) navet m;
(libro) ouvrage m de bas étage; (: discurso)
laïus msg; **¡qué ~!** quelle barbe!, quelle
sciel; **la conferencia fue un ~** cette
conférence a été soporifique

Roma ['roma] n Rome

romance [ro'manθe] nm (Ling) roman m;
(Lit) romance f; (relación) idylle f

romanticismo [romanti'θismo] nm
romantisme m

romántico, -a [ro'mantiko, a] adj
romantique

rombo ['rombo] nm losange m

romería [rome'ria] nf (Rel) fête f
patronale, ≈ pardon m; (excursión)
pèlerinage m

romero, -a [ro'mero, a] nm/f pèlerin m
■ nm (Bot) romarin m

romo, -a ['romo, a] adj émoussé(e)

rompecabezas [rompeka'βeθas] nm inv
casse-tête m inv

rompeolas [rompe'olas] nm inv brise-
lames m inv

romper [rom'per] vt casser; (papel, tela)
déchirer; (contrato) rompre ■ vi (olas)
briser; (diente) casser; **romperse** vpr se
casser; **~ filas** (Mil) rompre les rangs; **~ el
día** commencer à faire jour; **~ a** se mettre
à; **~ a llorar** éclater en sanglots; **~ con
algn** rompre avec qn

ron [ron] nm rhum m

roncar [ron'kar] vi ronfler

ronco, -a ['ronko, a] adj rauque

ronda ['ronda] nf (de bebidas,
negociaciones) tournée f; (patrulla) ronde
f; (de naipes) main f, partie f; (Deporte)
manche f; **ir de ~** faire sa tournée; **hacer
la ~** (Mil) faire sa ronde; **~ electoral**
tournée électorale

rondar [ron'dar] vt (vigilar) surveiller;
(cortejar) faire du plat à; (importunar)
tourner autour de ■ vi faire une ronde;
(fig) rôder; **la cifra ronda el millón** le
chiffre frise le million

ronquido [ron'kiðo] nm ronflement m

ronronear [ronrone'ar] vi ronronner

ronroneo [ronro'neo] nm
ronronnement m

roña ['roɲa] nf (Veterinaria) gale f; (mugre)
crasse f; (óxido) rouille f

roñoso, -a [ro'ɲoso, a] adj (mugriento)
crasseux(-euse); (tacaño) radin(e)

ropa ['ropa] nf vêtements mpl; **~ blanca/
de casa** linge m blanc/de maison; **~ de
cama** literie f; **~ interior** o **íntima** linge
de corps; **~ sucia** linge sale; **~ usada**
vêtements usagés

ropaje [ro'paxe] nm vêtements mpl

ropero [ro'pero] nm (de ropa de cama)
armoire f (à linge); (guardarropa) garde-
robe f

rosa ['rosa] adj inv rose ■ nf (Bot) rose f
■ nm (color) rose m; **estar como una ~**
être frais (fraîche) comme une rose;
verlo todo color de ~ voir la vie en rose;
~ de los vientos rose f des vents

rosado, -a [ro'saðo, a] adj rose ■ nm
rosé m

rosal [ro'sal] nm rosier m

rosario [ro'sarjo] nm chapelet m;
(oraciones) rosaire m; **rezar el ~** dire son
chapelet

rosca ['roska] nf pas msg; (pan)
couronne f; **hacer la ~ a algn** (fam) faire

du plat à qn; **pasarse de ~** (*fig*) dépasser les bornes

rosetón [rose'ton] *nm* (*Arq*) rosace *f*

rosquilla [ros'kiʎa] *nf* beignet à pâte dure en forme d'anneau; **venderse como ~s** se vendre comme des petits pains

rostro ['rostro] *nm* visage *m*; **tener mucho ~** (*fam*) avoir un sacré culot *o* toupet

rotación [rota'θjon] *nf* rotation *f*; **~ de cultivos** rotation des cultures

rotativo [rota'tiβo] *nm* journal *m*

roto, -a ['roto, a] *pp de* **romper** ■ *adj* cassé(e); (*tela, papel*) déchiré(e); (*vida*) brisé(e); (*Chi: de clase obrera*) ouvrier(-ière) ■ *nm/f* (*Chi*) ouvrier(-ière) ■ *nm* (*en vestido*) accroc *m*

rotonda [ro'tonda] *nf* rotonde *f*

rótula ['rotula] *nf* rotule *f*

rotulador [rotula'ðor] *nm* crayon *m* feutre

rotular [rotu'lar] *vt* (*carta, documento*) légender

rótulo ['rotulo] *nm* (*título*) enseigne *f*; (*letrero*) écriteau *m*

rotundamente [rotunda'mente] *adv* catégoriquement

rotundo, -a [ro'tundo, a] *adj* catégorique

rotura [ro'tura] *nf* rupture *f*; (*Med*) fracture *f*

roturar [rotu'rar] *vt* défricher

rozadura [roθa'ðura] *nf* (*huella*) éraflure *f*; (*herida*) écorchure *f*

rozar [ro'θar] *vt* frôler; (*raspar, ensuciar*) érafler; (*Med*) écorcher; (*tocar ligeramente, fig*) effleurer; **rozarse** *vpr* se frôler; **~se** (*tratar*) se frotter (à); **su actitud roza el fanatismo** son attitude frise le fanatisme

Rte. *abr* (= *remite, remitente*) exp. (= *expéditeur*)

RTVE *sigla f* = Radiotelevisión Española

rubí [ru'βi] *nm* rubis *msg*

rubio, -a ['ruβjo, a] *adj, nm/f* blond(e); **tabaco ~** tabac *m* blond

rubor [ru'βor] *nm* (*sonrojo*) rougeur *f*; (*vergüenza*) honte *f*

ruborizarse [ruβori'θarse] *vpr* rougir

rúbrica ['ruβrika] *nf* (*de firma*) paraphe *m*, parafe *m*; (*final*) couronnement *m*; (*título*) rubrique *f*; **bajo la ~ de** dans la rubrique de

rubricar [ruβri'kar] *vt* (*firmar*) parapher *o* parafer; (*concluir*) couronner

rudimentario, -a [ruðimen'tarjo, a] *adj* rudimentaire

rudimentos [ruði'mentos] *nmpl* rudiments *mpl*

rudo, -a ['ruðo, a] *adj* (*material*) rude; (*modales, persona*) grossier(-ière)

rueda ['rweða] *nf* roue *f*; (*corro*) ronde *f*; **ir sobre ~s** aller comme sur des roulettes; **~ de prensa** conférence *f* de presse; **~ de recambio** *o* **de repuesto** roue de secours; **~ delantera/trasera** roue avant/arrière; **~ dentada** roue dentée; **~ impresora** (*Inform*) marguerite *f*

ruedo ['rweðo] *vb ver* **rodar** ■ *nm* (*contorno*) bord *m*; (*de vestido*) ourlet *m*; (*Taur*) arène *f*; (*corro*) ronde *f*

ruego ['rweɣo] *vb ver* **rogar** ■ *nm* prière *f*; **a ~s de** à la demande de; **"~s y preguntas"** "questions et réponses"

rufián [ru'fjan] *nm* ruffian *m*

rugby ['ruɣβi] *nm* rugby *m*

rugido [ru'xiðo] *nm* rugissement *m*

rugir [ru'xir] *vi* rugir; (*estómago*) gargouiller

rugoso, -a [ru'ɣoso, a] *adj* rugueux(-euse)

ruido ['rwiðo] *nm* bruit *m*; (*alboroto*) bruit, grabuge *m*; **~ de fondo** bruit de fond; **hacer** *o* **meter ~** faire du bruit

ruidoso, -a [rwi'ðoso, a] *adj* bruyant(e); (*fig*) tapageur(-euse)

ruin [rwin] *adj* (*vil*) vil(e); (*tacaño*) pingre

ruina ['rwina] *nf* ruine *f*; **ruinas** *nfpl* ruines *fpl*; **estar hecho una ~** être en piteux état; **aquello le llevó a la ~** cela a entraîné sa ruine

ruindad [rwin'dað] *nf* mesquinerie *f*; (*acto*) bassesse *f*

ruinoso, -a [rwi'noso, a] *adj* (*tb Com*) ruineux(-euse)

ruiseñor [rwise'ɲor] *nm* rossignol *m*

ruleta [ru'leta] *nf* roulette *f*

rulo ['rulo] *nm* rouleau *m*

Rumania [ruma'nia] *nf* Roumanie *f*

rumba ['rumba] *nf* rumba *f*

rumbo ['rumbo] *nm* (*ruta*) cap *m*; (*ángulo de dirección*) rumb *m*, rhumb *m*; (*fig*) direction *f*; **con ~ a** en direction de; **poner ~ a** mettre le cap sur; **sin ~ fijo** au hasard

rumboso, -a [rum'boso, a] (*fam*) *adj* généreux(-euse)

rumiante [ru'mjante] *nm* ruminant *m*

rumiar [ru'mjar] *vt, vi* ruminer

rumor [ru'mor] *nm* (*ruido sordo*) rumeur *f*; (*chisme*) bruit *m*

rumorearse [rumore'arse] *vpr*: **se rumorea que** le bruit court que

runrún [run'run] *nm* rumeur *f*; (*de una máquina*) ronronnement *m*; (*fig*) rengaine *f*

rupestre [ru'pestre] *adj*: **pintura ~**
peinture *f* rupestre
ruptura [rup'tura] *nf* rupture *f*;
~ con rupture avec
rural [ru'ral] *adj* rural(e)
Rusia ['rusja] *nf* Russie *f*
ruso, -a ['ruso, a] *adj* russe ■ *nm/f*
Russe *m/f* ■ *nm* (*Ling*) russe *m*
rústica ['rustika] *nf*: **libro en ~** livre *m*
broché; *ver tb* **rústico**
rústico, -a ['rustiko, a] *adj* (*del campo*)
rustique; (*ordinario*) rustre
ruta ['ruta] *nf* route *f*
rutina [ru'tina] *nf* routine *f*; **~ diaria**
routine quotidienne; **por ~** par routine
rutinario, -a [ruti'narjo, a] *adj*
routinier(-ière)

S

S *abr* (= *sur*) S (= *sud*)
S. *abr* (= *san*) St (= *Saint*)
s. *abr* = **siglo**; (= *siécle*) = **siguiente**
s/ *abr* (*Com*) = **su**
S.ª *abr* = **Sierra**
S.A. *abr* (*Com*: = *Sociedad Anónima*) SA *f*
(= *société anonyme*); (= *Su Alteza*) SA (= *Son
Altesse*)
sábado ['saβaðo] *nm* samedi *m*; **del ~ en
ocho días** samedi en huit; **un ~ sí y otro
no, cada dos ~s** un samedi sur deux
sábana ['saβana] *nf* drap *m*; **se le pegan
las ~s** (*fig*) il fait la grasse matinée
sabandija [saβan'dixa] *nf* (*Zool*) bestiole
f; (*fig*) fripouille *f*
sabañón [saβa'ɲon] *nm* engelure *f*

 PALABRA CLAVE

saber [sa'βer] *vt* savoir; **a saber** à savoir;
no lo supe hasta ayer je ne l'ai appris
qu'hier; **¿sabes conducir/nadar?** sais-tu
conduire/nager?; **¿sabes francés?** sais-
tu parler français?; **no sé nada de coches**
je n'y connais rien en voitures; **no sé
nada de él** je ne sais rien de lui; **un no sé
que** un je ne sais quoi; **saber de
memoria** savoir *o* connaître par cœur; **lo
sé** je (le) sais; **hacer saber** faire savoir;

¡cualquiera **sabe**! allez savoir!; **que yo sepa** que je sache; **¡si lo sabré yo!** je le sais mieux que personne!; **¡vete a saber!** va savoir!; **¡yo que sé!** je n'en sais rien, moi!; **¿sabes?** tu vois?
■ *vi*: **saber a** avoir le goût de; **sabe a fresa** ça a un goût de fraise; **saber mal/ bien** (*comida, bebida*) avoir bon/mauvais goût; **le sabe mal que otro saque a bailar a su mujer** ça ne lui plaît pas que d'autres gens invitent sa femme à danser
saberse *vpr*: **se sabe que ...** on sait que ...; **no se sabe todavía** on ne sait toujours pas

sabiduría [saβiðu'ria] *nf* savoir *m*; (*buen juicio*) sagesse *f*; **~ popular** sagesse populaire
sabiendas [sa'βjendas]: **a ~** *adv* en connaissance de cause; **a ~ de que ...** en sachant que ...
sabio, -a ['saβjo,a] *adj* savant(e); (*prudente*) sage ■ *nm/f* savant(e)
sabor [sa'βor] *nm* goût *m*, saveur *f*; (*fig*) saveur; **con ~ a** au goût de; **sin ~** sans aucun goût
saborear [saβore'ar] *vt* savourer
sabotaje [saβo'taxe] *nm* sabotage *m*
saboteador, a [saβotea'ðor, a] *nm/f* saboteur(-euse)
sabotear [saβote'ar] *vt* saboter
sabré *etc* [sa'βre] *vb ver* **saber**
sabroso, -a [sa'βroso, a] *adj* savoureux(-euse); (*salado*) salé(e)
sacacorchos [saka'kortʃos] *nm inv* tire-bouchon *m*
sacapuntas [saka'puntas] *nm inv* taille-crayon *m*
sacar [sa'kar] *vt* sortir; (*muela*) arracher; (*dinero, entradas*) retirer; (*beneficios*) tirer; (*premio*) remporter; (*datos*) extraire; (*conclusión*) arriver à; (*esp AM: ropa*) enlever; (*Tenis*) servir; (*Fútbol*) remettre en jeu; (*Costura*) rallonger; **~ adelante** (*hijos*) élever; (*negocio*) faire démarrer; **~ a algn a bailar** inviter qn à danser; **~ algo a relucir** placer qch (dans une conversation); **~ a algn de sí** mettre qn hors de lui; **~ algo en limpio** o **en claro** mettre qch au propre o au clair; **~ algo/a algn en TV/en el periódico** parler de qch/faire passer qn à la TV/ dans le journal; **~ brillo a algo** faire briller qch; **~ una foto** faire une photo; **~ la lengua** tirer la langue; **~ buenas/malas notas** avoir de bonnes/mauvaises notes
sacarina [saka'rina] *nf* saccharine *f*
sacerdote [saθer'ðote] *nm* prêtre *m*

saciar [sa'θjar] *vt* assouvir; **saciarse** *vpr* se rassasier
saco ['sako] *nm* sac *m*; (*AM: chaqueta*) veste *f*; **~ de dormir** sac de couchage
sacramento [sakra'mento] *nm* sacrement *m*
sacrificar [sakrifi'kar] *vt* sacrifier; (*reses*) abattre; (*animal doméstico*) endormir; **sacrificarse** *vpr*: **~se por** se sacrifier pour
sacrificio [sakri'fiθjo] *nm* sacrifice *m*
sacrilegio [sakri'lexjo] *nm* sacrilège *m*
sacristía [sakris'tia] *nf* sacristie *f*
sacudida [saku'ðiða] *nf* secousse *f*; **~ eléctrica** décharge *f* électrique
sacudir [saku'ðir] *vt* secouer; (*ala*) battre de; (*fam: persona*) tabasser; **sacudirse** *vpr*: **~se el polvo** s'épousseter; **~se los mosquitos** chasser les moustiques
sádico, -a ['saðiko, a] *adj, nm/f* sadique *m/f*
sadismo [sa'ðismo] *nm* sadisme *m*
saeta [sa'eta] *nf* flèche *f*; (*Mús*) chant religieux de la semaine sainte
sagacidad [saɣaθi'ðað] *nf* sagacité *f*
sagaz [sa'ɣaθ] *adj* sagace
Sagitario [saxi'tarjo] *nm* (*Astrol*) Sagittaire *m*; **ser ~** être (du) Sagittaire
sagrado, -a [sa'ɣraðo, a] *adj* sacré(e)
Sáhara ['saxara] *nm*: **el ~** le Sahara
sal [sal] *vb ver* **salir** ■ *nf* sel *m*; (*encanto*) grâce *f*; **~es de baño** sels de bain; **~ de cocina** sel de cuisine; **~ gorda** gros sel
sala ['sala] *nf* salle *f*; (*sala de estar*) salle de séjour; (*Jur*) tribunal *m*; **~ de conciertos** salle de concerts; **~ de conferencias** salle de conférences; **~ de embarque** salle d'embarquement; **~ de espera** salle d'attente; **~ de fiestas** salle des fêtes; **~ de juntas** (*Com*) salle de réunion; **~ de operaciones** (*Med*) salle d'opération
salado, -a [sa'laðo, a] *adj* salé(e); (*fig*) piquant(e); (*And: desgraciado*) malheureux(-euse); **agua salada** eau *f* salée
salar [sa'lar] *vt* saler
salarial [sala'rjal] *adj* (*aumento*) de salaire; (*revisión*) salarial(e)
salario [sa'larjo] *nm* salaire *m*; **~ mínimo interprofesional** ≈ salaire minimum interprofessionnel de croissance
salchicha [sal'tʃitʃa] *nf* saucisse *f*
salchichón [saltʃi'tʃon] *nm* saucisson *m*
saldar [sal'dar] *vt* solder; (*deuda, diferencias*) régler
saldo ['saldo] *nm* solde *m*; (*de deuda*) règlement *m*; (*de móvil*) crédit *m*; **a precio**

de ~ en solde; ~ **acreedor/deudor**
o **pasivo** solde créditeur/débiteur;
~ **anterior** solde reporté; ~ **final** balance *f*
après clôture

saldré *etc* [sal'dre] *vb ver* **salir**

salero [sa'lero] *nm* (*Culin*) salière *f*;
(*ingenio*) esprit *m*; (*encanto*) charme *m*

salga *etc* ['salɣa] *vb ver* **salir**

salida [sa'liða] *nf* sortie *f*; (*de tren, Aviat,
Deporte*) départ *m*; (*del sol*) lever *m*;
(*puerta*) sortie, issue *f*; (*fig*) issue; (*: de
estudios*) débouché *m*; (*fam: ocurrencia*)
mot *m* d'esprit; **calle sin ~** voie *f* sans
issue; **a la ~ del teatro** à la sortie du
théâtre; **dar la ~** (*Deporte*) donner le
départ; **línea de ~** (*Deporte*) ligne *f* de
touche; **no hay ~** il n'y a pas d'issue; **no
tenemos otra ~** nous n'avons pas d'autre
issue; **~ de emergencia/de incendios**
sortie de secours; **~ de tono** propos *msg*
déplacé; **~ impresa** (*Inform*) tirage *m*
papier

saliente [sa'ljente] *adj* saillant(e);
(*cesante*) sortant(e) ■ *nm* saillie *f*

 PALABRA CLAVE

salir [sa'lir] *vi* **1** (*ir afuera*) sortir; (*tren,
avión*) partir; **salir de** sortir de; **Juan ha
salido** Juan est sorti; **salió de la cocina** il
est sorti de la cuisine; **salir de viaje** partir
en voyage; **salir corriendo** partir en
courant; **salir bien de algo** (*fig*) bien se
sortir de qch
2 (*aparecer: sol*) se lever; (*flor, pelo, dientes*)
pousser; (*disco, libro*) sortir; **anoche salió
el reportaje en la tele** le reportage est
passé hier soir à la télé; **su foto salió en
todos los periódicos** sa photo est parue
dans tous les journaux
3 (*resultar*): **salir bien/mal** réussir/rater;
el niño nos ha salido muy estudioso
notre fils se révèle très studieux; **la
comida te ha salido exquisita** ton repas
est très réussi; **salir elegido/premiado**
être choisi/récompensé; **ha salido a su
madre** il tient de sa mère; **¡no me sale!** je
n'y arrive pas!; **sale muy caro** c'est très
cher; **salís a 200 euros cada uno** vous en
avez pour 200 euros chacun; **la cena nos
salió por 100 euros** le dîner nous a coûté
100 euros; **no salen las cuentas** ça ne
tombe pas juste
4 (*mancha*) partir; (*tapón*) s'enlever;
5 (*en el juego*) avoir la main; (*Deporte*)
commencer; (*Teatro*) entrer en scène
6: **salir a** (*desembocar*) déboucher sur;
salir de (*proceder*) venir de

7: **salir con algn** (*amigos, novios*) sortir
avec qn
8: **le salió un trabajo** il a trouvé du
travail
9: **salir adelante** s'en sortir; **no sé como
haré para salir adelante** je ne sais pas
comment faire pour m'en sortir
salirse *vpr* (*líquido*) se renverser;
(*animal*) sortir; (*de la carretera*) quitter;
(*persona: de asociación*) quitter;
salirse del tema s'écarter du sujet;
salirse con la suya n'en faire qu'à sa
tête

saliva [sa'liβa] *nf* salive *f*

salmo ['salmo] *nm* psaume *m*

salmón [sal'mon] *nm* saumon *m*

salmuera [sal'mwera] *nf* saumure *f*

salón [sa'lon] *nm* salon *m*; (*Chi: Ferro*)
salle *f* d'attente; **~ de actos** o **de
sesiones** salle de réunion; **~ de baile**
salle de danse; **~ de belleza** institut *m*
de beauté; **~ de té** salon de thé

salpicadero [salpika'ðero] *nm* (*Auto*)
tableau de bord

salpicar [salpi'kar] *vt* éclabousser;
(*esparcir*) parsemer

salsa ['salsa] *nf* (*Culin*) sauce *f*; (*fig*)
piquant *m*; (*Mús*) salsa *f*; **está en su ~**
(*fam*) c'est son domaine

saltamontes [salta'montes] *nm inv*
sauterelle *f*

saltar [sal'tar] *vt* sauter ■ *vi* sauter;
(*al agua*) plonger; (*quebrarse: cristal*) se
briser; (*explotar: persona*) exploser;
saltarse *vpr* sauter; (*lágrimas*) jaillir;
~ a la comba sauter à la corde; **~ a la
vista** sauter aux yeux; **~ con** (*fam: decir*)
sortir; **~ de una cosa a otra** sauter du
coq à l'âne; **~se un semáforo** brûler un
feu; **~se todas las reglas** enfreindre
toutes les règles

salto ['salto] *nm* saut *m*; (*al agua*)
plongeon *m*; **a ~s** en sautant; **vivir a
~ de mata** vivre au jour le jour; **~ de
agua** chute *f* d'eau; **~ de altura/de
longitud** saut en hauteur/en longueur;
~ de cama peignoir *m*; **~ de línea
(automático)** (*Inform*) retour *m* à la ligne
(automatique); **~ de página**
alimentation *f* en feuilles; **~ mortal** saut
périlleux

saltón, -ona [sal'ton, ona] *adj* (*ojos*)
globuleux(-euse); (*dientes*) en avant

salud [sa'luð] *nf* santé *f*; **estar bien/mal
de ~** être en bonne/mauvaise santé;
¡(a su) ~! (à votre) santé!; **beber a la ~ de**
boire à la santé de

saludable [salu'ðaβle] *adj* sain(e)
saludar [salu'ðar] *vt* (*tb Mil*) saluer;
ir a ~ a algn aller dire bonjour à qn;
salude de mi parte a X saluez X de ma
part; **le saluda atentamente** (*en carta*)
salutations distinguées
saludo [sa'luðo] *nm* salut *m*; **saludos**
nmpl (*en carta*) salutations *fpl*; **un ~
afectuoso** o **cordial** (*en carta*)
affectueusement o cordialement o bien
à vous
salva ['salβa] *nf* (*Mil*) salve *f*; **una ~ de
aplausos** une salve d'applaudissements
salvación [salβa'θjon] *nf* sauvetage *m*;
(*Rel*) salut *m*; **¡fue mi ~!** c'est ce qui m'a
sauvé!
salvado [sal'βaðo] *nm* (*Agr*) son *m*
salvador [salβa'ðor] *nm* sauveur *m*;
el S~ (*Rel*) le Sauveur; **El S~** (*Geo*)
El Salvador; **San S~** San Salvador
salvaguardar [salβaɣwar'ðar] *vt*
sauvegarder
salvajada [salβa'xaða] *nf* sauvagerie *f*
salvaje [sal'βaxe] *adj*, *nm/f* sauvage *m/f*
salvamento [salβa'mento] *nm*
sauvetage *m*
salvar [sal'βar] *vt* sauver; (*un barco*)
procéder au sauvetage de; (*obstáculo,
distancias*) franchir; (*exceptuar*) excepter;
(*Inform: archivo*) sauvegarder; **salvarse**
vpr: **~se (de)** se sauver (de); **~ algo/a
algn de** sauver qch/qn de; **¡sálvese
quien pueda!** sauve qui peut!
salva-slip [salβaes'lip] (*pl* **~s**) protège-
slip *m*
salvavidas [salβa'βiðas] *adj inv*: **bote/
chaleco/cinturón ~** canot *m*/gilet *m*/
bouée *f* de sauvetage
salvo, -a ['salβo, a] *adj*: **a ~** en lieu sûr
■ *adv* sauf; **~ error u omisión** (*Com*)
sauf erreur ou omission; **~ que** sauf
que
salvoconducto [salβokon'dukto] *nm*
sauf-conduit *m*
san [san] *nm* saint *m*; **~ Juan** Saint Jean
sanar [sa'nar] *vt*, *vi* guérir
sanatorio [sana'torjo] *nm* sanatorium *m*
sanción [san'θjon] *nf* sanction *f*;
(*aprobación*) approbation *f*
sancionar [sanθjo'nar] *vt* sanctionner;
(*aprobar*) approuver
sandalia [san'dalja] *nf* sandale *f*
sandía [san'dia] *nf* pastèque *f*
sandwich ['sandwitʃ] (*pl* **~s** o **~es**) *nm*
sandwich *m*
saneamiento [sanea'mjento] *nm*
assainissement *m*
sanear [sane'ar] *vt* assainir

Les *Sanfermines* de Pampelune sont un
festival d'une semaine, rendu célèbre
par Hemingway. À partir du 7 juillet,
fête patronale de "San Fermín", les
habitants de la ville, principalement
les jeunes, se rassemblent dans les
rues pour chanter, boire et danser.
Tôt le matin, on lâche des taureaux
dans les rues étroites qui conduisent à
l'arène. Selon une coutume répandue
dans de nombreux villages espagnols,
des jeunes gens font acte de courage
en s'élançant devant les taureaux, au
péril de leur vie.

sangrar [san'grar] *vt* saigner; (*Inform,
Tip*) commencer en retrait ■ *vi* saigner
sangre ['sangre] *nf* sang *m*; **a ~ fría** de
sang-froid; **de ~ fría** (*Zool*) à sang-froid;
pura ~ pur sang; **~ azul** sang bleu; **~ fría**
sang-froid *m*
sangría [san'gria] *nf* (*Med*) saignée *f*;
(*Culin*) sangria *f*; (*Inform, Tip*) retrait *m*;
(*fig: gasto*) frais *msg*
sangriento, -a [san'grjento, a] *adj*
sanglant(e)
sanguijuela [sangi'xwela] *nf* sangsue *f*
sanguinario, -a [sangi'narjo, a] *adj*
sanguinaire
sanguíneo, -a [san'gineo, a] *adj*
sanguin(e)
sanidad [sani'ðað] *nf* (*Admin*) santé *f*;
(*de ciudad, clima*) salubrité *f*; **~ pública**
santé publique

● **SAN ISIDRO**

San Isidro, saint patron de Madrid,
donne son nom à des festivités d'une
semaine qui ont lieu aux alentours du
15 mai. Foire au XVIIIᵉ siècle, la fête de
San Isidro consiste de nos jours en
diverses manifestations, telles que
bals, musique, spectacles, courses de
taureaux et une célèbre *romería*.

sanitario, -a [sani'tarjo, a] *adj* sanitaire
■ *nm*: **~s** sanitaires *mpl* ■ *nm/f* agent *m*
de service de santé
sano, -a ['sano, a] *adj* sain(e); (*sin daños*)
intact(e); **~ y salvo** sain et sauf
Santiago [san'tjaɣo] *n*: **~ (de Chile)**
Santiago (du Chili); **~ (de Compostela)**
Saint Jacques de Compostelle
santiamén [santja'men] *nm*: **en un ~** en
un clin d'œil

santidad [santi'ðað] nf sainteté f

santiguarse [santi'ɣwarse] vpr se signer

santo, -a ['santo, a] adj saint(e) ■ nm/f (Rel) Saint(e); (fig) saint(e) ■ nm fête f; **hacer su santa voluntad** faire ses 4 volontés; **todo el ~ día** toute la journée; **¿a ~ de qué ...?** en quel honneur ...?; **se le fue el ~ al cielo** il a oublié ce qu'il allait dire; **~ y seña** mot m de passe

santuario [san'twarjo] nm sanctuaire m

saña ['saɲa] nf (crueldad) sauvagerie f; (furor) fureur f

sapo ['sapo] nm crapaud m

saque ['sake] vb ver **sacar** ■ nm (Tenis) service m; (Fútbol) remise f en jeu; **~ de esquina** corner m; **~ inicial** coup m d'envoi

saquear [sake'ar] vt piller

saqueo [sa'keo] nm pillage m

sarampión [saram'pjon] nm rougeole f

sarcasmo [sar'kasmo] nm sarcasme m

sarcástico, -a [sar'kastiko, a] adj sarcastique

sardina [sar'ðina] nf sardine f

sargento [sar'xento] nm (Mil) sergent m; (fig) personne f autoritaire

sarmiento [sar'mjento] nm sarment m

sarna ['sarna] nf (Med, Zool) gale f

sarpullido [sarpu'ʎiðo] nm (Med) éruption f (prurigineuse)

sarro ['sarro] nm tartre m

sartén [sar'ten] nf o (AM) nm (Culin) poêle f (à frire); **tener la ~ por el mango** tenir les rênes

sastre ['sastre] nm tailleur m

Satanás [sata'nas] nm Satan m

satélite [sa'telite] nm satellite m; **vía ~** (Telec) par satellite

sátira ['satira] nf satire f

satisfacción [satisfak'θjon] nf satisfaction f; (para desagravio) satisfaction, réparation f

satisfacer [satisfa'θer] vt satisfaire; (deuda) acquitter; **satisfacerse** vpr se satisfaire; (vengarse) se venger

satisfecho, -a [satis'fetʃo, a] pp de **satisfacer** ■ adj satisfait(e)

saturar [satu'rar] vt saturer; **saturarse** vpr être saturé(e)

sauce ['sauθe] nm saule m; **~ llorón** saule pleureur

sauna ['sauna] nf, nm en C sur sauna m

savia ['saβja] nf sève f

saxofón [sakso'fon] nm saxophone m

sazonar [saθo'nar] vt mûrir; (Culin) relever ■ vi être mûr(e)

---

s/c abr (Com: = su casa) votre société; (: = su cuenta) votre compte

SE abr (= sudeste) S.-E. (= sud-est)

○ **PALABRA CLAVE**

se [se] pron **1** (reflexivo) se, s'; (: de Ud, Uds) vous; **se divierte** il s'amuse; **lavarse** se laver; **¡siéntese!** asseyez-vous!
2 (con complemento directo: sg) lui; (pl) leur; (Ud, Uds) vous; **se lo dije** (a él) je le lui ai dit; (a ellos) je le leur ai dit; (a usted(es)) je vous l'ai dit; **se compró un sombrero** il s'est acheté un chapeau; **se rompió la pierna** il s'est cassé la jambe; **cortarse el pelo** se faire couper les cheveux
3 (uso recíproco) se; (: Ustedes) vous; **se miraron (el uno al otro)** ils se sont regardés (l'un l'autre); **cuando (ustedes) se conocieron** quand vous vous êtes connus
4 (en oraciones pasivas): **se han vendido muchos libros** beaucoup de livres ont été vendus; **se compró hace 3 años** ça a été acheté il y a 3 ans
5 (impersonal): **se dice que ...** on dit que ...; **allí se come muy bien** on y mange très bien; **se habla inglés** on parle anglais; **se ruega no fumar** prière de ne pas fumer

sé [se] vb ver **saber; ser**

sea etc ['sea] vb ver **ser**

sebo ['seβo] nm sébum m

secador [seka'ðor] nm (tb: **secador de pelo**) sèche-cheveux m inv

secadora [seka'ðora] nf sèche-linge m inv; **~ centrífuga** essoreuse f

secar [se'kar] vt sécher; (río, tierra, plantas) assécher; **secarse** vpr sécher; (persona) se sécher; **~se las manos** se sécher les mains

sección [sek'θjon] nf section f; **~ deportiva** (en periódico) pages fpl sportives

seco, -a ['seko, a] adj sec (sèche); **habrá pan a secas** il n'y aura que du pain; **Juan, a secas** Juan tout court; **parar/frenar en ~** s'arrêter/freiner brusquement

secretaría [sekreta'ria] nf secrétariat m

secretario, -a [sekre'tarjo, a] nm/f secrétaire m/f; **~ adjunto** (Com) secrétaire adjoint

secreto, -a [se'kreto, a] adj secret(-ète) ■ nm secret m; **en ~** en secret; **~ profesional** secret professionnel

secta ['sekta] nf secte f

sectario, -a [sek'tarjo, a] adj sectaire
sector [sek'tor] nm secteur m;
~ **privado/público** secteur privé/public;
~ **terciario** secteur tertiaire
secuela [se'kwela] nf séquelle f
secuencia [se'kwenθja] nf séquence f
secuestrar [sekwes'trar] vt séquestrer;
(avión) détourner; (publicación) retirer de
la circulation; (bienes: Jur) séquestrer,
mettre sous séquestre
secuestro [se'kwestro] nm (de persona)
séquestration f; (de avión)
détournement m
secular [seku'lar] adj séculaire
secundar [sekun'dar] vt seconder
secundario, -a [sekun'darjo, a] adj
secondaire; (Inform) d'arrière-plan
sed [seð] nf soif f; **tener** ~ avoir soif
seda ['seða] nf soie f; **como una** ~ (sin
problema) comme sur des roulettes;
(dócil) doux (douce) comme un agneau
sedal [se'ðal] nm ligne f
sedante [se'ðante] nm sédatif m
sede ['seðe] nf siège m; **Santa S~** Saint
Siège
sedentario, -a [seðen'tarjo, a] adj
sédentaire
sediento, -a [se'ðjento, a] adj
assoiffé(e); ~ **de gloria/poder** assoiffé(e)
de gloire/pouvoir
sedimento [seði'mento] nm sédiment m
sedoso, -a [se'ðoso, a] adj soyeux(-euse)
seducción [seðuk'θjon] nf séduction f
seducir [seðu'θir] vt séduire
seductor, a [seðuk'tor, a] adj
séducteur(-trice); (personalidad, idea)
séduisant(e) ■ nm/f séducteur(-trice)
segar [se'ɣar] vt (mies) moissonner;
(hierba) faucher; (vidas) briser;
(esperanzas) réduire à néant
seglar [se'ɣlar] adj séculier(-ière)
segregación [seɣreɣa'θjon] nf
ségrégation f; ~ **racial** ségrégation raciale
segregar [seɣre'ɣar] vt ségréguer;
(líquido) sécréter
seguida [se'ɣiða] nf: **en** ~ tout de suite;
en ~ **termino** j'ai presque fini
seguido, -a [se'ɣiðo, a] adj (semana)
continu(e); (línea) droit(e) ■ adv
(derecho) tout droit; (después) à la suite;
(AM: a menudo) souvent; **5 días ~s** 5 jours
de suite
seguimiento [seɣi'mjento] nm suivi m
seguir [se'ɣir] vt suivre ■ vi (venir
después) suivre; (continuar) poursuivre;
seguirse vpr: ~**se (de)** résulter (de);
sigo sin comprender je ne comprends
toujours pas; **sigue lloviendo** il continue

de pleuvoir; **sigue** (en carta) T.S.V.P.;
(en libro, TV) suite; **¡siga!** (AM) allez-y!
según [se'ɣun] prep d'après ■ adv (tal
como) tel(le) que; (depende de)) selon;
(a medida que) à mesure que; ~ **parece ...**
il semblerait que ...; ~ **esté el tiempo**
selon le temps qu'il fera; ~ **me consta**
autant que je sache; **está** ~ **lo dejaste**
c'est resté tel que tu l'avais laissé
segundo, -a [se'ɣundo, a] adj
deuxième, second(e); (en discurso)
deuxièmement ■ nm seconde f; (piso)
deuxième m, second m ■ nm/f deuxième
m/f, second(e); ~ **(a bordo)** (Náut)
second (à bord); **segunda (clase)** (Ferro)
seconde (classe) f; **segunda (marcha)**
(Auto) seconde; **con segundas
(intenciones)** avec une arrière-pensée;
de segunda mano d'occasion
seguramente [se'ɣuramente] adv
sûrement; **¿lo va a comprar? -** ~ va-t-il
l'acheter? - sûrement
seguridad [seɣuri'ðað] nf sécurité f;
(certeza) certitude f; (confianza)
confiance f; **cerradura/cinturón de**
~ serrure f/ceinture f de sécurité;
~ **ciudadana** sécurité en ville; ~ **en sí
mismo** confiance en soi; ~ **social** sécurité
sociale
seguro, -a [se'ɣuro, a] adj sûr(e) ■ adv
sûr ■ nm sécurité f; (de cerradura) gorge f;
(de arma) cran m de sûreté; (Com)
assurance f; (Cam, Méx) épingle f à
nourrice; ~ **de sí mismo** sûr(e) de soi;
lo más ~ **es que ...** sans doute que ...;
~ **a todo riesgo/contra terceros**
assurance tous risques/au tiers;
~ **contra accidentes/contra incendios**
assurance contre les accidents/contre
l'incendie; **S~ de Enfermedad** assurance
maladie; ~ **de vida** assurance-vie f;
~ **dotal con beneficios** assurance à
capital différé avec bénéfice; ~ **marítimo**
assurance maritime; ~ **mixto** assurance
à capital différé; ~ **temporal** assurance
à terme
seis [seis] adj inv, nm inv six m inv; ~ **mil** six
mille; **el** ~ **de abril** le six avril; **hoy es** ~
nous sommes le six aujourd'hui; **son las** ~
il est six heures; **tiene** ~ **años** il a six ans;
unos ~ environ six
seiscientos, -as [seis'θjentos, as] adj
six cents; ~ **veinticinco** six cent vingt-
cinq
seísmo [se'ismo] nm séisme m
selección [selek'θjon] nf sélection f;
~ **nacional** (Deporte) équipe f nationale;
~ **natural** sélection naturelle

seleccionar [selekθjo'nar] vt sélectionner
selectividad [selektiβi'ðað] nf (Univ) sélection f

○ **SELECTIVIDAD**
○
○ À la fin de leurs études secondaires,
○ les étudiants souhaitant aller à
○ l'université doivent passer les
○ redoutables épreuves de la
○ *selectividad*, dont la deuxième session
○ se tient en septembre. Si le nombre de
○ candidats pour une université donnée
○ est trop élevé, seuls les meilleurs y
○ sont admis. Certains des candidats
○ malheureux préfèrent alors attendre
○ un an pour repasser l'examen plutôt
○ que d'aller dans une université qu'ils
○ n'ont pas choisie.

selecto, -a [se'lekto, a] adj sélect(e)
sellar [se'ʎar] vt sceller; (*pasaporte*) tamponner
sello ['seʎo] nm (*de correos*) timbre m; (*para estampar*) tampon m; (*precinto*) sceau m; (*tb:* **sello distintivo**) cachet m; **~ de prima** (*Com*) timbre-prime m; **~ discográfico** maison f de disques; **~ fiscal** timbre fiscal
selva ['selβa] nf (*bosque*) forêt f; (*jungla*) jungle f; **la S~ Negra** la Forêt Noire
semáforo [se'maforo] nm (*Auto*) feu m rouge o de circulation; (*Ferro*) sémaphore m
semana [se'mana] nf semaine f; **entre ~** dans la semaine; **~ inglesa** semaine de 35 heures; **~ laboral** semaine de travail; **S~ Santa** semaine sainte

○ **SEMANA SANTA**
○
○ Les célébrations de la semaine sainte
○ en Espagne sont souvent grandioses.
○ "Viernes Santo" (le Vendredi saint),
○ "Sábado Santo" (le Samedi saint) et
○ "Domingo de Resurrección" (le
○ dimanche de Pâques) sont des fêtes
○ légales auxquelles s'ajoutent d'autres
○ jours fériés dans chaque région. Dans
○ tout le pays, les membres des
○ "cofradías" (confréries), vêtus de
○ cagoules, avancent en processions
○ dans les rues, précédant leurs "pasos",
○ des chars richement décorés sur
○ lesquels se dressent des statues
○ religieuses. Les processions de la
○ semaine sainte à Séville sont
○ particulièrement renommées.

semanal [sema'nal] adj hebdomadaire
 ■ nm (*Prensa*) hebdomadaire m
semblante [sem'blante] nm (traits mpl du) visage m; (*fig*) allure f
sembrar [sem'brar] vt semer
semejante [seme'xante] adj, nm semblable m; **son muy ~s** ils se ressemblent beaucoup; **nunca hizo cosa ~** il n'a jamais fait semblable chose
semejanza [seme'xanθa] nf ressemblance f; **a ~ de** pareil(le) à
semen ['semen] nm sperme m, semence f
semestral [semes'tral] adj semestriel(le)
semi... [semi] pref semi...
semicírculo [semi'θirkulo] nm demi-cercle m
semidesnatado, -a [semidesna'taðo, a] adj demi-écrémé(e)
semifinal [semifi'nal] nf demi-finale f
semilla [se'miʎa] nf graine f, semence f
seminario [semi'narjo] nm (*Rel*) séminaire m; (*Escol*) séance f de T.P.
sémola ['semola] nf semoule f
Sena ['sena] nm: **el ~ la** Seine
senado [se'naðo] nm sénat m
senador, a [sena'ðor, a] nm/f sénateur(-trice)
sencillez [senθi'ʎeθ] nf simplicité f
sencillo, -a [sen'θiʎo, a] adj simple
 ■ nm (*AM*) chaudière f
senda ['senda] nf sentier m
senderismo [sende'rismo] nm randonnée f
sendero [sen'dero] nm sentier m; **S~ Luminoso** (*Pe: Pol*) Sentier lumineux
senil [se'nil] adj sénile
seno ['seno] nm sein m; (*Mat*) sinus m; **~ materno** sein maternel
sensación [sensa'θjon] nf sensation f; **causar o hacer ~** faire sensation
sensacional [sensaθjo'nal] adj sensationnel(le)
sensato, -a [sen'sato, a] adj sensé(e)
sensible [sen'sible] adj sensible
sensorial [senso'rjal] adj sensoriel(le)
sensual [sen'swal] adj sensuel(le)
sentada [sen'taða] nf (*protesta*) sit-in m; **de una ~** d'une traite
sentado, -a [sen'taðo, a] adj: **estar ~** être assis(e); **dar por ~** considérer comme réglé(e); **dejar ~ que ...** établir que ...
sentar [sen'tar] vt asseoir; (*noticia, hecho, palabras*) établir ■ vi (*vestido, color*) aller; **sentarse** vpr s'asseoir; (*el tiempo*) se stabiliser; (*sedimentos*) se déposer; **~ bien** (*ropa*) aller bien; (*comida*) faire

du bien; (*vacaciones*) réussir; **me ha
sentado mal** (*comida*) je ne l'ai pas
digéré; (*comentario*) cela m'a blessé;
¡**siéntese!** asseyez-vous!

sentencia [sen'tenθja] *nf* sentence *f*;
(*Inform*) instruction *f*; **~ de muerte**
sentence de mort

sentenciar [senten'θjar] *vt* (*Jur*)
condamner

sentido, -a [sen'tiðo, a] *adj* (*pérdida*)
regretté(e); (*carácter*) sensible ■ *nm* sens
msg; **mi más ~ pésame** mes plus sincères
condoléances; **en el buen ~ de la
palabra** au sens propre du terme; **con ~
doble** à double sens; **sin ~** qui ne veut
rien dire; **tener ~** avoir du sens; ¿**qué ~
tiene que ...?** à quoi cela sert-il de ...?;
~ común bon sens; **~ del humor** sens
de l'humour; **~ único** (*Auto*) sens
unique

sentimental [sentimen'tal] *adj*
sentimental(e); **vida ~** vie *f* sentimentale

sentimiento [senti'mjento] *nm*
sentiment *m*

sentir [sen'tir] *nm* opinion *f* ■ *vt* sentir;
(*lamentar*) regretter; (*esp AM*) entendre;
(*música, arte*) avoir un don pour ■ *vi*
sentir; **sentirse** *vpr* se sentir; **lo siento
(mucho)** je suis désolé(e); **siento
molestarle** je suis désolé de vous
déranger; **~se bien/mal** se sentir bien/
mal; **~se como en su casa** se sentir chez
soi

seña ['seɲa] *nf* signe *m*; (*Mil*) mot *m* de
passe; **señas** *nfpl* (*dirección*) adresse *f*;
(**y) por más ~s** (et) en plus de cela; **dar ~s
de** donner des signes de; **~s personales**
(*descripción*) caractéristiques *fpl*
physiques

señal [se'ɲal] *nf* signal *m*; (*síntoma*) signe
m; (*marca, Inform*) marque *f*; (*Com*) arrhes
fpl; **en ~ de** en signe de; **dar ~es de**
donner des signes de; **~ de auxilio/de
peligro** signal de détresse/d'alarme;
~ de llamada sonnerie *f*; **~es de tráfico**
panneaux *mpl* de signalisation; **~ para
marcar** tonalité *f*

señalar [seɲa'lar] *vt* signaler; (*poner
marcas*) marquer; (*con el dedo*) montrer du
doigt; (*hora*) donner; (*fijar*) déterminer

señor, a [se'ɲor, a] *adj* (*fam*) classe ■ *nm*
monsieur *m*; (*hombre*) homme *m*; (*trato*)
monsieur; **los ~es González** M. et Mme
González; **S~ Don Jacinto Benavente**
(*en sobre*) Monsieur Jacinto Benavente;
S~ Director ... (*de periódico*) Monsieur le
directeur ...; **~ juez/Presidente**
Monsieur le juge/le président; **Muy ~**

mío cher Monsieur; **Muy ~es nuestros**
Messieurs; **Nuestro S~** (*Rel*) Notre
Seigneur

señora [se'ɲora] *nf* madame *f*; (*dama*)
dame *f*; (*mujer*) femme *f*; ¿**está la ~?**
madame est-elle chez elle?; **la ~ de
Pérez** Madame Pérez; **Nuestra S~** (*Rel*)
Notre-Dame

señorita [seɲo'rita] *nf* (*tratamiento*)
mademoiselle *f*; (*mujer joven*) demoiselle
f, jeune fille *f*; (*maestra*) maîtresse *f*

señorito [seɲo'rito] *nm* (*tratamiento*)
jeune monsieur *m*; (*pey*) fils *msg* à papa

señuelo [se'ɲwelo] *nm* leurre *m*

sepa *etc* ['sepa] *vb ver* **saber**

separación [separa'θjon] *nf* séparation
f; (*división*) partage *m*; (*distancia*)
distance *f*; **~ de bienes** séparation des
biens

separar [sepa'rar] *vt* séparer; (*Tec: pieza*)
détacher; (*persona: de un cargo*) relever;
(*dividir*) diviser; **separarse** *vpr* se
séparer; (*partes*) se détacher; **~se de**
(*persona: de un lugar*) s'éloigner de; (: *de
asociación*) quitter

sepia ['sepja] *nf* (*Culin*) seiche *f* ■ *nm*
(*tb*: **color sepia**) sépia *f*

septiembre [sep'tjembre] *nm*
septembre *m*; *ver tb* **julio**

séptimo, -a ['septimo, a] *adj, nm/f*
septième *m/f*; *ver tb* **sexto**

sepulcro [se'pulkro] *nm* sépulcre *m*

sepultar [sepul'tar] *vt* inhumer; (*suj:
escombros etc*) ensevelir

sepultura [sepul'tura] *nf* (*entierro*)
inhumation *f*; (*tumba*) sépulture *f*; **dar ~
a** donner une sépulture à; **recibir ~**
recevoir une sépulture

sequedad [seke'ðað] *nf* sécheresse *f*

sequía [se'kia] *nf* sécheresse *f*

séquito ['sekito] *nm* (*de rey*) cour *f*; (*Pol*)
partisans *mpl*

SER *sigla f* (*Radio*: = *Sociedad Española de
Radiodifusión*) *société privée de
radiodiffusion*

 PALABRA CLAVE

ser [ser] *vi* **1** (*descripción, identidad*) être;
es médico/muy alto il est docteur/très
grand; **soy Pepe** (*Telec*) c'est Pepe (à
l'appareil)
2 (*suceder*): ¿**qué ha sido eso?** qu'est-ce
que c'était?; **la fiesta es en casa** la fête a
lieu chez nous
3 (*ser + de: posesión*): **es de Joaquín** c'est à
Joaquín; (*origen*): **ella es de Cuzco** elle
est de Cuzco; (*sustancia*): **es de piedra**

c'est en pierre; **¿qué va a ser de nosotros?** qu'allons nous devenir?; **es de risa/pena** c'est ridicule/lamentable
4 (*horas, fechas, números*): **es la una** il est une heure; **son las seis y media** il est six heures et demi; **es el 1 de junio** c'est le 1er juin; **somos/son seis** nous sommes/ils sont six; **2 y 2 son 4** 2 et 2 font 4
5 (*valer*): **¿cuánto es?** c'est combien?
6 (+ *para*): **es para pintar** c'est pour peindre; **no es para tanto** ce n'est pas si grave
7 (*en oraciones pasivas*): **ya ha sido descubierto** ça a déjà été découvert; **fue construido** ça a été construit
8 (*ser + de + vb*): **es de esperar que ...** il faut s'attendre à ce que ...
9 (+ *que*): **es que no puedo** c'est que je ne peux pas; **¿cómo es que no lo sabes?** comment se fait-il que tu ne le saches pas?
10 (*locuciones: con subjun*): **o sea** c'est-à-dire; **sea él, sea su hermana** soit lui, soit sa sœur; **tengo que irme, no sea que mis hijos estén esperándome** il faut que j'y aille, au cas où mes enfants m'attendraient
11 (*con infinitivo*): **a no ser ...** si ce n'est ...; **a no ser que salga mañana** à moins qu'il ne sorte demain; **de no ser así** si ce n'était pas le cas
12: **"érase una vez ..."** "il était une fois ..."
■ *nm* (*ente*) être *m*; **ser humano/vivo** être humain/vivant; **en lo más íntimo de su ser** au plus profond de son être

serenarse [sere'narse] *vpr* s'apaiser; (*tiempo*) se calmer
sereno, -a [se'reno, a] *adj* serein(e); (*tiempo*) calme ■ *nm* veilleur *m* de nuit
serie ['serje] *nf* série *f*; (*TV: por capítulos*) feuilleton *m*; **fuera de ~** (*Com*) hors série; (*fig*) hors norme; **fabricación en ~** fabrication *f* en série; **interface/impresora en ~** (*Inform*) interface *f*/imprimante *f* série
seriedad [serje'ðað] *nf* sérieux *msg*; (*de crisis*) gravité *f*
serio, -a ['serjo, a] *adj* sérieux(-ieuse); **en ~** sérieusement
sermón [ser'mon] *nm* sermon *m*
seropositivo, -a [seroposi'tiβo, a] *adj* séropositif(-ive)
serpiente [ser'pjente] *nf* serpent *m*; **~ de cascabel** serpent à sonnettes; **~ pitón** python *m*
serranía [serra'nia] *nf* zone *f* montagneuse
serrar [se'rrar] *vt* scier

serrín [se'rrin] *nm* sciure *f* (de bois)
serrucho [se'rrutʃo] *nm* scie *f* égoïne
servicio [ser'βiθjo] *nm* service *m*; **servicios** *nmpl* (*wáter*) toilettes *fpl*; (*Econ: sector*) services *mpl*; **estar de ~** être de service; **~ a domicilio** service de livraison à domicile; **~ aduanero** o **aduana** services de douane; **~ incluido** service compris; **~ militar** service militaire; **~ público** (*Com*) service public; **~ secreto** service secret
servil [ser'βil] (*pey*) *adj* servile
servilleta [serβi'ʎeta] *nf* serviette *f*
servir [ser'βir] *vt, vi* servir; **servirse** *vpr* se servir; **~ (para)** servir (à); **¿en qué puedo -le?** en quoi puis-je vous être utile?; **~ vino a algn** servir du vin à qn; **~ de guía** servir de guide; **no sirve para nada** ça ne sert à rien; **~ se de algo** se servir de qch; **sírvase pasar** veuillez entrer
sesenta [se'senta] *adj inv, nm inv* soixante *m inv*; **~ mil** soixante mille; **tiene ~ años** il a soixante ans; **unos ~** environ soixante
sesgo ['sesɣo] *nm* tournure *f*; **al ~** (*Costura*) en biais
sesión [se'sjon] *nf* séance *f*; (*Teatro*) représentation *f*; **abrir/levantar la ~** ouvrir/lever la séance; **~ de tarde/de noche** (*Cine*) ≈ séance de 14h/de 20h
seso ['seso] *nm* cerveau *m*; (*fig*) jugeote *f*; **sesos** *nmpl* (*Culin*) cervelle *f*; **devanarse los ~s** se creuser la cervelle
seta ['seta] *nf* champignon *m*; **~ venenosa** champignon vénéneux
setecientos, -as [sete'θjentos, as] *adj* sept cents; *ver tb* **seiscientos**
setenta [se'tenta] *adj inv, nm inv* soixante-dix *m inv*; *ver tb* **sesenta**
seudónimo [seu'ðonimo] *nm* pseudonyme *m*
severidad [seβeri'ðað] *nf* sévérité *f*
severo, -a [se'βero, a] *adj* sévère
Sevilla [se'βiʎa] *n* Séville
sevillano, -a [seβi'ʎano, a] *adj* sévillan(e) ■ *nm/f* Sévillan(e)
sexo ['sekso] *nm* sexe *m*; **el ~ femenino/masculino** le sexe féminin/masculin
sexto, -a ['seksto, a] *adj, nm/f* sixième *m/f*; **Juan S~** Jean Six; **un ~ de la población** un sixième de la population
sexual [sek'swal] *adj* sexuel(le); **vida ~** vie *f* sexuelle
s/f *abr* (*Com: = su favor*) votre crédit
si [si] *conj* si ■ *nm* (*Mús*) si *m inv*; **si ... o si ...** si ... ou si ...; **me pregunto si ...** je me demande si ...; **si no** sinon; **¡si fuera verdad!** si seulement ça pouvait être

vrai!; **¡(pero) si no lo sabía!** (mais) je ne le savais même pas!; **por si (acaso)** au cas où; **¿y si llueve?** et s'il pleut?

sí [si] adv oui; (tras frase negativa) si; **¡¿sí?!** (asombro) ah bon?; **"nos vas a llevar al cine, ¿a que sí?"** "tu nous emmènes bien au ciné, hein?"; **él no quiere pero yo sí** il ne veut pas mais moi oui; **ella sí vendrá** elle, elle viendra; **claro que sí** bien sûr que oui/si; **creo que sí** je crois que oui/si; **porque lo digo yo)** parce que; **¡sí que lo es!** bien sûr que si!; **¡eso sí que no!** alors là, non! ■ nm (consentimiento) oui ■ pron (uso impersonal) soi; (sg: m) lui; (: f) elle; (: de cosa) lui (elle); (: de usted, ustedes) vous; (pl) eux; **por sí solo/solos** à lui seul/eux seuls; **volver en sí** revenir à soi; **sí mismo/misma** lui-/elle-même; **se ríe de sí misma** elle rit d'elle-même; **hablaban entre sí** ils parlaient entre eux; **de por sí** en soi-même etc

siamés, -esa [sja'mes, esa] adj, nm/f siamois(e)

SIDA, sida [siða] sigla m (= síndrome de inmuno-deficiencia adquirida) SIDA m, sida m (= syndrome immunodéficitaire acquis)

siderúrgico, -a [siðe'rurxico, a] adj sidérurgique

sidra ['siðra] nf cidre m

siembra ['sjembra] vb ver **sembrar** ■ nf (Agr) semence f

siempre ['sjempre] adv toujours ■ conj: **~ que ...** (cada vez que) chaque fois que ...; (a condición de que) seulement si; **es lo de ~** c'est sur le temps la même chose; **como ~** comme toujours; **para ~** pour toujours; **~ me voy mañana** (AM) de toute façon, je pars demain

sien [sjen] nf tempe f

siento ['sjento] vb ver **sentar**; **sentir**

sierra ['sjerra] vb ver **serrar** ■ nf (Tec) scie f; (Geo) chaîne f de montagnes; **la ~** (zona) la montagne; **S~ Leona** Sierra f Leone

siervo, -a ['sjerβo, a] nm/f serf (serve)

siesta ['sjesta] nf sieste f; **dormir la** o **echarse una ~** faire une (petite) sieste

siete ['sjete] adj inv, nm inv sept m inv ■ nm (en tela) accroc m ■ excl (AM: fam): **¡la gran ~!** punaise!; **se armó un follón de la gran ~** ça a fait un raffut de tous les diables; **hijo de la gran ~** (fam!) fils msg de pute; ver tb **seis**

sífilis ['sifilis] nf syphilis fsg

sifón [si'fon] nm siphon m; **whisky con ~** whisky m soda

siga etc ['siɣa] vb ver **seguir**

sigla ['siɣla] nf sigle m

siglo ['siɣlo] nm siècle m; **hace ~s que no la veo** ça fait un bail que je ne l'ai pas vue; **S~ de las Luces** Siècle des lumières; **S~ de Oro** Siècle d'or

significación [siɣnifika'θjon] nf signification f

significado [siɣnifi'kaðo] nm signification f

significar [siɣnifi'kar] vt signifier

significativo, -a [siɣnifika'tiβo, a] adj significatif(-ive)

signo ['siɣno] nm signe m; **~ de admiración** point m d'exclamation; **~ de interrogación** point d'interrogation; **~ de más/de menos** signe plus/moins; **~s de puntuación** signes de ponctuation; **~ igual** signe égal

siguiendo etc [si'ɣjendo] vb ver **seguir**

siguiente [si'ɣjente] adj suivant(e); **¡el ~!** au suivant!

sílaba ['silaβa] nf syllabe f

silbar [sil'βar] vt, vi siffler

silbato [sil'βato] nm sifflet m

silbido [sil'βiðo], **silbo** ['silβo] nm sifflement m; (abucheo) sifflet m

silenciador [silenθja'ðor] nm silencieux msg

silenciar [silen'θjar] vt (AM: persona) faire taire; (ruidos, escándalo) étouffer

silencio [si'lenθjo] nm silence m; **en el más absoluto ~** dans un silence absolu; **guardar ~** garder le silence

silencioso, -a [silen'θjoso, a] adj silencieux(-ieuse)

silla ['siʎa] nf chaise f; (tb: **silla de montar**) selle f; **~ de ruedas** chaise roulante; **~ eléctrica** chaise électrique

sillón [si'ʎon] nm fauteuil m

silueta [si'lweta] nf silhouette f

silvestre [sil'βestre] adj (Bot) sauvage; (fig) rustique

simbólico, -a [sim'boliko, a] adj symbolique

simbolizar [simboli'θar] vt symboliser

símbolo ['simbolo] nm symbole m; **~ gráfico** (Inform) symbole graphique

simetría [sime'tria] nf symétrie f

simiente [si'mjente] nf graine f

similar [simi'lar] adj similaire

simio ['simjo] nm singe m

simpatía [simpa'tia] nf sympathie f; **tener ~ a** avoir de la sympathie pour

simpático, -a [sim'patiko, a] adj (persona) sympathique; (animal) gentil(le); **caer ~ a algn** être sympathique à qn

simpatizante [simpati'θante] nm/f sympathisant(e)

simpatizar [simpati'θar] vi: ~ **con** sympathiser avec
simple ['simple] adj simple ∎ nm/f (pey) simplet(te)
simplificar [simplifi'kar] vt simplifier
simposio [sim'posjo] nm symposium m
simular [simu'lar] vt simuler
simultáneo, -a [simul'taneo, a] adj simultané(e)
sin [sin] prep sans ∎ conj: ~ **que** (con subjun) sans que + subjun; ~ **hogar** sans domicile; ~ **decir nada** sans rien dire; ~ **verlo yo** sans que je le voie; **platos** ~ **lavar** assiettes as lavées; **la ropa está** ~ **lavar** le linge n'est pas lavé; **quedarse** ~ **algo** ne plus avoir de qch; ~ **que lo sepa él** sans qu'il le sache; ~ **embargo** cependant; **no** ~ **antes** non sans
sinagoga [sina'γoγa] nf synagogue f
sinceridad [sinθeri'ðað] nf sincérité f
sincero, -a [sin'θero, a] adj sincère
sincronizar [sinkroni'θar] vt synchroniser
sindical [sindi'kal] adj syndical(e); **central** ~ centrale f syndicale
sindicalista [sindika'lista] adj, nm/f syndicaliste m/f
sindicato [sindi'kato] nm syndicat m
síndrome ['sindrome] nm syndrome m; ~ **de abstinencia** symptômes mpl de la privation
sinfín [sin'fin] nm: **un** ~ **de** une infinité de
sinfonía [sinfo'nia] nf symphonie f
singular [singu'lar] adj singulier(-ière) ∎ nm (Ling) singulier m; **en** ~ au singulier
singularidad [singulari'ðað] nf singularité f
singularizar [singulari'θar] vt singulariser; **singularizarse** vpr se singulariser
siniestro, -a [si'njestro, a] adj sinistre; (izquierdo) gauche ∎ nm sinistre m; (en carretera) accident m
sinnúmero [sin'numero] nm = **sinfín**
sino ['sino] nm destin m ∎ conj sinon; **no son 8 ~ 9** il n'y en a pas 8 mais 9; **no sólo es lista ~ guapa** non seulement elle est intelligente mais en plus elle est belle
sinónimo, -a [si'nonimo, a] adj, nm synonyme m
síntesis ['sintesis] nf inv synthèse f
sintético, -a [sin'tetiko, a] adj (material) synthétique; (producto) de synthèse
sintetizar [sinteti'θar] vt synthétiser
sintiendo etc [sin'tjendo] vb ver **sentir**
síntoma ['sintoma] nm symptôme m

sintonía [sinto'nia] nf (Radio) réglage m; (melodía) indicatif m (musical); **estar en** ~ **con algn/algo** être sur la même longueur d'onde que qn/être au fait de qch
sintonizar [sintoni'θar] vt (Radio) régler ∎ vi: ~ **con** régler sur; (fig) coïncider avec
sinvergüenza [simber'γwenθa] adj, nm/f canaille f; (descarado) effronté(e)
siquiera [si'kjera] conj même si ∎ adv au moins; **ni** ~ pas même; ~ **bebe algo** bois au moins qch
sirena [si'rena] nf sirène f
Siria ['sirja] nf Syrie f
sirviendo etc [sir'βjendo] vb ver **servir**
sirviente, -a [sir'βjente, a] nm/f domestique m/f
sisear [sise'ar] vi dire "chut"
sistema [sis'tema] nm système m; **el** ~ (Pol) le système; **por** ~ systématiquement; ~ **binario** (Inform) système binaire; ~ **de alerta inmediata** système d'alarme; ~ **de facturación** (Com) système de facturation; ~ **de fondo fijo** (Com) système de gestion de la petite caisse par avance de fonds; ~ **de lógica compartida** (Inform) système de logique commune; ~ **educativo** système éducatif; ~ **experto** (Inform) système expert; ~ **impositivo** o **tributario** système d'imposition; ~ **métrico** système métrique; ~ **nervioso** système nerveux; ~ **operativo** (Inform) système d'exploitation; ~ **solar** système solaire

SISTEMA EDUCATIVO

Le système scolaire espagnol (sistema educativo) est coposé de la "Primaria", cycle obligatoire de 6 ans, la "Secundaria", cycle obligatoire de 4 ans, et le "Bachillerato", cycle facultatif de 2 ans dans le secondaire, indispensable à la poursuite d'études supérieures.

sistemático, -a [siste'matiko, a] adj systématique
sitiar [si'tjar] vt assiéger
sitio ['sitjo] nm endroit m, site m; (espacio) place f; (Mil) siège m; ~ **web** site m Web; **en cualquier** ~ n'importe où; **¿hay ~?** il y a de la place?; **hay ~ de sobra** il y a de la place en trop; **guardar el ~ a algn** garder la place à qn
situación [sitwa'θjon] nf situation f
situado, -a [si'twaðo, a] adj situé(e); **estar bien** ~ (socioeconómicamente) réussir (dans la vie)

situar [si'twar] *vt* situer; (*socioeconómicamente*) placer; **situarse** *vpr* se situer; (*socioeconómicamente*) réussir (dans la vie)

slip [es'lip] (*pl* **~s**) *nm* slip *m*

SME *sigla m* (= *Sistema Monetario Europeo*) SME *m* (= *Système monétaire européen*)

smoking [(e)'smokin] (*pl* **~s**) *nm* smoking *m*

SMS *sigla m* (Telec) SMS *m*

s/n *abr* = *sin número*

snob [es'nob] *nm* = **esnob**

SO *abr* (= *suroeste*) S.-O. (= *sud-ouest*)

so [so] *excl* (*a animal*) ho! ■ *prep* sous; ¡so burro! espèce d'idiot!

s/o *abr* (= *su orden*) votre ordre

sobaco [so'βako] *nm* aisselle *f*

sobar [so'βar] *vt* tripoter

soberanía [soβera'nia] *nf* souveraineté *f*

soberano, -a [soβe'rano, a] *adj* souverain(e); (*paliza*) magistral(e) ■ *nm/f* souverain(e); **los soberanos** *nmpl* (*rey y reina*) le couple royal

soberbia [so'βerβja] *nf* superbe *f*, orgueil *m*

soberbio, -a [so'βerβjo, a] *adj* (*persona*) orgueilleux(-euse); (*palacio, ejemplar*) superbe

sobornar [soβor'nar] *vt* acheter, soudoyer

soborno [so'βorno] *nm* (*un soborno*) pot-de-vin *m*; (*el soborno*) corruption *f*

sobra ['soβra] *nf* excès *msg*; **sobras** *nfpl* (*restos*) restes *mpl*; **de ~** en trop; **lo sé de ~** je ne le sais que trop bien; **tengo de ~** j'en ai plus qu'assez

sobrante [so'βrante] *adj* restant(e) ■ *nm* restant *m*

sobrar [so'βrar] *vi* (*quedar*) rester; (*estar de más: persona*) être de trop; **sobra una silla** il y a une chaise de trop; **me sobran tres entradas** j'ai trois entrées en trop

sobre ['soβre] *prep* sur; (*por encima de*) au-dessus de; (*aproximadamente*) environ ■ *nm* enveloppe *f*; **~ todo** surtout; **3 ~ 100** 3 sur cent; **se lanzó ~ él** il s'est jeté sur lui

sobredosis [soβre'ðosis] *nf inv* overdose *f*

sobreentender [soβreenten'der] *vt* sous-entendre; **sobreentenderse** *vpr*: **se sobreentiende (que)** il est sous-entendu (que)

sobrehumano, -a [soβreu'mano, a] *adj* surhumain(e)

sobrellevar [soβreʎe'βar] *vt* supporter

sobremesa [soβre'mesa] *nf*: **de ~** (*ordenador*) de bureau; (*programación*) de l'après-midi; **en la ~** après manger

sobrenatural [soβrenatu'ral] *adj* surnaturel(le)

sobrentender [soβrenten'der] *vt* = **sobreentender**

sobrepasar [soβrepa'sar] *vt* dépasser

sobreponerse [soβrepo'nerse] *vpr*: **~ a algo** surmonter qch

sobresaliente [soβresa'ljente] *adj* extraordinaire ■ *nm* (Escol) ≈ mention *f* "très bien"

sobresalir [soβresa'lir] *vi* (*punta*) saillir; (*cabeza*) dépasser; (*fig*) se distinguer

sobresaltar [soβresal'tar] *vt* faire sursauter; **sobresaltarse** *vpr* sursauter

sobrevenir [soβreβe'nir] *vi* survenir

sobreviviente [soβreβi'βjente] *adj, nm/f* survivant(e)

sobrevolar [soβreβo'lar] *vt* survoler

sobriedad [soβrje'ðað] *nf* sobriété *f*

sobrino, -a [so'βrino, a] *nm/f* neveu (nièce)

sobrio, -a ['soβrjo, a] *adj* sobre

socarrón, -ona [soka'rron, ona] *adj* narquois(e)

socavar [soka'βar] *vt* saper

socavón [soka'βon] *nm* (*en calle*) trou *m*; (*excavado: en monte*) galerie *f*

sociable [so'θjaβle] *adj* sociable

social [so'θjal] *adj* social(e)

socialdemócrata [soθjalde'mokrata] *adj, nm/f* social-démocrate *m/f*

socialista [soθja'lista] *adj, nm/f* socialiste *m/f*

sociedad [soθje'ðað] *nf* société *f*; **en ~** en société; **~ anónima** société anonyme; **~ comanditaria** (Com) société en commandite; **~ conjunta** (Com) société en participation; **~ de cartera** société d'investissements; **~ de consumo** société de consommation; **~ inmobiliaria** société immobilière; **~ (de responsabilidad) limitada** (Com) société à responsabilité limitée

socio, -a ['soθjo, a] *nm/f* membre *m/f*; (Com) associé(e); **~ activo** membre actif; **~ capitalista** *o* **comanditario** commanditaire *m*

sociología [soθjolo'xia] *nf* sociologie *f*

sociólogo, -a [so'θjoloγo, a] *nm/f* sociologue *m/f*

socorrer [soko'rrer] *vt* secourir

socorrista [soko'rrista] *nm/f* secouriste *m/f*

socorro [so'korro] *nm* secours *msg*; (Mil) secours *mpl*; **¡~!** au secours!; **puesto de ~** poste *m* de secours

soda ['soða] *nf* soda *m*

sofá [so'fa] *nm* canapé *m*

sofá-cama [so'fakama] *nm* (*pl* **sofás-cama**) canapé-lit *m*
sofocar [sofo'kar] *vt* suffoquer, étouffer; (*incendio, rebelión*) étouffer; **sofocarse** *vpr* étouffer; (*fig*) suffoquer
sofoco [so'foko] *nm* suffocation *f*; (*vergüenza*) embarras *msg*; **~s** (*Med*) bouffées *fpl* de chaleur
soga ['soɣa] *nf* cordage *m*
sois [sois] *vb ver* **ser**
soja ['soxa] *nf* soja *m*
sol [sol] *nm* soleil *m*; (*moneda, Mús*) sol *m inv*; **hace ~** il fait soleil; **tomar el ~** prendre le soleil; **~ naciente/poniente** soleil levant/couchant
solamente ['solamente] *adv* seulement
solapa [so'lapa] *nf* (*de chaqueta*) revers *msg*; (*de libro*) rabat *m*
solar [so'lar] *adj* solaire ▪ *nm* terrain *m* vague
solaz [so'laθ] *nm* distraction *f*
solazarse [sola'θarse] *vpr* se distraire
soldado [sol'daðo] *nm* soldat *m*; **~ raso** simple soldat
soldador, a [solda'ðor] *nm/f* soudeur(-euse) ▪ *nm* machine *f* à souder
soldar [sol'dar] *vt* souder; **soldarse** *vpr* (*huesos*) se souder
soleado, -a [sole'aðo, a] *adj* ensoleillé(e)
soledad [sole'ðað] *nf* solitude *f*
solemne [so'lemne] *adj* solennel(le); (*tontería*) magistral(e)
solemnidad [solemni'ðað] *nf* solennité *f*
soler [so'ler] *vi*: **~ hacer algo** avoir l'habitude de faire qch; **suele salir a las ocho** d'ordinaire, il sort à 8 heures; **solíamos ir todos los años** nous y allions tous les ans
solicitar [soliθi'tar] *vt* solliciter
solicitud [soliθi'tuð] *nf* sollicitation *f*
solidaridad [solidari'ðað] *nf* solidarité *f*; **por ~ con** par solidarité avec
solidario, -a [soli'ðarjo, a] *adj* solidaire; **hacerse ~ de** être solidaire de
solidez [soli'ðeθ] *nf* solidité *f*
sólido, -a ['soliðo, a] *adj* solide; (*color*) grand teint *inv* ▪ *nm* solide *m*
soliloquio [soli'lokjo] *nm* soliloque *m*
solista [so'lista] *nm/f* soliste *m/f*
solitario, -a [soli'tarjo, a] *adj, nm/f* solitaire *m/f* ▪ *nm* (*Naipes*) réussite *f*; **hacer algo en ~** faire qch en solitaire
sollozar [soʎo'θar] *vi* sangloter
sollozo [so'ʎoθo] *nm* sanglot *m*
solo, -a ['solo, a] *adj* (*único*) seul(e) (et unique); (*sin compañía*) seul(e); (*café*) noir(e); (*whisky etc*) sec (sèche) ▪ *nm* (*Mús*) solo *m*; **hay una sola dificultad** il y

a une seule difficulté; **a solas** tout(e) seul(e); (*dos personas*) seul à seul
sólo ['solo] *adv* seulement; **no ~ ... sino** non seulement ... mais encore; **tan ~** simplement; **~ que ...** seulement, ...; **~ lo sabe él** il n'y a que lui qui le sache
solomillo [solo'miʎo] *nm* aloyau *m*
soltar [sol'tar] *vt* lâcher; (*preso*) relâcher; (*pelo*) détacher; (*nudo*) défaire; (*amarras*) larguer; (*estornudo, carcajada*) laisser échapper; (*taco*) lancer; (*bofetada*) donner; **soltarse** *vpr* se détacher; (*desprenderse*) se distinguer; (*adquirir destreza*) se débrouiller; (*relajarse*) se relâcher; **¡suéltame!** lâche-moi!
soltero, -a [sol'tero, a] *adj, nm/f* célibataire *m/f*
solterón, -ona [solte'ron, ona] *nm/f* vieux garçon (vieille fille)
soltura [sol'tura] *nf* (*al hablar, escribir*) facilité *f*; (*agilidad*) adresse *f*
soluble [so'luβle] *adj* soluble; **~ en agua** soluble dans l'eau
solución [solu'θjon] *nf* solution *f*; **sin ~ de continuidad** sans solution de continuité
solucionar [soluθjo'nar] *vt* résoudre
solventar [solβen'tar] *vt* (*deudas*) régler; (*conflicto*) résoudre
solvente [sol'βente] *adj* (*Com*) solvable; (*fuentes*) sûr(e); (*profesional*) responsable
sombra ['sombra] *nf* ombre *f*; **sombras** *nfpl* (*oscuridad*) ombre; **sin ~ de duda** sans l'ombre d'un doute; **tener buena/mala ~** (*suerte*) avoir de la/pas de chance; (*carácter*) être agréable/désagréable; **~s chinescas** ombres chinoises; **~ de ojos** ombre à paupières
sombrero [som'brero] *nm* chapeau *m*; **~ de copa** o **de pelo** (*AM*) haut-de-forme *m*; **~ hongo** chapeau melon
sombrilla [som'briʎa] *nf* ombrelle *f*
sombrío, -a [som'brio, a] *adj* sombre
somero, -a [so'mero, a] *adj* sommaire
someter [some'ter] *vt* soumettre; (*alumnos, familia*) soumettre; **someterse** *vpr* se soumettre; **~ algo/a algn a** soumettre qch/qn à; **~se a** (*mayoría, opinión*) se soumettre à; (*tratamiento*) subir
somnífero [som'nifero] *nm* somnifère *m*
somnolencia [somno'lenθja] *nf* somnolence *f*
somos ['somos] *vb ver* **ser**
son [son] *vb ver* **ser** ▪ *nm* son *m*; **al ~ de** au son de; **en ~ de paz** en signe de paix
sonajero [sona'xero] *nm* hochet *m*

sonámbulo, -a [so'nambulo, a] *nm/f* somnambule *m/f*

sonar [so'nar] *vt* sonner ■ *vi* sonner; *(música, voz)* retentir; *(Ling)* être prononcé(e); *(resultar conocido)* dire qch; *(máquina)* faire du bruit; **sonarse** *vpr*: **~se (la nariz)** renifler; **suena a hueco/falso** sonner creux/faux; **es un nombre que suena** c'est un nom qui sonne bien; **me suena ese nombre/esa cara** ce nom/ce visage me dit qch

sonda ['sonda] *nf* sonde *f*

sondear [sonde'ar] *vt* sonder; *(Med)* examiner à la sonde

sondeo [son'deo] *nm* sondage *m*; *(Med)* examen *m* à la sonde; **~ de la opinión pública** sondage de l'opinion publique

sonido [so'niðo] *nm* son *m*

sonoro, -a [so'noro, a] *adj* sonore; **banda sonora** bande *f* son

sonreír [sonre'ir] *vi* sourire; **sonreírse** *vpr* sourire; **~ a algn** sourire à qn

sonriente [son'rjente] *adj* souriant(e)

sonrisa [son'risa] *nf* sourire *m*

sonrojarse *vpr* rougir

soñar [so'nar] *vt, vi* rêver; **~ con algn/algo** rêver de qn/qch; **~ despierto** rêver tout éveillé

soñoliento, -a [sono'ljento, a] *adj* somnolent(e)

sopa ['sopa] *nf* soupe *f*; **hasta en la ~** *(fam)* partout

sopesar [sope'sar] *vt* peser

soplar [so'plar] *vt* souffler; *(fam: delatar)* vendre ■ *vi* souffler; *(fam: delatar)* moucharder; (: *beber)* descendre

soplo ['soplo] *nm* souffle *m*; *(fam)* mouchardage *m*; **la semana pasó en un ~** *(fam)* la semaine a passé à toute vitesse

sopor [so'por] *nm* somnolence *f*

soporífero, -a [sopo'rifero, a] *adj* soporifique

soportar [sopor'tar] *vt* supporter

soporte [so'porte] *nm* support *m*; *(fig)* soutien *m*; **~ de entrada/de salida** support d'entrée/de sortie

soprano [so'prano] *nm/f* soprano *m/f*

sorber [sor'ßer] *vt* *(sopa)* avaler; *(refresco)* siroter; *(absorber)* absorber

sorbo ['sorßo] *nm* gorgée *f*; **beber a ~s** boire à petites gorgées

sordera [sor'ðera] *nf* surdité *f*

sórdido, -a ['sorðiðo, a] *adj* sordide

sordo, -a ['sorðo, a] *adj, nm/f* sourd(e); **quedarse ~** devenir sourd(e)

sordomudo, -a [sorðo'muðo, a] *adj, nm/f* sourd-muet (sourde-muette)

soroche [so'rotʃe] *(AM)* *nm* mal *m* des montagnes

sorprendente [sorpren'dente] *adj* surprenant(e)

sorprender [sorpren'der] *vt* surprendre; **sorprenderse** *vpr*: **~se (de)** être surpris(e) (de); **le sorprendieron robando** ils l'ont surpris en train de voler

sorpresa [sor'presa] *nf* surprise *f*; **por ~** par surprise

sortear [sorte'ar] *vt* tirer (au sort); *(Mil)* affecter; *(dificultad)* déjouer

sorteo [sor'teo] *nm* tirage *m* (au sort)

sortija [sor'tixa] *nf* bague *f*; *(rizo)* boucle *f*

sosegado, -a [sose'ɣaðo, a] *adj* paisible

sosegar [sose'ɣar] *vt* apaiser; **sosegarse** *vpr* s'apaiser

sosiego [so'sjeɣo] *vb ver* **sosegar** ■ *nm* calme *m*

soslayo [sos'lajo]: **de ~** *adv* *(mirar)* de côté; *(pasar)* sans s'arrêter

soso, -a ['soso, a] *adj* insipide

sospecha [sos'petʃa] *nf* soupçon *m*

sospechar [sospe'tʃar] *vt*: **~ (que)** soupçonner (que) ■ *vi*: **~ de algn** soupçonner qn

sospechoso, -a [sospe'tʃoso, a] *adj, nm/f* suspect(e)

sostén [sos'ten] *nm* soutien *m*; *(sujetador)* soutien-gorge *m*

sostener [soste'ner] *vt* soutenir; *(alimentar)* faire vivre; **sostenerse** *vpr* *(en pie)* rester; *(económicamente)* survivre; *(seguir)* se maintenir

sotana [so'tana] *nf* soutane *f*

sótano ['sotano] *nm* sous-sol *m*

soviético, -a [so'ßjetiko, a] *adj* soviétique ■ *nm/f* Soviétique *m/f*

soy [soi] *vb ver* **ser**

Sr. *abr* (= *Señor*) M. (= *Monsieur*)

Sra. *abr* (= *Señora*) Mme (= *Madame*)

S.R.C. *abr* (= *se ruega contestación*) RSVP (= *répondez s'il vous plaît*)

Sres. *abr* (= *Señores*) MM (= *Messieurs*)

Srta. *abr* (= *Señorita*) Mlle (= *Mademoiselle*)

Sta. *abr* (= *Santa*) Ste (= *Sainte*)

status ['status, es'tatus] *nm inv* statut *m*

Sto. *abr* (= *Santo*) St (= *Saint*)

su [su] *adj* *(de él, ella, una cosa)* son (sa); *(de ellos, ellas)* leur; *(de usted, ustedes)* votre; **sus** *(de él, ella, una cosa)* ses; *(de ellos, ellas)* leurs; *(de usted, ustedes)* vos

suave ['swaße] *adj* doux (douce)

suavidad [swaßi'ðað] *nf* douceur *f*

suavizar [swaßi'θar] *vt* adoucir; *(pendiente)* rendre plus doux (douce); **suavizarse** *vpr* s'adoucir

subalimentado, -a [suβalimen'taðo, a] *adj* sous-alimenté(e)

subasta [su'βasta] *nf* vente *f* aux enchères; (*de obras, servicios*) appel *m* d'offre; **poner en** *o* **sacar a pública ~** mettre aux enchères; **~ a la baja** enchères *fpl* au rabais

subastar [suβas'tar] *vt* vendre aux enchères

subcampeón, -ona [suβkampe'on, ona] *nm/f* second(e)

subconsciente [suβkons'θjente] *adj* subconscient(e) ■ *nm* subconscient *m*

subdesarrollado, -a [suβðesarro'ʎaðo, a] *adj* sous-développé(e)

subdesarrollo [suβðesa'rroʎo] *nm* sous-développement *m*

subdirector, a [suβðirek'tor, a] *nm/f* sous-directeur(-trice)

súbdito, -a ['suβðito, a] *nm/f* sujet *m*

subestimar [suβesti'mar] *vt* sous-estimer

subida [su'βiða] *nf* montée *f*

subir [su'βir] *vt* (*mueble, niño*) soulever; (*cabeza*) lever; (*volumen*) augmenter; (*calle*) remonter; (*montaña, escalera*) monter, gravir; (*precio*) augmenter; (*producto*) augmenter le prix de; (*empleado*) faire monter en grade ■ *vi* monter; (*precio, temperatura, calidad*) augmenter; (*en el empleo*) monter en grade; **subirse** *vpr*: **~se a** monter dans; **~se los pantalones/la falda** remonter son pantalon/sa jupe

súbito, -a ['suβito, a] *adj* subit(e), soudain(e)

subjetivo, -a [suβxe'tiβo, a] *adj* subjectif(-ive)

sublevación [suβleβa'θjon] *nf* soulèvement *m*

sublevar [suβle'βar] *vt* soulever; (*indignar*) répugner à; **sublevarse** *vpr* se soulever

sublime [su'βlime] *adj* sublime

submarinismo *nm* plongée *f* sous-marine

submarino, -a [suβma'rino, a] *adj* sous-marin(e) ■ *nm* sous-marin *m*

subnormal [suβnor'mal] *adj* anormal(e) ■ *nm/f* handicapé(e) mental(e); (*fam: insulto*) débile *m/f* mental(e)

subordinado, -a [suβorði'naðo, a] *adj, nm/f* subordonné(e)

subrayar [suβra'jar] *vt* souligner

subsanar [suβsa'nar] *vt* pallier

subscribir [suβskri'βir] *vt* = **suscribir**

subsidio [suβ'siðjo] *nm* (*de enfermedad, paro, etc*) allocation *f*

subsistencia [suβsis'tenθja] *nf* subsistance *f*

subsistir [suβsis'tir] *vi* subsister

subterráneo, -a [suβte'rraneo, a] *adj* souterrain(e) ■ *nm* souterrain *m*; (*Csur: metro*) métro *m*

subtítulo [suβ'titulo] *nm* sous-titre *m*

suburbano, -a [suβur'βano, a] *adj* de banlieue ■ *nm* train *m* de banlieue

suburbio [su'βurβjo] *nm* banlieue *f*

subvención [suββen'θjon] *nf* subvention *f*; **~ estatal** subvention de l'Etat; **~ para la inversión** prime *f* à l'investissement

subvencionar [suββenθjo'nar] *vt* subventionner

subversión [suββer'sjon] *nf* subversion *f*

subversivo, -a [suββer'siβo, a] *adj* subversif(-ive)

subyugar [suβju'yar] *vt* opprimer; (*fig*) subjuguer

sucedáneo [suθe'ðaneo] *nm* ersatz *m*

suceder [suθe'ðer] *vi* se passer; **~ a** succéder à; **lo que sucede es que ...** ce que se passe, c'est que ...; **~ al rey** succéder au roi

sucesión [suθe'sjon] *nf* succession *f*

sucesivamente [suθesi'βamente] *adv*: **y así ~** et ainsi de suite

sucesivo, -a [suθe'siβo, a] *adj* successif(-ive); **en lo ~** à l'avenir

suceso [su'θeso] *nm* événement *m*; **sección de ~** (*Prensa*) faits *mpl* divers

suciedad [suθje'ðað] *nf* saleté *f*

sucinto, -a [su'θinto, a] *adj* succinct(e)

sucio, -a ['suθjo, a] *adj* sale; (*estómago*) barbouillé(e); (*lengua*) blanc (blanche); (*negocio*) malhonnête; (*guerra*) déshonorant(e); **juego ~** tricherie *f*; **en ~** au brouillon

suculento, -a [suku'lento, a] *adj* succulent(e)

sucumbir [sukum'bir] *vi* succomber; **~ a la tentación** succomber à la tentation

sucursal [sukur'sal] *nf* succursale *f*

Sudáfrica [su'ðafrika] *nf* Afrique *f* du Sud

Sudamérica [suða'merika] *nf* Amérique *f* du Sud

sudamericano, -a [suðameri'kano, a] *adj* sud-américain(e) ■ *nm/f* Sud-Américain(e)

sudar [su'ðar] *vt* (*ropa*) tremper (de sueur); (*Bot*) exsuder ■ *vi* suer

sudeste [su'ðeste] *adj* sud-est *inv* ■ *nm* Sud-Est *m*; (*viento*) vent *m* de sud-est

sudoeste [suðo'este] adj sud-ouest inv
■ nm Sud-Ouest m; (viento) vent m de
sud-ouest
sudor [su'ðor] nm sueur f
Suecia ['sweθja] nf Suède f
sueco, -a ['sweko, a] adj suédois(e)
■ nm/f Suédois(e) ■ nm (Ling) suédois
msg; **hacerse el ~** faire la sourde oreille
suegro, -a ['sweɣro, a] nm/f beau-père
(belle-mère); **los ~s** les beaux-parents
mpl
suela ['swela] nf semelle f
sueldo ['sweldo] vb ver **soldar** ■ nm
salaire m
suelo ['swelo] vb ver **soler** ■ nm sol m;
caerse al ~ tomber par terre; **estar por
los ~s** (precios) s'être effondré(e)
suelto, -a ['swelto, a] vb ver **soltar**
■ adj (hojas) volant(e); (pelo, pieza)
détaché(e); (preso) libéré(e); (por
separado: ejemplar) séparé(e); (arroz)
qui ne colle pas; (ropa) ample; (con
diarrea) qui a la colique ■ nm monnaie f;
dinero ~ (petite) monnaie; **está muy ~
en inglés** il parle anglais couramment
sueño ['sweɲo] vb ver **soñar** ■ nm
sommeil m; (lo soñado, fig) rêve m;
descabezar o **echarse un ~** faire un
somme; **tener ~** avoir sommeil;
~ pesado sommeil lourd; **~ profundo**
profond sommeil
suero ['swero] nm (Med) sérum m;
(de leche) petit-lait m
suerte ['swerte] nf (fortuna) chance f;
(azar) hasard m; (destino) destin m;
(condición) condition f; (género) sorte f;
lo echaron a ~s ils ont tiré au sort;
tener ~ avoir de la chance; **tener mala ~**
ne pas avoir de chance; **de ~ que** de sorte
que; **por ~** par chance
suéter ['sweter] (pl **~s**) nm pull m
suficiente [sufi'θjente] adj suffisant(e)
■ nm (Escol) moyenne f
sufragio [su'fraxjo] nm suffrage m
sufrimiento [sufri'mjento] nm
souffrance f
sufrir [su'frir] vt souffrir de; (malos tratos,
cambios) subir; (fam: soportar) sentir
■ vi souffrir; **~ de corazón/estómago**
souffrir du cœur/de l'estomac; **hacer ~ a
algn** faire souffrir qn
sugerencia [suxe'renθja] nf
suggestion f
sugerir [suxe'rir] vt suggérer
sugestión [suxes'tjon] nf suggestion f
sugestionar [suxestjo'nar] vt
influencer; **sugestionarse** vpr se faire
des idées

sugestivo, -a [suxes'tiβo, a] adj
suggestif(-ive); (idea) séduisant(e)
suicida [sui'θiða] adj suicidaire ■ nm/f
(que se mata) suicidé(e); (que arriesga su
vida) suicidaire m/f
suicidarse [suiθi'ðarse] vpr se suicider
suicidio [sui'θiðjo] nm suicide m
Suiza ['swiθa] nf Suisse f
suizo, -a ['swiθo, a] adj suisse ■ nm/f
Suisse m/f ■ nm (Culin) pain m au lait
sujeción [suxe'θjon] nf
assujettissement m
sujetador [suxeta'ðor] nm soutien-
gorge m
sujetar [suxe'tar] vt attacher; (someter)
avoir de l'autorité sur; **sujetarse** vpr
s'attacher; (someterse) se soumettre
sujeto, -a [su'xeto, a] adj attaché(e)
■ nm sujet m; **~ a cambios** susceptible
d'être modifié
suma ['suma] nf somme f; (operación)
addition f; **en ~** en somme
sumamente ['sumamente] adv:
~ agradecido/necesario extrêmement
reconnaissant/absolument nécessaire
sumar [su'mar] vt additionner ■ vi faire
une addition; **sumarse** vpr: **~se (a)**
s'additionner (à); **suma y sigue** (Com)
reporter
sumario, -a [su'marjo, a] adj sommaire
■ nm (Jur) mise f en accusation
sumergir [sumer'xir] vt submerger;
sumergirse vpr plonger
suministrar [suminis'trar] vt fournir
suministro [sumi'nistro] nm
approvisionnement m; **suministros**
nmpl (provisiones) provisions fpl
sumir [su'mir] vt submerger; (fig)
plonger; **sumirse** vpr: **~se en** se
plonger dans
sumisión [sumi'sjon] nf soumission f
sumiso, -a [su'miso, a] adj soumis(e)
sumo, -a ['sumo, a] adj (cuidado) extrême;
(grado) supérieur(e); **a lo ~** au maximum
suntuoso, -a [sun'twoso, a] adj
somptueux(-euse)
supe etc ['supe] vb ver **saber**
supeditar [supeði'tar] vt: **~ algo a algo**
faire passer qch avant qch; **supeditarse**
vpr: **~se a** se plier à
super ['super] (fam) adv hyper ■ adj inv
super-; **~ caro** hyper cher; **~ oferta** offre f
exceptionnelle
super... [super] pref super...; (fam:
+adjetivo) hyper; (: +adverbio) super-
superar [supe'rar] vt surpasser; (crisis,
prueba) surmonter; (récord) battre;
superarse vpr se surpasser

superávit [supe'raβit] (pl ~s) nm (Econ) excédent m

superficial [superfi'θjal] adj superficiel(le)

superficie [super'fiθje] nf surface f; (área) superficie f

superfluo, -a [su'perflwo, a] adj superflu(e)

superior [supe'rjor] adj, nm/f supérieur(e)

superioridad [superjori'ðað] nf supériorité f

supermercado [supermer'kaðo] nm supermarché m

superponer [superpo'ner] vt superposer; (anteponer) faire passer avant

supersónico, -a [super'soniko, a] adj supersonique

superstición [supersti'θjon] nf superstition f

supersticioso, -a [supersti'θjoso, a] adj superstitieux(-ieuse)

supervisar [superβi'sar] vt superviser

supervivencia [superβi'βenθja] nf survie f

superviviente [superβi'βjente] adj, nm/f survivant(e)

suplantar [suplan'tar] vt supplanter

suplemento [suple'mento] nm supplément m

suplente [su'plente] adj remplaçant(e) ■ nm/f remplaçant(e); (actor) doublure f

supletorio, -a [suple'torjo, a] adj supplémentaire ■ nm (tb: **teléfono supletorio**) second poste m

súplica ['suplika] nf supplication f; (Rel) supplique f; (Jur) placet m

suplicar [supli'kar] vt supplier; (Jur) faire appel (à)

suplicio [su'pliθjo] nm supplice m

suplir [su'plir] vt suppléer; (objeto) remplacer

supo etc ['supo] vb ver **saber**

suponer [supo'ner] vt supposer; **era de ~ que** ... il fallait s'attendre à ce que ...; **supone mucho para mí** cela représente beaucoup pour moi

suposición [suposi'θjon] nf supposition f

supremacía [suprema'θia] nf suprématie f

supremo, -a [su'premo, a] adj suprême

supresión [supre'sjon] nf suppression f

suprimir [supri'mir] vt supprimer

supuesto, -a [su'pwesto, a] pp de **suponer** ■ adj supposé(e) ■ nm supposition f; **dar por ~ algo** penser que qch est évident; **¡por ~!** évidemment!

sur [sur] adj sud ■ nm Sud m; (viento) vent m du Sud

surcar [sur'kar] vt sillonner

surco ['surko] nm sillon m; (en agua, piel) ride f

surgir [sur'xir] vi surgir

surtido, -a [sur'tiðo, a] adj (galletas) assorti(e); (persona, tienda) fourni(e) ■ nm assortiment m

surtir [sur'tir] vt fournir; (efecto) produire; **surtirse** vpr: ~**se de** se fournir en

susceptible [susθep'tiβle] adj susceptible; ~ **a** sujet(te) à; ~ **de** susceptible de

suscitar [susθi'tar] vt susciter

suscribir [suskri'βir] vt (firmar) souscrire; (respaldar) approuver; (Com: acciones) souscrire (à); **suscribirse** vpr: ~**se (a)** souscrire (à); (a periódico etc) s'abonner (à); ~ **a algn a una revista** abonner qn à une revue

suscripción [suskrip'θjon] nf souscription f; (a periódico etc) abonnement m

susodicho, -a [suso'ditʃo, a] adj susdit(e), susmentionné(e)

suspender [suspen'der] vt suspendre; (Escol) recaler ■ vi (Escol) échouer, être recalé(e); ~ **a algn de empleo y sueldo** relever qn de ses fonctions

suspensión [suspen'sjon] nf suspension f; (de empleo, garantías) suppression f; ~ **de pagos** suspension de paiements

suspenso, -a [sus'penso, a] adj (en el aire) suspendu(e); (desconcertado) interloqué(e); (Escol: asignatura) pas passé(e); (: alumno) recalé(e) ■ nm (Escol) échec m; **quedar** o **estar en ~** rester en suspens

suspicacia [suspi'kaθja] nf suspicion f

suspicaz [suspi'kaθ] adj suspicieux(-ieuse)

suspirar [suspi'rar] vi soupirer; ~ **por algo/algn** avoir très envie de qch/se languir de qn

suspiro [sus'piro] nm soupir m

sustancia [sus'tanθja] nf substance f; **sin ~** sans substance; ~ **gris** matière f grise

sustentar [susten'tar] vt (familia) faire vivre; (bóveda) soutenir; (idea, moral) soutenir; (esperanzas) nourrir; **sustentarse** vpr se nourrir

sustento [sus'tento] nm (alimento) subsistance f; (apoyo moral) soutien m

sustituir [sustitu'ir] vt substituer; (temporalmente) remplacer; ~ **A por B** substituer B à A, remplacer A par B

susto ['susto] *nm* peur *f*; **dar un ~ a algn** faire peur à qn; **darse** *o* **pegarse un ~** avoir peur

sustraer [sustra'er] *vt* subtiliser; *(Mat)* soustraire; **sustraerse** *vpr*: **~se a** se soustraire à

susurrar [susu'rrar] *vi* susurrer

susurro [su'surro] *nm* susurrement *m*

sutil [su'til] *adj* subtil(e); *(gasa, hilo)* fin(e); *(brisa)* léger(-ère)

sutileza [suti'leθa] *nf* subtilité *f*; **sutilezas** *nfpl (pey)* manigances *fpl*

suyo, -a ['sujo, a] *adj (después del verbo ser: de él, ella)* le sien (la sienne), à lui (à elle); (: *de ellos, ellas)* le(-la) leur, à eux (à elles); (: *de usted, ustedes)* le(-la) vôtre, à vous; *(después de un nombre: de él, ella)* à lui (à elle); (: *de ellos, ellas)* à eux (à elles); (: *de usted, ustedes)* à vous ■ *pron*: **el ~/la suya** *(de él, ella)* le sien (la sienne); *(de ellos, ellas)* le (la) leur; *(de usted, ustedes)* le (la) vôtre; **los ~s** les siens *etc*; **~ afectísimo** *(en carta)* bien affectueusement; **de ~** en soi; **eso es muy ~** c'est bien de lui; **hacer de las suyas** faire des siennes; **lo ~ sería de ...** le mieux serait de ...; **cada uno va a lo ~** chacun s'occupe de ses affaires; **salirse con la suya** avoir ce qu'on veut

Tabacalera [taβaka'lera] *nf* ≈ SEITA *f*

tabaco [ta'βako] *nm* tabac *m*; **~ de pipa** tabac pour la pipe; **~ negro/rubio** tabac brun/blond

taberna [ta'βerna] *nf* taverne *f*

tabique [ta'βike] *nm* cloison *f*; **~ nasal** *(Med)* cloison nasale

tabla ['taβla] *nf (de madera)* planche *f*; *(lista, catálogo)* table *f*, tableau *m*; *(Mat)* table; *(de falda)* pli *m*; *(Arte)* panneau *m*; **tablas** *nfpl (Teatro)* planches *fpl*; **tener ~s** *(actor)* être un (une) comédien(ne) accompli(e); **quedar en/hacer ~s** faire match nul; **~ de planchar** planche à repasser

tablado [ta'βlaðo] *nm* plancher *m*, estrade *f*; *(Teatro)* scène *f*

tablao [ta'βlao] *nm (tb: **tablao flamenco**)* bar où l'on donne des représentations de flamenco

tablero [ta'βlero] *nm* planche *f*; *(pizarra)* tableau *m*; *(de ajedrez, damas)* damier *m*; **~ de anuncios** panneau *m* d'affichage; **~ de mandos** *(Auto, Aviat)* tableau de bord

tableta [ta'βleta] *nf (Med)* comprimé *m*; *(de chocolate)* tablette *f*

tablón [ta'βlon] *nm (de suelo)* planche *f*; *(de techo)* poutre *f*; **~ de anuncios** panneau *m* d'affichage

tabú [ta'βu] *nm* tabou *m*

tabular [taβu'lar] *vt* (*Tip*) mettre en colonnes; (*Inform*) disposer en tableau

taburete [taβu'rete] *nm* tabouret *m*

tacaño, -a [ta'kaɲo, a] *adj* radin(e)

tacha [ta'tʃa] *nf* défaut *m*; (*Tec*) clou *m* (à grosse tête), broquette *f*; **poner ~ a** trouver à redire à; **sin ~** sans défaut

tachar [ta'tʃar] *vt* rayer; (*corregir*) raturer; **le tachan de irresponsable** ils l'accusent d'être irresponsable

tácito, -a ['taθito, a] *adj* tacite; (*Ling*) implicite

taciturno, -a [taθi'turno, a] *adj* taciturne, morose

taco ['tako] *nm* (*tarugo*) cheville *f*, taquet *m*; (*libro de entradas*) carnet *m*; (*manojo de billetes*) liasse *f*; (*de bota de fútbol*) crampon *m*; (*AM: tacón*) talon *m*; (*tb:* **taco de billar**) queue *f*; (*de jamón, queso*) cube *m*; (*fam: lío*) pagaille *f*; (: *palabrota*) grossièreté *f*, gros mot *m*; (*Cam, Méx*) crêpe de maïs fourrée; (*Chi: fam*) bouchon *m*; **armarse** *o* **hacerse un ~** s'embrouiller

tacón [ta'kon] *nm* talon *m*; **de ~ alto** à talons hauts

taconeo [tako'neo] *nm* bruit *m* des talons sur le sol

táctica ['taktika] *nf* tactique *f*

táctico, -a ['taktiko, a] *adj* tactique

tacto ['takto] *nm* toucher *m*; (*fig*) tact *m*

taimado, -a [tai'maðo, a] *adj* rusé(e), sournois(e)

tajada [ta'xaða] *nf* tranche *f*; (*fam: borrachera*) cuite *f*; **sacar ~** tirer profit

tajante [ta'xante] *adj* catégorique; (*persona*) abrupt(e)

Tajo ['taxo] *nm* Tage *m*

tajo ['taxo] *nm* (*corte*) coupure *f*; (*filo*) tranchant *m*; (*Geo*) gorge *f*; (*fam: trabajo*) boulot *m*; (*bloque de madera*) billot *m*

tal [tal] *adj* tel (telle); (*semejante*) un(e) tel (telle), pareil(le) ■ *pron* (*persona*) un(e) tel (telle); (*cosa*) une telle chose ■ *adv*: **~ como** (*igual*) tel (telle) que ■ *conj*: **con ~ (de) que** pourvu que, du moment que; **~ día a ~ hora** tel jour à telle heure; **jamás vi ~ desvergüenza** je n'ai jamais vu une telle effronterie *o* une effronterie pareille; **~es cosas** de telles choses; **el ~ cura** le curé en question; **un ~ García** un certain García; **~es como** tels (telles) que; **son ~ para cual** les deux font la paire; **hablábamos de que si ~ que si cual** nous parlions de choses et d'autres; **fuimos al cine y ~** nous avons été au ciné et tout ça; **~ cual** (*como es*) tel (telle) quel (quelle); **~ como lo dejé** tel que je l'ai

laissé; **~ el padre, cual el hijo** tel père, tel fils; **~ vez** peut-être; **¿qué ~?** ça va?; **¿qué ~ has comido?** tu as bien mangé?; **con ~ de llamar la atención** du moment qu'il *etc* attire l'attention

taladrar [tala'ðrar] *vt* percer

taladro [ta'laðro] *nm* perceuse *f*; (*hoyo*) trou *m* (fait à la perceuse); **~ neumático** marteau-piqueur *m*

talante [ta'lante] *nm* humeur *f*; (*voluntad*) gré *m*

talar [ta'lar] *vt* abattre

talco ['talko] *nm* (*tb:* **polvos de talco**) talc *m*

talego [ta'leɣo] *nm* sac *m*; (*fam*) mille pesetas; **medio ~** (*fam*) cinq cents pesetas

talento [ta'lento] *nm* talent *m*; (*capacidad, don*) don *m*

Talgo *sigla m* (*Ferro*: = *tren articulado ligero Goicoechea-Oriol*) train rapide

talismán [talis'man] *nm* talisman *m*

talla ['taʎa] *nf* taille *f*; (*fig*) envergure *f*; (*figura*) sculpture *f*; **dar la ~** (*Mil*) avoir la taille requise; (*fig*) être de taille

tallado, -a [ta'ʎaðo, a] *adj* taillé(e), sculpté(e) ■ *nm* sculpture *f*

tallar [ta'ʎar] *vt* tailler, sculpter; (*grabar*) graver; (*medir*) toiser

tallarines [taʎa'rines] *nmpl* nouilles *fpl*

talle ['taʎe] *nm* taille *f*; (*figura*) silhouette *f*; **de ~ esbelto** svelte

taller [ta'ʎer] *nm* atelier *m*

tallo ['taʎo] *nm* (*de planta*) tige *f*; (*de hierba*) brin *m*; (*brote*) pousse *f*

talón [ta'lon] *nm* talon *m*; (*Com*) chèque *m*; (*Tec*) bord *m*; **pisar a algn los talones** être sur les talons de qn; **~ de Aquiles** talon d'Achille

talonario [talo'narjo] *nm* carnet *m*; (*de cheques*) carnet de chèques

tamaño, -a [ta'maɲo, a] *adj* tel (telle) ■ *nm* taille *f*; **de ~ natural** grandeur *f* nature; **de ~ grande/pequeño** de grande/petite taille

tamarindo [tama'rindo] *nm* tamarinier *m*

tambalearse [tambale'arse] *vpr* chanceler; (*mueble*) branler; (*vehículo*) bringuebaler

también [tam'bjen] *adv* aussi; (*además*) de plus; **estoy cansado - yo ~** je suis fatigué - moi aussi

tambor [tam'bor] *nm* tambour *m*; (*Anat*) tympan *m*; **~ del freno/de lavadora** tambour de frein/de machine à laver

tamiz [ta'miθ] *nm* tamis *msg*

tamizar [tami'θar] *vt* tamiser

tampoco [tam'poko] *adv* non plus; **yo ~ lo compré** je ne l'ai pas acheté non plus
tampón [tam'pon] *nm* tampon *m*
tan [tan] *adv* si; **~ ... como** aussi ... que; **~ siquiera** au moins; **es pesada, de ~ amable que es** elle est si aimable qu'elle finit par être ennuyeuse; **¡qué cosa ~ rara!** comme c'est bizarre!; **no es una idea ~ buena** ce n'est pas une si bonne idée
tanda ['tanda] *nf* série *f*; (*de personas*) équipe *f*; (*turno*) tour *m*; **~ de penaltis/de inyecciones** série de penalties/de piqûres; **~ de golpes** volée *f* de coups
tangente [tan'xente] *nf* tangente *f*; **salirse por la ~** prendre la tangente
Tánger ['tanxer] *n* Tanger
tangible [tan'xiβle] *adj* tangible
tanque [tanke] *nm* (*Mil*) char *m* d'assaut; (*depósito: Auto*) citerne *f*; (*: Náut*) tanker *m*; (*: de agua*) réservoir *m*
tantear [tante'ar] *vt* jauger; (*probar*) essayer ■ *vi* (*Deporte*) compter les points
tanteo [tan'teo] *nm* (*cálculo*) calcul *m* approximatif; (*prueba*) essai *m*; (*Deporte*) score *m*; (*sondeo*) sondage *m*; **al ~** par tâtonnements
tanto, -a ['tanto, a] *adj* (*cantidad*) tant de, tellement de; (*en comparaciones*) autant de ■ *adv* tant, autant; (*tiempo*) si longtemps ■ *nm* (*suma*) quantité *f*; (*proporción*) tant *m*; (*punto*) point *m*; (*gol*) but *m* ■ *pron*: **cada uno paga ~** chacun paie tant ■ *suf*: **veintitantos** vingt et quelques; **tiene ~s amigos** il a tellement *o* tant d'amis; **~ dinero como tú** autant d'argent que toi; **~ gusto** (*al ser presentado*) enchanté(e); **~ que** tellement que; **~ como él** autant que lui; **~ como eso** pas tant que ça; **~ es así que ...** c'est si vrai que ...; **~ más cuanto que ...** d'autant plus que ...; **~ mejor/peor** tant mieux/pis; **~ quejarse para nada** tant de plaintes pour rien; **~ tú como yo** toi autant que moi; **me he vuelto ronco de** *o* **con ~ hablar** je me suis enroué à force de parler; **no quiero ~** je n'en veux pas autant; **gasta ~ que ...** il dépense tellement que ...; **viene ~** il vient si souvent; **ni ~ así** (*fam*) pas une miette; **ni ~ ni tan calvo** n'exagérons rien; **¡no es para ~!** ce n'est pas si grave!; **¡y ~!** je ne vous *o* te le fais pas dire!; **en ~ que** pendant que; **entre ~** entre-temps; **por ~, por lo ~** donc, par conséquent; **~ alzado** forfait *m*; **~ por ciento** tant pour cent; **estar al ~** être au courant; **estar al ~ de los acontecimientos** être au

courant des événements; **un ~ perezoso** un rien paresseux; **uno de ~s** un parmi d'autres; **he visto ~** j'en ai tellement vu; **a ~s de agosto** tel jour *o* telle date en août; **cuarenta y ~s** quarante et quelques; **se quedó en el bar hasta las tantas** il est resté au café jusqu'à une heure impossible
tapa ['tapa] *nf* couvercle *m*; (*de libro*) couverture *f*; (*comida*) amuse-gueule *m inv*, tapa *f*; (*de zapato*) semelle *f*; **~ de los sesos** boîte *f* crânienne
tapadera [tapa'ðera] *nf* couvercle *m*; (*fig*) couverture *f*
tapar [ta'par] *vt* couvrir; (*hueco, ventana*) fermer, boucher; (*ocultar*) dissimuler; (*vista*) boucher; (*AM: dientes*) plomber; **taparse** *vpr* se couvrir
tapete [ta'pete] *nm* tapis *msg*; **poner sobre el ~** mettre sur le tapis
tapia ['tapja] *nf* mur *m* de pisé; **estar (sordo) como una ~** être sourd comme un pot
tapiar [ta'pjar] *vt* murer
tapicería [tapiθe'ria] *nf* tapisserie *f*; (*para muebles*) tissu *m* d'ameublement; (*para coches*) garniture *f*
tapiz [ta'piθ] *nm* tapisserie *f*
tapizar [tapi'θar] *vt* (*pared*) tapisser; (*suelo*) recouvrir; (*muebles*) recouvrir
tapón [ta'pon] *nm* bouchon *m*; (*Tec*) bonde *f*; (*Med: de cera*) bouchon de cire; **~ de rosca** *o* **de tuerca** bouchon à vis
taquigrafía [takiɣra'fia] *nf* sténographie *f*
taquígrafo, -a [ta'kiɣrafo, a] *nm/f* sténo *m/f*
taquilla [ta'kiʎa] *nf* guichet *m*; (*suma recogida*) recette *f*; (*armario*) classeur *m*
taquillero, -a [taki'ʎero, a] *adj*: **función taquillera** spectacle *m* qui fait recette ■ *nm/f* guichetier(-ère)
tara ['tara] *nf* tare *f*
tarántula [ta'rantula] *nf* tarentule *f*
tararear [tarare'ar] *vt* fredonner
tardar [tar'ðar] *vi* (*tomar tiempo*) mettre longtemps, tarder; (*llegar tarde*) être en retard; **¿tarda mucho el tren?** le train arrive bientôt?; **a más ~** au plus tard; **~ en hacer algo** mettre longtemps *o* tarder à faire qch; **no tardes en venir** ne tarde pas en chemin
tarde ['tarðe] *adv* tard ■ *nf* (*de día*) après-midi *m o f inv*; (*de noche*) soir *m*; **~ o temprano** tôt ou tard; **de ~ en ~** de temps en temps; **¡buenas ~s!** (*de día*) bonjour!; (*de noche*) bonsoir!; **a** *o* **por la ~** l'après-midi *o* le soir; **más ~** plus tard

tardío, -a [tar'ðio, a] adj tardif(-ive)
tarea [ta'rea] nf travail m, tâche f;
 tareas nfpl (Escol) devoirs mpl; **~s
 domésticas** travaux mpl domestiques
tarifa [ta'rifa] nf tarif m; **~ básica** tarif de
 base; **~ completa** plein tarif; **~ doble**
 tarif double
tarima [ta'rima] nf plate-forme f;
 (movible) estrade f
tarjeta [tar'xeta] nf carte f; (Deporte)
 carton m; **~ bancaria** carte bancaire;
 ~ comercial/de visita carte de visite;
 ~ de circuitos circuit m imprimé; **~ de
 crédito** carte de crédit; **~ de débito** carte
 Bleue®; **~ de embarque/de transporte**
 carte d'embarquement/de transport;
 ~ de identificación fiscal carte
 d'immatriculation fiscale; **~ de memoria/
 sonido** (Inform) carte de mémoire/son;
 ~ de teléfono carte téléphonique;
 ~ gráfica/de multifunción (Inform) carte
 graphique/multifonction; **~ postal/de
 Navidad** carte postale/de Noël;
 ~ sanitaria carte d'assuré social; **~ SIM**
 carte SIM; **~ verde** (Méx) permis m de
 travail
tarro ['tarro] nm pot m
tarta ['tarta] nf tarte f
tartamudear [tartamuðe'ar] vi
 bégayer
tartamudo, -a [tarta'muðo, a] adj,
 nm/f bègue
tártaro, -a ['tartaro, a] adj tartare
 ∎ nm/f Tartare m/f ∎ nm (Quím) tartre m
tasa ['tasa] nf (valoración) évaluation f;
 (precio) taxe f; (índice) taux msg; (medida)
 mesure f, règle f; **sin ~** sans mesure;
 ~ básica (Com) taux de base; **~ de
 cambio/de interés** taux de change/
 d'intérêt; **~ de crecimiento/de
 natalidad/de rendimiento** taux de
 croissance/de natalité/de rendement;
 ~s académicas droits mpl d'inscription;
 ~s universitarias droits mpl d'inscription
 à l'université
tasación [tasa'θjon] nf taxation f
tasador, a [tasa'ðor, a] nm/f taxateur m;
 (Com) commissaire-priseur m
tasar [ta'sar] vt (fijar el precio) taxer;
 (valorar) évaluer; (limitar) limiter,
 rationner; **~ en** évaluer à
tasca ['taska] (fam) nf bistro(t) m
tatarabuelo, -a [tatara'βwelo, a] nm/f
 trisaïeul(e); **tatarabuelos** nmpl
 trisaïeuls mpl
tatuaje [ta'twaxe] nm tatouage m
tatuar [ta'twar] vt tatouer
taurino, -a [tau'rino, a] adj taurin(e)

Tauro ['tauro] nm (Astrol) Taureau m;
 ser ~ être (du) Taureau
tauromaquia [tauro'makja] nf
 tauromachie f
taxi ['taksi] nm taxi m
taxista [tak'sista] nm/f chauffeur m
 de taxi
taza ['taθa] nf tasse f; (fam: de retrete)
 cuvette f; **~ de/para café** tasse de/à café
tazón [ta'θon] nm bol m
te [te] pron te; (delante de vocal) t'; (con
 imperativo) toi; **¿te duele mucho el
 brazo?** ton bras te fait très mal?, tu as très
 mal au bras?; **te equivocas** tu te
 trompes; **¡cálmate!** calme-toi!
té [te] nm thé m
teatral [tea'tral] adj théâtral(e)
teatro [te'atro] nm théâtre m; **hacer ~**
 (fig) faire du cinéma; **~ de aficionados/
 variedades** théâtre d'amateurs/de
 variétés; **~ de la ópera** opéra m
tebeo [te'βeo] nm bande f dessinée, BD f
techo ['tetʃo] nm (tb fig) plafond m;
 (tejado) toit m; **bajo ~** à l'abri; **tocar ~**
 plafonner
tecla ['tekla] nf (Inform, Mús, Tip) touche f;
 tocar muchas ~s exercer toute son
 influence; **~ de anulación/de borrar**
 touche d'annulation/d'effacement; **~ de
 control/de edición** touche de contrôle/
 de correction; **~ de control direccional
 del cursor** touche de déplacement du
 curseur; **~ de retorno/de tabulación**
 touche de retour chariot/de tabulation;
 ~ programable touche programmable
teclado [te'klaðo] nm clavier m;
 ~ numérico (Inform) clavier numérique
teclear [tekle'ar] vt tapoter ∎ vi
 (Mús: fam) pianoter; (Inform, Tip) taper
técnica ['teknika] nf technique f; ver tb
 técnico
técnico, -a ['tekniko, a] adj technique
 ∎ nm/f technicien(ne)
tecnología [teknolo'xia] nf technologie
 f; **~ de la información/punta**
 technologie de l'information/de pointe
tecnológico, -a [tekno'loxiko, a] adj
 technologique
tedio ['teðjo] nm ennui m
tedioso, -a [te'ðjoso, a] adj
 ennuyeux(-euse)
teja ['texa] nf tuile f
tejado [te'xaðo] nm toit m
tejemaneje [texema'nexe] nm
 (actividad) agitation f; (intriga)
 manigances fpl
tejer [te'xer] vt tisser; (AM) tricoter; (fig)
 ourdir ∎ vi: **~ y destejer** faire et défaire

tejido [te'xiðo] nm tissu m

tel. abr (= teléfono) tél. (= téléphone)

tela ['tela] nf toile f; (en líquido) peau f; ¡hay ~ para rato! (fam) on en a pour un moment!; **poner en ~ de juicio** mettre en doute; **~ de araña** toile d'araignée; **~ metálica** grillage m

telar [te'lar] nm (máquina) métier m à tisser; (de teatro) cintre m; **telares** nmpl (fábrica) usine f textile

telaraña [tela'raɲa] nf toile f d'araignée

tele ['tele] (fam) nf télé f

tele... ['tele] pref télé...

telebasura [teleβa'sura] (fam) nf télé-poubelle f

telecomunicación [telekomunika'θjon] nf télécommunication f

telecontrol [telekon'trol] nm télécommande f

telediario [tele'ðjarjo] nm journal m télévisé

teledifusión [teleðifu'sjon] nf télédiffusion f

teledirigido, -a [teleðiri'xiðo, a] adj téléguidé(e)

teléf. abr (= teléfono) tél. (= téléphone)

teleférico [tele'feriko] nm téléphérique m

telefonear [telefone'ar] vt, vi téléphoner

telefónico, -a [tele'foniko, a] adj téléphonique

telefonillo [telefo'niʎo] nm interphone m

telefonista [telefo'nista] nm/f standardiste m/f

teléfono [te'lefono] nm téléphone m; **está hablando por ~** il est au téléphone; **~ con cámara** téléphone m avec appareil photo intégré; **~ inalámbrico/móvil/rojo** téléphone sans fil/portable/rouge

telegrafía [teleɣra'fia] nf télégraphie f

telégrafo [te'leɣrafo] nm télégraphe m

telegrama [tele'ɣrama] nm télégramme m

teleimpresor [teleimpre'sor] nm téléimprimeur m

telenovela [teleno'βela] nf feuilleton m (populaire)

telepatía [telepa'tia] nf télépathie f

telerrealidad [telerreali'ðað] nf téléréalité f

telescópico, -a [tele'skopiko, a] adj télescopique

telescopio [tele'skopjo] nm télescope m

telesilla [tele'siʎa] nm télésiège m

telespectador, a [telespekta'ðor, a] nm/f téléspectateur(-trice)

telesquí [teles'ki] nm téléski m

teletienda [tele'tjenda] nf télé-achat m

teletipo [tele'tipo] nm téléimprimeur m

teletrabajo [teletra'βaxo] nm télétravail m

televentas [tele'βentas] nfpl télévente f

televidente [teleβi'ðente] nm/f téléspectateur(-trice)

televisar [teleβi'sar] vt téléviser

televisión [teleβi'sjon] nf télévision f; **~ digital** télévision f numérique; **~ en blanco y negro/en color** télévision en noir et blanc/en couleurs; **~ por cable/por o vía satélite** télévision par câble/par satellite; **~ privada/pública** télévision privée/publique

televisor [teleβi'sor] nm téléviseur m; **~ portátil** téléviseur portable

télex ['teleks] nm télex m; **máquina ~** télex; **enviar por ~** télexer

telón [te'lon] nm rideau m; **~ de acero** (Pol) rideau de fer; **~ de boca/de seguridad** rideau de scène/de fer; **~ de fondo** toile f de fond

tema ['tema] nm thème m, sujet m; (Mús) thème m; (obsesión) marotte f; **~s de actualidad** sujets mpl o thèmes d'actualité

temática [te'matika] nf thématique f

temático, -a [te'matiko, a] adj thématique

temblar [tem'blar] vi trembler

temblón, -ona [tem'blon, ona] adj tremblotant(e)

temblor [tem'blor] nm tremblement m; **~ de tierra** tremblement de terre

tembloroso, -a [temblo'roso, a] adj tremblant(e)

temer [te'mer] vt craindre, avoir peur de ■ vi avoir peur; **temo que Juan llegue tarde** je crains que Juan n'arrive tard; **~ por** avoir peur pour

temerario, -a [teme'rarjo, a] adj téméraire

temeridad [temeri'ðað] nf témérité f; (una temeridad) acte m irréfléchi

temeroso, -a [teme'roso, a] adj craintif(-ive), peureux(-euse); (que inspira temor) redoutable

temible [te'miβle] adj redoutable

temor [te'mor] nm crainte f, peur f

témpano ['tempano] nm (tb: **témpano de hielo**) banquise f

temperamento [tempera'mento] nm tempérament m; **tener ~** avoir du tempérament

temperatura [tempera'tura] nf température f

tempestad [tempes'taθ] *nf* tempête *f*
tempestuoso, -a [tempes'twoso, a] *adj*
orageux(-euse)
templado, -a [tem'plaðo, a] *adj*
tempéré(e); *(en el comer, beber)* modéré(e); *(agua)* tiède; *(nervios)* solide, bien trempé(e)
templanza [tem'planθa] *nf* tempérance *f*; *(en el beber)* modération *f*; *(del clima)* douceur *f*
templar [tem'plar] *vt* tempérer, modérer; *(agua, brisa)* tiédir; *(solución)* diluer; *(Mús)* accorder; *(acero)* tremper; **templarse** *vpr* se modérer; *(agua, aire)* se réchauffer
temple [temple] *nm (humor)* humeur *f*; *(serenidad, Tec)* trempe *f*; *(Mús)* accord *m*; *(pintura)* détrempe *f*
templo ['templo] *nm (templo m, iglesia)* église *f*; **~ metodista** église méthodiste
temporada [tempo'raða] *nf* période *f*; *(estación, social, Deporte)* saison *f*; **en plena ~** en pleine saison; **de ~** saisonnier(-ière)
temporal [tempo'ral] *adj* temporaire; *(Rel)* temporel(le) ■ *nm* tempête *f*
tempranero, -a [tempra'nero, a] *adj* *(Bot)* précoce; *(persona)* matinal(e)
temprano, -a [tem'prano, a] *adj* précoce ■ *adv* tôt; *(demasiado pronto)* trop tôt; **levantarse ~** se lever de bonne heure; **lo más ~ posible** le plus tôt possible
ten [ten] *vb ver* **tener**
tenacidad [tenaθi'ðaθ] *nf* ténacité *f*
tenacillas [tena'θiʎas] *nfpl* pincettes *fpl*; *(para rizar)* fer *m* à friser
tenaz [te'naθ] *adj* résistant(e)
tenaza(s) [te'naθa(s)] *nf(pl)* pince(s) *f(pl)*
tendedero [tende'ðero] *nm* séchoir *m* à linge; *(cuerda)* corde *f* à linge
tendencia [ten'denθja] *nf* tendance *f*; **~ imperante** tendance dominante; **tener ~ a** avoir tendance à; **~ del mercado** tendance du marché
tendencioso, -a [tenden'θjoso, a] *adj* tendancieux(-euse)
tender [ten'der] *vt* étendre; *(vía férrea, cable)* poser; *(cuerda, trampa)* tendre ■ *vi*: **~ a** tendre à; **tenderse** *vpr* s'étendre, s'allonger; **~ la cama** *(AM)* faire le lit; **~ la mesa** *(AM)* mettre la table; **~ la mano** tendre la main
tenderete [tende'rete] *nm (puesto)* étalage *m*
tendero, -a [ten'dero, a] *nm/f* commerçant(e)
tendido, -a [ten'diðo, a] *adj* étendu(e), allongé(e); *(colgado)* accroché(e),

pendu(e) ■ *nm (Taur)* gradins *mpl*; **a galope ~** au triple galop; **~ eléctrico** ligne *f* électrique
tendón [ten'don] *nm* tendon *m*
tendré *etc* [ten'dre] *vb ver* **tener**
tenebroso, -a [tene'βroso, a] *adj* sombre
tenedor, a [tene'ðor, a] *nm/f* détenteur(-trice) ■ *nm* fourchette *f*; **restaurante de 5 ~es** restaurant *m* cinq étoiles; **~ de acciones** actionnaire *m/f*; **~ de libros** comptable *m/f*; **~ de póliza** assuré(e), détenteur(-trice) d'une police d'assurance
tenencia [te'nenθja] *nf (de propiedad)* possession *f*; **~ ilícita de armas/drogas** détention *f* illégale d'armes/de drogue

PALABRA CLAVE

tener [te'ner] *vt* **1** avoir; *(sostener)* tenir; **¿tienes un boli?** tu as un stylo?; **¿dónde tienes el libro?** où as-tu mis le livre?; **va a tener un niño** elle va avoir un enfant; **tiene los ojos azules** il a les yeux bleus; **¡ten!, ¡aquí tienes!** tiens!, voilà!; **¡tenga!, ¡aquí tiene!** tenez!, voilà!
2 *(edad)* avoir; *(medidas)* faire; **tiene 7 años** il a 7 ans; **tiene 15 cm de largo** cela fait 15 cm de long; *ver tb* **calor**; **hambre** *etc*
3 *(sentimiento, dolor)* avoir; **tener admiración/cariño** avoir de l'admiration/l'affection; **tener miedo** avoir peur; **¿qué tienes, estás enfermo?** qu'est-ce que tu as, tu es malade?
4 *(considerar)*: **lo tengo por brillante** je le considère comme quelqu'un de brillant; **tener en mucho/poco a algn** avoir beaucoup/peu d'estime pour qn; **ten por seguro** sois-en sûr
5: **tengo/tenemos que acabar este trabajo hoy** il faut que je finisse/nous finissions ce travail aujourd'hui
6 *(+ pp = pretérito)*: **tengo terminada ya la mitad del trabajo** j'ai déjà fait la moitié du travail
7 *(+ adj, + gerundio)*: **nos tiene muy contentos/hartos** nous sommes très satisfaits de lui/en avons assez de lui; **me ha tenido tres horas esperando** il m'a fait attendre pendant trois heures
8: **las tiene todas consigo** il a tout pour lui
tenerse *vpr* **1**: **tenerse en pie** se tenir debout
2: **tenerse por** se croire; **se tiene por muy listo** il se croit très intelligent

tenga etc ['tenga] vb ver **tener**

tenia ['tenja] nf ténia m

teniente [te'njente] nm lieutenant m; **~ alcalde** adjoint m au maire; **~ coronel** lieutenant colonel

tenis ['tenis] nm tennis msg; **~ de mesa** tennis de table, ping-pong m

tenista [te'nista] nm/f joueur(-euse) de tennis

tenor [te'nor] nm (sentido) teneur f; (Mús) ténor m; **a ~ de** d'après

tensar [ten'sar] vt tendre; (arco) bander

tensión [ten'sjon] nf tension f; **de alta ~** (Elec) haute tension; **en ~** tendu(e); **tener la ~ alta** avoir de la tension; **~ arterial** tension artérielle; **~ nerviosa** tension nerveuse

tenso, -a ['tenso, a] adj tendu(e)

tentación [tenta'θjon] nf tentation f

tentáculo [ten'takulo] nm tentacule m

tentador, a [tenta'ðor, a] adj tentant(e); (gesto) tentateur(-trice) ∎ nm/f tentateur(-trice)

tentar [ten'tar] vt tenter; (palpar, Med) tâter; (incitar) inciter

tentativa [tenta'tiβa] nf tentative f; **~ de asesinato** tentative d'assassinat

tentempié [tentem'pje] (fam) nm casse-croûte m inv

tenue ['tenwe] adj (hilo) mince; (luz) faible; (sonido, vínculo) ténu(e); (neblina) léger(-ère)

teñir [te'ɲir] vt teindre; (fig) teinter; **~se el pelo** se (faire) teindre les cheveux

teología [teolo'xia] nf théologie f

teorema [teo'rema] nm théorème m

teoría [teo'ria] nf théorie f; **en ~** en principe

teóricamente [teorika'mente] adv théoriquement

teórico, -a [te'oriko, a] adj théorique ∎ nm/f théoricien(ne)

teorizar [teori'θar] vi théoriser

tequila [te'kila] nf tequila f

terapéutico, -a [tera'peutiko, a] adj thérapeutique

terapia [te'rapja] nf thérapie f; **~ laboral** ergothérapie f

tercer [ter'θer] adj ver **tercero**

tercermundista [terθermun'dista] adj tiers-mondiste

tercero, -a [ter'θero, a] adj (delante de nmsg: **tercer**) troisième ∎ nm (mediador) tiers msg, tierce personne f; (Jur) tiers

terceto [ter'θeto] nm (Mús) trio m

terciar [ter'θjar] vt (bolsa etc) mettre en bandoulière ∎ vi intervenir; **terciarse** vpr se présenter; **si se tercia** à l'occasion

terciario, -a [ter'θjarjo, a] adj tertiaire

tercio ['terθjo] nm tiers msg

terciopelo [terθjo'pelo] nm velours msg

terco, -a ['terko, a] adj têtu(e)

tergal® [ter'yal] nm tergal® m

tergiversar [terxiβer'sar] vt déformer

termal [ter'mal] adj thermal(e)

termas ['termas] nfpl thermes mpl

terminación [termina'θjon] nf extrémité f; (finalización) achèvement m

terminal [termi'nal] adj terminal(e); (enfermo) en phase terminale ∎ nm (Elec) borne f; (Inform) terminal m ∎ nf (Aviat) aérogare f; (Ferro) terminus msg; **~ de pantalla** écran m de visualisation

terminante [termi'nante] adj catégorique; (decisión) final(e)

terminantemente [terminante'mente] adv catégoriquement

terminar [termi'nar] vt finir, terminer ∎ vi finir; **terminarse** vpr finir; **~ por hacer algo** finir par faire qch; **~ en** finir en; **se ha terminado la leche** il n'y a plus de lait

término ['termino] nm terme m, fin f; (parada) terminus msg; (límite: de espacio) bout m; **términos** nmpl (Com) termes mpl; **~ medio** moyenne f; **en otros ~s** en d'autres termes; **en último ~** en dernier recours; **estar en buenos/malos ~s (con algn)** être en bons/mauvais termes (avec qn); **en ~s de** en termes de; **en ~s claros** en clair; **según los ~s del contrato** selon les termes du contrat

terminología [terminolo'xia] nf terminologie f

termo® ['termo] nm thermos® m of

termodinámico, -a [termoði'namiko, a] adj thermodynamique

termómetro [ter'mometro] nm thermomètre m

termonuclear [termonukle'ar] adj thermonucléaire

termo(s)® nm thermos® m of

termostato [termos'tato] nm thermostat m

ternero, -a [ter'nero, a] nm/f veau (génisse)

ternura [ter'nura] nf tendresse f

terquedad [terke'ðað] nf entêtement m

terrado [te'rraðo] nm terrasse f

terraplén [terra'plen] nm terre-plein m; (cuesta) renflement m

terrateniente [terrate'njente] nm propriétaire m terrien

terraza [te'rraθa] nf terrasse f

terremoto [terre'moto] nm tremblement m de terre

terrenal [terre'nal] *adj* terrestre

terreno, -a [te'rreno, a] *adj* terrien(ne)
■ *nm* terrain *m*; **sobre el ~** sur le terrain;
ceder/perder ~ céder du/perdre du
terrain; **preparar el ~ (a)** préparer le
terrain (pour); **~ de juego** terrain de jeu

terrestre [te'rrestre] *adj* terrestre; *(ruta)*
intérieur(e)

terrible [te'rriβle] *adj* terrible

territorio [terri'torjo] *nm* territoire *m*;
~ bajo mandato territoire sous mandat

terrón [te'rron] *nm (de azúcar)* morceau
m; *(de tierra)* motte *f*; **terrones** *nmpl*
(Agr) terres *fpl*

terror [te'rror] *nm* terreur *f*

terrorífico, -a [terro'rifiko, a] *adj*
terrifiant(e)

terrorismo [terro'rismo] *nm* terrorisme *m*

terrorista [terro'rista] *adj, nm/f*
terroriste *m/f*; **~ suicida** terroriste *m/f*
suicidaire

terso, -a ['terso, a] *adj* lisse

tersura [ter'sura] *nf* douceur *f*

tertulia [ter'tulja] *nf* cercle *m*; *(sala)*
arrière-salle *f*; **~ literaria** cercle littéraire

tesis ['tesis] *nf inv* thèse *f*

tesón [te'son] *nm (firmeza)* acharnement
m; *(tenacidad)* persévérance *f*

tesorero, -a [teso'rero, a] *nm/f*
trésorier(-ière)

tesoro [te'soro] *nm* trésor *m*; **¡mi ~!** *(fam)*
mon trésor!; **T~ público** Trésor public

test [tes(t)] *nm* test *m*

testaferro [testa'ferro] *nm* prête-nom *m*

testamentario, -a [testamen'tarjo, a]
adj testamentaire ■ *nm/f (Jur)*
exécuteur(-trice) testamentaire

testamento [testa'mento] *nm*
testament *m*; **Nuevo/Antiguo T~**
Nouveau/Ancien Testament

testar [tes'tar] *vi* tester, faire son
testament

testarudo, -a [testa'ruðo, a] *adj*
entêté(e)

testículo [tes'tikulo] *nm* testicule *m*

testificar [testifi'kar] *vt, vi* témoigner

testigo [tes'tiɣo] *nm/f* témoin *m*; **poner
a algn por ~** citer qn comme témoin;
~ de cargo/de descargo témoin à
charge/à décharge; **~ ocular** témoin
oculaire

testimoniar [testimo'njar] *vt*
témoigner de

testimonio [testi'monjo] *nm*
témoignage *m*; **en ~ de** en témoignage
de; **falso ~** faux témoignage

teta ['teta] *nf (fam)* téton *m*, nichon *m*;
niño de ~ nourrisson *m*

tétanos ['tetanos] *nmsg* tétanos *msg*

tetera [te'tera] *nf* théière *f*

tetrabrik® [tetra'brik] *nm inv* Tetra
Brik® *m*

tétrico, -a ['tetriko, a] *adj* sombre

textil [teks'til] *adj* textile; **textiles** *nmpl*
textiles *mpl*

texto ['teksto] *nm* texte *m*

textual [teks'twal] *adj* textuel(le);
son sus palabras ~es c'est ce qu'il a dit
textuellement

textura [teks'tura] *nf (de tejido)* tissage
m; *(estructura)* texture *f*

tez [teθ] *nf (cutis)* peau *f*; *(color)* teint *m*

tfno. *abr (= teléfono)* tél. *(= téléphone)*

ti [ti] *pron* toi

tía ['tia] *nf* tante *f*; *(fam)* bonne femme *f*,
nana *f*; *(: vieja)* mère *f*

tibieza [ti'βjeθa] *nf* tiédeur *f*

tibio, -a ['tiβjo, a] *adj* tiède

tiburón [tiβu'ron] *nm* requin *m*

tic [tik] *nm* tic *m*

tictac [tik'tak] *nm* tic-tac *m inv*

tiempo ['tjempo] *nm* temps *msg*; **a ~** à
temps; **a un o al mismo ~** en même
temps; **a su ~** en temps utile; **al poco ~**
peu après; **andando el ~** avec le temps;
cada cierto ~ de temps à autre; **con ~** à
temps; **con el ~** à la longue; **de ~ en ~** de
temps en temps; **de todos los ~s** de tous
les temps; **de un ~ a esta parte** depuis
quelque temps; **en mis ~s** de mon
temps; **en los buenos ~s** au bon vieux
temps; **ganar ~** gagner du temps; **hace
buen/mal ~** il fait beau/mauvais temps;
matar el ~ tuer le temps; **hace ~** il y a
quelque temps; **hacer ~** passer le temps;
perder el ~ perdre du temps; **tener ~**
avoir le temps; **¿qué ~ tiene?** quel âge a-
t-il?; **motor de 2 ~s** moteur *m* deux
temps; **a ~ parcial** à temps partiel;
en ~ real *(Inform)* en temps réel;
~ compartido/de ejecución/máquina
(Inform) temps partagé/d'exécution/
machine; **~ de paro** *(Com)* temps mort;
~ inactivo *(Com)* durée *f* d'immobilisation;
~ libre temps libre; **~ muerto** *(Deporte,
fig)* temps mort; **~ preferencial** *(Com)*
heures *fpl* de grande écoute

tienda ['tjenda] *vb ver* **tender** ■ *nf*
magasin *m*; *(Náut)* taud *m*; **~ de
campaña** tente *f*

tiene *etc* ['tjene] *vb ver* **tener**

tienta ['tjenta] *nf (Med)* sonde *f*; **andar a
~s** avancer à tâtons

tiento ['tjento] *vb ver* **tentar** ■ *nm* tact
m; *(precaución)* prudence *f*; **con ~** avec
prudence

tierno, -a ['tjerno, a] *adj* tendre; (*reciente*) jeune

tierra ['tjerra] *nf* terre *f*; (*país*) pays *msg*; **~ adentro** à l'intérieur des terres; **echar/ tirar por ~** réduire à néant; **echar ~ a un asunto** tirer le rideau sur un sujet; **no es de estas ~s** il n'est pas d'ici; **~ firme** terre ferme; **~ natal** pays natal; **la T~ Santa** la Terre sainte

tieso, -a ['tjeso, a] *adj* (*rígido*) raide; (*erguido*) droit(e); (*serio*) froid(e); (*fam: orgulloso*) fier(-ère); **dejar ~ a algn** (*fam: matar*) refroidir qn; (*: sorprender*) laisser qn pantois(e)

tiesto ['tjesto] *nm* pot *m* de fleurs

tifoidea [tifoi'ðea] *nf* typhoïde *f*

tifón [ti'fon] *nm* typhon *m*

tifus ['tifus] *nm* typhus *msg*; **~ icteroides** fièvre *f* jaune

tigre ['tiɣre] *nm* tigre *m*; (*AM*) jaguar *m*

tijera [ti'xera] *nf* (*tb:* **tijeras**) ciseaux *mpl*; (*: para plantas*) sécateur *m*; **de ~** pliant(e); **unas ~s** une paire de ciseaux

tijeretear [tixerete'ar] *vt* découper

tildar [til'dar] *vt*: **~ de** traiter de

tilde ['tilde] *nf* (*defecto*) défaut *m*; (*Tip*) tilde *m*

tilín [ti'lin] *nm* drelin *m*; **hacer ~ a algn** (*fam*) plaire à qn

timar [ti'mar] *vt* (*dinero*) escroquer; (*persona, fig*) rouler, escroquer

timbal [tim'bal] *nm* (*Mús*) timbale *f*

timbrar [tim'brar] *vt* timbrer

timbre ['timbre] *nm* (*Mús, sello*) timbre *m*; (*de estampar*) cachet *m*; (*de puerta*) sonnette *f*; (*tono*) sonnerie *f*

timidez [timi'ðeθ] *nf* timidité *f*

tímido, -a [ti'miðo, a] *adj* timide

timo ['timo] *nm* escroquerie *f*; **dar un ~ a algn** escroquer qn

timón [ti'mon] *nm* (*Náut*) gouvernail *m*; (*AM: Auto*) volant *m*; **coger el ~** prendre les rênes

timonel [timo'nel] *nm* (*Náut*) timonier *m*

tímpano ['timpano] *nm* (*Anat*) tympan *m*; (*Mús*) tympanon *m*

tina ['tina] *nf* cuve *f*; (*esp AM*) baignoire *f*

tinaja [ti'naxa] *nf* jarre *f*

tinglado [tin'glaðo] *nm* (*cobertizo*) hangar *m*; (*fig*) ruse *f*; **armar un ~** faire des histoires

tinieblas [ti'njeβlas] *nfpl* ténèbres *fpl*; **estar en ~** (*fig*) être dans le brouillard

tino ['tino] *nm* adresse *f*; (*juicio*) doigté *m*; (*moderación*) retenue *f*; **sin ~** maladroitement; (*sin moderación*) sans retenue

tinta ['tinta] *nf* encre *f*; (*Tec*) teinture *f*; (*Arte*) couleur *f*; **tintas** *nfpl* (*matices*) tons *mpl*; **sudar ~** trimer, suer sang et eau; **medias ~s** demi-mesures *fpl*; **(re)cargar las ~s** en rajouter; **saber algo de buena ~** savoir qch de source sûre; **~ china** encre de chine

tinte ['tinte] *nm* teinture *f*; (*tintorería*) teinturerie *f*; (*matiz*) teinte *f*; (*apariencia*) allure *f*

tintero [tin'tero] *nm* encrier *m*; **se le quedó en el ~** il a complètement oublié

tintinear [tintine'ar] *vi* (*cascabel*) tintinnabuler; (*campana*) tinter

tinto, -a ['tinto, a] *adj* (*teñido*) teint(e); (*manchado*) taché(e); (*vino*) rouge ▪ *nm* rouge *m*; (*Col*) café *m* noir

tintorería [tintore'ria] *nf* teinturerie *f*

tintura [tin'tura] *nf* teinture *f*; **~ de iodo** teinture d'iode

tiovivo [tio'βiβo] *nm* manège *m*, chevaux *mpl* de bois

típico, -a ['tipiko, a] *adj* typique; (*traje*) régional

tipo ['tipo] *nm* type *m*; (*Anat*) physique *m*; (*: de mujer*) silhouette *f*; (*Tip*) caractère *m*; **jugarse el ~** risquer sa peau; **~ a término** (*Com*) cotation *f* à terme; **~ bancario/de cambio/de descuento/de interés** taux *msg* bancaire/de change/d'escompte/ d'intérêt; **~ base** (*Com*) taux de base; **~ de interés vigente** (*Com*) taux d'intérêt en vigueur; **~ de letra** police *f* de caractères

tipografía [tipoɣra'fia] *nf* typographie *f*; (*lugar*) imprimerie *f*

tipográfico, -a [tipo'ɣrafiko, a] *adj* typographique

tique ['tike] *nm*, **tíquet** ['tike(t)] (*pl* **~s**) *nm* ticket *m*; (*en tienda*) ticket *m* de caisse

tira ['tira] *nf* (*cinta*) bande *f* ▪ *nm*: **~ y afloja** tiraillements *mpl*; **tiene la ~ de cosas** (*fam*) il a vachement de trucs; **hace la ~ de tiempo** il y a vachement longtemps; **~ cómica** bande dessinée; **~ de cuero** lanière *f*

tirabuzón [tiraβu'θon] *nm* tire-bouchon *m*; (*rizo*) boucle *f*

tirachinas [tira'tʃinas] *nm inv* lance-pierre *m*

tirada [ti'raða] *nf* lancer *m*, jet *m*; (*distancia*) trotte *f*; (*serie*) tirade *f*; (*Tip*) tirage *m*; **de una ~** d'une traite

tirado, -a [ti'raðo, a] *adj* (*fam: barato*) bon marché; (*: fácil*) facile; **está ~** c'est fastoche

tirador, a [tira'ðor, a] nm/f tireur(-euse) ■ nm (mango) poignée f; (Elec) cordon m; **tiradores** nmpl (Csur) bretelles fpl; **~ certero** tireur d'élite
tiralíneas [tira'lineas] nm inv tire-ligne m
tiranía [tira'nia] nf tyrannie f
tirano, -a [ti'rano, a] nm/f tyran m
tirante [ti'rante] adj tendu(e) ■ nm (de vestido) bretelle f; (Arq) traverse f; (Tec) étai m; **tirantes** nmpl bretelles fpl
tirantez [tiran'teθ] nf tension f
tirar [ti'rar] vt jeter, lancer; (volcar) renverser; (derribar) abattre, démolir; (cohete, bomba) lancer; (desechar) jeter; (dinero) dilapider; (imprimir, tirador) tirer; (golpe) décocher ■ vi tirer; (fig) attirer; (interesar) plaire; (fam: andar) aller; (tender) tendre; **tirarse** vpr (abalanzarse) se lancer; (tumbarse) se jeter; (fam!) tirer, sauter; **~ abajo** descendre; **tira a su padre** il tient de son père; **~ a algn de la lengua** tirer la langue à qn; **~ de algo** tirer qch; **ir tirando** aller comme ci comme ça; **~ a la derecha** tourner à droite; **a todo ~** tout au plus; **se tiró toda la mañana hablando** il a passé toute la matinée à parler
tirita [ti'rita] nf pansement m (adhésif)
tiritar [tiri'tar] vi grelotter
tiro ['tiro] nm tir m; (herida) balle f; (Tenis, Golf) drive m; (alcance) portée f; (de escalera) marche f; (de chimenea) tirage m; (de pantalón) entrejambes msg; **caballo de ~** cheval m de trait; **andar de ~s largos** être tiré(e) à quatre épingles; **al ~** (Chi) tout de suite; **me sentó como un ~** (fam) ça m'a fait un choc; **a ~ de piedra** à un jet de pierre; **se pegó un ~** il s'est tiré une balle dans la tête; **le salió el ~ por la culata** ça s'est retourné contre lui; **de a ~** (AM: fam) complètement; **~ al arco/al blanco** tir à l'arc/à blanc; **~ de gracia** coup m de grâce; **~ libre** coup franc
tirón [ti'ron] nm coup m; (muscular) crampe f; (fam: de bolso) vol m à la tire; **de un ~** d'un trait; **dar un ~ a** arracher
tiroteo [tiro'teo] nm (disparos) fusillade f; (escaramuza) échange m de coups de feu
tísico, -a ['tisiko, a] adj, nm/f phtisique m/f
tisis ['tisis] nf phtisie f
títere ['titere] nm marionnette f; **no dejar ~ con cabeza** tout mettre sens dessus-dessous; **gobierno ~** gouvernement m fantoche
titiritero, -a [titiri'tero, a] nm/f marionnettiste m/f; (acróbata) acrobate m/f

titubeante [tituβe'ante] adj (indeciso) hésitant(e); (inestable) vacillant(e)
titubear [tituβe'ar] vi (dudar) hésiter; (moverse) vaciller
titubeo [titu'βeo] nm hésitation f
titulado, -a [titu'laðo, a] pp de **titular** ■ nm/f diplômé(e)
titular [titu'lar] adj titulaire ■ nm/f (de cargo) titulaire m/f ■ nm titre m ■ vt intituler; **titularse** vpr s'intituler; (Univ) obtenir son diplôme
título ['titulo] nm titre m; (Com) valeur f; (Escol) diplôme m; **a ~ de** à titre de; (en calidad de) en qualité de; **a ~ de curiosidad** par curiosité; **~s convertibles de interés fijo** titres mpl de créances convertibles; **~ de propiedad** titre de propriété
tiza ['tiθa] nf craie f; **una ~** une craie
tiznar [tiθ'nar] vt souiller
tizo ['tiθo], **tizón** [ti'θon] nm tison m
toalla [to'aʎa] nf serviette f; **arrojar la ~** baisser les bras
tobillo [to'βiʎo] nm cheville f
tobogán [toβo'ɣan] nm (rampa) toboggan m; (trineo) luge f
tocadiscos [toka'ðiskos] nm inv tourne-disques m
tocado, -a [to'kaðo, a] adj (fruta) abîmé(e) ■ nm coiffure f; **estar ~ de la cabeza** (fam) être toqué(e)
tocador [toka'ðor] nm (mueble) coiffeuse f; (cuarto) cabinet m de toilette; (: público) toilettes fpl pour dames
tocante [to'kante]: **~ a** prep touchant à; **en lo ~ a** pour ce qui concerne
tocar [to'kar] vt toucher; (timbre) tirer; (Mús) jouer de; (campana) (faire) sonner; (tambor) battre; (topar con) heurter; (referirse a) aborder; (fam: modificar) toucher à ■ vi (a la puerta) frapper; (ser de turno) être le tour de; (atañer) concerner; **tocarse** vpr se toucher; (cubrirse la cabeza) se coiffer; **le toca a él hacerlo** c'est à lui de le faire; **~ de cerca** toucher de près; **~ en** (Náut) faire escale à; **le ha tocado la lotería** il a décroché le gros lot; **ahora nos toca postre** c'est le moment de manger le dessert; **por lo que a mí me toca** en ce qui me concerne; **esto toca en la locura** cela frise la folie
tocayo, -a [to'kajo, a] nm/f homonyme m/f
tocino [to'θino] nm lard m; **~ de cielo** pâtisserie à base de jaune d'œuf et de sirop
todavía [toða'βia] adv encore; (en frases afirmativas o con énfasis) toujours; **~ más** encore plus; **~ no** pas encore; **~ en 1970**

encore en 1970; **no ha llegado** ~ il n'est pas encore arrivé; **está lloviendo** ~ il pleut toujours

🔵 **PALABRA CLAVE**

todo, -a ['toðo, a] *adj* **1** (*sg*) tout(e); **toda la noche** toute la nuit; **todo el libro** tout le livre; **toda una botella** toute une bouteille; **todo lo contrario** tout le contraire; **está toda sucia** elle est toute sale; **a toda prisa** à toute vitesse; **a todo esto** (*mientras tanto*) pendant ce temps-là; (*a propósito*) à propos; **soy todo oídos** je suis tout ouïe; **es todo un hombre** c'est un vrai homme
2 (*pl*) tous (toutes); **todos vosotros** vous tous; **todos los libros** tous les livres; **todas las noches** toutes les nuits; **todos los que quieran salir** tous ceux qui veulent sortir
3 (*negativo*): **en todo el día** de (toute) la journée; **no he dormido en toda la noche** je n'ai pas dormi de la nuit
■ *pron* **1** tout; **todos/as** tous (toutes); **lo sabemos todo** nous savons tout; **todo o nada** tout ou rien; **vino a buscarme con coche y todo** il est venu me chercher, et en voiture avec ça; **todos querían ir** ils voulaient tous s'en aller; **nos marchamos todos** nous partons tous; **arriba del todo** tout en haut; **no me agrada del todo** ça ne me satisfait pas entièrement
2: **con todo**: **con todo, él me sigue gustando** malgré tout, il me plaît toujours
■ *adv* tout; **vaya todo seguido** allez tout droit
■ *nm*: **como un todo** comme un tout

todopoderoso, -a [toðopoðe'roso, a] *adj* tout(e)-puissant(e)
toga ['toɣa] *nf* robe *f*
Tokio ['tokjo] *n* Tokyo
toldo ['toldo] *nm* (*para el sol*) parasol *m*; (*tienda*) marquise *f*
tolerancia [tole'ranθja] *nf* tolérance *f*
tolerar [tole'rar] *vt* tolérer
toma ['toma] *nf* prise *f*; **~ de conciencia** prise de conscience; **~ de posesión** prise de possession; **~ de tierra** (*Aviat*) atterrissage *m*; (*Elec*) prise de terre
tomar [to'mar] *vt* prendre ■ *vi* prendre; (*AM*) boire; **tomarse** *vpr* prendre; ¡**toma!** tiens!; **~ la temperatura** prendre la température; **~ cariño a algn** prendre d'affection pour qn; **~ el sol** prendre le soleil; **~ (buena) nota de algo**

prendre (bonne) note de qch; **tome la calle de la derecha** prenez la rue de droite; ¿**qué tomas?** qu'est-ce que tu prends?; **no tomó bien la broma** il a mal pris la plaisanterie; **~ asiento** prendre place; **~ a bien/a mal** prendre bien/mal; **~ en serio** prendre au sérieux; **~ el pelo a algn** taquiner qn; **~ la con algn** s'en prendre à qn; **~ por escrito** prendre par écrit; ¿**por quién me tomas?** pour qui tu me prends?; **toma y daca** un prêté pour un rendu; ¡**vete a ~ por culo!** (*fam!*) va te faire enculer! (*fam!*); **~se por** se prendre pour
tomate [to'mate] *nm* tomate *f*
tomavistas [toma'βistas] *nm inv* caméra *f*
tomillo [to'miʎo] *nm* thym *m*
tomo ['tomo] *nm* tome *m*; **de ~ y lomo** de taille
ton [ton] *abr* (= *tonelada*) t (= *tonne*)
tonada [to'naða] *nf* air *m*
tonalidad [tonali'ðað] *nf* tonalité *f*
tonel [to'nel] *nm* tonneau *m*
tonelada [tone'laða] *nf* tonne *f*; **~ métrica** tonne
tonelaje [tone'laxe] *nm* tonnage *m*
tónica ['tonika] *nf* (*bebida*) tonic *m*; (*tendencia*) tendance *f*
tónico, -a ['toniko, a] *adj* tonique ■ *nm* (*Med*) remontant *m*
tonificar [tonifi'kar] *vt* tonifier
tono ['tono] *nm* ton *m*; **fuera de ~** hors de propos; **darse ~** se donner de grands airs; **estar a ~** être en harmonie; **~ de marcar** (*Telec*) tonalité *f*
tontería [tonte'ria] *nf* sottise *f*, bêtise *f*
tonto, -a ['tonto, a] *adj* bête, idiot(e) ■ *nm/f* idiot(e), sot (sotte); (*payaso*) idiot(e); **a tontas y a locas** à tort et à travers; **hacer el ~** faire l'idiot; **hacerse el ~** faire l'ignorant; **estar ~ con algo** entiché(e) de qch
topar [to'par] *vi*: **~ con** tomber sur; **~ contra** *o* **en** buter contre; **toparse** *vpr*: **~se con** tomber sur
tope ['tope] *adj* limite ■ *nm* limite *f*; (*obstáculo*) difficulté *f*; (*de puerta*) butoir *m*; (*Ferro*) tampon *m*; (*de mecanismo*) butée *f*; (*Méx: Auto*) ralentisseur *m*; **a ~** (*fam: aprovechar, acelerar*) à fond; (: *música*) à plein volume; **a** *o* **hasta los ~s** plein(e) à ras bord; **fecha ~** date *f* limite; **precio/sueldo ~** prix *m*/salaire *m* maximum; **~ de tabulación** tabulateur *m*
tópico, -a ['topiko, a] *adj* rebattu(e); (*Med*) externe ■ *nm* (*pey*) cliché *m*; **de uso ~** à usage externe

topo ['topo] nm taupe f
topografía [topoɣra'fia] nf
topographie f
topógrafo, -a [to'poɣrafo, a] nm/f
topographe m/f; (agrimensor)
arpenteur m/f
toque ['toke] vb ver **tocar** ■ nm (de mano,
pincel) coup m; (Mús) sonnerie f; (matiz)
touche f; (retoque) retouche f; **dar un ~ a**
passer un coup de fil à; (advertir) donner
un avertissement à; **dar el último ~ a**
mettre la dernière touche à; **~ de diana**
sonnerie de clairon; **~ de queda** couvre-
feu m
toquetear [tokete'ar] vt tripoter; (fam!)
peloter
toquilla [to'kiʎa] nf châle m
tórax ['toraks] nm thorax msg
torbellino [torbe'ʎino] nm tourbillon m;
(fig) tornade f
torcedura [torθe'ðura] nf torsion f
torcer [tor'θer] vt tordre; (inclinar)
pencher; (persona) corrompre; (sentido)
déformer ■ vi (cambiar de dirección)
tourner; **torcerse** vpr se tordre;
(inclinarse) pencher; (desviarse) dévier;
(fracasar) se gâter; **~ la esquina** tourner
au coin de la rue; **~ el gesto** se
renfrogner; **el coche torció a la derecha**
l'auto a viré à droite; **~se un pie** se tordre
le pied; **se han torcido las cosas** les
choses se sont gâtées
torcido, -a [tor'θiðo, a] adj tordu(e);
(cuadro) penché(e); (intención, persona)
louche
tordo, -a ['torðo, a] adj (caballo)
pommelé(e) ■ nm étourneau m
torear [tore'ar] vt (toro) combattre;
(evitar) esquiver ■ vi toréer
toreo [to'reo] nm tauromachie f
torero, -a [to'rero, a] nm/f torero m
tormenta [tor'menta] nf tempête f,
orage m; (fig) orage; **una ~ en un vaso de
agua** une tempête dans un verre d'eau
tormento [tor'mento] nm torture f; (fig)
tourment m
tornado [tor'naðo] nm tornade f
tornar [tor'nar] vt (devolver) rendre;
(transformar) transformer ■ vi revenir;
tornarse vpr (ponerse) devenir; (volver)
revenir; **~ a hacer** recommencer à faire
tornasolado, -a [tornaso'laðo, a] adj
(tela) chatoyant(e); (mar, superficie)
irisé(e)
torneo [tor'neo] nm tournoi m
tornillo [tor'niʎo] nm vis fsg; **apretar los
~s a algn** serrer la vis à qn; **le falta un ~**
(fam) il lui manque une case

torniquete [torni'kete] nm tourniquet m
torno ['torno] nm taureau m; (: de
carpintero, alfarero) tour m; **en ~ a** autour
de; **~ de banco** étau m
toro ['toro] nm taureau m; (fam) malabar
m; **los toros** nmpl (fiesta) la corrida
toronja [to'ronxa] nf pamplemousse m
torpe ['torpe] adj maladroit(e); (necio)
abruti(e); (lento) lent(e)
torpedo [tor'peðo] nm torpille f
torpeza [tor'peθa] nf maladresse f;
(lentitud) lenteur f
torre ['torre] nf tour f; (Mil, Náut) tourelle
f; **~ de conducción eléctrica** pylône m
électrique; **~ de control** tour de contrôle;
~ de marfil tour d'ivoire; **~ de
perforación** foreuse f
torrefacto, -a [torre'fakto, a] adj: **café
~** café m torréfié
torrente [to'rrente] nm torrent m
tórrido, -a [to'rriðo, a] adj torride
torrija [to'rrixa] nf pain m perdu
torsión [tor'sjon] nf torsion f
torso ['torso] nm torse m
torta ['torta] nf tarte f; (Méx) omelette f;
(fam) baffe f; **ni ~** rien du tout, goutte
tortícolis [tor'tikolis] nf o nm inv
torticolis msg
tortilla [tor'tiʎa] nf omelette f; (AM)
crêpe f de maïs; **ha cambiado o vuelto la
~** le vent a tourné; **~ española/francesa**
tortilla f/omelette
tórtola ['tortola] nf tourterelle f
tortuga [tor'tuɣa] nf tortue f; **~ marina**
tortue de mer
tortuoso, -a [tor'twoso, a] adj
tortueux(-ueuse)
tortura [tor'tura] nf torture f
torturar [tortu'rar] vt torturer;
torturarse vpr se torturer
tos [tos] nf toux fsg; **~ ferina** coqueluche f
tosco, -a ['tosko, a] adj (material) brut(e);
(artesanía) grossier(-ière); (sin refinar)
rustre, grossier(-ière)
toser [to'ser] vi tousser; **no hay quien le
tosa** il ne se prend pas pour n'importe qui
tostada [tos'taða] nf pain m grillé,
toast m
tostado, -a [tos'taðo, a] adj grillé(e);
(por el sol) bronzé(e)
tostador [tosta'ðor] nm grille-pain m inv
tostar [tos'tar] vt (pan) faire griller; (café)
torréfier; (al sol) dorer; **tostarse** vpr
(al sol) se dorer
total [to'tal] adj total(e) ■ adv au total
■ nm total m; **en ~** au total; **~ que** bref,
somme toute; **~ debe/haber** (Com) débit
m/actif m total

totalidad [totali'ðað] nf totalité f
totalitario, -a [totali'tarjo, a] adj
totalitaire
totalmente [to'talmente] adv
entièrement; (antes de adjetivo)
complètement
tóxico, -a ['toksiko, a] adj toxique ■ nm
produit m toxique
toxicómano, -a [toksi'komano, a]
nm/f toxicomane m/f
toxina [tok'sina] nf toxine f
tozudo, -a [to'θuðo, a] adj têtu(e)
traba ['traβa] nf entrave f; (de rueda)
rayon m; **poner ~s a** mettre des bâtons
dans les roues à
trabajador, a [traβaxa'ðor, a] adj, nm/f
travailleur(-euse); **~ autónomo o por
cuenta propia** travailleur indépendant,
free-lance m/f
trabajar [traβa'xar] vt travailler;
(mercancía) faire; (intentar conseguir)
s'occuper de ■ vi travailler; **¡a ~!** au
travail!; **~ de** travailler comme
trabajo [tra'βaxo] nm travail m; (fig)
difficultés fpl; **tomarse el ~ de** se donner
la peine de; **~ por turnos/a destajo**
travail par roulement/à la pièce; **costar ~**
demander du travail; **~ a tiempo parcial**
travail à temps partiel; **~ de campo**
travaux mpl des champs; **~ en proceso**
(Com) travaux en cours; **~s forzados**
travaux forcés
trabajoso, -a [traβa'xoso, a] adj
laborieux(-ieuse)
trabalenguas [traβa'lengwas] nm inv
phrase f difficile à prononcer
trabar [tra'βar] vt joindre; (puerta)
coincer; (animal, proceso) entraver;
(agarrar) saisir; (salsa) lier; (amistad,
conversación) nouer; **trabarse** vpr
bafouiller; **se le traba la lengua** il
bafouille
tracción [trak'θjon] nf traction f;
~ delantera/trasera traction avant/
arrière
tractor [trak'tor] nm tracteur m
tradición [traði'θjon] nf tradition f
tradicional [traðiθjo'nal] adj
traditionnel(le)
traducción [traðuk'θjon] nf traduction
f; **~ asistida por ordenador** traduction
assistée par ordinateur, TAO f; **~ directa**
traduction directe; (Escol) version f
traducir [traðu'θir] vt traduire;
(interpretar) interpréter; **traducirse** vpr:
~se en (fig) se traduire par
traductor, a [traðuk'tor, a] nm/f
traducteur(-trice)

traer [tra'er] vt apporter; (llevar: ropa)
porter; (incluir) impliquer; (ocasionar)
apporter, causer; **traerse** vpr: **~se algo**
tramer qch; **~ a algn frito o de cabeza**
(fam) raser qn; **~ consigo** impliquer; **es
un problema que se las trae** c'est un
problème épineux; **~se algo entre
manos** manigancer o fabriquer qch
traficar [trafi'kar] vi: **~ con** faire du
trafic de
tráfico ['trafiko] nm (Auto) trafic m,
circulation f; (Com) commerce m; (: pey)
trafic; **~ de drogas** trafic de drogue;
~ de influencias trafic d'influences
tragaluz [traγa'luθ] nm vasistas msg
tragaperras [traγa'perras] nf inv
machine f à sous
tragar [tra'γar] vt avaler; (devorar)
dévorer; (suj: mar, tierra) engloutir;
tragarse vpr avaler; (devorar) dévorer;
(desprecio, insulto) ravaler; (discurso, rollo)
se farcir; **no le puedo ~** je ne peux pas le
sentir
tragedia [tra'xeðja] nf tragédie f
trágico, -a ['traxiko, a] adj tragique
trago ['traγo] nm gorgée f; (fam: bebida)
verre m; (desgracia) moment m difficile;
de un ~ d'un trait; **~ amargo** coup m dur
traición [trai'θjon] nf trahison f; **alta ~**
haute trahison; **a ~** en traître
traicionar [traiθjo'nar] vt trahir
traicionero, -a [traiθjo'nero, a] adj,
nm/f traître (traîtresse)
traidor, a [trai'ðor, a] adj, nm/f traître
(traîtresse)
traiga etc ['traiγa] vb ver **traer**
traje ['traxe] vb ver **traer** ■ nm (de hombre,
de época) costume m; **~ hecho a la medida**
costume sur mesure; **~ de baño** maillot
m de bain; **~ de buzo** combinaison f de
plongée; **~ de calle** tenue f de ville; **~ de
chaqueta** tailleur m; **~ de etiqueta** tenue
f de soirée; **~ de luces** habit m de lumière;
~ de noche robe f du soir; **~ de novia** robe
de mariée; **~ típico** costume
trajera etc [tra'xera] vb ver **traer**
trajín [tra'xin] nm agitation f; (fam)
va-et-vient m inv
trajinar [traxi'nar] vt transporter
■ vi s'affairer
trama ['trama] nf (de tejido) trame f;
(de obra) intrigue f; (intriga) machination f
tramar [tra'mar] vt tramer, ourdir;
tramarse vpr: **algo se está tramando** il
se trame qch
tramitar [trami'tar] vt (suj: departamento,
comisaría) s'occuper de; (: individuo) faire
des démarches pour obtenir

trámite ['tramite] nm démarche f;
  trámites nmpl (burocracia) formalités fpl;
  (Jur) mesures fpl
tramo ['tramo] nm (de tierra) bande f;
  (de escalera) volée f; (de vía) tronçon m
tramoya [tra'moja] nf (Teatro)
  machinerie f; (fig) machination f
tramoyista [tramo'jista] nm/f
  machiniste m; (fig) conspirateur(-trice)
trampa ['trampa] nf piège m; (en el suelo)
  trappe f; (en juego) tricherie f; (fam: deuda)
  dette f; **caer en la ~** tomber dans le piège;
  hacer ~s tricher
trampolín [trampo'lin] nm tremplin m
tramposo, -a [tram'poso, a] adj, nm/f
  tricheur(-euse)
tranca ['tranka] nf (palo) trique f; (de
  puerta, ventana) barre f; (fam: borrachera)
  cuite f; **a ~s y barrancas** avec maintes
  difficultés
trancar [tran'kar] vt barrer
trance ['tranθe] nm (crítico) moment m
  critique; (difícil) moment difficile; (estado
  hipnótico) transe f; **estar en ~ de muerte**
  être à l'article de la mort
tranquilidad [trankili'ðað] nf
  tranquillité f
tranquilizar [trankili'θar] vt
  tranquilliser
tranquilo, -a [tran'kilo, a] adj calme;
  (apacible) tranquille
Trans. abr = **transferencia**
trans... [trans] pref trans...; ver tb **tras...**
transacción [transak'θjon] nf
  transaction f
transbordador [transβorða'ðor] nm
  transbordeur m, bac m
transbordar [transβor'ðar] vt
  transborder ■ vi changer de train
transbordo [trans'βorðo] nm
  transbordement m; **hacer ~** changer
transcurrir [transku'rrir] vi (tiempo)
  passer; (hecho, reunión) se dérouler
transcurso [trans'kurso] nm (de tiempo)
  cours msg; (de hecho) déroulement m;
  en el ~ de 8 días en l'espace de 8 jours
transeúnte [transe'unte] adj de
  passage ■ nm/f passant(e)
transferencia [transfe'renθja] nf
  transfert m; (Com) virement m;
  ~ bancaria virement bancaire; **~ de
  crédito** virement; **~ electrónica de
  fondos** système m de virements
  informatique
transferir [transfe'rir] vt transférer;
  (dinero) virer
transformador [transforma'ðor] nm
  transformateur m

transformar [transfor'mar] vt
  transformer; **~ en** transformer en
tránsfuga ['transfuɣa] nm/f transfuge m
transfusión [transfu'sjon] nf (tb:
  transfusión de sangre) transfusion f
  (sanguine)
transgénico, -a [trans'xeniko, a] adj
  transgénique
transgredir [transɣre'ðir] vt
  transgresser
transición [transi'θjon] nf transition f;
  gobierno de ~ gouvernement m de
  transition; **período de ~** période f de
  transition; **~ democrática** transition
  démocratique
transigir [transi'xir] vi transiger
transistor [transis'tor] nm transistor m
transitar [transi'tar] vi: **~ (por)** circuler
  (sur)
tránsito ['transito] nm passage m;
  (Auto) transit m; **horas de máximo ~**
  heures fpl de pointe; **"se prohíbe el ~"**
  "circulation interdite"
transitorio, -a [transi'torjo, a] adj
  transitoire
transmisión [transmi'sjon] nf
  transmission f; (Radio, TV) diffusion f;
  correa/eje de ~ courroie f/axe m de
  transmission; **~ de datos (en paralelo/
  en serie) (Inform)** transmission de
  données (en parallèle/en série); **~ en
  circuito duplex** m; **~ en directo** diffusion
  en direct; **~ exterior** émission tournée en
  extérieur
transmitir [transmi'tir] vt transmettre;
  (aburrimiento, esperanza) communiquer;
  (Radio, TV) diffuser
transparencia [transpa'renθja] nf
  transparence f; (foto) transparent m
transparentar [transparen'tar] vt
  (figura) révéler; (alegría, tristeza)
  transparaître ■ vi être transparent(e);
  transparentarse vpr être
  transparent(e)
transparente [transpa'rente] adj
  transparent(e)
transpirar [transpi'rar] vi (sudar)
  transpirer; (exudar) exsuder
transportar [transpor'tar] vt
  transporter
transporte [trans'porte] nm transport
  m; **~ en contenedores** transport par
  conteneurs; **~ público** transport public
transversal [transβer'sal] adj
  transversal(e) ■ nf (tb: **calle
  transversal**) rue f transversale
tranvía [tram'bia] nm tramway m
trapecio [tra'peθjo] nm trapèze m

trapecista [trape'θista] *nm/f* trapéziste *m/f*

trapero, -a [tra'pero, a] *nm/f* chiffonnier(-ière)

trapicheos [trapi'tʃeos] (*fam*) *nmpl* stratagèmes *mpl*, machinations *fpl*

trapo ['trapo] *nm* chiffon *m*; (*de cocina*) torchon *m*; **trapos** (*fam: de mujer*) chiffons *mpl*; **a todo ~** à toute vitesse; **poner a algo como un ~** (*fam*) descendre qn en flammes; **sacar los ~s sucios a relucir** se dire ses quatre vérités

tráquea ['trakea] *nf* trachée *f*

traqueteo [trake'teo] *nm* cahot *m*.

tras [tras] *prep* (*detrás*) derrière; (*después*) après; **~ de** en plus de; **día ~ día** jour *m* après jour; **uno ~ otro** l'un après l'autre

tras... [tras] *pref* trans...; *ver tb* **trans...**

trasatlántico, -a [trasat'lantiko, a] *adj, nm* transatlantique *m*

trascendencia [trasθen'denθja] *nf* importance *f*; (*Filos*) transcendance *f*

trascendental [trasθenden'tal] *adj* capital(e)

trascender [trasθen'der] *vi* (*noticias*) filtrer, transpirer; (*olor*) embaumer; (*acontecimientos*) avoir des répercussions; **~ de** dépasser; **~ a** (*sugerir*) évoquer; (*oler a*) sentir; **en su novela todo trasciende a romanticismo** dans son roman tout évoque le romantisme

trasero, -a [tra'sero, a] *adj* arrière
■ *nm* (*Anat*) postérieur *m*

trasfondo [tras'fondo] *nm* fond *m*

trashumante [trasu'mante] *adj* transhumant(e)

trasladar [trasla'ðar] *vt* déplacer; (*empleado, prisionero*) transférer; (*fecha*) reporter; **trasladarse** *vpr* (*mudarse*) déménager; (*desplazarse*) se déplacer; **~se a otro puesto** changer d'emploi

traslado [tras'laðo] *nm* déplacement *m*; (*mudanza*) déménagement *m*; (*de empleado, prisionero*) transfert *m*; (*copia, Jur*) notification *f*; **~ de bloque** (*Inform*) déplacement de bloc

traslucir [traslu'θir] *vt* laisser entrevoir; **traslucirse** *vpr* (*cristal*) être translucide; (*figura, color*) se voir au travers; (*fig*) apparaître, se révéler

trasluz [tras'luθ] *nm* lumière *f* tamisée; **al ~** à la lumière

trasnochar [trasno'tʃar] *vi* se coucher tard; (*no dormir*) passer une nuit blanche

traspapelar [traspape'lar] *vt* égarer

traspasar [traspa'sar] *vt* transpercer; (*propiedad, derechos*) céder; (*empleado, jugador*) transférer; (*límites*) dépasser; (*ley*) transgresser; **"traspaso negocio"** "bail à céder"

traspaso [tras'paso] *nm* (*de negocio, jugador*) cession *f*, vente *f*; (*precio*) montant *m*

traspié [tras'pje] *nm* faux pas *msg*; (*fig*) faux pas, gaffe *f*

trasplantar [trasplan'tar] *vt* transplanter

trasplante [tras'plante] *nm* transplant *m*

traste ['traste] *nm* (*Mús*) touche *f*; **dar al ~ con algo** en finir avec qch; **irse al ~** tourner court

trastero [tras'tero] *nm* débarras *msg*

trastienda [tras'tjenda] *nf* arrière-boutique *f*; **obtener algo por la ~** obtenir qch en sous-main

trasto ['trasto] *nm* vieillerie *f*; (*pey: cosa*) saleté *f*; (*: persona*) propre *m* à rien; **trastos** *nmpl* (*fam*) attirail *msg*; **tirarse los ~s a la cabeza** se battre comme des chiffonniers

trastornado, -a [trastor'naðo, a] *adj* (*loco*) détraqué(e); (*agitado*) turbulent(e)

trastornar [trastor'nar] *vt* déranger; (*persona*) troubler; (*: enamorar*) envoûter; (*: enloquecer*) rendre fou (folle); **trastornarse** *vpr* (*plan*) échouer; (*persona*) devenir fou (folle)

trastorno [tras'torno] *nm* dérangement *m*; (*confusión*) désordre *m*; (*Pol, Med*) trouble *m*; **~ estomacal** trouble gastrique; **~ mental** trouble mental

tratado [tra'taðo] *nm* traité *m*

tratamiento [trata'mjento] *nm* traitement *m*; (*título*) titre *m*; (*de problema*) manière *f* de traiter; **~ de datos/de gráficos/de textos** (*Inform*) traitement des données/des graphiques/de texte; **~ de márgenes** positionnement *m* des marges; **~ por lotes** (*Inform*) traitement par lots

tratar [tra'tar] *vt* traiter; (*dirigirse a*) adresser; (*tener contacto*) fréquenter ■ *vi*: **~ de** (*hablar sobre*) traiter de; (*intentar*) essayer de; **tratarse** *vpr*: **~se de** s'agir de; **~ con** traiter avec; **~ en** (*Com*) être négociant en; **se trata de la nueva piscina** c'est à propos de la nouvelle piscine; **¿de qué se trata?** de quoi s'agit-il?; **~ a algn de tú** tutoyer qn; **~ a algn de tonto** traiter qn d'idiot

trato ['trato] *nm* traitement *m*; (*relaciones*) rapport *m*; (*manera de ser*) manières *fpl*; (*Com, Jur*) marché *m*; (*pacto*) traité *m*; (*título*) titre *m*; **de ~ agradable** agréable, charmant(e); **de fácil ~** d'abord facile; **~ equitativo** traitement égal; **¡~ hecho!** marché conclu!; **hacer un ~** faire un marché; **malos ~s** mauvais traitements

trauma ['trauma] *nm* trauma *m*

través [tra'βes] *nm*: **al ~** en travers; **a ~ de** à travers, en travers de; *(radio, teléfono, organismo)* par, par l'intermédiaire de; **de ~** *(transversalmente)* de travers; *(de lado)* en o de biais

travesaño [traβe'saɲo] *nm* (*Arq*) traverse *f*; *(Deporte)* barre *f* transversale

travesía [traβe'sia] *nf* (*calle*) passage *m*; (*Náut*) traversée *f*

travesura [traβe'sura] *nf* diablerie *f*

traviesa [tra'βjesa] *nf* (*Ferro*) traverse *f*

travieso, -a [tra'βjeso, a] *adj* (*niño*) espiègle, polisson(ne); (*adulto*) espiègle; (*pícaro*) malin(-igne); (*ingenioso*) astucieux(-euse); **a campo traviesa** à travers champs

trayecto [tra'jekto] *nm* trajet *m*, chemin *m*; (*tramo*) section *f*; **final del ~** terminus *msg*

trayectoria [trajek'torja] *nf* trajectoire *f*; **la ~ actual del partido** la ligne actuelle du parti

traza ['traθa] *nf* (*Arq*) tracé *m*, plan *m*; (*aspecto*) allure *f*; (*habilidad*) facilité *f*; (*Inform*) trace *f*; **llevar ~s de algo** avoir l'air de qch; **por las ~s** apparemment

trazado [tra'θaðo, a] *nm* (*Arq*) plan *m*; (*fig*) grandes lignes *fpl*; (*de carretera*) tracé *m*

trazar [tra'θar] *vt* tracer; (*plan*) tirer

trazo ['traθo] *nm* (*línea*) trait *m*; (*bosquejo*) ébauche *f*; **trazos** *nmpl* (*de cara*) traits *mpl*

trébol ['treβol] *nm* trèfle *m*; **tréboles** *nmpl* (*Naipes*) trèfles *mpl*

trece ['treθe] *adj inv, nm inv* treize *m inv*; **seguir en sus ~** s'obstiner; *ver tb* **seis**

trecho ['tretʃo] *nm* (*distancia*) distance *f*; (*de tiempo*) moment *m*; **de ~ en ~** de temps en temps; **a ~s** çà et là

tregua ['treɣwa] *nf* trêve *f*; **sin ~** sans répit

treinta ['treinta] *adj inv, nm inv* trente *m inv*; *ver tb* **sesenta**

tremendo, -a [tre'mendo, a] *adj* (*terrible*) impressionnant(e); (*imponente*) terrible, impressionnant(e); (*fam*) terrible; **tomarse las cosas a la tremenda** prendre les choses au tragique

trémulo, -a ['tremulo, a] *adj* tremblant(e); (*luz*) vacillant(e)

tren [tren] *nm* train *m*; **a todo ~** à grands frais; **estar como un ~** (*fam*) être canon; **~ de aterrizaje** train d'atterrissage;

~ directo/expreso/suplementario train direct/(train) express *m*/train à supplément; **~ (de) mercancías/de pasajeros** train de marchandises/de voyageurs; **~ de vida** train de vie

trenza ['trenθa] *nf* tresse *f*

trenzar [tren'θar] *vt* tresser ■ *vi* (*en baile*) faire des entrechats; **trenzarse** *vpr* (*AM: fam*) se mêler à une querelle

trepador, a [trepa'ðor, a] *adj* (*planta*) grimpant(e) ■ *nm/f* arriviste *m/f* ■ *nf* (*planta*) plante *f* grimpante

trepar [tre'par] *vi* grimper

trepidante [trepi'ðante] *adj* trépidant(e); (*ruido*) accablant(e)

tres [tres] *adj inv, nm inv* trois *m inv*; *ver tb* **seis**

trescientos, -as [tres'θjentos, as] *adj* trois cents; *ver tb* **seiscientos**

tresillo [tre'siλo] *nm* salon *m* (comprenant un canapé et deux fauteuils); (*Mús*) triolet *m*

treta ['treta] *nf* machination *f*

triángulo [tri'angulo] *nm* triangle *m*

tribal [tri'βal] *adj* tribal(e)

tribu ['triβu] *nf* tribu *f*

tribuna [tri'βuna] *nf* tribune *f*; **~ de prensa** tribune de la presse

tribunal [triβu'nal] *nm* (*Jur*) tribunal *m*; (*Escol, fig*) jury *m*; **T~ Constitucional** Cour constitutionnelle; **T~ de Cuentas** = Cour *f* des comptes; **T~ de Justicia de las Comunidades Europeas** Cour de justice européenne; **T~ Supremo** Cour suprême; **T~ Tutelar de Menores** Tribunal pour enfants

tributar [triβu'tar] *vt* payer; (*cariño, admiración*) témoigner

tributo [tri'βuto] *nm* tribut *m*, impôt *m*

tricotar [triko'tar] *vt, vi* tricoter

trigal [tri'ɣal] *nm* champ *m* de blé

trigo ['triɣo] *nm* blé *m*; **no es ~ limpio** il est louche

trigueño, -a [tri'ɣeɲo, a] *adj* (*pelo*) châtain-clair *inv*; (*piel*) basané(e)

trillado, -a [tri'λaðo, a] *adj* (*Agr*) battu(e); (*fig*) rebattu(e)

trilladora [triλa'ðora] *nf* batteuse *f*

trillar [tri'λar] *vt* battre

trimestral [trimes'tral] *adj* trimestriel(le)

trimestre [tri'mestre] *nm* trimestre *m*

trinar [tri'nar] *vi* (*ave*) gazouiller; **está que trina** (*fam*) il est furieux

trinchar [trin'tʃar] *vt* découper

trinchera [trin'tʃera] *nf* (*Mil*) tranchée *f*; (*para vía*) percée *f*; (*impermeable*) trench-coat *m*

trineo [tri'neo] *nm* traîneau *m*

trinidad [trini'ðað] nf: **la T~** la Trinité

trino ['trino] nm gazouillement m

tripa ['tripa] nf (Anat) intestin m; (fam) tripe f; (: embarazo) ventre m; **tripas** nfpl (Anat) intestins mpl; (Culin, fig) tripes fpl; **echar/tener ~** prendre/avoir du ventre; **me duele la ~** j'ai mal au ventre; **hacer de ~s corazón** prendre son courage à deux mains

triple ['triple] adj, nm triple

triplicado, -a [tripli'kaðo, a] adj: **por ~** en trois exemplaires

tripulación [tripula'θjon] nf équipage m

tripulante [tripu'lante] nm/f membre m de l'équipage

tripular [tripu'lar] vt former l'équipage de; **nave espacial tripulada** vaisseau m spatial habité

tris [tris] nm: **estar en un ~ de hacer algo** être sur le point de faire qch

triste ['triste] adj triste; (paisaje) morne; (color, flores) flétri(e); **no queda ni un ~ pañuelo** il ne reste même pas un mouchoir

tristeza [tris'teθa] nf tristesse f

triturar [tritu'rar] vt triturer, broyer; (mascar) mâcher; (documentos) déchiqueter; (persona: golpear) pulvériser; (: humillar) anéantir

triunfar [triun'far] vi triompher, gagner; **~ en la vida** réussir dans la vie

triunfo [tri'unfo] nm triomphe m; (Naipes) atout m

trivial [tri'βjal] adj banal(e), sans importance

trivializar [triβjali'θar] vt minimiser, banaliser

triza ['triθa] nf morceau m, lambeau m; **hacer algo ~s** réduire qch en miettes; **hacer ~s a algn** (golpear) démolir qn; (humillar) écraser qn

trocar [tro'kar] vt (Com) troquer; (papel, posición) changer; (palabras) échanger; **trocarse** vpr se changer; **~ (en)** changer (en); **~se (en)** se changer (en)

trocear [troθe'ar] vt couper en morceaux

trocha ['trotʃa] (AM) nf sentier m

troche ['trotʃe]: **a ~ y moche** adv à tort et à travers

trofeo [tro'feo] nm trophée m; (botín) butin m; **~ de caza** trophée de chasse

tromba ['tromba] nf trombe f; **~ de agua** trombe d'eau

trombón [trom'bon] nm trombone m

trombosis [trom'bosis] nf inv thrombose f; **~ cerebral** thrombose cérébrale

trompa ['trompa] nf (Mús) cor m; (de elefante, insecto, fam) trompe f ◼ nm (Mús) joueur m de cor; **estar ~** (fam) être pompette; **cogerse una ~** (fam) prendre une cuite; **~ de Falopio** trompe de Fallope

trompada [trom'paða] nf, **trompazo** [trom'paθo] nm coup m; (puñetazo) coup de poing; **darse un ~** se donner un coup

trompeta [trom'peta] nf trompette f; (clarín) clairon m ◼ nm/f trompettiste m/f

trompicón [trompi'kon]: **a trompicones** adv par à-coups

trompo ['trompo] nm toupie f

tronar [tro'nar] vt (Cam, Méx: fam) tuer ◼ vi (Meteorología) tonner

tronchar [tron'tʃar] vt (árbol) abattre; (vida, esperanza) briser, détruire; **troncharse** vpr se fendre, tomber; **~se de risa** se tordre de rire

tronco ['tronko] nm tronc m; (de familia) lignée f; **dormir/estar como un ~** dormir comme une souche

trono ['trono] nm trône m

tropa ['tropa] nf troupe f; (gentío) foule f

tropel [tro'pel] nm (desorden) cohue f; (montón) amoncellement m; **en ~** en se bousculant

tropezar [trope'θar] vi trébucher; **tropezarse** vpr se rencontrer; **~ con** (fig) tomber sur

tropezón [trope'θon] nm faux pas msg; **tropezones** nmpl (Culin) morceaux mpl de viande; **darse un ~** trébucher

tropical [tropi'kal] adj tropical(e)

trópico ['tropiko] nm tropique m

tropiezo [tro'pjeθo] vb ver **tropezar** ◼ nm (error) erreur f, bévue f; (revés) revers msg; (obstáculo) difficulté f; (desliz) erreur

trotamundos [trota'mundos] (fam) nm/f inv globe-trotter m/f

trotar [tro'tar] vi trotter; (fam: viajar) voyager

trote ['trote] nm trot m; (fam) activité f; **hacer algo al ~** faire qch à toute vitesse; **de mucho ~** solide, résistant(e); **ya no está para esos ~s** ce n'est plus pour lui

trozo ['troθo] nm morceau m; **a ~s** par endroits

trucha ['trutʃa] nf truite f

truco ['truko] nm truc m; (Cine) trucage m; **ya le he cogido el ~** j'ai trouvé le truc; **~ publicitario** astuce f promotionnelle

trueno ['trweno] vb ver **tronar** ◼ nm tonnerre m; (estampido) détonation f

trueque ['trweke] vb ver **trocar** ■ nm
échange m; (Com) troc m

trufa ['trufa] nf truffe f

truhán, -ana [tru'an, ana] nm/f
truand(e)

truncar [trun'kar] vt tronquer; (vida)
abréger; (desarrollo) retarder;
(esperanzas) briser

tu [tu] adj ton (ta); **tus hijos** tes enfants

tú [tu] pron tu

tubérculo [tu'βerkulo] nm tubercule m

tuberculosis [tuβerku'losis] nf
tuberculose f

tubería [tuβe'ria] nf tuyau m; (sistema)
tuyauterie f; (oleoducto etc) conduite f

tubo ['tuβo] nm tube m; (de desagüe)
tuyau m; **~ de ensayo** éprouvette f, tube
à essai; **~ de escape** pot m
d'échappement; **~ digestivo** tube
digestif

tuerca ['twerka] nf écrou m

tuerto, -a ['twerto, a] adj, nm/f
borgne m/f

tuerza etc ['twerθa] vb ver **torcer**

tuétano ['twetano] nm moelle f;
hasta los ~s jusqu'à la moelle

tufo ['tufo] (pey) nm relent m

tul [tul] nm tulle m

tulipán [tuli'pan] nm tulipe f

tullido, -a [tu'ʎiðo, a] adj estropié(e)

tumba ['tumba] nf tombe f; **ser (como)
una ~** être muet(te) comme une tombe

tumbar [tum'bar] vt (extender en el suelo)
allonger; (derribar) renverser; (fam: suj:
olor) empester; (: en examen) recaler,
coller; (: en competición) battre ■ vi
tomber par terre; **tumbarse** vpr
s'allonger; (extenderse) s'étendre

tumbo ['tumbo] nm chute f; (de vehículo)
cahot m; **ir dando ~s** avancer par
à-coups

tumbona [tum'bona] nf chaise f longue

tumor [tu'mor] nm tumeur f

tumulto [tu'multo] nm tumulte m;
(Pol) émeute f, troubles mpl

tuna ['tuna] nf petit orchestre m
d'étudiants; ver tb **tuno**

● **TUNA**
●
● Une tuna est un groupe musical
● constitué d'étudiants ou d'anciens
● étudiants qui portent les costumes
● de l'"Edad de Oro", l'âge d'or espagnol.
● Ces groupes se promènent dans les
● rues en jouant de la guitare, du luth et
● du tambourin. Ils chantent des
● sérénades aux étudiantes dans les

● résidences universitaires et font des
● apparitions improvisées dans les
● mariages et les soirées, où pour
● quelques centimes d'euro, ils chantent
● des airs traditionnels espagnols.

tunante [tu'nante] adj coquin(e) ■ nm/f
coquin(e), garnement m; **¡~!** garnement!,
vilain(e)!

tunda ['tunda] nf raclée f

túnel ['tunel] nm tunnel m

Túnez ['tuneθ] n Tunis

tuno, -a ['tuno, a] nm/f membre m d'un
orchestre d'étudiants

tupido, -a [tu'piðo, a] adj (niebla, bosque)
épais(se); (tela) serré(e)

turba ['turβa] nf (muchedumbre) foule f;
(combustible) tourbe f

turbar [tur'βar] vt (paz, sueño) troubler;
(preocupar) inquiéter, troubler; (: azorar)
gêner; **turbarse** vpr être gêné(e)

turbina [tur'βina] nf turbine f

turbio, -a ['turβjo, a] adj, adv trouble

turbulencia [turβu'lenθja] nf agitation
f; (fig) turbulence f, agitation

turbulento, -a [turβu'lento, a] adj
agité(e); (fig) agité(e), turbulent(e)

turco, -a ['turko, a] adj turc (turque)
■ nm/f Turc (Turque); (And, Csur: pey)
terme péjoratif qui désigne tout immigré du
Moyen-Orient ■ nm (Ling) turc m

turismo [tu'rismo] nm tourisme m;
(coche) voiture f (particulière); **hacer ~**
faire du tourisme; **~ rural** tourisme rural;
casas de ~ rural gîtes mpl ruraux

turista [tu'rista] nm/f touriste m/f

turístico, -a [tu'ristiko, a] adj
touristique

turnar [tur'nar] vi alterner; **turnarse**
vpr se relever

turno ['turno] nm tour m; **es su ~** c'est à
son tour; **por ~s** par équipes; **~ de día/
de noche** équipe f de jour/de nuit

turquesa [tur'kesa] adj, nf turquoise f

Turquía [tur'kia] nf Turquie f

turrón [tu'rron] nm touron m (sorte de
nougat)

● **TURRÓN**
●
● Le turrón est une sorte de nougat,
● d'origine orientale, fait avec du miel,
● des blancs d'œufs et des noisettes. On
● le consomme pendant la période de
● Noël. Il peut être dur et contenir des
● amandes entières (Alicante), ou
● tendre, à base d'amandes pilées
● (Jijona).

tutear [tute'ar] *vt* tutoyer; **tutearse** *vpr* se tutoyer
tutela [tu'tela] *nf* tutelle *f*; **estar bajo la ~ de** (*fig*) être sous la tutelle de
tutelar [tute'lar] *adj* tutélaire ■ *vt* avoir la tutelle de
tutor, a [tu'tor, a] *nm/f* tuteur(-trice); (*Escol*) professeur *m* particulier; **~ de curso** directeur(-trice) d'études
tuve *etc* ['tuβe] *vb ver* **tener**
tuyo, -a ['tujo, a] *adj* ton (ta) ■ *pron*: **el ~/la tuya** le tien/la tienne; **es ~** c'est à toi; **los ~s** (*fam*) les tiens
TV *sigla f* = *televisión*
TVE *sigla f* = *Televisión Española*

u [u] *conj* ou
u. *abr* (= *unidad*) U, u (= *unité*)
ubicar [uβi'kar] (*esp AM*) *vt* situer; (*encontrar*) trouver; **ubicarse** *vpr* se trouver
ubre ['uβre] *nf* mamelle *f*
Ud(s) *abr* (= *usted(es)*) *ver* **usted**
UE *sigla f* (= *Unión Europea*) UE *f*
ufano, -a [u'fano, a] *adj* (*arrogante*) suffisant(e); (*satisfecho*) satisfait(e)
UGT *sigla f* (= *Unión General de Trabajadores*) syndicat
ujier [u'xjer] *nm* (*Jur*) huissier *m*; (*portero*) portier *m*
úlcera ['ulθera] *nf* ulcère *m*
ulcerar [ulθe'rar] *vt* ulcérer; **ulcerarse** *vpr* s'irriter
últimamente ['ultimamente] *adv* dernièrement
ultimar [ulti'mar] *vt* finaliser; (*preparativos*) mettre la dernière main à; (*AM: asesinar*) abattre
ultimátum [ulti'matum] (*pl* **~s**) *nm* ultimatum *m*
último, -a ['ultimo, a] *adj* dernier(-ière) ■ *adv*: **ahora ~** (*Chi*) récemment; **a la última** (*en moda*) à la dernière mode; (*en conocimientos*) au goût du jour; **a ~s de mes** en fin de mois; **el ~** le dernier; **en las**

últimas (*enfermo*) à l'article de la mort;
(*sin dinero, provisiones*) démuni(e); **este ~**
ce dernier; **por ~** enfin, en dernier lieu
ultra ['ultra] *adj, nm/f* (*Pol*) ultra *m/f*
ultrajar [ultra'xar] *vt* outrager
ultraje [ul'traxe] *nm* outrage *m*
ultramar [ultra'mar] *nm*: **de ~** d'outre-
mer; **los países de ~** les pays d'outre-mer
ultranza [ul'tranθa]: **a ~** *adv* à outrance
ultrasónico, -a [ultra'soniko, a] *adj*
hypersonique
ultratumba [ultra'tumba] *nf* outre-
tombe *f*
ultravioleta [ultraβjo'leta] *adj inv*
ultraviolet(te), ultra-violet(te)
umbral [um'bral] *nm* seuil *m*; **~ de
rentabilidad** seuil de rentabilité

 PALABRA CLAVE

un, una [un, 'una] *art indef* **1** (*sg*) un(e);
una naranja une orange; **un arma
blanca** une arme blanche
2 (*pl*) des; **hay unos regalos para ti** il y
a des cadeaux pour toi; **hay unas
cervezas en la nevera** il y a des bières
dans le frigo
3 (*enfático*): **¡hace un frío!** il fait un de ces
froids!; **¡tiene una casa!** il a une de ces
maisons!; *ver tb* **uno**

unánime [u'nanime] *adj* unanime
unanimidad [unanimi'ðað] *nf*
unanimité *f*; **por ~** à l'unanimité
undécimo, -a [un'deθimo, a] *adj, nm/f*
onzième *m/f*
ungir [un'xir] *vt* oindre
ungüento [un'gwento] *nm* onguent *m*
únicamente ['unikamente] *adv*
uniquement
único, -a ['uniko, a] *adj* unique
unidad [uni'ðað] *nf* unité *f*; **~ central (de
proceso)/de control** unité centrale (de
traitement)/de commande; **~ de
cuidados intensivos** unité *f* de soins
intensifs; **~ de disco** lecteur *m* de disque;
~ de entrada/de salida unité
périphérique d'entrée/de sortie; **~ de
información** donnée *f*, écran *m* de
visualisation; **~ monetaria** unité
monétaire; **~ móvil** (*TV*) unité mobile;
~ periférica unité périphérique
unido, -a [u'niðo, a] *adj* uni(e)
unificar [unifi'kar] *vt* unifier
uniformar [unifor'mar] *vt* uniformiser;
(*personal*) mettre en uniforme
uniforme [uni'forme] *adj* uniforme;
(*color*) uni(e) ■ *nm* uniforme *m*

uniformidad [uniformi'ðað] *nf*
uniformité *f*
unilateral [unilate'ral] *adj* unilatéral(e)
unión [u'njon] *nf* union *f*; (*Tec*) jointure *f*;
en ~ así que; la U~ Soviética l'Union
Soviétique; **punto de ~** (*Tec*) jointure;
~ aduanera union douanière;
U~ Europea Union *f* européenne;
U~ General de Trabajadores (*Esp*)
syndicat; **~ monetaria** union monétaire
unir [u'nir] *vt* (*piezas*) assembler;
(*cuerdas*) nouer; (*tierras, habitaciones*)
relier; (*esfuerzos, familia*) unir; (*empresas*)
fusionner; **unirse** *vpr* (*personas*) s'unir;
(*empresas*) fusionner; **~se a** se joindre à;
les une una fuerte amistad ils
éprouvent beaucoup d'amitié l'un pour
l'autre; **~se en matrimonio** s'unir par les
liens du mariage
unísono [u'nisono] *nm*: **al ~** à l'unisson
universal [uniβer'sal] *adj* universel(le)
universidad [uniβersi'ðað] *nf*
université *f*; **~ a distancia** enseignement
m à distance; **~ laboral** ≈ Institut *m*
universitaire de technologie
universitario, -a [uniβersi'tarjo, a] *adj*
universitaire ■ *nm/f* étudiant(e)
universo [uni'βerso] *nm* univers *msg*

 PALABRA CLAVE

uno, -a ['uno, a] *adj* un(e); **es todo uno**
ça ne fait qu'un; **unos pocos** quelques-
uns; **unos cien** une centaine; **el día uno**
le premier
■ *pron* **1** un(e); **quiero uno solo** je m'en
veux qu'un; **uno de ellos** l'un d'eux; **uno
mismo** soi-même; **de uno en uno** un à un
2 (*alguien*) quelqu'un; **conozco a uno
que se te parece** je connais quelqu'un qui
te ressemble; **unos querían quedarse**
quelques-uns voulaient rester
3: **(los) unos ... (los) otros ...** certains *o*
les uns ... les autres *o* d'autres; **se
miraron el uno al otro** il se sont regardés
l'un l'autre; **se pegan unos a otros** ils se
battent entre eux
4 (*impersonal*): **uno se lo imagina** on se
l'imagine
5 (*enfático*): **¡se montó una ...!** il y a eu
une de ces pagailles!
■ *nf* (*hora*): **es la una** il est une heure
■ *nm* (*número*) un *m*; **el uno de abril** le
premier avril

untar [un'tar] *vt* (*con aceite, pomada*)
enduire; (*en salsa, café*) tremper;
(*manchar*) tacher; (*fig, fam*) graisser la

patte à; **untarse** vpr (mancharse) se tacher; (fig, fam: forrarse) s'en mettre plein les poches; **~ el pan con mantequilla** étaler du beurre sur son pain

uña ['uɲa] nf (Anat) ongle m; (de felino) griffe f; (de caballo) sabot m; (arrancaclavos) arrache-clou m; **ser o carne** s'entendre comme larrons en foire; **enseñar o mostrar o sacar las ~s** montrer o sortir ses griffes

uranio [u'ranjo] nm uranium m

urbanidad [urβani'ðað] nf courtoisie f

urbanismo [urβa'nismo] nm urbanisme m

urbanización [urβaniθa'θjon] nf lotissement m

urbanizar [urβani'θar] vt urbaniser

urbano, -a [ur'βano, a] adj urbain(e)

urbe ['urβe] nf grande ville f

urdimbre [ur'ðimbre] nf (de tejido) chaîne f

urdir [ur'ðir] vt ourdir

urgencia [ur'xenθja] nf urgence f; **urgencias** nfpl (Med) urgences fpl; **con ~** d'urgence; **en caso de ~** en cas d'urgence; **servicios de ~** services mpl d'urgence

urgente [ur'xente] adj urgent(e)

urgir [ur'xir] vi être urgent(e); **me urge** j'en ai besoin rapidement; **me urge terminarlo** il faut que je termine le plus vite possible

urinario, -a [uri'narjo, a] adj urinaire ■ nm urinoir m

urna ['urna] nf (tb Pol) urne f; (de cristal) vitrine f; **acudir a las ~s** (votantes) aller aux urnes

urraca [u'rraka] nf pie f

Uruguay [uru'ɣwai] nm Uruguay m

uruguayo, -a [uru'ɣwajo, a] adj uruguayen(ne) ■ nm/f Uruguayen(ne)

usado, -a [u'saðo, a] adj usagé(e); (ropa etc) usé(e), usagé(e); **muy ~** usé(e) jusqu'à la trame

usar [u'sar] vt utiliser; (ropa) porter; (derecho etc) user de ■ vi: **~ de** user de; **usarse** vpr s'utiliser

USO ['uso] (Esp) sigla f (= Unión Sindical Obrera) syndicat

uso ['uso] nm usage m; (aplicación: de objeto, herramienta) utilisation f; **al ~ de la época** dans le style de l'époque; **de ~ externo** (Med) à usage externe; **(estar) en ~** (être) en usage; **hacer ~ de la palabra** faire usage de la parole; **~ y desgaste** usure f

usted [us'teð] pron (sg: abr Ud (esp AM) o Vd: formal) vous; **~es** (pl: abr Uds (esp AM)

o Vds: formal) vous; (AM: formal y fam) vous; **tratar o llamar de ~ a algn** vouvoyer qn

usual [u'swal] adj habituel(-le)

usuario, -a [u'swarjo, a] nm/f usager m; (Inform) utilisateur(-trice); **~ final** (Com) utilisateur(-trice) final(e)

usura [u'sura] (pey) nf usure f

usurero, -a [usu'rero, a] nm/f usurier(-ère)

usurpar [usur'par] vt usurper

utensilio [uten'siljo] nm instrument m; (de cocina) ustensile m

útero ['utero] nm utérus msg

útil ['util] adj utile; **útiles** nmpl outils mpl; **día ~** jour m ouvrable

utilidad [utili'ðað] nf utilité f; (provecho) avantage m; (Com) bénéfice m; **~es líquidas** bénéfice msg net

utilizar [utili'θar] vt utiliser

utopía [uto'pia] nf utopie f

utópico, -a [u'topiko, a] adj utopique

uva ['uβa] nf raisin m; **estar de mala ~** être de mauvais poil; **tener mala ~** avoir un sale caractère; **~ pasa** raisin sec

⬤ **UVA**

En Espagne la tradition de las uvas joue un rôle important à la Saint-Sylvestre (Nochevieja) : à minuit, chaque Espagnol, qu'il se trouve chez lui, dans un restaurant ou sur la plaza mayor, mange un grain de raisin pour chaque coup de l'horloge de la Puerta del Sol, à Madrid. Cette tradition est censée porter bonheur pour toute l'année suivante.

V

V. *abr* = **usted**; (= *Visto*) vu

v. *abr* (*Elec*: = *voltio*) V (= *volt*); (= *ver, véase*) v. (= *voir*); (*Lit*: = *verso*) v[o] (= *verso*)

va [ba] *vb ver* **ir**

V.A. *abr* = *Vuestra Alteza*

vaca ['baka] *nf* vache *f*; (*carne*) bœuf *m*; **~s flacas/gordas** (*fig*) vaches *fpl* maigres/grasses

vacaciones [baka'θjones] *nfpl* vacances *fpl*; **estar/irse** *o* **marcharse de ~** être/partir en vacances

vacante [ba'kante] *adj* vacant(e) ■ *nf* poste *m* vacant

vaciar [ba'θjar] *vt* vider; (*dejar hueco*) évider; (*Arte*) mouler; **vaciarse** *vpr* se vider; (*fig, fam*) se défouler

vacilante [baθi'lante] *adj* vacillant(e); (*dudoso*) hésitant(e)

vacilar [baθi'lar] *vt* (*fam*) faire marcher ■ *vi* hésiter; (*mueble, lámpara*) chanceler; (*luz, persona*) vaciller; (*fam: bromear*) plaisanter

vacío, -a [ba'θio, a] *adj* vide; (*puesto*) libre ■ *nm* vide *m*; **envasado al ~** emballé sous vide; **hacer el ~ a algn** mettre qn en quarantaine; **(volver) de ~** (*sin carga*) (revenir) à vide; (*sin resultados*) (revenir) les mains vides

vacuna [ba'kuna] *nf* vaccin *m*

vacunar [baku'nar] *vt* vacciner; **vacunarse** *vpr* se faire vacciner

vacuno, -a [ba'kuno, a] *adj* bovin(e)

vacuo, -a ['bakwo, a] *adj* vide

vadear [baðe'ar] *vt* passer à gué; (*problema*) surmonter

vado ['baðo] *nm* gué *m*; **"~ permanente"** (*Auto*) ≈ "sortie *f* de véhicules"

vagabundo, -a [baɣa'βundo, a] *adj* vagabond(e); (*perro*) errant(e) ■ *nm/f* vagabond(e)

vagamente ['baɣamente] *adv* vaguement

vagancia [ba'ɣanθja] *nf* paresse *f*

vagar [ba'ɣar] *vi* errer, vagabonder

vagina [ba'xina] *nf* vagin *m*

vago, -a ['baɣo, a] *adj* vague; (*perezoso*) fainéant(e) ■ *nm/f* fainéant(e)

vagón [ba'ɣon] *nm* wagon *m*; **~ cama/restaurante** wagon-lit *m*/wagon-restaurant *m*

vaguedad [baɣe'ðað] *nf* vague *m*, manque *m* de précision; **vaguedades** *nfpl*: **decir ~es** rester dans le vague

vaho ['bao] *nm* vapeur *f*; (*aliento*) buée *f*; **vahos** *nmpl* (*Med*) inhalations *fpl*

vaina ['baina] *nf* (*de espada*) fourreau *m*; (*de guisantes, judías*) cosse *f*; (*AM: fam*) embêtement *m*

vainilla [bai'niʎa] *nf* vanille *f*

vainita [bai'nita] (*AM*) *nf* haricot *m* vert

vais [bais] *vb ver* **ir**

vaivén [bai'βen] *nm* va-et-vient *m inv*; **vaivenes** *nmpl* (*fig: de la vida*) vicissitudes *fpl*

vajilla [ba'xiʎa] *nf* vaisselle *f*; **una ~** un service; **~ de porcelana** service *m* en porcelaine

val *etc* [bal]. **valdré** *etc* [bal'dre] *vb ver* **valer**

vale ['bale] *nm* bon *m*; (*recibo*) reçu *m*; (*pagaré*) billet *m* à ordre; (*Ven: fam*) copain (copine); **~ de regalo** chèque-cadeau *m*

valedero, -a [bale'ðero, a] *adj* valable

valenciano, -a [balen'θjano, a] *adj* valencien(ne) ■ *nm/f* Valencien(ne) ■ *nm* (*Ling*) valencien *m*

valentía [balen'tia] *nf* bravoure *f*; (*proeza*) acte *m* de bravoure

valer [ba'ler] *vt* valoir ■ *vi* servir; (*ser válido*) être valable; (*estar permitido*) être permis(e); (*tener mérito*) avoir du mérite ■ *nm* valeur *f*; **valerse** *vpr*: **~se de** (*hacer valer*) faire valoir; (*servirse de*) se servir de; **~ la pena** valoir la peine; **~ (para)** servir (à); **¿vale?** d'accord?, ça va?; **¡vale!** d'accord!; (*¡basta!*) ça suffit!; **más vale (hacer/que)** mieux vaut (faire/que); **¡eso no vale!** ce n'est pas permis!; **no vale nada** ça ne vaut rien; **no vale para nada** ça ne sert à rien; *(persona)* il (elle) n'est bon(ne) à rien; **me vale madre** o **sombrilla** *(Méx: fam)* je m'en fous pas mal; **(poder) ~se por sí mismo** (pouvoir) se débrouiller tout seul

valga *etc* ['balɣa] *vb ver* **valer**

valía [ba'lia] *nf* valeur *f*; **de gran ~** de grande valeur

validez [bali'ðeθ] *nf* validité *f*; **dar ~ a algo** prouver la justesse de qch

válido, -a ['baliðo, a] *adj* valable; *(Deporte)* valide

valiente [ba'ljente] *adj (soldado)* brave, courageux(-euse); *(niño, decisión)* courageux(-euse); *(pey)* fanfaron(ne); *(con ironía)* vaillant(-e) ■ *nm/f* brave *m/f*

valioso, -a [ba'ljoso, a] *adj* de valeur

valla ['baʎa] *nf* clôture *f*; *(Deporte)* haie *f*; **~ publicitaria** panneau *m* publicitaire

vallar [ba'ʎar] *vt* clôturer

valle ['baʎe] *nm* vallée *f*; **~ de lágrimas** vallée de larmes

valor [ba'lor] *nm* valeur *f*; *(valentía)* courage *m*; *(descaro)* aplomb *m*; **valores** *nmpl* (*Econ, Com*) valeurs *fpl*, titres *mpl*; *(morales)* valeurs; **objetos de ~** objets *mpl* de valeur; **sin ~** sans valeur; **dar/quitar ~ a** donner/ôter de la valeur à; **escala de ~es** échelle *f* de valeurs; **~ a la par** valeur au pair; **~ adquisitivo** pouvoir *m* d'achat; **~ añadido** valeur ajoutée; **~ comercial** valeur marchande; **~ contable** valeur comptable; **~ de compra** pouvoir *m* d'achat; **~ de escasez** valeur attachée à la rareté; **~ de mercado** valeur marchande; **~ de rescate** valeur de rachat; **~ desglosado** valeur de liquidation; **~ de sustitución** valeur de remplacement; **~es habidos** o **en cartera** valeurs détenues en portefeuille; **~ intrínseco/neto/nominal** valeur intrinsèque/nette/nominale; **~ según balance** valeur comptable

valorar [balo'rar] *vt* évaluer, estimer

vals [bals] *nm* valse *f*

válvula ['balβula] *nf* valve *f*

vamos ['bamos] *vb ver* **ir**

válvula ['balβula] *nf* valve *f*

vampiro [bam'piro] *nm* vampire *m*

van [ban] *vb ver* **ir**

vanagloriarse [banaɣlo'rjarse] *vpr*: **~ (de)** se glorifier (de)

vandalismo [banda'lismo] *nm* vandalisme *m*

vándalo, -a ['bandalo, a] *nm/f (pey)* vandale *m/f*; *(Hist)* Vandale *m/f*

vanguardia [ban'gwardja] *nf* avant-garde *f*; **de ~** *(Arte)* d'avant-garde; **estar en** o **ir a la ~ de** être à l'avant-garde de

vanidad [bani'ðað] *nf* vanité *f*

vanidoso, -a [bani'ðoso, a] *adj* vaniteux(-euse)

vano, -a ['bano, a] *adj* vain(e); *(frívolo)* futile ■ *nm (Arq)* embrasure *f*; **en ~** en vain

vapor [ba'por] *nm* vapeur *f*; *(tb:* **barco de vapor**) *(bateau m à)* vapeur *m*; **al ~** *(Culin)* à la vapeur; **máquina de ~** machine *f* à vapeur; **~ de agua** vapeur d'eau

vaporoso, -a [bapo'roso, a] *adj* vaporeux(-euse)

vapulear [bapule'ar] *vt* fustiger; *(reprender)* houspiller

vaquero, -a [ba'kero, a] *nm (Cine)* cow-boy *m*; *(Agr)* vacher *m*; **vaqueros** *nmpl (pantalones)* jeans *mpl*

vaquilla [ba'kiʎa] *nf (AM)* génisse *f*; **vaquillas** *nfpl (Taur)* corrida *f* de jeunes taureaux

vara ['bara] *nf* perche *f*; *(de mando)* bâton *m*

variable [ba'rjaβle] *adj, nf* variable *f*

variación [barja'θjon] *nf* changement *m*; *(Mús)* variation *f*; **sin ~** inchangé(e)

variar [ba'rjar] *vt (cambiar)* changer; *(poner variedad)* varier ■ *vi* varier; **~ de** changer de; **~ de opinión** changer d'avis; **para ~** pour changer

varices *nfpl* varices *fpl*

variedad [barje'ðað] *nf* variété *f*; **variedades** *nfpl (espectáculo)* variétés *fpl*

varilla [ba'riʎa] *nf* baguette *f*; *(de paraguas, abanico)* baleine *f*

vario, -a ['barjo, a] *adj* divers(e); **~s** plusieurs; **"~s"** *(en partida, presupuesto)* "divers"

varita [ba'rita] *nf*: **~ mágica** baguette *f* magique

varón [ba'ron] *nm* homme *m*; **hijo ~** enfant *m* mâle

varonil [baro'nil] *adj* viril(e)

Varsovia [bar'soβja] *n* Varsovie

vas [bas] *vb ver* **ir**

vasco, -a ['basko, a] *adj* basque ■ *nm/f* Basque *m/f* ■ *nm (Ling)* basque *m*; **País V~** Pays *msg* basque

vascongadas [baskon'gaðas] *nfpl*: **las V~** les provinces *fpl* basques

vaselina [base'lina] *nf* vaseline *f*

vasija [ba'sixa] *nf* pot *m*, récipient *m*

vaso ['baso] *nm* verre *m*; *(jarrón)* vase *m*; *(Anat)* vaisseau *m*; **~s comunicantes** vases *mpl* communicants; **~ de vino** verre de vin; *(para vino)* verre à vin

vástago ['bastaɣo] nm (Bot) rejeton m; (Tec) tige f; (de familia) descendant m

vasto, -a ['basto, a] adj vaste

Vaticano [bati'kano] nm Vatican m; **la Ciudad del ~** la Cité du Vatican

vatio ['batjo] nm watt m

vaya ['baja] vb ver **ir** ■ excl (fastidio) mince!, zut!; (sorpresa) eh bien!, tiens!; **¿qué tal? - ¡~!** ça va? - on fait aller!; **¡~ tontería!** quelle idiotie!; **¡~ mansión!** quelle maison!

Vd(s) abr (= usted(es)) ver **usted**

ve [be] vb ver **ir**; **ver**

vecindad [beθin'dað] nf voisinage m

vecindario [beθin'darjo] nm voisinage m, quartier m

vecino, -a [be'θino, a] adj voisin(e) ■ nm/f voisin(e); (residente: de pueblo) habitant(e); **asociación de ~s** association f de quartier; **somos ~s** nous sommes voisins

veda ['beða] nf (de pesca, caza) défense f, interdiction f; (temporada) fermeture f

vedar [be'ðar] vt interdire, défendre; (caza, pesca) interdire

vegetación [bexeta'θjon] nf végétation f; **vegetaciones** nfpl (Med) végétations fpl

vegetal [bexe'tal] adj végétal(e) ■ nm végétal m

vehemencia [bee'menθja] nf impétuosité f; (apasionamiento) véhémence f

vehemente [bee'mente] adj impétueux(-euse); (apasionado) véhément(e)

vehículo [be'ikulo] nm véhicule m; **~ espacial** vaisseau m spatial

veinte ['beinte] adj inv, nm inv vingt m inv; **el siglo ~** le vingtième siècle; ver tb **seis**

vejación [bexa'θjon] nf brimade f

vejez [be'xeθ] nf vieillesse f

vejiga [be'xiɣa] nf vessie f

vela ['bela] nf bougie f; (Náut) voile f; **a toda ~** (Náut) toutes voiles dehors; **barco de ~** bateau m à voile; **estar a dos ~s** (fam) être fauché(e); **en ~** éveillé(e); (velando) à veiller; **pasar la noche en ~** passer une nuit blanche

velar [be'lar] vt veiller; (Foto, cubrir) voiler ■ vi veiller; **velarse** vpr (Foto) se voiler; **~ por** veiller à

velatorio [bela'torjo] nm veillée f

veleidad [belei'ðað] nf inconstance f; (capricho) velléité f

velero [be'lero] nm (Náut) voilier m; (Aviat) planeur m

veleta [be'leta] nm/f (pey) girouette f ■ nf (para el viento) girouette

veliz [be'liθ] (Méx) nm valise f

vello ['beʎo] nm duvet m

velo ['belo] nm voile m; **~ del paladar** (Anat) voile du palais

velocidad [beloθi'ðað] nf vitesse f; (rapidez) rapidité f; **de alta ~** à grande vitesse; **cobrar ~** prendre de la vitesse; **meter la segunda ~** passer en seconde; **~ de obturación** (Foto) vitesse d'obturation; **~ máxima de impresión** (Inform) vitesse maximum d'impression

velocímetro [belo'θimetro] nm compteur m de vitesse

veloz [be'loθ] adj rapide

ven [ben] vb ver **venir**

vena ['bena] nf veine f; **la ~ poética** la fibre poétique; **le ha dado la ~ por (hacer)** l'envie lui a pris de (faire); **tener ~ de actor/torero** être un acteur/torero né

venado [be'naðo] nm grand gibier m; (Culin) venaison f

vencedor, a [benθe'ðor, a] adj victorieux(-euse) ■ nm/f vainqueur m

vencer [ben'θer] vt vaincre; (obstáculos) surmonter; (por mucho peso) briser ■ vi vaincre; (pago) arriver à échéance; (plazo) expirer; **le venció el sueño/el cansancio** il a succombé au sommeil/à la fatigue

vencido, -a [ben'θiðo, a] adj vaincu(e); (Com: letra) arrivé(e) à échéance ■ adv: **pagar ~** payer après échéance; **pagar por o al mes ~** payer à la fin du mois; **darse por ~** s'avouer vaincu(e)

vencimiento [benθi'mjento] nm échéance f; **a su ~** à l'échéance

venda ['benda] nf pansement m

vendar [ben'dar] vt bander

vendaval [benda'βal] nm vent m violent

vendedor, a [bende'ðor, a] nm/f vendeur(-euse); **~ ambulante** marchand m ambulant

vender [ben'der] vt vendre; **venderse** vpr se vendre; **~ al contado/al por mayor/al por menor/a plazos** vendre au comptant/en gros/au détail/à crédit; **~ al descubierto** vendre à découvert; **"se vende"** "à vendre"; **"se vende coche"** "voiture à vendre"

vendimia [ben'dimja] nf vendange f

vendré etc [ben'dre] vb ver **venir**

veneno [be'neno] nm poison m

venenoso, -a [bene'noso, a] adj (seta) vénéneux(-euse); (producto) toxique

venerable [bene'raβle] adj vénérable

venerar [bene'rar] vt vénérer

venéreo, -a [be'nereo, a] adj vénérien(ne)

venezolano, -a [beneθo'lano, a] *adj*
vénézuélien(ne) ■ *nm/f* Vénézuélien(ne)
Venezuela [bene'θwela] *nf*
Venezuela *m*
venga *etc* ['benga] *vb ver* **venir**
venganza [ben'ganθa] *nf* vengeance *f*
vengar [ben'gar] *vt* venger; **vengarse**
vpr se venger
vengativo, -a [benga'tiβo, a] *adj*
vindicatif(-ive)
venia ['benja] *nf* permission *f*; **con su ~**
avec votre permission
venial [be'njal] *adj* véniel(le)
venida [be'niða] *nf* venue *f*
venidero, -a [beni'ðero, a] *adj* futur(e),
à venir; **en lo ~** à l'avenir
venir [be'nir] *vi* venir; (*en periódico, texto*)
être; (*llegar, ocurrir*) arriver; **venirse** *vpr*:
~se abajo s'écrouler; (*persona*)
s'effondrer; **~ a menos** (*persona*) déchoir;
(*empresa*) être en perte de vitesse; **~ de**
venir de; **~ bien/mal** convenir/ne pas
convenir; **el año que viene** l'année
prochaine; **y él venga a beber** et lui, vas-
y que je te bois; **¡ven acá!** viens ici!;
¡venga! (*fam*) allez!; **¿a qué viene eso?**
(*fam*) qu'est-ce que ça veut dire?; **¡venga
ya!** (*fam*) à d'autres!; **¡no me vengas con
historias!** (*fam*) ne me raconte pas
d'histoires!
venta ['benta] *nf* vente *f*; (*posada*)
auberge *f*; **estar a la/en ~** être à la/en
vente; **~ a domicilio** vente à domicile;
~ al contado vente au comptant; **~ al
detalle** vente au détail; **~ a plazos** vente
à crédit; **~ al por mayor** vente en gros;
~ al por menor vente au détail; **~s a
término** ventes *fpl* à terme; **~s brutas**
ventes brutes; **~ de liquidación** vente de
liquidation; **~ por correo** vente par
correspondance; **~ y arrendamiento al
vendedor** cession-bail *f*
ventaja [ben'taxa] *nf* avantage *m*;
llevar ~ a (*en carrera*) mener devant
ventajoso, -a [benta'xoso, a] *adj*
avantageux(-euse)
ventana [ben'tana] *nf* fenêtre *f*;
~ de guillotina fenêtre à guillotine;
~ de la nariz narine *f*
ventanilla [venta'niʎa] *nf* guichet *m*;
(*de coche*) vitre *f*
ventilación [bentila'θjon] *nf* ventilation
f, aération *f*; **sin ~** sans aération
ventilar [benti'lar] *vt* ventiler, aérer;
(*ropa*) aérer; (*fig*) divulguer; (: *resolver*)
éclaircir; **ventilarse** *vpr* s'aérer
ventisca [ben'tiska] *nf*, **ventisquero**
[bentis'kero] *nm* bourrasque *f* de neige

ventrílocuo, -a [ben'trilokwo, a] *adj*,
nm/f ventriloque *m/f*
ventura [ben'tura] *nf* félicité *f*;
(*suerte, destino*) fortune *f*; **a la (buena)
~** à l'aventure
ver [ber] *vt* voir; (*televisión, partido*)
regarder; (*Jur*) entendre; (*esp AM: mirar*)
regarder ■ *vi* voir ■ *nm* allure *f*; **verse**
vpr se voir; (*hallarse*) se trouver; (*AM:
fam*) avoir l'air; **(que) no veas** tu ne peux
pas t'imaginer; **dejarse ~** se montrer; **no
poder ~ a algn** (*odiar*) ne pas pouvoir voir
qn; **(voy) a ~ que hay** je vais voir ce qu'il y
a; **por lo que veo** à ce que je vois; **te veo
muy contento** tu as l'air très content; **a ~**
voyons voir; **¿a ~?** fais voir?; **a ~ si ...** je me
demande si ...; **a ~, dime** allez, dis-moi;
¡hay que ~! il faut voir!; **tiene que ~ con**
ça a à voir avec, c'est en rapport avec; **no
tener que ~ con** n'avoir rien à voir avec; **a
mi modo de ~** à mon avis; **ya verás
(cómo)** tu verras (que); **¡nos vemos!** à
tout à l'heure!; **¡habráse visto!** tu te
rends compte!; **¡viera(n) qué casa!** (*Méx:
fam*) tu verrais la maison!; **¡hubiera(n)
visto qué casa!** (*Méx: fam*) si tu avais vu la
maison!; **(ya) se ve que ...** on voit bien
que ...; **te ves divina** (*AM*) tu es divine
vera ['bera] *nf*: **a la ~ de** (*del camino*) au
bord de; (*de algn*) auprès de
veracidad [beraθi'ðað] *nf* véracité *f*
veranear [berane'ar] *vi* passer ses
vacances d'été
veraneo [bera'neo] *nm*: **ir de ~** partir
en vacances d'été; **lugar de ~** lieu *m* de
vacances
veraniego, -a [bera'njeɣo, a] *adj*
estival(e)
verano [be'rano] *nm* été *m*
veras ['beras] *nfpl*: **de ~** vraiment;
esto va de ~ c'est va de ~ c'est sérieux
veraz [be'raθ] *adj* véridique
verbal [ber'βal] *adj* verbal(e)
verbena [ber'βena] *nf* kermesse *f*; (*Bot*)
verveine *f*
verbo ['berβo] *nm* verbe *m*
verdad [ber'ðað] *nf* vérité *f*; **¿~?** n'est-ce
pas?; **de ~** vraiment; **de ~ que no fui yo**
je jure que ce n'est pas moi; **a decir ~, no
quiero** à vrai dire, je ne veux pas; **¡es ~!**
c'est vrai!; **la pura ~** la pure vérité; **la ~ es
que ...** ce qui en fait ...
verdadero, -a [berða'ðero, a] *adj*
véridique; (*antes del nombre*) vrai(e),
véritable; **¿~ o falso?** vrai ou faux?
verde ['berðe] *adj* (*tb Pol*) vert(e); (*plan*)
prématuré(e); (*chiste*) cochon(ne) ■ *nm*
vert *m*; (*hierba*) verdure *f*; **viejo ~** vieux

cochon m; **poner ~ a algn** (fam)
descendre qn en flammes
verdear [berðe'ar], **verdecer**
[berðe'θer] vi verdir
verdor [ber'ðor] nm (color) couleur f
verte, vert m; (lozanía) luxuriance f
verdugo [ber'ðuɣo] nm bourreau m;
(gorro) cagoule f
verdura(s) [ber'ðura(s)] nf(pl)
légumes mpl
vereda [be'reða] nf sentier m; (AM)
trottoir m; **meter a algn en ~** remettre
qn dans le droit chemin
veredicto [bere'ðikto] nm verdict m
vergonzoso, -a [berɣon'θoso, a] adj
(persona) timide; (acto, comportamiento)
honteux(-euse)
vergüenza [ber'ɣwenθa] nf honte f;
no tener ~ ne pas avoir honte; **me da ~
decírselo** j'ai honte de le lui dire; **¡qué ~!**
quelle honte!; **¡es una ~!** c'est une honte!
verídico, -a [be'riðiko, a] adj véridique
verificar [berifi'kar] vt vérifier;
(testamento) homologuer; (llevar a cabo)
effectuer; **verificarse** vpr avoir lieu;
(profecía) se vérifier
verja ['berxa] nf grille f
vermut [ber'mu] (pl **~s**) nm vermouth m;
(esp And, Csur: Cine) matinée f
verosímil [bero'simil] adj vraisemblable
verruga [be'rruɣa] nf (Med) verrue f;
(Bot) excroissance f
versado, -a [ber'saðo, a] adj: **~ en**
versé(e) en
versátil [ber'satil] adj (material)
polyvalent(e); (persona) versatile
versión [ber'sjon] nf version f; **nueva ~**
nouvelle version; **en ~ original** en version
originale
verso ['berso] nm vers msg; **~ blanco/
libre** vers blanc/libre
vértebra ['berteβra] nf vertèbre f
verter [ber'ter] vt verser; (derramar)
répandre ■ vi: **~ a** (río) se jeter dans;
verterse vpr se répandre
vertical [berti'kal] adj vertical(e);
(postura, piano) droit(e) ■ nf verticale f
vértice ['bertiθe] nm sommet m
vertiente [ber'tjente] nf versant m;
(aspecto) aspect m
vertiginoso, -a [bertixi'noso, a] adj
vertigineux(-euse)
vértigo ['bertiɣo] nm vertige m; (fig)
précipitation f; **me da ~** ça me donne le
vertige; **de ~** (fam: velocidad) grand V inv;
(: suma) fou(folle)
vesícula [be'sikula] nf vésicule f; **~ biliar**
vésicule biliaire

vestíbulo [bes'tiβulo] nm vestibule m;
(de teatro) foyer m
vestido, -a [bes'tiðo, a] adj habillé(e)
■ nm habit m, vêtement m; (de mujer)
robe f; **(ir/estar) ~ de** (être) habillé(e) en;
(disfrazado) (être) déguisé(e) en
vestigio [bes'tixjo] nm vestige m
vestimenta [besti'menta] nf
habillement m
vestir [bes'tir] vt habiller; (llevar puesto)
porter ■ vi s'habiller; (ser elegante)
habiller; **vestirse** vpr s'habiller; **ropa de
~** vêtements mpl habillés; **~se de**
s'habiller en; **~se de princesa/marinero**
se déguiser en princesse/marin
vestuario [bes'twarjo] nm garde-robe f;
(Teatro, Cine) costumes mpl; (local: Teatro)
loge f; **vestuarios** nmpl (Deportes)
vestiaires mpl
veta ['beta] nf (de mineral) veine f, filon m;
(en piedra, madera) veine
vetar [be'tar] vt mettre son veto à
veterano, -a [bete'rano, a] adj
ancien(ne) ■ nm/f vétéran m
veterinaria [beteri'narja] nf médecine f
vétérinaire; ver tb **veterinario**
veterinario, -a [beteri'narjo, a] nm/f
vétérinaire m/f
veto ['beto] nm veto m
vez [beθ] nf fois fsg; (turno) tour m; **a la ~**
en même temps; **a la ~ que** en même
temps que; **a su ~** à son tour; **cada ~
más/menos** de plus en plus/de moins en
moins; **hay cada ~ más/menos gente** il
y a de plus en plus/de moins en moins de
monde; **una ~** une fois; **de una ~** en une
seule fois; **de una ~ para siempre** une
bonne fois pour toutes; **en ~ de** au lieu
de; **a veces/algunas veces** parfois;
otra ~ encore (une fois); **una y otra ~** à
maintes reprises; **pocas veces** peu, pas
souvent; **de ~ en cuando** de temps en
temps; **7 veces 9** 7 fois 9; **hacer las veces
de** tenir lieu de, faire office de; **tal ~** peut-
être; **¿lo has visto alguna ~?** l'as-tu déjà
vu?; **¿cuántas veces?** combien de fois?;
érase una ~ il était une fois
vía ['bia] nf voie f; **dar ~ libre a** ouvrir la
voie à; **por ~ aérea** par avion; **por ~ oral**
(Med) par voie orale; **por ~ judicial** par
voie de droit; **por ~ oficial** par la voie
officielle; **por ~ de** par le canal de;
en ~s de en voie de; **un país en ~s de
desarrollo** un pays en voie de
développement; **transmisión ~ satélite**
transmission f par satellite; **Madrid-
Berlín ~ París** Madrid-Berlin via Paris;
~s aéreas voies fpl aériennes; **~ de**

comunicación voie de communication;
V~ Láctea Voie lactée; **~ pública** voie
publique; **~ única** (*Auto*) voie à sens
unique
viable ['bjaβle] *adj* viable
viaducto [bja'ðukto] *nm* viaduc *m*
viajar [bja'xar] *vi* voyager
viaje ['bjaxe] *nm* voyage *m*; (*carga*)
cargaison *f*; **agencia de ~s** agence *f* de
voyage; **bolsa/manta de ~** sac *m*/
couverture *f* de voyage; **¡buen ~!** bon
voyage!; **estar de ~** être en voyage;
ir de ~ partir en voyage; **~ de ida y vuelta**
voyage aller-retour; **~ de negocios**
voyage d'affaires; **~ de novios** voyage
de noces
viajero, -a [bja'xero, a] *adj, nm/f*
voyageur(-euse)
vial [bjal] *adj* (*Auto: seguridad*)
routier(-ière); (*marca*) au sol
víbora ['biβora] *nf* vipère *f*
vibración [biβra'θjon] *nf* vibration *f*;
hay buenas vibraciones (*fig*) le courant
passe bien
vibrar [bi'βrar] *vi* vibrer
vicario [bi'karjo] *nm* vicaire *m*
vicepresidente [biθepresi'ðente] *nm/f*
vice-président(e)
viceversa [biθe'βersa] *adv*: **y ~** et vice
versa
viciado, -a [bi'θjaðo, a] *adj* (*corrompido*)
dépravé(e); (*postura*) gauchi(e); (*aire,
atmósfera*) vicié(e)
viciar [bi'θjar] *vt* (*persona, costumbres*)
pervertir; (*Jur, aire*) vicier; (*objeto, postura*)
déformer; (*mecanismo, dicción*) fausser;
viciarse *vpr* (*aire*) devenir vicié(e);
(*deformarse*) se déformer; **~se con**
(*persona*) devenir mordu(e) de
vicio [bi'θjo] *nm* vice *m*; (*mala costumbre*)
mauvaise habitude *f*, défaut *m*; (*mimo*)
faiblesse *f*; (*deformación*) déformation *f*;
de *o* **por ~** par habitude; **~ de dicción**
défaut de prononciation
vicioso, -a [bi'θjoso, a] *adj, nm/f*
vicieux(-euse); **círculo ~** cercle *m* vicieux
vicisitud [biθisi'tuð] *nf* vicissitude *f*
víctima ['biktima] *nf* victime *f*; **ser ~ de**
être victime de
victoria [bik'torja] *nf* victoire *f*
victorioso, -a [bikto'rjoso, a] *adj*
victorieux(-ieuse); **salir ~ de** sortir
victorieux(-ieuse) de
vid [bið] *nf* vigne *f*
vida ['biða] *nf* vie *f*; (*de aparato, edificio*)
durée *f* de vie; **¡~!, ¡~ mía!** mon amour!;
calidad de ~ qualité *f* de la vie; **de por ~**
de (toute) ma *etc* vie; **en la/mi** *etc* **~**

(*nunca*) de la/ma *etc* vie; **estar con ~** être
en vie; **hacer ~ social** sortir beaucoup;
ganarse la ~ gagner sa vie; **de ~ o**
muerte de vie ou de mort; **¡esto es ~!** ça,
c'est la belle vie!; **le va la ~ en esto** sa vie
en dépend; **~ de perros** vie de chien;
~ eterna/privada vie éternelle/privée
vídeo ['biðeo] *nm* vidéo *f*; (*aparato*)
magnétoscope *m*; **cinta de ~** cassette *f*
vidéo, bande *f* vidéo; **grabar en ~**
enregistrer en vidéo; **~ compuesto/**
inverso (*Inform*) vidéo composite/
inverse; **~ musical** vidéo musicale
videocámara [biðeo'kamara] *nf*
caméra *f* vidéo
videocas(s)et(t)e [biðeoka'set] *nm*
vidéocassette *f*
videoclub [biðeo'klub] *nm* club *m* vidéo
videojuego [biðeo'xweɣo] *nm* jeu *m*
vidéo
vidrio ['biðrjo] *nm* verre *m*; (*AM*) fenêtre
f; **vidrios** *nmpl* (*objetos*) objets *mpl* en
verre; **pagar los ~s rotos** payer les pots
cassés; **~ inastillable/cilindrado** verre
sécurit®/très épais
viejo, -a ['bjexo, a] *adj* vieux (vieille);
(*tiempos*) ancien(ne) ∎ *nm/f* vieux
(vieille); **hacerse** *o* **ponerse ~** se faire
vieux (vieille); **mi ~/vieja** (*esp Csur: fam:
padre/madre*) mon vieux/ma vieille;
(: *marido/mujer*) le vieux/la vieille;
(: *mi vida*) mon amour; **mis ~s** (*esp Csur:
fam: padres*) mes vieux
Viena ['bjena] *n* Vienne
viene *etc* ['bjene] *vb ver* **venir**
vienés, -esa [bje'nes, esa] *adj*
viennois(e) ∎ *nm/f* Viennois(e)
viento ['bjento] *nm* vent *m*; (*cuerda*)
corde *f* de tente; **contra ~ y marea**
contre vents et marées; **ir ~ en popa**
avoir le vent en poupe; **~ de cola/de**
costado vent arrière/de travers
vientre ['bjentre] *nm* ventre *m*;
hacer de ~ faire ses besoins
viernes ['bjernes] *nm inv* vendredi *m*;
V~ Santo vendredi saint; *ver tb* **sábado**
Vietnam [bjet'nam] *nm* Vietnam *m*
vietnamita [bjetna'mita] *adj*
vietnamien(ne) ∎ *nm/f* Vietnamien(ne)
viga ['biɣa] *nf* poutre *f*
vigencia [bi'xenθja] *nf* (*de ley, contrato*)
validité *f*; (*de costumbres*) actualité *f*;
estar/entrar en ~ être/entrer
en vigueur
vigente [bi'xente] *adj* (*ley etc*) en vigueur;
(*costumbre*) actuel(le)
vigésimo, -a [bi'xesimo, a] *adj, nm/f*
vingtième *m/f*

vigía [bi'xia] *nm/f* guetteur(-euse) ■ *nf* mirador *m*
vigilancia [bixi'lanθja] *nf* surveillance *f*
vigilante [bixi'lante] *adj* vigilant(e) ■ *nm* gardien *m*; **~ jurado** vigile *m*; **~ nocturno** veilleur *m* de nuit
vigilar [bixi'lar] *vt* surveiller ■ *vi* être de garde; **~ por** (*salud*) veiller à; (*algn*) veiller sur
vigilia [vi'xilja] *nf* veille *f*; (*Rel*) vigile *f*
vigor [bi'ɣor] *nm* vigueur *f*; **en ~** en vigueur; **entrar en ~** entrer en vigueur
vigoroso, -a [biɣo'roso, a] *adj* vigoureux(-euse)
vil [bil] *adj* vil(e)
vileza [bi'leθa] *nf* vilenie *f*
villa ['biʎa] *nf* villa *f*; (*población*) ville *f*; **la V~ (de Madrid)** la Ville (de Madrid); **~ miseria** (*Csur*) bidonville *m*
villancico [biʎan'θiko] *nm* chant *m* de Noël
vilo ['bilo]: **en ~** *adv* (*sostener, levantar*) en l'air; **estar en ~** (*fig*) être sur des charbons ardents
vinagre [bi'naɣre] *nm* vinaigre *m*
vinagreta [bina'ɣreta] *nf* vinaigrette *f*
vincular [binku'lar] *vt* rapprocher; (*por contrato, obligación*) lier; **vincularse** *vpr*: **~se (a)** se rapprocher (de)
vínculo ['binkulo] *nm* lien *m*
vinicultura [binikul'tura] *nf* viticulture *f*
vino ['bino] *vb ver* **venir** ■ *nm* vin *m*; **~ añejo** vin vieux; **~ blanco** vin blanc; **~ de cosecha** vin d'appellation contrôlée; **~ de crianza** grand cru *m*; **~ de mesa** vin de table; **~ peleón** pinard *m*; **~ tinto** vin rouge
viña ['biɲa] *nf* vigne *f*
viñedo [bi'ɲeðo] *nm* vignoble *m*
violación [bjola'θjon] *nf* (*de una persona*) viol *m*; (*de derecho, ley*) violation *f*; **~ de contrato** (*Com*) rupture *f* de contrat
violar [bjo'lar] *vt* violer
violencia [bjo'lenθja] *nf* violence *f*; **~ doméstica** violences infligées par le conjoint
violentar [bjolen'tar] *vt* forcer; (*persona*) violenter; **violentarse** *vpr* se faire violence
violento, -a [bjo'lento, a] *adj* violent(e); (*embarazoso*) embarrassant(e); (*incómodo*) mal à l'aise *inv*; **me es muy ~** cela me gêne beaucoup
violeta [bjo'leta] *adj* violet(te) ■ *nf* (*Bot*) violette *f* ■ *nm* (*color*) violet *m*
violín [bjo'lin] *nm* violon *m*
viraje [bi'raxe] *nm* virage *m*; (*de ideas, procedimientos*) revirement *m*

virgen ['birxen] *adj* vierge ■ *nm* garçon *m* o homme *m* vierge ■ *nf* vierge *f*; **la (Santísima) V~** la (Sainte) Vierge
Virgo ['birɣo] *nm* (*Astrol*) la Vierge; **ser ~** être (de la) Vierge
viril [bi'ril] *adj* viril(e); **miembro ~** membre *m* viril
virilidad [birili'ðað] *nf* virilité *f*
virtud [bir'tuð] *nf* vertu *f*; **en ~ de** en vertu de
virtuoso, -a [bir'twoso, a] *adj* vertueux(-euse) ■ *nm/f* (*Mús*) virtuose *m/f*
viruela [bi'rwela] *nf* variole *f*; **viruelas** *nfpl* (*pústulas*) boutons *mpl* de variole
virulento, -a [biru'lento, a] *adj* virulent(e)
virus ['birus] *nm inv* virus *msg*
visa ['bisa] (*AM*) *nf*, **visado** [bi'sado] *nm* visa *m*; **~ de permanencia** permis *m* de séjour
víscera ['bisθera] *nf* viscère *m*; **vísceras** *nfpl* viscères *mpl*
visceral [bisθe'ral] *adj* viscéral(e)
viscoso, -a [bis'koso, a] *adj* visqueux(-euse)
visera [bi'sera] *nf* visière *f*; (*gorra*) casquette *f* à visière
visibilidad [bisiβili'ðað] *nf* visibilité *f*
visible [bi'siβle] *adj* visible; **estar ~** être visible; **exportaciones/importaciones ~s** (*Com*) exportations *fpl*/importations *fpl* visibles
visillo [bi'siʎo] *nm* rideau *m*
visión [bi'sjon] *nf* vision *f*; **ver visiones** avoir des visions; **~ de conjunto** vue *f* d'ensemble; **~ global** vue globale
visita [bi'sita] *nf* visite *f*; **horas/tarjeta de ~** heures *fpl*/carte *f* de visite; **hacer una ~** rendre *o* faire une visite; **ir de ~** aller rendre visite; **~ de cortesía** visite de courtoisie; **~ de cumplido** visite de politesse
visitar [bisi'tar] *vt* (*familia etc*) rendre visite à; (*ciudad, museo*) visiter; (*inspeccionar*) faire la visite de
vislumbrar [bislum'brar] *vt* apercevoir, distinguer; (*solución*) entrevoir
viso ['biso] *nm* (*de metal*) éclat *m*; (*de tela*) lustre *m*; (*aspecto*) luisant *m*; **tiene ~s de ser cierto** cela a l'air d'être vrai
visón [bi'son] *nm* vison *m*; **abrigo de ~** manteau *m* de vison
visor [bi'sor] *nm* (*Foto*) viseur *m*; (*de arma*) viseur *m*
víspera ['bispera] *nf* veille *f*; **la ~ o en ~s de** (à) la veille de

vista ['bista] nf vue f; (Jur) audience f;
a primera o **simple ~** à première vue,
au premier abord; **a ~ de pájaro** à vol
d'oiseau; **fijar** o **clavar la ~ en algo** fixer
qch; **hacer la ~ gorda** fermer les yeux;
tener ~ (para algo) avoir du flair (pour
qch); **volver la ~** détourner les yeux;
hacer algo a la ~ de todos faire qch au vu
et au su de tous; **está** o **salta a la ~ que** il
saute aux yeux que; **a la ~** (Com) à vue;
conocer a algn de ~ connaître qn de vue;
perder algo/a algn de ~ perdre qch/qn
de vue; **en ~ de ... vu ...**; **en ~ de que** vu
que; **¡hasta la ~!** à bientôt!; **con ~s a**
(al mar) avec vue sur; (al futuro, a mejorar)
dans le but de; **~ cansada** vue qui baisse;
~ de lince yeux mpl de lynx

vistazo [bis'taθo] nm coup m d'œil;
dar o **echar un ~ a** donner o jeter un coup
d'œil à

visto, -a [bis'to, a] vb ver **vestir** ■ pp de
ver ■ adj: **estar muy ~** être très en vue
■ nm: **~ bueno** autorisation f; **está ~ que**
il est clair que; **está bien/mal ~** c'est
bien/mal vu; **estaba ~** c'était à prévoir;
~ que vu que; **por lo ~** apparemment;
dar el ~ bueno a donner son autorisation
pour

vistoso, -a [bis'toso, a] adj voyant(e)

visual [bi'swal] adj visuel(le)

vital [bi'tal] adj vital(e); (persona) plein(e)
de vitalité

vitalicio, -a [bita'liθjo, a] adj
viager(-ère); (cargo) à vie

vitalidad [bitali'ðað] nf vitalité f

vitamina [bita'mina] nf vitamine f

viticultor, a [bitikul'tor, a] nm/f
viticulteur(-trice)

viticultura [bitikul'tura] nf viticulture f

vitorear [bitore'ar] vt acclamer

vitrina [bi'trina] nf vitrine f

vitrocerámico, -a [bitroθe'ramiko, a]
adj: **placa vitrocerámica** plaque f
vitrocéramique

viudez [bju'ðeθ] nf veuvage m

viudo, -a ['bjuðo, a] adj, nm/f veuf
(veuve)

viva ['biβa] excl vivat! ■ nm vivat m;
¡~ el rey! vive le roi!

vivacidad [biβaθi'ðað] nf vivacité f

vivaracho, -a [biβa'ratʃo, a] adj
vivant(e)

vivaz [bi'βaθ] adj vivace; (ingenio) vif
(vive)

víveres ['biβeres] nmpl vivres mpl

vivero [bi'βero] nm (Horticultura)
pépinière f; (criadero) vivier m; (fig: de
delincuentes, discordia) source f

vivienda [bi'βjenda] nf logement m,
habitation f; **~ de protección oficial** ≈ H.
L.M. m; **~s sociales** logements sociaux

viviente [bi'βjente] adj vivant(e)

vivir [bi'βir] vt, vi vivre; **~ de** vivre de;
~ bien/mal vivre bien/mal; **saber ~**
savoir vivre

vivo, -a ['biβo, a] adj vif (vive); (ser,
recuerdo, planta) vivant(e); **al rojo ~** à
blanc; **en ~** (TV, Mús) en direct

vocablo [bo'kaβlo] nm mot m

vocabulario [bokaβu'larjo] nm
vocabulaire m

vocación [boka'θjon] nf vocation f

vocacional [bokaθjo'nal] (Méx) nf
(Escol) collège m technique

vocal [bo'kal] adj vocal(e) ■ nm/f
membre m ■ nf (Ling) voyelle f

vocalizar [bokali'θar] vt prononcer
■ vi vocaliser

vocear [boθe'ar] vt (mercancía) vendre à
la criée; (escándalo, noticia) crier sur les
toits ■ vi vociférer

vocerío [boθe'rio] nm clameur f

vocero, -a [bo'θero, a] (AM) nm/f porte-
parole m inv

voces pl de **voz**

vociferar [boθife'rar] vi vociférer

vodka ['boðka] nm vodka f

vol abr (= volumen) vol. (= volume)

volandas [bo'landas]: **en ~** adv en
volant; (en un momento) en un clin d'œil

volante [bo'lante] adj volant(e) ■ nm
volant m; (Med: de aviso) convocation f;
ir al ~ être au volant

volar [bo'lar] vt faire exploser ■ vi voler;
(tiempo) passer; (noticias) aller bon train;
(fam: desaparecer) filer; **volarse** vpr
s'envoler; **voy volando** j'y cours

volátil [bo'latil] adj volatile

volcán [bol'kan] nm volcan m; **el país/su
pasión es un ~** le pays est une poudrière/
sa passion est un volcan

volcánico, -a [bol'kaniko, a] adj
volcanique

volcar [bol'kar] vt (recipiente) vider;
(contenido) verser; (vehículo) renverser;
(barco) faire chavirer ■ vi (vehículo)
capoter; (barco) chavirer; **volcarse** vpr
(recipiente) se renverser; (vehículo)
capoter; (barco) chavirer; (esforzarse):
~se para hacer algo/con algn se
donner beaucoup de mal pour faire
qch/avec qn

voleibol [bolei'βol] nm volley-ball m

volqué etc [bol'ke], **volquemos** etc
[bol'kemos] vb ver **volcar**

voltaje [bol'taxe] nm voltage m

voltear [bolte'ar] vt faire tourner;
(persona: en el aire) faire sauter en l'air;
(AM) tourner; (: volcar) verser; **voltearse**
vpr (AM) se retourner; ~ **a hacer algo**
(AM) recommencer (à faire) qch
voltereta [bolte'reta] nf (rodada)
culbute f; (en el aire) saut m périlleux;
~ **lateral** roue f
voltio ['boltjo] nm volt m
voluble [bo'luβle] adj volubile
volumen [bo'lumen] nm volume m;
(Com) volume, chiffre m; **bajar el** ~
baisser le son; **poner la radio a todo** ~
mettre la radio à fond; ~ **de capital**
capital m; ~ **de negocios/de ventas**
chiffre d'affaire/des ventes
voluminoso, -a [bolumi'noso, a] adj
volumineux(-euse)
voluntad [bolun'tað] nf volonté f;
a ~ à volonté; **buena** ~ bonne volonté;
dar la ~ laisser un pourboire; **tener**
mucha/poca ~ avoir beaucoup de/peu
de volonté; **por causas ajenas a nuestra**
~ pour des raisons indépendantes de
notre volonté
voluntario, -a [bolun'tarjo, a] adj, nm/f
volontaire m/f; **ofrecerse (como)** ~ se
porter volontaire
voluntarioso, -a [bolunta'rjoso, a] adj
volontaire
voluptuoso, -a [bolup'twoso, a] adj
voluptueux(-euse)
volver [bol'βer] vt tourner; (boca abajo,
de dentro fuera) retourner; (de atrás
adelante) ramener; (transformar en:
persona) rendre; (manga) retrousser ■ vi
(regresar) revenir; (ir de nuevo) retourner;
volverse vpr (girar) se retourner;
(convertirse en) devenir; ~ **la espalda**
tourner le dos; ~ **a hacer algo**
recommencer (à faire) qch; ~ **de revenir**
de; ~ **en sí** revenir à soi; ~ **la vista atrás**
regarder en arrière; ~ **loco a algn** rendre
qn fou (folle); ~**se loco/insociable**
devenir fou/asocial; ~**se atrás** revenir
en arrière; **su mentira se volvió contra**
él o **en contra de él** son mensonge s'est
retourné contre lui
vomitar [bomi'tar] vt vomir; (sangre)
cracher ■ vi vomir
vómito ['bomito] nm vomissement m;
(lo vomitado) vomi m
voraz [bo'raθ] adj vorace; (hambre)
dévorant(e)
vos [bos] (AM) pron vous; (esp Csur) tu
voseo [bo'seo] (AM) nm vouvoiement m
vosotros, -as [bo'sotros, as] pron vous;
entre ~ parmi vous

votación [bota'θjon] nf vote m; **por** ~
par vote; **someter algo a** ~ soumettre
qch au vote; ~ **secreta/a mano alzada**
vote à bulletin secret/à main levée
votar [bo'tar] vt, vi voter
voto ['boto] nm vote m; (Rel) vœu m;
hacer ~**s por** faire des vœux pour;
dar su ~ voter; ~ **a favor** vote pour;
~ **de censura/de confianza** motion f de
censure/vote de confiance; ~ **en contra**
vote contre
voy [boi] vb ver **ir**
voz [boθ] nf voix fsg; (grito) cri m; (rumor)
bruit m; (Ling: palabra) mot m; **dar voces**
pousser des cris; **llamar a algn/hablar a**
voces appeler qn en criant/crier; **la** ~ **de**
la conciencia la voix de la conscience;
a media ~ à mi-voix; **a** ~ **en cuello** o **en**
grito à grands cris; **de viva** ~ de vive voix;
en ~ **alta/baja** à voix haute/basse; **llevar**
la ~ **cantante** commander; **tener la** ~
tomada être enroué(e); **tener** ~ **y voto**
avoir voix au chapitre; ~ **de mando** ton m
de commandement; ~ **en off** voix off
vuelco ['bwelko] vb ver **volcar** ■ nm
culbute f, chute f; (de coche) tonneau m,
capotage m; **me dio un** ~ **el corazón** ça
m'a fait un coup au cœur
vuelo ['bwelo] vb ver **volar** ■ nm vol m;
(de falda, vestido) ampleur f; **de altos** ~**s**
de haut vol; **alzar el** ~ prendre son vol;
cazar o **coger al** ~ attraper au vol;
cazarlas o **cogerlas al** ~ (fig) ne pas en
laisser passer une; **falda de (mucho)** ~
jupe f ample; ~ **chárter** vol charter; ~ **en**
picado descente f en piqué; ~ **espacial**
vol spatial; ~ **libre** vol libre; ~ **regular** vol
régulier; ~ **sin motor** vol sans moteur
vuelque etc ['bwelke] vb ver **volcar**
vuelta ['bwelta] nf tour m; (regreso)
retour m; (en carreras, circuito) virage m;
(de camino, río) méandre m; (de papel)
verso m; (de pantalón, tela, fig) revers msg;
(en labor de punto) rang m; (situación)
renversement m; (dinero) monnaie f; ~ **a**
empezar retour à la case départ; **a la** ~
(Esp) au retour; **a la** ~ (**de la esquina**) au
coin (de la rue); ~ **de correo** par retour
du courrier; **dar(se) la** ~ (coche) faire
demi-tour; (persona) se retourner; **dar la**
~ **a algo** retourner qch; (de atrás adelante)
ramener qch; **dar la** ~ **al mundo** faire le
tour du monde; **dar** ~**s** tourner; **dar** ~**s a**
algo (comida) remuer qch; (manivela)
tourner qch; **dar** ~**s a una idea** tourner et
retourner une idée dans sa tête; **dar una**
~ faire un tour; **dar una** ~ **a algo** (llave,
tuerca) donner un tour de qch; **dar media**

~ (*persona*) faire demi-tour; **estar de ~** être de retour; **poner a algn de ~ y media** (*fam*) traiter qn de tous les noms; **no tiene ~ de hoja** il n'y a pas d'autre solution; **~ ciclista** tour *f* (cycliste); **~ de campana** tonneau *m*

vuelto ['bwelto] *pp de* **volver** ▪ *nm* (*AM*) monnaie *f*

vuelva *etc* ['bwelβa] *vb ver* **volver**

vuestro, -a ['bwestro, a] *adj* votre ▪ *pron*: **el ~/la vuestra** le/la vôtre; **los ~s, las vuestras** les vôtres; **lo ~** ce qui est à vous; **un amigo ~** un de vos amis; **¿son ~s?** c'est à vous?; **una idea vuestra** une de vos idées

vulgar [bul'ɣar] *adj* (*pey*) vulgaire; (*no refinado*) grossier(-ière); (*gustos, uso*) commun(e)

vulgaridad [bulɣari'ðað] *nf* vulgarité *f*; (*de gustos, rasgos*) banalité *f*; (*grosería*) grossièreté *f*; **vulgaridades** *nfpl* (*trivialidades*) banalités *fpl*

vulgarizar [bulɣari'θar] *vt* vulgariser

vulgo ['bulɣo] *nm*: **el ~** (*pey*) le commun des mortels

vulnerable [bulne'raβle] *adj* vulnérable; (*punto, zona*) sensible; **ser ~ a** être vulnérable à

vulnerar [bulne'rar] *vt* (*ley, acuerdo*) transgresser; (*derechos, reputación*) bafouer; (*intimidad*) violer

wáter ['bater] *nm* waters *mpl*

web [web] (*pl* **~s**) *nf* (*red*) Web *m*; **(página) ~** page *f* Web

webcam [web'kam] (*pl* **~s**) *nf* webcam *f*

whisky ['wiski] *nm* whisky *m*

Wi-Fi ['wifi] *nm* wifi *m*

windsurf ['winsurf] *nm* windsurf *m*, planche *f* à voile

X y

xenofobia [kseno'foβja] *nf* xénophobie *f*
xilófono [ksi'lofono] *nm* xylophone *m*

y [i] *conj* et; **y bueno/claro** (*esp Arg: muletilla enfática*) bon/évidemment; **¿y tu hermana?** et ta sœur?; **¡¿y qué?!** et alors!; **¿y si ...?** et si ...?; **¡y yo!** moi aussi!; **estuvo llora y llora** (*AM*) il (elle) n'a pas arrêté de pleurer

ya [ja] *adv* déjà; (*con presente: ahora*) maintenant; (: *en seguida*) tout de suite; (*con futuro: pronto*) bientôt ∎ *excl* OK!; (*entiendo*) oui!; (*por supuesto*) évidemment!; (*por fin*) enfin! ∎ *conj* déjà; **ya que** puisque; **ya no vamos** nous ne partons plus; **ya lo sé** je sais; **¡ya era hora!** il était temps!; **ya ves** tu vois bien; **ya veremos** on verra bien; **¡ya está!** ça y est!; **ya, ya** (*irónico*) mais oui; **que ya, ya** mais oui, c'est ça; **¡ya voy!** j'arrive!, j'y vais!; **ya mismo** (*esp Csur*) tout de suite; **desde ya** (*Csur*) tout de suite; (: *claro*) évidemment; **ya que no está ...** puisqu'il n'est pas là ...; **ya vale (de hacer), ya está bien** ça suffit

yacer [ja'θer] *vi* gésir; **aquí yace** ci-gît

yacimiento [jaθi'mjento] *nm* gisement *m*; **~ petrolífero** gisement de pétrole

yanqui ['janki] *adj* yankee ∎ *nm/f* Yankee *m/f*

yate ['jate] *nm* yacht *m*

yazca *etc* ['jaθka] *vb ver* **yacer**

yedra ['jeðra] *nf* lierre *m*

yegua ['jeɣwa] *nf* jument *f*

yema ['jema] *nf* (*del huevo*) jaune *m*; (*Bot*) bourgeon *m*; (*Culin*) jaune d'œuf mélangé avec du sucre; **~ del dedo** bout *m* du doigt

yerga *etc* ['jerɣa], **yergue** *etc* ['jerɣe] *vb ver* **erguir**

yermo, -a ['jermo, a] *adj* (*no cultivado*) inculte; (*despoblado*) désert(e) ■ *nm* terre *f* inculte

yerno ['jerno] *nm* gendre *m*

yerre *etc* ['jerre] *vb ver* **errar**

yeso ['jeso] *nm* (*Geo*) gypse *m*; (*Arq*) plâtre *m*

yo ['jo] *pron pers* je; **soy yo** c'est moi; **yo que tú/usted** moi, à ta/votre place

yodo ['joðo] *nm* iode *m*

yoga ['joɣa] *nm* yoga *m*

yogur(t) [jo'ɣur(t)] *nm* yaourt *m*, yogourt *m*; **yogur(t) descremado** *o* **desnatado** yaourt écrémé

yudo ['juðo] *nm* judo *m*

yugo ['juɣo] *nm* joug *m*

Yugoslavia [juɣos'laβja] *nf* (*Hist*) Yougoslavie *f*

yugular [juɣu'lar] *adj, nf* jugulaire *f*

yunque ['junke] *nm* enclume *f*

yunta ['junta] *nf* attelage *m*; **yuntas** *nfpl* (*Ven: de camisa*) boutons *mpl* de manchette

yuxtaponer [jukstapo'ner] *vt* juxtaposer

yuxtaposición [jukstaposi'θjon] *nf* juxtaposition *f*

Z

zafarse [θa'farse] *vpr*: **~ de** se libérer de

zafio, -a ['θafjo, a] *adj* rustre

zafiro [θa'firo] *nm* saphir *m*

zaga ['θaɣa] *nf*: **a la ~** à la traîne; **ella no le va a la ~** (*fig*) elle n'a rien à lui envier

zaguán [θa'ɣwan] *nm* vestibule *m*

zaherir [θae'rir] *vt* mortifier

zalamería [θalame'ria] *nf* cajolerie *f*

zalamero, -a [θala'mero, a] *adj* cajoleur(-euse)

zamarra [θa'marra] *nf* veste *f* en cuir

zambullirse [θambu'ʎirse] *vpr* plonger; (*fig: en trabajo*) se plonger

zampar [θam'par] (*fam*) *vt* engouffrer; **zamparse** *vpr*: **~se algo** engouffrer qch

zanahoria [θana'orja] *nf* carotte *f*

zancada [θan'kaða] *nf* enjambée *f*; **dar ~s** faire de grandes enjambées

zancadilla [θanka'ðiʎa] *nf* croc-en-jambe *m*; **echar** *o* **poner la ~ a algn** barrer la route à qn; (*fig*) mettre des bâtons dans les roues à qn

zanco ['θanko] *nm* échasse *f*

zancudo, -a [θan'kuðo, a] *adj*: **ave ~** échassier *m* ■ *nm* (*AM*) moustique *m*

zángano, -a ['θangano, a] *nm/f* feignant(e) ■ *nm* (*Zool*) faux bourdon *m*

zanja ['θanxa] *nf* fossé *m*

zanjar [θan'xar] *vt* trancher

zapata [θa'pata] nf patin m
zapatear [θapate'ar] vi taper des pieds;
(bailar) danser le zapatéado
zapatería [θapate'ria] nf (tienda)
magasin m de chaussures; (oficio)
cordonnerie f
zapatero, -a [θapa'tero, a] nm/f
cordonnier(-ière); (vendedor)
marchand(e) de chaussures
zapatilla [θapa'tiʎa] nf (para casa, ballet)
chausson m; (para la calle) chaussure f
légère; (Tec) joint m; **~ de deporte**
chaussure f de sport
zapato [θa'pato] nm chaussure f;
~ de tacón chaussure à talon
zapping ['θapin] nm zapping m;
hacer ~ zapper
zarandear [θarande'ar] vt secouer
zarpa ['θarpa] nf griffe f; **echar la ~ a**
(fam) se jeter sur
zarpar [θar'par] vi lever l'ancre
zarza ['θarθa] nf ronce f
zarzal [θar'θal] nm fourré
zarzamora [θarθa'mora] nf (fruto) mûre
f; (planta) mûrier m
zarzuela [θar'θwela] nf zarzuela f
zigzag [θiɣ'θaɣ] nm zigzag m; **en ~** en
zigzag
zigzaguear [θiɣθaɣe'ar] vi zigzaguer
zinc [θink] nm zinc m
zócalo ['θokalo] nm soubassement m
zodíaco [θo'ðiako] nm zodiaque m;
signo del ~ signe m du zodiaque
zona ['θona] nf zone f; **~ de desarrollo**
o **de fomento** zone de développement;
~ del dólar (Com) zone dollar;
~ fronteriza/peatonal zone frontalière/
piétonne; **~ verde** espace m vert
zoo ['θoo] nm zoo m
zoología [θoolo'xia] nf zoologie f
zoológico, -a [θoo'loxiko, a] adj
zoologique ■ nm (tb: **parque**
zoológico) zoo m
zoólogo, -a [θo'oloɣo, a] nm/f zoologue m
zoom [θum] nm zoom m
zopilote [θopi'lote] (AM) nm vautour m
zoquete [θo'kete] (fam) adj, nm/f
abruti(e)
zorro, -a ['θorro, a] adj rusé(e) ■ nm/f
renard(e) ■ nm (hombre astuto) renard m
zozobra [θo'θoβra] nf angoisse f
zozobrar [θoθo'βrar] vi (barco) couler;
(fig: plan) échouer
zueco ['θwekò] nm sabot m
zumbar [θum'bar] vt (fam: pegar)
flanquer une gifle à ■ vi (abeja)
bourdonner; (motor) vrombir;
zumbarse vpr: **~se de** se moquer de;

salir **zumbando** (fam) sortir comme une
flèche; **me zumban los oídos** j'ai les
oreilles qui bourdonnent
zumbido [θum'biðo] nm (de abejas)
bourdonnement m; (de motor)
vrombissement m; **~ de oídos**
bourdonnement d'oreilles
zumo ['θumo] nm jus msg; **~ de naranja**
jus d'orange
zurcir [θur'θir] vt (Costura)
raccommoder; **¡que les zurzan!** (fam)
qu'ils aillent au diable!
zurdo, -a ['θurðo, a] adj (persona)
gaucher(-ère); (mano) gauche
zurrar [θu'rrar] vt (fam: pegar) tabasser;
(piel) tanner

N° d'éditeur 10145055
Janvier 2008
Imprimé en France
par Maury-Imprimeur - 45330 Malesherbes